GONZALEZ LODGE

LEXICON PLAVTINVM

LEXICON PLAVTINVM

CONSCRIPSIT

GONZALEZ LODGE

IN VNIVERSITATIS COLVMBIAE COLLEGIO MAGISTRORVM PROFESSOR

VOLVMEN PRIMVM

A — L

VOCABVLA PVNICA

1971

GEORG OLMS VERLAG

HILDESHEIM · NEW YORK

Mit Genehmigung des Verlages B. G. Teubner, Stuttgart, veranstalteter
zweiter reprografischer Nachdruck der 1. Auflage Leipzig 1924.

VIRO
CLARISSIMO ET ERVDITISSIMO

BASILIO LANNEAV GILDERSLEEVE

OLIM MAGISTRO DEINDE AMICO
SEMPER EXEMPLARI
HOC OPVS
GRATO ANIMO
D. D. D.
AVCTOR

PRAEFATIO.

Plus triginta anni celeriter praeterierunt postquam, adulescentia imperitiaque deceptus, consilium cepi lexici Plautini conficiendi. Nunc tandem, toto opere confecto dimidioque impresso, et rationem et excusationem diuturnae meae operae exponere licet.

Eo tempore quo meum laborem incepi, emendatio Plautina vix ex ephebis, ut ita dicam, excesserat. Ritschelius, iam quindecim annos mortuus, cum studiis multis in inscriptionibus et manuscriptis antiquis, tum praecipue divinatione mirabili fere fundamentum emendationis Plautinae substruxerat sed rem ipsam ad perfectionem non perduxerat. Editionem ipsius potius quam Plauti incompletam reliquerat, quam discipuli tres, Georgius Goetz, Fridericus Schoell, Gustavus Loewe, magna cura et diligentia complere laborabant. Quindecim fabulae iam in lucem prodierant, et ad opus completum viri docti prospectabant.

Haec editio, ut indicavi, non Plauti erat sed Ritscheli et discipulorum super Plautum erecta; nam, cum Ritschelius textum paene rescripsisset, successores Ritschelium in emendando superritscheliaverunt.

Fleckeiseni etiam textu iam antiquato (nam is quoque Ritschelium ducem in emendando secutus erat), Leo specimen editionis quinque fabulas continens anno 1885 ediderat: sed, ut serius apparuit, hoc specimine non valde delectatus, se in secessum dederat, atque toti editioni melioribus et completioribus studiis nitenti operam dabat, quae editio annis 1895-6 in lucem denique prodiit, quinque annis postquam mea studia inceperam.

Interea primum fasciculum editionis Teubnerianae minoris Goetzius et Schoellius anno 1893 ediderant. In hac editione se non iam discipulos caecos Ritscheli, ut in editione maiore, praebebant, sed, textum ad manuscripta revocantes, viam tutam et rectam se sequi demonstrabant, qua in re inviti quidem ac nolentes Ussingii vestigia longum post intervallum temporis sequebantur. Nam Ussingii editio, anno 1875 incohata, anno 1886 completa, multis quidem vitiis laboraverat, sed in una re praecipue salva et sana fuerat, quod editor textum a manuscriptis praebitum accipere atque interpretari conari maluerat potius quam ad normam fictam perfectionis recensere. Editione maiore Ritscheliana anno 1894 completa, minorem anno 1896 Goetzius et Schoellius ad finem perduxerant, quo anno etiam editio Leoniana completa apparuit.

His subsidiis fretus opus meum comparavi, iam inde ab initio haud ignorans quantum negoti et curae mihi proposuissem. Ut ex compendiorum tabula quae sequitur apparebit, lectiones varias omnes quae in editione maiore Ritscheliana locum habent in lexicon meum inclusi, atque emendationes quae in editionibus supra memoratis acceptae sunt. Multi fortasse hoc improbabunt, sed inter emendationes quas viri clarissimi et doctissimi dignas existimaverant quae in textum acciperentur, invidiosum erat eligere; tum etiam mihi quidem melius videbatur, si errandum esset, in meliorem partem errare.

Dum operam meam persequor, editio critica Lindsaii, viri doctissimi, qui optime de Plauto iam diu merebatur, prodiit. Tres iam fasciculi huius lexici editi erant, qua re lectiones Lindsaianae ab initio quarti modo fasciculi inclusi sunt. Sed opportunitate data fasciculorum primi et secundi iterum imprimendorum, lectiones Lindsaianae additae sunt, ita ut absint pagina 193 usque ad paginam 288 tantum. Quae lectiones tamen magni momenti sunt in indice addendorum addidi.

In longo meo labore auxilium a paucis, quos in corde quasi thesaurum pretiosum semper retinebo, a plerisque ne laudem quidem accepi; sed cum laboraverim non in hoc tempus sed in posterum, perparvi id aestimavi. Qui me adiuverunt hi sunt: Ernestus G. Sihler, et Gulielmus E. Waters, professores in Universitate Noveboracensi, e quibus prior de significatione dico verbi scripsit, alter de praepositionum cum et de significatione. Ricardus J. H. Gottheil, collega meus in Universitate Columbiae, vir linguarum semiticarum peritissimus, de verbis Punicis in appendice disseruit; Carolus Knapp, etiam collega meus, non modo de significatione et atque etiam particularum scripsit, sed praecipue me adiuvit in plagulis recensendis, labore magno atque molesto. Ei igitur maximam gratiam me debere libentissime confiteor et ago.

Gonzalez Lodge.

Novi Eboraci
in Universitate Columbiae Collegio Magistrorum
anno MCMXXIV.

INDEX COMPENDIORUM.

CODICES.

A = codex Ambrosianus G 82 palimpsestus saeculi IV ut videtur

$$P = \begin{cases} \end{cases}$$

B = codex vetus Camerarii Palatinus Vaticanus 1615, saec. X, fabulas viginti continens.

C = codex decurtatus Camerarii Palatinus Heidelbergensis saec. XI, fabulas XII inde a BACCHIDIBUS continens.

D = codex Vaticanus Ursinianus 3870, saec. XI, easdem fabulas quas C continens, praemissis AM, AS, AU, CAP v. 1—503.

E = codex Ambrosianus I. 257 saec. XII, fabulas VIII priores continens.

J = codex Britannicus (musei Brit. $\frac{15\,C}{11}$) saec. XII, fabulas VIII priores continens.

O = codicis Ottoboniani lat. 687 misc. saec. XI duo folia, CAPTIVORUM fabulae v. 400—555 continentia.

V = codex Leidensis Vossianus Q 30 saec. XII, AU inde a v. 190, CAP, CU, CAS, EP v. 1—244 continens.

T = codex Turnebi, de quo cf Lindsay, The Codex Turnebi of Plautus, Oxford 1898.

F = codex Lipsiensis saec. XV recensionem Italam exhibens.

Z = editio princeps a Georgio Merula anno 1472 Venetiis emissa.

EDITIONES.

$\omega =$

R = T. Macci Plauti Comoediae ex rec. Fr. Ritschelii (Bonnae): continens TRI (ed. 2, a. 1871), MI (1849), BA (1849), ST (1850), PS (1850), MEN (1851), MO (1852), PER (1853), MER (1854).

Editio Ritscheliana iterum curata atque completa est a Gustavo Loewe, Georgio Goetz, Friderico Schoell (Lipsiae), qui hoc modo citantur:

Rgl = fabulae a Goetzio et Loewio editae: AS (1881), AM (1882), POE (1884).

Rg = fabulae a Goetzio editae: EP (1878 ed. 2, a. 1902), CU (1879), AU (1881), MER (1883), ST (1883), BA (1886), PS (1887), MI (1890), VI et FR (1894).

Rs = fabulae a Schoellio editae: TRI (1884), TRU (1881), CAP (1887), RU (1887), MEN (1889), CAS (1890), PER (1892), MO (1893), CI (1894).

$\mathcal{G}$ = T. Macci Plauti Comoediae ex rec. G. Goetz et F. Schoell. Lipsiae 1893—6.

L = Plauti Comoediae rec. et em. Fridericus Leo. Berolini 1895—6.

U = T. Macci Plauti Comoediae rec. et en. I. L. Ussing. Hauniae 1875—86 (MI et MER, ed. altera 1892).

Ly = T. Macci Plauti Comoediae: rec. brevique adnotatione critica instruxit W. M. Lindsay. Oxonii 1903.

ψ = reliqui editores, si ex catalogo superiore vel unus vel plures iam citati sunt.

Quae criticorum lectiones in has editiones receptae sunt, eae omnes in lexico continentur. Critici ipsi, si per notas indicantur, hoc modo citantur:

Ac(idalius), Ald(us), Ang(elius), Bent(leius), Bo(thius), Bri(xius), Brug(mannus), Bue(chelerus), Bug(gius), Ca(merarius), Dou(sa), Fl(eckeisenius), Gep(pertus), Goel(lerus), Grut(erus), Gul(ielmius), Guy(etus), Herm(annus), Kamp(mannus), Kies(slingius), Lach(mannus), Lamb(inus), Lind(emannus), Lip(sius), Loew(ius), (C. F. W.) Mue(llerus), Palm(erius), Par(eus), Py(lades), Rib(beckius), Sal(masius), Sarac(enus), Scal(igerus), Schoe(llius), Sci(oppius), Scut(arius), Sey(fertus), Sp(engelius), Stud(emundus), Taub(mannus), Turn(ebus), Vahl(enus), Weis(ius).

Reliqui sine compendio citantur.

Per asteriscum(*) verba emendata indicantur, de quibus sub **Forma** conferendum est.

Textum et versuum numerationem editionis Teubnerianae minoris in citando secutus sum, nisi ubi emendationes indicantur.

OPERA CITATA.

Abraham, *Studia Plautina, ex* Jahrbücher, Suppl. XIV, pp. 181—244.
Allardice and Junks, *An Index of the Adverbs of Plautus,* Oxford 1914.
Allen, *On os columnatum and ancient Instruments of Confinement, ex* Harvard Studies in Classical Philology VII, pp. 37—64.
Appuhn, *Quaestiones Plautinae.* Diss. Marburg 1893.
Arlt, servare *bei Terenz (und Plautus).* Pr. Wohlau 1887.
Ashmore, *On faxo with the Future Indicative in Plautus, ex* Proc. Amer. Phil. Ass. vol. 28, p. VII.
Asmus, *De appositionis apud Pl. et Ter. collocatione.* Diss. Halis Saxonum 1891.
Baar, *De Bacchidibus Plautina Quaestiones.* Diss. Monasterii Guestf. 1891.
Ballas, *Grammatica Plautini.* I. *De particulis copulativis.* II. *De correlatione, de polysyndetis, de asyndetis.* Ed. alt. Berolini 1884.
Becker, *De syntaxi interrogationum obliquarum apud priscos scriptores Latinos, ex* Studemunds Studien, I. pp. 113—314.
Bell, *De locativi in prisca Latinitate vi et usu.* Diss. Vratislaviae 1889.
Blase, amabo, *ex* Archiv für Lat. Lex., IX, pp. 485—491.
Blomquist, *De genetivi apud Plautum usu.* Diss. Helsingforsiae 1892.
Boeckel, *Exercitationum Plautinarum specimen.* Diss. Carlsruhe 1872.
Brachmann, *De Bacchidum Plautinae retractatione scaenica, ex* Leipziger Studien III. pp. 59—187.
Brandt, *Gerrae, gerro, congerro ex* Jahrbücher. CXVII., pp. 365—89.
Braune, *Observationes gram. et crit. ad usum* ita, sic, tam (tamen), adeo *particularum Plautinum et Terentianum spectantes.* Diss. Berolini 1881.
Brugmann, *Über den Gebrauch des conditionalen* ni. Leipzig 1887.
Bugge, *Beiträge zur Textgeschichte der Plautinischen Komödien, ex* Philologus XXX, XXXI.
Clement, *The Use of* enim *in Plautus and Terence, ex* Am. Journ. Phil. XVIII. pp. 402—15.
Cocchia, *Le allusioni storiche.. di Plauto, ex* Atti della R. Accademia, XVIII.
Dorch, *Assimilation in den Compositis bei Plautus und Terentius,* Prag 1887.
Dousa, *Centurionatus sive Plautinarum explanationum libri IV.* Lug. Bat. 1587.
Egli, *Die Hyperbel in den Komödien des Plautus.* I., II., III. Pr. Zug 1891—4.
Elste, *De* dum *particulae usu Plautino.* Diss. Halis Saxonum 1882.
Enger, *Zur Prosodik des Plautus.* Pr. Ostrowo 1852.
Fay, *The Stratulax-scenes in Plautus' Truculentus, ex* University of Texas Bulletin 1918.
Ferger, *De vocativi usu Plautino Terentianoque.* Diss. Argentorati 1889.
Feyerabend, *De verbis Plautinis personarum motum in scaena exprimentibus.* Diss. Marpurgi Cattorum 1910.
Fleckeisen, *Zur Kritik des Plautus und Terentius, ex* Jahrbücher CXLIII., pp. 657—684.
— *Exercitationes Plautinae.* Gottingae 1842.
— *Kritische Miscellen.* Pr. Dresden 1864.
Flickinger, *The Accusative of Exclamation in Plautus and Terence, ex* Amer. Journ. Phil. XXIX., pp. 303—315.
Fräsdorff, *De comparativi gradus usu Plautino.* Diss. Halis Saxonum 1881.
Francken, *Plautina, ex* Mnemosyne IV.
Friede, *De derivatione, significatione, .. praepositionum apud Plautum et Terentium.* Pr. Königsberg 1847.
Fuhrmann, *De particularum comparativarum usu Plautino* I. Diss. Gryphiswaldiae 1869.
— *Die Vergleichungssätze bei Plautus, ex* Jahrbücher XCVII., pp. 841—854.
— *Der Indicativ in den sogenannten indirekten Fragesätzen bei Plautus, ex* Jahrbücher CV., pp. 809—831.
Funck, animum inducere *im archaischen Latein, ex* Jahrbücher CXXVII., pp. 487—492.
Gehlhardt, *De adverbiis ad notionem augendam a Plauto usurpatis.* Diss. Halis Saxonum 1892.
Geppert, *Plautinische Studien.* I. II. Berlin 1870—1.
Giardelli, *Note di Critica Plautina.* Savona 1901.
Gimm, *De adiectivis Plautinis.* Pr. Altkirch 1892.
Görbig, *Nominum quibus loca significantur usus Plautinus.* Diss. Halis Saxonum 1883.
Götz, *Analecta Plautina.* Lipsiae 1877.
Goldmann, I. *Die poetische Personifikation in der Sprache der alten Komödiendichter.* I. *Plautus.* Pr. Halle 1885.
— II. *Über die poetische Personifikation bei Plautus.* Pr. Halle 1887.
Graupner, *De metaphoris Plautinis et Terentianis.* Diss. Vratislaviae 1874.
Gronovii *Lectiones Plautinae.* Amstelaedami 1740.
Guzdek, *De vocabuli* animus *apud Plautum usu.* Diss. Beresaulis 1891.

Habich, *Observationes de negationum aliquot usu Plautino*. Diss. Halis Saxonum 1893.
Hasper, *Ad Epidicum Plautinum coniectanea*. Pr. Dresden 1882.
Herkenrath, *De Gerundii et Gerundivi apud Plautum usu*. Prag 1894.
Hinze, *De an particulae apud priscos scriptores Latinos vi et usu*. Diss. Halle 1887.
Heckmann, *Priscae Latinitatis scriptores qua ratione loca significaverint non usi praepositio-nibus*. Diss. Monasterii Guestf. 1894.
Hoffman, *Schimpfwörter der Griechen und Römer*. Pr. Berlin 1892.
Hofmann, *De verbis quae in prisca Latinitate extant deponentibus*. Diss. Griphiswaldiae 1910.
Hirth, *De interiectionum usu Plautino Terentianoque*. Diss. Rostochii 1869.
Hubrich, *De diis Plautinis Terentianisque*. Diss. Regimonti 1883.
Hueffner, *De Plauti comoediarum exemplis Atticis quaestiones*. Diss. Gottingae 1894.
Inowraclawer, *De metaphorae apud Plautum usu*. Diss. Rostochii 1876.
Jordan, *Kritische Beiträge zur Geschichte der lateinischen Sprache*. Berlin 1879.
Kämpf, *De pronominum personalium usu, collocatione apud poetas scaenicos Romanos*. Diss. Berolini 1886.
Kampmann, *De ab, de et ex, in praepositionum usu Plautino*. Pr. 1842, 1845, 1850.
— *Adnotationes in Plauti Rudentem*. Olsnae 1830.
— *Res militares Plauti*. Breslau 1839.
Kane, *Case Forms with and without Praepositions in Plautus and Terence*. Diss. Baltimore. 1895.
Keller, *Lateinische Etymologien*. Leipzig 1893.
Kellerhoff, *De collocatione verborum Plautina quaestiones selectae, ex* Studemunds Studien II., pp. 43—84.
Keseberg, *Quaestiones Plautinae et Terentianae ad religionem spectantes*. Diss. Lipsiae 1884.
Kienitz, *De qui localis, modalis apud priscos scriptores Latinos usu, ex* Jahrbücher, Supp. X., pp. 525—574.
Kirk, *Etiam in Plautus et Terence, ex* Amer. Journ. Phil. XVIII., pp. 26—42.
Koehm, *Quaestiones Plautinae Terentianaeque*. Gissae 1897.
— *Altlateinische Forschungen*. Leipzig 1905.
Koenig, *Quaestiones Plautinae*. Pr. Patschkau 1883.
Kohlmann, *De vel imperativo quatenus ab* aut *particula differat*. Diss. Marpurgi 1898.
Kowaleck, *De medio Latino quale apud Plautum inveniatur*. Pr. Deutsch-Krone 1874.
Kranz, *De particularum pro et prae in prisca Latinitate vi atque usu*. Diss. Vratislaviae 1907.
Krause, *De gerundii et gerundivi apud antiquos Romanos scriptores usu*. Diss. Halis Saxo-num 1875.
Kuklinski, *Critica Plautina*. Diss. Berolini 1884.
Lane, *ellum, ex* Harvard Studies in Classical Philology, I., pp. 192—3.
Langen, *Beiträge zur Kritik und Erklärung des Plautus*. Leipzig 1880.
— *Analecta Plautina* I., II. Pr. Monasterii Guestf. 1882—3.
— *Plautinische Studien*. Berlin 1886.
Langrehr, *De Plauti Poenulo*. Pr. Friedland 1883.
Leers, *De nominum quibus tempora significantur usu Plautino*. Diss. Halis Saxonum 1885.
Leo, *Lectiones Plautinae, ex* Hermes XVIII., pp. 588—597.
— *Analecta Plautina* I., II. Pr. Göttingen 1896—8.
— *Plautinische Forschungen*. Berlin 1895 (ed. alt. 1912).
Leppermann, *De correptione vocabulorum iambicorum quae apud Plautum .. invenitur*. Diss. Monasterii Guestf. 1890.
Lindskog, *De enuntiatis apud Plautum et Terentium condicionalibus*. Lundae 1895.
Loch, *Zum Gebrauch des Imperativs bei Plautus*. Pr. Memel 1871.
Luchs, *Quaestiones metricae Plautinae*. Diss. Gryphiswaldiae 1872.
Luebker, *De usu infinitivi Plautino*. Pr. Slesvici 1841.
Mahler, *De pronominum personalium apud Plautum collocatione*. Diss. Cussalini 1876.
Malden, *A Roman Stage Convention, ex* Class. Review XVII., pp. 160—1.
Meifart, *De futuri exacti usu Plautino*. Diss. Ienae 1885.
Morris, *On the Sentence Question in Plautus and Terence, ex* Amer. Journ. Phil. X., pp. 397—436; XI., pp. 16—54; pp. 145—181.
— *The Subjunctive in Independent Sentences, ex* Amer. Journ. Phil. XVIII., pp. 133—167; pp. 275—301; pp. 383—401.
Nencini, *Emendazione Plautini, ex* Studi Italiani di Phil. Clas. III., pp. 71—132.
Nicolson, *The Use of* hercle, mehercle, edepol, pol, ecastor, mecastor *by Plautus and Terence, ex* Harvard Studies I., pp. 99—103.
Niemeyer, *De Plauti fabularum recensione duplici*. Diss. Berolini 1877.
Niemoeller, *De pronominibus* ipse *et* idem *apud Plautum et Terentium*. Diss. Halis Saxonum 1887.
Nutting, *Concessive si -clauses in Plautus; Subjunctive Protasis with Indicative Apodosis in Plautus, ex* University of California Publications in Classical Philology I., pp. 35—94.
Olsen, *Quaestionum Plautinarum de verbo substantivo specimen*. Diss. Gryphiswaldiae 1884.

Peine, *De dativi usu apud priscos scriptores Latinos*. Diss. Argentorati 1878.

Persson, *Adnotationum Plautinarum specimen* I., Upsaliae 1894.

Pradel, *De praepositionum in prisca Latinitate vi et usu, ex* Jahrbücher Suppl. XXVI., pp. 465—505.

Prehn, *Quaestiones Plautinae de pronominibus indefinitis.* Diss. Argentorati 1887.

Prescott, agnus curio *in Plautus, ex* Class. Phil. II., pp. 335—6.

— magister curiae *in Plautus, ex* Trans. Amer. Phil. Ass. XXXIV., pp. 41—8.

Räbel, *De usu adnominationis apud Romanos priscos comicos.* Diss. Halis Saxonum 1882.

Ramsay, *Excursus XVII. ad Mostellariam,* pp. 177—285. London. 1868.

Reblin, *De Nonii Marcelli locis Plautinis.* Diss. Gryphiswaldiae 1886.

Redslob, *Symbolae criticae ad Plauti fabulas.* Pr. Weimar 1874.

Ribbeck, *Beiträge zur Kritik des Plautinischen Curculio, ex* Leipziger Berichte für 1879, pp. 80—103.

— *Emendationum Mercatoris specimen.* Pr. Leipzig 1882.

Reitzenstein, *Verrianische Forschungen, ex* Breslauer Phil. Abhand. I., 4.

Richardson, *De dum particulae apud priscos scriptores Latinos usu.* Diss. Lipsiae 1886.

Richter, *De usu particularum exclamativarum apud priscos scriptores Latinos, ex* Studemunds Studien I., pp. 387—642.

Ritschl, *Opuscula Philologica* (II) *ad Plautum . . spectantia.* Leipzig 1868.

— *Parerga zu Plautus und Terenz.* Leipzig 1845.

Romeijn, *Loca nonnulla ex Plauti comoediis iure civili illustrata.* Diss. Lugduni Bat. 1836.

Rost, *Commentationes Plautinae.* Lipsiae 1836.

Rothheimer, *De enuntiatis conditionalibus Plautinis.* Diss. Gottingae 1876.

Ryhiner, *De diminutivis Plautinis Terentianisque.* Diss. Basileae 1894.

Schenkl, *Plautinische Studien.* Wien 1881.

Scherer, *De particula* quando *apud vetustissimos scriptores Latinos vi et usu, ex* Studemunds Studien II., pp. 85—143.

Schmidt, *De* quin *particulae usu Plautino.* Diss. Marpurgi 1877.

— *Untersuchungen über den Miles Gloriosus des Plautus, ex* Jahrbücher Suppl. IX., pp. 321—401.

— *Griechische Personennamen bei Plautus, ex* Hermes XXXVII., pp. 173—211, 353—90, 608—26.

Schaaff, *De genetivi usu Plautino.* Diss. Halis Saxonum 1881.

Schneider, *De proverbiis Plautinis Terentianisque.* Diss. Berolini 1878.

Schnoor, *Zum Gebrauch von* ut *bei Plautus.* Pr. Neumünster 1885.

Schrader, *De particularum* ne, anne, nonne *apud Plautum prosodia.* Diss. Argentorati 1885.

Schroeder, *De fragmentis Amphitruonis Plautinae.* Diss. Argentorati 1879.

Schubert, *Zum Gebrauch der Temporalconjunctionen bei Plautus.* Pr. Leipzig 1880.

Schunck, *Quantum intersit inter dativi possessivi usum Ciceronis et Plauti.* Pr. Zweibrücken 1900.

Seyffert, *Studia Plautina.* Pr. Berlin 1874.

Sidney, *The Participle in Plautus, Petronius and Apuleius.* Diss. Chicago 1909.

Siewert, *Plautus in Amphitruone fabula quo modo exemplar Graecum transtulerit.* Diss. Berolini 1894.

Schuster, *Quomodo Plautus Attica exemplaria transtulerit.* Diss. Gryphiswaldiae 1884.

Sjögren, *De particulis copulativis apud Plautum et Terentium.* Upsaliae 1900.

Skutsch, *Plautinisches und Romanisches.* Leipzig 1892.

Soltau, *Curculionis Plauti actus III. interpretatio.* Pr. Zabern 1882.

Specht, *De* immo *particulae apud priscos scriptores usu.* Diss. Ienae 1904.

Spengel, *Die Partikel* nonne *im Altlateinischen.* Pr. München 1867.

Straub, *Ad Trinummum et Bacchides glossarii pars* I. Pr. Ellwangen 1873.

Studemund, *Plautinische Wortformen, ex* Hermes I., pp. 281—311.

Sydow, *Zum Gebrauch von* adeo *bei Plautus.* Pr. Stettin 1896

Tartara, *De Plauti Bacchidibus commentatio.* Pisis 1885.

Thurau, *De pronominum demonstrativorum apud Plautum usu.* Pr. Roessel 1876.

Ulrich, *De verborum compositorum quae exstant apud Plautum structura.* Pr. Halis Saxonum 1884.

— *Über die Composita bei Plautus.* Pr. Halle 1884.

Vissering, *Quaestionum Plautinarum particula* I., II. Amstelaedami 1842.

Votsch, *Quaestiones de infinitivi usu Plautino.* Diss. Halis Saxonum 1874.

Walder, *Der Infinitiv bei Plautus.* Berlin 1874.

Walther, *De indefinitae particulae* quam *in priscae Latinitatis monumentis usu.* Diss. Ienae 1909.

Weise, *De Bacchidum Plautinae retractatione quae fertur.* Diss. Berolini 1883.

Weissenhorn, *Parataxis Plautina.* Pr. Burghausen 1883.

Wichmann, *De* qui *ablativo antiquo.* Diss. Vratislaviae 1875.

Wilkins, arcesso *and* accerso, *ex* Journ. Phil. VI., pp. 278—85.

Wortmann, *De comparationibus Plautinis et Terentianis ad animalia spectantibus.* Diss. Marpurgi 1883.

Wueseke, *De Plauti et Terentii usu adiectiva et participia substantive ponendi.* Diss. Marpurgi 1884.

Wróbel, *De vocabulis* nimis *et* nimium *apud Plautum et Terentium.* Pr. Kraków 1887

Zimmermann, *De verbi* posse *formis dissolutis.* Pr. Lörrach 1889.

ADDENDA.

a. *ex editione Lindsaiana addenda.*

p. 193 col. 1 l. 32	*post* aoes *E*	*adde* om *ReizLy*
	36	*pro* tuis *L*	*lege* tuis *LLy*
p. 195 „ 2 s. v. aurifex			*adde* auru. *Ly*
p. 196 „ 2 l. 26	„ *SeyRsL*	*lege SeyRsLLy*
p. 199 „ 1 s. v. auscultat	„ 597(*L*	„ 597(*LLy*
	2 l. 15	*post* Poe 495	*adde* **auscultat*** Tru 597(*LLy*)
p. 200 „ 2 l. 1	„ *ReisigRgl*	„ ; 871, *add CaRglLy*
	2	*pro* L *bis*	*lege LLy* bis
	22	„ *AL*	„ *ALLy*
	23	„ *APL*	„ *APLLy*
	38	„ *CDU*	„ *CDULy*
p. 201 „ 2 l. 39	„ *CaRgl*	„ *CaRglLy*
p. 206 „ 2 s. v. **BAIULO**		*adde* baiio *LLy*
	l. 1 *ab imo*		„ **BALITO --** Ba 1123, balitantes *PLLy* *pro* pal.(*Ca*ψ)
p. 209 „ 1 l. 2	„ *AS*	*lege ASLy*
p. 210 „ 2 l. 2	„ dice *L*	„ dice *LLy*S²
p. 211 col. 2 l. 38	*pro APL*	*lege APLLyRg²* -ti *Rg*¹ψ
	40	„ -tes *U*	„ -tes *ULy*
	53	„ *APL*	„ *APLLyRg²*
p. 212 col. 1 l. 18	„ beni. *J*	„ beni. *JLy*
p. 214 „ 2 l. 18	*post* Mo 375	*adde* in uidulum te bis(*LLy* piscem *P*ψ) conuortes Ru 999
	34	„ *PS*†	„ bitant *Ly*
p. 215 „ 2 l. 11 *ab imo*	*pro BergkLU*	*lege BergkLULy*
p. 216 „ 1 l. 2	„ *L*	„ *LLy*
	12	*post* PNon 392	*adde* et *Ly*
	18	„ Mo	„ 241(*Ly* bo *B*S† uiuo *BD* ioui *C var em* ψ)
	18 *ab imo*	*pro* modo *P*	*lege* modo *PLy*
	2 l. 27	*post* 328	*adde* 468(*P*S†*Ly var em* ψ)
	37	*pro* (*U*	*lege* (*ULy*
p. 217 „ 1 l. 22 *ab imo*	*post* 207	*adde* , 232(referre bene merenti *CaRLULy* referenti *CD* refferenti *B*¹ *ut vid* referre rem ferenti *GrutRs*)
	14 „	*post L*)	„ , 166(tam bene *TLy* om *P* rectius *Bent*ψ)
„ 2 l. 18	*pro* (*L*	*lege* (*LLy*
p. 218 „ 2 l. 35	*post* XXII)	*adde* Mo 241(bono argento *Ly*)
p. 220 „ 2 s.v. melius est		„ commodule meliust Ru 468(*Ly* †S*L var em* ψ)
p. 223 „ 1 l. 2	*post* Ba 797	*adde* neque gubernator umquam potuit (auortere) tam bene* Ru 166(*Ly*)
	2 l. 17 *ab imo*	„ Men 693	„ me uidebunt gratiam referre bene* merenti Mo 232
p. 226 „ 2 l. 21 „	„ 886	*lege* (*Ly* brach. *P*ψ)
p. 227 „ 2 l. 7 „	„ 178	*adde* (*P* -et *TLy*)
	3 „	„ 656	„ **cadet** Ru 178(*TLy* -it *P*ψ)
p. 233 „ 2 l. 27 „	„ 298	„ et *Ly*
p. 234 „ 1 l. 16 „	*pro* add *BoL*	*lege* add *BoLLy*
	12 „	„ *Rg*	„ *RgLy*
p. 237 „ 1 l. 14	„ Cap 458	„ Cap 458(ad c. *FlLy*)
p. 240 „ 1 l. 14	*post* Forma	*adde* (carnu. *semper Ly*)
	2 l. 1	*pro BoRsU*	*lege BoRsULy*
p. 241 „ 2		*adde* **CATAPIRATERIA - -** ne pessum ab-eat tamquam catapirateria(*LambLy* in lac) Au 598
p. 243 „ 2 l. 3 *ab imo*	*post* ne	„ (om *Ly* 'metri causa')
p. 244 „ 2 s. v. **CAUSA**	„ Forma	„ (caussa *semper Ly*)
p. 246 „ 2 l. 31	„ *BriU*	„ Cercopio *omisso* insula *Ly*
	19 *ab imo*	„ 387	„ 392(*ALy* om *P*ψ)

p. 247 col. 2 l. 2 — *adde* ex illis paucis unum qui certust cedo Ps 392(*ALy*)

2 l. 11 — *pro L* — *lege LLy*

41 — „ (*Bo* — „ (*Š duce Bó cedis BoLy*)

p. 249 „ 1 — *adde* **CELO** - - Thraecae sunt: in celonem (*Ly* sunt***onem *A*) sustolli solent Poe 1168(*var em ψ: cf* **CALO** *et Lindsay,* Clas. Quart. XII. p. 140)

2 l. 31 — *pro GulL* — *lege GulLLy*

p. 251 „ 1 l. 3 — *post* 773 — *adde* **cenetur** Tru 127(*Ly* centur *P* cena detur *Aψ*)

23 — „ 53 — „ peregre quoniam aduenis, cenetur* Tru 127

p. 253 „ 2 l. 2 ab imo — „ *Rs* — „ -tess. *Ly*

p. 254 „ 2 l. 1 ab imo — *pro L* — *lege LLyRg²*

p. 258 „ 1 l. 20 — „ *L* — „ *LLy*

24 — *post* 720 — *adde* (*vide infra* e)

36 — „ 369 — „ decet. #Certe* Mo 720(*Ly*)

p. 260 „ 1 l. 10 — *pro AL* — *lege ALLy*

p. 261 „ 1 l. 3 ab imo — „ *L* — „ *LLy*

p. 262 „ 1 l. 20 — *post* meridiem — „ (*A* -die *PLLy*)

2 l. 24 — *pro L* — „ *LLy*

p. 264 „ 1 l. 12 — „ *BL†* — „ *BL†Ly*

15 — „ *PLU* — „ *PLULy*

p. 266 „ 1 l. 6 — „ *PL* — „ *PLLy*

p. 266 „ 2 l. 21 ab imo — „ *PŠ†* — „ *BŠ†Ly†*

p. 269 „ 1 l. 16 — *adde* **Cleustrata** Cas 1004(*add Ly*)

18 — „ Cleustrata *semper Ly*

p. 270 „ 1 l. 26 — *post GuyRg* — „ eo acc. *Ly*

37 — *pro L* — *lege LLy*

3 ab imo — *post J* — *adde* om *GoetzLy*

p. 273 „ 1 l. 10 „ — *pro L* — *lege LLy*

2 l. 2 — „ *PlacRU* — „ *PlacRg ULy*

7 ab imo — „ *RgU* — „ *RgULy*

p. 274 ., 1 l. 7 — *post* collegit — *adde* (conl. *Ly*)

21 — *pro* (coll.) — *lege* (*Ly* coll. *ψ*)

26 — „ *RgU* — „ *RgULy*

p. 275 „ 1 — *adde* **COLLUSIM** - - ego mihi conlusim (*ExonLy* mihi cum lusi *PŠ†Lt* nisi quom lusi *BoRsU*) nihil moror ullum lucrum Ru 1248(*Ly*)

p. 276 „ 1 l. 30 — „ *PRglLU* — *lege PRglLULy*

15 ab imo — *post L* — *adde* sub diuo columine *Ly*

2 l. 18 — *pro RRsU* — *lege RRsULy*

20 — *post RRsU* — *adde* coluteaque *Ly*

26 — *pro L* — *lege LLyRg²*

31 — „ *LU* — „ *LULy*

p. 277 „ 2 — *adde* **COMINCOMMODUS** - - Ba 401, *Ly* commodus incommodus *PŠ†* comis inc. *Bugψ*

l. 19 — *post HermR* — „ comincommodus *Ly*

21 — „ nobis comia(*Ly* communia *PŠ†* var em *ψ*) Mo 732

34 — *pro LU* — *lege LULy*

p. 279 „ 2 l. 29 — ,, *B¹C* — „ *B¹CLy*

p. 281 „ 1 l. 12 — *post Bugψ* — *adde* cominc. *Ly*

14 — *pro BVE* — *lege BVELy*

2 l. 24 — *post* tempore — *adde* commodo* loquela tua tibi nunc prodes Ci 741(*Ly*)

p. 282 „ 1 l. 5 — *post* commonerier — *adde* Mi 881(*SchoeLy* mon. *Pψ cum lac*)

10 — „ 697 — „ meliust* commonerier. #M ..

29 — „ commos. *semper Ly*

2 l. 34 — „ *Rs* — „ comia *Ly*

p. 284 „ 2 l. 22 — *pro PL* — *lege PLLy*

26 — „ *L* — „ *LLy*

7 ab imo — „ *P* — „ *PLy*

3 „ — *post RsŠ*), — *adde* Cap 965(*PLy* -di *Guyψ*),

p. 285 col. 1 l. 39			post *Rgl et post JRsU*	adde -is *Ly*
41			„ *A*	„ -is *Ly*
p. 286 „ 1 l. 13 *ab imo*			pro *U*	lege *ULy*
1 „			post *AcR*	„ *AcRLy*
p. 287 col. 1 l. 4			„ *CDL*	„ *CDLLy*
19			„ *EJL*	„ *EJLLyRg²*
2 l. 17			post *B*	adde comissume *Ly*
19			„ *VEJ*	„ *Ly*
37			„ *RglU*	„ *Ly*
p. 288 „ 2 l. 9 *ab imo*			pro *BosschaLU*	lege *BosschaLULy*
p. 294 „ 1 l. 5 „			post 788	adde , E_P 145(*Ly in lac*)
2 l. 16			„ conferre	„ tu te in pistrinum conferas E_P 145 (*Ly*)
p. 295 „ 2 l. 21 *ab imo*			pro *L*	lege *LLy*
p. 340 „ 1 l. 6 „			post uini	adde (uino *PNon* 394, 500 et *Ly*)
p. 362 „ 1 l. 19			„ *CaRLU*	„ ♯D. *Ly*
p. 380 „ 2 l. 2			„ 611,	„ 650(uis dicam tibi *Ly ex T* uis *T* om *P* paucis expedi *Lambψ*),
p. 382 „ 2 l. 14 *ab imo*			„ 376	„ uis dicam* tibi? R_U 650(*Ly*)
p. 384 „ 1 l. 37			pro *L*	lege *LLy*
p. 406 „ 1 l. 22 *ab imo*			post 719	adde (dato *FLy*)
p. 407 „ 2 l. 12			„ 553	„ 719(*FLy* dabo *Pψ*),
p. 461 „ 1 l. 21 *ab imo*			pro *A ut vid et L om P*	lege *ALLy* uoco *R* rogo *Pψ*
2 l. 29			„ *P*	„ *PULyS²*
p. 462 „ 2 l. 19 *ab imo*			ante 675	adde 647, me *PLy* te *Lomanψ*;
p. 463 „ 2 l. 20 „			„ 941	„ 903, *PLULy om Aψ*;
1 „			„ 1355	„ 1258, med *Ly* me *APψ*;
p. 465 „ 1 l. 14			post 123	„ 327(*LLy in lac*),
p. 497 „ 2 l. 13			„ *VE*)	„ , T_{RU} 508(iit ad *BueLLy* letat *BRsS* lectat *CD* ductat *U*)
p. 498 „ 2 l. 16			„ 307	„ 314(uidistis ire *SeyLy* uidisti seni *P* uidistis uenientem *T om U aliter ψ*),
p. 621 „ 2 l. 26			„ 120a	„ 265(*BLLy* sit *VEJψ*),
p 624 „ 2 l. 28 *ab imo*			„ 624	„ nihil est mirandum melius si nihil fit* tibi C_U 265(*LLy*)
p. 650 „ 1				„ **GEUMA** - - *vide* cheuma

b) alia addenda.

p. 204 col. 1 l. 4 *ab imo*	post As 45	adde ubi east? aut(*add Rg*) quis east nam opsecro? A_U 136
p. 205 „ 1 l. 22	ante 1028	„ 739, autem *R pro* is;
p. 206 „ 2 l. 8 *ab imo*	post 385	„ ecquid autem..? Ps 739(*R*)
p. 208 „ 1	ante **BABYLONIUS**	„ **BACARIA** - - *nomen fabulae apud Macr* III. 16, 1 *citatae*
p. 226 „ 2 l. 3	pro *A* uobis	lege -is *AS* uobis
p. 229 „ 2		adde **CALCEOLUS** - - *nomen fabulae apud Macr* III. 18, 9 *citatae*
p. 239 „ 1		„ **CARBONARIA** - - *nomen fabulae apud Festum* 330, *Nonium* 221, *Prisc* l. 516 *citatae*
p. 246 „ 2		„ **CECISTIO** - - *nomen dubium fabulae apud Varr de l. L.* VII 67 *citatae*(cacistio *R*)
p. 276 „ 2 l. 27	pro *RgS*	lege *Rg¹S*
p. 287 „ 1 l. 21 *ab imo*	post conpressae	adde (a se *add OpitzRg²*)
p. 317 „ 1 l. 7	„ praedicas	„ quem Apella atque Zeuxis pingent pigmentis ulmeis
p. 329 „ 2		„ **CUCUS** - - P_{ER} 173, cucus *GrutR* cuis *B* ciuis *CD* quis *A* ouis *Bergkψ*
p. 330 „ 2 l. 41	post C_I	„ 365, quom *ARsSL*;
p. 335 „ 2 l. 1	„ 928	„ filium quom* matre..habes perditui C_I 365
p. 336 „ 2 l. 22		„ *vide* Mo 358, *ubi* quom quiqui *Rs* quinis aut *L* aliqui quique *Pψ†*
p. 342 „ 1 l. 12	ante 518	„ 513(*BoU* quo *Pψ*),
19 *ab imo*	„ 1225	„ 547, quor *RRgl pro* quod;

p. 343 „ 2 l. 15   *post* 300   *adde* Mo 513(quor fugiam? *BoU*)
p. 343 „ 1 l. 38   *post* 507   „ scitis, rem narraui uobis quor*.. Poe 547(*RRgl*)
p. 346 „ 1 l. 2   „ fieret   „ , uno ut(*om Non*𝔖) labore absoluat
p. 352 „ 2 l. 8   „ 786   „ Ba 519 a(de *R pro* umquam)
p. 362 „ 1 l. 20   *pro* peierat   *lege* #Peierat
p. 367 „ 1 l. 11 *ab imo* *ante* Poe   *adde* 1386(exspectans dep. *PyRU* ex. expetit *Parψ* expectans perit *CD* exspectat *B*),
      2 l. 13   *post* 932   „ teque exspectans deperit* Mɪ 1386 (*PyRU*)
p. 381 „ 1 l. 34   „ 1316   „ 1404,
      14 *ab imo*   „ **dicentes** Mᴇʀ 410(male d.: maled. ω)
p. 386 „ 1 l. 11   „ *Rs*   „ ut nunc sunt male dicentes(*unum u.* ω) homines Mᴇʀ 410
p. 390 „ 2 l. 4   „ haud iniquom dicit .. ut ostendatur uidulus Rᴜ 1096 .. diceret me hodie uenturum, ut cenam coqueret temperi Sᴛ 654 hoc ei dicito .. ut ne quoquam degrediatur Mɪ 185 b
p. 393 „ 1 l. 8 *ab imo* *post* 291,   „ 817,
p. 395 „ 2 l. 4   „ prope: As 817, Pᴇʀ 295*, 837* *vide titulum* propediem
p. 414 „ 1 l. 18   *ante* des   „ tibi nunc o. dabo .. ut hic accipias .. aurum Ba 104
p. 441 „ 2 l. 15   „ *cum indic. perf.*: Cɪ 648(*U*)
p. 447 „ 2 l. 10 *ab imo* *post* 610   „ eccum quo abeo Mo 562(*U pro* nequoquam)
p. 454 „ 2 l. 5 „ *ante* Ps   „ .. tum ut huius oculos in oculis habeas tuis
p. 461 „ 1 l. 29 „ „ 163   „ 160, *add HermRg*;
      2 l. 17   „ Aᴜ 245
      19   *post* 143),   „ 800,
p. 463 „ 1 l. 27 *ab imo* *ante* 627   „ 619, ne *GulRg*𝔖;
      22 „ „ 433   „ 405, *GrutRU om Pψ*;
p. 464 „ 1 l. 26 „ „ 453   „ 436, me in *SalmRRg* meam *Pψ*;
      2 *ab imo* *post* Aᴍ   „ 592, meum *Non* 369 *pro* mecum
      2 l. 28 „ „ Ba   „ 306,
      6 „ „ 312,   „ 692,
p. 465 „ 1 l. 8   *ante* 836   „ 727(*PL* nouos *Rsψ*),
      10   *sub* **nos**   „ Aᴍ 142, Ba 47, Mɪ 1218, 1349, Tʀɪ 442, Tʀᴜ 235
      21 *ab imo* *post* 524,   „ 557(apud nos *L* publicos *Pψ*),
      18 „ „ 658,   „ Mᴇɴ 927,
p. 466 „ 2 l. 30   „ 516,   „ 518(*U*),
p. 467 „ 1 l. 17   „ 5,   „ 160*,
      2 l. 13 *ab imo* „ Mɪ   „ 1036(*R*),
p. 468 „ 1 l. 36   „ 1230,   „ 1289,
p. 469 „ 1 l. 20   „ 919   „ ne ego(*L in lac*) homo miser! Vɪ 63
p. 472 „ 2 l. 19 *ab imo* *sub similiter*   „ Ba 306, Poe 550, 1237
p. 473 „ 1 l. 16   *post* 275   „ quid edemus nosmet postea? Tʀɪ 514
      18   „ 355   „ 515,
      24   „ 450   „ fastidit mei Aᴜ 245
      334   „ huius diei locique meique semper meminerit Cᴀᴘ 800
p. 475 „ 2 l. 27   *sub dat. possessoris*   „ Cᴜ 600, Ps 83
p. 476 „ 2 l. 12 *ab imo* *post* dare   „ As 692
p. 477 „ 1 l. 13   „ is est fundus Tʀᴜ 727(*L*)
      15   „ haec repertast fides firma nobis Mᴇɴ 927
      4 *ab imo* *ante* Ba 77   „ As 647*,
      2 l. 20 „ *post* decet   „ As 577,
p. 478 „ 1 l. 5   „ Cᴀᴘ   „ 121,
      18   „ 1040   „ emancipare Ba 92
      20 *ab imo* „ 867   „ in culpa habere Sᴛ 436*
      5 „ *ante* Ep   „ Cᴀs 752
      2 l. 29   *post* 311   „ mulcare Mo 903*,
      7 *ab imo* „ 324,   „ 343,

ADDENDA.

XV

p. 479 col.	1 l. 25	ab imo	post	378,	adde 619*,
	2 l. 32		ante	Per	„ Men 405*(facere)
	4	ab imo	post	102	„ me..praedicet lenone ex Ballione regem Iasonem Ps 192
p. 480 „	1 l. 6	„	„	83,	„ 462,
	2 l. 17	„	„	342,	„ 424,
p. 481 „	2 l. 2	„	„	528	„ internosse Am 142
p. 482 „	1		sub	f	„ ad Au 327* apud Ba 47, Tru 235, 557(L)
	10	ab imo	ante	supra	„ secundum Mi 1349
	2 l. 26		sub	e	„ (a) Cu 569, Mer 354(U) (cum) Am 592*, Men 317, Tri 728
p. 494 „	2 l. 22		post	Pψ	„ ; 922, RibL num Bψ min CD
	6	ab imo	ante	enim	„ Tri 922(L)
p. 497 „	2 l. 23		post	1276	„ 1319(sit nisi eam L scio[sit eo CD] chant Pℭ† var em ψ)
	6	ab imo	ante	Au	„ 941(i tu Spechtℭ² duce Palmero intus Pℭ¹†ULy intro FlL aliter Rgl)
p. 499 „	1 l. 17	„	post	72	„ impietas sit nisi eam* Mi 1319(L)
	2 l. 30		„	1420	„ ecquem adulescentem . uidistis ire*? Ru 314(Ly)
p. 500 „	1 l. 21		„	138)	„ iamne iit* ad legionem? Tru 508(Ly
	2 l. 13	ab imo	„	crucem	„ #Immo i* tu potius
p. 504 „	2 l. 6	„	„	920	„ ego eo in macellum ut..praestinem Ps 169
p. 519 „	2				„ ESTOLIDUS - - Poe 1198, estolidum L duce A collato Serv ad Georg II. 65 est ollidum P et callidum Pyψ
p. 526 „	2 l. 25		„	1004	„ Men 1133(et add R)
	35		„	490	„ Mi 619(et add R)
p. 538 „	1 l. 30		„	Arg 9	„ Men 1160(et add MueRs)
p. 540 „	2 l. 13	ab imo	ante	metuo	„ dissimulabo..quasi..neque esse hic etiam dum sciam Mi 992
p. 544 „	1 l. 5		post	939	„ etsi haec(L istaec omisso etsi Pψ) fiunt, tuost Ba 1197(L)
	7	ab imo	„	768	„ ne patri, tam etsi unicus sum, decere uideatur magis.. Cap 321
p. 545 „	1 l. 3		„	205	„ tametsi(MueU tamen Pℭ†LLy var em ψ) bibimus, tamen efficimus St 695(U)
p. 584 „	1 l. 22	ab imo	„	450	„ Cas 842(fecisti WilmsU dedisti Pψ)
p. 597 „	1 l. 12	„	ante	fac	„ Per 608(fac R pro eho)
	2 l. 34		post	90	„ te faciam ut quae sis..scias As 140
p. 598 „	1 l. 1		„	576	„ delicatum te hodie faciam cum catello ut accubes... #At ego uos ambo in robusto carcere ut pereatis Cu 601-3
	2	ab imo	ante	Ru	„ nosque ut..obsidere patiare
	2 l. 15				„ faciam .. ut ne peristromata..aeque picta sint Ps 148
p. 606 „	2 l. 10	ab imo	post	295	„ Ep 705(fateor U pro ab ore)
p. 625 „	1 l. 11		„	1209	„ nec potest fieri .. idem duobus locis ut simul siet Am 568
	15		„	102	„ fiet a me..ea ut expetessam Ci 13
p. 646 „	1 l. 29		„	70	„ Ep 335(gentium add Rg¹)
p. 665 „	1 l. 6				„ vide Per 846, ubi memoria habe U me** PL om Ly memineris CaRgℭ
p. 669 „	2 l. 3		„	As 409	„ Mi 29(hau R pro at)
p. 670 „	2 l. 31		„	408	„ quod mi haud(SeyRg mihi non P non Guyψ) lubeat proloqui Au 211
p. 671 „	1 l. 10		„	612	„ Ps 793(hau R pro non)
	21	ab imo	„	185	„ illud quod diu (haud add Rg) solet Ba 897

c) aliae citationes.

cf Blomquist, p. 162 de carnufex; p. 108 de cognominis
„ Brandt, p. 385 de carinarius et carinum; p. 377 de congerro

cf Graupner, p. 8 *de* Tri 323 (p. 226 col. 1 l. 21)

„Feyerabend, p. 61 *de* bito; p. 91 *de* cedo; p. 100 *de* concedo; p. 90 *de* congredior; p. 79 *de* conuenio; p. 103 *de* decedo; p. 91 *de* degredior; p. 82 *de* deuenio; p. 104 *de* discedo; p. 85 *de* egredior; p. 103 *de* excedo; p. 41 *de* exeo

„Hofmann, p. 25 *de* auorto; p. 31 *de* clueo; p. 29 *de* commereo; p. 15 *de* compaciscor; p. 11 *de* complaceo; p. 13 *de* concomito; p. 16 *de* conor; p. 10 *de* consuetus; p. 37 *de* delucto; p. 28 *de* deludifico; p. 14 *de* demetior; p. 38 *de* dispertior; p. 43 *de* exordior; p. 47 *de* expalpo

„Hubrich, p. 63 *de* Ceres

„Inowraclawer, p. 69 *de* bucaeda

„Koehm, *Alt. Forsch.,* p. 144 *de* auia; p. 144 *de* auitus; p. 147 *de* auonculus; p. 143 *de* auos; p. 149 *de* cognatus; p. 113 *de* Tri 113 (p. 279 col. 1 l. 10); p. 22 *de* condicio; p. 85 *de* coniunx; p. 152 *de* consanguineus; p. 30 *de* despondeo

„Nicolson, p. 101 *de* ecastor; p. 103 *de* edepol; p. 100 *de* hercle

„Prescott, p. 335 *de* curio

„Ramsay, p. 261 *de* Boius; p. 244 *de* Ru 1318 (p. 281 col. 1 l. 8 *ab imo*)

„Sidey, p. 46 *de* auspicato; p. 59 *de* Mi 1210 (p. 239 col. 2 l. 18 *ab imo*); p. 56 *de* Cap 889 (p. 246 col. 1 l. 41); p. 56 *de* Ps 605 (p. 285 col. 1 l. 16); p. 23 *de* Au 388 (p. 303 col. 2 l. 2 *ab imo*); p. 46 *de* Poe 788 (p. 305 col. 1 l. 1 *ab imo*); p. 55, 58 *de* copia *cum ger.* (p. 312 col. 2); p. 57 *de* Cap 504 (p. 551 col. 1 l. 18 *ab imo*); p. 6 *de* Ru 1164 (p. 341 col. 2 l. 30); p. 58 *de verbi* do *gerundio* (p. 415 col. 2 l. 20); p. 7 *de* Cas 439 (p. 418 col. 2 l. 25)

„Schenkl, p. 61 *de* Ps 898 (p. 243 col. 2 l. 12)

„Votsch, p. 19 *de* melius est *seq. infin.* (p. 220 col. 2); p. 19 *de* optumumst *seq. infin.* (p. 221 col. 1)

„Walder, p. 29 *de* bonum est *seq. infin.* (p. 220 col. 2); p. 51 *de* melius est *seq. infin.* (p. 220 col. 2)

„Wengatz, p. 62 *de collocatione* edepol *particulae* (p. 451 col. 1)

CORRIGENDA.

		pro		*lege*
p. 193 col. 1 l. 59		ita		item
p. 214 „ 2 l. 41		„ eas		„ eos
p. 217 „ 1 l. 16 *ab imo*		„ 373		„ 373 *bis*
2 l. 4 „		„ *festum*		„ *fixum* vel *certum*
p. 223 „ 2 l. 4 „		„ tibi		„ bene
p. 236 „ 1 l. 41		„ Tri 110		„ Tru 110
p. 239 „ 1 l. 13 *ab imo*		„ 188		„ 18
p. 240 „ 1 l. 27		„ carnificium		„ carnuficium
p. 243 „ 2 l. 9 *ab imo*		„ XVII		„ XVIII
p. 244 „ 2 l. 2		„ ni		„ ui
p. 252 „ 2 l. 6		„ XVII		„ XVIII
p. 256 „ 2 l. 13		„ XVII		„ XVIII
p. 266 „ 1 l. 8 *ab imo*		„ (*supra* 3)		„ Poe 662 (*supra* 2)
p. 274 „ 2 l. 7		„ loquor *AL*		„ -or *U* loquor *A*
p. 276 „ 2 l. 28		„ fauebam		„ faciebam
p. 279 „ 1 l. 33		„ urbe		„ urbem
p. 287 „ 1 l. 15		„ XIX		VIII
13 *ab imo*		„ XIX		VIII
p. 305 „ 1 l. 17		„ ni		„ ui
p. 308 „ 1 l. 27		„ 223		„ 123
p. 319 „ 1 l. 8 *ab imo*		„ CREBRO		„ CRABRO
p. 382 „ 1 l. 24		„ eam		„ eum
p. 401 „ 2 l. 18 *et* 17 *ab imo* „		DISSIMULABITER	„	DISSIMULABILITER
p. 454 „ 1 l. 35		„ edopol		„ edepol
p. 455 „ 2 l. 4		„ ed.		„ ẹd.
p. 460 „ 1 l. 10		„ 2180		„ 2181
p. 462 „ 2 l. 33		„ 1920		„ 1925
p. 464 „ 1 l. 3 *ab imo*		„ 323		„ 326
p. 473 „ 1 l. 10		„ este		„ estis
14 *ab imo*		„ 8*ies*		„ 9*ies*
p. 481 „ 1 l. 29		„ usurpatum		„ usurpatus
p. 589 „ 2 l. 26		„ factunt		„ faciunt
46		„ facis		„ facio
48		„ 786		„ 769
p. 597 „ 2 l. 35		„ Am 647		„ As 647
p. 739 „ 2 l. 16 *ab imo*		„ (praedam)		„ praedam
p. 759 „ 2 l. 1 „		„ ILLUTIBILUS		„ ILLUTIBILIS

A

A - - *littera prima:* perii, 'rabonem'! quam
esse dicam hanc beluam? quin tu arrabonem
dicis? #A facio(*Sp* arabonem dicista facto *P*
dicis? #Ar *iam Lamb*) lucri Tʀᴜ 690

A - - *interiectio: vide* ah, aha, ha *et cf* Richter, *De usu particularum exclamativarum*(*Studemund, Studien,* I), p. 393 *et opera ibi cit.*

a(ah *J*) propitius sit potius Aᴍ 935 redde
huc. #Quid reddam? #A(an *J* ah *U*), nugas
agis Aᴜ 651 et tu peristi. #A, perii(*LLy* aperi
AP ah, p. *GepRs§* perii *U*) Cᴀs 633 uideo.
#A! ne(*Ly* uide omnia hec *P* uideo. #Ah! ne
SeyU uideo. #Ne *Lindψ*) fle Mɪ 1324 omitte
#A, mitte(*L* sine amitto *P§†* sine eam *Ly* sine
me ire *U*uin eam? *Rs*) intro Tʀᴜ 751 *corrupta:*
Bᴀ 73, a *D pro* ah Cɪ 584, a *V* ah *E*[3] *pro* at
Eᴘ 554, a *Rg pro* ah Mo 947, a *ins P* Sᴛ 565,
a *ins B* Tʀɪ 681, ha a *B* hac *CD pro* aha

A, AB, ABS, APS - - *cf* Kampmann, *De
ab praepositionis usu Plautino,* Breslau 1842;
Langen, *Beitr.* p. 331 sq. *De assimilatione in
compositis cf* Dorsch, p. 16.

I. Forma 1. a *ante:* b. beneuolente Tʀɪ 637
(*A* a *om P*) bonis Mɪ 1288

c. Callicle Tʀɪ 403, 420 caulibus Tʀᴜ 686
(differt a c. *P* differam te *Rs*) cena Mo 485
Charmide Tʀɪ 964 chorago Tʀɪ 858 cibo Cᴜ 186
cluentibus Tʀɪ 471 Congrione Aᴜ 401 cornu Pᴇʀ
317 corpore Rᴜ 220(*A§LLy* a *om Pψ*) crasso
Rᴜ 833 culpa Poᴇ 1186 curuo Ps 1143

d. dextera Aᴍ 333(*LindL* a *om Pψ*), Mɪ 607
(*CDULy* a *om ABψ*) dis Cᴀᴘ 777, Rᴜ 26 dorso
Cᴀs 459

f. fabris Mo 130 festiua Mɪ 958(*AcR om Pψ*)
fide Tʀᴜ48(*Rs om Pψ*) fonte Sᴛ708(*AB om CD*)
foribus Aᴍ 269, 464, 467, Mᴇɴ 158, Mo 429, 854
foro Aᴜ 273, 356, 473, Cᴀs 591, Mɪ 578, 858(adducam a foro *A* adducata[adducta *B*] fore *P*), 933,
Mo 998, Pᴇʀ 435(*PRLU* a *om Aψ*), 442, Poᴇ 929,
Ps 163, 1028 fratre Aᴜ 687(*Py* a *om P*) fundamento Rᴜ 539

g. genibus Rᴜ 280

l. labris Bᴀ 480(ab *L*) laeua Mɪ 607(*PRU*
ab *Aψ*) legibus Tʀɪ 1033 legione Aᴍ 523, Eᴘ
206 lenone Cᴜ 348, Pᴇʀ 163, Poᴇ 1093(allen. *B*),
Ps 203, 690(*R* lenonis *omisso* a *Pψ*) luculenta
Mɪ 958(*CD om B*) lupis Tʀᴜ 657

m. Macedonio Ps 1162 Magaribus Poᴇ 86(eae
Rgl) malo Cᴀᴘ 271, Mo 863(*P de GulRL* e *U*)
mala Mᴇɴ 133 mane(i) Aᴍ 253, Mɪ 503, Mo 534,
767 matre Cɪ 103(*U pro* amori), Mɪ 1299(*Pamat
A*), 1313 matura Mᴇʀ 521(*RU* a *om APψ*) me(d)
Aᴍ 327, 340, 580, 606, 639, 857, 1032, As 59, 154,
700, Aᴜ 20, 193, 205, 571(ad *J*), 832, Bᴀ(64 =)74

(mea *P*), 372, 528(*PA teste Loew* iam *teste Stud*),
758, 1030, 1176, Cᴀᴘ 415, 517, 551, 607, 872, 898,
948, Cᴀs 311, 394, 641(*A om P*), 731, Cɪ 7, 12, 139,
140, 146, Cᴜ 51, 117, 165(a me add *MueLy*), 201,
249, 261, 405, 542, 569, 704, Eᴘ 78(a me *om Rg*[1]),
359(a me recte *U pro* amaret *in v. dub*), 607(qui
a me *A*[quei] quod a *Rg*[1] quid B qui de *J*), 673,
Mᴇɴ 290, 833, 853(*BoR om P em ψ*), 979(*add R*),
982(*add Rs*), 1044, 1045, Mᴇʀ 56(*UL* esse ea
CaRRg -m e ea *B* -m ea *CD§†*), 354(*U solus
pro* atque), 379(ille a me *Angω* illa me *CD* mea
me *B*), Mɪ 561(*AD*[3] *om P*), 773, 957, 1096(*R
pro* haec), 1201(me *R pro* Philocomasio), Mo
140(de *FlR*), 155(*B*[2] tam e *P*), 361, 436, 716,
845(*A om P*), 1170, Pᴇʀ 39(tu a me *D*[3] tua me
B tuiame *CD*[1] a *om U*), 492, 766, Poᴇ 364, 689,
Ps 95, 128, 486(*B* a *om CD*), 500, 504, 509, 511,
647, 735, 897(a me *add R*), 902, 983, 1055, 1088(a
me *om RU*), 1123(*A om P*), 1155, 1194(*B* a *om
CD*), 1224, Rᴜ 286, 437, 518, 861, 968, 1100, 1190,
1283, Sᴛ 647, Tʀɪ 182, 537, 538(*A§†Ly om P* ex
Kampψ), 838, 969, 1144, 1146(*om MueLULy*),
Tʀᴜ 863(*L* in loc *dub: aliter ψ*), 958(uergo a me
cum *P§†* ergo abi a me: post *Rs* tum tu eris mecum *LLy* ergo mecum *U*), Fʀ II. 35 me As 67
meo Cᴜ 68, Mᴇɴ 849(*Vahl§LLy* iam iis *C* iam
meis *B*[1]*U* iam his *B*[2] iam ex meis *CaR* ex
meis *MueRs*), Pᴇʀ 498(ab ero *U*), Tʀɪ 885, Vɪ
37(*L in lac*) mensa Ps 296 meretrice Tʀᴜ
Arg 11 milite Mɪ 160, Ps *Arg* II. 8, 717, 924 b,
Tʀᴜ 876 minumo Ps 776(*F* tam inimo *P*)
morbo Eᴘ 129 muscis Poᴇ 690, 691(*FZ* a
om AP)

n. naui Aᴍ 849(*EJ* ab *BD§*), 967, Pᴇʀ 530
(illam a naui *AB* illa mandauit *CD*) nobis
Cᴀᴘ 206 a, Mᴇʀ 699, 894, Mɪ 339, 524, 1422(*B* non
eibis *A om CD*), Ps 617, Tʀɪ 513, Tʀᴜ 160 nostra Mɪ 166(*A om P*)

p. pabulo Mɪ 304(*Bo* a *om P* e *CaULy*) paedagogo Bᴀ 423 patre Mᴇɴ 31, 1113, Mᴇʀ 64, 68,
Mo 1127, Poᴇ 65(ap *C*), Ps 730(ad patrem *R*),
Sᴛ 71, Tʀɪ *Arg* 7, 741, 771, 775, 778, 785, Vɪ
115 patria Bᴀ 2, Mᴇɴ 1115 patrona Rᴜ 258
pausillo Sᴛ 175 peccatis Tʀɪ 680 pecu Bᴀ 1123,
1139 a pecunia Aᴜ 186 pedibus Mo 857(*AB
ab* edibus *CD*[ę *C*]) periuris Rᴜ 25 Philocomasio Mɪ 1201 Philolachete Mo 1011 pistore As 200 plurumis Tʀᴜ 760(*FZ* ad *P*)
porta Ps 597, 960 portu Aᴍ 149, 164, 195,
602, Bᴀ 304, Cᴀᴘ 869, Mᴇʀ 109, 161(ad *B*),
223, 596(ad *B*), Mo 363, Sᴛ 295(*A* a *om P*),
338, 456 praetore Cᴀᴘ 450 praetura Eᴘ 27
primo Mo 824 principio Aᴜ 358, Bᴀ 1001, Cᴀᴘ 624,
Cᴀs 4, Mᴇɴ 1, Ps 970, Tʀᴜ 375 Pseudolo Ps

898(*P* ab *A*) puero Cap 544, 644, 720(*Py* a om *P*), 991, Mer 90(*D²R*['*fortasse recte*' *L*] a om *P*ψ) pumice Per 41

q. quadam Ci 736(*B* ad *P*) quaestoribus Cap 111(*Fl* de *PULy*), 453 quiquam Per 477 quo Ep 143, Ru 555(*P* quo ab *A*ω) quoquam Ba 29(*Mercer ex Non* 334 cum *Non*)

s. se Ep *Arg* 5(a se *add OpitzRg²*), Mi 1148 (*A* a om *P*), St 254(*A* ab *P*) sodale Mer *Arg* II. 14 sorore Au *Arg* I. 6 Stratippocle Ep 251 summo Per 771(*P* ab *KampRLLy*)

t. te As 387, Cap 175(*RsLy* om *P*ψ), 934(petere a te *Rs* poteris et *P*ψ), Cas 689(*P* ex *A*ω), Cu 581, Ep 255, Mi 478(*A* om *P* aps *StudR*), 620(*R* aetate *B* ea te *CDLLy*), 979(*P* aps *StudR*), Per 423(a om *APRLy*), Ru 975(a te sentio *U pro* adsentio), Tru 620 Telebois Am 418(a om *D*) terra Per 604 testibus Mi 1426 (a *add R*) Tranione Mo 1012 trapezita Cap 449 tua Mi 800(*Ca* om *P* aps *StudR*&*L*), 932(*FZ* ab *P*) tuis Ep 681(*BeckerRg* a om *AP*ψ abs *Stud*), Mer 195(*VahlLLy* saeuis *CD*ψ *aliter B*) tuo Men 723(*B²* ad *P*)

u. uicino Mi 154 uilico Cas 269 uiris Ci 375 uiro Am 883, Mer 667, Mi 1321, St 148(*PRL Ly* ab *A*ψ) uita As 607, Ba 342 uobis Am 25, 33, 48, 64, Ba 295, Cap 804, Mi 1084(uiua a *CD* adiuua *B*), Poe 805, Ru 433, St 255(*A* abs te *P*), Tru *fr*(*ex Prisc* I. 100) uostris Ru 89

2. **ab** *ante:* **a.** Acherunte Am 1078, Poe 344 (*PU* ab om *A*ψ) adulescente Mer *Arg* II. 6, Tri 784 adulescentia Ba 1207 aede Poe 847 aedibus Am 150, 978, As 362, Au 459, Ba 593, Mo 7, 390, 460 aegritudine Ci 60 aegrotis Men 884 Aesculapio Cu 270 alieno Tri 1019 aliqui Ep 332 aliquibus Ep 334 alis Ps 738(*A* aliis *P*) amatore Tru 14 amatoribus Ps 177(*cf Prisc* I. 170) amica Ci 237 amico Tri 758, 759 animo Ci 60, Ep 129, Tru 47(*Lamb* ab om *PLy*), 49 anu Ci 290(*L* manu *A*ψ) armigero Cas 270 armis Fr I. 5 arrabonem Ru 555(*vide* a quo) asinis Au 235 Athenis Per 151 Atticis Mer 837 auo Tri 967 aurora Poe 217

..**c.** caueas As 119

d. damnoso Ep 319 danista Ep 53, 252, Mo 917 datis Tru 241(*A* a *B* om *CD*) Delphio Mo 347 dextera Am 244, As 260 dis Am 12, Per 774 a deis St 296(*A* adist *P* dis *PyU*) diuitiis Poe 65 (*PLLy* abditiuos *Gul*ψ) domo Au 105, Ep 681

e. egestate As 163 ea Cas 682, 935(*Rs* om *P*ψ) eis St 17(*A* is *B* his *CD*) eo Au *Arg.* II. 9, 695(*J* habeo *BDE*), 775(habeo *E*), Ba 339, 739, 937, 969 (*add R solus*), Cap 721, Cu 65, 66, Mi 97(*Z* habe oculi *CD* habeo cu *B*), Per 164, Ps 346(*BriRg* domi *R* om *A*ψ), 1011, 1087, 1227, Ru 59, St 71, Tri 614, 849(habeo *B*), Tru 19, 204 eri Tri 1012 eris Men 973(*Rs* suis eris *Rs*) ero As 251, Cu 275 (*Rg* om *P*ψ), Per 461(om *R*), 498(*U solus in loc dub*), Ps 595, 1283(om *RU*) exercitu Am 140

h. hac As 604, Ba 65, 1031, Tru 791, 850 his Men 553, 837, Tri 983, Fr II. 15 hisce Men 327(*BriRs* his *U* om *P*ψ) hoc As 673, Ba 1177, Per 676, Poe 786, Ps 526(ab lenone hoc *R*), 1138, 1216(*A* om *P*) Helena Ba 963 hippodromo Ci 549, 552 Hippolyta Men 200 homine Ba 539, Ps 1163 hospite Ba 250, 686 hostibus Men 134 humero Men 1011

i. ianua As 424, Men 127, Mo 8, 512 illa Ba 964(*add R solus*), Ep 289 Mi 1046, 1048, 1049 (*BugRg* ab tui *P*ψ), 1202 illarum Mi 1047 illis Cap 487, Ci 629, Ep 238, Ru 369 illo(c) Ba 196, 802, Ci 471(*RsLLy in lac*), Cu 336, 349, 452, Men 783, Mi 970, Ps 616, Tri 371, 376, Tru 419 impudicis Am 927 ineunte Tri 301, 305 infortunio Ba 595 infumo As 891, Mo 825 ingenio Mi 631(*Non* 456 ibi *P* om *B¹*), Tru 833 inimico Tri 679 iniustis Am 36 ipso Tri 902, 966 ista As 603, Cas 627 istis Cap 215b isto Ru 1383 istoc Au 310, Ba 43(*F* ut *PLLy* ad *HermR*), Cap 551, Men 835 iustis Am 34, 35 iuuentute Poe 1183(*P* om *Rg*)

l. labellis Mi 1335 labris Ba 480(*L* a *AP*ψ) laeua As 260, Au 624, Ci 641, Men 838, Mi 607(*A* a *PRU*) legione Ep 58, 91 lenone As 70, Cu 494, 614, Ep 47, Per 326, Ps 526(lenone hoc *R* h. l. *P*ψ), 754 leonino Men 159(a *A teste Loew*) libertina Mi 962 lippitudine Ru 632

n. naui Am 795, 854 nemine Mi 1062 nobis Cas 830(*A* a *PU*), 861(a *E*), Ci 658(a *J*) nostro Ru 670

o. oculis Au 660, Cas 302, Ci 60, Tri 989, Tru 477 opere Vi 70 ostio Au 46, Ci 659, Mer 477 r. radicibus Au 250 re As 224, Cap 338, Poe 405, 618, Tri 238(ob *B*), Tru 47, 521(*CaL ULy* ob rem *PRs*&t)

s. saeclo Mi 1079 saxo Ru 76, 165 se, sese As 774, Ba 30, Cap 470, Ep 193, Men 671(abste *B*), 814, Mer 55, 243, 357, Mi 869, 940(*RLLy* ab si *PS*t aliis *D³* eapse *Ac*ψ), 1146, 1232(*F* hasce *CD* hec *B*), 1277(*Kamp* a *FZ* obsequi *B* assequi *CD*), St 254(a *A*), Tri 79(ap *BR*), 557(ap *B*) signo Ru 673 simia Mer 249 sodali Ba 187 stirpe Tri 217(ap *BR*) sui Mo *Arg* 11 suis Men 973(eris suis *Rs*) suo Ba 931, Mer *Arg* I. 1, Ru 1039, Tri 262(*A ut vid* ap *R* a *P*) summis Cap 279 summo As 891, Mi 1151(a *A*), Per 771(*KampRLLy* a *P*ψ)

t. Theotimo Ba 326, 776 Therapontigono Cu 408 transenna Ba 792(ab om *Non* 6) trapezita Cu 618 tui Mi 1049(*CD* om *B* ab illa tui *BugRg*)

u. ungulo Ep 623(*ARg¹* unguiculo *B*ψ angulo *J*) urbe Men 64 uxore Men 393

3. **abs, aps** (*semper Ly*) *ante:* c. chorago Per 159

q. qua Men 345

t. te Am 531, 743, 790, As 227, 254, 714, 765 (*BD* ex *EJRgl*[om te]), 772(ted *B* abstet *DE¹* adstet *E³J*), 836, Au 221, 341, 456, 614, Ba 740, 1025(aps &), 1143, 1170, Cap 679, 710, 790(abs *EJU* aps *B*ψ), 938, Cas 364(abs *JU* aps *BVE*ψ), 882(abs *R* aps *Rs* adest *A ut vid* &*L* abest *Ly* abstet *U*), Ci 456(om *U* aps *A*ψ), Cu 174(abs *EJU* aps *B*ψ), 428, 619, Ep 283(*U* a *Gep* om *P*ψ), 380, 441, Men 151, 266(abs *DU* aps *BC*ψ), 545(abs *B DLU* aps *C*ψ), 546(abs *BDLU* aps *C*ψ), 635(adste *CD¹*), 777, 810, Mer 113, 611, 781, Mi 200(abs *BDU* aps *AC*ψ), 357(a *A*), 478(*StudR* a *A*ψ om *P*), 569 (abs *PU* aps *A*ψ), 912, 974, 979(*StudRg* a *P*ψ), 982, 1025(*RibRg* cilium *P* dudum *R* Ilium *LU Ly*), 1026(*L solus pro* ad), 1074, 1126, 1167(abs *PU* aps *A*ψ), 1331, 1343 a, Mo 432(*Stud* ad *B¹CD ULy*), 653(abs *PU* aps *A*ψ), 924(abs *PU* aps *A*ψ), 928(abs *PU* aps *A*ψ), Per 50(abs *CDU* aps *B*ψ), 169(abs *ACDU* aps *B*ψ), 654(*Bo* absentem *P*),

Ps 43(*PLU* ex *ARgSLy*), 320, 474(abs *CDU* aps *Bψ*), 486(aps *S*), 509(ab *D*), 916(abs *CDU* aps *Bψ*), 1069(abs *CDU* aps *ABψ*), Ru 528 (*A* ab *CD* a *B*), 702, 1101, 1393(abs *CDU* aps *Bψ*), St 255(*PR* a uobis *Aψ*), 508, 514, 548 (*om A*), Tri 325(abs *CDLU* aps *Bψ* a *A*), 421 (abs *ACDLU* aps *Bψ*), 488(abs *A* ap *P* aps *RRgS*), 695(abs *CDU* aps *Bψ*), 969(abs *CDU* aps *Bψ*), 1143(abs *CDU* aps *Bψ*), 1144(abs *CDU* aps *Bψ*), 1167(abs *CDU* aps *Bψ*), Tru 160, 374(*A* a *P*), 418, 617, Vi 39   terra Tri 947(abs *CDU* aps *Bψ*)   tricone Ba 280(*R solus pro* strigorem) tua Mi 800(*StudRgL om P a Caψ*) tuis Au 221   tuo Cas 211(*B²* ab *P*), Ps 1321(abs *A ut vid CD* aps *BL*), Tri 278(abs *CDLU* aps *Bψ*)

4. *corrupta:* Am 582, a *BE pro* at(*DJ*); 722, a me nominator *BEJ* istu come nominator *D pro* ob istuc omen ominator(*Scut*); 759, a *E pro* ad   As *Arg* 3, ab *EJ pro* ob   Cap 1003, a *B pro* aut   Cas 435, a *BV* ä *E* ad *J pro* amici(*Gul*)   Ci 48, et haec a te *BVS*t ae' haec a te *E* et hecata *J var em ψ*; 668, ecastore ais a(hä *B²*) me moro *P* ecastor falsa *CaRsSLLy* e cassa *ZU*   Ep 254, se ab se *P pro* ex eapse(*Kamp*); 705, iste ab ore *PS*t *quod var em ψ*   Men 180, ab se *P pro* eapse(*Ac*); 720, a *add B²*; 1059, emit a manu *B¹ pro* emittam manu; 1079, a *add P*   Mer 811, a familia *P var em ω*   Mi 229, a *B pro* ad; 537, a *B* at *CD pro* ad; 621, a *B¹ pro* ea; 716, a *B pro* ad; 804, ab *B pro* habe; 912, a *BC pro* ad; 919, a te amant *B* a te amea ut *C* a te amä ut *D var em ω*; 962, abs *P* ads *D pro* ad; 1074, ab *C pro* ob; 1111, ab his *B pro* abi sis; 1158, a *P pro* ad; 1178, ab *P pro* ob; 1409, a me *A ut vid* nihiblo *P var em ω*; 1422, a uobis *B om CD pro* non eibis(*A*)   'Mo 534, a *P pro* ad(*B²D²*); 647, talentis a magnis *P* a *om Pius*; 968, ab *P pro* ad(*B²D³*); 1045, ab *P pro* abii(*FZ*)   Per 90, abalieneis *CD* ebalieneis *B* a balneis *D²* e balneis *ω*   Poe 174 a *add B*; 217, ab *D pro* ad; 599, ab *A pro* ad; 650, a *add P om Aω*; 781, a *CD pro* ad; 884, me *A* a te *P*   Ps 298, ab alienis *P pro* postilla omnes(*A*); 487, a me cognato *P pro* meo gnato(*FZ*); 706, abs te *A* ad te *PLLy om Uψ*; 762, ab *Non* 334 *pro* aui; 836, a *D pro* aut   Ru 478, ab se *CD pro* eapse(*B*); 1296, a *P pro* ad   St 523, a *add P*   Tri 161, a *P pro* ad(*FZ*); 562, a *D pro* ad; 708, multa ab omina *CD* multa ob omina *B pro* multabo mina; 933, a *P* ad *RRsLy om FZψ*   Tru 24, ab se *B* absque *CD* ea ipsa *Prisc* II. 421, *pro* eapse; 89, a *P pro* an(*FZ*); 258, ab *P pro* ad(*A*); 366, ab(abiab B) has persisti *P pro* ah aspersisti(*A*); 496, ab se *CD* apsa *B pro* eapse(*Sciop*); 513, eabse *P* eapse *RsLLy* ea se *U*; 525, ab *PS*t *pro* ah(*Bo*); 688, a *B pro* hanc; 815, re ab *P pro* reapse(*Ca*); 852, ecce ab se *P pro* eccam eapse (*Bo*); 911, adabitur *B* addabitur *CD pro* dabitur(*Goel*); 941, ab auo *CD* alabo *B pro* amabo

II. Collocatio 1. *postpositum:* As 119, quo ab Mi 1047, quanam ab illarum Ru 555, quo ab *A* a quo *P*   Cf Kienitz, p. 534

2. *inter adi. et subst.:* Ep 681, oculis . . a tuis(*BeckerRg* a *om APψ*) Fr I. 35, inuito a me

3. *verbo uno interiecto:* Mi 1049, ab tui cupienti   Mo *Arg* 11, ab sui sodale

4. *cum postero duorum subst.:* As 163, solitudine . . atque ab egestate   Cf Leo, *An. Pl.*, I. p. 23

III. Significatio I. *de loco et sim.* A. *suspensum* 1. *ex verbis* a. *movendi intransitivis: abii* a legione Am 523   abeo abs te Am 531 a me abiit Am 606   is repente abiit a me Am 639   egone abs te abii? Am 743   abin hinc a me? Am 857   ab hac minatur sese abire As 604   discrucior animi quia ab domo abeundumst mihi Au 105   abi . . ab aedibus Au 459   . . priusquam a me abiret Ba 1030   abin a me, scelus? Ba 1176   abite ab istis Cap 215 b abeo ab illis Cap 487   fateor . . abiisse eum abs te Cap 679   abin hinc ab oculis? Cas 302, Tri 989   potin a me abeas? Cas 731   abeo ab illo Cu 336, 349   abi in malam rem maxumam a* me Ep 78   . . ne quo abeas longius ab aedibus Men 327   quid ego cesso . . abire ab his locis lenoniis? Men 553   an sis abitura a* tuo uiro? Men 723   non abire possum ab his regionibus Men 837   dicam ut a me abeat liber quo uolet Men 1044   iam censes patrem abiisse a portu? Mer 223   ego abeo a* te Mi 478   ab illo cupit abire Mi 970   illam iube abs te abire quo lubet Mi 974   uin tu illam amouere a* te ut abeat? Mi 979   Mi 982(abire *add U*)   sinite abeam si possum uiua a* uobis Mi 1084   quin potius per gratiam bonam abeat abs te Mi 1126   abiit oratum . . ab se ut abeat Mi 1146   omnia dat dono a* se ut abeat Mi 1148   (dicas) . . hinc senem abs* te abisse Mi 1167   Mi 1201(*R*)   quia abs te abit animo male factumst Mi 1331   nequeo quin fleam quom abs te abeam Mi 1343 a abeunt a fabris Mo 130 a   a foro argentarii abeunt Per 442   illi dixerunt qui hinc a me abierunt modo Poe 689   postquam abs* te abii algeo Ru 528   properas . . abire(ire *Guy RRsLLy*) ab his regionibus Tri 983   abite ab oculis Tru 477   abi a me Tru 958(*Rs solus*)   ab opere . . te abire iussi Vi 70   puer . . *aberrauit* a patre Men 31   *abscede* ab ista Cas 627   ego abscessi . . ab illis Ep 238   repperi abs* te· qui abscedat suspicio Ep 285   pugnis me uotas . . parcere ni a* meis oculis abscedat Men 849   ego hinc abscessero abs* te Mi 200   abscede ab aedibus Mo 7, 460   abscede ab ianua Mo 8, 512   haud usquam a* pedibus abscedam tuis Mo 857   abscede tu a me Poe 364   me suspendam . . dum abscedat haec a me aegrimonia Ru 1190   quisquis illest qui *adest* a milite Ps 924   a portu illic nunc cum lanterna *aduenit* Am 149   a uiro ad me rus aduenit nuntius Mer 667   miles quom extemplo a foro adueniat domum . . Mi 578   dum erus adueniat a foro, opperiar domi Poe 929   hominem . . qui a* patre aduenit Carysto Ps 730   nunc interuiso iamne a portu aduenerit St 456   iam ab re diuina credo *apparebunt* domi Poe 618   periclum . . esse ab* summo ne rusum *cadas* Mi 1151   num oculis *concessi* a* tuis? Ep 681   concede huc a foribus Men 158   concede . . ab* leonino cauo Men 159 concede huc .. ab istoc Men 835 concedam a foribus huc Mo 429 ego abs* te concessero Per 50 quid *currentem* seruom a portu conspicor? Mer 109 *dare pedibus* protinam sese ab his regionibus Fr II. 15(*ex Non* 376) (memini) me *deerrare* a patre Men 1113 quid ille autem abs te iratus *destitit?* Men 777, 810(illa irata) uolo uos scire quomodo .. *deuenerim* in seruitutem ab eo quoi seruiui prius Mi 97 iam diust factum quom *discesti* ab ero As 251 ne iste .. ab ista non pedem discedat As 603 ut dudum *diuorti* abs* te .. Men 635 censebam me *effugisse* a uita maritima Ba 342 abs te sum *egressus* intus Ep 380 extemplo a portu *ire* nos .. uident Ba 304 eunt sic a pecu palitantes Ba 1123 i in malam a* me crucem Cas 641 bene ego ab hoc praedatus ibo Ps 1138 quin tu hinc eis a me in .. crucem? Ru 518 si ante lucem †ire occipias a meo primo nomine .. Tri 885 Tri 983(*GuyRRsLLy vide supra sub* abeo) te a me ire postulas Tru 863(*L solus: vide ω*) quinam hinc a nobis *exit?* Mer 699 quando exierit Sceledrus a nobis .. Mi 524 *exsurgite* a genibus ambae Ru 280 *fugin* hinc ab oculis? Au 660 faciam .. ut fugiat longe ab aedibus Mo 390 extemplo a* foro fugiunt Per 435 Megadorus .. eccum *incedit* a foro Au 473 a foro incedo domum Mo 998 cum nutrice una *periere* a* Magaribus Poe 86 neminem .. qui abs* terra ad caelum *peruenerit* Tri 947 tute ab naui clanculum .. *praecucurristi* Am 795 *recede* Au 46(*Rg vide infra sub* regredior) proin tu ab istoc procul recedas Cap 551 ego abs* te procul recedam Mi 357 quam mox horsum .. iuuenix *recipiat* se a* pabulo Mi 304 curata fac sint quom a foro *redeam* domum Au 273 adferetur si a foro ipsus redierit Au 356 uiso huc, amator si a foro rediit domum Cas 591 Eutychus iam a* portu redisse potuit Mer 596 eccum Tranio a portu redit Mo 363 postquam rediit a cena domum Mo 485 mox dabo quom ab re diuina rediero Poe 405 metuo autem ne erus redeat etiam dum a foro Ps 1028 illuc *regredere*(recede *Rg*) ab ostio Au 46 .. quom ego a foro *reuortor* Ps 163 nequiquam, mare, *subterfugi* a* tuis tempestatibus Mer 195(*Vahl LLy*) postquam .. isti a mensa *surgunt* .. Ps 296 hoc magnumst periclum ab asinis ad boues *transcendere* Au 235 subcustodem .. ablegauit dum ab* se huc *transiret* Mi 689 Amphitruo *ueniet* huc ab exercitu Am 140 nec secus est quasi si ab Acherunte ueniam Am 1078 uix ab aegrotis uenit Men 884 quom extemplo a foro ueniemus, mittitote Mi 933 a matre illius uenio Mi 1299 a matre et sorore uenit Mi 1313 ab ero(*om R*) .. uenio Ps 1283 si a* uiro tibi forte ueniet nuntius, facito ut sciam St 148 quasi .. a patre ex Seleucia ueniat Tri 771

b. *movendi, agendi, sim., transitivis:* .. nisi mors meum animum abs* te *abalienauerit* Cu 174 istuc crucior a uiro me tali abalienarier Mi 1321 si illa a me abalienatur .. Ps 95 nostramne .. uis nutricem .. abalienare a nobis? Tri 513 hic quidem cupit illum ab* se abalienarier Tri 557 *abduco* Am 854(*vide sub* adduco) quam amabam abduxit ab lenone mulierem As 70 .. abduce me hinc ab hac Ba 1031 .. ut mulierem a lenone .. abduceret Cu 348 uirginem .. quam ab lenone abduxti hodie Cu 614 sibi nunc alteram ab legione abduxit Ep 91 .. ni properem illam ab sese abducere Mer 243 infit mihi praedicare sese ab simia capram abduxisse Mer 249 canem istam a foribus aliquis abducat face Mo 854 sibi habeat si non extemplo ab eo abduxero Per 164 .. dum me uideatis seruom ab hoc abducere Poe 786 mulierem ab lenone abducat Ps 754 eum promisisse .. dixit .. sese abducturum a me dolis Phoenicium Ps 902 iube .. Pseudolum .. abducere a me mulierem Ps 1055 numquam a* me abducet mulierem Ps 1088 .. ut a me mulierem tu abduceres Ps 1155 .. ut fallaciis hinc mulierem a* me abduceres Ps 1194 uos a uostris abduxi negotiis Ru 89 nosque ab eis abducere uolt St 17 neque eam inuito a me umquam abduces Fr II. 35(*ex Char* 202) *abigam* iam ego illum .. ab aedibus Am 150 fac Amphitruonem .. ab aedibus ut abigas Am 978 irascere si te edentem hic a cibo abigat Cu 186 iurgio .. uxorem abegi ab ianua Men 127 abige abs te lassitudinem Mer 113 perii hercle hodie nisi hunc a te abigo Tru 620 .. ut illos a me *absterream* Men 833 :. a me ut *abstineat* manum Am 340 Men 982(*Rs vide* abstineo, II. 2) Mi 1309(*RU vide* abstineo, II. 2) *abstrahat* Mer 354(*U vide* abstraho) quid si *adduco* tuom cognatum huc a* naui Naucratem? Am 849 ego huc ab naui mecum adducam(*Jω abd. BDE*) Naucratem Am 854 ego erum adducam a* foro Mi 858 si quid uti uoles, domo abs te *adferto* Au 341 ego iussero cadum unum uini ueteris a* me adferrier Au 571 ab hippodromo memini adferri paruolam puellam Ci 552 argentum a te attulit Cu 581 hodie adlatae tabellae sunt .. a Stratippocle Ep 251 tabellas .. quas tu attulisti mihi ab ero(*om R*) Per 461 ex Persia sunt istaec adlatae mihi a meo ero Per 498(*A* ad me allatae modo sunt a meo domino *P* ab ero *U*) (sumbolus) qui a milite adlatust modo Ps 717 censebit aurum esse a patre adlatum tibi Tri 785 .. esse adlatum id abs* te crederet Tri 1144 tibi equidem a* portu *adporto* hoc Mer 161 tantum a* portu adporto bonum St 295 continuo tu illam a lenone *adserito* manu Per 163 med *amisisti* abs* te uix uiuom Mo 432 .. quo die Orcus ab* Acherunte mortuos amiserit Poe 544 *amoui* a foribus maxumam molestiam Am 464 narrabit .. sese a foribus Sosiam amouisse Am 467 discipulum semidoctum abs te amoues As 227 tu, ere, istunc amoues abs te As 714 Me.. 853(a me *add R in lac*) suspicionem ab adulescente amoueris Tri 784 *apage* te a me Am 580 apage a me Ba(64a =) 73 apage istas a me sorores Ba 372 ultro istum a me Cap 551 ultro te, amator, apage a dorso meo

Cas 459 apage illum a me Ep 673 apage te a me nunciam Mo 436 apage istum a* me perductorem Mo 845 apage a me istum agrum Tri 537 apage a* me, sis Tri 838 illic homo a me sibi malam rem *arcessit* Am 327 arcessiuit illam a* naui Per 530 te pater a patria *auehit* Men 1115 unum quodque istorum uerbum . . non potest *auferre* hinc a me As 154 solus solitudine ego ted . . atque ab egestate abstuli As 163 iussin . . ab ianua hoc stercus hinc auferri? As 424 uide . . saluam ut aulam abs te auferam Au 614 Au 695(*infra* c *sub* impetro) . . labra a* labris nusquam auferat Ba 480 aurum ut abs ted *auferat* Ba 740 . . dum auferam abs te id quod peto Cu 428 tu auferere hinc a me Cu 569 pecuniam quadruplicem abs te et lenone auferam Cu 619 . . ne quisquam a me argentum auferat Cu 704 hi . . mihi dant uiam quo pacto ab se argentum auferam Ep 193 a mala abstuli hoc Men 133 ab Hippolyta subcingulum . . abstulit Men 200 iube . . ornamenta . . auferre abs te Mi 982(*dub.*) labra ab labellis aufer Mi 1335 ab lenone auferam hoc argentum Per 326 paritas ut a* me auferas? #Abs* te ego auferam? Ps 486 a me non potest argentum auferri Ps 504 ab hoc lenone . . tibicinam illam . . (auferam) Ps 526 auferen tu id praemium a me? Ps 1224 hoc auferen . . abs* tuo ero? Ps 1321 (argentum) ab isto auferre Ru 1383 . . quo citius rem ab eo *auorrat* Tru 19(*Rs*) ab impudicis dictis *auorti* uolo Am 927 auorti praedam ab hostibus Men 134 ob eam causam huc abs te auorti Mi 1074 ab saxo auortisti fluctus ad litus scapham Ru 165 *cepi* Ba 969(a me *add R solus*) hominibus . . qui ab alieno facile *cohiberent* manus Tri 1019 quasi . . anulum hunc ancillula tua abs te *detulerit* Mi 912 hunc anulum ab tui cupienti huic detuli Mi 1049 nos . . ab signo intumo ui *deripuit* sua Ru 673 haec uerecundiam . . *detexit* . . a* me Mo 140 nos cum scapha tempestas . . *differt* ab illis Ru 369 pauxillum differt a* cauillibus Tru 686 *duc* ab aedibus Ba 593 gratiis a me . . ducito Cap 948 tu gubernatorem a naui huc *euoca* Am 967 (erus) me . . a portu . . *excitauit* Am 164 (Erotium) me non *excludet* ab* se Men 671 *exegit* uirum ab* se Mi 1277 (dixit) . . *exhaurire* me quod quirem ab se Mer 55 *exemit* Ba 964(ab illa *add R solus*) *expugnaui* . . aurum ab suo patre Ba 931(*v. om plurimi*) hinc olim me inuitum domo *extrusit* ab se Mer 357 tun hoc *feras* argentum . . a me? As 700 numquam hinc feres a me Au 832 . . ut ferrem abs* te consilium Mi 1026(*L*) eas ab saxo fluctus ad terram ferunt Ru 76 a me gutta non ferri potest Ru 437 hunc homo feret a me nemo Ru 968 mandat qui dicat aurum ferre se a patre Tri *Arg* 7 se . . aurum ferre uirgini dotem a patre dicat Tri 778 uenit quasi qui aurum mihi ferret abs* te Tri 1143 *fugat* ipsus se ab* suo contutu Tri 262 decumam a* fonte tibi tute *inde* St 708 ab legione epistulas *mittebat* Ep 58 *moue* abs* te †moram Cap 790 neque latebrose me abs* tuo conspectu *occultabo* Tri 278 oportet . . hunc

. . malitia a foribus *pellere* Am 269 *repperi* . . quo dolo a me dolorem procul pellerem Mo 716 ab transenna hic turdus lumbricum *petit* Ba 792(*vide infra* c) tantum ego nunc *porto* a portu tibi boni Cap 869 a portu me *praemisit* domum Am 195 a portu me praemisisti domum Am 602 *prohibete* a uobis uim meam Cap 804 facere . . quo illum ab illa prohibeas Ep 289 me a peccatis *rapis* Tri 680 haec ab aede Ueneris *refero* uasa Poe 847 quin tu abs te socordiam . . *reice* As 254 a legione omnes *remissi* sunt domum Ep 206 . . ut aurum *repetam* ab Theotimo domum Ba 775 . . ut illud *reportes* aurum ab Theotimo domum Ba 326 quid magis in remst quam a* corpore uitam ut *secludam?* Ru 220 me hodie senex *seduxit* solum . . ab aedibus As 362 suspiciones omnes ab se *segregat* As 774 iuuentus iam ridiculos . . ab se segregat Cap 470 spes opes auxiliaque a me segregant . . se Cap 517 ille illas spernit segregat ab se Mi 1232 omnis bonos . . adcurare addecet . . culpam ut ab* se segregent Tri 79 Mi 1426 (*separabis* a *R pro* carebis) ille a* me solus se in consilium *seuocat* Mer 379 pallam quam ab uxore tua *surrupuisti* Men 392 me arguit hanc domo ab se surrupuisse Men 814 ab* diuitiis . a patre puer septuennis *surripitur* Poe 65(*L*) dico ei quo pacto eam ab hippodromo uiderim erilem nostram filiam *sustollere* Ci 549 (cistellam) hinc ab ostio iacentem sustuli Ci 659 cadum . . hinc a me huc cum uino *transferam* St 647

c. orandi, impetrandi, sim.: possum a* te *exigere* argentum? Per 423 uix ipsa domina hoc . . *exoptare* ab deis audeat St 296 censen talentum magnum *exorari* pote ab istoc sene? Au 310 Ba 1025(*Rg vide infra sub* obsecro) sine me hoc exorare abs te Ba 1170 ego quidem ab hoc certe exorabo Ba 1177 quid si ego . . exoro a uilico? Cas 269 res quaedamst quam uolo ego me abs* te exorare Tri 325 potin est ab amico alicunde exorari? Tri 759 nunc seruos argentum a patre *expalpabitur* Vi 115 me . . neque te decora . . a* te *expetere* Mi 620(*vide* ω) optumi quique expetebant a* me doctrinam sibi Mo 155 salutem abs* te expetit Ps 43 mirum quin tuom ius meo periclo abs* te expetam Ru 1393 consilium a te *expetesso* Ep 255 qui sunt qui a patrona preces mea expetessunt? Ru 258 est quod uolo *exquirere* a* te Cas 689 iniusta ab iustis *impetrari* non decet Am 35 . . ut istuc quod me oras impetratum ab* eo auferam Au 695 quid si ego . . ab armigero impetro ut . . ? Cas 270 . . istuc . . a me impetres quod postulas Cas 311 ego censui abs* te posse hoc me impetrare Cas 364 neque quidquam queo aequi bonique ab eo impetrare Cu 65 quod uolui . . impetraui . . a Philocomasio Mi 1201 aliud quiduis impetrari a me facilius perferam Mo 1170 · decet abs te id impetrari Ru 702 sine me hoc abs* te impetrare quod uolo Tri 1167 istuc confido a* fratre me *impetrassere* Au 687 gratiam a patre si petimus, spero ab eo impetrassere St 71 minae . . quas abs*

te est instipulatus(*PLU* stip. *A ψ*) Pseudolus
Ps 1069   a me *mendicas* malum Aᴍ 1032   si
me fas est *obsecrare* (orare etiam *R* exorare
LangenRg) abs* te . . Bᴀ 1025   tantum adfero quantum ipse a diuis *op·at* Cᴀᴘ 777   iustam rem et facilem esse *oratam* a uobis uolo
Aᴍ 33   hoc me orare a uobis iussit Iuppiter Aᴍ 64   Bᴀ 1025 (*R vide sub* obsecrare)
hoc *petere* me precario a uobis iussit Aᴍ 25
iusta . . ab iniustis petere insipientiast Aᴍ 36
a pistore panem petimus As 200   ego hinc
artoptam . . utendam peto a Congrione Au 401
ego abs te mercedem petam Au 456   numquam abs te petam Bᴀ 1143   ergo ab eo petito gratiam istam ▪ Cᴀᴘ 721   petere a* te ego
potero Cᴀᴘ 934 (*Rs*)   . . quod lenoni nullist id
ab eo petas Cᴜ 66   parasitum . . misi . . petitum argentum a meo sodali Cᴜ 68   coniectores a me consilium petunt Cᴜ 249   pacem
ab Aesculapio petas Cᴜ 270   cur nunc a me
igitur petis? Cᴜ 542   a quo trapezita peto?
Eᴘ 143   a* me argentum non petit Eᴘ 607
... ne . . a me argentum petat Mᴇɴ 1045   haec
uasa aut mox aut cras iubebo abs te peti Mᴇʀ
781   a me argentum petito Mo 361   nempe
abs* te petam? Mo 653   Ps 897 (*R*)   sacerdos Veneris hinc me petere aquam †iussit a
uobis Rᴜ 433   Sᴛ 71 (*supra sub* impetrasse)
mene (uolt) ut ab sese petam? Sᴛ 254   condicionem . . quam abs* te peto Tʀɪ 488   ab eo
consilium petam Tʀɪ 614   datur ignis tametsi
ab inimico petas Tʀɪ 679   ab eo quoiumat
inde *posces* Au 775 (*Rg solus*)   . . neu . . eum a*
me lege populi . . posceret Tʀɪ 1146   plus pollicere quam abs te posco aut postulo* Tʀᴜ 374
postulo abs te ut mihi illum reddas Cᴀᴘ 938
tu aquam a pumice nunc postulas Pᴇʀ 41
numquam ab amatore suo postulat . . id quod
datumst Tʀᴜ 14   a* muscis si mihi hospitium *quaererem* . . Poᴇ 691   illi dixerunt . .
†te *quaeritare* a muscis Poᴇ 690   quod abs
te . . *quaesso* ut mihi impertias Vɪ 39   *repeto*
Bᴀ 775 (*vide supra* b)   suomque is repetit a
meretrice subditum Tʀᴜ *Arg* 11   ego ab hac
puerum *reposcam* Tʀᴜ 850   *rogare* tu a* med
argentum tantum audes? Pᴇʀ 39   ab amico . .
mutuom argentum rogem Tʀɪ 758   *stipulari*
semper me ultro oportet a uiris Cɪ 375 (*ex Prisc*
I. 388)   Ps 1069 (*vide supra sub* instipulor)
qui pius est a dis *supplicans* . . inueniet ueniam
sibi Rᴜ 26

    d. *accipiendi, emendi, sumendi, sim.:* . . ni
in quadriduo abalienarit, quo abs* te argentum *acceperit* As 765   abs* ted accipiat As
772   nec a* quiquam acciperes alio mercedem
annuam nisi ab sese Bᴀ 29-30 (*ex Non* 334)
accepitne aurum ab hospite? Bᴀ 250   (dixi)
me id aurum accepisse extemplo ab hospite
Archidemide Bᴀ 686   ut ab illo accepi ad te
obsignatas adtuli Bᴀ 802   hanc laetitiam accipe a me Cᴀᴘ 872   accipe hanc ab* nobis
Cᴀs 830   postquam eam puellam a me accepit, ilico eandem puellam peperit quam a me
acceperat Cɪ 139-40   illa quae a me accepit
Cɪ 146   at mihi abs* te accipere non lubet
Cɪ 456   a me aurum accipe Cᴜ 201   egon a
lenone quidquam mancupio accipiam? Cᴜ 494

argentum accipiam ab damnoso sene Eᴘ 319
nummum a me accipe Mᴇɴ 290   accipe a
me . . rationem doli Mɪ 773   hunc arrabonem . . a me accipe Mɪ 957   quo pacto hoc
abs* te accepi, . . refero ad te consilium Mɪ
1025 (*Rs solus: vide ψ*)   minus ab nemine accipiat Mɪ 1062   minas . . accepisti a Philolachete? . . quid, a Tranione seruo? Mo 1011-2
nec satis a quiquam homine accepi Pᴇʀ 477
. . ubi ab hoc argentum acceperis Pᴇʀ 676
tu epistulam hanc a me accipe Ps 647   hanc
epistulam accipe a me Ps 983   ab eo argentum accipi . . uolo Ps 1011   leno argentum
hoc uolo a* me accipiat Ps 1123   sumbolum
. . ab* hoc accepit Ps 1216   nihil eni acceptumst a periuris Rᴜ 25   quo ab* arrabonem
. . acceperam Rᴜ 555   arrabonem a me accepisti Rᴜ 861   satis abs te accipiam Sᴛ 508
si quid ab illo acceperis . . Tʀɪ 371   minas
quadraginta accepisti a Callicle Tʀɪ 402, 420
ille aedis mancupio abs* te accepit Tʀɪ 421
. . si abs* te agrum acceperim Tʀɪ 695   . . ut
hasce epistulas dicam ab eo homine me accepisse Tʀɪ 849   ab ipson istas accepisti? Tʀɪ
902   aurum quod accepisti a Charmide Tʀɪ
964   ab ipso id accepisti Charmide? #Mirum
quin ab auo eius Tʀɪ 966   aurum . . quod a
me te accepisse fassu's. #Abs* te accepisse?
Tʀɪ 968   dona . . quae abs te accepi Tʀᴜ 617
accepisti a* plurumis pecuniam Tʀᴜ 760   accepistin puerum tu ab hac? Tʀᴜ 791   ego . .
sum orator datus qui a patre eius *conciliarem*
pacem Mo 1127   captiuos duos heri quos *emi*
de praeda a* quaestoribus . . Cᴀᴘ 111   illos
emi de praeda a quaestoribus Cᴀᴘ 453   mandauit mihi ab lenone ut fidicina . . emeretur
sibi Eᴘ 48   puellam ab eo emerat Rᴜ 59
quindecim *habeo* ab* eo minas Ps 346 (*BriRg*)
haben argentum ab homine? Ps 1163   tu a
nobis 'sapiens' nihil habes: nos 'nequam' abs
ted habemus Tʀᴜ 160   illud quod uolo habebo ab illo Tʀᴜ 419   partem . . ab* eo . . *indipisces* Au 775 (*vide supra* c *sub* posco)   a me
initis gratiam As 59   a me magnam inistis
gratiam Cɪ 7   hanc inibo gratiam ab illis
Cɪ 629   ille a* quadam muliere . . gratiam
ineat Cɪ 736   inibis a me solidam . . gratiam
Cᴜ 405   ecquam abs te inibo gratiam Eᴘ 441
nunc me gratiam abs te inire uerbis nihil desidero Sᴛ 514   ab illo summam inibis gratiam Tʀɪ 376   seruos eius qui hinc a nobis est
mercatus mulierem Ps 617   *redime* . . te ab
hoc As 673   me abs* te redimet Pᴇʀ 654
ab eo licebit quamuis subito *sumere* Bᴀ 339
ab eo haec sumptae Bᴀ 937   a praetore sumam syngraphum Cᴀᴘ 450   argentum ab danista . . sumpsit Eᴘ 53   . . eum argentum
sumpsisse . . ab danista Eᴘ 252   subegi . .
argentum ab danista ut sumeret Mo 917   abs
chorago sumito Pᴇʀ 159   abs* te equidem sumam. #Tu a me sumes? Ps 509   ornamenta
a chorago haec sumpsit Tʀɪ 858
    e. *dandi, sim.: cedo* abs* te Mᴇɴ 546   se-
quere me, uiaticum ut *dem* a trapezita tibi
Cᴀᴘ 449   da, sodes, abs* te Mᴇɴ 545   datne
ab* se mulier operam? Mɪ 940   possum a me
dare Ps 735   . . ut a* uobis mutuom nobis

dares St 255   a me argentum dedi Tri 182 .. quando illi a me darem Tri 1144   pro istac rem *solui* ab trapezita meo Cu 618

f. *audiendi, nuntiandi:* sic aiebat *audiuisse* ex eapse(*Kamp* se ab se *P*) Ep 254   magis 'apage' dicas si omnia a* me *audiueris*(ind. *U*) Tri 538   salutem tibi ab sodali solidam *nuntio* Ba 187   ab eo ut nuntiatumst Tru 204

g. *abhorrendi, cavendi, metuendi, sim.:* ab Atticis *abhorreo* Mer 837   seruos .. quo ab *caueas* aegrius As 119   .. sibi qui caueat aliquem ut hominem reperiam ab* istoc milite Ba 42 (*dub.*)   proin tu ab eo ut caueas tibi Ba 739 missa sum tibi ut dicerem ab ea uti caueas tibi Cas 682   ab* illo mihi caueo Ci 471(*L*)   .. quasi qui a* me recte caueat Ep 359(*U*)   abs te caueo cautius Men 151   nauis .. abs* qua cauendum nobis sane censeo Men 345   egon abs* te ausim non cauere? Mo 924   sat sapio si abs* te modo uno caueo Mo 927   caue sis a cornu Per 317   omnibus amicis .. edico .. a me ut caueant Ps 128   cauendumst mihi abs* te irato Ps 474   iam dico ut a me caueas Ps 511   edixit .. ut mihi cauerem a* Pseudolo Ps 898   caue sis tibi a curuo infortunio Ps 1143   dixin ab eo tibi ut caueres centiens? Ps 1227   quid est quod caueam? #Em, a crasso infortunio Ru 833   quid ab hac *metuis?* Ba 65 quid a nobis metuit? Cap 206a   .. si quid metuis a me Cap 607   iam abs* te metuo Men 266   quid est quod non metuas ab eo? Ps 1087(*vide* ω)   semper tu huic uerbo *uitato* abs* tuo uiro Cas 211

h. *esse:* unde haec igitur est nisi abs te? Am 790   haec cistella .. hinc ab nobis domost Ci 658   (sum) ab Therapontigono Platagidoro milite Cu 408   credo hercle te esse ab illo Cu 452   aliquid .. ab aliqui .. spes est fore Ep 332   undest? #A luculenta .. femina Mi 958 haec illaec est ab illa .. #Qua ab illarum? #Ab illa quae digitos despoliat Mi 1046-8   esne .. tu .. ab illo milite? Ps 616   mendacium .. quod .. commentus fui qui a* lenone me esse dixi Ps 690(*R*)   allegauit hunc quasi a Macedonio milite esset Ps 1162   eas (epistulas) nos consignemus quasi sint a patre Tri 775

i. *abesse:* a pecu cetero absunt Ba 1139a ego primum eo quia ab amica abesse auderem sex dies Ci 237   quam longe a me abest? Cu 117   procul a* me amantem abesse haud consentaneumst Cu 165(*Ly*)   unum a praetura tua .. abest Ep 27   num ab domo absum? Ep 681 non longe hinc abest a nobis Mer 894   cottabi .. crepent si aberis ab eri quaestione Tri 1012 oues illius hau longe absunt a lupis Tru 657

k. *variis:* me iam quantum potest a uita *abiudicabo* As 607   numquam .. abiudicabit ab suo triobolum Ru 1039   abiudicata a me modost Palaestra Ru 1283   mulier *alienatast* abs te Mer 611   omnia ego istaec *auscultaui* ab ostio Mer 477   *faciunt* a* malo peculio quod nequeunt*** Mo 863(*locus lac et desp*)   tibi multa bona *instant* a me Per 492   non a me *scibas* pistrinum *in mundo* tibi? Ps 500

l. *passivis:* satin lepide ab* ea *aditast* uobis manus? Cas 935(*Rs*)   *adiuuabere* a me Au 193 uolo *amari* a meis As 67   amari mauolo .. me

abs te As 836   me .. sensi amari .. ab illa muliere Mi 1202   me probri .. a uiro *argutam* meo! Am 883   .. Ulixem .. praedicant *cognitum* ab Helena esse proditum Hecubae Ba 963   .. arte *cohibitum* esse se a patre Mer 64   si illi *congestae* sint epulae a cluentibus .. edisne? Tri 472   minus tandem ego abs* te *contemnor* Ps 916   facite ut mihi munera .. ab amatoribus *conueniant* Ps 177(*vide Prisc* I. 170)   scitis .. *datum* mihi esse ab* dis Am 12   num iusta ab iustis sum orator datus Am 34   quia Amphitruoni .. a Telebois datumst? Am 418   ne quoquam exsurgatis donec a me erit signum datum Ba 758   .. quid is preti detur ab suis eris Men 973   praedicabo a* tua uxore mihi datum esse Mi 932 optatus hic mihi dies datus hodiest ab dis Per 774a   dicant .. datam tibi dotem .. eius a patre Tri 741   a* tua mihi uxore dicam *delatum* Mi 800   regiones quae mihi ab ero sunt *demonstratae* Ps 595   sese a me *derideri* rebitur Au 205   a* me quae ipsus .. inuenisset .. *diffunditari* Mer 56(*LULy*)   ab eo *donatur* auro Au *Arg* II. 9   a meis illic estur satis durus cibus Vi 37(*supplet L*)   seruos pedisequam ab adulescente matri (ait) *emptam* Mer *Arg* I. 6   tibi ea *euenerunt* a me Cap 415   rus rusum confestim *exigi* solitum a patre Mer 68   ab sui sodale gnati *exoratur* Mo *Arg* 11   abs tricone .. *exornarier* Ba 280(*R solus*)   item a me contra *factumst* Au 20   sapienter factum a nobis Ba 295   ne a me memores malitiose .. factum Cas 394   haec est fabre facta ab* nobis Cas 861   lubenti .. animo factum et fiet a me Ci 12   nescioquid male factum a* nostra hic familiast Mi 166   a* me insipienter factum esse arbitror Mi 561 .. ne malitiose factum id esse abs* te arbitrer Mi 569   mutua fiunt a me Per 766   factum a uobis comiter Poe 805   comiter fiet a me Ru 286   tanta .. iniuria facta est .. ab nostro ero Ru 670   factus sum extimus a uobis Tru *fr*(*ex Prisc Inst.* III. 25)   ludibrio, pater, *habeor* .. ab illo Men 783   me .. pro rustica reor habitam esse abs* te Per 549 ab iuuentute .. inriidiculo habitae Poe 1183 parasitus .. ab* ero *missust* Cariam Cu 275 (*Rg solus*)   missus mercatum ab suo adulescens patre Mer *Arg* I. 1   missus .. a milite uenit calator Ps *Arg* II. 8   ab* anu esse credo *nocitum* Ci 290(*L*)   aegritudo *obiectast* .. ab homine Ba 539   *prohibetur* a sodale Mer *Arg* II. 14   .. prius a* me in aedis *recipi* Mi 1096 (*R*)   mihi *reddi* ego aequom esse abs* te .. censeo St 548   sicine mihi abs te bene merenti male *refertur* gratia? Ps 320   *relictusne* abs te uiuam? Tru 418   Megadorus a sorore *suasus* Au *Arg* I. 6   nolo ego fores conseruas meas a te *uerberarier* As 386   a* te *uocari* ad te .. uolo Cap 175

2. *ex substantivis:* tu mihi *aliquid* .. ab aliquibus blatis Ep 334   *beneficium* a* beneuolente repudies? Tri 637   scin tu nullum *commeatum* hinc esse a nobis? Mi 339   quemque a milite hoc uideritis hominem .. Mi 160   quo *honorest* illic? #Summo atque ab summis uiris Cap 279   egone ut ad te ab libertina esse

auderem *internuntius?* Mɪ 962 nihil a* matre
miuriumst Cɪ 103 ego ut, quod ab illoc attigisset *nuntius*, non inpetratum . . redderem?
Bᴀ 196 a me tetigit nuntius Bᴀ 528 iusta
ab iustis sum *orator* datus Aᴍ 34 si speras
. . (euenturum) ab lippitudine usque *siccitas* ut
sit tibi Rᴜ 632 a milite omnis *spes* animam
efflauerit Tʀᴜ 876

3. *ex adiectivis:* filius abditiuos (*Gul* ab diuitiis *PL*) a patre Poᴇ 65 (*vide supra* 1. b *sub*
surripio) . . quom multos multa admisse acceperim . . *aliena* a bonis Mɪ 1288 deceat
nos esse a culpa *castas* Poᴇ 1186 ab alienis
(*P* postilla omnes *Aω*) *cautiores* sunt Ps 298
gratum arbitratur esse id a uobis sibi Aᴍ
48 . . ut . . *innoxium* abs te atque abs
tuis me inrideas Aᴜ 221 ambitio . . *liberast*
a legibus Tʀɪ 1033 a me *pudicast* Cᴜ 51
dixit . . *septumas* esse aedes a portu Ps 597
hoc est *sextum* a porta proxumum angiportum
Ps 960 *sterilis* est amator ab* datis Tʀᴜ 241

4. *ex adverbiis:* nego tibi hoc . . fuisse . .
copiae digitum *longe* a paedagogo pedem ut
efferes aedibus Bᴀ 423 tibi hercle haud
longest os ab infortunio Bᴀ 595 proxumum
quod sit bono, quodque a malo longissume
Cᴀᴘ 271 uisus sum uiderier procul sedere
longe a me Aesculapium Cᴜ 261 Mo 390
(*supra* 1. a *sub* fugio) longe ab Athenis
esse se gnatam autumet Pᴇʀ 151 ingressus fluuium rapidum ab urbe haud *longule*
Mᴇɴ 64 ita celeri curriculo fui *propere* (*'vix
recte' L*) a portu Sᴛ 338 at ego aio recte, qui
abs te *sorsum* sentio Cᴀᴘ 710

B. *absolute positum* 1. *in formulis quibusdam quae locum quo quid accidit significant:*
iste seruos . . ecquid sapit? #Hircum *ab alis*
Ps 738 equites . . *ab dextera* maxumo cum
clamore inuolant Aᴍ 244 hinc enim mihi a*
dextera uox auris . . uerberat Aᴍ 333 picus
et cornix ab laeua, coruos parra ab dextera
consuadent As 260 speculabor ne quis . .
aut ab* laeua aut a* dextera . . adsit Mɪ 607
ambo *ab intumo* tarmes secat Mo 825 *ab
laeua* As 260 (*sub* dextera) coruos cantat
mihi nunc ab laeua manu Aᴜ 624 utrum
hac me feriam an ab laeua latus? Cɪ 641 illa
me ab laeua . . adseruat canis Mᴇɴ 838 Mɪ
607 (*sub* dextera) eripe oculum isti, ab humero qui tenet Mᴇɴ 1011

foris concrepuit hinc a *uicino sene* Mɪ 154
(*cf* Dousᴀ, p. 336) senex, abs* *te* decumbe
Cᴀs 882 atqui nunc abs te stat Rᴜ 1101
similiter: omnia ego istaec facile patior dum
hic hinc a *me* sentiat Rᴜ 1100 a* te sentio Rᴜ
975 (*U*)

amat a* *lenone* (*i. e.* lenonis meretricem) hic
Poᴇ 1092 ubi sunt . . qui amant a lenone?
Ps 203

2. *ad intervallum vel seriem significandam:*
da ab *Delphio* cito cantharum circum Mo 347
a *fundamento* mihi usque mouisti mare Rᴜ
539 da, puere, ab summo: age, tu interibi
ab *infumo* da sauium As 891 (*cf* Mo 825 *supra* a)
interminatus est a *minumo* ad maxumum
Ps 776 a *principio: vide infra* II te . .
elinguandam dedero usque ab *radicibus* Aᴜ

250 si exquiratur usque ab* *stirpe* auctoritas . . Tʀɪ 217 ab *summo* As 891 (*sub* infumo)
age, puere, a* summo septenis cyathis committe
hos ludos Pᴇʀ 771 uolo ego hanc percontari.
#A *terra* ad caelum quidlubet Pᴇʀ 604 usque
ab *unguiculo* ad capillum summumst festiuissima Eᴘ 623 *Cf* Wuesᴇᴋᴇ, p. 30

3. *cum verbis, sim., quae valetudinem indicant:* doleo ab *animo,* doleo ab oculis, doleo
ab aegritudine Cɪ 60 benene usque ualuistin?
#A morbo ualui, ab animo aeger fui Eᴘ 129
bis perit amator, ab re atque ab* animo simul
Tʀᴜ 47 ab animo perit Tʀᴜ 49 quasi lupus ab *armis* ualeo Fʀ II. 5 a *fide* perit Tʀᴜ
48 (*Rs vide* ψ) uidetur ne utiquam ab* *ingenio* senex Mɪ 631 ab ingenio inprobust,
Tʀᴜ 833 a *morbo* ualui Eᴘ 129 (*vide sub* animo) ab *oculis* doleo Cɪ 60 (*vide sub* animo)
ain tu te ualere? . . #Haud perbene a *pecunia*
Aᴜ 186 perit amator ab *re* Tʀᴜ 47 (*vide sub*
animo)

4. *ad causam significandam:* doleo ab *aegritudine* Cɪ 60 (*vide* 3 *sub* animo) ossa atque pellis
sum miser a* *macritudine* Cᴀᴘ 135 (*PL vide* ψ)

5. ab re (*cf* in rem): ab* *re* consulit Tʀɪ 238
si papillam pertractauit haud ab re aucupis
As 224 heia, haud ab* re . . tibi obuenit istic
labos Tʀᴜ 521 (*CaL vide* ψ) quiduis dum ab
re ne quid ores faciam Cᴀᴘ 338 *cf* Dousᴀ,
p. 542

6. *ut is indicetur cuius sumptu accidit aliquid:* aeternum tibi dapinabo uictum . . #Unde
id? #A *me* meoque gnato Cᴀᴘ 898 Mᴇɴ 979
(a me *add R*) . . ut a* *uobis* mutuom nobis
dares Sᴛ 255

II. *de tempore* (*cf* Kᴀɴᴇ, p. 79); *saepe additur vel* iam, inde, usque, *vel altero termino vel
ambobus:* hi senes nisi fuissent nihili iam inde
ab *adulescentia* . . Bᴀ 1207 semper ego usque
. . ab ineunte adulescentia tuis seruiui . . imperiis Tʀɪ 301 qui homo cum animo inde ab
ineunte aetate depugnat suo Tʀɪ 305 iam
inde a* matura aetate . . sceis facere officium
tuom Mᴇʀ 521 (*Luchs Rg vide* ψ) usque ab
aurora ad hoc quod dieist Poᴇ 217 est pugnata pugna usque a *mani* ad uesperum Aᴍ
253 mihi supplicium . . datur longum diuti-
numque a* mane ad uesperum Mɪ 503 a
mani ad noctem usque in foro dego diem Mo
534 sol semper hic est usque a mani ad
uesperum Mo 767 iam a *pausillo* ridiculus
fui Sᴛ 175 multum inprobiores quam a *primo*
credidi Mo 824 an audiuisti? #Usque a *principio* omnia Aᴜ 538 inde a principio iam inpudens epistulast Bᴀ 1007 quis illic igitur
est? #Quem dudum dixi a principio tibi Cᴀᴘ
624 . . ut uos mibi esse aequos iam inde a
principio sciam Cᴀs 4 salutem primum iam
a principio . . nuntio Mᴇɴ 1 iam inde ⱬ
principio probe Ps 970 utinam a principio
rei item parsisses meae Tʀᴜ 375 tu usque
a *puero* seruitutem seruiuisti Cᴀᴘ 544 Philocrates iam inde usque amicus fuit mihi a
puero puer Cᴀᴘ 645 quicum una a* puero
aetatem exegeram Cᴀᴘ 720 is mecum a puero
puer bene pudiceque educatust Cᴀᴘ 991 olim
a* puero paruolo mihi paedagogus fuerat Mᴇʀ

90 mille annorum perpetuo uiuont ab *saeclo* ad saeclum Mɪ 1079

ABAETO - - *cf* Brugmann, *Ueber den Gebrauch des conditionalen* ni, Leipzig 1887, p. 7 **I. Forma abetis** Bᴀ 1172 (*Brugm S* abeas *Pψ*) **abitis** As 940 (*Bo* abiis *BD* abis *EJLU*) **abitas** Eᴘ 304 **abaetat** Rᴜ 1243 (*Rs* abeat *Pψ*), Tʀᴜ 96 (*B* abeat *CD* abitat *U*) **abitat** Rᴜ 777 (*CD* h. *AB*) **abite** Ps 168 (*Ly* ab-ite *ψ*) **abitere** Rᴜ 815 (*AcRsLy* abire *Pψ*) **abitendi** Aᴍ *fr* XV (*Rgl* abiendi *Prisc* I. 564 *ψ*)

II. Significatio da sauium etiam prius quam abitis* As 940 ni abetis*.. malum tibi magnum dabo iam Bᴀ 1172 ne abitas prius quam ego ad te uenero Eᴘ 304 .. ut cum maiore dote abaetat* quam aduenat Rᴜ 1243 .. ne quis aduentor grauior abaetat* quam adueniat Tʀᴜ 96 adserua ipsum ne quo abitat* Rᴜ 777 intro abite* Ps 168 (*Ly*) sin ipse abitere* hinc uolet.. amplectitote crura fustibus Rᴜ 815 abitendi* nunc tibi etiam occasiost Aᴍ *fr* XV

ABALIENO - - **I. Forma abalienatur** Ps 95 **abalienarit** As 765 **abalienauerit** Cᴜ 174 **abalienare** Tʀɪ 513 **abalienarier** Mᴇʀ 457 (ab aliena *cum lac C*), Mɪ 1321 (aliaenarier *B*), Tʀɪ 557

II. Significatio 1. *absolute vel cum acc.*: .. ni in quadriduo (picturam) abalienarit As 765 nescio.. uelit ille illam necne abalienarier* Mᴇʀ 457

2. *cum praep.* **a(ab)**: nec prohibebit nisi mors meum animum abs te abalienauerit Cᴜ 174 istuc crucior a uiro me tali abalienarier* Mɪ 1321 nullo pacto possum uiuere si illa a me abalienarint Ps 95 uis .. nutricem .. abalienare a nobis? Tʀɪ 513 cupit illum ab se abalienarier Tʀɪ 557

ABAVOS - - ibi mei sunt maiores siti, pater, auos, proauos, abauos Mɪ 373 pater, auos, proauos, abauos, atauos, tritauos Pᴇʀ 57 *corrupta:* Tʀᴜ 941, abauo *CD* alabo *B pro* amabo; 942, abaui *CD* auaui *B var em ω Cf* Koehm, *Altl. Forsch.* p. 144

ABDITIVOS - - filius .. abditiuos (*Gul* ab diuitiis *PL*) a patre puer septuennis surripitur Carthagine Pᴏᴇ 65

ABDO - - *cf* Thielmann, *Archiv* III. 471 **I. Forma abdiderunt** Mᴇʀ 360 **abdam** (*fut.*) Ps 1106 Rᴜ 936 (*Rs* condam *Pψ*) **abdendus** Tʀɪ 264 b (*RRs* abhibendus *ULy* adhibendus *AP* est *add P* abhibendu's *AcL*) *corruptum:* Cᴀs 893, abdo *B pro* obdo

II. Significatio nequiquam (ancillam) abdidi, abscondidi, abstrusam habebam Mᴇʀ 360 ex conspectu eri .. sui se abdiderunt Ps 1106 nunc hunc uidulum abdam* Rᴜ 936 amor.. procul abdendust* Tʀɪ 264 b

ABDOMEN - - edes.. pernam, abdomen, sumen sueris Cᴜ 323 gestit moecho hoc abdomen adimere Mɪ 1398 (*cf* Egli, I. p. 34) abuomen seco ni (*Rs* abo [ibo *CD*] domum ego tecum *P varie em ψ*) .. Tʀᴜ 629

ABDUCO - - **I. Forma abducit** As 937 (*Dou* add. *P*), Mᴇʀ 799 **abducitis** Cᴀᴘ 749 **abducunt** Mɪ 712 **abducitur** Ps 95 **abducere** Pᴏᴇ 1399 **abducam** Mᴇɴ 845 (*Ly tacite* add. *Pψ*) Rᴜ 760 **abduces** Fʀ I. 35 (*ex Char* 202) **abducet**

Bᴀ 90, 356, 634, Ps 1088 **abduxi** Cᴀs 881, Cɪ 256 (?), Cᴜ 615 (add. *EJ*), Rᴜ 89 **abduxisti** Cᴜ 614 (*ZRg* abduxti *Bψ* abduxsti *E* adduxti *J*), Rᴜ 862 (*PU* abduxti *LLy* auexti *AcRs* auexisti *S*) **abduxit** As 70, Bᴀ 948 (*PR* auexit *Aψ*), Eᴘ 91 (-xi *J* add. *ZL*), Mᴇɴ 1141 (add. *C*), Pᴏᴇ 1282 (add. *C D*), Ps 1053, 1094, 1098 (add. *Ly*), Tʀɪ 853 **abduxero** Cᴀs 109, Pᴇʀ 164 **abduxerit** Pᴏᴇ 907 **abducam** Rᴜ 1287, Sᴛ 128 **abducas** Bᴀ 1177, 1178, Mᴇɴ 782, Ps 1015 **abducat** Mᴇɴ 332, Mɪ 770 (*D³* -cit *P*), Mᴏ 854 (-cant *Ly*), Ps 754 **abducant** Mᴏ 854 (*Ly* -cat *Pψ*), Sᴛ 444 (*ASU* add. *BugRgLLy*) **abducerem** Mᴇʀ 994 **abduceres** Ps 1155 (*Bo* add. *P*), 1194 **abduceret** Cᴜ 348, Mɪ 1208 (-cere *B*), Ps 1207 (arcesseret *P post* v. 1161), 1233 **abduc** Mᴇɴ 436 (-duce *R*), Pᴏᴇ 720 (*PL* -ce *U* duc *AP priore loco* [706 a] *RS*), 1147, Sᴛ 418 (*PS* -ce *ψ*) **abduce** Bᴀ 1031 (add. *C*), Cᴜ 693 (obd. *J*), Mᴇɴ 436 (*R* -duc *Pψ*), Pᴏᴇ 1173, Sᴛ 418 (*R* -duc *AS*), 435 (*A* duc *P*), Tʀᴜ 541 (*P* -cite *BoLy*), 847 (*FZ* -ci *CD* abdu *B*) **abducite** Bᴀ 822, Cᴀᴘ 733, 746, Tʀᴜ 541 (*BoLy* -ce *Pψ*) **abducito** Ps 520 **abducere** Mᴇʀ 243, Mᴏ 696 (-cerem *CD*), Pᴏᴇ 786, Ps 1055, Rᴜ 723 (*A* add. *P*), Sᴛ 17 **abduci** Eᴘ 398, Sᴛ 131 **abduxisse** Mᴇʀ 250 (*P* add. *A*), Ps 1198 (*A* add. *P*) **abducturus** Ps 82 **abducturum** Ps 902 **abductus** Cᴀᴘ 751 **abducta** Cᴜ 569, Mᴇʀ 616 (add. *B*), 858, Pᴇʀ 849 (mihi abd. *Rs om Pψ*) **abductam** Mᴇʀ 251, Pᴇʀ 522 (*A* add. *CD* aduectam *B*) *corruptum:* Aᴍ 854, abducam *BDE pro* add. (*J*)

II. Significatio *ubique de personis praeter* Ps 1198 (praedam) 1. *absolute vel cum acc.*: ille quidem hanc abducet Bᴀ 90, 634 is Helenam abduxit* Bᴀ 948 (*R*) abducite! Cᴀᴘ 746 illa abductast Cᴜ 569 nullam abduxi* Cᴜ 615 non aequomst (eas) abduci Sᴛ 131 ibo, abducam* qui .. Mᴇɴ 845 (*Ly*) ego .. abductam illam aegre pati Mᴇʀ 251 iam addicta atque abducta* erat Mᴇʀ 616 eticiamus copiam ut hic eam abducat* Mɪ 770 .. impetrare ut abiret nec te abduceret* Mɪ 1208 ad incitas lenonem rediget, si eas abduxerit Pᴏᴇ 907 ille abducturus est mulierem cras Ps 82 a me abalienatur atque abducitur Ps 95 abducas mulierem Ps 1015 iste hinc abiit atque abduxit mulierem Ps 1053 numquam abducet mulierem Ps 1088 nunties abduxisse* alium praedam Ps 1198 hominem exornauit mulierem qui abduceret* Ps 1207 (*iteratur post* 1161) illum .. adlegauit mulierem qui abduceret Ps 1233 uisam huc .. ut eam abducam Rᴜ 1287

2. *cum praepp.* **a. a(ab)**: quam amabam abduxit ab lenone mulierem As 70 abduce* me hinc ab hac quantum potest Bᴀ 1031 .. ut daret operam ut mulierem a lenone cum auro et ueste abduceret Cᴜ 348 uirginem.. quam ab lenone abduxisti* Cᴜ 614 alteram ab legione abduxit* Eᴘ 91 ni properem illam ab sese abducere .. Mᴇʀ 243 infit .. praedicare sese ab simia capram abduxisse* Mᴇʀ 250 canem istam a foribus aliquis abducat* face Mᴏ 854 sibi habeat si non extemplo ab eo abduxero Pᴇʀ 164 operam date dum me uideatis seruom ab hoc abducere Pᴏᴇ 786 a me Ps 95 (*supra sub* 1) mulierem ab lenone abducat Ps 754 eum promisisse.. dixit .. sese abducturum a me dolis Phronesium

Ps 902   iube nunc .. Pseudolum .. abducere a
me mulierem fallaciis Ps 1055   .. ut a me
mulierem tu abduceres* Ps 1155   te hanc
fallaciam docuit ut fallaciis mulierem a me
abduceres Ps 1194   uos a uostris abduxi negotiis Ru 89   nosque ab eis abducere uolt
St 17   neque eam inuito a me umquam abduces Fr I. 35 (*ex Char* 202)

   b. ad: scin quo pacto me ad te intro abducas? Ba 1178   abducite istum actutum ad
Hippolytum fabrum Cap 733   meretrix huc
ad prandium me abduxit* Men 1141   abducunt ad exta Mi 712   me ad prandium ad
se abduxit* Poe 1282

   c. cum: neque secum abducet senex med et
Mnesilochum Ba 356   eam mecum rus uxorem
abduxero Cas 109   is secum abduxit mulierem Ps 1094   utramque iam mecum abducam semul Ru 760

   d. de: mihi non licet meas ancillas Veneris
de ara abducere*? Ru 723

   e. e(ex): hunc e conspectu abducitis Cap
749   hinc abducit quo uolt ex hisce aedibus
Mer 799   uirginem (*A* mulierem *P*) .. abductam* ex Arabia penitissuma Per 522   illam
quidem iam in Sicyonem ex urbe abduxit*
modo Ps 1098   abduce hasce hinc e conspectu
Suras Tru 541   uxorem .. abduce* ex aedibus
Tru 847

   f. in: illic est abductus recta in phylacam
Cap 751   nuptam .. recta uia in conclaue
abduxi Cas 881   abduce* istum in malam
crucem Cu 693   abduc istos in tabernam
Men 436   uoluit in cubiculum abducere* me
anus Mo 696   reddas priusquam in neruom
abducere Poe 1399   in Sicyonem Ps 1098
(*supra* e)

   3. *cum acc. locali* **domum:** iudicatum me
uxor abducit* domum As 937   auctores ita
sunt amici ut uos hinc abducam domum St
128   aduorsitores .. decet dari uti eum ..
abducant* domum St 444   me .. ubi conduxit
abduxit domum Tri 853

   rus: Cas 109 (*supra* 2. c)

   4. *cum acc. supini:* seruitum tibi me abducito ni fecero Ps 520

   5. *cum dat. incommodi:* numquam facerem
ut illam amanti abducerem Mer 994   mea
mihi abducta* ignauia Per 849 (*Rs*)

   6. *cum adverbiis* **hinc:** Ba 1031 (*supra* 2. a)
dicam ut te hinc abducat Men 332   proin tu
me hinc abducas Men 782   Mer 799 (*supra*
2. e)   certa rest me usque quaerere illam quoquo hinc abductast gentium Mer 858   iam
(eam *CaLU*) hinc (eam *add Rs*) abduxisti*
Ru 862   St 128 (*supra* 3)   Tru 541 (*supra*
2. e)

   huc: Men 1141 (*supra* 2. b)

   intro: abducite hunc intro Ba 822   ego te
oro ut me intro abducas Ba 1177   Ba 1178
(*supra* 2. b)   istanc intro iube sis abduci Ep
398   abduc* me intro Poe 720   abduc hosce
intro Poe 1147   tu istos, Milphio, abduce intro
Poe 1173   abduc* hasce intro St 418, 435 (-ce)

   7. *locus mutilatus:* Ci 256

   ABEO - - I. Forma abeo Am 455, 531, 668
(*F* h. *P*), 857, 1035 (h. *E*), As 378 (h. *EJ*), Au

103 (h. *E*), 106, 377, 660, Ba 348 (abeo, illum
FlU ad illum *PLLy* eo ad illum *RRs*), 902,
Cap 67, 487, Cas 142, 214, 503, Ci 148, 330 (*ex
Non* 423 *ubi* abo, adbo *Nonii lib.*), Cu 210 (h.
E [1]), 336, 349, 553 (*Pius* h. *P*), 588, Ep 63, 377,
665 (h. *B*), Men 956, Mi 259, 444, 456, 478, 655
(h. *B*[1]*CD*[1]), 1087, 1092, 1196, 1312 (h. *D*[1]$t),
1416 (h. *P*), Mo 562, 654 (*AB*[2] h. *P*), 853 (*ARs*
eo *B*ψ ec *CD*), Per 250 (abi *R*), 672, Poe 608
bis, 916 (h. *D*[1]), 1150, Ps 665 (h. *D*), 1252 (*Lips
RRg$* h. *APLULy*), Ru 586, 1013 (*AD* h. *BC*),
1327 (*Rs* abi *P*ψ), St 429 (*R* roga∗∗∗ *P$* rogare
U rogatu *StudLLy in lac*), Tri 198, 946 (*LLy*),
996 (h. *D*), Tru 848 (*Fl* adeo *P*)   **abis** Am 354,
357, 360, 440, 514, 532, As 232, 597, 940 (*EJLU*
abiis *BD* abitis *BoR$Ly*), Au 203, 444, Cas
231, Men 441, 516, Mer 168 (h. *B*[1]), 654, 757,
778, Mi 1085 (abeis *R$Ly*), 1087, Mo 991, Per
50, Poe 431, 608, Ps 380 (*A* h. *P*), 1196, Ru 584
(abeis *A$Ly*), St 538, 603, 632 (*add R*), Tru 115
(*A* auis *P*), 267, 919   **abin** Am 518, 857 (abinc
E), Au 660 (abui *E*), Ba 1168, 1176, Cas 302,
Mer 756, Mo 850 (*ACD* abi *BU*), *ib.*, Per 671a
(*Bo* abisne *P$*), Poe 160 (*RRgl* abi *P*ψ), Ru 977
(*Rs* est *PU* esne *LLy om* $), Tri 457, 989 (*Guy*
abhinc *PPrisc* I. 598)   **abit** (*vide* abiit) Cap
690 (*Rs* at *P$LLy* aiunt *U*), 887 (abiit *EJ*),
Men 450 (*ABC* abiit *CLU*), Mer 873, Mi 178 (*Bo*
abiit *AB*[2]*D*[3] h. *B*[1]*CD*[1]), 251 (*A* abiit *PLULy*),
1331, Poe 71 (*LachRglLLy* abiit *B*[1]*D*[2]ψ h. *P*),
Ps 241 (*Bo* abiit *PU*), Ru 325, St 632 (*add R*),
Tri 717 (*ReizRRs* abiit *P*ψ), Tru 210 (*Kies$*
abiit *A*ψ auit *B* iuit *CD*), 565 (*Ca* abiit *P*), 654
(*L* abiit *P*ψ)   **abimus** (*vide* abiimus) Cap 282
(*Bo* abiimus *P*), Mer 773 (h. *B*), Mi 1280 (h. *B*),
Mo 486   **abitis** As 940 (*BoRgl$Ly* abiis *BD*
abis *EJLU*), Per 827, Poe 1211 (*A* habiit *BC*
abiit *D*)   **abeunt** Ba 1149 (h. *BD*[1]), Mo 131
(*B*[2] h. *P*), Per 443   **abibam** Au 179, Mo 1117
abibat Mer 43 (-bit *D*[1])   **abibo** Cas 962 (-do *V*),
Men 954 (*SchwabeU* ibo *P*ψ), Mi 1193, Mo 83,
1113 (*Rs om PR$*† *ULy*† si uiuo *L*), Tru 546
(*Bo* abdibo *B* adibo *CDU*)   **abibis** Am 358,
Men 430   **abibitur** Mer 776 (ad. *B*)   **abii**
(*de perfecti formis cf* Fleckeisen, *Exer. Pl.*,
p. 18) Am 523 (*J* abi *BDE*), 743, Au 705 (abi *B*[1]),
Ba 171 (abiui *Ly*), 388, Cap 478, 505 (h. *J*), 510
(*P om SpRsLU*), Ci 683 (abi *VE* abiui *Ly*), Men
56, 684, 1112 (apii *C* habi *B*), Mer 12, 255, Mo
879 (*Ca* abi *P* abis *D*[3]), 1045 (*FZ* ab *P*), Poe
455 (abi *AP*), 1285 (abi *A*), Ru 528 (abi *P*)
abiisti Am 691 (*F* abisti *P*), 737 (*F* abisti *P*),
As 251 (*Ca* abisti *P*), Ru 1056 (*Grut* abisti *P*),
St 632 (*L* abisti *P* abierunt *A*ψ), Tri 1010 (*Guy*
abisti *PU*)   **abisti** (*vide* abiisti) Tru 513 (*P$*†
var em ψ), 634 (*P* -iisti *LLy*)   **abiit** Am 102
(h. *D*), 125 (-iuit *Ly*), 606 (ad. *J*), 639, 1045, As
395 (abiit #Sed *Rgl* uenisset *P$LLy aliter U*),
Au 245, 265 (h. *D*), 460 (h. *D*), 708, Ba 900 (-iuit
Ly), Cap 508, 573, 901 (h. *J*), Cas 750 (*U in lac
de A errans*), 794 (h. *E*), Ci 123, 132, 168 (*Rs om
P*ψ), 192, 528, 650, 702 (abit *E*), *ib.*, Cu 109, Ep
46, 81, Men 333 (*B*[2] habit *B*[1]*C* alit *D*), *ib.* (*Grut
om P*), 336 (abid *C*), 450 (*CLU* abit *ABDRg$ et
pf. ducens Ly*), 550, *ib.* (*B*[2] h. *P*), 566 (h. *D*[1]),
684, 698 (*B*[2] abii *B*[1] abi *CD*), 957 (h. *CD*[1]), *ib.*,
Mer 593, 594 (h. *D*), 661, 791, 792, 981, Mi *Arg* II.

3, Mɪ 89(h. D), 251(P abit ARgℨ), 481(B^2 abit ACD^2 abiit D^1), 1145(P h. CD^1 abit A), Mo 76, 958(B^2 h. P), 971(B^2 abit AP), Pᴇʀ 200(h. B), 711, 716, Poᴇ 71(B^2D^2 h. P abit $LachRglLLy$), 445, 917, 1283(h. CD abeit A), Ps Arg II. 4, Ps 53(A abit P), 241(PU abit $B\psi$), 394, 623, 910 (B^2 h. P), 1053(h. CD), Ru 898, Sᴛ 268, Tʀɪ 7, 717(abit $ReizRRs$), 718(h. B), 998, Tʀᴜ 36, 210 (A auit B iuit CD abit $Kies$ℨ), 513(LLy abisti Pℨ† var em ψ), 654(abit L v. om B), 758, 884 **abiuit** Aᴍ 125(Ly abiit $P\psi$), Bᴀ 900(Ly abiit $P\psi$) **abiimus** Aᴍ 807(Ca abimus P) **abierunt** Cᴀs 19, Mᴇɴ 876, Poᴇ 689, Sᴛ 29, 137, 632(A abisti P abiisti L), Tʀɪ 535(P -ere A), Tʀᴜ 285 **abiero** Bᴀ 211, Eᴘ 515, Mo 590, 903 (add R solus), Pᴇʀ 250, 730, Poᴇ 442(A abireo B abire CD), Ru 1328 **abierit** Aᴜ 656, Mᴇʀ 662, Mɪ 1176 **abierint** Sᴛ 594(A abirent P) **abeam** Aᴍ 970(h. E), Aᴜ 730(h. DE), Cᴜ 589 (h. J), Mᴇɴ 603(B^2 h. P), Mᴇʀ 749 bis, Mɪ 1084 (abeani B), 1343, Mo 579, 707(B^2D^3 h. P), Ps 239b, Ru 1189, Tʀᴜ 824(h. B) ·**abeas** Aᴍ 503, 1037(h. E), Bᴀ604, 1172($Ph. D^1$ abetis $O.Brug$ℨ), Cᴀs 731(h. VEJ), Cɪ 596(h. BVE), Eᴘ 513(ob. J), Mᴇɴ 327(D^3 h. P), Mɪ 259(B h. P), Pᴇʀ 297 (h. P), Poᴇ 442, Ps 393(D^1 h. AP), 665(h. D), Ru 834(FZ h. P ad. $ReizU$), 1013(h. P), 1031 (h. CD) **abeat** Aᴜ 598(h. BDJ), Mᴇɴ 852(D^3 h. P), 1044(h. $B[B^1]C$ l. D^1), Mɪ Arg I. 13(h. D), Mɪ 770(h. $ScalLULy$), 979(h. P -ant B), 1100 (AcR), 1125(h. BD^1 -atis B), 1146(D^3 habeas P), 1148(D^3 h. P habeat R), Mo 596(h. P), 633, Ps 242(h. C), Ru 812(h. BC), 1243(P abaetat Rs), Tʀᴜ 564 **abeamus** Cᴀᴘ 260(h. E), Cɪ 772, Cᴜ 351($Brandt$ ad. P actutum U), Eᴘ 379, Mᴇʀ 1016(h. P), Mɪ 944(Ca habemus P), Mo 393(h. CD), 989(AB^2 abemus P), Poᴇ 194, 607(Ald h. P), 814(h. P), Sᴛ 147(h. B), 774 **abeant** Cᴀs 744(h. P), Poᴇ 25(h. D^1), Ru 880 **abiret** Bᴀ 1030, Mɪ 1208(Ca haberet B om CD), Ru 378, Tʀɪ 591, Tʀᴜ 597(iussi a. L iussit alii Pℨ† var em ψ) **abierim** Eᴘ 80, Mɪ 1165 **abieris** Aᴍ 695(h. B) **abierit** Cᴜ 559, Poᴇ 799(FZ aberit P), Ps 1031(h. B) **abisses** Ps 912(abiisses Ly) **abi** Aᴍ 353, 543, 545(Rgl om $P\psi$), 1126, As 228 (albi J), 367, 543, 704, Aᴜ 89, 103, 273, 328(LLy om $P\psi$), 329, 334, 455($PULy$ abite $Goel\psi$), 459 bis, 657, 826, Bᴀ 227(ab C), 592, 714, Cᴀᴘ 125, 452, 870, 877, Cᴀs 103 bis, 149, 214, 229, 295, 419, 421, 491, 500(Ca abis P), 613, 718, 791, 793, 915(Rs om $P\psi$ †ℨL), Cɪ 119, 287, 502(P alibi ALU), 591, 770(B abiri VE), 781, Cᴜ 255, Eᴘ 78, 164(ii abi P i abi L ibo $A\psi$), 601, 604, 655, 660 ($AcRg$ adfer $P\psi$), 714(ibi B), Mᴇɴ 220, 351(ubi B), 438(R in lac: om ψ), 690(Rs om $P\psi$), Mᴇʀ 183(R om $P\psi$), 677(abite Rg), 749(abii^1 B abei R), ib.(aui C), ib.(B^2D^2 abii B^1D^1 abei $CRRg$ℨ), 770, 930, Mɪ 255(A h. D^2 abiit P h. D^1), 291, 302(abiit B^1), 324, 394(aut B^1), 438(Rg adici Pℨ† ἄδικος $SpLULy$), 463, 535(B^2D^2 abit P), 574(A abit P abiit B^2 habit D^2), 761, 808(Ca abis P), 857, ib.(abl CD^1), 864, 1111(abi sis CD ab his B), 1129, 1195, 1372, Mo 8 bis, 66(abi rus BC abiturus D), 294, 397(h. D), 425(iteratum 411 b ubi abi B^2 abii P), 569, 578, 580, 583 bis, 585, 850 (ubi B^2), ib.(BU abin $ACD\psi$), 851(ab B^1), 929 (abii P), 1080, 1113(Rs tibi $P\psi$), 1180(abe CD), ib., Pᴇʀ 147, 165, 195, 215 bis, 223, 247, 250 ($MueRRs$ om $P\psi$), 288(abin D^1), 306, 316(ahbi B), 444, 490, 667b, 855, Poᴇ 160(abin R), 309, 426, 429, 430, 607, 1406, Ps 161(ab B), 890(A h. P), Ru 776, 779, 855, 1027, 1053, 1254, 1327 (abeo Rs), Sᴛ 264, 265(abii C), 424, 429(Rgℨ om A), 533, 696(abii B), Tʀɪ 577(h. B), 586, 798(Ca tibi P), 830, 972(Ca asi B ac si CD), Tʀᴜ 285(A pabi P), 366, 629(SpU ibo CD abo Bℨ†Ly var em ψ), 754($Grut$ ubi P), 756, 866(Rs alibi PℨLLy filiam U), 958(Rs om Pℨ† var em ψ) **abite** Aᴜ 455($Goel$ abi $PULy$), Cᴀᴘ 215b(ite Ly), Cᴀs 832, Cᴜ 281, Mᴇɴ 1017(B^2D^2 h. P), Mᴇʀ 677(Rg abi $P\psi$), Mɪ 928, 1196, 1280(abire B), Mo 391(h. D), Poᴇ 604, Ps 168(a-bite Ly), 758, Ru 707, Tʀᴜ 477, 838 **abire** As 604, Bᴀ 179, Cᴀᴘ 332, 848, Eᴘ 63, Mᴇɴ 553, 599, 837(h. B^1C), 878, 1028, 1058, Mᴇʀ 110, 656, 776, Mɪ 444(auira B^1), 970, 974, 982($RgULy$ om Pℨ†L), Mo 377, Poᴇ 373(D^4R ad. $P\psi$), 1148, Ps 551, Ru 249, 779 (U hiat A varie em ψ), 815(abitere AcR), 817, 834 (FZ ad. PU), 944, 1027, Sᴛ 142, Tʀɪ 983(ire Guy $RLLy$), Tʀᴜ 286, 301(abiere A), Vɪ 71, Fʀ II. 4(ex Paulo 49) **abiisse** Mᴇɴ 556(h. C abisse U ex Non 519), Mᴇʀ 223(Z abisse P), Pᴇʀ 300(ACD abisse B) vide abisse **abisse** Aᴍ 758(P abiisse $PyLLy$), Cᴀᴘ 679(Pℨ abiisse ψ), Mᴇʀ 804 (Pℨ abiisse ψ), Mɪ 1167(AD^3 abiisse LLy abisset BD^1 abiesset C), Mo 989(P abiisse LLy abesse A), Ru 65(BℨU abiisse $CD\psi$), 395(BℨU abiisse $CD\psi$) **abiens** As 593, Eᴘ 90a, Mɪ 179 (h. D^1), Sᴛ 406, Tʀɪ Arg 1(abeens B) **abeuntis** As 591 **abiturus** Poᴇ 432(-un A -usne P), Tʀɪ 714(F h. P), Tʀᴜ 867(LLy h. Pℨ† U habeto Rs) **abitura** Mᴇɴ 723(h. D) **abituros** Aᴍ 208 **abeundum** Aᴜ 105 **abiendi** Aᴍ fr XV(ex Prisc I. 564 abitendi Rgl) corrupta: Aᴍ 678, abeo $B^1D^2E^1J$ ideo Non 166 pro adeo($B^2D^1E^3$); 979, abeat Non 88 pro abigas As 284, abeo Non 72 pro adeo Aᴜ 695, abeo J habeo BDE pro ab eo; 773, abeo DJ habeo VE pro ab eo Bᴀ 1175, abi P habi D^1 pro ibi(Py) Cᴀs 356, abeo BE pro habeo; 470, abeo P pro habeo; 484, abierit P pro aberit(Ca) Cᴜ 600, abituri E abiit J pro habui(B) Mᴇɴ 220, abeo CD^1 pro habeo; 1113, abiit B^1 abii B^2 pro auehi(CD) Mᴇʀ 13, abii P pro ibi($Grut$) Mɪ 208, ad abit C pro dabit; 491, abit CD^3 habit D^1 abiit B^2 pro habet(B^1); 1022, ast abi B sta tibi CD pro asta tibi; 1184, abiero B pro ubi ero Pᴇʀ 45, abeo P pro habeo: 246, abeo B pro habeto(CD); 600, abi BD^3 habi CD^1 pro adi(Bo) Poᴇ 1049, abeo A pro habeo(P) Ps 342, abeo CD pro habeo(B); 556, flagito abire D^1 pro flagitabere(A) Ru 503, abito P pro abitio(FZ) Tʀɪ 245, abi A pro ibi(P); 1012, abieris P pro aberis(Ca) Tʀᴜ 96, abeat CD abaetat Bℨ$RsLLy$ abitat U; 160, abeamus D pro habeamus; 232, abeam Non 89 pro habeat; 246, abit CD bit B pro habet(FZ); 873, iam abis CD iam abo B pro amabo(Bo); 903, abeat B pro habeat(CD); 919, abis B habens C pro habes(D) Vɪ 15, abeo AL om Rgℨ

II. **Significatio**(cf Feyerabend, p. 30) 1. absolute: a. abeo Aᴜ 660, Cᴀᴘ 67, Cᴀs 214,

Ep 63, 377, Men 956, Mi 259, 444, 1087, 1092, 1196, Mo 654*, Per 250*, Poe 608 *bis*, Ps 665* ego abeo Am 1035*, As 378*, Cu 553*, 588*, St 429, Tri 996*, Tru 848* abeo hercle Tri 946 (*LLy in lac*) iamne abeo? Cas 503 abeo igitur Poe 1150, Ru 1327 (*Rs*) abeo potius Am 455 nimis hercle inuitus abeo Au 106 ego nunc probe abeo* Ps 1252 ego abeo missa Mi 456 taceo atque abeo Au 103*, Poe 916* abeo atque argentum adfero Per 672 abeo si iubes Am 857 grauidam ego illanc hic reliqui quom abeo* Am 668 numquid prius quam abeo me rogaturu's? Tri 198 abin* an non? Au 660 abin dierectus? Mer 756, Poe 160* abin* dierecta? Mo 850 abin* inpudenter inpudens? Ru 977 etiamne abis? Poe 431 iamne abis? Men 441, Mo 991, Per 50, Ps 380*, Ru 584*, St 632 (*R*) quin abis? Mer 757 (*A* non a. *PLU*), 778, Mi 1087, Poe 608 quin ergo abis*? Mi 1085 abisne* atque argentum petis? Per 671 heri uenisti media nocte, nunc abis Am 514 qua nocte ad me uenisti, eadem abis Am 532 iamne abis postquam aurum habes? Tru 919 prius abis quam lectus . . concaluit locus Am 513 nunc adeo nisi abis actutum . . ego hic te . . pedibus proteram Tru 267 est etiam priusquam abis quod uolo loqui As 232 da sauium etiam prius quam abis* As 940 priusquam abis . . apologum agere unum uolo St 538 heus manedum . . priusquam abis* Tru 115 heus, abit* Ps 241 abit profecto St 632 (*R*) abit* hercle ille quidem Tri 717 qui per uirtutem perit, abit* non interit Cap 690 (*Rs*) sol abit Mer 873 ubi abit* conclamo Mi 178 abimus* Mi 1280 quin abimus*? Mer 773 malum ego uobis dabo nisi abitis Per 827 prius quam abitis* uos uolo ambas Poe 1211 itaque abibam inuitus Au 179 uerum abibo* Tru 546 quasi non audiam abibo* Cas 962 auferere, non abibis, si ego fustem sumpsero Am 358 auferto tecum quando abibis Men 430 nempe me hinc abire uis? #Uolo, inquam. #Abibitur* Mer 776 iamne abisti*? St 632 (*L*), Tru 634 abiit* Men 333 heus, abiit* Ps 241 (*U*) ecce autem haec abiit Mer 792 abiit* hercle ille quidem Tri 717 ille abiit* Tru 654 eapse abiit Tru 513 (*L*) abiit* socerus, abiit medicus Men 957 non abiit* salus Mer 594 uiginti mulierem minis mercatus abiit Ps Arg II. 4 abiit abstulit mulierem Ci 650 abiit* operuit fores Men 550 argentum accepit abiit Per 716 abiit neque me certiorem fecit Au 245 ut corripuit se repente atque abiit Mer 661 an abiit? Mer 981 iamne abiit* illaec? Cas 794 iamne abiit*? Men 333 iamne abiit Syra? Mer 791 haec puellam sustulit modo quae abiit* Ci 168 (*Rs* m. q. a. *om Pψ*) satin abiit* ille neque . . ? Mi 481 satin abiit neque . . ? Mo 76 postquam illic abiit* dicere hic quid uis licet Per 711 numquam iussit me ad se arcessi . . postquam uir abiit eius St 268 ad tonsorem ire dixit quom abiit* As 395 (*Rgl*) olim quom abiit argento haec dies praestitutast Ps 623 tum pol ego interii homo si ille abiit* Ps 910 ubi ille abiit ego me de-

orsum duco de arbore Au 708 iamne abierunt*? St 632 (*vide R*) quid illos exspectatis qui abhinc iam abierunt triennium? St 137 abiero Ep 515, Mo 590 abeo*. #Et ego abiero Per 250 si nequeo facere ut abeas egomet abiero* Poe 442 immo . . #Immo hercle abiero Ba 211 tunc, quando abiero . . Per 730 si ille abierit mea factum omnes dicent esse ignauia Mer 662 ubi conuiuae abierint* tum ut uenias . . St 594 abi quaeso hinc domum. #Abeam? Mo 579 abi*. #Quid, abeam? #St, abi*. #Abeam? Mer 749 abeam* an maneam? Au 730 maneam an abeam*? Cu 589 sine modo ego abeam Ps 239b numquid uis? #Abeas Ba 604 abeas* si uelis Ru 834 numquid me uis? #. . ut pereas atque abeas cito Ep 513 si nequeo facere ut abeas egomet abiero* Poe 442 (condicionem) fero: ut abeas* Ru 1031 potin abeas*? Per 297 potin ut abeas*? Ps 393 ni abeas*. . malum tibi magnum dabo Ba 1172 quaeso . . neue abeas* Am 1037 ultro abeat orat Mi Arg I. 13 sumat, abeat*, auferat Mi 1100 (*AcR*) quid properas? placide! #At prius quam abeat* Ps 242a huic amanti . . ecficiamus copiam ut hic eam abducat abeat*que Mi 770 dic te daturum, ut abeat Mo 633 facite quod iubet . . abeamus* Poe 607 abeamus* nunciam Mo 989 dicamus senibus legem . . priusquam abeamus* Mer 1016 quid, si abeamus* ac decumbamus? Cu 351 hisce ergo abeant? Cas 744 tandem inpetraui abiret Tri 591 iussi abiret* Tru 597 (*L*) si possem . . inpetrare ut abiret*. . operam dedi Mi 1208 cauistis tu atque erus ne abiret Ru 378 nimis metuebam male ne abisses Ps 912 abite*. #Abimus* Mi 1280 abite ergo ocius Ps 758 agite abite* Men 1017 abite et de uia decedite Cu 281 iube . . abire* auferre ea abs te Mi 982 (*RgULy*) nunc non abire certumst Ps 551 i iube abire (ab-ab-ire *BriU*) rursum Mo 377 liberum ego te iussi abire? Men 1058 quaeso hercle abire* ut liceat Ru 834 licet uos abire curriculo Fr II. 4 (*ex Paulo* 49) quo dedisti nuptum abire uolumus St 142 alio pacto abire non potes Cap 332 sic sine igitur . . abire liberum Men 1028 abire* non sinam te Mi 444 quin abire* sinis? Poe 373 (*R*) alii narrant . . lenonem abisse* Ru 65 hercle istum abiisse* gaudeo Per 300 abiendi* nunc tibi etiam occasiost Am *fr* XV (*ex Prisc* I. 564) saluere me iubes quoi tu abiens offers morbum? As 593 fidicinam . . abiens mandauit mihi Ep 90a (*cf* Sidey, p. 22) ille mihi abiens* ita respondit Mi 179 olim quos abiens adfeci aegrimonia eos nunc laetantis faciam St 406 cur me retentas? #Quia tui amans abeuntis egeo As 591 abiturun es? Poe 432 scio, abituru's* Tru 867 (*L*)

b. **abi** *imperativus saepe proprie ut uerbum motionis, saepe quasi particula indignationis obiurgationisve, raro laudis usurpatur* *Cf* Sjögren, pp. 76, 82, 92

abi *proprie usurpatum:* nihil equidem speculor. #Abi Cas 791 abi* Cas 915 (*Rs*) abi*. #Quid abeam? #St, abi*. #Abeam? #Abi* Mer 749 sed satin oratu's? #Abi* Mi 574 abi, abi* intro iam Mɪ 857   abi*, canis Mo 850   age abi* abi inpune Mo 1180   abi cito Cɪ 781   nihil addo. #Abi* igitur Rᴜ 1327 iam abi: uicisti. #Abi nunciam ergo Pᴇʀ 215 uero hercle dico: abi modo Mo 583a   desine aut abi* Mo 1113(*Rs loc dub*)   abi modo Pᴇʀ 195, Pᴏᴇ 429, 430, Rᴜ 779, Tʀɪ 586   abi tu modo Aᴜ 459   remeato audacter..: nunc abi* As 228   cras petito: dabitur. nunc abi Mᴇʀ 770   reddetur: nunc (tu *add* U) abi Mo 580 abi* tu sane superior Sᴛ 696   pax, abi* Mɪ 808 abi rus: abi dierecte Mo 8   abi* dierecta Mo 850   abi* dierectus Pᴏᴇ 160   abi, stultu's Cᴀᴘ 870   iam abi: uicisti Pᴇʀ 215   abi*, nihil moror Sᴛ 429(*Rs in lac*)   abi*, occupatast Tʀᴜ 754   abi iam: patiar quidquid est Mɪ 1372 aequom oras: abi* Cᴀs 500   satis dictumst. #Abi Pᴏᴇ 607   curatumst: abi Rᴜ 776   rus abierunt, inquam: abi* Tʀᴜ 285   mendax es: abi Tʀᴜ 756   abi: eccillum domi Pᴇʀ 247   abi* et ego abiero Pᴇʀ 250   abi iam quando ita certa rest Pᴇʀ 223

sequitur alter imperatiuus uel antecedit uel coniunctione iungitur; cf Sjögren p. 91: tibi habe, abi* Mᴇɴ 690   remoue, abi, aufer Mɪ 761 abi*, ama animum tuom Tʀᴜ 866(*Rs*)   abi sane.. dicito Aᴍ 353   abi, depromi Cᴜ 255 abi, diiunge inimicitias cum improbo Pᴏᴇ 1406 abi, argentum ecfer huc Pᴇʀ 667b   abi machaeram huc ecfer Mɪ 463   abi*, quaere, ubi iuri iurando sit satius subsidi Cɪ 502   abi: actutum redi Mɪ 864   mane, aliquid fiet: ne abi Tʀᴜ 366   manum abi atque abstine Cᴀs 229(*Sey* abi atque a. m. *PLULy*)   abi atque obsonium adfer Mᴇɴ 220   intro abi, atque adorna nuptias Cᴀs 419   abi* atque caue sis a cornu Pᴇʀ 316   abi et aliud cura Cᴀs 613   abi et cura Cᴀs 718   abi et istuc cura Pᴇʀ 165 abi intro ad me et laua Sᴛ 533   abi atque obsona, propera Cᴀs 491   abi cito atque orna te Mɪ 1195   abi et renuntia Bᴀ 592   abi atque hastatos multos, multos uelites..(*sc.* adducito) Cɪ 287   cura quae iussi atque abi Cᴀᴘ 125 propera atque abi Pᴏᴇ 426, Sᴛ 265*   sine fores sic, abi* Mᴇɴ 351   sume atque abi intro illuc Aᴜ 328   tace atque abi Aᴜ 273, Cᴀs 149

   abi, *indignationis uel laudis particula:* abi sis, belua Mo 569   abi* sis nugator Tʀɪ 972 abi modo, ausculta mihi Mo 585   abi, non uerisimile dicis neque uidisti Mɪ 291   abi, laudo.. As 704   abi, laudo: scis ordine.. tractare homines Tʀɪ 830   abi, ludis me Mɪ 324, Mo 1080   abi*, picra's tu Mɪ 438(*Rg loc dub: uide ψ*)   abi, ere, scio quam rem geras Aᴜ 826 abi, ne iura: satis credo Pᴇʀ 490

   2. *sequitur acc.:* ille quidem.. hodie hinc abiit *Alidem* ad patrem huius Cᴀᴘ 573   abiit oratum..ab se ut abeat*.. *Athenas* Mɪ 1145-6 cum sorore et matre prorsum Athenas protinus abibo tecum Mɪ 1193   abi *domum* Aᴍ 1126, Eᴘ 660(*AcRg*), Mo 583a *bis,* Pᴇʀ 147, 306, Tʀᴜ 629*(*loc dub*)   abi sane domum Sᴛ 264   abi* intro ad nos domum Mɪ 535   abi* in malam rem. #At tu domum Pᴇʀ 288   abi quaeso hinc domum Mo 578   abi domum ac suspende te Pᴏᴇ 309   abite tu domum et tu autem domum Tʀᴜ 838   ego abeo domum Cɪ 148   si quis

ibist odiosus abeo* domum Mɪ 655   immo abibo domum Mᴇɴ 954*   ille abiit domum Cᴀᴘ 508   spero.. uti tu abeaɪ* domum Cɪ 596   ni istunc.. inuitassitis usque abeo donec qua domum abeat* nesciat peristis ambo Rᴜ 812   domum abeamus* Pᴏᴇ 814   si id facere non queunt domum abeant* Pᴏᴇ 25   utinam hinc abierit* *malam crucem* Pᴏᴇ 799   *Naupactum* is domo legatus abiit* Mɪ *Arg* II. 3   abi *rus,* abi dierectus Cᴀs 103   abi rus, abi dierecte Mo 8   tace atque abi* rus Mo 66   nunc abi* rus Mo 929   nunc rus abibo Mo 83   rus abierunt, inquam, abi* Tʀᴜ 285   te satiust rus aliquo abire Mᴇʀ 656   rus abiisse* aiebant Mᴇʀ 804   ..cum patre ut abii* *Tarentum* ad mercatum Mᴇɴ 1112
   3. *seq. acc. cognato:* tu abi tacitus tuam *uiam* Rᴜ 1027
   4. *sequitur abl.:* si quae asportassent, redderent.. abituros *agro* Argiuos Aᴍ 208   quid istuc est.. negoti quod tu tam subito *domo* abeas Aᴍ 503   hinc ad legionem abiit domo Eᴘ 46   biennium iam factumst postquam abii domo 'Mᴇʀ 12   Naupactum is domo(*Py* Naupactis domum *P*) legatus abiit* Mɪ *Arg* II. 2   uiri nostri ðomo ut abierunt hic tertiust annus Sᴛ 29   iam dudum factumst quom abiisti* domo Tʀɪ 1010   quid currentem seruom.. conspicor quem *naui* abire uetui? Mᴇʀ 110   si hac *urbe* abis, amorem te hic relicturum putas? Mᴇʀ 654   an metuis ne quo abeat* foras urbe exolatum? Mo 596
   5. *cum praepp.* a. a(ab): abi in malam crucem ab *aedibus* Aᴜ 459   proin tu ne quo abeas* longius ab aedibus Mᴇɴ 327   discrucior animo quia ab *domo* abeundumst mihi Aᴜ 105   abeunt* a *fabris* Mo 131   iam a *foro* argentarii abeunt Pᴇʀ 443   ab *hac* minatur sese abire As 604   abeo ab *illis* Cᴀᴘ 487   abeo ab illo maestus ad forum Cᴜ 336   abeo ab illo Cᴜ 349   ab illo cupit abire Mɪ 970   abite* ab *istis* Cᴀᴘ 215b clanculum abii* a *legione* Aᴍ 523   tempus (datur) abire ab his *locis* lenoniis Mᴇɴ 553 huic homini nescio quid est mali.. obiectum .. postquam a *me* abiit* Aᴍ 606   is repente abiit a me hinc ante lucem Aᴍ 639   abin* hinc a me? Aᴍ 857   ego ius iurandum .. dedi daturum id me hodie mulieri.. prius quam a me abiret Bᴀ 1030   abin a me, scelus? Bᴀ 1176   potin a me abeas*? Cᴀs 731   abi in malam rem maxumam (a me *add GuyR*) Eᴘ 78   dicam ut a me abeat* liber quo uolet Mᴇɴ 1044   Mɪ 1201(a me ut abeat *add R*)   ita illi dixerunt qui hinc a me abierunt modo Pᴏᴇ 689   et tu ergo abi* a me Tʀᴜ 958(*Rs in loc dub: uide ψ*)   abin hinc ab oculis Cᴀs 302, Tʀɪ 989*   abite ab oculis Tʀᴜ 477   eoque ab *opere* maxume te abire iussi Vɪ 71   iam censes patrem abiisse* a *portu?* Mᴇʀ 223   audio sed non abire* possum ab his *regionibus* Mᴇɴ 837   properas abire* actutum ab his regionibus Tʀɪ 983   miles concubinam intro abiit* oratum ab *se* ut abeat Mɪ 1145-6   omnia dat dono a se ut abeat* Mɪ 1148   non ego te hinc lubens relinquo nequeo abeo abs *te* Aᴍ 531   egone abs te abii hinc hodie cum dilu-

culo? Aᴍ 743 fateor.. abisse*·eum abs te mea opera atque astutia Cᴀᴘ 679 ego abeo a te ne quid tecum consili commisceam Mɪ 478 quin tu illam iube abs te abire quo lubet Mɪ 974 uin tu illam actutum amouere a te ut abeat* per gratiam? Mɪ 979 iube..abire* auferre ea (RgULy auferet PS† auferret LLy auferre et U) abs te(abs te abire U) quo lubeat sibi Mɪ 982 quin potius per gratiam bonam abeat* abs te Mɪ 1125 dicas.. hinc senem aps te abisse* Mɪ 1167 quia abs te abit, animo male factumst huic repente miserae Mɪ 1331 nequeo quin fleam quom abs te abeam Mɪ 1343 cum uestimentis postquam aps te abii*, algeo Rᴜ 528 sinite abeam si(abea nisi B) possum uiua a uobis Mɪ 1084 quid id ad me? ..an sis abitura* a tuo uiro? Mᴇɴ 723

b. ad: ipse abiit* ad Acheruntem sine uiatico Poᴇ 71 abiit* ad amicam Mᴇɴ 450 nunc tu abi intro.. ad Bacchidem Bᴀ 714 abi* huc ad meam sororem ad Calliclem Tʀɪ 577 nunc tu abi ad forum ad erum As 367 iam diust factum quom..abiisti* ad forum As 251 abeo ad forum igitur Bᴀ 902 abeo ab illo maestus ad forum Cᴜ 336 postquam..abii ad forum nunc redeo Mᴇɴ 684 miles..qui hinc ad forum abiit* gloriosus Mɪ 89 exsequi certa res est ut abeam* potius hinc, ad forum Mo 707 eo ego(ego abeo ARs ego eo R) hinc ad forum Mo 853 abi istac trauorsis angiportis ad forum Pᴇʀ 444 ego protinus ad fratrem inde abii* Cᴀᴘ 510 abii* illa(illac BriRsLLy) per angiportum ad hortum nostrum clanculum Mo 1045 ilico res exulatum ad illam clam abibat* patris Mᴇʀ 43 hinc ad legionem abiit domo Eᴘ 46 an te auspicium commoratumst ..qui non abiisti* ad legiones? Aᴍ 691 primulo diluculo abiisti* ad legiones Aᴍ 737 abi sane ad litus curriculo Rᴜ 855 Gripus..de nocte..abiit piscatum ad mare Rᴜ 898 illam deperit quae dudum flens hinc abiit ad matrem suam Cɪ 192 abeamus intro hinc ad me Eᴘ 379 abi intro ad me et laua Sᴛ 533 cape atque abi intro ad nos Aᴜ 328(LLy in lac) huc intro abi ad nos Aᴜ 334 Mɪ 535(supra 2) suadeo ut ad nos abeant Rᴜ 880 quid cesso abire ad nauem dum salus licet? Mᴇɴ 878 ille quidem hodie hinc abiit Alidem ad patrem huius Cᴀᴘ 573 ad portum hinc abii mane cum luci simul Mᴇʀ 255 tandem abii* ad praetorem Cᴀᴘ 505 abi* huc ad meam sororem ad Calliclem Tʀɪ 577 iubeo hanc abire hinc ad te Poᴇ 1148 abi* intro ad uos domum Mɪ 535 abi ad thensaurum iam confestim clanculum Tʀɪ 798 intro edepol abiit, credo, ad uxorem meam Aᴍ 1045 vi finali: ad mercatum Mᴇɴ 1112(supra 2 sub Tarentum) pater ad mercatum hinc abiit* Mo 971

c. cum: cum Amphitruone abiit* hinc in exercitum Aᴍ 125 intro abi* cum istac semul Cɪ 770 metuo ne ille..aduenat priusquam hinc hic Harpax abierit* cum muliere Ps 1031 abiit oratum..ab se ut abeat* cum sorore et matre Athenas Mɪ 1145-6 Athenas protinus abibo tecum Mɪ 1193 abi in malam rem maxumam a me cum istac condicione Eᴘ 78 ..ut cum maiore dote abeat* quam aduenerit

Rᴜ 1243 nunc eum cum naui scilicet abiisse* pessum in altum Rᴜ 395 egone abs te abii hinc cum diluculo? Aᴍ 743(cf primulo diluculo Aᴍ 737) ad portum hinc abii mane cum luci semul Mᴇʀ 255

d. de: ilico properaui abire de foro Mᴇɴ 599

e. e(ex): abin e conspectu meo? Aᴍ 518 iamne isti abierunt.. ex conspectu meo? Mᴇɴ 876 nempe ut adsimulem.. quasi istius causa amoris ex hoc matrimonio abierim Mɪ 1165

f. in: eum cum naui scilicet abisse* pessum in altum Rᴜ 395 uos in aram abite sessum Rᴜ 707 illa autem in arcem (hinc add SchneidewinRRg) abiit aedem uisere Bᴀ 900 abi in malum cruciatum ab aedibus Aᴜ 459 abi intro in crucem Pᴇʀ 855 abeo ad forum igitur. #Vel hercle in malam crucem Bᴀ 902 abin hinc in(AB om CD) malam crucem? Mo 850 Poᴇ 799(supra 2) patria.. quam ego biennio postquam hinc in Ephesum abii conspicio lubens Bᴀ 171 in Ephesum hinc abii Bᴀ 388 hinc abiit* ipsemet in exercitum Aᴍ 102 cum Amphitruone abiit hinc in exercitum Aᴍ 125 abeo hinc in Veneris fanum Rᴜ 586 abierunt hinc in communem locum Cᴀs 19 (i. e. mortui sunt) nisi deriuetur tamen omnis .. aqua abeat in mare Tʀᴜ 564 hoc in mare abit* Tʀᴜ 565 abi dierectus tuam in prouinciam Cᴀs 103 abi in malam rem Cᴀᴘ 877, Pᴇʀ 288* abi in malam rem maxumam Eᴘ 78 hinc (in Thebas add Rg) ad legionem abiit domo Eᴘ 46

g. per: Mo 1045(supra b)

h. sine: ipse abiit* ad Acheruntem sine uiatico Poᴇ 71

6. cum adverbiis a. quae terminum a quo indicant; hinc absolute: hinc abeo* Bᴀ 348 (FlU) tene etiam priusquam hinc abeo* sauium Cᴜ 210 si intestatus non abeo* hinc, bene agitur pro noxia Mɪ 1416 abeo* ego hinc Rᴜ 1013 nisi actutum hinc abis.. accipiere.. haud familiariter Aᴍ 354 faciam ego hodie te superbum nisi hinc abis Aᴍ 357 uide si quam mox uapulare uis, nisi actutum hinc abis Aᴍ 360 uapulabis ni hinc abis Aᴍ 440 uapulabis nisi..hinc abis* Mᴇʀ 168 non tu hinc abis? Sᴛ 603 abin hinc? Bᴀ 1168 abin hinc dierecte? Tʀɪ 457 quoius erat tunc nationis quom hinc abit* Cᴀᴘ 887 quoiusmodi reliqui, quom hinc abibam, filium? Mo 1117 numquam edepol hodie hinc abibo inuitus Mo 1113(Rs hodie inuitus PS† varie em ψ) ut dudum hinc abii*, multo illo adueni prior Aᴜ 705 ut dudum hinc abii, accessi ad adulescentes Cᴀᴘ 478 illic hinc abiit Aᴜ 265*, 460*, Cᴀᴘ 901*, Eᴘ 81, Poᴇ 917(A illinc P) ..modo quae hinc abiit Cᴀs 750 (U de A errans) quae hinc flens abiit paruolam puellam.. sustuli Cɪ 123 hanc deperit mulierculam quae hinc modo flens abiit Cɪ 132 ut quidem ille insanus dixit qui hinc abiit* modo Mᴇɴ 336 postquam illic hinc (KiesRsL om Pψ) abiit* dicere hic quiduis licet Pᴇʀ 711 'illic hinc iratus abiit Poᴇ 445

ABEO.

15

priusquam hinc abiit* quindecim miles minas
dederat Ps 53   postquam illic hinc abiit tu
adstas solus Ps 394   animus in tuto locost
postquam iste hinc abiit* Ps 1053   hic quoque
hinc abiit* Tri 718   postquam ille hinc abiit
post loquendi libere uidetur tempus uenisse
Tri 998   ille quidem hinc abiit Tru 884   si
hercle abiero hinc, hic non ero Ru 1328   hunc
si amitto hinc abierit Au 656   ut hinc abeam*
.. scio Tru 824   neque .. aequomst uitio uortere .. si abeamus* hinc Cap 260   quid si igitur abeamus* hinc nos? Mo 393   te ut deludam
contra .. modo qui hinc abieris* Am 695   metuo
ne ille Harpax aduenat priusquam hinc hic Harpax abierit* Ps 1031   abi hinc sis ergo Cas 793
hinc abi Men 438 (R in lac)   quin abi* hinc
dierectus Mer 183 (R)   abi* sis hinc Mi 1111
abi hinc sis Ru 1053   mirumst me ut redeam
te .. quaerere qui abire hinc nullo modo possim Ba 179   abire hinc non sinam Ep 63   nempe
me hinc abire uis Mer 776   nunc abire hinc
decet nos Ru 249   ego eum non sinam hinc
abire Ru 779 (U de A errans)   sin ipse abire*
hinc uolet .. amplectitote crura fustibus Ru
815   etiam me abire hinc non sinent Ru 817
non sinam ego hinc abire te Ru 944   sine me
hinc abire Ru 1027   abire hinc ni properas ..
crispos cincinnos tuos .. ex cerebro exuellam
Tru 286   abire hinc* hinc si uolunt saluis licet Tru
301   tun te abisse* hodie hinc negas? Am 758
si .. neque tu hinc abituru's* quod meum erit
id erit tuom Tri 714

hinc *addito acc.* (supra 2): Alidem Cap 573
malam crucem Poe 799   domum Mo 578   addito supini acc.: abiisti* hinc erum *arcessitum*
Ru 1056   *cubitum* hinc abiimus* Am 807   addito infin.: uisere Ba 900 (SchneidewinRRg vide
supra 5. f)

hinc *addita praep.* a, ab (supra 5. a): Am
639, 743, 857, Cas 302, Mi 1167, Poe 689, Tri
989*

ad (supra 5. b): Cap 573 (supra 2 sub Alidem),
Ci 192, Ep 46, 379, Mer 255, Mi 89*, Mo 707*,
853*, 971*, Poe 1148

in (supra 5. f): malam crucem Mo 850   in
Ephesum Ba 171, 388*   exercitum Am 102, 125*
Veneris fanum Ru 586*   communem locum
Cas 19

hinc *addito altero adverbio:* si sapiam, hinc
intro abeam* Men 603   abi hinc intro ocius
Mer 930   et uos abite hinc intro actutum
Mi 1196   abi tu hinc intro Mo 294   uos
modo hinc abite* intro Mo 391   abi hinc
(PU om [P]ψ) intro Mo 425   quid meliust
quam ut hinc intro abeam? Ru 1189   intro
hinc abeamus nunciam St 774   abiit intro
hinc: lusit Tru 758 (Rs hinc om LULy atque
em: loc dub)   illic hinc abiit* *intro huc* Per
200 (vide ω)   Ru 586 (supra sub in addita praep.)
hinc *nusquam* abiit Ci 702   adserua istunc ..
ne *quo* hinc abeat* Men 852   postquam hinc
peregre eius pater abiit* numquam .. desitumst
potarier Mo 958

illim, illinc: quoniam litare nequeo abii*
illim ilico Poe 455   abeo iratus illinc (illim
iratus BoRg) Au 377

istinc: abi* istinc Mo 851   non tu istinc
abis? Ps 1196

inde: uiuom quom inde abimus* liquimus
Cap 282   ego protinus ad fratrem inde abii*
Cap 510   ubi pulcerrume egi aetatem inde
abeo* Mi 1312

unde: numquam hominem quemquam conueni, unde abierim lubentius Ep 80   illuc
redeo unde abii Men 56

b. *quae terminum* ad quem *indicant* alio:
alio credo comissatum abisse* Mo 989

aliquo: quanto te satiust rus aliquo abire
Men 656

foras: an metuis ne quo abeat* foras? Mo
596   abii* foras Mo 879, Poe 1285*   ipse
abiit* foras Poe 1283

huc: huc intro abi ad nos Au 334   abiero*
huc Mo 903 (R)   illic hinc abiit* intro huc
Per 200 (vide ω)   quae illaec siet huc quae
abiit intro dicam Tri 7   abi* huc ad meam
sororem Tri 577

illo: abi intro illo (Rg illuc Pψ) Au 329

intro: abeo intro Cas 142, Ep 665*   intro
abeo* Ci 330 (ex Non 423)   intro (intero Rs)
abit* Tru 210   si nemo hac praeteriit, postquam intro abii*, cistella hic iaceret Ci 683
abiit* intro Men 698, Tru 758 (hinc intro Rs)
abiit intro iratus Ci 528   iamne abiit intro (in-
troabiit Ly)? Men 550   .. huc quae abiit intro
Tri 7   illic hinc abiit intro huc Per 200
(vide ω)   intro abiit* Tru 210   concubinam
intro abiit* oratum suam Mi 1145   intro edepol abiit .. ad uxorem meam Am 1045   ubi
intro haec abierit, facito uti uenias Mi 1176
hinc intro abeam Men 603*, Ru 1189   numquid uis? abeam* iam intro Am 970   numquid aliud? #Intro ut abeas* Mi 259   intro
hinc abeamus nunciam St 774   abeamus intro
Ci 772, Poe 194   nunc abeamus* intro St 147
abeamus* ergo intro Mi 944   abeamus intro
hinc ad me Ep 379   intro abi As 543, Au
455*, Cas 214, 295, 419, 421, Ci 591, Ep 601,
Ps 890*   tu intro abi Cap 452   intro abi*
et tu Mo 397   intro abi* ergo Mi 255   intro
abi nunc Am 545 (Rgl)   abi intro Au 89, 103,
Ba 227*, Ci 119, Ep 164*, 655, Mi 394*, 1129,
Ps 161*, Ru 1254   abi tu intro Mer 677
(vide Rg)   abi* intro tute Mi 302   abi* intro
iam Mi 857   abi modo intro Ep 604, 714*
tu .. abi hinc intro ocius Mer 930   abi*
hinc intro Mo 425   abi tu hinc intro Mo 294
abi intro illuc Au 329   huc intro abi ad nos
Au 334   abi intro ad nos Au 328 (LLy vide ψ)
tu abi intro .. ad Bacchidem Ba 714   abi*
intro ad nos domum Mi 535   abi intro ad me
St 533   abi abi* cum istac semul Ci 770
abi intro (om SchmidtRs) in crucem Per 855
intro abite Au 455*, Mer 677 (Rg), Ps 168
age igitur intro abite Mi 928   agite intro
abite Poe 604   abite* intro Cas 832   uos abite
hinc actutum Mi 1196   uos modo hinc
abite* intro Mo 391

nequoquam: nequoquam (Z nec q. B²D³LLy
-quom P eccum quo U) abeo Mo 562

nusquam: hinc nusquam abiit Ci 702

peregre: hinc peregre eius pater abiit* Mo

958 abiens* peregre Charmides rem .. omnem Callicli mandat Tʀɪ *Arg* 1

quo: quo abis? Aᴜ 203, 444   quo nunc abis? As 597, Cᴀs 231   quo illae abeunt*? Bᴀ 1149   proin tu ne quo abeas* Mᴇɴ 327 offlectam nauem ne quo abeas* Rᴜ 1013   adserua istunc .. ne quo hinc abeat* Mᴇɴ 852 an metuis ne quo abeat* foras? Mo 596   non tu abis quo tu dignus es? Mᴇɴ 516   dicam ut **a** me abeat* liber quo uolet Mᴇɴ 1044 abi quo lubet Aᴜ 657, Sᴛ 424   illam iube abs te abire quo lᴜbet Mɪ 974   iube auferre et abs te abire* quo lubeat sibi Mɪ 982 (*U in loco perdub*)

c. *cum adverbiis variis* **hac:** sed is hac abiit* Cɪ 702   hac abiit Cᴜ 109   coronam .. abiciam ad laeuam manum ut .. hac abiisse* censeant Mᴇɴ 556   em hac abiit* Mᴇɴ 566

illa, illac: abii* illa (illac *BrɪRsLLy*) per angiportum ad hortum Mo 1045

istac: abi istac trauorsis angiportis ad forum Pᴇʀ 444

pessum: seruom ratem esse ero aequom censeo ut toleret ne pessum abeat* Aᴜ 598   eum cum naui scilicet abisse* pessum in altum Rᴜ 395   quando abiit rete pessum adducit lineam Tʀᴜ 36

prae: abi prae, Sosia Aᴍ 543

qua: ni istunc .. inuitassitis usque adeo donec qua domum abeat* nesciat, peristis Rᴜ 812

7. *seq. supini acc.:* non domist: abit* *ambulatum* Mɪ 251   tun es qui .. abiisti* hinc erum *arcessitum?* Rᴜ 1056   alio credo *comissatum* abisse* Mo 989   *cubitum* hinc abiimus* Aᴍ 807   abimus omnes cubitum Mo 486   numquid uis? #Dormitum ut abeas* Ps 665   uenit in mentem mihi ne *exsulatum* abierit, argentum ut petam Cᴜ 559   res exsulatum ad illam clam abibat* patris Mᴇʀ 43   exsulatum abiit salus Mᴇʀ 593   an metuis ne quo abeat* foras urbe exsulatum? Mo 596   leno abit scelestus exsulatum Rᴜ 325   alii exsulatum abierunt* Tʀɪ 535   concubinam intro abiit* *oratum* suam Mɪ 1145   Gripus .. abiit *piscatum* ad mare Rᴜ 898   iuben .. alium pisces *praestinatum* abire? Cᴀᴘ 848   uos in aram abite *sessum* Rᴜ 707

8. *seq. infin.:* illa autem in arcem (hinc *add SchneidewinRRg*) abiit aedem uisere Bᴀ 900 *Cf* Walder, p. 15

9. *adverbia modi:* actutum Aᴍ 354, 360, Mɪ 1196, Tʀɪ 983, Tʀᴜ 267   cito Cɪ 781, Eᴘ 513, Mɪ 1195   clam Mᴇʀ 43   clanculum Aᴍ 523, Mɪ 979, 1125, Mo 1045, Tʀɪ 798   confestim Tʀɪ 798   ilico Mᴇʀ 43, Pᴏᴇ 455   inpune, Mo 1180   curriculo Rᴜ 855, Fʀ II. 4   lubentius Eᴘ 80   probe Ps 1252*   protinus Cᴀᴘ 510*, Mɪ 1193   ocius Mᴇʀ 930, Ps 758   repente Aᴍ 639   subito Aᴍ 502   ultro Mɪ *Arg* I. 13   *similiter:* per gratiam (bonam) Mɪ 979, 1125   alio pacto Cᴀᴘ 332   nullo modo Bᴀ 179   trauorsis angiportis Pᴇʀ 444

  adiectiva, sim.: dierectus (-ta, -te) Cᴀs 103, Mᴇʀ 183 (*R*), 756, Mo 8, 850, Pᴏᴇ 160, Tʀɪ 457   flens Cɪ 192   gloriosus Mɪ 89   intestatus Mɪ

1416   inuitus Aᴜ 106, 179, Mo 1113   iratus Aᴜ 377, Cɪ 528, Pᴏᴇ 445   liber Mᴇɴ 1028, 1044, 1058   legatus Mɪ *Arg* II. 3   maestus Cᴜ 336   missa Mɪ 456   saluos Mᴇɴ 878, Tʀᴜ 301   superior Sᴛ 696   tacitus Rᴜ 1027   uiua Mɪ 1084

ABERRO - - puer inter homines (ibi *add RRsU*) **aberrauit** (ab. in. h. *AcLLy*) a patre Mᴇɴ 31

ABHINC - - *cf* Abraham, p. 232; Kane, p. 22; Leers, p. 36

1. *cum acc.:* hoc factumst ferme abhinc biennium Bᴀ 388   quid illos exspectatis qui abhinc iam abierunt triennium? Sᴛ 137   mirum quin uigilanti diceret qui abhinc sexaginta annos (*AbrahamL* annis *Pψ*) occisus foret Mo 494   me nemo magis respiciet quasi abhinc (*Fl* hinc *P*) ducentos annos fuerim mortuos Tʀᴜ 341

2. *cum abl.:* Mo 494 (*P* annos *AbrahamL*) *vide supra* 1

3. *corruptum:* Tʀɪ 989, abhinc *P et Prisc* I. 598 *pro* abin hinc (*Guy*)

ABHIBEO - - amor procul **abhibendu**'s, Tʀɪ 264 (*AcLU* [-ust] *Ly* [-ust])   adhibendus est *PS*†   adhibendus *A* abdendust *RRs*)

ABHORREO - - ego mihi alios deos penatis persequar .. : ab Atticis **abhorreo** Mᴇʀ 837 quid .. te .. tam **abhorret** hilaritudo? Cɪ 54

ABICIO - - abicio superbiam Mᴇʀ 851   hanc coronam .. **abiciam** ad laeuam manum Mᴇɴ 555   numquam edepol ego me scio uidisse umquam **abiectas** (*D³* ablectas *P* ablactas *B¹*) aedes Mo 906 (*i. e.* nimis uili uenditas)

ABIEGNUS - - num ista aut populna sors aut **abiegnast** tua? Cᴀs 384

ABIES - - fero .. hanc ad Lemniselenem tuam eram opsignatam **abietem** Pᴇʀ 248

ABIGO - - I. Forma abigo Tʀᴜ 620 (abico *B*) **abigis** Pᴇʀ 297   **abigit** Cᴀᴘ §15 (*F* abegit *P*), Tʀᴜ 252   **abegi** Bᴀ 632 (platea abegi *L lac PSU* muliere *RRgLy*), Mᴇɴ 127 (ab regia *Varr de l* L. VII. 93), Tʀᴜ 597 (abegi aspuli *L* adiecta culem [-um *C*] *P vide ψ*)   **abegerit** As 446   **abigam** Aᴍ 150 (amb. *B*), Mᴇɴ 853 (*Rs om Pψ* amoueo *Ly*)   **abigas** Aᴍ 979 (abeas *Non* 88)   **abigat** Cᴜ 186   **abige** Mᴇʀ 113 (accepi *B*)   **abigi** Mo 896 (rs mihi *Pψ*†*S*)

II. Significatio 1. *absolute:* potin abeas? #Abigis facile Pᴇʀ 297   quamque .. ut de frumento anseres clamore absterret, abigit Tʀᴜ 252   tibi obtemperem quom tu abigi* nequeas? Mo 896 (*Rs*)   usque abegi, aspuli, iussi abiret Tʀᴜ 597 (*L*)

2. *seq. acc.:* iam hic me abegerit suo odio As 446   abigam* nunc hunc inpurissumum Mᴇɴ 853 (*Rs*)

3. *additur abl.:* eum ego .. his foribus atque hac platea abegi* Bᴀ 632

4. *additur praep.:* abigam* iam ego illum aduenientem *ab* aedibus Aᴍ 150   fac Amphitruonem aduenientem ab aedibus ut abigas* Aᴍ 979   irascere si te edentem hic a cibo abigat? Cᴜ 186   iurgio hercle tandem uxorem abegi* ab ianua Mᴇɴ 127   perii hercle hodie nisi hunc a te abigo* Tʀᴜ 620   agedum . .

abige* abs te lassitudinem MER 113   odos ..
omnes abigit* *in* forum CAP 815

ABITIO - -   quid mihi scelesto tibi erat auscultatio? quidue hinc abitio(*FZ* abito *P*)?
RU 503

ABITO - - *vide* abaeto

ABITUS - - I. **Forma abitus** Mo 711 **abitum** AM 645, 662(*J* h. *BDE*), CI 33(h. *J*)
abitu AM 529, 641(h. *E* altabitu *D*)   *corruptum:*
CAP 547, abitus *E pro* h.

II. **Significatio** abitus tuos tibi, senex, fecerit male Mo 711   perferam usque abitum
eius animo forti AM 645   atque id se uolt
experiri suom abitum ut desiderem AM 662
eas si adeas, abitum quam aditum malis CI 33
lacrumantem ex abitu concinnas tu tuam uxorem AM 529   plus aegri ex abitu uiri quam
ex aduentu uoluptatis cepi AM 641

ABIUDICO - - me iam quantum potest a
uita **abiudicabo** As 607   numquam hercle
hodie **abiudicabit** ab suo triobolum RU 1039
abiudicata a me modost Palaestra RU 1283

ABIURO - - .. lingua qui **abiurant** si quid
crediturast CU 496   qui .. in iure abiurant pecuniam eorum referimus nomina RU 14   nec
metuo .. ne quis mihi in iure **abiurassit** PER
478

ABLEGO - - hinc adulescentem **ablegauit**(abli. *B*) pater CAS 62   hunc subcustodem suom foras(*Lamb* foris *P*) ablegauit
MI 869

ABNUMERAS - - MER 89, *P pro* adn.

ABNUO - - 'ubi cenamus ⟨una⟩?' inquam:
atque illi **abnuont** CAP 481   quid si de uostro
quippiam orem? — abnuont(*Ca* abduunt *P*)
TRU 6   pater .. **abnuere**(-ret *B* nugere *D*) negitare adeo me natum suom MER 50

ABNUTO - - quid mihi **abnutas**? #Tibi ego
abnuto? CAP 611

ABORTIO - - metuebat .. te ne tu sibi persuaderes ut **abortioni** operam daret TRU 202

ABRIPIO - - I. **Forma abripit** CU 648
(*LambU* arr. *BEψ* arripuit *J*)   **abripui** CU
598(*Lamb* arr. *P*)   **abripuit** MI 177(*P* arr. *A*)
abripiat CAS 784(*B* arr. *VJ* ar. *E*)   **abripite** Mo 385   **abripi** CU 695(*Lamb.* arr. *P*)
abreptum MEN 195   **abreptae** RU 690(*Z*
arr. *P*)

II. **Significatio** ibi me neseioquis abripit*
timidam CU 648   nouam nuptam uolo rus
persequi .. ne quis eam abripiat* CAS 784   uix
foras me abripui* CU 598   ita abripuit* repente sese subito MI 177   abripite hunc intro
actutum inter manus Mo 385   hocine pacto
indemnatum atque intestatum me abripi*! CU
695   si amabas iam oportebat nasum abreptum mordicus MEN 195   signum .. unde ab-
reptae* per uim miserae RU 690

ABROGO - - male fidem seruando illis quoque **abrogant** etiam fidem qui nihil meriti
TRI 1048

ABSCEDO - - I. **Forma**(aps. *semper Ly*)
abscedunt CU 294(*BoR* inc. *Pψ*)   **abscedam**
Mo 857(*CDU* aps. *Bψ*), POE 805   **abscedent**
PER 670   **abscessi** EP 237(abc. *B*)   **abscessit**

CAS 835(abc. *B*), MI 586, POE 799(*CDU* aps.
Bψ), TRU 884(*Ca* asc. *B* acc. *CD*)   **abscesserat** RU 66   **abscessero** MI 200, TRI 625(*U*
aps. *ψ* apsessero *P* abs. *CD*), 710(*U* aps. *Bψ*
abc. *CD*)   **abscesseris** CAP 434   **abscesserit**
MER 140, 372(v. secl *UL*), 389(v. secl *RRsS*),
TRI 745(abc. *B* aps. *Rg*)   **abscedas** MI 1333
(quin malo a. *R* quod(quot *CD*) malo *PSt*
aliter *ψ*), POE 801(*U* aps. *Pψ*)   **abscedat** EP
285, MEN 849, RU 1190   **abscede** As 420, 469,
925, AU 55, CAS 627(*PU* aps. *Aψ*), Mo 7, 8,
460, 512(*B* abc. *CD²* -do *D¹*), PER 467(*Dousa
ex v.* 727 aps. *RsS* aspice de *P*), 727, POE
364(*PRgl* aps. *Aψ*), 376(*AB* aspice de *CD*),
1243(*PRglU* aps. *Aψ*)   **abscedite** AM 984, CAP
213, MI 1198(absci. *D*), Mo 468(*BD²U* aps.
CD¹ψ), ST 90(*CDR* ascidite *B* adsidite *Aψ*)
abscedito CAP 11(*BoU pro* accedito)   **abscedere** As 939(asc. *E*), Mo 467

II. **Significatio**(*cf* Feyerabend, p. 96)
1. *absolute:* abscede As 420, POE 1243   abscedite Mo 468   abscedito* CAP 11(*U*)   abscede
etiam nunc AU 55   abscedite omnes AM 984
agite abscedite* ergo MI 1198   numquid me?
#Abscedas* POE 801   tristes atque ebrioli
abscedunt* CU 294(*R*)   (minae) abscedent(*i. e.*
detrahentur) enim, non accedent PER 670
iamne abscessit* uxor? CAS 835   quicum litigas abscessit POE 799   ille quidem hinc abiit
abscessit* TRU 884   eodem pacto quo huc
accessi apscessero* TRI 710   picem bibito:
aegrimonia abscesserit(*i. e.* tolletur) MER 140
(nausea) actutum abscesserit* MER 372, 389
(*i. e.* tolletur)

2. *sequuntur variae constructiones:* **a.** *dativus:* huic ducendi interea abscesserit* lubido
TRI 745(*i. e.* tolletur)

b. *ablativus:* repperi haec(abs *U* a *Gep*) te
('*abl.?*' *L*) qui abscedat suspicio EP 285   MEN
849(*U vide infra* c)   quin malo abscedas*
MI 1333(*R*)

c. *cum praepp.* **a, ab, abs:** abscede ab aedibus Mo 7, 460   abscede ab ianua Mo 8, 512*
ego abscessi* sciens paulum ab illis EP 237
abscede ab ista CAS 627   abscede tu a me
POE 364   me suspendam .. dum abscedat
haec a me aegrimonia RU 1190(*i. e.* tollatur)
pugnis me uotas parcere ni a meis(*Vahl* ex
meis *MueRg* me iam meis *BC*[his *B¹* iis *C*]
negemus *D* ni iam meis *U*) oculis abscedam
in malam magnam crucem MEN 849   equidem
haud usquam a pedibus abscedam tuis Mo
857   abs te EP 285(*U vide supra* b)   ego hinc
abscessero abs te huc interim MI 200

e: ne tu me ignores quom extemplo meo e
conspecto abscesseris CAP 434   age illuc abscede procul e conspectu PER 467*, 727

in: .. abscedat in malam magnam crucem
MEN 849(*supra sub* ab)   illorum nauis longe
in altum abscesserat RU 66

3. *additur adverbium locale* **hinc:** abscede
hinc, molestus ne sis As 469   abscede* hinc
sis POE 376   illic hinc abscessit MI 586   abscedite hinc CAP 213   iuben hanc hinc absce-
dere* As 939   POE 805(*infra sub* intro)

huc: ego hinc abscessero abs te huc inte-

rim Mɪ 200   huc aliquantum abscessero* Tʀɪ
625
    illinc: iube illos illinc ambo abscedere Mo
467
    illuc: age illuc abscede Pᴇʀ 467, 727
    intro: abscedam hinc intro Poᴇ 805
    istinc: agite istinc(istic *A*) abscedite* Sᴛ
90(*R*)
    istuc: abscede ergo paululum istuc As 925
    add. adverb.: aliquantum Tʀɪ 625   paululum
As 925
    ABSCIDO - - hercle ego istam scelestam,
scelus, linguam abscidam Aᴍ 557   *corruptum:*
Mɪ 1198, abscidite *D pro* abscedite
    ABSCONDO - - nequiquam abdidi, abscon-
didi(*B* abscondi *CD*), abstrusam (amicam)
habebam Mᴇʀ 360   secundum ipsam aram
aurum abscondidi Fʀ I. 51(*ex Prisc* I. 516)
in latebras (stultitiam) abscondas pectore penitissumo Cɪ 63   nimis ego hanc metuo male
ne . . persentiscat aurum ubist absconditum
Aᴜ 63(aps- *Ly*)
    ABSINTHIUM - - Arabia . . ubi apsinthium
(*FZ*[abs.] apsentium[abs. *CD*] *P*) fit Tʀɪ 935
    ABSISTO - - Mɪ 201, abstitit *P pro* ad-
stitit(*A*)
    ABSOLVO - - I. Forma(aps. *semper Ly*)
absoluo Mᴇɴ 780(-ue *B*)   absoluam Bᴀ 1060
(*Fl* ut soluam *PLU*), Cᴀᴘ 731, Cᴜ 454, Eᴘ
466, Pᴇʀ 264, Ps 1231, Rᴜ 653   absoluet Aᴍ
488(*S* -uat *Pψ*)   absoluam(*subiu.*) Mo 839
absoluat Aᴍ 488(-uet *S*)   absolue Eᴘ 631,
Mo 652   absoluito Aᴍ 1097(-uto *E*)   absolutos As 517, 519   *corrupta:* Mɪ 1300, absoluere *CD pro* soluere(*B*) Ps *Arg* II. 4, absol-
uit *A pro* soluit(*R*)
    II. Significatio (*cf* Sjögren, p. 150) 1. *ali-
quem dimittere pretio soluto* a. *proprie vel
absolute vel seq. acc.:* iam hosce absolutos censeas Aᴜ 517, 519   absoluam* militem(-ti *Lamb
LU*) Bᴀ 1060   age age absolue (me *add Ca
RgLULy*) Eᴘ 631   absolue hunc quaeso Mo 652
absoluam peregrinos Ps 1231
    b. *translate, addito abl.:* uno labore ab-
soluet* aerumnas duas Aᴍ 488   diu ego hunc
cruciabo, non uno absoluam die Cᴀᴘ 731   diu
quo bene erit, die uno absoluam Pᴇʀ 264
    2. *aliquem dimittere explicatione data* a. *ab-
solute vel cum acc.:* uno uerbo absoluam: lenost
Rᴜ 653   te absoluam qua aduenisti gratia
Cᴜ 454   ut te absoluam, nullam pictam conspicio hic auem Mo 839
    b. *addito abl. vel adv.:* te absoluam breui
Eᴘ 466   hoc primum te absoluo* Mᴇɴ 780
quaeso absoluito* hinc me extemplo Aᴍ
1097
    ABSORBEO - - meretricem indigne deperit
. . atque acerrume aestuosam: absorbet ubi
quemque attigit Bᴀ 471   *corruptum:* Mɪ 834,
absorbui *Schol Luc ed Us* p. 124
    ABSQUE - - *cf* Jordan, *Beitraege,* p. 308,
Fleckeisen, *Ann. Phil.* LXXXV. p. 625,
Weiszenhorn, p. 19 *Semper cum abl. personae inuenitur.* apsque *semper Ly*
    absque te esset ego illum haberem rectum

Bᴀ 412   absque hoc esset . . suis me ductarent dolis Cᴀᴘ 754   absque te esset hodie
numquam ad solem occasum uiuerem Mᴇɴ
1022   absque me foret . . hic faceret te pro-
stibilem Pᴇʀ 836   absque(*CDU* apsque *Bψ*)
foret te sat scio in alto distraxissent . . satellites tui me Tʀɪ 832   exaedificasset me ex his
aedibus absque(*CDU* apsque *Bψ*) te foret Tʀɪ
1127   *corruptum:* Tʀᴜ 24, absq' se *CD pro*
eapse
    ABSTERGEO - - tu labellum abstergeas
As 797   sume laciniam atque absterge sudorem tibi Mᴇʀ 126   mihi absterserunt(*AB*
aps. *CDU*) omnem sorditudinem Poᴇ 970   aps.
semper Ly
    ABSTERREO - - ubi quamque nostrarum
uidet . . item ut de frumento anseres clamore
absterret abigit Tʀᴜ 253   ego med adsimulem insanire ut illos a me absterream(*BD
LU* aps. *Cψ*) Mᴇɴ 833   iussit . . orare ut patrem aliquo modo absterreres(-rres *D¹*) Mo
421
    ABSTINEO - - I. Forma(aps. *semper Ly*)
abstineo Mo 292, Poᴇ 282   abstines Cᴀs 101
(*PU* aps. *Aψ*), Mᴇɴ 166(*B²DU* aps. *B¹Cψ*)
abstinent Mᴇɴ 768   abstinebit Aᴜ 601   ab-
stinei(*pf.*) Aᴍ 926(*Luchs* -i *L* -es *P* -et *U*)
abstineam Mᴇɴ 982   abstineas Aᴍ 903(-cas
J), Cᴜ 37, Ps 981(*CDU* aps. *Bψ*), Rᴜ 425
abstineat Aᴍ 340, Mɪ 186(*R pro* optineat)
abstineant Cᴜ 180, Tʀɪ 288(*ACDU* apt. *B* aps.
ψ -eat *C*)   abstinuissem Mɪ 1309(*F* -issa. et
B -isset *CD*)   abstine Cᴀs 229, Mo 897, Rᴜ
1108(*CDU* aps. *Bψ*), Tʀᴜ 926(*CDRsU* aps.
Bψ), 944 abstinere Aᴜ 345, Bᴀ 915, Mɪ 644,
Mo 896(linguam abs. *R* neq' eas *PS*† nequeas *FZψ*), Pᴇʀ 11(*PRU* aps. *Aψ*)   cor-
ruptum: Tʀɪ 264b, aptinendus *P pro* abstan-
dus(*A*)
    II. Significatio 1. *absolute:* quid olet?
abstines*(*sc* manum *uix* nasum)? Mᴇɴ 166
    2. *seq. acc.:* si abstinuissem* *amorem*(amare
MuretL a mare *ZRU*) . . Mɪ 1309   *culpam*
abstineam Mᴇɴ 982(a me *add Rs*) tibi op-
temperem, quom tu mihi nequeas *linguam*
abstinere*? Mo 896(*R*)   potin ut abstineas*
manum? Aᴍ 903   manum abi atque abstine
Cᴀs 229(a. a. a. m. *PLU*)   nimis diu abstineo
manum Mo 292   in tenebris, conspicatus si
sis me, abstineas manum Ps 981   *quod* te
scio facile abstinere posse si nihil obuiamst
Aᴜ 345   abstine iam *sermonem* de istis rebus
Mo 897
    3. *intrans., seq. abl.:* qui ea curabit absti-
nebit *censione* bubula Aᴜ 601   illi quoque
haud abstinent saepe *culpa* Mᴇɴ 768   abstine
maledictis Rᴜ 1108
    4. *seq. acc. cum abl.:* quasi lippo oculo me
erus meus manum abstinere hau quit Pᴇʀ 11
potin ut me abstineas manum? Rᴜ 425   abstine hoc, mulier, manum Tʀᴜ 926   abstine
istac tu manum Tʀᴜ 944   deos . . quibus ego
tamen abstineo manus Poᴇ 282   quod manu
non queunt tangere tantum fas habent quo
manus abstineant* Tʀɪ 288   factis me impudicis abstini* Aᴍ 926   incommoditate abs-

tinere me apud conuiuas . . commemini Mi
644 id curas atque urbanis rebus te abstines? Cas 101 dum ted abstineas nupta . .
ama quidlubet Cu 37

5. *seq. acc. et a cum abl.:* . . possim uideri
huic fortis, a me ut abstineat manum Am 340
Men 982(*Rs supra* 2)

6. *seq.* a *cum abl.:* a mare Mi 1309(*ZRU
supra* 2)

7. *seq. infin.(cf* Walder, p. 22): amare Mi
1309(*MuretL supra* 2) earum artem et disciplinam apstineat colere Mi 186(*R*) dum mihi
abstineant inuidere . . Cu 180

8. *seq.* quin: abstinere quin attingas non
queas Ba 915 me erus meus manum abstinere hau quit tamen, quin mihi imperet, quin
me . . praefulciat Per 11

ABSTO - - quom senex **abstet**(*U* abs te
PRs adest *A vide* ψ), 'decumbe' inquam Cas
882 amor procul abhibendus(*AcLULy in
loco dubio*) atque **abstandus**(*S* -ust *ARRsULy*
-u's *L* aps. *RRsLy* aptinendus *P*) Tri 264
(*cf* Francken, *Plautina*, p. 7) *corruptum:*
As 772, abstet *DE*[1], adstet *E*[3]*J pro* abs ted

ABSTRAHO - - (fluuius) **abstraxit**(*ACDU*
aps. *B*ψ) hominem in maxumam malam crucem Men 66 . . atque(a me *U*) illam abs-
trahat, trans mare hinc uenum asportet Mer
354

ABSTRUDO - - I. Forma(aps. *Ly*) **abs-
trudit** Au *Arg* I. 9(obs. *D*), *Arg* II. 6(abstri-
dit *P*) **abstrudebas** Mer 190 **abstrudebat**
Au 707(ast. *E*) **abstrudam** Au 577, 583,
Ru 1007(*CDU* aps. *B*ψ) **abstrusi** Ru 1185
abstrudat Au 673, 679 **abstrudere** Au 663
abstrusisse Au 617 **abstrusum**(*masc.*) Tri
Arg 1(aps. *RRs*) **abstrusam** Mer 360(-uxsam
B -tusam *C*) **abstruso** Poe 342(*B* -truoso
CD[1] occulto *A*) **abstrusos** Cu 606

II. Significatio 1. *cum acc. vel passive:*
quin eam(*Bent om P*) abstrudebas? Mer 190
nequiquam (amicam) . . abstrusam* habebam
Mer 360 thensaurum abstrusum* . . Charmides . . Callicli mandat Tri *Arg* 1

2. *additur abl.:* domo sublatam (aulam) uariis abstrudit* locis Au *Arg* I. 9

3. *seq. in cum abl.:* (dixit) se aulam . . abstrusisse hic intus in fano Fide Au 617 sumne
ego scelestus qui non (uidulum) alicubi in solo
abstrusi loco? Ru 1185 *translate:* uerbum . .
adde unum, iam in cerebro colaphos apstrudam tuo Ru 1007

4. *seq. sub cum abl.:* sub gemman abstrusos
habeo tuam matrem et patrem? Cu 606

5. *seq. adverbio: alicubi* abstrudam *foris* Au
577 Ru 1185(*supra* 3) (aurum) Euclio abstrudit* foris Au *Arg* II. 6 *hic* iam non audebit aurum abstrudere Au 663 Au 617(*supra* 3)
ibi abstrudam probe Au 583 nunc hoc *ubi*
abstrudam cogito solum locum Au 673 obseruabo aurum ubi abstrudat senex Au 679 exspectabam aurum ubi abstrudebat* senex Au
707

6. *substantive in abl.:* in abstruso* (mers)
sitast Poe 342

ABSTULO - - *Diom* 380: Plautus . . conpositum efficit in Rudenti(434 *Rs: ad finem
SLLy*) 'ollas (*vel* ullas) abstulas', ut sit in-
stans 'abstulo'

ABSUM - - I. Forma(aps. *semper Ly*) ab-
sum Ep 681(*PU* ap. *A ut vid* ψ), Mi 595
abes Ci 297(*Rs* abes *vel* ades *A* ades *SL* es
U), Mo 1018 **abest** Am 640, 1081, Ba 193,
Cas 882(adest *A* abstet *U* abs te *PRs*), Ci
224, Cu 117, Ep 27, Mer 894, 924, Mo 79, 666
(*A* habes *P*), Per 811, Ps 1113(abem *C* ha-
bem *D*), Ru 267(*BD*[3] abes *CD*[1]), St 711(adest
R), *ib.* **absunt** Ba 1139a, Cap 615, St 3(*PR
RgU* ap. *ASL*), Tru 657 **aberat** Ps 502 **ab-
eris** Tri 1012(*Ca* abieris *P*) **aberit** Cas 484
(*Ca* abierit *P*) **aberunt** Per 559 **afuit**
Am 322(*Z* affuit *P*), Ba 2(ab. *R*) **afueris**
St 523 **absim** Am 542, Cu 164(sum *E*) **ab-
sis** Cap 611 **absit** Am 643 **afuerit** Per 78
(*Haupt* inf. *P* īs fuerit *R* fuerit *U*) **abesse**
Am 322, Ci 237, Cu 165, Per 663, Ru 255,
1330 **absens** Ru 743, Tri 904(*U* ap. *P*ψ)
absentis Am *Arg* I. 5, *Arg* II. 2(*L* eius *P*ψ),
Mi 105(*RibRg om P*ψ), Tri 1114(*R*[ap.] *Rg
om P*ψ) **absenti** Cas 63(ads. *A*), Mi 1341
(abl. *S* †*LLy*), Per 9(*PRU* ap. *A*ψ), Tri 617
(*Herm* abs. *CDU* aps. *B*ψ -te *P*), 926(*U* aps.
*BC*ψ p̄senti *D*) **absentem** Am 542(*P* -te *L*
-ti *Ly*), Ep 509, Mi 1006(-te *RgLy*), Mo 12,
14 **absente** Am 542(*L* -ti *Ly* -tem *P*ψ), 811,
826(-de *J* -ti *LLy*), 827, *fr* XVI(*ex Non* 182),
As 500, 583, Au 98, 428, Ci 108, Ep 62, Men
492(*Bo* -ti *PSULy*), 628(*BDLU* aps. *C*ψ -tē
D[1]), 968, Mer *Arg* II. 16(*v. secl Pius* ω), Mi
866, 1006(*RgLy* -tem *P*ψ), Mo *Arg* 2, Mo
1016(*PRU* ap. *A*ψ), 1139, St 525(*A* -tem *P*),
Tri *Arg* 3(ap. *RRs*), Tri 167(*CDU* ap. *B*ψ),
Tru 383 **absenti**(*abl.*) Am 826(*LLy* -te *P*ψ),
Men 492(-te *BoRRsL*), Mi 1341(*dat. RRsU*
†*SLy*) **absentes** Cas 20 **absentum** St 4
(*P* -tium *A* ab. *PRgU* ap. *A*ψ) **absentibus**
St 15(*PU* ap. *A*ψ) **absentis** Mer 627(*B* -tes
CDU), St 99(*P* ap. *ASL*) **absentibus** St 131
(*U* aps. *P*ψ) *corrupta:* Cas 572, absit *B pro*
adsit(*A* atsit *CD*) Mo 989, abesse *A pro*
abisse(*P*) Per 560, aberunt *A pro* aderunt
(*R*); 654, absentem *P pro* abs te(*Bo*) Poe
799, aberit *P pro* abierit(*FZ*) Ps 286, iam
abes *D pro* si amabas Tri 935, absentium *P*
(ap. *B*) *pro* absinthium(*FZ*) Tru 920, abest
C pro ades

II. Significatio A. 1. *absolute:* numquid
uis? #Ut quom absim me ames Am 542
absit dum modo . . domum recipiat se Am
643 si (amica) abest, nullus est Ba 193
dum senex abest* 'decumbe' inquam Cas
882 . . si quidem hic non es atque abes*
Ci 297(non *om Rs*) si absim* haud recusem
Cu 164 ne, dum absum . . Mi 595 etsi
abest* hic adesse erum arbitror Ps 1113 (uinum) haud longe abesse oportet, uerum longe
hinc afuit Am 322 quid agat si absis longius? Cap 611 procul (a me *add MueLy*)
amantem abesse haud consentaneumst Cu
165 etsi procul abest*, urit male Mo 666(*v.
secl R*)

de rebus, sim.: ornamenta absunt Cap 615

. . num afuerit* febris Per 78   id abest*,
aliud nihil abest St 711   quia illud malum
aderat, istuc aberat longius Ps 502

2. *seq. dat.: mihi* animus etiam nunc abest
Am 1081   neque mihi ulla abest perdito permities Ci 224

3. *seq. abl.:* uir aberit* faxo *domo* Cas 484
nimiast uoluptas si diu afueris domo(*A* a domo *P*) St 523

4. *seq.* a *cum abl.:* annis uiginti errans a
patria afuit Ba 2   ne balant quidem quom
a pecu absunt Ba 1139 a   . . ab amica abesse
auderem sex dies Ci 237   quam longe a me
abest? Cu 117   a me Cu 165(*Mue Ly supra* 1)
num ab domo absum? Ep 681(*cf* St 523 *supra* 3)   non longe hinc abest a nobis(a n.
om CaU) Mer 894   si aberis* ab eri quaestione . . Tri 1012   hau longe absunt a lupis
Tru 657   *de re:* unum a praetura tua . . abest
Ep 27

5. *apponuntur adverbia* a. hinc: (uir) longe
hinc(*B²* hic *P*) afuit* Am 322   ille hinc abest
Am 640   Mer 894(*supra* 4)   triennium . . iam
hinc abest Mo 79   mecum ut ille hic gesserit
dum tu hinc abes negoti? Mo 1018   delude
ut lubet erus dum hinc abest Per 811   haud
longe abesse oportet homines hinc Ru 255
longe hinc abest* Ru 267   uiri hinc absunt
St 3   *de rebus:* nummus abesse hinc non
potest Per 663   non potest triobolum hinc
abesse Ru 1330

b. unde: haec(*i. e.* hi mores) unde aberunt
moenita muro sat erit (urbs) simplici Per
559

c. ruri: . . quia scortum . . adduxerit in
aedis dum ruri ipsa abest Mer 924

d. *alia adv. et sim.:* longe Am 322 *bis,* Cu
117, Mer 894, Ru 255, 267, Tru 657   longius
Cap 611, Ps 502   procul Cu 165, Mo 666
diu St 523   sex dies Ci 237   annis uiginti
Ba 2   triennium Mo 79

B. absens - - *cf* Gimm, p. 3   1. *substantive, adiective, praedicative:* Mercurius formam Sosiae serui gerit absentis Am *Arg* I. 5
Iuppiter mutauit sese in formam absentis*
coniugis Am *Arg* II. 2(*L*)   ut . . me ames,
tuam absentem* tamen Am 542(*vide infra* 2)
sed tamen absentes prosunt pro praesentibus Cas 20   ei mater dat operam absenti*
tamen Cas 63   Stratippoclem aiunt . . absentem curauisse ut fieret libera Ep 509   †ab-
sente cum lenone perfido Mer *Arg* II. 16(*v.
om Piusω*)   deos absentis testis memoras
Mer 627   insinuat sese absentis* ad illam
amicam eri Mi 105   illam . . absentem subigit me ut amem Mi 1006(*vide infra* 2)   bene
. . dicatis et mihi absenti tamen Mi 1341
(*CaR vide ψ*) sine modo uenire saluom quem
absentem comes Mo 12   comesse quemquam
ut quisquam absentem possiet? Mo 14   . . quae
ero placere censeat . . absenti* suo Per 9
mearum me absens miseriarum commones Ru
743   quorum nos negotiis absentum* sollicitae . . sumus St 4   uiris tantas absentibus*
nostris facit iniurias St 15   absentis* uiros
proinde habetis quasi praesentes sint St 99

absenti* hic tua res distrahitur tibi Tri 617
ego absens sum quam praesens longior Tri
904   ne male loquere absenti* amico Tri 926
labores ob . . liberos absentis* mei eri(a. m. e.
add RRg in lac) eum ego cepisse censeo Tri
1114

2. *abl. abs.(cf* Kane, p. 61): . . ut . . me
ames, me tuam te absente* tamen Am 542
(*vide supra* 1)   me absente corpus uolgauit
suom Am *fr* XVI(*ex Non* 182)   mercator diues absente ero solus mihi talentum adnumerauit As 500   . . quod sese absente mihi
fidem habere noluisset As 583   in aedis meas
me absente neminem uolo intromitti Au 98
quid tibi . . erat negoti me absente? Au 428
si me absente Alcesimarchus ueniet . . Ci 108
uidere commeruisse hic me absente . . aliquid
mali Ep 62   fecisti funus med absenti* prandio Men 492   properato absente* me comesse
prandium Men 628   . . ut absente ero rem
eri diligenter tutetur Men 968   me absente
accipito tamen Mi 866   illa absente*(mullo a.
R) subigit me ut amem Mi 1006(*vide supra* 1)
bene . . dicatis mi med absenti* tamen Mi
1341(*L vide supra* 1)   omnem absente rem
suo absumit patre Mo *Arg* 2   me absente*
hic tecum filius negoti gessit Mo 1016   fateor . . amicam liberasse absente te Mo 1139
non aequomst abduci, pater, illis absentibus* St 131   me absente* familiarem rem
uxor curauit meam St 525   istoc absente*
male rem perdit filius Tri *Arg* 3   me absente . . aedis uenalis hasce inscribit litteris
Tri 167   . . quod tu hic me absente noui negoti gesseris Tru 383

additur hinc: uitium me hinc(*Bo* hic *P*)
absentest additum Am 811   te hinc(*VahlLLy*
hic *P v. secl ψ*) absente* tuam rem curet teque absenti hic munus fungatur tuom Am 826
(*vide L*)

ABSUMEDO - - quanta (ueniet) sumini ab-
sumedo(*Valla* aps. *Ly* -mendo *BJ* -m̃do' *E*)
Cap 904

ABSUMO - - I. Forma **absumit** Mo *Arg*
2(*B²* -imit *P*)   **absumpsi** Cu 600(*J* -msi *B*
assumpsi *E*)   **absumi** Poe 715(*CD* ap. *Bω*)
absumptus Ep 82, Mi 409   **absumpta** Am
1058, Mo 235   **absumptum** Mo 1140   **ab-
sumpti** Mo 365   *corruptum:* Cap 904, absu-
mendo *BJ* -m̃do *E pro* absumendo(*Valla*)

II. Significatio 1. *active; proprie de pecunia:* (rem) quam habui, absumpsi* celeriter
Cu 600   omnem absente rem suo absumit*
patre Mo *Arg* 2

2. *passive* a. *proprie:* iam ista quidem absumpta res erit Mo 235   id (argentum) esse
absumptum praedico Mo 1140   propere hosce
(nummos) absumi uolo Poe 715

b. *translate:* corrupta sum atque absumpta
sum Am 1058   nisi quid tibi in tete auxilist,
absumptus es Ep 82   dum te fidelem facere
ero uoluisti, absumptu's paene Mi 409   quid
ego ex te audio? ≠Absumpti sumus Mo 365

ABSURDE - - (aps. *Ly*) scio absurde dictum
hoc derisores *dicere* Cap 71   absurde *facis* qui
angas te animi Ep 326

ABUNDO - - abundat(ha. *BD*) pectus laetitia
meum Sᴛ 279   quod des deuorat nec datis(*Bue*
deuoratis *P*) umquam abundat(ha. *CD*) Tʀᴜ 569
Cf Graupner, p. 21; Inowraclawer, p. 53

ABUTOR - - I. Forma abutar(*fut.*) Pᴇʀ 262
abusus Tʀɪ 682   **abusa** Pᴏᴇ 1199   **abusa**(*pl.*)
As 196   **abusos** Bᴀ 360

II. Significatio 1. *active; seq. acc.:* hoc
argentum alibi abutar Pᴇʀ 262   quom . . sciuerit nos *aurum* abusos . . Bᴀ 360   abusus
sum tantam *rem* patriam Tʀɪ 686   *translate:*
sapientiam tuam haec quidem abusast Pᴏᴇ
1199

2. *passive:* ubi illaec quae dedi ante?
#Abusa As 196(= *utendo vel in usum consumpta,*
Non 76)   *vide* Cɪ 557 *ubi* fortuna abusa indigna *in lac supp U*

AC - - *cf* Ballas, *De particulis copulativis,*
p. 28; Skutsch, *Plautinisches und Romani-*
sches, p. 52; Leo, *Goettin. Nachr.* 1885, p. 423

I. Forma *ante:* **b.** benedice As 206   bono
Rᴜ 679

c. caue Bᴀ 147   conspexero As 479   cum
Mɪ 367(*BoRgLy* atque *APψ*)   cunila Tʀɪ 935
(*Ly* atque *Pψ*)

d. decumbamus Cᴜ 351(*om BrandtRgSULy*)
decumbas Mᴇʀ 373   demonstra Cɪ 578   dedisti
Mᴇɴ 508(*Ly* atque *Pψ*)   dic(ere) Cᴀᴘ 964(*CaL*
om Pψ), Rᴜ 454   dicaculus Cᴀs 529 (*Kies om P*)
didier Mᴇʀ 58   dominum Aᴍ *Arg.* II. 5   domo
Cᴀs 953   durum Mᴇɴ 872

f. facit Sᴛ 463(*A* hac *PSLLy*)   facile Bᴀ
695   falsum Aᴍ 755   familia Aᴜ 342, Mᴇʀ 811
(*Ca* a *P om GuySULy*)   festiua Mɪ 958(*FRsLy*
atque *Pψ*)   formam Mɪ 1251   fortunas Tʀᴜ
966(rem ac f. *U aliter Rs* Romabo *Pψ*†)   fugis
As 380(*Py* hac *P*)   fugitiuom Pᴏᴇ 832(*GepU*
ad *PS*† an *Acψ*)

g. geminissumus Pᴇʀ 830

i. iube Eᴘ 655   iudicato Mᴇɴ 188(ac i. *U*
adiudicato *Pψ*)

l. lasciuiae Tʀɪ 751   lenonem Cᴜ *Arg* 6
linum Bᴀ 748(hac *D*)   lupae Eᴘ 403

m. me Bᴀ 214, Eᴘ 522(*BoRgLy* atque *APψ*),
Mᴇʀ 942, Ps 1315(*SpRgULy* atque *APψ*)   meus
Cᴀs 736(*Ly* atque *Pψ*), Ps 558   meritus Aᴍ 583
metuo Mᴇʀ 276(*A* atque illius *PL*)   mihi Cᴀᴘ
967(*Ca* haec *P*), Mᴇɴ 185(isti ac *U* istic *Pψ*)   militis Eᴘ *Arg* 5   minumi Mᴇɴ 489   morem Pᴇʀ
605

n. ne As 462   negant Sᴛ 367(ac *praem R*
solus)   neque Mɪ 619(atque *B*¹ neque *P* et
neque *R*)   nitide Cɪ 10(atque *R*)   nomine
Cᴀᴘ *Arg* 6   non Aᴜ 109   nuntia Tʀᴜ 329

p. patrem Mᴇɴ 1090   pauciloquium Mᴇʀ
34(*BoRRg* hoc *Pψ*)   pauidae Rᴜ 663(a. p. *Rs*
aefandae [-e] *PS*† e fano *Zψ*)   pedes Sᴛ 311
(*Loman an PLy*)   pellis Aᴜ 564   perieratiun-
culas Sᴛ 229(*P* ad *A*)   pernas Cᴀᴘ 847(*Rs* atque epulas *PS*†*LULy*)   Philocomasio Mɪ 769
plane Sᴛ 485(*R* ita *APψ*)   Pleusicles Mɪ 1133
(*R* aut *APLLy*)   Progne Rᴜ 604 (ac P. *Ly*
atque ex P. *PL*†*U* Attica *RsS*)   pudice Cɪ
173

q. quae Bᴀ 471(ac quae *FlU* atque ea *RRg*
atque *Pψ*)   quasi Sᴛ 77(*RRg* an *Aψ om P*)

r. rationes Cᴀᴘ 673

s. se Mᴇʀ *Arg* I. 5(ac se simulans *Grut* ad
se si. *B* at se si. *Ly* se adsi. *CD*)   sese Tʀɪ 213
(*Gul* haec esciet *A* hac esset *P* hac esse et
TaubLLy)   seca Mᴇʀ 309(*A om P*)   si Rᴜ 1128
(at *LambRs*)   Silanum Rᴜ 317(*L* Silonem *FZ*
RsU hic *R* at *PS*† ad *SeySLy*)   simitu Bᴀ 624
(ac s. *Rg* atque *Pψ*)   simul Mᴏ 976(*A* ac s.
om P)   sine As 420(*Bent* hac *P*)   Sticho Sᴛ
Arg II. 7   stomacho As 423   subsequere Bᴀ
723   suspende Bᴀ 903, Cᴀᴘ 636, Pᴇʀ 815(*PL*
te s. *Rψ*), Pᴏᴇ 309, 311(et *ARgl*)   suo Pᴇʀ 524
symbolum Ps *Arg.* II 5.

t. tace Bᴀ 169, Pᴏᴇ 261(*Ca* actace *B* aetate *CD*),
Rᴜ 1062, 1089, 1153   tam Tʀᴜ 933(*Sey* acta *B* atque *CD*)   te Cᴀs 752(*Ly* atque *APψ*), Mᴏ 1134
(*UL* acto *PS*† tu *Rs*), Pᴇʀ 815(*R* suspende
te *PLLy*), Pᴏᴇ 372(*BoRglLy* atque *APψ*), 396
tollerem Tʀᴜ 399(*B* at *CDRs*)   trucibus Tʀᴜ
Arg 5(*FZ* at crucibus *P*)   tu Mɪ 811(ac tu
tum *L* actutum *APψ*), Mᴏ 322, Pᴇʀ 829(*Ly*
atque *Pψ*)   tumultu Bᴀ 1120

u. uero Aᴍ 964   uestitum Aᴍ 443   uicistis
Pᴏᴇ 532   uilissumum Sᴛ 189(ac u. *Abraham*
aculissumum *P*)   uirum As *Arg* 8   uiribus
Cᴀᴘ 387(*U* atque auribus *Pψ*)   uolui Ps 407
(*RRs* et *Aψ* at *P*)   uotueram As 212(aut *J*)
corrupta: Aᴍ 628, *J pro* hac   As 420, *E pro*
ab; 844, *BDE pro* at(*J*)   Bᴀ 951, ac similiter *B*,
aut s. *C pro* adsimiliter(*AD*)   Cᴀs 228, *E pro*
haec; 375, *J pro* atque; 724, *add B* Cɪ 379, *Non*
198 *pro* ad   Cᴜ 602, *J pro* at   Eᴘ 231, *Varr de*
l. L. V. 131 *pro* aut   Mᴇɴ 342, ac glutinant *P*
pro aggl.; 562, *B*¹ *pro* hac; 746, *B*² *pro* at;
822, *P pro* hac(*B*²*D*³); 825, *P pro* hanc(*B*²*D*³)
Mᴇʀ 186, *D pro* aut; 397, *add Non* 420   Mɪ 370,
383, *D*¹ *pro* hac; 451, ac erus *B*²*CD* acherusa
*B*¹ at erus *RRsS* atque erus *Ly* Atticis *L*; 961,
ac *BC* hac *D pro* an; 997, ac *PS aliter ψ*; 1073,
risum ac m. *B*, risu meo m. *CDL* risu adm. *Stud*
RgS risu meo iam m. *U*; 1214, *P pro* at(*Ca*);
1283, *D pro* hanc; 1377, *C pro* ad   Mᴏ 408, *B*¹
pro an   Pᴏᴇ 984, lingua ac uertero *P pro* linguam
uertero(*A*); 1306, quo misi ac *B pro* quom istac;
1405, ac massum *PS*†*Ly*† *pro* incassum(*Bri*);
Ps 250, *P pro* hac; 252, *D pro* hac; 329, ac ninis *B* ac ninis *CD pro* agninis(*A*); 1315, *CD*
pro hac   Rᴜ 299, ac gredimur *B pro* adgr.   Sᴛ
185, *B pro* ad   Tʀɪ 1, *Non* 497 *pro* hac; 659,
P pro ut(*A*); 972, ac si *CD* asi *B pro* abi(*Ca*)
Tʀᴜ 83, qui manifesta ac *P pro* quem antehac
(*Bue*); 267, *P pro* aut(*A*); 688, *C pro* hanc   Fʀ
I. 11, ac sitiose *Varr de l. L.* VII. 66 *pro* axi-
tionae(*Ald*); 116, ac sitio aquam sic, *Varr de*
l. L. VII. 66 *pro* axitiosa quam sit(*Ald et Sch*);
II. 24, misero mihi ac∗∗∗ *Fest* 278

II. Significatio 1. *copulative* **a.** *duo sub-*
stantiva coniungit: seruom ac dominum frustra habet Aᴍ *Arg* II. 5   habet petasum
ac uestitum Aᴍ 443   clamore ac stomacho
non queo labori suppeditare As 423   hic
autem apud nos magna turba ac familiast
Aᴜ 342   ossa ac pellis totust Aᴜ 564   cedo
tu ceram ac∗ linum actutum Bᴀ 748   quis
sonitu ac tumultu tanto nominat me? Bᴀ
1120   ueste uersa ac nomine ut amittatur
fecit Cᴀᴘ *Arg* 6   confecisti omnis res ac

rationes meas Cap 673   id petam . . corde
et animo ac* uiribus Cap 387(*U*)   iubes . .
laridum ac* pernas foueri? Cap 847(*Rs*)   Lyconem miles ac lenonem in ius rapit Cu *Arg* 6
conpressae ac militis cognoscit opera sibi senex
os sublitum Ep *Arg* 5   ego isti ac mihi hodie
adparari iussi . . proelium Men 185(*U*)   eandem
patriam ac patrem memorat Men 1090   huic
amanti ac Philocomasio hanc ecficiamus copiam
Mi 769   nunc ad me ut ueniat usust . . ancillula eius ac* Pleusicles Mi 1133   furem ac*
fugitiuom scelus Poe 832(*U*)   scortum reliquit
ad lenonem ac symbolum Ps *Arg* II. 5   . . natas
ex Philomela ac* Progne esse hirundines Ru
604(*Ly*)   uendo . . adsentatiunculas ac* periera-
tiunculas parasiticas St 229   experiar fores an
cubiti ac* pedes plus ualeant St 311   aiebant
Calliclem indignum ciuitate ac* sese uiuere
Tri 213   apsinthium fit ac* cunila Tri 935(*Ly*)
adulescenti . . pleno amoris ac lasciuiae Tri 751
ui magna seruos est ac* trucibus moribus Tru
Arg 5 rem ac* fortunas . . perdere Tru 966(*U*)
   b. *duo adverbia vel adiectiva coniungit:*
equidem serio ac uero ratus Am 964   inliciebas
me ad te blande ac benedice As 206   quid
me amare refert nisi sim doctus ac dicaculus?
As 529   hos lepide ac* nitide accepisti Ci 10
educauit eam . . bene ac pudice Ci 173   eu
hercle! morbum acrem(acutum *SpU*) ac durum
Men 872   (rediit) sua(*Ca* cum *PSULy*) quidem
salute ac* familiae maxuma Men 811   facinora
puerilia obicere ac* neque te decora neque
tuis uirtutibus Mi 619   a luculentast ac* festiua
femina Mi 958(*Rs*)   ecquem (uidistis) recaluom ac* silanum(silonem *FZRsU*) senem? Ru
317   egrediuntur timidae ac* pauidae mulieres Ru 663(*Rs*)   nihili quidem hercle uerbumst ac* uilissumum St 189   apertiore magis uia ac* plane St 485(*R*) hominem . . tam
horridum ac* tam squalidum Tru 933   *similiter:*
flagitium hominis, subdole ac minumi preti
Men 489
   c. *duo verba vel enuntiata coniungit: cf* Sjögren, p. 88: accurrit uxor ac uirum e lustris
rapit As *Arg* 8   quod nolebam ac* uotueram
. . fugiebatis As 212   abscede ac* sine me
hunc perdere As 420   da, quaeso, ac ne formida As 462   id si relinquo ac non peto,
omnes ilico me suspicentur Au 109   omitte,
Lyde, ac cave malo Ba 147   sequere hac me
ac tace Ba 169   cedo manum ac subsequere
propius me Ba 723   exige (aurum) ac suspende
te Ba 903   i(*Gul om PS*†) dierectum . . ac
suspende te Cap 636   tandem ista aufer ac*
dic quid fers Cap 964(*L*)   animum aduorte ac*
mihi quae dicam edissere Cap 967   dic(*Becker
duc PU*) ac demonstra mihi Ci 578   quid si
abeamus ac* decumbamus? Cu 351(*L*)   abi
intro ac iube aquam calefieri Ep 655   tu se-
legito ac* iudicato Men 188(*U*)   surripuistin
. . ac* dedisti? Men 508(*Ly*)   amat senex hanc
ac* se simulans uendere tradit uicino Mer *Arg*
I. 5   inhaeret auiditas . . : ac* pauciloquium . .
praedico Mer 34(*Rg*)   (dixit) quae ipsus optuma
. . inuenisset . . diffunditari ac didier Mer 58
quasi hircum metuo ne uxor me castret mea ac
metuo ne illaec simiae partis ferat Mer 276

(*v. secl RRgl*)   cape cultrum ac* seca digitum
Mer 309   si sapias, eas ac decumbas domi
Mer 373   quin tu istas omittis nugas ac
me:um huc intro ambulas? Mer 942   . . ut
. . hic agat ac* tu tum partis defendas tuas
Mi 811(*L*)   uisne ego te ac tu me amplectare?
Mo 322   age mitte ista ac* te ad me ad cenam dic uenturum Mo 1134(*UL*)   i sane ac
morem illi gere Per 605   restim tibi cape
crassam ac* te suspende Per 815(*cf* Poe 396)
ne obturba ac* tace Poe 261   abi domum ac
suspende te Poe 309   ausculta mihi modo
ac* suspende te Poe 311   aes nimium pro te
dabit ac* te faciet ut sis ciuis Poe 372(*RglLy*)
capias restim ac te suspendas Poe 396(*cf* Per
815)   podagrosi estis ac uicistis cocleam tarditudine Poe 532   . . dixeram ac* uolui Ps 407
(*RRs*)   amolimini hinc uos intro nunciam ac
meis uicissim date locum fallaciis Ps 558   onera
hunc umerum ac* me consequere hac Ps 1315
quid ego cesso fugere in fanum ac dicere haec?
Ru 454   tace ac bono animo's Ru 679   animum aduorte ac tace Ru 1062, 1153   caue
malo ac tace tu Ru 1089   suam quisque retinet ac Sticho ludus datur St *Arg* II. 7   quasi
ego numquam . . adsimulem ac* quasi quid indaudiuerim St 77(*Rg*)   St 367(ac *add R ante*
negant)   i intro ac nuntia Tru 329
   d. *aliquid maioris momenti additur, praesertim in responsis:* perdidi me ac* simitu
operam Chrysali Ba 624(*Rg*)   ain . . Philolachem . . perpotasse assiduo, ac* simul tuo
cum domino? Mo 976
   audin illum?   #Ego uero ac falsum dicere
Am 755   meretricem indigne deperit #Non tu
taces?   #Ac* quae . . Ba 471(*U*)   seruos ego?
#Ac* meus Cas 736(*Ly*)   tun me uidisse . . ais
osculantem?   #Ac cum alieno adulescentulo
dixit Mi 367(*Rg*)   hic eius geminust frater.
#Hicinest?   #Ac geminissumus Per 830
   e. *supplementum explicativum additur* quin
tuom officium facis ergo ac* fugis? As 380
quid nunc agam? nescio nisi ut improbos
famulos imiter ac domo fugiam Cas 953
   2. *in comparationibus:* Epidicum . . fabulam
aeque ac me ipsum amo Ba 214   *item* me
spero facturum augurium ac* facit St 464
diuortunt mores uirgini *longe* ac lupae Ep 403
si *parem* sapientiam habet ac formam . . Mi
1251   faciam te hodie *proinde* ac meritu's ut
minus ualeas Am 583   *similiter:* fiet ut uapules,
Demaenetum *simul* ac conspexero hodie As 479
   3. *in apodosi:* perge, ac facile ecfeceris
Ba 695
   4. *adversative:* (mihi) sic data esse uerba . .!
ac* me minoris facio prae illo Ep 522(*RglLy*)
eam te nolo curare ut istic ueneat: ac suo
periclo is emat qui eam mercabitur Per 524
fortasse Per 829(*Ly*), Poe 261(*supra* 1. c)   concredam (uidulum) tibi ac* si istorum nihil sit
ut mihi reddas Ru 1128   . . si quod peperis-
sem id non necarem ac* tollerem Tru 399
   ACANTHIO - - *servi nomen in supersc.* Mer
Act. I. *sc.* 2 Mer 112, 133, 149 *ubique* achan-
tio   *Cf* Schmidt, p. 174
   ACCEDO - - **I. Forma accedit** Men 82(*CD*
accidit *B*), Mer 148(*BD* accidit *C*), 674   ac-

cedunt Cu 344 (GuyRgLy coac. Pψ), Mer 24 accedam Am 515, Cas 577, Ep 149, Mer 708, Mi
494, Mo 543, 689, 717, Poe 1387, Ru 480, 836
(PLU cedam SeyŞLy aliter Rs), 1202 accedent
Per 669 (-ant B), 670, Ru 787, 788 accessi Cap
478, Tri 710 accessit Am 709, Au 383, Mo
446 accessere Ep 474 accessero Ba 774,
Per 575 (CD accerseo B) accesseris Au 442,
Men 857 (accerseris D¹) accesserit Am 1001
(accerserit E), Mi 1270 accedat Am 550
(cedat Rgl), As 799, Per 605, Ru 708, St 711,
Vi 88 accederes Tri 121 accede Ba 834,
Cas 965, Cu 623, 627, 702, Men 433, Per 764,
Ru 242, 785, 1148, 1332, Tru 478, 620 accedito
Cap 11 (cedito Rs absc. U duce Bo), Ps 312
accedere Am 264, Cas 697, Ep 248, Tru 289
accedi Mi 1025 (GertzLU accepi BRRgŞ† appelli Ly apeli CD¹ aperi D³) corrupta:
Am 1102, accedimus Non 503 pro occepimus
Cas 601, accessiuisse E¹ pro arces., Per 347,
accessit Non 177 pro admigrant Ps 250, ac-
cedamus P pro occ.; 1118, accessere C pro
arces. Tri 1138, accessit P pro occ. (Gul)
Tru 884, accessit CD pro abscessit

II. Significatio (cf Feyerabend, p. 98)
A. = adeo 1. absolute: accedam Am 515, Mo
543, 717, Poe 1387 non (om ReizL) accedam*
potius Ru 836 accessero Ba 774 face ut
accumbam, accede Tru 478 accedito* Cap 11
apponitur adverbium: nemo audet prope accedere Cas 697 iube modo accedat prope Ru
708 accedam propius Cas 577, Mer 708 quid
ages si accedent propius? Ru 788 (B p. a. CD)
2. seq. acc. rei: . . quo pacto hoc Ilium accedi* uelis Mi 1025 quis homost qui nostras
aedis accessit prope? Mo 446 translate: ego
istuc accedam periculum Ep 149
3. translate, seq. dat. personae: num tibi . .
stultitia accessit? Am 709
4. seq. praep. a. ad de hominibus: accessi
ad adulescentes Cap 478 accedam ad hominem Mi 494 coepi rursum uorsum ad illas
pausillatim accedere Ep 248 ad me (add R
om Pψ) accede huc Men 433 dabitur malum . . si propius ad me accesseris* Men 857
iubedum ea hoc accedat ad me Per 605 accede ad me Per 764, Ru 242 semper tu ad
me cum argentata accedito querimonia Ps
312 uerbum . . facere non potis si accesserit
prope ad te Mi 1270 immo ad te accedent
Ru 787 de rebus: neque ego hunc hominem hodie ad aedis sinam umquam accedere
Am 264 accedam huc ad fores Ru 480 accedam opinor ad fores Ru 1202 ad foris
nostras . . es ausa accedere Tru 289 . . si
ad ianuam huc . . accesseris Au 442 translate: accessit animus ad meam sententiam
Au 383 nec mater lena ad uinum accedat
interim As 799
b. ex: dies e nocte accedat Am 550 (cedat
mox nocti Rgl)
c. in: operam dare te fuerat aequius . . non
uti in eandem tute accederes infamiam Tri
121 (translate)
5. adverbia: hoc Per 605 (A huc PU supra
4. a)
huc: inde optume aspellam uirum . . qubm

huc accesserit* Am 1001 Au 442 (supra 4. a)
accede huc tu Ba 834, Cu 627 accede huc
modo Cas 965, Ru 785, Tru 620 accede huc
Cu 623, 702, Men 433 (supra 4. a), Ru 1148
igitur tum accedam huc Mo 689 Ru 480 (supra
4. a) accededum huc Ru 1332 eodem pacto
quo huc accessi, apscessero Tri 710
illo: ego illo accessero* Per 575
prope: Cas 697, Mi 1270, Mo 446, Ru 708
propius: Cas 577, Men 857, Mer 708, Ru 788
B. = addi: 1. pro his decem (eo add Ly)
accedunt* minae Cu 344 quin accedat faenus
id non postulo Vi 88 Per 670 (infra 4.)
2. fides ei quae accessere tibi addam Ep
474 amori accedunt etiam haec Mer 24 homini misero Men 82 (infra 3)
3. ad: homini misero si ad malum accedit*
malum Men 82
4. additur adv. eodem: eodem accedit seruitus sudor sitis Mer 674
huc: pro uestimentis huc decem accedent
minae. #Abscedent enim: non accedent Per
669 modo nostra huc amica accedat St 711
quo: bonum malum quo accedit* mihi dari
haud desidero Mer 148
ACCELERATE - - Ps 168, U pro haec cito
celerate (Gul celebrate PŞ celebra Ly)
ACCENDO - - lampades accendite Fr I. 60
(ex Varr de l. L. VII. 77) corruptum: St 572,
acentet B accendet CD pro occentet (Pistor)
ACCENSUS - - negat hercle ille ultumus accensus. cedito (Rs ultimus acc. PŞ†LLy ultimus tu uero abs. U) Cap 11 . . ubi primum
accensus clamarat meridiem Fr I. 30 (ex Varr
de l. L. VI. 89) ubi sunt accensi? #Ecce Fr I.
81 (ex Varr de l. L. VII. 58) (cf Inowraclawer,
p. 88)
ACCENTO - - dabitur homini amica, noctu
quae in lecto accentet (Ly acentet B accendet
CD occentet Pistor ψ) senem St 572 (Ly) discant
dum mihi adcentare liceat (Ly argentarilliceam
B argentari illic eam CD commentari liceat
Acψ) Tru 736 (Ly)
ACCEPTO - - Ballionis argentum accepto (expenso add AP del Bo) et quoi debet dato Ps 627
ACCEPTOR - - ego . . illorum uerbis falsis
acceptor fui Tri 204 (translate)
ACCEPTRIX - - des quantumuis nusquam
apparet neque datori neque acceptrici (Ca -ice
P factrici Rs) Tru 571
ACCERSO - - vide arcesso
ACCESSIO - - quid tibi . . in consilium huc
accessiost? Tri 709 quid tibi ad hasce accessio aedis est prope? Tru 258
ACCIDO - - I. Forma accidunt Mo 197,
Ru 8 accidebant Poe 485 (aec. A rec. Ly
duce A) accidit (pf.) Am 171, St 88 acciderat Poe 486 accidisse Ps 681 (cec. R)
corrupta: accidit pro accedit Men 82 (B), Mer
148 (C)
II. Significatio 1. proprie: ut quisque
acciderat, eum necabam Poe 486 seq. ad:
(homines) tam crebri ad terram accidebant*
quam pira Poe 485 alia signa de caelo ad
terram accidunt Ru 8 seq. acc.: certe enim
mihi paternae uocis sonitus auris accidit
St 88

2. *translate:* insperata accidunt magis saepe
quam quae speres Mo 197   bene ubi quod
scimus consilium accidisse* hominem catum eum
esse declaramus, malum quoi uortit male Ps 681
('*proprie*'*Sey:cf* L a n g e n,*Beitr.*321) *seq.infin.:*
quodquomque homini accidit lubere (l. a. *Herm
Rgl*), posse retur Am 171 *cf* V o t s c h, p. 21

ACCIEO - - ego illum probe iam oneratum
huc **acciebo**(*Z* oneratur huc acibo[*B* aciebo
CD] *P* arcessibo *U* runcinabo *R*) Mi 935

ACCIPIO - - I. Forma **accipio** Ep 548, Per
532, Tru 653   **accipis** Ba 101(*PRU* -ies *Bent*ψ),
Ps 949(-ies *U*), St 615(-ias *A ut vid*) **accipin**
Per 412   **accipit** As 469(*Py* accepit *P*), St
763 **accipimus** Tru 243(*BD* acce. *C*) **accipiunt** Cu 480   **accipitur** Tru 750(*Sp* -iamur *P*)
accipimur St 685(*Guy* -iamur *P*), 704 **accipiam** Am 286, As 605, Au 630, Ba 829, 1061,
Ep 319, Men 707, Mo 914(*Ca* -iem *P*), Ps 946
(-eam *B*), Ru 417, St 481   **accipies** Ba 101
(*Bent* -is *PRU*), Ps 949(*U* -is *P*ψ), 970 **accipiet** Mer 449(*Scal* -it *P*), Mi 1062, Poe 179
accipient Mo 318(*Lorenz* -iet *P*) **accipiar**
Am 162, Tru 698   **accipiere** Am 355(*F* accipere *BDJ* accipe *E*), Per 31(-pere *C*) **accipientur** Ba 1074 **accepi** Am 764, As 87, Ba
802, Cap 989(accipe *E*), Cas 188, Ci 675(*B*²
-pit *P*), Mer 449, Mi 1025(*PRg varie em* ψ),
Per 477(accipi *B*), 616, Ps 282, Tri 993, Tru
541(*PLy* accipe *FZ*ψ), 617, 791(*Z* -pit *P*) **accepisti** As 168, Ci 11, Mo 1010(-tin *A* -tis *B*¹),
Ru 861, Tri 403, 420, 902(acci. *D*), 964, 966, Tru
272(clepis tibi *Rs de A errans*), 760(*FZ* -tis *P*),
797 **accepistin** Tru 791(*FZ* -ti in *P*) **accepit**
Am 588, Ba 250, Ci 139, 146, Per 716, Poe 723,
Ps 1216, Ru 410(*F* accipit *P*), Tri 421, Tru 43
accepimus Tru 240   **acceperam** Ru 555, Tri 828
acceperat Ci 140   **accepero** Per 162(acci.
C)   **acceperis** Per 395(-res *C*¹), 676, Tri 371
acceperit As 765   **accipiam** Cu 495(*Pius*
occ. *P*), Mi 676(*Non* 415 -iem *P*), 739, St 508
accipias Au 351, Ba 104, 1041, 1189, Ci 111,
Cu 458, 460, Ep 463, Per 414, Ps 1148, Tru
274   **accipiat** As 772, Men 795, Mo 920, Per
526, Ps 1123, Ru 480 **accipiatis** Men 4 **acciperem** Tri 967 **acciperes** Ba 29(*Mercer ex
Non* 334: acceperis *Non*) **acceperim** Mi 1287
(-ri *B*), Tri 695   **acceperit** Ep 370(-pit *E*)
accepisset As 396(acci. *D*)   **accipe** Am 1101,
Au 237, Ba 753, Cap 872, Cas 292, 379, 830, Ci
637(acipe *B*), Cu 201, Ep 345, 475, 559, 646, Men
290, 386, Mi 773 *bis*, 957(*FZ* accepi *P*), Mo 592,
1144(*Ly* accipito *Pius ex B*² accipte *B*¹ accipte *CD*), Per 412, 691(*ACD* accipi *B*), 776, Poe
713, Ps 647, 983(acipe *D*), 988, 1101(*Ly* -iet *P*
-i *A*ψ), 1149, Ru 243, 807, Sr 717, Tru 541(*FZ*
accepi *PLy*), 909, 914   **accipite** Cap 16, Men 5,
Poe 56, Tri 11   **accipito** Mi 866, Mo 1144(*Pius
ex B*² accipte *B*¹ accipite *CD* accipe *Ly*), Ps 950
accipere Cas 879(*AVEJ* perc. *BRsU*), Ci 456,
Mo 599, 914(*B* accicere *CD*), 1092, Per 758 b, 762
(*B* sumere *CD*), Poe 706, Ps 167, 994, St 560,
Tri 370, 489(*P* aspicere *A*), Tru 738, Fr I. 53
(*ex Non* 545) **accipi** Ps 1011(*A* -piet *P* -pe *Ly*),
St 494 **accepisse** Ba 686, Mo 269, 1025, 1026 b
(*U in lac aliter* ψ), Poe 1022, Tri 849, 969
bis **accepturus** Am 296   **acceptura** Ru 467,

469   **accepturum** Ep 8   **acceptus** Ba 1182,
Mer 99   **accepta** St 50   **acceptum** Mer 655,
Mo 224, Ru 25, Tru 750(-tunst *D*), 894   **accepti** Mo 304, Tru 749(*FZ* -pii *B* -pi *CD*)
acceptum Mo *Arg* 8, Mo 247, Ru 800   **accepto** Ru 581(accoepto *C*)   **accepti** Ps 1254,
St 741   **acceptae** Cas 855, Ci 17   **acceptas**
Ps *Arg* II. 73(*Ac* accipiat *P*),
583(*CaLULy* amata *Rs* acaque *B* que *CD*),
617, 703   **acceptior** Per 648   **acceptissumus**
Cap 714   **accipiundum** Tru 962(cip. *B*) *corrupta:* As 115, accepi *D pro* occ. Ba 274,
accipe trina *P pro* accipitrina   Mer 113, accipe *B pro* abige   Ps 399, accipias *CD pro*
occ.   Tru 144, accipit *P pro* cepit(*A*)

II. **Significatio** A. *de hominibus* 1. *in domum, hospitio, ad se accipere:* peregre adueniens hospitio publicitus accipiar Am 162
aduenientem hic me hospitio pugneo accepturus
est Am 296   bene me accipies* aduenientem
Ba 101   me nihil paenitet ut sim acceptus Ba
1182   uenio, decumbo, acceptus hilare atque
ampliter Mer 99   lepide accipis* me Ps 949
nisi effecero, cruciabiliter carnifex me accipito
Ps 950   male accipiar mea mihi pecunia Tru
698   acceptae bene et commode eximus intus
Cas 855   nos lepide ac nitide accepisti apud te
Ci 11   nos hilari ingenio et lepide accipient*
Mo 318   in loco festiuo sumus festiue accepti
Ps 1254   ut honeste atque haud grauate (nos)
. . accepit* ad sese Ru 410   lepide accipimur*
St 685   potius in subsellio cynice hic accipimur quam in lectis St 704   uentum gaudeo
ecastor ad te: ita hodie hic acceptae sumus
suauibus modis Ci 17

ego pol te istis tuis pro dictis . . accipiam
Am 286   familiaris accipiere* faxo haud familiariter Am 355   ego edepol te . . miseris
iam accipiam modis Au 630   deum uirtute
est te unde hospitio accipiam* apud me comiter Mi 676   tua te ex uirtute et mea meae
domi accipiam benigne, lepide et lepidis uictibus Mi 739   basilico accipiere* uictu Tru
31   ut ego accipiam* te hodie lepide! Ps
946   accipiam hospitio, si mox uenies uesperi
Ru 417   et te hodie faxo recte acceptum ut
dignus es Ru 800   haud aequomst te inter
oratores accipi St 494

neue quemquam accipiat *alienum* apud se
Men 795   quid uis? #Hos ut accipias *coquos*
tibicinamque obsoniumque Au 351   age accipe hanc (*fidicinam*) Ep 475   adibo atque
hominem accipiam quibus dictis meret Men
707   leno ad se (hominem) accipiet Poe 179
non ego *illam* (i. e. ancillam) mancupio accepi.
#Sed ille illam accipiet Mer 449   nisi mancipio accipio quid eo mihi opus est *mercimonio* (i. e. ancilla)? Per 532   accipientur mulso
milites Ba 1074   *oratores* tu accipis* St 615
hic uolo ante ostium et ianuam meos *participes* bene accipere Per 758 b   eam *puellam*
a med accepit Ci 139   eandem puellam peperit quam a me acceperat Ci 140   accepistin* *puerum* tu ab hac? #Accepi* Tru 791
cur eum (puerum) accepisti? Tru 797   magnifice uolo me *uiros* summos accipere Ps
167   accipe hanc (*uxorem*) ab nobis Cas 830

2. *addito supplemento* a. *abl. modi:* hospitio publicitus Am 162 hospitio pugneo Am 296 hospitio Mi 676, Ru 417 hilari ingenio Mo 318 mancupio Mer 449, Per 352 miseris modis Au 630 mulso Ba 1074 lepidis uictibus Mi 739 basilico uictu Per 31 suauibus modis Ci 17 quibus dictis meret Men 707

b. *adverbio* (cf Abraham, p. 223): ampliter Mer 99 bene Ba 101, Cas 855, Per 758b benigne Mi 739 comiter Mi 676 commode Cas 855 cruciabiliter Ps 950 cynice St 704 familiariter Am 355 festiue Ps 1254 grauate Ru 410 hilare Mer 99 honeste Ru 410 lepide Ci 11, Mi 739, Mo 318, Ps 946, 949, St 685 magnifice Ps 167 male Tru 698 nitide Ci 11 publicitus Am 162 recte Ru 800

c. *additur locus:* ad se(se) Poe 179, Ru 410 apud me, te, se Ci 11, Men 795, Mi 676 inter oratores St 494 meae domi Mi 739 ante ostium et ianuam Per 758b in loco festiuo Ps 1254 in subsellio, in lectis St 704 in prandio Ci 11 hic Per 758b, St 704

3. *term. techn. cum dat.:* hoc primum uolo, quaestioni accipere seruos Mo 1092

B. *de rebus* 1. *res non molestas accipere:* a. ille *aedis* mancipio aps te accepit Tri 421 ubi *aera* perscribantur usuraria .. accepta* dico Tru 73 te dictatorem censes fore, si aps te *agrum* acceperim? Tri 695 *(anulum)* utere, accipe Mi 773 mancupion qui accipias gestas tecum ahenos anulos? Tru 274 *argentum* accepi As 87, Cap 989* ni in quadriduo quo abs te argentum acceperit.. As 765 argentum accipias, cum illo mittas uirginem Cu 458 quid id refert tua dum argentum accipias? Cu 460 argentum accipiam ab damnoso sene Ep 319 quasi pro illa argentum acceperit*.. Ep 370 argentum accipias Ep 463 accipe argentum hoc Ep 646 .. ne usquam argentum te accepisse suspicetur Philolaches Mo 269 ubi ego argentum accepero*.. Per 162 accipin argentum? accipe sis argentum Per 412 possum te facere ut argentum accipias? Per 414 probum et numeratum argentum ut accipiat face Per 526 ubi ab hoc argentum acceperis .. Per 676 age accipe* hoc (argentum) sis Per 691 argentum accepit, abiit Per 716 propera .. accipere argentum actutum Ps 994 ab eo argentum accipi*.. uolo Ps 1011 leno argentum hoc uolo a me accipiat Ps 1123 argentum accipias Ps 1148 accipe (argentum) Ps 1149 ego ob hanc operam argentum accepi Tri 993 accepisti* *armillas* Tru 272 hunc *arrabonem* amoris primum a me accipe* Mi 957 Plesidippus .. quo ab arrabonem pro Palaestra acceperam Ru 555 arrabonem a me accepisti ob mulierem Ru 861 hic accipias potius *aurum* quam .. Ba 104 accepitne aurum ab hospite Archidemide? Ba 250 (dixi) me id aurum accepisse .. ab hospite Archidemide Ba 686 (aurum) non equidem accipiam Ba 1061 dimidium auri datur: accipias Ba 1189 a me aurum accipe Cu 201 quin hercle accipere (aurum) tu non mauis quam ego dare Poe 706 age accipe

hoc (aurum) sis Poe 713 uidistis leno quom aurum accepit Poe 723 haben tu id aurum quod accepisti a Charmide? Tri 964 .. nempe ab ipso id accepisti Charmide? #Mirum quin ab auo eius aut proauo acciperem Tri 966-7 quod ego aurum dem tibi? #Quod a me te accepisse fassu's. #Aps te accepisse? Tri 969 accipe hoc (aurum) Tru 909, 914 *batiolam auream* .. habebam: accipere noluit Fr I. 53 (*ex Non* 545) improbus est homo qui *beneficium* scit accipere* et reddere nescit Per 762 spondeo .. me (cenam) accepturum si dabis Ep 8 accipe* hanc *cistellam* Ci 637 quamne .. accepi* hic ante aedis cistellam .. ? Ci 675 age accipe illinc alteram *clauam* Ru 807 accipias *clavis* Ci 111 tua (dona) quae abs te accepi Tru 617 postulabat ille senex .. (dotem) accipere pro tibicina St 560 tu *epistulam* hanc a me accipe Ps 647 hanc epistulam accipe* a me Ps 983 cedo mihi epistulam. #Accipe Ps 988 hasce epistulas dicam ab eo homine me accepisse Tri 849 ab ipson istas (epistulas) accepisti? Tri 902 ut ab illo (*litteras*) accepi.. Ba 802 dabuntur dotis .. *logi* .. Attici omnes: nullum Siculum acceperis* Per 395 accipe hoc (*marsuppium*) sis Ep 345 accipedum hoc (marsuppium) Men 386 cedo *manum*. #Accipe Ep 559, Ru 243 nec a quiquam acciperes* alio *mercedem* annuam nisi ab sese Ba 29(*ex Non* 334) argenti uiginti *minas* si adesset accepisset* As 396 (minas) hodie accipiat Mo 920 minas quadraginta accepisti* a Philolachete Mo 1010 tu caue quadraginta (minas) accepisse hinc te neges Mo 1025 Mo 1026b(*U*) minas .. quinque acceptas mutuas dat subditiuo caculae Ps *Arg* II. 12 me quia (minas) non accepi piget Ps 282 minas quadraginta accepisti a Callicle Tri 403, 420 minas uiginti mihi dat, accipio lubens Tru 653 talentum Philippi huic opus aurost: *minus* ab nemine accipiet Mi 1062 *mutuom* acceptum dicit pignus emptis aedibus Mo *Arg* 8 *nummum* a me accipe Men 290 hic ratio accepti* (*obsoni*) scribitur: intro accipitur*: quando acceptumst, non potest ferri foras Tru 749-50 ex tua accepi manu *pateram* Am 764 accepisti* a plurumis *pecuniam* Tru 760 numquam .. credam nisi si accepto *pignore* Ru 581 accipe (*poculum*) Per 776 si semel amoris poculum accepit meri .. Tru 43 (*translate*) nunc minus grauate iam accipit (*potionem*) St 763 uolt illa itidem commentari. #Quid? #*Rem* accipere Tru 738 nec *satis* a quiquam homine accepi* Per 497 satis abs te accipiam nisi uideam .. St 508 neque pol nos satis accepimus Tru 240 nec satis accipimus* Tru 243 accipe hanc (*sortem*) sis Cas 379 sortem accipe Mo 592 sortem accipere iam licebit Mo 599 *sumbolum* .. ab hoc accepit Ps 1216 cedo *tabellas*. #Accipe Ba 753 sex *talenta* magna argenti .. numquam accipiam*. #Si hercle accipere* cupias ego numquam sinam Mo 914 hinc *tantumdem* accipies Ps 970 etiamne hanc *urnam* acceptura's? Ru 467 etiam acceptura's urnam? Ru 469 euocabo .. sacerdotem ut hanc accipiat urnam Ru 480

b. accipe* *hoc* Tʀᴜ 541   hoc accipiundumst
quod datur Tʀᴜ 962   ut *illud* acceptum sit
prius quod perdidi, hoc addam insuper Tʀᴜ
894   . . ne *quid* clam furtim se accepisse
censeas Pᴏᴇ 1022   an eo egestatem ei tolerabis si quid ab illo acceperis Tʀɪ 371   tu
modo ne me prohibeas accipere si quid det
mihi Tʀɪ 370   egon ab lenone *quicquam* mancipio accipiam*? Cᴜ 495   *unum* . . permitto
tibi. #Lubens accipiam certo, si promiseris
Sᴛ 481

2. *similiter; condicionem, laetitiam, sim.:* tu
condicionem hanc accipe Aᴜ 237   duae condiciones sunt: utram tu accipias uide Bᴀ 1041
utram harum uis condicionem accipe Cᴀs 292
condicionem hanc . . dare atque accipere* . .
te uolo Tʀɪ 489   quo pacto hoc abs te accepi* . . refero ad te *consilium* Mɪ 1025(*Rg*)
hanc *laetitiam* accipe a me quam fero Cᴀᴘ
872   (*libertatem*) ego adeo numquam accipiam Bᴀ 829   *salutem* accipio mihi et meis
Eᴘ 548

3. *res molestas accipere:* tu meam partem,
infortunium si diuidetur . . accipito tamen Mɪ
866   *supplicium* . . mihi aps te accipere non
lubet Cɪ 456

4. = *suscipere:* accipito* hanc modo ad te
litem Mᴏ 1144(*cf* Langen, *Beitr.* 313 *vide Ly*)

5. *absolute, de rebus:* modo quom accepisti,
haud multo post aliquid quod poscas paras
As 168   nemo accipit* As 469   abs ted ac-
cipiat(*sc vel* poculum *vel* uinum) As 772   ego
quae illi dedi et illa quae a me accepit Cɪ
146   ibi sunt qui dant quique accipiunt faenore Cᴜ 480   bene igitur ratio accepti atque
expensi inter nos conuenit Mᴏ 304(*cf* Wueseke,
p. 32 *et* Tʀᴜ 749, *supra* 1. a *sub* obsoni)   age
si quid agis: accipe, inquam, (uinum?) Sᴛ 717

6. a. *seq. praepp.* ab: me Cᴀᴘ 872, Cɪ 139,
140, 146, Cᴜ 201, Mᴇɴ 290, Mɪ 773(*infra* 7),
957, Ps 647, 983, 1123, Rᴜ 861, Tʀɪ 969   nobis Cᴀs 830   sese Bᴀ 30   te As 765, 772, Cɪ
456, Sᴛ 508, Tʀɪ 421, 695, 969, Tʀᴜ 617   eo
Ps 1011   hoc Pᴇʀ 676, Ps 1216   hac Tʀᴜ 791
illo Bᴀ 802, Tʀɪ 371   ipso Tʀɪ 902   quiquam
alio Bᴀ 29   quo Rᴜ 555   auo Tʀɪ 967   Callicle Tʀɪ 403, 420   Charmide Tʀɪ 964, 966   homine Pᴇʀ 477, Tʀɪ 849   hospite Bᴀ 250, 686
lenone Cᴜ 494   nemine Mɪ 1062   Philolachete
Mᴏ 1010   plurumis Tʀᴜ 760   sene Eᴘ 319
ad: te Mᴏ 1144
ex: tua manu Aᴍ 764
b. *addito adv.:* hic Bᴀ 104   hinc Mᴏ 1025,
Ps 970   illinc Rᴜ 807
c. *aliae locutiones:* faenore Cᴜ 480   mancipio Cᴜ 495, Tʀɪ 421, Tʀᴜ 274 *vide supra* A. 2.

7. *translate* a. = *audire* (*cf* Walder, p. 46):
quae neque fieri possunt neque fando umquam
accepit quisquam, profers Aᴍ 588   haec quae
dicam accipe Aᴍ 1101   huius sermonem accipiam As 605   accipite reliquom Cᴀᴘ 16   est
operae pretium auribus accipere*Cᴀs879   (Plautum) quaeso ut benignis accipiatis auribus
Mᴇɴ 4   nunc argumentum accipite Mᴇɴ 5   accipe a me rusum rationem doli Mɪ 773   . . ut
quae rogiter, uera ut accepi, eloquar Pᴇʀ 616
nunc rationes ceteras accipite Pᴏᴇ 56   hanc

tuam gloriam iam ante auribus acceperam
Tʀɪ 828

seq. interr. obl. vel infin.: ea huc quid intro
ierit . . accipite Tʀɪ 11   quom multos multa
admisse acceperim* . . Mɪ 1287

b. = *intellegere:* hau satis meo corde accepi
querellas tuas Cᴀs 188   si id fore ita sat
animo acceptumst . . Mᴇʀ 655   si tibi sat
acceptumst fore tibi uictum sempiternum . .
Mᴏ 224   si acceptum sat habes tibi fore illum
amicum sempiternum . . Mᴏ 247

C. **acceptus**, *adiectivum*(*cf* Gimm, p. 5):
essetne apud te is seruos acceptissumus? Cᴀᴘ
714   nemo quisquam acceptior Pᴇʀ 648   nihil
ei acceptumst a periuris supplici Rᴜ 25   mihi
grata acceptaque huius benignitas Sᴛ 50   . . si
tibi ambo accepti sumus Sᴛ 741   grata accepta*que Tʀᴜ 583   mihi dona accepta et
grata habeo Tʀᴜ 617   mihi dona deamata acceptaque habita esse (nuntiauit) Tʀᴜ 703

ACCIPITER - - pecunias accipiter, auide
atque inuide Pᴇʀ 409(*translate*) *Cf* Graupner,
p. 25; Inowraclawer, p. 85; Wortmann,
pp. 5. 41

ACCIPITRINA - - em, accipitrina(*Herm* ac-
cipet. ⸋ accipe trina *P vox dubia: cf* accipiter)
haec nunc erit Bᴀ 274   *Cf* Wortmann, p. 41

ACCLAMITO - - Aᴍ 884, acclamitat *D²EJ pro*
occl. Cᴜ 183, acclamitas *E³J pro* occl.(*BE¹*)

ACCOGNOSCO - - uasque **adcognoscit** Pᴏᴇ
Arg 8, *B pro* suasque adgnoscit

ACCOLA - - optati ciues, populares, incolae, **accolae**, aduenae omnes Aᴜ 406   uostram
ego imploro fidem, agricolae, accolae(adc. *Rs*)
propinqui qui estis Rᴜ 616

ACCOLO ⁚ - Apollo, qui aedibus propinquos
nostris **accolis**(-llis *C*) Bᴀ 173

ACCOMMODO - - quid ego nunc agam nisi
uti . . clipeum ad dorsum **accommodem**(-omo-
dem *D*)? Tʀɪ 719

ACCREDO - - quisnam istuc **adcredat**(acc.
J) tibi, cinaede? As 627   neque diuini neque
mihi humani posthac quicquam **accreduas** . .
si . . As 854

ACCRESCO - - ualetudo decrescit, **adcrescit**
(acc. *J*) labor Cᴜ 219

ACCUBO - - I. Forma accubo Mᴏ 309   **ac-
cubas** Mᴏ 343(*B* accumbas *CD*), 368(*Ca* -bans *P*)
accubat As 830, 832, Bᴀ 454, 851, 938, Mᴏ 855,
Ps 36(*U*[adc.] *de A* errans cubat *APψ*), 1311
(*P* -pat *A*)   **accubabo** Sᴛ 377   **accubabunt**
Sᴛ 493(*Mue*⸋ accumbent *P* incubabunt *A* accubent *ψ ex Prisc* I. 338 *& 587*)   **accubem** Bᴀ
81(*Ca* -bam *B²C* -biam *D* accumbam *B¹⸋LLy*),
Sᴛ 752(*R* accum. *Pψ*)   **accubes** Cᴜ 691, Sᴛ 618,
Tʀɪ473(*AB* accumbes *CD*) **accubas**(*subiunct.*)
Mᴏ 326(*PRs*⸋ accumbas *FZψ* **accûbas** *B* minio:
cf Rs in app. crit.)   **accubet** Bᴀ 72(*FZ* accum-
bem *BD* -bent *C*), 81(*F* accum. *P*), 140(*CD*
accum. *B*), 1192 a(*FZ* accum. *P*)   **accubent** Bᴀ
141, Sᴛ 493(*ex Prisc* I. 338 *& 587* accum. *P* incubabunt *A* accubabunt *Mue*⸋)   **accuba** Mᴏ 341
accubare Sᴛ 619   **accubans** Mɪ 656 (*B²* -bas *P*),
Ps 1039, Sᴛ 569(*Pψ* accum. *P*)   **accubantem**
As 878(*BEJ* occ. *D*)   **accubantis** Ps 1270
corruptum: Sᴛ 750, accubo *C pro* accumbo
II. Significatio (*cf* Koehm, *Qu. Pl. et Ter.*,

Giessae 1897 p. 33) 1. *absolute:* si forte accubantem* tuom uirum conspexeris . . As 878 . . ubi mihi pro equo lectus detur, scortum pro scuto accubet* Ba 72 ubi ego tum accubem*? #Apud me . . ut lepidus cum lepida accubet* Ba 81 quom . . conuiuae alii accubent Ba 141 amorem amoenitatemque accubans* exerceo Mi 656 accuba, Callidamates Mo 341 quin amabo accubas*? Mo 343 quid rogitas quid agas? accubas* Mo 368 haud multo post faxo scibis accubans Ps 1039 illos accubantis potantis amantis cum scortis reliqui Ps 1270 otiose uos opperiar accubans* St 569 quin tu illam aspice ut placide accubat Mo 855 accubabo regie St 377 summi accubabunt* St 493(S) ubi accubes St 618 o lux oppidi, si arte poteris accubare St 619 St 757(R)

2. *seq. praepp.* a. apud: apud me Ba 81 (*supra* 1)

b. cum: te hodie faciam cum catello ut accubes Cu 691 cum tuo filio libera accubat* Ps 1311 cum amica accubet* Ba 140 egon quom haec cum illo accubet* inspectem? Ba 1192a cum lepida Ba 81(*supra* 1) numquidnam tibi molestumst si haec nunc mecum accubat? As 830 uir hic est mulieris quacum accubat Ba 851 edisne an incenatus cum opulento accubes*? Tri 473 cum scortis Ps 1270(? *supra* 1) cum stacta accubo Mo 309 . . ne aegre patiar quia tecum accubat As 832

c. in: in cera adcubat* (amica) Ps 36(U) in lecto accubat Ba 938 haud consimili ingenio atque illest qui in lupanari accubat Ba 454 in uia Mo 326(*vide sub* accumbo II. 3. b)

d. inter: . . si arte poteris accubare. #Vel inter cuneos ferreos St 619

3. *adiectiva, adverbia:* arte St 619 placide Mo 855 regie St 377 summi St 493

ACCUBUO - - tecum . . usque ero adsiduo. #Immo hercle uero accubuo mauelim Tru 422

ACCUDO - - tres minas accudere etiam possum ut triginta sient Mer 432

ACCUMBO - - I. Forma accumbo St 750 (accubo C) accumbam Ba 1192a, St 648 accubui Am 804(acu. J), Men 476, 1142 accubuisti Am 802 accubuere Mi 753(Z -ret P -runt D³) accumbam Ba 81(B¹ accubam B²C accubiam D accubem CaRRgU), St 752 (accubem R), Tru 478 accumbas Ba 1189, Mo 326(FZ accúbas B² ˜minio accubas PRsS, *vide Rs in app. crit.*) accumbamus St 696 accumbe Mo 308, Per 767, 768, 792(acu. B) accumbere Men 329(BD accubere C), Mo 43, St 488 accubitum (*partic.*), Ba 757(acu. BC) accubitum (*sup.*) Ba 755(FZ acu. P), 1203, Men 225, 368, Ps 891 *corrupta:* Ba 72, accumbet BD -bent C pro accubet(FZ); 81, accumbet P pro accubet(F); 140, accumbet B pro accubet; 1192a, accumbet P pro accubet(FZ) Ci 379, accubituram *Non* 198 pro ad cubituram Mo 343, accumbas CD pro accubas St 493, accumbent P incubabunt A accubabunt MueS accubent ψ *ex Prisc* I. 338

& 587; 569, accumbans P pro accubans Tri 473, accumbes CD pro accubes(AB)

II. Significatio 1. *absolute:* quid postquam laui? #Accubuisti Am 802 ego accubui* simul Am 804 ubi ego tum accumbam*? Ba 81 ubi erit accubitum* semel ne quoquam exsurgatis Ba 757 ite intro accubitum Ba 1203 iube ire accubitum Men 225 ire licet accubitum Men 368 quin tu is accubitum? Ps 891 ire hercle meliust te . . atque accumbere* Men 329 i solent quando accubuere*. . dicere Mi 753 non omnes possunt . . superiores(LLy superior quam erus B superior CD) accumbere Mo 43 age accumbe igitur Mo 308 accumbe Per 768 hic accumbe* Per 792 postidea accumbam St 648 nunc uter utrubi accumbamus? St 696 utrubi accumbo* St 750 date mihi locum ubi accumbam* St 752 face ut accumbam, accede, adiuta Tru 478

2. *seq. acc.:* scortum accumbas Ba 1189 scortum accubui Men 476 accubui scortum Men 1142

3. *seq. praepp.* a. cum: cum amica sua uterque accubitum* eatis Ba 755 immo equidem pol tecum accumbam Ba 1192a

b. in: hau postulo equidem med in lecto accumbere St 488 accumbe in summo Per 767 caue modo ne prius in uia accumbas* Mo 326

4. *adiectiva, adverbia:* hic Per 792 simul Am 804 ubi Ba 81, St 752 utrubi St 696, 750 superior Mo 43

ACCURO - - I. Forma accurat Per 451 (-rrat D) accurabo Ba 1152 accuraui Poe 254(omnia a. P omnia adsunt: cum cura a. RglU) accurauit Ep 566 accurassis Per 393(adc. A), Ps 939b(-ses B) accures Cas 421, Mi 805(R -ras P-ra Briψ), 812(adc. R ut cures Pψ), Per 449, Poe 669(A -rres P) accuretur Mi 910(LindRRg eieceretur B ceretur CD var em ψ) accurentur Ep 662(-rrentur J adc. Rg¹ ULy) adcura Mi 165(Bri -ras P -res R) adcuratote Mi 165(A accurr. P) accurare Cas 588, Men 207(-rrare C), Per 523(PL curare Aψ), Tri 78(adc. P) accurarier Men 208, Mo 399 (-rrarier CD) accuratam Tru 473(acu. C) accuratum Ba 550 accurate (*adv.*) Cap 226, Mi 945(-rrate P), Tru 462 adcurandum Men 860(BD adcura[adcurã CD] dum P)

II. Significatio 1. *absolute:* fac accures Cas 421 ergo adcura* Mi 805 quo accures* magis trecentos nummos Philippos portat Poe 669

2. *sequitur acc.* a. rei: si hoc adcurassis* lepide quoi rei operam damus . . Per 393 illud . . adcurandumst* mihi Men 860 eam nunc malitiam accuratam* miles inueniat uolo Tru 473 omnia accuraui* Poe 254 meum pensum ego lepide accurabo Ba 1152 praecepta sobrie adcures* (= obserues) face Mi 812 iube igitur tribus nobis apud te prandium accurarier Men 208 ille eam rem . . sobrie et frugaliter accurauit Ep 566 quasi ea res per me . . accuretur* Mi 910 si quam rem accures sobrie aut frugaliter . . Per 449 firme ut quisque rem accurat* suam . . Per

451   . . si hanc sobrie rem accurassis* Ps
939 b

scin quid uolo ego te accurare*? Men 207
ille accuratum habuit quod posset mali Ba
550   ego intus quod factost opus uolo accurare Cas 588   animum aduorte . . quae uolo
accurarier* Mo 399

b. *personae:* remeabo intro ut accurentur*
aduenientes hospites Ep 662
3. *seq.* **ut:** adcuratote* ut sine talis domi
agitent conuiuium Mi 165   eam te uolo accurare* ut istic ueneat Per 523   omnis bonos
. . adcurare* addecet suspicionem . . ut ab se
segregent Tri 78
4. *seq. praepp.* **apud:** apud te Men 208 (*supra*
2. **a)**
per agentis: per me Mi 910 (*supra* 2. **a)**   *dat.
agentis:* mihi Men 860 (*supra* 2. **a)**   *dat. comm.:*
nobis Men 208 (*supra* 2. **a)**
5. *adverbia:* firme Per 451   frugaliter Ep
566, Per 449   lepide Ba 1152, Per 393   magis
Poe 669   sobrie Ep 566, Mi 812, Per 449, Ps 939 b
6. accurate (*adv.*): cautost opus ut hoc sobrie . . accurate agatur Cap 226   . . ut accurate* et commode hoc quod agendumst exsequamur Mi 945   . . nisi astute accurateque
exsequare Tru 463
ACCURRO - - I. **Forma accurro** Am 1069,
Men 1054   **accurrit** As *Arg* 8   **accurrimus**
Ci 710 (*pf.*? accucurr. *LLy*)   **accurrite** Ci 644
(*B¹C* arc. *V* adc. *J*), Poe 43 (*U* occ. *Pψ*)   *corrupta:* Ep 662, accurrentur *J pro* -urentur Men
207, accurrare *C pro* -urare   Mi 165, accurra-
tote *P pro* -uratote (*A*)   Mo 399, accurrarier
CD pro -urarier   Per 451, accurrat *D pro* -urat
II. **Significatio** 1. *absolute:* accurro ut sciscam quid uelit Am 1069   accurrit uxor ac uirum e lustris rapit As *Arg* 8   amabo accurrite* ne se interimat Ci 644   ego accurro teque eripio ui pugnando Men 1054   dum scribilitae aestuant adcurrite* Poe 43 (*U*)
2. *seq.* **ad:** accurrimus* ad Alcesimarchum
ne se uita interemeret Ci 710
ACCUSATRIX - - ego te uolui castigare:
tu mihi accusatrix ades As 513
ACCUSITO - - nihil erit quod deorum ullum
accusites Mo 712
ACCUSO - - I. Forma accuso As 514, Ep
549   **accusas** As 173, Tri 96   **accusat** Am
870   **accusabo** Men 800   **accusaui** Men 800
accusauit As 491   **accusem** Au 550 (-ss. *B*), Cu
175   **accuses** Ba 678   **accusari** Mer 421, 523
II. **Significatio** *seq. acc.:* Alcumenae quam
uir . . Amphitruo accusat . . Am 870 (*cf* L i n d s-
k o g, p. 66)   nequeo durare quin ego *erum* accusem meum Cu 175   haud accuso *fidem* Ep 549
nolo ego . . tuam . . accusari fidem Mer 421   multo
tanto *illum* accusabo quam te accusaui amplius
Men 800   quid *me* accusas? As 173   nemo etiam
me accusauit As 491   quam nunc med accuses
magis si magis rem noueris! Ba 678   si id non
me accusas tute ipse obiurgandus es Tri 96
operam accusari non sinam meam Mer 523   neque edepol *te* accuso As 514   ego ut te accusem
merito meditabar Au 550   Men 800 (*supra sub*
illum)   *alter acc.:* id Tri 96   quid As 173   *gen.:*
Am 870 (*? cf* B l o m q u i s t, p. 102; S c h a a f f, p. 39)

ACER - - I. **Forma acris** Ba 449   **acre**
Ba 405   **acrem** Men 872, Tri 723   **acria** (*nom.*)
Ba 628 (*B* acri *CD*)   **acriorem** Tri 398 (aer. *B*)
acerruma Ba 538 (*A* -e *P*), Mer 796 (-mast *Pt
SLLy* -mam *RRg* -as *U*)   **acerrumum** (*nom.*)
As 134 (-i. *E*), Ru 70 (-i. *PL*)   **acerrumam** Mer
796 (*RRg* -as *U* -ast *Pt SLLy*)   **acerrumi** Men
595 (-ummi *C*)   **acerrumae** Ba 371   **acerrumos** As 551 (-i. *E*)   **acerrumas** Mer 796 (*U vide*
-ma)   *adverbia:* **acre** Mi 100 (*U pro* matre *in
loco dub*)   **acriter** Cas 340, Ci 108, Mer 177,
Ps 273   **acrius** Am 1113, St 180, Tri 169   **acerrume** Ba 471, Ps 364, Tri 540   *corrupta:* Mo
983, acerrimus *P pro* sac.   Poe 1290, acrior *B
pro* atrior (*CD* atritior *A*)
II. **Significatio** A. *adiectivum* 1. *de rebus:*
numquid aduenienti *aegritudo* obiectast? #At-
que acerruma* Ba 538   nunc experior sitne
aceto (-tum *PU*) tibi *cor* acre in pectore Ba 405
suae senectuti is acriorem* *hiemem* parat Tri
398   multa *mala* mihi in pectore acria*. . euenerunt Ba 638   uos *mare* acerrumum As 134   eu
hercle! morbum acrem ac durum Men 872
acris *postulatio* haec est Ba 449   Arcturus
signum sum omnium acerrumum Ru 70
2. *de personis:* Bacchides non bacchides sed
bacchae sunt acerrumae Ba 371   credo ad summos bellatores acrem — *fugitorem* fore Tri 723
conciuit *hostem* domi mi uxorem acerrumam
Mer 796 (*RRg* hostis domi [: *LLy*] uxor acerrumast *Pt SLLy* hostis domo mi uxor acerrumas
U)   *inductores* . . acerrumos gnarurosque nostri
tergi As 551   omnibus male factis *testes* tres
aderant acerrumi* Men 595
B. *adverbium* 1. *cum adiectivo:* meretricem
indigne deperit . . #Atque acerrume aestuosam
Ba 471
2. *cum verbis:* is amabat meretricem acre*
Athenis Atticis Mi 100 (*U*)   amatur atque
egetur acriter Ps 273   nunc essurio (ades.
RRg) acrius St 180   nolito acriter eum inclamare Ci 108   adessuriuit et inhiauit acrius
Tri 169   ita uxor acriter tua instat Cas 340
credo, si boni quid ad te nuntiem, instes acriter Mer 177   sues moriuntur angina acerrume
Tri 540   tantoque angues acrius persequi Am
1113
3. *particula probationis:* permities adulescentum! #Acerrume! Ps 364
ACERBUS - - I. **Forma acerba** Poe 1096
acerbum (*nom.*) Ep 718, Mi 1210, Ru 186, 686
(*PyRsU masc. Pψ*)   **acerbum** (*masc. acc.*) Ru
686 (*PSLLy neut. nom. Pyψ*)   (*neut. acc.*) As 595
acerbo (*neut. abl.*) Tru 179 (*A* -uo *P*)   **acerba**
(*pl. nom.*) Ba 628 (-bi *B* -ua *C*)   (*acc.*) Am 190,
Ci 240 (dulcacerba *Rs*)   **acerbior** Ep 179 (-bor *J*)
II. **Significatio** 1. neque sexta *aerumna*
acerbior* Herculi quam illa mihi obiectast Ep
179   corda in felle sunt sita atque acerbo*
aceto Tru 179   acerba *amatiost* Poe 1096   edepol *diem* (add *Ly* * *SL* nimis *Rs* quamquam *FlU*)
hunc (hoc *PyRsU*) acerbum Ru 686 (*Ly*)   acerbum *funus* filiae faciet si te carendumst As
595   multa Thebano poplo acerba obiecit funera Am 190   multa *mala* mihi in pectore
nunc acria atque acerba* eueniunt Ba 628
2. *seq. coniunctio:* istuc mihi acerbumst *quia*

ero te carendumst optumo Mɪ 1210   acerbumst
pro benefactis *quom* mali messim metas Eᴘ 718
     3. *dubia:* . . acerba* facere in corde Cɪ 240
****experiundo is datur acerbum Rᴜ 186
     ACERVOS - - ruri erui tu(*Rs* nisi tu *Pψ*†𝔖)
aceruom(aut eruom *U*) ederis . . Cᴀs 126 montes maxumi frumenti(†𝔖) **acerui**(*om RRgL*
†*Ly*) sunt (structi *add RRg*) domi Ps 189   *corruptum:* Tʀᴜ 179, aceruo *P pro* acerbo(*A*)   *Cf*
Blomquist, p. 33
     ACETUM - - ecquid is homo habet aceti in
pectore? Ps 739(*cf* Graupner, p. 10)   nunc
experiar sitne **aceto**(*Lamb* -tum *PU*) tibi cor
acri in pectore Bᴀ 405   sed hic rex cum aceto
pransurust et sale Rᴜ 937a(*cf* Egli, I. p. 22;
II. p. 52; Schneider, p. 19)   corda in felle
sunt sita atque acerbo aceto Tʀᴜ 179
     ACHANTIO - - *vide* Acanthio
     ACHARISTIO - - *nomen fabulae apud Non*
157 *et Plin N. H.* XIV. 92 *citatae Cf* Schmidt,
p. 353
     ACHERUNS - - I. **Forma** *cf Rs in append.
crit. ad* Tʀɪ 525 *et scripta ibi citata. Forma*
Acch. *ubique in R ed. maiore et Ly usurpatur*
acheruns Aᴍ 1029, Cᴀᴘ 999(-ons *VEJ*) **acheruntis** Cᴀs 158, Tʀɪ 525(*ACD* acc. *B*) **acheruntem** Cᴀs 448, Mo 499, 509(*Dousa* adc. *CD*
adac. *B* -taē *D*), Poᴇ 71(*B* -ontem *CD*), 831, Tʀɪ
494(*A* -onte *CD* acha. *B*)   **acherunte** Aᴍ 1078
(acc. *E* -onte *BD*), Poᴇ 344(achae. *AB* acheronte
CD), 431(*P* achae. *A* -test *AP* -tist *U*)   **acherunti**(*loc.*) Cᴀᴘ 689(-ta *J*), 998(-onti *EJ*), Mᴇʀ
606(*AB* -onti *CD*), Poᴇ 431(*vide* -te), Tʀᴜ 749
(-onti *CD* ageonti *B*)
     II. **Significatio** 1. *locus infernus*(*cf* Goer-
big, p. 25; Hubrich, p. 72; Keseberg, p. 39;
Koenig, p. 4) **a.** *nom.:* nulla adaequest Ache-
runs* atque ubi fui in lapidicinis Cᴀᴘ 999
     b. *gen.:* Acheruntis* ostium in nostrost agro
Tʀɪ 525
     c. *acc.:* uiuom me accersunt Acheruntem*
mortui Mo 509   hunc Acheruntem praemittam
prius Cᴀs 448   me Acheruntem recipere Orcus noluit Mo 499   quoduis genus ibi hominum uideas quasi Acheruntem ueneris Poᴇ 831
ipse abiit ad Acheruntem* sine uiatico Poᴇ
71   censetur censu ad Acheruntem* mortuos
Tʀɪ 494
     d. *abl.:* . . quo die Orcus Acherunte*(*A* ab
praem PU) mortuos amiserit Poᴇ 344   nec
secus est quasi ab Acherunte* ueniam Aᴍ 1078
     e. *loc.:* si neque hic neque Acherunti* sum,
ubi sum? Mᴇʀ 606   quantum Acheruntest*
mortuorum . . Poᴇ 431   uidi ego multa saepe
picta quae Acherunti* fierent Cᴀᴘ 998   facito
ergo ut Acherunti* cluees gloria Cᴀᴘ 689   item
ut Acherunti*(† 𝔖) hic (apud nos *add RsLULy*)
ratio accepti scribitur Tʀᴜ 749
     2. *epith. contumeliosum:* quis ego sim me ro-
gitas, ulmorum Acheruns? Aᴍ 1029   *similiter:*
faciam uti . . uitam colat, Acheruntis pabulum
Cᴀs 158(*cf* Blomquist, p. 161; Egli I. p. 34;
II. p. 35; Graupner, pp. 24, 29, 30)
     ACHERUNTICUS - - acch. *ubique in R ed.
maiore et Ly: cf Rs in append. crit. ad* Tʀɪ 525;
usurpatur praecipue de aetate provecta
     quid tibi ego aetatis uideor? **#Acherunticus**

(-cas *B*) Mᴇʀ 290   tam tibi ego uideor oppido
Acherunticus(-tius *Non* 4)? Mɪ 627   regiones
colere mauellem **Acherunticas**(achae. *B¹*) Bᴀ
198
     ACHERUNTIUS - - Mɪ 627, *Nonii lectio p. 4
pro* acherunticus
     ACHILLES - - I. **Forma Achilles** Mɪ 61(*ex
Serv in Buc* V. 58 *et A* -lis *P*), 1290(-lis *P*)
Achilli(*gen.*) Bᴀ 938   **Achillem** Mᴇʀ 488(-le
D¹ -lū *D²*), Poᴇ 1   **Achilles**(*voc.*) Mɪ 1054(*CD*
-lis *B* -le *HermR*) Acch. *Ly*
     II. **Significatio** 1. *heros Homericus:* 'hicine
Achilles* est?' Mɪ 61(*cf* Egli, III. p. 11)   mitto
ut occidi Achilles* ciuis passus est Mɪ 1290
non in busto Achilli sed in lecto accubat Bᴀ 938
Achillem* orabo, aurum ut mihi det Hector qui
expensus fuit Mᴇʀ 488(*cf* Inowraclawer, p. 47)
age, mi Achilles*, fiat quod te oro Mɪ 1054
     2. *fabulae nomen:* Achillem Aristarchi mihi
commentari lubet Poᴇ 1
     ACHIVOS - - (hae tabellae) non sunt tabellae
sed equos quem misere Achiui ligneum Bᴀ 936
     ACIDUS - - ecquid is homo habet·aceti in
pectore? #Atque **acidissumum**(*A* -simi *PRL*)
Ps 739
     ACIERIS - - ἀξίνη ἱεροφάντον Fʀ II. 67(*ex
Ps-Philox:* C. G. L. II. p. 13. 9)
     ACIES - - I. **Forma aciem** Eᴘ 547(at. *E*),
634(utor: aciem *U* utilitatem *Pψ*), Mɪ 4(at. *B*),
1028(*Ca* matiē *B* faciem *CD*), Tʀᴜ 406(mergi
aciem in *Rs* mercedem *P𝔖*† *L*† mercede *BugU*
-n erga aedem *Ly*), 492   **acie** Cᴜ 575(at. *E*),
Mɪ 4(at. *CD*), Ps 655(at. *D*)
     II. **Significatio** 1. *militum:* ita me machaera
et clypeus . . bene iuuent pugnantem in acie*
Cᴜ 575   . . ut (clypeus) praestringat oculorum
aciem* in acie* hostibus Mɪ 4   hostis uiuos
rapere soleo ex acie* Ps 655
     similiter translate: orationis aciem* contra
conferam Eᴘ 547(*cf* Inowraclawer, p. 47)   ad
eam rem habeo omnem aciem* tibi uti dudum
iam demonstraui Mɪ 1028
     2. *gladiorum:* illi quorum lingua gladiorum
aciem praestringit domi Tʀᴜ 492
     3. *oculorum:* satin ego oculis utor? aciem*
optineo sincere? Eᴘ 634(*U*)   oculorum aciem
Mɪ 4(*supra* 1)   nouistin nostram quae mergi
aciem* in sese habet? Tʀᴜ 406(*Rs*)
     ACIPENSER - - uel nunc qui mihi in mari
acipenser(anc. *Macr cod B* a////c. *Macr cod P*)
latuit antehac Fʀ I. 19(*ex Macr* III. 16, 1)
     ACQUIESCO - - placide ergo unum quidquid
rogita ut **adquiescam** As 326   mane, sine respirem . . #Immo **adquiesce**(acq. *Rg*) Eᴘ 204
placide: uolo **adquiescere** Mᴇʀ 137
     ACROPOLISTIS - - *fidicina:* **Acropolisti-
dem** Eᴘ 479(*A* crop. *P*), 503(*A* crop. *BJ* recrop.
E)   *corruptum:* Eᴘ 568, Acropolistidem *B*
-thidem *A* crop. *J* morodol. *E ut vid pro* Tele-
stidem(*Valla*)   *Cf* Schmidt, p. 175
     ACROTELEUTIUM - - *meretrix. In supersc.*
Mɪ *act.* III. *sc.* 3(-lanium *B* -lantium *CD*); *act.*
IV. *sc.* 4(*om CD*); 6(-cium *D*) (*nom.*) Mɪ 1132
(*ACD* acero. *B*)   (*acc.*) Mɪ 900(-ticum *P*)   (*voc.*)
Mɪ 874(*Stud duce Ca* acrete tibi ut uim [unum
B] *P*)   *Cf* Schmidt, p. 353
     ACTOR - - non res sed actor mihi cor odio

sauciat Ba 213   *corruptum:* Ep 357, actorem
E pro auct.

ACTUTUM - - I. **Forma** Am 354, hac tutum
E; 530, actuum *B¹ bis*; 544, actuum *B¹* Ba
578, actitiū *D¹*   Cap 659, *add U lac* §*LLy* maxumae *Rs*   Cas 295, tutum *E¹*; 785, hac tutum *E*   Cu 351, *U* abeamus *Pψ* Ep 163, *U*
adeundum(st) *Pψ*   Mer 82, *R* ut *P*§*L* tandem
Rg ui *ULy*   Mi 221, atque aliquo actutum *R*
aliquos aut tu(autu *CD¹*) *P aliter ψ*; 811, ac tu
tum *L*   Mo 628, mi actutum *R pro* mihi; 743,
tibi actutum chorda *R in lac*   Per 324, hoc
tutum *P corr A*   Ps 186, actuum *C*   Tri 774,
auctutum *BC* actutu' *D¹*; 983, actutum *C*   Tru
927, *SeyU* manu ui in *P*§†*L*†*Ly aliter Rs
corrupta:* Ci 685, actutum *VE²J pro* actum
(*BE¹*)   Mer 199, actutum *CD pro* actum(*B*)
Mi 359, eundum(-dem *B*) actutum *P pro* per-
eundum(*A*)   Tru 903, actute *CD* attat *B pro*
lact ut(*Sey*) *vel* lacte ut(*RsU*)

II. **Collocatio** *post impera.:* As 705, Ba 578,
748, 799, Cap 659(*U*), 733, 838, 950, Cu 727,
Men 218, 436, Mer 741, Mi 1067, 1196, Mo 248,
385, Per 664, Poe 784, Tru 209   *post indic.*
praes.: Tru 267   *post indic. fut.:* Am 530, Ba
786, Mo 604, Per 656   *post infin.:* Mer 152,
Ps 994, Ru 1223, Tri 774, 983   *coll. incerta:*
Men 213, Mer 856   *saepius tamen ante verbum
finitum invenitur*

III. **Significatio** (*cum impera. futuro coniunctum modo si sequitur enunt. subord.* —
Loch, p. 9 *cf etiam* Persson, p. 68) 1. *absolute:* redibo actutum*. #Id 'actutum*' diust Am
530   tibi istuc credo nomen actutum fore.
#Dum interea sic sit, istuc 'actutum' sino Mo 70-1
2. *cum verbis coniunctum: abducite* istum actutum Cap 733   abduc istos in tabernam actutum deuorsoriam Men 436   nisi actutum*
hinc *abis*.. Am 354*, 360   uos abite hinc intro
actutum Mi 1196   properas abire(*P ire GuyR
RsLLy*) actutum* ab his regionibus Tri 983
nunc adeo nisi abis actutum .. Tru 267   *abripite* hunc intro actutum inter manus Mo 385
actutum *abscesserit* Mer 372, 389   propera.. *accipere* argentum actutum Ps 994   iube.. apud
te prandium *accurarier*.. atque actutum Men
213   *adi* actutum* ad fores Ba 578   iube uasa
pura actutum *adornari* mihi Am 1126   numquid
uis? #Etiam: ut actutum* *aduenias* Am 544
uin tu illam actutum *amouere*? Mi 979   iube
sis actutum *aperiri* fores Ba 1118   scobina ego
illum actutum *adrasi* senem Fr I. 94(*ex Varr
de l. L.* VII. 68)   actutum ecastor meus pater
.. ipse *aderit* Per 653   tu ut liquescas ipse
actutum uirgis *calefactabere* Cas 400   *cedo* tu
ceram ac linum actutum Ba 748   manum ..
cedo tuam actutum Cap 838   cedo mihi.. arculam actutum Mo 248   aliquo actutum* *circumduce* exercitum Mi 221(*R*)   quin lectis nos
actutum *commendamus?* Per 765   Amphitruo
actutum uxori turbas *conciet* Am 476   faxo actutum *constiterit* lymphaticum Poe 346   *constringe* tu illic, Artamo, actutum manus Ba 799
quid si actutum* *decumbamus?* Cu 351(*U*)   ..ut
.. quom etiam hic agit(*dub*) actutum* partis *defendas* tuas Mi 811   *daturin* estis faenus actutum mihi? Mo 604   id uolo mi actutum*

dici Mo 628(*R*)   me intro actutum *ducite* Tru
631   quin rem actutum *edisseris*(mi edissertas
Rgl)? As 325   proinde actutum istuc quid sit
.. *eloquere* As 27   eloquere actutum Per 664
properate .. istam actutum* *emittere*(mittere
ARs) Cas 785   expectant.. quam quidem actutum *emoriamur* Ba 1204   Tru 927(*U*)   *ite* actutum, Tyndarum huc arcessite Cap 950   agite
ite actutum Mer 741   propera ire in urbem
actutum Ru 1223   Tri 983(*GuyRRsLLy supra
sub* abeo)   actutum* uxorem huc *euoca* Cas 295
euocate intus Cylindrum.. actutum foras Men
218   heus aliquis actutum huc foras *exite* Mer
910   quae patriast tua age mihi actutum *expedi* Per 640   *facis* eundem ex confidente actutum diffidentem Mer 856   oro ut istuc quid
sit actutum *indices* Mer 170   *inscende* actutum
As 705   inicite huic manicas actutum* Cap 659
(*U*)   ne tu illud uerbum actutum *inueneris*
Tri 760   *mitte* me actutum Mi 1067   Cas 785
(*ARs supra sub* emitto)   .. ne dictum esse actutum* sibi quaepiam.. mihi *neget* Ps 186   *nosces*
tu illum actutum qualis sit Ba 786   actutum*
animum *offirmo* meum Mer 82(*R*)   age *omitte*
actutum.. marsuppium Poe 784   actutum* senem *oppugnare* certumst consilium mihi Ep 163
(*U*)   age ergo *recipe* actutum Cu 727   actutum face cum praeda recipias Mer 498   *redibo*
actutum* Am 530   actutum huc redi Am 969
actutum redi Mi 864, Ps 561, St 154, Tri 1108
nuntiet.. eum rediturum actutum* Tri 774   redi
uero actutum Tru 209   ego omne argentum
tibi hoc actutum* incolume *redigam* Per 324
.. ut quae scirem *scire* actutum tibi liceret Mer
152   illi actutum *sufferet* suos seruos poenas
Am 1002   pol tibi istuc credo nomen actutum
fore Mo 70   libera eris actutum si crebro cades Per 656   tunc tibi actutum* chorda *tenditur* Mo 743(*R*)   te in pistrinum scis actutum *tradier* Mo 17

ACULA - - *vide* aquola

ACULEATUS - - istaec.. ubi periclum facias, *aculeata* sunt Ba 63

ACULEUS - - iam dudum meum ille pectus
pungit aculeus quid illi negoti fuerit ante aedis
meas Tri 1000   *Cf* Inowraclawer, p. 66

ACUS - - sei **acum**, credo, quaereres, acum
inuenisses .. iam diu Men 238   *translate:*
mendicus es? #Tetigisti **acu** Ru 1306   *Cf*
Egli, I. p. 29; II. p. 46; Schneider, p. 35

ACUTUS - - uide ut istic tibi sit **acutus**(*A*
si tactus *B* sit actus *CD*) .. culter probe Mi
1397   **acutum** cultrum habeo Ep 185   *similiter:* est Philocrates .. macilento ore, naso
acuto Cap 647   *translate:* rufus quidam ..
magno capite, **acutis** oculis Ps 1219   eu hercle,
morbum acutum(*SpU* acrem ac durum *Pψ lac
indicentes*) Men 872

AD - - I. **Forma** (*de assimilatione in compositis cf* Dorsch, p. 17) *libri discrepant inter se
multum* A. 1. *pro* **ad** *invenitur* **at:** Au 737 *D*
Mer 43 *B*, 265 *D*, 434 *D*   Mi 39 *P*, 72 *C*, 96 *B¹*,
105 *B¹C*, 116 *B¹D¹* alt *C*, 121 *P*, 131 *CD¹* a *B*,
220 *CD¹*, 224 *P*, 229 *CD¹* a *B*(om *Ly*), 266 *P*,
491 *B¹*, 523 *P*, 535 *P*, 537 *CD* a *B*, 553 *CD¹* om
B, 668 *CD*, 669 at tillas *CD¹* attollas *B pro*
ad illas(*B²D³*), 712 *P*, 716 *CD* a *B*, 757 *BD*,

771 *P*, 801 *C* aut *D*, 804 *B*, 884 *CD*¹, 905 *P*, 949 *C*, 960 *CD*, 968 *BC*, 1028 *P*, 1112 *B*, 1150 *CD*¹, 1154 *P*, 1158 *C*, 1186 *P*, 1270 *B*, 1363 *CD*¹ aliter *B*, 1377 *BD* ac *C*, 1403 *B*   Mo 675 *CD* ati *B*, 931 *B*¹*C*, 940 *A*, 968 *P*, 1005 *A*   Poe 485 *B*², 638 *A*, 781 *B* a *C*, 1307 *AB*   Ps 757 *P*, 985 *A*, 1067 *B*, 1159 *P*   Ru 77 *P*, 317 *P*, 322 *P*, 366 *B*, 410 *B*, 525 *P*, 598 *P*, 612 *B*, 995 *B*, 1010 *B*, 1038 *P*, 1202 *B*, 1282 *B*   St 535 *A*, 667 *B*   Tri 152 *B*, 646 *D*, 803 *P*, 868 *BC*, 887 *B*   Tru 206 *ABD*, 369 *AP*, 579 *P*, 639 *B*, 716 *B*, 751 *B*, 782 *P*, 883 *B*, 921 *B*

a: Am 759 *E*   As 633 *B*   Ba 510 *D*, 1151 *C*¹ Ci 380 *Non* 198 corr *Muret*   Men 339 *CD*¹   Mi 131 *B* at *CD*¹, 229 *B* at *CD*¹, 537 *B* at *CD*, 716 *B*¹ at *CD*, 912 *BC* at *D*¹   Mo 534 *P*   Per 235 *B*   Poe 174 *B*, 781 *CD* at *B*   Ru 1296 *P*   Tri 161 *P*, 562 *D*, 933 *P* om *FZSLULy*

ab: Poe 217 *D*, 599 *A ut vid*, Tru 258 *P*   **abs:** Mi 963 *P*, Ps 706 *A*   **ac:** Ci 379 *Non* 198, St 185 *B*   **al:** Mi 361 *B*¹   **an:** Am 255 *B*¹*E*   **ao:** Mi 912 *D*¹ a *B*¹*C*   **ap:** Mer 962 *CD*¹   **as:** Ba 738 *CD*   **atque:** Poe 179 *D*   **aut:** Mi 801 *D* at *C*, Tru 95 *B*   **et:** Cas 614 *E*, Ci 70 *E*   **in:** Poe 1282 *A*   **ut:** Mer 15 *P* corr *Ac*

2. **ad** *et* **apud:** Am 947, ad *MueRgl* apud *Pψ* Cas 929, apud *J*   Men 587, ad iudicem *PSULy* apud aedilem *Aψ*   Mo 844, apud *A* ad *PR* Tru 304, is hoc ad *Prisc* I. 189 isti *P* hoc ad *Pius Rs* apud *A*   **ad** *et e:* Per 487, e praetore *A* ad pr. *PLLy*

3. **ad** omissum: Am 849, ad te add *MueRgl* As 714, ad me add *MueRgl;* 756, ad se add *Py Rgl;* 873, ad me add *F*¹*lRglLLy* Cap 175, om *PU* add *B*¹*ψ*; 369 *BDJLy*; 458, add *F*¹*Ly*; 505 *E* Ci 779 *BVE* Ep 615 *A* Men 433, ad me add *R* Mer 17, sim ad *RRg* aliter *U* sum *Pψ*†; 712, ad eam add *LangenRg*; 904 *CD* Mi 553 *B*; 1049, ad te add *RgLULy* in lac; 1177, om *PRU* add *Aψ*; 1276 *CD*   Mo 1037, ad te add *L* om *Pψ*; 1120, ad uos add *R* om *Pψ* Per 576, ad te add *A* Poe 36 *B*; 293 *CD*; 658 *C*; 671 *A*; 982, om *APL ULy* add *CaRglS*; 1223 *CD* Ps 1067, ad te add *A* St 237 *CD*; 331, ad te add *Aω*; 437, om *P* add *A*; 576, ad te add *RRg* Tri 817, add *Ca* om *P*; 886, add *Varr de l. L.* VII. 78 Tru 114, ad nos add *A*; 497, add *Non* 67; 592, ad me add *RsLU*

4. **ad** praep. aliquid auctoritatis habet etiam: As 714, ipse ad me *MueRgl* ipsum me *AcU* ipse me *PS*†*Lt Ly* Au 328, ad nos add *LLy*; 336, adaruim *B* -ium *D* -ram *J* pro ad rauim (*Non* 374 at *Non* 164); 433, ad te tuli *StudRgSLy* adtuli *Pψ* Ba 296, alterum *D*¹ pro ad terram; 348, ad om *FLU*; 738, hercle em *PL*†*Ly*† herclest ad *Caψ* Cap 479, ad prandium om *Ly*; 894, uis erat *E* pro uise ad   Ci 557, add *RsLLy* in lac; 634, quem ad modum *L* pro quam   Ep 627, ad me *BriLULy* pro admirer   Men 155, dum- *P* pro ad um- corr *B*²; 360, eapse ad add *Rs*; 1006, liber ad *B*²*D*³ liberat *P* Mer 244, ad me om *R*   Mi 169, quasi ad me adit *R* pro Palaestro; 238, ad Philocomasium *R* ut..-um *P* ut..-o *Pyψ*; 479, ad *BoR* pro apud; 520, qui sedeat *B*¹ pro uise ad; 662, ego ad *DousaRRg* pro apud; 771, qua matre *P* pro quam ad rem (*Ca*); 800, ad eum ibo *R* pro ei dabo (*A* dabo *P*); 919, ad eam rem *RRgL* faciant *U* ateam *PS*†; 934, admissa *P* pro ad eum missa(*Py*);

1026, abs te *L* pro ad te in loco dubio; 1033, ate-ate *B* pro ad te; 1049, ad te add *R* in lac; 1158, attet *C* ate et *D* pro ad te; 1222, adit ad te *CaR* ad te *B* te adit *CD* ted adiit *Boψ*; 1282, it ad nos *BriRgLU* iam non *PS*† quid uides *Ly*; 1363, atte ne *CD* athene *B* pro ad te: ne   Mo 422, ad-est *P* pro ad se (*Py*); 675, atite *B* pro ad te   Per 284, ante attinet *A* pro attinet 'ad te; 700, ad te om *U*   Poe 330, ad eas *GepU* pro adeas; 958, deum *P* pro ad eum(*A*); 1153, apud eum *P* pro ad puteum(*A*); 1417, crassa *P* pro cras ad(*Lips*) Ps *Arg* II. 8, ad prehendum *R* pro ut praehendat Ps 706, ad te *PLLy* abs te *A* om *Uψ*; 730, ad patrem *R* pro a patre   Ru 818, ad uos uenerit *Rs* pro aduenerit; 856, ob *Rs* pro ad; 957, portat *CD* pro post ad; 1018, adbitrum *D*¹ pro ad arb.; 1040, cibo *Rs* pro ibo ad   St 84, ad *R* pro in de *A* errans; 140, ad uirum *PRLy* pro uiro(*A*); 226, ad *Rg* pro uel; 249, quantum potest *A* pro ad sese domum(*P*); 306, ad om *RLU*; 442, nisi temperi ad *Stud* in lac aliter *RsU*; 483, tuam *P* pro tu ad me(*A*); 511, ad ee *B* adesse *CD* pro ad se(*A*) Tri 798, tibi athenas aurum *P* pro abi ad thensaurum(*Ca*); 886, ad om *Varr de l. L.* VII. 78; 922, ad *SpU* pro an; 933, ad *CaRRs* a *P* om *FZψ*; 995, ibo ad *FL* ibi id *P* Tru 289, adeo foras *P* pro ad foris(*A*); 311, duo sciam *P* pro ad uos clam (*A*); 313, ibi *P* pro ibo ad(*A*); 369, attibent *P* pro ad te bene(at t. b. *A*); 502, adea aut *P* pro adeam ad(*Pius*); 508, iit ad *BueLLy* letat *BS*† lectat *CD* aliter *ψ*; 583, intro ad me, Cuame *Rs* intro ichi ame *P* intro i Cyame *CaSL* intro, Cuame *U*; 597, ad me *Rs* pro alii in loco dubio; 615, ad *Ca* uel *P* in *Z* aliter *RsLy*; 639, animum uortam ad *Rs* auarum ut ad *PS*† tam immutat *L* aura mutat *U* duce *Ca*; 860, ad te sum *Ac* adsum *P*; 891, ad me *P* adimet *Rs*; 900, ad *CD* arc *B* ad te *CaRsL* om *USLy*   Fr II. 65, pergat libri *S*† *Ly*† perge ad eam *L* pergas hinc *Rg*

B. **ad** habent libri pro **a:** Ci 736 *VEJ* Men 723 *P* Mer 161 *B*; 596 *B* Tru 760 *P*

pro **at:** Am 369 *E*; 612 *B* As 232 *E*; 300 *E*; 858 *E* Cap 203 *BDE*; 707 *VE* Ep 173 *E*¹ Men 547 *BC*¹; 670 *B*¹*D*¹; 746 *B*¹*D*; 790 *B*¹ Mer 130 *D* Mi 1307 *CD* Per 104 *Non*10; 170 at *A* Poe 154 *B*; 529 *P*; 857 *P*; 914 *B*; 1032 *B*; 1217 *B*; 1234 *C* atthu *B* pro at tu   Ps 836 *B*; 942 *A*; 1157 *A ut vid* Ru 1006 *BC*; 1413 *B* St 342 *AP*; 694 *P* Tru 237 *A*; 316 *AC*; 642 *B*; 784 *P*

pro **abs:** Mo 432 *P* a *B*²   **ac:** Mer *Arg* I. 5 *B* St 229 *A*   **an:** Poe 533 *BC* at *D*; 832 *P* ac *U* **aut:** Men 771 *D*   Mi 722 *P*   **adi:** As 722 *B*¹*DJ* at *E*   **atque:** Ru 930 *CD*   **eas:** Mi 1317 *B* eant *CD* **et:** Am 550 *J*   **heia:** Tru 371 *P* heia *A*   **has:** Mi 930 *B* as *CD*¹   **haud:** Tru 321 *P* corr *Ca*   **id:** Mi 352 *D* it *B*¹   **ut:** As 284 *Non* 72   **da:** Ep 699 *P*

C. alia corrupta: Am 38, ad ea *EJ* pro omnes As 685, ad reditum *Varr de l. L.* VII. 79 pro redito Cas 435, ad me *J* a me *BV* ã me *E* pro amici Ci 196, ad add *VEJ* Men 672, reddo ad *B*¹ pro reddat; 710, agit ad *B*¹ pro agitat; 776, ad uetuo *C* ad tuo *D* pro aduenio; 1137, ad prandium (parandum *D*) *P* pro adpararier   Mer 308, ad te *CD* pro stanti   Mi *Arg* II. 13, iterat *C*   Mi 208, ad abit *C* ad babit *D*¹ pro dabit; 1002, quid ad ista *CD*¹ pro quid istaec; 1222, ad te *B* pro ted adiit; 1336, ad nostam *B* pro admotam; 1389, status ad *B pro* statu stat Mo 509, ad Acheruntem *B* adch. *CD pro* Acheruntem; 970, ad *add B*[1]; 1124, ad *cum lac P pro* aduenientem Poe 1226, ad p̄dam *P pro* adprehendam; *ib.*, ad *add P*; 1304, ad re *B pro* adire Ps 83, ad tuas *P pro* adiuuas; 570, neq. ad *A pro* nequeat; 907, ad tutorem *B pro* adiutorem; 1137, ad hulescens *B pro* adulescens St 220, ad sese ultis *P pro* adeste sultis Tri 242, quam ad *P pro* qui amat; 281, ad *A pro* apud (*P*); 385, ad te *C pro* adde; 487, neque ad salutem *P pro* nequeas, saltem; 1067, ad *P pro* apud (*A*)   Tru 23, ad quod *P* quod *Prisc* I. 421 *pro* quot; 123, ad uas lissi *P pro* salua sis (*A*); 261, ad *B pro* sed; 521, ad *P§*† ob *Rs* ab *CaLU Ly*; 765, ad illum *P§*† *pro* tantillum (*Casaubon*); 775, tibi ad te *P* tibipte *Rs* tibique *L* tibi atque *U* tibi te *Ly*; 817, ad *P pro* adhuc (*Sey*); 824, ad hunc *CD pro* hunc; 859, me ad *P pro* med; 891, ad recta si *P* rete si *Rs* rectam *Lt*ψ; 910, ad omnae *P§*† *Ly*† ah, omnest *Rs* addam etiam *L* addam minam *SpU*; 911, ad *add CD* a *B*; 921, ad me *P pro* mea (*Sp*)   *lacunosa:* Cas 949   Ci 323, 478, 589

II. Collocatio 1. *post pronomen:* Pistoclerum quem ad epistulam .. misit Ba 176

2. *inter pronomen et nomen:* aliquem ad regem (ad al. r. *L*) .. erus sese coniecit meus Tri 722 quam ad redditurum te mihi dicis diem Vi 90 quod ad exemplumst Tri 921   quem ad modum Am 442, Ba 190, 474, 733, Ci 634 (*L*), Cu 370, Mi 186, 201, 257, 884, 904, 1162, Per 35, Tri 236   quos ad mores Ba 1077   quam ad rem Ep 276, Mer 252, Mi 771, Ru 611, Tru 70 quam .. ad uitam Ba 1077

3. *post gerundivum:* aduortendum ad animum Mer 15

III. Significatio (*cf* Abraham, p. 205) A. *de loco et transl. suspensum* 1. *ex verbis* a. *movendi intransitivis:* qui non *abiisti* ad legiones? Am 691 primulo diluculo abisti ad legiones Am 737 intro edepol abiit ad uxorem meam Am 1045 abiisti ad forum As 251   nunc tu abi ad forum ad erum As 367   cape atque abi intro ad nos Au 328 (*totum add LLy*) huc intro abi ad nos Au 334   nunc tu abi intro .. ad Bacchidem Ba 714   abeo ad forum igitur Ba 902 tandem abii ad* praetorem Cap 505 hodie hinc abiit .. ad patrem huius Cap 574   hinc abiit ad matrem suam Ci 192   abeo ab illo maestus ad forum Cu 336   hinc ad legionem abiit domo Ep 46 abeamus intro hinc ad me Ep 379 abit ad amicam Men 450 abii ad forum Men 684 quid cesso abire ad nauem? Men 878 res exulatum ad* illam clam abibat patris Mer 43 ad portum hinc abii mane Mer 255   hinc ad forum abiit Mi 89 abi intro ad* uos domum Mi 535   . . ut abeam potius hinc ad forum quam .. Mo 707 eo ego (ego abeo *ARs*) hinc ad forum Mo 853 abii illa per angiportum ad hortum nostrum clanculum Mo 1045 abi istac trauorsis angiportis ad forum Per 444 iube hanc abire hinc ad te Poe 1148 abi sane ad litus curriculo Ru 855 suadeo ut ad nos abeant Ru 880 de nocte .. abiit piscatum ad mare Ru 898 abi intro ad me St 533 abi huc ad meam sororem ad Calliclem Tri 577 abi ad* thensaurum Tri 798 neque ego hunc

hominem hodie ad aedis has sinam umquam *accedere* Am 264 nec mater lena ad uinum accedat interim As 799 si ad ianuam huc accesseris .. Au 442 accessi ad adulescentes in foro Cap 478 coepi .. ad illas accedere Ep 248 ad* me accede huc Men 433 (*R*) .. si propius ad me accesseris Men 857 accedam ad hominem Mi 494 .. si accesserit prope ad te Mi 1270 iubedum ea hoc accedat ad me Per 605 agedum accede ad me Per 764 semper tu ad me cum argentata accedito querimonia Ps 312 accede ad me Ru 242 accedam huc ad fores Ru 480 immo ad te accedent Ru 787 accedam opinor ad fores Ru 1202 ad* foris .. es ausa accedere Tru 289 tam crebri ad terram *accidebant* quam pira Poe 485 alia signa de caelo ad terram accidunt Ru 8 huc (*Rs om PLLy*) *accurrimus* ad Alcesimarchum ne se uita interemeret Ci 710 *adambulabo* ad ostium Ba 768 ad me *adi* As 722 ad aedis nostras nusquam adiit Au 102 te .. huc ad me adire ausum! Au 746 adi actutum ad fores Ba 578 ad eum adibo (*R* ibo *P*ψ) Ba 625 nunc est mihi adeundi ad hominem tempus Ba 773 adit extemplo ad mulierem Cas 41   nec quemquam prope ad sese sinit adire Cas 663 ad arua sinit adire Cas 922 (*Rs in loco lacunoso*) quid si adeam ad fores? Cu 145 eum ad me adire .. uisumst Cu 262 eapse ad* eum adibo Men 360 (*Rs*) adibo ad hominem Men 486, 808 (*RRs*) num quisquam adire ad ostium arbitratur? Mer 132 .. nisi ut ad* eam adeam Mer 712 (*Rg*) quasi ad* me adit Mi 169 (*R*) adeo ad te Mi 1025'(*R* redeo *P*ψ) quam laetast quia adit ad* te Mi 1222 (*CaR*) Poe 330 (ad eas *U pro* adeas) adiit ad nos extemplo exiens Poe 652 adibo ad* hosce Poe 982 ad me adit recta Ps 966 num molestiaest me adire ad illas propius? Ru 831 adibo ad* hominem St 237 ad me adiri .. aequom censeo St 293 tute ad eum adeas Tri 386 uin adeam ad* hominem? Tru 502 sine eumpse adire, ut cupit, ad* me Tru 891 (*LULy vide* ψ) .. ne ad fundas †tuiscus *adhaeresceret* Poe 479 *adhaesit* homini ad infumum uentrem fames St 236 ille illuc ad erum quom Amphitruonem *aduenerit* .. Am 466 me aduenire nunc primum aio ad* te domum Am 759 lassus noctu ad* me aduenit As 873 (*FlRglLLy*) quom extemplo ad forum aduenero, omnes loquentur Cap 786 confido parasitum hodie aduenturum .. ad me Cu 144 eum docebo, si qui ad eum adueniant .. Ep 365 .. ut quod ad te aduenio (*A* uenio *PRg*) intellegas Ep 456 numero huc aduenis ad prandium Men 287 ecce ad me aduenit mulier Men 100 a uiro ad me rus aduenit nuntius Mer 667 ad* Philocomasium huc sororem .. dicam Athenis aduenisse Mi 238 (*R*) quanta aduenit calamitas hodie ad hunc lenonem Poe 924 .. qui ad* patrem aduenit Carysto Ps 730 (*R*) ad portum adulescens aduenit (*Rs* uenit *P*ψ) Ru 65 inpudicum .. hominem addecet .. aduenire ad alienam domum Ru 116 ego dedita opera huc ad te aduenio (*PL* uenio *A*ψ) Tri 67 alia huc causa ad te adueni Tri 97 ad eam aduenient Tru 21 (*Rs in loco dub:* habenti *P*) quini aut seni adueniunt ad scorta congerrones Tru 100   aduenit..ad uillam Tru 648 (*vide ω*)   uox mihi ad aures *aduolauit* Am 325   nescio quoia uox ad auris mihi aduolauit Mer 864   quoia ad auris uox mihi aduolauit? Ru 332   quin ad* hunc.. *adgredimur?* As 680 ipse ad* me adgredere As 714(*Rgl*)   ego ad* hunc iratum adgrediar Ba 1151   ad me haedus uisust adgredirier Mer 248   astu sum adgressus ad* eas Poe 1223   uidetur ad me simia adgredirier Ru 601   benene *ambulatumst?* #Huc quidem hercle ad* te bene Tru 369   illa ad me *bitet* Cu 141   ad portum ne bitas Mer 465   recessim *cedam* (dabo me *Fest* 165 *U*) ad parietem Cas 443   basilice exornatus cedit (*A* incedit *PL*) et fabre ad fallaciam Poe 577   illaec catapultae ad me crebro *commeant* Cu 398   eum quidem ad carnificemst aequius quam ad Venerem *commeare* Ru 322   tantisper huc ego ad ianuam *concessero* Au 666   curabo ut praedati pulcre ad castra *conuortamini* Per 608   quid cessatis, compedes, *currere* ad me? Cap 652   quid illisce homines ad me currunt? Men 997   curram igitur aliquo ad piscinam aut ad* lacum Poe 293   numquam ad praetorem aeque cursim curram Ps 358   homo ad praetorem plorabundus *deuenit* (uenit *Non* 509) Au 317   deuenit ad Theotimum Ba 318   ad matrem eius deuenias domum Ci 301   deueniam ad lenonem domum egomet solus Ep 364   uolo uos scire quo modo ad hunc deuenerim Mi 96   ita dico ne ad alias aedis perperam deueneris Mo 968   uiam .. qua deueniat ad mare Poe 627   ad danistam deuenjres Ps 287   ad lenonem deuenit Ru 44   post ad* furem egomet deuenio Ru 957   is ad hos nauclerus hospitio *deuortitur* (di. *R*) Mi 1110   obsecro ut deuortatur ad me Poe 673   insanum malumst hospitio deuorti ad Cupidinem Tri 673   ad amores tuos foras *egredere* St 737   *ibo* ad portum Am 460   ibo ad uxorem intro Am 1145   ego eo ad forum As 108   quid ego cesso ire ad forum? As 125   ibo ego ad tresuiros As 131   clamat, si quem uidet ire ad se calcitronem As 391   ad tonsorem ire dixit As 394   ei nunciam ad erum As 486   ad illam hinc ibo As 817   it ad cenam cottidie As 864   ait sese ire ad Archidemum As 865 ibo ad Diobolum As 913   uos ceteri ite huc ad nos Au 330   ibo ad te Au 586   ei hac intro .. ad fratrem meum Au 694   amicos iit salutatum ad forum Ba 347   ego hinc eo (*R* abeo *FlU* om *PLLy*) ad* illum Ba 348   ibo ut uisam huc ad eum Ba 529   me ire iussit ad eam Ba 575   ibo (adibo *R*) ad eum Ba 625 sine me .. ire huc intro ad filium Ba 906   ego ad forum autem hinc ibo Ba 1060   ego ibo ad fratrem ad alios captiuos meos Cap 126   ad fratrem..mox iuero Cap 194   ad fratrem modo eo captiuos alios inuisum meos Cap 458 (*Rs vide U*)   aperto capite ad lenones eunt Cap 475   quo imus .. ad prandium? Cap 479 (*R* p. om *Ly*)   nunc ibo ad portum. hinc Cap 495   eo protinus ad fratrem inde Cap 510 eunt ad te hostes, Tyndare Cap 534   eo questum ad uicinam Cas 162   ego ibam ad te #Et pol ego istuc ad te Cas 178   ego ad forum modo ibo Cas 526   ad te hercle ibam

commodum .. #Et hercle ego ad te Cas 593 intro ad uxorem eam (*Sey ex Non* 397 meam *PLLy: vide ψ*) Cas 948   propera ire intro huc ad* adfinem tuom Ci 779   nunc eamus ad lenonem Cu 670   ire ad Chaeribulum iussit huc in proximum Ep 68 (*U vide sub* uenio) eamus intro huc ad te Ep 157   sicin iussi ad me ires? Ep 627 (*LLy vide ψ*)   ego ad Menaechmum hunc eo Men 96   repente expetit me ut ad sese irem Men 762   edixi tibi .. neuter ad me iretis cum querimonia Men 785   prohibere ad cenam ne promittat (*sc* iturum) postules Men 794   ibo (*Ca* adibo *RRs* om *P*) ad hominem Men 808   ego ibo ad medicum Men 996   ibo intro ad hanc meretricem Men 1048 quid ego .. ad nauem non eo? Mer 218   i tu hinc ad uillam Mer 277   quin ad nauem iam hinc eo Mer 461   ibo ad portum Mer 466 is se ad portum dixerat ire dudum Mer 467 uisne eam ad portum? Mer 486   ad praetorem ilico ibo Mer 664   ad* patrem ibo Mer 962   uidetur tempus esse ut eamus ad forum Mi 72   Mi 479 (ad hunc ibo *BoR pro* apud hunc ero)   ad eum ibo Mi 799 (*R*)   Philocomasium arcessito ut .. eat tecum ad portum Mi 1186   ille iubebit me ire cum illa ad portum Mi 1192   (uolt) ad se ut eas Mi 1275   egon ad* illam eam? Mi 1276   it ad* nos Mi 1282 (*BriRgLULy*)   ibo hinc intro ad amores meos Mi 1377   oratus sum ad eam ut irem Mi 1405 (*Rib et Sey*)   eamus ad me Mi 1437   ad legionem quom itur .. Mo 129 (*R*)   comissatum ibo ad Philolachetem Mo 317   iussit .. orare ut patrem .. absterreres .. ne intro iret ad* se Mo 422   hic ad me it Mo 566   eo ego (ego abeo *ARs*) hinc ad forum Mo 853 i mecum (hinc *add L*) .. ad* te simul Mo 1037 (*L*)   nescis quam metuculosa res sit ire ad iudicem Mo 1101   quian me pro te ire ad cenam autumo? Mo 1132   in tu (*Rs* acto *PSt em ψ*) ad me ad cenam? Mo 1134   i ad forum ad* praetorem Per 487   i intro amabo ad cenam Per 849   it ad me lucrum Poe 683   ego ad forum ibo Ps 561   ibo ad forum Ps 764   ite hac .. ad cantharum recta uia Ps 1051   ad portum se aibat ire Ru 307   ad me profectu's ire Ru 847   iube illos in urbem ire obuiam ad* portum mihi Ru 856   ibo ad (cibo *Rs*) arbitrum Ru 1040   age eamus .. ad matrem tuam Ru 1179   iussi .. exire huc seruom eius ut ad forum iret Ru 1200   quo nunc is? #Ad te St 247   rogare iussit .. ut ires ad* sese domum St 249   ibo intro ad libros St 400   ad cenam ibone? St 428   magis par fuerat me uobis dare cenam .. quam me ad illum (*sc* iturum) promittere St 513   ad cenam hercle alio (*sc* iturum) promisi foras St 596   ibisne id cenam foras? St 612   ite ad uos comissatum St 775   ibo ad meum castigatorem Tri 614   ad forum ibo Tri 727   eo ego igitur intro ad officium meum Tri 818   quo inde isti porro? #Ad caput amnis Tri 940   alii di isse ad uillam aiebant Tri 944   ibo ad* illum Tri 995 (§)   ad pueros ire meliust Tru 150 a   ibo igitur intro. #Quippini? tam audacter quam domum ad te Tru 206   iam quidem hercle ibo ad* forum Tru 313   iamne

iit ad* legionem? Tʀᴜ 508 (*BueLLy*) quo uocatus sum ire ad cenam? Tʀᴜ 547 uin eam
intro? #Ad te quidem. #Immo istoc ad uos
uolo ire Tʀᴜ 751-2 (*Rs in loco dub: vide ω*) at
ego ad te ibam Tʀᴜ 921 non tu scis, quom
ex alto puteo sursum ad summum *escenderis*
(*A des. P*) . .? Mɪ 1150 numquam hodie
quiui ad coniecturam *euadere* Rᴜ 612 iam
exeo ad te Bᴀ 794, 1052 ne exspectetis . .
dum illi huc ad uos exeant Cɪ 782 illa noctu
clanculum ad me exit Cᴜ 22 iam ego ad*
te exibo foras Mɪ 537 iube eampse exire
huc ad nos Mɪ 1069 *fuge* ad me propius
Mo 461 fugito huc ad me Tʀᴜ 880 optume
eccum *incedit* ad me Aᴍ 335 sodalem huc
ad* nos uideo incedere Mo 1120 (*R*) Poᴇ 577
(*supra sub* cedo) quis hic est qui huc ad
nos incedit? Tʀɪ 1151 *inuiso: vide infra* b
temperi ad* cenam *meat* Sᴛ 442 *pergunt* ad
cunas cito Aᴍ 1111 nunc pergam ad forum
As 245 nunc ad eum pergam Cᴀᴘ 108 pergo
ad alios Cᴀᴘ 488 illa ad nos pergit Mɪ 1267
perge ad* eam quantum ualet . . Fʀ II. 65 (*L*)
dixi equidem tibi unde ad me hic (anulus)
peruenerit Cᴜ 608 quaeratis . . machaeram
hanc unde ad me peruenerit Cᴜ 632 quo
modo haec (palla) ad te peruenit Mᴇɴ 1140
quicquid est, ad capita rerum perueni Mᴇʀ
609 tibi muni uiam qua cibatus . . ad te
tuto possit peruenire Mɪ 224 praetorquete
iniuriae prius collum quam ad uos peruenat
Rᴜ 626 concubium sit noctis prius quam ad*
postremum perueneris Tʀɪ 886 . . qui aps
terra ad caelum peruenerit Tʀɪ 947 stultitia
est . . amatorem ullum ad forum *procedere*
Cᴀs 564 ad portum processimus Poᴇ 650
pudet *prodire* me ad te in conspectum Bᴀ 1007
nos prodimus ad forum Mᴇɴ 213 iniciat
manum ut aequa parti prodeant ad trisuiros
Pᴇʀ 72 ad mare huc prodimus pabulatum
Rᴜ 295 hinc *profectus* sum ad Teloboas Aᴍ
734 mulier, ad* te sum profectus Tʀᴜ 860
properabo ad forum Mᴇɴ 666 ad portum
propero Mᴇʀ 326 ego ad anum *recurro* rursum Cɪ 594 *redire* ad nauem meliust Aᴍ
664 redeo ad te Aᴜ 209 fecisti ut redire
liceat ad parentis denuo Cᴀᴘ 411 redibo
huc ad senem ad cenam asperam Cᴀᴘ 496
mater iratast mihi quia non redierim domum
ad se Cɪ 102 si redierit illa ad hunc ibidem
loci res erit Cɪ 529 nunc ad te redeo Cɪ
722 rediit nuntius ad auom puerorum Mᴇɴ
38 quo ego redeam? #Equidem ad phrygionem Mᴇɴ 617 . . prius quam tu ad me
redieris Mᴇʀ 496 iam ad te redeo Mɪ 1020
redeo (adeo *R*) ad te Mɪ 1025 heia, mastigia,
ad me redi Mo 741 ego ad hunc redeo Pᴇʀ
659 ad te redeo . . Poᴇ 1061 . . ut meae
gnatae ad me redirent et potestatem meam
Poᴇ 1276 iam redeo ad te Ps 1157 aut
ad* arbitrum reditur . . Rᴜ 1018 redeo ad*
te Tʀɪ 562 ad argumentum . . uolo ʀᴇmigrare
Poᴇ 46 iam ad te *reuortar* Aᴜ 203 reuortar ad illam puellam Cᴀs 79 reuortere ad
me extemplo Eᴘ 424 iam reuortar ad te
Ps 1159 ego huc *transeo* in proximum ad
meam uicinam Cᴀs 145 iussero meam istuc

transire uxorem ad* uxorem tuam Cᴀs 614
ego ad uos Thesprionem iussero huc transire
Eᴘ 657 eadem istaec facito mulier ad me
transeat Pᴇʀ 445 metuo ne . . ad hostis
transeat Ps 1027 ego per hortum ad* amicam transibo meam Sᴛ 437 continuo ad te
transeo Sᴛ 535 poste ad te continuo transeo
Sᴛ 623 *transcurre* curriculo . ad nos Mɪ 523
transcurrito ad uos rursum curriculo domum
Mɪ 525 pol illa (arma) ad hostis *transfugerunt* Eᴘ 30 is . . per hortum *transiluit* ad nos
Tʀᴜ 249 arma *trauolauerunt* ad hostis Eᴘ 35
in castra ex urbe ad* nos *ueniunt* Aᴍ 256
qua nocte ad me uenisti eadem abis Aᴍ 532
arridebant quom ad te ueniebam As 207
uenio ad macellum Aᴜ 373 neque ego umquam . . ad Bacchas ueni in Bacchanal coquinatum Aᴜ 408 plus plaustrorum in aedibus
uideas quam ruri quando ad uillam ueneris
Aᴜ 506 illum coruom ad me ueniat uelim
Aᴜ 670 pater exspectat . . nuntium qui hinc
ad se ueniat Cᴀᴘ 383 uenio ad alios, deinde
ad alios Cᴀᴘ 488 postid locorum quando ad
uillam ueneris . . Cᴀs 120 uentum gaudeo
ecastor ad te Cɪ 16 mercator uenit huc ad
ludos Lemnius Cɪ 157 quid hoc quod ad te
uenio? Cᴜ 457 uetuit domum uenire, ad(ire
ad *U*) Chaeribulum iussit huc in proxumum
Eᴘ 68 quom ad portum uenio . . illam . .
uideo Eᴘ 217 ne abitas prinsquam ego ad te
uenero Eᴘ 304 Eᴘ 456 (*vide sub* aduenio) . . ut
te lubenter uideam quom ad nos ueneris Mᴇɴ
543 quid est . quod ego ad te uenio? Mᴇɴ
677 quaere meum patrem . . ut ueniat ad
me Mᴇɴ 737 o facinus indignum! . . luci
derupier in uia qui liber ad* uos uenerit Mᴇɴ
1006 simia . . post haud multo ad me uenit
Mᴇʀ 234 ad portum uenio Mᴇʀ 616 rogato
meum patrem . . ut ueniat ad me Mᴇʀ 788
prius perii quam ad erum ueni Mɪ 119 ad
me ut ueniat usust Mɪ 1132 id nos ad* te . .
uenimus Mɪ 1158 facito ut uenias huc . . ad*
nos Mɪ 1177 ultro uentumst ad me Mɪ 1403
aduorsum ueniri mihi ad Philolachem uolo
Mo 313 ait uenisse illum in somnis ad se
mortuom Mo 490 Mo 968 (ueneris *U pro* deueneris) ac te (*UL* acto *P*§t in tu *Rs* te *R*) ad me
ad cenam dic (#Dic *Rs*§*Ly*) uenturum Mo 1134
(*vide ω*) non potuit uenire orator magis ad
me inpetrabilis Mo 1162 ad illud uenies quod
refert tua Pᴇʀ 519 ueniant ad te comissatum
Pᴇʀ 568 rogato seruos ueneritne ad eum tuos
Poᴇ 181 ante lucem ad aedem Veneris uenimus Poᴇ 318 nos honoris tui causa ad te
uenimus (adu. *U*) Poᴇ 638 interrogem meus
seruos ad eum ueneritne Poᴇ 731 ad te
uenit Poᴇ 763 tantus . . clientarum . . numerus . . ad Calydoniam uenerant Venerem Poᴇ
1181 Harpax, calator meus . . ad te . . uenit
Ps 1009 uenitne homo ad* te? Ps 1067 ab
ero ad erum meum maiorem uenio Ps 1283
filiae . . dominum ad lenonem quae . . uenerat
Rᴜ *Arg* 3 ad portum adulescens uenit (adu.
Rs) Rᴜ 65 huc ad Veneris fanum uenio
uisere Rᴜ 94 muliebris uox mihi ad auris
uenit Rᴜ 234 ad hoc fanum ad istuc modum
non ueniri solet Rᴜ 270 me huc obuiam

iussit sibi uenire ad Veneris fanum Ru 308
ad uos uenio Ru 417   ubi ille seruos cum
ero huc ad* uos uenerit Ru 818(*Rs*)   ad
erum ueniam docte atque astu Ru 928   nullus
(piscis) minus saepe ad terram uenit Ru 995
signabo iam usquequaque . . ad* Gripum ut
ueniat Ru 1296   omnes uenitote ad me ad
annos sedecim Ru 1422   ego ad uos nunc . .
discipulus uenio ad magistras St 104   ueni
illo ad* cenam St 185   tu ad* me non uis
promittere (*sc* uenturum) St 483(*secl L*)   uin
ad te ad cenam ueniam? St 486   tum ut
uenias . . uasa lautum non ad cenam dico St
595   ut uenit ad aedis, hunc deludit Charmides Tri *Arg* 8   ego . . huc ad te uenio
(adu. *PL*) Tri 67   alius ad* te ueneram Tri
161   si in aedem ad cenam ueneris . . Tri
468   quasi ad adulescentem a patre ex Seleucia ueniat . . Tri 771   ad amicam uenis
querimonias referre Tru 166(*vide U*)   ualeo
et uenio ad minus ualentem Tru 578   ut
huc ueniat (*add RsLU*) obsecra Tru
592   modo rure uenit. #Priusne quam ad
matrem suam? Tru 694   operae ubi mihi
erit ad te uenero Tru 883   numquam ad
ciuitatem uenio nisi quom . . Fr III. 4 (*ex Serv
ad Aen* I. 480)   ibo ut *uisam* huc ad eum
si fortest domi Ba 529(*vide sub* eo)   uise ad*
portum Cap 894   ego uisam ad forum Ep 303
uise ad* me intro: iam scies Mi 520   nunc
ad* amicam . . Athenas Atticas uiso Tru 497
quo *uortisti?* #Ad* illum qui emit Mer 434

    b. *movendi, agendi, sim. transitivis:* at scin
quo pacto me ad te intro *abducas?* Ba 1178
abducite istum actutum ad Hippolytum fabrum Cap 733   meretrix . . huc ad prandium me abduxit Men 1141   respondet ni
properem illam ab sese abducere ad* me
domum intro ad uxorem ducturum meam Mer
244   abducunt ad exta Mi 712   is etiam
me ad* prandium ad se abduxit Poe 1282
adduco tuom cognatum huc ad* te a naui
Naucratem Am 849(*Rgl*)   ubi manus . . sunt
. . adductae ad trabem As 304   huc cras adducam ad lenam As 915   uidetur posse hic
ad nequitiam adducier Ba 112   . . Mnesilochum ut . . ad te adducam Ba 527   illum
. . adducam huc ad te(hunc ad eum *UL*) Ep
294   adducam illum iam ad te si conuenero
Mer 562   quis eam adduxit ad* nos? Mer
904   *adduco*(ad te *praem U*) hanc ad* te ut
dudum dixeram Per 576   nos hominem ad*
te adduximus Poe 658   nos tibi palumbem
ad aream usque adduximus Poe 676   Ps 587
(adducam *R pro* obducam)   imperauit ut hominem . . beneuolentem adducerem ad se Ps 698
hominem . . adducito ad me iam ad* trapezitam Aeschinum Ps 757   te ad me(me ad te
B) adducam domum Ps 867   in aedis me ad
te adduxisti Ru 497   mecum ad te adducam
simul Ru 1210   eumpse ad* nos . . mecum
adducam Tru 114   ad eorum ne quem oculos
adiciat suos As 769   usque adiecit oculos ad*
me Tru 597(*Rs*)   labra ad(ad labra *PULy*)
labella *adiungit* Ps 1259   nec quemquam . .
alium *admittat* . . quam me ad se uirum As
236   in Pontum *aduecti* ad* Arabiam terram

sumus Tri 933(*PLy*)   pacem ad uos *affero*(*PL
fero Ac*ψ) Am 32   si alius ad me prius attulerit, tu uale As 231   . . ut nequid dotis mea
ad te afferret filia Au 258   dotem ad te adtuli Au 498   ut ab illo accepi ad te obsignatas (litteras) attuli Ba 802   proin tu tui cottidiani uicti uentrem ad me adferas Cap 855
. . tuom qui signum ad me attulisset Cu 550
hodie adlatae tabellae sunt ad eam a Stratippocle Ep 251   non meministi me auream ad
te afferre . . lunulam? Ep 639   eruom tibi aliquis cras faxo ad uillam afferat Mo 68   . . ut
qui argentum adferret . . huc ad nos . . Ps
650   in libello hoc opsignato ad* te attuli
Ps 706(*LLy*)   illius seruos huc ad me argentum attulit Ps 1091   illam epistulam . .
Harpax huc ad me attulit Ps 1209   egone ut
quod ad me adlatum esse alienum sciam celem? Ru 1244   . . qui manus attulerit sterilis
intro ad nos Tru 97   argenti minam . . iam
ego adferam ad te Vi 85   te ad terram . . *adfligam* Per 793   adfligam ad terram te Ru
1010   bona . . ipsi *aggerunt* ad nos Tru 112
ad* eum uineam . . *agam* Mi 266   quo agas
te? #Ad uos. #Et pol ego ad uos Per 235
illum ad me hodie *adlegauit* Ps 1233   rex
sum si ego illum ad* med hominem *adlexero*
Poe 671   ad pedes quando *adligatumst* aequom
centumpondium . . As 303   malo hunc adligari ad horiam Vi 106(*ex Fulg de abst serm*
XIV, XV)   ad patrem hinc *amisi* Tyndarum
Cap 589   ad ignotum arbitrum me *adpellis*
Ru 1043   ego haec *appono* ad Volcani uiolentiam Men 330   hunc *adstringite* ad columnam
fortiter Ba 823   hi domum me ad se *auferent*
Men 847   iubeo auferri intro ad* me, Cuame
Tru 583(*Rs*)   ab saxo *auortit* fluctus ad litus
scapham Ru 165   ego me illac per posticum
ad congerrones *conferam* Mo 931   at aliquem
ad regem in saginam erus sese *coniecit* Tri
722   te *constringam*(*R* distringam *A*ψ stringam *P*ψ) ad carnarium Ps 200   inde extra
portam ad meum libertum Cordalum in lapidicinas facite *deductus* siet Cap 736   in aedis
me ad se deduxit domum Mi 121   usus est
. . ut ad te eam iam deducas domum Mi 790
ain tu, meum uirum . . ad amicam *detulisse*
argenti uiginti minas? As 852   pallam . . ad
te deferam As 885   tabellas ad senem detuli
Ba 960   hanc praedam omnem iam ad quaestorem deferam Ba 1075   te illa olim ad me
detulit Ci 635   ad damnum(*cf* Vahlen, *Herm.*
17, 608) deferetur Men 133   nunc ad amicam
deferetur Men 173   pallam . . dederas, ad
phrygionem ut deferas Men 426   . . hoc . .
ad aurificem deferas Men 525   . . ea ad amicam deferat Men 561   tute ultro ad me detulisti Men 689   spinter, quod ad hanc detulerat Men 807   ad me face uti (homo) deferatur Men 948   i, arcesse homines, qui
illunc ad me deferant Men 952   tabellas . .
dedi mercatori . . qui ad illum deferat Mi 131
. . quasique anulum hunc ancillula tua abs te
detulerit ad* me Mi 912   mihi anulum ad
te ancilla . . ut deferrem dedit Mi 960   hunc
anulum . . huic detuli, hic ad* te porro Mi
1049   ei dabitur aurum ut ad* lenonem de-

ferat Poe 174 (nummos) deferto ad me Poe 346 trecentos Philippos . . quos deferret huc ad lenonem Poe 559 . . quantumquantum (nummorum) ad eum erit delatum Poe 738 ad* te trecentos Philippos modo detulit Poe 781 muliercula hanc (urnam) huc ad me detulit Ru 482 me aurum iussit deferre ad gnatum suom atque ad amicum Tri 955 clanculum (puerum) ad me detulit Tru 408 iubebo ad istam quinque deferri(StudRs perferri Pψ) minas Tru 444 hoc deferam ad hanc argentum Tru 662 (puerum) ad meam eram detuli Tru 799 pecua ad hanc . . defero Tru 956 mea ornamenta clam ad meretrices *degerit* Men 804 quid *deportari* iussit ad nos? As 524 hucine *detrusti* me ad senem parcissumum? Au 335 uos iam . . detrudam ad molas, inde porro ad* puteum atque ad robustum codicem Poe 1152-3 ad nauem *deuehor* Mer 259 quasi Dircam, ut memorant, duo gnati Iouis *deuinxere* ad taurum, item ego te distringam(A hodie stringam P const. R) ad carnarium Ps 200 iam ad regem recta me *ducam* Am 1042 quo ducis nunc me? #Ad illam quae tuom perdidit Ba 406 meae issula sua aedes egent, ad me sine ducam Ci 450 (LLy in loco lac) eam ducet simul Apoecides ad tuom patrem Ep 374 respondet: . . illam . . ad uxorem ducturum meam Mer 244 sed quin intro ducis me ad eam? Mer 915 . . ut latrones quos conduxi hinc ad Seleucum duceret Mi 949 si ad prandium me in aedem uos dixissem ducere . . Poe 529 ego te ad illum duco dentatum uirum Ps 1040 quoiam esse te uis maxume, ad eum duco te(PSt duxero RRg duceris U ducere LLy) Ps 1042 duce me ad illam Ru 386 duc me ad lenonem recta Ru 851 . . nisi si ad tintinnaculos uoltis uos *educi* uiros Tru 782 opperire dum *effero* ad te argentum Ep 633 rem . . quae nunc ad* uos clam *exportatur* Tru 311 pacem ad uos *fero*(Ac affero PL†) Am 32 ad amicam id fertur As Arg 5 pater nos ferre hoc iussit argentum ad te As 733 utinam mea . . auferam quae ad* te tuli(Stud adtuli PLU) salua Au 433 tute dederas ad eum ut ferret filio Ba 264 manus †ferat ad papillas Ba 480 manum sub uestimenta ad corpus tetulit Bacchidi Ba 482 tabellas ad senem tetuli(AsR det. Pψ) Ba 960 syngraphum quem hic ferat secum ad legionem Cap 451 mandatumst mihi ut has tabellas ad eum ferrem Cu 412 hanc . . pallam . . ad scortum fero Men 130 pallam ad phrygionem fert Men 469 pallam ad phrygionem . . ferebat Men 563 tibi dedi . . illam (pallam) ad phrygionem ut ferres . . et illud spinter ut ad aurificem ferres Men 681-2 seruos iube hunc ad me ferant Men 956 uideo med ad saxa ferri saeuis fluctibus Mer 198 quo pacto hoc †cilium accepi uelis ut fero ad(refero ad GertzRRgULy ferrem abs L) te consilium Mi 1026 . . ut me adiutorem, qui onus feram ad portum roget Mi 1191 omnia duc adiutores tecum ad nauim qui ferant Mi 1303 iterum iam ad unum saxum me fluctus ferunt Mo 677 fero . . hanc ad Lemniselenem . .

abietem Per 248 ad* eum hospitalem hanc tesseram mecum fero Poe 958 eas ab saxo fluctus ad terram ferunt, ad* uillam huius Ru 76-7 uidemus ad* saxa nauem ferrier Ru 367 symbolam ad cenam ad eius conseruom Sagarinum feram(RRg Syrum APψ) St 433 erus meus . . ad te ferre(adgerere Rs adferre U) me haec iussit Tru 579 fero supplicium ad amicam meam Tru 893 supplicium ad* te hanc minam fero auri Tru 900(RsL) eae misere etiam ad parietem sunt *fixae* clauis ferreis Tri 1039 genu ad* quemque *iecero* (adiecero Rs) ad terram dabo Cap 777 aliam (orationem) atque olim quom *inliciebas* me ad te As 206 deus . . me ad illam inlexit Au 737 quo is homo *insinuauit* pacto se ad te? Ci 89 insinuat sese ad illam amicam Mi 105 *interuiso* Mer 555b(R infra sub inuiso) *intromitto* As 756, Tru 718, 732, 944(infra sub mitto) ad fratrem modo(ad add FlLy) captiuos alios *inuiso* meos Cap 458(vide sub eo) nunc ad eum inuiso Men 108 interea . . ad me huc inuisam domum Mer 555b(om A ut vid et U) ad meam maiorem filiam inuiso modo St 66 tute ad me litteras *missiculabas* Ep 131 pater huc me *misit* ad uos Am 20 nec meum (mulierem) . . ad te ut mittam gratiis As 190 . . mulier mitteretur ad te, numquam . . poscerem As 197 . . ut hanc ne quoquam mitteret nisi ad se As 635 alienum hominem intro mittat ad* se neminem As 756(PyRgl) Pistoclerum, quem ad epistulam Mnesilochus misit Ba 176 ex Epheso huc ad Pistoclerum . . litteras misi Ba 389 misine ego ad te ex Epheso epistulam? Ba 561 me misit miles ad eam Cleomachus Ba 589 hunc mihi des quem mittam ad patrem Cap 340 nihil est ignotum ad illum mittere Cap 344 neque quemquam fideliorem . . potes mittere ad eum Cap 347 te ait mittere hinc uelle ad patrem Cap 365 conuenit . . ut te . . in Alidem mittam ad patrem Cap 379 ancillas domo certumst omnis mittere ad te Cas 522 . . ut eam isto ad te adiutum mitterem Cas 543 missurun es ad me uxorem tuam? Cas 610 ipse ad me ab legione litteras mittebat Ep 58 quid retulit . . mittere ad me epistulas? Ep 134 ad* portum mittunt seruolos Men 339 era, quo me misit, ad patrem, non est domi Mer 803 hanc ad nos . . mittitote quasi clanculum ad* eum missa sit Mi 933-4 ego hodie ad Seleucum regem misi parasitum meum Mi 948 huc ad* te missast Mi 1033 mittam nuntium ad* te ne me deseras Mi 1363 ad legionem cum ita (paratos mittunt L in lac) Mo 129 ad te noster me misit senex Mo 747 ego puerum uolo mittere ad amicam meam Per 166 mitte ad me . . Adelphasium tuam Poe 757 quem hanc misisse ad me autumas? Ps 985 te ad me misit Polymachaeroplagides? Ps 1153 illum ecastor mittere ad portum uolo St 151 aequiust eram . . oratores mittere ad me St 291 . . qua causa missus es ad portum St 363 me misisti ad portum St 364 meus gnatus me ad te misit Tri 442 eum huc ad* adulescentem . . mittam Tri 817 dona quae ad me miserit . .

Tru 589   nec quemquam . . ad uos(nos *FRs*) . . intro mittam Tru 718   non ego nunc intro ad uos mittar? Tru 732   a, mitte intro. #Ad te quidem Tru 751(*L*)   uolgo ad se omnes intro mittit Tru 944   ad oppidum hoc uetus continuo meum exercitum . . *obducam*(add. *R*) Ps 587   quin prius me ad pluris *penetraui?* Tri 291   *perducebam* illam ad me suadela mea Ci 566   perduxit omnes ad suam sententiam Poe 1126   ad litus *pertulit* nos uentus Ru 372 iubebo ad istam quinque *perferri*(def. *StudRs*) minas Tru 444   ueterem atque antiquam rem nouam ad uos *proferam* Am 118   iam hercle te ad praetorem *rapiam* Au 760   me . . ad carnificem rapiet continuo senex Ba 688   ego te in : ruom haud ad praetorem hinc rapiam Cu 723   ego illum iubeo quadrigis cursim ad carnificem rapi Poe 369   hic homo ad cenam recipit se ad me Cap 831   mea ut issula sciat mis egens ad me recipere(*Rs in loco lac*) Ci 450(*vide sub* ducam)   non retineri potuit . . quin reciperet se huc esum ad praesepem suam Cu 228   recipe te ad terram Mer 878(respice ad dextram *R*)   . . quam mox horsum ad stabulum iuuenix recipiat se Mi 304   recipe te ad me Per 46   per angiportum rursum te ad me recipito Per 678 recipe te ad dominum domum Tri 1008   recipe te ad erum Tri 1027   ad parentes *redducam* Seleucium Ci 630   *referte* anulum ad me Cas 144   rogo palla ut referatur rursum ad uxorem meam Men 907   Mi 1026(*supra sub* fero)   aurum cras ad* te referam tuom Poe 1417   eorum referimus nomina exscripta ad Iouem Ru 15   refer ad labeas tibias St 723 iam ut . . *remittam* (mulierem) ad te rogas As 170   ad parentes hunc remittam nuntium Cap 375   ego remittam te ad uirum Cas 437 . . nisi tu illam remittis ad me Ci 527   huc remisit nuper ad me epistulam Tru 397   nunc ad eram *reuidebo* Tru 320   (uolo) ut . . ad me *reuisas* Tru 433   *sequere* propere me ad macellum strenue Au 264   sequere hac . . me ad fores Cu 87   tu me sequere . . ad trapezitam meum ad praetorem Cu 721   sequere hac . . me usque ad praetorem Per 752   sequere sis me ergo hac ad forum Ps 1230   ut quaeque illi occasiost, *subripere* se ad me Cu 60   *subsequere* propius me ad fores Ba 723 si magis me instabunt ad praetorem *sufferam* Cu 376   pilleum . . ad caelum *tollit*(sustulit *BoL*) Cap *fr*(*ex Non* 220)   . . qui hunc ad carnificem *traderent*(†*S*) Ru 857   iamne hanc *traduxti* huc ad nos uicinam tuam? Cas 579 traduxisti huc ad nos uxorem tuam Cas 597

   2. *ex substantiuis:* quid tibi ad* hasce *accessio* aedes est prope? Tru 258   ad hirundininum nudum uisast simia *ascensionem* ut faceret admolirier Ru 598   nunc ad senem *cursum* capessam Cap 776   sic faciat domum ad te *exagogam* Tru 716   grandiorem *gradum* ergo fac ad me Cu 118   incertus tuom caue ad me rettuleris *pedem* Ep 439   *reducem* . . faciet in patriam ad patrem Cap 43   . . reducem fecisse . . in patriam ad patrem Cap 686 *reuorsionem* ad* terram faciunt Ba 296   . . reuorsionem ut ad me faceret Tru 396   . . ut

ad senem . . facias *uiam* Ba 692   hic ad me recta habet rectam uiam Mi 491, Ps 1136(hic quidem)   ad nostras aedis hic quidem habet rectam uiam Tri 868   is ad* nos damni permensust uiam Tru 304

   B. *translate, suspensum ex verbis* 1. *movendi, agendi, sim.: accessit* animus ad meam sententiam Au 383   uolt . . mecum *adire* ad pactionem Au 202   quam se ad uitam et quos ad mores praecipitem *capessat* Ba 1177   quam citissume potest tam hoc *cedere*(†*S* iter eat *Rs*) ad factum uolo Cap 352   quod posterius postules te ad uerum *conuorti* . . Ru 1151(*cf* Wueseke, p. 30) si ad erum haec res *deuenerit*(*AS*†*Lt* res ob oculos peruenit *P* uenerit *RRg*), peribis Mi 404   *eo* Cap 352(*Rs supra*) extra portum trigeminam ad saccum *ilicet* Cap 90   itur ad te(*A* ie *P* me *Don in And* I, 5. 16) Ps 453   . . quoiquam unde ad eum id posset *permanascere* Tri 155   nequeo noscere ad amici partem an ad inimici *peruenant* Tri 93 malum . . omne ad lenonem *reccidit*(*A* redit *PU*) Poe 1369   quom ad deos minoris *redierit* regnum tuom . . Cas 336   Poe 1369(*PU vide supra*)   ad argumentum . . uolo *remigrare* Poe 46   quin . . ad ingenium uetus uorsutum te *recipis* tuom? As 255   illius oculi atque aures . . *transfugere* ad nos Mi 590   magnumst periclum ab asinis ad boues *transcendere* Au 235

   utinam me diui *adaxint* ad suspendium Au 50   . . ne hic (ad *add R*) illam me animum *adiecisse* . . sciat Mer 334(*R*)   facete *aduortis* tuom animum ad* animum meum Mi 39   adsimulabo, quasi quam culpam ad* sese *admiserint* St 84(*R*)   ita mihi ad malum malae res . . se *adglutinant* Au 801   ad me adglutinandam(*J* -dum *BVE* -abo dum *U*) totam (eam) decretumst dare Ci 648   argenti uiginti minae med ad* mortem *appulerunt* As 633   amicos . . adfectas . . ad probum . . *adpellere* Ba 378 certast res ad frugem *adplicare* animum Tri 270   ad lacrimas *coegi* hominem castigando Ba 981   ut facete orationem ad seruitutem *contulit* Cap 276   uiso ecquid eum ad uirtutem aut ad frugem . . *compulerit* Ba 1085 inde cras . . *depromar* ad flagrum Am 156   ad mendicitatem properent se *detrudere* Men 204   dat eam puellam ei seruo *exponendam* ad necem? Ci 166   tu *extulisti* nostram filiolam ad necem Ci 665   hanc . . *pepuli* ad meretricium quaestum Ci 41   illi *prodit* uitam ad miseriam Tri 340   uidet . . ipse ad paupertatem *prostratum*(*Bergk* prostractum *B* protractum *CDLLy*) esse se Tri 109   te *redigam* . . ad egestatis terminos As 139   profecto ad incitas lenonem rediget Poe 907   redactus sum usque ad unam hanc tuniculam et ad hoc misellum pallium Ru 549   ad incitas redactust Tri 537   hoc serui esse officium reor *retinere* (erum) ad salutem Au 594   non illum exspectare oportet dum erus se ad suom *suscitet* officium Ru 922   tum ad horum mores linguam *uortero* Poe 984   animum uortam ad* mores mulierum Tru 639(*Rs in loco dub*)

   similiter: ad eam rem adfectas *uiam* Men 686

2. *nuntiandi, scribendi, sim.:* ad tris uiros iam **ego** *deferam* nomen tuom Au 416   praecipe quae ad patrem uis *nuntiari* Cap 360   nuntiare hinc te uolo in patriam ad patrem Cap 384   si boni quid ad te nuntiem, instes acriter Mer 177   inscendo ut eam rem Naupactum ad erum nuntiem Mi 116   utinam meus nunc mortuos pater ad me nuntietur Mo 233   ita ad me magna nuntiauit Tru 702   tute ipse si quid sòmniasti ad me *refers* Cu 254   metuo . . ne . . te . . ad patrem esse mortuom *renuntiem* Ba 157   postquam ad nos renuntiatumst . . Men 1127   iuben . . ad illum renuntiari? St 599   ibo, ad* illum (i. a. i., *S*) renuntiabo Tri 995   ad erum . . ut ueniret Ephesum *scribit* Mi *Arg* II. 7
. . pro mea persona ut sim ad* uos *index* ilico Mer 17 (*RRg*)   egone ut ad* te ab libertina *esse* auderem *internuntius?* Mi 963
3. *arcessendi, vocandi, sim.:* ultro ad te *accersi* iubes As 526   . . ut properarem arcessere †hanc ad me uicinam meam Cas 532   qua accersitae causa ad me estis, eloquar Ci 82   ad matrem accersita sum Ci 105   nec pol filia umquam patrem accersit ad se Men 770   ad sese arcessi iubent Mi 70   ego eum adeo arcessi huc ad me quam primum uolo Ru 1199   demiror quid illaec me ad se arcessi iusserit, quae numquam iussit me ad se arcessi St 267   *euoca* aliquem intus ad* te Mo 675   . . uos *inuitassem* domum ad me St 591   ego te reduco et *reuoco* (*PyLU* uoco *Pψ*) ad summas (*add Bri*) ditias Ci 559   numquo *uocatus* es ad cenam? Cap 173   a te uocari ad te ad* cenam (*Rs*) uolo Cap 175   uin uocem huc ad te? Cap 360   mea uxor uocabit huc eam ad se in nuptias Cas 481   fortunis ex secundis ad miseras uocat Ci 557 (*RsLLy in loco lac*)   Ci 559 (*sub* reuoco)   uocat me ad cenam Cu 350   uocat te ad prandium Men 1136   te ad se uocabat Men 1145   ad cenam uocat Mer 98   decem si ad cenam uocasset summos uiros, nimium opsonauit Mer 694   primus ad cibum uocatur Mi 349   me ad se ad prandium ad cenam uocant Mi 712   ad cenam ne me te uocare censeas Mo 1005   . . quem ego uocaui ad prandium Poe 469   eo ad prandium uocauit Ru 61   fortasse tu huc uocatus es ad prandium Ru 142   illi sunt uocati ad prandium Ru 150   is huc erum etiam ad prandium uocauit Ru 327   certe huc Labrax ad prandium uocauit Plesidippum Ru 344   ad prandium uxor me uocauit Ru 904   ad meum erum arbitrum uocat me Ru 1038   uos quoque ad cenam uocem . . Ru 1418   . . uocatos credam uos esse ad cenam foras Ru 1420   uocem te ad cenam nisi egomet cenem foris St 190   uocem ego te ad me ad cenam . . St 510   me ad* se ad cenam uocat St 511   quin uocasti hominem (*add RRg*) ad cenam? St 576   quid . . opust? #Hunc hercle ad cenam ut uocem, te non uocem St 588
4. *accipiendi:* accipito (= suscipito: *cf* Langen, *Beitr.* p. 313) hanc modo ad te litem Mo 1144   leno ad* se (hominem) accipiet Poe 179   nos accepit ad sese Ru 410   . . si me illam amantem ad sese studeam *recipere* Am

892   recipe me ad te, Mors Ci 640   si recipere hoc (consilium) ad* te dicis . . #Dico et recipio ad me Mi 229   Orcus recipere ad se hunc noluit Ps 795   recipit ad se Venerea haec sacerdos me Ru 350   *similiter:* quid tibi hunc *receptio* ad test meum uirum? As 920
5. *addendi:* homini misero si ad malum *accedit* malum . . Men 82   de mea (uita) ad tuam *addam* As 610   eo addito ad compendium Cas 518   adde ad istam gratiam unum Tri 385   ad paupertatem si *admigrant* (imm. *Fest* 294) infamiae . . Per 347 (*vide quoque Non* 177)   ad tua praecepta de meo nihil nouom *adposiui* Mi 905   laborem ad damnum *apponam epithecam* insuper Tri 1025   hoc etiam ad malum *accersebatur* malum Ba 424   *coadito* (*GulU* eo add. *Pψ*) ad compendium Cas 518   id *ponito* ad compendium Cas 519
6. *aspiciendi, sim.: aspice* ad me Cap 570   ad terram aspice Ci 693   aspice (spice *RRg*) non ad sinisteram Mer 879 (*vide* ω)   me *despexe* ad* te . . fateor Mi 553   at tu isto ad nos *optuere* Mo 837   *respice* ad me Cap 835, Cu 113, Poe 857, St 331*, Tru 257   respice modo ad me Cas 632   respice ad dextram Mer 878 (*R*)   respicedum ad* laeuam Mi 361   respice ad nos Ps 244   respice huc ad me Tri 1068   quaeso huc ad me *specta* Mo 835   specta ad dexteram Poe 711   *spicio* Mer 879 (*RRg supra sub* aspicio)
7. *attinendi, sim.:* quod ad argumentum *attinet,* sane breuest As 8   resciuisse censui, quod ad me attinet Au 770   negotium hoc ad me attinet aurarium Ba 229   numquidnam ad filium haec aegritudo adtinet? Ba 1110'   an quippiam ad te attinet? Cas 672   ad duos attinet Ci 701   quid istuc ad uos attinet? Cu 631   quid istuc ad me attinet? Ep 75   quod ad me adtinuit, ego curaui Ep 130   quid istae picturae ad me adtinent? Men 145   quid id ad me? Men 722   quid ea messis attinet ad meam lauationem? Mo 160   nihilo plus quam lauatio tua ad messim Mo 161   quid tu percontare ad te quae nihil attinent? Mo 940   nihil ad me attinet? Mo 941   quid id ad* te attinet? Per 235   quid id attinet ad te (*P* ante att. *A* a. t. attingit *Mue RsU* att. *secl L om R*)? Per 284   hae quid ad me? #Immo ad te attinent Per 497   quod ad* te attinet . . Per 700   quod ad* ludorum curatores attinet . . Poe 36   quid istuc ad me attinet? Poe 637   quid istuc ad me? Poe 1021   quod quidem ad nos duas ** attinuit Poe 1181   nihil ad te attinet Poe 1307   nihil hoc Iouis ad iudicium attinet Ps 14   quam ad rem dicam hoc attinere somnium? Ru 611   hoc omne attinet ad te Ru 962   quid id ad te attinet? St 667   quod ad uentrem attinet . . Tri 482   ego istam rem ad me attinere intellego Tri 613   quid id ad me attinet? Tri 978, 1065   nihil *attingunt* ad rem Mer 32   Per 284 (*supra sub* attineo)   hoc quam ad rem credam *pertinere* somnium nequeo inuenire Mer 252   quid id ad uidulum pertinet (*om RsL*)? Ru 1106   magis pol pertinet haec malitia ad uiros quam

ad mulieres Tru 810   nihilo plus ad suam
rem illut(*R* pluris *PS*† var em ψ) referet Ba
518(*R*)   quam ad rem istuc refert? Ep 276
quid id ad me aut ad meam rem refert? Per
513   percontari uolo quae ad rem referunt
Per 593   quam ad rem dicam . . referre . .
nescio Tru 70
    8. *aliis:* . . clipeum ad dorsum *accommo-
dem* Tri 719   Mars haud ausit . . *aequiperare*
suas uirtutis ad tuas Mi 12   dicam . . datum
ut sese ad* eum *conciliarem* Mi 801   aliquo
ad cenam *condicam* foras Men 124   eo condixi
(*CaLLy*) in symbolam ad cenam ad eius conseruom Sangarinum Syrum St 433(*loc perdub:
vide ω*)   si alia memorem quae ad uentris uictum *conducunt* morast Cap 906   quam potis
tam uerba *confer* maxume ad conpendium Mi
781   quin ad frugem *conrigis?* Tri 118   haec
me modo ad mortem *dedit* Am 809   saepe ad
languorem . . dederis octo ualidos lictores As
574   postea ad pistores dabo (te) As 709
genu ad quemque iecero, ad terram dabo Cap
797   hunc . . ob furtum ad carnificem dabo
Cap 1019   . . benigne ut operam detis ad
nostrum gregem Cas 22   recessim dabo me
(*U* cedam *Pψ*) ad parietem Cas 443(*U ex Fest*
167)   is ad hostis exuuias dabit Ep 38   uxor
. . ad uirum(*PRLy* uiro *Aψ*) nuptum datur St
140   quid cesso Pseudolum facere ut det nomen
ad Molas coloniam? Ps 1100   quaeso mihi ne
quo te ad aliud *occupes* negotium Ps 548
    C. *per* ad *indicatur terminus posterior actionis,
addito vel omisso priore termino; usque saepe
apponitur, saepe hic sensus in contextu latet:*
asinos . . quibus subtritae ad femina iam erant
ungulae As 340   itaque tondebo auro usque
ad uiuam cutem Ba 242   scin tu rus hinc
esse ad uillam longe? Cas 420   consecutast
clanculum me usque ad fores Ci 91   usque ab
unguiculo ad capillum summumst festiuissima
Ep 623   dies quidem iam ad* umbilicum est
dimidiatus mortuos Men 155   hinc prospectus usque ad ultumamst plateam Mi 609   uolo
ego hanc percontari. #A terra ad caelum quidlubet Per 604   me usque admutilauisti ad
cutem Per 829   interminatus est a minumo
ad maximum Ps 776
    D. *per* ad *indicatur vel locus quo accidit
quicquam vel homo apud quem:* 1. censetur
censu ad *Acheruntem* mortuos Tri 494   conquiniscam ad *cistulam* Ci 657 . . ad *focum*
si adesses Au 439   quis ad *fores* est? Am
1021   ad* fores auscultate Tru 95   ego ad
forum illum conueniam Mi 930 . . nisi mihi
esset ad* forum negotium Mo 844   numquid processit ad forum? Mo 999   si graderere tantum quantum loquere, iam esses
ad forum Ps 1236   neque ego ad *mensam*
publicas res clamo Fr II. 48(*ex Serv ad Aen*
I. 738)   quasi flagitator astat usque ad *ostium*
Mo 768   nescio quem ad *portum* nactus es
Cap 837   tuas aerumnas ad* portum mihi
. . memorasti Cap 929   eam reliqui ad portum Mer 108   mihi quoque etiamst ad portum negotium Mer 328   mali maeroris montem . . ad portum modo conspicatus sum Mo
352   neque quiui ad portum lenonem pre-

henderę Ru 91   si ad *saxum* quo capessit, ea
deorsum cadit . . Ru 179   ad *sepulcrum* mortuo narret logos Ba 519
    ubi sunt hi homines? #Hac ad *dexteram*
Ru 155 . ubist? #Ad dexteram Ru 253b   ubist?
#Ad *laeuam* Mi 1216   (nata sum) in culina,
in angulo ad laeuam manum Per 631   coronam abiciam ad laeuam manum Men 555
    2. ad *amicam* de die potare As 825   credo
ad summos *bellatores* acrem — fugitorem fore
Tri 723   summus imperator non adest ad
exercitum Am 504   ad *hos* nauclerus hospitio
deuortitur Mi 1110(*supra A. 1. a*)   aut ad populum aut in iure aut ad* *iudicem*(*P* apud
aedilem *ARL v. om U*) rest Men 587   quae
illi ad *legionem* facta sunt, memorat pater
Am 133   quae ad* legionem uota uoui . . Am
947(*MueRgl*)   idem istuc aliis adscriptiuis
fieri ad legionem solet Men 184   si tu ad*
legionem bellator clues . . Tru 615(*CaSU
vide ψ*)   scortum reliquit ad *lenonem* Ps *Arg*
II. 5   ius suom ad *mulieres* optinere haud
queunt Cas 192   . . ut in seruitute hic ad
suom maneat *patrem* Cap 49   in libertatest
ad patrem in patria Cap 699   ad *populum*
Men 587(*sub iudicem*)   e praetore(*A ut vid
ad praetorem PLLy*) exquire Per 487 . . mo.x
quom ad *praetorem* usus ueniet Poe 727   aliquem ad *regem* Tri 722(*supra* A. 1. b)   me . .
ad *recuperatores* modo damnauit Plesidippus
Ru 1282   illum reliqui ad *Rhadamantem* in
Cecropia insula Tri 928(*vide ω*)   iubebo ad
Sagarinum cenam coqui St 439
    E. *vi finali; atque ut indicetur qua limita-
tione accidat quicquam vel verum sit;* 1. *cum
gerundio*(*cf* Herkenrath, p. 82): a. certum
exsequist, operam ut sumam ad peruestigandum Mer 935   suam clientam sollicitandum
ad militem subornat Mi *Arg* II. 13   rex me
Seleucus misit ad conducendos latrones *Serv ad
Aen* XII. 7(*cf* Mi 75-6)   uide sis ne forte ad
merendum quopiam deuorteris Mo 966 (aurum)
ad* hanc rem agundam Philippumst Poe 599
hanc, Lyce, ad te diripiundum adducimus Poe
646   missus ad* prendendum(*Rs duce Maio*
adpraehendit *A ut praehendat Pψ*) scortum a
milite Ps *Arg* II. 8 pretio . . quo conductus
uenio. #Ad furandum quidem Ps 850 . . ad
denegandum ut celeri lingua utamini Tru 8
    b. ad loquendum atque ad tacendum tute
habeas porticsculum As 518   mihi ad enarrandum hoc argumentumst comitas, si ad
auscultandum uostra erit benignitas Mi 79
ad narrandum argumentum adest benignitas
Men 16   animaduortendum ad* animum adest
benignitas Mer 15   habes . . ad detexundam
telam certos terminos Ps 400   facilem fecit
et planam uiam ad quaerundum honorem Tri
646   utra in parte plus sit uoluptatis . . ad aetatem agundam . . hau liquet Tri 232
    c. ad aquam praebendam commodum adueni
domum Am 669   qui mest uir fortior ad sufferundas plagas? As 557   (manus) herclest
ad* perdundum magis quam ad scribendum
cita Ba 738   nimis doctus illest ad male
faciendum Ep 378   non omnis aetas ad perdiscendum sat est Tru 22   tum ad saltan-

dum non cinaedus malacus aequest atque ego
Mɪ 668 *Cf* Sidey, pp. 57, 58

2. *cum verbis:* a. abii Tarentum ad mercatum Mᴇɴ 1112   pater ad mercatum hinc
abiit Mo 971   Tarentum auexit secum ad
mercatum Mᴇɴ 27   mortales multi, ut ad
ludos, conuenerant Mᴇɴ 30   pater ad mercatum . . me . . misit Rhodum Mᴇʀ 11

b. . . conductam esse eam quae hic *administraret* ad rem diuinam Eᴘ 418   quin tu
mihi *adornas* ad* fugam uiaticum? Eᴘ 615
sunt hic omnia quae ad deum pacem oportet
adesse? Poᴇ 254   si *adlegassem* aliquem ad
hoc negotium minus hominem doctum . . Eᴘ
427   iube uasa tibi pura *apparari* ad rem
diuinam cito Cᴀᴘ 861   omnes homines ad
suom quaestum *callent*(*Valla* calent *P*ℰ † calefiunt *Rs*) Tʀᴜ 932   uenimus *coctum* ad nuptias Aᴜ 429   ad eam rem otiosos homines
decuit *delegi* Mᴇɴ 453   auscultate argumenta
dum *dico* ad hanc rem Mo 99   ad* cubituram
magis sum *exercita*. . quam ad* cursuram Cɪ 379
(*ex Non* 198)   exercent sese ad cursuram Mo
862   me ad uelitationem exerceo Rᴜ 525 flagitium . . sit . . te ad eam operam *facere* sumptum de tuo Bᴀ 98   ad pudicos mores facta
haec fabulast Cᴀᴘ 1029   ad eam rem facere
uolt nouom gymnasium Mo 759   quid si
aliquo ad ludos me pro manduco *locem?* Rᴜ
535   operam meam . . hodie locaui ad artis
nugatorias Tʀɪ 844   ad* cursuram *meditabor*,
ad ludos Olympios Sᴛ 306   hancine ego ad
rem *natam* miseram memorabo? Rᴜ 188   an
hoc ad eas res *opsonatumst*, opsecro? Bᴀ 143
quid ad* illas artis *optassis?* Mɪ 669   *porge*
audacter ad salutem bracchium Ps 708 . . *quaerere* argentum ad eam rem Ps 420   *sapis*
multum ad genium Pᴇʀ 108   meretrix . . sapit in uino ad rem suam Tʀᴜ 854   omnes
mores ad uenustatem *ualent* Mɪ 657(*Rg vide* ψ)
palas *uendundas* sibi ait . . datas: ad messim
credo Poᴇ 1019   nimium . . ad* te et tuam
uitam *uides* Mɪ 716   ad rem diuinam . . Samiis uasis *utitur* Cᴀᴘ 291   utendam dedi.
⁂Non ad istuc Pᴇʀ 129

3. *cum nominibus:* a. ad eam rem habeo
omnem *aciem* Mɪ 1028   ad equas fuisti scitus
admissarius Mɪ 1112   *auctorem* dedit mihi
ad hanc rem Apoecidem Eᴘ 358   ad rem
auxilium emortuomst Eᴘ 117   arripe . . auxilium ad hanc rem Mɪ 220   *ampullam* rubi-
dam ad* unctiones Graecas Sᴛ 226(*RRg*)   sescentae ad eam rem *causae* possunt conligi
Tʀɪ 791   domi habet *hortum* et *condimenta*
ad omnis mores maleficos Mɪ 194   haec ad
Neptuni pecudes condimenta sunt Ps 834   *iudex* sim *reusque* ad eam rem Tʀɪ 234   *occasio* ad eam rem fuit Bᴀ 673   Sol est ad eam
rem *pictor* Vɪ 36   tu *poeta's* prorsus ad eam
rem unicus As 748   quod ad uos, spectatores,
relicuom relinquitur . . Cɪ 786 . . ad litationem huic suppetat *satias* Ioui Ps 334   *socium*
ad malam rem quaerit As 288   sociam te
mihi adopto ad meam salutem Cɪ 744   ad
eam rem nos esse *testis* uis tibi Poᴇ 565   si
ad eam rem testis habeam, faciam quod iubes
Poᴇ 971   opus factost *uiatico* ad tuom nomen

Tʀɪ 887   quam ad* rem *usuist?* Mɪ 771   ad
eam rem usus est tua mihi opera Pᴇʀ 328
ad eam rem usust hominem astutum, doctum
Ps 385

b. ad suom quemque hominem quaestum
esse aequomst *callidum* As 186, Tʀᴜ 416 (hominem *omisso*)   serui . . ad eri fraudationem
callidum ingenium gerunt As 257   hominem
doctum minusque ad hanc rem callidum Eᴘ 428
ad mandata *claudus, caecus, mutus, mancus,
debilis* Mᴇʀ 630   fac modo ut *condocta* tibi
sint dicta ad hanc fallaciam Poᴇ 580   consilium . . ad hanc rem *conducibile* Eᴘ 260
nimio's tu ad istas res discipulus *docilior*,
quam ad illa quae te docui Bᴀ 164   *doctum* Eᴘ 427(*supra* 2. b *sub* adlego)   basilice
exornatus cedit et *fabre* ad fallaciam Poᴇ
577   ego ad* omnis conparebo tibi res benefactis *frequens* Mɪ 662(*DousaRRg*)   *grauius*
tuom erit unum uerbum ad eam rem quam
centum mea Tʀɪ 388   non potuisti adducere
homines magis ad hanc rem *idoneos* Poᴇ 583
architecti . . ad* eam rem haud *imperiti* Mɪ
919(*RRgLLy vide* ψ)   ad alias res est impense
inprobus Eᴘ 566   omnis ad perniciem *instructa* domus Bᴀ 373   nimis *lepide* fecit
uerba ad parsimoniam Aᴜ 497   non inuenies . .
lepidiorem ad omnis res Mɪ 660   non potuit reperire . . lepidioris duas ad hanc rem Mɪ 804
illic est ad istas res *probus* Poᴇ 680 . . ego
illum haberem *rectum* ad ingenium bonum Bᴀ
412   rectumst ingenium meum ad (= aduorsum)
te atque ad* illum Cᴀᴘ 369   domi esse ad eam
rem uideo siluai *satis* Mɪ 1154   deprome inde
auri ad hanc rem quod sat est Tʀɪ 803   magis
non potest esse ad rem *utibile* Mɪ 613   quem
hominem inueniemus ad eam rem *utilem?*
Eᴘ 291

F. *cum numeralibus:* ad quadraginta fortasse eam posse emi minumo minas Eᴘ 296
thensaurum . . nummorum Philippeum ad* tria
milia Tʀɪ 152

G. *vi comparativa* = *secundum:* alterum ad
istanc capitis albitudinem Tʀɪ 874   ad summos bellatores Tʀɪ 723(*melius supra* D. 2)   ad
hoc exemplum est, ad* Chares, ad* Charmenes
Tʀɪ 922(*SpU*)   ad hoc exemplum Mᴇʀ 265,
Pᴇʀ 335, Ps 135, Rᴜ 488, 603a, Tʀɪ 922   ad
id exemplum Mɪ 400   ad illuc exemplum
Mɪ 757   quod ad exemplumst? Tʀɪ 921   mandauit mihi ut emerem ad istanc faciem (ancillam).   ⁂At mihi . . mandauit ut ad illam
faciem . . emerem Mᴇʀ 428(*vide R*)   ad istam
faciemst morbus Cɪ 71   ad tuam formam
illa una dignast Mɪ 968   ad hunc modum
Aᴜ 69, Bᴀ 510*, 908, Cᴜ 204, Ps 457, 1273,
Rᴜ 195, Sᴛ 76   plurumi ad illum(*A* hunc
PU) modum periere pueri liberi Poᴇ 988
ad illum modum sublitum os esse mihi! Cᴀᴘ
783   sincipitamenta . . aut aliquid ad eum
modum Mᴇɴ 211   ad istunc modum Bᴀ 584,
749, Rᴜ 271, 1249   quem ad modum Aᴍ 442,
Bᴀ 190, 474, 733, Cɪ 634(*L*), Cᴜ 370, Mᴇʀ 352,
Mɪ 186, 201, 257, 884, 904, 1162, Pᴇʀ 35, Tʀɪ
236   ad sapientiam huius (Thales) nimius
nugator fuit Cᴀᴘ 275   recaluom ad Silanum

senem Ru 317 (*Sey§ duce Lamb*) *Cf* Nencini,
Em. Pl., p. 75 *adn.*
II. *de tempore* (*cf* Kane, p. 76; Leers, p. 37)
1. *quousque actio continuatur:* bene pudiceque
educatust usque ad *adulescentiam* Cap 992
semper ego usque ad hanc *aetatem* ab ineunte
adulescentia.. Tri 301 ea adoleuit ad eam
aetatem, ut .. Cas 47 peruiuo usque ad summam aetatem Cap 742 ad exitam(*i. e.* ultimam) aetatem Fr II. 70 (*ex Paul* 28) tu ad
hoc diei tempus dormitasti in otio As 253 usque ab *aurora* ad* hoc quod dieist Poe 217
inde usque ad *diurnam stellam* .. potabimus
Men 175 ad *fatim: vide* affatim ego ad
hoc *genus* hominum duraui Tri 290 ego ad
illud frugi puero .. fui, in fabrorum potestate
dum fui Mo 133 usque ad *languorem* — tenes?
Ps 216 perdormiscin usque ad *lucem?* Men
928 hic manebo potius ad *meridiem* (*AP*
-die *LLy*) Mo 582 excrea .. usque ad *mortem* As 41 .. usque ad' mortem ut seruiat
Ep 269 disperistis, ni usque ad mortem male
mulcassitis Mi 163 a mani ad* *noctem* usque in foro dego diem Mo 534 usque ad*
rauim poscam Au 336 expurigabo hercle
omnia ad raucam rauim Ci 304 perpetuo
uiuont ab saeclo ad *saeclum* Mi 1079 amarum ad* *satietatem* usque oggerit Ci 70 .. quin
uirgis te usque ad *saturitatem* sauciem Ru
758 .. numquam ad *solem occasum* uiuerem Men 1022 pugnata pugna usque a mani
ad *uesperum* Am 253 hodie numquam ad
uesperum uiuam As 630 (percoquat) apud te
hic usque ad uesperum Mer 580 supplicium
.. diutinum .. a mane ad uesperum Mi 503
sol semper hic est usque a mani ad uesperum
Mo 767
2. *quo quicquam accidit:* comisatum omnes
uenitote ad me ad annos sedecim Ru 1422
quam ad redditurum te mihi dicis diem? Vi
90 ad* Dionysia Ps 59 (ad *add R*) simulque
ad* cursuram meditabor ad ludos Olympios
St 306 (perueni) altero (die) ad meridiem Ps
1174 hic ero usque, ad noctem .. intromittar
domum Men 965 ibi ad postremum cedit miles
Au 526 (*cf* Wueseke, p. 30) ad postremum
nihil apparet Poe 844 effectum hoc hodie
reddam .. ad uesperum Ps 530 numquam
hodie ad uesperum Gripum inspicietis uiuom
Ru 1288
III. *cum ad coniungitur vel alia praepositio
vel accusativus ablativusve terminalis vel adverbium* 1. a(ab): adulescentia Tri 301 asinis Au 235 aurora Poe 217 eo Mi 97
ero Ps 1283 illo Cu 336 legione Ep 58
mane(i) Am 253, Mi 503, Mo 534, 767 minumo Ps 776 saeclo Mi 1079 saxo Ru 76,
165 Stratippocle Ep 251 patre Tri 771 te
Mi 912 terra Per 604, Tri 947 uiro Mer 667
ad: me ad trapezitam Ps 757 uos ad magistras St 105 sororem ad Callidem Tri 577
fratrem ad captiuos Cap 126 me ad uxorem
Mer 244 me ad cenam Mo 1134, St 510
cenam ad me Cap 831 te ad cenam Cap 175,
St 486 se ad cenam St 511 se ad prandium, ad cenam Mi 712 prandium ad se Poe
1282 senem ad cenam Cap 497 cenam ad

conseruom St 433 forum ad erum As 367
me ad annos sedecim Ru 1422 terram ad
uillam Ru 76 fanum ad istunc modum Ru
271 cursuram ad ludos St 306*
de: mea(uita) As 610 foro Cap 475 caelo Ru 8
ex: urbe Am 256, Ru 295 Epheso Ba 389,
561 fortunis secundis Ci 557 (*RsLLy*) puteo
Mi 1150 Seleucia Tri 771
extra: portam Cap 90, 735
in: aedem Poe 529, Tri 468 aedis Mi 121,
Ru 497 Alidem Cap 379 angulo Per 631 Bacchanal Au 408 castra Am 256 Cecropia Tri
928 conspectum Ba 1007 hospitium Poe 673,
Tri 673 (hospitio *MueRs§*) lapidicinas Cap
736 foro Cap 478 naui Mer 108 nuptias
Cas 481 patria Cap 699 patriam Cap 43, 384,
686 proxumam Cas 145, Ep 68 saginam Tri
722 seruitute Cap 49 seruitutem Mi 97 urbem Cas 438, Ru 856
per: angiportum Mo 1045, Per 678 hortum
St 437, Tru 249 impluuium Mi 553 posticum
Mo 931
sub: uestimenta Ba 482
2. Alidem Cap 573 Athenas Tru 497 Nau-
pactum Mi 116 Rhodum Mer 11 Tarentum
Men 27 domum Am 759, Ci 102, 301, Ep 364,
Men 847, Mer 244, 555 b, Mi 121, 535, 790, Ps
867, St 249, 590, Tri 1008, Tru 206, 716 rus
Cas 420, Mer 667 domo Cas 520, Ep 46
3. alio St 596 aliquo Men 124, Poe 293,
Ru 535 eo Cas 518 eodem As 139 foras
Mi 537, Ru 1420, St 596, 612, 738 hac Au 694,
Cu 87, Ps 1230, Ru 155 hinc Am 734, As 817,
Ba 1060, Cap 365, 383, 384, 573, 589, Cas 420,
Ci 192, Cu 723, Ep 379, Mer 11, 255, 277, 461,
Mi 89, 949, 1376, Mo 853, 971, 1037 (*L*), Poe
790, 1148 huc Am 20, 264 (*PLLy*), As 915, Au
203 (*Rg*), 330, 334, 335, 666, 746, Ba 389, 529,
906, Cap 360, Cas 145. 161, 481, 579, 597, -Ci
157, 710 (*Rs§U om PLLy*), 779, 782, Cu 228, Ep
68, 157, 294, Men 287, 433 (*R*), 1140, Mer 555 b,
Mi 238 (*R*), 1033, 1069, 1177, Mo 461, 675 (*R*),
835, 1120 (*R*), Per 248 (*Rs*), Poe 559, Ps 650,
1091, 1209, Ru 61, 94, 142, 308, 327, 344, 349,
480, 482, 818, 1199, Tri 67, 97, 577, 817, 1068,
1151, Tru 397, 880 horsum Mi 304 illac Mo
931, 1045 illo St 185 illuc Am 466, Cas 519
illi Am 133 intro Am 1045, 1145, As 756 (*R*),
Au 328 (*LLy*), 334, 694, Ba 714, 906, 1178, Ci
779, Ep 157, 379, Men 1048, Mer 244, 915, Mi
520, 535, 1376, Mo 422, Per 850, Tri 818, Tru
97, 583 (*Rs*), 718, 732, 944 intus Mo 675 inde
Am 156, 253 (*Rgl*), Cap 510 isto Cas 543 (*SpRs
§ULy*), Mo 837 istuc Cas 178, 543 (*APL*), 614
prope Cas 663 propius Ru 831 nusquam Au
102 quo As 125, 486, Mer 803, Ru 179 quoquam As 635 unde Cu 608, 632, Tri 155 usque Am 253, As 41, Au 337, Ba 242, Cap 742,
992, Ci 70, 91, Ep 269, 623 Men 91, 175, 928, 965,
Mer 580, Mi 163, 609, Mo 534, 767, Per 752,
Poe 217, 676, Ps 216, Ru 549, 758, Tri 301
ADAEQUE - - *priorem semper habet positio-
nem, nisi* Ci 55, Cas 857; *sequitur vel atque
vel ablativus; usurpat Plautus in negativis modo
sententiis* — Langen, *Beitr.*, p. 21
1. *verbis apponitur:* nulla adaeque est Acheruns atque ubi ego fui Cap 999 .. quoi ego

adaeque(*R* ea quae *P* aeque *Lips et Bent ψ*)
heres eram Men 493   numquam ecastor ullo
die risi adaeque(adeaque *J*) Cas 857
    2. *adiect. app.:* adaeque neminem fuisse
(magnum).. credo Mi 776(*GrutR* atque *P* aeque
D³ψ)   neque fuit me senex quisquam amator
adaeque(atque *V*) miser Cas 685   neque munda
adaeque es, ut soles Ci 55   quo nemo adaeque
.. est habitus parcus Mo 30
    3. *cum adi. compar.:* qui homine adaeque
nemo uiuit fortunatior Cap 828   *Cf* Fraesdorff, p. 40
    4. *seq.* atque: Cap 999 ut? Ci 55   *cum ab-
lativo:* Cap 828, Cas 685, Mo 30
  ADAMAS - - **Adamante,** Tri 928(*U pro* ad
Rhadamantem)
  ADAMBULO - - **adambulabo** ad ostium Ba
768
  ADAUGEO - - Hercules, decumam esse **adauctam** tibi quam uoui gratulor St 386
  ADBIBO - - quando **adbibero,** adludiabo
St 382   postquam **adbibere**(adhibere *B*) auris
meae tuae oram orationis, tibi dixi Mi 883
an heri **adbibisti?** Mi 217(*S* anheriatus uestis
PLy† var em *ψ*)   *Cf* Egli, I. p. 6
  ADBITO - - atque edepol si **adbites**(habites
J) propius, os denasabit tibi Cap 604   *incerta:* Ep 627, otiose adbitis *Rg* scio iussi admirer *B* socio i. a. *J var em ψ* Ru 309, adbito *Rs* adibo *Pψ*
  ADDECET - - 1. *seq acc.:* ego emero .. ancillam .. forma mala, ut matrem addecet familias Mer 415   scelestu's. ♯Decet me. ♯Me
quidem addecet(*BoL* item a. *R* haud decet
PSRs hau d. *Ly* h. dedecet *RostU*) Per 220
    2. *seq.* (*acc. cum*) *inf.*(*cf* Walder, p. 28):
eius studio seruire addecet Am 1004   si decem
habeas linguas, mutum esse addecet Ba 128
peculi probam nihil habere addecet clam uirum
Cas 199   ut esse addecet(addet *D*) nequam homines ita sunt Mo 902a   te mihi dicto audientem esse addecet Per 836   lucrum amare nullum amatorem addecet Poe 328   ut bonos facere addecet facite.. Poe 1389   nouom aliquid
inuentum adferre addecet Ps 569   manuleatam tunicam habere hominem addecet(*A* decet *P*) Ps 738   peculiosum esse addecet(*Bo*
decet *PU*) seruom Ru 112   inpudentem hominem addecet molestum ultro aduenire Ru
115   te mihi .. addecet(*FZ* addem *P* addes
D³).. referre gratiam Ru 1391   ut uos uelle
amicosque addecet .. St 518   bonos .. adcurare addecet Tri 78   prodigum esse amatorem addecet Fr I. 97(*ex Fest* 229)   *corruptum:* Tru 227, addecet *A pro* condecet(*P*)
  ADDICO - - I. Forma **addico** Poe 1361
(e *pro* i *A ut vid*) **addicam** Cap 181   **addicet** Poe 186 **addicetur** Poe 564 **addicar**
(*subiunct.*) Poe 1341(*AD⁴* -are *P*) **addice** Poe
498 **addici** Ru 891(adduci *B*) **addicta**(*nom.
sg.*) Mer 616 **addictum**(*masc. acc.*) Poe 720
(*iteratum post* 706) (*neut.*) Poe 833 **addictos**
Ba 1205(addict' *C*), Poe 521
  II. Significatio 1. *passive:* ducite nos quo-
lubet tamquam quidem addictos* Ba 1205 iam
addicta .. erat quom ad portum uenio Mer
616 addictum*(*sc* me) tenes Poe 720 quod-

uis genus ibi hominum uideas .. addictum
Poe 833   si qui mea opera citius addici*
potest Ru 891
    2. *active, seq. acc.:* quasi fundum uendam,
me addicam Cap 181
    3. *addito dat. pers.:* addicet praetor fami-
liam totam tibi Poe 186   addice tuam mihi
meretricem Poe 498   ne tuo nos amori seruos esse addictos censeas Poe 521   leno addicetur tibi Poe 564   conuenit ut me suspendam ne addicar* Agorastocli Poe 1341   quin
egomet tibi me addico Poe 1361
  ADDICTUS - - *nomen fabulae a Servio ad
Georg* I. 124 *citatae*
  ADDO - - I. Forma **addo** As 755, Mer
1024(*Rg duce Kamp: aliter R om Pψ*), Ru 1327
addis Ba 382, Ru 1401(*L* adde *P* addes *D³ψ*)
addunt Mer 157, Poe 1204(*A om P*), Ps 768
additur Mo 107(*B²* aditur *P*) **adduntur** Tru 42
addam As 610, Ep 474, Ci 52, Mer 437, Poe 385,
Tru 894,910(addam etiam unam minam *L* a. minam alteram *U* ad omnae manuc *PS†Ly† aliter
Rs*) **addes** Ru 1401(*D³* adde *P* addis *L cf Pl.
Forsch.²,* p. 303) **addentur** St 551 **addidit** Au
556, Mi 146, 305(*Dousa* tradidit *P*), 550 **addiderat** Cap 708 **addidero** Tri 855 **addideris** Tri 379, 464 **addas** Men 526, Ru 1329,
St 554 **adduint** Au *fr.* V(*QuicheratLLy pro*
duint; *ex Non* 120) **addantur** Men 427 **adderes**
Ps 287 **adde** As 755, Poe 870, Ru 1007, Tri 385
(ad te *C*), 1010, Tru 613 **addite** Fr II. 13(*ex
Fest* 306), 104(*ex Non* 551) **addito** Cas 518
(-ta *E* coad. *GulU*), Per 629, Ps 1304 **addere**
Men 149, Mer 435(adere *C*) **addi** Ep 7(addi solet *U* adsolet *AP* [ass.] *SLLyRg²* coads. *AcRg¹*),
Tru 539(*Ly* addit *PS† var em ψ*) **additus** Am
250, Mi 298(-os *B*), Vi 23 **additum** Am 811,
Mo 184   *corrupta:* Cas 935, addita *P pro* adita
Mo 902a, addet *D pro* addet Per 543, addunt *CD* adunt *B pro* aduenit(*A*); 796, addita *pro* adita Ru 1391, addem *P* addes
D³ pro addecet Tri 585, addere *CD pro*
haud dare
  II. Significatio 1. *absolute vel seq. acc.* (*vel
nom.*): a. addone? ♯Adde As 755(*priore loco*
id *add MueRgl*)   hallec adduint* Au *fr.* V(*ex
Non* 120) priusquam malum istoc addis.., iam
dicam patri Ba 382   addam operam sedulo
Ci 52   ut optata eueniant operam addito Per
629   adde operam, si cupis Poe 870   minus
addunt* operam ut placeant uiris Poe 1204
ecquid audes de tuo istuc addere? Men 149
atque huc ut addas auri pondo unciam Men
526   iubet quinque me addere* etiam nunc
minas Mer 435   addam sex minas Mer 437
addam* etiam unam minam istuc Tru 910
etiam ocellum addam Poe 385(*v. secl L*) adderes
faenusculum Ps 287   'hiberna' addito Ps 1304
uerbum etiam adde unum Ru 1007   nihil
addo Ru 1327   .. quo nihil inuitus addas
Ru 1329   uapulabis, uerbum si addes* istuc
unum Ru 1401   .. dum equidem hercle quod
edant addas St 554   oculum ecfodiam tibi
si uerbum addideris Tri 464   si quid ego
addidero amplius .. Tri 855   adde gradum,
adpropera Tri 1010   nihili pendit addi* purpuram Tru 539(*Ly*)   uerbum unum adde istoc

Tru 613   hoc addam insuper Tru 894   subscudes addite Fr. II. 13 (*ex Fest* 306)   addite lopadas, echinos, ostreas Fr II. 104 (*ex Non* 551)

b. quid eo addi* solet? Ep 7 (*U*) . . ut opera addantur quae uolo Men 427   quid istaec me, id cur non additumst? Mo 184   si duarum paenitebit, addentur duae St 551   adduntur noctes Tru 42

2. *additur dat.:* **a.** ibi nostris animus additust Am 250   pudicitiae huius uitium . . est additum Am 811   quem quondam Ioui Iuno custodem addidit Au 556   . . quoi me custodem addiderat erus maior meus Cap 708   quae accessere tibi addam dono gratiis Ep 474   lassitudinem hercle uerba tua mihi addunt Mer 157   quem concubinae miles custodem addidit Mi 146   tu ei custos additus* Mi 298   custodem me illi miles addidit* Mi 305   quoi me custodem erus addidit miles meus Mi 550   aedibus uitium additur* Mo 107   eidem (*sc* seriuituti) si addunt turpitudinem . . Ps 768   addideris nostrae lepidam famam familiae Tri 379   an mihi tutor additus? Vi 23

b. *additur alter acc. vel nom. (vide supra):* custos Au 556, Cap 708, Mi 146, 298, 305, 550   tutor Vi 23

c. *additur dat. finalis:* dono Ep 474 (*supra* a)
3. *seq. praep. vel adv.* ad: de mea (uita) ad tuam addam As 610   eo addito* ad compendium Cas 518   adde* ad istam gratiam unum Tri 385   de: As 610 (*sub* ad), Men 149 (*supra* 1. a)

eo: Cas 518 (*sub* ad), Ep 7 (*supra* 1. b)   huc: Men 526 (*supra* 1. a)   istoc (*supra* 1. a): Ba 382, Tru 613   istuc (*supra* 1. a): Men 149, Ru 1401, Tru 910 (*L*)   quo Ru 1329
4. *seq.* ut: addo* ut . . lex teneat senes Mer 1024 (*Rg*)

ADDUCO - - I. Forma adduco Am 849, Per 576, 611 (*iterant CD*), Ru 774, Tru 514 (*FZ* adduce *P*) **adducis** Am 918, Per 143 **adducit** As 440, Ep 608, Tru 36 **adducimus** Poe 646 **adducam** Am 854 (*J* abd. *BVE*), As 915, Cu 138, Ep 294, Men 845 (abd. *Ly*), Mer 562, Mi 858 (a. a *A* adducta *B* adducata *CD*), 1085, Per 609, 828, Ps 586, Ru 761, 1210, Tru 114 **adduxi** Men 798, Mo 804, Ps 711, Ru 501, St 418, Tru 530, 891 (lineam adduxi *Rs* sineum ipse adire *PS*† *vide ψ*) **adduxisti** Ep 156, Ru 497 **adduxti** Cap 1016 (aduxti *B*) **adduxit** As 86, Ep 90 b (*ZL* abd. *BVEψ* -xi *J*), 413, Mer 813, 904, Per 520, Ps 1098 (*Ly* abd. *Pψ v. om Rg*), Ru 129 **adduximus** Poe 658, 676 **adducam** Ba 527 (adu. *B¹*), Ci 285, Ps 867 **adducas** Mi 791, Tru 534 (*PS*†*LU* [superadducas] *Ly* deducas *Rs*) **adducant** St 444 (*BugRgLLy* abd. *Aψ*) **adducat** Ep 610 **adducerem** Ps 698 **adduxerit** Mer 924 **adduc** Ps 389 (*A* adhuc *P* adduce *R*) **adduce** As 355, Per 158, 439 (adluce *B* -cei *A*), Poe 424, Ru 775, St 151, Tru 531 (*v. secl RsU*) **adducite** Ps 757 **adducito** Ci 284, Vi 58 **adducere** As 438, Ci 292, Men 751, Mi 899 (*Ac* -ret *P*), Poe 341, 583 **adduxe** Ru 1047 (*Ca* -xisse *P*) **adducier** Ba 112 **adducturum** Am 919, As 356 **adducturam** Tru 133 (*A* -cituram *P*) **adducta** Ep 362, 370

adductam Ep 154 **adductae** As 304 *corrupta:* Cap 948, aducito *BVE* adducito *J pro* ducito Cu 614, adduxti *J pro* abdux(is)ti Ru 891, adduci *B pro* addici add- *pro* abd- As 937 *P*, Cu 615 *EJ*, Men 1141 *C*, Mer 250 *A*, 616 *B*, Per 522 *CD* (aduectam *B*), Poe 1282 *CD*, Ps 1155 *P*, 1198 *P*, Ru 723 *P*

II. Significatio 1. *absolute vel seq. acc.* **a.** *de personis:* seruom Sauream uxor tua (tibi *add Rgl*) adduxit As 86   Demaenetum, quem ego noui, adduce As 355   ego me dixi erum adducturum As 356   adduxtin* illum huius †filium captiuom? Cap 1016   scibit . . hanc adductam alteram Ep 154   ubi illast quam tu adduxisti tecum? Ep 156   . . illam quae adductast mecum Ep 362   . . quae tecum adducta nunc est Ep 370   neque illam adducit Ep 608   si undecim deos praeter sese adducat Iuppiter . . Ep 610   idem hercle dicam si auom uis adducere Men 751   ibo adducam* qui hunc hinc tollant Men 845   em tibi adsunt (mulieres) quas me iussisti adducere (*Ac* -ret *P*) Mi 899   em tibi adduxi hominem Mo 804   gnatam ornatam adduce lepide Per 158   adduxit simul . . uirginem Per 520   ego illam adducam Per 609   adduco hanc Per 611   iam ego tibi . . Persam adducam denuo Per 828   inuendibili merci oportet ultro emptorem adducere Poe 341   i, adduce testis tecum Poe 424   non potuisti adducere homines magis . . idoneos Poe 583   propera adduc* hominem (huc *add R*) cito Ps 389   quid 'attulisti'? #'Adduxi' uolui dicere Ps 711   uim defendas dum ego erum adduco meum Ru 774   quaere erum atque adduce Ru 775   (Gelasimum) tecum adduce St 151   . . quas mecum adduxi St 418   adsum, adduco* tibi exoptatum Stratophanem Tru 514   adduxi ancillas tibi Tru 530   *similiter translate:* paenitetne te quot ancillas alam, quin examen (*HauptLULy* etiam men *PS*† *aliter Rs*) super adducas*? Tru 534

b. *de rebus:* loricam adducito Ci 284   loricam adducam? Ci 285   iubes loricam adducere Ci 292   adducit lineam Tru 36   lineam adduxi* Tru 891 (*Rs*)   *similiter translate:* Volcanum (*i. e.* ignem) adducam Ru 761

c. *additur alter acc.:* testem quem dudum te adducturum dixeras Am 919   non equidem mihi te aduocatum . . adduxi Men 798   malam fortunam in aedis te adduxi meas Ru 501
2. *cum praepp. coniunctum* **a. a (ab):** quid si adduco . . huc ab naui Naucratem? Am 849 (ad te *post* huc *add MueRgl*)   ego huc ab naui mecum adducam* Naucratem Am 854   si sibi nunc alteram (mulierem) ab legione adduxit* . . Ep 90 b   erum adducam* a foro Mi 858

b. **ad:** Am 849 (*MueRgl supra* a)   huc cras (Diabolum) adducam ad lenam As 915   Lycurgus . . uidetur posse hic ad nequitiam adducier Ba 112   . . ut eum mecum ad te adducam* simul Ba 527   illum conueniam atque adducam huc ad te (hunc ad eum *UL*) Ep 294   adducam ego illum iam ad te Mer 562   quis eam adduxit ad uos? Mer 904   adduco hanc ad te Per 576   nos hominem ad te adduxi-

mus Poe 658   ad oppidum hoc . . legiones adducam Ps 586 (*R solus: vide* ψ) imperauit ut
aliquem hominem . . **adducerem** ad se Ps 698
hominem adducite ad me ad trapezitam Ps 757
. . qui te ad me adducam domum Ps 867
. . quom in aedis me ad te adduxisti Ru 497
mecum ad te adducam simul Plesidippum Ru
1210 eumpse pol ad nos (*A* a. n. *om P*) . . mecum adducam Tru 114   *similiter:* nos tibi palumbem ad aream usque adduximus Poe 676
de re: manus adductae ad trabem As 304

    cum gerund.: hunc . . ad te diripiundum ad-
ducimus Poe 646   *Cf* Herkenrath, pp. 45, 82

    c. ante: (uxor) me paelices adduxe* dicet
ante oculos suos Ru 1047

    d. in: tuos pater . . amicam adduxit intro
in aedis Mer 813   quia scortum sibi ob oculos adduxerit in aedis Mer 924   Ru 497 (*supra* b)
Ru 501 (*supra* 1. c)   in fanum Veneris . . mulierculas duas secum adduxit Ru 129   illam
. . in Sicyonem ex urbe adduxit* modo Ps 1098
(*Ly* ex u. *om L v. om Rg*)

    e. ob: ob oculos Mer 924 (*supra* d)

    f. ex: ex urbe Ps 1098 (*supra* d)

    3. *seq. acc. locali:* adducit domum etiam
ultro (trapezitam) As 440   Ps 867 (*supra* 2. b)
. . eum uerberabundum adducant* domum St 444

    4. *additur dat.:* mihi Men 798   tibi As 86
(*Rgl*), Cu 138, Mo 804, Per 828, Poe 676, Tru
514, 530   sibi Mer 924   merci Poe 341

    5. *seq. adv.:* hoc adduce tu istas Tru 531
(*v. secl RsU*)

    huc Am 849, 854 (*supra* 2. a)   quin huc ad-
ducis meum cognatum Naucratem? Am 918
uidi huc ipsum adducere trapezitam As 438
As 915 (*supra* 2. b)   ego tibi quod amas iam
huc adducam Cu 138   Ep 294 (*supra* 2. b)   hilaram huc adduxit simul Ep 413   eam huc
ornatam adducas Mi 791   illam huc adducam
Mi 1085   . . gnatam tecum huc iam . . adducis
Per 143   huc (mulierem) continuo adduce*
Per 439   Ps 389 (*R vide supra* 1. a)   huc meas
legiones adducam Ps 586 (*vide R supra* 2. b)
te adducturam* huc dixeras eumpse Tru 133
huc (aduocatum) adducito Vi 58

    intro: Mer 813 (*supra* 2. d)

    ADDUO - - **addues** = addideris Fr II. 69 (*ex
Paul* 27)

    ADELPHASIUM - - *puella; in supersc. act.*
I. *sc.* 2; *act.* V. *sc.* 4 (*nom.*) Poe 203 (-f. *B*), 894
(-ius *D*)   (*acc.*) Poe 154, 419 (*v. secl. UL*), 757
Cf Schmidt, p. 354

    ADEO - - *adverbium: cf* Langen, *Beitr.*
p. 139-152; Anspach, p. 31, *adn.;* Braune,
Observationes gramm. et crit. ad usum ita, sic
. . adeo *particularum Pl. et Ter. spectantes,*
Diss. Berlin 1881, p. 23-41; Sydow, *Zum
Gebrauch von* adeo *bei Pl., Pr.* Stettin 1896;
Ramsay, *Excurs.* I *ad* Most.

    I. Forma Am 169, adeo *Lach* adest *P*; 678,
adeo *B¹D²E¹J* ideo *Non* 166   As 284, abeo
Non 72   Au 315, om *L*; 725, adeo *SeyU* eo
PLLy ergo *MueRg*꙼; 775, adeo *U duce Non* 129
& 293 *pro* ab eo Men 563, *add Rs solus* Mer
35, adeos *B* adeo *CD pro* adeost(*Ca*); 1018,
adꙑ *C*; 1024, adeo *PꙄ†U* addo *add Rg duce
Kamp* Mi 588, qui adeo *R* quin id *ARgꙄ†*

quoin id *RibLLy* quine in *Boll* quod in *CD*
quod** *B¹* quod ei *B²*   Mo 280, *om Gell* XX.
6, 12   Poe 782, isto cadeo *B* isto cado *CD
pro* istoc adeo; 988, adeo *add BrambachU* Ps
185, adeo *om U* que *om FRgU*; 855, nunc adeo
om C; 1104, adeo monitos *CD pro* admonitos
Ru 667, neque adeo quam in partem *SpU*
****artem (*B* -rtem *CD*) *P*; 812, adhic *D¹*;
1388, hodie *Rs* St 77, adeo adsimulem *A* in
eas simulem *PLU* adeo *om Rg*; 215, deo *P*
Tri 200, adeo *AU om PꙄLLy v. om RRs*   Tru
289, adeo foras *P pro* ad foris (*A*); 521, eia
adeo *Rs falso* cela ad *PꙄ† aliter* ψ; ipse
adeo eum *U* usque adientauelm *PꙄ† aliter* ψ;
765, adest *B pro* adeost; 848, adeo *Langen*
abeo *Flω* ab eo *P*; 926, me adeo *BueRs falso*
medio *PꙄ†* hodie *BriLULy*

    II. Significatio 1. *usque ad id tempus, saepe*
usque *add., seq.* dum: dementiae complebo . .
familiam adeo usque satietatem dum capiet
pater illinc Am 472   mansero tuo arbitratu, uel
adeo usque dum peris As 328   . . instare usque
adeo donec se adiurat anus Ci 583   . . uectatum undique adeo dum . . peperisset bona Mer
78   quanto te satiust rus aliquo abire . . adeo
dum illius te cupiditas . . missum facit Mer 657
faciamus ludos . . adeo donicum ipsus sese ludos
fieri senserit Ps 1168   . . nei istunc inuitassitis
usque adeo* donec qua domum abeat nesciat
Ru 812   impedit piscis usque adeo donicum
eduxit foras Tru 39 (*loc dub*)

    2. *consecutive* = tam, ita a. *absolute:* censen
uero adeo* parcum et miserum uiuere? Au 315 (*cf*
Langen, p. 140   . . adeo arte cohibitum esse
se a patre Mer 64   itaque adeo iam oppletum
oppidumst solariis Fr I. 28 (*ex Gell* III. 3, 5)

    b. *seq.* ut: maximas opimitates . . pariet adeo*
ut aetatem ambo . . sint obnoxii As 284   adeon
me fuisse fungum ut qui illi crederem? Ba 283
adeo ego illam cogam usque ut mendicet meus
pater Ba 508 (*v. om AULangen* adeo *terminum
indicare censet L*)   ego faciam ut pugnam inspectet non bonam, adeo ut spectare postea
omnis oderit Cap 66   nullus usquam amator
adeost* callide facundus . . ut possit loqui Mer
35   . . qui adeo* admutiletur, ne id quod uidit
uiderit Mi 588   subigis . . me adeo ut . . mihi
necesse sit . . concredere Tri 141

    c. = *ea causa; seq.* ut: adeo ut tu (nunc a. ut
LangenRg) meam sententiam iam noscere possis . . Au 441   id ego continuo huic dabo (, Ꙅ)
adeo* (, *LU*) me ut hic mittat manu Ru 1388

    3. *comparative:* fac sis proinde adeo ut uelle
med intellegis Am 982   ille eam rem adeo
sobrie . accurauit ut ad alias res est . . inprobus Ep 566

    4. = *ad id, praeterea* (sed *cf* Braune): a. quam-
que adeo* ciues Thebani uero rumiferant probam Am 678   quae facta eloquar, multo adeo
melius quam illi Am 1134   di illum omnes perdant . . meque adeo Men 597   . . abnuere, negitare adeo me natum suom Mer 50   paulum id
quidemst? adeo etiam argenti faenus creditum
audio Mo 629   quae res bene uortat mihi . .
perennitassitque adeo huic . . cibum Per 330
quae tibi olant . . quasque adeo hau quisquam
. . tetigit Poe 269   uos †uostros panticesque

adeo* madefactatis Ps 184   ibi tibi adeo lectus
dabitur Ps 215   te di omnes perdant . . meque
adeo scelestum Ru 1167   patrem tuom meumque adeo St 10   potationes plurumae demortuae; quot adeo cenae . . mortuae! St 212
. . prae maerore adeo* miser . . consenui St 215
ibi uoster cenat cum uxore adeo et Antipho
St 664   illum di perdant qui horas repperit
quique adeo primus statuit hic solarium Fr I.
22(*ex Gell* III. 3, 5)
  b. atque adeo(*raro disiunctim*): atque hercle
ipsum adeo contuor As 403 'huic' dixi, atque
adeo mihi dum cupio . . Cas 367 esurio hercle
atque adeo hau salubriter Cas 801 respondit
mihi paucis uerbis atque adeo fideliter Cu 333
atque adeo hoc argumentum graecissat Men 11
atque adeo, ne me nequiquam serues . . Men 123
atque adeo ut ne legi fraudem faciant . . Mi
164 atque adeo, audin? Mi 1088 . . atque
adeo ut frumento afluam Ps 191 atque adeo
. . pietas prohibet Ps 291 atque adeo ut tu
scire possis . . St 697 atque egomet me adeo
cum illis una ibidem traho Tri 203 uapulo
hercle ego nunc atque adeo male Tru 357
  c. -que adeo: ineptia (atque *add RRg*) stul-
titiaque(que *om RRg*) adeo et temeritas Men
26 pater, salueto, amboque adeo Ru 103
  d. neque adeo(*raro disiunctim*): ne epistula
quidem ulla sit in aedibus nec cerata adeo
tabula As 763 neque partem tibi adeo* umquam eius indipisces Au 775(*U*) neque adeo
haec ageremus ni . . Ba 1209 neque qui . .
neque adeo quoi suom concredat filium Cap 348
. . neque adeo spes, quae mihi hunc aspellat
metum Cap 519 sacruficas ilico Orco hostiis
neque adeo iniuria Ep 176 . . ut mater sua non
internosse posset . . neque adeo mater ipsa quae . .
Men 21 ego te non noui neque nouisse adeo
uolo Men 296 non ex usu nostrost neque adeo
placet Men 394 nec . . amnis nec mons neque
adeo mare Mer 859 neque pollicemur neque
adeo uolumus datum Poe 642 nec te nec me
. . neque erum meum adeo Poe 860 neque hoc
paratast gutta certi consili neque adeo argenti
Ps 398 neque is adeo propter malitiam patria
caret Ru 36 〈nec locus nec〉 uiast . . 〈neque
adeo* quam in p〉artem ingredi persequamur
liquet Ru 667(*SpU*) neque adeo haec emi
mihi Tri 181 nihil est profecto stultius . . neque adeo* argutum magis . . Tri 200(*U*) . . neque adeo edepol flocci facio quando egomet
memini mihi Tri 918 nec mihi adeost* tantil-
lum(*Casaubon* ad illum *PS*†) pensi Tru 765
  5. adeo *habet notionem gradationis, saepe qui-*
dem attenuatam(*hoc tamen negat* Sydow) **a.** *so-*
lum: mirum adeost ni hunc fecere Aetoli sibi
agoranomum Cap 823 quem hercle ego litem
adeo perdidisse gaudeo Cas 568 . . si ego umquam adeo posthac tale admisero Cas 1002(*v.*
secl MadvigU) quiaque adeo me compleui flore
Liberi Ci 127(*v. om A secl LLy*) pallam ad
Phrygionem cum corona adeo* ebrius ferebat
Men 563(*Rs*) . itaque adeo iure coepta appellarist canes Men 718 plurumi adeo* ad illum
modum periere pueri Poe 988(*U*) magisque
adeo ei consiliarius hic amicust quam auxiliarius Tru 216 Tru 521(*Rs falso*)

  b. *post* **siue**: siue ipse ambissit . . siue(†*U*)
adeo aediles perfidiose . . duint Am 72 si hercle
sciuissem siue adeo ioculo dixisset mihi Mer
993 si quem scibimus seu maritum siue hercle adeo* caelibem scortarier . . Mer 1018 si
bibit siue adeo caret temeto . . Tru 833
  c. *post* **niue**: . . niue adeo abstulisse uellem
Au 646 . . niue adeo uocatos credam uos esse
ad cenam foras Ru 1420
  d. *post* **aut**: quo facto aut dicto adeost* opus . .
Am 169 †tibi aut adeo isti Men 828(*vide ω*)
  e. *post* **uel**: uel Graecus adeo uel mea causa
Apulus Cas 77
  f. *cum pronominibus* **ego**: libertatem . . ego
adeo numquam accipiam Ba 829 eum ego adeo
uno mendacio deuici Ba 968 ego adeo . . protinus abibo tecum Mi 1192 ego adeo* iam
illi remittam nuntium Tru 848(*vide ω*) Tru
926(me adeo *Rs falso*)
  uos: uos adeo, ubi ego innuero uobis, ni ei
caput exoculassitis . . Ru 731 *similiter:* maxuma
adeo* pars uostrum intellegis Mo 280(*vide ω*)
  hic: hoc adeo hoc commemini magis, quia
illo die inpransus fui Am 254 haec adeo*(uolo
U addo *add Rg* edico *R*) ut ex hac nocte primum lex teneat senes Mer 1024 hoc adeo fieri
credo consuetudine Mi 1295 propter pauperiem
hoc adeo nomen repperi St 176
  ille: ille(is *Langen*) adeo illum mentiri sibi
credet Am 468
  ipse: As 403(*supra* 4. b)
  is: is adeo inpransus ludificabitur Am 952
ei adeo obsoni hinc dimidium iussit dari Au 291
id adeo tibi faciam Au 623 id adeo te oratum
aduenio Au 739 id adeo ego hodie expertus
sum Cu 680 id adeo argentum ab danista . .
sumpsit Ep 53 is adeo tu's Ep 168 id adeo
qui maxume animum aduorterim Ep 215 ea
simia adeo post haud multo ad me uenit Mer
234 id adeo nos nunc factum inuenimus Mo
477 idque in istoc adeo* aurum inest marsuppio Poe 782 Ru 36(*supra* 4. d) ego eum adeo
arcessi huc ad me . . uolo Ru 1199 isque adeo*
eum iussit ali Tru 597(*U*)
  g. nunc adeo: nunc adeo nisi mihi huc argenti adfert uiginti minas . . As 532 Au 441
(*LangenRg vide supra* 2. c) nunc adeo* alii
laetificantur Au 725(*U*) nunc adeo nequaquam
arcessam Cas 534 nunc adeo ut tu scire possis meam sententiam . . Cu 715 nunc adeo
ut facturus dicam Men 119 nunc adeo ibo
illuc Mer 329 nunc adeo edico omnibus Mi
159 nunc adeo hanc edictionem nisi animum
aduortitis . . Ps 143 nunc adeo hoc factust
optumum Ps 185 nunc adeo* tu qui meus
es, iam edico tibi Ps 855 nunc adeo meam
ut scias sententiam . . Ru 728 nunc adeo si
quid ego addidero amplius . . Tri 855 nunc
adeo nisi abis actutum . . Tru 267
  ADEO - - ** *verbum:* **I. Forma adeo Mer 104,
Mi 1025(*R* redeo *Pψ*) **adit**(*vide* adiit) Cas 41,
Mi 169(ad me adit *R* Palaestrio *Aψ om P*), 1222
(*CDR* adiit *Boψ* ad te *B*), Mo 1155(*BentS*),
Ps 966(ad me adit recta *B* mea directa *CD*),
Tru 597(*Ly* alii *PS*† *var em ψ*) **adeunt** Au
116, St 202 **adibo** Ba 241, 535, 625(*R pro*
ibo), 978, Cap 616, Cu 113a, Men 277, 360, 465,

486, 707, 808 (*RRs om P* ibo *Caψ*), Mɪ 1242, Poᴇ 982 (*AD*² audibo *P*), Ru 309 (*FZ* adito *P* adbito *Rs*), Sᴛ 237 (adhibo *D*¹), 614 (*R pro* transibo), Tʀᴜ 546 (*CDU* abdibo *B* abibo *Boψ*) **adibit** Mo 564 **adii** (*de formis perf.* cf Fleckeisen, *Exerc. Pl.*, p. 11), As 141, Au 378, Poᴇ 457 **adisti** Tʀɪ 931 (*CD* adistix *B* adiisti *RRs LLy*) **adiit** As 82, Au 102, Cᴀs 696 (*P* adit *ALy*), Mɪ 1222 (*Bo* adit *CDCaR* ad te *B*), Mo 1155 (*P* adit *BentR*ℱ*Ly*), Poᴇ 652 **adiero** Sᴛ 484 (ego adiero *Rg duce R* iero *AU* ego iuero *LLy*) **adeam** As 448, Au 730 (h. *DE*), Cᴀᴘ 613, Cɪ 321, Cu 145, Eᴘ 543, Mᴇʀ 712, Tʀᴜ 749 (*P*ℱ†*LULy* adeas *BoRRs*), Tʀᴜ 502 (*Pius* adea *P*), 824 **adeas** Bᴀ 442, Cɪ 33, Eᴘ 571, Mᴇɴ 909 (at eas *B*²), Mɪ 1117 (*Bo* ades *CD* est *B*), Poᴇ 330 (ad eas *GepU*), Ru 834 (*ReizU* abeas *Pψ*), Tʀɪ 386, 736, 749 (*BoRRs* adeam *P*ℱ†*LULy*) **adeat** As 150, Bᴀ 617, Mɪ 1037 **adeamus** Cu 303, Mɪ 420 (*Py* at eamus *P*), Poᴇ 330, 582 (*A ut vid* adeam *P*) **adierit** Poᴇ 462 **adi** As 722 (*B*² ad *B*¹*DJ* at *E*), Bᴀ 578, Cᴀᴘ 540, Cᴀs 894, Mɪ 1037 (*om B*), 1266, Pᴇʀ 600 (adi sis *Bo* abi tute *BD*² habitute *CD*¹), 791, Poᴇ 992 (adei *ARgl* ℱ*Ly*), Ru 242, Tʀᴜ 620 **adito** Pᴇʀ 310 **adire** Aᴍ 453, As 247, Au 202, 746, Cᴀs 663, 922 (*BV ERs*ℱ† ire *JLULy*), Cu 262, Mᴇɴ 1091, Mᴇʀ 129 (mi adire huc *R* scire ex hoc *SpRgl* scire me ex hoc *Pψ v. secl U*), 132, Mɪ 1034, 1268, Mo 566. Pᴇʀ 603, 790, Poᴇ 373 (abire *D*⁴*FZ et Rgl de A errantes*), 841, 1304 (ad re *B*), Ps 450, 922 (*om R*), Ru 831, 834 (*PU* abire *FZ ψ*), Tʀɪ 1041, Tʀᴜ 858 (lubet adire *PistorU* ubi id audiuit *P*ℱ† u. i. audiui *L cum lac* uidi audiui *Rs Ly*), 890, 891 (*P*ℱ†*LULy aliter Rs*) **adiri** Mɪ 1225 (asiria *B*), Sᴛ 293 (*R* adire *A* iri *P*) **adiisse** Au 815 (*PL* -iisse *Boψ*), Mɪ 1224 (*FZ* audisse *P* adiisse *L*) **adita** Cᴀs 935 (*Ca add. P*), Pᴇʀ 796 (*Ca* add. *P*) **adeundus** Ru 1298 **adeundi** Bᴀ 773, Mɪ 1226, Pᴇʀ 469, Tʀɪ 432 **adeunda** Tʀᴜ 895 (-dae *LLy*) **adeundum** Eᴘ 163 (at eundem *B*) *corrupta:* Aᴍ 606, adiit *J pro* abiit Cu 351, adeamus *P pro* ab. Mᴇɴ 254, adi //// *B*¹ *pro* audin Mᴇʀ 776, adibitur *B pro* ab. Mɪ 909 adieris *CD pro* adieceris; 1272, adirē *B pro* tremit Mo 107, aditur *P pro* add.(*B*²); 319, mammam adire *P pro* mamma-madere; 363, adit *D pro* redit; 848, adis *P pro* aedis Poᴇ 971, si adeam *C pro* faciam Tʀᴜ 622, adito *B pro* aditio; 848, adi *P* adfui *CaRs*ℱ*L* aequali *U* adfini *CaLy*

II. Significatio (cf Feyerabend, p. 52) A. *proprie = accedere* 1. *absolute:* nunc adeam optumumst As 448 adeunt, consistunt Au 116 (*etiam Non* 476) abeam an maneam, an adeam an fugiam . . nescio Au 730 adibo contra et contollam gradum Bᴀ 535 adibo atque adloquar Bᴀ 978, Mᴇɴ 277, 465 adi atque adloquere Cᴀᴘ 540 quid ego faciam nisi uti adeam (ad eam a. *LangenRg* eam a. *GuyRU*) atque adloquar? Mᴇʀ 712 nihili facio, tamen adibo Cᴀᴘ 616 non adiit* atque ademit? Cᴀs 696 quid si adeam atque appellem? Cɪ 321 adeamus*, appellemus Mɪ 420 adi* atque appella Poᴇ 992 lubet adire atque appellare hunc Tʀɪ 1041 meliust nos adire atque hanc percontarier Mᴇɴ 1091 adibo, redi Cu 113a quid si adeamus?

Cu 303 adeundum* Eᴘ 163 quid si adeam? Eᴘ 543 adibo atque hominem accipiam Mᴇɴ 707 adeas* uelim Mᴇɴ 909 lubet mi adire* huc Mᴇʀ 129 (*R*) iube adire Mɪ 1034 adeat, si quid uolt. #Si quid uis, adi* Mɪ 1037 tute adeas*, . . agas Mɪ 1117 (tu sed est *B*) permirum ecastor praedicas te adisse* atque exorasse Mɪ 1224 uix fuit copia adeundi Mɪ 1226 adibon? Mɪ 1242 (mulierem *praem CD* mulieri *B quod om Taubmω*) adi, obsecro, atque congredere Mɪ 1266 iube ergo adire Mɪ 1268 iam illo praesente adibit Mo 564 occupabo adire Mo 566 adito: uidebitur Pᴇʀ 310 id erit adeundi tempus Pᴇʀ 469 adi* sis tute Pᴇʀ 600 (adi eum *R*) quin iube adire Pᴇʀ 790 adi, si lubet Pᴇʀ 791 quid si adeamus? #Adeas (ad eas *U*) Poᴇ 330 quin adire* sinis? Poᴇ 373 adeamus* propius Poᴇ 582 satius est adire blandis uerbis atque exquaerere Ps 450 uolo tu prior ut occupes adire* Ps 922 accede ad me atque adi contra Ru 242 uideo astare: adibo* Ru 309 quaeso hercle adire* ut liceat. #Adeas* si uelis Ru 834 (*U*) adeunt, perquirunt Sᴛ 202 ego adiero* apertiore magis uia Sᴛ 484 (*RRg*) per hortum adibo* Sᴛ 614 (*R*) tempust adeundi Tʀɪ 432 uerum adibo* Tʀᴜ 546 (*U*) iussit, adit* Tʀᴜ 597 (*Ly*) accede huc modo, adi huc modo Tʀᴜ 620 sine eumpse adire huc Tʀᴜ 890

2. *seq. acc.* (*semper personae praeter* Tʀɪ 931): hanc nostram adire non sinam Aᴍ 453 me adiit ut pudentem gnatum aequomst patrem As 82 istam adii atque . . animum meum isti dedi As 141 me dignum esse existumat quem adeat, quem conloquatur As 150 dignos indignos adire atque experiri †certumst mihi As 247 credo ego illum . . eampse anum adiisse* Au 815 adibo hunc, quem quidem ego hodie faciam arietem Bᴀ 241 quom patrem adeas postulatum . . Bᴀ 442 . . neque quem quisquam homo aut amet aut adeat Bᴀ 617 quid si adeam hunc insanum? Cᴀᴘ 613 agedum, tu adi hunc Cᴀs 894 eas si adeas, abitum quam aditum malis Cɪ 33 (exciui) ut matrem tuam uideas, adeas Eᴘ 571 nunc eum (eapse ad eum *Rs*) adibo, adloquar Mᴇɴ 360 postridie hospitem adeo, oro Mᴇɴ 104 quam laetast quia ted adiit* (adit ad te *CaR*) Mɪ 1222 per epistulam aut per nuntium regem adiri* eum aiunt Mɪ 1225 is adit* me Mo 1155 Pᴇʀ 600 (*R vide supra* 1) ego te malo tamen eumpse adire Pᴇʀ 603 adire lubet hominem Poᴇ 841 adibo* hosce (ad h. *CaRgl*ℱ) atque appellabo Poᴇ 982 adire certumst hanc (*A* ad h. *P*) amatricem Poᴇ 1304 adeundus mihi illic est homo Ru 1298 adeas tute Philtonem et . . dicas Tʀɪ 736 ipsum adeam* Lesbonicum, edoceam Tʀɪ 749 neque ut hinc abeam neque ut hunc adeam scio Tʀᴜ 824 lubet adire* quam penes est mea omnis res Tʀᴜ 858 (*U*) adeunda* mihist Tʀᴜ 895 (*vide L*) *similiter:* quos locos adisti?* Tʀɪ 931

3. *seq. praep.* ad (cf Langen, *Beitr.*, p. 101): a. ad me adi* uicissim atque experire As 722 te . . huc ad me adire ausum! Au 746 ad eum adibo* Bᴀ 625 (*R*) nunc est mihi adeundi ad hominem tempus Bᴀ 773 adit extemplo ad

mulierem . . orat Cas 41 nec quemquam prope
ad se sinit adire Cas 663   eum ad me adire
. . uisumst Cu 262   ad eum Men 360(*Rs vide
supra* 2) adibo ad hominem Men 486 adibo*
ad hominem atque adloquar Men 808(*RRs*)
Mer 712(*Rg vide supra* 1)   ad me adit* Mi
169(*R*) · Mi 1025(*R*)   Mi 1222(*R*) adeas ad
hosce Poe 330(*U vide supra* 1)   adiit ad nos
extemplo exiens Poe 652   Poe 982(*RglS vide
supra* 2) ad me adit* recta Ps 966 num molestiaest me adire ad illas propius? Ru 831
adibo* ad(*om CD*) hominem St 237   ad me
adiri* et supplicari egomet mihi aequom censeo St 293 tute ad eum adeas, tute concilias
Tri 386   uin adeam* ad(adea aut *P*) hominem
Tru 502   sine eumpse adire* ut cupit ad me
Tru 891

b. ad aedis nostras nusquam (fortuna) adiit
quamquam propest(quaquam prope *PyRgLy*)
Au 102 adi actutum ad fores Ba 578 quid si
adeam ad fores atque occentem? Cu 145 rogo
ut altero (ad arua *add Rs*) sinat adire* Cas
922   num quisquam adire ad ostium dignum
arbitratur? Mer 132

B. *translate* 1. adire manum *seq. dat.:* illis
impuris omnibus adii manum Au 378   satis
lepide (ab ea *add Rs*) aditast* uobis manum Cas
935 quo modo de Persa manus mihi aditast*
Per 796   eo pacto auarae Veneri pulcre adii
manum Poe 457 scibunt Veneri ut adierit leno
manum Poe 462   *Cf* Graupner, p. 20

2. adire ad pactionem *seq. acc.:* hic eam rem
. . uolt . . mecum adire ad pactionem Au 202
C. adire *sequitur in serie alterum verbum*
1. *asyndetice:* As 150, Au 116, Cas 41, Ep 571,
Men 360, Mer 104, Mi 420, 1117, St 202, Tri 386,
749   *Cf* Abraham, p. 235, Sjögren, p. 81
2. *per* atque: As 141, 247, 722, Ba 978, Cas
540, Cas 696, Ci 321, Cu 145, Men 277, 465,
707, 808(*RRs*), 1091, Mer 712, Mi 1224, 1226,
Poe 982, 992, Ps 450, Ru 242, Tri 1041
3. *per* et: Ba 535, Mi 1266, Poe 841, St 293,
Tri 736
D. *seq. supinum:* postulatum Ba 442(*supra* A. 2)
E. *agens additur per dat.:* mihi Ru 1298,
Tru 895   *per* ab: Cas 935(*Rs*)
instrumentum per abl.: blandis uerbis Ps 450
per per: epistulam, nuntium Mi 1225
F. *adverbia:* huc: Au 746, Mer 129(*R*), Tru
620, 890   quaquam ut 102(*PyRgLy*)
prope: Au 102(*PyRgLy*), Cas 663, Poe 582,
Ru 831
contra: Ba 535, Ru 242

ADESURIO - - nunc **adessurio**(*RRg* esurio
P essurio *Aψ*) acrius St 180 **adesuriuit**(adess.
Ly magis *add PLLy*) et(*om HermLy*) inhiauit
acrius Tri 169   *Cf* Inowraclawer, p. 84

ADFABRUM - - = fabre factum Fr II. 71
(*ex Paul* 28)

ADHAEREO, -SCO - - . . ne ad fundas uiscus
(†*S*) **adhaeresceret** Poe 479   ubi quid dederam, quasi columbae . . usque eratis, . . usque
adhaerebatis As 211   **adhaesit** homini ad
infumum uentrem fames St 330

ADHIBEO - - I. Forma **adhibes** Poe 915
adhibet Mo 236 **adhibebit** Ru 1043(alhi. *B¹*)
adhibuisti Poe 1317(adhibes tu *U*) **adhibeam**

Men 982   **adhibete** Ps 153   **adhibere** Mi 41
(-ret *B¹* adhabere *C ante corr*), Per 595   **adhiberi** St 103   **adhibenda** Ep 546   **adhibendae** Cas 475   *corrupta:* Mer 420, adhibere *B
pro* redhi.   Mi 883, adhibere *B pro* adbibere
Tri 264 b, adhibendus *APSt* abhibendus *LU
Ly* abdendus *RRs*

II. Significatio 1. *cum acc.:* uostrum *animum* adhiberi uolo St 103   decet *curam* adhibere* Mi 41 si adhibebit* *fidem,* etsi ignotust,
notus Ru 1043   muliebris adhibenda mihi(*om
U*) *malitia* nunc est Ep 546   neque quisquam
parsimoniam adhibet Mo 236

huc *aures* magis sunt adhibendae mihi Cas
475   huc adhibete auris Ps 153   cur non adhibuisti*, dum istaec loquere, *tympanum?* Poe
1317

quantumst hominem *amicum* adhibere, ubi
quid geras Per 595   proba materies datast,
si probum adhibes *fabrum* Poe 915
2. *additur dat.:* ego ita ero ut me esse
oportet: metum(*om U*) id(*om L*) mihi adhibeam, culpam abstineam Men 982
3. *agens per dat. exprimitur:* mihi Cas 475,
Ep 546   huc adv. additur: Cas 475, Ps 153

ADHINNIO - - quamquam uetus cantherius
sum, etiam nunc . . **adhinnire** equolam possum
Ci 308(*ex Prisc* I. 114)

ADHORTOR - - nos . . opera consilioque **adhortatur** iuuat Mi 137

ADHUC - - I. Forma Cap 925, adhuc *PSt
LtLy om Acψ* Mi 590, adhuc *AB²* ad hunc *P*
Ru 210, dum adhuc *SpU* diu *cum lac Pψ* Tru
501, cui adhuc ego *PLSt* em *RsULy;* 794, *FZ*
an hunc *P*; 817, adhuc *Sey* ad *B* at *CD* cor-
rupta: As 680, adhuc *DE pro* ad hunc(*BJ*)
Ps 389, adhuc *P pro* adduc(*A*) Tru 547, adhuc
B pro huc

II. Significatio 1. *cum praes.:* res adhuc
quidem hercle in tutost Mer 382   optume usque adhuc conueniunt signa Men 1110   conueniunt adhuc* utriusque uerba Tru 794
2. *cum imperf.:* quae adhuc* te carens dum
hic fui sustentabam . . Cap 925 cui adhuc* ego
tam mala eram monetrix . . Tru 501(*LLy vide ψ*)
3. *cum pf. praes.:* numquam etiam quicquam
adhuc uerborumst prolocutust perperam Am 248
quod . . occultatumst usque adhuc nunc non
potest Au 277   ita res successit mihi usque
adhuc Ba 942   ut adhuc locorum feci, faciam
sedulo Cap 385   neque uere neque tu recte adhuc fecisti umquam Cap 960   tibi istuc cerebrum dispercutiam . ., ludibrio . . adhuc quae
me habuisti Cas 645   adhuc naso odos obsecu-
tust meo Cu 105   quem ego . . usque adhuc
quaesiui Men 1134   dum tale facies quale adhuc (fecisti), adsiduo edes Mi 50   usque adhuc*
actumst probe Mi 590   prospere uobis cuncta
usque adhuc processerunt Mo 734   ut adhuc
fuit mihi corium esse oportet sincerum Mo 868
nihil adhuc peccauit etiam Per 630   necdum
adhuc* hic fui Ru 210(*U*) tacui adhuc* Tru 817
4. *cum plqpf.:* nam in taberna usque adhuc
siuerat(*Voss* sinerit *P* si ueniret *LLy om U*)
. . , mansi Ps 1116
5. *seq. gen.*(*supra* 3): locorum Cap 385 uerborum Am 248   *Cf* Schaaff, p. 62

6. *add.* usque: Au 277, Ba 942, Men 1110, 1134, Mi 590, Mo 734, Ps 1116

ADICIO - - I. **Forma adicit** Tru 597 (a. oculum *Ly* adiecit oculos ad me *Rs* adiectaculem *PŞ†* var em ψ) **adiecit** Tru 597 (*Rs vide* adicit) **adiecero** Cap 797 (*Rs* iecero *PŞ†Ly* icero *Pyψ*) **adiciat** As 769 (-tiat *BD*) **adiceret** Poe 1174 (adiic. *U*) **adieceris** Mi 909 (*B* adieris *CD*) **adicito** Mer 491 **adiecisse** Mer 334 *corrupta:* Mi 438, adice testu *PŞ†* em ψ Ps 1131, adicit *CD pro* adigit (*AB*)

II. **Significatio** A. 1. *seq. acc. cum dat.:* .. quasi militi animum adieceris*, simulare Mi 909 .. qui amabilitati animum adiceret* Poe 1174

2. *apponitur* ad: ad eorum ne quem (quemquam *BoRglU*) oculos adiciat* suos As 769 genu ad quem adiecero*, ad terram dabo Cap 797 (*Rs*) Mer 334 (*R infra* 3) adicit* oculum ad me Tru 597 (*Ly sim. Rs*)

3. *seq. acc. duo:* ne hic illam (ad i. *R*) me animum adiecisse .. sentiat Mer 334

4. **= addo:** auctarium adicito uel mille nummum plus quam poscet Mer 491

ADIGO - - I. **Forma adigit** Mi 1006 (*R* subigit *Pψ*), Ps 1131 (*AB* -cit *CD*), Ru 681a **adegit** Ba 1121b **adegero** Ps 333 **adaxint** Au 50 (adauxint *Non* 75) **adigi** Ci 233 (*RsŞ in loco desp* iadigi *vel* iadici *A* [mul]ta dici *LLy*)

II. **Significatio** 1. *seq. acc. cum adv.:* quis hasce huc (*om R*) ouis adegit? Ba 1121b eadem duo greges uirgarum inde ulmearum adegero Ps 333 Venus hos huc adigit* .. Ps 1131

2. *translate* a. *seq. acc. et* ad: utinam me diui adaxint* ad suspendium Au 50

b. *add. subiunct. vel* ut: quae uis uim mihi afferam ipsa adigit Ru 681a me adigit* se ut amem Mi 1006 (*R*)

3. *incertum:* **adigi* mihi uolo Ci 233

ΑΔΙΚΟΣ -- *ἄδικος* es tu non *δικαία* Mi 438 (*SpLULy* adice testu non dicat ei *PŞ†* abi, picra's tu, non clucidata *Rg* abi scelesta, nam insignite *R*)

ADIMO - - I. **Forma adimit** Tri 1091 **adimitur** Mer 473 **adimet** Tru 891 (a. rete *Rs* ad me ad recta *PŞ†U†* ad me. #Rectam *LLy*) **ademit** Cas 696 (*AJ* adimit *BVE*), Mo 481, Ru 389 **adempsit** Ep 363 (dempsit *B¹*) **adimam** Cap 1028 **adimat** Cap 417 **adimatur** Mi 588 (ad mitat *C*) **adimerem** Tri 315 **adimerent** Mi 732 (*A* adhimerant *P* -rent *B²D³*) **adimere** Mi 1398 **ademptum** Ep 234 (*P* -tu *A*) *corruptum:* Ep 451, ademptum *J pro* indeptum

II. **Significatio** 1. *absolute:* non adiit atque ademit*? Cas 696 adimet* rete si tenet Tru 891 (*Rs*)

2. *seq. acc.:* si memorem .. nox diem adimat Cap 417

3. *seq. acc. et dat. comm. vel incomm.:* .. ut istas compedes tibi adimam, huic dem Cap 1028 cani quoque etiam ademptumst* nomen Ep 234 illam .. mihi adempsit* Orcus Ep 363 quando id mihi adimitur qua causa uitam cupio ui-

uere Mer 473 quoin (*RibLLy* quin *AŞ†Rg post lac: aliter PU*) id adimatur* ne id quod uidit uiderit Mi 588 .. qui improbi essent .. is adimerent* animam cito Mi 732 gestit moecho hoc abdomen adimere Mi 1398 (*cf* Egli, I. p. 34) aurumque ei ademit hospiti Mo 481 leno ademit cistellam ei Ru 389 .. ne suom adimerem alteri Tri 315 adimit animam mihi aegritudo Tri 1091

ADIPISCOR - - *cf* Goetz, *Analec. Pl.* p. 100; Hasper, *Ad Epid. Pl. coniect.* p. 9

I. **Forma adipiscier** Cap 483 **adepturum** Cap 780 **adipiscendi** Ep 15 (apiscendi *BoRg*), St 281 (-di est *PU* -dast *A* -cundi *RRg* -dist ψ) *corrupta:* Cap 775, adeptus *J pro* aptus Ep 451, adeptum *E* ademptum *J pro* indeptum (*A ut vid B*); 668, adipisci *B²* aspici *EJ pro* apisci (*B¹*) Ru 17, adipisci *D³ pro* apisci Tri 367, adipiscitur *P pro* apiscitur (*A*)

II. **Significatio** .. dictis quibus solebam menstrualis epulas ante adipiscier Cap 483 speroque me .. aeternum adepturum cibum Cap 780 uix adipiscendi* potestas modo fuit Ep 15 nunc tibi potestas adipiscendist* St 281

ADITIO - - quid tibi hanc aditio (*CD* adito *B*) est? Tru 622

ADITUS - - eas si adeas, abitum quam aditum malis Ci 33

ADIUDICO - - †tuest legio **adiudicato** cum utro hanc noctem sies Men 188 (*vide* ω)

ADIUMENTUM - - nec mihi plus **adiumenti** (*B* -ta *J* -to *SeyLy* (?)) das (*Py* ades *PŞ†L†Ly* des *J*) quam ille .. Ep 336

ADIUNGO - - I. **Forma adiungit** Ps 1259 **adiungam** Ru 930 (*Rs om Pψ*) **adiunxeris** Au 236 **adiungat** As 288 **adiungerem** Cas 442 (adun. *J*) **adiunctum** Cu 190 *corruptum:* Mi 1328, quiadiungitur (*vel* qui adi.) *P pro* quia diiungimur

II. **Significatio** 1. *seq. acc.:* mancupia adiungam* Ru 930 (*Rs*)

2. *cum acc. et dat.:* socium quem adiungat sibi As 288 .. ut etiam .. insuper inimico nostro miseriam hanc adiungerem* Cas 442 iam huic uoluptati hoc adiunctumst odium Cu 190

3. *cum* ad: quam ad probos .. proxume te adiunxeris, tam optumumst Au 236 amans .. labra ad (*Ca* ad labra *PULy*) labella adiungit Ps 1259

ADIURO - - I. **Forma adiuro** Ba 777, Men 615, 655, 1025 **adiurat** Ci 583 **adiurabat** Ci 569 **adiurasti** Mo 183 **adiuret** Am 889 (*EJ* at iuret *BD*)

II. **Significatio** 1. *absolute:* quo modo adiurasti? Mo 183

2. *seq. inf.* (*cf* Votsch, p. 36): adiuret* insuper nolle esse dicta Am 889 seque eam peperisse sancte adiurabat mihi Ci 569 non .. destiti instare usque adeo donec se adiurat anus iam mihi monstrare Ci 583 per Iouem deosque omnis adiuro .. me isti non nutasse Men 615 per Iouem deosque omnis adiuro .. non dedisse Men 655 per Iouem adiuro patrem med erum tuom non esse Men 1025

3. *seq.* ut: per omnis deos adiuro ut(*om BentR*) ni .., ut tua iam uirgis latera lacerentur probe BA 777

4. *deus additur per* per: Iouem patrem MEN 1025 Iouem omnisque deos MEN 615, 655 omnis deos BA 777

5. *semel additur dat. personae:* mihi CI 569
ADIUTABILIS - - uos modo porro . . date operam **adiutabilem**(*AD³* atiuit. *CD¹* uit. *B*) MI 1144 *vide* PER 673, *ubi pro* adlaudabilem (*AB* laud. *CD*) *ColerusR* adiut. *emendant*
ADIUTO - - I. **Forma adiutabo** CAS 807 (*PLULy* -uabo *ARsŞ*), TRU 559(*BD* adui. *C*) **adiutaret** CAS 580 **adiuta** MI 1337(*add U om Pψ*), TRU 478(adiuta: em *Pareus* adiutare *BC* adui. *D*) *corruptum:* CAS 482, adiutet *E* adui. *V pro* adiuuet.
II. **Significatio** iamne hanc traduxti huc . . quae te adiuuaret? CAS 580 ego te adiutabo *in nuptiis communibus CAS 807 retine: adiuta* comiter MI 1337(*U*) face ut accumbam, accede, adiuta*: em sic decet puerperam TRU 478 secreto hercle equidem illum adiutabo* TRU 559
ADIUTOR - - tune es **adiutor** nunc amanti filio? As 57 redit eccum tandem opsonatu meus adiutor CAS 719 ego illi dicam ut me **adiutorem**(-re *P*) qui onus feram ad portum roget MI 1191 di immortales . . te adiutorem (ad tutorem *B*) genuerunt mihi Ps 907 (duodecim di) mihi nunc auxilio **adiutores** sunt EP 676 duc adiutores tecum ad nauem qui ferant MI 1303
ADIUTRIX - - aliqua Fortuna fuerit **adiutrix** tibi POE 973 non ergo opus est **adiutrice?** CAS 547 is rem paternam me adiutrice perdidit TRI 13
ADIUVO - - I. **Forma adiuuo** RU 939(*Mue* -uabo *PRsU*) **adiuuas** AM 798, CAS 286, PER 466, 614, POE 882, Ps 83(*F* ad tuas *P*) **adiuuat** CAP 202, CAS *Arg* 3, CU 460, MI 1134, PER 304 *bis*(*FZ* adluat *P* adleuat *PistorU*), RU 411 (*Rs* aquam *Pψ*) **adiuuant** CAP 587, 859(-ent *E*), EP 192, 396, MEN 551, MER 401, MI 871(*Ca* -at *B* at uiuat *C* ut uiuat *D*) **adiuuabo** CAS 807(*A* adiutabo *PLULy*), RU 939(*PRsU* adiuuo *Mue*ψ) **adiuuabere** AU 193(*J* -babere *BD*) **adiuuet** As 15, CAS 482(adiutet *E* aduitet *V*), RU 12, 257(*BD³* -uat *CD¹*) **adiuerit** RU 305 (*Bent* adiuu. *PU*) **adiuua** AU 394 **adiuuate** POE 128 **adiuuare** AM 3, Ps 78 **adiutum** (*sup.*) CAS 543 **adiutum**(*partic.*) Ps 905(adui. *D*) *corrupta:* MI 1084, adiuua uobis *B pro* uiua a uobis; 1187, adiuuet *CD pro* ut iubeat
II. **Significatio** 1. *absolute:* uos . . uoltis me . . adiuuare in rebus omnibus AM 3 subueni mihi atque adiuua AU 394 in re mala animo si bono utere, adiuuat CAP 202 ecficiam tamen ego id, si di adiuuant CAP 587 nihil est me cupere factum nisi tu factis adiuuas CAS 286 orauit ut eam isto ad te adiutum mitterem CAS 543 qui monet quasi adiuuat CU 460 lepide hercle adiuuas PER 466 ualete atque adiuuate POE 128 si quid tu adiuuas, eo facilius facere poterit POE 882 eapse accincta adiuuat*, calefactat RU 411(*Rs*)
2. *seq. acc.* a. *personae:* di hercle omnes me adiuuant, augent, amant EP 192 di me qui-

dem omnes adiuuant augent amant MEN 551 di me adiuuant MER 401 satine ut Commoditas usque quaque me adiuuat? MI 1134 ubi se adiuuat* ibi me adiuuat* PER 304 nihilne adiuuare me audes? Ps 78 istocine pacto me adiuuas*? Ps 83 Venerem . . ueneramur . . ut nos lepide adiuerit* hodie RU 305 di te omnes adiuuant* CAP 859 di deaeque te adiuuant EP 396 ego te adiuuabo* in nuptiis communibus CAS 807 at pol ego te adiuuo* RU 939 . . uti uos alias, pariter nunc Mars adiuuet As 15 . . ut hic . . se adiuuet* CAS 482 se PER 304(*supra sub* me) si . . quemquam di . . uoluere esse auxilio adiutum* . . Ps 905 noscamus ut(†ŞŞ) quemque adiuuet opulentia RU 12 ueneror . . aerumnosas ut aliquo auxilio adiuuet* RU 257 tu tuom amicum adiuuas PER 614 senem adiuuat sors CAS *Arg* 3
b. *rerum:* iam tu quoque huius adiuuas insaniam? AM 798 di hercle hanc rem adiuuant* MI 871
3. *seq. praep.* a: adiuuabere* a me AU 193
4. *seq.* in *cum abl.:* rebus omnibus AM 3 nuptiis communibus CAS 807
5. *add. acc. mensurae:* quid POE 882 nihil Ps 78
6. *seq. abl. modi:* istocine pacto Ps 83 *abl. instru.:* factis CAS 286 auxilio Ps 905, RU 257 *adverbium:* lepide PER 466, RU 305
ADMIGRO - - ad paupertatem si **admigrant** infamiae(*A* admigrantim famiae[famae *CD*] *P* immigrant *Fest* 294 accessit infamiam *Non* 177), grauior paupertas fit PER 347
ADMINICLUM - - ad legionem †comita(*PŞ* quom ita *cum lac LLy aliter* ψ) **adminiclum** (*Sey* -culum *PŞU*) eis danunt Mo 129
ADMINISTRO - - eo ego ut . . **administrem** (*RRg* amicis tradam *PŞ†LULy*) MER 385 un administrem? ST 397 dixit conductam esse eam quae hic **administraret** ad rem diuinam tibi EP 418(*v. om P add B²*)
ADMIROR - - quid(id *add FlRgl* quid? *LLy*) admirati estis(? *RglLULy*) quasi uero nouom nunc proferatur, Iouem facere histrioniam? AM 89 . . ne hunc ornatum uos meum **admiremini** . . AM 116 *corruptum:* EP 627, socio iussi admirer *P varie em* ω
ADMISCEO - - neque salsum neque suaue esse potest quicquam ubi amor non **admiscetur**(*BJ* -citur *VE*) CAS 222
ADMISSARIUS - - ad equas fuisti scitus admissarius(*Gloss Verg* atm. *B* em. *CD*) MI 1112 *cf* Inowraclawer, p. 62; Wueseke, p. 18
ADMITTO - - I. **Forma admittunt** As 259 (*FZ* amittunt *P*) **admisi** AM 885, MEN 712 **admisti** TRU 842(qui admisti eam *L* quidem istam *PRs*[istanc] *Ş* pridem istam *SpULy*) **admisit** AU 790(amisit *J*), TRI 44 **admisero** CAS 1002(amisero *J*) **admittam** TRI 81 **admittat** As 236 **admiserit** ST 84 admisse MI 1287(*v. om A*) *corrupta:* CAP 332, adm. *E pro* am.; 339, adm. *E pro* am. CAS 573, adm. *J pro* am. MI 934, admissa *P pro* ad eum missa(*Py*)
II. **Significatio** 1. *proprie:* nec quemquam interea alium admittat . . quam me ad se uirum As 236(*cf* Langen, *Beitr.* p. 150) quouis admittunt* aues As 259

2. *translate* **a.** *seq. acc.:* si ego umquam adeo posthac tale admisero*, nulla causast . . Cas 1002 . . multos multa admisse acceperim Mi 1287(*v. om A*) ne admittam culpam, ego meo sum promus pectori Tri 81 te indicasse qui admisti* eam rem intellego Tru 842(*L*)

b. *apponitur* in *cum acc.*(*cf* L a n g e n, *Beitr.* p. 149): quae neque sunt facta neque ego in me admisi arguit Am 885 qui homo culpam admisit* in se nullust tam parui preti . . Au 790 quid tandem admisi in me ut loqui non audeam? Men 712 adsimulabo quasi quam culpam in (ad *R de A errans:* cf L a n g e n) sese admiserint St 84 hic illest . . qui admisit in se culpam castigabilem Tri 44

ADMODERO - - nequeo hercle equidem risu **admoderarier** Mi 1073(*R et Ca* risum ac moderarier *B* risu meo m. *CD* r. m. moderari* *L* iam moderari *U*)

ADMODUM - - *cf* G e h l h a r d t, *De adverbiis ad not. aug. a Pl. usurpatis, Diss.* H a l a e 1892, p. 26; A p p u h n, *Qu. Pl., Diss.* M a r p u r g i 1893, p. 39

I. **Forma** Ep 505, dicere admodum *A* dum *P* Ru 269, at modum *BC*; 840, at modum *B*

II. **Collocatio** *priorem locum habere solet; sequitur:* Am 268, Ba 501, Ci 634(*Rs*), Men 622, Mo 812, Tri 665 *in fine versus:* Ps 1219(*cf* A p p u h n)

III. **Significatio** 1. *apponitur adiec. et adv.:* hic admodum *adulescentulust* Tri 366 uiaticati hercle admodum *aestiue* sumus Men 255 admodum in *ambiguost* . . quid ea re fuat Tri 593 me malum esse oportet *callidum, astutum* admodum Am 268 utrum credam . . *incertum* admodumst Ba 501 ubi habitet dicere admodum* incerte scio Ep 505 id ego admodum incerto(*P* -te *A U*) scio Ps 962 mulieres sunt *insulsae* admodum Poe 246 rufus quidam . . admodum *magnis* pedibus Ps 1219 *tristis* admodumst Men 622 *huc* Mer 399 *referunt Gehlh Rg U*(*cum* nihilum *coniungentes*), *sed vide infra* 3 *cum* quam *coniunctum:* ex amore admodum quam saeuos est Am 541

2. *apponitur verbis:* illud . . *consulam* admodum Ci 634(*add Rs*) admodum meorum maerorum atque amorum summam *edictaui* tibi Ep 104 inridere ne uideare et *gestire* admodum Mo 812 *pernoui* . . ingenium tuom ingenuum admodum Tri 665

3. *in responsis vim affirmationis habet:* bellan uidetur specie mulier? #Admodum Ba 838 numquidnam ad filium haec aegritudo adtinet? #Admodum Ba 1111 horunc illa nihilum quicquam facere poterit. #Admodum(*signum personae om Gehlh Rg U*) Mer 399 hoc tibi erus me iussit ferre . . #Macedonius? #Admodum Ps 1153 ille qui uocauit, nullus uenit? #Admodum Ru 143 nempe per uias caerulas estis uectae? #Admodum* Ru 269 meamne ille amicam . . de ara deripere Veneris uoluit? #Admodum* Ru 840 nempe tu hanc dicis . . ? #Admodum Ru 1081 ille aedis . . aps te accepit? #Admodum Tri 421

ADMOENIO - - quot **admoeniui**(admonui *J* sed † *in margine*) fabricas Ci 540 hoc ego op-

pidum **admoenire**(atm. *A*) ut hodie capiatur uolo Ps 384, 585 b(*secl RL*)

ADMOLIOR - - . . periuraris ubi sacro manus sis **admolitus** As 570 ad hirundininum nidum uisast simia ascensionem ut faceret **admolirier**(adoririer *Prisc* II. 79) Ru 599

ADMONEO - - I. Forma admoneo Am 993 **admonet** Per 268 **admonuisti** Men 1092, Mi 537 **admoneam** Per 724(amm. *BR*) **admonitus** Ps 1104(*B* adeo monitus *CD*) *corruptum:* Ci 540, admonui *J*(† *in margine*) pro admoeniui

II. **Significatio** 1. *absolute:* hortor, adsto, admoneo, gaudeo Am 993 pulcre admonuisti Mi 537 uirtust, ubi occasio admonet, despicere Per 268 quid si admoneam? Per 724

2. *seq. acc.:* hercle qui tu me admonuisti recte Men 1092 nihilist . . qui . . inmemor est nisist admonitus* Ps 1104

ADMORDEO - - *cf* R a m s a y, *Excurs. ad* Most. XVI. 7; W o r t m a n n, p. 16

ut **admemordit**(*Hertz* -di *vulgo*) Au *fr.* II.(*ex Gell* VI [VII] 9, 6) id . . lepidumst, triparcos homines uetulos . . bene **admordere** Per 267 iam admordere hunc mihi lubet Ps 1125

ADMOVEO - - talos ne quoiquam homini **admoueat** nisi tibi As 779 aurem **admotam** (*Grut* at nostam *CD* aut eum ad nostam *B*) oportuit Mi 1336

ADMUTILO - - si frugist, usque (eum) **admutilabit**(*J* -alabit *D* -ila labit *BVE*) probe Cap 269 tu Persa es qui me usque **admutilauisti**(-asti *Ly*) ad cutem Per 829 qui adeo **admutiletur** Mi 588(*R* quin id[*A* quod in *P*] adimatur *APS*† *var em* ψ) inueni . . sycophantiam qui admutiletur(atm. *P*) miles usque Mi 768 *Cf* E g l i, I. p. 32; G r a u p n e r, p. 15; I n o w r a c l a w e r, p. 26

ADOLEO - - unde hic, amabo, unguenta olent (*EJ ex ras* adolent *B* unguent adolent *VE ante ras*)? Cas 236

ADOLESCO - - ea **adoleuit** ad eam aetatem ut uiris placere posset Cas 47 is germanum postquam adoleuit quaeritat Men *Arg* 5 soror illist **adulta**(*P* aduita *A*) uirgo grandis Tri 374 uidet . . suam . . filiam esse **adultam** uirginem Tri 110

ADONEUS - - enumquam tu uidisti . . ubi Venus (raperet) **Adoneum**(*P* adonem *B²*)? Men 144

ADOPTATICIUS - - Demarcho item ipse fuit **adoptaticius**(*AC*-tius *D* adoptatius *B²*) Poe 1060 si quidem Antidamai quaeris **adoptaticium** (*ACD* -tium *B*) ego sum ipsus Poe 1045 *Cf* K o e h m, p. 112; W u e s e k e, p. 15

ADOPTO - - sociam te mihi **adopto** ad meam salutem Ci 744 **adoptat** illum puerum surrupticium Men 60 (puerum) emptum adoptat hunc senex Poe *Arg* 2 eum . . adoptat sibi pro filio Poe 76 ille qui **adoptauit** hunc pro filio sibi . . Poe 119 is in diuitias homo adoptauit hunc Poe 904 is me sibi adoptauit filium Poe 1059 *corruptum:* Tru 859, me adoptauis *P pro* med optauit suis(*Rost*) *Cf* K o e h m, p. 112

ADORIA - - praeda atque agro **adoria**que adfecit populares suos Am 193 *Cf* S i e w e r t, p. 36

ADORIOR - - in statu stat senex ut **adoriatur** moechum(domatum mecum *Non* 305) Mi

1390 integrum et plenum **adortast**(*BC* adhortast *D*) thensaurum Tru 725 *corruptum*: Ru 599, adoririer *Prisc* II. 79 *pro* admolirier

ADORNO - - I.**Forma adornas** Ep 615 **adornat** Cap 921, Ep 361, 690 **adornet** Cap 920 (alibi adornet *A* aliud ornet *PULy* alium ornet *L*) **adornaret** Ru 129(-rat *U*) **adorna** Au 157(*BEJ* adhorna *D*), Cas 419, Ru 1206, 1224 **adornari** Am 946, 1126

II. **Significatio** 1. *absolute:* hic(hoc hic *LindU*) quidem ut(ut uti *Rs*) adornat . . iam nihil est Cap 921 *seq.* ut: is adornat . . ut maritus fias Ep 361 . . qui . . adornaret* sibi ut rem diuinam faciat Ru 129 adorna ut rem diuinam faciam Ru 1206

2. *seq. acc.:* nuptias adorna* Au 157 adorna nuptias Cas 419 dicam ut sibi penum alibi (alium *RsL*) adornet Cap 920 quin tu mihi adornas ad fugam uiaticum? Ep 615 tu interibi **adorna** ceterum quod opust Ru 1224 *passive:* iube uasa pura adornari mihi Am 946, 1126

3. *seq. inf.:* tragulam in te inicere adornat Ep 690 uti Cap 921(*Rs supra* 1) *Cf* Votsch, p. 29

4. *seq. ad finale:* Ep 615(*supra* 2)

5. *add. dat. commodi:* mihi Am 946, 1126, Ep 615 sibi Cap 920, Ru 129

ADSUM - - I. **Forma adsum** Am 578, 956 (*JRglLy* assum *BDE*ψ), 1131, Cap 978(*JRsULy* assum *BE*ψ), Cu 164(*JRgULy* assum *BE*ψ), Mi 1031(*B* assum *CD*), Mo 1075, Poe 279(assum *F ex ioco* adsum *P*), Ru 1050, 1273(a. equidem *Turn* at sume quidem *P*), Tri 277, Tru 514, 826 **ades** Am 562, 977, As 513, Ci 297(ades *vel* abes *A* abes *Rs* es *U*), Ep 336(*BELy* †*SL* des *J* das *PyRgU*), Mi 1419(*LU* adĕ *B* es *CD*ψ) **adest** Am 169(*PLy* adeost *Lach*ψ), 504, 1064, As 310, 899, 900, Au 275, 276, 411, Ba 194, 718, 987, Cap 423, 826, Cas 359, Ep 9(*GrutRg²* adesse *AP*ψ), 127, 257, 463(*A* habeas *P*), Men 16, 318, Mer 15, 455, 748, Mi 957(at est *CD¹*), 994(prope adest *CD*ψ ꝓ pera ē *B*), 1019, *ib.*(est *B*), 1258(prope adest *CD* properat ē *B*), Mo 339, 363(*iterant GrutULy*), 365(*B²* adatest *PS*† aduectust *Rs*), 366(ade *C*), 452(*add U in loco dub*), 537, 1137, Poe 1075(*Rgl pro* ades), 1135, Ps 32, 60, 625, 737(qui hic adest ecquid *A* hic qui aduenit quid [qui *B*] *P* qui huc adu. quid *BoR*), 924 b, 1114 (*om Rg*), Ru 844, St 390(*A om P*), 399, 577, 711 (*R pro* abest), Tri 3, Tru 500(*FZ* ades *P*), 575, 817, 890, Fr I. 6(*ex Festo* 305 *et Acrone*), 62(*ex Varr de l.* L. V. 153), II. 45(*ex Diom* 458 *et aliis*) **assumus** Cu 353(ads. *RgULy*) **adestis** Ru 623 **adsunt** Am 652, 824, Cas 358, Ci 758(*U in lac*), Mi 709(*AB* at.*CD*), 898, 919(*B* ats.*CD¹* ass.*D³*), *ib.*(*add Ly*), Poe 253(*Rgl* sunt *P*ψ), *ib.*(*add RglU om P*ψ), 582, St 713, Fr I. 81(*Grothius ex Varr de l.* L. VII. 58: ans. *Varr*) **aderat** Ep 612, Poe 1178, Ps 502, Ru 49(*Rs pro* erat) **aderant** Men 595 **adero** Am 545, Au 274, Ba 100, 989 b(*add Rg solus*), 990 c, Cas 530, Ps 561(*PR* ero *A*ψ), St 66, Tru 629(adero dum *GepL* abo[ibo *CD*] domum *P vide* ω) **aderis** Ba 59(add.*B¹*) **aderit** Ba 47, 417, Cu 207, Ep 257, 272, Mo 383(*B²D³* adherit *P*), 1077(adherit *B*), Per 89, 446, 469(*CDRs* erit *B*ψ), 530, 654, Ps 393(*P* aduerit *A*), 948(*A ut vid* aperit *P*), St 441(*A v. om P*), Tru 413, 428, 474 **aderunt** Mi 708(*A* ederunt *P*), Per

161, 560(*R* aberunt *A v. om P*) **adfui** St 579 (*v. secl U*) **affuit** Am 425(adf. *FRglULy*) **adfuerunt** Ps 721 **adsis** Am 976(adsies *Rgl*), 1037 **adsies** St 7 b(*R pro* adside) **adsit** Am 636, Cas 572(*A* absit *B* at sit *V* at si *E* assit *J*), *ib.*(assit *J* adsiet *BoRs*), Men 969(*B ex ras* adscit *B¹* assit *CD*), Mer 362(*B* assit *CD*), Mi 608(*B* assit *CD*), 1137(*AB* atsit *CD¹* assit *D³*), Ru 119, St 323(*AB* assit *CD*), Tri 146, Vi 57, Fr I. 91(*ex Festo* 305) **adsiet** As 415(adsit *D*), Ba 142(*Rg pro* siet), Cas 572(*BoRs pro* adsit), Ps 924(*Ca* atiet *P*), 1115 **adsint** Men 454, Ps 181 **adesses** Au 439, Per 595 **adesset** As 396 **adfuerim** Am 200 **adfueris** Ba 90 **ades** Ba 988, 990 b, Men 643(adest *B¹*), Mer 568, Mi 1030(adē *B*), Poe 1075(adest *Rgl*), Tru 920(*Ang* adest *BD* abest *C* adesto *BueRs*) **adeste** Am 151(adeste: erit *Palm* adest fecit *P*), Poe 127, 743(-tę *C*), St 220(adeste sultis *A* ad sese ultis *P*), Tri 22(*P* adesse *A*) **adesto** Tru 920(*BueRs pro* adest) **adesse** Ba 228, 989 a(989 b *add Rg*), Cas 573, Cu 81, Ep 9 (*AP* adest *Rg²*), 664, Men 987, Mi *Arg* II. 12 (*Py* ait esse *P*), Mi 219(atesse *CD*), 1102(*Ca* esse *P*), 1104(*CD* atissē *B*), Per 612, 613, Poe 253, Ps 560, 1113, 1284, Tru 330, 754 **afore** Cap 696(*Pius* -ret *P*[adf. *Ly*]), Ep 273(adf.) **adfuturum** As 398, Per 91, Tru 205 *corrupta:* Au 56, adesto *J* atasto *BDE pro* astato Cas 63, adsenti *A pro* absenti; 246, adest *P* atque *U pro* mades(*Rs*) Cu 119, sic assum *E pro* sicca sum Ep 336, ades *BLy*† des *J* das *Py RgU*†*SL* Mi 1117, tute ades *CD* tu sed est *B pro* tute adeas(*Bo*) Mo 422, adest *P pro* ad se(*Py*) Per 445, adest *B pro* eadem Ps 78, ades *P pro* audes(*FZ*); 375, is non aderit *P pro* id non adfert(*A*) St 511, adesse *P pro* ad se(*A*) Tru 416, adsum *P pro* ad suom (*FZ*); 765, adest *P pro* adeost(*Ac*); 813, adst uni *B* adē uni *CD pro* abstulit(*Ca*); 860, adsum *P pro* ad te sum(*Ac*)

II. **Significatio** A. *proprie de loco, tempore, sim.* 1. *absolute:* . . quo facto aut dicto adest* opus Am 169(*Ly*) quasi adfuerim . ., simulabo Am 200 . . quin incommodi plus malique ilico adsit boni si optigit quid Am 636 omnia adsunt bona quem penes† uirtus Am 652 assum*: si quid uis, impera Am 956, Cap 978(*sed me uis*) audis quae dico, tametsi praesens non ades Am 977 Alcumena, adest auxilium, ne time Am 1064 tantum adest boni inprouiso As 310 argenti uiginti minas, si adesset, accepisset As 396 si . . is precator adsiet*, malam rem effugies numquam As 415 nunc amo quia non adest. ⁜Quid quom adest? As 899-900 partituto prope adest ut fiat palam Au 276 aperit Bacchanal: adest Au 411 quom tu aderis* . . huic mihihue haud faciet quisquam iniuriam Ba 59 tu nullus adfueris, si non lubet Ba 90 praesens ibi paedagogus . . adsiet* Ba 142(*Rg*) si adest, res nullast Ba 194 tu intus dicito Mnesilochum . adesse Bacchidi Ba 223 iam aderit tempus quom sese etiam ipse oderit Ba 417 immo adest Ba 718 nunc adest occasio benefacta cumulare Cap 423 si ille huc rebitet, sicut confido affore* Cap 696 adsunt quae imperauisti omnia Cas 358 te uno adest plus quam ego uolo Cas 359 si negat (animum) adesse.. Cas 573(*infra* 3) praestigiator es si quidem hic non es atque ades* Ci 297 quom duo adsunt, quaero tertiam Ci 758(*U* ***sunt *Pψ*) de odore adesse me scit Cu 81 assum*: nam si absim haud recusem Cu 164 nos quibus paratumst assumus* Cu 353 exemplum adesse* intellego Ep 9 ubi is est? #Adest Ep 127 aut iam hic aderit, .. aut iam adest Ep 257 (argentum) adest* Ep 463 ad narrandum argumentum adest benignitas Men 16 uxor non adest Men 318 nisi adsint quom citentur.. Men 454 rem.. tutetur, quam si ipse adsit* Men 969 nunc foris pultabo, adesse ut me sciat Men 987 aduortendum ad animum adest benignitas Mer 15 ecce autem perii: coquos adest Mer 748 fingit mulieris sororem adesse* Mi *Arg* II. 12 priusquam lucet adsunt* Mi 709 adsunt* fabri architectique Mi 919(atque architecto adsunt fabri *L* arch. adsunt *Ly vide ψ*) nemo adest* Mi 957 hic numquis adest? #Vel adest* uel non Mi 1019 sororem geminam adesse*.. dicito Mi 1102 qui tu scis eas adesse*? Mi 1104 circumspicite ne quis adsit* arbiter Mi 1137 ecquis hic est? #Adest Mo 339 adest* opsonium Mo 363 pater adest* Mo 365 ***adest* Mo 366 neque qui recludat ostium usquam adest* Mo 452(*U*) danista adest qui dedit.. Mo 537 aderit* adeundi tempus Per 469(*Rs*) ubi ea aderunt* centumplex murus .. parumst Per 560(*R*) enim uolo te adesse Per 612 quid si hic non uolt me una adesse? Per 613 ubi me sciat uenisse huc, ipse aderit Per 654(*vide ω*) adsunt*(*Rgl*) hic omnia quae ad deum pacem oportet adesse? #Omnia adsunt*: cum cura accuraui Poe 253(*Rg et U*) adsunt testes? Poe 582 adeste quaeso Poe 743 (signum) adest* Poe 1075(*Rgl*) aduortito animum. #Non adest Ps 32 quia illud malum aderat, istuc aberat longius Ps 502 immo (miles) adest Ps 625 ego illum metuo quom hic non adest*, ne quom adsiet metuam Ps 1114-5 Simoni me adesse aliquis nuntiate Ps 1284 Plesidippus eccum adest Ru 844 quoniam ego adsum, faciet nemo iniuriam Ru 1050 adsum* equidem ne censionem semper facias Ru 1273 si in te pudor adsit*, non me appelles St 323 (Pamphilippus) non adest? St 390 neque ille adest neque hic.. subuenit St 399 (lupus) praesens esuriens adest St 577 St 711(adest *R pro* abest) si horum quae adsunt paenitet, nihil est St 713 (finis) adest Tri 3 circumspicedum te ne quis adsit arbiter Tri 146 adsum: impera quid uis Tri 277 nuntia me adesse Tri 330 adsum, adduco tibi exoptatum Stratophanem Tru 514 attat, eccam adest propinque Tru 575 adero*, dum ego tecum.. arbitrum aequom ceperim Tru 629(*L*) dic me adesse Tru 754 non tacebo quando adest Tru 817 ubi is homost? #Adsum Tru 826 pater adest pueri Tru 890 quaeram si quem possim sociorum nancicier.., qui aduocatus adsit Vi 57 circus noster ecce adest Fr I. 62(*ex Varr de l. L. V.* 153) ubi rorarii estis? #Adsunt Fr I. 81(*ex Varr de l. L.* VII. 58)

2. *additur vel praep. vel adv.* **a.** *praep.* **a:** speculabor ne quis aut hinc aut ab laeua aut dextera nostro consilio uenator adsit* Mi 608 ..ut ille palam ibidem adsiet* quisquis illest qui adest a milite Ps 924

ad: imperator non adest ad exercitum Am 504 ibi ubi tibi erat negotium, ad focum si adesses.. Au 439 architectique adsunt* ad eam (carinam) Mi 919(*Ly*)

in: nec quisquam alius affuit* in tabernaculo Am 425 tantus uentri commeatus meo adest in portu cibus Cap 826 (pater) in portu iam adest Mo 366(*RU*) tanta ibi copia uenustatum aderat in suo quique loco sita Poe 1178

ante: facite ante aedis iam hic adsint Ps 181

apud: apud te adsum Sosia idem Am 578 hic apud me aderunt* Mi 708 assum* apud te eccum. #At ego elixus sis uolo Poe 279

e (ex): credo e balineis iam hic adfuturum Per 91 seruos ex Carysto qui hic adest*, ecquid sapit? Ps 737

b. *adverb.* **hic:** prius tua opinione hic adero Am 545 audes mihi praedicare id, domi te esse nunc, qui hic ades? Am 562 iam hic credo eum adfuturum As 398 iam ego hic adero Au 274 iam hic credo aderit Ba 47, Per 530 prius hic adero quam te amare desinam Ba 100 is hodie hic aderit Cu 207 Ep 257(*supra*) cras hic aderit Ep 272 dixit .. mane hic(*B in marg* hunc *B¹U* hic hunc *EJ* hoc *BoRg*) adfore Ep 273 is hic nunc non adest Mer 455 numquis hic prope adest*? Mi 994 Mi 1019(*supra* 1) hic prope adest* quem expeto uidere Mi 1258 pater inquam aderit* iam hic meus Mo 383 Philolaches iam hic aderit* Mo 1077 iam pol ille hic aderit Per 89 Per 91(*supra a sub e*) iam faxo hic aderunt Per 161 iam hic faxo aderit Per 466, Ps 393*, Tru 428(faxo hic) paene in foueam decidi ni hic adesses Per 595 Poe 253(*Rgl supra* 1) satis scio impetrarunt quando hic hic adest Poe 1135 Ps 181(*supra a sub ante*) iam hic adero* Ps 561(*PR aliter Aψ*) hi sciunt qui hic adfuerunt Ps 721 Ps 737(*supra a sub e*) hic adesse erum arbitror Ps 1113 Ps 1114 (*supra* 1) uostram.. imploro fidem qui prope hic adestis Ru 623 scio iam hic aderit cum domino suo St 441(*A*) quom hic non adfui, cum amicis deliberaui St 579 iam hic adfuturum aiunt eum Tru 205 non multo post hic aderit Tru 413 is hic haud multo post, credo, aderit Tru 474 nemo hic adest superstes Fr I. 6(*ex Fest* 305 *et Acrone*) hic deus praesens adest Fr II. 45(*ex Diom* 458 *et aliis*)

huc: huc fac adsis*, Sosia Am 976(*supra* 1 *vide L*)

hinc: Mi 608(*supra a sub a*)

ibi: ibi aderat una Apoecides Ep 612 nec tam profanum quicquamst quin ibi ilico adsit* Mer 362 Poe 1178(*supra a sub in*) praeco ibi adsit Fr I. 91(*ex Fest* 305) **ibidem:** Ps 924* (*supra a sub a*) ibidem una aderit* mulier lepida Ps 948

ubi: .. praefestinet ubi erus adsit praeloqui Ru 119

usquam: Mo 452(*U supra* 1)

domi: usque adero domi Cas 530 domi adesse certumst Ep 664 sed te uolo domi usque adesse Ps 560 iam ego domi adero St 66

3. *seq. dat. commodi; vim auxiliandi saepe habet:* mihi quoque adsunt testes Am 824 quaeso ut aduocatus mihi adsis Am 1037 tu mihi accusatrix ades As 513 nobis prope adest auxilium Au 275 adest(prope *praem AcRg*) exitium Ilio Ba 987 rogitare oportet..adsitne* ei animus necne ei(*SeyRs om APψ*) adsit* quem aduocet: si negat adesse..amittat domum Cas 572-3 nec mihi plus †adiumenti ades* Ep 336(*vide ω*) omnibus malefactis testes tres aderant acerrumi Men 595 Mi 608 (*supra* 2. **a** *sub* **a**) uiden hostis tibi adesse* tuoque tergo obsidium? Mi 219 em tibi adsunt quas me iussisti adducere Mi 898 Mi 919(*L supra* 1) aduocatus mihi bene ades* Mi 1419 adsum praesens praesenti tibi Mo 1075 utrisque disceptator eccum adest Mo 1137 prope adest exitium mihi Ps 60 ei aderat* hospes par sui Ru 49(*Rs*) tibi adest* Stratophanes Tru 500 *duo dativi:* adsum auxilio..tibi et tuis Am 1131

4. *seq.* ad *cum gerund.:* Men 16, Mer 15 *infin.:* Cap 423 *vide supra* A. 1

5. *add. nomen praedicativum:* Sosia idem Am 578 praesens Am 977, Mo 1075, St 577 deus praesens Fr II. 45 precator As 415 accusatrix As 513 nullus Ba 90 paedagogus Ba 142(*Rg*) arbiter Mi 1137, Tri 146 disceptator Mo 1137 aduocatus Am 1037, Mi 1419, Vi 57 superstes Fr I. 6 uenator Mi 608

6. *alia adverbia:* prope Au 275, 276, Ba 987 (*Rg*), Mi 994, 1258, Ps 60, Ru 623 propinque Tru 575 usque Cas 530, Ps 560 una Ep 612, Per 513, Ps 948

B. *translate =* animum aduortere: adeste*, erit operae pretium Am 151 Chrysale, ades dum ego has perlego. #Quid me tibi adesse opus est? Ba 988(*Rg alterum versum addit:* #Volo..#Adero) nihil moror..#Tamen ades.. #Adero Ba 990 audi atque ades* Men 643, Poe 1075 hoc ausculta atque hoc(*CD om Bω* huc *RRg*) ades Mer 568 iam tandem ades*. #Adsum*: impera si quid uis Mi 1030-1 ualete adeste: ibo, alius nunc fieri uolo Poe 127(*v. secl GuyRglS*) audi atque ades* Poe 1075 St 7b (adsiesdum *R pro* adsidedum) adeste* sultis: praeda erit praesentium St 220 adeste* cum silentio Tri 22 ades*,amica, te adloquor Tru 920

ADVEHO - - I. Forma **aduehit** Mer *Arg* II. 3(*GulLLy* ut uehit *PS†* ut uenit *Lambv*), Mi 113(*B²* aduenit *P*) **aduehitur** Mer 193 **aduehuntur** Cap 814 **aduexi** Mer 106, 391 (-ei *Rg ex A?*) **aduexti** Mer 390(*D* -xit *B* -xi *C*) **aduexit** Am 405, Mer 261, Mi 1109, Ru 41, St 374, 379, 381(*ACD* aduenit *B*), 388 (*ACD* aduenit *B*) **aduexera** St 543 **aduexisse** Mer 107, 401, Poe 1014 **aduexe** Mer 333 **aduectus** Men 1085, Mer 257, 388, Mo 365(*Rs* adatest *PS†* adest *B²ψ*) **aduecta** Mer 511 **aduecti** Am 731(aduenisti *E*), Tri 933, 942, 1104 **aduectae** Ru 267(unde adu. *B* bundę uectę *CD*) **corrupta:** Mer 259, aduehor *CD* adueor *B pro* deuehor(*A*) Per 522, ad-

uectā *B* adductam *CD pro* abductam(*A*) St 743, aduexissem *C pro* -tu exissem

II. Significatio *semper de navigatione praeter* Cap 814 1. *absolute vel seq. acc.:* ex portu Persico uenit (nauis) quae me aduexit Am 405 aduehit*, naue exilit Mer *Arg* II. 3 emi (eam *add ReizR*) atque aduexi heri Mer 106 eam me aduexisse nolo resciscat pater Mer 107 ..mulierem filius quam aduexit meus matri ancillam suae Mer 261 ei dono (illam) aduexe audiui Mer 333 ecquem tu aduexti* tuae matri ancillam Rhodo? #Aduexi* Mer 390-1 ne duas neu te aduexisse dixeris Mer 401 nauclerus dixit, qui illas aduexit, mihi Mi 1109 ligulas canalis ait se aduexisse et nuces Poe 1014 argenti..aduexit nimium St 374 aduexit nimium bonae rei St 379 tibicinas aduexit* secum forma eximia St 381 post autem aduexit* parasitos secum St 388

aduehuntur quadrupedanti..cantherio Cap 814 uter uostrorumst aduectus mecum naui? Men 1085 lembo aduehitur tuos pater pauxillulo Mer 193 nauem..quast heri aduectus filius Mer 257 pater aduectust* Mo 365(*Rs*) horiola aduecti sumus Tri 942 nauem..qua aduecti sumus Tri 1104

2. *additur* in *cum acc. vel acc. termini:* hac noctu in portum aduecti* sumus Am 731 in portum huc..sum aduectus Mer 388 eamque huc inuitam mulierem in Ephesum aduehit* Mi 113 in Pontum aduecti (ad *add CaRRs* a *P*) Arabiam terram sumus Tri 933

is eam huc Cyrenas leno aduexit' uirginem Ru 41 Arabiam Tri 933(*vide supra*)

3. *add. abl. loci vel adverbium:* Rhodo Mer 390(*supra* 1) huc(*vide supra* 2) Mer 388, Mi 113, Ru 41 illim unde huc aduecta sum, malis bene esse solitumst Mer 511 longe hinc abest unde aduectae* huc sumus Ru 267 peregre aduexerat, quasi nunc tu St 543 unde Mer 511, Ru 267

4. *abl. instr.:* cantherio Cap 814 naui Men 1085, Mer 257, Tri 1104 horiola Tri 942 lembo Mer 193

5. *dat. commodi:* matri Mer 261, 390 ei dono Mer 333

ADVENA - - optati ciues, populares, incolae, accolae, **aduenae** omnes Au 406 Menaechmum omnes ciuem credunt **aduenam** Men *Arg* 8 seruom hercle te esse oportet..malum..aduenam qui inrideas(*P* adueniam *om* q. i. *A*) Poe 1031 in timorem dabo militarem aduenam Ps 928

ADVENIO - - I. Forma **aduenio** Am 32, 368, 679, Au 739, Ep 456(*A* uenio *PRg*), Men 776(*B* ad uetuo *C* ad tuo *D*), Mer 887(*FZRg* atuenio *PS†* uenio *U v. secl L*), Mo 440(uenio *fortasse Quint inst or* I. 5, 38), Per 103, Tri 67 (*PL* uenio *Aψ*), 448(*A* ueni *P*), 845, Tru 91 (adueni *GepRs*) **aduenis** Am 957, Ba 536, Cap 836, Cas 974, Cu 561, Men 139, 287, Mer 912 (*Ca* -iens *P*), Mo 574(*add Ca in lac*), 1128(*FZ* aduenisse *CD* adueninisse *B¹* -inisste *B²*), Poe 765(*AB²D* -nit *B¹C*), St 471, Tri 879, 989, 991, Tru 127, 359 **aduenit** Am 149, 1005, 1065, As 873, Ba 369, Men 340, 747, 759, Mer 100, 144, Mi 104, 169(auenit *A* uenit *FlU om cum lac P*), Per 543(*A* adunt *B* addunt *CD*), Poe 975, Ru

65(*Rs pro* uenit), 805, Sᴛ 643(*AcR pro* uenit),
Tʀɪ 432, 852, Tʀᴜ *Arg* 7 **adueniunt** Cᴀs 722,
Tʀᴜ 100 **aduenies** Pᴏᴇ 561(*Bo* -ientes *P* aduentares *Seyℊ*) **adueniet** Bᴀ 222, Rᴜ 80 **aduenient** Tʀᴜ 81(*Rs in loco desp* habenti *Pψ*†)
adueni Aᴍ 669, Aᴜ 705, Cᴀᴘ 1002, Mᴇɴ 1020,
Mɪ 439, Mo 1004, Ps 621(*P* ueni *A*), Tʀɪ 97,
Tʀᴜ 91(*GepRs* -io *Pψ*) **aduenisti** Aᴍ 367, As
449, Cᴜ 454, Eᴘ 628, 630, Pᴇʀ 101, Pᴏᴇ 1033,
1138, Tʀᴜ 186, 270 **aduenit** Cᴀᴘ 911, Eᴘ 22
(*AE* -ni *B¹J* -nis *V*), 55, Mᴇʀ 667, Mɪ 134(*U
pro* et uenit), 489, 976(an uenit *RgL*), Mo 142,
353, 374, 376, 611, Pᴏᴇ 923(*D¹* atuenit *P* a[t]
ueniat *A* aduentat *LLy fortasse cum A v. secl
Ly*), Ps 730, 731, 737(*PR* adest *Aψ*), Tʀᴜ 647
(*Z* -ni *P*) **aduenimus** Aᴍ 203(-iemus *E*), 666,
846, Cᴜ 438(*Rg pro* uenimus), Mᴇʀ 748, Pᴏᴇ 638
(*U de A errans*), Tʀᴜ 282 **aduenistis** Mᴇʀ 964
(*Ca* ut uenistis *B* aut u. *CD* atu. *R*) **aduenerunt**
Tʀᴜ 102 **adueneram** Aᴍ 603 **aduenero** Aᴍ
197, Cᴀᴘ 786, Pᴇʀ 86, Rᴜ 1206 **aduenerit** Aᴍ
466, As 370, Eᴘ 271(*Ac* -nit *P*), Mɪ 806, Mo
1069, 1077(*Bent* -niens *P* -nies *B²*), Pᴏᴇ 1083,
Rᴜ 818(*P* ad uos uenerit *Rs*) **adueniam** Eᴘ
365(*PL* -iat *Rg* -iant,*Caψ*) **aduenias** Aᴍ 544
adueniat Bᴀ 76, 224(*HermRRg* ueniat *Pψ*), Eᴘ
365(*Rg* -iam *Pl* -iant *Caψ*), Mɪ 578, Mo 11,
249(*R* ueniat *PU*), Pᴏᴇ 929, Tʀᴜ 96, 225(*Bug
Rs* ueniat *Pψ*), 481(*MueL pro* -um ueniret
[*Pℊ*†] *aliter ψ*) **aduenat** Ps 1030(*BD* -niat
C), Rᴜ 1243(*Rs* aduenerit *Pψ*) **adueniant** Eᴘ
365(*Ca* -iam *PL* -iat *Rg*) **aduenerim** Mᴇʀ 940
aduenerit Bᴀ 235, Rᴜ 1243(*P* aduenat *Rs*), Sᴛ
456 **aduenissem** Cᴀᴘ 871 **aduenire** Aᴍ 759
(*B²D²* aduenere *E*), As 736, Bᴀ 456, Cᴜ 307,
Eᴘ 203, Mᴇɴ 139, Mo 574(*Ca* adue∗∗∗ *P*), Pᴏᴇ
686, Ps 670, Rᴜ 116(atu. *B*) **aduenisse** Aᴍ
353, 695, 758, 799, Cᴀᴘ 899, Cᴜ 337(deuen. *CaU*),
340(uenisse *B¹U*), Eᴘ 128, Mɪ 239(*B²* -sset *P*
-sse et *D³*), Mo 448, 805, 929, Tʀɪ 1097, 1121,
Tʀᴜ 205 **adueniens** Aᴍ 161, 613, 713, 799, Bᴀ
61, 361, Cᴀᴘ 914, Cᴜ 338, 660, Eᴘ 361(*Ca* ueniens *P*), 533, Mᴇɴ 229, Mᴇʀ 576, 814, Mo 378,
570, 1136, Pᴇʀ 731, Pᴏᴇ 601, 692, Ps 1201, Rᴜ
1275, 1277, Sᴛ 576, Tʀᴜ 355, 382, 515 **aduenienti** Aᴍ 183, *fr* XII(*ex Non* 44 & 247), Bᴀ 186,
197, 538, 769, Cᴀᴘ 1004(aduementi *J*), Eᴘ 571
(*Ca* uenienti *P*), Mᴇɴ 724, Mo 430, Pᴏᴇ 1151,
Tʀɪ 869, 1138 **advenientem** Aᴍ 150, 181, 296,
361, 706, 711, 714, 978(-te *Non* 88), Bᴀ 101,
Eᴘ 126, 435, Mo 389, 1124(*Ald* ad *cum lac P*),
Ps 603, Sᴛ 422, 457, Tʀɪ 997 **aduenientes** Eᴘ 662,
Sᴛ 740 **aduenientibus** Aᴍ 665, Sᴛ 512 **aduenientes** Aᴍ *Arg* II. 5 (-tis), Sᴛ 682(-teis *A* -tes
PL -tis *U*) **aduenturum** Aᴍ 654, Cᴜ 143 *corrupta:* Aᴍ 731, aduenisti *E pro* aducti Mɪ
113, aduenit *P pro* aduehit *corr B²* Pᴏᴇ 1031,
adueniam *A pro* aduenam qui inridea(*P*) Ps
667, aduenienti *CD pro* aduentu; 1293, adueni
A ut vid pro uenio(*P*) Sᴛ 381, aduenit *B pro*
aduexit; 388, aduenit *B pro* aduexit Tʀᴜ 272,
aduenias *P* an eas *A sed in margine* aeneas;
aeneas *LULy* an †eas *ℊ* an eo's *Rs v. secl UL*
II. Significatio(*cf* Feyerabend, p. 70)
A. *absolute* 1. *verb. fin.:* pace aduenio Aᴍ 32
cum lanterna (huc *add CaRgl*) aduenit Aᴍ 149
aduenisse familiares dicito Aᴍ 353 ne tu istic

hodie malo tuo . . aduenisti Aᴍ 367 numquid
uis? ♯Ut actutum aduenias Aᴍ 544 sero aduenimus Aᴍ 666 exspectatun aduenio? Aᴍ 679
te . . qui nunc primum te aduenisse dicas Aᴍ
695 tun me heri aduenisse dicis? Aᴍ 758
optume aduenis Aᴍ 957, Mᴇʀ 912* eccum Amphitruonem: aduenit Aᴍ 1005 tibi . . propitius
caeli cultor aduenit Aᴍ 1065 ego illum . . hic
oblectabo, prius si forte aduenerit As 370
quam dudum tu aduenisti? As 449 iube aduenire, quaeso As 736 ille opere foris faciendo
lassus noctu (ad me *add FlRglLLy*) aduenit
As 873 adueniat* quando uolt Bᴀ 224 saluom te aduenire gaudeo Bᴀ 456, Pᴏᴇ 686 saluom gaudeo te aduenire Cᴜ 307 saluom te
aduenisse gaudeo Mo 448, Tʀɪ 1097 optume
in tempore aduenis Cᴀᴘ 836 igitur olim si
aduenissem, magis tu tum istuc diceres Cᴀᴘ
871 ego tuom tibi aduenisse filium respondeo Cᴀᴘ 899 te absoluam, qua aduenisti gratia Cᴜ 454 aduenit* simul Eᴘ 22 is danista
aduenit una cum eo Eᴘ 55 uos uideo opportunitate ambo aduenire Eᴘ 203 . . prius uenisset quam tu aduenisti mihi Eᴘ 628 nimium
aduenisti cito Eᴘ 630 non potuisti magis per
tempus mihi aduenire quam aduenis Mᴇɴ 139
res plurumas pessumas, quom aduenit, adfert
Mᴇɴ 759 saluen aduenio*? Mᴇɴ 776 apage
istius modi salutem, cum cruciatu quae aduenit Mᴇʀ 144 perii: coquos adest. ♯Adueni-
mus Mᴇʀ 748 †sta ilico amicus aduenio Mᴇʀ
887(*varie em ω, secl L*) optuma opportunitate
ambo aduenistis* Mᴇʀ 964 aduenit* et is . .
Mɪ 134(*U*) estne aduorsum hic(huc *R*) qui
aduenit* Palaestrio? Mɪ 169 sine modo adueniat senex Mo 11 continuo pro imbre amor
aduenit (in cor meum *add P om Boω*) Mo 142
exsurge: pater aduenit Mo 376 numquam potuisti mihi magis opportunus aduenire quam
aduenis Mo 574(*Ca* magis aduen∗∗∗ *P*) dic
me aduenisse filio Mo 929 edepol mihi opportune aduenerit* Mo 1077 opportune aduenisti
mihi Pᴇʀ 101 non aduenio saturio Pᴇʀ 103
optume eccum ipse aduenit* Pᴇʀ 543 non
potuit mihi opportunius aduenire quam haec
allatast epistula Ps 670 optume edepol eccum
clauator aduenit Rᴜ 805 . . ut cum maiore dote
abeat quam aduenerit* Rᴜ 1243 cenem illi
apud te? ♯Quoniam saluos aduenis Sᴛ 471 illa
causa nihilo citius aduenit Sᴛ 643(*AcR aliter
APψ*) estne hic Philto qui aduenit? Tʀɪ 432
hilurica facies uidetur hominis, eo ornatu aduenit Tʀɪ 852 quoniam (huc *add ReizRRs*)
aduenis uapulabis Tʀɪ 989 saluos quandoquidem aduenis, di te perdant Tʀɪ 991 miles aduenit Tʀᴜ *Arg* 7 ne quis aduentor grauior
abaetat quam adueniat Tʀᴜ 96 nondum aduenisse miror Tʀᴜ 205 ut quisque adueniat*,
blande . . adloqui Tʀᴜ 225(*BugRs*) hicine hodie
cenas saluos quom aduenis? Tʀᴜ 359 adueniat* miles uelim Tʀᴜ 481(*MueL*)
2. *participium, quod haud rare vim nominis
substantivi habet:* a. me alterum **adueniens**
faciam ut offendas domi Aᴍ 613(*cf* Sidey,
p. 21) eo more expertem te factam adueniens offendi domi Aᴍ 713 ain heri nos
aduenisse huc? ♯Aio, adueniensque ilico me

salutauisti Am 799   ille adueniens tuam
med esse amicam suspicabitur Ba 61   adueniens nomen mutabit mihi Ba 361   adueniens
totum deturbauit .. carnarium Cap 914   aggredior hominem, saluto adueniens Cu 338   .. tu
ut hodie adueniens cenam des sororiam Cu 660
is adornat adueniens* domi extemplo ut maritus
fias Ep 361   maior (uoluptas) si adueniens terram uideas Men 229   utine adueniens uomitum
excutias mulieri Mer 576   pater iam hic me
offendet .. adueniens ebrium Mo 378   continuo
adueniens pilum iniecisti mihi Mo 570   adueniens perterruit me Mo 1136   transcidi
loris omnis adueniens domi Per 731   .. quasi
tu nobiscum adueniens hodie oraueris Poe 601
si mihi hospitium quaererem adueniens, irem
in carcerem Poe 692   dedi .. dudum adueniens extemplo sumbolum seruo tuo Ps 1201
etiamne eam adueniens salutem? Ru 1275
etiamne adueniens complectar eius patrem?
Ru 1277   .. ne quid adueniens perderem St 576
ego facinus audiui adueniens tuom Tru 382
    b.   hominem .. qui mihi **aduenienti** os oc-
cillet probe Am 183   quaeso aduenienti morbo
medicari iube Am *fr* XII(*ex Non* 44 & 247)
non impetratum id aduenienti ei redderem?
Ba 197   num quae aduenienti aegritudo obiectast? Ba 538   adambulabo .. ut .. extemplo
aduenienti ei tabellas dem Ba 769   mihi haec
aduenienti* upupa .. datast Cap 1004   .. ut
.. aduenienti* des salutem atque osculum Ep
571   an mos hic itast peregrino ut aduenienti
narrent fabulas? Men 724   hinc speculabor
.. unde aduenienti sarcinam imponam seni
Mo 430   patruo aduenienti cena curetur uolo
Poe 1151   mihi aduenienti .. agitandumst uigilias Tri 869   modo mihi aduenienti nugator
quidam occessit obuiam Tri 1138
    c.   abigam iam illunc **aduenientem** ab aedi-
bus Am 150   mihi in mentem fuit dis aduenientem gratias .. agere Am 181   certe aduenientem hic me .. accepturus est Am 296
salutare aduenientem me solebas Am 711   te
certo heri (huc *add MueRgl*) aduenientem ilico
.. salutaui Am 714   fac Amphitruonem aduenientem* ab aedibus ut abigas Am 978   bene
me accipies aduenientem Ba 101   .. si ego aduenientem ita patrem faciam tuom .. Mo 389
dixit mihi .. quo modo hominem aduenientem*
seruos ludificatus sit Mo 1124   hunc .. nuntium aduenientem probe percutiam Ps 603   .. ut
eum aduenientem meis dictis deleniam St 457
is aduenientis seruom ac dominum frustra
habet Am *Arg* II. 5   amicos meos curabo hic
aduenientes* St 682
    d.   remeabo intro ut accurentur **aduenien-
tes** hospites Ep 662
    e.   domi daturus nemost prandium **aduenien-
tibus** Am 665   par fuerat me uobis dare cenam aduenientibus St 512
    B. *cum praepp.*   1. a(ab): a uiro. ad me rus
aduenit nuntius Mer 667   .. quom extemplo
a foro adueniat domum Mi 578   dum erus
adueniat a foro, opperiar domi Poe 929   homo
.. qui a patre(ad patrem *R*) aduenit Carysto
Ps 730   nunc interuiso iamne a portu aduenerit St 456

    2. ad: ille illuc ad erum quom Amphitruo-
nem aduenerit, narrabit Am 466   me aduenire*
nunc primum aio ad(a *E*) te domum Am 759
ad me As 873(*RglLLy vide supra* A. 1)   quom
extemplo ad forum aduenero, omnes loquentur
Cap 786   confido parasitum hodie aduenturum
cum argento ad me Cu 143   si qui ad eum
adueniant*.., dicat Ep 365   animum aduorte,
ut quod ego ad te aduenio*, intellegas Ep 456
numero huc aduenis ad prandium Men 287
ecce ad me aduenit mulier Mer 100   ad me
Mer 667(*supra* 1)   ad patrem Ps 130(*supra* 1)
quanta aduenit* calamitas hodie ad hunc lenonem Poe 923(*v. secl Ly*)   ad portum adulescens aduenit* Ru 65(*Rs*)   inpudentem hominem addecet .. ultro aduenire* ad alienam
domum Ru 116   ego dedita opera huc ad te
aduenio* Tri 67(*PL*)   alia huc causa ad te
adueni Tri 97   .. qui ad eum aduenient* Tru
21(*Rs*)   quini aut seni adueniunt ad scorta
congerrones Tru 100   aduenit* ad uillam argentum meo qui debebat patri Tru 647   ad
Philocomasium hoc sororem .. dicam Athenis
aduenisse Mi 239(*Rg*)
    3. ex: uisam ecquae aduenerit in portum
ex Epheso nauis Ba 235   aduenio ex Seleucia,
Macedonia, Asia atque Arabia Tri 845
    4. in: in portum Ba 235(*supra* 3)   inten-
peries modo in(*om AbrahamRs*) nostram aduenit domum Cap 911   salue, saluos quom
aduenis in Epidaurum Cu 561   occasiost faciundi priusquam in urbem aduenerit* Ep 271
peregrina nauis in portum aduenit Men 340
in cor meum Mo 142(*supra* A. 1)   quid tu
hoc occursas in urbem, quotiensquomque aduenimus? Tru 282
    C. *seq.*   1. *abl. separatiuo:* triennio post *Ae-
gypto* aduenio* domum Mo 440   huc .. dicam
Athenis aduenisse* cum amatore suo Mi 239
heri Athenis Ephesum adueni uesperi Mi 439
heri huc Athenis cum hospite aduenit meo Mi
489   *Carysto* Ps 730(*supra* B. 1)   ego *Lemno*
aduenio* Athenas Tru 91   Lemno adueniens
qui tuae non des amicae .. sauium Tru 355
adueniens mater *rure* eam offendit domi Mer
814
    2. *acc. termini:* interibi hic miles forte
Athenas(-nis *C*[1]) aduenit Mi 104   Athenas
antidhac numquam adueni* Ps 621   neque
Athenas aduenit umquam ante hesternum diem
Ps 731   Tru 91(*supra* 1 *sub* Lemno)   nudius-
quartus aduenimus* *Cariam* Cu 438(*Rs*)   me
.. credo aduenturum *domum* Am 654   ad
aquam praebendam commodum adueni domum
Am 669   hanc .. quae me hodie aduenientem
domum noluerit salutare Am 706   Am 759(*supra*
B. 2)   Cap 911(*Rs supra* B. 4)   Mi 578(*supra*
B. 1)   miles domum ubi aduenerit, memineris .. Mi 806   Mo 440(*supra* 1 *sub* Aegypto)
uolo me eleutheria capere aduenientem domum
St 422   *Ephesum* Mi 439(*supra* 1 *sub* Athenis)   aduenit* Ephesum mater eius? Mi 976
rus Mer 667(*supra* B. 1)
    3. *dat. commodi, addito plerumque uel ad-
iectiuo uel aduerbio*(*uide supra* A. 1): tibi Cap
899   mihi Ep 628   mihi (per tempus) Men
139   mihi (opportune) Mo 1077, Per 101, Ps 670

duobus dativis: tibi suppetiis tempore adueni modo MEN 1020

D. *apponuntur adverbia* eo. dico quid eo aduenerim MER 940 . . tu eo quaesitum seruom aduenies* tuom POE 561(*BoRglLU*)

huc: AM 149(*Rgl supra* A. 1) tunicis consutis huc aduenio AM 368 AM 714(*Rgl supra* A. 2. c), 799(*supra* A. 2. a) miles quom huc adueniat, te uolo me amplexari BA 76 iam huc adueniet miles BA 222 saluom huc aduenisse (te a. h. *R.MueRg*[1]) . . EP 128(*SeyLyRg*[2] te gaudeo h. a. *PS*† t. h. a. *L* t. a. *U*) quis illic est quem huc(hunc *J*) aduenientem conspicor? EP 435 MEN 287(*supra* B. 2) (deridere) non potes patrem meum, qui huc aduenit MEN 747 MI 169(*R supra* A. 1), 239(*supra* C. 1), 489(*supra* C. 1) . . ornata ut sim, quom huc adueniat* Philolaches MO 249 astu mihi captandumst cum illo, ubi huc aduenerit MO 1069 nos honoris tui causa huc aduenimus* POE 638(*U*) quae illaec auis est quae huc cum tunicis aduenit? POE 975 te . . qui huc aduenisti nos captatum POE 1033 tua pietas nobis auxilio fuit quom huc(hic *CD*) aduenisti hodie POE 1138 Ps 737(aduenit *BoR duce P* adest *A ψ*) metuo ne ille huc Harpax aduenat* Ps 1030 adulescens huc iam adueniet RU 80 ubi ille seruos cum ero huc aduenerit*. . RU 818(*vide Rs*) TRI 67(*supra* B. 2), 97(*supra* B. 2), 989 (*RRs supra* A. 1) is mihi dixit suom erum peregre huc aduenisse Charmidem TRI 1121 aduenisti huc te ostentatum TRU 270

illo: quo modo illi dicam, quom illo aduenero AM 197 ut illo aduenimus . . continuo Amphitruo delegit uiros AM 203 prius multo ante aedis stabam quam illo adueneram AM 603 ut dudum hinc abii, multo illo(*Ca* illuc *DEU* illic *B*) adueni prior AU 705 ubi illo adueni . . upupa . . datast CAP 1002 abeo . . maestus . . med illo frustra aduenisse* CU 337 dico me illo aduenisse* animi causa CU 340 rem saluam sistam si illo aduenerit POE 1083

illuc: AM 466(*supra* B. 2) AU 705(*supra sub illo*)

intro: adproperate . . ne mihi morae sit quisquam ubi ego intro aduenero PER 86 adorna ut rem diuinam faciam, quom intro aduenero RU 1206 quando intro aduenerunt oenus eorum . . oggerit TRU 102

peregre: ita peregre adueniens hospitio . . accipiar AM 161 tun domo prohibere peregre me aduenientem postulas? AM 361 ita nunc homines inmutantur postquam peregre aduenimus AM 846 ⌐. cenam pollicere . . peregre aduenienti BA 186 saluos quom peregre aduenis, cena detur BA 536 aduenientem peregre erum . . impertit salute seruos EP 126 quis illaec est mulier . . peregre adueniens? EP 533 erus aduenit peregre MO 353 pater aduenit peregre Philolachae MO 374 pater eccum aduenit peregre MO 611 saluom te aduenisse peregre gaudeo MO 805 hodie adueni peregre MO 1004 saluos quom peregre aduenis*, gaudeo MO 1128 peregre adueniens te expetimus ST 740 di te omnes adueniente peregre perdant TRI 997 TRI 1121(*supra sub* huc)

peregre quoniam aduenis, cena detur TRU 127 ut exspectatus peregre aduenisti! TRU 186 Mars peregre adueniens salutat Nerienem TRU 515

quo: quippe quo(*Lamb* qui *B* cui *CD*) nemo aduenit BA 369

quoquo: quoquo adueniunt . . dominos multant CAS 722

unde: unde hoc ornatu aduenis? CAS 974 unde aduenis? TRI 879

E. *seq. acc. supini:* is adeo te oratum aduenio AU 739 quaesitum POE 561(*supra* D *sub* eo) captatum me aduenis* cum testibus POE 765 POE 1033(*supra* D *sub* huc) neque te derisum aduenio* TRI 448 ostentatum(*A* sust. *P*) TRU 270(*supra* D *sub* huc)

ad *cum gerund.:* ad aquam praebendam AM 669(*supra* C. 2 *sub* domum)

ADVENTO - - te id monitum **aduento** AU 145 quanta **aduentat**(*LLy fortasse cum A* a[t] ueniat *A* atuenit *CD*[1] aduenit *BD*[4] *ψ*) calamitas hodie ad hunc lenonem! POE 923 (*v. secl Ly*) iam decumus mensis aduentat prope TRU 402 . . tu eo quaesitum seruom **aduentares**(*SeyS* aduentes *P* aduenies *Bo ψ*) tuom POE 561

ADVENTOR - - ne quis **aduentor** grauior abaetat quam adueniat TRU 96 istuc ago, quo modo argento interuortam . . **aduentorem** As 359 si aequom facias, **aduentores** meos non incuses TRU 616

ADVENTUS - - *exstat in duabus tantum formis, acc. et abl. sing.* 1. **aduentum:** a. huc . . quom extemplo aduentum adporto(*i. e.* aduenio), ilico Amphitruo fio AM 865(*cf U ad loc*) . . miles quoius nunc ista aduentum expetit TRU 204 gratulabor uostrum aduentum filiis ST 567 ille . . nuntiat . . irati aduentum senis AM 988 si opperiri uis aduentum(*ACD* adicentum *B*) Charmidi . . TRI 744

b. misera in exspectationest Epignomi aduentum(*AB* -tu *CD* -tus *R*) uiri ST 283

2. **aduentu:** a. triumphum eis adfero aduentu(-to *J*) meo As 269 uoluptabilem mihi nuntium tuo aduentu adportas EP 21 ait sese . . aduentu caprae flagitium . . fecisse MER 236 mihi aduentu suo grandinem . . attulit MO 138 ego aduentu patris nunc quaero quid faciam miser MO 381 conseruauit me illic homo aduentu(*AB* aduenienti *CD*) suo Ps 667 eos nunc laetantis faciam aduentu meo ST 407 fac nos hilaros hilariores . . aduentu tuo ST 739 *Cf* Kane, p. 57

b. plus aegri ex abitu uiri quam ex aduentu uoluptatis cepi AM 641

ADVERSUS, ADVERTO - - *vide* aduor.

ADVIGILO - - heus tu, **aduigila!** PER 615

ADULESCENS - - *cf* Koehm, *Quaest. Pl. Ter.-que,* p, 19; Wueseke, p. 10 *in fine versus inveniuntur formae nominum* adulescentulus, -a, *numquam huius nominis*

I. **Forma** adulescens As 337, 634(adho. *E*), AU 28, 29, 735, BA 3(*ex Char* 201), 65, 421, 587, 817, CAP 105(adhu. *B*), 1032, CAS *Arg* 6 (-sens *B*), CI *Arg* 1, CI 125, 190, 229, 597, 731,

Cu 399, Ep 1, 299 (-sens *B*), 440, 444, 459 (-cens itast *A B²* centiast *B¹* -cens est *J* -cens ntiast *E*), Men 75, 100, 135, 285 (-escens *B* -es *CD*), 289, 494, 498, 506, 1007 (*add Rs solus*), 1021, 1025, 1065, 1066, 1079, Mer *Arg* I. 1, Mer 427, 444, 447, 550, Mi *Arg* II. 8, Mi 99, 1297 Mo 653, 950, Per 579, 660, Poe 78, 96, 679, 1307 (adhu. *B*), 1315, Ps *Arg* II. 1 (*RRg U lac 𝔖 om PLLy*), Ps 434, 615, 978, 1137 (adhu. *B*), 1141, Ru 42, 65, 80, 118, 131, 416, 554, 563, 871, 941a, 1303, St 550, 561, 565, Tri 12, 193, 871, 889, 892, 968, Tru 246, Vi 31, 72 (*fem*) Mi 966 **adulescentis** Au 35, Ps *Arg* II. 10 (adulis. *A*), Tri 894 **adulescenti** Ci 195, Ep 101, 164, Mer 973, Ru 48, 59, 64, 1197, St 542, Tri 126, 131 (-tia *B*), 326 (-te *A*), 359, 750, 781 **adulescentem** As 833, Cap 140, 169 (adhu. *B*), 459, Cas 62, Ep 603, Mer *Arg* I. 7 (*RRg* Charinum *Pψ*), Mer 540, 1021, Mi 661, Mo 21, Poe 1044, Ru 62, 313, St 557 (*Z* -tiam *P*), Tri 116, 128, 214, 771, 789, 817, 873, Tru 302 (*fem*) Mi 788 **adulescente** Mer *Arg* II. 6, Mi 289, 440, Mo 84 (-tē *B* -tẹ *CD*), Tri 124, 428, 784 **adulescentes** Mer 987, 1025, Tru *Arg* 1, Tru 99 **adulescentum** As 133 (-ium *J*), Ps 364 **adulescentes** Cap 478 (addo. *J* -is *Rs*) adolescens, *etc. exhibet* 12 *ies P*, 16 *ies B*, 26 *ies C*, 45 *ies D*, 9 *ies E*, 21 *ies J*

II. Significatio 1. *nom.* (*vel acc.*) **a.** ad portum adulescens *aduenit* (*Rs* uenit *Pψ*) .Ru 65 adulescens huc iam adueniet Ru 80 *aduolat* adulescens Mi *Arg* II. 8 modo hic *agitat* (*GruRU* hic habitat *RsLy* †nicaditat *PⵏL*) leno, modo adulescens Men 75 quid nouom adulescens homo si *amat?* Ps 434 hic adulescens multo Ulixem *anteit* (antidit *BoRRg*) Ba 3 (*ex Char* 201) eam *compressit* de summo adulescens loco Au 28 comprimit adulescens Lemnius Sicyoniam Ci *Arg* 1 mulierem alius illam adulescens* *deperit* Ep 299 meretricem adulescens Phoenicium ecflictim deperibat Ps *Arg* II. 1 (*RRgU in lac: aliter LLy*) minae . . quas hodie adulescens* Diabolus ipsi *daturus* dixit As 634 adulescens* *ducit* . . Casinam Cas *Arg* 6 missus mercatum ab suo adulescens patre *emit* atque (emittatque *B*) adportat scita forma mulierem Mer *Arg* I. 1-2 adulescentem equidem dicebant emisse Ep 603 ubi nunc adulescens *habet?* Tri 193 *habitare* Men 75 (*RsLy supra sub* agito) hic Philolaches adulescens habitat hisce in aedibus Mo 950 is illic adulescens habitat in illisce aedibus Poe 78 'immo duas dabo', *inquit* ille adulescens St 550 'fiat', ille inquit adulescens St 565 . . ubi amans adulescens scortum *liberet* clam Cap 1032 mihi quidam adulescens *mandauit* ut . . Mer 427 edepol fide adulescentem mandatum malae! Tri 128 quem di diligunt adulescens *moritur* Ba 817 (*cf* Schneider, p. 27) non arbitraris . . adulescentem . . signum *nosse?* Tri 789 adulescens nuptast cum sene Mi 966 adulescens homo *penetrem* me huiusmodi in palaestram? Ba 65 adulescens ille quoi ego emo efflictim *perit* Mer 444 earum hic adulescens alteram efflictim perit Poe 96 tres unam

pereunt adulescentes mulierem Tru *Arg* 1 quis homo te *rapit?* #Adulescens Plesidippus Ru 871 is *scit* adulescens quae sit Au 29 adulescentes rei agendae isti magis *solent* operam dare Mer 987 adulescens *uenit* modo As 337 uenit Ru 65 (*supra sub* aduenio) adulescens quidam . . eam *uidit* ire e ludo Ru 42 si me adulescens Plesidippus uiderit . . Ru 554

b. *cum verbo copulativo:* tu adulescens eras Ba 421 ille demum antiquis est adulescens* moribus Cap 105 adulescens quidam hic est adprime nobilis Ci 125 (*v. secl WindischmannⵏL*) adulescens hic est Sicyoni Ci 190 adulescens quom eris, . . conuenit operam dare Mer 550 erat erus Athenis mihi adulescens optumus Mi 99 tute me ut fateare faciam esse adulescentem moribus Mi 661 uidelicet non fuisse illum nequam (aequom *SeyLU in loco dubio*) adulescentem* St 557 adulescens quidamst qui in hisce habitat aedibus Tri 12 hic agrestis est adulescens qui hic habet Tru 246 illic est adulescens quem tempestas a mari✻✻✻ Vi 72

decet uerecundum esse adulescentem As 833 itast adulescens Men 100 numquam . . fuit . . ille senex insanior . . quam ille adulescens Mer 447 ille . . adulescens docte uorsutus fuit St 561 ita nunc adulescentes morati sunt Tru 99

2. *gen. ex substantivis pendet:* is adulescentis illius est *auonculus* Au 35 permities adulescentem* *exitium* As 133 *pater* istius adulescentis dedit has duas mihi epistulas Tri 894 *permities* adulescentum Ps 364 (*cf* As 133) hunc adgreditur adulescentis* *seruos* Ps *Arg* II. 10

3. *dat.:* adulescenti . . *ait* sese Veneri uelle uota soluere Ru 59 adulescenti *dicam* . . ne . . exambulet Ep 164 flocci non fecit . . quod iuratus adulescenti dixerat Ru 48 pater adulescenti *dare* uolt uxorem Ci 195 eam de genere summo adulescenti dabo Ru 1197 argentum dedi . . adulescenti ipsi in manum Tri 126 quid interest . . dare te . . argentum amanti homini adulescenti*? Tri 131 tu igitur demum adulescenti aurum dabis Tri 781 haud aequom fuerat . . adulescenti amanti amicam eripere Mer 973 adulescenti* huic genere summo . . bene uolo ego illi *facere* Tri 326 ego nunc adulescenti thensaurum *indicem* indomito? Tri 750 adulescenti alii *narrant* ut res gesta sit Ru 64 ego cesso *ire obuiam* adulescenti? Ep 101 (*tolerare* uolo) egestatem Lesbonico huic adulescenti Tri 359 *erant* minori illi adulescenti fidicina et tibicina St 542

4. *acc. ex verbis pendet:* hinc adulescentem peregre *ablegauit* pater Cas 62 nullum adulescentem plus *amo* Mer 540 *corrumpe* erilem adulescentem optumum Mo 21 Tri 116 (*infra sub* restituo) egon non *defleam* talem adulescentem? Cap 140 . . bonis qui nunc adulescentem *euortisset* suis Tri 214 percontabor ecquis hunc adulescentem *nouerit* Cap 459 ecquem adulescentem tu hic nouisti Agorastoclem? Poe 1044 ego istunc non

noui adulescentem Tru 302   neu quisquam
posthac *prohibeto* adulescentem filium quin
amet Mer 1021   Lesbonicum hic adulescentem *quaero* Tri 873   quid tu adulescentem
quem esse corruptum uides.., quin eum *restituis?* Tri 116   tum adulescentem* ex fuga
retrahit sodalis Mer *Arg* I. 7(*RRg*)   ecquem
adulescentem..*uidistis?* Ru 313   ad prandium
uocauit adulescentem huc Ru 62   (uolo mulierem) quam..adulescentem maxume Mi 788
    eccum: eccum hic captiuom adulescentem*
intus Aleum Cap 169
    5. *voc.:*   quid ego erga te commerui, adule-
scens, mali? Au 735   adulescens, salue Ba 587,
Poe 1307*, Ru 1303   salue, adulescens Ru 416
saluos sis, adulescens Per 579   o adulescens,
salue, qui me seruauisti Men 1065   uideo ego
te Amoris..tactum toxico, adulescens Ci 299
adulescens, asta atque audi Ci 597   cistella
hic mihi, adulescens, euolauit Ci 731   adulescens.., quaeso ne me incomities Cu 399   heus,
adulescens! Ep 1   heus, adulescens, ecqua in
ista pars inest praeda mihi? Men 135   heus,
adulescens*, quid istic debetur tibi? Ps 1137
(*v. secl RLU*)   adulescens, si istunc hominem
..tibi commonstrasso, ecquam..inibo gratiam?
Ep 440   non repperisti, adulescens, tranquillum locum Ep 444   adulescens*, itast ut dicis
Ep 459   quem tu parasitum quaeris, adulescens*,
meum? Men 285   responde mihi, adulescens
Men 289   adulescens, quaeso, quid tibi mecumst rei? Men 494   responde, adulescens,
quaeso, quid nomen tibist? Men 498   non tibi
sanumst, adulescens, sinciput Men 506   opsecro
te.., adulescens*, operam mihi ut des Men
1007(*Rs*)   opsecro hercle, adulescens, ubi istaec
sunt mulieres? Ru 563   tibi di semper, adulescens, quisquis es, faciant bene Men 1021
adulescens, erras Men 1025   adulescens, quaeso
hercle, eloquere tuom mihi nomen Men 1066
tun meo patre's prognatus? #Immo equidem,
adulescens, meo Men 1079   adulescentes, aecumst clare plaudere Mer 1025   adulescens,
quid est? Mi 1297   adulescens, mecum rem
habe Mo 653   adulescens, uin uendere illanc?
Per 660   te meliust tuam rem, adulescens, loqui Poe 679   num, tibi, adulescens, malae..
pruriunt? Poe 1315   quid ais tu, adulescens?
Ps 615, Tri 892   ipse ego is sum, adulescens,
quem tu quaeris? Ps 978   quisquis es, adulescens, operam fac compendi quaerere Ps 1141
quid opust, adulescens? Ru 118   non hercle,
adulescens, ..quemquam istic uidi sacrificare
Ru 131   nihil habeo, adulescens, piscium Ru
941   quid, adulescens, quaeris? Tri 871   quid
est tibi nomen, adulescens? Tri 889   adulescens, cedodum istuc aurum mihi Tri 968   laboriosa, adulescens, uitast rustica Vi 31
    6. *cum praepp.* ab: seruos pedisequam ab adu-
lescente (ait *add PyLU* fingit *RRs*) emptam
Mer *Arg* II. 6   suspicionem ab adulescente
amoueris Tri 784
    ad: accessi ad adulescentes* in foro Cap 478
ad adulescentem a patre .. ueniat Tri 771
eum huc ad(*Ca om P*) adulescentem medita-
tum .. mittam Tri 817
    cum: aspicio osculantem Philocomasium cum

altero nescioquo adulescente Mi 289   adueni
..cum meo amatore adulescente Atheniensi
Mi 440
    de: emistin de adulescente has aedes? Tri
124
    ex: erilem filium uideo corruptum ex adule-
scente* optumo Mo 84
    pro: 'spopondi' pro illo adulescente quem..
Tri 428
    7. a. *additur* homo, mulier, *sim.* (*cf* A s m u s
De appositionis .. *coll.* p. 13): homo Ba 65, Ps
434, Tri 131   mulier Mi 788, 966   amans Cap
1032, Mer 973, Tri 131   captiuom Cap 169
filium Mer 1021
    b *adulescens* de summo loco Au 28   de ge-
nere summo Ru 1197   genere summo Tri 326
antiquis moribus Cap 105   moribus Mi 661
**ADULESCENTIA - - I. Forma adulescen-
tiae** (*gen.*) Au 795(-o- *EJ*)   (*dat.*) Mer 997
(o *D*), Mo 1157(-ai *BoR* o *CD*)   **adulescentiam** Cap 992(o *J*)   **adulescentia** Am 1031(o
EJ -am *P*), Ba 410, 1207, Ep 387(o *P*), 392(o
EJ), 432(*om EJ v. secl RgS trans AcLU*), 449
(o *EJ*), Mer 264(o *CD*), Ps 437(o *CD* -cia *B*),
Tri 301   *corrupta:* Ep 434, adulescentiam
add EJ om Ba; 459, -centiast *B¹ pro* -cens
itast St 557, -tiã *P pro* -tem   Tri 131, -tia
B pro -ti
    II. Significatio 1. *gen.:* ego me iniuriam
fecisse filiae fateor tuae..per uinum atque
inpulsu adulescentiae Au 795
    2. *dat. ex verbo pendet:* ora ut *ignoscat*..
adulescentiae Mer 997   stultitiae adulescentiae*que eius ignoscas Mo 1157
    3. *cum praepp.* ab: iam inde ab adulescentia
Ba 1207   usque ad hanc aetatem ab ineunte
adulescentia .. seruiui Tri 301
    ad: bene .. educatust usque ad adulescen-
tiam Cap 992   *Cf* L e e r s, p. 33
    in: prodigum te fuisse oportet olim in adu-
lescentia* Am 1031   feci ego istaec itidem in
adulescentia Ba 410   .. uitam ut uixissent
olim in adulescentia Ep 387   quasi..non pluruma malefacta mea essent solida in adulescentia Ep 392   stultitiast..uitio uortere egomet
quod factitaui in adulescentia* Ep 432   nempe
quem in adulescentia memorant ..? Ep 449
amaui equidem hercle ego olim in adulescentia Mer 264   uel tu ne faceres tale in adulescentia* Ps 437   *Cf* K a n e, p. 66; L e e r s,
p. 29
**ADULESCENTULUS, -A - - I. Forma adu-
lescentulus** Ci 158(-o- *J*), Tri 366(adulusc.
B)   **-tula** Ru 416(o *B*), Mi 634(*L vide* -tuli)
-tuli As 812(o *J*), Mi 634(-list *Ca* -les *B¹* -le
CD -lẹ *B²* -la est *L*)   **-tulo** Ba 88(o *C*), Ci
Arg 7, Poe 115   **-tulum** Cap 874(o *B*), Ps 871
-tulam Ep 43(o *P*), Mi 789   **-tulo** Mi 264(o
CD), 367(o *CD*), 390(o *CD*), St 571   *Cf* Ry-
h i n e r, p. 36; W u e s e k e, p. 10
    II. Significatio 1. *nom. vel voc.:* tu multum
salueto, adulescentula Ru 416   is hic compressit
uirginem adulescentulus Ci 158   *adiective:*
hic admodum adulescentulust* Tri 366   benignitas quidem huius oppido adulescentula*
est Mi 634(*L*)

2. *gen.:* apud amicam munus adulescentuli
fungare As 812 benignitas quidem huius adulescentuli* est Mɪ 634
3. *dat.:* pater harunc idem huic patruos
adulescentulo est Poᴇ 115 natam spondet
(*Pareus* despondet *P*) adulescentulo Cɪ *Arg* 7
istoc inlecebrosius fieri nihil potest . . homini
adulescentulo Bᴀ 88
4. *acc.:* quem . . dicitur *fecisse* rursus ex
sene adulescentulum Ps 871 *habeo* . . meretricem adulescentulam Mɪ 789 captiuam adulescentulam de praeda *mercatust* Eᴘ 43 *uidi*
. . illum adulescentulum Aleum Cᴀᴘ 874
5. *cum praepp.* cum: uidisse eam . . osculantem cum alieno adulescentulo Mɪ 264 osculantem (uidisse) cum alieno adulescentulo dixit
Mɪ 367 arguere . . uisast me cum alieno adulescentulo esse osculantem Mɪ 390
pro: nunc scelestus sese ducit pro adulescentulo Sᴛ 571
6. *additur:* homo Bᴀ 88 captiua Eᴘ 43
meretrix Mɪ 789(*cf* Asmus, p. 13) *adverbia:*
admodum Tʀɪ 366 oppido Mɪ 634
ADULTER - - **adulterum** se Iuppiter confessus est Aᴍ *Arg* I. 10 ubi quemque hominem aspexero, siue uxorem siue adulterum, . . obtruncabo Aᴍ 1049 *Cf* Inowraclawer, p. 41
ADULTERINUS - - infit dicere **adulterinum** et non eum esse symbolum Bᴀ 266
ADULTERIUM - - miles . . plenus periuri
atque **adulteri**(-ii *P* adel. *CD*[1]) Mɪ 90 nisi
adulterio(aad. *C*) studiosus rei nulli aliaest
inprobus Mɪ 802 (pallium) in adulterio dum
moechissat Casinam, credo, perdidit Cᴀs 976
Cf Kane, p. 71
ADULTERO - - adulterare(*i. e.* falsa dicere)
eum aibat rebus ceteris Bᴀ 268(*v. secl U: cf*
Langen, *Pl. Stud.*, p. 17)
ADVOCO - - I. Forma aduocabo Aᴍ 1128
aduocauisti Mᴇʀ 736(*B* aduocasti *CD*) **aduocauit** Bᴀ 262 **aduocet** Cᴀs 570(*A v. om*
P -at *U*), 572 **aduocauerit**(*subiu.*) Cᴀs 569
aduocare Ps 1158 **aduocatus** Aᴍ 1037, 1038
(*om HermRgl*), Cᴀs 567, Eᴘ 423, Mɪ 1419(*ACD*
euo. *B*), Ru 890, Vɪ 57 **aduocatum** Mᴇɴ 798
aduocato Aᴍ 1038, Mɪ 663, Tʀɪ 1161(at u. *B*)
aduocati(*pl.*) Aᴍ 1040, Poᴇ 767, 806 **aduocatos** Cᴀs 570, Poᴇ 506(duccatos *B*), 526, 531,
546, 568(-tus *P*) **aduocatis** Sᴛ 413
II. Significatio 1. *verb. fin.:* a. qui aduocatos aduocet*, rogitare oportet Cᴀs 570 hunc
aduocare etiam uolo Ps 1158 percontarier
adsitne ei animus . . quem aduocet Cᴀs 572
ego Teresiam coniectorem (huc *add MueRgl*)
aduocabo Aᴍ 1128
b. continuo (ibi *add HermRRg*) antiquom
hospitem nostrum sibi Mnesilochus aduocauit
Bᴀ 262 . . ne me nequiquam sibi hodie aduocauerit Cᴀs 569 tu in consilium istam aduocauisti* tibi Mᴇʀ 736
c. huc Aᴍ 1128(*MueRgl*) ibi Bᴀ 262(*Herm
RRg*) in consilium Mᴇʀ 736
2. *participium, semper substantive usurpatum*
(*cf* Wueseke, p. 15) a. *nom.:* quaeso ut aduocatus mihi adsis Aᴍ 1037 quaeram si . .
quem norim qui aduocatus adsit Vɪ 57 contriui diem dum asto aduocatus quoidam cognato

meo Cᴀs 567 quid ego faciam quem aduocati
deserunt? Aᴍ 1040 ei uolo ire aduocatus Eᴘ
423 quid opust me aduocato qui utri sim
aduocatus* nescio Aᴍ 1038 di tibi bene faciant . . quom aduocatus* mihi bene es Mɪ 1419
b. *voc.:* mementote illud, aduocati Poᴇ 767
bonam dedistis, aduocati, operam mihi Poᴇ 806
(*cf* Romeijn, p. 85)
c. *acc.:* non mihi te aduocatum . . *adduxi*
sed uiro Mᴇɴ 798 qui aduocatos *aduocet* . .
Cᴀs 570 hos *duco* aduocatos* Poᴇ 506 nos te
aduocatos huc duxisse oportuit Poᴇ 526 uos
. . mihi aduocatos dixi et testis ducere Poᴇ 531
cursores meliust te aduocatos ducere Poᴇ 546
te aduocatos* meliust celeris ducere Poᴇ 568
(*v. secl Weiss*⑧)
d. *abl.:* quid *opust* me aduocato? Aᴍ 1038
opusne erit tibi aduocato tristi? Mɪ 663 *absolutus:* impetrabit te aduocato* atque arbitro
Tʀɪ 1161 *post sine:* sine aduocatis . . in amicitiam atque in gratiam conuortimus Sᴛ 413
ADVOLO - - *semper translate:* pater **aduolat**,
uisam ancillam deperit Mᴇʀ *Arg* II. 4 aduolat
adulescens atque in proxumo deuortitur Mɪ
Arg II. 7 uox mihi ad aures **aduolauit**(*EJ
-bit BD*) Aᴍ 325 nescio quoia uox ad auris
mihi aduolauit Mᴇʀ 864 quoia ad auris uox
mihi aduolauit? Ru 333 *Cf* Egli, II. p. 57;
Wortmann, p. 39
ADVORSARIUS - - (Volcanus) Venerist **aduorsarius**(adue. *APL*) Ru 761 ualentiorem
nactus **aduorsarium**(adue. *PL*) si erit, ego
faciam . . Cᴀᴘ 64 *corruptum:* Sᴛ 72, aduersariis indedecore *P pro* aduersari sine dede-
core(*A*) *Cf* Wueseke, p. 18
ADVORSATRIX - - nunc adsentatrix scelestast, dudum aduorsatrix(adue. *PL*) erat Mo 257
ADVORSITOR - - **aduorsitores** pol cum
uerberibus decet dari uti eum uerberabundum
abducant domum Sᴛ 443(adducant *Rg*)
ADVORSO - - I. Forma aduorsatur Cᴀs
150(-e- *A*), 277(e *J*) **aduorsabar** Mᴇɴ 420(*BD*²
-bor *CD*¹) **aduorsaui** Ru 306(e *PL*) **aduorser** Pᴇʀ 26(*A* -rse *P*) **aduorsere** Cᴀs 253(*J*
e *BVEL*) **aduorsari** As 509(e *DEJL* adūs.
B), Au 142, Cᴀs 205, Mᴇʀ 377, Sᴛ 72(aduersari
sine dedecore *A* aduersariis indedecore *P*) **aduorsarier** Aᴍ 703(e *PL*), Sᴛ 513 **aduorsando**
Sᴛ 70(e *APL*) **aduorsatus** Pᴇʀ 839(e *PL*),
Tʀɪ 383 (e *APL*) **aduorsatum** Cᴀᴘ 403(e *PL*)
II. Significatio A. *activum:* animum(*Dissald* -mo *P*) aduorsaui sedulo ne erum usquam
praeterirem Ru 306
B. *deponens:* 1. *absolute:* . . potius ut quod
uir uelit fieri, id facias, quam aduorsere contra Cᴀs 253 exorando haud aduorsando sumendam operam censeo Sᴛ 70 aduorsari* sine
dedecore . . haud possumus Sᴛ 72 Sᴛ 513(*R
vide infra* 2)
2. *seq. dat.:* *Bacchae* bacchanti si uelis aduorsarier . . Aᴍ 703 *deis*ne aduorser* quasi
Titani? Pᴇʀ 26 . . nisi nollem *ei*(om *R*) aduorsarier Sᴛ 513 *filio* adnorsatur suo Cᴀs 150
noli sis tu *illi* aduorsari Cᴀs 205 ob industriam *mihi* aduorsatur Cᴀs 277 dicito . . neque te aduorsatum mihi(*Bri* me[d] auorsatum
tibi *PLLy*) Cᴀᴘ 403 *patrono* qui aduorsatust

nec satis liber sibi uidetur . . Per 839 an decorumst aduorsari meis te praeceptis? As 509
nec *tibi* aduorsari certumst de istac re Au 142
Cap 403(*vide sub* mihi) tibi non inprudens aduorsabar* Men 420 etsi aduorsatus (ei *add P
falso*) tibi fui, istac iudico Tri 383
    3. *cum* aduorsum: nolo aduorsari tuam ad-
uorsum sententiam Mer 377
ADVORSUS, -UM - - *adv. et praep.* I. **aduorsus** I. Collocatio 1. *adv. semel ante pron.*
(Men 487), *semel post*(Tri 724) *locatum est*
    2. *praep. post pron. bis*(Am 750, Ba 127), *post
subst. semel*(Poe 725), *ante subst. bis*(As 564,
Cas 208) *invenitur*
    II. Significatio 1. *adv. vel absolute vel seq.
dat.:* at tu mecum . . ito aduorsus Mo 897(-e-
PL) quis hic est qui aduorsus it(*Grut et Bo*
aduersum [adūsum *B*] sit *P* -e- *L*) mihi? Men
487 credo . . capturum spolia ibi illum qui
ero aduorsus (-e- *PL*) uenerit Tri 724
    2. *praep.:* etiam *me* aduorsus(-e- *CD*[1] med
aduorsum *R*) exordire argutias? Ba 127 mirum quin *te* aduorsus(-e- *PL*) dicat Am 750
praemonstrabitur quo pacto fiat subdola ad-
uorsus(*V* -e- *BJL* -sum *GepR*) *senem* Ep 318
. . ubi saepe causam dixeris pendens aduorsus
(-e- *PL*) octo artutos . . *uiros* As 564 satin
sana's, nam tu quidem aduorsus(aduosus *E*[1])
tuam istaec *rem* loquere Cas 208 (scitis) rem
aduorsus(e *PL*) populi (fieri *add RRgl*) saepe
(†§) leges? Poe 725(*vide L*)
    II. **aduorsum** I. Collocatio *praep. post
pron.:* me Ba 127(*R*), 698, Per 200, Poe 400
te Am 936, Au 690 illaec Ru 1348 *post adiec.:*
tuam Mer 377(a. t. *R*) *alibi antecedit*
    II. Significatio A. *adverbium* 1. *absolute:*
ibo aduorsum(-e- *J*) As 295, Men 775(*Py* uorsum
P) qui aduorsum(-e- *PL*) ruit, aspellito Mer
115 qui defendant ire aduorsum iussero St
607 estne aduorsum(*P* -e- *A*) hic qui aduenit
(*ex A* auenit *A* uenit *FlU* est quasi *cum lac
P*) Palaestrio? Mi 169 . . ut ueniam aduorsum temperi Men 445 uenio aduorsum(e *PL*)
temperi Men 464 ut iusserat ita uenio ad-
uorsum(-e- *PL*) Men 987 St 237(*infra* 2) ad-
uorsum(-e- *PL*) ueniat St 299 *translate* clare
aduorsum(*cod Gud* 2 auorsum *BD* auersum *E*
uersum *J*) fabulabor Am 300
    2. *seq. dat.: ferre* aduorsum(*P* -e- *A*) homini
occupemus osculum St 89 cesso . . ero meo
ire aduorsum? Cas 724 aduorsum (ei *add R*)
ut eant uocitantur eo Mo 876 solus nunc eo
aduorsum(-e- *P*) ero Mo 880 me meum officium facere, si huic eam aduorsum(-e- *D* adūsum *BEJ*), arbitror Am 675 quis haec est
quae aduorsum it mihi(*P* mihi aduorsum uenit
AR aduorsum uenit *FlRg*)? St 237 eccam
it mihi(me *U*) aduorsum Tru 503 Callidamati
nostro aduorsum(-e- *AL*) uenimus Mo 938 ei
aduorsum ueneram Cas 461 ei aduorsum uenimus Mo 947 facito ut uenias aduorsum
mihi Men 437 aduorsum mihi imperaui ut
huc ueniret Men 1051 aduorsum(-e- *PL*) ueniri mihi . . uolo temperi Mo 313 St 237(*AR
supra sub* eo)
    3. *seq. quam:* utrum indicare me ei thens-
aurum aequom fuit aduorsum(-e- *PL*) quam

eius me opsecrauisset pater? Tri 176(*cf* Fraesdorff *et* Brix *ad loc*)
    B. *praepositio* 1. *proprie:* qui aduorsum sti-
mulos(stetimus *U*) lamminas . . As 549 (*post lac*)
calcari quadrupedo agitabo aduorsum cliuom
As 708 quis haec est quae med aduorsum
(me ad. *CD*) incedit? Per 200 Tru 503(me *U
pro* mihi: *supra* A. 2 *sub* eo)
    2. *translate* a. *cum pronominibus vel per-
sonarum nominibus: me* Ba 127(*R supra sub*
aduorsus, II. 2) immo si audias quae dicta
dixit me aduorsum(-e- *PL*) Ba 698 . . ne
mendax me aduorsum(*P* -e- *A*) siet? Poe 400
minus dixi, ne haec censeret me aduorsum *se*
mentiri Mi 1080 ius iurandum uerum *te* ad-
uorsum(-e- *EJ*) dedi Am 936 egone ut te(ea
Non 232) aduorsum mentiar? Au 690 aduorsum te fabulare St 589 quid agimus, si offir-
mabit pater aduorsum(*C* -e- *ABDL*) nos? St 68
(*amor*) prohibet faciant aduorsum *eos* quod uoluit Ps 207(*v. secl RRgL* -e- *AP*) tu . . ad-
uorsum(*B* -e- *VJ* adūsum *E*) tuam *amicam*
omnia loqueris Cas 203 consulit aduorsum(-e-
A) *filium* Tri 396 . . si illic concriminatus sit
aduorsum *militem* . . Mi 242 quam techinam
de auro aduorsum(*B* -e- *CD*) meum fecit *patrem*
Ba 392 *senem* Ep 318(*GepR supra sub* aduorsus, II. 2) orationem tibi para aduorsum(*A*
-e- *P* -sem *C*) senem Ps 454
    b. *de rebus, sim.:* stultus est aduorsum(e
libri L) aetatem Fr II. 8(*ex Paul* 62) *illaec*
aduorsum(*Mue* illa negat uorsum *P*) si quid
peccasso . . Ru 1348 aduorsum *ius legesque*
. . iniuria hic factast Ru 643 aduorsum legem
meam . . pecudem cepit Tru 144(*cf Char* 140)
. . aduorsum(*F* -e- *PL*) legem accepisti . . pecuniam Tru 760 nolo aduorsari tuam aduorsum *sententiam* Mer 377 potine ut ne licitere
aduorsum(-e- *B*) mei *animi* sententiam? Mer
441 tardus est aduorsum mei animi sententiam Mer 597 si quid dixi . . aduorsum(-e- *C*)
animi tui sententiam . . Poe 1411
    3. *corrupta:* Men 487(*supra sub* aduorsus
II. 1) Poe 1355, *ubi* haud uerbum *A* aduersum *PU*†
ADVORTO - - I. Forma **aduorto** Ps 230,
St 546 **aduortis** Mi 39(*AB* -e- *CD*[2] -te *CD*[1])
aduortitis Tri 7(*A* auertitis *P*) **aduortam**
Tri 842(*A om P*) **aduortes** Tri 939(-tas *CaRs*)
aduortetis Ps 143(*ABD* -e- *C*) **aduortas** Cap
383, 388, 430, Ps 210, Tri 897, 939(*CaRs* -tes *P*ψ)
aduorterim Ep 215(*P* animaduorterint *A*) **aduorte** Am 393, As 332(*J* -e- *BDEL*), 732, Cap
110, 329(*J* -tite *BDVE*), 967(-e- *J*), Ci 511(*om
A*), Cu 270, Ep 456, Mer 302, Mo 399, Per 116
(-e- *C*), Ps 277(*P* -tite *A*), 481(*Pius* auorte *P*),
497, Ru 962, 1062, 1102, 1153(*B* -tite *CD*), Tri
66 **aduortite** Am 38, 95, Ba 753, Cas 29, 363
(-te*B*), 393(-e-*V*), 413, Cu 635, 701(*B* -te*VEJ*),
Ep 205, Men 5(-rate *C*), Mer 968, Mi 382(*A*
-tit *B*[1] -tito *P*), 766, Poe 3, 591(*ACD* -e- *B*),
1251, Ps 152(*P* -e- *A*), 156, 187, Vi 96(*ex Prisc*
II. 224 & 326 -e- *libri pler*) **aduortito** Ba
992, Ps 32 **aduorti** Tri 1046(*P* animaduerti
ARRg[o]*U*) **aduortendum** Mer 15(*Ac* -dam
P) **aduorsus**(*adiect.*) Men 899 **aduorsum**
(*nom.*) Tri 1047(*A* -e- *P*) **aduorso** Mer 33,

878(-e- *CD loc dub* dextrouorsum *Rg*), 880(*P RgLy varie em ψ*) **aduorsa** Bᴀ 113(-e- *PL* aliouorsa *U*), Ps 237(*B* -e- *CD*), 745, Tʀɪ 943 **aduorsae** Cᴀs 303(-se *BJ*) **aduorsa** Mᴇʀ 336 **aduorsis** Tʀɪ 344(*AB* -e- *CD*) *corrupta:* Eᴘ 714, aduersa *EJ pro* adserua Mᴇɴ 134, aduorti *B pro* auorti

II. Significatio A. *verbum fin. semper cum* animum *substantivo coniunctum* 1. *absolute:* animum aduortas uolo Cᴀᴘ 388 face ut animum aduortas Ps 210 animum aduorte Aᴍ 393, Mᴇʀ 302 animum aduortite Bᴀ 753, Cᴀs 363*, Eᴘ 205 aduortito animum Ps 32 animum, Argyrippe, aduorte sis As 732 quaeso, animum aduorte* Ps 277 aduorte animum sis tu Cᴀᴘ 110 Gripe, aduorte animum Rᴜ 1102 nunc aduorte animum Rᴜ 962 uos aduortite animum Cᴀs 413 amabo aduortite* animum Mɪ 382 tum uos animum aduortite igitur Poᴇ 591 animum aduortito igitur Bᴀ 992 aduortite animum, mulieres Poᴇ 1251 animum aduortite ambo Cᴀs 393 animum aduortite igitur ambo Mᴇʀ 968 animum aduortite ambo sultis Vɪ 96(*ex Prisc* II. 224 & 226) aduortite animum cunctae Ps 187

audio . . equidem atque animum aduorto Ps 230 ausculto atque animum aduorto sedulo Sᴛ 546 animum aduorte ac mihi quae dicam edissere Cᴀᴘ 967 aduorte* ergo animum et fac sis promissi memor Ps 481 Gripe, animum aduorte ac tace Rᴜ 1062, 1153* hanc rem agite atque animum aduortite Cᴜ 635 tacete atque animum aduortite Poᴇ 3 argumentum accipite atque animum aduortite* Mᴇɴ 5 aures uociuae si sunt, animum aduortite Cᴀs 29 dicam, si animum aduortitis* Tʀɪ 7 si animum aduortas, dicam Tʀɪ 897 si animum aduortes*, eloquar Tʀɪ 939

nunc uos(*add Py* iam *MueU* ✶ 𝔖) animum aduortite, dum . . argumentum eloquar Aᴍ 95 animum aduorte, ut . . haec scias As 332 igitur animum aduorte iam, ut . . scias Cɪ 511 animum aduorte, ut . . intellegas Eᴘ 456 aduortendum* ad animum adest benignitas Mᴇʀ 15

2. *seq. acc.*(*cf* Abraham, p. 219) a. *subst.:* nunc adeo hanc edictionem . . animum aduortetis omnes . . Ps 143 hanc rem Cᴜ 635(? *supra* 1)

b. *pronominis:* nunc hoc animum aduorte*, ut . . scias Cᴀᴘ 329 hoc animum aduorte Cᴜ 270 quaeso animum aduorte hoc : (hoc *U*) Pᴇʀ 116 hoc animum aduorte atque aufer ridicularia Tʀɪ 66 animum aduortite* hoc(*Langen om P* huc *MueRgl* ego *FlLU*), si possum hoc inter uos componere Cᴜ 701 hoc animum aduortite ambo Mɪ 766 hoc agite, hoc animum aduortite Ps 152 non hoc publice animum aduorti! Tʀɪ 1046 id adeo qui maxume animum aduorterim* Eᴘ 215

3. *seq. ad:* facete aduortis* tuom animum ad animum meum Mɪ 39 *hoc solo loco illi* animum *accedit adiectivum*

4. *apponitur enunt. vel interr. vel rel.:* nunc iam huc animum omnes quae loquar aduortite Aᴍ 38 quae loquar(*A* -or *PULy*) aduortite animum Ps 156 animum aduorte . . quapropter . te expertem amoris . . habuerim Ps 497(†*Ly*)

quam hic rem agat(*R* gerit *A* gerat *ZU*) animum aduortam* Tʀɪ 842(a. a. *A om P*)

animum aduortas uolo quae nuntiare hinc te uolo Cᴀᴘ 383 quo minus dixi quam uolui de te animum aduortas uolo Cᴀᴘ 430 animum aduorte nunciam tu quae uolo accurarier Mo 399

appon. si: Cᴜ 701(*supra* 2. b)

5. huc *verbo additur:* Aᴍ 38(*supra* 4), Cᴜ 701 (*MueRg supra* 2. b)

B. *participium*(*adiec.*) 1. *attributive* a. *proprie:* horiola aduecti sumus usque aqua aduorsa per amnem Tʀɪ 943 quo nunc capessis ted hinc aduorsa* uia? Bᴀ 113(*vide U*)

b. *translate:* hic *dies* peruorsus atque aduorsus mihi optigit Mᴇɴ 899 id *genus* hominum omnibus uniuorsis est aduorsum Tʀɪ 1047 quae nihil attingunt . . amator profert saepe aduorso *tempore* Mᴇʀ 33 satin omnes *res* sunt aduorsae mihi? Cᴀs 303 . . in re aduorsa animo auscultes Ps 237 scitne in re aduorsa uersari? Ps 745 deserere ullum . . in rebus aduorsis pudet Tʀɪ 344 homo . . nullus est . . aduorsa quoi *plura* sint sempiterna Mᴇʀ 336

2. ex aduorso: non me ex aduorso uides Mᴇʀ 878(*loc dub:* †𝔖 *em Rg* ex aduorsoque uide sis *Ly*) caelum . . ex aduorso uides Mᴇʀ 880(*loc dub: vide RLU et cf* 878)

3. *apponitur dat.:* mihi Cᴀs 303 quoi Mᴇʀ 336 omnibus Tʀɪ 1047

ADURO - - Mɪ 835, adurebat *Non* 207 *pro* amburebat

AEACIDINUS - - **Aeacidinis**(eachi. *DEJ* eachinidis *B*) minis(*BD* nimis *EJ*) . . expletus cedit As 405 *cf* Egli III. p. 14

AEDES - - I. Forma **aedis** As 220(-es *LLy*), Mo 80(-es *Ly an plur.?*) **aedem** Bᴀ 900, Cᴜ 481, Poᴇ 190, 264, 318, 333(in edem *BCD⁴* medem *D¹*), 339, 529, 1132, Tʀɪ 468, Tʀᴜ 406 (*PLy* †𝔖 *var em ψ*) **aede** Bᴀ 312 **aedi**(*abl.*), Poᴇ 847(*P* aede *RglLU*) **aedes** Aᴍ 955(*J* -is *BDE*𝔖)', 1096(*J* -is *BDE*), As 207, 242, Bᴀ 578, Cᴀᴘ 96, Cᴀs 521, 527, 533, Cɪ 314, 450(*L Ly in lac aliter RsU lac* 𝔖), Cᴜ 39, 93(-is *B*), Mᴇɴ 1158 , Mɪ 678(*PiusRRgLy* -is *Pψ*), 1278 *ReizLy* -is *P*𝔖*L*), Mo 101, 117(-is *R ut acc.*), 165(*B²* -is *PL*), 400, 504, 640(*B²RsLy* -is *Pψ*), 943(-is *in lac supp StudRs* -es *Ly*), Pᴇʀ 80, 732 (*B* -is *CD*), Ps 161, 952(-is *D*), Sᴛ 35, Tʀɪ 3, 390, 400, 1080(*ULy* -is *Pψ*), Tʀᴜ 174(*FZULy* -is *Pψ*), 187(*FZULy* -is *Pψ*), 214(*AULy* -is *Pψ*), Fʀ I. 70(*ex Diom* 383) **aedium** Aᴜ 438, Mᴇʀ 676(*Rg om Pψ*), 832, Mɪ *Arg* II. 12, Mo 91, 113, 119, 404, 686, Ps 951(*A ut vid P* ostium *SchmidtRg*𝔖), 1140, Sᴛ 450a, 450b(*v. om Aω*) **aedibus**(*dat.*), Bᴀ 172, Mo 107, Ps 953, Tʀɪ 177, Tʀᴜ 638 **aedis**(*semper Ly*) Aᴍ 264(-es *B²J*), 292(-es *J*), 350(-es *J*), 406(*U* -es *Pψ*), 448, 603 (-es *D²J*), 617(-es *D²J*), 667, 733(-es *J*), 1013 (-es *J*), 1018(sedes *J*), 1048(*Ca* aedibus *P*), 1052 (*Ca* aedibus *P*), 1067(-es *B²J*), 1073, 1095(*RglU* -es *Pψ*), As 272, 346(-es *BJ*), 381, Aᴜ 82(-es), 90(-es *J*), 98(-ibus *EJ*), 102(-es *J*), 274, 361 (-es *J*), 388(-es *J*), 446, 536(*DU* -es *BVJψ*), 553(*Py* aedibus *P*), 727(-es *J*), Bᴀ 10(*add RRg om Char*ψ), 1120(-es *PRgL*), Cᴀᴘ 252, 845(-es *J*), Cᴀs 295(-es *J*), 574, 593(-es *J*), 596(-es *J*),

662, Cı 169(-es *J*), 312(*A solus*), 319(*A solus*), 543(-es *J*), 649(-es *J*), 675(-es *J*), Ep 186, 344 (-es *E*), 437(·es *J*), 568(-es *J*), 570(-es *J*), Men 357, 629, 632, 676, 698(occlusit aedis *B*² octus taedis *B*¹ iraedis *C* itaedis *D*¹), 773, 816(hedis *B*¹*C*), 819(eas ędis *B*² ea sedis *P*), 1053(hędis *D*), Mer 397, 560, 786(*P* -eis *ARg*Ş), 808, 813, 901, 924, Mı 121, 310, 460, 495, 510, 681, 817, 991, 1096, 1121, 1166, Mo 6, 103(-es *Rs* ędes *B* edes *CD*), 147(*RRsLy* -es *Pψ*), 379, 403, 405, 423, 446(*FZRRsLy* -es *Pψ*), 454, 468(*RRsLy* -es *Pψ*), 470, 480, 547(hasce aedis *B* has cedis *CD*), 637(-es *BC*), 638 *bis*, 641, 642, *ib.*(*om CD*), 659, 664, 670, 674(*P* -es *A*), 753(*P* has cedis *B*¹), 796(*R om APLy*), 806(-es *P*), 809, 817 (-es *B*), 843, 848(-es *A* adeo *P*), 906(*RRsLy* -es *Pψ*), 935, 939, 944(*Stud ex A*), 968(sędis *B*¹), 977(*BD* -es *AC*), 997(*om D*), 1026a *bis*, 1066, 1082, 1085, 1091, Per 570(-es *CD*), 571 (*A* -es *P*), 739(*DRgLy* -es *BCψ*), Poe 412, 728, 920(*Ly* -es *APψ*), Ps 181, 469, 597, 962, Ru 497(-es *B*), 501(-es *B*), 583(*A* -eis *P*Ş), 930 (-es *CD*), St 354, Trı *Arg* 4, 8, Trı 124(-es *BD* -aes *C*), 168(*Non* 525 -es *P*), 179(*P* -es *A*), 194, 421, 422, 863, 867, 868(aedes hic *CD* edia chic *B*), 1001, 1081, 1093, Tru 95, 177, 252 (aebis *A*), 256, 258, 281, 335, 522, 558(*FZLU Ly* as dis *P*Ş† suas aedes *Rs*), 642, 895 **aedibus** Am 97, 150, 700, 882, 978, 1050, 1057, 1080, As 127, 362, 430, 435, 632, 762, Au 44, 70, 339, 370, 427, 459, 505, 552, Ba 423, 581, 593, Cap 533, Cas 36, 763, 776, Cı 546, Men 307, 327, 820, Mer 684, 706, 799(his caedibus *B*), 901, Mı *Arg* I. 6, Mı 332, 421, 483(pedibus *B*¹), Mo *Arg* 4, 8, Mo 3, 7, 390, 402, 451, 460, 482, 502 (*B* his cedibus *CD*), 698, 950(hisc in aedibus *A* his cedibus *B*¹*D*¹ his tedibus *C*), 951(*A solus*), Poe 78(illisce ędibus *C* illisce hedibus *D* illis cae diebus *B*), 95(hedibus *D*), 834, 1283, Ps 656(*A* scędibus *P*), 730(aediebus *B*), 895, Ru 1046, St 61, Trı 12, 137, 150, 276(*om Non* 374), 402(*ACD* isce dibus *B*), 601, 616, 805, 1127, Tru 50b(*PU secl ψ*), 284, 847, Vı 58 *corrupta*: As 387, aedibus *P om Gul*ω Mı 50, aedes *B ante ras pro* edes Mo 857, ab aedibus *CD pro* a pedibus Per 104, ad aedes *Non* 10 *pro at* edes Trı 473, aedis *P pro* edis(*A*) Tru 50b, iteca in aedibus lenonis *P quod om plerique em U*

II. **Significatio** A. *sing.* 1. *aedificium*: aedis* nobis areast As 220 omnia periere, et aedis* et ager Mo 80   *an haec quoque pluralis numeri sunt?*

2. *templum:* abiit aedem uisere *Mineruae* Ba 900 ad aedem *Veneris* uenimus Poe 318 erus nos apud aedem Veneris mantat Poe 264 apud aedem Veneris hodiest mercatus meretricius Poe 339 ubi sunt meae gnatae? #Apud aedem Veneris Poe 1132 ego in aedem Veneris eo Poe 190 quo te agis? #In aedem* Veneris Poe 333 si me in aedem uos dixissem ducere.. Poe 529 si in aedem ad cenam ueneris.. Trı 468 domum haec ab aedi Veneris refero uasa Poe 847 in eapse aede *Dianae* conditumst Ba 312 pone aedem *Castoris* ibi sunt.. quibus credas male Cu 481   *Cf* Vissering, p. 64
tonstricem Suram nouisti? #Quaen(*SpLy* quem *P*Ş†) erga aedem(*PLy* quae mergi aciem in

Rs quae mercedem *L duce Buggio* quae mercede *BugU*) sese habet? Tru 406(*cf* Langen, *Beitr.*, p. 156)

B. *plur. aedificium α. proprie praeter* Ps 469; *saepe per metaphoram ut personae usurpatur, de quo cf* Goldmann, I. p. 20; Graupner, p. 7
1. *nom. (vel acc.) verbi subiunct.:* tum mihi aedes quoque *arridebant* As 207 *ardere* censui aedis Am 1067 aedes totae *confulgebant* Am 1096 meae issula sua aedes *egent* Cı 450(*LLy in lac: aliter Rs*)   fac *habeant* linguam tuae aedes Cas 527 aedes *hiscunt* Ps 952 praecipio ut *niteant* aedes Ps 161 Venerem meram haec aedes *olent* Cı 314 face olant aedes Arabice Fr. I. 70(*ex Diom* 383) aedes non *patent* As 242 *periere* haec oppido aedes Mo 165 aedes primo *ruere* rebamur tuas Am 1095 mihi supellex squalet atque aedes meae Per 732 euge fundi et aedis, per tempus *subuenistis*(uenistis mihi *Rs*) Tru 187 fac *uacent* aedes Cas 521 *uenibunt* serui supellex, fundi, aedes Men 1158
aedificantur aedes totae denuo Mo 117 *aperiuntur* aedes Am 955, Per 80, Trı 400 ego *apertas* aedis nostras conspicor? Au 388 *aperiuntur* aedes festuuissumae Cu 93 iubeas *concludi* aedes Per 570 fundi et aedis *obligatae* sunt Tru 214 aedes iam fac *occlusae* sient Mo 400 aedes.. sunt *paratae* Mo 101 *sunt* mihi etiam fundi et aedis Tru 174 haec *sunt* aedes Trı 390 ut *demonstratae sunt* mihi, hasce aedis esse oportet As 381 em illae *sunt* aedes Trı 3 meae *sunt* istae aedis Mo 943(*Stud et Rs ex A*) non *sunt* nostrae aedis istaec? Trı 1080 quae harunc *sunt* aedes, pulta Ba 578 lenonis hae *sunt* aedes Cu 39 hasce esse aedis dicas dotalis tuas Mı 1166 quia aedis dotalis huius *sunt* Mı 1278 haec aedis* ita *erant*, ut dixi tibi Mo 640
aedes *lamentariae* mihi sunt Cap 96 orabat *liberae* aedes ut sibi essent Cas 533 *liberae* sunt aedes Mı 678 facite sultis *nitidae* ut aedes meae sint St 65 *puras* sibi esse uolt aedis* Tru 558 *scelestae* hae sunt aedes Mo 504 dixit.. *septumas* esse aedis a porta Ps 597
2. *gen. ex subst. vel adiect. pendens:* angulos omnis mearum aedium.. †peruium facitis Au 438 clauem mihi harum aedium Laconicam iam iube efferri intus Mo 404 cultus iam mihi harunc aedium interemptust Mer 832 dominus aedium suam clientem.. subornat Mı *Arg* II. 12 eccum aedium dominus foras.. progreditur intus Mo 686 aedium dominum tenesne.. quaerito Ps 1140 propera mihi monstrare ubi sit os lenonis aedium(*BriL ULy* ostenonis aedium *P et A ut vid* ostiumst l. a. *R* ubist lenonis ostium *SchmidtRg*Ş) Ps 951 est etiam hic ostium aliud posticum nostrarum harunc aedium? St 450a posticam partem magis utuntur aedium St 450b(*v. om A*ω) uicinor Mer 676(aedium *add Rg om Pψ*) nequior factus iamst usus aedium Mo 113 nouarum aedium esse arbitro similem ego hominem Mo 91 uolo dicere ut hominis aedium esse similis arbitremini Mo 119
3. *dat. ex verbis vel adiectivis pendens:* aedibus uitium additur, bonae quom curantur male Mo 107 ego alium dominum paterer fieri hisce aedibus? Trı 177 his suffringam

(eff. *SchmidtRs*) talos totis aedibus Tru 638
Cf Graupner, p. 3

ego sum amicus nostris (aedibus *add P om
Guω*) As 387 aedis hiscunt. #Credo, animo
malest aedibus Ps 593(*cf* Egli, I. p. 22) Apollo,
qui aedibus propinquos nostris accolis Ba 172
4. *acc.* **a.** *ex verbis pendens:* numquam ego
me scio uidisse umquam *abiectas* aedis Mo 906
quis homost qui nostras aedes *accessit* prope? Mo
446 ille aedis mancipio abs te *accepit?* Tri
421 quis illic est qui .. nostras aedis *arietat?*
Tru 256 ne etiam *aspicere* aedis audeat Mo 423
adseruate (hasce *add Rs*) aedis Tru 95 aedes
ne *attigatis* Mo 468 .. an ne quis aedes *auferat?* Au 82 istum .. *circumduce* hasce aedis
et conclauia Mo 843 nos nostras aedis postulas *comburere?* Au 361 ferreas aedis *commutes*
Per 571 illic homo aedis *compilauit* As 272
hasce aedis *conductas* habet Ci 319(*A solus*)
mihi aedis aliquas conducat uolo Mer 560 *conspicor* Au 386(*supra* 1 *sub* aperio) *conuorrite*
(aedis *add RRs om Charψ*) scopis Ba 10(*ex
Char* 219) aedes *demonstraui* nostras As 346
quotumas aedis *dixerit* .. incerto scio Ps 962
emistin de adulescente has aedis? Tri 124 emi
egomet potius aedes Tri 179 illum unde hasce
aedis* emeram Mo 547 aedis filius tuos emit.
#Aedis? #Aedis. #Ain tu, aedis? #Aedis, inquam
Mo 637-40 qua in regione istas aedis emit
filius? Mo 659 eas emisse aedis huius dicam
filium Mo 664 tuos emit aedis filius Mo 670
aedis emit has hinc proxumas? Mo 977 eccum
unde aedis* filius meus emit Mo 997 de te
aedis emit. #De(*L* aedis. #Itane? de *RsⵉLy
ex A*) me ille aedis emerit? Mo 1026a lepide
exconcinnauit hasce aedis Alcesimarchus Ci 312
(*Stud ex A*) ut bene uociuas aedis *fecisti* mihi
Cas 596 quid istas aedis *frangitiͰ?* Mo 939
mage amat .. si quidem *habes* fundum atque
aedis Tru 177 me .. tuan causa aedis *incensurum* censes? Cap 845 aedis uenalis hasce
inscribit litteris Tri 168 cupio hercle *inspicere*
hasce aedis* Mo 674 .. ut sibi liceret inspicere
hasce aedis tuas Mo 753 inspicere te aedis has
uelle aiebat mihi Mo 806 *instruam* agrum atque aedis, mancipia (adiungam *add Rs*) Ru 930
mancipo Mo 1091(*infra sub* posco) continuost
alias aedis *mercatus* sibi. #Ain tu? aedis?
#Aedis*, inquam Mo 641-2 aedis *noscitat* Tri
863 noui aedis nostras Am 448 aedes* *occluserunt* Am 1018 aedis occlude, iam ego hic
adero Au 274 occludite aedis pessulis Ci 649
abiit intro, occlusit aedis* Men 698 has ego
aedis occludam hinc foris Mo 405 hic .. *offendet* .. aedis plenas conuiuarum Mo 379 aedis
spoliis *opplebit* tuas Tru 522 qualubet *perambula* aedis Mo 809 errabo potius quam *perductet* quispiam. #Aedis dico Mo 848 iube
aedis(†ⵉ*L*) mancipio *poscere*(mancipare *URs
duce Lorenzio*) Mo 1091 caue *praeterbitas* ullas
aedis Ep 437 laudant fabrum atque aedes *probant* Mo 103 *pultat* aedis Ba 1120 hasce aedis
pultabit senex Mo 403 quid, si in recenti re
aedis pultem? Poe 728 non uideor mihi *sarcire* posse aedis meas Mo 147 si miles sciat
.. has *sustollat* aedis totas Mi 310 eho an tu
tetigisti has aedis? Mo 454 iste .. qui has tibi

aedis *uendidit* Mo 480 maestus est se hasce
aedis* uendidisse Mo 796 an iam uendidit
aedis Philolaches? Mo 944(*Stud ex A*) negat
.. neque se hasce aedis Philolachi uendidisse
Mo 1082 ius iurandum pollicitust dare se ..
mihi neque se hasce aedis uendidisse, Mo 1085
tibi uendere hasce aedis licet Poe 412 aedis
uendit Tri *Arg* 4 aedis uendidit Tri 194
adfinis noster aedis uendidit Tri 422 uendidit
tuos natus aedis Tri 1081 opust ancilla ..
quae aedis *uerrat* Mer 397
b. *exclamationis:* dic igitur ubi illast? #In
nostris aedibus. #Aedis probas Mer 901
5. *abl.* **a.** *loci:* omnis festinant intus totis
aedibus Cas 763
b. *separationis:* nego tibi hoc .. fuisse ..
copiae .. pedem ut *efferres* aedibus Ba 423
foras aedibus me *eici?* As 127 Lesbonicum ..
euortit aedibus Tri 616 me .. decies die uno
saepe *extrudit* aedibus Au 70 metuo .. ne uxor
mea me extrudat aedibus Ru 571 *exturbauit*
hic nos (ex *add PL om Guyψ*) nostris aedibus Tri 601 cunctos exturba aedibus Tri 805
penetro Tri 276(*infra* 6. e)
c. *abl. abs.:* acceptum dicit pignus emptis
aedibus Mo *Arg* 8
6. *cum praepp.* **a. a, ab:** *abi* in malum cruciatum ab aedibus Au 459 proin tu ne quo
abeas longius ab aedibus Men 327 *abigam*
ego illunc aduenientem ab aedibus Am 150
fac Amphitruonem aduenientem ab aedibus ut
abigas(abeat *Non* 88) Am 978 *abscede* ab aedibus Mo 7, 640 *duc* te ab aedibus Ba 593
faciam .. ut *fugiat* longe ab aedibus Mo 390
me hodie senex *seduxit* solum sorsum ab aedibus As 362
b. ad: neque ego iam hominem hodie ad
aedis has sinam .. *accedere* Au 264 quid tibi
ad(*A ab P*) hasce *accessio* aedis est prope?
Tru 258 ad aedis nostras nusquam *adiit* Au
102 ne ad alias aedis perperam *deueneris* Mo
968 ut *uenit* ad aedis, hunc deludit Charmidem Tri *Arg* 8 ad nostras aedis* hic quidem
habet rectam *uiam* Tri 868
c. ante: quamne .. *accepi* hic ante aedis cistellam? Ci 675 munerigeruli facite ante aedis
iam hic *adsint* Ps 181 non ego te modo hic
ante aedis .. uidi *astare?* Men 632 cur ante
aedis astas? Men 676 uideo Syram astare
ante aedis Mer 808 *audire* uocem uisa sum
ante aedis modo Ci 543 quid hoc hic clamoris audio ante aedis meas? Tri 1093 quid
tibi .. hic ante aedis *clamitatiost?* Mo 6 quisnam homo hic ante aedis nostras .. *conqueritur?* Au 727 *consperge* ante aedis St 354 eccum ipsum ante aedis *conspicor* Apoecidae Ep
186 ante aedis duo sodalis .. conspicor Ep
344 post ante aedis .. me *dҽrideto* Men 629
hic Ͱipulo te *differam* ante aedis Au 446 uxorem huc iam *euoca* ante aedis cito Cas 295
huc si ante aedis euocem .. Poe 920 quid est
.. quod me *exciuisti* ante aedis? Ep 570 quis
.. ante aedis nostras sic *iacet?* Am 1073 mea
ludificauisti hospitam ante aedis modo Mi 495
ego illum ante aedis *praestolabor* Mo 1066
iube .. *prodire* filiam ante aedis meam Ep 568
ubi sunt isti quos ante aedis iussi huc *pro-*

duci? Cap 252 *progredere* ante aedis Mi 817
tu hic ante aedis interim *speculare* Mi 1121
nonne ego nunc *sto* ante aedis nostras? Am
406 ante aedis stabam Am 603 Alcumenam
ante aedis stare saturam intellego Am 667
quid haec .. tam diu ante aedis stetit? Tru
335 ubi illest quem coquos ante aedis *esse*
ait? Men 357 iamst ante aedis circus Mi 991
.. quid illi negoti fuerit ante aedis meas Tri
1001 *tractauisti* hospitam ante aedis meas
Mi 510 quis hic est homo quem ante aedis
uideo hoc noctis? Am 292 Men 773 (*infra sub*
ecce) uiden uestibulum ante aedis hoc? Mo
817 quid uides? erum atque ancillam ante
aedis? Tru 895

ecce: sed eccum adfinem ante aedis Au 536
sed uxorem ante aedis eccam Cas 574 sed
eccum ante aedis Cas 593 eccam eampse ante
aedis et eius tristem uirum uideo Men 773
eccum ipsum ante aedis Per 739

d. apud: quin modo *erupui* homines quom
ferebant te sublimen .. apud hasce aedis Men
1053 quid apud hasce aedis *negoti est*, tibi?
Am 350 quid apud nostras negoti .. est aedis
tibi? Tru 281 quid illisce homines *quaerunt*
apud aedis meas? Mo 935 apud illas aedis
sistendae mihi sunt sycophantiae Tri 867

e. ex: .. nisi hinc *abducit* .. ex hisce aedibus* Mer 799 uxorem quam primum potest
abduce ex aedibus Tru 847 clanculum ex aedibus me *edidi* (dedi *GulR*) foras Mo 698 med
amantem ex aedibus *delegit* (eiecit *FlRglL* deiecit *CaULy*) huius mater As 632 *egredere* ..
ex aedibus Mo 3 *emigrauit* iam diu ex hisce
aedibus Mo 951 *exaedificasset* me ex his aedibus .. Tri 1127 hinc ex hisce paulo prius
uidi *exeuntem* mulierem Ci 546 necdum exit
ex aedibus* Ps 730 qua nic nunc causa *extrusisti* ex aedibus? Au 44 cupiunt extrudere
incenatum ex aedibus Cas 776 eum *exturbasti*
ex aedibus Tri 137 Tri 601 (*PL supra* 5. b)
quo illic homo foras se *penetrauit* ex (*om Non*
374) aedibus? Tri 276 quo illum .. hominem
proripuisse foras se dicam ex aedibus? Cap
533 (*rapere*) te multo magis opinor uasa
ahena ex aedibus* Ps 656

f. in *cum acc.*: amicam *adduxit* intro in
aedis Mer 813 mater iratast patri .. quia
scortum sibi .. adduxerit in aedis Mer 924
in aedis me ad te adduxisti Ru 497 Malam
Fortunam in aedis te adduxi meas Ru 501
in aedis me ad se *deduxit* (*Ca* duxit *P*) domum
Mi 121 obseruauit .. quas in aedis haec
puella *deferat* Ci 169 quin intro *ire* in aedis
numquam licitumst Am 617 nec te iubeo ..
intro ire in aedis Tru 642 caue quemquam
alienum in aedis *intromiseris* Au 90 in aedis*
meas .. neminem uolo intromitti Au 98 mihi
intromisti in aedis* quingentos cocos Au 553
nolo mihi oblatricem in aedis intromittere (*P*
ducere *A*) Mi 681 neque meum pedem huc
intuli etiam in aedis .. Am 733 neges te umquam pedem in eas aedis* intulisse? Men 819
intro *rumpam* in aedis* Am 1048 intro rumpam recta in aedis Mi 460 barbarum hospitem mihi in aedis nihil *moror* Ru 583 (*sc* uenire?) nec pol ego patiar .. meas in aedis sic

scorta *obductarier* Mer 786 *pergam* in aedis*
nunciam Am 1052 in hasce aedis pedem nemo
intro *tetulit* Mo 470 nullo pacto potest prius
haec in aedis *recipi* Mi 1096

cum abl.: quid tibi in istisce aedibus *debetur*? Mi 421 eumque hic *defodit* ibidem in
aedibus Mo 482 me defodit insepultum ..
in hisce aedibus* Mo 502 thensaurum *demonstrauit* mihi in istisce aedibus Tri 150 *durare*
nequeo in aedibus Am 882 meministis quod
opus sit facto *facere* in aedibus St 61 tanta
mira in aedibus sunt *facta* Am 1057 terrifica
monstra dicit *fieri* (*Grut* sileri *P*) in aedibus
Mo *Arg* 4 *forat* .. communem clam parietem
in (*om ScioPR*) aedibus Mi *Arg* I. 6 in illisce
habitat aedibus Amphitruo Am 97 in hara,
haud aedibus habitat (habet *U*) As 430 is ..
in illisce habitat aedibus Cas 36 ais habitare
med in illisce aedibus? Men 820 .. natus nemo
in aedibus habitet Mo 402 non hic Philolaches .. habitat hisce in aedibus*? Mo 950
is illic adulescens habitat in illisce aedibus?
Poe 78 is in illisce habitat aedibus Poe 95
is illic adulescens .. in hisce habitat aedibus
Tri 12 hicine uos habitatis? #Hisce in aedibus Vi 58 non tu in illisce aedibus *habes*?
Men 307 omnis angulos furum *inpleuisti* in
aedibus Au 552 nihil omnino in aedibus *linquet* suis Tru 50 b (*U in loco desp: secl* ψ) in
aedibus quid tibi meis nam *erat negoti*? Au
427 si ancillam .. *obtruncabo* in aedibus Am
1050 me *reliquit* pro atriensi in aedibus Poe
1283 natus nemo in aedibus *seruat* Mo 451
.. neque eo *esse* seruom in aedibus eri qui sit
pluris quam illest As 435 ne epistula quidem
ulla sit in aedibus As 762 in aedibus turba
istic nulla tibi erit Au 339 uerba hic facio
quasi negoti nihil siet rapacidarum ubi tantum sit in aedibus Au 370 ecquis in aedibust? Ba 581 nescioquaest mulier intus hic
in aedibus Mer 684 ubi illast? #In nostris
aedibus Mer 901 me homo nemo deterrebit
quin ea sit in hisce aedibus Mi 332 illa ..
intus est in aedibus* Mi 483 in totis aedibus
tenebrae, latebrae Poe 834 in aedibus sunt
fures Ps 895 musca nulla feminast in aedibus Tru 284 te *uidi*. #Quo in loco? #Hic
in aedibus Am 700 in aedibus .. nimia mira
uidi Am 1080 plus plaustrorum in aedibus
uideas Au 505 uidisse credo mulierem in aedibus Mer 706

g. intra: si ego intra aedis* huius umquam
.. penetraui pedem Men 816

h. per: insectatur omnis domi per (agitat
per *Rs*) aedis Cas 662

i. pro: pro hisce aedibus* minas quadraginta accepisti Tri 402

k. prope: quamque .. uidet prope has aedis*
adgrediri Tru 252

7. *translate*: fac sis uociuas .. aedis aurium
Ps 469 *Cf* Inowraclawer, p. 34

β. *templa*: apud omnis aedis sacras sum
defessus quaeritando Am 1013

C. *adiectiua; praeter pronomina* hic, ille,
iste, meus, tuos, noster, uoster, suos, alius, ullus,
*sim. atque possessoris genitiuum haec adiectiua
apponuntur*: dotales Mi 1166, 1278 festiuis-

sumae Cu 93   ferreae Per 571   lamentariae
Cap 96   liberae Cas 533, Mi 678   nitidae St 65
nouae Mo 91   plenae Mo 379   probae Mer 901
purae Tru 558(?)   quotumae Ps 962   sacrae
Am 1013   scelestae Mo 504   septumae Ps 597
speculoclarae Mo 645   totae Am 1096, Cas 763,
Mi 310, Mo 117, Poe 834, Tru 638   uenalis
Tri 168   uaciuae Cas 596, Ps 469

AEDICULA - - in **aediculam** istanc (mulierem) sorsum concludi uolo Ep 402   haec pauperes res sunt inopesque (**aediculae** add Rs)
Ru 282   Cf Ryhiner, pp. 18, 43

AEDIFICATIO - - non placet profecto mihi
illaec aedificatio(aediffi. C) Mi 210   tum specimen cernitur quo eueniat aedificatio Mo 132
Cf Inowraclawer, p. 33

AEDIFICIUM - - haec argumenta ego **aedificiis** dixi Mo 118

AEDIFICO - - I. Forma aedificat Mer 87,
Mi 209(hed. P ed. B²)   **aedificantur** Mo 117
(-atur B¹ -ant. R)   **aedificato**(imp.) Mo 774
aedificare Mo 755, 1028, 1029   **aedificatas**
Mer 902   corruptum: Mo 157, es aedificatā CD
pro esse deficatam; 761, aedificatas has sane
P pro exaedificatas insanum(Stud ex A)
    II. Significatio ideo aedificare tuo(sc gy-
naeceum?) uelle aiebat in tuis Mo 1028   hic
aedificare uolui? Mo 1029   si quid erit quod
illi placeat .. ipse aedificato Mo 774   si tu
uera dicis, pulcre aedificatas (sc aedes) arbitro
Mer 902   aedificantur* aedes totae denuo Mo
117(vide R)   gynaeceum aedificare uolt hic in
suis Mo 755   aedificat nauem cercyrum Mer
87   translate de cogitando: ecce autem aedificat* Mi 209   Cf Inowraclawer, p. 33

AEDILICIUS - - edictiones **aedilicias**(et delicias J) hic quidem habet Cap 823   Cf Egli,
II. p. 42; Inowraclawer, p. 80

AEDILIS - - I. Forma aedilis Ru 374
aedilem Men 587(apud a. ARL ad iudicem
Pψ)   **aediles** Am 73(aedibiles B), Per 160(-is
PS)   **aedilium** Tri 990   **aedilibus** Poe 1012
aediles Men 590(-em R -is ULy)
    II. Significatio .. quamuis fastidiosus aedi-
lis est Ru 374   . siue adeo aediles* perfidiose
quoi duint Am 73   praebenda aediles* locauerunt Per 160   apud aedilem* res est Men 587
uapulabis meo arbitratu et nouorum aedilium
Tri 990   mures Africanos praedicat .. ludis
dare se uelle aedilibus Poe 1012   apud aediles* .. dixi causam Men 590

AEDILITAS - - sine suffragio populi tamen
aedilitatem hic quidem gerit St 353   Cf Egli,
II. p. 42

AEDITUMUS, AEDITUOS - - aedituom(Rg
-um PS†U ed. P aedituumum L Ly arbitror add
RgU) aperire fanum(†L) Cu 204

AEGER - - I. Forma aeger Ep 129   **aegra**
Tru 475(ornata ita ut aegra uidear BueL ornatum ut grauida PS†Ly† ornatu nunc sacri-
fico Rs ornatum mihi prouidi U)   **aegri** Am
641   **aegram** Tru 464(egratia C), 500   adverbium: aegre As 582, 832(aegere J), Ba 464,
492, 691, 1103, 1109(aegrest idem R par idemst
Pψ), 1114, Cap 129, 146, 461, 462, 701, 912 b
(Rs lac Aψ), Cas 176, 179, 180, 421, 429, 607,

Cu 169, Men 626, Mer 251(abductam illam aegre
pati A a. conqueri B i. a. c. CD), 369, Mi 205,
639, 747(aeg.e est A egressi P), Per 835(Rs
om Pψ), Poe 236, 1067, 1071(agras B), St 344
(RRs om PS†LLy impune R in adn. U), Tri
260, 1086, Tru 526(aegrest dorso Rs ego medulo PS†Lt Ly† aegre moneo SeyU)   **aegrius**
Am 910(aegregius J),   As 119   corruptum:
Cas 896, aequm P aegrum B² pro aequom
(Ca)
    II. Significatio(cf Gimm, p. 6)   A. ad-
iectivum: a morbo ualui, ab animo aeger fui
Ep 129   sumque ornata ita ut aegra* uidear
Tru 475(BueL)   med esse aegram* adsimulo
Tru 464   tibi opust aegram ut te adsimules
Tru 500   substantivum: plus aegri ex abitu
uiri quam ex aduentu uoluptatis cepi Am
641
    B. adverbium 1. = moleste a. cum verbis
patiendi: .. quom eius incommodum tam aegre
feras Cap 146   factum: quod ego aegre tuli
Poe 1067   si alibi plus perdiderim, nimis
aegre habeam Ba 1103   possum .. inducere
animum ne aegre* patiar quia tecum accubat
As 832   stultus es qui illi male aegre patere
dici Ba 464   uiden ut aegre patitur gnatum
esse corruptum tuom? Ba 492   ego .. abductam illam aegre* pati Mer 251   quo
me priuatum aegre* patior mortuo Poe 1071
ego istunc aegre* patior dicere iniuste mihi
St 344
    b. cum esse, facere, vel absolute vel addito
dat.: cupio tibi aliquid aegre facere Cas 607
numquam quicquam meo animo fuit aegrius*
Am 910   quid est quod tuo nunc animo aegrest? Cas 179   nescio quid meo animost
aegre Mer 369   aegrest* dorso Tru 526(Rs)
si illis aegrest*, mihi quod uolup est .. Mi
747   mihi aegrest* idem Ba 1109(R)   aegrest
mihi hunc facere quaestum carcerarium Cap
129   hoc mihi aegrest me huic dedisse operam Cap 701   male †ualere te quod mihi
aegrest Cu 169   quid tibi ex filio nam ..
aegrest? Ba 1114   quod tibist aegre idem
mihist diuidiae Cas 180   quamquam hoc tibi
aegrest tamen fac accures Cas 421   dic ..
quid tibi aegrest Men 626   credidi aegre tibi
id .. fore Tri 1086   aegre quod sit satis
semper est Cas 176   id non tam aegrest iam
uicisse uilicum .. Cas 429   attamen non ..
#'Tamen' aegrest* Per 835(Rs)   amor amari
dat tamen satis quod aegre sit Tri 260
    infin. additur: Cap 129, 701, Cas 429
    c. similiter: ubi uoltum aegre* intuebar Cap
912 b(Rs)
    2. = vix vel difficulter, cum verbis: non esse
seruos .. potest .. quo ab caueas aegrius As
119   nimis aegre risum contini As 582   atque
aegre impetraui Ba 691   nisi qui ipse amauit aegre amantis ingenium inspicit Mi 639
miser homost qui .. id aegre inuenit Cap 461
uix aegreque amatorculos inuenimus Poe 236
aegre* moneo Tru 526(SeyU)   miserior qui
.. aegre quaerit et nihil inuenit Cap 462
quod agat aegre suppetit Mi 205
    AEGRIMONIA - - quid meliust quam ut ..

me suspendam . . dum abscedat haec a me
aegrimonia Ru 1190   olim quos abiens adfeci
aegrimoniā . . St 406   *Cf* Gimm, p. 7

AEGRITUDO - - 1. *nom., de corpore:* tu
calidam picem bibito: **aegritudo** *abscesserit*
Mer 140   *adimit* animam mihi aegritudo Tri
1091   *de animo:* non *amittunt* hi me comi-
mites . .: cura, miseria, aegrituao Mer 870
numquidnam ad filium haec aegritudo *adtinet*?
Ba 1110   tanto mihi aegritudo *auctior* est in
animo Cap 782   numquae aduenienti aegritudo
obiectast? Ba 538   nullast aegritudo animo
obuiam St 524   amorem haec cuncta uitia
sectari solent: cura, aegritudo Mer 19   ubi uoluptatem aegritudo *uincat*, quid ibi inest amoeni? Mer 359   *Cf* Gimm, p. 7
2. *gen.:* omnium me exilem atque inanem
fecit **aegritudinum**(-nem *A* agr. *B*) St 526
3. *acc.:* istam exturbes ex animo **aegritudinem** Cu 224   ne tibi aegritudinem, pater, pa-
rerem, parsi sedulo Tri 316
4. *abl.* **a.** *ex uerbis pendens:* . . ut ipsus
sese cruciat **aegritudine** Ba 493   eaque is aegritudine . . Tarenti emortuost Men 35
b. *cum praepp.* ab: doleo ab oculis, doleo
ab aegritudine Ci 60
ex: conicitur ipse in morbum ex aegritudine
Poe 69
in: caue tu illi obiectes nunc in aegritudine
te has emisse Mo 810
prae: prae . . agritudine consenui St 215

AEGROTO - - I. Forma **aegrotant** Tri 30
(-anti *A*), 72 a **aegrotaui** Men 959 **aegrota**
Cu 554, Ru 582   **aegrotare** Tru 260(a. malim
quam *A* egrotarē aliquā *P*)
II. Significatio *proprie:* numquam aegrotaui unum diem Men 959   tu aegrota aetatem, si lubet, per me quidem Cu 554   uel
tu aegrota uel uale Ru 582   aegrotare *malim quam esse tua salute sanior Tru 260
translate(*cf* Graupner, p. 5): dum illi(*i. e.*
mores boni) aegrotant*, interim mores mali . .
succreuere Tri 30   si in te aegrotant artes antiquae tuae . . Tri 72 a

AEGROTUS - - hic leno **aegrotus** incubat
in Aesculapi fano Cu 61   .. ut te uidere audireque **aegroti** sient Tri 76(*cf* Votsch, p. 32)
curato (medicus) uix ab **aegrotis** uenit Men 884

AEGYPTINUS - - . . atrior multo ut siet
quam **Aegyptini**(*A* -ti aut *D* aegipti aut *B*
aegigipti aut *C*) qui cortinam ludis per circum
ferunt Poe 1291

AEGYPTIUS - - resinam ex melle **Aegyptiam** uorato Mer 139   ancillam . . aut Syram
aut Aegyptiam(*D*[ę] cypiam *B* egipaiam *C*)
Mer 415

AEGYPTUS - - non . . in Aegyptum(egi. *B*
egy. *CD*) hinc modo uectus fui Mo 994   trien-
nio post Aegypto(aegi. *P*) aduenio domum Mo
440(*cf* Quint I. 5, 38) *corruptum:* Poe 1291, aegipti aut *B* aegypti aut *D* aegigipti aut *C* pro
Aegyptini(*A*)   *Cf* Goerbig, p. 41; Koenig,
p. 6

AEMULOR - - quoniam **aemulari** non licet,
nunc inuides Mi 839

AEMULUS - - mihi's **aemula** Ru 240(essae.
B esse mula *CD*)   tu . . amicos tibi habes
lenonum **aemulos**(*P* -olos *A*) Ps 196(*cf* Blomquist, p. 111)

AENEOLUS - - Fr II. 72 *ex Paulo* 28: 'aene-
olo quod ex aere fit dicimus'

AENUS, -EUS - - *vide* AHENUS

AEQUABILIS - - uis hostilis cum istoc fecit
meas opes **aequabiles**(-is *Ly*) Cap 302

AEQUALIS - - o amice salue atque **aequalis**(a. a. *secl Loman Rs*) Tri 48   adulescenti
. . amico atque **aequali**(aq. *B*) meo . . bene
uolo ego illi facere Tri 326   iam illi remittam nuntium aequali(*U* adi *P* affini *Caψ*) meo
Tru 848   **aequalem** et sodalem liberum ciuem
enicas Mer 612   cum Chaeribulo incedit ae-
quali suo Ep 102   *Cf* Wueseke, p. 17

AEQUIPERABILIS - - quid uidebis magis
dis **aequiperabile**? Cu 168   tu nunc dicis
non esse **aequiperabiles**(*AP* -is *C¹RsULy*) uostras cum nostris factiones atque opes? Tri 466

AEQUIPERO - - Mars . . haud ausit . . ae-
quiperare(aequiu. *C*) suas uirtutes ad tuas Mi 12
. . hominem . . quoi fides amicum erga **aequiperet** tuam Tri 1126

AEQUO - - conicite sortis nunciam ambo
huc. eccere: uxor, **aequa** Cas 387

AEQUOS - - I. Forma **aequos** Au 187(-us
P), Poe 359(*A* aecuius *P*), Ru 402(-us *P*)
aequa Tri 452   **aequom**(-uum *P nisi ut notatur*) Am 23, 29(*BE* -qum *D*), 851, 921, 1004,
As 82(*BE* -uost *D*), 176(*BDE*), 186(*BDE*),
303, 354(*E*), 836, 932, Au 122, 129, 306, 424
(-om me erat *Sey* -o mereat *BDV* -um erat *J*),
500, Ba 27(*ex Char* 200 aecum *CharR*), 398(*Bo*
ea cum *P* aecum *RRgL* acc. *putant* *ŜL*), 488
(-qum *BD*), 524(*A*), 618(-ust *B* equiūst *C* equiust
D aequiust *U*), 924(*AB*), 1017(equm *B*), 1022,
1165(equm *B*), Cap 259(-omst *Ca* equõ stulcio
P), 868, 995(*P*), Cas 8, 896(*Ca* aegum *B¹VE*
actum *J* aecum *B²*), 1015(*A*), Ci 114, 242a(*A
solus*), 760(*BVE*), Cu 638, Ep 257, 382, 586
(aecum *A*), 723, Men 659(*P*), Mer 81(aeqm *B*),
454, 898(*B*), 972(*B*), 1026(aecum *BRgŜ*), Mi
286(*B*), 515(*B²* -o *B¹* -ius *Ly*), 725(*CD* qm *B*),
730(*P* -qum *A*), 1070(*B*), Per 647, Poe 141(*B*),
466(*AB* aecum *CD*), 490(aequm *A* aecum*BRgl*),
800(-qum *C*), 1081(*B* equm *C*), 1254(*A* aequi
B), Ps 269(aecum *BRRg*), 444(*A* equo *P*),
455(*D* -o *BC*), Ru 47, 312, 715(*B* -qum *CD*),
960(*B*), 1230(*B*), St 4(*A* -qum *B*), 6(*A* aecum
B), 40(*A* aecum *B*), 44(-qum *B*), 97(*KiesU*
aequius *APψ*), 99(equm *B* -uo *A*), 131(equm
B), 494(*A* equm *B*), Tri 175(-qum *A*), 451(*B*),
552(*B* aecum *A*), 588(*B*), 830(*CD* equm *B*),
924(*B*), 1154 (-qum *B*), Tru 222(-qum *A* equõm
B), 416(*B*)   **aequi** Ci 634(*add U*), Cu 65, Mi
784(*Lamb* atque *P*)   **aequom**(*masc.*) Cas 966,
Mo 557(aecum *add Rs om Pψ*), St 557(*SeyLU*
nequam *Pψ*), Tru 629   (neut.: -uum *P nisi ut
notatur*) Am 160(*v. secl Hermolaus ω*), 172, 173,
687(equm *E*), As 229, Au 597, Ba 119, 393(*Bo
R pro* sed eccum: *v. secl Langen ψ*), 398(*BoŜ
L*[aecum]: *nom. putant ψ*), 418(equm *B*), 753,
1083, Cap 301, 941(*Rs* id quod *Pψ*), Cas 500,
Ci 765(*BVE*), Ep 552, 723, Men 154, 502(*B*),

578, 1075(*B*). Mer 569, Mo 682(*B* aequm *A*), Per 399(aequm *A*), 587(aequm hic orat *A* aequom ihi corat *B* aequo mihi curat *CD*), Poe 795(*B* aequm *C*), Ru 184(*B*), 702(*A ut vid* aequm *CD*), St 112(*A* aequm *B*), 113(*A* aequm *B*), 293(aecum *B*), 423(*A* accum *P* aecum *R*), 548(*A* aecum *BR*), 559(equm *B*), 726(aecum *BRRg*), Tri 97, 304, 306(aequm *A*), 392(*LU Ly* aecum,*ARg*℥ ecum *B*), 713(*D*), Tru 616 **aequo** As 375, Au 739, Cap 196, Mi 1343, Poe 22, 123(aequos *B*), St 125, Tri 493(*A* aeque *BC* eque *D*). Tru 233 **aequa** Ci *Arg* 10(*add Rs om Pψ*†℥), Ci 532, Per 72 **aequi** Am 16 **aequos** Cas 4 **aequas** Ru 552 **aeqna** Per 543 **aequis** Cas 377 **aequius**(*nom.*) Ba 618(*U* equust *B* equiūst *D* equiust *C* aequomst *ψ*), 1159, Cas 265(equus *E*), Men 1010(*Ca et Sarac te cuius P*), Mer 549, Mi 515(*Ly* -om *B²ψ* -um *CD* -o *B¹ loc dub*), 517, Ru 269, 322, St 97 (*AP* aequom *KiesU*), 290(aequius *B* aequum *AR*), Tri 119(aequus *C*), 1040(aequus *C¹*) **aequissumum**(*nom.*) Ru 1029(-i- *PL*), 1246(sapientis ae. *B* sapientissimū *CD* -i- *PL*) (*acc*) Cap 333(-i- *PL*), Cas 375(-i- *PL*), Ep 725(-i- *APL*), Men 1147(-i- *PL*), Ps 389(-i- *PL*), St 728 (-i- *PL*) *adverbia:* **aeque** Am 293(-ę *J*), 509 (-ę *E*), 549(-ę *EJ*), As 332(-ę *J*), 493(-ę *J*), 641(*Ang* atque *BD v. om EJ*), 771(-ę *E*), 838, Au 297(-ę *BJ*), Ba 214, 215, 549(*add Mue U*), 1115, Cap 700, Cas 129, 847(*A om P*), Ci *Arg* 3 (-ę *VJ*), Ci 524(*Rs pro* meque *in loco corr* †*ψ*), Cu 141(-ę *E*), Ep 307(-ę *J*), 648(-ę *J* -ae *B*), Men 201, 493(*Lips et Bent* ea quae *P* adaeque *R*), 984(*Rs in loco corr* †℥*Ly em L om RU*), 1119(-ę *D*), Mer 335, 761(*B ut vid AR om SeyRg*℥*Ly* aeque atque *CDL*†*U*), Mi 465 (om *B¹*), 552(*AB¹* aquą *B²CD* aquai *BoRL*), 668 (aequest atque *Ritterhuys ex Non* 5 equestant que *P*), 776(*D³* atque *P* adaeque *GrutR*), 1065, 1293, Mo 242, 302, Per 466, 545, Poe 47, 579, Ps 146(*BD* atque *C* atqui' *A*), 358(*A* atque *P*), 745, St 217, 271(*FlRgL om APψ*), 274 (-ę *D*), Tru 319(*GoelU* atque *P varie em ψ*), 564(aeque aqua *Sey* ea qua *P* ea aqua *CaLLy*), 617(*U* tuaque *P*℥*LLy* atqui *Rs*) **aequiter** Cap 212(*Rs* atque uobis *Pψ*), Fr II. 73(*ex Prisc* 3. p. 71) *corrupta:* Au 686, uellem aeque(*CD* eque *DJ* equę *E*) *P pro* uelle me quae(*Hermolaus*) Cas 811, aequus *J pro* equos Mer 843, aequom(*B*) a eum(*C*) -am quam *P pro* quom[(*D*) *sed* cum] Mi 1022, aeque *B pro* atque Ps 156, eque *D* eque *C pro* et quae Tru 965, aeque *CD pro* meamque

II. Collocatio *adiectivum ante subst. collocari solet, nisi quod* arbitrom aequom Tru 629 animus aequos *sexies*(aequos animus *quater*)

adverbium ante verbum 14 *ies, post verbum quater*(Men 984 *dub*) *invenitur; ante adiect. novies, post sexies; ante adverbium quater, post semel modo*(As 493); *si* atque *vel* ut *vel* quam *additur, adv. postponi solet*

semper aequom est *et* aequissumum est; *at* aequius est *et* est aequius, aequius erat *et* fuerat aequius — Gimm, p. 9

III. Significatio(*cf* Gimm, *pp.* 9—11) A. *proprie* 1. *adiectivum* = par, similis: aequo*

mendicus atque ille opulentissumus censetur censu(*B* censui *CD*) ad Acheruntem mortuos Tri 493 ad pedes .. adligatumst aequom centumpondium As 303 cum uostra nostra non est aequa factio Tri 452 aequa lege pauperi cum diuite non licet Ci 532 itaque aequa* lege et rite ciuem cognitam .. Ci *Arg* 10(*Rs*) tantidem ille illi rursus iniciat manum ut aequa parti prodeant ad tris uiros Per 72 aequas habemus partes Ru 552

2. *adverbium: cf* Langen, *Beitr.* p. 18—22 a. *verbis, sim. apponitur:* tamen omnis aeque* aqua abeat in mare Tru 564 Epidicum quam ego fabulam aeque ac me ipsum amo Ba 214 callum aprugnum callere aeque non sinam Poe 579 feminarum nullast quam aeque diligam Am 509 tanto breuior dies ut fiat faciam ut aeque* disparet(*PLS*†*Ly* aliter *RglU*) Am 549 uidi .. domitas fieri aeque* alias beluas Tru 319(*U*) aeque ambo(*Herm* atque ambo aeque *P* ambo a. *AcLLy*) amicas habent Ba 1115 cur ausu's facere, quoi ego aeque* heres eram? Men 493 tragici et comici numquam aeque sunt meditati Per 466 qui nihil metuont, postquam malum promeriti tum aeque* metuont .. Men 984(*Rs*) quaeuis alia quae morast aeque mora minor ea uidetur Mi 1293 teque tuamque filiam aeque* hodie obtruncauero Ci 524(*Rs*) uxor tua, quam dudum dixeras te odisse aeque* atque anguis Mer 761 Sicyonia aeque* paret puellam Ci *Arg* 3 .. ne peristromata quidem aeque* picta sunt Campanica Ps 146 tecum una postea aeque pocla potitet As 771 animum aduorte ut aeque *mecum haec scias As 332 soror quidem edepol ut tu aeque* scias .. Ep 648 iuxta tecum aeque scio Per 545 sine hisce arbitris aequiter* nobis detis locum loquendi Cap 212(*Rs*)

b. *adiectivis app.:* Aetna mons non aeqre altust Mi 1065(*loc perd vide ω*) aeque* esse amicum ratus sum atque ipsus sum mihi Ba 549(*U*) pumex non aeque est aridus(ardus *Sey*℥*ULy*) atque(quam *FlRg*) hic est senex Au 297 turbo non aeque citust Ps 745 quam pauci aeque* estis homines commodi Ps 443 breuior dies ut fiat faciam aeque* ut dispar siet Am 549(*loc perd: vide ω et supra a sub* disparet) nullum esse opinor ego agrum aeque feracem quam hic est Ep 307 qui me in terra aeque fortunatus erit? Cu 141 ad argumentum .. uolo remigrare ut aeque mecum sitis gnarures Poe 47 grata habeo aeque* ut ingrata Tru 617(*U*) numquam edepol ieiunium ieiunumst aeque atque ego te ruri reddibo Cas 129 nullam(fr˙ ¹lam) aeque inuitus specto si agit Pellio b. ?15 numquam aeque patri suo nuntium lepidum attulit quam ego nunc meae erae nuntiabo St 274 putem ego quem uideam aeque maestum esse ut quasi dies si dicta sit As 838 sucingulum Hercules haud aeque magno .. abstulit periculo Men 201 erus meus ita magnus moechus mulierumst ut neminem fuisse aeque* .. credo Mi 776 ad saltandum non cinaedus malacus aequest* atque ego Mi 668 nullast hoc metuculosus aeque Am 293 nebula haud est mollis aeque* atque huius est pectus Cas 847 uter

eratis maior? #Aeque* ambo *pares* Men 1119
ridiculus aeque nullus est (quam . . *add RRg*)
St 217   non omnia eadem aeque* omnibus
suauia esse scito As 641
   cum comparativis: homo me miserior nullus
est aeque* Mer 335   ex uno puteo similior
numquam potis aqua aeque* sumi quam haec
est . . Mi 552(*vide BoRLLy*)
   c. *adverbiis app.:* numquam aeque id *bene*
locassem Mo 242   nec quicquam argenti locaui . . aeque bene Mo 302   neque . . quisquam . . qui aeque* faciat *confidenter* quicquam
quam mulier facit Mi 465   numquam ad
praetorem aeque* *cursim* curram Ps 358   satin ut *facete* aeque* atque ex pictura astitit?
St 271   neque me alter est . . quisquam quoi
credi *recte* aeque putent As 493
   cum comparativis: nec quisquamst mihi aeque
melius quoi uelim Cap 700   *Cf* Fraesdorff,
p. 40
   3. *seq. hae constructiones: cf* Fuhrmann,
XCVII. 842—844; Langen, *Beitr.,* pp. 18—20
   a. *abl.:* hoc Am 293   me Cu 141
   b. *cum:* me As 332. Poe 47   te Per 545
lege Ci *Arg* 10   diuite Ci 532
   c. *atque:* Au 297, Ba 214, 549(*U*), Cas 129,
847, Mer 761, Mi 668, St 271, Tri 493   *Cf*
Wortmann, p. 10
   d. *quam:* Au 297(*Rg*), Ep 307, Mi 465, 552,
St 217(*RRg*), 274
   e. *ut:* As 838, Tru 617(*U*)
   B. *translate* = iustus, tranquillus, *sim.*   α. *adiectivum* a. *attributive:* uidelicet non fuisse illum
aequom* *adulescentem* St 557(*SeyLU*)   aequi
et iusti hic eritis omnes *arbitri* Am 16   ego
tecum aequom arbitrum . . captauero Cas 966
ego tecum . . arbitrum aequom ceperim Tru 629
cape . . cum eo una aecum* *iudicem* Mo 557(*Rs*)
   animus aequos: sist *animus* aequos tibi, sat
habeo Au 187   animus aequos optumumst aerumnae condimentum Ru 402   aequo animo
patitor As 375   animo aequo ignoscas mihi Au
739   decet id pati animo aequo(ae. an *J*) Cap
196   fer animo aequo Mi 1343   decet animo
aequo nunc stent Poe 22   uos aequo* animo
noscite Poe 123   illa quae aequo animo patietur . . St 125   aequo animo ipse . . det locum Tru 233   sin secus patiemur animis aequis Cas 377
   b. *praedicative:* aequom esse putat Am 172
aequom esse puto Ba 1083   . . ut uos mihi
esse aequos iam iam a principio sciam Cas 4
optumum atque aequissumum istud esse iure
iudico Cas 375   mihi dedit tamquam suo, ut
aequom fuerat, filio Cu 638   non aequos* in
me es Poe 359   hoc optumum atque aequissumumst Ru 1029   ita ut aequomst(*A* est
aequom *P*) sollicitae . . sumus semper St 4
. . si sint ita ut ego aequom* censeo St 112
uolo scire ergo ut aequom censeo St 113   non
optuma haec sunt neque ut ego aecum censeo
Tri 392   si mihi tua uxor ita ut ego aequom
censeo, ita nuptum datur . . Tri 713
   c. *aequom* (*et cet.*) est, *seq.* 1 *infin.*(*cf* Votsch,
p. 19; Walder, pp. 28, 51): non aequomst *ab-
duci* illis apsentibus St 131   haud aequomst
te inter oratores *accipi* St 494   me *adiit,* ut

pudentem aequomst* patrem As 82   ad me
adiri et supplicari egomet mihi aequom* censeo St 293   . . ubi malos mores *adfigi* nimio
fuerat aequius* Tri 1040   te hercle mihi aequomst gratias *agere* ob nuntium Cap 868   eas
deis est aequom* gratias nos agere sempiternas Poe 1254   ad suom quemque hominem
quaestum *esse* aequomst *callidum* As 186, Tru
416(*om* hominem)   prius te *cauisse* ergo quam
pudere aequom* fuit Ba 1017   semper cauere
hoc sapientis aequissumum*st Ru 1246   non
med istanc *cogere* aequomst meam esse matrem
Ep 586   omnis sapientis suom officium aequomst
colere et facere St 40   eum quidem ad car-
nificumst aequius quam ad Venerem *commeare*
Ru 322   in carcerem *conpingi* est aequom
Ru 715   illum mihi aequiust* quam me illi
. . *concedere* Cas 265   aequomst . . et mihi te
et tibi me *consulere* et monere Au 129   illi
aequomst mihi consulere Ba 524   tibi med
aequomst, credo, *credere* Au 306   aequomst
tabellis consignatis credere Ba 924   quid ei
diuini aut humani aequomst credere? Poe 466
credo ut mihi aequomst credier Poe 490(*A*
est ae. *P*)   me . . *cum cura* esse aequomst*
Ba 398(*v. secl RRg*)   istoc *detrudi* maleficos
aequom uidetur Tri 552   te potius bene *dicere* aequomst homini amico Tri 924   itidem
diuos *dispertisse* uitam humanam aequom fuit
Mi 730   dic me aequom censes pro illa tibi
dari As 229   mihi quidem aequomst purpuram
atque aurum dari Au 500   mercedis quid tibist aequom* dari? Ba 27(*ex Char* 200)   uos
aequomst . . meritam mercedem dare Cas 1015
mulierem aequomst uestimentum muliebre dare
foras Men 659   quid inde aequomst dari mihi?
Ru 960   ei rei operam dare te fuerat aliquanto aequius* Tri 119   te istuc aequomst,.
quoniam occepisti, *eloqui* Mi 286   te . . haud
aequom filio fuerat tuo . . amicam *eripere* Mer
972   . . utrum me *expostulare* (*R* postulare
PL) tecum aequom* siet Mi 515   me *expurigare* haec tibi uidetur aequius Mi 517   ego
utrumque *facio* ut aequomst filium As 836
uelim te arbitrari med haec uerba . . facere ut
aequomst germanam sororem Au 122   minus
quam aequom* me erat feci Au 424   eheu,
quom ego plus minusue feci quam me aequom
fuit Cap 995   neque homines aequomst facere
tibi posthac bene Ci 242 a(*A*)   prius etiamst
quod te facere ego aequom censeo Mer 569
facis nunc ut facerest aequom* Mi 1070(-st *om
PLULy* f. ae. est *RRg*)   is leno, ut se aequomst, flocci non fecit fidem Ru 47   nostrum
officium nos facere aequomst St 6   St 40
(*supra sub* colo)   . . si aliter in nos(*Pius* nos
PLy nobis *GuyL*) faciant quam aequomst St
44   bonos ut aequomst* facere facitis St 99
omnem in ordinem *fateri* ergo aequomst* Cas
896   is se denegat facta . . : qui tibi aequomst
fieri? Am 851   cor stimulo *foditur.* #Pol . .
aequius est coxendicem (nequam stimulari *addR*)
Ba 1159   inimicos quam amicos aequomst*
med *habere* Ba 618   . . te ei habere aequom
sit bonam Ba 1022   hominis aequom fuit sibi
habere speculum Ep 382   hanc se bene habere
aetatem nimiost aequius Mer 549   aequomst

habere hunc bona quae possedit pater Poe 1081 quem aequiust* nos potiorem habere quam te? St 97 hunc priorem aequomst me habere Tri 1154 *ignoscere* id te mihi aequomst Poe 141 *indicare* me ei thensaurum aequom fuit? Tri 175 tuae memoriae *interpretari* me aquom* censeo Ep 552 neque te (filio) tuost aequom* esse *iratum* Ba 1165 istoscine patrem aequomst mores liberis *largirier*? As 932 illi suam rem esse aequomst *in manu* Mer 454 Am 23(*infra sub* uereor) ego istunc me quam te *metuere* aequom censeo Cap 301 deos . . maxume aequomst(e. a. *Serv ad Aen.* I. 378) metuere Ps 269 *mirari* non est aequom sibi si pertimet Am 29 *monere* Au 129(*supra sub* consulo) meo me aequomst *morigerem* patri (esse *add FlRglU*) Am 1004 me Miseram aequomst *nominarier* Per 647 mearum me rerum *nouisse* aequomst ordinem Tri 451 aequom* fuit deos *parauisse* uno exemplo ne omnes uitam uiuerent Mi 725 mihi quidem te *parcere* aequomst As 176 illic est pater, *patrem* esse ut aequomst* filio Ps 444 me *perirest* aequius* Men 1010 ut peritis? #Ut piscatorem aequomst Ru 312 aequomst *placere* ante alias ueteres fabulas Cas 8 patri . . placere aequom fuit Mer 81 uos aecumst* clare *plaudere* Mer 1026 *postulare* Mi 515 (*supra sub* expostulo) non aequomst id te serio *praeuortier* Am 921 seruom *ratem esse* amanti ero aequom censeo Au 597 *reddere* Ba 393(*BoR*) mihi reddi ego aequom esse . . censeo St 548 aequomst* *reponi*(L *in lac: aliter* ψ) per fidem quod creditumst Ci 760 erum *saluto* primum ut aequomst* Ps 455 si aequom siet me plus *sapere* quam uos . . Ep 257 inmundas fortunas aequomst squalorem *sequi* Ci 114 *stimulare* Ba 1159(*R supra sub* fodio) aequiust* eram mibi esse *supplicem* St 290 te non aequom est *suscensere* As 354 . . me . . *suspendere* aequom censeant potissumum Poe 795 meum animum tibi seruitutem *seruire* aequom censui Tri 304 scis ordine ut aequomst *tractare* homines Tri 830 nequest quoi magis me melius *uelle* aequom siet Mer 898 ita nos uelle aequomst Poe 800 aequius uos erat candidatas *uenire* Ru 269 *uereri* uos se et metuere ita ut aequomst Iouem Am 23 . . plus *uiderem* quam me atque illo aequom fuit Ba 488(*infra* 4) neque pol tibi nos . . aequomst* uitio *uortere* Cap 259 itane *esse* mauelit ut eum animus aequom censeat Tri 306
2. ut: aequomst ut reddas(*U in lac*) per fidem quod creditumst Ci 760(*aliter* ψ *vide supra* 1 *sub* repono) aequom uidetur tibi ut ego alienum quod est meum esse dicam? Ru 1230
3. quin: aequom uidetur quin quod peccarim potissumum mihi id opsit? Tri 588(*loc dub: praem* nullo modo *RRsLLy* neque enim *U*)
4. *ablativo:* quam me atque illo aequom foret Ba 488 *alii loci qui huc saepe referuntur ut Ru 47 alio modo explicandi sunt: vide supra 1 sub* facio
β. *substantive:* a. *acc.:* aequom *dicis* Ba 753 aequa dicis Per 543 haud aequom *facit* Am 687 non aequom facis Ba 119, Ep 723 si aequom facias, mihi odiosus ne sies Men

502 si aequom facias aduentores meos non incuses Tru 616 amauit . ., aequom* ei factumst Tru 222 nec aequom anne iniquom *imperet* cogitabit Am 160(*v. secl Hermolaus* ω), 173 aequom *oras* Cas 500, Men 154 aequom* hic orat Per 587 bonum aequomque oras Mo 682* (rogas *A*), Per 399, Ru 184 optumum atque aequissumum oras Cap 333, Ep 725, Ps 389, St 728 optumum atque aequissumum orat Men 1147 ut aequom has *petere* intellego decet abs te id impetrari Ru 702 aequom *postulas* Cap 941(*Rs* id quod *P*ψ), Ci 765, Men 1075, St 423*, Tri 97 hercle qui aequom* postulabat St 559 impetrare oportet qui aequom postulant St 726
neque leges neque aequom bonum usquam colunt Men 578
b. *gen.:* neque quicquam queo aequi bonique ab eo impetrare Cu 65 aequi* consulam Ci 634(*U*) aequi* istuc facio dum modo eam des Mi 784 *Cf* Blomquist, p. 88; Schaaff, p. 36
c. *cum* praeter: dum caueatur praeter aequom* nequid delinquit, sine Ba 418
C. aequiter: Fr II. 73(*ex Prisc* II 71)

AER - - iubeas una opera me piscari in **aere**(-ẹ *B*) As 99 *Vide* Mo 112, *ubi* aer *CaR* per *B* p *CD* perdit *Bergk* ψ *Cf* Egli, II. p. 55; Inowraclawer, p. 14; Schneider, p. 34

AERATUS - - ferocem facis quia ted aeratus hamat(*Rs* te eratus amat P*S*† ted erus tuos tam a. *R* te(d) erus *LLy* duce *Ca* ted erus tuos *HermU*) Mo 890

AERUMNA - - I. Forma aerumna Ep 179 (erumpna *E*), 529(ae. me *Gul* erumpna *E* erumnam *BJ*), Mer 25 aerumnae Ba 1105 (-ẹ *B* -e *CD*), Ru 161(*add Rs om P*§†*L*†*Ly*† *v. secl U*), 402 aerumnam Cap 195(aerumn. *BD* aerumn. *J*), 1009(aerumpn. *J*), Ep 557(*Ca* -na *P*) aerumna Cu 142(aerumpn. *J*), Ru 256 (aerun. *B*) aerumnas Am 488(aerump. *J*), Cap 929(aerumpn. *J*), Mi 33(aerūmn. *B*), Per 2, Ps 770 aerumnis Cap 404(aerumpn. *J*), Per 2, Tri 839(aerūn. *B*), 1087(*RRs* duce *Kamp* periculis *P* periclis *KampLULy*) *corrupta:* Ep 559, aerumnarum *Non* 456, *pro* aerumnosam Mi *Arg* I. 5, erumna thenis *P pro* erum athenis
II. Significatio 1. *nom.:* amori accedunt etiam haec: . . insomnia, aerumna Mer 25 multiplex aerumna* me exercitam habet Ep 529(*cf* Goldmann II. 21; Graupner, p. 24) neque sexta aerumna* acerbior Herculi quam illa mihi obiectast Ep 179
2. *gen.:* animus aequos optumumst aerumnae *condimentum* Ru 402 *socium* aerumnae et mei mali uideo Ba 1105 Palaemon . . qui aerumnae* Herculeae(*Rs* hercule *CD* herculis *B*) socius esse dixeris Ru 161(*Rs*†*SL v. secl U*)
3. *acc.:* uno labore *absoluat*(-uet *S*) aerumnas* duas Am 488 satis iam *audiui* tuas aerumnas* Cap 929 uenter *creat* omnis hasce aerumnas* Mi 33 illi . . multas . . aerumnas (di) *danunt* Ps 770 salue . . tu, quoius causa hanc aerumnam* *exigo* Cap 1009 di immortales id uoluerunt uos hanc aerumnam* *exsequi* Cap 195 tuam in me aerumnam* *obseuisti* grauem Ep 557(*cf* Tru 519) amans egens . .

superauit aerumnis suis aerumnas Herculi(omnis H. *LomanRU*) Per 2 (*cf* Raebel, p. 15)

4. *abl.* a. *ex verbo pendet*: misera adficitur aerumna* Cu 142

b. *modi*: Per 2(*supra* 3) . . quibus aerumnis*(cum hisce erumnis *Non* 468) deluctaui Tri 839   ego miser summis aerumnis* sum . . uectus Tri 1087(*RRs vide ψ*)

c. *ex praepp. pendet* ex: ueneror ut nos ex hac aerumna* eximat Ru 256

in: dicito . . bene ero gessisse morem in tantis aerumnis* Cap 404

5. *adiectiva*: acerbior Ep 179   duae Am 488   grauis Ep 557   misera Cu 142   multiplex Ep 529   tantas Cap 406

AERUMNOSUS - - aerumnosam(aerumpn. *J* aerumnarum *Non* 456) et miseriarum compotem mulierem retines Ep 559   ueneror ut nos . . miseras inopis **aerumnosas** . . adiuuet Ru 257   Ulixem audiui fuisse **aerumnosissumum** Ba 1 (*ex Char* 201) *Cf* Gimm, p. 11

AERUMNULAS *Plautus refert furcillas, quibus religatas sarcinas uiatores gerebant — Paul* 24 *Cf* Ryhiner, pp 29, 43

AES - - I. Forma **aes** Au 376, 519 (*om SchoeS*) **aeris** Cu 372   **aes** As 201(*J* es *D* es *BE*), Au 526, 528, Cas 23, Mo 63(date aes si *U* data es *PS†var em ψ*), 622(*BriU* est *Pψ om R*), Per 167(me aes *Rs* esse me esse *Pψ*), Poe 24, 371 (aes nimium *RostRglU* nimium *CD* ninnium *ABψ*), St 203, Tru 878(pro cura aes *RsLy* procures *P* quor cures *L* quo cures *U*), Fr II. 60(*ex Macr* V. 19, 11)   **aere** Mo 204(*RU om P* sumptu *Bent ψ*), Poe 1286(*Py* aerem *P* e *A Prisc* II. 109) **aera** Tru 33(*FLy* ara *PS†L†aliter ψ*), 72(*Ca* ae *B* he *CD*)   *corrupta*: As 110, aeris *J pro* eris Ci 544 aere *B pro* erae Men 1161, quinquaesis aes *AS†* quinquagese aes *CD* quanquagesies *B¹LLy* -gen–ies *R* -gies *B²* quinquagesi*is aes *Rs* quinque aut sex minas *U*) Mi 73, aeri *P* eri *A* aeris *P²pro* heri Poe 296, aere *P pro* ere(*A*) St 275, aere *B pro* erae; 361, aere *P pro* erae(*A*); 542, aere *P pro* erant(*A*) Tru 368, aes *B pro* es; 801, aere *BC pro* erae

II. Significatio 1. *nom.*: atque eo fuerunt cariora, aes non erat Au 376 ducuntur, datur aes* Au 520   (tabula) ubi aera* perscribantur usuraria Tru 72

2. *gen.*: subduxi ratiunculam quantum aeris mihi sit, quantumque alieni siet Cu 372

3. *acc.*: medicum(*BueLLy* meum *MacrRgS†*) amat(*Rg* habet *Macrψ*) patagus morbus aes Fr. II. 60(*ex Macr* V. 19, 11) perquirunt . . alienum aes *cogat* St 203 aes* huic debet Mo 622(*U*) miles . . aes censet *dari* Au 528(*v. secl. U*) date aes* si non est Mo 63(*ULy*) serui . . aes pro capite dent Poe 24 aes* nimium pro te dabit Poe 371(*RostRglU*) eicite ex animo curam atque alienum aes Cas 23   (dic) me aes* esse *effecturum* hodie Per 167(*Rs*) si aes* *habent*, dant mercem As 201 pro cura aes habes Tru 878(*RsSLy*) habet Fr. II. 60(*supra sub* amat) miles aes *petit* Au 526 interea loci aut aera* aut uinum aut . . Tru 33(*Ly*)

4. *abl.*: solam . . suo aere* liberauit Mo 204(*RU*) aere* militare tetigero lenunculum Poe 1286

5. *adiectiva*: alienum Cas 23, Cu 372, St 203 militare Poe 1286 usuraria Tru 72

AESCHINUS - - hominem . . adducite ad me iam ad trapezitam **Aeschinum** Ps 757 *Cf* Schmidt, p. 175

AESCHRODORA - - *meretrix* Ps 196 *Cf* Schmidt, p. 354

AESCULAPIUS - - hoc Aesculapi(-ii *EJ*) fanumst Cu 14   hic leno aegrotus incubat in Aesculapi-(ii *J*) fano Cu 62   Aesculapi(-ii *J*) ita sentio sententiam Bu 217   **Aesculapio** huic habeto, quom pudica's, gratiam Cu 699 ait se obligasse crus fractum Aesculapio Men 885   uisus sum uidierier procul sedere longe a me **Aesculapium** Cu 261   quis hic est qui operto capite Aesculapium salutat? Cu 389 pacem ab **Aesculapio**(-lioapio *E*) petas Cu 270 *Cf* Hubrich, p. 101; Keseberg, p. 53

AESTAS - - isti umbram audiuit esse **aestate** (*Ca* i. u. aestate mihi esse a. *A* hic*** esse aestate *P* i. u. aestate tibi esse a. *LLy*) perbonam Mo 764(*longe aliter RU*) *cf* Kane, p. 47

AESTIMO - - I. Forma aestumo Cap 682 (*EJ* [es.] *LU* estimo *B* existimo *Boψ*), Per 353(*PyU* existimo *APL* -umo *RsSLy*), Fr II. 16 (*ex Paul* 143; -imo *codL* existumo *Scal* [-imo] *RgLy*) **aestumaui** St 223(hercle a. *BergkL* hercules[-eis *A*] te amabit[-ui *A*] *APS†Ly* herculeo stabunt *RRg*) **aestumatum** Cap 340(*B* aesti. *DEJ* -tūr *D*), 351(aesty. *B*), 364, 379(aesti. *DE*), 433(aesti. *DE* aestun. *B*), 438 **aestumatas** Mer 96

II. Significatio 1. *add. gen. pretii*: dum ne ob malefacta peream, parui aestumo* Cap 682   non ego inimicitias omnis pluris(flocci *Rs*) aestumo* Pet 353(*PyU vide Ly*) legem . . rogata fuerit necne flocci aestumo* Fr II. 16(*ex Paul* 143)   *abl. pretii*: (logos) hercle aestumaui prandio cena tibi St 223(*L*) *Cf* Schaaff, p. 35

2. *passive, vel absolute vel add. abl. pretii*: te quaeso ut aestumatum* hunc mihi des quem mittam ad patrem Cap 340   mittam equidem istunc aestumatum tua fide, si uis Cap 351 ego te aestumatum huic dedi uiginti minis Cap 364   conuenit . . ut te aestumatum in Alidem mittam Cap 379   cogitato . . mitti domum te aestumatum* Cap 433   scito te hinc minis uiginti aestumatum mittier Cap 438   mihi meus pater dedit aestimatas merces Mer 96

AESTIO Ci 725 *B*(aestic *VEJ*): *lac supplet U quem vide*

AESTIVOS - - uiaticati hercle admodum **aestiue**(-ui *A* -uae *BC*) sumus Men 255   *Cf* Graupner, p. 28, *adn.* 2

AESTUO - dum scribilitae (aestu *add Rgl*) **aestuant** occurite Poe 43   uerum esse insciti credimus ne **aestuamur**(*U* uias utamur *A* ut inestu mutuamur *P var m ψ*) ira Tru 193 *Cf* Hofmann, p. 35; Inowraclawer, p. 75

AESTUOSUS - - meretricem indigne deperit . .: atque acerrume **aestuosam**(*SLLy* -se *BD* aestuos *C* -sa *RRgU*) Ba 471 **aestuosas** sentio (*Bo* est uos adsentio *P*) aperiri fores Tru 350

AESTUS - - quam magis te in altum capessis, tam **aestus** te in portum refert As 158 ita mustulentus aestus(uentus *Non* 415 *L*) nares attigit Ci 382(*ex Non* 63 & 415)   si astes **aestu**

calefacit Ep 674 Mo 764 aestu *R pro* aestate
Poe 43(aestu *ante* aestuant *add Rgl*)
AETAS · · I. Forma aetas Au 159, Ba 129,
148, 355, 409, Cap 20, Men 753, 758, Mer 40
(*RRgᵹ* aetate *PLULy: vide infra* II. B. 4. d),
Mi 622, Mo 288(*B²R* -te *PRsᵹ*† -ti *Bug ψ*)
Ps 203, Tri 319, 368, Tru 22 **aetatis** As 71,
191, Ba 343, 461, 1090, 1100, Mer 290, Mi 618,
659, Per 276, St 81, Tri 787 **aetati** Ba 56,159,
Cap 885, Men 675, Mo 288(*BugLULy* aetate
PRsᵹ† aetas *B²R*), Poe 783, Ps 111, Ru 375,
St 594, Tri 229, 313, 368, Tru 61 **aetatem**
Am 1023, As 21(-te *J*), 274(*Non* 270 -te *P*),
284, Au 43, 162, 214, Ba 166(-te *B*), 430, 781,
Cap 720, 742, Cas 47(aetatulam *LoewRs*), 291,
320(*BJ* -te *VE*), Ci 77(*AJcorr* -te *P*), 79(*AB
VJ* -te *E*), 243, Cu 554, Ep 106, Men 720(ae.
uiduam *Grut.* &tate u. *B* &tate miuduam *CD*),
Mer 549, 984(*FZ* -te *PLy*), Mi 626(-te *B²*),
1039, 1275, 1312(egi aetatem *FZ* etatem *B*
egaetatem *C* aegetarem *D¹* aegestatem *D³*),
1320, Mo 250, 263, 728, 1158(-te *D¹*), Poe 635
(ae. expetit *AU* beneficium interit *Pψ*), 636
(*iterat C*), 700, 828, Ps 515(*BU* -te *CDψ*), 1132,
Ru 29, 337, 486, 715, 1346, Tri 15, 232(-te *B*),
301, 550, 953, Tru 869, Fr II. 8(*ex Paulo* 62),
70(*ex Paulo*) **aetate** Am 614, 633, 634, 938
(-tę *B*), 1032(atate *D¹*), Au 253, Ba 28(*ex Char*
200), 1079, 1108, 1138, 1163, Cas 240, 259, 518,
Ci 48(Hecala a. *Rs* et hanc a te *BVᵹ*† ae'
haec a te *E* et hecata *J* a. Hecale *SalmU*
senecta *L* hac a. *SeyLy*), Men 839, Mer 40
(*PLULy* aetas *Rψ: vide supra*), 520, 521, 972
(*FZ* -tē *P*), 982, 983 b, 984(*PLy* -tem *FZψ*),
840, 1148, Poe 228(ętetate *D¹*), 509(*FZLU*
aetati *Pψ*), Ps 515(*CD* -em *BU*), Ru 1235, Tri
24, 43, 305, 367(*A* -tē *P*), 462, 1090 **aetati**
(*abl.*) Poe 509(*P* -te *FZLU*) *corrupta:* Ep
457, aetate *E pro* attatae Mer 574, iam etatis *BD²* pro iaiunitatis Poe 261, aetate *CD*
actate *B* pro ac tace *De genere masc. cf Non*
192 et Tri 1090 *cum adn. Lindsaiana*
  II. Significatio A. *vitae cursus vel vita*
1. *nom.*(*vel acc.*): satin parua res est uoluptatum in uita atqua in aetate *agunda* Am 633
hic nostra agetur aetas in malacum modum Ba
355 ubi pulcerrume egi aetatem*, inde abeo
Mi 1312 si non mecum aetatem egisset, hodie
stulta uiueret Mi 1320 musice hercle agitis
aetatem ita ut uos decet Mo 728 uel in pistrino mauelim agere aetatem Poe 828 .. qui
aetatem agitis cum pietate Ru 29 neque satis
cogitatumst .. utram (artem) aetati agundae
arbitrer firmiorem Tri 229 .. utra in parte
plus sit uoluptatis uitae ad aetatem* agundam
Tri 232 mihi quidem aetas actast ferme Tri
319 .. quo cuncti, qui aetatem egerint caste
suam conueniant Tri 550 mus .. aetatem ..
non cubili uni umquam *committet* sum Tru 869
adiuro ut, ni .., in pistrino aetatem *conteras*
Ba 781 Neptuno *credat* se atque aetatem suam
Ru 486 .. damni cupidos, qui se suumque aetatem bene *curant* Ps 1132 mauis .. (te) seruom
aetatem *degere*? Cas 291 ego illum unum mihi
exoptaui, qui aetatem* degerem Ci 77 Venus
eradicet caput atque aetatem tuam Ru 1346
.. ut te dignam mala malam aetatem *exigas*

Au 43 .. ut melius consulerem tibi quam illi
quicum una .. aetatem exegeram? Cap 720 dies
atque noctis cum cane aetatem* exigis Cas 320
matronae magis conducibilest .. unum am are
et cum eo aetatem* exigere Ci 79 .. quae es set
aetatem exactura mecum in matrimonio Ci 243
Men 720(*Rs vide infra* 2) (optat) tecum aetatem exigere(exire *B*) ut liceat Mi 1039 tecum
uiuere uolt atque aetatem exigere Mi 1275
dedi ei meam gnatam quicum aetatem exigat
Tri 15 non nouisse possum quicum aetatem
exegerim Tri 953 malo si quid bene facias,
id beneficium interit, bono si quid male facias,
aetatem* *expetit* Poe 635-6 (*AU vide ψ*) ibi
suam aetatem *extendebant* Ba 430(*v. secl Guyω*)
tu .. uino edentulo *inriges* Poe 700
purpura aetas* (*idem ferme quod* corpus) *occul-
tandast* Mo 288(*B²R*) .. ut profecto *uiuam*
aetatem miser Am 1023
  2. aetatem = per totam vitam(*cf* Egli, II,
p. 63; Kane, p. 18; Leers, p. 32): ut tibi superstes uxor aetatem* siet As 21 aetatem* uelim seruire, Libanum ut conueniam modo As 274
.. adeo ut aetatem(abeo ut aetatem *Non* 72)
ambo ambobus nobis sint obnoxii As 284 at
tu aegrota aetatem, si lubet, per me Cu 554
Ps 515(*BU vide infra* 4) med aetatem* uiduam
esse(exigere *Rs*) mauelim Men 720 est aequom
aetatem ibi te usque habitare Ru 715 *an huc*
etiam Am 1023 *referendum est? vide supra* 1 *sub* uiuo
  3. *dat.*: neque satis cogitatumst utram (artem) aetati agundae arbitrer firmiorem Tri 229
sibi inimicus magis quam aetati tuae Men 675
istaec ego mihi semper habui aetati integumentum meae Tri 313 in te nunc omnes
spes sunt aetati meae Ps 111 uae aetati tuae
Cap 855, St 594 uae uostrae aetati Poe 783
uae capiti atque aetati tuae Ru 375
  4. *abl.*: do Iouem testem tibi te aetate(aetatem
BU) inpune habiturum(*sc* hanc fraudem) Ps 515
  5. *cum praepp. add. aliquando gerund.* **ad:**
ad aetatem agundam Tri 232(*supra* 1)
  in *cum abl.*: in uita atque in aetate agunda
Am 633(*supra* 1) ita quoique comparatumst
in aetate hominum Am 634 in hominum
aetate* multa eueniunt huis modi Am 938
in aetate hominum plurumae fiunt transennae
Ru 1235 noctes diesque omni in aetate*
semper ornantur Poe 228 saepe aetate in
sua perdidit ciuem innocentem Men 720
  in aetate(*cf* Brix *ad* Tri 24; Kane, pp. 65, 73):
amicum castigare .. inmoenest facinus uerum
in aetate utile Tri 24 et stulte facere et
stulte fabularier, utrumque .. in aetate hau
bonumst Tri 462
  cum acc.: fecisti furtum in aetatem* malum
quom istaec flagitia me celauisti Ba 166
  B. *tempus vitae aliquod, sive* senectus *sive*
adulescentia *sive* media aetas **1.** *nom.* (*vel acc.*):
non istam aetatem oportet pigmentum ullum
attingere Mo 263 non omnis aetas, Lyde, ludo
conuenit Ba 129 iam *excessit* mihi aetas ex
magisterio tuo Ba 148 ut aetas* ex ephebis
exiit Mer 40 minus mirandumst illaec aetas
siquid illorum *facit* Ba 409 istaec aetas fugere facta magis quam sectari *solet* Mi 622 scis
solere illanc aetatem* tali ludo ludere Mo 1158

sapienti aetas *condimentum* Tri 368 latent
quibus aetas *integrast* Ps 203 ut aetas malast
mers mala ergost Men 758 mulieris est aetas
media Au 159 ut aetas *meast,* . . gradum
proferam Men 753 non omnis aetas ad perdiscendum *sat* est amanti Tru 22 dedit eum
huic gnato suo peculiarem, quia quasi *una*
aetas erat Cap 20
quid *agis* tu? #Aetatem' haud malam male
Ru 337 aetatem aliam (-te alia *Ly*) aliud
factum *condecet* (*Lach* conuenit *PLy*) Mer 984
hancine aetatem *exercere* me amoris gratia?
Mi 626 hanc se bene *habere* aetatem nimiost
aequius Mer 549 aetatem meam *scis*? #Scio
esse grandem Au 214 mulier quae se suamque aetatem *spernit,* speculo ei usus est Mo 250
2. *gen.:* aetatis atque honoris *gratia* hoc
fiet tui As 191 quid mihi opust decurso aetatis spatio cum meis bellum gerere? St 81
(*cf* Graupner, p. 19) triduom uon interest
aetatis ut maior siet Ba 461
hoc aetatis(*cf* Kane, pp. 90, 91; Leers, pp. 32,
34): censebam me effugisse a uita marituma,
ne nauigarem . . hoc aetatis senex Ba 343
hocine me aetatis ludos bis factum esse indigne!
Ba 1090 me hoc aetatis ludificari! Ba 1100
(*v. secl. RRgŜ*) hoc me aetatis sycophantari
pudet Tri 787 vide etiam Leo *ad* Tri 1090
id aetatis: puduit eum id aetatis sycophantias struere As 71
illuc aetatis: illuc aetatis qui sit non inuenies alterum lepidiorem Mi 659
istuc aetatis:' me tibi istuc aetatis homini
facinora puerilia obicere Mi 618
quid aetatis: quid tibi ego aetatis uideor?
#Acherunticus Mer 290 scio ego quid sim
aetatis Per 276
3. *dat.*: sapienti aetas condimentum sapiens
(† Ŝ) aetati cibust Tri 368(*v. om. RRs*) huic
aetati non conducit . . latebrosus locus Ba 56
purpura aetati* occultandaest Mo 288(*BugLU
Ly vide supra* A. 1, *et infra* 4. c) compendium
edepol haud aetati optabile fecisti Ba 159(*v.
secl Langens Ŝ*) . . si faximus conscios qui
nostrae aetati tempestiuo temperint Tru 61
4. *abl.* a. *qualitatis:* 'cano capite, aetate
alieno' eo addito ad compendium Cas 518
forma, aetate item qua ego sum Am 614 numquam Hecala aetate* fies Ci 48(*Rs*) fui ego
illa(*om C*) aetate et feci illa omnia Ba 1079
bonae hercle te frugi arbitror, matura(arbitro
a m. *RU*) iam inde(iam inde a m. *LuchsRg*)
aetate Mer 521 pari fortuna, aetate ut sumus, utimur Ba 1108 neminem metuo una
aetate quae sit Mer 520
b. *temporis(cf* Kane, p. 49; Leers, p. 18):
. . quorum causa fui hac(hoc *Non* 192 *et Ly
'soloece' L*) aetate exercitus Tri 1090 ne istac
aetate me sectere gratiis Ba 28(*ex Char* 200
cf Baar, *de Bacc.* p. 13) amator istac fieri
aetate audes? Ba 1163 te istac aetate* haud
aequom filio fuerat tuo . . amicam eripere Mer
972 temperate istac aetate istis decet ted
artibus Mer 982 uacuom esse istac ted aetate his(*CD* diis *B*) decebat noxiis Mer 983b
(*v. secl R* †Ŝ) alia aetate* Mer 984(*Ly supra* 1)
sapere istac aetate oportet Mo 1148 senecta

aetate a me mendicas malum Am 1032 uideo
. . te me arbitrari hominem idoneum, quem
senecta aetate ludos facias Au 253(*abl. qual.?*)
senecta aetate unguentatus per uias . . incedis? Cas 240 mirum ecastor te senecta aetate
officium tuom non meminisse Cas 259 istuc
ius est senecta aetate scortari senes Mer 985
hic illest senecta aetate qui factust puer Tri 43
c. *causae:* aetate credo esse mutas Ba 1138
te ille deseret aetate et satietate Mo 196
. . ubi aetate hoc caput colorem commutauit
Mo 201 purpura aetate* occultandaest usu
aut(*Rs*) . . Mo 288(*Rs*) aetate non quis optuerier Mo 840 scibam aetati*(-te *FZLU*)
tardiores Poe 509
d. *modi:* non aetate* uerum ingenio apiscitur sapientia Tri 367 *mensurae:* ut ex ephebis aetate exii(*MuretLULy* atque animum
phoebus aetate exiit *P* ut aetas ex ephebis
exiit *RRgŜ*) Mer 40
e. *post praepp.* a(ab): inde a matura aetate*
Mer 521(*RU supra* a) qui homo cum animo
inde ab ineunte aetate depugnat suo . . Tri 305
ad: As 284(*Non* 72 *falso: vide supra* A. 2)
si peruiuo usque ad summam aetatem, tamen . .
Cap 742 ea adoleuit ad eam aetatem(aetatulam *LoewRs*) ut uiris placere posset Cas 47
ego usque ad hanc aetatem ab ineunte adulescentia tuis seruiui seruitutem imperiis Tri
301 ad exitam aetatem = ad ultimam aetatem Fr II. 70(*ex Paul* 28)
aduorsum: stultus est aduorsum aetatem et
capitis canitudinem Fr. II 8(*ex Paul* 62)
post: post mediam aetatem qui . . ducit uxorem domum . . Au 162
praeter: praeter aetatem et uirtutem stultus
es Ep 106
C. *adiectiva:* aliena Cas 518 alia Mer 984
exita Fr II. 70 grandis Au 214 Hecala Ci 48
iniens Tri 301, 305 integra Ps 203 mala
Au 43, Men 758, Ru 337 matura Mer 521
media Au 159, 162 omnis Ba 129, Poe 228,
Tru 22 par Ba 1108 senecta Am 1032,
Au 253, Cas 240, 259, Mer 985, Tri 43 summa
Cap 742 una Cap 20, Mer 520
AETATULA - - dum tibi nunc haec **aetatu-
last** . . Mo 217 ea adoleuit ad eam **aetatulam**(*LoewRs* aetatem *Pψ*), ut uiris placere
posset Cas 47 semper istam quam nunc
habes aetatulam optinebis Ci 49 temperi
hanc uigilare oportet formulam atque aetatulam Per 229 uos quae in munditiis . . aetatulam agitis . . Ps 173 clientas repperi . .
ambas forma scitula atque **aetatulā** Ru 894
Cf Ryhiner, p. 23
AETERNUS - - spero . . me ob hunc nuntium **aeternum** adepturum cibum Cap 780
aeternum tibi dapinabo uictum Cap 897 stulta's . . quae illum tibi aeternum putes fore
amicum Mo 195
AETHER - - uoce missa ex **aethere**(-rẹ *D*)
adulterum se Iuppiter confessus est Am *Arg* I. 9
AETHERIUS - - Iouis frater et Nerei(f. Ae-
therii *ScalRRsU*) Neptuno . . laudes ago Tri 820
AETNA - - argenti montis . . habet Aetna
(ethna *PŜ*† Aetina *LoewRg vide* ω) mons non
aeque altos Mi 1065 *Cf* Egli, II. p. 35

AETOLIA - - Aetolia haec est Cap 94
AETOLICUS - - cum apro **Aetolico**(-to *B* etholico *CD*) . . deluctari mauelim quam cum Amore Per 3
AETOLUS - - hic autem habuisti **Aetolum**(*A* aeco.*B* aetho.*CD*) patrem Poe 1057 postquam belligerant **Aetoli**(*BDJ* actolli *E* illi *add Rs*) cum Aleis . . Cap 24 ita nunc belligerant Aetoli (illi *add Rs*) cum Aleis Cap 93 hunc fecere sibi Aetoli(aetholi *J*) agoranomum Cap 824 Aetoli (-y *D*) ciues te salutamus, Lyce Poe 621 bellum **Aetolis**(actollis *E*) esse dixi cum Aleis Cap 59
AEVOS - - Iuppiter . . per quem ueiuimus ueitalem **aeuom**(*B* ęuum *CD*) Poe 1187 *corruptum:* Mi 976, *ubi* aeui uis *D pro* eius
AFER - - quis tu's? #Mu. #Perii hęrcle, **Afer** est Fr I. 46(*ex Char* 240) sol est ad eam rem pictor: atrum(*vel* **Afrum** *Stud* Afrum *Rg* aerum *A*) fecerit Vi 36
AFFATIM - - *vel absolute vel seq. genitivo; aiiquando praecedit* usque: adfatimst(-im est *P* -im *ARU*): Mnesiloche, cura et(curaest *RU*) concastiga hominem Ba 497 . . tibi quoi domi sit quod edis . . adfatim(*AB* aff. *CD*) Poe 867 miseria una uni quidem hominist adfatim(*Loman* at fatim *CD* at fati *B*) Tri 1185 aliorum adfatimst(aff. *GellLU*) qui faciant Ci 231(*ex Gell* VI. 7) adfatimst(-tŭ *D¹*) hominum in dies qui singulas escas edint Men 457 tibi diuitiarum adfatimst(*B* aff. *CD*) Mi 980 *Cf* Blomquist, p. 57; Schaaff, p. 17 dum tu illi quod edit . . praebeas . . usque adfatim(*B* aff. *CD*) ad fatim *RsSLy*) Men 91 edas . . quantum uelis usque adfatim(ad fatim *BLLy*) Poe 534 *corrupta:* Tru 613, affatim *CD pro* offatim(*B*); 621, offatim*BLy* affatim *CD om Bueψ*; 626, affatim *CD pro* offatim(*B*)
AFFECTO - - amicos omnes **adfectas**(*Non* 75 [aff.] aff.*RL* adflictas *B* aff.*C²D* aflictas *C¹*) tuos ad probrum . . adpellere Ba 377(*v. secl. R vide* Buggius, *Phil.* XXXI. p. 249; Langen, *Beitr.* 165) quae commisi ut me defrudes, ad eam rem adfectas(*B* aff. *CD*) uiam Men 686 ut· me deponat uino, eam **adfectat** uiam(aff. *J* -tatiuam *B¹V* tiuam *D*) Au 575 *vide* Ru 418, *ubi* adfecta uiam *U pro* adfectam.
AFFERO - - I.Forma **adfero** Am 32(*P*[aff.] *L†* fero *Acψ*), 989(aff. *J*), As 269(aff. *J*), Cap 777(*RsU* aff. *BSL* off. *VEJ*), 832(dato *Non* 72), Mo 786(aff. *CD*), Per 672(aff. *PL*), St 278(*AB* aff. *CD* -rit *D¹*), 295(*B* aff. *ACD*) **adfers** As 242(af. *BJ*), 331(*E* aff. *BJ*), 593(*FZ*[aff.] *Rgl* offers *BDEψ* effers *J*) **adfert** As 361(*Rgl* aff. *Pψ*), 532(*BD* aff. *EJ* defert *Rgl*), Cu 69(*RgU* aff. *Pψ*), 116(aff. *J*), Men 759(*DSLy* aff. *B²C* fert*B¹ψ*), Per 511(*B* aff. *CD* offert. *A*), 520, Ps 375(*A* aderit *P*) **adferunt** Poe 619 **adfertur** Mi 1059(uerri a. *ex Prisc* II. 128 ueriant fertur *CD* uerreant uel tu *B*), Ps 228 **adferam** Men 1037(*B* aff. *CD*), Vi 85 **adferes** Ep 144(*Ly in lac*) **adferet** Ba 329(*Ca* adferret *B¹* adfert *B²CD* adferat *U*), Cap 179(*v. secl Rs*), Ci 726 (*U*[aff.] *in lac*), Cu 432(aff. *J*), Tri 788 **adferetur** Au 356(*RglU* aff. *Pψ*) **adtuli** Au 433 (*BDLU* att.*J* ad te tuli *StuRgSLy cf* Seyffert, *Stud. Pl.*, Berlin 1874, p.7), 498(att. *J*), Ba 802 (*U* att. *Pψ*), Cu 327(*U* att. *Pψ*), Ep 110(att. *Pω*

v. om A secl ω), 347(*U* att. *Pψ*), Per 226(*U* att. *CDψ* at. *B*), Poe 1047(*U* att. *ABψ*), Ps 706 (*U* tuli *R* att. *Pψ*), 711(*U* att. *Pψ* -lit *D*), Tru 536(*Rs* att. *FZψ* attolli *P*), 540(*RsU* att. *Pψ*) **adtulisti** Ba 809(*CU* att. *BDψ*), Ep 23 (*U* att. *APψ*), Per 461(att. *Pψ*), Ps 625(*U* att. *APψ*), 711(*U* att. *APψ* -li *D*) **adtulit** As 337(att. *Pω*), Ba 320(*U* att. *Pψ*), Ci 756(*U* att. *Pψ*), Cu 545(*U* att. *Pψ*), 581(*U* att. *Pψ* -li *B¹*), Mer 783(att. *BCω* at. *D*), Mi 988(att. *Pω*), Mo 138(*U* att. *Pψ*), Per 529(att. *Pω*), 544(att. *Pω*), Poe 763(*U* att. *APψ*), Ps *Arg* I. 6(*BoRg* rettulit *Pψ*), 1091(*U* att. *Pψ*), 1160(*U* att. *Pψ*), 1209 (*U* att. *Pψ*), St 275(*U* att. *Pψ*),· 359(att. *PRgS* rettulit *LipsLU*), Tru 814(*RsU* att. *Pψ*) **attulimus** Ba 230(adt. *U* tulimus *R*) **attulistis** As 733, Ba 315(adt. *U*) **attulerunt** Cas 70 (*AP* adt. *U* -leř *B*) **attuleris** Ps 376(adt. *U*) **attulerit** As 231(cadt. *BD*), Men 1044(adt. *B²U*), Ps 374(adt. *U*), Tri 788 b(*v. secl Rω*), Tru 429(*Bri* aituierit *P* iuuerit *Rs*) **attulerint** Poe 617(*B* adt. *U* -runt *CD*) **adferam** (*subiu.*) Am 9, Per 256(*B* aff. *CD A n. l.*), Ru 681(*RsU* aff. *Pψ*) **adferas** As 238(aff. *J*), Cap 855(aff. *BE*) **adferat** As 369(*RglU* aff. *Pψ*), Mo 68, Poe 29(*PLLy* -ant *FZψ*) Ps *Arg* I. 3(aff. *CD*), Ru 666(*Rs* aff. *Pψ*) **adferant** Poe 29(*FZ* -at *PLLy* aff. *CD*) **adferret** Au 258(*RgU* aff. *Bψ* aufferret *D* afferat *J*), Ps 57, 649 **afferretur** Tru 798(*Ca* auf. *Rs* ferretur *PLLy*) **attulerit** Ba 316(adt.*U*), 320(adt.*DU*), Tru 97 **attulisset** Cu 347(adt. *U* -llisset *J*), 550 (adt *EU*), Ps *Arg* II. 6(adt. *U*) **adfer** Ci 284, 286, Ep 660(*BE* affer *J* abi *AcRg*), Men 220, 1037(*B*[*B*] affer *CD* [*D*] affert [*C*], Ps 349(adfert *B ante ras D¹*), Ru 798(atfer *B* affert *CD* adferto *LLy duce Reiz*) **adferte** Mi 1332(*R* atque certo *P* atque ecferto *ψ*), Per 792(*Rs* fer *BoRU* ferte *PS†LLy*) **adferto** As 240(aff. *J*), Au 341(aff. *J*), Per 155(aff. *D*), Ru 798(*LLy* adfer *ψ* atfer *B* affert *CD cum lac*) **adferre** Ci 292, Cu 226(aff. *J*), Ep 639(*RgU* aff. *ABψ* afferri *EJ*), Ps 569(*AB* aff. *CD*), Ru 729(*A* at ferre *P*), Tri 814(*D* at ferre *BC*), Tru 579(*U* ad te ferre *PSLLy* adgerere *Rs*) **adferri** Cap 862(*RsULy* aff. *Pψ*), Ci 552(aff. *J*), Cu 84(aff.*PL* ferri *Bentψ*), Men 314(adferri *D¹*), 653 **adferrier** Au 571 (aff. *J*) **allaturum** Men 1043(adl. *ULy*), Tru 5 (*Sarac* abiaturum *P* abl. *ZLULy*) **allatus** Ps 717(*A* adl. *U* aliatus *B* alienatus *CD*) **allata** Ps 670(*A* adl. *U* cauata *P*), 671(adl. *U*) **allatam** As 761(adl. *RglU*) **allatum** Ru 1244 (adl. *RsU*), Au 355(adl. *RgU*), Tri 785(*B* adl. *RRsU* alienatum *CD*), 1144(adl. *RRsU*) **adlata** Ep 254(*U* atque *Pψ*) **adlatae** Ep 251 (*A* adl. *BJ*), Per 498(*DRRsU* all. *ABCψ*) *corrupta:* Au 614, afferam *D pro* auferam Cu 428, adferam *B pro* auferam Ep 21, adtulisti *P pro* adportas, Thesprio(*A*) Mi 459, affer *B²* pro ecfer Ps *Arg* II. 12, adfert *A pro* aufert Fr III. 8, affers *cod Brux* 9172 *pro* offers

II. **Significatio** 1. *proprie* a. *absolute:* ianuae lenoniae: si adfers*, tum patent As 242 si quid uti uoles, domo abs te adferto* Au 341 ea est ut∗∗∗ numerus annorum attulit Ci 756(u∗∗∗∗us *A* numerus *supplet Ca*) adferre* non petere hic se dicet Tri 814

b. *seq. acc.*: iube . . *agnum* afferri proprium pinguem Cap 862   egone ut quod ad me adlatum esse *alienum* sciam celem? Ru 1244 *amomum* Tru 540(*infra sub* tus)   non meministi me auream at te afferre* . . lunulam atque *anellum* aureolum? Ep 639   qui eum (*anulum*) illi adferet*, ei aurum ut reddas Ba 329 anulum istunc attulit quem tibi dedi Mi 988 currite intro adferte* *aquam* Mi 1332(*R*)   adferte* aquam pedibus Per 792 modo tecum una *argentum* adferto, facile patiar cetera As 240 adulescens uenit modo, qui id argentum attulit As 337   si ille argentum prius hospes huc affert . . As 361   narra haec . . dum argentum afferat mercator pro asinis As 369 ferre hoc iussit argentum ad te. #Ut tempore . . attulistis As 733   quod (argentum) si non adfert, quo me uortam nescio Cu 69   adferre argentum credo Cu 226   ego illam reddidi ei qui argentum a te attulit* Cu 581   decem minis plus (argenti) attuli quam tu danistae debes Ep 347   abeo atque argentum affero Per 672   si id (argentum) non adfert*, posse opinor facere officium meum Ps 375   si tu argentum attuleris, cum illo perdidero fidem Ps 376   tun (argentum) attulisti? Ps 625 qui argentum adferret atque expressam imaginem suam huc ad nos, cum eo aiebat uelle mitti mulierem Ps 649   illius seruos huc ad me argentum attulit Ps 1091   teneo hunc hominem qui argentum attulit Ps 1160   i, adfer mihi *arma* Ci 284   mille et ducentos Philippum attulimus* *aureos* Epheso Ba 230 nihilne (huc *add HermRRg*) attulistis inde *auri* domum? Ba 315   immo etiam: uerum quantum attulerit nescio Ba 316   nescio quantillum(*Py* quantulum *P* quantum illim *BoRRg*) attulerit: uerum haud permultum attulit Ba 320   ad te uenit aurumque attulit Poe 763 censebit aurum esse a patre adlatum* tibi Tri 785   ut filius tuos quando illi a me darem esse adlatum id aps te crederet . . Tri 1144   iussero *cadum* unum *uini* ueteris a me adferrier Au 571   *chlamydem* adferto et causiam Per 155   adfer✶✶✶(huc domo *add ReizU* adferto domo *L*) duas *clauas* Ru 798   erus meus . . ad te adferre* me haec iussit tibi *dona* Tru 579(*U*)   . . ut ne quid *dotis* mea ad te afferret* filia Au 258   dotem ad te adtuli maiorem . . Au 498   eius iussu nunc huc me adfero Am 989   quod illa dicat peregre allatam *epistulam* . . As 761   adlatā Ep 254(*U*) haec allatast* mihi opportune epistula Ps 670 haec (epistula) allata cornu copiaest Ps 671 illam epistulam ipsus uerus Harpax huc ad me attulit Ps 1209   epistulas quando opsignatas adferet [sed quom obsignatas attulerit epistulas] . . Tri 788(*v.* 789 *secl R*)   i, curre *equm* adfer Ci 286   equm me adferre iubes Ci 292   *eruom* tibi aliquis cras faxo ad uillam adferat Mo 68   interibi attulerint* *exta* Poe 617   ubi is (erilis *filius*) ergost? nisi si in uidulo aut si in mellina attulisti Ep 23 ei, *gladium* adfer* Ps 349   mihi aduentu suo *grandinem* imbremque attulit Mo 138   in libello hoc opsignato ad te(*P* abs te *A om URgŞ*) hoc(*A om PLLy* huc *Rg*) attuli* Ps 706

imaginem Ps 649(*supra sub* argentum) attuli* hunc (*hominem*). #Quid, attulisti? #Adduxi uolui dicere Ps 711   *lunulam* Ep 639(*supra sub* anellum)   (*litteras*) ut ab illo accepi, ad te obsignatas attuli Ba 802   ubi illa alterast furtifica *laeua* (*manus*)? #Domi eccam, huc nullam attuli* Per 226   neu qui manus attulerit sterilis intro ad nos Tru 97   *marsuppium* . . tibi iam huc adferam. #Adfer* strenue Men 1037   is ait se mihi allaturum cum argento marsuppium Men 1043   id (marsuppium) si attulerit dicam ut a me abeat liber Men 1044   nisi huic uerri adfertur* *merces* . . Mi 1059(*ex Prisc* II. 12ɜ)   (uiginti *minas*) . . si alius ad me prius attulerit, tu uale As 231 nisi mihi huc argenti adfert* uiginti minas . . As 532   ni . . e loculis adferes* Ep 144(*Ly in lac*)   nisi mihi hodie attulerit miles quinque . . minas . . Ps 373   argenti minam . . iam ego adferam ad te Vi 85   utinam *mea* mihi modo auferam quae adtuli* salua Au 433 quod te misi nihilo sum certior. #*Nihil* attuli Cu 327   uin adferri *noctuam*, quae tu tu usque dicat tibi? Men 653   abi atque *obsonium* adfer Men 220   attuli* eccam *pallulam* ex Phrygia tibi Tru 536   mihi ex fundis tuorum amicorum omne huc *penus* adfertur Ps 228 alii *piscis* depurgate quos piscator attulit St 359(piscata rettulit *LipsLU*)   iubeas si sapias *porculum* adferri* tibi Men 314   Liber, tibi qui screanti . . adfert *potionem* Cu 116   *praedam* As 269(*infra* 2, b *sub* triumphus)   mihi ab hippodromo memini adferri paruolam puellam Ci 552   nutrices pueros . . neue(*Py* neu quae *BL* neu que *CD*) spectatum adferant* Poe 29 era me rogitauit minor *puer* ut (sibi *add UL*) afferretur* Tru 798   *quicquid* attulerit*, boni consulas Tru 429(*vide Rs*)   (aetas) *res* plurumas pessumas, quom adueniت, adfert* Men 759 (*ŞLy*) . . tuom qui *signum* ad me attulisset, nuntium se spernerem Cu 550   . . ut qui attulisset signum . . cum pretio secum aueheret mulierem Ps *Arg* II. 6   consignat *symbolum* ut Phoenicium ei det leno qui eum . . adferat Ps *Arg* I. 3   . . qui huc adferret eius similem symbolum cum eo simul me mitteret Ps 57 quem symbolum? #Qui a milite allatust* modo Ps 717   *syngraphum* facito adferas As 238   hae *tabellae* te arguont, quas tu attulisti Ba 809   ei mandaui, qui anulo meo tabellas obsignatas attulisset* . . Cu 347 quaeso, qui has tabellas adferet tibi, ut ei detur . . Cu 432   ei reddidi qui has tabellas obsignatas attulit Cu 545   hodie adlatae tabellae sunt ad eam a Stratippocle Ep 251   istas tabellas . . quas tu attulisti mihi ab ero meo usque e Persia Per 461   ex Persia sunt istaec allatae mihi a meo ero Per 498(*A* ad me allatae modo sunt istae a meo domino *P vide* ω) hospitium ego isti praehiberi uolo qui tibi tabellas adfert* Per 511   iste qui tabellas adfert adduxit simul . . imaginem Per 520   ubi nunc illest hospes qui hasce (tabellas) huc attulit? Per 529   aduenit hospes ille qui has tabellas attulit Ps 544   *temeti* nihil allatum intellego. #At iam afferetur Au 355-6 *tesseram* conferri si uis hospitalem, eccam attuli Poɛ

1047 fortasse te illum mirari coquom quod haec (*uasa*) attulit MER 783 proin tu tui cottidiani uicti *uentrem* ad me adferas CAP 855 ergo nobis (*uinum*) afferri* censui CU 84 ex Arabia tibi attuli *tus,* Ponto amomum TRU 540 (*BueRsLLy vide app. crit. et ψ*) *dubium:* TRU 5, melior me quidem uobis (*PS̄† varie em ψ*) me adlaturum (*SaracRsS̄* abiaturum *P* ablaturum *ZLULy*) sine mora

2. *translate* a. = nuntiare, *vel addito* nuntius *nomine vel omisso:* patri suo nuntium lepidum attulit ST 275 bonis uos.. nuntiis me adficere uoltis, ea adferam (*vide Rgl*) quae maxume in rem uostram sient AM 9 istuc quod adfers, aures expectant meae AS 331 ecquidnam adferunt? POE 619 .. seni quoi boni tantum affero* CAP 777

b. *seq.* condicionem, pacem, gaudium, salutem, uim, *sim.: amoenitates* .. Venerum et uenustatum (*P* -tem *A*) adfero ST 278 adfer* domum *auxilium* (abi d.: auxilio *Rgl*[1]) mihi EP 660 nisi qui meliorem adferet quae mihi .. placeat *condicio* magis .. CAP 179 foribus *exitium* adfero* CAP 832 tam *gaudium* grande adfero ST 295 afferet (*U* ∗∗∗∗ et *Pψ*) *maerorem* familiarem CI 726 idem attulit magnum *malum* TRU 814 saluere me iubes quoi tu abiens adfers* *morbum*? AS 593 (*Rgl*) *nouom* attulerunt, quod fit nusquam gentium CAS 70 nouo modo nouom aliquid inuentum adferre addecet PS 569 quod me miseras, adfero *omne impetratum* MO 786 .. argenti mutui ut ei egenti (*Weis* legenti *P* uti egenti *A ut vid: vide RRs*) *opem* adferam PER 256 Pseudolus opem erili ita adtulit* PS *Arg* I. 6 (*BoRg*) pacem ad uos affero* AM 32 (*PL†*) maxumam *praedam* et *triumphum* eis adfero aduentu meo AS 269 res plurumas MEN 759 (*supra* 1. b) ∗∗cuiast quae *salutem* afferat RU 661 *uentrem* CAP 855 (*fortasse: supra* 1.b) pudicitiae eius numquam nec *uim* nec *uitium* attuli EP 110 (*v. om A secl ω*) quae uis uim mihi afferam ipsa adigit RU 681 occipito modo illis adferre* uim ioculo pausillulum RU 729 *uitium* EP 110 (*supra sub* uim)

3. *seq. casu locali vel adverbio:* domum BA 315, EP 660 domo AU 341, RU 798 (*Reiz*) Epheso BA 230 Ponto TRU 540 huc AM 989, AS 532, BA 315 (*HermRRg*), MEN 1037, PER 226, 529, PS 57, 228, 649, 706 (*Rg* hoc *A om PLLy*), 1091, 1209, RU 798 (*Reiz*) illim BA 320 (*BoRRg*) inde BA 315 intro TRU 97 peregre AS 761

4. *add. dativo:* mihi AS 532, CI 284, 552, EP 660, MEN 1043, MO 138, PER 461, 498, PS 228, 373, 670, RU 681 nobis CU 84 (?) sibi TRU 698 (*add UL*) tibi CU 116, 432, MEN 314, 1037, MO 68, PER 511, TRI 785, TRU 536, 540, 579 ei PER 256 (*Weis*) eis AS 269 illi BA 329 illis RU 729 quoi AS 593 (?), CAP 777 erili PS *Arg* I. 6 (?) uerri MI 1059 pudicitiae EP 110 foribus CAP 832

5. *add. praepp.* a (ab): AU 341, 571, CI 552, CU 581, EP 251, PER 461, 498, PS 717, TRI 785, 1144 ad: AM 32, AS 231, AU 258, 498, BA 802, CAP 855, CU 550, EP 251, 639, MO 68, PER 498, PS 649, 706, 1091, 1209, RU 1244, TRU 97, 579 (*U*), VI 85 e (ex): EP 144 (*Ly*), PER 461, 498, PS 228, TRU 536, 540

6. *seq. supino:* spectatum POE 29

7. *ad partic. perf.:* impetratum MO 786 in uentum PS 569

AFFICIO - - I. Forma **adficit** AM 1068 (aff. *J*) **adficitur** CU 142 (aff. *J*), PER 363 (*B* aff. *CDU*) **adficiet** AM 1140 (aff. *J* -tiet *E*) **adfeci** ST 406 (*A* adfect *P*) **adfecit** AM 193 **adfecistis** POE 1275 **adfecerunt** ST 210 **adficere** AM 3, 9 **adfectus** AU *Arg* II. 2 (aff. *J*), BA 641 (*B* aff. *CDS̄*), FR I. 17 (aff. *ex Macr* III. 16, 1) **adfectam** RU 418 (-a uiam *U*) **adfectos** AS 575 (aff. *J*) *corruptum:* PS 115, affecturum *B pro* eff.

II. Significatio 1. *seq. acc.* (*vel nom.*): aulam .. auri .. Euclio .. seruat miseris affectus modis AU *Arg* II. 2 me mancupia miserum adfecerunt male ST 210

2. *add. abl. instrumenti:* a. praeda atque agro *adoriaque* adfecit populares suos AM 103 quos abiens adfeci* *aegrimonia* .. ST 406 qui amat .. misera adficitur *aerumna* CU 142 (*vide ω*) quis est mortalis tanta *fortuna* adfectus umquam? FR I. 17 (*ex Macr* III. 16, 1) hac me laetitia adfecistis tanta et tantis *gaudiis* POE 1275 suis factis te inmortali adficiet *gloria* AM 1140 iam ea res me (*om EJ*) *horrore* adficit AM 1068 *laetitia* POE 1275 (*sub* gaudiis) quanta adficitur *miseria!* PER 363 bonis uos uostrosque omnis *nuntiis* me adficere uoltis AM 9

b. *agro* AM 193 (*supra* a *sub* adoria) uos .. uoltis .. me laetum *lucris* adficere AM 3 *praeda* AM 193 (*supra* a *sub* adoria) duplicibus *spoliis* sum adfectus BA 641 lictoris ulmeis adfectos lentis *uirgis* AS 575

3. *dubium:* (te) accipiam .. item ut adfectam* RU 418 (*vide Paulum 2 et cf* Sonnenschein *ad loc*)

AFFIGO - - te cruci ipsum **adfigent** (*ABD* aff. *C*) propediem alii PER 295 patibulum ferat per urbem deinde **adfigatur** ('*vir doctus*' adfigat *codd*) cruci FR I. 50 (*ex Non* 221) (ad parietem) ubi malos mores **adfigi** nimio fuerat aequius TRI 1040

AFFINIS - - *cf* Langen, *Beitr.* p. 272; Gimm, p. 6; Koehm, *Alt. F.,* p. 156

I. Forma **adfinis** AU 473 (adf. *RgU*), TRI 331 (adf. *APω*), 422 (adf. *APω*), TRU 771 (adf. *Pω*) **adfini** TRU 848 (*Ca* adi *P* aequali *U*) **adfinem** AU 536 (aff. *J*), 612 (*RgU* aff. *Pψ*), CI 779 (aff. *J*), ST 408 **adfini** TRI 622 (aff. *D* -mi *C*[1]) **adfines** TRI 1163 **adfinium** TRI 626 (aff. *D*) **adfinis** BA 380 (*B* aff. *CD* -nes *D*)

II. Significatio 1. *adiective:* publicisne adfinis fuit an maritumis negotiis? TRI 331

2. *substantive, is qui nuptiis coniunctus est:* Megadorus, meus adfinis, eccum incedit a foro AU 473 pol opino adfinis noster aedis uendidit TRI 422 Calliclem uideo senem, meus qui adfinis fuit TRU 771 iam illi remittam nuntium adfini* meo TRU 848 eccum adfinem ante aedis AU 536 lauabo ut rem diuinam faciam ne affinem morer AU 612 propera ire intro huc ad adfinem tuom CI 779 iam Antiphonem conueni adfinem meum ST 408 generum nostrum ire eccillum uideo cum adfini suo TRI 622 o saluete, adfines mei TRI 1163 est lubido orationem audire

duorum adfinium Tri 626   tuom patrem meque
una, amicos, adfinis tuos tua infamia fecisti
gerulifigulos flagiti Ba 380(*v. secl LangenRgŚU
vide* Langen, *Beitr.* p. 165)

AFFINITAS - - ea **affinitatem**(adf. *U* -net.
J) hanc obstinauit gratia Au 267   meus gnatus me ad te misit, inter te atque nos adfinitatem ut conciliarem Tri 443   adfinitatem
uobis aliam quaerite Tri 453 . . ubi adfinitatem inter nos nostram adstrinxeris . . Tri
699 . . patriam deseras, cognatos, adfinitatem
Tri 702   **adfinitate**(-tē *B*) uostra me arbitramini dignum Tri 505 *Cf* Koehm, *A.F.,* p.157

AFFIRMO - - numquam hercle hodie tibi
prius edes . . quam te hoc facturum quod rogo
adfirmas mihi Per 141

AFFLEO - - ut **adflet,** quo illud gestu faciat facilius Poe 1109 . . et ut **adfleat,** quom
ea memoret Per 152

AFFLICTIM - - Am 517, *B*[1] *pro* ecflictim
AFFLICTO - - I. Forma adflictor Mi 1337
(retine. #Adflictor *R* retineat flo *P* retine. #At
ultro misero *L* retine: adiuta comiter *U* reti-
neas. #Fio *RgŚLy post Sey et Kayser*), Ps 1295
(*P* -er *AŚLy*), Tru 343(*Rs* flector *PŚ*†*LLy*
plector *ZU*)   **adflictas** Au 632(aff. *J*)   **adflictat** Ba 154(aff. *CDRL* afl. *B*), Mer 648(*B*
aff. *CD*)   **adflictatur** Ru 645   **adflictantur**
Ru 164   **adflicter** Ps 1295(*vide* adflictor)   **af-
flictentur** St 606(*FRgU* eff. *APψ*)   **adflictare** Mi 1032(*B* aff. *CD*)   **adflictata** Mi 414
(atf. *B*[1] aff. *B*[2]*CD*)   *corruptum:* Ba 377,
adflictas *B* aflictas *C*[1] afflictas *C*[2]*D* affectas *Non*
75 *et RL* adfectas ψ

II. Significatio 1. *proprie:* quid me adflictas? Au 632   ualens adflictat* me uaciuom
uirium Ba 154(*v. secl BrachmannŚ*)   me in locis
Neptuniis . . seruauit, saeuis fluctibus ubi sum
adflictata* multum Mi 414   ut adflictantur
miserae! Ru 164   sacerdos Veneria indigne
adflictatur Ru 645   non tu scis quam afflic-
tentur* homines noctu hic in uia? St 606

2. *translate:* me adflictat amor Mer 648

3. *se adflictare vel adflictari:* ait illam miseram cruciari et lacrimantem se adflictare
Mi 1032 nolo: retine. #Adflictor* miser Mi
1337(*R vide* ψ)   post factum adflictor* Tru
343(*Rs*)   cur ego adflicter*? Ps 1295(*ŚLy ex
A ut vid* me adflictor *P* adflictor ψ)

AFFLIGO - - I. Forma   adfligatur Mi
1331(*B* atf. *CD*[1] aff. *D*[3])   **adfligam** Ru 1010
(*B* aff. *CD*)   **adfligam**(*subiunct.*) Per 793(*BD*
aff. *C*)   **adfligi** Mo 332(aff. *D*)   **afflictum**
Cu 83(adf. *RgULy*)

II. Significatio 1. *active:* ne sis me uno
digito attigeris: ne te ad terram . . adfligam
Per 793   adfligam ad terram te itidem ut
piscem soleo polypum Ru 1010

2. *passive:* istunc qui fert afflictum uelim
Cu 83   *reflexive:* tene mulierem ne adfligatur
Mi 1331 nolo equidem te adfligi Mo 332

AFFORMIDO - - magis curaest magisque
adformido(*B* aff. *CD*) ne is pereat Ba 1078

AFLUO - - fac sis sit delatum huc mihi
frumentum . . adeo ut frumento **afluam**(*ABC
adf. DR*) Ps 191   tu quemuis potis es facere
ut **afluat**(*A* fluat *P* adf. *R*) facetiis Mi 1322

AFRICANUS - - mures **Africanos** praedicat
in pompam ludis dare se uelle aedibus Poe 1011

AFRICUS - - adire certumst hanc amatricem **Africam** Poe 1304

AGAMEMNO - - miles Menelaust, ego Aga-
memno(*A* -mennon *BD*[3] -menno *CD*[1]) Ba 946
Cf Egli, II. p. 9

AGASIS - - *sacerdotis nomen.* heus, Agasi
(*TLy* heus si *CD* eu si *B* heus, exi *Sey* ψ),
Ptolemocratia, cape Ru 481(*Ly*)

AGASO - - egomet mihi comes, calator, equos
agaso(*CD* agas *B* sum *add RRg*) Mer 852

AGATHOCLES - - *rex Siciliae* Men 411
Agathocli Ps 532   **Agathoclem** Mo 775 (-odē *C*)
Cf Egli, III. p. 23; Vissering, I. p. 28

AGER - - *cf* Goldmann, I. p. 16
I. **Forma   ager** Mo 80, Tri 508, 533, 547
593, Tru 149(*FZ* agere *P*)   **agri** Au 13
agrum Am 226, Ep 306, Mer 74, Ru 214, 930,
Tri 520, 537, 652, 683, 687, 695, 700   **agro**
Am 193, 208, Ep 306, 470(*AJ* agyo *B*), Ru 34,
Tri 525, 560, 616

II. **Significatio** 1. *nom.:* omnia periere
et aedis et ager Mo 80   est ager sub urbe
hic nobis Tri 508   neque . . quisquamst, quoius ille ager fuit . . Tri 533   istest ager profecto . . malos in quem omnes publice mitti
decet Tri 547   (rem) gestam probe, si quidem
ager nobis saluos est Tri 593   non aruos hic,
sed pascuos est ager* Tru 149

2. *gen.:* agri reliquit ei non magnum modum
Au 13

3. *acc.:* te dictatorem censes fore, si aps te
agrum *acceperim?* Tri 695   *apage* a me istum
agrum Tri 537   nec prope usquam hic . .
cultum agrum *conspicor* Ru 214   conuenit . .
urbem, agrum, aras . . uti *dederent* Am 226
ubi . . eum agrum *dederis* . . Tri 700   nullum
esse opinor agrum in (omni *add RgU*) agro
Attico aeque *feracem* Ep 306   ne tu illunc
agrum tuom siris umquam *fieri* Tri 520   me
. . agrumque *habere?* Tri 683   meliust . . eum
agrum me habere quam te Tri 687   *instruam*
agrum atque aedis Ru 930   ego istum agrum
tibi *relinqui* . . expeto Tri 652   postquam
recesset uita patrio corpore, agrum se *uendidisse* Mer 74

4. *abl.* a. si . . redderent, se *abituros* agro
Am 208   praeda atque agro adoriaque *adfecit*
populares suos Am 193   quid illic festinat
sentio: . . ut agro *euortat* Lesbonicum Tri 616

b. *add. praepp.* de: lepide hercle de(*om A*)
agro ego hunc senem deterrui Tri 560

ex: . . ita profecto ut eam ex hoc exoneres
agro* Ep 470

in: Ep 306(*supra* 3 *sub* esse)   illic habitat
Daemones in agro . . propter mare Ru 34
Acheruntis ostium in nostrost agro Tri 525

AGERO - - ipsi uident eorum quom **agerimus**(*Sey* agg. *PL* acc. *A* adgredimur *Rs* abg.
U) bona Tru 112   nunc **agerite**(*BCŚ* agite
D agite ite *Caψ* vide *L in adn. crit. ad* Tru
111) uos Per 469 *Cf* Seyffert, *Stud. Pl.,* p. 28

AGGERO - - ipsi uident cum eorum aggeri-
mus(*PL*[= abg.] acc. *A* ag. *SeyŚLy* abg. *U* adgredimur *Rs*) bona etiam ultro ipsi **aggerunt**
(adg. *RsU*) ad nos Tru 112(*vide L in adn. crit.*)

his mihi ultro(intro *add Rs*) **adgerunda** etiamst
aqua Ru 484   te **aggerunda** curuom aqua faciam probe Cas 124   aggerundaque aqua sunt
uiri duo defessi Poe 224   *vide* Tru 579, *ubi*
adgerere me *Rs pro* ad te ferre me
    corruptum: Mi 225, aggeres *C pro* age res

AGGLUTINO - - mihi ad malum malae res
plurumae se **adglutinant**(agg. *J*) Au 801
postilla extemplo se adplicant, adglutinant(*F*
ac glutinant *P*[-at *B*] agg. *EL*) Men 342   iam
ad me adglutinandam(*J* -dum *B V E*) totam
(*B²V E* tota *B¹J* adglutinabo dum tibi *U*) decretumst dare Ci 648

AGGREDIOR - - I. Forma **aggredior** Cu
338(adg. *RgULy*), Mer 384(*D* adg. *Bψ* ag. *C*)
adgreditur Ci 313(*RsLLy in lac*), Men 237, Ps
Arg II. 10   **adgredimur** As 680, Ru 299(*CD* ac.
gr. *B* agg. *L*), Tru 112(*Rs* agerimus *Sey§Ly*
agger. *PL* accer. *A* abger. *U*)   **adgrediar** Ba
1151, Ep 126(*RqULy* agg. *Pψ*), Mi 169(atg. *P*
ac g. *B²* agg. *D³*), Mo 1074(*P* agg. *D³*), Per
481, 788(-ibo *R*), St 583, Tri 45, Tru 458(-iri
CaRsU)   **adgredibor** Per 15(*A* -ior *P* agg.
CD)   **adgredere** As 714   **adgrediri** Tru 252
(*A* -ias *B* agredias *CD*), 458(*CaRsU* -iar *Pψ*),
461   **adgredirier** Mer 248(*AB* agg. *CD*), Ru
601(*CD* agg. *B*)   **adgressus** As 25, Poe 1223
adgrediundus Tri 963(-dus est *B* -dust *C* -dūst
D)   **adgressu**(*sup.*) Per 558(adgressust scelus
A -su est scelus *U* -sus celis *B* -su scelus *CD*)
    II. Significatio(*cf* Feyerabend, p. 88;
Langen, *Beitr.* p. 100) 1. *absolute:* orasque
Italicas omneis, qua adgreditur mare Men 237
contra adgredibor* Per 15   decumum, quod
pessumum adgressust*, scelus Per 558   pol
hic quidem potant: adgrediar* Per 788
    2. *seq. acc.* a. *proprie, vi hostili vel amica:*
me obstinate adgressu's As 25   ipse me(ad
me *MueRgl* ipsum me *AcU*) adgredere As 714
(†*L*)   quin ego *hunc* adgredior de illa? Mer
384   hunc dolo(eum dolis *RU*) adgreditur
adulescentis seruos Ps *Arg* II. 10   aggredior
hominem Cu 338   aggrediar hominem Ep 126,
Mi 169*, Mo 1074(adg.), St 583(adg.), Tri 45
(adg.)   adgrediar *uirum* Per 481   *pass.:* adgrediundust* hic homo mihi astu Tri 963
    b. *translate:* eorum adgredimur* bona Tru
112(*Rs*)   tantundem dolum adgrediar Tru 458
(ausa sum tantam frudem adgrediri *Rs duce*
Ca adgrediri *etiamU*)   quom opus adgreditur Ci
313(*Rs in lac* q. Venus adg. *LLy aliterU*)   piscatum hamatilem et saxatilem adgredimur* Ru 299
nullam rem oportet dolose adgrediri Tru 461
    c. *cum praepp.* ad: me As 714(*MueRgl*
vide supra a)   interea ad me haedus uisust
adgredirier Mer 248   uidetur ad me simia
adgredirier Ru 601   quin ad hunc(*B* adhuc
DEJ), Philaenium, adgredimur? As 680   ego
ad hunc iratum adgrediar Ba 1151   astu sum
adgressus ad eas Po 1223
    prope: . . quamque nostrarum uidet prope
hasce aedis adgrediri* Tru 252

AGILIS - - Ep 10, agilior *P* abilior *A pro*
habitior(*corr ex Don in Ter Eun* II. 2, 11)

AGITATOR - - ne tu, ut ego opinor, esses
agitator probus Men 160

AGITO - - I. Forma   **agito** Per 29(ago

BoR), Ru 936a, Tru 451   **agitas** Ba 636b
agitat Au 631, Ba 584, Cap 596(-ant *J*), Cas
662(*Rs om Pψ*), Ci 688, Cu 239, Mer 75(hic agitat *GrutRU* hic habitat *RsLy* micaditat *P§*†
L†), 710(agit ad *B¹*), Mo 518   **agitamus** Ru
297(*Rs* captamus *CDψ* captam' *B*)   **agitant**
Au 642, Cu 92, Mer 134, Per 666   **agitor** Ci
206   **agitatur** Ba 797(agitur *BentRg*) **agitabo** As 708   **agitem** Cap 376   **agitet** Cap
597   **agitemus** As 834, Per 769   **agitent** Mi
165(*A* -tet *P*)   **agitato** Ru 858   **agitare** Mi
216(agitare mauis ω agitarē auis *P*)   **agi-
tandum** Tri 869
    II. Significatio 1. *proprie* a. *absolute* = pel-
lere, agere, vehi: insectatur omnis domi, agitat*
per aedis Cas 662(*Rs*)   iam calcari quadrupedo
agitabo aduorsum cliuom As 708   *passive:* bene
nauis agitatur* Ba 797(cf Graupner, p. 22)
    de histrione: modo hic agitat* leno, modo
adulescens Men 75(*GrutRU*)
    b. *seq. acc.* = aggredi, captare: balanos agi-
tamus* Ru 297(*Rs*)
    2. *translate* a. *de animi motibus* = exci-
tare: iactor, crucior, agitor, stimulor, uorsor
in amoris rota Ci 206
    ita nunc utrubique metus *me* agitat Ci 688
quae *te* mala crux agitat? Au 631, Ba 584
pol te . . pix atra agitet apud carnificem Cap
597   quae te res agitant? Cu 92   quae *te*
res agitat*, mulier? Men 710   quae res te
agitat, Tranio? Mo 518   quae te malae res
agitant? Mer 134   tum te igitur morbus agitat
hepatiarius Cu 239   di deaeque te agitant irati,
scelus Per 666   atra bilis agitat* *hominem*
Cap 596   laruae hunc . . agitant *senem* Au 642
    b. = agere, transigere, degere: age, ergo, hoc
agitemus *conuiuium* As 834   adcuratote ut
sine talis domi agitent* conuiuium Mi 165
redito atque agitato hic *custodiam* Ru 858
basilice agito* *eleutheria* Per 29a   hunc *diem*
meum *natalem* agitemus amoenum Per 769
nisi quidem hic agitare* mauis uarius uirgis
uigilias Mi 216   mihi aduenienti haec noctu
agitandumst uigilias Tri 869(cf Krause, p. 11;
Sidey, p. 59)   remittam nuntium qui me *quid*
rerum hic agitem . . perferat Cap 376   nunc
agitas *sat* tute tuarum *rerum* Ba 636b
    c. = considerare, cogitare: magnas res hic
agito in mentem instruere Ru 936a(cf Votsch,
p. 29; Walder, p. 16)   eam rem in corde
agito Tru 451

AGNELLUS - - **agnellum,** haedillum me
tuom dic esse As 667   *Cf* Ryhiner, p. 32;
Wortmann, p. 31

AGNINUS - - indicant . . **agninam** caram,
caram bubulam Au 374   locant caedendos
agnos et dupla(*Rost* duplam *PL* dubiam *U*)
agninam danunt Cap 819   iuben alium (praestinatum abɪre) porcinam atque agninam(agm.
J)? Cap 849   **agnina** tene strebulis Fr
I. 88(*ex Fest* 313)   una opera alligem fugitiuam canem **agninis**(agnis *Non* 331) lactibus
Ps 319   agninis(*A* ac ninis *B* ac nimis *CD*
minimis *R*) me extis placari uolo Ps 329

AGNOSCO - - indicio quoius alium **agnoscit**
filium Cap *Arg* 9   suasque adgnoscit(uasque
adcognoscit *B*) quas perdiderat filias Poe *Arg* 8

quibus de signis (gnatam) **agnoscebas**? Ep 597
signa **adgnoui**(agn. *D*) Men 1124   hospes me
quidam **adgnouit**(*B* agn. *OD*) Mer 98   *corrupta*: Au 561, agnoscat *Non* 455 *pro* agno sat
Tri 955, adgnitum *B pro* ad gnatum(*CD*)

AGNUS - - I. Forma **agnus** Au 563   **agnum** Au 327, 328a(*supplet in lac L solus*), 331,
561, Cap 862, Poe 776, Tru 614   **agno** Au 561
(agno sat *P* agnoscat *Non* 455)   **agni** Ru 1208
agnos Ba 1145(annos *D*[1]), 1146, Cap 819, Poe
453, Ps 330   **agnis** St 251(quot agnis *A* quot
tacis *BC* q̄d̄ tamis *D*)   *corrupta:* Mi 750,
nemo agnum *P pro* ne magno   Ps 319, agnis
Non 331 *pro* agninis
    II.Significatio(*cf*Wortmann, p.31)1.*nom.:*
uolo ego ex te scire qui sit agnus curio Au 563
sunt domi agni et porci sacres Ru 1208
    2. *acc.*: iube . . agnum *afferri* proprium pin-
guem Cap 862   agnum hinc uter est pinguior,
cape(*LULy in lac*) Au 327   lupo agnum *eripere* postulant Poe 776   iam ego te hic agnum
faciam Tru 614   pinguiorem agnum isti *habent* Au 331   etiam agnum *misi* Au 561   quem
illic *reliquit* agnum Au 329(*omnia supplet L
solus*)
    ei, *accerse* agnos Ps 330   *locant caedundos*
agnos Cap 819   nostros agnos* *conclusos* istic
esse aiunt duos Ba 1145
    sex *immolaui* agnos Poe 453   *praeter* eos
agnos meus est . . canis Ba 1146
    3. *abl.:* quo quidem agno sat(in quo quidem
agnoscat *Non* 455) scio magis curionem nusquam esse ullam beluam Au 561   quot agnis*
fecerat? St 251
    4. *adiectiva:* curio Au 561, 563   pinguis Au
327, 331, Cap 862   sacer Ru 1208
    AGO - - I. Forma **ago** Am 1040(*ZULy in
lac* faciam *GuyRglL lac* 𝕾), As 358, Au 638, Ba
78, 1196, Cap 922, Ci 692, 703, 720(ego *B*[1]),
Cu 107, Ep 340, 693, Men 118, Mer 121, 843,
Mi 352, Mo 368(*Lamb* agam *P*), Per 29a(*BoR*
agito *Pψ*), 47(*add U om Pψ*), 254(*U in lac
quam ret ψ*), 666, 756, Poe 459, 1197, 1243, Ps
188, 574, 997, 1211. Ru 605, 719, 884, 906(ego
C ante corr), 1053, Tri 256(*PL* r puto *Aψ vide
infra* II. B. 7), 821, 824, 1062, 1118, 1150, Tru
861   **agis** Am 450, As 91, 173, 297, Au 536,
636(ais *E*), 651, Ba 1106, Cas 229, 577, 789,
801, 974, Ci 474, 511, 545, 581, 643, 658, Cu
235, 610, Ep 9, 196(*om E*), 614(*P* agitis *A*),
688, Men 138, 621, 622(*om R*), 623, 624, 625,
685, Mer 284, 459, 624, 728, 963, 1000(*add
Lach om P*). Mi 170, 178, 215, 276, 863, 1123,
1139, 1335(*R in loco dub: aliter Pψ*), Mo 342,
562, 719, 998(*Ald* ais *P*), 1100(*Py* agas *P*𝕾),
Per 204, 208, 216(*B* ais *CD*), 482 *bis*, 578(*AB*[1]
ais *B*[2]*CD*), 659, Poe 333, 335(*CaRgl* ais *Pψ*),
364(*PLU* ais *Aψ*), 862, 1372(*A* agitis *P*), Ps
261(*FZ* magis *P*). Ru 337, 348, 733, 996, St
333, 715(agiss *B* bibis *RRg aliter ψ*), 717(*om
L*), Tri 699, 715(*RRs* agas *Pψ*), 917, 976, 981,
1078, Tru 126, 577, 846, 917   **agit** As 440(sat
agit *P* satagit *L*), Au 658(egit *MueLLy*), Ba 215,
Cap 480(*OU* ait *BDEJψ*), 628, Cas 321(*B* ait
V[2]*EJ* uit *V*[1]), 896, Ci 216, Cu 564, 707, Ep
112, Mer 85, Mi 811(*P*𝕾† *ULy* agat *L* aget *RRg
'aliud verbum' A*), Per 453, Poe 505, 1192, Ps

992, Ru 592(agat *CaRsL*), St 574, 575, Tri 51
(agat *C*), 55, 3⸴6, 437, 707   **agimus** Cu 159, Ep
157, Men 844, Mi.250(agemus *R*), Poe 1225, Ps
722, 1160, St 68, Tru 238   **agitis** Ba 294, Cap
209, Cas 78, 358, 765, Ep 345, Mo 293, 729, 939,
Ps 173, Ru 29, 311, Tru 401, 896   **agunt** Ba
39, Cap 489, 754, Per 852(*D*[2] acunt *P*), Poe 776,
Ps 152. Tri 1074(ac un *B*)   **agitur** Ba 447
(*LeidolphRgLy* itur *Pψ*), 797(*BentRg* agitatur
Pψ), Cas 896, Ep 422, Men 72, Mi 765, 1416, Mo
1076, Per 17, 309, 406, Poe 551, 914, Ps 273.
457, 645, 720, Ru 1148, St 129, 528, 722(*PU*
igitur *Saracψ* qui dicitur *P post v.* 776), Tru 860
aguntur Am 1098, 1120, Mer 193   **agebam** Ru
519   **agebat** Tri 1092(*BC* aiebat *D*)   **aguм**
Ba 708, Cas 341, Mi 266, Ps 1231, St 86(*P*𝕾†*Ly
om Rψ*), Tru 710   **ages** Cas 143, Poe 552(*RRgl*
agas *Pψ*), 675(tu ages si *BD* tuam gessi *C*), Ru
788   **aget** Am 94, Mi 811(*RRg* agit *P*𝕾† *ULy*
agat *L 'aliud verbum' A*)   **agemus** Mer 1019,
Mi 250(*R* agimus *Pψ*)   **agetis** Ps 504   **agent**
Vi 11   **agetur** Ba 355, Cap 52, Men 73   **egi**
Cu 434(aegi *J*), Men 118, Mer 228, Mi 1312(egi
aetatem *FZ* mā etatem *B* egaetatem *C* aegeta-
tem *D*[1]), Tri 1123   **egisti** As 171(aeg. *J*), Ba
980, Ps 1312   **egit** Au 658(*MueL* agit *Pψ*)
egerunt Ep 340(aeg *J*)   **egero** Ba 708, Cap
495, Mer 448(*R pro* uidero)   **egeris** Ru 1151,
Tri 387   **egerit** Men 54, 55, Poe 81, 82   **agam**
Am 1046, 1056, Au 106, 117, 274, 447, 636, 730
(*P*𝕾† *om Hariusψ*), *ib.*, Cap 907(*Rs: infra* II.
B. 5, b), Cas 938, 952, Ci 511(*Loman* agas *PLU
v. om A secl RsL*𝕾*Ly*), 528, Men 115, 568, Mi 198,
363, 412, 708, 995(*Ca* aquā *BC* ātquā *D*), Mo
34, 378, 524(*R aliter Pψ*), 662, 689, Per 370,
Poe 351, Ps 639, St 166(*A aliter P*), 333, Tri
64, 639, 718, 981, Tru 598(*SpLU aliter RsLy*
quem pernam *P*𝕾†)   **agas** Ba 1196, Ci 311, Ep
161, 693, Men 608, Mi 947, 1097, 1117, Mo 368,
594, 1068. 1100(*P*𝕾 agis *Rglψ*), *ib.*(*Ac* agant *P*),
Per 235, 610, Poe 552(ages *RRgl*), *ib.,* 1197, Ps
379, 578, St 604(ages *A*), Tri 715(agis *RRs*), Fr
I. 83(*ex Fest* 169)   **agat** Am 270, 954, As 175,
Au 574, 610(*BD* agant *VE*), Cap 611, Cas 859,
Cu 279, Men 465, 898, Mi 205(*R* agit *A* acta *P*),
811(*L* agit *P*𝕾† *ULy* aget *RRg 'aliud verbum'
A*), Ps 594, 765, 1256(*R* amet *APψ*), Ru 592(*Ca
RsL* agit *Pψ*), St 651, Tri 842(*A v. om P*), 865,
1003(agant *RRs*), 1007, Tru 498   **agamus** Ba
708, Cap 930, 967, Poe 193, Tru 9   **agatis** Ci
82   **agant** Au 607, Ba 404(agam *CD*[1]), Cas 871,
St 32 *bis*, Tri 1003(*RRs* agat *Pψ*), Tru 103(*P*𝕾†
LULy harpagant *Rs*), Vi 11   **agatur** Cap 226,
Cas 756, Tru 708   **agerem** Mi 956(*D*[3] agere *P*),
Ps 685, Tri 855   **ageremus** Ba 1209(𝕾[2] fac. *Pψ*)
egerim Men 116(*B*[2] legerim *PU*† pepigerim *Rs*)
egeris Tri 62   **egerit** Ps 1063   **egerint** Tri
550(*A* -runt *P*)   **egisset** Mi 1320   **age** Am
551, 750, 778, 783, 962, 1081, As 5, 39 *bis*, 40,
93, 327 *bis*, 475, 488, 672, 679, 746, 750, 828,
834, 891, Au 40, 641, 646, 649, *ib.*(*Rg om Pψ*),
777, 820, Ba 89, 748, 832, 855, 995, 1191, Cap
179(*J* aie *BDE*), 444, 570, 790, 839, 954, Cas 214
(*PLLy om Gep ψ*), 248, 401, 404, 405, 412, 488,
798, 829, 894, 901, 965, 1009(age tu *BJ* agetur
V aget //// *E*), Ci 554, 638, 693, 734, 747, Cu
121b, 132, 255, 727, Ep 194, 196, 262, 284, 475,

553(add SeyRg² 'exempli causa' in lac var em ψ), 631 bis, 691(A alege P), 696, Men 145, 154, 166, 825(CaR agere P gere Spψ), 949, Mer 112 (agedum FZ agendum P), 149(agedum FZ agendum P), 377, Mi 78(age eamus B corr agetemus CD agetenem' B¹ age demus Ly), 215, 225(ageres BD aggeres C), 335, 345, 357, 363, 847, 928(age igitur CD agite B), 930, 1024 bis, 1054, 1114, 1206, 1342, 1351(Weis agite PLLy), Mo 282, 308, 333, 347, 601, 635, 662, 794, 818, 840, 849, 851, 854, 1134, 1137, 1175, 1180, Per 38, 467, 584, 588(ate Non 150), 606 bis, 609, 640, 659, 691, 727, 745, 763(agidū B), 766 ter, 768, ib.(add MueRs om Pψ), 771, 821, 833(R agite Pψ), Poe 15, 329, 349, 491, 659(Ac agere P), 713, 717 ter, 761, 784, 796(age tu FZ agitur P om SpU), 1049, 1407, 1422, Ps 471, 523b, 1326, Ru 658, 720(agedum FZ agendum P), 785, 807, 808, 860, 1177, 1179, 1404, St 118, 221, ib.(add MueRg om APψ), 285, 353, 418, 435, 696(LU amica P mica LyA n. l.: aliter ψ), 715(bibe RRg tibi U), 717(om L), 723, 725, 727(om GuyR), 755, 767, Tri 369(agedum ACD agidum BRRs), 391(age rem FZ agere B agere CD), 819, 883, 981, Tru 951, Fr I. 90(LSpRgl agerge Varr [de l. L. VII. 63] St), II. 31(ex Gell N. A. XVIII. 12, 4) agite Am 302, As 1, Ba 10(ex Char 219), Cu 88, 635, Men 866, 1017, 1105(cogite B), Mer 741, 779, Mi 1198, Mo 63, Per 469(agite ite Ca agerite BCS agite D), 791, 833(age R), Poe 555, 597, 604, Ps 133, 152, 557, St 90, 683, Tru 838, Fr I. 82(ex Varr de l. L. V. 89, Fest 306) agito Au 458, Mer 375(agio B), ib., Mi 453(agit////B), Mo 1121(B² agite P), Tri 570 agere Am 181, Ba 48, 76, Cap 62, 869, Ci 311, Cu 671, Ep 443, Men 589, Mer 1, 337, Mi 352(acerer B¹), Per 115, 800, Poe 545, 828, 1254, Ps 602, 919, 1255, 1306, Ru 273, 1399, St 422(R capere APψ), 538 (facere MueU), Tri 712, 1150, Tru 237, Vi 61, Fr I. 83(ex Fest 169) agi Ba 479, Mer 1010 (magis B), Ps 919 acturus Am 88, Ba 722, Cap 789, Ep 284, Mer 572, Ps 395, 751(facturus R RgU) acturum Per 400 acturi As 367, Mi 84 (B²D² aucturi P) acta Cas 17, Mo 1181, Ru 683, Tri 319 actum(nom.) Am 227, 599, Ba 1097, Cap 509, Ci 685(BE¹ actutum VE²J), Ep 247, 426, Mer 199, Mi 590, Ps 85, 710(actun A), 1078, 1221(actu im B), St 712, 751, Tri 308, 578, 595, 608 actam Ci 703(at ta V), Ps 261 actum Tri 819, Tru 510 actos Am 500 agendum Cap 228, Mi 945, Poe 567(v. secl. WeisS), 1243, Ru 719 agendae(dat.) Mer 987(-a est B), Tri 229(A agundae Pω), 366(P agundae Aω) agendam Ci 721, Poe 599(-um A) agundam Tri 232(-a B) agunda Am 633 agendae Mer 118 agundis Poe 1189(igaindis B) corrupta: Am 364, agis D pro ais; 492, agitur B pro igitur As Arg 8, eius triste agit E³J pro e lustris rapit(Ca) Au 730, agam PSt om Hariusψ Ba 268, agebat D pro aibat; 477, agere B pro gerere Cap 592, agis J pro ait Cas 386, age J in loco dub; 849, agit P pro icit(A) Ep 17, agis AB pro ais(J); 254, agebat E pro aiebat Men 162, agis P pro ais(A); 487, agis C pro ais; 602, agis C¹ pro ais; 710, agit ad B pro agitat; 823, agis P pro ais(B²); 1095, agis B¹ pro ais Mer 247, quod(quam A) agis AP

pro quo magis; 448, agis P pro ais; 852, agas B pro agaso Mi 441, age ninam B¹ pro geminam; 1107, agebat D¹ pro aiebat; 1308, ago CD pro ego; 1397, sit actus CD si tactus B pro sit acutus; 1401b, age** A Mo 464, axint P pro faxint(B²); 959, agis P pro ais(A); 1027, agebat P pro aiebat(B²); 1028, agebat B¹ pro aiebat; 1034, agis P pro ais(B²); 1134, acto PSt te R in tu Rs ac te UL tu Ly Per 495, actis A pro facta; 845, agis B pro ais Poe 176, agere C² pro amare; 352, agas BD om C pro ais; 656, agit B pro ait Poe 996, agit B pro ait(ACD) St 596, agis AP pro ais; 615, agis ACD pro ais(B) Tri 875, agebat D pro aiebat Tru 149, agere P pro ager; 918, age P pro mage; 933, acta B pro ac tam; 952, tale actum P pro talentum(FZ)

II. Significatio A. proprie 1. = pellere, ducere: unde nos hostias agere uoluisti huc? Ru 273 edepol ne illic pulcram praedam agat* Au 610 unde onustam celocem agere te praedicem? Ps 1306 magister .. agitur* iure dicto Ba 447 bene nauis agitur* Ba 797(cf Graupner, p. 23) ad eum uineam pluteosque agam Mi 266

2. se agere = se conferre: quo agis te? Am 450 quo te agis? Mi 863(quo te Pius quot tu CD¹ quod tu BD³), Mo 562, Poe 333(P te om A) scio quo agas te Per 235 quo tu te agis? Tri 1078(quonam A) unde agis te? Mo 342, Per 482 omisso te: quo agis*? Per 216(te add R) tu unde agis? Ba 1106(te add HermR) animam agere = etiam vivere: res quom animam agebat* tum esse (aquam) offusam oportuit Tri 1092(cf Inowraclawer, p. 19) an mori significat quod putant plerique*

B. translate 1. = excitare, incitare: ita me Amor .. fugat, agit, appetit, raptat, retinet Ci 216

2. = gerere, facere a. absolute, saepe add. adverbio: α. narra haec ut nos acturi sumus As 367 quin agitis hodie? quin datis, si quid datis? Cas 765 age* plane Ep 553(SeyRg²) neque quod uolui agere hau quiquam(Rs vide ψ) licitumst Men 589 agas quod in manust Mo 594 quod faciundumst, cur non agimus? Poe 1225 quid ego .. nec quod conatus sum agere ago? Tri 1150 aliquis osculum amicae usque oggerit dum illi agant ceteri cleptae Tru 103(LLy in loco dub: similiter U, aliter RsSt) intellegetis potius quid agant, quando agent Vi 11 omnes res perinde sunt ut agas Ps 578 age igitur Mer 377 cras agito*, perendie agito Mer 375 sine tuo labore quod uelis actumst tamen Ep 426 quidquid(si quid Luchs Rg) acturu's, age, Ep 284 age, si quid agis Ep 196*, Mi 215, Per 659, St 715*(bibe si bibis RRg tibi dico U), 717 (om L), Tri 981 age ut lubet Cas 248, Men 949 age sis ut lubet Poe 329 age ut placet St 285 age ut uis Cas 405 age ut rem esse in nostram putas Per 609 β. add. adverb.: accurate: accurate (hoc add P om Guyω) agatur et diligenter Cap 226 bene: ubi lena bene agat cum quiquam amante .. As 175 .. ecqui bene agant St

32 (*Rg* bene *om* *Pψ*) bene agis mecum Tʀᴜ 846

male: male agis mecum As 173 nos male agere praedicant uiri solere secum Tʀᴜ 237 *cf* 238

naue: naue agere oportet quod agas Fʀ I. 83 (*ex Fest* 169)

nugacissume: actum reddam nugacissime (*Herm* nugaces sunt nisi *P*) Tʀɪ 819

palam: palam age, nolo ego murmurillum :. fieri Rᴜ 1404

precario: sine ui omni agam precario Tʀᴜ 710 (*Rs vide ψ* moui mihi omnia agam *P*)

probe: usque adhuc actumst probe Mɪ 590 **sat:** nunc sat agit* As 440 in somni egi satis et fui homo exercitus Mᴇʀ 228

sic: sic egero Cᴀᴘ 495 ego sic agam Cᴀs 341 sic ego ago: sic egerunt* nostri Eᴘ 340 sic ago, sic me decet Poᴇ 459 sic ago: semel bibo Rᴜ 884

strenue: conuorrite .. scopis, agite strenue Bᴀ 10 (*ex Char* 219)

b. *cum pronominibus sim.:* id uolo agere ut tu agas *aliquid* Cɪ 311 inter tot dies quidem hercle iam aliquid actum oportuit Tʀᴜ 510 numquid agere *aliud* me uides? Ps 919 *ecquid* agis? Aᴜ 636*, Eᴘ 688, Poᴇ 364* quod te misi, ecquid egisti? Bᴀ 980 ecquid agis? remorare? Cɪ 643 .. ecquid agant Sᴛ 32 (bene *add Rg*) dum *haec* aguntur .. Aᴍ 1098, 1120, Mᴇʀ 193 hoc idem apud nos rectius poteris agere Bᴀ 48 hoc ubi egero tum istuc agam Bᴀ 708 neque adeo haec ageremus* Bᴀ 1209 haud somniculose hoc agendumst Cᴀᴘ 228 hoc cito et cursimst agendum Poᴇ 567 (*v. secl Weis§*) dum calet, hoc agitur Poᴇ 914 iam hoc uolo quod occeptumst agi Ps 919 hoc quidem actumst hau male Ps 1078 lepide hoc actumst Sᴛ 712 hoc agamus Tʀᴜ 9 postquam *id* actumst tubae utrimque canunt contra Aᴍ 227 reuortor domum postquam id actumst Cᴀᴘ 509 Cɪ 311 (*supra sub* aliquid) ego hoc quod ago id me agere* oportet Mɪ 352 quod agas*, id agas Mo 1100 quaere tamen: ago ego id Pᴇʀ 47 (*U vide ψ*) .. ut id agam quod missus huc sum Ps 639 propera pellegere ergo epistulam. #Id ago Ps 997 id agis ut .. effugias ex urbe inanis Tʀɪ 699 em *istuc* ago quomodo argento interuortam aduentorem As 358 Bᴀ 708 (*supra sub* hoc) posterius istaec te magis par agerest Pᴇʀ 800 at enim ago istuc Poᴇ 1197 quam dudum istuc aut ubi actumst? Tʀɪ 608 tu istuc age Tʀɪ 819 dedi equidem *quod* mecum egisti As 171 .. ne quod hic agimus erus percipiat fieri Cᴜ 159 quod te praesente isti egi*.. Cᴜ 434 quid ego ex te audio? #Hoc quod actumst Eᴘ 247 flere omitte: istuc quod nunc agis Mᴇʀ 624 quod agat* aegre suppetit Mɪ 205 Mɪ 352 (*supra sub* id) igitur id quod agitur ei rei (*Sey* huic *Scal* hic *P§†Lt* ei hic *BoLy*) primum praeuorti decet Mɪ 765 hoc quod agendumst exsequamur Mɪ 945 uolup est, quod agas, si id procedit lepide Mɪ 947 tu modo istuc cura quod agis Mɪ 1123 Mo 1100 (*supra sub* id) uolup est homini .. si quod agit cluet uictoria Poᴇ 1192 illa omnia missa habeo quae

ante agere occepi Ps 602 firmum omne erit quod tu egeris Tʀɪ 387 bene quod agas* eueniat tibi Tʀɪ 715 quod ago adsequitur Tʀɪ 1118 ..ut quae cum eius filio egi.. Tʀɪ 1123 Tʀɪ 1150 (*supra* a) quid est quod male (*A* quid male nos *L duce P*) agimus tandem? Tʀᴜ 238 Fʀ I. 83 (*supra* a *sub* naue) mirum *quid* solus secum secreto ille agat Aᴍ 954 quid ego? quid ago (*ZULy* ego *cum lac P§* ego faciam *Guyψ*)? Aᴍ 1040 quid agam nescio Aᴍ 1056, Tʀɪ 64 (nesciam) quid agam scio Aᴜ 106 rogitant me ut ualeam, quid agam, quid rerum geram Aᴜ 117 potero quid agant arbitrarier Aᴜ 607 quid ego (*Rg om Pψ*) agam edepol nescio Aᴜ 730 scio quid ago Bᴀ 78 nescio quid ego acturus sim Bᴀ 722 quid ago? #Quid agas rogitas etiam? Bᴀ 1196 perspicito prior quid intus agatur Cᴀs 756 lubet Chalinum quid agat scire Cᴀs 859 spectato hinc omnia intus quid agant Cᴀs 871 nec quid agam meis rebus scio Cᴀs 938 animum aduorte iam ut quid agam* scias Cɪ 511 (*v. om A secl Rs§Ly*) hinc auscultemus quid agat Cᴜ 279 Epidice, uide quid agas Eᴘ 161 rogitas .. quid foris egerim* Mᴇɴ 116 obseruabo quid agat hominem Mᴇɴ 465 loquere porro quid sit actum Mᴇʀ 199 scis quid acturus siem Mᴇʀ 572 consulo quid agam Mɪ 198 uisent quid agam, quid uelim Mɪ 708 .. qui aucupet me quid agam* Mɪ 995 quid me consultas quid agas? Mɪ 1097 quid tibi .. quid ego agam curatiost? Mo 34 quid tu .. me rogitas quid agas? Mo 368 sat quid agam* scio Mo 524 (*R vide ψ*) .. quando quid agam inuenero Mo 689 nunc te uidere meliust quid agas Mo 1068 uide sis quid agas Pᴇʀ 610 tu hinc porro quid agas consulas Ps 379 onerabo meis praeceptis Simiam, quid agat Ps 765 nunc lenonem quid agit* intus uisam Rᴜ 592 ubi sint, quid agant, ecquid agant* neque participant .. Sᴛ 32 nec quid agam* scio Sᴛ 166 (*A* nescio quomodo *P*) quid agis? #Quid agam rogitas? Sᴛ 333 me non perspicue censes quid agas* Sᴛ 604 quid agat Stephanium curaest ut uideam (*R* ualeat *PL*) Sᴛ 651 sentio ipse quid agam Tʀɪ 639 lubidost opseruare quid agat Tʀɪ 865 lubet obseruare quid agat Tʀɪ 1007 nunc ad amicam .. uiso .. quid ea agat Tʀᴜ 498 nunc speculabor quid ibi agatur Tʀᴜ 708 ..quid agant Vɪ 11 (*supra* a) quid ego ago*? Aᴍ 1040* (*ZULy*) quid ego ago* nam? Mo 368 ego quid ago*? Mɪ 352 *U vide ψ supra sub* id) quid ago? Bᴀ 1196, Eᴘ 693, Pᴇʀ 666, Tʀɪ 1062 quid agis? Aᴜ 536, Cɪ 511 (agis igitur? *LLy*), 658, Mɪ 1335 (*R in loco desp: vide ψ*), Sᴛ 333 quid tu agis*? Poᴇ 335 quid agis tu? Mɪ 178, Mo 998*, Rᴜ 337 (hic *add CaRs*) quid agis hic? Cɪ 545 quid tu agis hic (*om B*) igitur? Rᴜ 348 quid tu hic agis? Cᴀs 788 quid agit*? Cᴀs 321*, 896, Sᴛ 575 quid agit is? Ps 992 quid agimus? Mᴇɴ 841, Mɪ 250*, Ps 1160, Sᴛ 68 quid male nos agimus tandem? Tʀᴜ 238 (*L vide supra sub* quod) quid hic nunc agimus? Eᴘ 157 quid nunc agimus? Ps 722 quid uos agitis? Cᴀs 358 quid denique agitis? Bᴀ 294, Tʀᴜ 401 quid hic agitis? Eᴘ 345 quid hic uos agitis? Mo 293, Tʀᴜ 896 heus uos, pueri, quid istic agi-

tis? Mo 939 quid agunt duae germanae meretrices? Ba 39 sescenti nummi quid agunt*?
Per 852 quid agitur*? St 722(*PU*) quid
intus agitur? Cas 896 euge, Tranio, quid agitur? Mo 1076 quid ages, si accedent propius?
Ru 788 quid nunc agetis? Ps 504 quid es
acturus*? Ps 751(facturus *RRgU*) quid nunc
acturu's? Ps 395 quidnam acturust? Cap 789
quidnam esse acturum hunc dicam uicinum
meum? Per 400 quid actumst*? Ps 710 quid
agam? Au 636, 730*(*PSt*), Mi 363, Per 370
quid ego agam? Mo 378, Tri 981 quid ego
nunc agam? Au 274, 447, Ci 528, Mo 662, Tri
718 quid ego nunc cum illoc agam? Men
568 quid nunc agam? Am 1046, Cas 952
quid agam nunc? Poe 351 quid agas? mos
geratur Ep 693 quid agat si absis longius? Cap 611 age *si quid* agis Ep 196*, Mi
215, Per 659, St 715(*supra* a), 717(*om L*), Tri
981 si quid tu placide otioseque agere uis,
operam damus Poe 545 age *quidlubet* Mo 601
ordine omne, uti *quicque* actumst, .. edissertauit Am 599 omnia ut quicque actumst memorauit Ba 1097 quo modo quicque agerem
.. certa deformata habebam Ps 675 omnia ut
quicque egisti ordine scio Ps 1312 praemon-
strauit prius, quo modo quidque agerem Tri
855 nec sycophantiose *quicquam* ago nec
malefice Ps 1211 perfidiose numquam quicquam hic agere decretumst mihi Vi 61 calide *quidquid*(si quid *LuchsRg*) acturu's, age
Ep 284 rem necesse eloquist quicqtid egi
atque ago Men 118 quicquid agit properat
omnia Poe 505 ut mihi quicquid ago lepide
omnia prospereque eueniunt! Ps 574 ah, placide uolo *unumquidque(duo uerba LU*) agamus
Ba 708

c. *cum substantiuis:* quid opus est me multas agere *ambages*? Ps 1255 hoc primum
agamus quod *consilium* cepimus Poe 193 quod
tu occeperis *negotium* agere, id tutum procedit diem Per 115 hoc negoti clandestino ut
agerem* mandatumst mihi Mi 956 dic hoc
negoti quo modo actumst Tri 578 obseruabo quam *rem* agat Am 270 opseruemus
quam rem agat Men 898 scio quam rem
agat Au 574 hinc auscultabo quam rem
agant* Ba 404 nullo pacto res mandata potest agi Ba 479 sentio quam rem agitis Cap
207 omnes de compecto rem agunt quasi
in Velabro olearii Cap 489 inter rem agendam istam erae huic respondi Ci 721 hoc
prius uolo, meam rem agere Cu 671 rogitas
quo ego eam, quam rem agam Men 115 uideo quam rem agis Men 685 duas res simul
nunc agere decretumst mihi Mer 1 ita tres
simitu res agendae sunt Mer 118 satin quicquid est (si *add R*) quam rem agere occepi?
Mer 337 odiosast oratio quom rem agas
longinquom loqui Mer 608(*aliter U*) adulescentes rei agendae isti magis solent operam
dare Mer 987 hanc uolo prius rem agi*
quam meum intro refero pedem Mer 1010
qui potius quam .. tuam rem tute agas? Mi
1117 male res uortunt quas agit Per 453
(*v. secl R*) ad hanc rem agundam* Philippumst (aurum) Poe 599 tu si te di amant

age* tuam rem: occasiost Poe 659 tuam rem
tu ages*, si sapis Poe 675 da diem hunc
sospitem .. (* *L*) rebus meis agundis(mebus
mis igaendes *B*) Poe 1189 quam rem agis*,
miles? Poe 1372 huic quam rem agat hinc
dabo insidias Ps 594 uiso quid rerum meus
Ulixes egerit Ps 1063 tun meam rem simulas agere? Ru 1399 faxo haud nescias quam
rem egeris Tri 62 quam hic rem agat* animum aduortam(*A uerba post* rem *om P*) Tri
842 epistula illa mihi concenturiat metum..
quam rem agat* Tri 1003 auscultat, obseruat
(*L* -taui -uaui[-bi *B*] *P* -uauit *Spψ*) quam rem
agam(*SpLU* quem pernam *PSt* quemnam amore
impertiam *Rs*) Tru 598

d. *locutiones uariae; nihil proprie:* quid
nunc? nihil agitis? Cas 78 hic quidem pol
certo nihil ages sine med arbitro Cas 143
nihil ago tecum Cu 107, Ru 1053 nihil tecum
ago. #Atque hercle mecum agendumst Poe
1243 nihil ego in occulto agere soleo Tri
712 nihil ego nunc de istac re ago Tru 861
translate: nihil agis (= *nugas* a.) Mer 459,
728, 1000*, Ru 996, Tri 917, 976 nihil agit,
collum obstringe homini Cu 707 nihil agit
qui diffidentem uerbis solatur solis Ep 112

similiter actam* rem ago: quod periit, periit
Ci 703 rem actam agis* Ps 261

nugas: nugas ago Mer 121 non ego nunc
nugas ago Au 638 nugas agis Men 621, 622*,
623 maxumas nugas agis As 91 a, nugas
agis Au 651 ***nugas agis Ci 474 sicine
agis nugas? Ci 581 nunc tu non nugas agis
Men 624 em rursum nunc nugas agis Men
625 nugas agit Cap 628, Tri 396 nugas
agunt Cas 754, Poe 776 quod posterius postules te ad uerum conuorti, nugas .. magnas
egeris Ru 1151 nisi qui argentum dederit
nugas egerit, qui dederit magis maiores nu-
gas(*om R*) egerit Men 54-5 argentum nisi
qui dederit nugas egerit, uerum(*om RsL*) qui
dederit magis maiores(*Py* nugas *add PL*) egerit Poe 81-2

3. *de aetate:* parua res est uoluptatum in
uita atque in *aetate* agunda Am 633 hic
nostra agetur aetas in malacum modum Ba
355 pulcherrume egi* aetatem Mi 1312 si
non mecum aetatem egisset, hodie stulta uiueret Mi 1320 musice hercle agitis aetatem
Mo 729 uel in pistrino mauelim agere aetatem Poe 828 .. qui aetatem agitis cum
pietate et cum fide Ru 29 quid agis tu?
#Aetatem haud malam male Ru 337 non
liquet .. utram (artem) aetati agundae* arbitrer
firmiorem Tri 229 .. utra in parte plus sit
uoluptatis uitae ad aetatem agundam* Tri 232
mihi quidem aetas actast ferme Tri 319 fortunatorum memorant insulas, quo cuncti qui
aetatem egerint* caste suam conueniant Tri
550 uos .. in munditiis mollitiis deliciisque *aetatulam* agitis Ps 713 *menses* iam tibi
esse actos uideo Am 500 *uitam* Am 633(*supra
sub* aetatem), Ps 1256(agat uitam *R pro* uitam amet) se fictorem probum uitae agundae* esse expetit Tri 366 *similiter:* basilice
ago* *eleutheria* Per 29a(*BoR*) uolo me eleutheria iam agere* St 422(*R*)

4. de valetudine: quid agis? As 297, Au 536, Cas 577, 801, 974, Cu 235, 610, Ep 614*, Men 138, Mi 170, 276, 1139, Mo 719, Per 208, 482, 576*, Poe 862, Tru 126(A tute praem P), 917 quid tu agis? Cas 229 quid agis? quid fit? Mer 284, 963(fiet B) quid agis? ut uales? Per 204, Tru 577 quid tu agis? ut uales? Ep 9 quid agit meum mercimonium apud te? Cu 564 quid agit parasitus noster? etiam ualet? St 574 quid agit* tua uxor? ut ualet? Tri 51 eho tu, tua uxor quid agit? Tri 55 quid agit filius? Tri 437 quid agitis? ut peritis? Ru 311 liberi quid agunt* mei? Tri 1074 quid agat Stephanium curaest, ut uideam St 651 uiso .. quid ea agat Tru 498 quid agitur? Per 17, 406, Ps 273, 457, St 528, Tru 860 quid agitur, Sagaristio? ut ualetur? Per 309 *similiter:* si intestatus non abeo hinc, bene agitur pro noxia Mi 1416

5. de scaena a. absolute: .. ut quom etiam hic agat* actutum partis defendas tuas Mi 811 hic agit magis ex argumento Tri 707
b. seq. acc.: ipse hanc acturust Iuppiter *comoediam* Am 88 comoediai quam nos acturi* sumus .. nomen uobis eloquar Mi 84 hanc *fabulam* .. hic Iuppiter hodie ipse aget Am 94 fabulam .. nullam aeque inuitus specto, si agit Pellio Ba 215 haec res agetur nobis, uobis fabula Cap 52 haec quom primum actast uicit omnis fabulas Cas 17 haec urbs Epidamnum est dum haec agitur fabula, quando alia agetur, aliud fiet oppidum Men 72-3 fabula haec est acta Mo 1181 horunc causa haec agitur spectatorum fabula: hoc te satius est docere, ut quando agas*, quid agas* sciant Poe 551-2 horum causa haec agitur spectatorum fabula Ps 720 inaequomst comico choragio conari desubito agere* nos *tragoediam* Cap 62 *similiter:* praesente te huic *apologum* agere* unum uolo St 538 *cf* Cap 907, *ubi* ut pro re agam *praeturam* et ius dicam larido R ut pro praefectura mea(A -ram et P) ius dicam larido $APRsSLLy$ *aliter* $GepU$

6. grates, gratias (*cf* Langen, *Beitr.* 11-14): eas uobis habeo *grates* atque ago Per 756 tibi grates ago Mer 843 .. ut Dianae laeta laudes gratesque agam Mi 412 in mentem fuit dis aduenientem *gratias* pro meritis agere Am 181 haud male agit* hic gratias Au 658 mihi aequomst gratias agere ob nuntium Cap 869 Ioui deisque ago gratias merito magnas Cap 922 promerui ut mihi omnis mortalis agere deceat gratias Ep 443 agit gratias mihi Mer 85 dis .. ago gratias Per 254(U in lac) eas deis est aequom gratias nos agere sempiternas Poe 1254 Neptuno has ago gratias, meo patrono Ru 906 tibi ante alios deos gratias ago Tri 824
laudes Mi 412(*supra sub* grates) laetus lubens laudes ago Tri 821

7. vi iudiciali: res magna amici apud forum agitur Ep 422 res agitur apud iudicem Ps 645 Gripe, accede huc, tua res agitur Ru 1148 nos quarum res agitur, aliter auctores sumus St 129 lege agito*: te nusquam mittam Mi 453 lege agito mecum Au 458 cum eo nos hac lege agemus Mer 1019

= disputare, disserere, *sim. seq.* cum: mecum As 171(*supra* 2. b *sub* quod), 173(2. a *sub* male), 175(*ib. sub* bene), Poe 1243(2. d *sub* nihil), Ru 719(*infra sub* tecum), Tru 846(2. a *sub* bene) illo praesente mecum agito*, si quid uoles Mo 1121 ui agis mecum Ru 733 secum Tru 237(2. a *sub* male) tecum Cu 107 (2. d *sub* nihil), Poe 1243(*ib.*), Ru 1053(*ib.*) principio, tecum ago Ps 188 ago cum *illo* nequid noceat meis popularibus Ru 605 tecum ago. #Atqui mecum agendumst Ru 719 cum *illoc* Men 568(2. b *sub* quid) cras agam cum ciuibus Ps 1231 cum *filio* Tri 1123(2. b *sub* quod) tute agito cum *nato* meo Tri 570 *cf* Tri 256 *ubi* cum ago cum meo animo et recolo *PL* quom cum animo meo reputo $A\psi$

8. actum esse (de): actumst, ilicet Ci 685 actumst de me hodie Ps 85 actumst de me (*Ca* de met B idem etiam *CD*) Ps 1221 uapulet peculium: actumst St 751 actumst, animo seruit non sibi Tri 308 si (ager) alienatur, actumst de collo meo Tri 595 *similiter:* acta haec res est Ru 683

9. = animum aduertere: *hoc* agite, sultis, spectatores, nunciam As 1 heia, hoc agere meliust Ba 76 hoc age sis nunciam Ba 995 tu hoc age Cap 444 quis agit* hoc? Cap 480 (*OU*) hoc agamus Cap 930, 967 hoc age sis Cas 401, Poe 761, 1407 hoc uolo agatis Ci 82 hoc age Ci 693, Per 584, Poe 768 memet moror quom hoc ago setius Ci 692 mitte atque hoc age Ci 747 hoc age nunc Mi 1114 at enim hoc agas uolo Poe 1197 hoc agite, hoc animum aduortite Ps 152 *istuc* ago*, atque istic mihi cibus est Ci 720 at enim ago istuc Poe 1197 tu istuc age Tri 819(*supra* 2. b *sub* istuc) age hanc *rem* Cap 790 hanc rem agite atque animum aduortite Cu 635 nunc hanc rem age* Men 825(*CaR*) hanc rem age* Mi 225 easque res agebam commodum Ru 519 hoc sis uide ut alias res agunt Ps 152

10. seq. ut consecutivum: Ci 311(*supra* 2. b *sub* aliquid), Tri 699(*supra* 2. b *sub* id) *interrogativum* As 359(*supra* 2. b *sub* istuc)

11. praeter adverbia supra B. 1 citata haec apponuntur: bene Ba 797(*RgLy*) calide Ep 284 cito et cursim Poe 567 male Au 658, Ps 1078, Ru 337, Tru 238 malefice Ps 1211 lepide St 712 otiose Poe 545 musice Mo 729 perfidiose Vi 61 placide Ba 708, Poe 545 cre Mi 1312 rectius Ba 48 setius Ci 692 somniculose Cap 228 sycophantice Ps 1211

C. *imperativus* age (agite) *vim instantis, hortantis, sim. saepissime habet atque invenitur absolute positus uel seq. indic., subiu., altero impera.; apponitur etiam saepe igitur, modo, sis, ergo, sim.* 1. *absolute:* agite pugni: iam diust quom uentri uictum non datis Am 302 age igitur: equidem nihili facio Ba 89 age nunciam quando lubet Mi 363 age, age, ut tibi maxume concinnumst Mi 1024 nihil periclumst: age modo Mo 851 age, age nunc tu: in proelium uide ut ingrediare auspicato Per 606 mutua fiunt a me: age(*om FZRKsLU*) age, age ergo Per 766 agedum: nam satis lubenter te ausculto loqui Ps 523b age sane

Ps 1326 agedum, Stiche: uter demutassit, poculo multabitur St 725

2. *seq. indic.*: age, age, mansero tuo arbitratu As 327 age inpudice, sceleste, non audes mihi scelesto subuenire? As 475 age iam, id utut est, etsist dedecori, patiar Ba 1191 age, ecquid fit? Cas 404 age sane igitur.., quam mox incendo rogum? Men 154 age iam, mitto Mo 840 agite, adplaudamus Per 791

3. *seq. subiu.*: age decumbamus sis, pater As 828 age ergo, hoc agitemus conuiuium As 834 age, eamus(B^2 agitemus *CD* agetenem' B^1 age demus *Ly*) ergo Mi 78 age eamus intro Poe 491, 717 age, sis, eamus Poe 1422 age eamus..ad matrem tuam Ru 1179 age, mi Achilles, fiat quod te oro Mi 1054 agite*, sultis, hunc ludificemus Per 833

4. *seq. impera*(*cf* Loch, p. 16) **age:** age* igitur, intro abite Mi 928 age abi, abi inpune Mo 1180 age illuc abscede procul e conspectu Per 467, 727 age abduc hasce intro St 418, 435(abduce) age age absolue Ep 631 age accede huc modo Cas 965 age, Olympio, .. accipe hanc ab nobis Cas 829 age accipe hanc sis Ep 475 age accipe hoc sis Per 691, Poe 713 age accipe illinc alteram clauam Ru 807 age accumbe igitur Mo 308 age* accumbe Per 768(*MueRs*) age ambula ergo As 488 age ambula in ius Per 745, Ru 860 age, age ambula Poe 717 intro abi, adpropera, age*, amabo Cas 214(*PLLy*) age me huo aspice Am 750 age aspice(inspice *J*) huc sis nunciam Am 778 age me aspice Men 145 age alter istinc, alter hinc adsistite Ru 808 cedo tuam mihi dexteram: agedum*, Acanthio Mer 149 age*, inquam, colliga Ep 691 age circumfer mulsum Per 821 age, puere, ..committe hos ludos Per 771 age comminiscere ergo Mo 662 age..suaui cantu concelebra omnem hanc plateam Cas 798 age* rem cura Tri 391 age dice Cu 132, St 696* (*L vide* ψ) age dic Ep 262 age tu dic(*add RRg om P*ψ†*S*) St 118 da, puere, ab summo, age tu interibi..da sauium As 891 age tu interim da cantharum Mo 347 age disputa Mo 1137 age..has nunciam duc intro Mi 930 age duc(*P i duce WeisRRsLLy*) Mo 794 age effunde hoc cito in barathrum Cu 121 b age eloquere(*Par te loquere P*) audacter mihi Mi 847 age i tu secundum Am 551 age* ite cum dis beneuolentibus Mi 1351 age i simul Mo 333 age i duce(*Weis age duc P*S) me Mo 794 exi inquam age exi Au 40 quae patriast tua age mihi actutum expedi Per 640 age nunciam ex me exquire Ep 696 age, age usque excrea. #Etiamne? #Age, quaeso hercle As 39-40 age modo fabricamini Cas 488 age face Mi 335 age, canem istam a foribus aliquis abducat face Mo 854 age, mi Leonida, obsecro fer..ero salutem As 672 fer(ferre *U*) intro uidulum, age, Trachalio Ru 1177 age tu ocius finge(*BugRg* tinge *LipsU* terge *R* pinge *APS†L†Ly*) humum St 353 age fi benignus Per 38 age gaude modo Cap 869 age* indica prognariter Per 588 age iam infla buccas St 767 age nunciam insiste in dolos Mi 357 age nunciam iube oculos elidere Ru 658 age (age *add MueRg*) licemini St 221 age nunc loquere quiduis Au 777 age loquere quiduis Ps 471 age ergo loquere Au 820 ago loquere tu quid ibi inerit Ci 734 age mitte ista Mo 1134 age tu interea huic somnium narra Cu 255 age, obliga, obsigna cito Ba 748 age* ergo obserua St 727 age omitte actutum..marsuppium Poe 784 age nunciam orna te Ep 194 age ostende etiam tertiam (manum) Au 641 age (age *add Rg*) rusum ostende huc manum Au 649 age perge, quaeso Ci 554 pinge St 353(*vide sub* finge) age tu illuc procede Cap 954 age* tu progredere Poe 796 promitte, age inquam Mo 635 age prior prompta(*RsLU* perde *MueLy* tirot *B*S† t̄yro *D* tyranno *C*) aliquid Tru 951 age ergo recipe actutum Cu 727 age* tu redde huic scipionem et pallium Cas 1009 age tibicen, quando bibisti, refer ad labeas tibias St 723 age nunc reside As 5, Poe 15 age responde Am 962 age iam sine ted exorarier Mo 1175 age, mulsa mea suauitudo, salta St 755 age, uxor, nunciam sorti Cas 412 exi tu, Daue, age sparge Fr II. 31(*ex Gell N. A.* XVIII. 12, 4) age specta postea Mo 818 age* ergo specta Fr I. 90(*ex Varr de l. L.* VII. 63) age animo bono es(*F om P*) Mi 1206 age, Palaestrio, bono animo's Mi 1342 age sustolle hoc amiculum Poe 349 tinge St 353(*vide supra sub* finge) age, quaeso, mihi hercle translege As 750

age audacter (quamuis dicito *add Rs lac* SL *om U*) Cas 901 age nunc uincito me Ba 855

age sis: age sis tu in partem nunciam hunc delude atque amplexare hanc As 679 age* sis roga emptum Cap 179(*v. secl Rs*) age sis tu (, *add Ly*) sine pennis uola As 93(*v. secl Fl*ω)

agedum(*cf* Abraham, p. 183): agedum*, Acanthio, abige abs te lassitudinem Mer 112 agedum* ergo, accede ad me Per 763 agedum ergo accede huc modo Ru 785 agedum tu adi hunc Cas 894 agedum tu, Artamo, forem hanc pauxillum aperi Ba 832 quaeso hercle agedum aspice ad me Cap 570 agedum contempla aurum Mo 282 agedum* eloquere Tri 369 agedum, excutedum pallium Au 646 agedum expedi Am 1081 agedum exsolue(*Mue* eam solue *P*) cistulam Am 783 agedum ergo face Mi 345 agedum nomen tuom primum memora mihi Tri 883 agedum odorare hanc.. pallam Men 166 agedum istum ostende..syngraphum As 746 agedum huc ostende Poe 1049 agedum pulta illas fores Ci 638 agedum* ergo, tange utramuis Ru 720 agedum uide Mo 849

agite: agite abite(B^2D^3 habete *P*) Men 1017 agite intro abite Poe 604 agite abite tu domum.. Tru 838(*vide sub* abito) agite abscedite ergo Mi 1198 *vide etiam* St 90(*infra sub* adsidite) agite amolimini(*AB* amouemini *CD*) hinc uos intro nunciam Ps 557 agite apponite opsonium istuc Mer 779 ilico agite (*istic add A*) adsidite(*A* abscedite *CD* ascidite *B*) St 90(SLULy *vide RRg*) agite bi-

bite, festiuae fores Cᴜ 88   nunc agite* uterque . . dicite Mᴇɴ 1105   agite ite actutum
Mᴇʀ 741, Mɪ 1351(*PLLy supra sub* age) exite
agite exite(*A* ite *P*), ignaui Ps 133   agite
igitur . . rem expedite Poᴇ 555   agite equi,
facitote sonitus Mᴇɴ 866   agite inspicite Poᴇ
597   nunc agite* ite(*vide L in. adn. crit. ad*
Tʀᴜ 111*)* Pᴇʀ 469   agite ite foras Sᴛ 683
agite porro pergite Mo 63   agite nunc sub-
sedete omnes Fʀ I. 82(*ex Varr de l. L.* V. 89;
Fest 306)

     age (agite) *secundo loco:* Cᴀs 214(adpro-
pera), Mᴇʀ 149(cedo), Mo 635(promitte), Ps
133(exite), Rᴜ 1177(fer)

     age *cum numero plurali coniungitur:* Cᴀs
488(fabricamini), Mɪ 928(abite), 1351(ite: agite
retinent PLLy), Sᴛ 221(licemini)

AGORANOMUS - - nec quisquamst tam opulentus qui mihi obsistat in uia, nec strategus
. . nec **agoranomus** Cᴜ 285   sicut merci pretium statuit(quist probus agoranomus *A om P*)
Mɪ 727   hunc fecere Aetoli sibi **agoranomum**
Cᴀᴘ 824   *Cf* Egli, II. p. 42

AGORASTOCLES - - *adulescens in supersc.*
Poᴇ *act.* I, *sc.* 1 (adg. *BD*), 2, 3; *act.* III, *sc.* 1,
2, 4, 5, 6; *act.* V, *sc.* 2, 3, 4 Poᴇ 901   **Agorastocli** Poᴇ 1341   **Agorastoclem** Poᴇ 707
(-en *B*), 957(-en *B*), 1043(*P* -en *A v. secl Sey
LLy*), 1044(-des *B*)   **Agorastocles**(*voc.*) Poᴇ
205(-des *B*), 248, 350, 403(-des *B*), 595, 604
(-des *B*), 751, 797, 1076, 1227(-tecles *CD*),
1342, 1395   *Cf* Schmidt, p. 354

AGRESTIS - - uelut hic agrestis est adulescens qui hic habet Tʀᴜ 246(*P* uelut hic est
adulescens qui habitat hic agrestis rusticus
A)   clamore absterret, abigit, itast agrestis
Tʀᴜ 254

AGRIGENTINUS - - ei erat hospes . . Siculus senex, scelestus Agrigentinus Rᴜ 50

AGRICOLA - - uostram ego imploro fidem,
agricolae, accolae Rᴜ 616

AH - - *cf* Richter, p. 393-407; Hirth, p. 5
vide a et aha

     I. **Forma** Aᴍ 935, *JU*Richter a *BDE*ψ As
36, *E*³ ahc *BD* hac *E* aht *J*   Aᴜ 651, *U* a
*BDE*ψ an *J*   Bᴀ(65 a =) 73, a *D*; 74, ah *B*Ꞔ²
LLy at *CD*ψ; 87, *F* aha *PLLy*; 707, *B* a- *C*
-a- *D*; 810, *HermR* aha *P*ψ; 879, ah *BoLU
Ly* uah *P*Ꞔ uaha *HermRg*   Cᴀs 366, ha *E*
Eᴘ 554, *BEJ* ha *A* a *Rg*   Mᴇɴ 180, *RU* oh
*P*ψ   Mᴇʀ 156, *D* ach *C* ha *B;* 323, ah, ne *Ca*
athene *P;* 934, ah *add U*   Mɪ 1324, *add SeyU*
a *Ly*   Pᴇʀ 316, ah ah *A om P* aha *R;* 622, *A
lxc P* at *R*   Poᴇ 319, *PU* aha *A*ψ; 335, *PU*
aha *A*ψ; 690, *A*Ꞔ *om P*ψ   Rᴜ 111, *Rs om L*
ᴀn *P*ψ†Ꞔ; 420, *PU* aha *Ca*ψ Tʀɪ 649, *P* aha
*A*ω   Tʀᴜ 366, ω ha *A* ab(abi) *P;* 525, *Bo* ab
PS†; 910, *Rs* ad *PS†* em ψ   *corrupta:* Cɪ
584, ah *E*²*J* a *VE*¹ pro at (*B*)   Eᴘ 371, ah
J ha *E* pro ᴉam   Ps 1293, digni ah *P* dis
dignis *ARg* et dis dignis *StudL* dinis dignis
Ꞔ*Ly*

     II. **Significatio** 1. *interiectio improbantis:*
ah, noli Aᴍ 520   ah*, nugas agis Aᴜ 651 ah*,
nimium ferus es Bᴀ(65 a =) 73 ah*, nimium
pretiosa's operaria Bᴀ 74   ah*   placide uolo
unumquidque agamus Bᴀ 707   ah*, lassitu

dinem hercle tua uerba mihi addunt Mᴇʀ
156   ah, nescis quid dicturus sum Mᴇʀ 431
ah, gere morem mihi Mo 577   ah, caue tu
illi obiectes . . te has emisse Mo 810   ah,
odio me enicas Pᴇʀ 48   ah ah*, abi atque
caue sis a cornu Pᴇʀ 316   ah, desine Rᴜ 681
vide etiam Poᴇ 319(*infra sub* aha), 335(*ib.*),
Rᴜ 420(*ib.*)

     2. *interiectio refutantis vel corrigentis:* ah*,
propitius sit potius Aᴍ 935   ah*, neque hercle
ego istuc dico As 36   manum da et sequere.
♯Ah*, minime Bᴀ 87   mihi enim — ah*, non
id uolui dicere Cᴀs 366   egon te (ducam)?
ah*, ne di siuerint Mᴇʀ 323   dixerunt . . te
quaeritare a muscis. ♯Ah*, minume gentium
Poᴇ 690   peperisse audiui. ♯Ah, obsecro, tace
Tʀᴜ 195   *vide etiam* Mᴇʀ 934, *ubi* ah *add U
ante* certum   Rᴜ 111, *ubi* ah *Rs habet pro* an
Tʀɪ 649(*infra sub* aha): 1060(*ib.*)

     3. *querentis:* pergitin pergere? ah seruiun-
dum(*Herm* seuiendum *P*Ꞔ †) mihi hodiest Ps
1249   sauium sis pete hinc. ah*, nequeo caput tollere Tʀᴜ 525

     4. *perterriti et metuentis:* perii, et tu peristi.
♯Ah*, perii Cᴀs 633   quid ergo? ♯Ah. ♯Quid
est? ♯Interemere ait uelle uitam Cᴀs 659

     5. *laetantis:* ah*, Salus mea seruauisti me
Bᴀ 879   ah. ♯Quid est? ecquid lubet? ♯Lubet
Cᴜ 130   ah*, guttula pectus ardens mihi asper-
sisti Eᴘ 554   noli flere. ♯Ah*, di istam per-
dant Pᴇʀ 622(*cf* Richter, p. 398, 4 b)   ne abi.
♯Ah*, aspersisti aquam Tʀᴜ 366   *vide etiam*
Bᴀ 810(*infra sub* aha)   Mᴇɴ 180, *ubi* ah *RU
pro* oh

     6. *consolantis:* Mɪ 1324, *ubi* ah *SeyU ante*
ne fle *addunt*

     7. *dubium:* Tʀᴜ 910, *ubi* ah, omnest mancum
istic: poscit 'parumst' *Rs*

     8. ah *coniungitur cum imperativo:* Aᴍ 520,
Mɪ 1324(*U*), Mo 577, 810, Pᴇʀ 316(*iteratum*),
Rᴜ 681, Tʀᴜ 195

     cum optativo: Aᴍ 935, Mᴇʀ 323, Pᴇʀ 622

     cum indicativo; aliquando etiam absolute: As
36, Aᴜ 651(*U*), Bᴀ 73, 707, Cᴀs 659(*absolute*),
Cᴜ 130(*abs.*), Eᴘ 554, Mᴇɴ 180(*U*), Mᴇʀ 156,
431, 934(*U*), Pᴇʀ 48, Poᴇ 690(?), Ps 1249, Rᴜ
111(*Rs*), Tʀᴜ 366, 525, 910(*Rs*)

AHA - - *cf* Richter, p. 393—96 *et vide* a,
ah *et* ha

     I. **Forma** Bᴀ 87, *PLLy* ah *F*ψ; 810, ah
HermR   Cᴀᴘ 148, *Richter* hah *P*(ha *B*²*D*) ah
U   Cᴀs 726, uaha *J*   Pᴇʀ 316, *R om P* ah
ah *A*ψ   Poᴇ 319, *A* ah *PU;* 335, *A* ah *PU*
Rᴜ 420, *Ca* ah *P*Ꞔ*U* Tʀɪ 649, *A* ah *P;* 681,
Haupt ha a *B* hac *CD;* 1060, aha, nimium
A ninium *P* ah nimium *U* animum *Non*
510   Tʀᴜ 210, aha ha *D pro* hahahe; 889,
uah *BoRs*

     II. **Significatio** '*proprium id habere vide-
tur ut ab eo usurpetur qui renuat, aut aliquid
a se removeat*' Hand, *a Richtero probatus*
     manum da et sequere. ♯Aha*, minume Bᴀ
87   aha*, Bellerophontem tuos me fecit filius
Bᴀ 810(*cf* Richter, p. 393, 1 a)   ego alienus
illi? aha*, Hegio numquam istuc dixis Cᴀᴘ
148   lepide excuratus cessisti. ♯Aha*, hodie**
Cᴀs 726 Pᴇʀ 316(*R*)   . . ut inferremus ignem

in aram. #Aha*, non factost opus Poe 319(*U*)
quid mihi molestu's, obsecro? #Aha*, tam
saeuiter Poe 335(*cf* Richter, p. 395) sed
quid ais . .? #Aha*, nimium familiariter Ru
420 credis posse obtegere errata? #Aha*, non
itast Tri 649 meam sororem tibi dem suades?
aha*, non conuenit . . Tri 681 quid si ego me
te uelle nolo? #Aha*, nimium, Stasime, saeuiter Tri 1060 ita sunt gloriae meretricum.
#Aha*, tace Tru 889

AHENUS - - dabitur tibi . . unum ahenum
(*A* aenum *BVJ* aẹnum *E*) et octo dolia Cas
122 face plenum ahenum(-mū *A* aenum *P*)
sit coco Ps 157 aut empta ancilla . . aut
uasum ahenum(*B* aenum *CD*) Tru 54 te
multo magis opinor (rapere) uasa **ahena**(*A*
-nea *BC* aenea *D*) ex aedibus Ps 656 gestas
tecum **ahenos**(aenos *A* henos *P*) anulos(*A*
annos *P*)? Tru 274 *vide* Tru 272, *ubi* aduenias *P* an eas *A* aeneas *A*(*in margine*) *LU*
Ly aliter Rs v. secl LU

AIAX - - ornamenta absunt: Aiacem hunc
quom uides ipsum uides Cap 615 *Cf* Egli,
III. p. 15

AIO - - I. Forma aio Am 344, 759, 799,
Cap 72(*Ca* clio *B¹D* dio *E¹* dico *E³J*), 297
(*Rs* scio *P*[sci *VE*] *ſ†L* scis *GepU*), 578, 710,
Cas 71(*AJ* alio *B* alia *VE* aiio *LoewRsLy*),
Ep 699, Men 162(*B²A n. l.* ato *B¹* dato *CD*),
941(aio iouis *ParU* iouis *BD³* lo iocus *CD¹*
iocus scio *PyR* Ioui scio *Caψ*), 1077, Mi 548
(*AB²D³* alo m *CD¹* al//// *B¹*), Mo 965(*Ly* aio
A haec *C* hẹc *BD* hic *ψ*), 974, *ib.*(aiio *Ly*),
976(*Rs om Pψ*), 977(*A* alio *P* aiio *Ly*), 978
(*AB²C* agio *B¹D* aiio *Ly*), 979(*AD* allo *B¹*
iaio *C*[aiio *Ly*], 1138, Per 185, 486(*add RRs
Ly aliter U* olet *A* ut vid om *P* olim *L*), 491,
Poe 963, 1344(hasce aio *Ca* has dico *A ut vid U*
hasce mo *B* hasce modo *CD*), Ru 1025(*CD*
alo *B*), Tri 987(*om CD*), Tru 5(*Rs in loco perdub*) **ais** Am 364(agis *D*), 418, 620, 848, As
104, 371, 521, 898, Au 137, 323, 717, Ba 78,
600, 1155, Cap 289, 572(aias *E*), 577, 599(*add
SeyU*), 613, 627(as *VE*), 990, 1016, Cas 97, 252,
594, Cu 190, Ep 17(*J* agis *AB*), 29, 50(ais tu
Rg istuc *Pſ†LU*), 280(*add MueRg* pro autem
aliter U), 330(*Rg* amicus *U* is *Bψ* his *J*), Men
162(*A* agis *P*), 319 *ib.*(*GoldbacherLy* uis *Pψ*),
487(agis *C*), 602(agis *C¹*), 648, 820(*B²* ait *P*),
823(*B²* agis *P*), 914, 1095(agis *B¹*), 1108, Mer
390, 448(*Dousa fil* agis *P*), 455, 492, 516, 517,
535, 563, 649, 751, 767(non ais *PRU* negas *Aψ*),
974, Mi 337(*Ca* as *B v. om CD*), 358(ais tu *A*
astu *B¹* stas *C* asstas *D* astas *B²*), 366(*A om
P* me *RU*), 627, Mo 183, 331(me ais *Scal* mea
his *CD* meā uis *B*), 593, 615, 726(*add RU*),
943(*solus A*), 959(*A* agis *P*), 1025c(*add L in
lac*), 1034(*B²* agis *P*), Per 221, 322, 561, 795,
845(agis *B*), Poe 313, 335(*Rgl de A errantes*),
343, 352(*A* agas *BD om C*), 364(*A* ages *PLU*),
985, 990, 1056, 1248(*add Rgl om P*), 1419, Ps
351, 466(*R* est *Pψ*), 479, 482, 615, 1169, 1177,
Ru 420, 668(*add Rs in lac: aliter L om ſU*),
981, 1072, 1112, St 596(*Ac* agis *AP*), 615(*B*
agis *ACD*), 753, Tri 193, 196, 641, 892, 930,
939, 950, Tru 129, 157(*Ly* illis *Pſ†* dicis *SpU*
uis *BueRsL*), 188(ait *B*), 199, 546, 587(tune

me ais *Sp* tu ne as *B* tu ne aus *CD* tu ne
ais *L*), 675(*add RsLy om Pψ*), 959, Vi 19 **ain**
Am 284(*dissyl. Ly*), 344, 799, 1089, As 485, 722
(an *U*), 851, 901, Au 186, 298, 538(*RgU om DJψ*
a*n *B*), Cap 551, 892(*om E*), Cas 397, Cu 323,
Ep 699, 717, Mo 383, 642(an *B¹*), 964, 974b,
1012(*add R*), Per 29b, 184, 491, Poe 961,
Ps 218(*A* en *P*), Ru 1095, 1365(*add Rs*), Tri
987, Tru 194(*A* an in *P*), 306(am *C* an *Prisc*
I. 189), 609, 921(*Rs om Pψ*) **ait** As 285, 347,
865, 884, Ba 982, Cap 365, 480(agit *DU*), 567
(*B ex ras* aut *P*), 586, 592(agis *J*), 979, Cas
601, 659, 693, 751, Ci 735, Men 357, 480, 524,
885, 908, 1043, Mer *Arg* II. 6(*PyLU om PſLy*
fingit *RRs*), Mer 236, Mi 91, 126, 430, 1032,
Mo *Arg* 9, Mo 490, 492, 760, 1087, 1125, Per 655,
Poe 656(*ACD* agit *B*), 996(*ACD* agit *B*), *ib.*,
1003, 1010, 1013, 1014, 1017, 1018(sibi ait et *A*
sibim tet *BD v. om C*), 1024, 1028, Ps 330, 1080,
Ru 60, Tri 1179, Tru 303(*ACPrisc* I. 189 aut
BD) **aiunt** Ba 472, 1145, Cap 690(*U om Pψ*),
Ci 37(agiunt *J*), 776, Cu 504, 679, Ep 508(*A
om P*), Men 831(*B²D³* alunt *P*), 962(*B²D³* alunt
P), Mer 296, 469(*P* aiiunt *AſLy*), Mi 976, 1225,
Mo 775, Poe 688, 956, 1386(*Bri om PLU*), Ps
786, Ru 561(*A nc B* non *C ñ D* tota *MueU*),
562, Tru 205 **aiebas**(*vide* aibas), Am 383(*BDJ*
alebas *E*), 387, Men 532(*B²* aịbas *A* mebas *P*
timebas *D²*), Ru 542(*A* alebas *P*), 1080(*FZ*
alebas *P* aibas *ReizRsU*), 1130(*CD* alebas *B*
aibat *FlRs*), Tri 986(*CD* aiebat *B*) **aibas**(*vide*
aiebas) Am 807(*Guy* aiebas *B²D³J* alebas *D*
alaebas *E*), As 208(*Bent* aiebas *P*), Ci 607(*Guy*
aiebas *P*), Men 634(*Bo* aiebas *B et D* ras bas
abebas *BC et D ante ras*); Mi 320(*Bent* ale-
uas *C* alas *B¹* eleuas *D¹* aiebas *B²D³*), Tri
428(*Guy* aiebas *P* aiiebas *A*), Tru 757(*Sey duce
Ca* alebat s- *P* aiebas *LLy*) **aiebat**(*vide* aibat)
Ba 1096(aibat *B*), Cas 279(*B ex corr J* alebat
B¹VE), Cu 488, 582, Ep 254(aibat *RgLULy*
agebat *E*), Men 936(*B ex ras D³* alebat *P*),
1141(alebat *B¹*), Mer 637, 765(aibat *BoRLy*),
766(aibat *RRgU*), Mi 1107(*CD³* aibat *R* aleuat
B agebat *D¹*), Mo 806, 1027(*B* agebat *P*), 1028
(agebat *B¹*), Ps 650(alebat *B*), St 391(alebat *ex A*
[aieịebat] aiebant *R* alebant *P* aibant *Rg*),Tri 875
(agebat *D* aiebat *HermRRs*) **aibat**(*vide* aiebat)
Am 661(*Guy* aiebat *P*), As 442(*Reiz* aiebat *B²DJ*
alebat *B¹E*), Ba 268(*Guy* aiebat *BU* alebat *C*
agebat *D*), Cap 561(agiebat *E* aiebat *BJ*), Ci
143(*Bo* aiebat *P*), 585(*Guy* aiebat *P*), Men 1042
(alebat *B ante corr* aiebat *PL*), Poe 464(*Guy*
aiebat *AP*), 900(*Guy* aiebat *AD⁴* alebat *P*),
Ps 1083(*A* aiebant *P*), 1118(*Bent* aiebat *CD*
alebat *B*), Ru 307(*Ac* aiebat *D* alebat *P*), 1130
(*FlRs* aiebas *CDψ* alebas *B*), Tri 956(*Reiz*
aiebat *P*), 1140(*Guy* alebat *P*) **aiebatis** Cap
676 **aiebant**(*vide* aibant) Men 1046(*Ca* dicebant *PRs cum lac*), Mer 638, Mo 1002, Tri 212
aibant(*vide* aiebant) Mer 635(*Guy* aiebant *P*),
804(*Guy* aiebant *Pſ*), Mi 66(*Guy* aiebant *A*
aleuat *P*), St 391(*Rg* aiebant *R* alebant *P* aiebat *ψ ex A*[aieịebat]), Tri 944(*HermRsU* aiebant *Pψ* **aiam** Ep 281(*Bri* iam *PſL*), Per 67
(*add Rs om Pψ*) **aias** Ru 430(*FZ* alas *P*),
1331(*D²* alas *P* ais *Donatus ad Eun.* II. 2. 21)
aiant Cap 694(*Fl* dicant *PL*) *corrupta:* Au

636, ais *E pro* agis Cas 321, ait *V ex corr EJ pro* agit Ci 512, ait *V pro* at; 668, ais me moro *VE* ais hã memoro B^1(ais *om* B^2) ais a me memoro *J pro* falsa memoro Men 589, ait qu(a)quam *A* quicum *P var em* ω Mer 168, aiam *B pro* iam Mi *Arg* II. 12, ait esse *P pro* adesse Mi 1002, ait ista hac *B* ad ista hac CD^1 istaec quae *A pro* istaec; 1298, tu ais *B pro* uis Mo 998, ais *P pro* agis Per 216, ais *CD pro* agis; 576, ais B^2CD *pro* agis(AB^1)

II. Significatio *perraro non perspici potest vis affirmandi* A. *absolute vel addito pronomine neut.:* uel tu mihi aias*, uel neges Ru 430 proin tu uel aias* uel neges Ru 1331 ain uero? #Aio enimuero Am 344, Per 184-5 ain* uero? #Certe, inquam As 722 ain heri nos aduenisse huc? #Aio Am 799 tune ais? #Si negas, nego Au 137 ain tu? lubuit? #Aio Ep 699 ain tu istic potare solitum..? #Aio*, inquam Mo 964-5(*Ly*) ain..amicam destinatam Philolachi? #Aio. #Atque eam manu emisisse? #Aio. #Et..perpotasse assiduo? #Aio. #..aedis emit? #Non aio. #Quadraginta etiam dedit huic? #Neque istud aio* Mo 974 9 iam liberast. #Pol aio* Per 486(*RLy*) ain? apud mest? #Aio, inquam Per 491 ain* tu tandem? is ipsusne's? #Aio* Tri 987 ain hercle uero? #Serio Tru 921(*Rs*) aduenit..mater eius? #Aiunt qui sciunt Mi 976 aiunt* Cap 690(*U*) ain tu(? *add U*) omnia haec? Cu 323 haec sic aiebat*? Ep 254 quod tu uis id aio* atque id nego Men 162 quis ait*: hoc Cap 480 quis id ait? quis uidit? #Egomet Mo 367 quis id ait? #Ego Tri 1179 ita uosmet aiebatis Cap 676 itane aibant* tandem? Mi 66 unum aibas*, tria dixti uerba Tru 757 cur mihi filius ut ais dedebat? Mo 1025c(*L in lac*) quid ait? #Verbum nullum fecit Ba 982 quid ait? #Seruos pollicitust dare suos mihi Mo 1087 quid ait*? #Hannonem se esse ait Poe 996 quid ait? #Miseram esse praedicat buccam sibi Poe 1003 quid ait?.. #Non audis? Poe 1010 quid nunc ait? #Ligulas canalis ait se aduexisse Poe 1013-4 quid nunc ait. #Palas uendundas sibi ait*..datas Poe 1017-8 quid ait?..expedi Poe 1024 quid ait? #Non hercle..scio Poe 1028 quid ait? #..nugas Ps 1080 quid maceria illa ait*? Tru 303 audin quid ait? #Audio As 884 audin quid ait*? quin fugis? Cap 592 audin quid ait? #Nam etsi.. Per 655 audin quid ait Iuppiter? #Iam hic ero Ps 330 uinctos nescioquos ait As 285 *similiter:* scio absurde dictum.. #At ego aio* recte Cap 72 at ego aio recte, qui abs te sorsum sentio Cap 710 *vide* Poe 1248, ubi sunt eae aut quas (ais *add Rgl*), opsecro? Tru 157, male quae in nos ais *Ly var em* ψ

B. *locutiones variae quae admirationem vel indignationem exprimunt*(*cf.* Langen, *Beitr.*, p. 119) 1. **ain?** (*sequitur semper fere altera interrogatio*): ain*? audiuisti? Au 538 ain, uerbero? me rabiosum..memoras? Cap 551 ain? apud med? Per 491 ain* excetra tu, quae.. Ps 218(*vide* ω) ain? ostendere? Ru 1095 *vide* Ru 1365, *ubi* ain *Rs inserit perperam*

2. **ain tu?** (*saepe sequitur altera interr.*): ain tu? geminos? #Geminos Am 1089 ain tu furcifer? erum .. fugitare censes? As 485 ain* tu? dubium habebis etiam? Cap 892 ain tu?..omnis te imitari cupis? Cas 397 Cu 323(*U: vide supra* A.) ain tu? lubuit? Ep 699 ain tu? pater? Mo 383 ain* tu? aedis? #Aedis, inquam Mo 642(*vide* ω) ain tu? Mo 1012(*add R solus*) ain* tu? peregrist? Per 29 b *vide* As 851(*infra* C. 2) *similiter:* ain (tu *add RgS*) uero, uerbero? deos esse tui similis putas? Am 284

3. **ain tandem?** ain tandem? edepol ne tu istuc cum malo magno tuo dixisti in me As 901 ain tandem? #Ita esse(itast *AcRg*) ut dicis Au 298 ain tandem? istuc primum experiar Tru 609 ain tu tandem? is ipsusne's? #Aio* Tri 987

4. **quid ais?** a. *sequitur altera interr.:* quid ais*? quid nomen tibist? Am 364 quid ais? responde mihi: quid si adduco? Am 848 quid ais, pater? ecquid matrem amas? As 898 quid ais, furcifer? tun te gnatum memoras liberum? Cap 577 quid ais? quid(*SeyU* hercle quid *PLS*† heu hercle quid *Rs* Hegio. #Quid *Ly*) si hunc comprehendi iusserim? Cap 599 quid ais? quid si adeam hunc insanum? Cap 613 quid ais, impudens? quid in urbe reptas? Cas 97 quid ais, uir minumi preti? quid tibi mandaui? Cas 594 quid ais, propudium? tun..'odium' me uocas Cu 190 quid ais*? perpetuen ualuisti? Ep 17 quid ais*, homo?..quid de te merui? Men 487 quid ais, sceleste? quomodo adiurasti? Mo 183 quid ais, tu hominum omnium taeterrume? uenisti huc te extentatum? Mo 593 quid ais? an iam uendidit aedis Philolaches? Mo 943(*A solus*) quid ais? certum est celare? Per 221 quid ais, crux? quo modo me hodie uorsauisti? Per 795 quid ais? qui potuit fieri? Poe 1056 quid ais, patrue? quando hinc ire cogitas Carthaginem? Poe 1419 quid ais, . hominum periurissume?..iurauistin..? Ps 351 quid ais? ecquam scis filium tibicinam meum amare? Ps 482 quid ais? nempe tu illius seruos es? Ps 1169 quid ais? tune etiam cubitare solitu's? Ps 1177 quid ais, inpudens? ausu's etiam comparare uidulum cum piscibus? Ru 981 quid ais, uenefice? quid, istae mutae sunt? Ru 1112 quid ais? quid ego? St 753 (*loc dub: vide* ω) quid ais?..itan tandem..? Tri 641 quid ais? quid hoc quod te rogo? Tri 930 quid ais?..norisne hominem? Tri 950 quid ais? nunc tu num neuis me..ire ad cenam? Tru 546 quid ais? licetne? Vi 19

b. *seq. alterius interlocutoris interr.:* quid ais? #Quid uis? As 371, Tru 675(quid ais *add RsLy om P*ψ) quid ais*? #Quid est? Mer 448 quid ais, Demipho? #Est mulier domi? Mer 563 heus uos. #Quid ais*? #Hicin Dordalus est leno? Per 845

c. *varia:* quid ais*? #Viro me malo male nuptam Men 602 quid ais? #...is hic nunc non adest. #Prius respondes quam rogo Mer 455 Mo 726(quid ais? *add U*) quid ais*? #Triduom unumst haud intermissum hic esse Mo 959 quid ais*, Milphio? #Ecce odium meum Poe 352 Ps 325(*Rg*); 466(*R*), Ru 668

(Rs) quid ais*, Pamphilippe? #Ad cenam hercle alio promisi foras St 596 quid ais*, Gelasime? #Oratores tu accipis St 615 quid tu? quid ais? cum hocin eris? Tru 959(loc dub: vide ω)

5. **quid tu ais?**(saepe seq. altera interr.): quid tu ais? #Sic sum ut uides Au 323 quid tu ais? tenaxne pater est eius? Cap 289 quid tu ais*? #Me tuom esse seruom . . #Haud istuc rogo Cap 627 quid tu ais? #Quin istic ipsust Tyndarus Cap 990 quid tu ais? adduxtin illum? Cap 1016 quid tu autem ais*? #Quid ego aiam*? Ep 280-1 qu¹d tu ais*? num hinc exmigrastis? Men 823 quid tu ais? . . aufugies? Mer 649 quid tu ais? #Charini amicast illa? Mer 974 quid tu ais*? #Haec res est ut narro tibi Mo 1034 quid tu ais? #Dominus me . . Eretriam misit Per 322 quid tu ais*? #Quid mihi molestu's Poe 335 quid tu ais? #Quod primarius uir dicat Ru 1072

6. **quid ais tu?**(saepius add. altera interr.): quid ais tu, Demaenete? #Quid uis(VahlRgl LLy quid PSt v. secl U)? As 104 quid ais tu? . . quotiens te uotui? As 521 quid ais tu? tibi credere certumst Au 717 quid ais tu? #Ego istuc illi dicam Ba 600 quid ais tu, homo? #Quid me uis? Ba 1155a quid ais* tu? Ep 50(Rg) quid ais tu? #Quid uis? Men 319(quid ais*? GoldbacherLy), Mo 615, Per 561, Poe 990 quid ais* tu? Menaechmum . . te uocari dixeras? Men 1095 quid ais tu? quid nomen tibi dicam esse? Mer 516 quid ais tu? iam bienniumst . . ? Mer 535 quid ais tu? etiam haec illi tibi iusserunt ferri? Mer 751 quid ais* tu, Sceledre? #Hanc rem gero Mi 358 quid ais tu? tam (Z itane PRLULy totam pro tu tam Non 4) tibi ego uideor . . Acheronticus? Mi 627 quid ais tu(tu om GuyRgl)? quando . . cópulas? Poe 343 quid ais tu? ecquid commeministi Punice? Poe 985 quid ais tu, adulescens? #Quid est? Ps 615, Tri 892 quid ais* tu? . . qui parere potuit? Tru 199

7. **sed quid ais?**(addi solet altera interr.): sed quid ais? quid . . datumst? Am 418 sed quid ais? num obdormiuisti dudum? Am 620 sed quid ais? #Quid est? Ba 78 sed quid ais? iam domuisti animum? Cas 252 sed quid ais?(tu add BoRg) #Quid rogas? Ep 29 sed quid ais*? #Egone? id enim quod tu uis Men 162 sed quid ais, Menaechme? #Quid uis? Men 914 sed quid ais? ecquam tu aduexti . . ancillam? Mer 390 sed quid ais? unde erit argentum? Mer 492 sed quid ais, Pasicompsa? possin tu . . subtemen tenue uere? Mer 517 sed quid ais? quid hoc quod te rogo? Ps 479 sed quid ais, mea lepida? #Ah nimium familiariter me attrectas Ru 420 sed quid ais? #Quid uis? Tri 193, Tru 129 sed quid ais? quid nunc, uirgo? Tri 196 sed quid ais? quo inde isti porro? Tri 939 sed quid ais*, Astaphium? #Quid uis? Tru 188

8. *varia*: sed tu quid ais? #Palla inquam periit domo Men 648 eho tu, quid ais? #Quid rogas? Poe 313 perii. ecquid ais*,

Milphio? Poe 364 vide Mo 726, ubi cogita. numquid ais? R pro cogita. #Quid

C. seq. acc. cum infin.(cf. Votsch, pp. 35, 37; Walder, pp. 35, 49) 1. praes.: me aduenire nunc primum aio Am 759 ait se ob asinos ferre argentum As 337 ain tu meum uirum hic potare As 851 ait sese ire ad Archidemum As 865 ain tu te ualere? Au 186 unde esse eum aiunt? Ba 472 nostros agnos conclusos istic esse aiunt duos Ba 1145 scio absurde dictum hoc derisores dicere: at ego aio* recte Cap 72 quae tamen aio* scire me ex hoc Cap 297 hic autem te ait mittere hinc uelle ad patrem Cap 365 immo iste eum esse ait* qui non est Cap 567 tun te Philocratem esse ais*? #Ego, inquam Cap 572 non equidem me Liberum . . esse aio Cap 578 filium tuom . . redimere se ait Cap 586 quid tu ais*? #Me tuom esse seruom Cap 627 dum pereas, nihil interdico aiunt* uiuere Cap 694 at ego aio* id fieri in Graecia Cas 71 interemere ait uelle uitam Cas 659 gladium Casinam intus habere ait Cas 751 suas paelices esse aiunt* Ci 37 illam ait se scire ubi sit Ci 735 fidem perdere . . aiunt Cu 504 argentariis male credi qui aiunt, nugas praedicant Cu 679 ais* nummum nullum habere(habes PSLULy)? Ep 330 ubi illest quem coquos ante aedis esse ait*? Men 357 amare ait te multum Erotium Men 524 tun . . ais* habitare med in illisce aedibus? Men 820 insanire me aiunt* ultro quom ipsi insaniunt Men 831 illi perperam insanire me aiunt*, ipsi insaniunt Men 962 hunc ego esse aio Menaechmum Men 1077 aiunt solere eum rursum repuerascere Mer 296 ait sese ultro omnis mulieres sectarier Mi 91 ait sese Athenas fugere cupere Mi 126 tu istic ais* esse erilem concubinam? Mi 337 lamentari ait illam miseram Mi 1032 quasi regem adiri eum aiunt Mi 1225 requirit (aedes) quae sint: ait uicini proximi Mo Arg 9 tun me ais* ma-m-ma-madere? Mo 331 ait se metuere Mo 1125 eum esse ciuem et fidelem aiam* Per 67(Rs) ait* se peregrinum esse Poe 656 hospitium te aiunt quaeritare Poe 688 Hannonem se esse ait* Carthagine Poe 996 hasce aio* liberas . . esse Poe 1344 furacem aiunt* qui norunt magis Poe 1386 illud aiunt magno gemitu fieri Ps 786 ait sese Veneri uelle uotum soluere Ru 60 hunc meum esse dico. #Et ego item esse aio* meum Ru 1025 ain* tu eam me amare? Tru 194 ain* tu uero ueteres lateres ruere? Tru 306 tun me ais* inpudentem esse? Tru 587

Amphitruonis te esse aiebas* Sosiam Am 383 ego sum Sosia ille quem tu dudum esse aiebas mihi Am 387 properare se aibat* Am 661 te dormitare aibas*? Am 807 me . . illam amare aibas* mihi As 208 (relicuom) aibat* reddere quom extemplo redditum esset As 442 ain tandem? #Ita esse(itast AcRg) ut dicis Au 298 adulterare eum aibat* rebus ceteris Ba 268 eam . . uxorem esse aibat* Ba 1096 te suom sodalem esse aibat* Cap 561 te uxor aiebat* tua me uocare Cas 279 amatorem

aibat* esse peregrinum sibi Cɪ 143   illaec se
quandam aibat* mulierem . . conuenire Cɪ 585
huius quae locutast quaerere aibas* filiam Cɪ
607   uestem omnem suam esse aiebat Cᴜ 488
tuom libertum esse aiebat sese Summanum
Cᴜ 582   peregrinum aibas* esse te Mᴇɴ 634
uxorem suam esse aiebat* rabiosam canem
Mᴇɴ 936   seruom se meum esse aibat* Mᴇɴ
1042   socer et medicus me insanire aiebant*
Mᴇɴ 1046   ciuem esse aibant* Atticam Mᴇʀ
635   nemo aiebat scire Mᴇʀ 637   qua forma
esse aiebant? Mᴇʀ 638   uxorem suam ruri
esse aiebat* Mᴇʀ 766   ubi matrem esse aiebat* soror? Mɪ 1107   inspicere te aedis has
uelle aiebat mihi Mo 806   te uelle uxorem
aiebat* tuo nato dare: ideo aedificare hoc
uelle aiebat* in tuis Mo 1027-8   aibat* portendi mihi malum Poᴇ 464   ingenuas Carthagine aibat* esse Poᴇ 900   aiebat* uelle
mitti mulierem Ps 650   peiurum aibat* esse
me Ps 1083   leno ubi esset domi, me aibat*
accessere Ps 1118   ad portam se aibat* ire
Rᴜ 307   ibi me conruere posse aiebas* aiebas
Rᴜ 542   hanc . . esse aiebas* dudum popularem meam Rᴜ 1080   cistellam tuam inesse
aiebas* Rᴜ 1130   hunc aiebant Calliclem indignum ciuitate . . uiuere Tʀɪ 212   adulescente quem tu esse aibas* diuitem Tᴇɪ 428
Calliclem aiebat* uocari Tʀɪ 875   mille nummum se aureum meo datu tibi ferre . . aibat*
Tʀɪ 1140

2. praeteriti: ain heri nos aduenisse huc?
#Aio Aᴍ 799   ait . . eum sese non nosse
hominem qui siet: ipsum uero se nouisse
callide Demaenetum As 347   ain tu, meum
uirum . . ad amicam detulisse argenti uiginti
minas? As 851   malene id factum tu arbitrare? #Pessume. #At ego aio recte Cᴀᴘ 710
hic gnatum meum tuo patri ait se uendidisse
Cᴀᴘ 979   arcessiuisse ait sese et dixisse te . .
Cᴀs 601   Lampadionem me in foro quaesiuisse aiunt Cɪ 776   Strattippoclem aiunt* . .
curauisse ut fieret libera Eᴘ 508   ain tu te
illius inuenisse filiam? Eᴘ 717   ait hanc dedisse me sibi Mᴇɴ 480   quid ais*? #Viro me
malo male nuptam Mᴇɴ 602   ait se obligasse crus fractum Aesculapio Mᴇɴ 885   (pallam) mihi se ait dedisse Mᴇɴ 908   ego te
sacram coronam surripuisse aio* Iouis Mᴇɴ 941
(ParU)   patrem fuisse Moschum tibi ais?
Mᴇɴ 1108   seruos pedisequam ab adulescente
matri ait* emptam ipsius Mᴇʀ Arg II. 6   ait
sese . . damnum fecisse Mᴇʀ 236   Pentheum
diripuisse aiunt* Bacchas Mᴇʀ 469   me non
nouisse ais Mᴇʀ 767(PRU) nouisse me negas
Aψ)   tun me uidisse . . ais* osculantem?
Mɪ 366   nec te neque me nouisse ait haec
Mɪ 430   tuae fecisse me hospitae aio* iniuriam Mɪ 548   ait uenisse illum in somnis . .
mortuom Mo 490   ait illum hoc pacto sibi
dixisse mortuom Mo 492   sibi laudauisse hasce
ait architectonem Mo 760   Alexandrum . .
aiunt maxumas . . res gessisse Mo 775   ain
tu istic potare solidum Philolachem? Mo 964
ain minis triginta amicam destinatam Philo-
lachem(-li GulL) — #Aio. #Atque eam manu
emisisse? #Aio. #Et . . perpotasse . . (#Aio add

Rs) . . ac simul cum tuo domino? #Aio* Mo
974-7(vide supra A)   aedis emit has? #Non
aio* Mo 978   quadraginta etiam dedit huic?
#Neque istud aio* Mo 979   filium corrupisse
aio te meum Mo 1138   eum fecisse aiunt sibi
quod faciundum fuit Poᴇ 956   ain tu tibi dixe
Syncerastum? . . #Aio Poᴇ 961-3   ligulas canalis ait se aduexisse Poᴇ 1014   palas uendundas sibi ait* et mergas datas Poᴇ 1018   nocte
hac aiunt* se iactatas atque eiectas esse aiunt
Rᴜ 561

haec sic aiebat*: sic audiuisse ex eapse
Eᴘ 254   hoc est, quod . . te surripuisse aiebas* uxori tuae Mᴇɴ 532   me sibi dedisse
aiebat* Mᴇɴ 1141   non non te odisse aiebat*,
sed uxorem suam Mᴇʀ 765   rus abisse aibant*
Mᴇʀ 804   Philocomasium . . uidisse aibas*
te osculantem Mɪ 320   modo eum uixisse
aiebant Mo 1002   uenisse eum simitu aiebat*
ille Sᴛ 391(A alebant uenisse eum simul P)
alii di isse ad uillam aiebant* Tʀɪ 944   Calliclem, quoi rem aibat* mandasse hic suam . .
Tʀɪ 956   ego sum Charmides quem tibi epistulas dedisse aiebas* Tʀɪ 986

3. futuri: altero (gladio) te occisurum ait
Cᴀs 693   is ait se mihi allaturum cum argento marsuppium Mᴇɴ 1043   meo ore aio*
equidem adlaturum Tʀᴜ 5(Rs in loco desper)
iam hic adfuturum aiunt eum Tʀᴜ 205

D. aiunt = dicunt, ferunt: Bᴀ 472, 1145,
Cᴀᴘ 690(U), Cɪ 776, Cᴜ 504, 679, Eᴘ 508, Mᴇʀ
296, 469, Mɪ 976, 1225, Mo 775, Poᴇ 688, 956,
1386(BriRglS), Ps 786

E. aio et: arguo Mɪ 337   dico Aᴍ 383, 758,
As 902, Bᴀ 268, 600, Cᴀᴘ 71, 694, Mᴇɴ 937, 1046,
Mɪ 367, Rᴜ 1025, 1073, Tʀᴜ 157(Ly), 757   inquam As 722, Cᴀᴘ 572, Mᴇɴ 648, Mo 367, 642,
Tʀɪ 988   it inflitias Cᴜ 489   memoro Cᴀᴘ
577   mentior Aᴍ 344   nego Aᴍ 759, Aᴜ 137,
Cᴀᴘ 567, Mᴇɴ 162, 634, 821, Rᴜ 1331   praedico Cᴀᴘ 694, Cᴜ 679, Poᴇ 1003, 1011   uerbum facio Bᴀ 982

AIUS(auis): Vɪ 118, vocem dubiam nonnulli
codd Nonii (p. 332) in hoc fragmento exhibent
AL*** Cɪ 350

ALA - - meae alae pennas non habent Poᴇ
871   uolucres (alae add BoRgl om Pψ) tibi
erunt tuae hirquinae Poᴇ 873   ne ego homo
infelix fui, qui non alas interuelli Aᴍ 326
perii, harundo alas uerberat Bᴀ 51   subnixus
alis me inferam Pᴇʀ 307   ecquid sapit? #Hir-
cum ab alis(A aliis P) Ps 738   Cf Graupner,
p. 23; Inowraclawer, p. 85; Wortmann, p. 38
ALACER - - equites . . cum clamore inuolant,
impetu alacri (ruont add HermRglU om Pψ)
Aᴍ 245

ALAPOR - - nil alapari(BueRsL[hal.] nihili
phiari P[pphiari B] StLy† philippiari SpU) satiust Tʀᴜ 928   Alapari est alapas minari —
Placidus

ΑΛΑΤΡΙΟΣ - - urbis nomen: ναὶ τὰν Ἀλά-
τριον(ne ta alatrum BDJ[tan] ton alatrina E)
Cᴀᴘ 883

ALAZON - - Alazon Graece huic nomen est
comoediae Mɪ 86

ALBEO - - Mɪ 631, Non 456: vide albicapillus

ALBICAPILLUS - - si albicapillus(*CD*[1] albus capillus *BD*[2] albet capillus *Non* 456) hic uidetur . . Mɪ 631

ALBITUDO - - Lesbonicum . . quaero . . et item alterum ad istanc capitis **albitudinem** Tʀɪ 874

ALBUS - - I. Forma **album** (*acc. neut.*) Mᴇɴ 915 **alba** (*abl.*) Bᴀ 1101 **albo** Cᴀᴘ 647, Pᴇʀ 74(albo rete *PSt ULLy* ne laborent *R* albo haerentes *Rs*) **albis** As 279, Eᴘ 429(alchis *E*) *corrupta:* Mɪ 631, albus capillus *BD pro* albicapillus(*CD*) Fʀ I. 93(*ex Prisc* ll 522), aluo *vel* albo *codd pro* alueo
II. **Significatio** cano capite atque alba barba miserum me auro esse emunctum! Bᴀ 1101 (est Philocrates).. naso acuto, corpore albo, oculis nigris Cᴀᴘ 647 .. me albis* dentibus meus derideret filius.. Eᴘ 429(*cf* Egli, I. p. 33) quadrigis albis indipiscet postea As 279 .. qui hic albo* rete aliena oppugnant bona Pᴇʀ 74 (*vide L in adn. crit.*) album an atrum uinum potas? Mᴇɴ 915

ALCAEUS - - Aᴍ 98, *FlRgl pro* ex Argo

ALCEDO - - illam mihi tam tranquillam facis quam mare olimst quom ibi alcedo(*Prisc* I. 205, *Front* 225 *N* alcyo *AB* alycio *CD*, halcyon *Isid or.* XII. 7, 28) pullos educit suos Pᴏᴇ 356 *Cf* Egli, II. p. 69; Wortmann, p. 43.

ALCEDONIA - - tranquillumst, Alcedonia sunt circum forum Cᴀs 26 *Cf* Wortmann, p. 43

ALCESIMARCHUS - - *adulescens: in supersc.* Cɪ *act.* II. *sc.* 1; Cɪ *Arg* 11(-essi. *P* -cus *E*), Cɪ 108(alche. *P* -cus *J*), 312 **Alcesimarcho** Cɪ 600(alche. *P* -co *J*), 612(alche. *BVJ* alchei. *E*) **Alcesimarchum** Cɪ 309(*A solus*), 642(alche. *P*), 710(alche. *P* -machum *E* -marcum *J*) **Alcesimarche** Cɪ 503(*A* alche. *P* -ho *J*) **Alcesimarcho** Cɪ 87(alche *P* -co *J* -cko *A*) *Cf* Schmidt, p. 355

ALCESIMUS - - *senex: in supersc.* Cᴀs *act.* II. *sc.* 4 **Alcesime** Cᴀs 515, 541 *Cf* Schmidt, p. 355

ALCUMENA - - *in supersc.* Aᴍ *act.* I. *sc.* 3; II. 2, III. 2, 3 Aᴍ *Arg* I. 5(*PU* Alcmena *Vallaψ*), II. 9(*PSt Lt* illa *BoRgl*), 99, 364, 499, 536, 708, 923, 1039, 1064, 1068, 1088 **Alcumenae**(*gen.* Aᴍ 486(-e *DE* -ai *Ly*), 1135 (*dat.*) Aᴍ 134(-e *E* -iae *J*), 291(ę *J* -e *E*), 493(-ae nam *BEJ* -nam *D*), 869, 872(-as *LachRgl*), 877(-maene *B*) **Alcumenas** Aᴍ *Arg* II. 1(*B* -ae *DE* -is *J ut vid*) **Alcumenam** Aᴍ *Arg* I.3(*PU* -nnam *E* Alcmenam *Vallaψ*), Aᴍ 103, 107(*v. om J*), 474, 667 **Alcumenā** Aᴍ 110, 290, 479(*v. secl US*), 498, 1122, 1141 **Alcumenam,** *Iovis paelicem* Mᴇʀ 690(alc. *D*[2]: *cf* Egli, III. p. 27) **Alcumena** *Euripidi* Rᴜ 86 (-ae *D*[3])

ALCUMEUS - - Cᴀᴘ 562(*E*[1] alc*meus *B* alcmeus *B*[2]*E*[3]*VJU*) *Cf* Egli, III. p. 15

ALEA - - prouocat me in **aleam** ut ego ludam Cᴜ 355 elusi militem . . in **alea** Cᴜ 609

ALEARIUS - - atque adeo, ut ne legi fraudem faciant **aleariae**(*A* alariae *P* talarię *B*[2]) Mɪ 164 *Cf* Vissering, II. p. 90

ALEATOR - - te aleator nulluś est sapientior Rᴜ 309 *Cf* Egli, I. p. 24

ALEATUM - - sine me **aleato**(*PS* aliatum *Rs duce Sarac*(all.) alliato *FU* aliato *LLy*) fungi fortunas meas Mᴏ 48

ALEUS - - **Aleum**(*acc. masc.*) Cᴀᴘ 31, 169 (alium *P*), 875 **Aleos** Cᴀᴘ *Arg* 3(*BDE*[1] alios *E*[3]*J*), 27(*Turn* alios *P*) **Aleis** Cᴀᴘ 24(*Turn* alidis *BDE* aulidis *J*), 59(*Turn* alidis *P nisi quod* aliis *V*[1]), 93(*Turn* alidis *P*), 280(aliis *J*)

ALEXANDER -- *(Troianus)* Bᴀ 947 *(Magnus)* Alexandri Mɪ 777 **Alexandrum** Mᴏ 775 *Cf* Egli, II. p. 9; III. pp. 12, 23)

ALEXANDRINA - - .. ne .. quidem aeque picta sint .. Alexandrina beluata tonsilia tappetia Ps 147

ALGEO - - cum uestimentis postquam aps te abii, **algeo**(al-algeo *Rs*) Rᴜ 528 (aranei) misere **algebunt**(*A* misera falgebunt *B* m. fulgebant *C* m. fulgebunt *D* miserae a. *R* miseri a. *FlRgLU*) Sᴛ 349 pallium .. conficiatur .., ne **algeas**(aleas *B*[1]) hac hieme Mɪ 689

ALGOR - - algor, error, pauor, me omnia tenent Rᴜ 215

(ALGUS) -- inopiam, luctum, maerorem, paupertatem, **algum,** famem Vɪ 95(*ex Prisc* II. 235) illam anum interfecero siti fameque atque **algu**(*B* gelu *CD*) Mᴏ 193 ut peritis? *U*t piscatorem aequomst, fame sitique speque algu-que(*add RsS om Pψ*) Rᴜ 312 tu uel suda uel peri algu Rᴜ 582

ALIAS - - date benigne operam mihi uti uos (*Mahler* ut uos item *PStU* ut uos ut *LLy*) alias pariter nunc Mars adiuuet As 15 alias me poscit pro illa triginta minas, alias talentum magnum Cᴜ 63 induxi in animum ne oderim item ut alias(*CD* odorē mutares *B*) Mɪ 1269 *(an acc. fem.:?)*

ALIATUM - - *vide* aleatum *cf etiam* Ps 717, *ubi* aliatust *B pro* allatust

ALIBI - - hoc argentum alibi *abutar* Pᴇʀ 262 dicam ut sibi penum alibi *adornet*(p. a. a. *A* p. aliud ornet *PULy* p. alium adornet *L* aliud penus adornet *Rs*) Cᴀᴘ 920 frumenti .. alibi *messis* maxumast Tʀɪ 529 *nusquam* alibi si sunt, circum argentarias scorta .. sedent Tʀᴜ 66 scio .. *esse* alibi iam(a. i. *P* abi ama *Rs* Calliclai filiam *Kies U*) animum tuom Tʀᴜ 866 hicine nos *habitare* censes? *U*binam ego alibi censeam? Tʀɪ 1079 ego si alibi plus *perdiderim,* minus aegre habeam Bᴀ 1102 tua quidem ille causa *potabit* minus, si illic siue alibi lubebit Mᴇɴ 789 alibi(*ALU* abi *Pψ*) *quaere* Cɪ 502 alibi te meliust quaerere hospitium Cᴜ 417 tu hercle(malam rem reperias) et illi et alibi Tʀɪ 555

ALICARIUS - - te tibi uis inter istas uorsarier prosedas .. reliquias **alicarias**(*ex Paulo* 226 all. *B* relliqui sallicarias *CD*)? Pᴏᴇ 266

ALICUBI - - alicubi *abstrudam* foris Aᴜ 577 alicubi in solo abstrusi loco Rᴜ 1185

ALICUNDE - - aliquid aliqua aliquo modo **alicunde**(all. *B*) ab aliqui tibi spes est fore mecum *fortunam* Eᴘ 332 quippe tu mihi aliquid aliquo modo alicunde ab aliquibus blatis? Eᴘ 334 (argentum) alicunde exora mutuom Pᴇʀ 43 ab amico alicunde mutuom argentum rogem. *P*otin est ab amico alicunde exorari? Tʀɪ 758 spero alicunde hodie me .. tibi inuenturum esse auxilium Ps 104 mentionem fecerat puerum aut puelʰam alicunde ut reperirem sibi Cɪ 135 aut terra aut mari **aliquonde**(*AS* alicunde *Pψ*) euoluam id argentum tibi Ps 317

ALIDENSIS - - uidi .. captiuom illum **Ali-densem** Cap 880

ALIENO - - si (ager) **alienatur,** actumst de collo meo Tri 595 tu me **alienabis** numquam quin noster siem Am 399 cultus iam mihi harunc aedium .. **alienatust** Mer 833 mulier **alienatast** abs te Mer 611 *corrupta:* Mi 1321, aliaenarier *B pro* abalienarier(*CD*) Per 497, alienent *A pro* attinent(*P*) Ps 717, alienatust *CD* aliatust *B pro* allatust(*A*) Tri 785, alienatum *CD pro* allatum(*B*) *Cf* Abraham, p. 240

ALIENUS - - I. Forma **alienus** Cap 146, 148 *bis,* Ci 21, St 102, Tru 176, 665(-un *BDψ* -um *C*) **aliena** Ci 619(*Rs* alia *Pψ*), Mi 646 **alienum** Ci 726(*interprete U*), Ru 1230 **alieni** Cu 372, 374(†*Ly*) **alieno** Ba 585, Cap 817, Ru 1063 **alienum**(*masc.*) As 756, 874, Au 90, Cap 77, 99, Men 795, Mi 157, Per 58, Tru 806(*CaU* unum *Bueψ* ut num *P*) **alienam** Mi 994, 1168 (-nū *B*), 1402(-nū *B*), Ru 116(-nū *CD¹*) **alienum** Cas 23, Mi 652, 879, Per 473, Ps 297, Ru 1244, St 203 **alieno** Mi 243(*v. om B*), 264, 338, 367, 390, Tru 175, 807 **aliena** Cas 518, Ci 778 **alieno** Cap 16, Poe 534, 1403, Tri 82, 1019 **alieni** Mi 431, St 487 **alienis** Cas 586, Cu 497, Per 337, Tri 684, Tru 137 **alieno** Cu 496, 497, Ep 581(*PLU* -nas *Dousaψ*), Per 212, Tru 460 **alienas** As 540, Ep 581(*Dousa* -nos *PLU A n. l.*), Mo 942, St 199 **aliena** Mi 1288(*Gul* -nū *P*), Per 63, 74 **alienis** Ps 298(ab a. *P* postilla omnes *Aω*) *corrupta:* Per 267, quis alienum *P pro* qui salinum(*A*) Tru 238, alienos *CD* alenos *B aliter Aω*

II. **Significatio** A. *adiective* 1. *qui (vel quod) alterius est:* **a.** eicite ex animo curam atque alienum *aes* Cas 23 subduxi ratiunculam quantum aeris mihi sit, quantique alieni siet: .. si reddo illis quibus debeo, plus alieni est Cu 374 (*v. alterum secl BoRgL*) perquirunt .. alienum aes cogat an .. St 293 neque enim decet sine meo periclo ire aliena ereptum(alienę reptum *CD¹*) *bona* Per 63 faxim nusquam appareant qui hic albo rete(*vide sub albus*) aliena oppugnant bona Per 74 quasi mures semper edimus alienum *cibum* Cap 77(*v. secl SpRsŚ*), Per 58 (*nisi quod* edere) alienos *dolores* mihi supposiui Tru 460 ne ille mox uereatur intro ire in alienam* *domum*(*A* dam[p]num *P*) Mi 1168 addecet .. aduenire ad alienam* domum Ru 116 lubenter *escis* alienis studes Per 337 *fundum* alienum arat As 874 haec *labore* alieno puerum peperit Tru 807 tuo ex ingenio *mores* alienos probas Per 212 .. ut sciant alieno *naso* quam exhibeant molestiam Cap 817 nihil moror aliena mihi *opera* fieri pluris liberos Ci 778 stultitia .. sit me ire in *opus* alienum Mi 879 commemini .. tacere quom alienast *oratio* Mi 646 quae te mala crux agitat qui .. alieno uiris tuas extentes *ostio?* Ba 585 opilio pascit alienas *ouis* As 540 suspiciost in *pectore* alieno sita Tri 82 adest qui *rem* alienam potius curet quam suam Mi 994 .. diu res alienas procures Mo 942 mali alienas res .. curant studio maxumo St 199 tuo .. cibo alienis rebus curas Tru 137

b. *puerum* alienum* parit Tru 806(*CaU*) neque ego umquam alienum *scortum* subigito in

conuiuio Mi 652 non matronarum officiumst *uiris* alienis .. subblandirier Cas 586 cur es ausus subigitare alienam* *uxorem?* Mi 1402 *Cf* Gimm, p. 12

c. *praedicative:* †persectari hic uolo nos nostri an alieni simus Mi 431 aequom uidetur tibi ut ego alienum quod est meum esse dicam? Ru 1230 egone ut quod .. esse alienum sciam celem? Ru 1244 *vide etiam* Ci 726(*infra* B. 3)

2. = externus, peregrinus: sese uidisse eam .. osculantem cum alieno *adulescentulo* Mi 264 (osculantem) cum alieno adulescentulo Mi 367 arguere .. uisust me cum alieno adulescentulo .. esse osculatam Mi 390 alienum *hominem* intro mittat neminem As 756 aliena* *mulier* sustulit Ci 619(*Rs*) arguo eam me uidisse osculantem .. cum alieno *uiro* Mi 338(*v. habet B solus*) *seq. dat.:* alienus? ego alienus illi(*Bo* ille *P*)? Cap 148(*cf infra* B. 1) *similiter:* litis sequar in alieno *oppido* Poe 1403

3. *id est quod non decere uidetur; absolute:* 'cano capite, aetate aliena' Cas 518 *seq. abl.:* occepit quaestum hunc .. inhonestum maxume alienum ingenio suo Cap 99 *seq* a *cum abl.:* .. multos multa admisse acceperim inhonesta .. atque aliena* a bonis Mi 1288

B. *substantive* 1. *persona:* **a.** *nom.:* alienus quom .. tam aegre feras, quid me patrem par facerest? #Alienus? ego alienus illi? Cap 146 nemo alienus hic est Ci 21 numquis hic est alienus nostris dictis auceps auribus? St 102 haud alienus tu quidem es Tru 176 alienun* es .. qui non extemplo intro ieris? Tru 665 hic apud me cenant alieni nouem St 487

b. *dat.:* alienis imperatis Cu 497 alienon prius quam tuo dabis orationem? Ru 1063 numquam erit alienis grauis qui suis se concinnat leuem Tri 684

c. *acc.:* caue quemquam alienum in aedis intromiseris Au 90 neue quemquam accipiat alienum apud se Men 795 .. quemque in tegulis uideritis alienum Mi 157 alienos mancupatis, alienos manu emittitis, alienisque imperatis Cu 496 ego .. qui habeam alienas* domi Ep 581

d. *abl.:* si illic concriminatus sit .. eam uidisse hic cum alieno osculari Mi 243(*ultima verba om B¹*) pro ignoto alienoque astas? Tru 175 ab alienis* cautiores sunt, ne credant alteri Ps 298(*P*)

2. *res:* accipite relicuom: alieno uti nihil moror Cap 16 hodie alienum cenabit, nihil gustabit de meo Per 473 edas de alieno quantum uelis Poe 533 suom repetunt, alienum reddunt nato nemini Ps 297 cum frugi hominibus ibi bibisti qui ab alieno facile cohiberent manus? Tru 1091

3. *dubium:* alienum****et(quod dum erit, afferet *U*) maerorem Ci 726

ALIMODI - - Fr II. 74 *pro* alius modi, *Paul* 28, 2

ALIORSUM - - mater ancillas iubet .. aliam aliorsum(*FZ* alia maiorsum *P*) ire Tru 403

ALIOVORSUM - - istuc .. aliouorsum(*duo verba I.*) dixeram Au 287 *vide* Ba 113, *ubi* aliouorsa *U pro* aduorsa

ALIQUANDO - - aliquando osculando meliust .. pausam fieri Ru 1205 spes est tandem aliquando inportunam exigere ex utero famem St 387 *vide* Ep 331, *ubi* aliquando *MueRgU pro* aliquid; *etiam Serv ad Aen* 1. 140: '*de Pseudolo Plauti tractum est ubi ait:* nisi forte carcerem aliquando effregistis uestram domum' (*cf* Ps 1172)

ALIQUANTILLUS - - foris **aliquantillum** (-tulum *SpRs*) etiam quod gusto id beat Cap 137 *Cf* Ryhiner, p. 46; Wueseke, p. 19

ALIQUANTISPER-- concedere aliquantisper hinc mihi intro lubet Ps 571

ALIQUANTULUS - - subnigris oculis, oblongis malis, pansam **aliquantulum** Mer 640 *vide* Cap 137, *ubi* aliquantillum *SpRs pro* aliquantulum *Cf* Ryhiner, p. 51

ALIQUANTUM, -TO - - I. Collocatio aliquantum *adverbium semper post verbum vel adiectivum ponitur*(*cf* As 400, *infra* II. 2) aliquanto *antea nisi* As 893

II. Significatio A. aliquantum 1. *substantive:* relinque aliquantum orationis, cras quod mecum litiges Cas 251 ego amoris aliquantum habeo..in corpore Mi 640 ecquis homost qui facere argenti cupiat aliquantum lucri? Mo 354 aliquantum..in deliciis disperdidit Tri 334 *Cf* Blomquist, p. 35; Schaaff, p. 14

2. *adverbium:* macilentis malis, rufulus, aliquantum(*comma post* ali. *ponit L*) uentriosus As 400 credo, timida's. #Aliquantum Ba 106 oculis nigris, subrufus aliquantum, crispus Cap 648 huc concede aliquantum Tri 517 huc aliquantum apscessero Tri 625

B. aliquanto: ei rei operam dare te fuerat aliquanto *aequius* Tri 119 aliquanto *amplius* ualerem, si hic maneres As 592 patierin me periurare? #Pol te aliquanto *facilius* quam me ..perire Ci 500 abeamus.. #Atque aliquanto *lubentius* Ep 380 laboriosa..uitast rustica. #Urbana egestas edepol aliquanto *magis* Vi 32 mea hodie solutast nauis aliquanto *prius* St 417 aliquanto facias *rectius* sis nitidior sis Au 539 animam *suauiorem* aliquanto quam uxoris meae As 893 *Cf* Fraesdorff, p. 33

ALIQUI, ALIQUIS - - I. Forma aliquis Ba 638, Ci 639, Ep 399, Men 674(aliqui *B*), Mer 131, 910, Mi 432, 1249, Mo 68, 330, 85+(*Weis om AP*), Poe 1379, Ps 1247, 1284(*A* quis *PBoR*), Tri 765, Tru 395(aliquis laqueus *Ca* aliqui si aqueust[*B* aqne usq; est *CD*] *P* aliqui laqueus *FBoRsU*) **aliqui**(*vide* aliquis) St 67, Tru 103 (aliqui osculum *CaLLy* aliqui ioculum *RsU* aliquis oculum *PS*+), 395(*vide sub* aliquis) **aliqua** Au 622, Ep 151, 332, Mer 339, Poe 973 **aliquid** Ba 86, Ep 100(*A* quid *P*), Mer 493 (aliqui *R*), 494, Tru 55, 366 **aliquod** Tru 53 **aliquoi** Men 623(*CD* -quo *B* -quoii *MueRs*) **aliquem**(*adiec.*) Am 183, Ba 42, Cap 382, Cas 589, Cu 382, Ep 427, Mer 579, Mo 130(-quaē *D*), Ps 697, Tri 722 (*subst.*) Ba 1065, Cap 101, Mer 453, Mi 262, Mo 675, 679, Poe 860, Ps 604, 1121, Ru 211, 397, St 681(id curando *R* ego curando id quod *PS*+ *varie em* ψ), Tri 769(*A v. om P secl US*) **aliquam** As 541, Au 197 (*P* -qua *GuyL*), 678(-quem *B*), Ba 232, Cap 530, 539, Cu 510, Ep 313, 315, 372, Mer 414, 426(*RRg pro* illam), 428(aliquam itidem ancil-

lam *R* solus *pro* ut ad illam faciem), Mi 1030, Per 52(rem aliquam *add Ly tacite*) Ps 1322, St 760 **aliquid**(*adiec.*) Men 847(*PLLy* -quod *D³ψ*), Tru 425(*B* -quod *CD pro subst. habent BriSRsU*), Vi 67 (*subst.*) As 168, 181, Ar 522, 671, Ba 507(*v. om A*), Cap 585, Cas 561, 607, 613(*A* aliud *Pω*), Ci 311, Cu 320 *bis, ib.*(-quit *B*), 366, Ep 62, 256, 331(aliquando *MueRglU*), 334, Men 190(saliquid *C*), 209, 211, 765(*SpRs* -quod *Pψ*), 921, Mer 450, 494, 660, 675, 772, Mi 1067, Mo 253, Per 470, 759(*U in loco dub: vide* ψ), Poe 401, 1206(*A* quid *PLy*), Ps 569, Ru 135, 571, 574, St 593, 713(-quit *B corr*), 767, Tru 425(*B* -quod *CD*), 510(-quit *BC¹*), 951 **aliquod** Men 765(-quid *SpRs*), 847(*D³* -quid *PLLy*) **aliquo**(*adiec.*) Ba 556, Ep 331, 334, Men 84, Mi 221(et aliquo saltu *Kies* aliquos aut tu *BD³* aliquos autu *CD* atque aliquo actutum *R* aut tu aliquosum *L*), 239(*B²* -quid[quod *D*] *P*), Mo 421, Ps 787, Ru 257, 575, 1194, St 1221 (*adv.: cf* Kienitz, p. 561; Wichmann, p. 26), Ep 279, Men 124, 703, Mer 656, Mi 221(*R vide sub adiec.*), 582, 861, 863(*add HauptLU*) Mo 596(*R in lac*), 878, Poe 293, Ru 535, 766, Tri 598, Tru 874(-qui *SpRs*) **aliqua**(*adiec.*), Au 197(*GuyL* -quam *Pψ*), Ep 152 (*adv.: cf* Kienitz, p. 561) Ep 100, 152, 331, Mer 334, Mi 221, Ps 317(*add R om Pψ*) **aliqui**(*abl.; cf* Kienitz, p. 561) Au 24 (*BD* -quid *EJ*), Ep 332, Mer 493(*R* -quid *Pψ*), Mo 174(aliqua *C*), Per 192(*Dousa* -quit *A* -quid *P*), Tru 922, 923 **aliquae** Ru 553 **aliquos** Men 950(alios *B²*), Ps 283(*U* -quod *AP* -quot ψ), 321(*A* saltem *BD* saltim *C* festos *R*), Tru 872 **aliquas** Mer 560 **aliquibus** Ep 334 *corrupta:* Am 400, praesente aliquis *Non* 76 *pro* praeter med alius Cap 161, aliquod *VE pro* aliquot Cas 613, aliquid *A pro* aliud Ep 506, aliquis *E pro* quis Mer 495, aliquid *A pro* aliud Mi 582, aliquod *B¹ pro* aliquot Mo 358, aliqui quique *PS*+ *varie em* ψ; 1052, aliquibus *P* aliiq. *A* alii quibus ω Per 759, aliqua in *B* aliquam *B* aquili mihi *CDS*+ *varie em* ψ Poe 126, aliqui *P pro* alii qui(*Ca*); 1421, alquod *P pro* aliquot Ps 283, aliquod *AP pro* aliquot St 84, aliquam *P* quom *A* quam *Rψ v. secl RL* Tru 54, aliquod *PS*+*Ly*+ *varie em* ψ; 260, egrotarē aliquā essem suam *P pro* aegrotare malim quam esse tua(*A*) Vi 107, aliqua *alter cod pro* maxima

II. Significatio A. *adiective:* 1. ut mihi *aedis* aliquas conducat uolo Mer 560 dicam Athenis aduenisse cum *amatore* aliquo* suo Mi 239 ego emero matri tuae *ancillam* uiraginem aliquam Mer 414 aliquam* mandauit mihi ut emerem ad istanc faciem ancillam *add RRg*) Mer 426 Mer 428(*R*) inscendam aliquam* in *arborem* Au 678 aliquam corde machiner *astutiam* Cap 530 reperio atrocem mihi aliquam astutiam Cap 539 ueneror ut nos .. aliquo *auxilio* adiuuet Ru 257 suauem *cantionem* aliquam occupito cinaedicam St 760 adminiclum eis danunt tum iam (* S), aliquem (*** Rs) *cognatum* suom Mo 130 occupo aliquod* mihi *consilium* Men 847 ego mei simile aliquid contra consilium paro Vi 67 *coquom* aliquem arripiamus Mer 579 aliqua mala *crux* semper est quae aliquid petat Au 522   *deus* respiciet nos aliquis Ba 638   ostendam *fidicinam* aliquam conducticiam Ep 313   me iussit senex conducere aliquam fidicinam Ep 315   ego parabo aliquam dolosam fidicinam Ep 372   aliqua *Fortuna* fuerit adiutrix tibi Poe 973   aliquem *hominem* allegent Am 183   haec ita me orat . . aliquem ut hominem reperiam Ba 42   ego si adlegassem aliquem (hominem *add Rg*) ad hoc negotium minus(*Ca* quam *add P* quam hunc *Rg omisso* hominem) doctum . . Ep 427   imperauit ut aliquem hominem strenuom . . adducerem Ps 697   homo conducatur aliquis Tri 765   . . ut esset aliquis* *laqueus* et redimiculum Tru 395   credo cum uiro *litigium*(-gi *Sp Rs*) natum esse aliquod*(quid *SpRs*) Men 765 in aliquo tibi gratiam referam *loco* Ru 575 ego hodie aliquam machinabor *machinam* Ba 232   ego huic aliquem in pectus iniciam *metum* Cas 589   aliquid aliquo *modo* alicunde ab aliqua aliqua tibi spes fore Ep 331   quippe tu mihi aliquid aliquo modo . . blatis? Ep 334   se ex catenis eximunt aliquo modo Men 84   iussit . . orare ut patrem aliquo absterreres modo Mo 421   comprimere dentes uideor posse aliquo modo Ps 787   exorabo aliquo modo St 621   non audes aliquid* mihi dare *munusculum*(*CaL* -li *Briψ*) munus ciuilem[-lium *CD*] *P*)? Tru 425   pater exspectat aut me aut aliquem *nuntium* Cap 382   aliqua *ope* exsoluam, extricabor aliqua Ep 152   opilio . . aliquam (*ouem*) habet peculiarem As 541   si non fecero ei male aliquo *pacto,* me esse dicito ignauissumum Ba 556   aliquo illud pacto optingit piis Ru 1194   aliquam mihi *partem* hodie operae des denique Mi 1030   non audes . . aliquam partem mihi gratiam facere? Ps 1322   cupio aliquem emere *puerum* Cu 382   *redimiculum* Tru 395(*supra sub laqueus*)   ad aliquem(*GuyL* at[aut *CD*] a. ad *PŞ*† atque a. ad *Rψ*) *regem* . . erus sese coniecit meus Tri 722   aliqua *res* reperibitur Ep 151   mihi mala res aliqua obicitur Mer 339 excoxero lenoni malam rem aliquam* Per 52 (*Ly*)   aliquam reperitis *rimam* Cu 510   anteueni aliqua et aliquo* *saltu* circumduce exercitum Mi 221(*Kies*)   aliqua tibi *spes* fore mecum fortunam Ep 332   si mihi mulierculae essent saluae, spes aliquae forent Ru 553 aut empta ancilla aut aliquod *uasum* argenteum aut uasum ahenum aliquod† Tru 53 (*loc dub: vide* ω)   ibi onerat aliquam* *zamiam*(-qua zamia *GuyL*) Au 197(*cf* Langen, *Beitr.* p. 124)

2. *cum temporis notione:* elleborum potabis faxo aliquos* (hosce *praem BriRs*)   uiginti *dies* Men 950   aliquos* hos dies manta modo Ps 283(*U*)   opperiare hos sex dies aliquos* Ps 321   amabo ut hos dies aliquos sinas eum esse apud me Tru 872

B. *substantive* 1. *nom.* a. **aliquis** α. *absolute; cum verbis:* canem istam a foribus aliquis* *abducat* face Mo 854   eruom tibi aliquis faxo ad uillam *adferat* Mo 68   illuc ego metuei semper ne *cognosceret* eas aliquis Poe 1379   opperiamur dum *exeat* aliquis Mi 1249   . . ne clam quispiam nos uicinorum aliquis *inmutauerit* Mi 432   dic me orarre ut aliquis intus *prodeat* ·propere ocius Ci 639· iacentis *tollet* postea nos ambos aliquis Mo 330   an id uoltis ut me hinc iacentem aliquis tollat? Ps 1247   oenus eorum aliqui* *osculum*(ioculum *RsU*) amicae usque *oggerit* Tru 103

β. *cum imperativis, semper numeri pluralis*(*cf* Asmus, p. 45): aperite aliquis Mer 131 aperite atque Erotium aliquis* *euocate* ante ostium Men 674   heus foras *exite* huc aliquis Ep 399   heus aliquis actutum huc foras *exite* Mer 910   Simoni me adesse aliquis* *nuntiate* Ps 1284   inde *uocatote* aliqui St 67

γ. *add. gen. partitivo*(*supra* α): uicinorum Mi 432   eorum Tru 103   *Cf* Schaaf, p. 11

b. **aliquid:** aut *empta* ancilla . . aut armariola aut . . aliquid semper est quod . . Tru 55· inuenietur, exquiretur, aliquid* *fiet* Mer 493 iam istuc 'aliquid fiet' metuo Mer 494   mane: aliquid fiet: ne abi Tru 366   apud hunc fluuium aliquid *pertundumst* tibi Ba 86   aliquid* aliqua *reperiundumst* Ep 100

2. *dat.:* certe familiarium aliquoi* *irata's* Men 623   *Cf* Blomquist, p. 64; Schaaff, p. 11

3. *acc.* a. **aliquem** α. *absolute:* id curando aliquem* *adlegaui* St 681(*R*)   quem *ament* igitur? #Aliquem eo dignus(eo d. *om PLU*) qui siet Poe 860   *da* aliquem qui me seruet Ba 1065   ego *esse* credo aliquem qui non uelit Mer 453   *euoca* aliquem intus Mo 675· euocadum aliquem ocius Mo 679   intus euocabo aliquem foras Ps 604   nec quicquam meliust quam ut . . aliquem *euocem* hinc intus· Ps 1121   credo aliquem *immersisse* Ru 397· . . si queat aliquem *inuenire* suom qui mutet· filium Cap 101   non potuit quin sermone suo aliquem familiarium participauerit Mi 262· aliquem *uelim* qui mihi ex his locis . . semitam monstret Ru 211   mendacilocum aliquem Tri 768(*uide* ω)

β. *seq. gen. part.:* familiarium Mi 262(*supra* α)   *Cf* Schaaf, p. 11

b. **aliquid** α. *absolute cum verbis:* cupio· tibi aliquid *aegre facere* Cas 607   nouo modo· nouom aliquid inuentum *adferre* St 569   id uolo ego agere ut tu *agas* aliquid Ci 311   hercle iam aliquid actum oportuit· Tru 510   quid tu mihi 'aliquid aliquo modo' . . blatis? Ep 334   nunciam (*canta*) aliquid suauiter St 767   aliquid *cedo* qui hanc . . aram augeam Mer 675   uelim de me aliquid *dixerit* Poe 1206   iam *edes* aliquid Cu 320   aliquid aliqua . . aliqua tibi spes est· fore mecum(aliam *U* meliorem *L*) fortunam Ep 331   nequis quin eius aliquid* *indutus* sies Men 190   inuentum Ps 569(*supra sub adfero*)   *nolo* hercle aliquid: certum quam aliquid* *mauolo* Cu 320   tum stans *obstrusero* aliquid strenue St 593   aliquid prius obtrudamus(obst. *ScalLLy*) Cu 366   iube . . *opsonarier* . . aliquid ad eum modum Men 211 aliquid quod poscas *paras* As 168   aliqua mala· crux semper est quae aliquid *petat* Au 522 petunt aquam . . aut aliquid Ru 135   is uolt· se aliquid *posci* As 181   age prior *prompta*

(*Rs* perde *MueLy* tirot *B§†* tyro *D* tyranno *C*)
aliquid T*RU* 951 quin tu huic *responde* aliquid?
M*I* 1067 aliquid huic responde amabo commode P*OE* 401 hic *statui* uolo aliquid* mihi
P*ER* 759(*U*) aliquid *surripiam* patri B*A* 507
(*v. om A*) ego aliquid *uidero* M*ER* 450
β. *add. gen. part.*(*cf* Blomquist, p. 52:
Schaaff, p. 15): ad me ueniat uelim..ut ego
illi aliquid *boni* dicam A*U* 671 reperiamus
aliquid *calidi*(*Dousa* callidi *P*).. *consili* E*P*
256 aliquid capiam consili M*ER* 660 ego
aliquid contrahere cupio *litigi* inter eos duos
C*AS* 561 credo cum uiro litigi natum esse aliquid* M*EN* 765(*SpRs* litigium.. aliquod *Pψ*)
da mihi aliquid ubi condormiscam *loci* R*U* 571
quoi homini di propitii sunt aliquid obiciunt
lucri P*ER* 470 uideor uidere commeruisse hic
(te).. aliquid *mali* E*P* 62 uerum.. esse experior.. aliquid mali esse propter uicinum
malum M*ER* 772 non audes aliquid* mihi
dare *munusculi*(*Bri* -culum *CaLLy* munus ciuilim[-lium *CD*] *P*)? T*RU* 425 dabo aliquid
hodie *peculi* M*O* 253 quid cessas dare *potionis* aliquid? M*EN* 921 iam aliquid *pugnae*
edidit C*AP* 585 nimis uellem aliquid* *pulpa-
menti* S*T* 713 iube.. aliquid *scitumentorum*..
opsonarier M*EN* 209 da mihi *uestimenti*(*A*
uesti *P*) aliquid aridi R*U* 754
γ. *add. gen. posses.: eius* aliquid* M*EN* 190
(*supra* α *sub* indutus)
4. *abl.:* aliquid* aliqua aliquo modo alicunde
ab aliqui aliqua tibi spes est fore mecum E*P*
332 quid tu mihi aliquid aliquo modo alicunde ab aliquibus blatis? E*P* 334 aut turi
aut uino aut aliqui* semper supplicat A*U* 24
praecinctus aliqui M*I* 1181(*cf* Schmidt, *Untersuchungen*, p. 369, *adn.* 2) te.. donabo ego
hodie aliqui* M*O* 174 ego aliqui* te peculiabo
P*ER* 192 gaudere aliqui me uolo T*RU* 922 ego
aliqui gaudeo T*RU* 923(*cf* Dousa, p. 49)
5. *cum pronominibus vel aliis adiectivis coniunctum:* aliquis quisquam A*M* 400(*Non* 76
falso: vide infra E) quispiam aliquis M*I* 432
(*supra* B. 1. a. α) unus aliqui T*RU* 103(*supra*
B. 1. a. α) mendacilocum aliquem T*RI* 769
(*supra* B. 3. a. α) nouom aliquid P*S* 569(*supra*
B. 3. b. α)
C. *adverbia* 1. **aliquo** a. *locale, add. saepe
altero termino:* an uis aliquo hinc *abeat*? M*O*
596(*R* an metuis ne quo abeat *Aψ* an****quo
[quod *D*] habeat foras *P*) aliquo *confugiam*
M*I* 582 *fugiam* hercle aliquo M*O* 861 *gestis*
aliquo M*O* 878 *ibo* hercle aliquo quaeritatum
ignem R*U* 766 *missus* sum aliquo* M*I* 863
(*HauptLU*)
ad: aliquo ad cenam condicam foras M*EN* 124
curram igitur aliquo ad piscinam P*OE* 293
aliquo ad ludos me pro manduco locem R*U* 535
ex: .. ut aliquo ex urbe amoueas E*P* 279
in: inmersit aliquo sese credo in ganeum
M*EN* 703 ibit istac aliquo in maxumam malam crucem latrocinatum T*RI* 598
rus: te satiust rus aliquo abire M*ER* 656
b. *modale:* dum aliquo* miles circumducitur
T*RU* 874 *vide* M*ER* 493, *ubi* aliqui *R pro*
aliquid
2. **aliqua** a. *locale:* .. ne hic illam me ani-

mum adiecisse aliqua sentiat M*ER* 334 anteueni aliqua M*I* 221(*vide supra* A. 1 *sub* saltu *et
infra sub titulo* aliquosum)
b. *modale:* aliquid aliqua reperiundumst E*P* 100
E*P* 152(*supra* A. 1 *sub* ope: *fortasse adiective*)
aliquid aliqua aliquo modo.. spes est fore E*P*
331 *cf* P*S* 317, *ubi* aliqua *add R ante* euoluam
D. = alius quis: As 168, A*U* 24, 522, M*EN* 211,
M*ER* 660, R*U* 135 *sequitur* si, ni, nisi: B*A* 556,
C*AP* 530, 539, M*EN* 847 ne: M*ER* 334, P*OE* 1379
quin: M*I* 262 *Cf* Prehn, *De pron. indef.* p. 26
E. *corrupta:* A*M* 400, nobis praesente aliquis
quisquam nisi seruos *Non* 76 *pro* nobis praeter
med(me *PU*) alius quisquamst seruos(*P*) M*O*
358, ubi aliqui quique *P§†U†Ly†* uel ubiquomque *R* ubi quom quiqui *Rs* ubi quiuis aut *L*
P*ER* 759, aquila *CD§†Ly†* aliquum *B²* aliqua
in *B¹L†* aliquid mihi *U* aquilam *Rs* aquolam
R T*RU* 54, aut uasum ahenum aliquod(*P§†Ly†*
antiquom *BueLU* raptum *Rs*)
ALIQUOT -- *eorum* sunt aliquot(-quod *VE*)
genera Pistorensium (militum) C*AP* 161 quin
tu aliquot dies perdura C*U* 241 me occultabo
aliquot(-quod *B¹*) dies M*I* 582 hic opus est
aliquot(*Z* -quod *P*) ut maneas dies P*OE* 1421
aliquot(*Z* -quod *AP* -quos *U*) hos dies manta
modo P*S* 283
ALIQUOSUM -- anteueni aliqua aut tu ali-
quosum(*L* ali. aliquos aut tu[*BD³* autu *CD*] *P*
ali. et aliquo saltu *Kies duce MueRg§* et ali.
aliquo saltu *ULy* ali. atque aliquo saltu *R*)
circumduce exercitum M*I* 221
ALIQUOVORSUM -- ego pol istam iam
aliquouorsum tragulam decidero C*AS* 297
ALIS -- I. Forma **Alidem** C*AP* 379, 573
588 **Alide** C*A* 9(*BDE* aulide *J*), 24(*BDE*
aulide *J*) 94, 330, 511, 544, 547, 590, 638, 973,
979, 1005, 1014 *corrupta:* C*AP* 24, alidis
BDE aulidis *J pro* Aleis(*Turn*); 59, alidis *P*
aliis *V¹ pro* Aleis(*Turn*) C*U* 150, me alidi *P*
pro mea ludii(*Sarac*)
II. **Significatio** *cf* Goerbig, p. 31; Koenig,
p. 6
1. *acc.* **a.** *termini:* abiit Alidem ad patrem
huius C*AP* 573
b. *cum praep.* in: mittam C*AP* 379 (restituet).. in Alidem me meo patri C*AP* 588
2. *abl.* **a.** *locale:* seruit captus Alide C*AP* 330
b. *cum praep.* ex: Philocratem ex Alide C*AP*
511 rediit C*AP* 1005 huc reducimus C*AP* 1014
in: uendidit C*AP* 9*, 973, 979 emit ibidem
C*AP* 24* est captus(*om U*) C*AP* 94 seruiuisti
C*AP* 544 habitus est C*AP* 547 istoc nominest
C*AP* 590 fuisse hunc seruom C*AP* 638
ALITER -- 1. = alio modo, *aliquando* contrario modo: sin aliter sient *animati*..sese..
eorum oppidum oppugnassere A*M* 209 sin aliter
animatus es, bene quod agas eueniat tibi T*RI*
715 nos.. aliter *auctores* sumus S*T* 129 tuam
.. mihi desponde filiam. #Haud aliter(*CD* ali-
iter *B* alter *A*)*ausim* P*OE* 1358 uale atque salue,
etsi aliter ut *dicam* meres C*AP* 744 quando
dicta audietis mea, haud aliter id dicetis M*O*
98 ut aliter *facias* non est copiae M*ER* 990
nefacere(*F* refacere *PLy* aliter facere *GepU*)
si uelim non est locus T*RU* 877 haud *postulo*
aliter: restituentur omnia P*OE* 1082 ego fa-

ciam tu idem ut aliter *praedices* Aм 1085 quod si seruo aliter *uisumst,* non poteras nouisse? Eᴘ 599 haud aliter *esse* duco Bᴀ 369 memora .. num esse aliter(alter *B*) decet? Poᴇ 866 (uox) .. sin aliter es, inimici atque irati tibi Tʀɪ 47 sin aliter animus eius est(*U* alter|aliter *C*] alteri potius est *PS†* *varie em ψ*).. Tʀᴜ 48
2. = alia condicione: tun hoc feras argentum aliter a me? As 700 aliter uiuos numquam desistam exsequi Mᴇɴ 245 aliter hinc non eibis Mɪ 1422(*A solus*)
3. **a. aliter quam:** quid si sors aliter quam uoles euenerit? Cᴀs 345 si illi.. aliter nobis (*GuyL* nos *PRS†Ly* in nos *PiusRgU*) faciant quam aequomst .. Sт 44 *Cf* F u h r m a n n, XCVII. p. 843
b. aliter atque: longe aliter(alter *AcRs*) est amicus atque amator Tʀᴜ 171
4. **aliter - - aliter:** aliter catuli longe olent, aliter suis Eᴘ 579 aliter regi dictis dicunt, aliter in animo habent Fʀ I. 56(*ex Front* II 10)
5. *corrupta:* Aм 481, aliter *J pro* alter; 678, aliter uirorum ificant *J pro* uero rumiferant Tʀᴜ 48, *vide supra* 1
ALIUM - - plenior **ali**(*LLy* alli *ψ* allii *AB* allu *CD*) ulpicique quam Romani remiges Poᴇ 1314 fufae, oboluisti **alium**(*B¹* allium *B²CDU*) Mo 39 indunt coriandrum, feniculum, alium (*BD¹* allium *CD²U*), atrum holus Ps 814
ALIUNDE - - isque se ut adsimularet peregrinum esse aliunde ex alio oppido Poᴇ 560 ego dabo: ne quaere aliunde(alii inde *D*) Ps 734
ALIUS - - I. Forma **alius** Aм 186, 400, 425, 826, 856, As *Arg* 6(ruit alius *U* riumus *BDE* riuinus *JLy* riualis *Pyψ*), As 231, Aᴜ 813(*Py* aliud *P*), Bᴀ 69, Cᴀᴘ 700(*FlU om Pψ*), Cᴀs 511, Cɪ 88, 369, 370, Cᴜ 378, Eᴘ 211(anus *U*), 273, 299, 408, Mᴇɴ 839(hircus alius *BeroaldR* h. alus† *L* h. squalus *Rs* h. olidus *SeyU* ircosalus *PS†*), Mo 1055, Poᴇ 127, Ps 799, Sт 370, Tʀɪ 69, 161, 519 **alia** Aᴜ 140, Cᴀs 380(alia sortis *ex Prisc* I. 320 alias oris *P*), Cɪ 66, 99, 492, 619(aliena *Rs*), 667, Eᴘ 135, 478, Mᴇɴ 73, 733, Mᴇʀ 101, 383, Mɪ *Arg* 9, Mɪ 152(*om A*), 448, 1293, Ps 24(aliā *C*), Tʀᴜ 806, *ib.*(alia eundem *Rs* alie[ę *CD*] undē [ę *CD*] *P* illa unde est *U*) **aliud** Aм 271, 423, As 933, Aᴜ 83(*om Non* 483), Mᴇɴ 73, Mᴇʀ 984, Mɪ 877(aliut *CR*), Ps 692, Rᴜ 1121, Sт 450, 573, 711, Tʀᴜ 870(*FZ* alium *PS†*) **alii** (*dat. masc.*), Mɪ 351(*RRg om APψ*), 1357, Ps 1264(*Lips* alio *P*), Tʀᴜ 744 (*fem.*) Cɪ *Arg* 5, Mɪ 1076 **aliae** Mɪ 802(aliaē *P*) **alium** Aм 674, 785(alii *E*), *ib.* (*Fl duce Guy om PLU*), As 236, 770, Aᴜ 531, Bᴀ 593, 1002, Cᴀᴘ *Arg* 2, 9, 341, 390, 848, 849, 920(*L* alibi *AS* aliud *Pψ*), Cᴀs *Arg* 2 *bis*, Cɪ 656, Cᴜ 378, 515, Eᴘ 455, 669, Mᴇɴ 407, 669, Mᴇʀ 836, 867(aliuni *C*), Mɪ 846, 1284, Mo 934, Pᴇʀ 135, Poᴇ 500, 735, Ps 26(natum *BriRg*), 120, 1198 (*AB* aliam *CD*), 1264, Rᴜ 10(*PLU* aliud *Sey RgS* alios *Ly*), 886, Sт 370, 478, 734(*R* aliut *P*), Tʀɪ 161, 177, 792(*om RRs*), Tʀᴜ 81, 232, 608 **aliam** As 204(alia *E*), 205(alia *J v. secl FlRgl SU*), 206, 845, Cɪ 103, Eᴘ *Arg* 2(*Py om PS†Lʏ†*), 324, 332(*U* meliorem *L* mecum *Pψ*), Mᴇɴ 673, 695, Mᴇʀ 615(aut i in *U*), 657 *bis*, 994(-ā *Ly*), Mɪ 327(*PLU* alia *Guyψ*), Mo 32, 264, 1178, Poᴇ 362, Ps 24, 235, 525, Rᴜ 886, 1400, Sт 260(eccam

aliam *L* eccam illam *P* eccam *A* eccillam *Boψ*), Tʀɪ 453, 1042, 1184, Tʀᴜ 403(aliam aliorsum *FZ* alia maiorum *P*), 849 **aliud** As 107, 724, Aᴜ 175(*Rg*), Bᴀ 757, 919, Cᴀᴘ 400, 448, 920(*PRs ULy* alium *L* alibi *AS*), 942, Cᴀs 613(*P* aliquid *A*), Cɪ 739(*U in lac*), Mᴇɴ 528, Mᴇʀ 495(*P* aliquid *A*), 568, 642, 666, Mɪ 185a, 259(aliut *PR*), 575(aliut *D¹K*), 1195, Mo 404, 1119 *bis*, 1141(*om BU*), 1170, Pᴇʀ 735(*P* aliut *AR*), Poᴇ 911, 1019(tu aliud sapis *A* tua *P*), Ps 370(*P* aliut *A*), 548(aliut *D*), 919, Rᴜ 1311(aliut *B*), Sт 257, Tʀɪ 395(aliut *A*), 458, Tʀᴜ 432(*FZ* alium *P*) **alio** As 230, 754, Bᴀ 29(*ex Non* 334), Cᴀᴘ 332, Cᴀs 512, 698, Mᴇʀ 451, 455(*CaU pro* illo), Mɪ 1240, 1284, Mo 321(*U in lac*), Pᴇʀ 580, Poᴇ 175, 560, Ps 272, 474, 1133, 1239, Rᴜ 1382, 1402, Sт 770, Tʀɪ 716 (*adv.*) As 195, Aᴜ 287(alio uorsum *L* aliouorsum *ψ*), Mɪ 863(aliquo *HauptLU*), 1130(alio atque uti *LochLU* aut utique *PS†Ly* atque ut quidem *BoRg*), 1291(*Ca* allo *B* illo *CD*), Mo 989, Sт 80, 596 **alia** Aм 316, 795, Aᴜ 140, 770, Eᴘ 642, Mᴇʀ 984(*Ly* -am *Pψ*), Mɪ 327 (*Guy* aliam *PLULy*), Ps 1261(alia aut *CaU* allant *B* alant *CD* aut *Rψ*), Tʀɪ 97, Tʀᴜ 141, 936 (*adv.*) Rᴜ 10 **alii** As 256, 943, Aᴜ 518(item alii *Rg* cum *PLS†U†*), 725, Bᴀ 141, 437, Cᴀᴘ 491, 510, 724, Cᴀs 792, Cᴜ 607, Eᴘ 32, Mᴇɴ 982(*LLy* aliis *PS†*), 1040, Mᴇʀ 318(*PLU* aliei *Aψ*), Mɪ 836 *bis*, Mo 128, 1052(alii quibus *Ca* aliiq *** A* aliquibus *P*), Pᴇʀ 295(*PLU* aliei *Aψ*), 372, 755, Poᴇ 126(alii qui *Ca* aliqui *P*), Ps 420(*P* ali *A*), 633(*A* aui *P*), 810, Rᴜ 64, 998, Sт 358(*ACD* ali *B*), 359(*ACD* ali *B*), Tʀɪ 101, 535 *bis*, 536, 944 (alii di sse *Ac* calliclise *B* callicis *CD*), Tʀᴜ 150b **aliae** Aᴜ 532, Cɪ 142, Eᴘ 236, Mɪ 1040, Poᴇ 337, 1185, Ps 1223 **alia** Aм 1019, Mᴇʀ 174, Mɪ 699, Rᴜ 8, Tʀᴜ 855, Fʀ I. 95(*ex Paul* 144, *Fest* 145) **aliorum** Cɪ 231, Tʀɪ 343, 431 **aliarum** Bᴀ 563, Poᴇ 298, Rᴜ 52 **aliis**(*masc.*) Aᴜ 396(*KochRg om Pψ*), Bᴀ 615, Cᴀᴘ 292(*B²E* alius *B¹DJ*), 752, Cᴜ 484(*Lips* alii *PS†* *v. secl Bug SU*), Eᴘ 33, 99, Mᴇɴ 184, Mɪ 1436, Mo 154(*CD RL* alieis *Bψ*), Poᴇ 1184, Ps 945, Tʀɪ 356, Tʀᴜ 189(*A om P*), 233 (*fem.*) Bᴀ 526, Cɪ 781 **alios** Aм 41, As 856(alias *J*), Bᴀ 498(*GoelRgS*), 548, Cᴀᴘ 126, 458, 488 *ter*, Cᴜ 263, Mᴇɴ 961, Mᴇʀ 3, 836, Mɪ 1351(*Bo* illos *PLy*), 1354, Mo 180, 189, 982, Pᴇʀ 540, Poᴇ 250, 1273, Ps 801(*FZ* alius *P*), Rᴜ 10(*Ly* alium *PLU* aliud *Seyψ*), 37, Tʀɪ 343 (*A* alius *BD* aliis *C*), 824, Tʀᴜ 496(*Non* 67 alia *P*), 735, 925 **alias** Aм 536, Cᴀs 8(*R om P*), Cɪ 589, 719, Eᴘ 566, Mᴇɴ 752, Mo 110, 641, 968, Poᴇ 1193, Ps 152(*ACD* auas *B*), Rᴜ 1212, Sт 227(*PLy* lalias *Bergkψ*), 530, Tʀᴜ 319 **alia** Aм 772, As 188, Bᴀ 481(illa *Char* 198), Cᴀᴘ 906, Eᴘ 36, Mᴇɴ 922, Mɪ 20(aliam *B¹*), 929, 934, Mo 899(*add R om Pψ*), 1146(*R duce Ca in lac*), Poᴇ 718, Ps 696b, Rᴜ 1317, Tʀɪ 1074(alio *C*), 1102, Tʀᴜ 947, Vɪ 9(*L in lac ** RgS*) **aliis**(*masc.*) Aм 12, As 503, Cɪ 64, Pᴇʀ 540(alis *B*) (*fem.*) Aм 736, Ps 813, 1240, Rᴜ 21 (*neut.*) Tʀɪ 323 *corrupta:* Cᴀᴘ *Arg* 3, alios *E³J pro* Aleos Cᴀᴘ 27, alios *P pro* Aleos(*Turn*); 59, aliis *V¹* alidis *P pro* Aleis(*Turn*); 169; alium *P pro* Aleum; 280, aliis *J pro* Aleis; 875, alium *BEJ pro* Aleum Cᴀs 71, alio hoc *B* alia hoc *VE* aio hoc *J pro* aio id(*A*) Mᴇɴ 98, alii *CD pro* alit(*B*);

950, alios *B²* *pro* aliquos Mɪ 274, alium *P pro*
malam rem(*A*); 1116, alio *B pro* illa; 1321, et
alia *B pro* tali Mo 352, itam aliam eroris(erroris *CD*) *P pro* ita mali maeroris(*B²*); 977,
alio *CD* a⫽⫽o *B pro* aio(*AB²*) Ps 502, qui
aliud *B* quid aliud *C pro* quia illud(*Ac*); 734,
alii inde *D pro* aliunde; 738, aliis *P pro* alis(*A*)
Rᴜ 1307, et alii *PS*† pecu alui *Rs* elaui *Pius*φ)
Sᴛ 227, alias *P pro* lalias(*Bergk*) Tʀɪ 827, alio
P pro alto(*Pius*) Tʀᴜ 597, adiectaculem(-um
C) iussit alii *PS*†

II. Sɪɢɴɪficatio A. *adiectiue; semel positum
cum substantiuo coniunctum: adfinitatem uobis*
aliam quaerite Tʀɪ 453   idem istuc aliis *ad-*
scriptiuis fieri ad legionem solet Mᴇɴ 184   mulierem alius illam *adulescens* deperit Eᴘ 299
alias *aedis* mercatus sibi Mo 641   ne ad alias
aedis perperam deueneris Mo 968   nullusnest
tibi *amator* alius quisquam? #.. alius nemost
Cɪ 369-70   non *amicus* alius quisquamst(*RsL*
quis∗∗∗ *AS* om *U*) Mo 1052(*A solus*) nisi si
quispiamst *Amphitruo* alius Aᴍ 826   tu alium*
peperisti Amphitruonem, ego alium* peperi
Sosiam Aᴍ 785   alium* (*anulum*) post fecit nouom Tʀɪ 792   sola facito ut scias sine aliis
arbitris Cɪ 64   aliud* *argentum* expetessit Cɪ
739(*U*) sine perdat (*arma*): alia apportabunt
ei Nerei filiae Eᴘ 36   quid alia *armamenta*
(ornamenta *B*)? Mᴇʀ 174   uidi equom.. domitum fieri atque alias *beluas* Tʀᴜ 319(loc dub:
vide ω) benefacta *benefactis* aliis pertegito ne
perpluant Tʀɪ 323   habemus.. aliis qui comitati simus *beneuolentibus* Tʀɪ 356   salutem dicito.. si quem alium beneuolentem uideris Cᴀᴘ
390   ego ibo ad patrem ad alios *captiuos* meos
Cᴀᴘ 126   ad fratrem modo captiuos alios inuiso
meos Cᴀᴘ 458   eo.. ad fratrem.. mei ubi sunt
alii captiui Cᴀᴘ 510   ego illis captiuis aliis
documentum dabo Cᴀᴘ 752   si alia huc *causa*
ad te adueni, aequom postulas Tʀɪ 97   *ciuita-*
tem Mᴇʀ 837(infra sub Larem)   alium tibi te
comitem meliust quaerere Eᴘ 669   alium* comitem quaerite Mᴇʀ 867   alio pacto.. insidias
dare quam in aliis *comoediis* fit Ps 1240   dicam
ut aliam *condicionem* filio inueniat suo Tʀᴜ 849
conuiuae alii accubent Bᴀ 141   alium conuiuam quaerito tibi Sᴛ 478   per illam tibi copiam *copiam* parare(*PS*†*L*†*Ly aliter Rg¹U*)
aliam licet Eᴘ 324   neque ego usquam aliam
mihi paraui copiam Poᴇ 362   ibo intro ut id
quod alius condiuit *coquos*.. alio pacto condiam Cᴀs 511   cur conducebas? #Inopia: alius
(coquos) non erat Ps 799   non ego item cenam
condio ut alii coci Ps 810   nunc iam alia *cura*
impendet pectori Eᴘ 135   huius similia alia
damna multa mulierum me uxore prohibent
Mɪ 699   bene nos, Iuppiter, iuuisti, *di*que alii
omnis caelipotentes Pᴇʀ 755   alii* di isse ad
uillam aiebant Tʀɪ 944   item alios deos facturos ʀcilicet Cᴜ 263   deos penates Mᴇʀ 836(infra
sub Larem)   tibi ante alios deos gratias ago
Tʀɪ 824   scitis.. datum mihi esse ab dis aliis
Aᴍ 12   spes prorogatur militi in alium *diem*
Aᴜ 531   res serias omnis extollo ex hoc die in
alium diem Poᴇ 500   an ego alium *dominum*
paterer fieri hisce aedibus? Tʀɪ 177   aut hoc
emptore uendes pulcre aut alio non potes Pᴇʀ

580   quando alia (*fabula*) agetur, aliud fiet oppidum Mᴇɴ 73   aequomst placere ante alias*
ueteres fabulas Cᴀs 8   hic alia(*fidicina*) nullast
Eᴘ 478   persuasu serui qui aliam*(*Rg* aliam
qui *PyU*) conducticiam.. ei subiecit Eᴘ *Arg* 2
alia *forma* esse oportet quem tu pugno legeris
Aᴍ 316   aliqua tibi spes est fore aliam* *for-*
tunam Eᴘ 332(*U*)   ille alium *gerulum* quaerat
.. sibi Bᴀ 1002   eas herbas *herbis* aliis porro
condiunt Ps 813   poste autem illic *hircus* alius*
.. Mᴇɴ 839(*R*)   nescioquem.. alium *hominem*,
non me quaeritas Mᴇɴ 407   cur ausa's alium
te dicere amare hominem? Tʀᴜ 608   haec sunt
et aliae multae.. *incommoditates* Aᴜ 532   illi
sunt alio *ingenio* atque tu Ps 1133   ego mihi
alios deos penatis persequar, alium *Larem*,
aliam urbem, aliam ciuitatem Mᴇʀ 836   ego
te nihil moror, nec *lenonem* alium quemquam
Cᴜ 515   an tu te.. alia *lege* habere poss e
postulas? Tʀᴜ 141   nullan tibi *linguast?*
#. .eccam aliam* quae dicat 'cedo' Sᴛ 260(*L*)
quasi non habeam.. alium meliorem *locum*
Mᴇɴ 669   alium* *ludum* nunc uolo Sᴛ 734
mamma *mammicula* opprimitur alia* Ps 1261
(*U*)   ∗∗in alia *matre* uno patre Eᴘ 642   si
alia *membra* uino madeant, cor sit saltem
sobrium Tʀᴜ 855   erat *meretricum* aliarum
Athenis copia Bᴀ 563   exempla conferentur
meretricum aliarum Poᴇ 298   (nisi redduntur) etiam mihi aliae uiginti *minae* Ps 1223
alia opust auri mina Tʀᴜ 936   illud praeter
alia *mira* miror maxume Aᴍ 772   ad meas
miserias alias∗∗∗ Cɪ 589   negat ponere alio
modo ullo profecto Cᴀs 698   alio modo.. consciscam letum Mɪ 1240   alio tu modo me
uerberare atque ego te soleo cogitas Ps 474
si sic aliis *moechis* fiat, minus hic moechorum siet Mɪ 1436   prohibentque *moenia* alia,
unde ego fungar mea Fʀ I. 95(*ex Poul* 144,
Fest 145)   quaeuis alia.. *mora*.. minor ea
uidetur Mɪ·1293   *more* alio uti debebas Mo
321(*U solus in lac*)   quod neque ego habeo
neque quisquam alia *mulier* Cɪ 66   alia*
mulier sustulit Cɪ 619   si mihi alia mulier
istoc pacto dicat, dicam esse ebriam Cɪ 667
(pallam) mihi dedit alia mulier Mᴇɴ 733
mulier qua mulier alia nullast pulcrior Mᴇʀ
101   occepere aliae mulieres duae Eᴘ 236
.. formam uirginis et aliarum.. quae eius
erant *muliercu̯lae* Rᴜ 52   da.. operam..
mihi, ne quo te ad aliud* occupes *negotium*
Ps 548   aliud *nomen* quaerundumst mihi Aᴍ
423   quasi non cras iam commeream aliam
noxiam Mo 1178   non.. oportet.. attingere
.. neque aliam ullam *offuciam* Mo 264   *oppi-*
dum Mᴇɴ 73(supra sub fabula)   dicatque se
peregrinum esse ex alio oppido Poᴇ 175   .. se
ut adsimularet peregrinum esse aliunde ex
alio oppido Poᴇ 560   si sciret, esset alia
oratio Mᴇɴ 383   aliam* nunc mihi *orationem*
.. praedicas. [longe aliam*.. praebes atque..]
aliam atque olim quom inliciebas me As 204-6
(*verba seclusa retinent LLy*) oculos orationemque aliam(alia *GuyRRgS*) commutas tibi
Mɪ 327   est etiam hic *ostium* aliud posticum
Sᴛ 450a   alio *pacto* abire non potes Cᴀᴘ 332
Cᴀs 512(*supra sub* coquos) dignu's alio pacto

Ps 272 mihi certumst alio pacto Pseudolo insidias dare quam .. Ps 1239 non tacebo umquam alio pacto nisi talento conprimor Ru 1402 ego amicus numquam tibi ero alio pacto Tri 716 aliam (*pallam*) illi redimam meliorem Men 673 alii *parasiti* .. obambulabant frustra in foro Cap 491 is nunc in aliam *partem* palmam possidet Mo 32 dicam ut sibi *penum* alium* adornet(*A* ornet *PU*) Cap 920(*L*) si unum obdit obsidiator aliud* *perfugium* tegit Tru 870(*v. dub*) alios *pictores* nihil moror huiusmodi tractare exempla Poe 1273 sunt alii (*pisces*) puniceo corio Ru 998 aliam *praedam* perdidi Ru 1400 dabo aliam *pugnam* claram Ps 525 ubi nihil habeat, alium *quaestum* coepiat Tru 232 *rebus* aliis anteuortar Ba 526 praeuorti hoc certumst rebus aliis omnibus Ci 781 loquere porro aliam* malam rem Mer 615 potin aliam rem ut cures? Ps 235 metuo .. ne aliam rem occipiat loqui Tri 1042 facias ut alias res soles Am 536, St 530 ecastor pariter hoc atque alias res soles Men 752 alias res geris Ci 719 ad alias res est inpense inprobus Ep 566 hoc sis uide ut alias* res agunt Ps 152 eum roga ut relinquat alias res Ru 1212 ego te .. de alia re resciuisse censui Au 770 de aliis (rebus) nescio Am 736 nec praeter med alius quisquamst *seruos* Sosia Am 400 caue tu idem faxis alii quod *serui* solent As 256 alia *signa* de caelo .. accidunt Ru 8 uide ne qua illic insit alia* *sortis* Cas 380 ecquis alius *Sosia* intust? Am 856 Sosiam Am 785(*supra sub* Amphitruonem) eo facetu's quia tibi aliast *sponsa* locuples Lemnia Ci 492 alium *subpromum* pares Mi 846 nihil hoc quidemst .. praequam alios dapsilis *sumptus* facit Mo 982 bonos in aliis *tabulis* exscriptos habet Ru 21 dominus indiligens reddere alias (*tegulas*) neuolt Mo 110 trecenti item alii(*Rg solus*) stant *thylacistae* in atriis Au 518 alia *uerba* praehibeas As 188 tute ab naui clanculum huc alia *uia* praecucurristi Am 795 fecere tale ante aliei* spectati *uirei* Mer 318 nec quemquam .. alium admittat prorsus quam me ad se uirum As 236 uel *unctiones* Graecas .. uendo uel alias* malacas St 227(*PLy*) si istoc me *uorsu* uiceris, alio me prouocato St 770 *urbem* Mer 837 (*supra sub* Larem) .. resciuerim eum *uxorem* ducturum esse aliam Ci 103

  B. *substantive* 1. *nom.:* si alius ad me prius *attulerit*, tu uale As 231 mihi alius dixit .. mane hic *adfore* Ep 273 *dixit* mihi iam dudum se alius tuom uidisse hic filium Ep 408 captiuorum quid *ducunt* secum ..! binos ternos alius* quinque(*ParRgL aliter U* quisque *PS†*) Ep 211 *inponat* in manum alius mihi .. cantharum Ba 69 *ruit* alius* As *Arg* 6(*U*) hau alius* *est* Au 813 ei nunc alia ducendast domum Ci 99 an .. alia eius similis similis sit? Mi 448

  satis si intellegitis, aliud* est quod potius fabulemur Mi 877

  te cruci ipsum *adfigent* propediem aliei* Per 295 potest ut alii* ita *arbitrentur* Ps 633 ei rei operam do, ne alii *dicant* quibus licet Per 372 alii octonos lapides *effodiunt* Cap 724 nituntur ut alii sibi esse illorum similis *expetant*

Mo 128 at iam ante alii *fecerunt* idem Ep 32 tu hic cunctas: intus alii *festinant* Cas 792 nunc ergo alii *laetificantur* meo malo Au 725 adulescenti alii *narrant* ut res gesta sit Ru 64 alii me *negant* eum esse Men 1040 hoc alii* mihi *renuntiant* Ps 420 quod restat, *restant* alii* qui faciant palam Poe 126 neque mirum fecit nec secus quam alii *solent* As 943 alii* ut esse in suam rem ducunt, ita *sint* Men 982 (*R* alii sese hilarent *Rs vide* ψ) sunt alii qui te uolturium uocant Tri 101 illi alii sunt publicani Tru 150 b

  eandem puellam peperit .. item ut aliae *pariunt* Ci 142 *sunt* illi aliae quas spectare ego .. uolo Poe 337 ingeniis quibus sumus atque aliae gnosco Poe 1185

  pariter hoc fit atque ut alia facta sunt Am 1019

  2. *gen.:* aliorum adfatimst qui faciant Ci 231 (*ex Gell* VI. 7) ita te aliorum miserescat ne tis alios* misereat Tri 343 miseret te aliorum, tui nec miseret nec pudet Tri 431

  3. *dat.:* inuidere alii *bene esse* tibi male esse miseriast Tru 744 eam sublatam meretrix alii *detulit* Ci *Arg* 5 tibi seruire malui multo quam alii *libertus esse* Mi 1357 contra auro alii hanc *uendere* potuit operam Mi 1076 aliis* ut *credat* uide Cap 292 duritia *discipulinae* alieis* eram Mo 154 tu quidem antehac aliis solebas *dare* consilia mutua Ep 99 ego istuc aliis dare condidici Ps 945 aliis qui habent det locum Tru 233 erit illi illa res *honori.* ⸭Qui? ⸭Quia ante aliis fuit Ep 33 utut aliis* tibi quidem *intust* Tru 189 uel qui ipsi uortant uel qui aliis ut uorsentur(*Lips* alii subuersentur *PS†*) *praebeant* Cu 484(*v. secl GuyS U*) qui in re tali aliis (*KochRg* si quoi in re tali iam *Ca*ψ cui in re talia *P*) *subuenisti* antidhac Au 396 id mihist quod uolo *esse* aliis Ba 615 malim istuc aliis *uideatur* Poe 1184

  4. *acc.:* próin tu Pseudolo nunties *abduxisse* alium* praedam Ps 1198

  alium ego isti rei *allegabo* Am 674 alium adlegauero qui *uendat* Per 135 alium illa *amat* non illum Ba 593 alium potius *misero* hinc Cap 341 proin tu alium *quaeras* quoi centones sarcias Ep 455 alium censebit *quaeritari* Poe 735 alium *repperit* qui plus daret Tru 81

  aliam posthac *inuenito,* quam habeas frustratui Men 695 aliam tecum *esse* equidem facile possum perpeti As 845

  abi et aliud* *cura* Cas 613 potin ut aliud* cures? Mer 495 aliud* *fabulemur* Ru 1311 et id et aliud quod me orabis *impetrabis* Cap 942 aliud te *rogo.* ⸭Aliud ergo nunc tibi *respondeo* Mo 1119 mergas datas ad messim credo, nisi quidem tu aliud* *sapis* Poe 1019

  ego illam patiar alios *amplexarier?* Tru 925 alios *aspernere* Mo 189 quae alios* *conlaudare,* eapse sese uero non potest Tru 496 alios in tragoediis uidi .. *commemorare* quae .. fecissent Am 41 qui *dedecorat* .. alios flagitiis suis Ba 498(*v. secl GoelRgS*) sat est istuc alios *dicere* nobis Poe 250 sine alios *discere* Tru 735 ut alios in comoediis ui uidi amoris *facere* Mer 3 parui ego alios* facio Mi 1351 te de aliis* quam de te alios suauiust *fieri*

doctos Per 540   *frustrari* alios stolidi existumant Ba 548   alios fideliores semper *habuisti*
tibi quam me Mi 1354   laudari multo malo
quam . . meam speciem alios *invidere* Mo 180
misereat Tri 343(*supra* 2)   dum alios *seruat*,
se impediuit interim Ru 37   saluos saluos
alios *uideo* Men 961

pergo *ad* alios, uenio ad alios, deinde ad
alios: una res Cap 488   nos hodie *inter* alias
praestitimus pulcritudine Poe 1193   ego *praeter*
alios* meum uirum †frugi rata As 856   cur
sedebas . . tu solus praeter alios*? Ps 801

alia *cura* Mi 929, 934, Mo 889*   nihil hercle
hoc quidemst praeut alia* *dicam* Mi 20   perge
alia tu *expedire* Ru 1317   ibi quae relicua
alia *fabulabimur* Poe 718   minoris***(omnia
alia *R duce Ca* omnia *RsLU*) facio Mo 1146
haec tibi alia *sum locutus* Ps 696b(*v. om A ω*)
alia* *memorare* . . dispudet Ba 481   si alia
memorem . . morast Cap 906   intus *narrabo*
tibi et hoc et alia Tri 1102   prius *noscite***
(alia *supp L*) Vi 9   *omitte* alia*: hoc mihi
responde Tri 1074   etiam *percontabor* alia. #Oc-
cidis(*Ac* #Alia occidis *PS*†) fabulans Men 922

5. *abl.:* habe cum hoc. #Aliost *opus* Ru
1382   communis est illa mihi *cum* alio (quodam *add RRg*) Mer 451   Mer 455 (cum alio
CaU cum illo *PSLLy aliter RRg*)   *de aliis*
. . fieri doctos Per 540(*supra* 4)   si esses percontatus me *ex* aliis As 503

C. *additur pronomen* quisquam, nemo, *sim.*
vel adiectivum multi, *sim.:* quod numquam
opinatus fui neque alius quisquam ciuium
Am 186   annum hunc ne cum quiquam alio
sit As 230   si quicquamst aliud quod credam
Am 271   Am 400(*supra A sub* seruos)   nec
quisquam alius affuit Am 425 As 236(*supra A
sub* uirum) . . secum esset . . hunc annum
totum. #Neque cum quiquam alio As 754
nec a quiquam acciperes alio mercedem Ba
29(*ex Non* 334)   nec quisquamst mihi (alius
add FlU) aeque melius quoi uelim Cap 700
Ci 66(*supra A sub* mulier)   nec pudicitiam
inminuit meam mihi alius quisquam Ci 88
Ci 369(*supra A sub* amator)   nec quemquam
conspicor alium in uia Ci 656   Cu 515(*supra
A. sub* lenonem)   Mer 666(*infra sub* nihil)
nec quoiquam (alii *add RRg*) quam illi meliust
Mi 351   neque alium quemquam audio Mo
934   Mo 1055*(*supra A sub* amicus)   neque
aliud quicquam . . habeo St 257   ne ille ex
te sciat neue alius quisquam Tri 519   alius
modo post pronomen modo ante pronomen legi
notat Schroeder, p. 9

quispiam Am 826(*supra A sub* Amphitruo)
num quippiam aliud* me uis? Per 735, Tru 432
alio quodam Mer 451(*RRg vide supra B. 5*)
tum tu aliud iura quidlubet As 107

quaeuis Mi 1293(*supra A sub* mora)   aliud
quiduis impetrari a me facilius perferam
quam . . Mo 1170

quid ego aliud exoptem amplius nisi illud?
As 724   quid aliud faciam? Mer 568   aliud
quidem illi quid amica opus sit nescio St 573
Men 407(*supra A sub* hominem)

ecquis Am 856(*supra A sub* Sosia)
nequa Cas 380(*supra A sub* sortis)

numquid aliud? Ba 757, Cap 448, Mi 259*,
1195, Mo 404, Poe 911*   numquid me aliud
uis? Au 175 (*Rg* quid me nunc quid *PS*†: *var
em ψ*)   numquid aliud uis patri nuntiari?
Cap 400   numquid est quod dicas aliud de
illo? Mer 642   numquid nunc aliud* me uis?
Mi 575   numquid aliud* fecit nisi quod summis gnati generibus? Mo 1141   numquid aliud
(*? add RglSU*) me morare? Poe 911   numquid
aliud(*A* alium *PR*) etiam uoltis dicere? Ps 370
numquid agere aliud me uides? Ps 919   numquis est hic alius praeter me? Tri 69

si quem alium aspexit, caeca continuo siet
As 770   Cap 390(*supra A. sub* beneuolentem)
et istuc et aliud si quid curari uolet me curaturum dicito Men 528   ego ducam . . et
eam et si quam aliam iubebis Tri 1184   dixi
ego istuc nisi quid aliud uis Mi 185a   nisi
quid me aliud uis, . . respondi tibi Tri 458
aliud quidquid ibist habeat sibi Ru 1121

quem quidem ego amem alius nemost Ci 370
si neminem alium potero, tuom tangam patrem
Ps 120   nulla Ep 478(*supra A sub* fidicina)
Mer 101(*supra A sub* mulier)   nisi adulterio studiosus rei nulli aliaest* inprobus Mi 802   has
. . credo . . interpretari alium* posse neminem
Ps 26   pol si aliud nihil sit, tui me, uxor, pudet
As 933   hic apud nos nihil est aliud* quaesti
furibus Au 83   mihi nihil relicui quicquam aliud
iam esse intellego Mer 666   id abest, aliud
nihil abest St 711(*v. secl L*)   nihil aliud* nisi
quod sibi soli placet consulit Tri 395

ullam Mo 264(*supra A sub* offuciam)
libera ego sum nata. #Et alii multi qui
nunc seruiunt Cu 607   Mi 699(*supra A sub*
damna)   multae aliae idem istuc cupiunt Mi
1040   et alia multa . . dabo Tru 947 *de collocatione cf* Niemoeller, p. 44, *adn.*

facio idem quod plurumi alii* Mo 1052
par pari aliud quod cupiebam contigit Ps 692
cf Wueseke, p. 19

D. = *alter:* alium quadrimum fugiens seruos
uendidit Cap *Arg* 2   indicio quouis alium
agnoscat filium Cap *Arg* 9   alium (seruom) senex allegat, alium filius Cas *Arg* 2   *fortasse* Am
785(*supra A sub* Amphitruonem), Ps 1223(*supra
A sub* minae), Tri 792(*supra A sub* anulus)

E. = *dissimilis, contrarius:* alii, Lyde, nunc
sunt mores Ba 437   alius nunc fieri uolo
Poe 127   alium fecisti: alius ad te ueneram
Tri 161   *cf* Mer 383(*supra A sub* oratio), Mo
1119(*supra B. 4 sub* aliud rogo)

F. = *alienus, externus, peregrinus:* ridiculus
autem, quasi sit alia, luditur Mi *Arg* I. 9
eadem erit, uerum alia* esse(*om A*) adsimulabitur Mi 152

G. = *reliquus:* ab dis aliis Am 12(*supra A
sub* dis)   ante alios deos Tri 824(*supra A*)
alii* di Tri 944(*supra A.*)   rebus Ba 526
(*supra A*)   rebus aliis omnibus Ci 781(*ib.*)
ad alios captiuos Cap 126(*supra A*), 458(*ib.*)
alii octonos lapides ecfodiunt Cap 724(*supra
B. 1*)   alii festinant Cas 792(*supra B. 1*)
moechis Mi 1436(*supra A*)   alii coqui Ps 810
(*supra A*)   aliam praedam Ru 1400(*supra A*)
alia membra Tru 855(*supra A*)

H. *iteratum* (*cf supra* D): iuben an non . . alium

pisces praestinatum abire . . alium porcinam?
CAP 848   alii ebrii sunt, alii poscam potitant
MI 836   alii* ligna caedite: alii* piscis depurgate ST 358   alii exulatum abierunt, alii
emortui, alii se suspendere TRI 535   *vide* MEN
1040, *ubi v. om plurimi, lac. statuunt reliqui*
ut facilius alia quam alia* eundem puerum
unum parit TRU 806

habent hunc morem . . ut alius alium po-
scant CU 378   alius alium percontamur ST 370
quaerunt litterae hae sibi liberos: alia* aliam
scandit Ps 24   alia (femina) alia peior est
AU 140   aetatem aliam aliud factum condecet MER 984   ibi esse alium alii* odio(odiosum
L) Ps 1264   alium alio pacto .. ne sciam fecisse
multa nequiter, uerear magis MI 1284   is
nos per gentes aliud(*Sey* alium *PLU* alios
Ly) alia disparat RU 10   credo alium in aliam
beluam hominem uortier RU 886   aliam* aliorsum ire, praemandare TRU 403 *cf* ASMUS, p. 44

I. *adverbia* 1. alio: ego istuc alio uorsum(*L*
aliouorsum *ψ*) dixeram AU 287   illa alio ibit
tamen As 195   missus sum alio* MI 863
numquid uidetur demutare alio* atque uti
dixi? MI 1130(*LachLU*)   oratio alio* mihi
demutandast mea MI 1291   alio credo comisatum abisse MO 989   manere hic sese meliust potius quam alio nubere ST 80   ad cenam hercle alio promisi foras ST 596

2. **alia**: RU 10(*supra* H.)

K. *additur atque*: As 204-206(*supra* A *sub*
orationem), MI 1130*(*supra* I.), Ps 474(*supra* A
sub modo), 1133(*supra* A *sub* ingenio)

quam: As 236(*supra* C *sub* quemquam), MO
1170(*supra* C *sub* quiduis), Ps 1240(*supra* A
sub pacto) *cf* FUHRMANN, XCVII, p. 843

nisi: As 724(*supra* C *sub* quid), MI 802(*supra*
A *sub* rei), MO 1141(*supra* C *sub* numquid), RU
1402(*supra* A *sub* pacto) *cf* FRAESDORFF, p. 10

praeter: TRI 69(*supra* C *sub* numquis)

L. *corruptum*: adientaculem iussit alii mansi
auscultaui obseruaui TRU 597(*quod var em* ω)

ALLATRO - - etiam me meae latrant(*AP*
adlatrant *FRgl*) canes? POE 1234

ALLAUDABILIS - - dedisti, uirgo, operam
adlaudabilem(*AB* laud. *CD* adiutabilem *ColerusR*) PER 673

ALLAUDO - - agit gratias mihi atque ingenium **adlaudat**(*B* all. *CD*) meum MER 85

ALLEC - - *vide* hallec

ALLEGATUS - - meo **adlegatu** uenit, quasi
qui aurum mihi ferret TRI 1142

ALLEGO - - I. Forma allegat CAS *Arg* 2
allegabo AM 674(*F* alligabo *P* adl. *FRglU*)
adlegauit CAS 52(*A* all. *P*), 55(*P* [all.] adlegat
A U), 604, Ps 1162(*U* all. *APψ*), 1233, ST 681
(*RgLLy* adlegaui[-iui *C*] *PRS†U*) **adlegarunt**
POE 773(*A* -auerunt *P*) **adlegauero** PER 135
allegent AM 183(*BDE* alegent *J* adl. *RglU*)
allegemus POE 1100(adl. *U*) **adlegassem** EP
427(*E* [all.] adli. *B* alli *J* allegauissem *LRg²*)

II. **Significatio** 1. *absolute vel seq. acc.*:
ego curando id adlegaui* ST 681(id. c. aliquem
a. *R* c. id me adlegauit *Rg* ego curam mihi
a. *U* ego operam do: is adlegauit *L* ego curam
do: id adl. *Ly*; *cf* HERKENRATH, p. 73; KRAUSE,
p. 35)   si adlegassem* aliquem (hominem *add*

Rg) ad hoc negotium minus hominem doctum . . EP 427   conseruam uxorem duo conserui expetunt, alium senex allegat CAS *Arg* 2
consilium capio . . ut te allegemus POE 1100

2. *add. dat.*: alium ego isti rei allegabo*
AM 674   mihi(*U*) *vel* curando ST 681(*supra* 1)

3. *add.* ad: illum ad me hodie adlegauit
mulierem qui abduceret Ps 1233   *vide* EP 427
(*supra* 1)

4. *seq. rel. finali*: aliquem hominem allegent
qui mihi . . os occillet probe AM 183   pater
adlegauit uilicum, qui posceret sibi istanc
uxorem CAS 52   filius autem armigerum adlegauit* suom, qui sibi eam uxorem poscat
CAS 55   eapse me adlegaui qui istam arcesserem CAS 604   alium adlegauero qui uendat
PER 135   eum adlegarunt* qui seruom diceret
cum auro esse apud me POE 773

5. *seq.* quasi: Pseudolus tuos allegauit hunc
quasi a Macedonio milite esset Ps 1162

ALLEVO - - ubi se **adleuat**(*PistorRU* adluat *P* adiuuat *Valla* *ψ* fortasse *A*) ibi me
adleuat(*PistorRU* adluat *P* adiuuat *Valla* *ψ*)
PER 304

ALLICIO - - ita **alliciam**(*Ca* allictam *B*
allietam *CD*) uirum PER 84   ego illum hodie
ad med hominem adlexero(*A* mallexero *P*)
POE 671   ego . . te . . gratiam in nostram
domum uideo adlicere TRI 383   *vide* PER 515,
ubi allicere *CD* *pro* allucere

ALLIGO - - I. Forma alligat POE *Arg* 6
(adl. *U*), RU 46(adl. *RsU*)   **alligabit** EP 369
(*Sarac* -uit *P* adl. *RgULy*)   **alligem** Ps 319
(-cem *Non* 331 adl. *U*)   **adligari** VI 106(*ex
Fulg de abstr serm* XIV, XV: all. *aliqui codd*)
adligatum As 303(*Ca* -tus *P* all. *EJ*)

II. **Significatio** 1. *proprie*: ad pedes . .
adligatumst* aequom centumpondium As 303
malo hunc adligari ad horiam VI 106(*ex Fulg*)

2. *translate*: ibi leno sceleratum caput suom
imprudens alligabit* EP 369   una opera alligem fugitiuam canem agninis lactibus Ps 319
(*cf* SCHNEIDER, p. 6)   ita eum furto alligat POE
Arg 6   iure iurando alligat RU 46

ALLIUM - - *vide* alium

ALLOQUOR - - I. Forma adloquor MEN
961, MI 217(*BeroaldSL* adloqui *P*[all. *D³* atl.
CD¹] *RULy* om *Rg*), 423(all. *CD* -ar *B*), TRU 920
adloquar AM 881(all. *J*), BA 978, MEN 277(all.
C), 360, 465, 808(*Sarac* loquar *P*), MER 366
(all. *CD*), 712(*BDA ut vid* all. *C*), Ps 1290
(*AB* all. *CD*), ST 464(*AB* all. *CD*), TRU 576
(all. *CD* colloquar *MueRg*)   **adloquere**(*imp.*)
CAP 540(all. *D*)   **adloqui** AM 181(all. *PSL*),
388(all. *PSL*), CI 557(*U in lac* onerare *RsLLy*
** *S*), MER 745(*B* all. *CDSL*), MI 217(*sub* ad-
loquor), MO 714(adloqui mihi *A* adloquimini
P), TRU 225(*AB* all. *CD*)

II. **Significatio** 1. *absolute*: mihi in mentem fuit dis . . gratias . . agere atque adloqui
AM 181   adibo atque adloquar BA 978, MER
277, 465   adi atque adloquere CAP 540   quid
nunc ego faciam nisi uti adeam atque adloquar? MER 712   ibo ad hominem atque adloquar* MEN 808   ibo(*om B*), adloquar MER
366   ibo atque adloquar ST 464   adridere
ut quisquis ueniat, blandeque adloqui TRU 225

adloquar ultro Men 360   noui homines, adloquor Men 961   uidere, amplecti, ausculari,
adloqui Mer 745   cogito saeuiter blanditerne
adloquar Ps 1290   adloquar* quasi nesciam
Tru 576
   2. *sec. acc.:* nunc *hanc* adloquar Am 881
tempus nunc est *senem* hunc adloqui* mihi Mo
714   obsecro ut per precem liceat *te* alloqui
ut ne uapulem Am 388   heus, te adloquor*
Mi 217(*Beroald* me hauscis te adloqui *R* heus
tu *Rg* me ita tu nescis te adloqui *U similiter
Ly*)   te adloquor* Mi 423   ades, amica, te
adloquor Tru 920
   3. *add. abl. modi:* pergam illam his adloqui
dictis Ci 557(*U* his ***dictis *P quod retinet* $
aliter em RsLLy)
   4. *adverbia:* blande Tru 225   blanditer Ps
1290   saeuiter Ps 1290   ultro Men 360
   5. *vim habet verbi orandi:* Am 388(*supra* 2)
   ALLUBESCERE - - hercle uero iam **adlubescit** primulum Mi 1004
   ALLUCEO - - neque quam tibi Fortuna faculam lucrifera **adlucere**(*A* all. *A* alli. *CD*)
uolt Per 515   *cf* Graupner, p. 8
   ALLUDIO - - quando adbibero **adludiabo**
St 382   at tu hercle **adludiato**(*ABC* all. *D*)
Poe 1234
   ALLUO - - adluat Per 304 *bis pro* adiuuat
(*A ut uid Valla*) *vel* adleuat(*PistorRU*)
   ALMUS - - Venus **alma,** ambae te obsecra-
mus Ru 694   inuoco **almam** meam nutricem
Herculem Cu 358
   ALO - - I. Forma alis Poe 1187(*AB* aliis
CD)   **alit** Men 98(*B* alii *CD* aut *Non* 422),
Mi 698   **alunt** Cap 807, Ps 1128(*R* alent augent
P augent *Aψ*)   **alui** Ru 1307(pecu alui *Rs* et
alii *P$†Ly* elaui *PiusLU*)   **alam** Tru 533(*Gul*
iam *P*)   **alat** Cu 664, Mi 785   **aleret** Tri 14
(*CD* alieret *A* alaeret *B*)   **alere** Ps 274   **ali**
Tru 597(*U in loco perd: vide ψ*)   **altus** Ru 741
alitus Men *Arg* 7(*Pius* auitus *P* ductus *MeurR*)
altam Mi 100(*RRg* matre *P$†Lt Ly†* acre *U*)
corrupta: Am 383, alebas *E pro* aiebas; 807,
alebas *D¹* alaebas *E pro* aiebas As 442, alebat
B¹E pro aiebat Ba 268, alebat *C pro* aiebat
Cas 279, alebat *B¹VE pro* aiebat Men 634,
alebas *P pro* aiebas; 831, alunt *P pro* aiunt;
936, alebat *P pro* aiebat; 962, alunt *P pro*
aiunt; 1042, alebat (*P*) *pro* aiebat; 1141, alebat
B pro aiebat Mi 320, alas *B¹ pro* aias; 548,
alo *P pro* aio; 1088, curae aluit *B pro* cor
ei saliat Poe 900, alebat *P pro* aiebat Ps
650, alebat *B pro* aiebat; 1118, alebat *B pro*
aiebat Ru 307, alebat *P pro* aiebat; 430 alas,
P pro aias; 542, alebas *P pro* aiebas; 1025,
alo *B pro* aio; 1080, alebas *P pro* aiebas;
1130, alebas *B pro* aiebas; 1331, alas *P pro*
aias St 391, alebant *P pro* aiebat Tri 1140,
alebat *P pro* aiebat Tru 757, alebat *P pro*
aiebas
   II. Significatio 1. *seq. acc.:* paenitetne te
quot *ancillas*(*B* -ast *CD*) alam*? Tru 533(quod
ancillam solam *Don in Eun* V. 6,12) Iuppiter,
qui *genus* colis alisque* hominum Poe 1187
illic homo *homines* non alit* Men 98   in mari
pecu alui* Ru 1307(*Rs*) nutrici . . quae *uernas*
alit Mi 698

ut semper dum uiuat *me* alat Cu 664   me
alunt* Ps 1128(*R*)   isque adeo *eum* iussit ali*
Tru 597(*U*)   hic fuerat alitus* *ille* surrepticius
Men *Arg* 7   Athenis natus altusque educatusque Atticis Ru 741   is amabat *meretricem* altam* Athenis Atticis Mi 100(*RRg*)
   2. *add. abl. instrumenti:* pistores alunt furfuribus sues Cap 807   eam des . . quae alat
corpus corpore Mi 785   misereat, si familiam
alere possim misericordia Ps 274   ei qui(*AB
om CD*) me aleret* nihil uideo esse relicui
Tri 14
   ALTER - - I. Forma alter Am 84, 153,
481(aliter *J*), 482, 483 *bis*, 1046, 1114, 1139,
As 58, 492, 557(*Rgl om Pψ*), 618 *bis*, Au 206,
656, 809(*LangenRgl om Pψ*), Cap *Arg* 2(*Rs
om Pψ*), 25, 1005, Cas 51, 445 *bis*, Mi 313,
595(*L* multae *A$†Ly†* multi *PU†* illis *RRg*),
Mo 778, 1072, Per 565, Poe 61 *bis*, 825, 1269,
Ps 1260(altera *BLy*), Ru 808 *bis*, 1281, Tru
Arg 2, 48(aliter *CU*), 171(*AcRs* aliter *Pψ*),
381(*A om P*)   **altera** Ba 1128, Ep 240, 245,
Mi 62, Per 226(alterra *B* altra *SpRg*), Poe 85
bis, 895, 1267(*AB* littera *CD*), Ps 1260(*BLy*
alter *CDψ*), Ru 74, 173, 738, St 118(*om R*)
alterum Am 829, Au 329(*add U solus*) Ba 954,
Ep 518(*v. om Aω*), Poe 919(*A* iterum *P*), Tri
888   **alterius** Cap 306(altrius *RRg$U*)   **alteri**
Am 74, As 489(altim *J*), Ba 462, Cu 478, Men
40, 43, Mi 643, 684(*v. secl Rib*), Ps 298, 612,
St 733(*CaRg* utri *P$†* neutri *Guyψ*), Tri 315,
352, Tru 48(*P* altri *BueL* animus *U: pro gen.
habet* Blomquist, p. 23), 381(alter alteri *Grut*
alteri *P* alter de altero *A* alter prae altero
U)   **alterae** Ru 750(altrae *Rs*)   **alterum**
Am 613, 1116(-am *Ly*), 1124, Au 292, Ba 256,
Cap 8(altrum *RRs*), Cas 51, 560, Ep 26, Men
26, 28, 38, 41, 58(-am *CD*), 1088, Mi 659, Poe
1269, Ps 1260, Tri 874, Tru 159   **alteram** Au
292, Ba 692, 719 *bis*, Ci 603, 660, Ep 90b, 154,
Mi 238(*B²D²* -a *P*), Mo 270(*B²D³RU* alteras
Pψ), Poe 96, 1095, Ru 169, 171, 807, 1286,
1405, Tri 776 *bis*, 899, 1066, 1067, Tru 772 *bis*,
910(addam minam alteram *SpU* ad omnae
(omne *CD*) manuc *P$†* aliter *ψ*)   **alterum** Ba
1184   **altero** Ba 836, Cas 692, 693, 922, Ci 699,
Men *Arg* 2(*B* alieru *CD*), Mi 288, 320, Ps 1174,
Tru 381(*ALU* alteri *Pψ* quos *vide*)   **altera**
Am 1116(alter *EJ*), Au 195 *bis*, Ru 1408   **altero**
Fr I. 37(*ex Char* 211)   **alteris** Ba 971   *corrupta:* Ba 296, alteram *D¹ pro* ad terram Mi 116,
alterum *C pro* ad erum Poe 866, alter *B pro*
aliter; 1358, alter *A pro* aliter   Tru 264, un
alteram *B* ima altera *CD pro* unam litteram
   II. Significatio A. *adiectivum, semel positum* 1. aspicio osculantem Philocomasium
cum altero *adulescente* Mi 288   eum sume
alterum* (*agnum*) Au 329(*U*)   illa autem uirgo
atque altera itidem *ancillula* de naui . . de-
siluerunt Ru 74   accipe illinc alteram *clauam* Ru 807   iussit dari *cocum* alterum itidemque alteram tibicinam Au 292   . . hanc
alteram (*epistulam*) suo amico Callicli iussit
dare Tri 899   *erus* alter eccum ex Alide
rediit Cap 1005   quam uos igitur filiam nunc
quaeritatis alteram? Ci 603   ut fit in bello
capitur alter *filius* Cap 25   immutat nomen

auos huic *gemino* alteri Men 40 ubi illa
alterast* furtifica *laeua* (manus)? Per 226 qui
sunt in *lecto* illo altero Ba 836 quanti illam
emisti tuam alteram *mulierculam?* Ru 1405
est minusculum alterum (*nomen*) quasi †iuxill-
lum uinarium Tri 888 hodie altera (*ouis*) iam
bis detonsa certost Ba 1128 conspexit angues
ille alter *puer* Am 1114 alterum* quadrimum
puerum seruos surpuit Cap 8 rediit nuntius
. . puerum surruptum alterum patremque esse
emortuom Men 38 . . geminum illum puerum
qui surripuit alterum* Men 58 rogo ut altero
(*saltu*) sinat ire Cas 922(*Ly*) uehit hic clitell-
las, uehit hic autem alter *senex* Mo 778 *sororem* geminam germanam alteram* dicam . . aduenisse Mi 238 (ingenuast) eodem (modo) quo
soror illius altera Poe 895 *Sosiam* seruom
tuom praeter me alterum . . faciam ut offendas domi Am 613 *tibicinam* Au 292(*supra sub
cocum*) . . ut ad senem etiam alteram facias
uiam Ba 692
 2. tantum: alterum tantum auri non meream
Ba 1184(*cf* Schaaff, p. 14) si alterum tantum perdundumst, perdam Ep 518(*v. om Aω*)
plure altero tanto quanto eius fundus est uelim
Fr I. 37(*ex Char* 211) *cf* Fraesdorff, p. 36
 3. *numerale:* sum (adiutor) uero, et alter
noster est Leonida As 58 addam minam
alteram* istic Tru 910(*U in loco dub*) nunc
alteris etiam ducentis usus est Ba 971 priusquam unumst iniectum telum, iam instat alteram* Poe 919 altero die: quotumo die . .
huc peruenisti? ‡Altero ad meridiem Ps 1174
 B. *substantive* 1. *nom.:* quiue alter quo placeret fecisset minus Am 84 quis hic intus alter
erat tecum simul? Au 656 alter* sorti defuat
Mi 595(*L in loco dub: vide ψ*) omitte saltem
tu altera* Poe 1267 altera haec est nata Athenis Ru 738 age tu dic altera* St 118(*Rg*)
 2. *gen.:* nunc alterius* imperio obsequor Cap
306
 3. *dat.:* neu suom *adimerem* alteri Tri 315
quasi magistratum sibi alteriue *ambiuerit* Am
74 nec tibi *bene esse* pote pati neque alteri
Tri 352 tu homo et alteri sapienter potis
es *consulere* et tibi Mi 684(*secl Rib*) omnes
cautiores sunt ne *credant*(*A* nec reddant *P*)
alteri Ps 298 maleuoli . . qui alteri de nihilo
audacter *dicunt* contumeliam Cu 478 non
soles respicere te quom dicis iniuste alteri?
Ps 612 tu contumeliam alteri* *facias*, tibi
non dicatur? As 489 neuter alteri* *inuidet*
St 733(*CaRg*) neque ego *oblocutus sum* alteri
in conuiuio Mi 643 ingenium plus triginta
annis *maiust* quam alteri Ba 462 nomen
indit illi . . Menaechmo, idem quod alteri nomen fuit Men 43 huic alterae* quae patria
sit profecto nescio Ru 750
 4. *acc.:* . . si sibi nunc alteram ab legione
abduxit Ep 90 scibit . . hanc *adductam* alteram Ep 154 hunc *delusi* alterum Cas 560
illum *dilexit* qui subruptust alterum Men 41
qui alterum *incusat* probri, sumpse enitere
oportet Tru 159 earum hic alteram efflictim
perit Poe 1095 *quaero* . . alterum ad istanc
albitudinem Tri 874 alteram illam quae meast
uisam Ru 1286

 5. *abl.:* in hoc iam loco cum altero constitit Ci 699 ei surrupto altero* mors optigit
Men *Arg* 2 uidisse aibas . . amplexantem
cum altero Mi 320 pro illa altera . . dimidium tibi sume Ru 1408
 6. *subst. num.:* rure unus, alter urbe, peregre
tertius Tru *Arg* 2 certe de istoc Amphitruone
iam alterum mirumst magis Am 829 alterum
(fatum Ili) etiamst Troili mors Ba 954
 C. *add. comparatiuus, saepe etiam abl.; enun-
tiatio aut negatiua aut interrogatiua semper est.
adiective vel substantive:* qui me alter est audacior homo? Am 153 qui me Thebis alter
uiuit miserior? Am 1046 neque me alter est
Athenis hodie quisquam quoi . . As 492(*cf*
Fuhrmann, p. 851, Fraesdorff, p. 17, *adn.* 2)
quis mest uir (*alter add Rgl*) fortior? As 557
neque illo quisquamst alter hodie ex paupertate parcior Au 206 quis mest (alter
add Langen Rg) diuitior? Au 809 dei quattuor scelestiorem nullum inluxere alterum . .
quam . . Archidemidem Ba 256 (nuntio) scelestiorem (anum) in terra nullam esse alteram Ci 660 quem dices digniorem esse
hominem (hoc *add Rg*) hodie Athenis ade-
rum? Ep 26 ego hominem hominis similiorem numquam uidi alterum Men 1088 quis
homo in terra te alter est(*R duce Ca* interemat est alter *P*) audacior? Mi 313 non
inuenies altera lepidiorem ad omnis res Mi
659 non uideor uidisse lenam callidiorem
ullam alteram* Mo 270 alter hoc Athenis
nemo doctior dici potest Mo 1072 nullus
leno te alter erit opulentior Per 565 neque
peior alter usquamst gentium quam erus meus
est Poe 825 quis mest mortalis miserior qui
uiuat alter hodie? Ru 1281
 D. = *dissimilis, seq.* atque: longe alter* est
amicus altera atque amator Tru 171(*AcRs*)
 E. *bis positum* 1. *partitive:* a. alter* decumo post mense nascetur puer quam semina-
tust, alter mense septumo Am 481 eorum
Amphitruonis alter est, alter Iouis Am 483
alter hinc hinc alter appellemus As 618 altera
manu fert lapidem, panem ostentat altera Au
195 alteram ille amat sororem, ego alteram,
ambas Bacchidas Ba 719 illorum me alter
cruciat, alter macerat Cas 445 altero (gladio)
te occisurum ait, altero uilicum Cas 692 ibi
illarum altera dixit illi quicum ipsa ibat . .,
inquit altera illi Ep 240—245 inponit geminum alterum in nauem pater . ., illum reliquit
alterum apud matrem domi Men 26-28 eorum
alter uiuit, alter est emortuos Poe 61 duae
fuere filiae: altera quinquennis, altera quadri-
mula Poe 85 unda eiecit alteram (*eundem sensum habet v.* 171: uiden alteram illam ut fluctus
eiecit foras? *qui versus num ex alia recensione
oriatur inter se differunt ω*) . . desiluit haec
autem altera in terram e scapha Ru 169-173
age alter istinc, alter hinc adsistite Ru 808
det alteram illi, alteram dicat tibi dare sese
uelle (epistulam) Tri 776 partem alteram tibi
permitto, illam alteram apud me . . apponite
Tri 1066 uideo . . ancillas duas . . ducere,
alteram tonstricem huius, alteram ancillam
suam Tru 772

b. *unum membrum omissum est:* eorum alter
.. te inmortali adficiet gloria Am 1139   ibi
illarum altera .. inquit mihi Mi 62

c. *alterum membrum aliud pronomen est:*
earum hic adulescens alteram efflictim perit..:
illam minorem .. Poe 96   dixit *eum* filium
suom esse .., alterum tuom esse dixit puerum
Am 1124   captust in pugna (alter *add Rs*)
Hegionis filius, *alium*..seruos uendidit Cap *Arg* 2

2. *vi reciproca:* alterum* (anguem) altera*
prehendit eos manu perniciter Am 1116   legiones parat paterque filiusque clam alter alterum Cas 51   condamus alter alterum ergo
in neruom bracchialem Poe 1269   alter* alterum .. inter se prehendunt Ps 1260   alter
alteri odiost(*Rs* potius *P§*† altri propitiust
BueLLy aliter animus eius est *U*) Tru 48   inter
nos sordebamus alter alteri* Tru 381(*Grut: vide
LU*) *cf* Asmus, p. 44

F. *apponitur gen. pronominis:* eorum Am 483,
1139, Poe 61   earum Poe 96, 1095   illorum
Cas 445   illarum Ep 240, Mi 62 *cf* Schaaff,
p. 10; Blomquist, p. 66

ALTERAS - - non uideor uidisse lenam callidiorem ullam alteras(*P* -ram *B²D³RU*) Mo 270

ALTERCATIO - - in paucioris auidos altercatiost Au 486

ALTERNUS - - fulguritae sunt **alternae**(-nas
RRs) arbores Tri 539(*cf* Egli, I., p. 10)   Argyrippus exorari .. poterit ut sinat sese **alternas**
cum illo noctes hac frui As 918   *Cf* Gimm, p. 11

ALTILIS - - prohibet diuitiis maxumis, dote
altili atque opima Ci 305(*ex Non* 72)

ALTRIM - - *vide* altrinsecus

ALTRINSECUS - - ego adsistam hinc altrin-
secus(*ex Gloss Plaut:* alterinsecus *PLy*) Mer 977
quin retines(*Py* tenes *BentLU* qui detenes *P*)
altrinsecus(*B²D* alteris insecus *B¹* adtrinsecus
C) Mi 446   adsiste altrinsecus(*D²U* altrim
secus *ψ* alterim secus *A* ratrin secus *P*) Ps 357
tu teneto altrinsecus(*P* alterim secus *A*) Ps 862
post altrinsecust(alterinsecus *Char* 120) securicula ancipes Tru 1158

ALTROVORSUM - - altrouorsum(-e- *P* ultro .
J alterouorsum *A*) quom eam mecum rationem
puto .. Cas 555

ALTUS - - I. Forma **altus** Ru 460 **alta**
Mi 1065(*R* altos *PL*†*§*†*Ly* altus *U*)   **altum**
(*acc. neut.*) As 158(*om Non* 381), Mi 117, Ru 66,
395, Vi 109(*L ex cod Fulg Brux* 9172 in altum
om rell codd ψ)   **alto**(*masc.*) Mi 1150   (*neut.*)
Ep 49, Men 227, Ru 513, Tri 827(*Pius* alio *P*),
832(altū *C¹*)   **altos** Mi 1065(*PL*†*§*† **alta** *Rψ*)
adv. **alte** Ci 56   *corruptum:* Ps 110, alto *Fest*
355 *pro* pacto

II. Significatio   A. *adiective:* argenti montis .. habet Aetna mons non aeque altos*
(aetna non aeque altast *RRs aliter U*) Mi 1065
quom ex alto puteo sursum ad summum escenderis .. Mi 1150   minus altus puteus uisust
quam prius Ru 460   *Cf* Gimm, p. 12

B. *substantive* = mare: quam magis te in
altum* capessas, tam aestus te in portum refert As 158   sumus prouecti in altum Mi 117
illorum nauis longe in altum abscesserat Ru
66   nunc eum cum naui scilicet abisse pessum
in altum Ru 395   ˙iben hunc insui in culleo

atque in altum* deportari? Vi 109(*ex Fulg de
abstr serm* XXII)   *Cf* Inowraclawer, p. 74
utcumque in alto uentust, exim uelum uortitur Ep 49   piscibus in alto credo praebent
pabulum Ru 513   placido te .. usus sum in
alto* Tri 827   apsque foret te .. in alto*
distraxissent .. satellites tui me Tri 832   uoluptas nullast nauitis .. maior .. quam quando
ex alto procul terram conspiciunt Men 227

C. *adverbium:* hoc sis uide, ut petiuit suspiritum alte Ci 56

ALVEUS - - nihil moror mihi fucum in
alueo(*Par* aluo *vel* albo *codd*) Fr I. 93 (*ex Prisc*
II, 522)   *Cf* Inowraclawer, p. 66

ALUMNULUS - - Mer 809, alumnule *SchoeLy*
alumne *P§*† alumne mi *Pyψ*

ALUMNUS, -NA - - erus atque **alumnus**(-nū
C) tuos sum Mer 809   tuos sum alumnus, mel
meum Mo 325   nostra haec **alumnast**(*Valla* ca-
lūnia est *B* calō nia ē *V* calūpnia est *EJ*) tua
profecto filia Ci 762   salue, **alumne** mi(*Py* mi
om P§† alumnule *SchoeLy*) Mer 809   erus meus
hicquidemst, mearum **alumnarum** pater Poe1123

ALVOS - - hasce herbas huius modi in suom
aluom(*D*[-um] maluom *A* saluom *P*) congerunt
Ps 823   aluom(-um *P*) prodi sperauit nobis salsis poculis Ru 589   illa med in **aluo** menses gestauit decem: at ego illam in aluo gesto plus
annos decem St 159   *vide* Fr I. 93 *sub* alueus

AM₊₊₊₊ Ci 273

AMABILIS - - nimis bella's atque amabilis
As 674   mea suauis amabilis amoena Stephanium St 737

AMABILITAS - - te expetimus .. si **amabilitas** tibi nostra placet St 741 .. qui **amabilitati** animum adiceret Poe 1174

AMANDO - - si quid **amandare**(*PLy* mand.
Saracψ) voltis .. Poe 80(*Ly*)

AMARUS - - I. Forma **amarum**(*nom.*) Cas
223, Ci 68, Tru 346   **amari**(*neut.*) Tri 260
(*RRs* -ra *APψ*)   **amarum**(*neut.*) Ci 70, Cu 318
(os am. *PU* gramarum *Bue§LLy* lacrumarum
KochRg) Ps 63   **amaro**(*masc.*) Tru 893(animo
am. *U* eo mihi amare *P§*† ego minam auri
Seyψ)   **amara**(*acc.*) Ps 694, Tri 260(*AP* -ri
RRs), Tru 180(*A* amare *P v. secl GuyS*)

II. Significatio   1. *nom.:* fel quod amarumst,
id mel faciet Cas 223   eho an amare occipere
amarumst Ci 68   scio dulce atque amarum
quid sit ex pecunia Tru 346

2. *gen.:* amor amari* dat tamen satis quod
aegre sit Tri 260(*RRs*)

3. *acc.:* amor .. amarum ad satietatem us-
que oggerit Ci 70   os amarum* habeo Cu 318
(*U*)   dulce amarumque una nunc misces mihi
Ps 63(*cf* Schneider, p. 21)

dulcia atque amara apud te sum elocutus
omnia Ps 694   amor amara* dat tamen Tri
260(*vide supra* 2)   lingua dicta dulcia datis,
corde amara* facitis(fertis *RsU*) Tru 180(*v.
secl GuyS*)

4. *abl.:* animo amaro* fero supplicium Tru
893(*U*)

AMASIUS - - miserrumum hodie ego hunc habebo **amasium** Cas 590   ego pol istos mundulos
amasios(*Diom* 343 amas pos *B* amas *cum spat.
CD*) .. exponam Tru 658 *cf* Jordan, *Beitr.* p. 115

AMATIO - - neque in hac (fabula) subigitationes sunt neque ulla **amatio** Cap 1030   tua mihi odiosast amatio Cas 328   acerba amatiost Poe 1096   inepta atque odiosa eius amatiost Ru 1204

te . . di . . perduint cum tua amica cumque **amationibus** Mer 794

AMATOR - - **I.** Forma **amator** Am 106, As 178, 185, 921, 923, 924, 925, Ba 1042, 1163, Cap 73, Cas 459, 591, 684, 959, 969, Ci 314, 369, Ep 244, 650 (am. sum L *in lac* ∗∗*S aliter* ψ), Men 268 (tritor *Rs*), Mer 33, 35, 976, Mi 625, 1431, Mo 286, Poe 1310, Ps 306, 311, Tri 255 b, Tru 40, 47, 135, 165, 169, 171, 231, 236, 239 (amattor A), 241, 555, 724   **amatoris** Ba 737, Mer 581 (am. modo U -ri *PS†* -rie *FZ*ψ), Tru 229   **amatori** Mer 741, Ps 41, Tru 46   **amatorem** As 758, Cas 155, 564, Ci 143, Cu 201, Mer 313, Mo 225, Poe 328, Ps 371, 773, Fr I. 97 (*ex Fest* 229)   **amatore** Mi 239 (-rē C *ante ras*), 245 (B -rē P), 384, 440, Tru 14   **amatores** As 221, Men 128, Mo 169 (amantes *LachR*), Ps 210   **amatorum** Mer 16 (U matorum B maiorum $CD\psi$)   **amatoribus** Ep 214   **amatores** Men 203, Mer 4 (*R duce Ca* amoris $P\psi$)   **amatoribus** Ps 177, 415   *vide Prisc* I. 170, *quod ad* Ps 178 *refert R(infra* II. 6)   *corrupta:* Mer 581, amatori P amatoris U amatorie *FZ*ψ Tru 247, amator A datur Z *pro* dator; 325, amatores *CD pro* amantes (B)

II. Significatio 1. *nom.:* uos nouisse credo . . quantus amator sit Am 106   quasi piscis itidemst amator lenae As 178   itidemst (*FZ* ibidemst *PU*) amator Tru 40 (*loc dub*)   tun amator istac fieri aetate audes? Ba 1163   tun hic amator audes esse? Poe 1310   ego modo amator∗ sum huic frater factus Ep 650 (*L*)   neque fuit me senex quisquam amator adaeque miser Cas 684   nullusnest tibi amator alius quisquam? Ci 369   tu magis amator∗ mulierum es Men 268   nullus usquam amator adeost callide facundus Mer 35   umbra's amantum magis quam amator Mi 625   quis erat igitur? ∗Philocomasio amator Mi 1431   non est iustus (usui *FR* usu *FlRgLU*) quisquam amator Ps 306   fit ipse, dum illis comis est, inops amator Tru 255 b   quis is homost? nouos amator? Tru 135   antehac amator summus habitu's Tru 165   amator similist oppidi hostilis Tru 169   longe aliter est amicus atque amator Tru 171   necumquam erit probus quisquam amator Tru 231   probust amator qui relictis rebus rem perdit suam Tru 236   sterilis est amator ab datis Tru 241

numquam satis dedit suae quisquam amicae amator∗ Tru 239   intus bolos quos dat . . ∗Quid? amator nouos quispiam? Tru 724   amator meretricis mores sibi emit auro Mo 286 (*v. secl RsSL*)   Venerem meram haec aedes olent, quia amator expoliuit Ci 314   domist' qui facit †inproba facta amator Tru 555 (*loc dub: vide* ω)   sibi amator talos quom iacit scortum inuocat Cap 73   utrum tu accipias uide: uel . . uel ut amator perieret Ba 1042   bis perit amator, ab re atque ab animo simul Tru 47   quae nihil attingunt ad rem . . amator profert saepe Mer 33   uiso huc amator si a

foro rediit domum Cas 591   catulo meo subblanditur nouos amator As 185   ilico uixit amator ubi lenoni supplicat Ps 311   . . mulieri quam liberare uolt amator Ep 244   escast meretrix, . . amatores aues As 221   ubi sunt amatores mariti? Men 128   non uestem amatores∗ amant mulieris Mo 169   Xytilis . . quoius amatores oliui dynamin domi habent Ps 210

2. *voc.:* surge, amator, i domum As 921, 923, 924, 925   ultro te, amator (. U), apage te a dorso meo Cas 459   heus, sta ilico, amator Cas 959   iubeo te saluere, amator Cas 969 (*A solus*)   tu mercatu's, nouos amator? Mer 976

3. *gen.:* celerem oportet esse amatoris manum Ba 737   nunc tu sapienter loquere neque amatoris∗ modo Mer 581 (U)∗   numquam amatoris meretricem oportet causam noscere Tru 229   hoc parum equidem more amatorum∗ institi Mer 16 (U)

4. *dat.:* mihi amatori seni coquendast cena Mer 741

Phoenicium Calidoro amatori suo . . salutem impertit Ps 41   iratum scortum fortest amatori suo Tru 46   obuiam ornatae occurrebant suis quaeque amatoribus Ep 214

5. *acc.:* lucrum amare nullum amatorem addecet Poe 328   auro contra cedo modestum amatorem Cu 201   ten amatorem esse inuentum inanem Ps 371   neque ego amatorem mihi inuenire ullum queo Ps 773   quod illa amica amatorem praedicet As 758   stultitia magnast . . hominem amatorem ullum ad forum procedere Cas 564   si umquam uidistis pictum amatorem, em illic est Mer 313   ego illum siti maledictis malefactis amatorem ulciscar Cas 155   amatorem aibat esse peregrinum sibi Ci 143   producte prodigum esse amatorem addecet Fr I. 97 (*ex Fest* 229)   tibi sat acceptumst . . illum amatorem tibi proprium futurum in uita Mo 225

hoc animo decet animatos esse amatores probos Men 203   item facio ut alios in comoediis uidi amatores∗ facere Mer 4

6. *abl.:* numquam ab amatore suo postulat — id quod datumst Tru 14   . . mihi munera multa huc ab amatoribus conueniant Ps 177   *cf* nisi mihi annuus penus ab amatoribus congeretur *Prisc* I. 170 *ex quo v.* 178 *R emendat* sororem . . dicam . . aduenisse cum amatore∗ aliquo suo Mi 239   arguam uidisse . . conseruom meum cum suo amatore∗ amplexantem Mi 245   geminast germana uisa uenisse . . cum suo amatore quodam Mi 384   adueni uesperi cum meo amatore Mi 440   si de amatoribus dictator fiat nunc . Ps 415

7. *adiectiva vel alia substantiva (vide supra):* facundus Mer 35   inanis Ps 371   inops Tri 255 b   iustus Ps 306   miser Cas 684   modestus Cu 201   nouos As 185, Mer 976, Tru 135, 724   pictus Mer 313   peregrinus Ci 143   probus Men 203, Tru 231, 236   prodigus Fr I. 97   proprius Mo 225   quantus Am 106   similis Tru 169   sterilis Tru 241   summus Tru 165   aliquis Mi 239   quidam Mi 384   quispiam Tru 724   quisquam Ci 369, Ps 306, Tru 231   homo Cas 564   maritus Men 128   senex Mer 741

8. *genitivi:* mulierum Men 268 quoius Ps 210 *dat.:* lenae As 178 Philocomasio Mi 1431

AMATORCULUS - - uix aegreque **amatorculos** inuenimus Poe 236 *cf* Ryhiner, p. 36

AMATORIE - - nunc tu sapienter loquere atque(neque *BriRg*) amatorie(*FZ* amatori *PÄt* amatoris modo *U*) Mer 581

AMATRIX - - satis dicacula's **amatrix** As 511 adire certumst hanc **amatricem** Africam Poe 1304

AMB*** Ci 415

AMBAGES - - ambages, mulier, mitte Ci 747 quid opus est me multas(*om Rg*) agere ambages? Ps 1255

AMBEDO - - dicit capram . . suae uxoris dotem **ambedisse**(*D* ambedidisse *B* ampedisse *C* ambadedisse *CaR*) Mer 239 mihi illud uideri mirum ut una illaec capra uxoris simiae dotem **ambederit**(*CD* dederit *B* ambadederit *CaR*) Mer 241 (*cf.* Ribbeck, *Emendationum Mercatoris Specilegium,* Lipsiae 1882, p. 20)

AMBESTRIX - - noui ego illas **ambestrices** (*Loman* ambas estrices *AP*) Cas 778

AMBIGUOS - - quicquid . . **ambiguom** fuit nunc liquet Ps 759 in **ambiguost** etiam nunc quid ea re fuat Tri 594

AMBIO - - **I.** Forma **ambis** Mo 926 (eam ambis *Rs* eambis *A ut vid* eam dehis *P* eam debes *B²R* eam mihi des *L* eam habebis *U* eam dis *Ly*) **ambiunt** Mi 69 **ambiuerit** (*subiu.*) Am 74 (-rint *Gertz U*) **ambissent** Am 69 (-sit *FlRgl* sit *Fruterius LU*) **ambissit** Am 69 (*Fruterius* -set *DEJ* -sent *B*) **ambire** Am 78 *corruptum:* Au 761, ambit *P pro* amabit **II.** Significatio eam ambis*gratiam? Mo 926 orant,ambiunt, exobsecrant Mi 69 . . quasi magistratum sibi alteriue ambiuerit* Am 74 siue qui ambissent* palmam histrionibus . ., siue qui(*om FruteriusRgl U*) ipse ambissit* seu per internuntium . . Am 69 uirtute ambire oportet, non fauitoribus Am 78

AMBITIO - - quarta inuidia, quinta **ambitio** (*P* arbitrio *A*) Per 556 ambitio(amprcio *C*) iam more sanctast Tri 1033 ne palma detur quoiquam artifici iniuria neue **ambitionis** causa extrudantur foras qui . . Poe 38 uirtute dixit uos uictores uiuere non ambitione Am 76 *cf* Vissering, II. p. 18

AMBO - - **I.** Forma **ambo** Am 974, 1109, As 284, 361, 711 (*FZ* amabo *PSLLy*), Ba 1115, Cap 2, 215 a, Cas 386 (*Pius* amabo *P*), 393 (*Pius* amabo *P*), 877, Cu 692, Men 1099, 1119, 1120, 1122, 1152, Mer 231 (*BR* ambae *CDψ*), 964, 968 *bis*, 978, Mi 385, 766, 774 (*om R*), Mo 1107, Ru 72(amabo *B*), 103, 809, 813, 1051, 1423, St 416, 530, 632 (*R pro* iamne), 732, 741, 772, Vi 96 (*Ald ex Prisc* I. 224, 226 amabo *Pritciani codd*), Fr I. 109 *bis* (*ex Fest* 116) **ambae** As 209(ambo *J*) 719, Ba 1124, 1125, 1129 (minae ambae *Colerus* thimiame *PLt Lyt* nimis ambae *U*), 1140, Ci 38, Mer 231(ambo *BR*), Mi 66, 892, 1090 (*U aliter Pψ: vide infra* II. B. 1), Mo 398, Poe 219, 1103 (iamne *L*), 1237, 1256, 1261 *bis*, Ru 272(ambo *D¹*), 280, 366, 669, 694, 699, St 90 (*om RRg*), Tru 532, 780 **amborum** Ba 869, Cap 397, Cas 315, Tru 961 **ambarum** Poe 283, Ru 277 **ambobus** As 284, Men 48, St 434 (*B* ambabus *CD*) **ambo**(*acc.*) Am 470, 1119, Ba 860, 1187,

Cap 196 (*Rs om Pψ*), Ci 525, Ep 203 (*B* amabo *VEJ*), Men 666 (*U om Pψ*), Mo 467 (*Scal* amabo *PL*), 825, Ps 1079 (*A* ambos *PU*), Ru 786 (*D* ambos *AB* amabo *C*) **ambos** (*semper subst.*) Ba 1117, Cap 34, Cu 687 (*EJ* ambo *E*), Men 1084, Mo 330, Ps 251, Ru 452, St 507, 589, 750 **ambas** Au 650, Ba 569, 719, Cap 831, Mi 249, 546, Mo 453, Poe 962, 1102 (eas *ReizRglU*), 1211(uolo ambas *A* uolamabas *B* clamabas *CD*), 1345, 1375, Ru 649, 725, 768, 796, 894, 1104, St 127, Tru 777 (*Grut* bas *B* has *CD*) **ambobus** Au 104, St 750 (*B* ambabus *CD*) **ambabus** Poe 1206, Ru 745, Tri 475 *corrupta:* Am 540, ambo *J¹ pro* amabo; 810, ambo *EJ¹ pro* amabo Cas 172, ambo *J pro* amabo; 778, ambas estrices *AP pro* ambestrices(*Loman*); 832, ambo *VE pro* amabo; 872, ambo *J pro* amabo Ci 708, ambo *J pro* amabo Mi 900, ambo *P pro* amabo(*Ca*) St 91, ambo *Fest* 197 *pro* amabo Tru 34, ambo ne *B pro* an bonae: 128, ambo *P pro* amabo(*A*)

II. Significatio A. *adiective:* continuo extollunt ambo (*angues*) capita Am 1109 puer ambo angues enicat Am 1119 duas . . eccas *Bacchides* . . atque ambas sorores Ba 569 (*cf* 719) si ambae* (*caprae*) in uno essent loco . . Mer 231 *clientas* repperi, atque ambas forma scitula Ru 894 *filias* . . liberali . . causa ambas* adseras, quasi filiae tuae sint ambae Poe 1102 hasce aio liberas . . esse filias ambas meas Poe 1345 aperite hasce ambas *fores* Cap 831 paene confregi hasce ambas foris Mo 453 idemst ambobus nomen geminis *fratribus* Men 48 ambabus *malis* expletis uorem Tri 475 quin equidem ambas (*manus*) profero Au 650 uetulae sunt *minae* ambae* Ba 1129 (*Colerus RRgS*) haud sordidae uidentur ambae (*oues*) Ba 1124 attonsae hae quidem ambae usque uorem Ba 1125 occlude sis fores ambobus *pessulis* Au 104 ambo (*postes*) . . tarmes secat Mo 825 alteram ille amat *sororem*, ego alteram, ambas Bacchides Ba 719

B. *substantive; nonnumquam additur pronomen ut* nos, uos, hi, hae, *sim.*

1. *nom.:* hisce ambo, et seruos et era, frustra sunt duo Am 974 . . adeo ut aetatem ambo ambobus nobis sint obnoxii As 284 obnoxii ambo uobis sumus Cap 215 a nos ambo exclusi sumus As 361 quoniam ambo* ut est lubitum nos delusistis, datisne argentum? As 711 aeque ambo amicas habent Ba 1115 i(hi *PL*) stant ambo non sedent Cap 2 conicite sortis nunciam, ambo*, huc Cas 386 animum aduortite ambo Cas 393*, Mer 968, Mi 766, Vi 96* inridiculo sumus ambo Cas 877 ego (faciam) uos ambo in robusto carcere ut pereatis Cu 692 operam potestis ambo mihi dare Men 1099 tibi ambo operam damus Mer 968 damus tibi ambo* operam Mi 774 uter eratis . . maior? #Aeque ambo pares. #Qui id potest? #Gemini ambo eramus Men 1120 uno nomine ambo eratis? Men 1122 in patriam redeamus ambo Men 1152 optuma opportunitate ambo aduenistis Mer 964 quibus est dictis dignus usque oneremus ambo Men 978 ei ambo hospitio huc . . deuortisse uisi Mi 385 mali hercle ambo sumus Mo 1107 ambo* in

saxo leno atque hospes simul sedent Ru 72
pater salueto amboque adeo Ru 103   adsistite ambo Ru 809   ni istunc istis (clauis)
inuitassitis . . peristis ambo Ru 813   ite . .
domum ambo nunciam Ru 1051   uos hic
hodie cenatote ambo Ru 1423(v. secl WeisRsSU)
heri ambo in uno portu fuimus St 416   mare
quo ambo estis uecti St 530   ambo* abierunt?
St 632(R)   unam amicam amamus ambo St
732   te expetimus . . si tibi ambo accepti
sumus St 741   nunc pariter ambo (reddite
cantionem) St 772   ambo magna laude lauti,
postremo ambo sumus non nauci Fr I. 109(ex
Fest 116)

quasi columbae pulli in ore ambae* meo
usque eratis As 209   ecastor ambae sunt bonae As 719   uetulae sunt nimis ambae Ba
1129(U supra A sub minae)   ilico ambae manete Ba 1140   nos libertinae sumus, et ego
et tua mater, ambae Ci 38   quaen me ambae
obsecrauerint ut te . . praeterducerem? Mi 66
id proderit mihi, militi male quod facietis ambae Mi 892   hic cum era est mea: ambae*
(U cum mea erast Grutψ cumera est CDLy†
cum fera est B) . . sublegerunt Mi 1090   mo-
rigerae tibi erimus ambae Mo 398   nos . . ambae numquam concessamus Poe 219   . . quasi
filiae tuae sunt ambae* Poe 1103   fures estis
ambae Poe 1237   uos meae estis ambae filiae
Poe 1256   ambae filiae sumus: amplectamur
ambae Poe 1261   quaene eiectae e mari sumus
ambae? Ru 272   exsurgite a genibus ambae
Ru 280   timidae ambae in scapham insiluimus
Ru 366   in metu nunc sumus ambae Ru 669
ambae te obsecramus Ru 694   lautae ambae
sumus Ru 699   salue mi pater. #Et uos ambae* St 90   istae reginae domi suae fuere
ambae Tru 532(v. secl RsU)   uos colubrino
ingenio ambae estis Tru 780

2. gen.: illorum ego animam amborum exsorbebo oppido Ba 869   uobis inuitis atque
amborum ingratiis . . liber possum fieri Cas
315   tibi amplectimur genua . . miseriarum
te ambarum uti misereat Ru 277   quom ornatum aspicio nostrum ambarum, paenitet . .
Poe 283   utrique mos geratur amborum ex
sententia Tru 961   . . ut eum . . remittas nostrum huc amborum uicem Cap 397

3. dat.: . . ambo ambobus nobis sint obnoxii
As 284   eademst amica ambobus* St 434

4. acc.: iube illos illinc ambo* abscedere Mo
467   uos uideo opportunitate ambo* aduenire
Ep 203   ambos amo St 750   erroris ambo
ego illos et dementiae complebo Am 470   conuenistin hominem? #Immo ambo* simul Ps 1079
emit hosce e praeda ambos de quaestoribus
Cap 34   quid dubitamus . . huc euocare ambos foras? Ba 1117   nihil . . facere mauelim
quam illum cubantem cum illa opprimere
ambo ut necem Ba 860   ego uos nolo ambos*
Cu 687(cf Ps 251 U)   ambo occidero Ci 525
(dubitant S)   decet id pati (ambo add Rs)
animo aequo Cap 196   di uos perdant ambo*
Men 666(U vide ψ)   . . quos periisse ambos
. . censebam in mari Ru 452   iubedum recedere istos ambo* illuc modo Ru 786   uos . .
rediisse uideo ambos St 507   iacentis tollet

postea nos ambos aliquis Mo 330   malo illos
ulcisci ambo Ba 1187   . . ambos ut uocem St
589   non ambos uolo Men 1084   te uolo.
#At uos ego (nolo add U solus) ambos Ps 251
hasce ambas hic in ara . . uiuas comburam
Ru 768   uos . . esse ambas conuentas uolo
St 127   istas iam ambas educam foras Ru
725   cognouit filias suas esse hasce ambas Poe
1375   ain tu tibi dixe Syncerastum . . eas esse
ingenuas ambas? Poe 962   eas ambas esse
oportet liberas Ru 649   hasce ambas . . esse
oportet liberas Ru 1104   has te inuito iam
ambas rapiam Ru 796   rogitaui uos . . ambas* pendentis simul Tru 777   ambas uidere
. . miles . . uolet Mi 249   uidistin ambas? Mi
546   uos uolo ambas* Poe 1211

5. abl.: cum ambobus* (accumbere) uolo St
750   nimiae uoluptatist . . quod haruspex de
ambabus dixit Poe 1206   argentum ego pro
istisce ambabus . . dedi Ru 745

AMBRACIA - - Ambracia(A -ccia P -occia
B¹) ueniunt huc legati publice St 491 cf Goerbig, p. 35; Koenig, p. 2

AMBULACRUM - - aedificare uolt . . ambulacrum et porticum Mo 756   uiden . . ambu-
lacrum(B² amplacrum P) quoiusmodi? Mo 817

AMBULO - - I. Forma ambulo Cu 220,
Mer 97, Ru 7, Tru 955(em Rs)   ambulas Am
341, Mer 942   ambulat Ba 820, 896, Cas 768
(BJ -abat VE A n. l.), Per 308   ambulatis
Mo 451   ambulant Cu 288, 475, Men 276
(obam. RRs)   ambulaui Mi 272   ambulem
Am 154   ambules Cap 12   ambulet Ep 165
(PL exam. Aψ), Men 706   ambulent St 113
ambula As 108, 488, Cap 900, Cas 526, Cu 240,
621, 625, Mi 936, Mo 853, Per 250, 745, 750
(-ae D¹), Poe 717, Ps 263, 920, Ru 860, Tri
1108 anib. C)   ambulato Cap 452, Ep 377,
Mer 327, Per 50   ambulare Cap 114, Tru 527
ambulandum As 427   ambulatum(partic.)
Tru 369(A -lasti P)   (sup.) Mi 251

II. Significatio (cf Langen, Beitr. p. 202,
et de compositis Ryhiner, p. 9) 1. = pedibus ire,
praecipue voluptatis causa: lien dierectust. #Am-
bula: id lieni optumumst Cu 240   abit ambulatum Mi 251   qui me alter est audacior
homo, . . qui hoc noctis solus ambulem? Am
154   terrae odium ambulat Ba 820   si non ubi
sedeas locus est, est ubi ambules Cap 12   demiror ubi nunc ambulet Messenio Men 706
quis hic ansatus ambulat? Per 308   neque . .
queo pedibus mea sponte ambulare Tru 527
tamquam si claudus sim cum fustist ambulandum As 427   ille cum illa neque cubat
neque ambulat Ba 896   cum corona candide
uestitus . . ambulat* Cas 768   non cum zona
ego(ULLy non ego CD nun meos nego BSt)
ambulo Tru 955(nunc meo subigam bubulo Rs)
quasi zona liene cinctus ambulo Cu 220   Graeci
. . capite operto qui ambulant Cu 288
iam conuiuae ambulant* ante ostium Men
276   in foro infumo boni homines . . ambulant
Cu 475   in portu illi ambulo Mer 97   ego
hodie ambulaui dormiens in tegulis Mi 272
inter mortalis ambulo interdius Ru 7(in terra
deus Rs)   per urbem quom ambulent . .
St 113

sinito ambulare, si foris si intus uolent Cap
114 insanin estis? #Quidum? #Sic: quia foris
ambulatis Mo 451

2. = *ire, iter facere:* quo ambulas tu, qui
Volcanum in cornu conclusum geris? Am 341
adulescenti dicam .. ne hinc foras ambulet*
Ep 165 (*PL*) quin .. mecum huc intro ambulas? Mer 942

ego abiero. #Ambula Per 250 surdus sum:
ambula* Per 750 (*vide infra* 3) ambula tu Ps
263 ambula ergo cito Ps 920 nihil est morae, cito (*R* moracii *BC* moratii *D* morae, i, i
Taub L morae, i *Ly cf* Sjögren, p. 150) ambula* Tri 1108 age ambula ergo As 488 age,
age, ambula Poe 717

ei, bene (*Fl* fiet ne *P*) ambula As 108 bene
ambula et redambula Cap 900 ' bene ambula
Cas 526, Mo 853 bene ambula, bene rem
geras Mi 936 bene ambulato Cap 452, Ep 377,
Mer 327, Per 50 benene ambulatumst*? Tru
369 *constanter* bene ambulare *Plautum dixisse
notat* Kellerhoff, p. 82; *cf* Gronov, p. 361

3. in ius: ambula in ius Cu 621, 625, Per
745 (*fortasse* Per 750: *supra* 2), Ru 860

AMBURO - - quaque tangit, omne **amburit**
Ep 674 (uinum) **amburebat** gutturem Mi 835
(-uat *P* adurebat *Non* 207) **amburet** ei misero corculum carbunculus Mo 986

AMBUSTULO - - te.. **ambustulatum** (*A* -ila-
tum *P*) obiciam magnis auibus pabulum Ru 770
cf Ryhiner, p. 52

AMENS - - patri reddidi omne aurum amens
(*Sarac* amans *P om R*) Ba 622 amens (*B¹*
amans *B²VEJ*) ne quid faciat cauto opust Ci
531 amens amansque.. animum offirmo meum
Mer 82 riualis amens .. rem omnem uxori
per parasitum nuntiat As *Arg* 6 senex . .
aulam . . amens seruat Au *Arg* 4
corrupta: Ci 222, amentem *B¹ pro* amantem
Ps 271, amente *P pro* ament

AMICIO - - subnixus alis me inferam atque
amicibor gloriose Per 307 (*cf* Inowraclawer, p. 31) cesso magnifice patriceque (-cie-
que *AL*) **amicirier** (*A* amice *P om Heim U*)?
Cas 723 palliolatim **amictus** sic incessi ludibundus Ps 1275 eodem (tegillo) amictus esse
soleo si pluit Ru 577 amictus non sum commode Fr II. 30 (*ex Gell N A* XVIII, 12, 3) *corrupta:* Ci 26, amiciam *B pro* amicitiam St
187, amictam *C pro* amittam

AMICITIA - - I. **Forma amicitia** Poe 1215
(-ticia *B* -cittia *CD*), Ps 233 (*A* -cia *BC* -titia
D) **amicitiam** Au 246, Ci 26 (amiciam *B*), 92,
Mer 846 (-titiam *B*), Mi 1200 (-ciam *B*), Ps
1263 (-ciam *CD* amicam *MueU* amico *L*), St
414 (-titiam *D*), Tri 153 (-ciam *BC*), 382 (-ciam
C), 737 (-ticiam *B* -ciciam *C*) **amicitia** Ci 24
(-tie *V*)

II. **Significatio** 1. *nom.:* si quidem amicitiast habenda, cum hoc habendast Poe 1215
ego huic bene et hic mihi uolumus et amicitiast antiqua Ps 233

2. *acc.:* te et amicitiam et gratiam in nostram domum uideo adlicere Tri 382 .. ut
amicitiam* colunt Ci 26 propinare †micissi-
mam (amicissumam *D³RULy*† uicissim *Rg*) ami-
citiam† Ps 1263 (propinat amicissima amico *L*)

sex sodales repperi: uitam, amicitiam .. Mer
846 uidet me suam amicitiam uelle Au 246
in amicitiam insinuauit cum matre Ci 92 in
amicitiam atque in gratiam conuortimus St
414 (dicas te) facere id eius ob amicitiam
patris Tri 737 impetraui per amicitiam et
gratiam Mi 1200 per amicitiam et per fidem
flens me obsecrauit Tri 153

3. *abl.:* dicet .. beniuolentia inter se beneque amicitia* utier Ci 24

AMICULAE - - Ci 406, *Rs pro* amicae *hiatus
vitandi causa*

AMICULUM - - ille suom anulum (*B²J* animulum *B¹VE* amiculum *L*) opposiuit Cu 356
amiculum (-ctulum *B²*) hoc sustolle saltem Ci 115
age, sustolle hoc amiculum (-cultum *C*) Poe 349

AMICUS - - I. **Forma amicus** As 387, Ba
386, 557, Cap 645, Cas 581, 615, Ep 113, Mer
385 (*CDS*† *LLy* cū *B* amice *U: aliter RRg*), 475,
887 (*v. secl L* †*S transp Rψ*), 951, Mi 660, Mo
980, 1055, 1149, Per 14, 293, 581, Poe 852, Ps
1213 (*PLU* ameicus *Aψ*), Tri 106, 267, 716, 895,
1110 (*F* -co *P*), 1117 (*B* -cum *CD*), Tru 171, 172
(-cae *Rs*), 216, 880 **amica** As 758 (-cae *GulRglU*),
Ba 193, 717, 718, Ci 253, Cu 593, Ep 702, Men
599, Mer 545, 753 (*aliud quid videtur A habuisse*),
974 (atnica *C*), Mo 538, 1160, Per 33, Poe 393
(-cam *Non* 137), 1288, 1299, Ps 188 (-ca es *A* -ces
B -cis *CD*), 673, Ru 351 (*CDRsLULy* ameica
BS), St 434, 572, 651, 701, 711, Tru 914, 917
(*FZ* -cam *P*), 920 **amici** Ba 477, Cap 151, Cas
515, Ep 422, Mi 741 (in amici *A* inimici *P*), Tri
93 **amicae** As 758 (amicae suae *GulRglU* amicai eum *Ly* amica *Pψ*), Cu 15 b (*add Rg duce
Fest* 179), Tri 651 (*A* -ce *P*) **amico** As 445,
573, Ba 386, 475, 1156, Cap 773, Cas 241, Cu
332, Mer *Arg* I. 6 (*R om Pψ*), II. 7, 288 (*P* -cum
A), 467, 499, 887 (*add Ly duce Leone*), Mi 660
(*B²*-cos *P*), Per 255, 263, 265, Poe 1090, Ps 1263
(*L* amicitiam *PRgSLy* amicam *MueU*), Ru *Arg* 6,
St 766 (*RRg* -cae *P* -ce *Dψ*), Tri *Arg* 2, 180, 326,
347 (*ABC* -cos *D*), 630, 899, 924, 926, 1095 **amicae** Am 659, As 83 (-ce *E*), 104 (-ce *E*), 183 (-ce
BE), 573 (-ce *E* -ce *J*), Ci 133 (-ce *J*), 570 (-ce *J*),
Men 652, 741 (-ce *B¹*), Per 773 (-ce *P*), Poe 868 (-ce
C), Ps 1277 b (-ce *B*), St 766 (-ce *D* -co *RRg*), Tru
103 (*FZ*-ce *P*), 170 (*F* -ca et *P*), 173 (*Rs*-cus *Pψ*),
239 (*A*-ce *P*), 356 (*A* -ce *BCD³*-ces *D¹*) **amicum**
As 246, 757, Ba 489 (*ARRg*-cos *Pψ*), 539 (*B* anti-
cum *C* antiacum *D*), 549, Cap 141, 441, Ci 640, Cu
332, Mer 534, Mi 391, Mo 195, 247 (*v. secl Acω*),
Per 35 (*Pius** ** cum *P*), 595, 614, Ps 699, St 508,
509 (*A non liquet*), 766 (-cam *RRg*), Tri 23, 25,
89, 216, 263 (*v. secl BoRsS*), 337, 456, 620 (*FZ*
inimicum *P*), 876, 956, 1052, 1054 (*v. secl Bergk
RsS*), 1056, 1126, 1128, Vi 68 **amicam** As
Arg 5, As 747, 812, 825, 852, 863, 879, Ba 61,
145, 390, 574, Cas 203, Ci 1, 227, Cu *Arg* 5,
Ep *Arg* 7, Ep 457, 481, 704, Men 173, 300, 450,
561, 699, Mer *Arg* I. 8, Mer 181, 215, 341, 479,
480, 688, 813, 863, 888, *ib.* (*add MueRg*), 925, 966,
973, Mi 105, 114, 122, 274, 507, Mo 974 b, 1139
(amissca *D*), Per 166 (amcam *B*), Poe 1414, Ps
35, 231, 341, 344, 347, 419, 435, 487, 719, 722,
1263 (*MueU* amicitiam *PRgSLy* amico *L*), Ru
839, St 426, 431, 437, 696 (*R pro* amica *quod var
em ψ*), 732, 736, 766 (*RRg* -cum *Pψ*), Tru 166, 497,

623, 893, 917(*BriRs* -ma *Pψ*) **amice**(*voc.*), M𝚛
232(*Guy R*), T𝚛ɪ 48, F𝚛 I. 89(*ex Prisc* II. 188)
amico A𝚜 66, E𝚙 425, M𝚒 674, P𝚘ᴇ 504, T𝚛ɪ
758, 759 **amica** B𝚊 140, 177, 367, 562, 607,
755, C𝚊𝚜 612, C𝚒 237, E𝚙 *Arg* 3, E𝚙 368, M𝚎𝚛 383,
794, 944, M𝚒 263, M𝚘 310, 311(eccumst *R*), P𝚎𝚛
426, P𝚜 280, S𝚝 573 **amici** A𝚖 943, 1040, B𝚊
547, C𝚊𝚜 435(*Gul* a me *B V* ã me *E* ad me *J*
ameici *𝕊*), C𝚞 685, M𝚎𝚛 839, P𝚎𝚛 655, P𝚜 390,
R𝚞 93, S𝚝 128, 521, 522, T𝚛𝚞 885 **amicae**
C𝚒 406(*ex A et Varr et Fest:* amiculae *Rs*), P𝚜
174 **amicorum** P𝚜 228 **amicis** A𝚞 475, B𝚊
712, C𝚊𝚙 180(*v. secl Rs*), E𝚙 330(*U solus pro* is),
M𝚎𝚛 385(*P aliter RRg*), M𝚒 724, P𝚘ᴇ 573, 1339,
1340, P𝚜 127, 878, 879, S𝚝 143, 679, T𝚛ɪ 54, 75,
651 **amicos** B𝚊 347, 377, 380(*v. secl 𝕊*), 498(*P*
-cum *ARRg*), 541, 618, E𝚙 119, M𝚎𝙽 700, M𝚒
1119, P𝚘ᴇ 508, 512, 794, P𝚜 196, 218, 880, S𝚝 503,
518, 522, 682, T𝚛ɪ 91, 702, 909 **amicas** B𝚊 1115,
M𝚘 23, P𝚘ᴇ 266 **amicis** P𝚎𝚛 19, S𝚝 520(*A om
P*), 580, T𝚛ɪ 94, T𝚛𝚞 574 **amicior** M𝚎𝚛 897
amicius E𝚙 425(amittius *B* amicitius *E* amictus
J antiquius *U*) **amicissima** P𝚜 1263(micissi-
mam *P𝕊†* amicissumam *D²RULy* uicissim *Rg*)
amicissume(*voc.*), M𝚘 340(-i- *PL*) *adverbia:*
amice C𝚒 107, M𝚎𝚛 385(*U* -cum *PL𝕊†: aliter
RRgLy*), 499, M𝚒 1341(*RRg* me *P𝕊†Ly†* mihi
CaR recte *U* med *L*), M𝚘 719(*A* uamice *P* ua
amice *B²* uah amice *D⁵*), P𝚘ᴇ 852, P𝚜 521(-cę *B*),
R𝚞 288(*B* -cę *CD*), S𝚝 469(*P* -cae *A*) **amiciter**
P𝚎𝚛 255 *corrupta:* B𝚊 713, amicus *C pro* animus C𝚊𝚙 152, amicum *J¹ pro* animum C𝚊𝚜 723,
amiceque *P pro* amicirier atque(*om HermU*)
M𝚒 1068, et amicam crucias *B pro* animi excrucias S𝚝 696, amica *P*(*A n. l.*) nunc *Rg* age dice
LU(dic) uter amicam *R*

II. Significatio A. **amicus** a. *sensu proprio, vel adiective vel substantive* 1. *absolute*
a. *nom.:* hic sodalis tuos, amicus optumus, nescioquid se sufflaui C𝚊𝚜 581 quis me reuocat?
‡Tuos amicus et sodalis et uicinus proxumus
M𝚎𝚛 475 qui uocat? ‡Tuos amicus P𝚘ᴇ 852
is est amicus qui in re dubia re iuuat E𝚙 113
eo ego ut quae mandata(†*𝕊*) amicus* amicis
tradam M𝚎𝚛 385(mandata mihi sunt administrem *RRg*) amicus aduenio(uenio *U*) multum
beneuolens M𝚎𝚛 887(*v. secl L†𝕊* amicus tibi beneuolenti *RRg aliter Ly*) medicari amicus quin
properas mihi? M𝚎𝚛 951 quis homo? ‡Bene-
uolus tuos atque amicus* T𝚛ɪ 1177 non amicus alius quisquamst(*RsL* quis‡‡ *A*) M𝚘 1055
Toxilus hic quidem meus amicust P𝚎𝚛 14 amicus sum P𝚎𝚛 293 longe aliter est amicus atque amator T𝚛𝚞 171 quam ueterrumus tam
homini(*StuL* is *Rs om SpU* tam *om Ly*) optumust
amicus* T𝚛𝚞 172
bis tanto amici sunt inter se quam prius
A𝚖 943 quid ego .. quem aduocati iam atque
amici deserunt? A𝚖 1040 mei beneuolentis
atque amici* prodeunt C𝚊𝚜 435 amici compulerunt C𝚞 685 qui amici, qui infideles sint
nequeas pernoscere M𝚎𝚛 839 etsi res sunt
fractae, amici sunt tamen P𝚎𝚛 655 pauci ex
multis sunt amici homini qui certi sient P𝚜
390 mihi auctores ita sunt amici S𝚝 128 si
res firma, item firmi amici sunt S𝚝 521 sin
res laxe labat, itidem amici conlabascunt S𝚝

522 ubi amici, ibidem sunt opes T𝚛𝚞 885
(*cf* Schneider, p. 17)
b. *gen.:* hospes nullus tam in amici* *hospitium* (= apud a. in h.) deuorti potest M𝚒 741
nunc amicine anne inimici sis *imago*, mihi sciam
C𝚊𝚜 515 laudo *malum* quom amici tuom ducis
malum C𝚊𝚙 151 *res* magna amici apud forum
agitur E𝚙 422 oportet rem mandatam gerere
amici sedulo B𝚊 477 nequeo noscere ad amici
partem an ad inimici peruenant T𝚛ɪ 93
ex *fundis* tuorum amicorum omne huc penus
adfertur P𝚜 228
c. *dat.:* homini amico quist *amicus* .. B𝚊 386
amicus amico* *aduenio* multum beneuolens M𝚎𝚛
887(*Ly*) non inuenies alterum .. qui amicus
amico* sit magis M𝚒 660 qualine amico mea
commendaui bona T𝚛ɪ 1095 amico homini tibi
quod uolo *credere* certumst B𝚊 1156 bene *dicere*
aequomst homini amico quam male T𝚛ɪ 924 *da*
commoda homini amico As 445 amico dedi
quoidam operam C𝚊𝚜 241 non sum occupatus
umquam amico* operam dare M𝚎𝚛 288 amice
amico operam dedi M𝚎𝚛 499 meo amico amiciter hanc commoditatis copiam danunt P𝚎𝚛 255
hanc alteram (epistulam) suo amico Callicli iussit
dare T𝚛ɪ 899 ille amico et beneuolenti suo sodali sedulo rem mandatam *exsequitur* B𝚊 475
adulescenti huic .. amico atque aequali meo ..
bene uolo ego illi *facere* T𝚛ɪ 326 bene si amico*
feceris ne pigeat fecisse T𝚛ɪ 347 quod est facillumum facis. ‡Quid id est? ‡Amico iniuriam
T𝚛ɪ 630 .. ubi amicae quam amico tuo fueris
magis *fidelis* As 573 suoque amico Plesidippo
iungitur R𝚞 *Arg* 6 amico homini binis domitis
.. *largiar* P𝚎𝚛 265 ne male *loquere* apsenti
amico T𝚛ɪ 926 Lysimacho amico *mandabo* M𝚎𝚛
467 rem omnem amico Callicli mandat suo T𝚛ɪ
Arg 2 *prodesse* amico possum uel inimicum
perdere C𝚊𝚙 773 cantharum dulciferum *propinat*
amicissuma* amico* P𝚜 1263(*L vide ψ*) amico
prosperabo P𝚎𝚛 263 potin tu fieri *subdolus?*
‡Inimico possum: amico insipientiast P𝚘ᴇ 1090
hanc *tradit* uicino amico* M𝚎𝚛 *Arg* I. 6(*R*) argentum dedi thensauri causa, ut saluom amico
traderem T𝚛ɪ 180 noluit frustrarier, ut decet
uelle hominem amicum amico C𝚞 332 senex
.. ut amico *ueniret* natum orabat M𝚎𝚛 *Arg* II. 7
de amicus amico *cf* Leo, *Plaut. Forsch.*² p. 259
et opera ibi citata
omnibus amicis meis idem unum *conuenit*
P𝚘ᴇ 1340 meis curaui amicis .. cena *cocta* ut
esset S𝚝 679 utrum tu amicis..*daturu's* cenam?
‡Pol ego amicis scilicet P𝚜 878 in foro operam amicis da T𝚛ɪ 651 omnibus amicis notisque *edico* meis P𝚜 127 amicis uostra consilia *eloquar* S𝚝 143 omnibus amicis quod
mihist cupio *esse* idem T𝚛ɪ 54 *geritote* amicis
uostris aurum corbibus B𝚊 712 amicis* nullum nummum *habes* E𝚙 330(*U*) nec tuom quidemst amicis .. iniuste *loqui* P𝚘ᴇ 573 *narraui*
amicis multis consilium meum A𝚞 475 suis
amicis narrat recte res suas P𝚘ᴇ 1339 .. quae
mihi atque amicis *placeat* condicio C𝚊𝚙 180
eo ego ut quae mandata amicus* amicis *tradam*
M𝚎𝚛 385(*𝕊† vide ω*) se bene habet, suisque
amicis *usuist*(uolt bene *CaR*) M𝚒 724
d. *acc.:* quantumst hominum amicum *ad-*

hibere ubi quid geras Per 595 tu tuom amicum *adiuuas* Per 614 illum amicum *amiseris* (*A* miseris *P*) Tri 1054(*v. secl Bergk Rs* §) amicum *castigare* . . inmoenest facinus Tri 23 prosilui amicum castigatum innoxium Tri 216 ego amicum hodie meum *concastigabo* Tri 25 . . si quem amicum *conspicer* Vi 68 *dedecorat* te me amicum* Ba 498 et amicum et beneuolentem *ducis* Ps 699 hic quem *esse* amicum ratus sum Ba 549 *haben* tu amicum aut familiarem quempiam? Tri 89 tibi ferentarium esse amicum *inuentum* intellego Tri 456 inimicum amicum beneficio inuenias tuo Tri 1052 illa aut amicum aut patronum *nominet* As 757 Lesbonicum *quaerit* et amicum meum Tri 876 *recipe* me ad te, Mors, amicum et beneuolum Ci 640 nimium difficilest *reperiri* amicum* Tri 620 serua tibi in perpetuom amicum me Cap 441(*praedicative*: *cf* Arlt, p. 8) *uelle* Cu 332(*supra* c *sub* uelle) talento . . amicum *uendidi* Tri 1056 exobsecrabo ut quemque amicum *uidero* As 246

aurum deferri iussit . . *ad* amicum Calliclem Tri 956 hominem . . quoi fides . . amicum *erga* aequiperet tuam Tri 1126 si quid amicum erga bene feci . . Tri 1128

rem gessistis ut uos uelle amicosque *addecet* St 518 me teque amicosque omnes *adfectas* tuos ad probrum . . adpellere Ba 377 dicas . . amicos *cogere* Mi 1119 *consulam* hanc rem amicos Men 700 amicos consulam Poe 794 certumst amicos *conuocare* St 503 amicos meos *curabo* hic aduenientes St 682 *dedecorat* Ba 498(*supra sub* amicum) . . *deseras* . . adfinitatem, amicos Tri 702 quos quom censeas *esse* amicos, reperiuntur falsi Ba 541 (*om A*) sunt quos scio esse amicos Tri 91 amicos, adfinis tuos . . *fecisti* gerulifigulos Ba 380(*v. secl* §) dedita opera amicos *fugitaui* senes Poe 508 inimicos quam amicos aequomst med *habere* Ba 618 tu . . amicos tibi habes lenonum aemulos Ps 196 tu . . tibi amicos tot habes Ps 218 non placet qui amicos . . conclusos habet Tri 909 res amicos *inuenit* St 522 oportet *ire* amicos homini amanti operam datum Poe 512 malim istius modi mihi amicos furno *mersos* Ep 119 deos atque amicos iit *salutatum* ad forum Ba 347 quin tuos inimicos potius quam amicos *uocas*? Ps 880

e. *voc.*: at tu inperte, amice Mi 232(*GuyR pro* auden participare me) o amice, salue, atque aequalis Tri 48 o amice ex multis mihi une Fr I. 89(*ex Prisc* II. 188) eo uos, amici detinui diutius Ru 93

f. *abl.*: priuauit bonis luce honore atque amicis Tru 574 quippe qui mage amico utantur gnato et beneuolo As 66(*v. secl FlRgl*§*U*) nimis stulte amicis utere Per 19 ut quoique homini res paratast, perinde amicis utitur St 520(*A et Char* 211 *om P*)

nihil homini amicost opportuno amicius* Ep 425 tardo amico nihil est quicquam inaequius Poe 504 *ab* amico alicunde mutuom argentum rogem Tri 758 potin est ab amico alicunde exorari? Tri 759 *cum* amicis deliberaui St 580 tu *ex* amicis certis mihi certissumus Tri 94 *in* bono hospite et amico quaestus est Mi 674

2. *seq. dat.*: ab homine quem *mihi* amicum* esse arbitratus sum Ba 539 Philocrates . . amicus fuit mihi Cap 645 nunc tu mihi amicus es in germanum modum Cas 615 amicior mihi nullus uiuit Mer 899 amicissume mihi omnium hominum Mo 340 uideam mihi te amicum esse . . St 508 quia te amicum mihi experior esse, credetur tibi St 509 amor, mihi amicus ne fuas Tri 267 is mihist amicus Tri 895 amicus mihi esto †manubinarius (*P* manubiarius *Ly* consiliarius *Rs* †ψ) Tru 880 nequam homost uerum hercle amicus est *tibi* Ba 557 Mer 887(*RRg: supra* 1. a) illum tibi aeternum putes fore amicum et beneuolentem Mo 195 acceptum sat habes, tibi fore illum amicum sempiternum Mo 247(*v. secl Acω*) facere amicum* tibi me potis es sempiternum Per 35 fuitne hic tibi amicus Charmides? Tri 106 ego amicus numquam tibi ero Tri 716 nihil moror eum tibi esse amicum Tri 337 quis homost? Amicus* *uobis* Poe 1213 neque eum *sibi* amicum uolunt dici Tri 263(*v. secl BoRs*§) esne tu *huic* amicus? Per 581 magis . . *ei* (*om A*) consiliarius his amicust quam auxiliarius Tru 216

ego sum amicus nostris(*Gul* aedibus *add P*), As 387 homini amico quist amicus . . Ba 386 *fortasse* Cu 332(*supra* I. c), Mi 660(*supra* 1. c) si amicus Deiphilo(*Bue* dephilo *P* Demipho *CaR*) aut Philemoni's Mo 1149 hic meo ero amicus* solus firmus restitit Tri 1110 sensi filio meo te esse amicum Cap 141 homini Ps 390(*supra* 1. a) nulli amici sunt Ba 547

3. *gen.*: amicum te scio esse illius Mer 534 patris amicus uidelicet Mo 980

b. = *amator*: quom illa ausculata mea soror gemina esset suompte amicum Mi 391 propinat amicissima amico* Ps 1263(*L vide supra* 1. c) stantem stanti sauium dare amicum amicae(amicum amico *RRg*) St 766

B. **amica** = *amata* 1. *absolute* a. *nom.*: illa amica*(-cae suae *GulRglU*) amatorem praediceit As 758 animast amica amanti Ba 193 amica tua erit tecum tertia Ba 717 Pistoclero nulla amicast*? Ba 718 amica ne te caiet Ci 253 (*A solus*) mulierem peiorem quam haec amicast Phaedromi non uidi Cu 593 quis east mulier? #Tui gnati amica Ep 702 amica expectat me scio Men 599 emptast amica clam uxorem Mer 545 amicast empta Mo 538 . . sumptum omnem qui amica emptast(*R* est *P*) Mo 1160 haecin tuast amica? Mer 753(*de A dub*) Charini amicast* illa? Mer 974 mea amica sitne libera an . . Per 33 mea amica nunc mihi irato obuiam ueniat uelim Poe 1288 estne illaec mea amica? Poe 1299 hic sunt sycophantiae, hic argentum, hic amica amanti erili filio Ps 673 an hic Palaestrast . . eri mei amica*? Ru 351 eademst amica ambobus St 434 dabitur homini amica St 571 amica mea et conserua quid agat Stephanium curaest ut uideam St 652 amica mea et tua dum cessat . . nos uolo ludere inter nos St 701 modo nostra huc amica accedat St 711(*v. secl L*) ubi mea amicast gentium? Tru 914

haec sunt hic limaces, liuidae, febriculosae, miserae amicae(amiculae *Rs*), osseae, diobolares,

schoeniculae, miraculae Ci 406 (*A et Varr de
l. L.* VII. *64, Fest* 301, 329, 352)

    b. *gen.:* amatorem As 758 (*GulRglU supra* a)
huic proximum illud est oculissumum ostium
amicae Cu 15 b (*v. ex Fest confinxit Rg om Pψ*)
    c. *dat.:* bene mihi, bene uobis, *bene* amicae*
Per 773 id optumumst amicae* Tru 170 is
optumust amicae Tru 173 (*Rs* opt. amicus *Pψ*)
huic amicae *detulisti* Erotio Men 652 tuae
degeris amicae* Men 741 cupio esse amicae*
quod *det* argentum suae As 83 perficito argentum hodie ut habeat filius amicae* quod
det As 104 eam meae ego amicae dono huic
meretrici dedi Ci 133 istanc quam quaeris
ego amicae meae dedi Ci 570 neque triobolum ullum amicae* das Poe 868 idem amicae* dabam me meae Ps 1277 stantem stanti
sauium dare amicum amicae St 766 (amicam
amico *RRg*) in foro operam amicis da, ne in
lecto amicae* Tri 651 numquam satis dedit
suae quisquam amicae amator Tru 239 . . tuae
non des amicae* . . sauium? Tri 356 ubi amicae* quam amico tuo fueris magis *fidelis* As
573 omnibus amicis morbum tu *incuties*
grauem Tri 75 aliquis oculum (P st ioculum
RsU osculum *CaLLy*) amicae usque *oggerit* Tru
103 uolt *placere* sese amicae* As 183 me non
rere *expectatum* amicae *uenturum* meae Am 659
    d. *acc:* uter amicam (*R* amica uter *P var
em ψ*) utrubi *accumbamus*? St 696 tuos pater
. . amicam *adduxit* intro in aedis Mer 813
unam amicam *amamus* ambo St 732 si . .
tuom uirum conspexeris . . *amplexum* amicam
As 879 inspectauisti meum apud me hospitem amplexum (*PLULy* -am Boψ) amicam quom
osculabatur suam Mi 507 liberam hodie tuam
amicam amplexabere Ps 722 tuam qui amicam hinc *arcessebat* Ps 719 militis qui amicam secum *auexit* ex Samo Ba 574 amicam
erilem Athenis auectam scio Mi 114 meamne
ille amicam leno . . de ara *deripere* Veneris
uoluit? Ru 839 ain minis triginta amicam
destinatam (*ARs SLt Ly* -tum *P* -asse *RU*) Philolachem (-i *GulL*)? Mo 974 b tu autem amicam mihi *des* facito Poe 1414 St 766 (*RRg
vide supra* c) *ducam* hodie amicam St 426
qui quidem . . amicam *ductet* (ductitet *Non* 13)
As 863 fateor . . illam me *emisse* amicam fili
fidicinam Ep 704 haud aequom . . fuerat . .
amanti amicam *eripere* Mer 973 uin amicam
huc *euocemus*? St 736 (audio) amicam tuam
esse *factam* argenteam Ps 347 tu amicam
habebis? Ba 145 amicam habes eram meam
hanc Erotium Men 300 non habes uenalem
amicam tu meam? Ps 341 amicam ego habeo
Stephanium St 431 litteras misi, amicam ut
mihi *inueniret* Bacchidem Ba 390 retrahit
sodalis, postquam amicam inuenit Mer *Arg*
I. 8 (repperit *RRs*) aut amicam aut mortem
inuestigauero Mer 863 fateor peccauisse, amicam* *liberauisse* Mo 1139 . . eum uelle amicam liberare Ps 419 quid nouom (fecit) adulescens homo, . . si amicam liberat? Ps 435 meo
gnato des, qui amicam liberet Ps 487 meam
amicam audiui te esse *mercatum* Ep 457 ut
amicam *mittat*, pretium lenoni dedit Cu *Arg* 5
non *nouisse* me meam rere amicam posse? Ep

481 *osculari* Mi 507 (*sub* amplexum) miser
amicam mihi *paraui* animi causa Mer 341
manu candida cantharum . . *propinare* amicissumam* amicam* Ps 1263 (*vide* ω) . . huic
ut mittam, ne amicam hic meam *prostituat* Ps
231 ut ille amicam, haec *quaerebat* filiam Ep
Arg 7 scio . . erilem amicam sibi malam rem
quaerere Mi 274 *reperire* Mer *Arg.* I. 8 (*RRs
sub* inuenio) tuam amicam . . #Quid eam (meam
amicam *RRg*)? #Ubi sit ego *scio* Mer 888
tuos pater uolt *uendere* tuam amicam Mer 479
meam tu amicam uendidisti? Ps 344 neque
licitum intereat meam amicam *uisere* Ci 227
tuam amicam . . *uidit* Mer 181 uideo illam
amicam erilem Mi 122 tuam amicam uideo
Ps 35 Tru 917 (*infra* e)
    tuam med *esse* amicam suspicabitur Ba 61
num esse amicam suspicari uisus est? Mer 215
qui scis esse amicam illam meam? Mer 480
. . illam esse amicam tui uiri bellissumi Mer
688 tibi amicam esse nullam nuntio Mer 966
quid tibi hanc notiost . . amicam meam?
Tru 623
    ad amicam id fertur As *Arg* 5 cum suo sibi
gnato unam ad amicam de die potare As 825
ain tu, meum uirum . . ad amicam detulisse
argenti uiginti minas? As 852 ad amicam
deferetur hanc meretricem Erotium Men 173
abit ad amicam Men 450 ea ad amicam deferat Men 561 insinuat sese ad illam amicam
Mi 105 ego puerum uolo mittere ad amicam*
meam Per 166 ego per hortum ad amicam
transibo meam St 437 nunc ad amicam uenis
querimonias referre Tru 166 ad amicam . .
Athenas Atticas uiso Tru 497 fero supplicium damnis ad amicam meam Tru 893 tu
quidem *aduorsum* tuam amicam omnia loqueris
Cas 203 an tu *apud* amicam munus adulescentuli fungare? As 812 neque apud amicam mihi iam quicquam creditur Men 699
syngraphum *inter* me et amicam et lenam As 747
amicas *emite* Mo 23 aeque ambo amicas
habent Ba 1115 an tu uis *inter* istas uorsarier, prosedas, pistorum amicas Poe 266
    e. *voc.:* opsecro hercle te, . . huius amica*
mammeata (nimis amata *U*) Poe 393 heus,
amica, quid agis? Tru 917 (uideo amicam. heus,
quid agis? *BriRs*) ades, amica Tru 920 uos,
. . inclutae amicae Ps 174
    f. *abl.:* illi quid amica *opus* sit nescio St 573
. . *ab* amica abesse auderem sex dies Ci 237
. . *cum* amica accubet Ba 140 facite . . cum
amica sua uterque accubitum eatis Ba 755
eas . . in maxumam malam crucem . . cumque
amica etiam tua Cas 612 te . . di . . perduint
cum tua amica Mer 974 huc incedit cum
amica sua Mo 310 Callidamates cum amica
incedit Mo 311 (Cal. eccumst *R*) hunc nescire sat scio *de* illa amica Mer 383 de amica
se indaudiuisse autumat Mer 944 . . aliquem
. . participauerit de amica eri Mi 263 (fidicinam) . . *pro* amica ei subiecit filii Ep *Arg* 3
denumeraui pro illa tua amica Ep 368 leno te
argentum poscit . . pro liberanda amica Pen
426 tibi minas uiginti pro amica etiam non
dedit Ps 280 epistulam . . misit *super* amica
Bacchide Ba 177 hanc fabricam dabo super

auro amicaque eius Ba 367 misine ego .. epistulam super amica? Ba 562 .. ut quod consili dem meo sodali super amica nesciam Ba 607
  2. seq. dat.: antehac te amaui et mihi amicam esse creui Ci 1 suspicatur illam amicam esse illi Mer 925 tecum ago quae amica's frumentariis Ps 188
  C. neutrum semel modo usurpatur: nihil homini amicost opportuno amicius* Ep 425 (cf Schneider, p. 16)
  D. adverbium 1. amice: bene quaeso inter uos dicatis et amice* Mi 1341 bene atque amice* dicis Ps 521, St 469 amice amico operam dedi Mer 499 facis benigne et amice Ci 107 amice* facis Mo 719 haud amice facis Poe 852 amice* benigneque honorem .. nostrum habes Ru 288 tradam Mer 385 (U vide A. 1. a sub amicus)
  2. amiciter: meo amico amiciter hanc commoditatis copiam danunt Per 255
  E. adiectiua: absens Tri 926 aeturnus Mo 195 beneuolens Mer 887 bonus Cas 581, Mi 674(?), Tru 173 certus Ps 390, 392, Tri 94 consiliarius Tru 880(Rs) ferentarius Tri 456(cf Graupner, p. 17) firmus St 521, Tri 1110 inimicus Tri 1052 innoxius Tri 216 multi Au 475 omnes Ba 377, Poe 1340, Ps 127, Tri 54 opportunus Ep 425 solus Tri 1110 sempiternus Mo 247, Per 35 amata Poe 393(U) argentea Ps 347 erilis Mi 114, 122, 274 diobolares febriculosae limaces liuidae miserae miraculae Ci 406 inclutae Ps 174 libera Per 33, Ps 722 mammeata Poe 393 sana, salua Mer 889 uenalis Ps 341 subst.: homo As 445, Ba 386, 1156, Cu 332, Per 265, 595, Tri 924 quidam Cas 241 quispiam Tri 89 quisquam Mo 1055 quisque As 246 senex Poe 508 uicinus Mer Arg 1. 6(R)
  F. corrupta: aliquis †oculum amicae usque oggerit Tru 103 manu mandida .. propinare †micissimam amicitiam Ps 1263

AMINULAE - - Mi 648, BueRsU coll Fest et Paul 25 inimula P animulae BoR animula §Ly ex schol. adVerg. Georg. II.134 Animulas SciopL
AMITTO - - cf Studemund, Ann. Phil., CXIII. 64
  I. Forma amitto Au 656 amittis Mi 1422 (an eum am. R ani (animā CD) am. P an am mittis Briψ), Ru 1009 amittit Ru 488 amittimus Ps 685(R mittimus A Pψ) amittunt Am 240(AngelLy om Pψ), Men 343, Mer 869 amittam Cap 3ῢ2(adm. E), Ci 463, Poe 403, Ru 730, 1006, St 187(amictam C) amittemus Mi 1413(Bri -timus Prisc. II 102 mittemus A mittimus P) amisi Cap 589, 655, Ci 709, Mer 592, Mi 1360, 1376, Per 782(om AcRLU iam Rs) amisisti Mer 1055, Mi 457, Mo 432, 439 amisit Ru 591 amisimus Cap 143 amiseris Mi 701 amiserit Per 403, Poe 344(A -ris P), Tri 561 amittam Cap 460, Mi 983 amittas Ru 1031 (ammi. C) amittat Au 303(em. Non 234), 305, Cap 36, Cas 573(adm. J), Ps 1123 amittamus Mi 1421 amittatur Cap Arg 7 amitteres Ci 625(-re J) Per 687 amitteret Ba 964 amiserim Am 1054, Mi 1096(Scal obm. P obmiserim FZR) amiseris Ba 1195(amissis BoRL), Cu 599, Tri 1054(A miseris P) amiserit Cap 23 amissis Ba 1188, 1195(BoRL -eris Pψ) amitte

Mo 1169(U remitte PR) amittere Am 847 (atm. E), 1017, Ci 647 amitti Ba 395, Cap 339 (adm. E), Tru 863(Rs et me te amare P aliter ψ) amissum Cap Arg 5 amissam Mo 1177(add Rs) amissurum As 611(-am B¹) amittendum Mi 1418(A amitte dum P -undum RRg) amittendam Mi 1324(-undam RgRgU) amittendā Ba 223(-unda U) corrupta: As 259, amittunt P pro admittunt(FZ) Au 790, amisit J pro admisit Cas 1002, amisero J pro admisero Tri 492, amisimus P pro emisimus Tru 751, amitto P§† var em ψ
  II. Significatio 1. = dimittere. a. ego me amitti* .. non postulo Cap 339 ni intellexes, numquam (me) amitteres* Ci 625 quia te seruaui me amisisti liberum Men 1055 non amittunt hi me comites Mer 869 med amisisti abs te uix uiuom domum Mo 432 uix uiuos (nos) amisit domum Ru 591 eum si reddis, .. et te et hunc amittam* hinc Cap 332 sequere tu, te ut amittam Cap 460 neque te amittam hodie nisi .. das mihi operam Ci 463 te saluom hinc amittemus* Venerium nepotulum Mi 1413 .. ut ted hodie hinc amittamus Mi 1421 ego te hinc ornatum amittam Ru 730 te amitti postulas Tru 863(Rs in loco desp) persuasit se ut amitteret Ba 964 hunc si amitto hinc abierit Au 656 Cap 252(sub te) hanc ut habeo, certumst non amittere Ci 647 stulte feci qui hunc amisi Mi 1376 ut (is) amittatur fecit Cap Arg 7 (eum) exanimatum amittat* domum Cas 573 si pellexerunt perditum amittunt domum Men 343 uerberetur etiam: postibi amittendum* censeo Mi 1418 uerberon etiam an eum amittis? Mi 1422(R) ad hoc exemplum amittit ornatum domum Ru 488 nullo pacto potest prius haec in aedes recipi quam illam amiserim* Mi 1096 ne .. istam amittam .. uide modo Mi 983
  animam amittunt* Am 240(Ly) de amittenda Bacchide aurum hic exiget Ba 223 confinxerunt dolum, quo pacto hic seruos suom erum hinc amittat domum Cap 36 malefactorem amitti satiust quam relinqui beneficum Ba 395 quo die Orcus Acheruntem mortuos amiserit* Poe 344 uolo .. amittat mulierem mecum simul Ps 1123 parasitum ne amiseris Cu 599 ad patrem hinc amisi Tyndarum Cap 589
  similiter: Sceledre, e(Fl om PRLULy) manibus amisisti praedam Mi 457 .. ut abeas, rudentem amittas* Ru 1031 hunc (uidulum) non amittam tamen Ru 1006 ni hunc amittis exurgitur quicquid umoris tibist Ru 1009
  b. seq. termino: Acherunte Poe 344 manibus Mi 457(e praem FlRs§) domum Cap 36, Cas 573, Men 343, Mo 432, Ru 488, 591 abs te Mo 432 e manibus Mi 457(FlRs§) ad patrem Cap 589 hinc Cap 36, 332, 589, Mi 1413, 1421, Ru 730
  c. seq. quin: non amittam* quin eas St 187
  2. = relinquere, sinere: istam rem inquisitam certumst non amittere* Am 847 quam illam quaestionem inquisitam hodie amittere mortuom satiust Am 1017
  3. = remittere: Tranioni amitte* quaeso hanc noxiam Mo 1169 amissam* hanc modo unam (missam Loman om PRRsLLy) noxiam unam quaeso fac(missam fac L) Mo 1177 tibi hanc amittam noxiam unam Poe 403

4. = *perdere:* qui uiuamus nihil est si illum
(*agrum*) amiserit Tri 561   ne *quid animae* forte
amittat Au 303*, 305   animum amittunt* Am
240   ego *argentum* ille iusiurandum amiserit
Per 403   quod di dant *boni, caue* .. amissis*
Ba 1188   *certa* amittimus* dum incerta petimus
Ps 685(*R*)   *cistellam* .. ego hic amisi misera
Ci 709   nec ullast *confidentia* iam in corde quin
amiserim Am 1054   metuebas .. ne *crumillam*
amitteres? Per 687   .. si istam simul amiseris
libertatem .. Mi 701   amisi omnem *lubidinem*
Mi 1360   eam *nobilitatem* amittendam uideo Mi
1324   *nuculeum* amisi Cap 655   *occasionem*
hanc amisisti tam bonam Mo 439   spem teneo,
salutem amisi Mer 592   *uehiclum* argenti miser
eieci, amisi* Per 782   cur ergo minitaris mihi
te *uitam* esse amissurum*? As 611

si *hoc* hodie amiseris* .. Ba 1195   quae in
potestate habuimus *ea* amisimus Cap 143
.. illum *amicum* amiseris* Tri 1054   emit
olim amissum *filium* Cap *Arg* 5   rationem
habetis quomodo unum amiserit Cap 23

5. = *neglegere, uiolare:* iusiurandum Per 403
(*supra* 4 *sub* argentum)

6. *corruptum:* Tru 751, sine(*Ca* inea *P*) amitto
intro *P* sine me ire intro *U* uin eam intro
Rs mitte intro *L* sine eam intro *Ly*

AMNIS - - *cf* Goldmann I. 9; II. 7, 9, 12
neque mihi ulla obsistet **amnis** Mer 859   quo
inde isti porro? #Ad caput **amnis** qui de caelo
exoritur Tri 940   eum oportet **amnem** quaerere comitem sibi Poe 628   horiola aducti
sumus usque aqua aduorsa per amnem Tri 943
nunc uos mihi **amnes** estis Poe 630

AMO - - I. **Forma** **amo** Am 640, 655, As
510, 515, 631, 831, 845, 899, Ba 214, 505, 511
(*PULy* †ψ), 646, 1162, Cas 182, 184, 225, 232
(ted amo *BJ* te clamo *VE*), 472, 802, Ci 7, 21,
273(*LLy* am∗∗ *A*ψ) Cu 48, 136, 148, 326, Mer
262(*CD* amarē *B transp RRg*), 304(*P* scio *A*),
306, 540, 919(contra amo *FZ* contra iam *B*
contraham *CD*), Mi 1229, Mo 181, 303, 305, Per
227, Poe 153, 252, 282, 313(*P* amabo *A*), Ps 944,
Ru 363, St 750(omo *B*), Tru 581, 662, 879(*Bo*
amabo *P*), 887(*F* ama *P*), 918   **amas** As 526,
899, Ba 568, 636(*L om P*ψ), 1162, Cas 451, 456,
725, 978, Cu 32, 138, 199, 213, Mer 305, Mi
624, 625, 1263(*om D*¹), Mo 305, Per 177, 228
bis, Ru 726(*B* amabas *CD*), Tri 244, Tru 542
(ecquid amas me *Ca* ec quidē asme *B* et quidem has me *CD*), 610, 939   **amat** Am 473,
655, 995, As 616, 631, 900, Au 603, 619, Ba
191, 476, 593, 719, Cas 49, 57, 195, 795, Ci 68,
Cu 142(emat *BE*¹), 170, Ep 64, 66, 90 a(amabat *GuyRg* emundam *U*), Men 790, Mer *Arg*
I. 5, Mer 20, 692, 744 *bis*, 919, Mi 959, 985, 998,
1016, 1257(amat propterea *CD* tu propter *B*),
Mo 890(*P* hamat *Rs*), Per 179, 180, Poe 327,
820, 1092, Ps 435, Ru 466, St 284(*om BergkU*),
Tri 242(qui amat quod amat *A* quam id quod
damat[*B* clamat *CD*]*P*), Tru 177, 187, 553, Fr
II. 60(*Rg ex Macr* V. 19, 11: habet *Macr*ℬ†*L*)
amamus St 732, Tru 191   **amant** Ba 1165,
Cap 104, 477(*v. om B*), Ci 280, Ep 192, 515,
Men 551, Mi 58, 571(*CDR* ament *AB*ψ), 1264,
Mo 169, 231, Per 25, Poe 659, 1311, Ps 203,
613, Ru 1183, Fr I. 60(*ex Varr de l. L.* VII. 77),

67(*ex Non* 147)   **amor** Tru 912   **amatur** Ps
273, Tru 235   **amabam** As 70, Ep 135   **ama-**
bas Ci 488, Men 195, Ps 286(si am. *A* iam
abas[*B* abes *D* habes *C*]*P*)   **amabat** Ep 48,
Mi 100, 111, Ru 379   **amabant** Per 649 **amabo**
Am 540(ambo *J*¹), 810(ambo *EJ*¹), As 692, 707,
711(*P*ℬ*LLy* ambo *FZ*ψ), 894(ambo *J*¹), 939,
Au 143, Ba 44, 53, 62, 100, 1121 a(amalo *D*¹),
1149, 1192 b, 1193(*om R*), 1197, Cas 137(uero-
AU), 173(ambo *J*), 213, 236(amobo *B*¹), 634,
637, 641, 832(*BJ* ambo *VE*), 872, 917, Ci 19,
20, 104, 110, 113, 564, 643, 704(*Rs om P*ℬ†*L*†
ULy), 708(ambo *J*), 728, Cu 110, 137, Men 197,
382, 405, 425, 541, 678, 851, Mer 503, 538, Mi
382, 900(*Ca* ambo *P*), 1067, 1084, Mo 166, 298,
324, 343, 385, 468(*PL* ambo *Scal*ψ), Per 245 *bis*,
336, 765, 849, Poe 240, 250(amalo *P*), 263, 336,
350, 370, 380(*om A*), 399, 401, 1230(*ACD*
amalo *B*), 1257, 1265, Ru 249, 253, 339, 343,
355, 430, 438, 444, St 8, 91(ambo *Fest* 97), 752,
Tru 128(*A* ambo *P*), 132, 138, 165, 197(*ACD*
mamabom *B*), 352, 364, 442, 588, 665, 684, 687,
696, 719, 872, 873(*Bo* iam abis *CD* iam abo *B*),
941(*Palmer* ab auo *CD* alabo *B*), 958   **amabit**
Au 761(*FZ* ambit *P*), Cap 877, Cu 326, Men
791, Mer 762(-bat *C*¹), Mo 210(*v. secl Ladewig*ℬ),
Poe 869, Tri 447, Tru 276   **amabunt** Au 496,
Men 278, Mo 231, 520(*B*²*D*³ -bant *P*), Per 205
(abunt *D*¹), Poe 439, 1219   **amaui** Ci 1, Mer
264   **amauit** Ep 66, Mi 639, 1251 (si am. *Ca*
simulauit *P*), Tru 222(amauit aequm ei *A*
am a uita equō me *B* ar auita aequum
me *CD*)   **amauerat** Mi 132   **amasso** Cas
1001, 1002   **amem** Ba 24(*ex Don in Eun* IV.
2, 13), 778, Cas 517(cur amem me *Bue duce*
Scal cura meme *VE* curam exime *B*), Ci 370,
Mer 573(*Salm* ames *PL*), Mi 1006(amen *B*),
1263(*BriRgLU* mea *BLy* me *CD*), Poe 261,
Tru 441, 929(*Ac* amet *P*ℬ†)   **ames** Am 542,
Ba 219, 636 a, Cas 233, Ci 96, 97, 119(nequem
ames *J* nequ' meas *BVE*), Cu 29, Ep 276, 653,
Mer 553(*A* aues *P*), 573(*PL* amem *Scal*ψ), Mo
182, Per 245, 281, 292, 518, 603, 867, Ps 73,
Ru 443(me ames *CD* meam s *B*), Tru 930
amet As 52, 77(*v. sel Flo*), Au 445, Ba 617,
Cas 206, 565(*P* amat *A*), Ci 461(*Rs in lac*), Cu
208, Men 386, Mer 1022, Mi 232, 984(meos *B*),
Mo 182, 209, Poe 278(*Ca* ametat *P*), 289, 290,
1326, Ps 774, 1256, St 742, Tru 232, 754(tres
ista amet? *Rs* resistat *P*ℬ†: var em ψ)   **ametis**
Ba 702   **ament** Am 597, Au 183, Ba 111, 457,
895, Cap 138, Cas 452, Ci 281, Cu 455, Mi 293, 501
(emet *B*¹), 571(*AB* amant *CDR*), 725(amet *B*¹*D*²
aemaet *C*), 1403(amment *C*), Mo 170, 341, 717,
806, 1130, Per 16, 492, 639, Poe 289(amet *B*),
504(antent *B*), 751, 827, 859, 860, 1413, Ps 271
(*A ut uid* amente *P*), 272, 943, 1294, Ru 1303, St
505, 685(amant *C*), 754, Tri 1024(*FZ* amant *P*)
amentur As 536, Tru 324(ametur *Rs*)   **amarem**
Am 525(amare *E*), Ci 85, Mo 183(-rim *GuyR*)
amares Mi 1262   **amaret** Ba 818, Ci 239, Ep 359
*P*ℬ† *L*† *aliter* ψ), Mi 1247) amarentur *FZR* ama-
retur *U*), Ps 1278(*v. secl Rg*)   **amassis** Mi 1007
amassint Cu 578   **ama** Cas 726(*Rs in lac*), Cu
38, Tru 712, 866(*Rs* iam *P*ψ)   **amate** As 745
amato Cu 32(*Ca* ama *P*), Mo 1164   **amare**
Am 107, 517(are *DE*¹), As 208, 536, 542, Ba

34 a (*ex Don ad Hec* III. 1, 33: *loc dub*), 75, 100, 565, Cap 420, Cas 61, 529, Ci 68, 79, 95, 96, 118, 274, 313, Cu 28, 176, 177, Men 524, Mer 13, 42, 309, 319, 356 *bis*, 380, 533(med amare *RgU* mecum rem *APψ*), 577, 650, 754, 994, Mi 127(*B²D* -ret *P*), 1309(*MuretL* a mare eo *R* amorem *Pψ*), 1391, Mo 36, 53, 243, Per 303, Poe 101, 176(agere *C¹*), 327, 328, 661, 1210, Ps 307, 483, Ru 44, 462, 566, St 447, 729, Tri 1031, Tru 76, 194(*A* -ret *P*), 530, 590, 608, 678, 863(*PS†* om *Ly em ψ*) **amari** As 67(-re *DE*), 77(*Ly ex Nonio* 501 amori *Pψ v. secl. ψ*), 835, Cas 137, Mi 1202, 1223, Tru 17, 928 **amans** Am 290, As 141, 591, Ba 208, 622(*PLy* amens *Saracψ*), Cap 1032, Mer 82 (amas *B*), Per 1, Poe 140(*Weis* adamans *P* at **amans** *FZU*), Ps 238, 1259, Tru 26, 56, 859 (*Bo* mans *P* suis *L*) **amantis** Mi 639, Tru 80, 434 **amanti** Am 126, 993, As *Arg* 1, As 57, 75, 177, 309, 672, 814, 848, 916, Au *Arg* I. 13, Au 592(*v. secl BriS*), 597, 751, Ba 193, 233, 393, 645, 931(*v. secl KiesRgSL*), Cas 618, Ci 75, Cu 149, 152, Men 356, Mer 896, 973, 994, Mi *Arg* I. 2(-tis *C*), Mi 136, 621, 769, 1387, Per 256(*add Rs om APψ*), 776, Poe 144, 505, 512, 589, 820, Ps 673, Tri 131, Tru 23(*Prisc* I. 421 nā anti *P*), 213, 714 **amantem** Am 892, As 632(med am. *BDE* me clamantem *J*), 684, 857, Ba 351, Ci 222(amantem *B¹*), Cu 165, Mi 636, Mo 190, Per 776, Poe *Arg* 5, Poe 548, Ps 103, 322, 431, 1259 **amante** As 175 **amantes** Cu 124, Mer 381(amante *B*), Mo 169(*LachR* **amatores** *Pψ*), Tri 677, Tru 182(*LU* -tis *AP Ly†* loc dub), 325(*B* amatores *CD*) **amantum** Ci 472, Men 356(*CD* -tium *BLU*), Mi *Arg* II. 11, Mi 625, Mo 171, Ps 66(*AB* -tium *CD*), Tru 25 **amantibus** As 642, Mi *Arg* 1. 7 **amantis** As 665, Mi 139, Ps 1270 **amata** Mo 200, Poe 393(nimis amata *U* mammeata *Aψ* mammiata *P*), Tru 583(*Rs* accepta *CaLULy* aca *BS†* om *CD*) **amando** As 169, 687, Cu 187, Mer 312(secando *U*) *corrupta*: Cas 386, amado *P pro* ambo; 393, amabo *P pro* ambo Ci 531, **amans** *P pro* amens(*B¹*); 739, quo id amo *VE pro* quidam Ep 203, amabo *VEJ pro* ambo(*B*); 359, amaret *P*(*vide infra* II. C) Men 853, amo uinum(uirum *D*) *pro* amoui nunc Mer 371, amare *B¹ pro* mare; 538, amaturust *P pro* an maritust(*A*); 755, amet *B pro* anet(*ACD*); 906, ama *BS†* ima *CD pro* tua Mi 664, quantū e amare *B pro* quam mutumst mare; 919, amant *B: aliter CD: loc dub;* 959, amatum *C pro* tuam Mo 467, amabo *PL pro* ambo(*Scal*); 890, amat *P vide ω* Poe 1200, **amare** *P pro* amore(*A*); 1313, amatum *P*(*vide infra* II. C) Ps 944, et amo *add A perperam* Ru 72, amabo *B pro* ambo; 786, amabo *C pro* ambo; 842, qua sic non amem *CD pro* quasi canem(*B*) St 163, gestor amem *P pro* gesto famem(*A*); 223, amabit *P* amaui(*A vide infra* II. C) Tri 668, amo *D¹ pro* amor Tru 144, amem *P* me *A pro* meam; 170, amet *CD* amit *B pro* tam id(*Sp*); 180, amare *P pro* amara(*A*); 308, esse ego uestra ero amari *P pro* ego ero maiori uostra(*A*); 630, **amo** sire *P pro* amoliri; 658, amas pos *B* amas *CD pro* amasios; 867, amem *B pro* tamen;

893, (*vide infra* II. C) Vi 96, amabo *libri pro* ambo

II. Significatio A. *verbum* 1. *absolute:* amat; sapit; recte facit Am 995 ultro amas, ultro expetessis As 526 miser est homo qui amat As 616 ipsus neque amat nec tu creduas Ba 476 †amo hercle opinor Ba 511 patri reddidi omne aurum amans* Ba 622 nisi ames, non habeam tibi fidem tantam Ba 636a eo quod amas tamen (*totum add L om P: aliter ψ*), nunc agitas sat tute tuarum rerum Ba 636b amanti ero.. quicum edo et amo, regias copias optuli Ba 646 nihil nisi ut ametis impero Ba 702 quid multa? ego amo. #An amas? Ba 1162 si amant, sapienter faciunt Ba 1165 sine amet Cas 206 nolo ames Cas 233 quid malum properas? #Amo Cas 472 cur amem* me castigare.. Cas 517 quid me amare refert? Cas 529 tu amas, ego essurio Cas 725 ama solus Cas 726(*Rs in lac*) qui amat, tamen hercle si esurit, nullum esurit Cas 795 at ego amo Cas 802 amat haec mulier. #Eho an amare occipere amarumst? Ci 68 adsimulare amare oportet: nam si ames, extempulo melius illi multo quem ames, consulas Ci 96-7 ecastor mihi uisa amare Ci 118 quid si amo? Ci 273 (*LLy* am** *Aψ*) ..qui amant stulte** Ci 280 **ne ament Ci 281 lepidumst amare(se am. *U*) semper Ci 313 si quidem amabas proin di ** Ci 488 amo pariter simul Cu 48 qui amat*, si eget, misera †adficitur aerumna Cu 142 bonumst pauxillum amare, insane non bonumst: uerum totum insanum amare hoc est Cu 176-7 si amas, eme Cu 213 plus amat quam te umquam amauit Ep 66 si amabas, iam oportebat nasum abreptum Men 195 haec..illum qui amat,.. magis.. multat infortunio Mer 20 non ego amo* ut sani solent homines Mer 262 amaui equidem hercle ego olim Mer 264 ternas scio iam. #Quid ternas? #Amo* Mer 304 tun capite cano amas? Mer 305 si canum.., amo Mer 306 hocinest amare? Mer 356 arare mauelim quam sic amare Mer 356 dum potes, ames* Mer 553(*A*) peruorse facies. #Quodne amem*? Mer 573 scio pol te amare Mer 577 si ibi amare (quam *praem RRg*) forte occipias.. Mer 650 parumne est malai rei quod amat Demipho? Mer 692 qui amat quod amat si habet id habet pro cibo Mer 744 ne quisquam .. prohibeto adulescentem filium quin amet Mer 1022 nouo modo tu homo amas Mer 624 nisi qui ipse amauit, aegre amantis ingenium inspicit Mi 639 si amauit* umquam.. clementi animo ignoscet Mi 1251 uideres pol, si amares Mi 1262 si abstinuissem amare*.. Mi 1309 lubet potare amare scorta ducere Mo 36 decet me amare et te bubulcitarier Mo 53 amato, bibito, facito quod lubet Mo 1164 iam serui hic amant? Per 25 amas pol misera Per 177 miser est qui amat Per 179 nolo ames Per 245 quia amare cernit, tangere hominem uolt bolo Poe 101 amo inmodeste Poe 153 dicat .. se amare* uelle Poe 176 sine amem Poe 261 ..ut commostraremus tibi locum..ubi ames, potes, pergraecere Poe 603 potare, amare uolt Poe 661 amat a lenone hic Poe 1092 *cf* Ps 203(ubi sunt.. qui amant a le-

none?) si amabas* inuenires mutuom Ps 286(*A*)
quando nihil sit, simul amare desinat Ps 307
quid nouom, adulescens homo si amat? Ps 435
amare occepit Ru 44 si amabat, rogas quid
faceret? Ru 379 satin nequam sum utpote
qui hodie amare inceperim? Ru 462 id ne
uos miremini, homines seruolos potare, amare
St 447 qui amat, quod amat* quom.. sauiis
.. perculsust, ilico res foras labitur Tri 242
quom amamus tum perimus Tru 191 amauit*
..: aequom ei factumst Tru 222(*A*) dum
habeat, dum amet Tru 232 si quis amat nequit quin nihili sit Tru 553 uel amare possum
uel iam scortum ducere Tru 678 auro.. deterrere potest ne amem* Tru 929(potes hunc
ne amem *SeyLLy* potes me ne amem hunc *U*
-ri pote, istum ne amem *Rs*) tam crepusculo
fere ut amant, lampades accendite Fr I. 60(*ex
Varr de l. L.* VII. 77) fortasse ted amare suspicarier Fr II. 5(*ex Don ad Hec* III. 1, 33 = Ba 34)
   2. *passive, cum nominativo; semel absolute:*
nihilo fit, non amor, teritur dies Tru 912
is hic amatur apud uos qui.. Tru 235 non
uoto ted amare qui dant, quoia amentur gratia
As 536 nolo ego metui, amari mauolo As 835
ut amari uideor Mi 1223 uolo amari* a meis
As 67 uolo amari* As 77 quid agitur? #Ama-
tur atque egetur acriter Ps 273 nihilo ego
quam nunc tu amata sum Mo 200
   3. *seq. acc. pronominis:* a. *alium* illa amat
non illum Ba 593 *hunc* si ullus deus amaret, plus annis decem.. mortuom esse oportuit
Ba 818 Tru 929(*supra* 1) ego *hanc* amo et
haec me amat As 631 hanc amas, nugas me-
ras Cu 199 amat senex hanc Mer *Arg* I. 5
meum erum.. qui hanc amauerat Mi 132 hanc
quidem nihil tu amassis Mi 1007 tu's lapide
silice stultior qui hanc ames Poe 292 at ego
amo* hanc. #At ego esse et bibere Poe 313
me amare hanc scit Poe 1210 hanc amabo*
atque amplexabor Poe 1230 *illum* Ba 593(*sub
alium*) coepi amare contra ego illum et ille
me Ci 95 non tu illum magis amas quam ego
amem* Mi 1263 haud perit quod illum tantum amo Tru 581 dic.. me illum amare plurumum Tru 590 *illam* exemplis plurumis planeque amo Ba 505 illam amabam olim Ep 135
quasi.. ames uehementer tu illam Ep 276 non
uereor ne illam me amare hic potuerit resciscere Mer 380 si.. dixisset mihi se illam amare
Mer 994 haec.. illam.. subigit me ut amem*
Mi 1006(*loc dub: vide edd*) dic me illam amare
multum Per 303 egone illam ut non amem?
Tru 441 filium sensit suom eandem illam amare
Cas 61 nulli mortali scio obtigisse.. mulier
eum ut amaret Mi 1247(*SeyRgL vide* ψ) serui
liberique amabant (eum) Per 649 *eam*(*URg
om* Pψ) occiperes tute (etiam *add Sey* eam *Ly
om* Pψ * *L*) amare Ba 565 etiamne ut ames
eam? Poe 281 ama *id* quod decet Tru 712
eos ni minume amet Ci 461(*Rs in lac*) *istum*
Tru 929(*supra* 1) etsi istunc amas(*L* si amas
PLy† hunc saltum si amas *Rs* si etiam me
amas *U*).. Tru 939 ego *istanc* amo As 831
istam amo As 845 amatne istam quam emit?
Ep 64 ego istam amarem*? Mo 183 si istas
amas* huc arido argentost opus Ru 726 ille

hinc abest, *quem* ego amo Am 640 illo quem
amo prohibeor As 515 neque quem quisquam
homo aut amet aut adeat Ba 617 .. ut me,
quem ego amarem grauiter, sineret cum eo
uiuere Ci 85 melius illi multo quem ames
consulas quam rei tuae Ci 97 auris grauiter
obtundo tuas ne quem ames* Ci 119 filius,
quem quidem ego amem, alius nemost Ci 370
ut eius mihi sit copia quem amo Mi 1229
quem ament igitur? Poe 860 satietatem dum
capiet pater illius *quam* amat Am 473 Am 655
(*infra* b, *sub* me) hic pater est.. huius erus
quam amat Au 619 illa inuentast quam ille
amat Ba 191 ita me amabit quam ego amo
Cu 326 filio fidicinam emit quam ipse amat*
Ep 90 a(*vide GuyRgU*) Mer 650(*RRg supra* 1)
commodum illi non est quae me amat, quam
ego contra amo* Mer 919 hoc deferam ad
hanc argentum quam.. amo Tru 662 scio iam
filius *quod* amet(= amica: *cf* B r i x *ad Sp.*,
p. 13) meus As 52(= 83 b) quod ames paratumst Ba 219 scit.. futurum quod amat intra
praesepis suas Cas 57 erit hodie tecum quod
amas clam uxorem Cas 451 .. diem quo quod
amet* in mundo siet Cas 565 ne id quod
ames.. tibi sit probro Cu 29 quod amas
amato testibus praesentibus Cu 32 id quod
amo careo Cu 136 ego tibi quod amas iam
huc adducam Cu 138 homo quod amas uidet
Cu 170 tibi quidem quod ames domi praestost
Ep 653 Mer 744(*supra* 1) amanti miseriast
.. qui quod amat caret Poe 820 quid est quod
male sit tibi quoi domi sit.. quod ames Poe
867 Tri 242*(*supra* 1) tune.. audes.. contractare quod mares homines amant? Poe 1311
.. istuc, *quid* tu ames aut oderis Poe 518 ego
te experiar quid ames Ps 73 equid amare
uideor? #Damnum Poe 327 amat mulier quaedam *quendam* Mi 1016 ama *quidlubet* Cu 38
ago amare *utramuis* possum Ru 566
   b. *numquid uis?* #Ut.. *me* ames Am 542
uxori.. quae me amat, quam contra amo Am
654 uolo amari*: uolo amet me patrem As 77
(*Ly v. secl Fl*ψ) me.. te atque illam amare
aibas mihi As 208 ego hanc amo et haec me
amat As 631 simulato me amare Ba 75 quam
ego fabulam aeque ac me ipsum amo Ba 214
ecquid amas nunc me? #Immo me quam te
minus Cas 456 non amas me? Cas 978 Ci 95
(*supra* a, *sub* illum) amica quae me amaret
contra.. Ci 239 di hercle omnis me adiuuant
augent amant Ep 192, Men 551 scibo utrum
haec me magae amet an marsuppium Men 386
med amare(*RgU pro* mecum rem) coepit Mer
533 Mer 919(*supra* a, *sub* quam) Venus me
amat Mi 985 numquam ego me tam sensi
amari quam nunc ab illa muliere Mi 1202
quia me amat* propterea Venus fecit eam ut
diuinaret Mi 1257 uideas eam medullitus me
amare Mo 243 Venerem uenerabor me ut
amet* posthac propitia Poe 278 ita me di
ament* ut illa me amet malim Poe 289 di me
seruant atque amant Ps 613 neque ego..
inuenire ullum queo, qui amet me Ps 774
idem amicae dabam me meae ut me amaret
Ps 1278(*v. secl Rg*S) dabitur tibi aqua ne
nequiquam me ames* Ru 443 amat hercle me

Ru 466 da mihi hoc .., si me amas Tri 244
ain tu eam me amare*? Tru 194(*A* in tume
[tute *CD*] amaret *P*) me potius non amabo
Tru 442 ecquid amas* me? Tru 542 militem
quem ego .. mage amo* quam me Tru 887
Tru 939(*U supra* a) *sese* omnes amant Cap 104,
477(*v. om B*) .. qui omnis se amare credit
Mi 1391 illa mulier lapidem silicem subigere
ut se amet potest Poe 290 omnis id faciunt
quom se amari intellegunt Tru 17 nisi *te* amarem* plurumum, non facerem Am 525 amat
homo hic te, ut praedicat As 900 sine te
amem Ba 24(*ex Don ad Eun* IV. 2. 13) prius
hic adero quam te amare desinam Ba 100 te
amabo et te amplexabor Ba 1192 b sine, amabo,
ted amari Cas 137 uicinam neminem amo ..
magis quam te Cas 182 amo te Cas 184 quam
ted amo*! Cas 232 Cas 456(*supra sub* me)
ego antehac te amaui Ci 1 illam quam te
amare intellego Ci 274(*sensus dub*) plus amat
quam te umquam amauit Ep 66 amant ted
omnes mulieres Mi 58 femina quae te amat
Mi 959 .. quae te tamquam oculos amet* Mi
984 omnes profecto mulieres te amant Mi 1264
quae istuc cures ut te ille amet? Mo 209(*v.
secl Ladewig§*) ille te nisi amabit ultro ..
Mo 210(*v. secl Ladewig§*) quid illis futurumst
ceteris qui te amant? #Magis amabunt Mo 231
ego quod te amo, operam nusquam melius potui ponere Mo 303 tu me amas, ego te amo
Mo 305 ferocem facis quia te erus(*Ca* eratus
P§†: aliter Rs) amat* Mo 890 sin te amo?
Per 227 ergo amo te Poe 252 ego ob tuam
.. perfidiam te amo Ps 944 ut ego amo te Ru
363 Hercules te amabit* St 223(*infra* C) te
unum ex omnibus amat Tru 187 nunc experire
.. me te amare Tru 530 me te amare* postulas Tru 863(*P§†U*) multum amo* te ob istam
rem Tru 879 homo quem ego ecastor corde
†mage amo quam te Tru 918 .. si te amari
postulas Tru 928 et *uos* (*an nom.?*) — amate
As 745 ego uos amo Ci 7 merito uostro amo
uos Ci 21

   c. *vi reciprocali:* uideas corde amare inter
se Cap 420 haec facetiast amare inter se riuales duos St 729 *idem sensus per duas enuntia-
tiones:* Am 654, As 631, Ci 95, Mer 919, Mi 101,
Mo 305 *per contra cf* Fleckeisen, *zur Kritik,*
p. 21

   d. *pronom. omisso:* neque quae delinquont
amo As 510 nec uoto ted amare qui dant As 536

   4. *seq. nominis acc.:* a. nullum *adulescentem*
plus amo Mer 540 is amare coepit *Alcumenam* Am 107 *ambos* amo* St 750 haecin tuast
amica quam .. te amare dixti? Mer 754 unam
amicam amamus ambo St 732 qui amant *ancillam* meam .. oculitus Fr I. 67(*ex Non* 147)
ancillulam .. ipsus eam amat Cas 195 sine me
amare unum *Argyrippum* As 542 quid amas
Bacchidem? Ba 568 qui quam amo *Casinam*, ..
Cas 225 si umquam posthac aut amasso Casinam aut occepso modo, ne ut eam amasso, ..
nulla causast quin .. Cas 1001-2 *deos* quoque
edepol et amo et metuo Poe 282 ait .. sese
illum amare* meum *erum* Mi 127 mandauit
.. ut *fidicinam,* quam amabat, emeretur sibi
Ep 48 erus meus amat *filiam* huius Euclionis

Au 603 ni meum *gnatum* tam amem .. Ba 778
.. quae amat hunc *hominem* Mi 998 cur ausa's alium te dicere amare hominem? Tru 608
(te amare hoc homine *Rs*) tympanotribam
amas hominem non nauci? Tru 611 faceta's
quae ames hominem isti modi Tru 930 nihil
amas quom *ingratum* amas Per 228 ecquid
matrem amas? #Egone illam? nunc amo quia
non adest As 899 ille hinc amat *meretricem*
ex proxumo Men 790 ob istanc industriam
etiam faxo amabit amplius Men 791 amare
ualide coepit hic meretricem Mer 42 is amabat meretricem Mi 100 *militem* quem ego
ecastor mage amo* quam me Tru 887 quam
amabam abduxit ab lenone *mulierem* As 70
ibi amare occepi forma eximia mulierem Mer
13 .. mulieris quam erus meus amabat Mi 111
si proinde amentur* mulieres diu quam lauant
Tru 324 uicinam *neminem* amo merito magis
quam te Cas 182 neminem mage amat corde
atque animo suo Tru 177 amare oportet
omnes, qui quod dent habent Tru 76 mecum
amat(*Rs perdubie*) *petagus* morbus Fr II. 60
(*ex Macr*) eam *puellam* hic senex amat efflictim Cas 49 alteram ille amat *sororem* Ba 719
ecquam scis filium *tibicinam* meum amare?
Ps 483 *tres* ista amet? Tru 754(*Rs* resistat
et(*CD* ex ex B) P§†: *aliter LULy*) ut decet,
amat* *uirum* Sum St 284 magis conducibilest istuc .. *unum* amare Ci 79 credo ego *uxorem* suam sic efflictim amare*.. Am 517 Am
655(*supra* 3. b *sub* me)

   b. ama* *animum* tuom Tru 866(*Rs*) ecquid
amare uideor? #*Damnum*, quod Mercurius minume amat Poe 327 *fabulam* Ba 214(*supra
3. b sub* me) non uestem amatoros amant
mulieris, sed uestis *fartum* Mo 169 *lucrum*
amare nullum amatorem addecet Poe 328 *marsuppium* Men 386(*supra* 3. b *sub* me) *nihil*
amas, umbra's amantum Mi 625 is quidem
nihilist qui nihil amat Per 180 nihil amas
quom ingratum amas Per 228 *oculos* Mi 984
(*supra* 3. b *sub* te) *pessuli,* .. uos amo Cu 148
saltum Tru 939(*Rs in loc dub: vide supra* 3. a)
ego *uerum* amo Mo 181 *uestem* Mo 169(*supra
sub* fartum) *uetera* amare hunc .. scias Tri
1031 hoc est homini quam ob rem *uitam*
amet Ps 1256

   5. *in adiurationibus, precationibus, sim. (cf*
Kellerhoff, p. 77): a. neque, *ita me di
ament*, credebam Am 597 ita me di ament,
ut Lycurgus mihi .. uidetur posse .. adducier Ba 111 ita me di bene ament ut
ego uix reprimo labra Cas 452 ita me di
ament*, ultro uentumst ad me Mi 1403 ita
me di ament, lepidast Mo 170 ita me di
ament ut .. tibi multa bona instant Per 492
ita me di bene ament, sapienter! Per 639 ita
me di ament* ut illa me amet malim Poe 289
ita me di ament*, tardo amico nihil est quicquam inaequius Poe 504 ita me di ament ..,
mauelim agere aetatem Poe 827 ita me di
ament ut(*Sey om P*) mihi uolup est Poe 1413
ita me di ament*. #Ita non facient. #Ut ego
.. te amo Ps 943-4 ita me di bene ament, ..,
ut mihi uolup est St 505 ita me di ament*,
lepide accipimur St 685 ita me di ament,

numquam enim fiet hodie Sᴛ 754   ita me di
ament*, graphicum furem! Tʀɪ 1024   ita me di
amabunt, ut ego hunc ausculto lubens Aᴜ 496
ita me di amabunt*, mortuom illum credidi
expostulare Mo 520   ita me di amabunt . .
Poᴇ 439   ita me di amabunt, ut ego . . illam
uxorem ducam Poᴇ 1219   ita me di deaeque
ament*, aequom fuit Mɪ 725   ita me di deaeque omnis ament* . . dedecoris pleniorem erum
faciam tuom Mɪ 501   ita te amabit* Iuppiter, ut tu nescis Aᴜ 761   ita me amabit*
Iuppiter, . . ut ego illud numquam dixi Mᴇʀ
762 ita me Iuppiter (amabit) . . Poᴇ 440 ita
me amabit Iuppiter, neque te derisum aduenio . . Tʀɪ 447   ita me Iuppiter bene amet,
bene factum! Poᴇ 1326   ita me bene amet
Lauerna, uti te iam . . differam Aᴜ 445   ita
me Venus amet ut ego te . . numquam sinam . .
Cᴜ 208   ita me Venus amoena amet ut ego
. . exissem Sᴛ 742   ita me Iuppiter, Iuno, Ceres . . dique omnes ament ut ille cum illa neque cubat . . Bᴀ 895   similiter: ita me amabit sancta Saturitas . . ut ego uidi Cᴀᴘ 877
ita me amabit sarculum ut ego me ruri amplexari mauelim . . bouem Tʀᴜ 276   ita me
uolsellae, pecten . . bene me amassint . . ut ego
tu magnifica uerba . . non pluris facio Cᴜ 578
ita me amabit quam ego amo ut ego haud
mentior Cᴜ 326   ita tu me ames, ita Philolaches tuos te amet, ut uenusta's Mo 182
Diespiter me sic amabit . . ut ego hanc familiam interire cupio Poᴇ 869

b. in salutationibus vel antecedente vel sequente saluos sis, salue, sim.: di te ament
Aᴜ 183, Bᴀ 457, Cᴜ 455, Mo 341, 806, 1130,
Poᴇ 751, Ps 1294   di te ament plurumum Mo
717   di te ament cum inraso capite Rᴜ 1303
di ament te Pᴇʀ 16 (cf Ferger, p. 21, adn.)
di omnes deaeque ament . . nec te nec me Poᴇ
859   di te deaeque ament* . . uel . . neque
ament Ps 271-2   di te bene ament Cᴀᴘ 138
di te amabunt, quisquis es Mᴇɴ 178   Sophoclidisca, di . . me amabunt* Pᴇʀ 205

c. at te Iuppiter bene amet Mɪ 232   similiter: quom te di amant, uoluptatist mihi Rᴜ
1183   cf Poᴇ 278 (supra 3. b)

d. propera . . fugere hinc, si te di amant
Eᴘ 515   tu istam, si te di ament, temere hau
tollas fabulam Mɪ 293   ne tu hercle si te di
ament* linguam conprimes Mɪ 571   tu, si te
di amant, age tuam rem Poᴇ 659

6. substantive a. infin.; vocabulum ipsum:
tu tuom conferto amare semper, . . ne id quod
ames . . tibi sit probro Cᴜ 28   hocinest amare
Mᴇʀ 356   humanum amarest Mᴇʀ 319   totum
insanum amare hoc est quod meus erus facit
Cᴜ 176

praedicative post: bonumst Cᴜ 176   conducibile Cɪ 79   facetiast Sᴛ 729

post verba: abstineo Mɪ 1309 (L)   addecet
Poᴇ 328   aio As 208, Mᴇɴ 524, Mɪ 127, Tʀᴜ 194
adsimulo Cɪ 96   cerno Poᴇ 101   coepi Cɪ 95,
Mᴇʀ 42, 533 (RgU)   credo Aᴍ 517*, Mɪ 1391
decet Mo 53   desino Bᴀ 100, Ps 307   dico
Mᴇʀ 754, 994, Pᴇʀ 303, Tʀᴜ 590, 608   experior
Tʀᴜ 530   incipio Rᴜ 462   intellego Cɪ 274,
Tʀᴜ 17   lubet Mo 36   mauolo As 835   miror

Sᴛ 447   occipio Aᴍ 107, Bᴀ 565, Cɪ 68, Mᴇʀ 650,
Rᴜ 44   oportet Tʀᴜ 76   possum Rᴜ 566, Tʀᴜ
678   postulo Tʀᴜ 863 (?), 928   refert Cᴀs 529
rescisco Mᴇʀ 380   sentio Cᴀs 61, Mɪ 1202   scio
Mᴇʀ 309, 577, Poᴇ 1210, Ps 483, Tʀɪ 1031   si-
mulo Bᴀ 75   sino As 542, Cᴀs 137   suspicor
Bᴀ 34a   uoto As 536   uideo Cᴀᴘ 420, Cɪ 118,
Mɪ 1223, Mo 243   uolo As 67, Poᴇ 176, 661

b. gerund.: quid modist ductando, amando?
As 169   amandone exorarier uis ted an osculando? As 687   pariter hos perire amando
uideo Cᴜ 187   auctor sum ut me amando*
enices Mᴇʀ 312

7. sequitur infin. (semel) vel ut: a. ego amo
hanc. #At ego esse et bibere Poᴇ 313

b. amare ait te multum Erotium ut hoc . .
ad aurificem deferas Mᴇɴ 524   nunc te amabo
ut hanc hic unum triduom hoc solum sinas
esse Cɪ 104   scin quid te amabo ut facias?
. . ut deferas Mᴇɴ 425-6   amabo ut hos dies
aliquos sinas eum esse apud me. #Minume.
#Amabo* Tʀᴜ 872-3   Langen, Beitr. p. 290;
Dousa, p. 235; Gronov, p. 212

8. amabo et amabo te (Bᴀ 44, Mᴇɴ 678, Tʀᴜ
578); amabo voce numquam utuntur mares maris
alloquentes, sed aut mulieres eam usurpant, ut
semper apud Terentium fit, aut, quod multo
rarius fit, mares ita ut mulieres alloquantur;
praeter hanc legem haec modo sunt exempla:
Mo 385, 467. cf Seyffert, Studia Plautina p. 1,
14; Ramsay, Ad Most. Excurs. XIII, 3; Blase,
Archiv IX. 485; Weiszenhorn, Par. Pl. p. 9.

parenthetice sequente a. enuntiatione declarativa: amabo, Libane, iam sat est As 707   iam
iam sat amabost Mɪ 1084   amabo, faciam
quod uoles, da istuc argentum nobis As 692

b. enunt. interrogativa: quis hic amabost*?
Mɪ 900   quid iam amabo? Aᴍ 810*, Tʀᴜ 132
quid ita amabo? Cɪ 19   quid id amabost?
Tʀᴜ 941 (Palm ita alabo [B ab auo CD] est PS†)
quid id est amabo? Tʀᴜ 684   quid nunc amabo?
As 711 (PSLLy ambo FZφ: vide ω)   quid,
amabo, opticuisti? Bᴀ 62   quid tu's tristis,
amabo*? Cᴀs 173   eho, amabo, quid illo nunc
properas? Poᴇ 263   quid somnias, amabo? Rᴜ
343   quamnam (bestiam), amabo? Cɪ 728
quid hoc est negoti nam, amabo*? Bᴀ 1121
qui, amabo? Bᴀ 53, Sᴛ 91*, Tʀᴜ 138 (A quid
iam a. P)   qui potis, amabo, planius? Tʀᴜ
165   quo, amabo, ibimus? Rᴜ 249   ecquem
uidisti . . amabo*, in hac regione? Cɪ 708
amabo, quoia uox sonat procul? Cᴜ 110   unde
hic, amabo*, unguenta olent? Cᴀs 236   ubi ea
amabo est? Poᴇ 1265   tuos erus ubi amabost?
Rᴜ 339

amabo, . . cur uirum tuom sic me spernis?
Cᴀs 917   cur tu aquam grauare, amabo? Rᴜ
438   quin, amabo, is intro? Mᴇɴ 382   quin,
amabo, accubas? Mo 343   amabo, . . quin lectis
nos actutum commendamus? Pᴇʀ 765

an, amabo, meretrix illast? Cɪ 564   amabo,
an maritust? Mᴇʀ 538 (A amaturust P)   amabo,
hicine istud decet? Cɪ 20   amabo, hicin tu
eras? Tʀᴜ 719   amabo, men prohibere postulas? Poᴇ 399   uiden, amabo? Rᴜ 253a   sal-
uene, amabo? Sᴛ 8   amabo, sanun es? Tʀᴜ
364   alienun es, amabo? Tʀᴜ 665   amabo,

num hi falso oblectant gaudio nos? Poe 1257
num tibi nam, amabo, ianuast mordax mea?
Teu 352
non tibi uenit in mentem, amabo*? Ba 1193
amabo, ..filiam uendas tuam? Per 336   non
audiuisti, amabo, quo pacto.. Ru 355
c. *enunt. imperativa:* intro abi, adpropera,
age(om *GepRsₛU*), amabo Cas 213   amabo,
accurrite Ci 643   amabo, adserua istunc Men
851   amabo, aduortite animum Mi 382   cedo,
amabo, decem Mo 298   cogita, amabo(sis
SpRgl), item nos perhiberi Poe 240   comperce,
amabo*, me attractare Poe 350   contempla,
amabo, ..satin haec me uestis deceat Mo 166
cura te, amabo Ci 113   iam, amabo, desiste
(*Fl* desine *PU*) ludos facere Men 405   dic,
amabo*, an fetet anima uxoris As 894   eho,
amabo, dice(*SeyRg* om *Pψ* †$) Ba 1149   dic,
amabo. #Dic, amabo. #Nolo ames Per 245
dic, amabo te, ubist Diniarchus? Teu 588   da
As 692(*supra a*)   da mihi operam, amabo
Au 143   amabo, inauris da mihi Men 541
date mihi locum ubi accumbam, amabo St
752   duce me, amabo Mo 324   amabo ecastor..eloquere Men 503   i intro, amabo Per
849, Teu 197*, 696, 958   face uentum, amabo,
pallio Cas 637   amabo*, integrae atque, imperitae huic impercito Cas 832   nolito acriter
eum inclamare..sed, amabo, tranquille Ci 110
iube illos illinc, amabo(*PL* ambo *Scalψ*), abscedere Mo 468   mulier, mane, amabo* Ci
704(*Rs*)   de palla memento, amabo As 939
amabo, mitte me actutum Mi 1067   mitte,
amabo Poe 336   noli, amabo*, ..irasci Sosiae
Am 540   noli, amabo, uerberare lapidem Cu
197   noli, amabo, suscensere ero meo Poe
370   optine auris, amabo Cas 641   parce,
amabo* Poe 250   ne plora, amabo Cas 137
pone(*B²* one *post lac P*) me, amabo Cas 872(*an
pone praep.?*)   propera, amabo Ba 100   propera, amabo, efferre Ru 444   pallam illam,
amabo te, ..mihi eam redde Men 678   aliquid huic responde, amabo, commode Poe 401
sequere intro, amabo Teu 687   sine, amabo,
ted amari Cas 137(*P* sine uero amari te *AU*)
amabo*, ..sine ted exorarier Poe 380   amabo*,
sine me ire Teu 128   tace, amabo Mo 385
ne cadam, amabo, tene me Cas 634
d. *enunt. subiu.:* id, amabo te, huic caueas
Ba 44   amabo, itaec fuint(fiant *U*) Ba 1197
amabo, uel tu mihi aias uel neges Ru 430
9. *adverbia:* acre Mi 100(*U*)   acriter Ps 273(?)
bene Au 445, Cap 138, Cas 452, Cu 578, Mi
232, Per 639, Poe 1326, St 505   ecflictim Am
517, Cas 49   grauiter Ci 85   immodeste Ci
280(?), Poe 153   improbe Ci 280(?)   insane
Cu 176   ita: *vide supra* 5   mage Men 386,
Teu 662, 887, 918   magis Cas 225(?), Mi 1263,
Mo 231   medullitus Mo 243   merito magis
Cas 182   minus Cas 456, Mo 200(*MueU*)   minume Ci 461(*Rs*)   multum Men 524, Per 303
nimis Poe 393(*U*)   oculitus Fr I. 67(*ex Non*
147)   pariter Cu 48   plane Ba 505   plurum-
mum Am 525, Teu 590   plus Ep 66, Mer 356
potius Teu 442   quam Cas 232   sane Cu 176
setius Mo 200(*R*)   sic Cas 618, Mer 356, Poe
869   stulte Ci 280(?)   tam Mi 1202   ualide

Mer 42   uehementer Ep 276   uesane Mi 1247
(*Rs*)   ut Mi 1223, Ru 363
similiter: corde Cap 420   corde atque animo
suo Teu 177   exemplis plurumis Ba 505
10. *agens per* a, ab *additur:* As 67, a meis
As 835, abs te   Mi 1202, ab illa muliere
B. *participium* I. **amans** (*cf* Wueseke, p. 44,
45, 50) 1. *nom.:* a. ..ubi amans adulescens
scortum liberet Cap 1032
b. conplexus cum Alcumena cubat amans
Am 290   amans ego animum meum isti dedi
As 141   tui amans abeuntis egeo As 591   misera amans desiderat Ba 208   amens amans*-
que †ut animum offirmo meum Men 82   qui
amans egens ingressus est princeps in Amoris
†uias.. Per 1   amans* per amorem si quid
feci.. Poe 140   non iucundumst nisi amans
facit stulte Ps 238   amans complexust amantem Ps 1259   ..quot amans exemplis ludificetur, quot modis pereat quotque exoretur exorabulis Teu 26   ..quod..debeat amans scorto
suo Teu 56   uideo eccum qui amans* tutorem
med optauit Teu 859
tibi amantes propitiantes uinum potantes
dant omnes Cu 124   haud etiam quicquam
inepte feci, amantes(faciam ante *B*) ut solent
Mer 381   Mo 169(amantes *LachR* pro amatores)   ..corde amantes sunt cati Tri 677
amantis si quid non danunt.. Teu 182(*P aliter
A v. dub em RsU secl L* †$LLy)   si proinde
amentur.., omnes amantes* balneatores sient
Teu 325
2. *gen.:* aegre amantis ingenium inspicit Mi
639   me fuisse huic fateor..intumum quod
amantis multo pessumumst pecuniae Teu 80
non amantis mulieris..fuit officium facere..
Teu 434
munditia inlecebra animost amantum* Men
356   ..commeatus clanculum qua foret amantum Mi *Arg* II. 11   compressiones artae amantum* comparum Ps 66   similest iusiurandum
amantum quasi ius confusicium Ci 472   omnes
mores(*Bergk* res *PR*) tenet sententiasque amantum Mo 171   ..Venus quam penes amantum
summa summarum redit Teu 25   nihil amas,
umbra's amantum magis quam amator Mi 625
3. *dat.* a. *substantive:* numquam facerem ut
illam amanti abducerem Mer 994   ..ut amanti
egenti(*A ut vid et Rs ei eg. Ly legenti P aliter ψ*)
opem *adferam* Per 256   *animast* amica amanti
Ba 193   hoc mea manus tuae poculum *donat*
ut amantem amanti(om *SpU* dare *add R*) decet
Per 776   amanti *fer* opem Mi 1387   ebrio
atque amanti inpune facere..*licet* Au 751
..licere ut quiret conuenire amantibus Mi *Arg*
I. 7   *longum* istuc amantist Mer 896   amanti
amoenitas *malost* Men 356   quae amanti *parcet* eadem sibi parcet parum As 177   *praeripias* scortum amanti? As 814   *prome* uenustatem amanti tuam Teu 714   non omnis aetas
ad perdiscendum *sat* est amanti* Teu 23   *seruire* amanti miseriast Poe 820   *spissum* istuc
amanti est uerbum 'ueniet' Ci 75
b. *adiective vel praedicative:* haud aequom..
fuerit..*adulescenti* amanti amicam eripere
Mer 973   *fer* amanti *ero* salutem As 672
amanti ero seruitutem seruit Au 592   seruom

ratem esse amanti ero aequom censeo Au 597 amanti . . ero regias copias . . optuli Ba 645 id . . ero amanti* seruos nuntiare uolt Mi *Arg* I. 2   ero amanti operam datis Poe 589   amanti argento *filio* auxiliarier . . uolt senex As *Arg* 1 tune es adiutor nunc amanti filio? As 57   sis amanti subuenire familiari filio . . As 309   aurum efficiam amanti erili filio Ba 233   expugnaui amanti erili filio aurum Ba 931 (*v. secl KiesRgSL*)   hic amica (est) amanti erili filio Ps 673   tardo amico nihil est quicquam inaequius praesertim *homini* amanti Poe 505 sicine oportet ire amicos homini amanti operam datum? Poe 512   quid interest dare te in manus argentum †amanti homini adulescenti? Tri 131   huic homini amanti neniam mea era . . dixit Tru 213   is illi amanti suo *hospiti* morem gerit Mi 136   . . ut praeseruire amanti meo possem *patri* Am 126   (patri) amanti subparasitor Am 993   techinam . . ut *mihi* amanti copia esset Ba 393   sic amanti mihi obuiam eueniunt morae Cas 618   gerite amanti mihi morem Cu 149   istanc quae mihi misero amanti ebibat sanguinem Cu 152   . . mihi amanti ire opitulatum . . Mi 621   tu mihi amanti ignoscito Poe 144   *tibi* . . amanti argenti feci copiam As 848   *uobis* est suaue amantibus complexos fabulari As 642 (*v. om EJ*) orauit Argyrippus filius uti *sibi* amanti facerem argenti copiam As 75   ipse obsecrat auonculum . . sibimet cedere uxorem amanti* Au *Arg* I. 13 *huic* amanti . . hanc ecficiamus copiam Mi 769 . . amanti ut liceat *ei* potirier As 916
4. *acc. a. substantive:* procul *amantem* abesse haud consentaneumst Cu 165   amans *complexust* amantem Ps 1259   *donat,* ut amantem amanti decet Per 776 (*vide supra* 3. a)   paraui . . machinas qui amantis una inter se *facerem* conuenas Mi 139   matronae non meretriciumst unum *inseruire* amantem Mo 190 mercatur Lycus *uexatque* amantem Poe *Arg* 5
b. *adiective vel praedicative:* meum frangit amantem* *animum* Ci 222   . . amantem erilem copem facerem *filium* Ba 351   renuntiantur filium te uelle amantem argento circumducere Ps 431   neu me perdas *hominem* amantem Ps 322   . si *me* illam amantem ad sese studeam recipere Am 892   hinc med amantem* ex aedibus delegit huius mater As 632   uides me amantem egere As 684   . . de lenone hoc qui me amantem ludificatur tam diu Poe 548 ne *nos* diiunge amantis As 665   magis nosces meam comitatem erga *te* amantem Mi 636 ego te amantem . . non deseram Ps 103   *illos* accubantes potantis amantis . . reliqui Ps 1270
5. *abl.:* ubi lena bene agat cum quiquam amante . . As 175
6. *sequitur gen.:* meum uirum . . rata siccum frugi continentem, amantem uxoris maxume As 857   *Cf* Blomquist, p. 111; Schaaff, p. 32
II. **amata** *adiective:* Poe 393, amica nimis amata *U pro* amica mammeata Tru 583, amata *Rs* acaque *BS*† q' *CD* acceptaque *CaLULy* .C. *corrupta:* Ep 359, dedit mihi ad hanc rem Apoecidem . . quasi quae amaret caueat *PS*† *Ly*† qui recte caueat *Rg* [quasique amaret] caueat *L* quasi qui a me recte c. *U*   Poe 1313, hala-

goras amatum *P* samcsatum *A* h . . auia tum *U var em* ψ   Ru 842, qua sic non(ñ *D*) amem *CD pro* quasi canem(*B*)   St 223, Hercules te amabit *PS*† *ULy* herculeo stabunt *RRg* hercle aestumaui *BergkL*   Tru 180, amare *P pro* amara(*A*); 182, amantis(-tes *LU*) si quid non danunt *PS*† *Ly*† amanti si cui ñ quod dabo non est *AL*† qui *pro* quid *ScalRs*; 863, et me te amare *PS*† te amitti *Rs* te a me ire *L* nec me te amare *MueU* amare *om Ly*; 893, eo mihi amare *PS*† ego minam auri *Bue et SeyRsLLy* animo amaro *U*   Fr II. 60, amat *Rg pro* habet
AMOENITAS - - I. **Forma amoenitas** Cas 229 (amo euntas *E*)   Men 356, Poe 365   **amoenitatem** Mi 656, 1172 (*A* uenitatis *CD*[1] bonitatis *B* amoenitatis *D*[3])   **amoenitate** Cap 774 (*B*[2]*J* moe. *B*[1]*VE*)   **amoenitates** (*acc.*) St 278
II. **Significatio** uxor mea, meaque amoenitas*, quid tu agis? Cas 229   mea uita, mea amoenitas Poe 365   amanti amoenitas malost, nobis lucrost Men 356   amorem amoenitatemque accubans exerceo Mi 656   formam amoenitatem* illius . . conlaudato Mi 1172   amoenitates omnium Venerum . . adfero St 278   hic me amoenitate* amoena amoenus onerauit dies Cap 774
AMOENUS - - I. **Forma amoenus** Cap 774   **amoena** Poe 389, St 737, 742   **amoeni** Mer 359   **amoenum** (*acc. masc.*)   Per 769 (-numnü *B*)   **amoenā** Cap 774   **amoenis** (*abl. fem.*) Mi 641 (amenis *B* amoris *CD*)   (*neut.*) Tru 2   **amoenissumi** (*voc. pl.*) Cu 149   *aduerbium:* **amoene** Mi 412   *corruptum:* Tru 540, amoenas *PS*† amomum *BueRsLLy* chlaenas *U*
II. **Significatio** *cf* Gimm, p. 12   1. *adiective:* hic me *amoenitate* amoena amoenus onerauit dies(*Py* mihi *P*) Cap 774   *dies* Cap 774 (*vide supra*)   hunc diem suauem meum natalem agitemus amoenum* Per 769   perparuam partem postulat Plautus loci de uostris magnis atque amoenis *moenibus* Tru 2   nequedum exarui ex amoenis* *rebus* et uoluptariis Mi 641   huius delicia huius *salus* amoena Poe 389   mea suauis amabilis amoena *Stephanium* St 737   ita me *Venus* amoena amet ut ego . . exissem St 742
2. *substantive:* gerite amanti mihi morem, amoenissumi (pessuli) Cu 149   ubi uoluptatem aegritudo uincat, quid ibi inest amoeni? Mer 359
3. *aduerbium:* inde ignem in aram . . ut Arabico fumificem odore amoene Mi 412
AMOLIOR - - I. **Forma amolior** Mer 384 **amolimini** Mo 391, Ps 557 (*AB* amouemini *CD*) **amoliri** Ps 856 (*AB*[2] amm. *P*), Tru 630 (hinc me am. *Ca et Bo* mi hinc amo sire *P*)   **amolirier** Mo 371
II. **Significatio** 1. *addito termino:* quin ego hinc me amolior? Mer 384   ego cesso hinc me amoliri? Tru 630   agite, amolimini* hinc uos intro nunciam Ps 557   iube haec hinc omnia amolirier Mo 371   haec hinc propere amolimini Mo 391   *vide* Ps 856 (*infra* 2)
2. *sine termino:* . . ut nostra properes amoliri* (hinc *add RRgU* †S) omnia Ps 856
AMOMUM - - ex Arabia tibi adtuli tus, Ponto **amomum** (*BueRsLLy* amoenas *PS*† chlaenas *U: vide* ω) Tru 540

AMOR - - I. Forma amor Am 894, Au 750,
Ba 32(*ex Non* 421, *Serv ad Verg Aen* IV. 194),
115, Cas 221, 222, 802, Ci 69, 72, 193, 215, 273,
Cu 3, 49, 97 a, Ep 137, Mer 590, 648, 657, Mi
101(amoris *Don ad Ad* I. 1, 25), Mo 142, 163,
Poe 447, Ps 207, Tri 237, 258, 260, 264, 266,
267, 668(amo *D*^{1}), Tru 442(*v. secl Rs*) **amoris**
As 656, 691, 822, Au 745, 750, Cas 151, 994, Ci
207, 276, 298, Mer 4(*P* amatores *R duce Ca*),
58(amoris ui *Ca* more sui *B* moris uidi *CD* in
amoribus *L*), Mi 626, 640, 957(*FZ* moris *P*),
1164, 1286, 1308(*RRgSLy* moris *P* maris *Z*ψ),
Per 1, 49, -Poe 198, Ps 498, Tri 236, 667(*A* -es
P), 751, Tru 43, 141, 214(ob Amoris *A* moris *P*
amori *U*), 913(*PRsStLy* moris *Lt* nunc auri
U), Fr III. 1(*ex Front* 2. 2, p. 27 N) **amori**
As 77(amari *Non* 501 *v. secl Flω*), Cas 58, Ci
103(*A* amore *P* a matre *U*), Mer 24, 62(*FZ*
mori *P*), Poe 446, 509, 521, Ps 293(amori uideo
CD amoruu deo *B*), Ru 146(*Meursius* -rem *P*),
Tri 230, Tru 214(*U vide* amoris) **amorem** Am
841, Au 593(ãm. *D*), Cas 217, 478, 616, Ci 203,
Ep 191(*B*^{3} morem *B*^{1}*VJ* inmorem *E*), Mer 18,
38, 53, 84, 654, Mi 184, 656(*B*^{2}*D*^{3} -rã *P*), 996 b
(*v. om PRL*), 1252, 1284, 1288(-re *B*), 1309(a
mare *R* amare *Muretus L*), Poe 140, 399, 880,
Ps 695, Tri 265(*A* -re *P*), 648, 666 **amore**
Am *Arg* II. 1, Am 541, As 883, 919, Ba 180, Cas
276, 520, Ci *Arg* 8, Ci 131, 132, 191, 300, Cu
205, Ep 111(*v. om ARgSU*), Mer *Arg* II. 3, Mer
325, 443, 445, 447, 548, Mi 1163(*A* -rem *P*),
1253, 1259(caeca amorest *Grut* ceca ore est *C*
cecare ẽ *B* ceca hora ẽ *D*), Per 5, Poe 142,
1200(*A* amare *P*), Ps 300, Tru 598(*Rs in loco
dub: vide infra* II. A. I. 6) **amores** (nom.)
Ps 64 **amorum** Ep 105 **amores** As 737,
Cu 357, Mer 2(*B* -ris *CD*), Mi 1377(*FZ* mores
P), Mo *Arg* 1, Per *Arg* I. 1, Poe 207, 419,
1165, St 737 **amoribus** Mer 58(*L: vide* amoris)
corrupta: Cap 404, gessis amorem *B*^{1}*DEO* pro
gessisse morem(*B*^{2}*J*) Ep 118, amore *J* pro
clamore Mi 641, amoris *CD* pro amoenis(*B*)
II. Significatio (*cf* Langen, *Beitr.* p. 108)
A. *proprie* I. *singularis* 1. *nom.*: me *adflictat*
amor Mer 648 neque suaue esse potest quicquam ubi amor non *admiscetur* Cas 222 continuo pro imbre amor *aduenit*(*Bo* in cor meum
add P) Mo 142 . . quibus ut seruiant suos
amor *cogit* Ps 207(t *U*) me potius non amabo
quam huic *desit* amor Tru 442 amor amara
dat Tri 260 a illi dudum meus amor negotium insonti *exhibuit* Am 894 perfidiosus est
amor. #Ergo in me peculatum *facit* Ci 72 mihi
. . in corde facit amor incendium Mer 590(*cf*
G r a u p n e r, p. 8) illius te cupiditas atque
amor missum facit Mer 657 mille modis
amor *ignorandust*(-u's *L*) procul *abhibendust*
atque *abstandus* Tri 264(*vide* ω) amor condimentum *inerit* Cas 221 ibo atque arcessam
testis: quando amor *iubet* Poe 447 amor *mutauit* locum Ep 137 numquam amor quemquam . . *postulat* se in plagas conicere Tri 237
eius amor cupidam me huc *prolicit* Cu 97 a
itas*t* amor* ballista ut iacitur Tri 668 condimentum Cas 221(*supra sub* inerit) tibi amor
pro cibost Cas 802
is amabat meretricem . . quist amor* cultu

optumus Mi 161 malus *clandestinus* est amor,
damnumst merum Cu 49 amor et melle et
felle est *fecundissimus* Ci 69 *perfidiosus* Ci 72
(*supra sub* facit) is . . illam deperit . . quist
amor *suauissumus* Ci 193 nimis *uilest* uinum
atque amor Au 750 non id *inis(spinis *Rs*)
est amor Ci 273
2. *gen.*: ego amoris *aliquantum* habeo umorisque Mi 640 hunc *arrabonem* amoris* primum a me accipe Mi 957 amoris *artis* eloquar Tri 236 . . ne illa existumet amoris
causa percitum id fecisse te As 822 excusemus ebrios nos fecisse amoris causa Au 750
filio aduorsatur suo animi amorisque causa sui
Cas 151 tui amoris causa ego istuc feci Cas
994 quasi . . istius causa amoris ex hoc matrimonio abierim Mi 1164 uerear magis me
amoris causa hoc ornatu incedere Mi 1286
amoris(maris *ZRLU*) causa hercle hoc ego
oculo utor minus Mi 1308 mi Libane, . . donum *decus*que amoris As 691 hancine aetatem
exercere me(*PS* mei *Lind*ψ) amoris *gratia*?
Mi 626 amoris *imber* grandibus guttis Fr III. 1
(*ex Front* 2. 2, p. 27 N) tinterioris hominis(*B*
corporis *DEJRglLLy*) amorisque *imperator* As
656 inest amoris *macula* huic homini Poe
198 amoris *poculum* accepit meri Tru 43
uersor in amoris *rota* Ci 207(*cf* l n o w r a c l a w e r,
p. 48) . . ut alios in comoediis *ui* uidi amoris*
(uidi amatores *R duce Ca*) facere Mer 4 . . ea
quae ipsus . . inuenisset . . amoris* ui(in amoribus *L*) diffunditari . . Mer 58 uini *uitio*
atque amoris feci Au 745 amoris uitio non
meo nunc tibi morologus fio Per 49 **amoris
noctesque et dies Ci 276
. . quapropter te *expertem* amoris nati habuerim Ps 498(*v. dub* tSL) adulescenti thensaurum indicem indomito, *pleno* amoris ac lasciuiae? Tri 751
plus decem pondo — amoris* pauxillisper
perdidi Tru 913
3. *dat.*: amori *accedunt* etiam haec quae dixi
minus Mer 24 ne tuo nos amori seruos esse
addictos censeas Poe 521 senis uxor sensit
uirum amori operam *dare* Cas 58 dixit . . non
. . amori*. . operam dedisse Mer 62 cautiost
ne meamet culpa neo amori *obiexim* moram
Poe 446 metui meo amori *moram* Poe 509
uolo amori *obsecutum* illius As 77(*v. secl Flω*)
non liquet . . amorin med an rei *opsequi* potius
par sit Tri 230 pietatem te **amori*** uideo
tuo *praeuortere* Ps 293
4. *acc.*: a. si *abstinuissem* amorem*. . Mi 1309
omnibus rebus ego amorem credo . . *anteuenire*
Cas 217 credo ego amorem primum . . carnificinam *commentum* Ci 203 ei ego amorem
omnem meum *concredui* Cas 478 qua ego
hunc amorem mihi esse aui dicam *datum*?
Cas 616 *dotem* duco esse . . deum metum,
parentum amorem Am 841 Venerem, amorem* amoenitatemque accubans *exerceo* Mi 656
amorem multos *inlexe* in dispendium . . Mer 53
eodem quo Amorem Venus mihi hoc *legauit*
die Mer 38 dico . . amorem missum *facere*
me, dum illi obsequar Mer 84 scio . . amorem tibi pectus *obscurasse* Tri 666 praeopta-
uisti amorem tuom uti uirtuti *praeponeres* Tri

648   amorem te hic *relicturum* putas? Mᴇʀ
654   *scis* amorem . . scis egestatem meam
Ps 695   amorem haec cuncta uitia sectari
solent Mᴇʀ 18   si erum uidet *superare* amo-
rem*, hoc serui esse officium reor Aᴜ 593

b. *cum praepp.:* ego illum audiui in amo-
rem* haerere Eᴘ 191   qui in amorem* praecipitauit . . perit Tʀɪ 265   per amorem si quid
fecero, clementi animo ignoscet Mɪ 1252 amans
per amorem si quid feci . . ignoscere id te mi
aequomst Poᴇ 140   illa nos uolt . . propter
amorem suom . . crucibus . . dari Mɪ 184   era
mea, quoius propter amorem cor nunc miser***
Mɪ 996 b (*A om PRL*)   alium alio pacto propter amorem ni sciam fecisse multa nequiter . .
Mɪ 1284   quom multos multa admisse acceperim inhonesta propter amorem* Mɪ 1288 (*v. om
A secl* ⸤⸥)   ostreatum tergum ulceribus gestito
propter amorem uostrum Poᴇ 399   scin tu
erum tuom meo ero esse inimicum . . propter
amorem? Poᴇ 880

5. *voc.:* amor, mihi amicus ne fuas Tʀɪ 267
apage te, amor Tʀɪ 258, 266

6. *abl.* **a.** *caeca* amorest* Mɪ 1259   amore
captus Alcumenas Iuppiter Aᴍ *Arg* II. 1 . . adulescentulo amore capto illius proiecticiae Cɪ
Arg 8 redimit ancillam hospitis amore captus
Mᴇʀ *Arg* II. 3 ego uoluptate, uino et amore
delectauero (relicuom uitae breue spatium) Mᴇʀ
548 is amore misere hanc deperit mulierculam: contra amore eum haec *deperit* (*A* perdita
est *PU*) Cɪ 131-2 is amore proiecticiam illam
deperit Cɪ 191 . . ut adsimulem me amore*
istius *differri* Mɪ 1163 ego *discrucior* miser
amore Cᴀs 276 mansitans quemnam amore
inpertiam Tʀᴜ 598 (*Rs* obseruaui quem pernam
P⸤⸥† *vide* ψ) adalescens ille . . efflictim *perit*
eius amore Mᴇʀ 445 nunc ego amore pereo
Poᴇ 140 ita miser et amore pereo et inopia
Ps 300 amore perdita est misera Mɪ 1253
Cɪ 132 (*supra sub* deperit) me *uadatum* amore
uinctumque adtines Bᴀ 180 (*cf* Graupner, p. 17)
inter nos amore *utemur* semper subrepticio Cᴜ 205

b. *cum praepp.:* cum: vide infra C. 4   ex
amore admodum quam saeuos est Aᴍ 541 (fateor) me ex amore huius corruptum oppido As
883   ex amore tantumst homini incendium
As 919   miseriorem ego ex amore quam te
uidi neminem Cᴀs 520 hic homo ex amore
insanit Mᴇʀ 325 sanus non est ex amore illius
Mᴇʀ 443 neque fiet ille senex insanior ex
amore Mᴇʀ 447 nunc hinc sapit, hinc sentit
. . ex (sapit *U*) meo amore* Poᴇ 1200 probior
es meo quidem animo, cum in amore* temperes Eᴘ 111 (*v. om A*)

II. *pluralis:* meorum maerorum atque amorum summam edictaui tibi Eᴘ 105 et argumentum et meos amores eloquar Mᴇʀ 2 nunc
nostri amores, mores, consuetudines . . Ps 64
ea quae ipsus . . inuenisset . . in amoribus* diffunditari . . Mᴇʀ 58 (*L vide supra* I. 3)

B. *translate* **amores** = amatus, amata, amica,
1. hosce amores nostros dispulsos compulit As
737 em amores tuos, si uis spectare Poᴇ 207
profecto domino suos amores Toxilus emit Pᴇʀ
Arg I. 1 ego quidem meos amores mecum confido fore Poᴇ 1165 (*v. secl Brachmann* ⸤⸥) inuo-

cat Planesium. ⸏Meosne amores? Cᴜ 357 manu-
misit emptos suos amores Philolaches Mo *Arg* 1
2. ibo hinc intro nunciam ad amores* meos
Mɪ 1377 Stephanium, ad amores tuos foras
egredere Sᴛ 737 obsecro te . . per meos amores Poᴇ 419 (*cf* Gronov, p. 188)

C. Amor, *deus: utrum tamen deus indicetur
necne saepe dubium est, editoresque inter se dissen-
tiunt* (*cf* Egli, II. p. 58; Goldmann, II. p. 13;
Hubrich, p. 111)
1. *nom.:* Cupidon te *confecit* (*R* tecum sic ut
codd tecum saeuust *L* tecum saeuit *Ly*) anne
amor? Bᴀ 32 (*ex Non* 421, *Serv Dan ad Aen* IV.
194) quis istic *habet*? ⸏Amor, Voluptas, Venus . .
Bᴀ 115 ita me Amor . . *ludificat* Cɪ 215 mihi
Amor et Cupido in pectus *perfluit* meum Mo 163
quo Venus Cupidoque imperat *suadet* Amor Cᴜ 3
2. *gen.:* aedes obligatae sunt ob Amoris* *praedium* Tʀᴜ 214 an tu te Veneris *publicum* aut
Amoris . . habere posse postulas? Tʀᴜ 141 uideo
ego te Amoris ualde tactum *toxico* Cɪ 298
amans . . ingressus est . . in Amoris *uias* (*PL*† ⸤⸥
ULy undas *Rs*) Pᴇʀ 1 ipse Amoris* (*LLy* am.
ψ) teneo omnis uias Tʀᴜ 667
3. *dat.:* Amori* haec (*i. e.* Venus) curat Rᴜ
146 nihil Amori* iniuriumst Cɪ 103 *vide*
Tʀᴜ 214 (*supra* 2 *sub* praedium)
4. *cum praep.:* caue sis cum Amore tu umquam bellum sumpseris Cɪ 300 cum Antaeo
deluctari mauelim quam cum Amore Pᴇʀ 5

D. 1. *adiectiva: praeter* meus (13*ies*), tuos (6*ies*),
suos (*quater*), noster (*semel*), uoster (*semel*), is
(*semel?*), iste (*semel*) *haec sunt:* amicus Tʀɪ 267
optumus Mɪ 101 clandestinus Cᴜ 49 fecundissumus Cɪ 69 malus Cᴜ 49 merus Tʀɪ 43
omnis Cᴀs 478 perfidiosus Cɪ 72 suauissumus Cɪ 193 subrepticius Cᴜ 205 uilis Aᴜ 750
2. *genitivi:* Alcumenas Aᴍ *Arg* II. 1 nati
Ps 498 (?) parentum Aᴍ 841 huius As 883
illius As 77 (?), Mᴇʀ 443, 657 illius proiecticiae Cɪ *Arg* 8 eius Cᴜ 97 a, Mᴇʀ 445 istius
Mɪ 1163 quoius Mɪ 996 b

AMOVEO - - I. Forma amoueo Mᴇɴ 853 (*Ly
om P*⸤⸥† *LU* abigam *Rs* amo uirum *D³*) **amoues**
As 227, 254 (*LambRgl* amoue *P*ψ), 714 (*BD* ama-
ues *E* amoue *J*), Mɪ 751, Tʀɪ 802 **amouetis** Ps
144 (*PRU* exm. *A*ψ) **amoui** Aᴍ 464, Mᴇɴ 853,
Tʀɪ 710 (*Ly* in *loco dubio*) **amoueris** Tʀɪ 784
amoueas Eᴘ 279 **amouerem** Ps 1282 **amouerim** Mo 932 **amoue** As 254 (amoues *Lamb
Rgl*), Mo 74, Tʀɪ 799 **amouere** Mɪ 979 **amouisse** Aᴍ 468 **amotus** Bᴀ 905, Mᴇʀ 41 **amota**
Eᴘ 282 *corruptum:* Ps 557, amouemini *CD*
pro amolimini (*ÁB*)

II. Significatio 1. *absolute* = se amouere:
quin tu hinc (*B* hunc *CD* te *add HermRRs*)
amoues et te moues? Tʀɪ 802
2. *passive vel seq. acc.:* illest amotus Bᴀ 905
haud male illanc amoui: amoueo* nunc hunc . .
Mᴇɴ 853 (*Ly*) seruos ancillas amoue Tʀɪ 799
i rus, te (*LU* rus te ψ) amoue Mo 74 nisi
somnum socordiamque ex pectore oculisque
amouetis* . . Ps 144 inde huc exii, crapulam
dum amouerem Ps 1282
3. *additur terminus* **a** (**ab**): discipulum semidoctum abs te amoues As 227 quin tu abs
te socordiam omnem reice et segnitiam amoue*

As 254 etiam tu istunc amoues* abs te As
714 uin tu illam actutum amouere a te ut
abeat per gratiam? Mı 979 (*vide sub titulo* abeo)
suspicionem ab adulescente amoueris Tʀı 784
amoui a foribus maxumam molestiam Aᴍ 464
narrabit seruom hinc sese a foribus Sosiam
amouisse Aᴍ 468

ex: ubi erit empta, ut aliquo ex urbe (eam
add LuchsRg) amoueas Eᴘ 279 ex pectore
oculisque Ps 144 (*supra* 2)

aliquo: Eᴘ 279 (*vide sub* ex)

hinc: Tʀı 802 (*supra* 1) dicam .. hunc ut hinc
amouerim Mo 932 quin tu istanc orationem
hinc ueterem .. amoues? Mı 751

rus: Mo 74 (i *add LU; supra* 2)

abl. separat.: animus studio amotus puerilist
meus Mᴇʀ 41

dat. ethicus: iam igitur amota ei fuerit omnis
consultatio nuptiarum Eᴘ 282 nam amoui*
mi hic (*Ly* unam animos moui *PS̄t var em ψ*)
omnia Tʀᴜ 710 (*Ly*)

AMPELISCA - - *puellae nomen; in supersc.*
Rᴜ *act.* I. *sc.* 4 (Ampelica *A*); II. 3; III. 3 (Ampelica *D*), 5; IV. 4, Rᴜ 201 (*add MueRg om Pψ*),
235, 237, 334, 336, 341, 352, 364, 375, 512 (*D*
amplisca *BC*), 668 (*Rs in lac quam ret S̄ aliter
supp ψ*), 678, 828, 878, 1129, 1183, 1220 **Am-
peliscam** Rᴜ 1406 *Cf* Schmidt, p. 176

AMPHITRUO - - -itrio *BDC* -ytrio *EJ* -itruo
ω nisi ubi notatur **Amphitruo** *in supersc.* Aᴍ
act. II. *sc.* 1; IV. 1; V. 1, 3, Aᴍ *Arg* I. 6 (-tryo *U*),
II. 3, 6 (-tyrio *B*), 8, Aᴍ 98 (-treo *Non* 487 -y- *Serv
ad Aen* I. 268), 100, 115 (-truo *P v. om J*), 140,
204, 212, 216, 242 (-y- *J*), 252, 363, 415, 476, 492,
497, 540, 543, 581 (*om RglS̄*), 590 (-ytryo *B*), 595
(*FlRgl om Pψ*), 612, 664, 676, 718, 826 (-y- *B*),
845, 861, 866, 870 (-i- *E* -y- *B*), 956 (-i- *E*), 1075,
1076, 1081 (-i- *E*), 1086 (-i- *E*), 1131, *fr.* II (*ex Non*
354 -yo *libri Non*), XIV (*ex Non* 285 -yo *libri Non*)
Amphitruonis Aᴍ *Arg* I. 1, Aᴍ 121, 148, 192,
378, 383, 384, 394, 403, 411, 421, 471, 483 (*v. secl
US̄*) **Amphitruoni** Aᴍ 138 (-i- *E*), 145 (-yri-
BD v. om J), 260 (-i- *E*), 418 (-i- *E*), 893 (-i- *E*),
934 (-y- *B*) **Amphitruonem** Aᴍ 466 (-ne *EJ*),
511, 785, 873 (-i- *E*), 953 (-ne *B*), 975 (*v. secl U*),
978 (-i- *E* amfi. *Non* 88 -ne *Non*), 997, 1005 (-y-
B), 1082 (-i- *E*) **Amphitruone** Aᴍ 125, 401
(*v. secl FlRglL †S̄*), 829

AMPHORA - - dabitur tibi **amphora** una et
una semita Cᴀs 121 dum misit nardum in
(*UL* depromsit nardini *LambRRg* domi sita
in [sita *B*] amardiminam [arclinim *B*] *P aliter
Ly*) **amphoram** (ạ̄phra *B*) cellarius Mı 824

AMPLECTOR - - I. Forma **amplector** Rᴜ
1175 **amplectimur** Rᴜ 274 (*D⁵* iam plectimur *P*) **amplectar** Mı 1239 **amplectetur**
Pᴏᴇ 1262 **amplectar** (*subiu.*) Tʀı 924 (*Goel* am-
plectas et *P* am. et *U*) **amplectare** Mo 322
(*Py* -tere *P*) **amplectamur** Pᴏᴇ 1261 **amplectere** Cᴜ 172, Pᴇʀ 764 (sis *add CD* amplecte-
ris *B*), Rᴜ 246 **amplectitote** Rᴜ 816 **amplecti** Cᴀᴘ 652, Cᴀs 457 *bis*, Mᴇʀ 570, 745, Pᴇʀ
774 **amplexa** Cı 567, Mı 1344 **amplexum**
As 879, Mı 507 (*PLULy* -xam *Boψ*) **amplexam** Mı 507 (*BoRgS̄* -xum *Pψ*) **amplexae** Rᴜ
560, 648 (*B* -ē *CD*), 690

AMPLEXOR - - I. Forma **amplexare** As
619 **amplexabor** Bᴀ 1192, Pᴏᴇ 1230 (*A* -abo
PRgl) **amplexabere** Ps 722 (-bero *C*), 1043
(-uere *B*) **amplexetur** As 647 **amplexare**
(*impera.*) As 679 **amplexator** Ps 292 **amplexari** As 739, Bᴀ 77, 1152, Cᴀs 471, Mı 1433,
Pᴏᴇ 1301 (*P* -rei *ARglS̄*), Tʀᴜ 277 (amplexari
mauelim *A* am [ā *B*] exarma [exama *CD*] uelim [*C* ueu *B* ueum *D*] *P*), 933 (*Sarac* -ares *P*)
amplexarier Aᴍ 465, Tʀᴜ 925 **amplexando**
As 882 (*A* -di *P*) **amplexantem** Mı 245, 320
(*B* -te *B* ampleacante *CD*) **amplexantes** Rᴜ
695

II. Significatio 1. *absolute:* quid modi, pater, amplexando* facies? As 882 iam hercle
amplexari, iam osculari gestio Cᴀs 471

2. *seq. acc.:* **a.** te uolo me amplexari Bᴀ 77
uin faciam ut te (*Loman* me *PLy*) Philaenium ..
amplexetur? As 647 te amabo et te amplexabor Bᴀ 1192 (*v. om R*) ego illam patiar *alios*
amplexarier? Tʀᴜ 925 *hunc* delude atque amplexare *hanc* As 679 patierin .. patrem hanc
amplexari tuom? As 739 hanc amabo atque
amplexabor* Pᴏᴇ 1230 (*cf* Hofmann, p. 38)
.. patri ut liceret tuto illam amplexarier Aᴍ
465 liberam hodie tuam *amicam* amplexabere*
Ps 722 *Calidorum* haud multo post faxo amplexabere* Ps 1043 huncine *hominem* te amplexari* Tʀᴜ 933 fumus est haec *mulier* quam
amplexare As 619 non pudet *puellam* amplexari baiolum in media uia? Pᴏᴇ 1301

similiter: ego me ruri amplexari* mauelim
patulam *bouem* Tʀᴜ 277

b. te obsecramus aram amplexantes Rᴜ 695

c. *translate:* †quam odiosumst mortem amplexari Bᴀ 1152 pietatem ergo istam amplexator noctu pro Phoenicio Ps 292

3. *cum praepp.:* nihil cessarunt ilico osculari
atque amplexari inter se Mı 1433 Philocomasium .. uidisse aibas te osculantem atque amplexantem* cum altero Mı 320 . . uidisse

II. Significatio 1. *absolute:* Cᴀs 457 (*infra* 2)
tene me, amplectere ergo Cᴜ 172 si illo in-
troieris, amplecti uoles, confabulari Mᴇʀ 570
uidere, amplecti, osculari, alloqui Mᴇʀ 745 accede ad me atque amplectere* sis Pᴇʀ 764
filiae sumus: amplectamur ambae Pᴏᴇ 1261
obsecro, amplectere, spes mea Rᴜ 246

2. *seq. acc.:* **a.** uisne ego *te* ac tu *me* amplectare*? Mo 322 quis me amplectetur postea?
Pᴏᴇ 1262 licetne amplecti *te*? #Quid, 'amplecti'? Cᴀs 457 te licet liberam me amplecti
Pᴇʀ 774 ut te amplector lubens! Rᴜ 1175 uin
te amplectar*? Tʀᴜ 924 .. si .. tuom uirum
conspexeris .. amplexum *amicam* As 879 inspectauisti meum .. hospitem, amplexum* amicam quom osculabitur suam Mı 507 obsecro
quem amplexa sum *hominem*? Mı 1344

b. quid cessatis, compedes, currere ad me
meaque amplecti *crura*? Cᴀᴘ 652 extemplo
amplectitote crura fustibus Rᴜ 816 (*cum lusu
verborum*) anus ei quom amplexast *genua* ..
Cı 567 genua amplectar atque obsecrabo Mı
1239 nunc tibi amplectimur* genua Rᴜ 274
signum flentes amplexae tenent Rᴜ 560 Veneris signum sunt amplexae Rᴜ 648 signum ..
Veneris, quod amplexae modo Rᴜ 690

conseruom meum cum suo amatore amplexantem atque osculantem Mɪ 245

AMPLIUSCULUS - - ibi **ampliuscule** quam
(*LLy* amplius q. *A§*†*U* melius cuiquam *P*[quam
B²] amplius quod *Rs* ne plus quam *R*) satis
fuerit biberis Mo 967

AMPLUS - - I. Forma amplum (*nom. neut.*)
Eᴘ 302 **amplo**(*abl. neut.*) Aᴍ 6 **amplius** As
724, Cᴀᴘ 777, Cɪ 777, Mᴇɴ 320, 846, Mᴇʀ 282,
Mo 919, 967(*A§*†*URs* melius cui *P*[cui *om B²*]
ampliuscule *LLy* ne plus *R*), Rᴜ 279, 329, 960
(*PRs* plus *Seyψ*), Tʀɪ 246, 247, 248, 855 **ampliter** Bᴀ 677, Cᴀs 501, Cɪ 598, Mᴇʀ 99, Mɪ
758(âplit *C*), Sᴛ 692 **amplius** As 41, 203,
592, Aᴜ 420, Mᴇɴ 791, 800, Mᴇʀ 282, Tʀᴜ 871

II. Significatio A. *adiectivum*: uoltis . .
bono atque amplo auctare perpetuo *lucro* quasque incepistis res . . Aᴍ 6   est lucrum hic tibi
amplum Eᴘ 302

B. *substantive* **1.** *seq. gen.:* gaudeo tibi mea
opera liberorum esse amplius Cɪ 777   boni
Cᴀᴘ 777(*infra* 2)   mali Tʀɪ 247(*infra* 2)   Cf
Blomquist, p. 37; Schaaff, p. 15

2. *post verba:* boni tantum *affero* atque etiam
amplius Cᴀᴘ 777   ibi amplius* quam satis
fuerit *biberis* Mo 967(*an adv.?*)   octoginta *debentur* huic minae? #Hau nummo amplius
Mo 919   quid inde aequomst *dari* mihi? dimidium uolo ut dicas. #Immo hercle etiam
amplius* Rᴜ 960   si amplius uis dari dabitur
Tʀɪ 246   satin . . opsonatumst an (etiam *add
R*) *opsono* amplius? Mᴇɴ 320(*an adv.?: vide
infra* C. 1)   iam amplius *orat:* non satis id
est mali, ni amplius etiam, quod ecbibit Tʀɪ
247-8(etiam a. *A: v. secl BueRsU*)

3. *apponitur pronominibus: numquid* amplius?
Mᴇʀ 282(ecquid *Rg*)   nec hac amplius quod
(*Reiz* quam quod *P*) uides nobis *quicquamst*
Rᴜ 279   si *quid* ego addidero amplius Tʀɪ 855
si quid(quidpiam *Rs*) amplius scit Rᴜ 329
quid ego aliud exoptem amplius nisi illud?
As 724   ibo . . prius quam turbarum quid fa-
ciat amplius Mᴇɴ 846

C. *adverbium* **1.** decumbo, *acceptus* hilare
atque **ampliter** Mᴇʀ 99   numquam · dicunt,
quamquam *adpositumst* ampliter Mɪ 758   est
seruo homini modeste melius *facere* sumptum
quam **ampliter** Sᴛ 692   errasti quom parum
immersti ampliter Bᴀ 677   *obsonato* ampliter
Cᴀs 501   *occupatus* sum ampliter Cɪ 598

2. multo tanto illum *accusabo* quam te accusaui amplius Mᴇɴ 800   etiam faxo *amabit*
amplius Mᴇɴ 791   non *dico* amplius As 203
exscrea . . etiam amplius As 41   homo nullust . . quoi ego . . amplius male plus lubens
faxim Aᴜ 420   de istis rebus tum amplius
tecum *loquar* Tʀᴜ 871   aliquanto amplius
ualerem si hic maneres As 592

D. *additur abl. mensurae:* aliquanto As 592
nummo Mo 919   multo tanto Mᴇɴ 800

additur etiam *vim augendi causa:* As 41, Cᴀᴘ
777, Mᴇɴ 320(*R*), 791, Rᴜ 960, Tʀɪ 248   *semper*
etiam amplius *nisi* Tʀɪ 248(*vide supra* B. 2)

AMPOS - - adulescenti animi **ampoti** Tʀɪ 131
(*LoewRs* iam poti *CD* ampoti impoti *B* impoti *Zψ*: *cf* Loewius, *Gloss. nom.* 194; Blom-

quist, p. 20)   *corruptum:* Mɪ 457, ea sique
ampotis *B pro* east quam potis

AMPSIGURA - - *mulier Poena* Poᴇ 1065(*BD*
ams. *AC*), 1068(ampsa. *B*)

AMPULLA - - tollo **ampullam**(-lū *B*) atque
hinc eo Mᴇʀ 927   ampullam, strigilem . . habeat
Pᴇʀ 124   robiginosam strigilim, ampullam ra-
bidam Sᴛ 230   *Cf* Ryhiner, p. 18, 29

AMPULLARIUS - - . . ut quiuis dicat ampullarius optumum esse . . corium Rᴜ 756   *Cf*
Egli, I. p. 37

AMUSSITO - - inest in hoc **amussitata**
(*AldRU* emusi. *P* emussi. *ψ ex Non* 9) Mɪ 632
Cf Inowraclawer, p. 33; Gronov, p. 227

AMUTTIRE - - Mɪ 1405, ad te amuttire *CD*
ad te uenirẽ *B var em ω*

AN - - *cf* P. Hinze, *De an particulae apud
priscos scriptores Latinos vi et usu. Diss.* Halae
1887; Morris, *Diur. Phil. Amer.* XI. 157; *de prosodia* anne *particulae cf* Schrader, *Diss.* Argentorati, p. 38

I. Forma As 812, an *U pro* ain Aᴜ 538,
ain *GrutRgU pro* an(a∗n *B*); 651, an *J pro* a;
807, an ueram *P pro* anu ea rem Bᴀ 162, aut *B*
Cᴀᴘ 195, an *E pro* hanc; 892, an *E pro* an
Cᴀs 696, an *add WeisRs* Cɪ 669, an *Sey* aut *P*
Cᴜ 131, an *add U*; 463, aut *Non* 120 Eᴘ 539,
an *GepU in lac*; 546, de ubi an *B pro* dubiam; 632, capit an tu *U pro* sapienter Mᴇɴ
925, an umquam *B²* pro enumquam Mᴇʀ 602,
am *B¹*; 903, uidisti an de *Guy* -tis ante *P*
Mɪ 301, an *om BoR*; 516, an si *RRgU pro*
nisi; 784, -amne an *Fω* -umne hanc *P*; 787,
am *B*; 841, n *B*; 961, ac *BC* hac *D pro* an
965, nuptanest an *Rω* nuptaust *B* nuptauistan
C nupt nistan *D*; 976, an uenit *RgL pro* aduenit; 1020, am *B pro* an; 1245, an perdere
U siue: p. *L* nisi p. *Acψ* si non p. *CD*
summopere *B*; 1248, an *PULy pro* aut; 1424,
an iam multis *Bri* ammam(anĩ *B*) amittis *P*
Mo 178, an *add RU*; 407, an cliens *B²* accliens *B¹U*† addiens *C* audiens *D*; 642, an
B¹ pro ain Poᴇ 109, aut *P pro* an: 533, ad
BC at *D pro* an; 832, an *AcRglLLy* ac *GepU*
ad *P§*†; 1130, an non *add U*; 1136, hau *B*
pro an; 1416, am *B* a *CD pro* an(*FZ*)   Ps
497, an ea *BoRRg pro* mea; 709, ans matrem
P pro an Salutem; 946, *om A*   Rᴜ 111, an
quo *P§*†*U* ah! quo *Rs* quon *LLy*; 580, tua ne
CD pro tu an(tu anne *Ly*); 1140, anne *Valla
RsLU* idne *Ly* in me *P§*†; 1275, anne *add Rs*
solus Sᴛ 77, *vide infra* II. C. 4. *β*; 119, -nemne
an *Ac* -nem an *P* -nemne *A*; 203, cognatam
A pro cogat an(*P*); 311, ac *Lomanω pro* an;
311, an *PLy* ac *Lomanψ*; 330, an Gelasimust
add Rg Tʀɪ 210, am *CD*; 410, an si *Non*
220 *pro* si; 495, an *AP om Rω* Tʀᴜ 34, ambo
ne *B pro* an bonae; 89, a *P pro* an; 135 an
add BueRs; 164, at *P pro* an; 194, an in *P
pro* ain; 272, *vide infra* II. A II. a. 1. *α*; 306,
an *Prisc* I. 189 *pro* ain; 695, anne *P pro* iamne;
723, an *FlRs pro* num(*Gul*) nam *P*; 755, at
D pro an; 893, an *L pro* iam Vɪ 45, an *add
StudRg§LLy om A*

II. Significatio A. *interrogativae dırec-
tae* **I.** *antecedit sententia ab alio pronuntiata;*

a. *particulae vis nullo alio verbo aucta est;*
1. *antecedit enun. non interrogativa;* α. an
sine negatione positum est: illud . . miror maxume . . An etiam credis id . . ? Am 773   derides
qui scis . . me dixisse per iocum. #An id ioco
dixisti? Am 964   iam istoc es melior. #An
quid est homini Salute melius? As 717   credam istuc si esse te hilarum uidero. #An tu
me tristem putas? As 837   lubenter edi sermonem tuom. #An* audiuisti? Au 538(ain? au.
GrutRgU -tin *BentRg*)   tu dis nec recte dicis . . #An deus est ullus Suauisauiatio? Ba 120
quid multa? ego amo. #An amas? Ba 1162
huc inde: capit. #An* tu neuis opperiri? Ep
632(*U* huc inde. #Sapienter mones. opperire
Acψ nisi quod uenis *pro* mones *PLLy*)   ibat
exulatum. #An abiit? Mer 981   facinus mirumst . . si quidem east. #An dubium tibist?
Mi 419   age i simul. #Quo ego eam an scis?
Mo 334(non scis *U* an nescis *GertzLLy*)   abi
intro in crucem. #An me hic parum exercitum
hisce habent? Per 855b   patrem atque matrem
uiuerent uellem tibi. #An mortui sunt? Poe
1067   nunc, patrue, tu frugi bonae's . . #An
patruos est . . tuos hic? Poe 1227   conductus
uenio. #Ad furandum quidem. #An tu inuenire
postulas quemquam coquom . . ? Ps 851   ego
eram domi imperator . . #An etiam ille umquam expugnauit carcerem? Ps 1172   quid si
curram? #Censeo. #An sic potius placide?
Ru 1274   neque participant nos . . #An id
doles . . quia . . ? St 34   tu modo ne me prohibeas accipere . . #An eo egestatem ei tolerabis? Tri 371   sat sapio . . #An id est sapere . . ?
Tri 637   fuit ubi negotiosus essem. #An tu
te Veneris publicum . . alia lege habere posse
postulas? Tru 141   te dum uiuebas noueram.
#An(*FZ* noueras si at *P*) me mortuom arbi-
trare? Tru 164
   β. **an non:** si hercle istuc umquam factum est,
tum me Iuppiter . . #An mihi haec non credis?
Poe 490   uicistis cochleam tarditudine. #An*
uero non iusta causa est, quor curratur? Poe
533   bene uale, Phronesium. #An non etiam
tuom oculum uocas? Tru 881(*L* iam me tuom
oculum non uocas *Caψ* iam tum oc. u. *P*)
non edepol credo mercennarium te esse. #An*
non credis? Vi 45
   γ. **anne:** perge dicere. #Anne etiam quid
consultura sis sciam? Ci 518   Ru 1275 (anne
add Rs solus)
   2. *antecedit interrogatio* α. **an** *sine negatione:*
quis igitur nisi uos narrauit mihi . . ? #An
etiam id tu scis? Am 745   men occidet? #An
quippiam ad te attinet? Cas 672   quo ego eam?
#An nescis? Mo 334(*GertzLLy* eam, an scis?
RsŚ non scis? *U*) uin appellem hunc Punice?
#An scis? Poe 991   an tu inuenire postulas
quemquam coquom . . ? #An tu coquinatum te
ire quoquam postulas? Ps 853   quidum? #An
nescis quae sit haec res? Ps 1161
   β. **an non:** an deus est ullus Suauisauiatio?
#An non putasti esse umquam? Ba 121
   b. *an particulae vis interiectionibus aliisve
verbis aucta est:*
1. *antecedit enun. non interrogativa;* α. **an** *sine
negatione:* regiones colere mauellem Acherun-

ticas. #*Eho,* an inuenisti Bacchidem? Ba 199
amat haec mulier. #Eho, an amare occipere
amarumst, obsecro? Ci 68   postquam liberast,
ubi habitet . . incerte scio. #Eho, an libera
illast? Ep 506(*A* ani *cum lac P*) . . quom illam
uidi — #Eho, an uidisti? Mer 393(uidistin *om*
an *BoR*)   consimilest quom stertas quasi sorbeas. #Eho, an dormit Sceledrus intus? Mi 822
quoniam aemulari non licet, nunc inuides. #Eho,
an* umquam prompsit antehac? Mi 841   gemina . . et mater accersunt . . eam. #Eho(*R* eon
P) tu, an* uenit? Mi 976(*RgL*) confregi hasce
ambas foris. #Eho, an tu tetigisti has aedis?
Mo 455   negat profecto . . #Eho, an negauit
sibi datum argentum, obsecro? Mo 1083   di
dent quae uelis. #Eho, an(*om BoR*) iam
manu emisisti mulierem? Per 483 (me ago) in
aedem Veneris ut Venerem propitiem. #Eho, an
(*AB* ehon *CD*) iratast? Poe 334   satis . . impetrarunt, quando hic hic adest. #Eho, an
(hau *B*) huius sunt illaec filiae? Poe 1136   ego
te uiuom saluomque uellem. #Eho, an iam
mortuost? Ps 309   apud nouercam querere.
#Eho(*om R*), an umquam tu huius nupsisti
patri? Ps 314   item ego te faciam. #Eho, an
etiam es ueneficus? Ps 872   exarescent faxo.
#Eho, an te paenitet in mari quod elaui? Ru
578   risi . . quom auctionem praedicabas. #Pes-
suma, eho, an audiuisti? St 246(*A* ehon audisti
[*CD* aut luisti *B*]*P*)   aducti Arabiam terram
sumus. #Eho, an etiam Arabiast in Ponto?
Tri 934   amnis qui de caelo exoritur . .
#Eho, an etiam in caelum escendisti? #Immo
horiola aduecti sumus . . #Eho, an tu(*Rs* ante
P) etiam uidisti Iouem? Tri 942-3   ego sum
ipsus Charmides . . .#Eho, quaeso, an tu is es?
Tri 986(*Par* quescan[quę //// *CD*] tuis es *P*)
hic . . tute tibi indigne dotem quaeras corpore . . #An, *amabo,* meretrix illast? Ci 564
quom . . cum amica accubet quomque osculé-
tur . . #An hoc ad eas res opsonatumst, *opsecro?* Ba 143   Ci 68(*supra sub* eho)   Mo 1083
(*supra sub* eho)   sexaginta milia hominum . .
uolaticorum . . occidi. #An, opsecro, usquam
sunt homines uolatici? Poe 475   recepit . . me
et Palaestram. #An hic Palaestrast, obsecro?
Ru 351   quaeso Tri 986(*supra sub* eho)
   β. **an non:** intus hic in proxumost. #Eho, an
(*om BoR*) non domist? Mi 301   responde quod
rogo. #Eho, an* non prius salutas? Ps 968
   2. *antecedit interrogatio* α. **an** *sine negatione:* etiam cum uxore non cubet? #Amabo,
an maritust? Mer 538(*A* amaturust *P*)   quicum istaec loquere? #An, quaeso, tu appellaueras? Mo 519   cur inclementer dicis . . tabellis lepida conscriptis manu? #An, opsecro
hercle, habent quas gallinae manus? Ps 29
   β. **an non:** *nulla exempla in Plauto*
   II. *verba, quibus interrogatio ab an incipiens
opposita est, eiusdem sunt qui interrogat;* **a.** *an
particulae vis nullo alio verbo aucta est;* 1. *antecedit enun. non interrogativa;* α. **an** *sine negatione:* haud aequom facit qui . . : an periclitamini quid animi habeam? Am 688   paene effregisti . . foribus cardines: an foris censebas
nobis publicitus praeberier? Am 1027   qui deludunt deperis: an te id exspectare oportet

si . .? As 528   haec . . eius uxori indicem: an tu apud(*U* Ain tu? apud ψ) amicam . .? As 812   noui homines, adloquor: an illi perperam insanire me aiunt? Men 962   tibi ego dico: an heri adbibisti(*Rs* maduisti *L* anheriatus uestis *PLy*† var em ψ)? Mi 217   sine ultro ueniat . .: an* perdere . . uis Mi 1245(*U*) ne frit quidem ferre hinc potes: an metuis ne quo abeat? Mo 596   turba est nunc apud aram: an te ibi uis inter istas uorsarier? Poe 265   ego meam rem sapio: peccata an ea sunt(*BoRRg* mea sunt *Pψ*)? Ps 497   ad me adiri . . aequom censeo: an uero nugas censeas . .? St 294   ne tu me edepol arbitrare beluam . .: an ille tam esset stultus . .? Tri 954   mihi uerba retur dare se: an* me censuit celare se potesse? Tru 89   aduenisti huc . .: an eo bella's? quia accepisti armillas an eo's ferox? Tru 272(*Rs: loc dub: secl UL*)

β. *an non:* saepe is cautor captus est: an uero non iusta causast . .? Cap 257

2. *antecedit interrogatio;* α. *an sine negatione:* ubi ego formam perdidi? an egomet me illic reliqui . .? Am 457   quid ille reuortitur? . . an ille me temptat sciens . .? Am 661   nequeon ego ted . . facere mansuetem . .? an ita tu's animata, ut . .? As 505   hocinest pietatem colere . .? an decorumst aduorsari meis te praeceptis? As 509   quid deportari iussit ad nos? an tibi uerba blanda esse aurum rere . .? As 524   ego intus seruem? an nequis aedes auferat? Au 82 etiam rogitas? an quia minus quam aequom me erat feci? Au 424   quid igitur stulte? an tu(*add L om Pψ*) . . sic hoc digitulis duobus sumebas? an nescibas quam . .? Ba 673-6 etiam redditis filios et seruom? an ego experior tecum uim? Ba 1168   qui tu scis? an tu fortasse fuisti meae matri obstetrix? Cap 629   unde haec gentium? an* quis deus obiecit? Ci 669   quam ob rem nunc Epidamnum uenimus? an . . omnis circumimus insulas? Men 231   quid tibi mecumst rei . .? an tibi malum rem uis . . dari? Men 496   quid id ad me . .? an mos(*B²* annos *P*) hic itast peregrino ut . . narrent fabulas? Men 723   tun te expuriges . .? an quia latrocinamini, arbitramini . .? Mi 499   quid . . hic ante aedis clamitatiost? an ruri censes te esse? Mo 7   quis homo? an gnatus meus? Mo 489   quid ais? an iam uendidit aedis Philolaches? Mo 943 (*A solus*)   quis mihi igitur drachumam reddet . .? an tu te ea caussa uis sciens suspendere? Ps 92   statin an non? an id uoltis ut . .? Ps 1247   quid tu id quaeritas? an* quo furatum mox(*om U*) uenias uestigas loca? Ru 111 quisnam hic loquitur? an* Gelasimust(*add Rg*)? St 330   quis istuc dicit? an ille quasi tu? St 549   quis istuc, quaeso? an ille quasi ego? St 552   quis is homost? an* nouos amator? Tru 135(*Rs*)   nam quid est? an* mea refert? Tru 723(*FlRs*)   quid tu istuc curas? an mihi tutor additu's Vi 23

β. *an non:* quid uxor mea? an*non adiit? Cas 696

γ. *anne:* utrum? anne(an *A*) in aurem? Ps 124(*Sey§Ly* in oculumne *R* utrum in oculum anne aurem *GepRg* oculum anne in *BentL* utrum oculum anne aurem *LorenzU*)

b. *an particulae vis aliis vocabulis aucta est;* 1. *antecedit enun. non interrogativa;* α. *an sine negatione:* fateor omnia facta esse ita . .: an, obsecro hercle te, id nunc suscenses mihi? Cap 680   stulta, soror, magis es quam uolo: an tu eo pulcra uidere, obsecro? Poe 1194 nimis tu quidem stultus es. eho, an* mauis uituperarier? Mo 178(*RU*)

β. *an non:* saepe is cautor captus est. an uero non iusta causast? Cap 257

2. *antecedit interrogatio;* α. *an sine negatione:* credere autem? eho an paenitet te . .? Ps 305   memoriam esse oblitum? an uero, quia cum frugi hominibus ibi bibisti? Tri 1018

β. *an non:* quid tibi malum me . . curatiost? an ruri, quaeso, non sunt quos cures bonis? Mo 35

III. *an particulae appenditur* -ne: quidquid inerit uera dicet? anne(*Valla* idne *Ly* in me *P§*†) habebit hariola? Ru 1140   alienun es . . qui non extemplo intro ieris? #Anne oportuit? Tru 666

IV. *an iteratum est:* quid huc uos reuortimini . .? an te auspicium commoratumst an tempestas continet? Am 690   Ba 676(*L: vide supra* II. a. 2. α)   quid erat induta? an regillam induculam an mendiculam? Ep 223   Tru 272(*loc dub: vide supra* II. a. 1. α)

B. *interrogatio indirecta ab* an *incipiens* 1. *pendet a verbo sciscitandi:* dic, amabo, an fetet anima uxoris? As 894   dic mihi, an boni quid usquamst? Mer 145   qui scis, an tibi istuc eueniat . .? Mo 58   qui ego nunc scio, an iam adseratur haec manu? Per 717   itane? temptas an sciamus? Poe 557   qui scio an ista non sit Philocomasium? Mi 448

2. *post quid refert, sim.:* quid id refert mea, an aula quassa . . siet? Cu 396   . . si te flocci facio an periisses prius Tri 992

3. *pendet a verbo nesciendi:* hauscio an congrediar Ep 543   nunc hunc hau scio an conloquar Mo 783

4. fors fuat an istaec(*A* forsitan ea tibi *P*) dicta sint mendacia Ps 432

C. *interrogationes disiunctivae* a. *quibus nulla alia interrogatio antecedit;* 1. -ne . . an α. *interr. rectae:* seruosne es an liber? As 343   amandone exorarier uis ted an osculando? As 687   Au 730(*infra* c)   compressan palma an porrecta ferio? Cas 405   satin ego oculis utilitatem optineo sincere an parum? Ep 634   sanus hercle non es. #Egone an tu magis? Men 198 satin . . opsonatumst an opsono amplius? Men 320   uter eratis, tun an ille, maior? Men 1119 domin an(domi nam *B*) foris dicam esse erum? Mer 128   uin tu te mihi obsequentem esse an neuis? Mer 150   Mi 449(*infra* 5. α)   ingenuamne an* libertinam? Mi 784   nuptanest an* uidua? Mi 965   breuin an* longinquo sermone? Mi 1020   uerberon etiam an* iam mittis? Mi 1424   Ps 124(*supra* A. II. a. 2. γ)   utra sit condicio pensior uirginemne an* uiduam habere? St 119   quid nunc? . . edisne an incenatus . . accubes? Tri 473

β. *interr. obl.:* tuos seruos seruet, Venerine eas det an uiro As 805   Cu 463(*Rg: vide infra* 4. β)   bonine an mali sint, id haud

quaeritant Men 574 . . amica sitne libera an
sempiternam seruitutem seruiat Per 33 rogitat . . captane an* surrupta sit Poe 109
. . hostisne an ciuis comedis parui pendere
Tri 102 falson an* uero laudent, . . non
flocci faciunt Tri 210 quid id ad me attinet
bonisne seruis tu utare an malis? Tri 1065
temptat benignusne an* bonae frugi sies Tru 34
2. -ne . . an non α. interr. rectae: facisne iniuriam mihi an non? Au 643(mihi) ♯Fateor
Langen§²LLy) estne inuocatum scortum an
non? Cap 74 iuben an non iubes astitui
aulas? Cap 846 tacen an non? Cu 131(U tace,
noli P§²Ly aliter Rgl), Ru 1399 reddin an
non uirginem? Cu 566 estne ea an non east
quam animus retur meus? Ep 538 estne erilis concubina . . an non est ea? Mi 417 Mi 449
(infra 5. α) cognoscin Giddeninem an* non?
Poe 1130(U) daturin estis an non? Tru 4
redin an* non redis? Tru 755
β. interr. obl.: Au 431(StudRg: vide infra 5. β)
3. -ne . . anne: Cupidon tecum saeuit anne
Amor? Ba 32(ex Non 421, Serv Dan ad Aen
IV. 194) amicine(Ac -ne om P§²LLy) anne
(an GuyU) inimici sis imago mihi sciam Cas
515 quo modo habeas id refert iurene(-ne
om CD) anne iniuria Ru 1069
4. . . . an α. interr. rectae: tibi ego an*
tu mihi seruos es? Ba 162 is priuatam seruitutem seruit illi an publicam? Cap 334 album an atrum uinum potas? Men 915 lautam
uis an* quae nondum sit lauta? Mi 787 eo
intro, an* tu illunc euocas foras? Mi 1248 de
magnis diuitiis si quid demas, plus fit an
minus? Tri 349
β. interr. obl.: halophantam(-amne GuyRg)
an* sycophantam hunc magis esse dicam nescio
Cu 463 quid id ad me, tu te nuptam possis
perpeti an sis abitura a tuo uiro? Men 723
quin tu me interrogas, purpuream panem an
puniceam soleam ego esse an luteam? Men
918 persectari hic uolo, nos nostri an alieni
simus? Mi 431 pluma haud interest patronus
an* cliens probior siet Mo 407(dub.) hac an illac
eam, incerta sum consili Ru 213 eluas te an*
exungare ciccum non interduim Ru 580 quid
mea refert †hae Athenis natae an Thebis sient?
Ru 746 opta ocius rapi te obtorto collo
mauis an trahi? Ru 853 quid . . pertinet seruae sint istae an liberae? Ru 1106 experiar
fores an cubiti ac(Loman an P cubiti ac om A)
pedes plus ualeant St 311 nequeo noscere
ad amici partem an ad inimici peruenant Tri
93 sacrum an profanum habeas parui penditur Fr II. 23(ex Fest 229)
5. . . . an non α. interr. rectae: uisitaui
hunc an non? Ep 539(GepU lac §LLy aliter
supplet Rg) mittis(ne ad FlRgLU) an non
mittis? Mi 449 futura's dicto oboediens an
non patri? Per 378 properas an non properas
abire? Tri 983
β. interr. obl.: uolo scire sinas(sinan StudRg)
an non sinas nos coquere hic cenam Au 431
dubitaui hosce homines emerem an non emerem Cap 455 redeat an non nescio Mer 592
nescio tu ex me hoc audiueris an non Mi 1265
temptabam spirarent an non Mi 1336

vide Mer 457 ubi necne semel inventum est
6. . . . anne: nec aequom anne iniquom imperet cogitabit Am 160(v. secl Hermolaus ω)
Ps 124(supra A. II. a. 2. γ) Ru 580(Ly supra 4. β)
7. utrum . . an α. interr. rectae: utrum nunc
tu caelibem ted esse mauis liberum an maritum seruom aetatem degere? Cas 291 utrum
deliras, quaeso, an astans somnias? Ci 291
utrum hac me feriam an ab laeua latus? Ci
641 utrum me expostulare tecum aequom
siet an si(RRgU nisi P§† nisi si AcLLy) . . Mi
516 utrum pro ancilla me habes an pro
filia? Per 341 utrum tu amicis hodie an
inimicis tuis daturu's cenam? Ps 878 utrum
tu leno cum malo lubentius quiescis an sic
sine malo? Ru 781 utrum indicare me . .
aequom fuit . . an ego alium dominum paterer
fieri? Tri 177
β. interr. obl.: quid tu . . curas, utrum cru-
dum(-ne add BriRg) an coctum ego edim?
Au 430 facite indicium . . utrum hac an illac
iter institerit Ci 679 iam scibo utrum haec
me mage amet an marsuppium Men 386 nunc
cogito utrum me dicam ducere medicum an
fabrum Men 887 id ratiocinor, utrum ego
perplexim lacessam . . quasi . ., an(A om PLLy
ac Rg) quasi . ., an(om Rg) potius temptem
leniter an(quam Rg) minaciter St 77
8. utrum . . an non: utrum sit an non uoltis?
Am 56
9. utrum . . anne: percontarier utrum aurum
reddat anne eat secum semul Ba 576 Ps 124
(supra A. II. a. 2. γ)
10. utrum . . ne . . an α. interr. rectae: Au 430
(BriRg: vide supra 7. β) utrum ego istuc
iocon adsimulem an serio? Ba 75 Men 1119
(supra C. a. 1. α) utrum tu masne(Ca tuasne P)
an femina's? Ru 104 St 119(supra C. a. 1. α)
utrum Fontine an Libero imperium te inhibere
mauis? St 699
β. interr. obl.: inimiciorem . . utrum credam
magis sodalemne esse an Bacchidem incertum
admodumst Ba 501 utrum strictimne adtonsurum dicam esse an per pectinem nescio
Cap 268 uolo scire utrum egon(A ego PU)
id quod uidi uiderim an illic faciat . . Mi 346
dic utrum Spemne an* Salutem te salutem
Ps 709 nescias utrum ei maiores buccaene
an* mammae sient Poe 1416 cum animo . .
depugnat suo utrum itane esse mauelit . . an
ita . . Tri 307
11. utrumne . . ne . . an non: uidendumst . .
utrum eae uelintne an non(uelint aut non A)
uelint Mo 681
12. num . . an: num tibi . . malae aut dentes
pruriunt . . an malam rem quaeritas? Poe 1316
b. quibus antecedit alia interrogatio; 1. -ne
. . an α. interr. rectae: ubi Charinus (est) erus?
domin est an foris? Mer 131 ubi ego sum?
hicine an* apud mortuos? Mer 602 quid ea?
ingenuan an* festuca facta e serua liberast?
Mi 961 responsare nequeas . .? ♯Nuptan est
an* uidua? Mi 965 quid tu? seruosne es an
liber? Ps 610 qui eam perdidit? publicisne
adfinis fuit an maritumis negotiis? mercaturan
an uenalis habuit? Tri 331 fortasse Tri 473
(supra a. 1. α)

β. *interr. obl.:* quid tu? seruosne esse an liber mauelis memora mihi Cap 270   rogitares quis esset . . ciuisne esset an peregrinus Mer 635   nec satis cogitatumst . . utram (artem) aetati agundae arbitrer firmiorem, Amorin med an rei opsequi potius par sit Tri 230

2. -ne . . an non α. *interr. rectae:* fugin hinc ab oculis? abin an non? Au 660   quid eo mihi opus est mercimonio? #Tacen an non taces? Per 533   sin tuamst quippiam in rem? #Licetne . . bitere an non licet? Ps 254   quid est? #Esne tu an non es ab illo? Ps 616   sicine hoc fit? pedes, statin an non? Ps 1246 satin ego oculis plane uideo? estne ipsus an non est? Tri 1071   quid nunc? daturin estis an non? Tru 4

β. *interr. obl.:* qui scio quid sit ei animo, uenirene eam uelit an non uelit? Mer 452

3. . . . an α. *interr. rectae:* quid ego faciam? maneam an abeam? Cu 589   qui ego istuc credam? uidisti* an de audito nuntias? Mer 903

β. *interr. obl.:* perquirunt quid siet causae ilico: alienum aes cogat an* pararit praedium St 203

4. . . . an non: quid nunc? ituru's an non? St 264

5. an . . an: quid huc uos reuortimini tam cito? an te auspicium commoratumst an tempestas continet? Am 690   ad hoc exemplumst? an Chares an Charmides? Tri 922 (*loc dub: var em RU* † *S*) quid erat induta? an regillam induculam an mendiculam? Ep 223   experiar fores an cubita an* pedes plus ualeant St 311 (*Ly vide supra* a, 4, β)

c. *interr. disiunctivae quae ex pluribus quam duobus membris compositae sunt:* nunc mihi incertumst . . abeam an maneam an adeam an fugiam Au 730   quin tu me interrogas purpuream panem an puniceam soleam esse an luteam? Men 917   St 77 (*supra* a. 7. β)

d. *ultimum seriei vocabulum per* an *additum est:* quoduis genus ibi hominum uideas . . equitem, peditem, libertinum, furem an* fugitiuom uelis Poe 832

e. an *versus aut:* Ba 162 (*supra* C. a. 4) Ci 669 (*supra* A. II. a. 2. α) Mi 1248 (*supra* C. a. 4. α) Mo 681 (*supra* C. a. 11)

D. *incertum:* Minulec hi an na Poe 1010

ANACTORIUM - - eas in **Anactorium** deuehit Poe 87 (anast. *B*)   is ex **Anactorio** . . huc commigrauit Poe 93   emit in Anactorio (-a *B*) paruolas Poe 896   *cf* Koenig, p. 3

ANANCAEO - - credo hercle anancaeo (*Ca* anan eo *P* ἀναγκαίῳ *Rs*) datum quod biberet Ru 363

ANATICULA - - *vide* ani-

ANCEPS ANCIPES - - post altrinsecust securicula **ancipes** Ru 1158   securim capiam **ancipitem** Men 858   uitent **ancipiti** infortunio Poe 25   *cf* Gimm p. 12

ANCILLA - - I. **Forma ancilla** Am 1077, Cas 646, 651, 655, Cu 616, Ep 130, Mi 794 (-ula *Rg*), 960, 1410, Per 472, St 238, Tru 53   **ancillam** Am 1049, As 804, Cu 580, Mer *Arg* II. 2, 4, 10, Mer 201, 211, 261, 350, 390 (*bis CD*), 414, 428 (*R solus*), 975, Mi 910 (*B* -la *CD*), Poe 1130, St 432 (-lulam *A*), Tru 772, 895, Fr I. 67 (*ex Non* 147)   **ancilla** Ba 45, Cas 254, Mer

396, Per 341   **ancillae** Men 620, Poe 222, Ru 719, Tru 633   **ancillis** As 184   **ancillas** As 868, 888, Au 501, Cas 261, 521, Men 120, 797, 801 (*FZ* anpillas *P*), Ru 712, 723, Tri 799, Tru 401, 530, 533 (-am *Don in Eun* V. 6, 12), 771, 946 (*Rs* apale *PSt* *Lt Lyt* pallam *CaU*)   *corrupta:* Ep 581, ancillas *A teste Stud* alienos *PLU* alienas *Dou* ψ Mer 240, ancilla et una *B pro* illaec (*CD*); 399, horum ancilla *B pro* horunc illa (*ACD*); 524, ancillam *B* ecce illam *CD* eccillam *BoRRgLLy* millam *BugS* bellam *U* Mi 797, famęsę ancille *P* faueae suae *ScalRRgSL Ly* faueolae *BugU*; 912, ancillam *C pro* ancillula   Ru 74, ancilla *CD pro* ancillula (*B*) *Cf* Ryhiner, p. 12

II. **Significatio** = serva 1. *nom.:* a. mean ancilla libera ut sit? Cu 616   ecqua ancillast* illi? Mi 794   ancilla mea quae fuit hodie sua nunc est Per 472   Epignomi ancilla haec quidemst, Crocotium St 238

apud nos tua ancilla hoc pacto exordiri coepit Cas 651   ancilla conciliatrix quae erat dicebat mihi Mi 1410   mihi anulum . . ancilla . . dedit Mi 960   empta ancillast Ep 130   aut empta ancilla aut aliquod uasum argenteum Tru 53   tua ancilla . . imitatur malarum malam disciplinam Cas 655   quis me tenet? #Tua Bromia ancilla Am 1077   quid uis, mea tu ancilla? Cas 646

b. suntne illae ancillae tuae? Ru 719   binae singulis quae datae nobis ancillae, eae . . operam dederunt Poe 222   quid mihi futurumst, quoi duae ancillae dolent? Tru 633   num ancillae . . tibi responsant? Men 620

2. *dat.:* uolt placere sese . . etiam ancillis As 184

3. *acc.:* a. filius . . aduexit meus matri ancillam suae Mer 261   ecquam tu aduexti tuae matri ancillam*? Mer 390   amant ancillam meam Phidullium oculitus Fr I. 67 (*ex Non* 147) cognoscin Giddeninem, ancillam meam? Poe 1130   pater . . uisam ancillam deperit Mer *Arg.* II. 4   Calliclem uideo . . ancillas duas constrictas ducere . . alteram ancillam suam Tru 771-2   . . matri te ancillam tuae emisse illam Mer 201   neque credibilest . . eam me emisse ancillam matri Mer 211   . . putet matri ancillam emptam esse illam Mer 350   ego emero matri tuae ancillam uiraginem aliquam Mer 414   mandauit ut aliquam itidem ancillam (a. i. a. *Rg solus*) ad illam faciem *P*ψ) . . emerem sibi Mer 428 (*vide Rg*)   ille quidem illam sese ancillam matri emisse dixerat Mer 975   tuas minas non pluris facio quam ancillam meam Cu 580   amicam ego habeo Stephanium . . tui fratris ancillam* St 432   praemercatur ancillam senex Mer *Arg* II. 10   is . . redimit ancillam hospitis Mer *Arg* II. 2   si ancillam, seu seruom . . uidebo, obtruncabo Am 1049   quid uideo? erum atque ancillam ante aedis? Tru 895   unguenta iusserit ancillam ferre Veneri As 804

b. mihi non liceat meas ancillas Veneris de ara abducere (*AR* add. *P*)? Ru 723   adduxi ancillas tibi eccas Tru 530   paenitetne te quot ancillas* alam? Tru 533   seruos ancillas amoue Tri 799   me sinas curare ancillas Cas 261   at ego ancillas* (dedi) Tru 946 (*Rs*)   ducere Tru 771 (*supra* a)   meas

mihi ancillas inuito me eripis Ru 712 seruos
ancillas domo certumst omnis mittere ad te Cas
521 ego tibi ancillas penum . . bene praebeo
Men 120 ancillas* penum recte praehibet
Men 801 ancillas meas suspicabar As 488
aequomst . . aurum dari, ancillas Au 501
mater ancillas iubet . . aliam aliorsum ire Tru
401 illum iubes ancillas rapere . . domum
As 868

c. inter ancillas sedere iubeas Men 797 ea
res per me . . et tuam ancillam* ei curetur Mi
910

4. *abl.*: nihil opust nobis ancilla Mer 396
ne hanc ille habeat *pro* ancilla sibi Ba 45
utrum pro ancilla me habes an pro filia? Per
341 potius . . quod uir uelit fieri id facias,
quam aduorsere contra. #Qua de re? #*Super*
ancilla Casina Cas 254

ANCILLULA - - I. Forma **ancillula** Cu 43,
Mi 794(*Rg* ancilla *P*ψ), 912(-ã *BD* ancillam
C), 987, 1133, Ru 74(*B* ancilla *CD*), Tru 93
ancillulae(*dat.*) Mi 795 **ancillulam** Cas 193
ancillulas Men 339 *corruptum:* St 432, ancillulam *A pro* ancillam(*P*) *cf* Ryhiner, p. 37
 II. **Significatio** 1. *nom.*: ei ancillulast Cu
43 ecqua ancillulast* illi? Mi 794(*Rg*) ancillula illius est Mi 987 Astaphiumst ancillula Tru 93

quasi anulum hunc ancillula* tua . . detulerit Mi 912 illa autem uirgo atque altera
itidem ancillula . . desuluerunt Ru 74 ad
me ut ueniat usust Acroteleutium ancillula eius
Mi 1133

2. *dat.*: ita praecipito mulieri atque ancillulae Mi 795

3. *acc.*: mihi ancillulam ingratiis postulat
Cas 193 ad portum mittunt seruolos, ancillulas Men 339

ANCULA - - nulla diua anculast Ru 666(*Rs
in lac quam ret **S** var supplent* ψ)

ANELIUS - - non meministi me . . ad te
afferre . . anellum aureolum? Ep 640 indas . .
ferream seram atque anellum(*Bo* anulum *APR*)
Per 572 *cf* Ryhiner, p. 28

ANEO - - satis scitum filum mulieris: uerum
hercle anet(*ACD* amet *B*) Mer 755

ANES - - patriciis pueris aut monerulae aut
anites . . dantur quicum lusitent Cap 1003

ANETINUS - - utinam fortuna nunc anetina
(anị. *A*) uterer Ru 533(fortunam anutinam te-
rent *Non* 406) *cf* Wortmann, p. 45

ANGINA - in anginam ego nunc me uelim
uorti Mo 218(*v. secl Ladewig***S**) angina(m) ui-
naria(m habere dicuntur qui uino suffocantur)
Fr II. 75(*ex Paul* 28) sues moriuntur angina
(-ad *RR*s) acerrume Tri 540

ANGIPORTUS, -UM - - I. Forma **angiportum**(*nom.*) Ps 961 (*acc.*) Mo 1045, Per 678,
Ps 961 **angiporto** As 741, Mo 1046(*A* -tu
PRLU), Ps 971 **angiportu** Ci 124(*J* angi
portu *BVE*), Mo 1046(*PRLU* -to *ARs***S***Ly*)
angiporta(*acc. pl.*) Ci 383(*ex Non* 190), Ps 1235
angiportis Per 444
 II. **Significatio** 1. *nom.*: hoc est sextum a
porta proxumum angiportum Ps 961
2. *acc.*: in id angiportum me deuorti ius-

serat Ps 961 abii illa per angiportum Mo
1045 per angiportum rursum te ad me recipito Per 678

quasi carnificis angiporta purgitans(purigans
MueRsL) Ci 384(*ex Non* 190) angiporta haec
certumst consectarier Ps 1235

3. *abl.*: angiporto illac per hortum circumit
As 741(*cf* Goerbig, p. 23) ostium quod in
angiportost* horti patefeci Mo 1046 ecquem
in angiporto hoc hominem tu nouisti? Ps 971
puellam proiectam ex angiportu* sustuli Ci 124
ab istac trauorsis angiportis ad forum Per 444

ANGO - - ego pol illum probe incommodis
dictis **angam** Cas 156 absurde facis qui
angas te animi Ep 326 *cf* Egli I. p. 26;
Blomquist, p. 98; Schaaff, p. 40

ANGUILLA - - quid quom manufesto tenetur? #**Anguillast**(*F* -ila *P*): elabitur Ps 747
(*cf* Lindsay, *Archiv* VIII. 442) uideo in uasis stagneis anguillas (*WinterRg* quinas *Fest***S**†
Ly†*L*†) fartas Fr II. 20(*ex Fest* 166) *cf* Wortmann, p. 47; Ryhiner, p. 18

ANGUIS - - I. Forma **angues**(*nom. plur.*)
Am 1108, 1110, 1113 **anguis**(*acc.*) Am 1114
(*RglU* -es *P*ψ), 1115(-es *J*), 1119(*DE*- es *BJL*),
1123(*Rgl* -es *BEJ*ψ angos *D*), Mer 761(*B*
-es *A* angis *CD*) *corruptum:* Ci 124, angui
portu *BVE pro* angiportu(*J*)
 II. **Significatio** 1. *nom.*: deuolant angues
iubati deorsum in inpluuium duo Am 1108
angues oculis omnis circumuisere Am 1110 angues acrius persequi Am 1113

2. *acc.*: conspexit anguis* ille alter puer Am
1114 puer ambo anguis enicat Am 1119
(uxorem) dixeras te odisse atque anguis* Mer
761 filium . . qui illos angues* uicerit Am
1123 facit recta in anguis* inpetum Am 1115
cf Wortmann, p. 46

ANGULUS - - 1. *abl.*: ubi tu nata's? #.. In
angulo ad laeuam manum Per 631

2. *acc.*: sceleste homo, quine **angulos**(*BVJ*
-osus *B* -os in *L*) omnis . . peruiam facitis?
Au 437 . . qui mihi omnis angulos furum inpleuisti Au 551

3. *corruptum:* Ep 623, angulo *J pro* unguiculo

ANGUSTUS - - . . parentes tam in **angustum**
tuos locum compegeris Ru 1147

ANHELITUS - - 1. *acc.*: non uides me ex
cursura anhelitum etiam ducere? As 327 recipe anhelitum Ep 205 priusquam recipias
anhelitum, uno uerbo eloquere Mer 601 uix
suffero hercle anhelitum Mer 114

2. *abl.*: ex spiritu atque anhelitu nebula
constat Am 233 *cf* Gronov, p. 35

ANHERIATUS uestis Mi 217 *P, quod var
em ω*

ANICULA - - Ps 1261, mammam anicula *P*
pro mamma mammicula(*Pontanus*)

ANIMA - - I. Forma **anima** As 894, 928,
Ba 193 **animae** (*gen.*) Au 303, 305(-ma *Prisc*
I. 155 -ai *LLy*), Tri 492(-ai *ReizRRsLLy*)
animae(*dat.*) St 92 **animam** Am 240(*D*¹*J*
-um *BD*²*E om D*¹ *ante corr*), 673(*BD Non* 148,
410 -mo *EJ*), *fr* XVIII(*ex Non* 233), As 93,
Ba 869, Mer 125, Mi 732(*P* -um *A*), Per 638,
Tri 1091, 1092, Tru 876(*F* -a *P*) **anima Men**
905, Mer 574 *corrupta:* Ep 91, anima *VE pro*

animi Mɪ 39, animam *CD pro* animum(*AB*);
1424, animā *CD* ani˜ *B pro* an iam Tʀᴜ 21,
v. perditum em Rs †ψ

II. Significatio 1. *nom.:* animast amica
amanti Bᴀ 193   dic.. an fetet anima uxoris?
As 894   anima fetetne uxoris tuae? As 928

2. *gen.:* cur? #Nequid animae forte amittat
dormiens Aᴜ 303, 305* satillum(*ALS*† salil-
lum *PULy* sitellum *ReizR* uatillum *Rs*) animae*.. emisimus Tʀɪ 492

3. *dat.:* ita meae animae salsura euenit Sᴛ 92

4. **a.** *acc.:* ..is *adimerent* animam* cito Mɪ 732
adimit animam mihi aegritudo Tʀɪ 1091   res
quom animam *agebat,* tum esse (aquam) offusam oportuit Tʀɪ 1092   animam *comprime* Aᴍ
fr XVIII(*ex Non* 233; *cf* Schroeder, p. 39)
..tamquam hominem, quando animam *ecflauit*
Pᴇʀ 638   a milite omnis tum spes animam*
efflauerit Tʀᴜ 876   illorum ego animam amborum *exsorbebo* Bᴀ 869   illi puteo..animam*
omnem *intertraxero* Aᴍ 673 animam* *omittunt*
priusquam loco demigrant Aᴍ 240   animam
nequeo *uortere* Mᴇʀ 125   *cf* Egli, I. p. 28;
Graupner, p. 5

b. *acc. exclam.:* edepol animam suauiorem..
quam uxoris meae As 893

5. *abl.:* anima priuabo uirum Mᴇɴ 905   iaiunitatis plenus, anima foetida Mᴇɴ 574

ANIMADVORTO -- Eᴘ 215, animaduorterint
A pro animum aduorterim(*P*) Tʀɪ 1046, animaduerti *ARRsU* animum aduorti *PSLLy*

ANIMO -- I. **Forma** *participia modo usurpantur:* **animatus** Aᴍ 762, Cᴀᴘ 407, Tʀɪ 698,
715, Tʀᴜ 966(animus *U*)   **animata** As 505
animati Aᴍ 209, Bᴀ 942, Ps 151   **animatos**
Mᴇɴ 203

II. Significatio *cf* Gimm, p. 12   1. *absolute:* app. adverbio, **a.** ita animatus fui Aᴍ 762
an ita tu's animata? As 505   scio equidem te
animatus ut sis Tʀɪ 698   sin aliter animatus
es.. Tʀɪ 715   sin aliter sient animati.. Aᴍ 209
nempe ita(ut *Rg*) animati estis uos Ps 151

b. insunt milites armati atque animati probe
Bᴀ 942

2. *add. abl. modi:* hoc animo decet animatos
esse amatores Mᴇɴ 203

3. *seq.* erga: ut fueris animatus erga suom
gnatum Cᴀᴘ 407

4. *seq. infin.:* si quis animatust* facere, faciat ut sciam Tʀᴜ 966   *Cf* Votsch, p. 32

ANIMULA - - non sum Animula Mɪ 648(*SLy
ex Festo Pauli* 25 in imula *P* Animulae *R* Aminulae *BueRgU* Animulas, *adiect., SciopL*)

ANIMULUS - - *voc. solum, ut appellatio
blanda* quom mihi illa dicet: mi **animule** Cᴀs
134   salue, animule(*Rg* anime *Pψ*) mi Cᴜ 98 a
animule mi, mihi mira uidentur Mᴇɴ 361   *corruptum:* Cᴜ 356, animulum *B¹VE pro* anulum
(*B²J* amiculum *L*) *cf* Ryhiner, p. 24

ANIMUS - - *cf* Guzdek, *De vocabuli* animus *apud T. Mac. Plautum usu,* Beresaulis
1891

I. Forma animus Aᴍ 250, 1081, As 156,
512, 537, Aᴜ 178, 181, 187, 383, Bᴀ 144, 237,
528, 679(-mis *Non* 476); 713 *bis* (amicus *C
altero loco*), Cᴀs 572, Cɪ 5, 212, 554, Eᴘ 538,
569, Mᴇɴ 1082, Mᴇʀ 41, 388(*CD* a nimis *B*),

530, 589 *bis*, 890(si mihi animus *Bue* sint antimus[an/////imus *D*]*P*), 1001, Mɪ 1261, 1346, Mᴏ
544, Pᴇʀ 66, 177, 709, Pᴏᴇ 722(-is *C*), Ps 18,
34, 452, 1052. Rᴜ 402, 614, 687(*Py* ∗∗mus *P*),
Sᴛ 86, 134, Tʀɪ 226, 306, 308, 310, 312(*P* -as
A v. secl RRsS), 712, Tʀᴜ 48(*U in loco dub*),
339, 367, 775(-mu *B* -mo *CD*), 966(*U: vide
infra* II. C. 1. a)   **animi**(*gen.*) Aᴍ 58, 689, As
As 320, 542, Cᴀs 151, Cɪ 205, 210, Cᴜ 340, Eᴘ
45, 91(a *VE om Rg*), 275, 530, Mᴇɴ 269, Mᴇʀ
341, 441, 452, 597, Pᴏᴇ 1411, Rᴜ 587, 932
(om *B*), Sᴛ 731(uni animi *PRgU* uniamini *SL
Ly* unanimi *FR*), Tʀɪ 334   (loc) Aᴜ 105, Bᴀ
614, Cᴀs 629, Cɪ 215, 672, Eᴘ 326, 390, 544(*Rg
in lac: om* ψ), Mᴇɴ 110, Mᴇʀ 128, 166, Mɪ 720,
1068(animi excrucias *CD* et amicam crucias
B), 1280, Rᴜ 388, 399, Tʀɪ 131, 454, Tʀᴜ 828,
832(*Rs in loco dub*)   **animo** Aᴍ 131, 290, 343,
724, 910, 995, 1058, As 110, 942, Bᴀ 416, 1082,
Cᴀs 179, 784, Cᴜ 312, Eᴘ 204, Mᴇɴ 355, 443
(*Rs pro* †drome), Mᴇʀ 347, 369, 840, Mɪ 677,
706, 1215, 1331, Mᴏ 725(*U in lac*), Pᴏᴇ 176,
Ps 237, 952, 1272, Rᴜ 510, Sᴛ 20, 524, Tʀɪ 308,
311, Tʀᴜ 365   **animum** Aᴍ 38, 95, 393, 545,
914, As 113, 141, 332, 732, 832, Aᴜ 192, 371,
725, 734, 826, Bᴀ 64, 494, 509, 630, 662, 753,
992, 1186(*RRgU in lac*), 1191, Cᴀᴘ 110, 149,
152(amicum *J*¹), 167, 242, 320, 329, 383, 388,
430, 967, Cᴀs 29, 252, 363, 381, 387, 393, 413,
Cɪ 222, 511, 633, Cᴜ 174, 270, 635, 701, Eᴘ 182,
205, 215(animum aduorterim *Pω* animaduorterint *A*), 456, 545, 550, 562, 601, 618, Mᴇɴ 5,
35, 462, Mᴇʀ 15, 82, 302, 334, 572, 614, 968,
Mɪ 6, 39, *ib.*(*AB* -am *CD*), 191(*v. om A secl
RRgU*), 197, 382, 568, 766, 804, 909, 1011,
1053, 1236, 1269, 1325, 1327, 1357, 1366(*U pro*
uerum), Mᴏ 220, 387, 399, Pᴇʀ 116, 166, 303, 320,
Pᴏᴇ 3, 591, 877, 1174, 1251, Ps 32, 143, 152,
156, 187, 210, 230, 236, 277, 481, 497, 866(ha.
B), 867(ha. *B*¹), 925, Rᴜ 11(*Rs solus*), 22, 306
(*Dissald* -mo *P*), 687, 962, 1062, 1102, 1153,
Sᴛ 2, 103, 346, 546, Tʀɪ 7, 50, 270, 304, 309,
310, 312, 394, 704, 842(*A om P*), 897, 939, 1046
(animum aduorti *PSL* animaduerti *Aψ*), 1111,
Tʀᴜ 525(*FZ* anunt *P*), 639(*Rs* auarum *PS*†
var em *LULy*), 866, Vɪ 96   **anime** As 664(*J*
-ę *E* -ae *BU*), 941(*B* -ę *DEJ*), Bᴀ 81, Cᴜ 98 a
(*B* -ę *EJ* animule *Rg*), 165, Mᴇɴ 182, Mɪ 1330,
Mᴏ 336, Rᴜ 1265(-ę *D*), Tʀᴜ 425(*add Rs om Pψ*)
animo Aᴍ 645, 671 *bis*, 1131, As 375, 638, 726,
Aᴜ 79, 478, 539(am. *D*), 715, 732, 739, 787, Bᴀ 7
(*ex Non* 342, *Char* 206), 102, 394, 612, 1015,
Cᴀᴘ 196, 202, 387, 782, 928, Cᴀs 23, 570, Cɪ 12,
60, 73, 591, Cᴜ 224, 499, 505, 514, Eᴘ 111, 129,
526, 643, Mᴇɴ 200, 203, 227, Mᴇʀ 314, 531, 655,
890, Mɪ 1143, 1206, 1252, 1323(*FZ* nimio *Mer-
cerus R* propter animum *P*), 1342, 1343a, Mᴏ
153(*R om Pψ*), 396, 702, 926, Pᴏᴇ 5, 22, 123
(-os *B*), 232, 1250, Ps 44, 232, 322, 676, 759,
1321, Rᴜ 606(*PL* nimio *Acψ*), 679, 685, 872,
1138, Sᴛ 2, 39, 125, 184, Tʀɪ 206(-od *RRs*), 257,
271(*P om ARRs*), 305, 397, 650, Tʀᴜ 47, 49, 177,
233, 449(animo sunt *Z* animos uni *P*), 455, 595,
710(*Rs* -os *Pψ*†), 728, 893(*U: vide infra* II. D. 1),
Fʀ I. 56(*ex M. Caes ad Front* II. 10)   **animi**
Mᴇʀ 345   **animis** Aᴜ 487   **animos** As 280, Aᴜ
167(*om Non* 304), Eᴘ 45, Tʀɪ 92, Tʀᴜ 603, 640

animis As 405(B^2 -us P), Cas 377 *corrupta:* Am 240, animum BD^2E *pro* animam(D^1J): 673, animo *EJ pro* animam($BDNon$ 148, 410) Ep 545, animo P *pro* autumo(A)   Mer 40, atque animus *ex v. seq. trahit P*   Mi 732, animum *A pro* animam(P)   Ru 420, animum *CD pro* nimium(B)   St 207, animo *CD* amno *B pro* damno(A)   Tri 349, animus *C pro* an minus (A): 1060, animum *Non* 510 *pro* aha nimium (AP[ha])   Tru 8 ut animi *B pro* utamini

II. Significatio A. 1. *facultatem hominis sentiendi ac spirandi significat;* animo male esse == nausea premi: .. animo si male esse occeperit Am 724   animo malest, aquam uelim Am 1058   animo malest. # Vin aquam? Cu 312   animo malest Ep 204   animo malest aedibus Ps 952   non edepol bibere possum iam: ita animo malest Tru 365   perii. animo male fit Ru 510   animo male factumst huic repente miserae Mi 1331

2. *idem fere exprimit ac* mens(*vide infra*): potine ut ne licitere aduorsum mei animi sententiam? Mer 441   tardus est aduorsum mei animi sententiam Mer 597   si quid dixi .. aduorsum animi tui sententiam .. Poe 1411   potaui praeter animi .. sententiam Ru 587

animus *et* mens: satine ego animum mente sincera gero? Ba 509   ita nubilam mentem animi habeo Ci 210   pauor territat mentem animi Ep 530

satin tu's sanus mentis aut animi tui? Tri 454

animus *et* ingenium: ingenium in animo utibilest Ba 7 (*ex Non* 342, *Char* 206)

B. *rationis particeps* == mens: 1. periclitatus sum animum tuom Am 914   praesagibat mihi animus Au 178   animus*.. plus praesagitur mali Ba 679   nequeo cum animo certum inuestigare Au 715   illud animus meus miratur Ba 528   animus miratur meus Ru 614   estne ea .. quam animus retur meus? Ep 538   longa dies meum incertat animum Ep 545   me animus fallit Men 1082   animus studio amotus puerilist meus Mer 41   mihi animus* fluctuat (*Bue* sint antimus fluctuant *P*) Mer 890   mihi consilia in animum conuoco Mi 197   cogito cum meo animo Mo 702   aduortito animum. #Non adest. #At tu cita Ps 32   ornata cuncta in ordine, (in *add BriR*) animo ut uolueram Ps 676   quidquid incerti mihi in animo .. fuit Ps 759   nun demum mihi animus in tuto locost Ps 1052   quod quisque in animo* habet .. sciunt Tri 206   magister mihi exercitor animus nunc est Tri 226 (*cf* Inowraclawer, p. 20)   cum animo meo reputo Tri 257(*A* ago cum meo animo et recolo *PL*)   animo* labos grandis capitur Tri 271   aliter regi dictis dicunt, aliter in animo habent Fr I 56(*ex M. Caes ad Front* II. 10)

egomet sum hic, animus domist Au 181   apud test animus* noster Ba 713   ubi non sum ibist animus Ci 212   remigrat animus nunc demum mihi Ep 569   si domi sum foris est animus, sin foris sum, animus domist Mer 589   animus iam in nauist mihi Per 709(*cf* Inowraclawer, p. 20)   istic meus animus nunc est, non in pectore Ps 34   illist animus

omnibus Tru 339   .. esse alibi iam(abi ama *Rs*) animum tuom Tru 866

animus per oculos meos defit Mi 1261   animus hanc modo hic reliquerat Mi 1346

2. *de adiectivis pendet:* incredibilis imposque animi Ba 614   eripite isti gladium quae suist impos animi Cas 629   ni stulta sis, ni indomita imposque animi .. Men 110   adulescenti animi impoti(*B ex* ăpoti iampoti *CD* ampoti *LoewRs*) Tri 131   mihi ignoscas quod animi inpos .. fecerim Tru 828   animi inpos *etiam* Tru 832(*Rs in loco dubio*)   me Amor lassum animi ludificat Ci 215   petulantia mea me animi miseram habet Ci 672   sanus Tri 454 (*supra* A. 1)

3. **animus aduorto** *et sim.*(*cf* Abraham, p. 219): huc animum omnes(*BD* ad ea *EJ*).. *aduortite* Am 38   animum aduortite Am 95, Ba 753, Cas 29, 363, Cu 635, Ep 205, Mem 5, Poe 3   animum aduorte Am 393, As 332, Ep 456, Mer 302, Ps 497   animum .. aduorte sis As 732   animum aduortito igitur Ba 992   aduorte animum sis tu Cap 110   hoc animum aduorte Cap 329, Cu 270, Tri 66   animum aduortas uolo Cap 383, 388, 430   iam animum aduorte Cap 967   animum aduortite ambo Cas 393, Mer 968   uos aduortite animum Cas 413   igitur animum aduorte iam Ci 511   animum aduortite hoc (*Langen om P* huc *MueRg* ego *FlLU*) Cu 701 .. id adeo qui maxume animum* aduorterim Ep 215   aduortendum ad animum adest benignitas Mer 15   amabo aduortite animum Mi 382   hoc(*CDSLULy* huc *BRRg*) animum aduortite ambo Mi 766   animum aduorte nunciam tu Mo 399   quaeso animum aduorte hoc (: hoc *U*) Per 116   uos animum aduortite igitur Poe 591   aduortite animum Poe 1251   aduortito animum Ps 32   .. hanc edicionem nisi animum aduortetis omnes .. Ps 143   hoc animum aduortite Ps 152   quae loquor aduortite animum Ps 156   aduortite animum cunctae Ps 187   face ut animum aduortas Ps 210   animum aduorto Ps 230, St 546   quaeso animum aduorte Ps 277   aduorte ergo animum Ps 481   (nunc) aduorte animum Ru 962, 1102   animum aduorte ac tace Ru 1062, 1153   dicam si animum aduortitis Tri 7   quam hic rem agat animum aduortam(*A v. om P*) Tri 842   si animum aduortas dicam Tri 897   si animum aduortes eloquar Tri 939   animum aduortite ambo sultis Vi 96(*ex Prisc* I. 224 *et* 226: II. 7)

similiter: facete aduortis tuom animum ad animum* meum Mi 39   non hoc publice animum* aduorti! Tri 1046

seq. acc.: hoc Cap 329, Cu 270, 701*, Mi 766 (*CDSLULy*), Per 116, Ps 152, Tri 66, 1046 (*PL*)   id Ep 215   hanc edictionem Ps 143 *adverbium:* huc Am 38, Cu 701(*MueRg*), Mi 766 (*BRRg*)

.. ne hic illam me animum *adiecisse* sentiat Mer 334   .. qui amabilitati animum adiceret Poe 1174(*cf* Persson, p. 22 *adn.*)   animum* *aduorsaui* sedulo ne erum usquam praeterirem Ru 306   uostrum animum *adhiberi* uolo St 103   certast res ad frugem *adplicare* animum Tri 270   num quippiam res animum *uortam*

(*Rs* auarum ut *PS*† *aliter* ψ) ad mores mulierum Tru 639

4. *loc. in formulis variis:* absurde facis qui *angas* te animi Ep 326   *discrucior* animi Au 105   coeperam ego me *excruciare* animi Ep 390   .. continuo excruciarer animi Mi 720   quid illam miseram animi excrucias(et amicam crucias *B*)? Mi 1068   nec illam animi excrucies Mi 1280   hoc sese excruciat animi Ru 388   .. ne sic se excruciat animi Ru 399   animi *pendeo* Ep 544(*Rg in lac quam ret* ψ)   ego animi pendeo Mer 128   nimis diu animi pendeo Mer 166(*cf* Blomquist, p. 98; Gronov, p. 136)

5. *pro vocabulis* sententia, opinio, iudicium *usurpatur: meo quidem animo* si idem faciant ceteri .. Au 478   meo quidem animo* aliquanto facias rectius .. Au 539   piscatus meo quidem animo hic tibi hodie euenit bonus Ba 102   meo quidem animo ingrato homine nihil inpensiust Ba 394   meo quidem animo qui aduocatos aduocat.. Cas 570   genus est lenonium.. meo quidem animo ut muscae Cu 499   bene dictumst meo quidem animo Cu 514   istoc probior es meo quidem animo Ep 111   meo quidem animo .. subcingulum Hercules .. abstulit Men 200   meo quidem animo .. senex tantidemst quasi .. Mer 314   meo quidem animo quasi inluta est Poe 232   ius merum oras, meo quidem animo Ru 1138

lenones *meo animo* nouisti Cu 505   uoluptas nullast nauitis .. maior meo animo, quam .. Men 227   Mo 153 (meo animo haud *add R perperam*) animo meo sat sapio, si .. Mo 926 (*aliter L quem vide*)   meo animo omnis sapientis suom officium aequomst colere St 39   oratio .. optuma hercle meo animo St 184

ut meus est animus fieri non posse arbitror Ci 5   ut animus meus erit faciam palam St 86   meus ut animust eloquar 712

C. *facultatem concupiscendi appetendique exprimit* 1. = uoluntas: a. nobis di immortales animum ostenderunt suom Cap 242   id persequar corde et animo atque auribus Cap 387   quid si animus* esse non sinit? Poe 722   nos eius animum de nostris factis noscimus St 2   ego tu sum; tu's ego: uni animi* sumus St 731   *huc refert* Guzdek *etiam* Tri 271(*vide supra* B. 1)   meum animum tibi seruitutem seruire aequom censui Tri 304   sin aliter animus eius est .. Tru 48(*U: vide* ψ)   rem ac fortunas si quoi animust(*U* si quis animatust *P*ψ) perdere .. Tru 966   bene uiuo .. atque ut uolo atque animo ut lubet Mi 706

b. *inducere* (*in*) *animum*(*cf* Junck, *Ann. Phil.* CXXVII. 487; Abraham, p. 231; Votsch, p. 30); *sequitur* ut (ne) *cum subiunct. vel rarius infin.:* possum equidem inducere animum ne aegre patiar As 832   induces animum haec (*omnia RRgU in lac*) ut eis delicta ignoscas? Ba 1186   facere inducam animum Ba 1191   numquam istuc dixis neque animum induxis tuom Cap 149   animum ego inducam tamen ut .. Ci 633   animum inducam ut tu noueris Ep 550   animus induci potest eum esse ciuem Per 66   animum inducam facile ut tibi istuc

credam Poe 877   Ru 22(*Rs: vide infra sub* in) animum inducam ut .. arbitrer St 346   me commissurum ut patiar fieri ne animum induxeris Tru 704

induxi in(*om B*) animum ne oderim Mi 1269   hoc scelesti in(si *Rs*) animum inducunt suom Iouem se placare posse Ru 22

2. = propositum, consilium: teneo quid animi uostri super hac re siet Am 58   an periclitamini quid animi habeam? Am 689   tu mihi tua oratione omnem animum ostendisti tuom As 113   lepide hercle animum tuom temptaui Au 826   qui scio quid sit ei animi? Mer 452   *etiam in numero plur.:* animi decem in pectore incerti certant Mer 345

3. *formulae aliquot;* a. *ex animo eodem sensu ac abl. limitationis;* *cf* Guzdek *qui cum* sincere *vel* ex animi sententia *falso aequiperat:* si quid est hominum miseriarum .. miser ex animost Ep 526   credo ego miseram fuisse Penelopam suo ex animo St 2   miser ex animo fit, factius nihilo facit Tri 397   ut miserae matres .. ex animo* sunt Tru 449   *neque dissimile est* Tru 595: animo hercle homost suo miser

b. *aequo, bono, clementi, liquido, lubenti, quieto, tranquillo animo:* quaeso aequo animo patitor As 375   oratum aduenio ut animo aequo ignocas mihi Au 739   decet id pati animo aequo Cap 196   fer aequo animo Mi 1343a   decet animo aequo nunc stent Poe 22   uos aequo animo* noscite Poe 123   aequo animo patietur sibi esse peius quam fuit St 125   aequo animo .. aliis .. det locum Tru 233   *in num. plur.:* sin secus patiemur animis aequis Cas 377   si quid fecero, clementi animo ignoscet Mi 1252   bono animo es Am 671, 1131, As 638, Au 787, Ci 73, Mer 531, Mi 1143, 1342, Ru 679   scin quam bono animo sim? Am 671   animo sis bono face As 726   in re mala animo si bono utare adiuuat Cap 202   iubet .. bono ut animo sedeant in subselliis Poe 5   animo bono es Au 732, Ci 591, Mi 1206, Ps 322   bono animo meliust te in neruom conrepere Ru 872   bono animo .. agam Tru 710(*Rs in loco dub: vide* ψ)   animo bono male rem gerit Tru 728   animo liquido et tranquillo's Ep 643   nihil curassis: liquido's animo Ps 232   lubenti edepol animo factum et fiet a me Ci 12   hoc auferem? #Lubentissumo corde atque animo Ps 1321   potin ut animo sis quieto? Mo 396   tranquillo Ep 643(*supra sub* liquido)

similia exempla: pol sist animus aequos tibi, sat habes Au 187   utcumque res sit ita animum habeat Ba 662   eundem animum oportet nunc mihi esse gratum ut inpetraui Mo 220   idem animus nunc est Ps 18   bonus animus in mala re dimidiumst mali Ps 452   animus aequos optumumst aerumnae condimentum Ru 402   bonum animum habete. #Nam obsecro unde animus* mihi inuenitur? Ru 687   idem animus in paupertate qui olim in diuitiis fuit St 134   neque demutauit animum de firma fide Tri 1111   ut animus* meust propemodum expertae estis.. Tru 775

c. habe bonum (tranquillum, *sim*.) animum:
bonum animum habe Am 545(h. a. b. *Rgl*), Mi
1236(*PLt* modo *praem Ly* h. a. b. *Boψ*) bonum habe animum Au 192, Ba 630(h. b. a. *Rg*),
Mi 1011   habe bonum animum Cap 152*, Ep
618, Mi 1325, 1357(*PU* h. a. b. *Boψ*), Mo 387,
Tru 525* habe modo bonum animum Cap 167,
Ps 866(*AB* a. b. *CD*)   habe animum bonum
Cas 387, Ep 601(habeto *BJ*), Mi 804, 1236(*Bo*
b. a. h. *PLt*), 1357(*Bo* h. b. a. *PU*), Per 320,
Ps 925   habete animum bonum Ep 182 ..ut
habeat animum bonum Per 166 iubeto habere
animum bonum Per 303 qui possum..bonum
animum* habere? Ps 867   bonum animum habete Ru 687 habe animum lenem et tranquillum Ep 562 habe quietum animum modo Cas 381
   4. *eandem fere significationem habet quam
voluptas*: **a.** sine me amare unum Argyrippum
animi causa As 542 filio aduorsatur suo animi
amorisque causa sui Cas 151   dico me aduenisse animi causa Cu 340   cur eam emit?
‡Animi causa Ep 45   ab legione abduxit animi*
causa Ep 91(a. c. *om Rg*)   miser amicam mihi
paraui animi causa Mer 341 post animi causa
mihi nauem faciam Ru 932(v. *om B*)   aliquantum animi causa in deliciis disperdidit Tru
334   quasi tu cupias liberare fidicinam animi
gratia Ep 275
   b. pater nunc intus suo animo morem gerit
Am 131 ...animo ut tu tuo(*haec omnia U in
lac*) morem geras Mo 725(*U*) cum Alcumena
cubat amans, animo obsequens Am 290   recte
facit, animo quando obsequitur suo Am 995
est lubido homini suo animo obsequi Ba 416
..ut animo obsequium sumere possit Ba 1082
es, bibe, animo obsequere Mi 677   se amare
uelle atque obsequi animo suo Poe 176   illos
..reliqui..cordi atque animo suo obsequentis Ps 1272   ..utcumque animo conlubitumst
meo Am 343   ..ubicumque lubitum erit animo
meo As 110   nunc bene uiuo..atque animo
ut lubet Tri 311(v. secl *RRsⱾ*)   facite uostro
animo uolup Cas 784 munditia inlecebra animost amantum Men 355 ..id eripiatur animo
tuo quod placeat maxume Mer 840
   D. *usurpatur de motibus et affectibus animi*
amore, odio, ira, desiderio, timore, audacia,
superbia; aliquando per vocabulum cor *reddi*
potest: 1. numquam quicquam meo animo fuit
aegrius quam.. Am 910   quid est quod tuo
nunc animo aegrest? Cas 179 nescioquid meo
animost aegre Mer 369   amans ego animum
meum isti dedi As 141   fixus hic apud nos
est animus tuos clauo Cupidinis As 156   lingua poscit, corpus quaerit, animus hortat(*Ac*
orat *PLULy*), res monet As 512   quid si hic
animus occupatust? As 537   nunc defaecato
demum animo egredior domo Au 79   me defraudaui animumque meum geniumque meum
Au 725   facinus quod tuom sollicitat animum
Au 734   eadem . . animum fodicant Ba 64
sperat quidem animus Ba 144   sicut animus
sperat Ba 713   meus formidat animus Ba 237
tanto mihi aegritudo auctior est in animo
Cap 782   istam exturbes ex animo aegritudinem Cu 224   nullast aegritudo animo obuiam
St 524 eicite ex animo curam atque alienum

aes Cas 23   omnes homines supero antideo cruciabilitatibus animi Ci 205   doleo ab
animo, doleo ab oculis Ci 60 satis iam dolui
ex animo et cura Cap 928(*vide ω*)   a morbo
ualeo, ab animo aeger fui Ep 129   meum
frangit amantem animum Ci 222   animus
audire expetit Ci 554   quot illic homo animos habet? Ep 45   reliquiarum spes animum
oblectat meum Men 462   tantus cum cura
meost error animo Mer 347   nescioqui animus* mihi dolet Mer 388   si id fore sat
animo acceptumst.. Mer 655   quasi militi
animum adieceris Mi 909   *huc etiam refert*
Guzdek Poe 1174(*supra B. 3*)   forma huius,
mores, uirtus animum attinuere hic tuom Mi
1327(*L*)   amas pol misera, id tuos scatet animus Per 177   lacrumans titubantique animo
corde et pectore Ps 44   neu tuo id animo fac
quod tibi pater facere minatur St 20   hoc
unum consolatur me atque animum meum Tri
394   cape sis uirtutem animo Tri 650   mage
amat corde atque animo suo Tru 177   quantast cura in animo, quantum corde capio dolorem Tru 455   animo amaro(*U* eo mihi amare
PⱾt aliter RsL) fero supplicium Tri 893(*U*)
   2. *eodem fere quo* appetitus, cupiditas *sensu*:
quonam pacto possum uincere animum? Ps
236(*vide L*)   qui homo cum animo..depugnat
suo utrum itane esse mauelit ut animus
aequom censeat, ..si animus hominem pepulit,
actumst, animo seruit.., si ipse animum
pepulit ... Tu si animum uicisti potius quam
animus te est quod gaudeas Tri 305-310   qui
animum uincunt quam quos animus* semper
probiores cluent Tri 312(v. secl *RRsⱾ*)
   3. = ingenium: perferam abitum eius animo
forti atque offirmato Am 645   animum offirmo
meum Mer 82   uolui animum tandem confirmare hodie meum Au 371   quorum animis
auidis .. neque lex neque sutor capere est
qui possit modum Au 487   hoc tecum oro ut
illius animum atque ingenium regas Ba 494
petulans propteruo iracundo animo indomito .. Ba 612   ego animo cupido atque oculis indomitis fui Ba 1015   ne tuom animum auariorem faxint diuitiae meae Cap 320
hoc animo decet animatos esse amatores probos Men 203   ego autem homo iracundus
animi perditi Men 269   tu quidem meum
animum gestas Mer 572   domi habet animum falsiloquom, falsificum, falsiiurium Mi 191(*om
AR*)   quia tecum eram, propterea animo*
eram ferocior Mi 1323   illa animo* iam fieri
ferocior Ru 606   perspexi saepe animum(*U
uerum Pψ*) Mi 1366   nihil est miserius quam
animus hominis conscius Mo 544   Ru 11(animum *add Rs solus*)   muliebri animo sum tamen Ru 685   sunt quorum ingenia atque animos nequeo noscere Tri 92
   4. *de amore usurpatur*: senex si quid clam
uxorem suo animo fecit uolup .. As 942
.. nisi mors meum animum abs te abalienauerit Cu 174   *huc refert* Guzdek *etiam* Tri
226(*supra B. 1*)   bis perit amator ab re atque ab animo simul Tru 47   si raras noctes
ducit, ab animo perit Tru 49
   de ira: Aeacidinis minis animis*que exple-

tus incedit As 405 istas magnas factiones, animos*, dotes dapsiles . . nihil moror Au 167 iam domuisti animum Cas 252 uincam animum meum Mi 568 Ru 606(*supra* 3) nunc ego meos animos uiolentos meamque iram ex pectore . . promam Tru 603

de desiderio: Cap 320(Guzdek: *vide supra* D. 3) ego inscitus qui domini animo(*Rs pro* drome) postulem moderarier Men 443 consuetudine animus rursus te huc inducet Mer 1001 moderare animo Mi 1215 in rem quod sit praeuortaris quam in re aduorsa animo auscultes Ps 237

de audacia: ibi nostris animus additust Am 250 ita mihi animus etiam nunc abest Am 1081 si istam firmitudinem animi optines, salui sumus As 320 accessit animus ad meam sententiam Au 383 adsitne ei animus necne ei adsit . . Cas 572 postquam puerum perdidit, animum despondit Men 35 quaeso hercle animum ne desponde Mer 614 ne lamentetur neue animum despondeat Mi 6 iam illa animum despondebit Mi 1053 animus rediit Mer 530 iam rediit animus Tru 367 ita stupida sine animo asto Poe 1250 *num. pluralis:* erum in obsidione linquet, inimicum animos auxerit As 280 Aeacidinis minis animisque expletus cedit As 405

de superbia: Au 167(*vide supra in lem.* 'de ira') postquam filiolum peperit animos sustulit Tru 640

E. *allocutio blanda:*(*cf* Inowraclawer, p. 20) **anime mi:** salue, anime* mi, Liberi lepos Cu 98 anime mi, procul amantem abesse haud consentaneumst Cu 165 anime mi, Menaechme, salue Men 182 num non uis me obuiam his ire, anime mi? Mo 336

mi anime: da meus ocellus, mea rosa, mi anime*. . argentum mihi As 664 sequere hac me, mi anime As 941 ubi ego tum accumbam? #Apud me, mi anime Ba 81 o mei oculi, o mi anime! Mi 1330 istaec omnia itera, mi anime, mi Trachalio Ru 1265 Tru 425(mi anime *Rs pro* mihi)

F. **a.** *nom. vel acc. subiectum* 1. *sing.:* abesse Am 1081 accedere Au 383 addi Am 250 adhiberi St 103 amoueri Mer 41 censere Tri 306 dolere Mer 388 defieri Mi 1261 fallere Men 1082 fixus As 156 fluctuare Mer 890 formidare Ba 237 hortari As 512 inducere Mer 1001, Per 66 inueniri Ru 687 mirari Ba 528, Ru 614 occupari As 538 orare As 512 pellere Tri 308 praesagire Au 178, Ba 679 redire Mer 530, Tru 367 relinquere Mi 1346 scatere Per 177 sinere Poe 722 sperare Ba 144, 713 uincere Tri 310

est: mihi Mo 220 tibi Au 187 quoi Tru 966(*U*) apud te Ba 713 alibi Tru 866 aliter Tru 48(*U*) condimentum Ru 402 dimidium Ps 452 domi Au 181, Mer 589 exercitor Tri 226 foris Mer 589 idem Ps 18, St 134 illi Tru 339 istic Ps 34 ut St 86, Tri 712, Tru 775 in naui Per 709 in tuto loco Ps 1052

2. *plur.:* certare Mer 345

b. *gen. sequitur:* causa As 542, Cas 151, Cu

340, Ep 45, 91, Mer 341, Ru 932, Tri 334 gratia Ep 275 quid Am 58, 689, Mer 452 cruciabilitates Ci 205 firmitudo As 320 mens Ci 210, Ep 530 sententia Mer 441, 597 *gen. qualitatis:* Men 269

c. *loc. post adiectiva: vide supra* B. 2; *verba: supra* B. 4

d. *dat.* 1. *sing.:* auscultare Ps 237 conlubitumst Am 343 lubitumst, lubet As 110, Mi 706, Tri 311 moderari Men 443*, Mi 1215 obuiam esse St 524 obsequi Am 290, 995, Ba 416, Mi 677, Poe 176, Ps 1272 placere Mer 840 seruire Tri 308

aegre esse Am 910, Cas 179, Mer 369 male esse Am 724, 1058, Cu 312, Tru 365 id facere St 20 male facere Mi 1331, Ru 510 facere uolup As 942, Cas 784 inlecebra est Men 355 error est Mer 347 morem gerere Am 131, Mo 725(*U*) obsequium sumere Ba 1082

2. *plur.:* modum capere Au 487

e. *acc.* 1. *sing.:* abalienare Cu 174 adicere Mer 334, Mi 909, Poe 1174 aduorsari Ru 306* aduortere, *supra* B. 3 amare Tru 866(*Rs*) adplicare Tri 270 attinere Mi 1327 confirmare Au 371 consolari Tri 394 defraudare Au 725 demutare Tri 1111 despondere Men 35, Mer 614, Mi 6, 1053 dare As 141 domare Cas 252 facere Cap 320 fodicare Ba 64 frangere Ci 222 gerere Ba 509 gestare Mer 572 habere, *vide supra* C. 3. c incertare Ep 545 inducere, *vide supra* C. 1. b noscere St 2 oblectare Men 462 offirmare Mer 82 ostendere As 113, Cap 242 pellere Tri 309 periclitari Am 914 regere Ba 494 sollicitare Au 734 temptare Au 827 tollere Tru 640 uortere Tru 639(*Rs*) uincere Mi 568. Ps 236, Tri 310, 312

post praepp.: ad Mi 39 in Mi 197, 1269, Ru 22 2. *plur.:* augere As 280, habere Ep 45 morari Au 167 noscere Tri 92 promere Tru 603

f. *voc.: vide supra* E

g. *abl. modi:* Am 646, Cap 387 *limitationis* Ps 676, Ru 606 meo (quidem) animo, *vide supra* B. 5 *post verba:* uti Cap 202 animari Men 203 acceptumst Mer 655(?) *cum praepp.* **ab:** Ci 60, Ep 129, Tru 47, 49 **cum:** Tri 256, 305 **in:** Ba 7, Cap 782, Ps 759, Tri 206, Tru 455, Fr I. 56 **ex:** Cap 928, Cas 23, Cu 224, Ep 526, St 2, Tri 397, Tru 449 **sine:** Poe 1250

G. *adiectiva* 1. *cum sing.:* aequos *plus decies* amans Ci 222 amarus Tru 893(*U*) auarus Cap 320 bonus *plus quadragies* clemens Mi 1252 conscius Mo 544 cupidus Ba 1015 defaecatus Au 79 falsificus, falsiiurius, falsiloquus Mi 191 fortis Am 646 incogitatus, indomitus Ba 612 ingratus Ba 394 iracundus Ba 612 lenis Ep 562 liquidus Ep 643, Ps 232 lubens Ci 12, Ps 1321 muliebris Ru 685 offirmatus Am 646 omnis As 113 perditus Men 269 proteruos Ba 612 quietus Cap 381, Mo 396 titubans Ps 44 tranquillus Ei 562, 643, Mer 890

2. *cum plur.:* Aeacidini As 405 aequi Cai 377 auidi Au 487 uiolenti Tru 603

H. *corruptum:* Mer 40, atque animus phoebus aetate exiit *P quod var em* ω

ANITICULA - - dic igitur med **aniticulam** (*DEJ* ane. *ex* ani. *BLy* ana. *ZRgl*) As 693 (*vide Lach ad Lucr* l. 1) *Cf* Ryhiner, p. 33; Wortmann, p. 45

ANNITOR - - eum ego ut requiram atque ut (*PSt RRsU* uti *A ut vid et LLy*) redimam (et r. dare operam *R*) **adniti** (*Rs om APψ*) uolo (misere *add U*) **PER 696** haec ut me uoltis adprobare, **adnitier** lucrum ut .. suppetat AM 13

ANNONA - - ut mihi cenas decem . . dent quom cara **annona** sit CAP 495 . . esset is annona uilior MI 735 uiden ut annonast grauis? ST 635 per **annonam** caram dixit me natum pater ST 179 . . deportari . . annonam bonam piscibus VI 109 (*Fulg de abstr serm XXII, XXIV*) axitiosae annonam caram e uili concinnant uiris FR I. 11 (*ex Varr de l. L.* VII. 66) cena hac **annona**st sine sacris hereditas TRI 484

ANNUMERO - - mihi talentum argenti ipse sua **adnumerat** (*FZ* abn. *P*) manu MER 89 mercator . . mihi talentum argenti soli **adnumerauit** (ann. *J* num *BoU*) As 501

ANNUO - - ego autem uenturum **adnuo** BA 186 dico me nouisse (Lyconem). #Quid? lenonem Cappadocem? #Annuo (adn. *RgULy*) uisitasse CU 342 daturin estis an non? **adnunt** (*FZ* -unt *U* adnunt *BC* at nunc *D*) TRU 4 ehem **adnuistin?** ST 224 tu pro illa ores ut .. neque illa ulli homini nutet, nictet, **annuat** (adn. *RglULy*) As 784 (*etiam Non* 438, 439) *Cf* Langen, *Beitr.* d. 112; Votsch, p. 35; Walder, pp. 35, 49

ANNUS - - I. Forma **annus** CAP 980, MEN 234, Mo 533, ST 30 **anni** MER 984 **annum** As 230, 235, 635, 721, 754, 848, BA 1097, Mo 532, PER 21, 172, Ps 190 **anno** AM 92, As 439, BA 928, 1127, CU 14, 451, MEN 205, MER 66, Mo 505, 690, RU 630, 637, TRU 393 (*Lip* annorum *P*) **anni** EP 544 **annorum** CI 756, MI 1079, POE 1263, Ps 303 (*A* annortum *P*) **annos** AU 4, BA 2 (*Ly* -is *ψ ex Char* 201), CAS 39, CI 755, EP 219, MEN 1115 (anno *C*), MER 59, 524, 673, 1017, MI 629, 1078, 1081, Mo 494 (*Abraham L* annis *Pψ*), POE 1189, 1239, Ps 829, RU 1382, 1422, ST 160, 169, 170, TRU 341, FR I. 64 (*ex Varr de l. L.* VII. 52: *cf Non* 134) **annis** BA 2 (*ex Char* 201 -os *Ly*), 422, 462, 818, MEN 446, 1132, Mo 494 (*P* annos *AbrahamL*) *corrupta*: AM 256, annos *B¹E pro* ad nos BA 1145, annos *D¹ pro* agnos MEN 723, annos *P pro* an mos TRU 274, annos *P pro* anulos (*A*)

II. **Significatio** 1. *nom.*: anni multi dubiam *dant* (reddunt *U*)** FP 544 hic annus sextu*st*, postquam . . MEN 234 (*cf* Egli, II. p. 24, 61) ut abierunt, hic tertiust annus ST 30 hic annus *incipit* uicensimus CAP 980 scelestiorem ego annum . . nusquam ullum uidi quam hic mihi annus *optigit* Mo 533 *reddunt* EP 544 (*U: vide supra*)

2. *gen.*: annorum* *lex* me perdit quinauicenaria Ps 303 *mille* annorum perpetuo uiuont MI 1079 multorum annorum *miserias* . . sedo POE 1263 ***us (*numerus CaLULy*) annorum attulit CI 756 ut *tempus* anni, aetatem aliam aliud factum condecet MER 984

3. *acc.* a. *temporis* (*cf* Kane, pp. 9, 24): annum hunc ne cum quiquam alio sit As 230

.. perpetuom annum hunc mihi uti seruiat As 235 . . hanc ne quoquam mitteret . . hunc annum totum As 635 opto annum hunc perpetuom mihi huius operas As 721 .. Philaenium ut secum esset noctes et dies hunc annum totum As 754 tibi potestatem dedi cum hac annum ut esses As 848 memorat .. eam sibi hunc annum conductam BA 1097 plusculum annum fui praeferratus PER 21 te iam sector quintum hunc annum PER 172 frumentum hunc annum quod satis mihi et familiae omni sit meae Ps 190

hanc domum iam multos annos est quom possideo AU 4 BA 2 (*Ly infra* 4. a) quot annos nata dicitur? CI 755 illa quam tuos gnatus annos multos deamat EP 219 quot eras annos gnatus? MEN 1115 .. didier conuicium tot me annos iam se pascere MER 59 ouem .. dabo, natam annos sexaginta MER 524 annos gnatus sexaginta qui erit si quem scibimus .. MER 1017 pueri annos octingentos uiuont MI 1078 perii, quot hic ipse annos uiuet? MI 1081 (filiae) quibus annos multos carui POE 1189 annos multos filias meas celauistis clam me POE 1239 uel ducenos annos poterunt uiuere Ps 829 .. siem quinque et uiginti annos natus (*Prisc* I. 388 natus annos *PRs*) RU 1382 ego illam in aluo gesto plus annos decem ST 160 auditaui . . solere elephantum grauidam perpetuos decem esse annos ST 169 iam complures annos utero haeret (fames) meo ST 170 (*v. secl RRg*) regi latrocinatus decem annos (a. d. *Rg*) FR I. 64 (*ex Varr de l. L.* VII. 52: *cf Non* 134)

b. *aliae constructiones; cum verbis*: fero. #Quid oneris? #Annos octoginta et quattuor MER 673 uidi Mo 532 (*supra* 1 *sub* optigit)

cum praepp.: comissatum omnes uenitote ad me **ad** annos sedecim RU 1422 haud sum natus annos praeter quinquaginta et quattuor MER 629

post **abhinc**: abhinc annos factumst sedecim CAS 39 .. qui abhinc sexaginta annos* occisus foret Mo 494 (*vide infra* 4. b) quasi abhinc (*Fl* hinc *P*) ducentos annos fuerim mortuos TRU 341

4. *abl.* a. *temporis* (*cf* Kane, p. 34; Leers, p. 7): .. quinto anno quoque solitum uisere urbem MER 66 speras tibi hoc anno multum futurum sirpe RU 630 speras .. tibi euenturam hoc anno uberem messem mali RU 637

nego tibi hoc annis primis uiginti fuisse copiae .. BA 422 non potuere uno anno circumirier CU 451 quae hic monstra fiunt, anno uix possum eloqui Mo 505 melius anno hoc mihi non fuit domi Mo 960 *fortasse* TRU 393 (*infra* f)

Ulixem .. qui annis* uiginti errans a patria afuit BA 2 (*ex Char* 201)

b. *mensurae, semper cum* **post**: prius quae credidi uix anno post exegi As 439 Atridae .. Pergamum .. decumo anno post subegerunt BA 928 o salue, insperate, multis annis post quem conspicor MEN 1132

c. *comparationis, semper cum* **plus**: ingenium plus triginta annis maiust quam alteri BA 462 plus annis decem, plus iam uiginti mortuom esse oportuit BA 818 plus iam anno scio CU 14 plus triginta annis natus sum quom . . MEN 446 (*vide* S̄) *cf* PER 21 *et* ST 160 (*supra* 3)

d. *cum* in: rerin ter in anno tu has tonsitari? Ba 1127(*cf* Kane, p. 73)
  e. *cum* abhinc: Mo 494(*P annos AbrahamL:
vide supra* 3. b)
  f. anno = abhinc annum: histriones anno quom
in proscaenio hic Iouem inuocarunt uenit Am 91
quattuor minis ego emi istam anno uxori meae
Men 205   uxorem sibi me habebat anno* dum
hic fuit Tru 393   *Cf* Persson, p. 46
  5. *praeter numeralia, pronomina, sim. haec
adiectiva cum* annus *vocabulo coniunguntur:*
complures St 170   multi Au 4, Ep 219, 544,
Men 1132, Poe 1189, 1239, 1263   perpetuos
As 235, 721, St 169   totus As 635, 754   scelestus Mo 532
  ANNUTO - - ibidem mihi etiam nunc adnutat Mer 437
  . **ANNUUS - -** nisi mihi penus annuos(-us
PU) hodie conuenit.. Ps 178(* *L aliter RU ex
Prisc* I. 170, *Serv ad Aen* I. 703) primumdum
merces annua: is(*B* annuus *CD*) primus bolust
Tru 31   nec a quoquam acciperes alio merce-
dem annuam Ba 29(*ex Non* 334)   non edepol
conduci possum uita uxoris annuā As 886   *Cf*
Gimm, p. 13
  ANSA - - non tu illum uides quaerere an-
sam, infectum ut faciat? Per 671a
  ANSATUS - - sed quis hic ansatus(conatus
Non 479) ambulat? Per 308   *Cf* Egli, II. p. 66;
Graupner, p. 11
  ANSER - - ..item ut de frumento anseres
clamore absterret, abigit Tru 253   *Cf* Wort-
mann, p. 44
  ANTAEUS - - cum Antaeo(anthaeo *Serv in
Aen* X. 69) deluctari mauelim Per 4
  ANTAMOENIDES - - *miles; in supers.* Poe
act. II, *act.* V sc. 5 *et v.* 1322(-ammoe. *B* -amo.
AL -omo. *CD*)   *ubique* Antamonides *L   Cf*
Langrehr, *De Pl. Poenulo*, p. 15; Schmidt,
p. 356
  ANTE - - I. Forma Ba 1209, ante hoc
LangenRg antehac *Pψ   Cap* 476, ante *add Rs*
Ep 33, antea *B pro* ante   Tri 568, antea *APU*
pro ante(*Guy*); 792, ante *add RRs*; 828, ante
om *RRs*; 1141, ante om *RRs*   corrupta: Am
649, ante id *D¹E pro* anteit As 684, meam(me
B) ante megere *P pro* me amantem egere Men
13, ante elogium *B²CD*(elongum *B¹*) *pro* antelogium; 681, ante *B²* uis *P pro* prius Mer 381,
faciā ante *B pro* feci amantes; 903, ante *P pro*
an de   Per 284, ante attinet *A pro* attinet ad
te   Poe 745, ire it ante(*om C*) *P pro* rei tantae
Tri 943, eo ante *P pro* eho an tu; 1116, ante
ponens *CD pro* antepotens
  II. Significatio A. *adverbium, semper temporale:* ubi illaec quae dedi ante? As 196   saepe
ante in nostras scapulas cicatrices indiderunt
As 552(*v. secl Boω*) nisi quidem illa ante occupassit te, (illam) effliges, scio As 818   ut dixeram ante Cap 17   tam ego fui ante liber quam
gnatus tuos Cap 310   ipsi obsonant, quae para-
sitorum ante erat prouincia Cap 474   Cap 476
(ante *add Rs solus*) solebam menstrualis epulas ante adipiscier Cap 483   iam ante alii fecerunt idem Ep 32   (honor) quia ante* aliis fuit
Ep 33   .. quam domi ante habui capram Mer
230   fecere tale ante aliei spectati uirei Mer

318   uides quae sim: et quae fui ante(peior
add Rs) Mo 199   si ante quid mentitust nunciam dehinc erit uerax tibi Poe 374   illa omnia
missa habeo quae ante agere occepi Ps 602
oratio una interiit .. qua ante utebantur St 185
si ante* uoluisses, esses Tri 568   Tri 792(ante
add RRs)   hanc tuam gloriam iam ante* auribus acceperam Tri 828   nec qui esset noram
neque eum ante usquam(esset noueram neque
usquam *RRs*) conspexi prius Tri 1141   haud
istoc modo solita's me ante appellare Tru 161
  B. *praepositio* 1. *localis, cum verbis vel movendi vel quiescendi:* a. quam in manibus tenui
atque *accepi* hic ante aedis cistellam Ci 675
munerigeruli facite ante aedis iam hic *adsint*
Ps 181   non ego te modo hic ante aedis ..
uidi *astare?* Men 632   cur ante aedis astas?
Men 676   uideo Syram astare ante aedis Mer
808   *audire* uocem uisa sum ante aedis modo
mei Lampadisci serui Ci 543   quid hoc hic
clamoris audio ante aedis meas? Tri 1093   quinam homo hic ante aedis nostras..*conqueritur?*
Au 727   *consperge* ante aedis St 354   eccum
ipsum ante aedis *conspicor* Ep 186   ante aedis
duo sodales .. conspicor Ep 344   post ante
aedis..me *derideto* ebrius Men 629   te hic
pipulo *differam* ante aedis Au 446   *eccum* adfinem ante aedis Au 536   uxorem ante aedis
eccam Cas 574   eccum ante aedis Cas 593
eccum ipsum ante aedes Per 739   ubi illest
quem coquos ante aedis *esse* ait? Men 357
iamst ante aedis circus Mi 991   quid tibi ..
hic ante aedis clamitatiost? Mo 6   .. quid illi
negoti fuerit ante aedis meas Tri 1001   uxorem huc *euoca* ante aedis cito Cas 295   huc
si ante aedes euocem.. Poe 920   quid est,
pater, quod me *exciuisti* ante aedis? Ep 570
quis hic est senex qui ante aedis nostras sic
iacet? Am 1073   meam *ludificauisti* hospitam
ante aedis Mi 495   ego illum ante aedis *praestolabor* Mo 1066   iube Telestidem huc *prodire* filiam ante aedis meam Ep 568   ubi sunt
isti quos ante aedis iussi huc *produci* foras?
Cap 252   *progredere* ante aedis Mi 817   tu
hic ante aedis interim *speculare* Mi 1121   nonne
ego nunc *sto* ante aedes nostras? Am 406   prius
multo ante aedis stabam Am 603   Alcumenam ante aedis stare saturam intellego Am 667
quid haec hic autem tam diu ante aedis stetit?
Tru 335   *tractauisti* hospitam ante aedis meas
Mi 510   quis hic est homo quem ante aedis
uideo? Am 292   eccam eampse ante aedis ..
uideo Men 773   uiden uestibulum ante aedis
hoc? Mo 817   quid uideo? eram atque ancillam ante aedis? Tru 895
  nunc ara Veneris haec est ante horunc fores
Cu 71   ianuam Per 758(*vide sub ostium*)   me
paelices adduxe dicet ante oculos suos Ru 1047
eandem ante oculos attines Men 730   flagitiumst tuas te popularis pati seruire ante oculos
Poe 966
  hic uolo ante ostium et ianuam meos participes bene *accipere* Per 758   ubi *actumst?*
#Hic ante ostium Tri 608   conuiuae *ambulant*
ante ostium Men 276   cur .. ante ostium ..
astas? Tru 175   tibi argentum *dedi* .. hic
ante ostium Ps 1202   erust *eccum* ante ostium

est Cap 1005   Erotium aliquis *euocate* ante
ostium Men 674   hoc uolo hic ante ostium
extergere Ru 1299   hic ante ostium meo modo
loquar As 151   an quis deus *obiecit* hanc
(cistellam) ante ostium? Ci 669   senex ipsus
te ante ostium eccum *opperitur* Mo 795   quis hic
est quem astantem *uideo* ante ostium? Ba 451
apponite opsonium istuc ante **pedes** illi seni
Mer 780   Priamum adstantem eccum ante
portam uideo Ba 978
    cum pronomine pers.: tu ut decet dominum
ante me ito inanis As 660
    b. *vis localis aliquando per adverbia augetur:*
his As 151, Au 446, 727, Ci 675, Men 632, Mi
1121, Mo 6, Per 758, Ps 181, 1202, Ru 1299,
Tri 608, 1093, Tru 335   huc Cap 252, Cas 295,
Ep 568, Poe 920   istuc Mer 780(?)
    2. *temporalis:* numquam iussit me ad se ar-
cessi ante hunc *diem* St 267   neque ego istuc
nomen umquam audiui ante hunc diem Cap 634
istuc nomen numquam audiui ante hunc diem
Ep 496   neque ego hanc oculis uidi ante hunc
diem Ep 576   mihi qui ante hunc diem Epidamnum numquam uidi neque ueni Men 305
non edepol ego te .. umquam ante hunc diem
uidi Men 500   eodem die illum uidi quo te
ante hunc diem Men 749   neque te uidi ante
hunc diem umquam Ps 621   quem ego .. neque
oculis ante hunc diem umquam uidi Tri 961
neque Athenas aduenit umquam ante *hesternum*
diem Ps 731   ante hoc *factum* hunc sum arbitratus semper seruom pessumum Mi 1374   ante
hoc Ba 1209(*LangenRg*)   is repente abiit a
me hinc ante *lucem* Am 639   hinc tu ante lucem rus cras duces postea Cas 487   si ante
lucem ire occipias .. Tri 885   dudum ante
lucem a portu me praemisisti domum Am 602
non iam dudum ante lucem ad eandem Veneris
uenimus Poe 318   dudum ante lucem et istunc
et te uidi Am 699   ante *solem* exorientem nisi
in palaestram ueneras .. Ba 424   nam ni ante
solem occasum elo✻✻ Ep 144   tu facito ante
solem occasum ut uenias Men 437   certumst
mihi ante *tenebras* tenebras persequi Ps 90
ego ius iurandum .. dedi daturum id me .. ante
uesperum Ba 1029 *Cf* K a n e, p. 88; L e e r s, p. 39
    3. *comparativa:* scito illum ante omnes mi-
numi mortalem preti As 858 (*cf* S c h a a f f, p. 19)
aequomst placere ante alias(*R om P*) ueteres
fabulas Cas 8   ego, Neptune, tibi ante alios
deos gratias ago Tri 824 *cf* F r i e d e, *De deri-*
vatione .. apud Pl. et Ter. p. 9
    ANTEA - - *cf* R i t s c h l, *Opusc.* II. 547
    Ep 33, antea *B pro* ante   Tri 568, antea *PU*
pro ante(*Guy*)   probus quidem antea iacula-
tor eras Tr II. 62(*ex Isid Orig* XIX. 5, 2)
    ANTECEDO - - si .. istaec opera .. perfeceris
uirtute regi Agathocli **antecesseris** Ps 532
vide Ps 417, *ubi* antecedat *P pro* anteueniat(*A*)
    ANTEEO - - uirtus omnibus rebus **anteit**
(ante id *D¹E*) Am 649   hic adulescens multo
Ulixem anteit(antidit *BoRRg*) Ba 3(*ex Char*
201)   *corrupta:* Ba 1089, anteeo *D³ pro* anti
deo   Tri 546, anteit *Diom* 394 *pro* antidit
    ANTEHAC - - I. Forma Ba 1209, ante hoc
LangenRg antehac *Pψ*   Ci 1, anted hac *E¹*
St 759, antidhac *Gloss Plaut*(*cf* R i t s c h l, *Opusc.*

II. 269)   Tru 83, quem antehac *Bue*   qui manifesta ac *P   corrupta:* antehac Am 711 *BJ*, Au
396 *J*, Ba 539 *D³*, Ci 198 *J*, *pro* antidhac
    II. Significatio ego antehac✻ te *amaui* Ci 1
tu numquam *audisti* esse antehac uidulum
piscem? Ru 993   si hoc eduxeris proinde ut
consuetu's antehac✻ .. St 759   imaginem meam
quae antehac *fuerat*, possidet Am 458   minus
iam furtificus sum quam antehac Ep 12   uita
antehac erat Mo 731   hic quidem neque conuiuarum sonitust item ut antehac fuit Mo 933
hic mihi antehac hospes Antidamas fuit Poe
955   tu illum (nosti) quoius antehac fuit Ru
967   .. ni antehac✻ uidissemus *fieri* Ba 1209
nemo adaeque .. antehac *est habitus* parcus
Mo 31   antehac amator summus habitu's Tru
165   antehac pro iure *imperitabam* meo Cap
244   mihi in mari acipenser *latuit* antehac
Fr. I. 19(*ex Macr* III. 16, 1)   .. quem antehac✻
odiosum sibi esse memorabat Tru 83   *perspexi*
saepe uerum quom antehac tum hodie maxume
Mi 1366   eho, an umquam *prompsit* antehac✻
Mi 841   ego .. illum antehac hominem semper sum frugi *ratus* As 861   tu quidem antehac aliis *solebas* dare consilia mutua Ep 99
tune id dicere audes quod nemo umquam homo
antehac *uidit*? Am 566
    ANTELOGIUM - - huic argumento antelogium
(*Muret ex Auson Ep* 16[antil.]   ante elogium
B²CD[elongium *B¹*]) hoc fuit interim Men 13
    ANTEMNA - - imbres .. frangere malum,
ruere **antemnas**(-mpn- *D*) Tri 837
    ANTEPARIO - - **antepartum**(-pertum *Kies*
Rs) perdidi Tru 343(*cf* W u e s e k e, p. 32)
.. uirtute eorum **anteparta**(*P* -uerta *A* -perta
BergkRRsLy) per flagitium perde₁es? Tri 643
at ne anteparta(*Sarac* -parata *P*) demus postpartoribus Tru 62
    ANTEPARO - - Tru 62, anteparata *P pro*
anteparta(*Sarac*)
    ANTEPONO - - bonum **anteponam** prandium
pransoribus Men 274   quid(? *RgLULy*) **ante-**
pones(tu te pones *L*) Veneri iaientaculo? Cu 73
.. quo deteriores **anteponantur** bonis(,boni ..
AcU) Poe 39   (cena) quae Thyestae †quon-
dam(*del ReizU lac sign Rs*) **antepositast**(aut
posita est *NettleshipLLy*) Ru 509   *vide* Tri
1116, *ubi* ante ponens *CD pro* antepotens
    ANTEPOTENS - - hic homost omnium ho-
minum praecipuos uoluptatibus gaudiisque
antepotens(*B* ante ponens *CD*) Tri 1116
    ANTERASTYLIS - - *puella; in supersc.* Poe
act. I. *sc.* 2(-ilis *BD om C*): *act.* V. *sc.* 4(-illis
BD³ om CD¹)   Poe 203(-ilis *P*), 895(-illis *A*
-ilis *P*), 1299(-ilis *A* antrastris *B* anterastris
CD -ilis *LULy*)   *Cf* S c h m i d t, p. 356
    ANTESTOR - - nonne **antestaris**? Per 747
ego te **antestabor** Poe 1230   **antestare**(ante-
tarde *A*) me atque duce Poe 1229   licet (te *add*
P) **antestari**? Cu 621(*cf* G r o n o v, p. 95)   seruom antestari? uide Cu 623   *Cf* R o m e i j n, p. 34
    ANTEVENIO - - praeoccupato(-bo *StudLU*
Ly) atque **anteueniam** et foedus feriam Mo 1060
temperi huic hodie **anteueni** Tri 911   nemo
anteueniat(*A* antecedat *P*) filio .. meo Ps 417
anteueni aliqua et .. circumduce exercitum
Mi 221(*loc dub: vide* ω)   omnibus rebus ego

amorem credo..**anteuenire** Cᴀꜱ 217 *Cf* F e y e r-
a b e n d, p. 83

ANTEVERTO - - maerores mihi **anteuortunt**
gaudiis Cᴀᴘ 840   rebus aliis **anteuortar**(*P*
-uertar *A*) ..quae mandas mihi Bᴀ 526(*cf* H o f-
m a n n, p. 25)   *vide* Tʀɪ 643, *ubi* anteuerta *A*
pro anteparta

ANTHRAX - - *cocus; in supersc.* Aᴜ *act.* II.
sc. 4(arethax *BJ om D*) Aᴜ 287(antrax *P*) *Cf*
S c h m i d t, p. 176

ANTIDAMAS - - *cf* S e y f f e r t, *Stud. Plaut.*
p. 12; L a n g r e h r, *De Pl. Poenulo* p. 21; *etiam*
S c h m i d t, p. 176

Pᴏᴇ 955(*AB* -madas *CD*), 1051, 1058(*AP* antidama *Mueω*)   **Antidamae** Pᴏᴇ 1042(*v. secl Sey*
LU), 1046   **Antedamai** Pᴏᴇ 1045(*Bo* -mati *A*
anthidamarchi *P*[anti. *D*])

ANTIDEO - - solus ego omnis longe **antideo**
(*Bo* antedeo *P* ante eo *D³*) stultitia Bᴀ 1089
munditiis Munditiam antideo Cᴀꜱ 225   omnes
homines supero, ȧntideo, cruciabilitatibus animi
Cɪ 205   solus ego omnibus antideo facile miserrumus hominum ut uiuam Pᴇʀ 779   hic adulescens multo Ulixem **antidit**(*BoRg* anteit
Charψ) Bᴀ 3(*ex Char* 201)   Campans genus
multo Syrorum antidit(*ABCNon* 486 antedit *D*
anteit *Diom* 394) patientia Tʀɪ 546   te..dolis
.. **antidibo**(antẹi.. *A*) Ps 933(*A solus: cf* L e o,
Lect. Pl. p. 578)

ANTIDHAC - - I. **Forma** antehac Aᴍ 711
BJ, Aᴜ 395 *J*, Bᴀ 539 *D³*, andedhac *B*   antiac
D¹, Cɪ 198 *J*, Cᴀꜱ 88, antidac *A* antidhanc*VE¹*
antedhac *J*, Ps 621, anteidhac *A*, Sᴛ 758, an-
tidhac *Gloss Plaut pro* antehac(*cf* R i t s c h l,
Opusc. II. 269)

II. **Significatio** Athenas antidhac* numquam *adueni* Ps 621(ueni *A*)   mihi amicum
esse *arbitratus* sum antidhac* Bᴀ 539 ualete..
quod *fecistis* antidhac* Cᴀꜱ 88, Cɪ 198   tu me
antidhac supremum *habuisti* comitem Ps 16
magis me benigne nunc *salutas* quam antidhac
Pᴏᴇ 752   salutare aduenientem me solebas antidhac* Aᴍ 711   in re tali iam *subuenisti* antidhac* Aᴜ 396   *uisitaui* ✳✳✳antidhac? Eᴘ 539

ANTIMACHUS - - Aᴜ 779   *Cf* S c h m i d t,
p. 177

ANTIOCHUS - - regi **Antiocho**(anthi. *C*) Pᴏᴇ
694   *Cf* E g l i, II. p. 40; V i s s e r i n g, p. 32

ANTIPHILA - - Cɪ 2(*Prisc* I. 529 *pro* Gymnasium)   *Cf* S c h m i d t, p. 177

ANTIPHO - - *senex; in supersc.* Sᴛ *act.* I. *sc.* 2;
act. IV. *sc.* 1(-on *B*)   Sᴛ 508, 517, 664(ante. *B*)
Antiphonem Sᴛ 408, 570   *Cf* S c h m i d t, p. 177

ANTIQUOS - - I. **Forma** **antiqua** Ps 233
antiquom(*nom. neut.*) Mo 476(-um *P*), 477(capitale *R*), Tʀᴜ 54(*BueLU* aliquod *PS†Ly†* raptum
Rs)   **antiquom**(*acc. masc.*) Bᴀ 261(-um *P*), Cᴜ
591(-um *J*), Pᴇʀ 53(-um *P*)   **antiquam** Aᴍ 118,
475, 1141, Cᴀꜱ 13 (-cuam *quadrisyl. Ly*), Mɪ 751,
Tʀɪ 381   **antiquom** Bᴀ 711(-cum *PL*), Mo 789
(-qum *A* -quum *P*), Pᴇʀ 507(*B* -um *ACD*) **antiquo**(*masc.*) Rᴜ 625   (*neut.*) Mᴇʀ 885(gaudio a. ut
sies *Luchs* gaudiantiq'[-antq' *B*] ut sis *P* gaudia
antiqua ocius *R*), Ps 1190   **antiquae** Tʀɪ 72 a(*A*
aniique *P*)   **antiqua** Cᴀꜱ 7, Tʀᴜ 774   **antiquos**
Pᴏᴇ 978, Tʀɪ 74   **antiqua** Mᴇʀ 546, 885(*R vide*
antiquo)   **antiquis** Cᴀᴘ 105, Tʀɪ 295   **anti-**

quius(*nom.*) Eᴘ 425(*U pro* amicius[amictius *J*
amititius *B*])

II. **Significatio** A. *substantive:* 1. antiquom*
optines hoc tuom, tardus ut sis Mo 789   antiqua recolam et seruibo mihi Mᴇʀ 546

2. fricari sese ex antiquo uolunt Ps 1190

B. *adiective* 1. *attributive:* ego huic bene et
hic mihi uolumus et *amicitiast* antiqua Ps 233
in te aegrotant *artes* antiquae* tuae Tʀɪ 72 a
antiquam eius edimus *comoediam* Cᴀꜱ 13 Alcumenam Iuppiter rediget antiquam coniugi in
concordiam Aᴍ 475   restituam iam ego te in
gaudio antiquo* ut sies Mᴇʀ 885(*Luchs: vide R*)
tu cum Alcumena uxore antiquam in *gratiam*
redi Aᴍ 1141   *historiam* ueterem atque antiquam haec mea senectus sustinet Tʀɪ 381   continuo antiquom *hospitem* nostrum sibi Mnesilochus aduocauit Bᴀ 261   timeo ne *malefacta* antiqua mea sint inuenta omnia Tʀᴜ 774   ille demum antiquis est adulescens *moribus* Cᴀᴘ 105
Veneri .. more antiquo .. commiserunt caput Rᴜ
625   neque eos (mores) antiquos seruas Tʀɪ 74
(*v. secl RRsSLU*)   meo modo et moribus uiuito
antiquis Tʀɪ 295   inuadam..in *oppidum* antiquom et uetus Bᴀ 711   Chrysopolim..urbem..
plenam bonarum rerum atque antiquom oppidum Pᴇʀ 507   antiqua *opera* et uerba..uobis
placent Cᴀꜱ 7   tu istanc *orationem* hinc ueterem
atque antiquam amoues Mɪ 751   antiquom *poetam* audiui scripsisse in tragoedia.. Cᴜ 591
ueterem atque antiquom *quaestum*..seruo Pᴇʀ
53   ueterem atque antiquam *rem* nouam ad uos
proferam Aᴍ 118   *scelus*..factumst iam diu
antiquom et uetus. #Antiquom*? Mo 476-7   *seruos* quidem edepol ueteres antiquosque habet
Pᴏᴇ 978   aut empta ancilla..aut *uasum* ahenum antiquom* Tʀᴜ 54

2. *praedicative:* nihil ..est .. antiquius* Eᴘ
425 (*U*)

3. antiquos *et* uetus *adiectiva coniuncta: cf*
Gimm, p. 13; Sjögren, p. 41   Aᴍ 118 (res),
Bᴀ 711 (oppidum), Cᴀꜱ 7 (opus), Mɪ 751 (oratio),
Mo 476 (scelus), Pᴇʀ 53 (quaestus), Pᴏᴇ 978
(seruos), Tʀɪ 381 (historia)

ANTISTITA - - Veneriae..**antistitae**(*B* antiste *C* antiste *D*) ..in custodelam suom commiserunt caput Rᴜ 624

ANULATUS - - incedunt cum **anulatis** auribus Pᴏᴇ 981

ANULUS - - I. **Forma** anuli Tʀɪ 789   **anulum** As 778(ullum *Non* 382 nullum *Non* 402),
Bᴀ 327, Cᴀꜱ 144, 710, Cᴜ 356(*B²J* animulum
BVE amiculum *L*), 360, 584 *bis*, 595, 601, 629,
653, Mɪ 771, 797, 912, 931, 960, 988, 1049, Pᴇʀ
572(*APGuyR* anellum *Boψ*), Vɪ 105(*ex Non*
258)   **anulo** Bᴀ 328, Cᴜ *Arg* 2, Cᴜ 346, Ps 56
anulos Tʀᴜ 274(*A* annos *P*)

II. **Significatio** 1. *gen.:* nonne arbitraris tum
adulescentem anuli paterni signum nosse? Tʀɪ 789

2. *acc.:* anulum istunc *attulit* quem tibi dedi
Mɪ 988   huius *contendi* anulum Vɪ 105(*ex Non*
258)   quasi anulum hunc ancillula tua abs te
detulerit Mɪ 912   hunc anulum ab tui cupienti
huic detuli Mɪ 1049   spectandum ne quoi anulum* *det* As 778   dabo et anulum in digito
aureum Cᴀꜱ 710   ego mihi anulum dari istunc
tuom uolo Mɪ 771   quasi hunc anulum faueae

suae dederit Mı 797   illi hunc anulum dabo
Mı 931   eius hunc mihi anulum ad te ancilla
porro ut deferrem dedit Mı 960   anulum gnati
tui facito ut memineris *ferre* Bᴀ 327   *gestas*
tecum ahenos anulos*? Tʀᴜ 274   med hunc *ha-*
bere conspicatast anulum Cᴜ 595   rogita unde
istunc habeat anulum Cᴜ 601   ..mihi dicas
unde illum habeas anulum Cᴜ 629   *indas* ..
ferream seram anulum*que Pᴇʀ 572($APGuyR$)
ille suom anulum* *opposiuit* Cᴜ 356   *perdidi-*
stin tu anulum? Cᴜ 584   *referte* anulum ad
me Cᴀs 144   hunc *seruaui* semper mecum una
anulum Cᴜ 653   ego ei *subduco* anulum Cᴜ
360   is mihi anulum *subripuit* Cᴜ 584

3. *abl.*: a. quid opust anulo? Bᴀ 328

b. ibi eludit anulo riualem Cᴜ *Arg* 2   ..qui
anulo meo tabellas obsignatus attulisset Cu 346

c. ex: miles hic reliquit symbolum, expressam in cera ex anulo suam imaginem Ps 56

ANUS - - *nomen fabulae a Varrone*(*apud*
Gell. III. 3. 9) *a Plauto abiudicatae*

ANUS - - *anulus ferreus*   tum compediti
anum(*BNon* 333 ianū *CD*) lima praeterunt Mᴇɴ
85(*cf* Ryhiner, p.18)   *vide* Sᴛ 312, *ubi* magnum
anum *BugU* manum *PSt Lyt* malum magnum
Hermψ

ANUS - - I. Forma anus Aᴜ 188, 548, Cı
149, 556, 567, 583, Cᴜ 76, 103, 160, Mo 696(abducere me anus *B* abducerem eamus *CD*)   **anui**
Aᴜ 466(*PU* anu *Bentψ*), Cᴜ 104(anu *SpSLy*)
anum Aᴜ 38, 163, 816, Cı 536, 577(*om AcLU*),
594, 653, 662, Cᴜ 112, Mᴇʀ 670, Mo 193, 703(*A*
om P cum lac), Ps 659, Rᴜ 406, 671   **anus**(*voc.*)
Cᴜ 120, 132   **anu** Aᴜ 60, 807(anu: ea rem *Ca*
an ueram[-a] *P*), Cı 290(ab anu *L* manu *Aψ*),
660   **anūs** Mo 281

II. Significatio 1. *nom.* (*vel acc.*) *subiectum:*
se *adiurat* anus iam mihi monstrare Cı 583
censeo hanc *appellandam* anum Cᴜ 112   anus
ei quom *complexast* genua.. Cı 567   anum
non uideo *consequi* nostram Syram Mᴇʀ 670   et
multiloqua et multibiba *est* anus Cı 149   quibus anus domi sunt uxores Mo 281   anus
hercle huic indicium *fecit* de auro Aᴜ 188   anus
fecit palam Aᴜ 548   uiden ut anus tremula
medicinam facit? Cᴜ 160   ..illam anum *inri-*
dere me ut sinam Cı 662   *sitit* haec anus Cᴜ
103   anus hic *solet* cubare custos ianitrix Cᴜ 76
illaec ted anus fortu***seras *uocat* Cı 556   *uo-*
luit in cubiculum abducere me anus* Mo 696

2. *dat.*: gallus.. qui erat anu* peculiaris Aᴜ
466   uindemia haec huic anu* non satis est
soli Cᴜ 104

3. *acc.*: a. credo ego illum.. eampse anum
adiisse Aᴜ 815   anum foras *extrudit* ne sit
conscia Aᴜ 38   ..si eam senex anum praegnantem.. *fecerit* Aᴜ 163   si quis dotatam
uxorem atque anum habet(*A* ***habet *P*) Mo
703   ego illam anum *interfecero* siti Mo 193
ego continuo anum* *interrogo*(obsecrans *Rs*) Cı
577   scelestus sacerdotem anum praecipes *rep-*
pulit Rᴜ 671(*cf* Asmus, p. 12)   anum *sectatus*
sum clamore per uias Cı 536   nullam ego me
uidisse credo magis anum excruciabilem Cı 653
neque digniorem censeo uidisse anum me quemquam.. Rᴜ 406

b. ego ad anum recurro rursum Cı 594   ego

---

deuortor ..**apud** anum illam doliarem, claudam,
crassam Chrysidem Ps 659

4. *voc.*: em tibi, anus lepida Cᴜ 120   **anus**,
audi Cᴜ 132

5. *abl.*: **a.** scelestiorem me hac anu certo
scio uidisse numquam.. Aᴜ 60

b. **ab** anu* esse credo nocitum Cı 290(*L*)
spatium ei dabo exquirendi meum factum **ex**
gnatae pedisequa nutrice anu* Aᴜ 707(*cf* Asmus, p. 12)   quid nuntias super anu? Cı 660

6. *adiectiva:* clauda, crassa Ps 659   digna
Rᴜ 406   doliaris Ps 659   dotata Mo 703   excruciabilis Cı 653   lepida Cᴜ 120   multibiba,
multiloqua Cı 149   tremula Cᴜ 160

APAGE - - I. Forma Cᴀs 459, a patre *J:*
Cᴜ 598, appage *EJ*   Mı 210, apace *P¹*   Mo
436, acage *CD¹*: 518, apage hinc te *R in lac*
Tʀı 266, apace sis *B¹* apage sis *D²* $απαγατε$ *A*
apage te sis *RRs* apage te $ψ$

II. Significatio 1. *absolute:* **a.** magis 'apage'
dicas, si omnia..audiueris Tʀı 538

b. apage Tʀı 525   apage a me, apage Bᴀ
(65 a =) 73   apage sis Pᴏᴇ 225   apage*, apage
te a me Mo 436   apage, non placet me hoc
noctis esse Aᴍ 310   apage, haud nos id deceat Cᴀᴘ 208   apage*, non placet profecto
mihi illaec aedificatio Mı 210   apage, nescio
quid uiri sis Pᴏᴇ 856   apage, controuorsiast
Rᴜ 826   apage te(*om Don ad Ter Eun* 4, 6,
18 *et RRs*), amor, non places Tʀı 258   non
bonust somnus de prandio: apage Mo 697

2. *seq. acc.:* apage* hinc *te* Mo 518(*R in lac*)
apage te, Harpax: hau places Ps 653   apage
te, amor, non places Tʀı 258(*vide supra* 1. b)
apage* te (sis *add RRs ex P*), amor, tuas res
tibi habeto Tʀı 266   apage* istanc *caniculam*
Cᴜ 598   apage istius modi *salutem* Mᴇʀ 144
apage istunc *perductorem*(i. p. *om R*) Mo 816 b
(*v. om Seyω: cf* v. 845)

3. *app.* a *cum abl., aliquando omisso acc.:* **a.** a-
page *te* a me Aᴍ 580   Mo 436(*supra* 1. b)   apage
istas a me *sorores* Bᴀ 372   apage *illum* a me Eᴘ
673   apage istum a me *perductorem*(a m. p. *A om*
P cum lac circumductorem *R*) Mo 845(*cf* v. 816 b
supra 2)   apage a me istum *agrum* Tʀı 537   ultro te, amator,(. *U*) apage* *te* a dorso meo Cᴀs 459

b. apage a me, apage (Bᴀ 64 a =) 73   apage
a me sis Tʀı 838

4. *notio per* sis *augetur:* Pᴏᴇ 225(*supra* 1. b),
Tʀı 266(*supra* 2), 838(*supra* 3. b)

APELLA - - Apella(*A* -les *P*)   atque Zeuxis
Eᴘ 626   o Apella(-ę *A* capella *D*), o Zeuxis
pictor Pᴏᴇ 1271   *Cf* Egli, II. p. 38

APER - - cum **apro** Aetolico .. deluctari
mauelim Pᴇʀ 3   iam ego uno in saltu lepide
apros capiam duos Cᴀs 476   *vide* Cᴀs 523,
ubi aper uorsus(uersus *Turn*) *habet P pro* per
uersus(*Fest* 310)   *Cf* Inowraclawer, p. 84;
Wortmann, p. 35

APERIO - - I. Forma aperio Ps 840   **ape-**
ris Mo 937, 938   **aperit** Aᴍ 1020, Aᴜ 411
(aperitur *CaRg*), Bᴀ 582, Cᴀᴘ 830, Cᴜ 81, Mo
445(*CaRU: vide infra* II. A. 2 *sub* foris), 900,
988, Pᴇʀ 300(*APLLy* -itur *R* operit *Rs* aperite
FZU), Ps 1139, Tʀᴜ 664   **aperitin** Mo 455
(*LRs vide* aperit)   **aperitur** Aᴜ 411(*CaRg*
aperit *Pψ*), Cᴀᴘ 108, Cᴀs 779, Cᴜ 21, Mᴇɴ 108,

Mer 699, Mi 527, 985(*Bo* -iuntur *PLy*), 1198
(*D³* peritur *P*), Per 300(*R: vide* aperit) **aperiuntur** Am 955, Cu 93, Mi 985(*PLy* -itur *Boψ*),
Per 80, Tri 400, Tru 795 **aperibo** Tru 763
aperiam Men 738   **aperient** Tri 17   **aperuistis** Ci 3(*J* -ti *BVE*)   **aperiat** Ru 667(*Rs
in lac quam ret ₰ aliter expl ψ*)   **aperi** Am
788, Au 350, Ba 833, Poe 1075, Ru 1143(perii
GuyRs), Tri 803, Tru 746(*Rs* a. rem *Ly* aperire
P₰Lt aliter U)   **aperite** Am 1020, Ba 368,
Cap 831(app. *E*), Men 674, Mer 131, Ps 1284
(app. *D*), *ib.*, St 309, Tri 870 *bis*, 1174 *bis* **aperire** Am 787, Cu 204   **aperiri** Ba 798, 1118
(app. *D*), Cas 434(*E² opp. B* op.*E¹J* operari *V*),
Tru 350 **aperta**(*nom.*) Ba 901, St 87 **aperto**
(*abl. neut.*) Cap 475, 476   **aperta**(*nom. neut.*)
Cap 524   **apertas** Au 388   **apertiore** St 485
aperte Ba 302   *corrupta:* Cas 633, aperi *P* ah
(a *LLy*) perii *GepRs₰LLy* perii *U*   Mi 1025,
aperi *D³* apeli *CD¹ pro* accepi(*B*) *aut* accedi
(*GertzLU*); 1263, aperte *CD* te per *B fero*
per te Ps 948, aperit *P pro* aderit(*A*)   Tru
209, apperibor *BC* ape. *D pro* opp.(*A*)
   II. **Significatio** A. *proprie* 1. *absolute:* certumst aperire (cistulam) atque inspicere Am
787   aperi modo Am 788   aperit (fores) ilico
Cu 81   aperite aliquis Mer 131   aperite atque adproperate St 309   aperi (manum), audi
(si audes *Rgl*) Poe 1075   aperi* (obsonium)
Tru 746(*Rs*)   aperite (ostium) hoc Am 1020
aperite atque Erotium aliquis euocate Men 674
heus Tranio, etiamne aperis? #Quae haec est
fabula? #Etiamne aperis? Mo 937-8   aperite*,
aperite Ps 1284   aperite hoc, aperite Tri 870
aperite hoc, aperite propere Tri 1174   aperi
(thensaurum), depromo inde auri . . quod sat
est, Tri 803   solutust (uidulus). #Aperi* Ru
1143
   2. *cum acc., vel passive:* (*aedes*) nunc apertast Ba 901   aperiuntur aedes Am 955, Per
80, Tri 400   quid ego apertas aedis nostras
conspicor? Au 388   aperiuntur aedes festiuissumae Cu 93   aperit* *Bacchanal* Au 411
(*vide CaRg*)   aedituum (arbitror *add RgU*)
aperire *fanum* Cu 204   audio aperiri *fores*
Ba 798, Cas 434*   forem hanc pauxillum aperi
Ba 833   iube sis actutum aperiri* fores Ba
1118   aperite* hasce ambas foris Cap 831
aperitur foris Mer 699, Mi 527, 985*   commodum aperitur* foris Mi 1198   ecquis hic est
(*Rs₰* ist *PLy†* intust *L*)? aperitin(*LRs* hec quis
ista[istas *B²D³*] perit in *P* ecquis istas aperit
mihi *CaRU*) foris? Mo 445   ecquis has aperit
foris? Mo 900(*A ut vid* hec[haec] quis ec[haec,
hec] quis huc exit atq' aperit *P*)   heus uos,
ecquis hasce aperit? Mo 988   foris aperit*
Per 300   apertast foris St 87   aestuosas sentio
aperiri fores Tru 350   pandite atque aperite
propere *ianuam* hanc Orci Ba 368   ecquis hoc
aperit *ostium?* Am 1020, Ba 582, Cap 830, Tru
664   prodi atque ostium aperi Au 350   aperitur ostium Cap 108, Cas 779, Men 108   quom
(ostium) aperitur, tacet Cu 21   ecquis hoc
aperit? Ps 1139   ubi omnes *patinae* feruont,
omnis aperio Ps 840
   3. *participium:* a. tam aperto *capite* ad lenones eunt quam . . aperto capite sontes con-

demnant reos Cap 475-6(*om D*)   iero apertiore
magis *uia* St 485(*A*)
   b. auferimus omne (aurum) . . palam atque
aperte Ba 302
   4. *adverbia:* actutum Ba 1118   commodum
Mi 1198   ilico Cr 81   modo Am 788   pau-
sillum Ba 833   propere Ba 368, Tri 1174
   B. *translate* = prodere, enuntiare: mea nunc
facinora aperiuntur Tru 795   iam ego aperiam
istaec tua flagitia Men 738   tua probra(*FZ
proba P*) aperibo omnia Tru 763   senes..rem
uobis aperient Tri 17   aperi* rem Tru 746(*Ly*)
operta quae fuere aperta sunt, patent prae-
stigiae Cap 524   tum id mihi hodie aperuistis*
Ci 3   [nulla diua anculast] quae . . [aperiat
quam in p[artem ingredi persequamur Ru 668
(*lac supp Rs*)
   APERTO - - quaeso, cur **apertas**(aptas *D*),
bracchium? Men 910
   APHRODISIA - - **Aphrodisia** hodie sunt
Poe 191   Veneri . . quoi sunt Aphrodisia(-osia
D¹) hodie Poe 256   Aphrodisia hodie Veneris
est festus dies Poe 1133   tu igitur, die bono,
Aphrodisiis(*A* -diis *P*), addice . . Poe 497
mitte ad me . . hodie . . die festo . . Aphrodi-
siis(*AD* afro. *B* -sus *C*) Poe 758   *Cf* Kane,
p. 48; Leers, p. 16
   APICULA - - egon **apicularum** opera congestum non feram..melculo dulci meo? Cu 10
Cf Ryhiner, p. 33
   APIS - - nihil moror mihi fucum in alueo,
apibus qui peredit cibum Fr I. 93(*ex Prisc* II.
522)   *Cf* Inowraclawer, p. 66
   APISCO - - I. Forma **apiscitur**(*pass.*) Tri
367(*A* adipiscitur *P*)   **apisci**(*dep.*) Ep 688
(*B¹* adipisci *B²* aspice *BJ*), Ru 17(*P* adipisci
D)   **apiscendi** Ep 15(*BoRg* adipiscendi *APψ*)
apturus Per 362(*Rs* daturus *R* id futurum *Pψ*
id aurus *A*)   **aptus** Cap 775(adeptus *J*) (*pass.*)
Tri 658(*A* captus *PL*)   *corruptum:* Men 910,
aptas *D pro* apertas   *Cf* Goetz, *Symb. crit.*,
p. 150; Hasper, *Ad Ep. coniect.*, p. 9; Kampmann, *Ann. in Rud.*, p. 13
   II. **Significatio** A. *proprie:* curriculo occepi
sequi: uix apiscendi* potestas modo fuit Ep 15
(*BoRg*)   modo sine me hominem apisci* Ep 668
   B. *translate* 1. *absolute:* tametsi apturus* non
est . . quanta adficitur miseria Per 362(*Rs*)
   2. *deponens:* sine sacris hereditatem sum aptus* Cap 775(*cf* Gronov, p. 77)   litem apisci*
postulant peiurio Ru 17
   3. *passive:* ingenio apiscitur* sapientia Tri
367   ui Veneris uinctus, otio aptus* in fraudem incidi Tri 658   *Cf* Hofmann, pp. 12. 32
   APLUDA - - Fr I. 16(*ex Gell* XI. 7, 4; *Non*
69)   *Cf* Egli, III 89
   APOECIDES - - *senex; in supersc.* Ep *act.* II.
sc. 1, 2, *act.* III. *sc.* 3   Ep 202, 255(-tides *fortasse B*), 280, 374, 394, 495(*BE* -tides *AJ*),
612, 686(-tides *J*), 693, 714(-tides *J*)   **Apoecidae** Ep 186(apec. *B¹* -ę *B²J* -e *EL†Ly* -em
RgU -en *B¹*)   **Apoecidi** Ep 312   **Apoecidem**
Ep 186(*RgU vide* Apoecidae)   **Apoecide** Ep
186(*EL†Ly vide* Apoecidae)   *Cf* Schmidt,
p. 177
   APOLACTIZO - - apolactizo(-co *A* -atizo *J*)
inimicos omnia Ep 678

APOLLO - - *deus.* Au 394, Ba 172(-lé *C*), Men 841(app. *P*), 850, 853(*add L om Pψ*), 862, 868(app. *C*[1]), Mer 678 **Apollinis** Men 871 (-onis *CD*[1]), Mer 676(*add Rs solus*) **Apollini** Men 886 *'Aπόλλω* Cap 880(app. *B*), Mo 973 *Cf* Egli, III. p. 8; Hubrich, p. 39; Keseberg, p. 28

APOLOGUS - - miror quo euasurust apologus St 541 praesens hic quidemst apologus St 544 huic apologum agere(facere *MueU*) unum uolo St 538 ut apologum fecit quam fabre! St 570 *cf* Goldmann, II. p. 8

APOTHECAM - - Tri 1025 *P pro* epithecam (*Ca ἐπιθήκην RRs*)

APPAREO - - I. Forma apparet Am 793, 794, As 729(adp. *Rgl U*), Ci 697(aparet *V*), Poe 363(adp. *U*), 844, Tri 419(adp. *RRsU*), Tru 154(adp. *Rs*), 570(adp. *U*), 571(adp. *U*), 888 **apparebo** Cap 457(adp. *Rs*) **apparebunt** Poe 618(adp. *U*) **appareat** Men 866(*R* -rent *P* adp. *U*), 1014(adp. *U*), Ps 849(adp. *U*), Tri 218(adp. *RRsU*) **appareant** Per 73 **appareret** Men 239(apa. *C* adp. *U*) **apparere** Tri 414(adp. *RRsU*)

II. Significatio A. *proprie: acum* inuenisses, si appareret, iam diu Men 239 *ego* apparebo domi Cap 457 face ut oculi *locus* in capite appareat Men 1014 *mulieres* iam ab re diuina . . apparebunt domi Poe 618 pro pretio facio ut *opera* appareat mea Ps 849 cum cruciatu iam, nisi (*patera*) apparet, tuo Am 793 haec (patera) apparet Am 794 *isti* faxim nusquam appareant qui . . Per 73 ad postremum *nihil* apparet: male partum male disperit Poe 844 non tibi illud apparere, si sumas, potest Tri 414 illis perit quicquid datur neque ipsis apparet quicquam Tru 154 des quantumuis, nusquam apparet neque datori neque acceptrici Tru 571 hau multum (*LLy* muta *P* muttum *Rs*) apparet quod datumst Tru 888

B. *translate:* nec caput nec pes sermoni apparet As 729 ratio quidem hercle apparet: argentum *oἴχεται* Tri 419(*cf* Gronov, p. 343) facitote sonitus ungularum appareat* Men 866 liberare iurauisti me . . neque istuc usquam apparet Poe 363 locus(locum *PyLULLy*) signat ubi ea excidit: apparet* Ci 697 . . exquiratur . . unde quidquid auditum dicant: nisi id appareat . . Tri 218 rem seruat, nec ulli ubi sit apparet Tru 570(*LLy*)

C. *seq. dat.:* acceptrici, datori Tru 571 sermoni As 729 ipsis Tru 154 tibi Tri 414 ulli Tru 570(*LLy*) *loc.:* domi Cap 457, Poe 618 in capite appareat Men 1014 ab re diuina Poe 618 *aduerbia:* nusquam Pep 73, Tru 571 usquam Poe 363

APPARO - - I. Forma apparo Poe 1099 (apa. *B* paro *Ly*) **apparas** As 434(app. *Rs*), Ru 683(adp. *Rs*) **apparabas** Au 827(adp. *Rg*) **apparabat** Ep 409(adp. *Rg*) **apparauit** Ba 126(adp. *Rg*) **apparent** As 601(apa. *J* adp. *Rgl*), St 396 **apparetur** Ep 354(ap. *Rg*) **apparentur** Am 970(adp. *Rgl*) **appara** Per 87 **apparari** Cap 861(adp. *Rs*), Men 174(adp. *APω*), 185(adp. *Pω*), 598(adp. *Pω*) **appararier** Men 1137(*Ca duce Py* paraui *B*[1] parari *B*[2] ad parandum *D* ad prandium *C* app. *L* adp. *ψ*)

apparandis St 678 adp. *semper U*, app. *semper Ly*

II. Significatio 1. *cum acc. (vel passive):* . . ut . . tibi *auxilium* apparetur Ep 354 struthea †*coluthequam*(colutea *RRsULy*[-aque]) appara Per 87 hanc *fabricam* apparo* Poe 1099 studuimus *munditiis* apparandis St 678 nisi *quid* re *praesidi* apparas . . Ru 683 tibi atque illi iubebo iam adparari *prandium* Men 174 iussi adparari prandium Men 598 mihi hodie iussi prandium adpararier* Men 1137 mihi hodie adparari iussi apud te *proelium* Men 185 hanc edepol *rem* apparabat Ep 409 iube famulos *rem diuinam* mihi apparent St 396 iube *uasa* tibi pura apparari ad rem diuinam cito Cap 861 nemo ergo tibi *hoc*(*Z* haec *PLLy*) apparauit Ba 126 . . ut apparentur quibus opust Am 970 apparatus sum ut uidetis Mer 851

2. *seq.* **a.** *infin.:* delenire apparas As 434 qui sese parere apparent huius legibus As 601 *cf* Walder, p. 16

b. *ut:* iam ut eriperes apparabas Au 827 *cf* Votsch, p. 29

3. *add. dat. commodi:* mihi Men 185, 1137, St 396 tibi Ba 126, Cap 861, Ep 354, Men 174 illi Men 174 *ad cum acc.:* ad rem diuinam Cap 861

4. *add. abl. modi:* re Ru 683 *adverbium:* cito Cap 861

APPELLO - - I. Forma appello Cas 916 (*FZ* ape. *P*), Men 627(adp. *U*), Ru 718 **appellas** Am 683(adp. *Rgl*), 685(adp. *Rgl v secl Muret ω*), Men 298(*ABC* ape. *D* adp. *U*) **appellat** Au 184(adp. *U*), Ep 649(adp. *Rg*), Men 383(*B* ape. *CD* adp. *U*), Per 100(*R*[ape.] compellat *Pψ*) **appellant** Ba 1141(ape. *B*), Men *Arg* 9(*C* ape. *BD* adp. *U*) **appellabo** Am 515, Men 775(adp. *U*), Mo 543(adp. *Pψ*), 1074(adp. *U*), Poe 952(ape. *D* adp. *U*) **appellabis** Mo 515(adp. *U*) **appellabit** Ru 813 **appellauit** Cap 559(ape. *B*) **appellaueras** Mo 519(ape. *B* adp. *U*) **appellem** Ci 321(*A solus*), Poe 990 (*AD*[4] ape. *P* adp. *U*), Ps 185 **appelles** Ba 1169, Cas 546, 565(*B* -as *VEJ*), Ep 588(-as *E* -abas *J* adp. *Rg*), Mi 435, St 323 **appellet** Ep 589(adp. *Rg*) **appellemus** As 618(ape. *J* adp. *Rgl*), Mi 420 **appellarem** Mi 124(ape. *B*) **appellasses** Tri 927(adp. *RRs*) **appella** Am 810, 813, Poe 992(adp. *U*), Tru 896(*FZ* -at *P* adp. *Rs*) **appellare** Am 712, Au 200(adp. *U*), Ru 803, Tri 1041(adp. *Rs*), Tru 161(*FZ* -ri *P* adp. *U*) **appellari** Men 718(*B*[2] -are *P* adp. *U*) **appellanda** Cas 228(adp. *U*) **appellandam** Cu 112(adp. *Rg*) *corrupta:* Ep 626, appelles *P pro* Apella(*A*) Ps 869, mede appellem me(apelleme *B*) *P* meoeappellam *A pro* Medea Peliam(*Mer*)

II. Significatio 1. *absolute:* alter, hinc, hinc alter appellemus* As 618 ibi appello*, 'Casina' inquam Cas 916(*BoLy*) quid si adeam atque appellem? Ci 321(*cf* Schaaff, p. 43) an, quaeso, tu appellaueras* Mo 519 accedam atque appellabo Mo 543 adeamus, appellemus Mi 420 adgrediar hominem: appellabo Mo 1074 adi atque appella, quid uelit Poe 992 si appellasses, respondisset nomini(-e *PLLy*) Tri 927

2. *cum acc. (vel passive):* tu *me* . . sic salutas atque appellas, quasi dudum non uideris Am

683   me nunc proinde appellas quasi . . Aм
685(*v. secl Muret* ω) salutare aduenientem me
solebas . . appellare itidem ut . . Aм 712   ne
me appella Aм 810, Tru 896* ne me appella,
falsa, falso nomine Aм 813   humana nos uoce
appellant* oues Ba 1141   pro sano loqueris
quom me appellas* nomine Men 298   haec . .
recte appellat* meo me mulier nomine Men
383   ·. qui me perperam perplexo nomine
appelles Mi 435   non me appellabis si sapis
Mo 515   si in te pudor adsit, non me appelles St 323   haud istoc modo solita's me
ante appellare* Tru 161   *te* uolo de communi re appellare mea et tua Au 200   num
te appello? Men 627   Per 100(*R*)   te ego
appello Ru 718   mihi signum dedit ne *se* appellarem Mi 124   accedam atque *hanc* appellabo Aм 515   appellabo hanc Men 775 adibo
ad hosce atque appellabo Punice Poe 982   uin
appellem* hunc Punice? Poe 990   lubet adire
atque appellare hunc Tri 1041   *eumque* appellant* meretrix uxor et socer Men *Arg* 9   licet
saltem *istas* mihi appellare? Ru 803   hoc factust optumum ut nomine *quemque* appellem
suo Ps 185   si appellabit *quempiam* uos respondetote Ru 813   sanan haec est? #Sana, si appellat *suom* Ep 649

censeo hanc appellandam *anum* Cu 112   ubi
appello* *Casinam* . . Cas 916(*vide BoLy*) . . qui
istoc pacto tam *lepidam* inlepide appelles Ba
1169   blande haec mihi mala *mers*(*Bri* res *P*)
appellandast Cas 228   non temerariumst ubi
diues blande appellat *pauperem* Au 184

3. *seq. duo vel acc. vel nom.:* te . . qui *istum*
appelles *Tyndarum* pro Philocrate Cap 546,
565*   credidi esse insanum . . ubi te appellauit* *Tyndarum* Cap 559   non patrem ego
te nominem ubi tu tuam *me* appelles* *filiam?*
Ep 588   si me appellet filiam, matrem uocem
Ep 589   adeo iure(*Hecuba*) coepta appellarist*
Canes Men 718

4. appello, nomino, uoco coniuncta sunt Ep
588, 589

5. *add. abl. modi vel instrum.:* istoc modo
Tru 161   istoc pacto Ba 1169   iure Men 718
nomine Aм 813, Men 298, 383, Mi 435, Ps 185,
Tri 927(*LLy*)   uoce Ba 1141

6. *adverbia:* blande Au 184, Cas 228   inlepide Ba 1169   perperam Mi 435   Punice
Poe 982, 990   recte Men 383

APPELLO - - quamquam ad ignotum arbitrum me **adpellis**(*FZ* mea pellis *CD* mea
pillis *B* ap. *FZLLy*) . . Ru 1043   argenti uiginti minae me ad mortem **appulerunt** (adp.
RglU) As 633   amicos omnes adfectas tuos
ad probrum . . **appellere** (adp. *RRgU*) Ba 378
quo pacto hoc Ilium **appelli**(*Ly* cilium accepi
BSt cilium aperi *CD¹ var em* ψ) uelis Mi 1025
(*Ly*)

APPENDO - - si quid facturus es, **appende**
in umeris pallium Fr II. 64(*ex Isid. Orig.* XIX,
24, 1)

APPETO - - celem erilis filiae probrum, pro-
pinqua partitudo quoi **appetit** (adp. *U*) Au 75
me Amor lassum animi ludificat, fugat, agit,
appetit (adp. *U*) . . Ci 216   heus, iam adpetit
meridies (*Sarac* -die *PLLy*) Mo 651   procel-

lunt se et procumbunt dimidiati dum **appetunt**(*P* petunt [*P*]) Mi 762 = 777a

APPLAUDO - - euge, **adplaudo** (*BoR* plaudo
Pψ) Scaphae Mo 260   uos ualere uolumus
et clare **adplaudite**(*BergkRgU* -dere *PSLLy*
plaudere *HermR*) Ba 1211   ualete et nobis
clare adplaudite(*CDR* dare pl. *B* plaudite *Aψ*)
Men 1162   Veneris causa adplaudite(-plad. *C*
plaudite *SpR*) Tru 967   agite, **adplaudamus**
Per 791   **applaudere** Ba 1211(*PSLLy vide sub*
adplaudite)   sultis adplaudere . . in crastinum
uos uocabo Ps 1334

APPLICO - - extemplo se **adplicant**(*D* app.
BCL -cat *B¹*), adglutinant Men 342   certast
res ad frugem **adplicare**(*B* app. *ACD* -rĕ *B*)
animum Tri 270

APPONO - - I. Forma **appono** Men 330
(adp. *U*)   **apponunt** Ps 815(adp. *U*)   **adponam** Ru 471(*CD* app. *B*), Tri 1025(*RRsU* app.
PSL)   **adposiui** Mi 905(*Ca* atposui *CD* posui *B*)
apponatur Per 354(adp. *RRsU*)   **appone** Cas
363(*J* adp. *BVEω*), Mo 308(adp. *U*), Poe 857
(adp. *U*)   **apponite** As 829(*J* adp. *BDEω v.
secl* ω), Mer 779(adp. *U*), Per 769(ponite *Guy
RRs*), Tru 477(-teh *B* adp. *RsU*), Vi 96(*ex
Prisc* I. 224, 226; II. 7)   **apponito** Tri 1067(adp.
RRsU)   **apponi** Per 106(*D* adp. *BCω*)   **apposita** Aм 804(*DJ* adp. *BEω*), Mi 753(adp.
Pω), Tri 470(*P* adp. *Aω*)   **appositum** Mi 758
(*B* atp. *CD* adp. ω)   **apposita** Men 212(*A* adp. *Pω*)

II. **Significatio** A. *proprie, cum acc. (vel
passive)* 1. *de rebus:* pueri, *mensam* apponite
As 829(*v. secl Weis* ω) . . mensa inanis nunc
si apponatur mihi Per 354   apponite* *mensam*
Per 769   appone hic *mensulam* Mo 308   onus
urget. #At tu appone Poe 857   adpone hic
sitellam Cas 363   date mihi hic stactam atque *ignem* . .: hic apponite* Tru 477   *uidulum*
hic apponite Vi 96(*ex Prisc* I. 224, 226 : II. 7)
adponam hercle *urnam* . . . hanc in media uia
Ru 471

2. *de condimentis:* apponunt rumicem, bras-
sicam, betam, blitum Ps 815

3. *de cena, sim.:* cena adpositast Aм 804, Mi
753   si . . adposita cena sit popularem quam
uocant Tri 470   quamquam adpositumst* ampliter Mi 758   agite apponite *obsonium* istuc
ante pedes illi seni Mer 779   *pernam* . . ius
est adponi frigidam postridie Per 106   *madida*
quae mihi apposita in mensam . . Men 212
ego haec appono ad Volcani uiolentiam Men 330

B. *translate:* laborem ad damnum apponam
epithecam insuper Tri 1025   ad tua praecepta de
meo nihil his nouom adposiui* Mi 905   apud
(*A* ad *P*) me quod bonist apponito Tri 1067

C. *seq.* ad: Men 330, Mi 905, Tri 1025   ante:
Mer 779   apud: Tri 1067   in *cum abl.:* Ru 471
cum acc. Men 212   *dat. commodi:* mihi Per 354
illi seni Mer 779   his Mi 905   *adverbia:* hic Cas
363, Mo 308, Tru 477, Vi 96   ampliter Mi 758

APPORTO - - I. Forma **adporto** Aм 865,
Men *Arg* 3(*U* app. *Pψ*), Mer 161(*BLy* app.
CD), St 295(*AB* app. *CD*), 339(*RRgU* in parti
Pψ† de A dubium)   **adportas** Ep 21(atp. *A* adtulisti *P*), Mo 466(app. *D³*), St 338(*AB* app. *CD*)
adportat Mer *Arg.* I. 2(*B* app. *CD*)   **adportatis** Poe 640(*AB* app. *CD* -tastis *A*)   ad-

portant Mer 270(app. *U*) **apportabunt** Ep 36 (adp. *RgULy*) **adportauisti** Mer 163(*B* app. *CD*) **adportauisse** St 412 **adportans** Mer 887(studiose a. *U* sta ilico *PS†LLy aliter Rs*)

II. **Significatio** A. *proprie:* alia (*arma*) apportabunt ei Nerei filiae Ep 36   me uidet magnas adportauisse *diuitias* domum St 412 emit atque adportat scita forma *mulierem* Mer *Arg*. I. 2

B. *translate:* 1. tantum a portu adporto *bonum* St 295   si quid boni adportatis*, habeo gratiam Poe 640   ecquid adportas boni? #Nimio adporto* . . plus quam speras St 338-9 tibi equidem a portu adporto *hoc*. #Quid? #Vim, metum, cruciatum, curam . . #Tu quidem *thensaurum* huc mihi adportauisti *mali* Mer 161-3 simia illa atque haedus mihi *malum* adportant Mer 270   apporto uobis *Plautum* . . lingua, non manu Men 3

uoluptabilem mihi *nuntium* . . adportas* Ep 21   quam subito *rem* mihi adportas nouam! Mo 466   *quod* gaudeas studiose adportans* amicus uenio Mer 887(*U solus*)

2. huc autem quom extemplo *aduentum* adporto (= aduenio), ilico Amphitruo fio Am 865

C. *add. abl. modi:* lingua, manu Men 3   a *cum abl.:* a portu Mer 161, St 295   *dat. commodi:* mihi Ep 21, Mer 163, 270, Mo 466   tibi Mer 161   uobis Men 3   ei Ep 36   *acc. termini:* domum St 412   *adverbium:* huc Am 865, Mer 163

APPOTUS - - ego amare utramuis possum, si probe **adpotus**(*A* at potus *B* at potius *CD*) siem Ru 566   credo . . dormire Solem, atque **adpotum** probe Am 282   postquam cenati atque **appoti**(adp. *RgULy*), talos poscit Cu 354 *Cf* Hofmann, p. 8

APPREHENDO - - uin hanc ego **adprendam** (adprehendam *A* ad praedam *P*)? Poe 1226 si in mari reti **adprehendi**(*ZRsU* prehendi *Pψ*) . . Ru 1071   *vide etiam* Am 1116, *ubi* alter apprehendit *E* a. aprehendit *J pro* altera prehendit Ps *Arg* II. 8, *ubi* adpraehendit *A* ad prendendum *MaiR* ut prehendat *Bugψ*

APPRIME - - *cf* Gehlhardt, p. 30 adulescens quidem hic est adprime nobilis Ci 125(*v. secl Windischmannω*) tu's homo adprime(*B* at prime *CD*) probus Ru 735   scin tu illum quo genere natus sit? #Scio, adprime (*P* aprimeo *A*) probo Tri 373

APPROBE - - *cf* Gehlhardt, p. 36 . . nisi me ille et ego illum nossem adprobe (*Ca* app. *L* probe *Ly* aprobe *BC* approbe *D*) Tri 957

APPROBO - - nostram pietatem **adprobant** (*AB* app. *CD*) . . di Poe 1255   haec ut me uoltis **adprobare** (*BD* app. *E*)..Am 13   . . sultis adplaudere atque adprobare(*B* app. *CD*) hunc gregem . . Ps 1334   *vide* Poe 544, *ubi* adprobans *CD pro* adproperare

APPROPERO - - I. **Forma adpropero** Cas 890(*BDE* app. *J*) **adproperabo** As 294(*BDE* app. *J*) **adpropera** Cas 214(*B²VE* app. *B¹J*), Tri 1010 **adproperate** Per 85, St 309 **adproperare** Poe 544(*B* adprobare *CD*)

II. **Significatio** adproperabo, ne post tempus . . parem As 274   intro abi, adpropera,

amabo Cas 214   magis iam adpropera, magis iam lubet . . inruere Cas 890   curate istic uos atque adproperate ocius ne . . Per 85   uos adproperare* haud postulo Poe Poë 544(*v. secl L*) aperite atque adproperate St 309   adde gradum, adpropera Tri 1010

APRUGNUM - - magis calleo quam **aprugnum** callum callet Per 305   callum **aprugnum**(*A ut vid* aprunum *Non* 258 apugnum *P*) callere aeque non sinam Poe 579   *Cf* Wortmann, p. 35

APTATE - - Cas 468, *E¹ pro* attate

APTUS - - dulcia Plautus ait grandi minus **apta** lieni Fr II. 36(*ex Seren Samm de med 425*) *vide* Men 910, *ubi* aptas *D pro* apertas   Mi 716, *ubi* apte structam *U pro* ad te et tuam Tru 471, *ubi* apte *add D*

APU *** Ci 362

APUD - - I. **Forma** 1. Am 947, ad *MueRg* Cap 929, apud *J pro* ad   Men 201, apud *D¹pro* haud; 366, apud me *add Rs;* 587, ad *P* apud *ARL* Mer 543, aud *C* Mi 749, ad *BoR*; 555, ego ad *Dou RRg pro* apud; 708, *om R*   Mo 844, ad *PR pro* apud(*A*)   Poe 343, apud me *om BoSLU*; 1153, apud eum *P pro* ad puteum(*A*); 1188, apud *add P falso* Ps 694, apapud *B* Ru 931, *v. om B* St 415, apus *B*; 628, apude *B* Tri 828, apra *B*;1067, ad *P pro* apud(*A*)   Tru 139, apud uos *Non* 476 *et A om P*; 281, ad *A*; 304, apud *A pro* ad; 557, ne apud nos *BueL* publicos *RS†Ly†* publicos ni intus *SeyU aliter Rs*; 749, apud nos *add RsLULy*; 873, apup *B*

2. aput *R semper, Rs aliquando, codices ut sequitur:* Am 1013 *BD ante corr,* Au 51 *J,* 342 *J,* 357 *J,* Ba 82 *B¹,* 86 *B¹,* Cap 261 *BJ,* 312 *EJ,* 322 *J,* 597 *J,* 626 *B¹J,* 666 *J,* 714 *J,* Cas 650 *J,* Ci 11 *J,* 18 *J,* 98 *J,* 105 *J,* 203 *J,* 225 *J,* 503 *J,* Cu 345 *J,* 418 *J,* 474 *J,* 485 *J,* 536 *J,* 562 *J,* 564 *J,* 684 *J,* 728 *J,* Ep. 14 *J,* 53 *J,* 191 *J,* 221 *J,* 252 *J,* 645 *E,* Men 89 *Non,* 590 *A,* 671 *D,* Mer 543 *A,* 580 *B,* Mi 560 *CD¹,* 1152 *D¹,* 1156 *C,* 1183 *D,* 1345 *D,* Mo 238 *B,* 1007 *P,* Per 22 *B,* Ru 1358 *B,* St 415 *A,* 471 *B,* 511 *A,* 516 *A,* 536 *AB,* 612 *AB,* 628 *AB,* 663 *B,* Tri 196 *A,* Tru 139 *A,* 213 *A,* 215 *AB,* 235 *A,* 297 *A,* 304 *A de scansione cf* Leo, *Pl. Forsch.*² p. 251

II. **Significatio** A. *cum personis* 1. = domi alicuius: hic dies summust apud *me* inopiae excusatio As 534(*loc dub: vide ω*)   hic apud me hortum confodere iussi Au 244   . . ut apud me te(*Pistor* te me *P*) in neruo enicem Au 743 ubi id est aurum? #In arca apud me Au 823 metuis ne tibi lectus malitiam apud me suadeat? Ba 54   egomet apud me si quid stulte facere cupias prohibeam Ba 57   ego apud me te esse . . uolo Ba 58   dico eum esse apud me Cap 513   tibi erit . . . edundi copia hic apud me Cap 853   hanc . . sinas esse et hic seruare apud me Ci 105   apud me profecto nihil est Summano loci Cu 418   hic hodie apud me . . numquam delinges salem Cu 562   quid agit meum mercimonium apud te? #Nihil apud me quidem Cu 564   tu, miles, apud me cenabis Cu 728 Men 366(apud med *add Rs*) dico me diem unum orauit ut apud me praehiberem locum Mer 543   ille apud me erit Mer 585   inde inspectauisti meum apud me hospitem Mi 506

paterer . . eam fieri apud me tam insignite
iniuriam? Mi 560 Palaestrio domi nunc apud
mest Mi 593   . . te . . hospitio accipiam apud
me comiter Mi 676   hi apud me aderunt, me
curabunt(ideo ut liberi me curant *R*) Mi 708
neque edes quicquam neque bibes apud me Mo
238 ubi nunc tua libertast? #Apud te. #Ain?
apud mest? #Aio, inquam, apud test Per 491
Poe 343(apud me *add PRg*) seruom esse audiui meum apud te. #Apud me? Poe 762 tuorum apud me nemost Poe 766   . . suom qui
seruom diceret cum auro esse apud me Poe 774
hic apud me hospitium tibi praebebitur? Poe
1053 . . ut sis apud me lignea in custodia
Poe 1365 aurum reddam quod apud mest Poe
1394 apud me essuru's Ru 183 (uidulum) habeo et fateor esse apud me Ru 1358 is hodie
apud* me cenat St 415 hic apud me cenant
alieni nouem St 487 cras apud me eritis . . .
#At apud me perendie St 515-6 illuc quod
apud uos nunc est apud me habebam Tru 162
non nouisti . . militem hic apud me qui(*RsLLy*
qui ilitic[*B* illic *CD* hic *SpU*] apud me *PSt U*)
erat? Tru 596   . . sinas eum esse apud* me
Tru 873 apud *te* adsum Sosia idem Am 578
. . potius . . quam hoc pacto apud te seruiam
Au 51 quid si apud te eueniat desubito prandium? Ba 79 apud te uinctum adseruato domi
Ba 747 tam ille apud nos seruit quam ego nunc
hic apud te seruio Cap 312 . . decere uideatur
magis me saturum seruire apud te Cap 322
nos lepide ac nitide accepisti apud te Ci 11
. . nec . . apud te fuit quicquam ibi, quin mihi
placeret Ci 18 **riclo apud te Ci 323 Cu 564
(*vide supra sub* me) ego istic mihi hodie adparari iussi apud te proelium Men 185 iube
igitur tribus nobis apud te prandium accurarier
Men 208 apud ted habitabo Men 1034 . . prandium qui percoquat apud te hic usque ad uesperum Mer 580 cras apud te, nunc domi (cenabo) Mer 949 apud te eos hic deuortier dicam
hospitio Mi 240 arguam uidisse apud te . .
conseruom meum . . amplexantem Mi 244 Mi
555(aput te *RU de A* errantes) uel apud te
cenauero Mo 1007 Per 491 bis(*vide supra sub*
me) ualent apud te quos uolo? Poe 755 Poe
762(*vide supra sub* me) negasne apud te esse
aurum nec seruom meum? Poe 777 cenem illi
apud te? St 471 iam ego apud te ero St 537
non ego isti apud* te — St 628(*vide ω*) nempe
apud test? Tri 196 fixus hic apud *nos* est
animus tuos clauo Cupidinis As 156 hic apud
nos nihil est aliud quaesti furibus Au 83 hic
autem apud nos magna turba . . est Au 342
ligna hic apud nos nulla sunt Au 357 locus
hic apud nos . . semper liber est Ba 82 Cap
312(*vide supra sub* te) hic modo intus apud
nos tua ancilla . . exordiri coepit Cas 650 hic
apud nos iam . . . confregisti tesseram Ci 503
tibi saepissume cyathisso apud nos quando potas
Men 303 hic est intus filius apud nos tuos?
Mer 1008 inspectauit . . intus apud nos Philocomasium . . osculantis Mi 175 nescis tu fortasse
apud nos facinus quod natumst nouom? Mi 281
neque solariumst apud nos neque hortus ullus
Mi 378 hic apud nos hodie ceno Mo 1129
apud nos eccillam festinat St 536 apud nos

est conuiuium St 663 mea era apud nos neniam dixit de bonis Tru 213 is hic amatur
apud nos qui quod dedit id oblitust datum Tru
235 nemo homo hic solet perire apud nos
Tru 300 metuit ne apud* nos mundissumum
sit Tru 557(*BueL* m. puluisculos: unus mundis-
sumust *Rs: vide ψ*) is quidem hic apud nos
est Strabax Tru 693 solus summam habet hic
apud nos Tru 727 ut nos hic itidem illic apud
uos meus seruatur filius Cap 261 filius meus
illic apud uos seruit Cap 330 non ornatus isti
apud uos(*AJ* nos *BVE*) nuptias? Cas 546 di
immortales, quid est apud uos pulcrius? Poe
275 . . huius filias apud uos habeatis seruas
Poe 1246 locus liber datust mihi et tibi apud
uos St 663 rem perdidi apud* uos Tru 139
male uortit res pecuaria mihi apud uos Tru
147 Tru 162(*vide supra sub* me) ego interim
hic apud uos opperibor Tru 209 erilis noster
filius apud uos Strabax ut pereat Tru 297
. . apud *se* occludet domi Men 671 neue quemquam accipiat alienum apud se Men 795 . . dixisset mihi te apud se cenaturum esse hodie
St 511 ego hau diu apud *hunc* seruitutem
seruio Mi 95 non diu apud hunc seruies Per
617 apud hunc est Poe 1266

neque domi neque apud *amicam* mihi iam
quicquam creditur Men 699 ego deuortor . .
apud *anum* illam Ps 659 apud *Archibulum*
ego ero As 116 ibi manebo apud *argentarium* As 126 apud *fratrem* ceno in proxumo
St 612 in proxumo deuortitur apud *hospitem*
paternum Mi *Arg* II. 9 in proxumo hic deuortitur apud suom paternum hospitem Mi 135
intimum ibi se miles apud *lenam* facit Mi 108
. . apud *lenonem* hunc seruitutem colere Poe
829 ita di faxint ne apud lenonem hunc
seruiam Poe 909 illum reliquit alterum apud
matrem domi Men 28 ubi ego sum? hicine
an apud *mortuos*? #Neque apud mortuos neque
hic es Mer 602-3 ubi habitas? #Hic apud
piscatorem Gorginem Vi 54 is apud *scortum*
corruptelaest liberis As 867 apud hunc *senem*
omnia haec sunt Mi 1183 apud hunc *sodalem*
meum atque *uicinum* mihi locus est paratus
Cas 477 apud* hunc ero uicinum Mi 479

2. = coram: aut ad populum aut in iure
aut apud* *aedilem*(*ARL* ad iudicem *Pψ*) res-
est Men 587 apud aediles pro eius factis . .
dixi causam Men 590 commorandust apud
hanc . . gradus Per 203(*loc dub*) omne quicque actumst dum apud *hostis* sedimus, edissertauit Am 599 apud *iudicem* hunc argenti
condemnabo Mo 1099 res agitur apud iudicem Ps 645 mali, res falsas qui impetrant
apud iudicem Ru 18 . . in sella apud *magistrum* adsideres Ba 432 apud nouos *magistratus* faxo erit nomen tuom Tru 761(*cf*
Romeijn, p. 111) dici hoc potest apud *portitorem* eas resignatas sibi Tri 794 . . dicere
apud portitores esse inspectas Tri 810 metui
ne mihi apud *praetorem* solueret Cu 684 illi
apud praetorem dicam Per 746

3. *vi tantum personali: facis* ut tuis nulla apud
te fides sit Am 555 apud test animus uoster
Ba 713 nullam causam dico quin mihi . .
libertatis apud te deliquio siet Cap 626 essetne

apud te is seruos acceptissumus? Cap 714 triginta minas quas ego apud te deposiui Cu 536 quid ego apud te uera parcam proloqui? Ep 464 non habeo ullam occasionem ut apud te falsa fabuler Ep 645 .. ut apud te exemplum experiundi habeas, ne quaeras foris Mi 638 decem minae apud te sunt: uel rationem puta Mo 299 credidi gratum fore beneficium meum apud te Per 719 cur ego apud te mentiar? Poe 152 paruam esse apud te mihi fidem ipse intellego Ps 467 apud te paruast ei fides Ps 477 dulcia atque amara apud* te sum elocutus omnia Ps 694 itidem hic apud *nos:* aedis nobis areast As 220 quod apud nos fallaciarum sex situmst.. Mi 1156 celebre apud nos imperium tuomst Mi 1197 .. apud nos expeculiatos seruos fieri suis eris Poe 843 est lex apud nos Ru 724 bibe si bibis. #Non mora erit apud *me* St 710 apud \nos Tru 213 *(fortasse: vide supra sub* 1) item ut Acherunti hic (apud nos *add RsLULy*) ratio accepti scribitur Tru 749 id ego hic apud *uos* proloquar Cap 6 apud uos dico confidentius Poe 62 ad hunc modumêt innoxiis honor apud uos? Ru 195 uolo habere aratiunculam.. hic apud uos Tru 148 apud *hunc* confessus es et genus et diuitias meas Cap 412 apud hunc mea era sua consilia summa eloquitur libere Tru 215 ego recte apud *illam* dixero Per 185

apud *amicam* munus adulescentuli fungare As 812 te.. pix atra agitet apud *carnuficem* Cap 597 incommoditate abstinere me apud *conuiuas* .. commemini Mi 644 .. seruo bono, apud *eram* qui uera loquitur Am 591 decet innocentem seruom.. confidentem esse suom apud erum Cap 666 decet innocentem .. seruom superbum esse apud erum Ps 461 .. erum ut seruos criminaret apud erum Ps 493 ego illum audiui in amorem haerere apud nescioquam *fidicinam* Ep 191 credo ego amorem primum apud *homines* carnuficinam commentum Ci 203 hanc tuam gloriam.. auribus acceperam.. nobiles apud* homines Tri 828 *(loc dub)* nullam ego rem citiorem apud homines esse quam famam reor Fr II. 7 *(ex Paulo* 61) quae apud* *legionem* uota noui Am 947 .. ut apud *lenones* riuales filiis fierent patres Ba 1210 iurauit apud *matrem* meam Ci 98 ut tu inclutu's apud *mulieres* Mi 1227 apud *nouercam* querere Ps 314 .. mauelis lupos apud *ouis,* quam hos domi linquere custodes Ps 140 mea dona.. accepta habita esse apud *Phronesium* Tru 703 memorant apud *reges*.. magnas diuitias indeptum Ep 450 hic latro in Sparta fuit.. apud regem Attalum Poe 664 apud reges rex perhibebor Ru 931 *(v. om B)* apud *sequestrum* uidulum posiuimus Vi 103 *(ex Prisc* II. 528) nos apud *Theotimum* omne aurum deposiuimus Ba 306 .. quantillum argenti mihi apud *trapezitum* siet Cap 193 (argentum) apud trapezitam situmst Cu 343

4. *aliquot locutiones:* hoc idem apud nos rectius poteris agere Ba 47 ubi ego accumbam? #Apud me Ba 81 heus, ubi's? #Assum apud te eccum Poe 279 perii: sumne ego

apud me? Mi 1345 apud* me quod bonist apponito Tri 1067

B. *localis (cf* Friede, p. 7): quid apud hasce *aedis* negoti est tibi? Am 350 quin modo (te) erupui.. apud hasce aedis Men 1053 quid illisce homines quaerunt apud aedis meas? Mo 935 apud illas aedis sistendae mihi sunt sycophantiae Tri 867 quid apud* nostras negoti.. est aedis tibi? Tru 281 apud omnis *aedis* sacras sum defessus quaeritando Am 1013 erus nos apud *aedem* Veneris mantat Poe 264 apud aedem Veneris hodiest mercatus meretricius Poe 339 ubi sunt meae gnatae..? #Apud aedem Veneris Poe 1132 turbast nunc apud *aram* Poe 265 fortunati sunt fabri ferrarii qui apud *carbones* adsident Ru 532 apud *emporium* atque in macello.. sum defessus quaeritando Am 1012 tibi me dixeram praesto fore apud Veneris *fanum* Ru 865 apud hunc *fluuium* aliquid perdundumst Ba 86 (erus) maior apud *forumst* ('semper cum verbis morandi' ait Abraham, p. 207) As 329 conduxit coquos tibicinasque hasce apud forum Au 281 symbolarum collatores (erunt) apud forum piscarium Cu 474 is apud forum manet me Ep 358 res magna amici apud forum agitar Ep 422 egomet ductarem nisi mihi esset apud* forum negotium Mo 844 mihi hic uicinus apud forum.. edixit Ps 896 apud fustitudinas.. *insulas*.. As 33 dites damnosos maritos apud Leucadiam Oppiam Cu 485 *(v. secl Caψ)* apud *mensam* plenam homini rostrum deliges Men 89 uerecundari neminem apud mensam decet Tri 478 fui praeferratus apud *molas* tribunus uapularis Per 22 apud *Orcum* te uidebo As 606 ea praestolabatur illum apud *portam (portum AcRg¹§)* Ep 221 apud *portum* (portam *Langrehr U)* te conspexi Ep 14 Ep 221 *(vide sub* portam) dies totos apud portum seruos unus adsidet St 153 haec res apud summum *puteum* geritur Mi 1152 qui mendacem (conuenire uolt, ito) apud Cloacinae *sacrum* Cu 471 catapulta hoc ictumst mihi apud *Sicyonem* Cu 395 id adeo argentum ab danista apud *Thebas* sumpsit faenore Ep 53 .. eum argentum sumpsisse apud *Thebas* ab danista faenore Ep 252 pater apud *uillam* detinuit me hos dies sex Ci 225

C. *sensu limitativo:* apud omnis (ego ad o. *DouRRg)* conparebo tibi res benefactis frequens Mi 662 *(vide* ω)

D. 1. *cum his verbis usurpatur:* abstineo Mi 644 accipio Ci 11, Men 795, Mi 676, Tri 828 accumbo Ba 81 accuro Men 208 adsum Am 578, Mi 708, Poe 279 agito Cap 597 ago Ba 47, Cu 564, Ep 422, Ps 645 apparo Men 185 appono Tri 1067 asseruo Ba 747 assido Ba 432, Ru 532, St 153 bibo Mo 238 ceno Cu 728, Mer 949, Mo 1007, 1129, St 415, 471, 487, 511, 612 colo Poe 829 commentior Ci 203 commoror Per 203 comparco Mi 662 condemno Mo 1099 conduco Au 281 confiteor Cap 412 confodio Au 244 confringo Ci 503 conspicio Ep 14 credo Men 699 criminor Ps 493 cyathisso Men 303 deligo Men 89 delingo Cu 562 depono Ba 306, Cu 536 detineo Ci 225 deuortor Mi *Arg* II. 9, Mi 135, 240, Ps 659 dico Men 590, Per 185, 746, Poe 62, Tru 313 do

Sᴛ 663   edico Ps 896   edo Mo 238, Rᴜ 183
eloquor Ps 694, Tʀᴜ 215   enico Aᴜ 743   eo Cᴜ
471(?) eripio Mᴇɴ 1053   euenio Bᴀ 79   exordior Cᴀs 650   fabulor Eᴘ 645   facio Bᴀ 57, Mɪ
108   festino Sᴛ 536, fio Bᴀ 1210, Mɪ 560, Poᴇ
843   figo As 156   fungor As 812   gero Mɪ 1152
habeo Mɪ 638, Poᴇ 1246, Tʀᴜ 148, 162, 703, 727,
habito Mᴇɴ 1034, Vɪ 54   haereo Eᴘ 191   ico
Cᴜ 395   impetro Rᴜ 18   indipiscor Eᴘ 450   inspecto Mɪ 175, 506   inspicio Tʀɪ 810   iuro Cɪ 98
linquo Ps 140   loquor Aᴍ 591   maneo As 126,
Eᴘ 358   manto Poᴇ 564   mentior Poᴇ 152   nascor Mɪ 281   occludo Mᴇɴ 671   opperior Tʀᴜ
209   orno Cᴀs 546   paro Cᴀs 477   percoquo
Mᴇʀ 570   perdo Bᴀ 86, Tʀᴜ 139   pereo Tʀᴜ
297, 300   perhibeo Rᴜ 931   pono Vɪ 103   prae-
ferro Pᴇʀ 22   praehibeo Mᴇʀ 543, Poᴇ 1053
praestolor Eᴘ 221   proloquor Cᴀᴘ 6, Eᴘ 464
quaerito Aᴍ 1013   quaero Mo 935   queror Ps
314   relinquo Mᴇɴ 28   resigno Tʀɪ 794   sedeo
Aᴍ 599   scribo Tʀɪ 749(?)   seruio Aᴜ 51, Cᴀᴘ
312 bis, 322, 330, Mɪ 95, Pᴇʀ 617, Poᴇ 909   seruo
Cᴀᴘ 261, Cɪ 105   sisto Tʀɪ 867   situm Cᴜ 343,
Mɪ 1156   soluo Cᴜ 684   suadeo Bᴀ 54   sum
75ies   sumo Eᴘ 53, 252   ualeo Poᴇ 755   uere-
cundor Tʀɪ 478   uideo As 606, Mɪ 244   uorto
Tʀᴜ 147   uoueo Aᴍ 947

2. *add. adverbia:* hic *29ies* huc Ps 659 ibi
As 126, Cɪ 18, Mɪ 108   illi Pᴇʀ 746, Sᴛ 471
illic Cᴀᴘ 261, 330   isti(c) Cᴀs 546, Mᴇɴ 185, Sᴛ
628   intus Cᴀs 650, Mᴇʀ 1008, Mɪ 175   domi
Bᴀ 747, Mᴇɴ 28, 671, Mɪ 593, Ps 140   in *cum
abl.:* Aᴜ 823, Bᴀ 432, Mɪ *Arg* II. 9, Mɪ 135, Sᴛ
612   in *cum acc.:* Ps 659   extra: Ps 659

E. *corrupta:* Mɪ 24, epytir aut apud(-t *C*)
illa esturiens ane bene *P*   epityrum estur insanum bene *Aω nisi quod* illi *ante* estur add
RRgU insane *habet R*

APULIA - - ego aio id fieri .. hic in nostra
terra(† *SL*) in (terra *add Ly duce Sey*) Apulia
(-iae poplo *Rs*) Cᴀs 72(cf Fleckeisen, *Zur
Kritik*, p. 22; Koenig, p. 6)

APULUS - - Poenus dum iudex siet, uel
Graecus adeo uel mea causa **Apulus** (*AE* app.
BVJRsU) Cᴀs 77   Ephesi sum natus, non enim
in **Apulis** Mɪ 648(cf Koenig, p. 7)

AQUA - - **I. Forma aqua** Bᴀ 105, Mᴇɴ 891
(aq *D̅*), 1089, Mɪ 552(*AB²* atquam *P*), Mo 852
(est a. *RU pro* feta quae), Rᴜ 443, 484, Tʀᴜ
564(aeque aqua *Sp* ea qua *P* ea aqua *CaLLy*),
Fʀ I. 79(*ex Prisc* II. 271 *om Fest* 257)   **aquai**
Mɪ 552(*BoRLLy* aeq- *A* aquą *B²CD* aeque
B¹[fortasse A] ψ), Poᴇ 432(aquaist *Guy* aquast
A aqua est *B* est aqua *CD*) **aquae** (*gen.*) Aᴍ
fr. IV (*HoffmannL ex Non* 543 aquai *Ly* aquam
Non§†*U*), Mᴇɴ 1089, Tʀɪ 676(aquae erit *Dou
duce Ca* aquai e. *Ly* aquerit *B* querit *CD*)
aquam Aᴍ 669, 1058, *fr* IV(*vide sub* aquae),
As 198(ignem *Rgl*), Aᴜ 94, 308, 572, 574, Bᴀ
247, Cɪ 35, Cᴜ 161, 313, 511, Eᴘ 655, Mᴇʀ 205
(aqua *Non* 115 & 223), Mɪ 1332, 1333, Mo 308,
Pᴇʀ 41, 769, 792, Ps 157, Rᴜ 134, 332, 404, 411(adiuuat *Rs*), 412, 433, 438, 463, 465, Sᴛ 714, 761,
Tʀɪ 1091, Tʀᴜ 366, 481(date aquam *FZ* data
quā *P*), 563   **aqua** Bᴀ 12(*ex Fest* 169) aqua
124, 255, 296, 380, 385, 774, Cᴜ 312, Poᴇ 224,
243, Ps 166, Rᴜ 175, 458, 534(-ā *D* aqua rerem

Non 406), 1168, Sᴛ 352, Tʀɪ 943   *corrupta:* Mɪ
995, aquā *BC* ãquā *D pro* agam Tʀᴜ 395, ei
aquę usq' *CD pro* -s laqueus   Fʀ I. 116, ac
sitis aquam sic *Varr de l. L.* VII. 66   axitiosa
quam sit *Ald et Schoe*

II. Significatio A. *proprie* 1. *nom.* (*vel acc.*)
subiectum: omnis aeque aqua* *abeat* in mare
Tʀᴜ 564   mihi ultro *adgerunda* etiamst aqua
Rᴜ 484   aquam *aufugisse* dicito Aᴜ 94(*cf* Inowraclawer, p. 14)   iube huic aquam *calefieri*
Eᴘ 655   aqua *calet* Bᴀ 105   *dabitur* tibi aqua
Rᴜ 443   similior numquam potis aqua* aeque
(aquai *BoRLLy*) *sumi* quam .. Mɪ 552   placida
est aqua* Mo 852(*RU*)   neque aqua aquae ..
usquam similius Mᴇɴ 1089(*cf* Egli, I. p. 5;
Raebel, p. 15)   quasi aquam feruentem frigidam esse ita uos putatis leges Cᴜ 511

2. *gen.:* tibi aquae* erit cupido Tʀɪ 676   ne
tu postules matulam unam tibi aquae* infundi
in caput Aᴍ *fr* IV (*ex Non* 543: *aliter U*)   quantum aquaist* in mari Poᴇ 432   similis aquae
Mᴇɴ 1089(*supra* 1), Mɪ 552*(*supra* 1)

3. *acc.:* a. *aspersisti* aquam Bᴀ 247, Tʀᴜ 366
(*cf* Egli, I. p. 24; Graupner, p. 15; Inowraclawer, p. 30)   mihi *bibere* decretumst
aquam Aᴜ 572 .. tibi quoi decretumst bibere
aquam Aᴜ 574   succincta aquam* *calefactat*
Rᴜ 411   *cape* aquam hanc sis Rᴜ 465   *cedo*
aquam manibus Mo 308 .. de fluuio qui aquam
deriuat sibi Tʀᴜ 563   foribus *dat* aquam quam
bibant Cᴜ 161   date aquam manibus Pᴇʀ 769,
Tʀᴜ 481*   curre intro atque *ecferto* (adferte *R*
ferte *FZU*) aquam Mɪ 1332   diem, aquam*,
solem, lunam .. non *emo* As 198   *ferte* (fer *Bo
RU* adferte *Rs*) aquam pedibus Pᴇʀ 792   cur
tu aquam *grauare*? Rᴜ 438   *inde* huc aquam
Sᴛ 761   *infundo* Aᴍ *fr* IV (*U vide supra* 2) tu
qui urnam habes, aquam *ingere* Ps 157   nihil
aquam *moror* Mɪ 1333   semper *petunt* aquam
hinc Rᴜ 134   petam hinc aquam unde mihi imperauit Rᴜ 412   sacerdos Veneris hinc me petere aquam iussit a uobis Rᴜ 433   uisne aquam
tibi petam? Tʀɪ 1091   tu aquam a pumice
nunc *postulas* Pᴇʀ 41(*cf* Graupner, p. 31;
Schneider, p. 33)   aquam hercle plorat quom
lauat *profundere* Aᴜ 308   pulsare iussisti atque
aquam *rogare* Rᴜ 332   aquam hinc de proxumo
rogabo Rᴜ 404   aquam frigidam subdole *suffundunt* Cɪ 35(*cf* Graupner, p. 30)   nihil est:
tene aquam Sᴛ 714   animo malest, aquam *uelim* Aᴍ 1058   animo malest. #Vin aquam? Cᴜ
313   em tibi aquam Rᴜ 463

b. *cum praepp.:* ad aquam praebendam commodum aduenit domum Aᴍ 669 .. quasi in
aquam* indideris salem Mᴇʀ 205

4. *abl.:* a. te aggerunda curuom aqua faciam
probe Cᴀs 124   aggerunda aqua sunt uiri duo
defessi Poᴇ 224   multa aqua usque et diu
macerantur Poᴇ 243 .. ubi illi bene sit ligno,
aqua calida, cibo Cᴀs 255   ignem restingunt
aqua Cᴀs 774   horiola aduecti sumus usque
aqua aduorsa per amnem Tʀɪ 943

b. *cum praepp.:* ecquis euocat .. **cum aqua**
istum inpurissumum? Bᴀ 12(*ex Festo* 169) sitellam huc tecum efferto cum aqua Cᴀs 296
datin isti .. aqualem cum aqua? Cᴜ 312   ecquis
huc effert nassiternam cum aqua? Sᴛ 352   sal-

uast: euasit ex aqua Ru 175 .. ut quom exissem ex aqua: arerem tamen Ru 534 rete extraxi ex aqua Ru 1168 metuo ne in aqua summa natet Cas 385 glandium sumen facito in aqua iaceant Ps 166 in aqua numquam credidi uoluptatem inesse tantam Ru 458 uide ne qua illic insit alia sortis sub aqua Cas 380

5. *adiectiua*: calida Cas 255 feruens Ci 511 frigida Ci 35, Cu 511 multa Poe 243 omnis Tru 564 placida Mo 852(*RU falso*) similis Men 1089, Mi 552 summa Cas 385

B. **aqua intercus**: num eum ueternus aut aqua* intercus tenet? Men 891 is mihi erat bilis, aqua intercus(a. i. *om Fest*) Fr I. 79(*ex Prisc* II. 271, *Fest* 257)

AQUALIS - - datin isti sellam .. et **aqualem** cum aqua? Cu 312 *vide* Tri 326, *ubi* aquali *B pro* aequali

AQUEUS - - Tru 395,si aqueust *B pro*-s laqueus

AQUILA - - enumquam tu uidisti tabulam .. ubi aquila(aquilā *C*) Catameitum raperet? Men 144 hic statui uolo primum aquila(*CDS*†‡ aliqua *BL*† aliquid *U* aquilam *RsLy*† aquola *R*) mihi.. Per 759 b

AQUILINUS - - an tu inuenire postulas quemquam coquom nisi miluinis aut **aquilinis** ungulis? Ps 851 *vide* Poe 1112, *ubi* aquilino *Non* 52 *pro* aquilo *Cf* Graupner, p. 26; Wortmann, p. 40

AQUILUS - - statura haud magna, corpore **aquilost**(*Gell* XIII. 30, 4 aquilo *AP* aquilino *Non* 52) Poe 1112 *Cf* Wortmann, p. 40

AQUOLA(acula) - - obsipat **aquolam**(*Z* aculam *PL*) Ci 580(*cf* Graupner, p. 15) mane, suffundam aquolam(aqulam *P*) Cu 160 *vide* Per 769 b, *ubi* aquola *R: supra sub* aquila

ARA - - I. Forma arae Cu 71, Ru 688 **arae** (*dat.*) Mo 1114(*Sey om PLULy*) **aram** As 712, Mer 676, Mi 411, Mo 1094, 1097(*Py* arma *P*). 1135, Poe 265, 319, Ru 455, 691, 695, 698, 707, 1048, 1333(haram *B*), 1336(tene aram *D²* tene haram *B* teneram *CD¹*), Tru 476, Fr I. 51(*ex Prisc* I. 516) **ara** Au 606(hara *J*), Ru 688, 723, 768, 784, 840, 846 **aras** Am 226, Poe 1179 (aras tus *L* arabus *A ut vid Char* 123 ψ arabius *P*) *corrupta*: As 430, ara *J pro* hara Tru 33, aut ara aut(ut *B*) *PS*†*L*† auctarium orat *RsU* aut aera aut *FLy*

II. Significatio 1. *nom.*: ara Veneris haec est ante horunc fores Cu 71 adsidite hic in ara. *‡Quid istaec ara prodesse nobis.. potest? Ru 688

2. *dat.*: iubeo(iubebo *PyULy*) ignem et sarmen arae(*Sey* sarmen *B* sarnē *CD* sarmenta *PyLULy*).. circumdari Mo 1114

3. *acc.*: a. Venus, te obsecramus, aram amplexantes Ru 695 .. hanc uicini nostri aram augeam Mer 676 aram habete hanc uobis pro castris Ru 691 ....nos ut hanc tua pace aram obsidere patiare Ru 698 ego interim hanc aram occupabo Mo 1094 ne occupassis, obsecro, aram* Mo 1097 mihi statuam et aram statuis As 712 tange aram* hanc Veneris Ru 1333 tene aram* hanc Ru 1336

b. **aras*** tus murrinus omnis odor complebat Poe 1179(*L*) .. urbem, agrum, **aras**, focos seque uti dederent Am 226

c. *cum praepp.*: turbast nunc apud aram Poe

265 inde ignem in aram Mi 411 sed tu istuc quid tu confugisti in aram? Mo 1135 ..in aram ut confugiamus.. Ru 455 uos confugite in aram potius quam ego Ru 1048 uenimus.. ut inferremus ignem in aram Poe 319 uos in aram abite sessum Ru 707 date mihi.. ignem in aram Tru 476 **secundum** eampse aram aurum abscondidi Fr I. 51(*ex Prisc* I. 516)

4. *abl.*: mihi non liceat meas ancillas Veneris de ara abducere? Ru 723 te.. de ara capillo iam deripiam Ru 784 meamne ille amicam.. de ara deripere Veneris uoluit? Ru 840 sine omni suspicione in ara* hic adsidam sacra Au 606 Ru 688(*supra* 1) hasce ambas hic in ara ut uiuas comburam, id uolo Ru 768 in ara tunc sedebant mulieres Ru 846

5. *adiectiua et gen.*: sacra Au 606 Apollinis Mer 676(*add R solus*) Veneris Cu 71, Ru 723, 840, 1333

ARABIA - - eho, an etiam **Arabia**st in Ponto? Tri 934 in Pontum aduecti (*add CaRRs*) **Arabiam** terram sumus Tri 933 Chrysopolim Persae cepere urbem in **Arabia** Per 506 adduxit.. uirginem.. abductam ex Arabia penitissuma Per 522 nequis uero ex Arabia(*A* barbaria *P*) penitissuma persequatur Per 541 aduenio ex Seleucia, Macedonia, Asia atque Arabia Tri 845 *vide* Tru 539, *ubi* eccum ex Arabia tibi adtuli tus *Rs* purpuram. ex Arabia tibi adtuli **Bue**LL**y** *aliter U pro* purpuram exarat tibi attuli *Cf* Goerbig, p. 43; Koenig, p. 6

ARABICUS - - inde ignem in aram .. ut **Arabico**(*B²CD* arabio *B¹RU*) fumificem odore amoene Mi 412 face olant aedes **Arabice** Fr I. 70(*ex Diom* 383 -cae *codd AB*)

ARABIUS - - Mi 412, arabio *B¹RU pro* arabico Poe 1179, arabius *P pro* arabus(*AChar* 123 aras, tus *L*) Tri 933, *supra sub* Arabia

ARABS - - Sinopas, **Arabes**, Caras, Cretanos .. subegit solus Cu 443

ARABUS - - Ba 25|(*ex Char* 123) Arabus(*A ut vid Char* 123 -bius *P* aras, tus *L*) murrinus omnis odor complebat Poe 1179

ARANEAE, -NEI - - iussin columnis deici operas **araneorum**(*Non* 192 -arum *P*)? As 425 .. ut operam omnem araneorum(*AP Non* 192 -arum *PyR*) perdam et texturam inprobem deiciamque eorum omnis telas St 348 **araneas** mihi ego illas seruari uolo Au 87 ego hinc araneas(*A?CD* -ias *B* -eos *fortasse A*) de foribus deiciam et de pariete St 355 inaniis sunt oppletae (aedes) atque **araneis**(arantes *Non* 123) Au 84

ARATIO - - si **arationes**(*Valla* ratunes *P*) habituris.. ad pueros ire meliust Tru 149

ARATIUNCULA - - uolo habere **aratiunculam** pro copia hic apud uos Tru 148 *Cf* Ryhiner, p. 43

ARBITER - - I. Forma **arbiter** Am *Arg* II. 7, Mi 1137(*AB ut vid D²* arbier *CD¹*), Poe 178, 663, Tri 146 **arbitrum** Cas 966, Ci 372(*Rg in lac*), Ru 713(*CaRsU om cum lac P*) uirum *A ut vid* ψ), 1004, 1018(adbitrum *D¹ pro* ad arbitrum), 1038, 1040, 1043, Tru 629(-om) **arbitro** Cas 90, 143, Tri 1161(*B* -trio *CD*) **arbitri** Am 16(*v. om J*), Cap 219, Mer 1006(-tri ut *CD* -tium *B*), Mi

158 **arbitris** Cap 211, 225, Ci 64 *corruptum:* Mi 403, arbitri B^1 *pro* arbitror Cf Gronov, p. 27

II. **Significatio** 1. *nom.:* **a.** circumspicite, nequis *adsit* arbiter* Mi 1137 circumspicedum te nequis adsit arbiter Tri 146 Blepharo *captus* arbiter uter sit non quit.. decernere Am *Arg* II. 7 locum sibi uelle liberum praeberier ..nequis *sit* arbiter Poe 178 ..nequis sciat neue arbiter sit Poe 663

b. aequi et iusti hic *eritis* omnes arbitri Am 16(*v. om J*) utibilest hic locus tuis factis arbitri* ut sint qui praetereant per uias Mer 1006 mihi quidem iam arbitri uicini sunt Mi 158 secede..procul ne arbitri dicta nostra arbitrari *queant* Cap 219

2. *acc.:* **a.** ego tecum bellator arbitrom aequom *ceperim* Tru 629 ego tecum aequom arbitrum .. *captauero* Cas 966 cedo.. quemuis opulentum arbitrum* Ru 713(*Rs* cedo iudicem ..uirum *L duce A* dato *pro* cedo *U* habe *Ly*) cibo(*Rs* ibo ad *Pψ*) arbitrum Ru 1040 ..nisi *das* sequestrum aut arbitrum Ru 1004(*cf* Romeijn, p. 96) quid falsum *praebes* arbitrum? Ci 372 (*Rs* f**m *A*)

b. *cum ad praep.:* ad arbitrum* reditur Ru 1018 ad meum erum arbitrum uocat Ru 1038 ibo ad(*PŜ†LULy* cibo *Rs*) arbitrum Ru 1040 ad ignotum arbitrum me adpellis Ru 1043

3. *abl.* **a.** *absolutus:* impetrabit te aduocato atque arbitro* Tri 1161

b. *cum sine praep.:* uolo loqui atque cogitare sine ted arbitro Cas 90 nihil ages sine med arbitro Cas 143 .. ut sine hisce arbitris .. nobis detis locum loquendi Cap 211 cautost opus ut hoc sobrie sineque arbitris .. agatur Cap 225 tuam stultitiam sola facito ut scias sine aliis arbitris Ci 64

4. *adiectiva:* aequos Am 16, Tru 629 ignotus Ru 1043 iustus Am 16 opulentus Ru 713(*Rs*)

ARBITRARIUS - - hoc quidem 'profecto' certumst, non est **arbitrarium** Am 372 nunc pol ego perii certo haud **arbitrario** Poe 787 *Cf* Gimm, p. 13; Romeijn, p. 2

ARBITRATUS - - I. **Forma arbitratus** As 766, Ci 372(*ex* arbitror *deriuat L*), Ru 1355 **arbitratum** Am 259 **arbitratu** Am 931, As 328, Au 647, 654, Ba 876, 994, 1126, Cap 495, 867, Cu 428, Ep 688, Men 91, 949, Mi 1221(me arbitrii *B pro* meo arbitratu), Mo 793, Per 566, 600, Ps 271, 428, 661(-trio C^1 -trato C^2), Ru 1002, 1003, 1005, 1035, Tri 990(-tud *RRs*), Tru 211, 911

II. **Significatio** 1. *nom.:* ni in quadriduo abalienarit .. tuos arbitratus sit: conburas si uelis As 766 meus arbitratust, lingua quod iuret mea Ru 1355 uisnest is(isne est id *L*) arbitratus? Ci 372(*dub.*)

2. *acc.:* dedunt se .. in dicionem atque in arbitratum cuncti Thebano poplo Am 259

3. *abl.:* irrogabo multam, ut mihi cenas decem *meo* arbitratu dent Cap 495 Ep 688(*infra sub* tuo) ibi me arbitratu potero curare hominem Men 949 cum ipso sum locuta..meo arbitratu* ut uolui(*PŜ* u. u. *om Reizψ*) Mi 1221 di te deaeque ament uel huius arbitratu uel meo Ps 271 si meo arbitratu liceat, omnes pendeant Ps 428 uapulabis meo arbitratu et nouorum aedilium Tri 990 nunc quidem meo

arbitratu loquar libere Tru 211 mane, arbitratu *tuo* ius iurandum dabo Am 931 mansero tuo arbitratu uel adeo usque dum peris As 328 excutedum pallium. #Tuo arbitratu Au 647 perscrutatus es tuo arbitratu Au 654 tibi mala multa ingeram? #Tuo arbitratu Ba 876 iustumst ut tuos tibi seruos tuo arbitratu seruiat Ba 994 mihi quidem esurio non tibi. #Tuo arbitratu Cap 867 inspiciam quid sit scriptum. #Maxume, tuo arbitratu Cu 428 ecquid agis? #Tuon arbitratu? #Meo hercle uero atque hau tuo Ep 688 uise, specta tuo usque arbitratu Mo 793 euortes tuo arbitratu homines fundis Per 566 ..me accersas, erus tuos ubi uenerit. #Tuo arbitratu*: maxume Ps 661 tuo arbitratu quod iubebis dabitur Tru 911 ut uidentur deridere nos. #Sine *suo* usque arbitratu Ba 1126 dum tu illi quod edit.. praebeas suo arbitratu usque ad fatim.. Men 91 percontari hanc paucis hic uolt. #Maxume, suo arbitratu Per 600 *huius* arbitratu Ps 271 (*supra sub* meo) uin qui in hac uilla habitat *eius* arbitratu fieri? Ru 1035 uide sis, *quoius* arbitratu facere nos uis? #Viduli arbitratu Ru 1002-3 ..nisi das..arbitratum quoius haec res arbitratu fiat Ru 1005 *aedilium* Tri 990(*supra sub* meo) *uiduli* Ru 1003(*supra sub* quoius)

ARBITRIUM - - Mer 902, arbitrio D^1 *pro* arbitro: 1006, arbitrium *B pro* arbitri ut Mi 1221, arbitrii *B pro* arbitratu Per 556, arbitrio *A pro* ambitio Ps 661, arbitrio C^1 *pro* arbitratu Tri 1161, arbitrio *CD pro* arbitro

ARBITRO(R) - - I. **Forma**(*cf* Hofmann, p. 32) **arbitro** Men 985 b(*R* -tror *Pψ*), Men 521 (*RU* -tror *APψ*), 902(*BC* -trio D^1 -tror D^2), Mo 91(*B^1* -tor *D* -tror *B^2CR*) **arbitror** Am 61, 552, 675, 908, Au 141, 145, 216, 224, 418, 757, Ba 20(*ex Don ad And* I. 2, 34), 52, 385, 522, 1131, Cap 394, Cas 284, 864(arbitror esse *Merula* arbitrare *BVE* -rem *J*), Ci 5, 13(-trabor *CaLU*), 246, 371(*Rs in lac*), Cu 204(*add FlRgU †ŜL*), 393, Men 985 b(-tro *R*), Mer 521(-tro a *RU*), Mi 403(*A* -tri B^1 -traris B^2CD -tras *R*), 561(-tro *CD¹*), 1415, Mo 91(*B^2CR* -tor *D* -tror $B^1ψ$), 710 (*add U*), 816, 949, Per 349, 554, 651(opinor *B pro* esse arbitror), Poe 1318, Ps 476, 1113, 1258, Ru 537, St 82, 83, 297, Tri 1125, 1129(arbiitror *B*), Tru 136, Vi 28, 45(*L in lac A codicis*) **arbitras** Mi 403(*R: vide* arbitror) **arbitrare** Au 212, Cap 709, Cas 243, 285, Mer 744(-trere *Luchs RsLy*), Ru 701, Tri 952, Tru 136, 164, 296(*A* arbitrarier *P*) **arbitraris** Tri 789 **arbitratur** Am 48, Ba 845, Mer 132 **arbitramini** Mi 499, Tri 505 **arbitrantur** Ps 1105 **arbitrabare** Ps 798 **arbitrabor** Ci 13(*CaLU* -tror *Pψ*), Mer 506 **arbitrabitur** Cap 792(-tratur *B*) **arbitrabimur** Mer 1019 **arbitrabunt** St 144 (*ABD^2* -runt CD^1) **arbitrem** Mo 119(*AcRs* -tremini *Pψ*) **arbitrer** Mi 569(*ABD^3* -tre CD^1 -tres D^2), St 346, Tri 229(*ACD* -tres *B*) **arbitrere** Am 905, Men 744(*Rs* -trare *Pψ*), Mer 528(*ACD* -trer *B*) **arbitreris** Mi 779(*SeyRgU* arbitrare *L* [*pro impera.*] uerberauit *BŜ†Ly* uerberatuit *CD aliter R*) **arbitretur** As 461, Ep 267('*pass.*': *v. om. J*) **arbitremur** Au 129 **arbitremini** Mo 119(-trem *AcRs*) **arbitrentur** Ps 633(*AB* -tentur *CD*) **arbitrarem** Ps 1014

arbitrarer Mo 90 **arbitrare**(*impera.*) Mi 799 (*L vide sub* arbitreris) **arbitramino** Ep 695 (*BE* arbitra nunc *J*) **arbitrari** Au 120, 252, Cap 219, Fr I. 41(*ex Char* 219) **arbitrarier** Am 932, Au 607, Ba 570, Poe 1004 **arbitratus** Au 216, Ba 539, Ci 372(*interprete L: subst. putant ψ*), Mi 1374, Per 211 *corruptum:* Poe 959 arbitrare *A pro* habitare

II. Significatio A. *proprie:* hinc ego et huc et illuc potero quid agant arbitrarier Au 607 secede procul .. ne arbitri dicta nostra arbitrari queant Cap 219

B. *translate* 1. = putare, reri, *sim.* **a.** *absolute, vel cum ita adverbio:* α. mulier, ne tu frustra sis, mea non es, ne arbitrere* Mer 528 β. quin, si ita arbitrare, emittis me manu? Cas 285 nemo homo umquam ita arbitratust Per 211 potest ut alii ita arbitrentur* Ps 633 **b.** *cum acc.:* idem ego arbitror Au 141 isne est id(*L* uisnest is *Aψ*) arbitratus? Ci 372(*vide sub* arbitratus) **c.** *seq. duo acc. vel acc. et adiect. praed.:* tu me edepol arbitrare *beluam* Tri 952 adfinitate uostra me arbitramini *dignum* Tri 505 uideo .. ego te me arbitrari .. hominem *idoneum* .. Au 252 non me arbitratur *militem* sed mulierem Ba 845 an me *mortuom* arbitrare? Tru 164 *te ciuem* sine .. malitia semper sum arbitratus et nunc arbitror Au 216 te si arbitrarem *dignum*, misissem tibi Ps 1014 bonae (*A* -am *PL*) hercle te (et *add PL om Aψ*) *frugi* arbitror* Mer 521 *scelestissimum* te arbitror Am 552 *probiores* (nos) arbitrabunt* si probis narraueris St 144 *hunc* sum arbitror semper *seruom* pessumum Mi 1374 cum *eo* nos hac lege agemus: *inscitum* arbitrabimur Mer 1019 neque *id* uiri *officium* arbitror St 297 neque (id *add R*) haud subditiua gloria *oppidum* arbitror (esse *add R*) Ba 20(*ex Don ad And* I. 2, 34) non liquet .. utram (*artem*) aetati agundae arbitrer* *firmiorem* Tri 229 **d.** *seq. infin.*(*cf* Votsch, p. 35, 37; Walder, p. 37, 46): α. hic *adesse* erum arbitror Ps 1113 pulcre *aedificatas* (aedis) arbitro* Mer 902 aedituum (arbitror *add FlRgU*) *aperire* fanum Cu 204 culpa *caruisse* (me) arbitror* Tri 1129 non .. conduci arbitror* Vi 45(*L*) iure optumo me *elauisse*(*FlLU* lauisse *APψ* †*Ly*) arbitror Ru 537 animum inducam ut istuc uerum te *elocutum* esse arbitrer St 346 nunc me meum officium *facere* .. arbitror Am 675 uelim te arbitrari med haec uerba .. facere Au 120 uelim ted arbitrare factum Fr I. 41 (*ex Char* 219) istud male factum arbitror Au 418 malene id factum arbitrari? Cap 709 a me insipienter factum esse arbitror* Mi 561 ne malitiose factum id esse aps te arbitrer* Mi 569 iureque id factum arbitror Mi 1415 bene benigneque arbitror te facere Mo 816 merito esse *iratum* arbitror Ps 476 *lauisse* Ru 537(*supra sub* elauisse) si quippiamst minus quod bene esse lautum tu arbitrare Ru 701 arbitramini quiduis *licere* facere uobis? Mi 499 nihil quom ob rem id faciam (eas) *meruisse* arbitror St 82 id pulcre *munitum* arbitror Per 554 nonne arbitraris tum adulescentem anuli paterni signum *nosse?* Tri 789 meam esse opor-

tere arbitror Au 757 te uerberibus multum caedi oportere arbitror Ci 246 fieri non *posse* arbitror Ci 5 dic mihi quali me arbitrare genere *prognatum?* Au 212 *scio* plus quam tu me arbitrare Cas 243 scio ego plus quam tu arbitrare *scire* me(*A* quam me arbitrarier scire *P*) Tru 296 formido miser ne hic me tibi arbitretur *suasisse* As 461 .. quae uos arbitror* *uelle* Ci 13 facere certumst .. quae te uelle arbitrabor Mer 506 me id iam *uidisse* arbitror* Mi 403 .. nisi quis satis diu *uixisse* sese homo arbitrabitur Cap 792 .. at ego arbitror te .. Ci 371(*Rs* at ego a*** *A*) β. esse: .. quem mihi *amicum* esse arbitratus sum Ba 539 in rem tuam *optumum* esse arbitror Au 145 hoc mihi optumum factu arbitror St 83 neque te *cinaedum* esse arbitror Poe 1318 non ego istuc facinus mihi .. *conducibile* esse arbitror Ba 52 neque te .. derideo neque *dignum* arbitror Au 224 num quisquam adire ad ostium dignum arbitratur? Mer 132 †pro bone *frugi*(*PS* pro bona e*** #Frugi *Rs* probum te et frugi *SeyLLy*[omisso te] bonae frugi *GepU*) *hominem* iam pridem esse arbitror Cas 284 *gratum* arbitratur esse id a uobis sibi Am 48 quam tu *inpudicam* esse arbitrere .. Am 905 nisi quod custodem habeo *liberum* me esse arbitror Cap 394 liberos se ilico esse arbitrantur Ps 1105 *peius* posthac fore quam fuit mihi (arbitror *add U solus*) Mo 710 fortasse *medicos* nos esse arbitrarier .. Poe 1004 te *mercennarium* haud esse arbitror Vi 28(*PalmL* te***itror *A*) illum quidem *nequiorem* arbitror* esse Cas 864 *odiosa's* #Non sum neque me esse arbitror Per 349 nimis *otiosum* te arbitror hominem esse. #Qui arbitrare? Tru 136 me perpetuo facere .. non *par* arbitror Am 61 deis *proxumum* esse arbitror Ps 1258 ius iurandum dabo me meam *pudicam* esse uxorem arbitrarier Am 932 te esse arbitror *puerum* probum Mo 949 *quem tu hominem* (esse me *add PyLU* med *ante* h. *Rg post* h. *LLy*) arbitrare*, nescio Men 744 cogitaui .. hominem quoius rei *similem* esse arbitrarer Mo 89 nouarum aedium esse arbitro* similem ego hominem Mo 91 uolo dicere, ut homines aedium esse similis arbitremini* Mo 119 nihilo magis es (*stultus*) neque ego esse arbitror Am 908 ne me *surdum* esse arbitreris* Mi 799 aequomst quod *in rem* esse utrique arbitremur .. consulere Au 129 seruio tergi ut in rem esse arbitror* Men 985b *sine* omni arbitror *malitia* esse Ba 1131 *de* Cocultum *prosapia* te esse arbitror Cu 393 *summo genere* esse arbitror* Per 651 si me arbitrabare *isto pacto* ut praedicas cur conducebas? Ps 798 neque esse quemquam hominem *in terra* arbitror .. Tri 1125 γ. meditatus egomet mecum sum et ita esse arbitror Ba 385 *improbum* istunc esse oportet hominem. #Et ego ita esse arbitror Ba 552

2. = sententiam dare: facto opere arbitramino* Ep 695

3. = adiudicare: pergis paruam mihi fidem arbitrarier Ba 570

C. *passive* = quaeri: continuo arbitretur uxor tuo gnato, atque ut .. ulciscare Ep 267

ARBOR - - inscendam aliquam in **arborem** Au 678   me conlocaui in arborem Au 706   ego me deorsum duco de **arbore** Au 708   **arbores** in te cadent Men 376   fulguritae sunt alternae arbores Tri 539   *Cf* Inowraclawer, p. 57

ARCA - - hic equos non in arcem uerum in **arcam** faciet impetum Ba 943   ego uidulum intro condam in arcam Vi 59   ubi id est aurum? #In **arca**(archa *J*) apud me Au 823 (aurum) . . quod modo fassu's esse in arca (archa *J*) Au 830   omnis sub **arcis**(archis *J*) sub lectis latentes metu mussitant Cas 664   ille suppilat mihi aurum . . ex arcis(arti *CD¹*) domo Men 803

ARCADICUS - - meministin asinos Arcadicos(arch. *J*) mercatori . . nostrum uendere atriensem? As 333

ARCANUS - - arcano tibi ego hoc dico Tri 518   dixisti arcano(arch. *D* -os *A*) satis Tri 556

ARCESSITUS - - salue: tuo **arcessitu**(*A* accersitu *P*) uenio huc St 327

ARCESSO, ACCERSO - - *cf* Fleckeisen, *Ann. phil.*(1850), p. 256; Keller, *Latein. Ety.* p. 59; Wilkins, *Diar. phil.* VI. 278

I. **Forma arcesso** Cas 583(arcers *cum spat B¹*)   **accerso** Mi 1296(*BC* -sam *DR* arc. *U*)   **arcessis** Tru 130(accer. *A*)   **arcessit** Am 327, Ba 796(*A* accer. *P*), Cas 541(*A* accer. *P*), Mi *Arg* I. 5(ars cessit *P* accer. *R*)   **accersit** Men 763(-sat *LambL* arcessat *U*), 770(& acersit *D¹* arces. *U*), Mi 1283(arces. *U*)   **accersunt** Mi 975, Mo 509   **accersebat** Ps 719(*ex A* -abat *A* arces. *DRLULy* -abat *B* -aebat *C*)   **accersebatur** Ba 424(arces. *U*)   **arcessam** Cas 534 (-esam *E* accer. *J*), Poe 447   **accersam** Men 734(arces. *U*), 875(arces. *U*), Mi 1296(*supra sub* -so), Ps 332(arces. *U*)   **arcessibo** Mi 935(*U solus pro* acciebo[*Z*])   **arcessiui** Cas 580(*A ut vid* accer. *P*)   **arcessiuit** Per 530(*BC* accer. *AD*), Ru 819(*C* accer. *BDLLy*)   **accersam** Mo 1093(arces. *U*), Ps 663(*A* arces. *PLU Ly*)   **arcessas** Cas 542   **accersas** Ps 660(*A* arces. *PLULy*)   **arcessat** Am 951   **accersat** Au 613(arces. *RgU*), Men 763(*supra sub* -sit)   **arcessatur** Cap 1027, Cas 540(arcesa. *E*)   **accersatis** Cas 146   **arcesserem** Cas 604(accesserem *AVE* accer. *J* arceserem *B*), Mo 1044(*A* accer. *P*)   **arcesse** Cas 587(*P* accerse *A*), Men 952, Ps 326(arcessi *BC* accersi *D* accerse *AR RgLLy*)   **accerse** Ps 326(*vide* arcesse), 330 (arces. *U*)   **arcessite** Cap 950(*Z* arccer. *E* accer. *BJ*)   **arcessito** Mi 480(*A* accer. *P*), 1185 (*A* accer. *PR*), St 150   **arcessere** Ba 354(*Z* -ese. *P*), Cas 532(-ese. *E*), Ps 1118(*D* arcersere *B* accessere *C* accer. *FRg*)   **accersere** As 910(arces. *U*)   **arcessiuisse** Cas 601(accer. *AVJ* accer. *B* access. *E* ¹)   **arcessi** Cap 949(accersi *J*), Cas 539, Mi 70(*A* accersi *PR*), Ru 1199(*BC* accersi *D*), St 266(*A* accersi *P*), 267(*A* accersi *P*)   **accersi** As 526(acersi *J* arcessi *RglU*), Ci 196(arcessi *U*), Men 776(arcessi *U*)   **arcessituram** Cas 553, 600(*VE* accer. *AJ* arcer *B*)   **accersita** Ci 105(arces. *U*), St 676(*C* arcesi. *B* accer. *D*)   **accersitae**(*pl.*) Ci 82(*B*[-ę] acer. *EJ* arces. *U*)   **arcessitum**

(*sup.*) Ru 1056(*C* accer. *BDLLy*), St 196(*A* accer. *P*)   *corrupta:* Men 857, accerseris *D¹ pro* accesseris   Poe 958, arcesserem *P pro* hanc tesseram(*A*)   Ps 1208, arcesseret *P pro* abduceret

II. **Significatio** A. *proprie de personis* 1. *absolute:* ultro amas, ultro expetessis, ultro ad te accersi* iubes As 526   ne affinem morer, quin, ubi accersat*, meam . . filiam ducat domum Au 613   nequaquam arcessam* Cas 534   sed eccam: opino, arcessit* Cas 541   arcessiui* ut iusseras Cas 580   negauit posse, quoniam arcesso*, mittere Cas 583   arcessiuisse* ait sese Cas 601   saluen aduenio? saluen accersi iubes? Men 776   ad sese arcessi* iubent Mi 70   uide sis ne in quaestione sis quando accersam* mihi Ps 663

2. *cum acc.* (*vel passive cum nom.*): uir si quid uolet *me*, facite hinc(*A* me *add P*) accersatis Cas 146   ad matrem accersita sum Ci 105   nec certius facit . . quid me accersit* Men 763   hinc me arcessito* Mi 480   uiuom me accersunt Acheruntem mortui Mo 509   quid nunc uis? #Inde ut me accersas* Ps 660   leno ubi esset domi, me aibat arcessere* Ps 1118   demiror quid illaec me ad se arcessi* iusserit quae numquam iussit me ad se arcessi St 266-7   domum dudum huc arcessita* sum St 676   intus illa te, si se arcessas, manet Cas 542   qua accersitae* causa ad me estis, eloquar Ci 82   dixit mihi suam uxorem *hanc* arcessituram esse Cas 553   uidelicet accersit hanc Mi 1283   iussit accersi* *eam* domum Ci 196   soror . . et mater accersunt eam Mi 975   ego eum adeo arcessi* huc ad me quam primum uolo Ru 1199   i tu atque arcesse* *illam* Cas 587   arcessibo Mi 935(*U*)   arcessiuit* illam a naui Per 530   eapse me adlegauit qui *istam* arcesserem* Cas 604   quis est *quem* arcessis*? Tru 130   ei accerse *agnos* Ps 330   tuam . . *amicam* hinc accersebat* Ps 719   gubernatorem . . *Blepharonem* arcessat Am 951   suom arcessit* *erum*(dominum *RRg*) Athenis Mi *Arg* I. 5   seruos . . qui erum accersiuit* Ru 819   abiisti hinc erum arcessitum* Ru 1056   eamus intro ut arcessatur *faber* Cap 1037   erus me . . rus misit *filium* ut suom arcesserem* Mo 1044   parasitum *Gelasimum* huc arcessito St 150   quaeso *hominem* ut iubeas arcessi* Ca 949   i arcesse(*Par* larcesse *B¹C* arcesse *B²D*) *homines* Men 952   quid si igitur ego accersam homines? Mo 1093   ei arcesse* *hostias*, uictumas, lanios Ps 326   *lanios* inde accersam* duos Ps 332   ibo atque accersam *medicum* Men 875   hic illest *parasitus* quem arcessitum* missa sum St 196(*vide etiam* St 150 *supra sub* Gelasimum)   iam *patrem* accersam meum Men 734   filia . . ut patrem accersit* ad se Men 770   matris uerbis *Philocomasium* arcessito* Mi 1185   ego hanc accerso* Philocomasium Mi 1296   ecquis currit *pollinctorem* accersere? As 910   seruos arcessit intus *qui* me uinciant Ba 796   ibo atque accersam *testis* Poe 447   ite actutum, *Tyndarum* huc arcessite* Cap 950   . . ut properarem arcessere* hanc (huc *add KochLLy*) ad me *uicinam* meam Cas 532   miror huc iam non arcessi . . *uxorem* meam, quae iam dudum

si arcessatur*.. exspectat Cas 539-40   tute dixeras tuam arcessituram* esse uxorem uxorem
meam Cas 600
    B. *tropice, de rebus, sim.:* 1. senex in Ephe-
sum ibit *aurum* arcessere* Ba 354
    2. *proverbium:* illic homo a me sibi malam
rem arcessit iumento suo Am 327
    3. = adiungo: id quoi optigerat hoc etiam
ad malum accersebatur* malum Ba 424
    C. *sequitur abl. sep.:* Athenis Mi *Arg* I. 5
a cum *abl.:* me Am 327(*supra* B. 2)   naui Per
530   acc. termini: Acheruntem Mo 509   domum Ci 196, St 676   ad *cum acc.:* me Cas
532, Ci 82, Ru 1199   te As 526   se Men 770,
St 266, 267   sese Mi 70   matrem Ci 105
malum Ba 424(*supra* B. 3)   *dat. comm.:* iumento As 327(*supra* B. 2)   *adverbium:* hinc
Mi 480, Ps 719   huc Cap 950, Cas 532(*LLy*),
539, Mi 935(*U solus*), Ru 1199, St 150, 676   intus Ba 796
    ARCHESTRATA - - nutrix quae fuit? #Arche-
strata(*VEJ* arthes. *B*) Cu 643   *Cf* Schmidt,
p. 177
    ARCHIBULUS - - apud **Archibulum** ego
ero argentarium As 116   *Cf* Schmidt, p. 177
    ARCHIDEMIDES - - *Ephesius* Ba 284(*Fl*
-dis *PR* -dem *B in lit*), 345   **Archidemidem**
Ba 257 *bis*(arck. *B altero loco*)   **Archidemide**
Ba 250, 686   *Cf* Schmidt, p. 188
    ARCHIDEMUS - - ait sese ire ad **Archide-
mum** As 865   *Cf* Schmidt, p. 188
    ARCHILIS - - *obstetrix?* Tru 479   **Archili-
nem** tonstricem Tru 130(*A* archinam *P*)   *Cf*
Schmidt, p. 188
    ARCHITECTON - - sibi laudauisse hasce
(aedis) ait **architectonem**(*AB*¹ -tectorem *B*²*D*
-tectectorem *C*) Mo 760   me quoque dolis iam
superat architectonem Poe 1110   *vide* Mi 919,
ubi architectones *R* architecti *PRg*§†*Ly* architecto *UL*
    ARCHITECTOR - - Mo 760, **architectorem**
*B*²*D* architectectorem *C pro* architectonem
    ARCHITECTUS - - I. Forma **architectus**
Am 45, Mi 901(-tust *BCD*² -ciust *D*¹), 915, 1139
(*ABD* -tis *C*)   **architecte**(*voc.*) Mi 902, 1139
(*ABD*³ arci.*CD*¹)   **architecti** Mi 919(*PRg*§*Ly*
-tones *R* -to *UL*)   **architectis** Tru 3(*ex Prisc*
I. 421 arcus pletis[-petis *D*¹] *P*)
    II. Significatio   *semper translate nisi for-
tasse* Tru 3; *cf* Inowraclawer, p. 32: deorum
regnator architectust omnibus Am 45   hic noster
architectust* Mi 901   probus est architectus Mi
915   quid agis, noster architecte*? #Egone architectus*? uah! Mi 1139   salue, architecte Mi 902
adsunt fabri †architecti*que(adeunt *add Ly*) Mi
919(atque architecto adsunt fabri *L*)   perparuam partem postulat Plautus loci.. Athenas quo
sine architectis* conferat Tru 3
    ARCTURUS - - Arcturus signum sum omnium
acerrumum Ru 70   nomen **Arcturost** mihi
Ru 5   *Cf* Hubrich, p. 48
    ARCULA - - cedo mihi speculum et cum orna-
mentis **arculam** actutum Mo 248   *Cf* Egli, II.
p. 51; Ryhiner, p. 18
    ARCULARIUS - - stant phylacistae in atriis,
textores limbolarii, **arcularii** Au 518
    ARCUS - - ecce autem bibit **arcus** Cu 131

(*cf* Egli, I. p. 21; Goldmann, I. p. 8; Inowraclawer, p. 52)   quom extemplo **arcum** et
pharetram.. sumpsero.. dormibo placide Tri 725
vide Tru 3, *ubi* arcus pletis(petis *D*¹) *P pro* architectis
    ARDEO - - I. Forma **ardeo** Cas 937   **ardet**
Mer 600   **ardent** Cap 594   **ardeat** Mer 591
ardere Am 1067   **ardentem**(*fem.*) Cas 354   **ardens** Ep 555   **ardentis** Mer 617(-tes *U*)   **ardentibus** Men 842
    II. Significatio A. *proprie:* ardere censui
aedis Am 1067   ille (uolt) uidere ardentem te
.. mortuam Cas 354   .. ut ego illic oculos exuram lampadibus ardentibus Men 842   *similiter:*
ni.. lacrumae defendant, iam ardeat, credo, caput Mer 591   guttula pectus ardens mihi aspersisti Ep 555   montis tu quidem mali in me
ardentis iam dudum iacis Mer 617
    B. *translate:* ardent oculi Cap 594   pectus
ardet Mer 600(*cf* Ep 555 *supra*)   *similiter:* maxumo ego ardeo flagitio Cas 937
    ARDESCO - - extingue ignem, si cor uritur,
caput ne **ardescat** Per 802
    AREA - - itidem hic apud nos: aedis nobis
areast, auceps sum ego As 220   auceps quando
concinnauit **aream**(archam *E*), offundit cibum
As 216   nos tibi palumbem ad aream usque
adduximus Poe 676
    AREO - - tegillum eccillud: mihi unum id
aret Ru 576   .. ut quom exissem ex aqua
arerem(rerem *Non* 406) tamen Ru 534   *vide*
Mi 1426, *ubi* arebo *P pro* carebis
    ARESCO - - da mihi uestimenti aliquid aridi,
dum **arescunt** mea Ru 575
    ARGENTARIUS - - *cf* Gimm, p. 13: *sem-
per in fine versuum uno excepto loco*, Cu 679
    I. Forma **argentario**(*dat. masc.*) Au 530   **ar-
gentarium**(*acc. masc.*) As 116, 126, Ps 424
(*neut.*) Ps 105   **argentario** Au 527, 529(*v. secl
U*)   **argentaria** Ep 158, Ps 300(-teria *B*¹)   **argentarii** Cu 377, Per 434, 442(-tij *D*¹)   **argentariae** Men 377   **argentariis**(*dat. masc.*) Cas
25(-ius *J*), Cu 679   **argentarias** Ep 199, 672,
Tru 66   **argentariis** Tru 70   *corruptum:* Tru
736, argentari *P pro* commentari(*Z*)
    II. Significatio A. *adiective:* spero .. tibi in-
uenturum esse *auxilium* argentarium Ps 105
in *commeatum* uolui argentarium proficisci Ps
424(*cf* Inowraclawer, p. 91)   omnes (meretrices) *elecebrae* argentariae Men 377   amore
pereo et *inopia* argentaria* Ps 300   illic exenterauit mihi *opes* argentarias Ep 672   ego de
re argentaria iam senatum conuocabo Ep 158
    B. *substantive* 1. *masc.:* a. citius iam a foro
argentarii* abeunt Per 442   faceres quod partim faciunt argentarii Per 434   habent hunc
morem plerique argentarii Cu 377
    b. argentariis male credi qui aiunt nugas
praedicant Cu 679   etiam ipsus ultro debet
argentario Au 530   ludus datus est argentariis* Cas 25
    c. *cum praepp.:* apud Archibulum ego ero ar-
gentarium As 116   ibi manebo apud argentarium As 126   putatur ratio cum argentario Au
527   disputatast ratio cum argentario Au 529
    2. *fem.* (*sc.* taberna): sum defessus quaerere
per medicinas.. circumque argentarias Ep 199

nusquam alibi si sunt, circum argentarias . .
sedent cottidie Tᴀᴜ 66   quos . . quam ad rem
dicam in argentariis referre habere . . nescio
Tᴀᴜ 70
ARGENTATUS - - semper tu ad me cum
argentata accedito querimonia Ps 312   *Cf*
Inowraclawer. p. 73
ARGENTEOLUS - - post †in sicula(sicicula
BLULy ensicula *Rs*) **argenteola** Rᴜ 1169   *Cf*
Gimm. p. 14; Ryhiner, p. 46
ARGENTEUS - - *cf* Gimm, p. 14; *semper in
fine versuum obviam est*
  I. **Forma argenteum**(*nom. neut.*) Tᴀᴜ 53
argenteam Ps 46, 47, 347   **argentea**(*nom. neut.*)
Aᴜ 343   **argenteos** Mo 621   **argenteis** Ps
100(*ACD* -tes *B*)   *corruptum:* Mo 620, *ubi*
argenteos *CD pro* argento os
  II. **Significatio** quid ego ex te audio? #*Amicam* tuam esse factam argenteam Ps 347   perfacile ego *ictus* perpetior argenteos Mo 621(*cf*
Egli, I. p. 31)   . . nisi tu illi *dacrumis* fleueris
argenteis*. . Ps 100   quam *salutem*? #Argen-
team. #Pro lignean salute uis argenteam remittere illi? Ps 46(*cf* Inowraclawer, p. 73)   supellex, aurum, uestis, *uasa* argentea Aᴜ 343
aut empta ancilla aut aliquod *uasum* argenteum Tᴀᴜ 53
ARGENTUM - - I. **Forma argentum** As 155,
Cᴜ 34, 718, Eᴘ 298, Mᴇʀ 492, Mo 626, Pᴇʀ
120(argentum domideste[*BS*† a. domi idē *CD*
domist *PyRLLy*(-est)] argentumdonidast *Rs*),
302, 321(-tur *B*), ˙Ps 505, 673, 1222, Rᴜ 396,
546, 1087, 1257, 1387, 1412, Tʀɪ 419, 857, Vɪ
115   **argenti** As 75, 89, 193, 364, 396, 487,
500, 532, 579, 633, 651, 725, 752, 848, 852 Aᴜ
108, Cᴀᴘ 193, 947, 1031, Cᴜ 330, 334, Eᴘ 54,
114, 123, 309, 366, 467, Mᴇʀ 89, Mɪ 1065, Mo
211(*v. secl Ladewig𝔖*), 302, 354, 535, 561, 629,
913, 1021, 1026 b(*ex A solo*), 1080(-tei *B²CDR
Rs𝔖* -etei *B¹*), 1099, Pᴇʀ 256(*ACD* -eti *B*), 415
(*ex A solo*), 665, 683, 782, 785, Poᴇ 467, 1287,
1353(*v. om A*), 1399, Ps 97, 117, 299, 398, 618,
629, 718, 752, 753, 1149, 1206, 1322(*P de argento ARg𝔖Ly*), Rᴜ 548, 1188, 1318, 1344, 1375,
1380, Sᴛ 374, 587, Tʀɪ 418, 1082, Tᴀᴜ 580, 739,
952, Vɪ 83   **argento** As 250, 252, 728, Cᴀs
501, Mo 532, Ps 374, 623, Sᴛ 136   **argentum**
As 83, 87, 103, 123, 240, 244(-to *J*), 335, 337,
347, 355, 360, 369, 429, 453, 473, 494, 638,
665, 692, 699, 700, 712, 733(-te *D*), 765, 814,
Aᴜ 180, Bᴀ 95, Cᴀᴘ 989, Cᴀs 85, Cɪ 739, Cᴜ
Arg 2, Cᴜ 68, 207, 226, 345, 436, 458, 460, 491,
530, 559, 581, 612, 613, 669, 685, 688, 704, 710,
717, 723, Eᴘ *Arg* 4, Eᴘ 53, 55, 71, 160, 193,
252, 287, 295, 303, 319, 352, 365, 370, 463, 484,
564, 582(*om Non* 102), 607, 631, 633, 646, Mᴇɴ
54(*Beroaldus* non argumentum *P*), 219, 270,
694, 930, 1035, 1041(*v. secl ω*), 1045, 1056(-to
B), Mᴇʀ 418(*v. confingit R*), Mo 268, 269, 361,
537(*Ca lac 𝔖Ly*), 590, 602, 619, 671, 917, 1083,
1085, 1140, Pᴇʀ 39, 127, 133, 162, 260, 261,
262, 324, 326, 327, 401, 412 *bis*, 413 *bis*, 414,
422(-tam *E*), *ib.*, 423 *bis*, 424, 425, 432, 526,
531, 667, 671, 672, 676, 716, 838, Poᴇ 81, 519,
1401, Ps *Arg* I. 9, Ps 80, 162, 225, 285, 295,
313, 317, 354, 355, 376, 420, 505, 508, 518, 536,
553, 598, 627(-om *B*), 644(*R de A errans*), 649

(argtum *C*), 994, 1011, 1015, 1091, 1122, 1125,
1148, 1154, 1160, 1163(haben a. *A* habes ner-
gentum *B* habesne a. *CD*), 1183, 1200, 1229,
1245, 1313, 1316, Rᴜ 98, 727, 728, 745, 929, 1336,
1370, 1378, 1384, Tʀɪ 125, 127, 131, 133, 179,
182, 415, 758, 993, 1061, Tᴀᴜ 648, 662, 946, Fʀ
III. 6(*ex Don ad Ph* IV. 3, 30 = Bᴀ 31)   **argento** As *Arg* 1(-eno *D*), As 198(-tum *EJ*), 359
(-tum *J*), 673, 744, Cᴀᴘ 205, Cᴜ 144, Eᴘ 277,
704, 708, Mᴇɴ 702, 1043, 1101, Mᴇʀ 973, Mo 241,
567, 569(-tost *B* -tos *CD¹* -to *D³*), 620(-to os *B²*
-teos *CD* -tos *B¹*), 636, Pᴇʀ 5, 472, 680, Poᴇ 89,
Ps 50, 378(nummo *R*), 431, 541, 634, 1192(-ti o
B -ti *CD*), 1322(de a. *ARg𝔖Ly* argenti *PRLU*),
Rᴜ 726, 1087, 1295, 1309, 1340, Fʀ I. 33(*ex Char*
199)   *corruptum:* Cɪ 155, argentum *E¹ pro*
argumentum
  II. **Significatio** I. *nom.*(*vel acc.*) *subiectum:*
id (argentum) esse *absumptum* praedico Mo
1140   (argentum) *adest* Eᴘ 463   a me non
potest argentum *auferri* Ps 505   uidulum, aurum atque argentum ubi omne *conpactum* fuit
Rᴜ 546   *dandum* huc argentumst probum Rᴜ
1387   . . ut sibi esse datum argentum dicat
Eᴘ 365   eho an negauit sibi datum argentum? Mo 1083   ius iurandum pollicitust dare
se, . . neque sibi argentum datum Mo 1085
tibi argentum iubebo iam intus *ecferri* foras
Bᴀ 95   argentum argento *exaequabitur* Rᴜ
1087   nunc seruos argentum a patre *expalpabitur* Vɪ 115(*ex Non* 104 & 176)   argentum
hoc *facit* Tʀɪ 857   argentum* hic *inest* quod
mecum dudum orasti Pᴇʀ 321   *obici* Mo 619
(*vide infra* 4 *sub* obicere)   id non decem oc-
cupatum tibi erit argentum dies Eᴘ 298   argentum *οἴχεται* Tʀɪ 419   ego illuc argentum . .
paratum filio scio esse As 123   memento
promisisse te . . mihi omne argentum *redditum* iri Cᴜ 491   tu . . in neruo iam iacebis,
nisi mihi argentum redditur Cᴜ 718   te haud
sinam emoriri nisi mihi argentum redditur Ps
1222   quam mox mihi argentum ergo redditur? Rᴜ 1412   quod palamst uenale, si argentum *est*, emas Cᴜ 34   unde erit argentum quod
des? Mᴇʀ 492   id me scire expeto quod illuc
argentumst? Mo 626   nihili parasitus est quoi
argentum* domist Pᴇʀ 120   paratum iam esse
dicito unde argentum sit futurum Pᴇʀ 302
lamentare non esse argentum tibi Ps 313   hic
doli . . hic argentum, hic amica amanti erili
filio Ps 673   et aurum et argentum fuit lenonis omne ibidem Rᴜ 396   quidquid in illo
uidulost, si aurum si argentumst, omne id ut
fiat cinis Rᴜ 1257   . . nisi tu inmortale rere
esse argentum tibi Tʀɪ 415   quae tu in
nos dicis aurum atque argentum merumst As
155
  2. **gen. a.** *post substantiva:* ecquis homost
qui facere argenti cupiat *aliquantum* lucri?
Mo 354   neque in hac . . (est) ulla . . argenti
circumductio Cᴀᴘ 1031   orauit . . uti sibi
amanti facerem argenti *copiam* As 75   tibi
amanti argenti feci copiam As 848   argenti
rogo uti faciat copiam Cᴜ 330   non mihi censebas copiam(tantulum *R* tantum *U de A errantes*) argenti fore Pᴇʀ 415   mihi neque *faenus* neque sortem argenti danunt Mo 561   adeo

etiam argenti faenus creditum audio Mo 629 ei *fidem* non habui argenti Per 785 neque paratast *gutta* certi consili neque adeo argenti Ps 398 respondit .. sibi esse magnam argenti *inopiam* Cu 334 mihi *libellam* pro eo argenti ne duis Cap 947 tibi libellam argenti numquam credam Ps 629 *massa* Mi 1065(*infra sub* montis) ego nunc mihi *medimnum* mille esse argenti uelim St 587 uiginti iam usust filio argenti *minis* As 89 interminatust nos futuros ulmeos ni hodie Argyrippo essent uiginti argenti minae As 364 argenti uiginti minas si adesset accepisset As 396 .. nisi mihi huc argenti adfert uiginti minas As 532 argenti uiginti minas habesne? As 579 argenti uiginti minae med ad mortem adpulerunt As 633 tibi si uiginti minae argenti proferentur.. As 651 quid ego aliud exoptem nisi .. uiginti argenti commodas minas? As 725 lenae dedit dono argenti uiginti minas As 752 ain tu meum uirum .. ad amicam detulisse argenti uiginti minas? As 852 dabisne argenti mihi hodie uiginti minas? Ps 117 quid tibi me uis facere? #Argenti dare quadraginta minas Ep 114 q*** argenti minas Mo 1026 b(*ex A solo*: quadraginta istas cur mihi *L in lac: vide. etiam U*) uendidit tuos natus aedis .. praesentariis argenti minis numeratis .. quadraginta Tri 1082 .. dicat pro fidicina argenti minas se habere quinquaginta Ep 366 argenti quinquaginta mihi illa emptast minis Ep 467 minas tibi octoginta argenti debeo Mo 1021 tuo periclo sexaginta haec datur argentum minis Per 665 probae hic argenti sunt sexaginta minae Per 683 mina mihi argenti dono postilla datast Poe 467 nanctus est hominem mina quem argenti circumduceret Poe 1287 opus est .. mihi quidem mina argenti Poe 1353 .. ut minam mihi argenti reddas Poe 1399 argenti minam quam med orauisti ut darem tibi faenori(*vel* -e) iam ego adferam ad te Vi 83 argenti meo ero .. quindecim dederat minas Ps 618 hunc (sumbolum) ferebat cum quinque argenti minis Ps 718 quinque inuentis opus est argenti minis mutuis Ps 732 symbolum hunc ferat lenoni cum quinque argenti minis Ps 753 hic sunt quinque argenti lectae numeratae minae Ps 1149 iussit tibi .. ferre has quinque argenti minas Tru 580 iussi ei quinque argenti deferri minas Tru 739 sumpsit faenore in dies minasque argenti singulas nummis Ep 54 argenti *montis* non massas habet Mi 1065 argenti aurique aduexit *nimium*(*A* multum *P*) St 374 numquam hinc feres argenti *nummum* As 487 magister curiae diuidere argenti dixit nummos in uiros Au 108 locare argenti nemini nummum queo Mo 535 negat .. uos sibi nummum umquam argenti* dedisse Mo 1080 quid ego ni fleam quoi nec paratus nummus argenti siet? Ps 97 nummum nusquam reperire argenti queo Ps 299 .. argenti* mutui ut ei egenti *opem* adferam Per 256 non audes .. aliquam *partem* mihi gratiam facere hinc argenti*? Ps 1322 subducam ratiunculam *quantillum* argenti mihi apud trape-

zitam siet Cap 193 nec *quicquam* argenti locaui .. aeque bene Mo 302 nequaquam argenti *ratio* comparet Tri 418 *sors* Mo 561 (*supra sub* faenus) .. prius .. argenti fuero elocutus ei postremam *syllabam* Ep 123 si mihi dantur duo *talenta* argenti numerata in manum .. As 193 solus mihi talentum argenti soli adnumerauit As 500 mihi talentum argenti ipse sua adnumerauit manu Mer 89 si .. nunc ferat sex talenta argenti .. praesentaria, numquam accipiam Mo 913 talentum argenti commodum magnum inerit in crumina Ru 1318 talentum argenti magnum continuo dabo Ru 1344 cedo sis mihi talentum magnum argenti Ru 1375 iuratust dare mihi talentum magnum argenti Ru 1380 talentum argenti †philippices(philippi hic *Rs*) est Tru 952 *tantulum* Per 415(*R supra sub* copiam) decutio argenti *tantum* quantum mihi lubet Ep 309 quod dedit perdiderit tantum argenti Mo 211(*v. secl Ladewig*S) Per 415(*U supra sub* copia) tantundem argenti quantum miles debuit dedit huic Ps 1206 *uehiclum* argenti miser eieci Per 782

b. *post adiectiva:* marsuppium qund *plenum* argenti fuit Ru 548 *similiter:* credo edepol ego illic inesse argenti et auri *largiter* Ru 1188

c. *post verbum:* apud iudicem hunc argenti *condemnabo* Mo 1199

3. *dat.* **a.** *post adiect., verba, sim.:* scelestiorem ego annum argento faenori numquam ullum uidi Mo 532 non tu me argento dedisti .. nuptum, sed uiro St 136 argento parci nolo: obsonato ampliter Cas 501 haec est praestituta summa ei argento dies Ps 374 argento haec dies praestitutast Ps 623

b. *dat. gerund.:* te meliust .. argento comparando fingere fallaciam As 250 .. inueniundo argento ut fingeres fallaciam As 252 ego caput huic argento fui hodie reperiundo As 728(inueniendo *Serv ad Aen* XI. 361)

4. *acc. post verba:* hoc argentum alibi *abutar* Per 262 argentum* *accepto* et quoi debet dato Ps 627 argentum *accepi*, dote imperium uendidi As 87 ni in quadriduo abalienarit quo abs te argentum acceperit, tuos arbitratus sit As 765 argentum accepi, nihil curaui ceterum Cap 989 argentum accipias Cu 458 quid id refert tua, dum argentum accipias? Cu 460 argentum accipiam ab damnoso sene Ep 319 .. quasi pro illa argentum acceperit Ep 370 .. mihi illam ut tramittas, argentum accipias: adest Ep 463 accipe argentum hoc Ep 646 .. ne usquam argentum te accepisse suspicetur Philolaches Mo 269 ubi ego argentum accepero continuo tu illam .. adserito manu Per 162 accipin argentum? accipe sis argentum Per 412 possum te facere ut argentum accipias? Per 414 probum et numeratum argentum ut accipiat face Per 526 ubi ab hoc argentum acceperis, simulato quasi eas .. in nauem Per 676 argentum accepit, abiit Per 716 propera .. accipere argentum actutum Ps 994 ab eo argentum accipi . . uolo Ps 1011   leno argentum hoc uolo a me accipiat Ps 1122   argentum accipias Ps 1148   ego ob hanc operam argentum accepi Tri 993   modo tecum una argentum *adferto* As 240   adulescens uenit modo, qui id argentum attulit As 337   si ille argentum prius hospes huc affert.. As 360   dum argentum afferat mercator . . pro asinis As 369   afferre argentum credo Cu 226 ego illam reddidi, qui argentum a te attulit Cu 581   abeo atque argentum adfero Per 672 si tu argentum attuleris cum illo perdidero fidem Ps 376   qui argentum* adferret.. cum eo aiebat uelle mitti mulierem Ps 649   illius seruos huc ad me argentum attulit Ps 1091 manufesto teneo hunc hominem qui argentum attulit Ps 1160   ego argentum, ille ius iurandum *amiserit* Per 403   . . ne quisquam a me argentum *auferat* Cu 704   senatum conuocabo . . unde argentum auferam Ep 160 ipsi hi . . mihi dant uiam, quo pacto ab se argentum auferam Ep 193   leno omne argentum abstulit pro fidicina Ep 352   . . quo pacto ab lenone auferam hoc argentum Per 326   satin ultro et argentum aufert et me inridet? Ps 1316   sportulam *cape* atque argentum Men 219   *cedo* sis mihi argentum* Per 422   argentum, inquam, cedo Per 423 argentum infra *condidi* Ps 354   numquam hodie induces ut tibi *credam* hoc argentum ignoto As 494   tu negabas credere argentum mihi Per 432   Ps 644(*R de A errans*)   tu solus credo faenore argentum *datas* Mo 602 Ps 627(*supra sub* accepto)   *debeo* Ep 71(*infra sub* dinumero)   Men 930(*infra sub* resoluo) aurum, argentum, collum . . nunc debes simul Poe 1401   Ps 627(*supra sub* accepto)   . . argentum meo qui debebat patri Tru 648   opus est homine qui illo argentum *deferat* pro fidicina Ep 287   hoc deferam ad hanc argentum Tru 662   istuc argentum tamen mihi si uis *denumerare* . . As 453   patrem se conuenire non uolt . . quam id argentum quod debetur pro illa *dinumerauerit*(den. *L*) Ep 71   neque quisquam . . uenit . . quem *diuidere* argentum oportuit Au 180   cupio esse amicae quod *det* argentum suae As 83   flagitium hominis, da obsecro, argentum huic As 473   iam dedit argentum? #Non dedit As 638   da, meus ocellus, . . argentum mihi As 665   da istuc argentum nobis As 692   dabisne argentum? As 712   argentum si quis dederit . . ultro ibit nuptum Cas 85   dedisti tu argentum? Cu 345   argentum des lenoni, huic des uirginem Cu 436   dat erili argentum Ep *Arg* 4 argentum pro hac dedi Ep 484   continuo argentum dedi ut emeretur Ep 564   qui argentum* dederit, nugas egerit: qui non dederit.. Men 54(*cf* Poe 81)   Mer 418(*v. a R confictus*)   danista adest qui dedit argentum faenore(*vel* -i) Mo 537(*Ca* dedit∗∗∗ *PSLy*)   dedit argentum Per 260   stultus qui hoc mihi daret argentum Per 261   atque ipse ultro det argentum Per 327   mihi iuratust sese hodie argentum dare Per 401   da mihi argentum Per 422   huic pro te argentum dedi Per 838   argentum nisi qui dederit, nugas egerit, uerum

qui dederit . . Poe 81(*cf* Men 54 *supra*)   quom argentum pro capite dedimus, nostrum dedimus non tuom Poe 519   fuit occasio . . argentum ut daret Ps 285   tu mihi hercle argentum dabis Ps 508   em istis mihi tu hodie manibus argentum dabis Ps 518   dabin mihi argentum?.. #'Dabo' inque Ps 536   si hunc uidebo non dare argentum tibi, . . ego dabo Ps 553   argentum des, abducas mulierem Ps 1015   .. hoc argentum ut mihi dares Ps 1154 ego tibi argentum dedi Ps 1200   si mihi argentum dederis, te suspendito Ps 1229   quid ergo dubitas dare mihi argentum? Ps 1313 pro te argentum dedit Ru 98   habeat, si argentum dabit. #Det tibi argentum? Ru 727-8 argentum ego pro istisce ambabus . . domino dedi Ru 745   deiera te mihi argentum daturum Ru 1336   emi atque argentum dedi Tri 125   dedistin argentum? Tri 127   quid interest dare te in manus argentum amanti homini adulescenti? Tri 131   argentum dedi thensauri causa Tri 179   illi redemi russum, a me argentum dedi Tri 182   pol ego emi atque argentum dedi Tri 1061   dedi ego huic aurum. #At ego argentum Tru 946   Vi 83(*supra* 2, a. *sub* mina)   opperire dum *effero* ad te argentum Ep 633   abi, argentum ecfer huc Per 667   ego lenocinium facio, qui . . argentum* *egurgiten* domo prosus Ep 582   tu argentum *eluito*, idem exstruito Ps 162   quam ob rem ego argentum *enumerem*(*ex A* numerem *FZRLU*) foras? Per 531   aut terra aut mari aliquonde *euoluam* id argentum tibi Ps 317   possum a te *exigere* argentum? Per 423   ∗∗∗quam argentum *expetessit* Ci 739(*vide ω*)   *exstruito* Ps 162(*supra sub* eluito)   argentum hinc *facite* Fr III. 6(*ex Don ad Ph* IV. 3, 30 = Ba 34)   ait se ob asinos *ferre* argentum As 347   argentum non morabor quin feras As 355   uehes.. me si quidem hoc argentum ferre speres As 699 tun hoc feras argentum aliter a me? As 700 pater nos ferre hoc iussit argentum* ad ted As 733   argentum ego cum hoc feram Ep 295   nisi feres argentum, frustra's Men 694   iussit sumbolum me ferre et hoc argentum Ps 598   perficito argentum hodie ut *habeat* filius As 103 ego argentum habeo Cu 530   id utrumque argentum quando habebo cauero Men 270   scortum quaerit, habet argentum Ps 1125   haben argentum* ab homine? Ps 1163   argentum nusquam *inuenio* mutuom Ps 80   quod argentum . . tu mihi *narras*? Cu 613   iam *nolo* argentum Per 127   argentum *numera*(*JRgLULy iterant BES*†) Ep 631   pro capite argentum mihi . . numeras Ps 225   argentum *obicias* lenae? As 814   tu iube obicere(obici *FZRL*) argentum ob os inpurae beluae Mo 619   metuo ne *olant* argentum manus Mo 268   *paciscor* Ps *Arg* I. 9(*infra sub* reddo)   nisi illud *perdo* argentum* pereundunst mihi As 244   it Cariam ut *petat* argentum Cu *Arg* 2   parasitum in Cariam misi meum petitum argentum..mutuom Cu 68   parasitum misi . . Cariam petere argentum Cu 207   uenit in. mentem mihi..argentum ut petam Cu 559   is danista aduenit una cum eo qui argentum petit Ep 55   danista, qui a me argentum non(-n *A*) petit Ep 607 ille qui se petere modo argentum . . Men 1041 (*v. spur: vide ω*) . . ne . . a me argentum petat Men 1045 argentum* dixi me petere et uasa Men 1056 ubi id erit factum a me argentum petito praesentarium Mo 361 abisne atque argentum petis? Per 671 *pollicitabor* pro capite argentum, ut sim liber Ru 929 leno te argentum *poscit* Per 425 qua pro re argentum *promisit* hic tibi? Ru 1378 promisistin huic argentum? Ru 1384 quin tu is intro atque huic argentum *promis?* Ep 303 ego scelestus nunc argentum promere possum domo Ps 355 nunc ibo intro, argentum promam Ps 1245 . . dum reperiam qui *quaeritet* argentum in faenus As 429 . . eum uelle amicam liberare et *quaerere* argentum ad eam rem Ps 420 *redde* mihi argentum aut uirginem Cu 612 repromisit mihi . . sine controuersia omne argentum reddere Cu 669 reddit argentum domo Cu 685 promistin . . te omne argentum redditurum? Cu 710 tu huic argentum redde Cu 717 molestus si sum reddite argentum Mo 590 . . si quidem tu argentum redditura's Mo 671, 672 quin tu mihi argentum reddis? Per 424 senex argentum quod erat pactus reddidit Ps *Arg* I. 9 aut redde argentum Ps 1183 quid properabo? #Reddere argentum mihi Ru 1370 non ego illi argentum redderem? #Non redderes Tri 133 ego omne argentum tibi hoc actutum incolume *redigam* Per 324 ego te in neruom . . rapiam, ni argentum *refers* Cu 723 uasa atque argentum tibi referam Men 1035 is argentum huc *remisit* As 335 hoc tu mihi *reperire* argentum potes Per 133 perdormisco si *resolui* argentum quod debeo Men 930 *rogare* tu a med argentum tantum audes? · Per 39 nullus est tibi quem roges mutuom argentum? Ps 295 ab amico alicunde mutuom argentum rogem Tri 758 is adeo argentum ab danista apud Thebas *sumpsit* faenore Ep 53 adlatae tabellae sunt . . eum argentum sumpsisse . . faenore Ep 252 subegi faenore argentum ab danista ut sumeret Mo 917 fateor . . faenori argentum sumpsisse Mo 1140 *tene* sis argentum: etiam tu argentum tenes? Per 413 argentum propere propera *uomere* Cu 688(*cf* Inowraclawer, p. 94)

5. *abl. a. cum verbis:* amanti argento* filio *auxiliarier* . . uolt senex As *Arg* 1 . . filium te uelle amantem argento *circumducere* Ps 431 quasi tu dicas me te uelle argento circumducere Ps 634 *circumuorto* Ps 541(*infra sub* interuortere) quantillo argento* te *conduxit* Pseudolus? Ps 1192(*cf* Seyffert, *Stud. Pl.* p.22) diem aquam solem . . haec argento* non *emo* As 198 tibi eme hunc isto argento As 673 pigeat . . nostrum erum si uos . . solutos sinat quos argento emerit Cap 205 fateor . . eo argento illam me emisse amicam fili fidicinam Ep 704 tam quasi me emeris argento, liber seruibo tibi Men 1101 haud aequom . . fuerat . . amanti amicam eripere emptam argento suo Mer 973 aurum auro expendetur, argentum argento *exaequabitur* Ru 1087 quid postremo argento *factumst* quod dedi? Ep 708 quid eost argento factum? Mo 636 istuc ago quomodo

argento* *interuortam* et aduentorem et Sauream As 359 de conpecto faciunt . . qui me argento interuortant(*Fl* circumu. *P𝔖†*) Ps 541 . . ut enim *praestines* argento . . Ep 277 si summo Ioui boui bo(*B¹S†* eo *R* uiuo *B²D* ioui *C* probo *Rs* boues *U* bono *Ly*) argento *sacruficassem* . . Mo 241 *uendit* eas omnis . . praesenti argento homini Poe 89 iube homini argento* os *uerberarier* Mo 620 ancilla mea quae fuit hodie sua nunc est, . . argento *uicit* Per 472

b. *abl. gerund.:* fio miser quaerendo argento mutuo Per 5

c. *post opus, usus:* huc arido argentost opus Ru 726 faxo scies quam subito argento mihi usus inuento siet Ps 50

d. *cum praepp.:* confido parasitum hodie aduenturum cum argento Cu 144 marsuppium Messenioni cum argento concredidi Men 702 is ait se mihi allaturum cum argento marsuppium Men 1043 ne cum argento protinam permittas domum, moneo, te Per 680 . . si quis perdiderit uidulum cum auro atque argento multo Ru 1295 quid perdidisti? #Vidulum cum auro atque argento multo Ru 1309 si uidulum illum . . cum auro atque argento saluom inuestigauero . . Ru 1340 de argento si mater tua sciat, ut sit factum . . As 744 spes est de argento Mo 567 quid de argentost*? Mo 569 Ps 1322(*ARg𝔖Ly supra* 2, *sub* pars) sine argento* frustra's qui me tui miserere postulas Ps 378 nec quicquam positum sine loco, auro, ebore, argento Fr I. 33(*ex Char* 199)

6. *adiectiva:* aridum Ru 726 immortale Tri 415 incolume Per 324 merum As 155 multum Ru 1295, 1309 mutuom Cu 68, Per 5, 256, Ps 80, 295, 732, Tri 758 numeratum Per 526 Philippum Tru 952(*Rs*) praesens Poe 89 praesentarium Mo 361 probum Mo 241(*Rs*), Per 526, 683, Ru 1387 quantillum Ps 1192

7. aurum atque argentum As 155, Ru 546, 1295, 1309, 1340 et aurum et argentum Ru 396 si aurum si argentum Ru 1257 aurum, argentum Poe 1401 argentum et aurum Ru 1188(*B* au. et ar. *CD*) argentum aurumque St 374 *Cf* Sjögren, p. 24

ARGENTUMDONIDAST - - *nomen comicum* Per 120(*Rs* -est *FlLy* argentum domideste [*B𝔖†* domi idē *CD* domist *Pyψ*])

ARGENTUMEXTENEBRONIDES - - *nomen comicum* Per 703(-tere. *RLU*)

ARGI - - Amphitruo natus Argis, ex Argo (Alcaeo *FlRgl*) patre Am 98 *Cf* Koenig, p. 2

ARGIVOS - - si quae asportassent redderent . . abituros agro **Argiuos** Am 208

ARGUMENTOR - - Am 349, argumentarier *D corr J pro* argutarier

ARGUMENTUM - - I. Forma argumentum Men 11, Poe 56 argumento Men 13, Poe 57 argumentum Am 51, 96, As 8, Ci 155(argentum *E¹*), Men 5, 14, 16(nostra *BoR*), Mer 2, Mi 79, 85, 98, Poe 46, Ru 31, Vi 10 argumento As 302 *bis*, Cas 812, Mi 1001, 1015, Ru 1023, Tri 16, 707, Tru 169 argumenta (*acc.*) Am 806(-tum *J*), 1087, Cap 991, Mo 86, 92, 99, 118, Tri 522(*A²* -ti *A¹* -tum *P*) argumentis Am 423, 433, 592, Ru 1180, Tru 507 *cor-*

ruptum: Men 54, non argumentum *P pro* argentum(*Beroaldus*)

II. **Significatio** A. *proprie* 1. *acc.:* sine modo argumenta* *dicat:* quid postquam cenauimus? Am 806   ei rei argumenta dicam Mo 92, Tri 522*   auscultate argumenta dum dico ad hanc rem Mo 99   haec argumenta ego aedificiis dixi Mo 118   de ea re signa atque argumenta paucis uerbis *eloquar* Am 1087   argumenta . . in pectus multa *institui* Mo 86 ipsust Tyndarus tuos filius, ut quidem hic argumenta *loquitur* Cap 991

2. *abl.:* a. *quo argumento* istuc? #Ego dicam quo argumento et quo modo As 302 . . esses indomabilis. #Quo argumento? Cas 812   huius sermo haud cinerem quaeritat. #Quo argumento? Mi 1001   et celas et non celas. #Quo argumento? Mi 1015   quo argumento socius non sum et fur sum, facdum ex te sciam Ru 1023   amator similest oppidi hostilis. #Quo argumento? Tru 169(*cf* Langen, *Beitr.* p. 329)

b. . . quae ex te poterit argumentis hanc rem magis *exquirere* Ru 1180   mecum argumentis *puta* Am 592   argumentis *uicit,* aliud nomen quaerundumst mihi Am 423   quid nunc? uincon argumentis? Am 433

c. meus est: scio iam de argumentis Tru 507

B. *translate de fabulis* 1. *nom.:* quod ad argumentum attinet, sane *breuest* As 8   argumentum hoc hic *censebitur* Poe 56   hoc argumentum *graecissat:* tamen non *atticissat,* uerum *sicilicissitat*(sicilissat *Fest* 28 *et Rs*) Men 11

2. *gen.:* eius (argumenti) regiones, limites, confinia determinabo Poe 42

3. *dat.:* huic argumento antelogium hoc fuit Men 13   locus argumentost suom sibi proscaenium Poe 57

4. *acc.:* a. nunc argumentum *accipite* atque animum aduortite Men 5   nunc argumentum uobis *demensum dabo* Men 14(*cf* Graupner, p. 9)   argumentum huius *eloquar* tragoediae Am 51   animum aduortite dum huius argumentum eloquar comoediae Am 96   et argumentum et meos amores eloquar Mer 2   et argumentum et nomen uobis eloquar Mi 85   huc qua causa ueni, argumentum elequar Ru 31   nunc argumentum *exordiar* Mi 98   credo argumentum uelle uos *pernoscere* Vi 10   operam date ut ego argumentum* hoc uobis plane *perputem* Ci 155

b. quod ad argumentum attinet, sane breuest As 8   ad argumentum nunc uicissatim uolo remigrare Poe 46   mihi ad enarrandum hoc argumentumst comitas Mi 79   ad narrandum argumentum* adest benignitas Men 16 (*v. secl Osann§*)

5. *abl.:* de argumento ne exspectetis fabulae Tri 16   hic agit magis ex argumento et uersus melioris facit Tri 707

ARGUO - - I. **Forma** **arguo** Ba 469, Men 940, Mi 337(*v. habet B solus*)   **arguis** Ba 474   **arguit** Am 885, 897(‘*pf.*’ *Rgl*), Men 651, 814 (*BD³* arruit *CD¹*)   **arguont** Ba 808(-unt *PU*)   **arguet** Am 1003   **arguam**(*subiu.*) Mi 244(*B²* arguū *CD* au arguam *B¹* eam arguam *LLy*)   **arguat** Mi 190   **arguere** Men 744(*add Rs om Pψ*), Mi 380(-rit *B¹*), 389(-ret *B¹*)   **argu-**

tam Am 883   *corruptum:* Tru 493, arguit (argut *D*) eccati *P* argute cati *SeyRs§Ly* arguti et cati *ZLU*

II. **Significatio** 1. *absolute:* ego quom peribat uidi, non ex audito arguo Ba 469   quis is Menaechmust? . . #Tu. #Quis arguit? Men 651

2. *cum acc..* ⸱ *me* Mi 389(*infra* 6)   qui arguat *se* eum contra uincat Mi 190   hae tabellae *te* arguont Ba 808   pergin, sceleste, intendere *hanc* arguere*? Mi 380   tu *Pistoclerum* falso atque insontem arguis Ba 474 quem *hominem* . . arguere* Men 744(*Rs solus*)

3. *cum acc. duobus:* egomet haec ted arguo Men 940

4. *cum acc. et gen.:* ita me probri stupri dedecoris a uiro argutam meo! Am 883   me miserum arguit stupri dedecoris Am 897   *Cf* Blomquist, p. 102; Schaaff, p. 40

5. *seq. enunt. rel.:* quae neque sunt facta. neque . . arguit Am 885

6. *seq. infin.:* eum fecisse ille hodie arguet quae ego fecero hic Am 1003   me arguit* hanc domo ab se surrupuisse Men 814   ut . . arguam* uidisse apud te . . conseruom meum . . amplexantem Mi 244   arguo eam me uidisse osculantem hic intus Mi 337   arguere? me . . uisust me . . esse osculatam Mi 389   *Cf* Votsch, p. 36; Walder, p. 38. 50

ARGUS - - quos si Argus seruet, qui oculeus totus fuit . . Au 555   *Cf* Egli, III. p. 16

ARGUS - - = *Argivus:* Amphitruo, natus Argis ex Argo(Alcaeo *FlRgl*) patre Am 98

ARGUTIA - - etiam me aduorsus exordiri argutias(-cias *B*)? Ba 127   mihi inter patinas exhibes argutias Mo 2

ARGUTOR - - pergin argutarier(*BD¹E* argumentarier *D corr J*)? Am 349   superabo omnis argutando praeficas Fr I. 84(*ex Non* 66)

ARGUTUS - - I. **Forma** argutus Mer 629, Ps 746   **argutum**(*nom.*) Tri 200   (*acc. masc.*) Tru 495   **argutam** Tru 494(*Turn* -ta *P*)   **argute** Tri 974, Tru 493(argute cati *SeyRs§Ly* arguti et cati *ZLU* arguit[argut *D*] eccati *P*)

II. **Significatio** A. *adiectivum* 1. *substantive:* strenui nimio plus prosunt populo quam arguti* et cati Tru 493(*ZLU* argute cati *Sey Rs§Ly: cf* Seyffert, *Stud. Pl.* p. 24)

2. *praedicative vel attributive:* a. de istac re argutus es Mer 629   ecquid argutust? #Malorum facinorum Ps 746(*cf* Schaaff, p. 31) nihil est profecto stultius . . neque argutum magis . . Tri 200(*v. secl RRs*)

b. sine uirtute argutum *ciuem* mihi habeam pro praefica Tru 495   facile sibi *facunditatem* uirtus argutam* inuenit Tru 494

B. *adverbium:* nimis argute obrepisti Tri 974.

ARGYRIPPUS - - *adulescens; in supersc.* As act I. *sc.* 2 *et* 3: act. IV. *sc.* 2. As 74(*J* argi. *BD* argryppus *E*), 586(*J* arrgi. *B* argi. *D* agi. *E*), 917(*EJ* argi. *BD* -ipus *D*)   **Argyrippo** As 364(*BJ* argi. *B* agi. *E*)   **Argyrippum** As 522 (agri. *EJ¹*), 542(*J* argi. *BD* agri. *E*)   **Argyrippe** As 732(argi. *BE*), 738(*add Angel in lac*), 833 (*J* argi. *BD* agyr. *E*)   *Cf* Schmidt, p. 356.

ARIDUS - - pumex non aeque **aridus**(ardus *Sey§ULy*) atque hic est senex Au 297   da mihi uestimenti aliquid **aridi** Ru 574   huc **arido**

argentost opus Ru 726 (*vide Sonnenschein ad loc et Ramsay ad* Most p. 244) maior pars populi **aridi** (**arida** *Hertz Rg*) reptant fame Fr I. 29 (*ex Gell* III. 3, 5) triparcos homines uetulos **aridos** (ardos *SeyRsLy*) bene admordere .. Per 266 ficis uictitamus **aridis** (*P* -eis *ARsŠ*) Ru 764 *Cf* Seyffert, *Stud. Pl.* p. 6; Gimm, p. 14

ARIES - - umerus **aries** (est) Cap 797 adibo hunc, quem quidem ego hodie faciam hic **arietem** Phrixi Ba 241 pectus mihi icit, non cubito uerum **ariete** (u. a. *A om P*) Cas 849 **arietes** truces nos erimus: iam in uos incursabimus Ba 1148

ARIETO - - quis illic est qui tam propterue nostras aedis **arietat**? Tru 256

ARIOLOR, ARIOLUS - - *vide* har.

ARISTARCHUS - - *poeta.* Achillem **Aristarchi** mihi commentari lubet Poe 1

ARISTOPHONTES - - *adulescens; in supersc.* Cap *act.* III. *sc.* 4 *et* 5 (*nom.*) Cap 527 (-tis *B* -astri. *J*) (*voc.*) Cap 538, 618, 745 *Cf* Schmidt, p. 387

ARISTOPHORUM - - *vas in quo prandium fertur, Paul* 27 (Fr II. 76): *ad Plautum refert* Reitzenstein *Verr. Forsch.* p. 61 *probabiliter; iudicante Rg*

ARITUDO - - o scirpe .., qui semper seruas gloriam **aritudinis** (*AB* gloria amaritudinis *CD*) Ru 524

ARMA - - 1. *nom.:* ubi **arma** sunt Stratippocli? #Pol illa ad hostis transfugerunt. #Armane? #Atque equidem cito Ep 29-30 (arma) trauolauerunt ad hostis Ep 35

2. *acc.:* i, adfer mihi **arma** et (arma. #Arma? #Et *Rs*) loricam adducito Ci 284 cedo soleas mihi ut arma *capiam* Mo 384 Mulciber .. arma *fecit* quae habuit Stratippocles Ep 34 perdidit me. #Quis? #Ille qui *perdidit* arma Ep 57 arma *referunt* et iumenta ducunt Ep 209

3. *abl.:* legiones educunt suas nimis pulcris **armis** praeditas Am 218 Pergamum diuina moenitum manu, armis, equis, .. mille cum numero nauium .. subegerunt Ba 927 .. quem .. memorant apud reges armis, arte duellica diuitias magnas indeptum Ep 450 nempe illum dicis cum armis aureis Mi 16 quo neque industrior de iuuentute erat .. disco, hastis, pila, cursu, armis, equo Mo 153 (*aliter Ly*)

4. *corrupta:* Mo 1097, arma *P pro* aram Tru 272, arma *CD* arme *B pro* armillas (*Salm*)

ARMAMENTUM - - quid alia armamenta (*CD* orna. *B*)? #Salua et sana sunt Mer 174 negotiosi eramus nos nostris negotiis, **armamentis** complicandis, componendis studuimus Mer 482

ARMARIOLA - - aut empta ancilla aut .. nasum ahenum .. aut armariola Graeca Tru 55 *Cf* Ryhiner, p. 29

ARMARIUM - - reclusit .. **armarium** Cap 918 ex occluso atque obsignato **armario** decutio argenti tantum .. Ep 308 clanculum ex armario te surrupuisse aiebas Men 531

ARMIGER - - 1. *nom.:* egomet mihi comes, calator, .. armiger (armier *B*) Mer 852

2. *dat.:* .. potius quam illi seruo nequam (Casinam) des **armigero** Cas 257 propter eam rem magis armigero dat operam Cas 278

3. *acc.:* filius is autem **armigerum** adlegauit suom Cas 55 illae autem in cubiculo armigerum (*P* autem ar. ilico *A*) exornant duae Cas 769

4. *abl.:* si ego autem ab **armigero** impetro .. Cas 270

ARMILLA - - ubi illae **armillae** sunt quas una dedi? Men 536 .. quia accepisti **armillas** (*Salm* tibi a. *Ly* -lias *A* arma *CD* arme *B*) aeneas (*A in margine* an eas *AŠ*† aduenias *P* an eo's ferox *Rs*)? Tru 272 *Cf* Ryhiner, p. 18

ARMO - - uirtute belli **armatus** promerui ut mihi omnis mortalis agere deceat gratias Ep 443 hoc in equo insunt milites **armati** atque animati probe Ba 942 uiri quoque armati idem istuc faciunt Mi 1273

ARMUS - - quasi lupus ab **armis** ualeo Fr I. 5 (*ex Non* 196, *Paul* 61)

ARO∗∗∗ Fr I. 7 (*ex Fest* 165)

ARO - - tibi **aras**, tibi occas Mer 71 fundum alienum **arat** As 874 **arare** mauelim quam sic amare Mer 356 qui **arari** solent ad pueros ire meliust Tru 150 (*in malam partem*) *corrupta:* Au 84, arantes *Non* 123 *pro* araneis Poe 404, arata *B pro* irata

"ΑΡΠΑΞ - - *vide* Harpax

ARRABO - - 1. *dat.:* **arraboni** has *dedit* quadraginta minas Mo 648 argentum .. quod isti dedimus arraboni (arri. *B*) Mo 918 minas quadraginta .. quas arraboni (ara. *C*) tibi dedit? Mo 1013 quot arraboni dedit tibi (*omnia U in lac*) argenti minas? Mo 1026b

2. *acc.:* hunc **arrabonem** (ara. *B*) amoris primum a me *accipe* Mi 957 Plesidippus .. quo ab arrabonem (*P* -ne *A*) pro Palaestra acceperam Ru 555 quin arrabonem a me accepisti ob mulierem? Ru 861 rabonem habeto .. #Perii, 'rabonem'! quam esse dicam hanc beluam? quin tu arrabonem (*D* ara. *BC*) dicis? Tri 690 dat .. arrabonem Ru 46 arrabonem (*A* ara. *P*) hoc pro mina mecum *fero* Poe 1359 *Cf* Romeijn, p. 58

ARRETINUS - - nunc illud est quod 'responsum Arretini' (*RgŠ*† Arreti *HertzLLy*) ludis magis (magnis *codd recent et L*) dicitur Fr I. 76 (*ex Gell* III. 3, 7) *Cf* Inowraclawer, p. 63

ARRETIUM - - *vide* Arretinus

ARRIDEO - - tum mihi aedes quoque **arridebant** (adr. *Rgl*) As 207 ne canem quidem .. uoluit quisquam imitarier, saltem si non **arriderent** (adr. *Rs*) dentes ut restringerent Cap 486 **adridere** (adripere *BueL*) †ut († *om Ly*) quisque ueniat blandeque adloqui Tru 225

ARRIGO - - suo mihi hic sermone **arrexit** (adr. *U*) auris Ru 1293

ARRIPIO - - I. Forma **arripio** Cas 909, Cu 358 **arripit** Cu 648 (-uit *J* abr. *LambU*) **arripiam** Ru 769 **arripuit** Cap 915, Cu 597 (eripere *E¹*) **arripiamus** Mer 579 **arripe** Mi 220 (*B²* arripiet *B¹C* aripet *D¹* aripe *D ex ras*) **arripere** Ru 609 (adr. *Rs*), Tru 225 (*BueL* adridere *Pψ*) *corrupta:* Cas 784, arripiat *VJ* ari. *E pro* abripiat Cu 598, arripui *P pro* abripui (*Lamb*): 695, arripi *P pro* abripi (*Lamb*) Ru 690, arreptae *P pro* abreptae (*Z*)

II. Significatio 1. *absolute:* adripere∗ ut quisque ueniat blandeque adloqui Tru 225

2. *cum acc.*: *aliquem* arripiamus prandium
qui percoquat Mᴇʀ 579   ibi *me* nescioquis
arripit* Cᴜ 648   iam hercle *ego te* continuo
barba arripiam Rᴜ 769   iratus uideor mediam
arripere *simiam* Rᴜ 609
   dum gladium quaero . . accipio *capulum* Cᴀs
909   arripuit *gladium* Cᴀᴘ 915   ut eum eriperet *manum* arripuit* mordicus Cᴜ 597   *talos*
arripio, inuoco . . Herculem Cᴜ 358
   translate: arripe* opem auxiliumque ad hanc
rem Mɪ 220

ARROGO - - Venus haec uolo **adroget**(at
roget *P* arr. *FZ* ut roget *U*) te Rᴜ 1332   *Cf*
R o m e i j n, p. 97

ARS - - I. Forma **arti** Cᴀᴘ 469   **artem**
Aᴜ 626, Mɪ 186, Rᴜ 291, Tʀɪ 228   **arte** Eᴘ 450,
Mo 151(*v. secl R ω*)   **artes** Tʀɪ 72   **artibus**
Mᴇʀ 982(noxiis *RRg*)   **artis** Mᴇʀ 1000(artis feci
Ca artificiet *P* -es *U*), Mɪ 669, Sᴛ 178(*A* -es
P), Tʀɪ 236(-eis *RRsS̄*), 844(*B* -es *CD A n. l.*)
artibus Ps 705 a, 1110, Tʀɪ 293, Tʀᴜ 553(*Ca
vide infra* II. 4. a)   *corrupta:* As 96, arte
add BD Mᴇɴ 804, artis *CD¹ pro* arcis Mɪ *Arg*
I. 5, ars cessit *P pro* arcessit Mɪ 11, ars *P pro*
Mars(*B² et ut vid A*) Rᴜ 667, ∗∗∗artem *P* partem ω   Tʀᴜ 1, artem *P pro* partem(*Prisc* I. 421)
   II. **Significatio**   1. *nom.:* si in te aegrotant
artes antiquae tuae . . Tʀᴜ 72
   2. *dat.:* ilicet parasiticae arti maxumam malam crucem Cᴀᴘ 469   temperare istac aetate
istis decet ted artibus* Mᴇʀ 982
   3. *acc.:* a. dicito . . ut . . earum (mulierum)
artem et disciplinam optineat *colere* Mɪ 186   nec
didicere artem ullam Rᴜ 291   amoris artis *eloquar* Tʀɪ 236   non liquet . . utram potius harum
mihi artem *expetessam* Tʀɪ 228   continuo meum
cor coepit artem *facere* ludicram Aᴜ 626   *missas* iam ego istas artis* feci Mᴇʀ 1060   illa
artis omnis *perdocet,* ubi quem attigit Sᴛ 178
   b. *cum praep.* ad: quid ad illas artis optassis? Mɪ 669   ego operam meam . . . locaui ad
artis nugatorias Tʀɪ 844
   4. *abl.:* a. quem . . memorant . . armis arte
duellica diuitias magnas indeptum Eᴘ 450   neque industrior de iuuentute erat arte gym-
nastica(a. *g. secl RRsS̄* quisquam nec clarior
UL), disco . . Mo 151(*cum* uictitabam *coniungit
Ly*)   quaero quoi . . artibus tribus ter demeritas dēm laetitias, . . Ps 705 a   nec boni ingeni quicquam in is inest nisi ut improbis se
artibus teneant Ps 1110   . . si quis . . inprobis
se artibus(*Ca* inprouise partibus *CD* impuisse
B) expoliat? Tʀᴜ 553(quin probe parta ipse
exspoliet *SaracRs*)
   b *post praep.* de: hisce ego de artibus gratiam facio Tʀɪ 293
   5. *adiectiva:* antiqua Tʀɪ 72   duellica Eᴘ 450
gymnastica Mo 151   improba Ps 1110   ludi-
cra Aᴜ 626(*cf* G r a u p n e r, p. 20)   nugatoria
Tʀɪ 844   parasitica Cᴀᴘ 469   *genetivi:* amoris Tʀɪ 236   mulierum Mɪ 186

ARTAMO - - *servus. (voc.)* Bᴀ 799, 832   *Cf*
S c h m i d t, p. 178

ARTEMO - - *fabula Plautina citata apud
Festum* p. 165, 274, 305   *Cf* S c h m i d t, p. 178

ARTEMONA - - *matrona. (voc.)* As 855(-nia *E*),
908(*add HavetLy in lac*)   *Cf* S c h m i d t, p. 178

ARTICULATIM - - qui mihi comminuit mi-
seso articulatim diem Fʀ I. 23(*ex Gell* III. 3, 5)
istic homo te articulatim(*P* -tum *A*) concidit
Eᴘ 488   *Cf* E g l i, I. p. 33

ARTICULUS - - commoditatis omnis **articulos** scio Mᴇɴ 140   *Cf* R y h i n e r, p. 18

ARTIFEX - - siue qui ambissent palmam
histrionibus seu quoiquam **artifici** . . Aᴍ 70   ne
palma detur quoiquam artifici iniuria Pᴏᴇ 37
plus **artificumst** mihi quam rebar Cᴀs 356

ARTO - - fortuna humana fingit artatque
ut lubet Cᴀᴘ 304

ARTOPTA - - ego hinc artoptam ex proxumo
utendam peto Aᴜ 400

ARTOTROGUS - - *parasitus.* Mɪ 9   *Cf*
S c h m i d t, p. 357

ARTUS(*subst.*) - - imperas ut ego huius membra atque ossa atque **artua**(artus *B*) comminuam Mᴇɴ 855(*ex Prisc* I. 262; *Non* 191)

ARTUS(*adiect.*) - - A. adiectivum: nunc nostri
amores, mores, . . compressiones **artae**(*Lips* arte
P) amantum comparum(*CD* corporum *ABL*)
Ps 66
   B. *adverbium:* 1. si **arte** poteris *accubare*
Sᴛ 619   adeo arte *cohibitum* esse se a patre
Mᴇʀ 64   (manus) arte *colliga* Eᴘ 694   specta
quam arte *dormiunt* (coagmenta) Mo 829   illum
mater arte(arcte *Non* 83) contenteque *habet* As
78   *tene* sis me arte Pᴏᴇ 1292
   2. (uincla escaria) quanto magis **extendas,**
tanto adstringunt **artius** Mᴇɴ 95

ARTUTUS - - causam dixeris pendens aduorsus octo **artutos**(*Fl duce Turn*[artitos] astutos *P*) audacis uiros As 565

ARUNDO - - *vide* harundo

ARVOS - - non **aruos**(-us *P*) hic sed pascuos
est ager Tʀᴜ 149   rogo ut altero ad **arua**
sinat adire(*Rs* altero∗∗sin adire *PS̄*† a. sinat
ire *JLULy*) Cᴀs 922

ARUSPEX - - *vide* haruspex

ARX - - 1. *acc.:* illa autem in **arcem** abiit
aedem uisere Bᴀ 900   hic equos non in arcem
uerum in arcam faciet impetum Bᴀ 943
   2. *abl.:* signum ex **arce** si perisset . . Bᴀ 954
ibi signum ex arce(arue *D¹*) iam abstuli Bᴀ
958   uiso . . iamne habeat signum ex arce
Ballionia Ps 1064

AS - - Bᴀ 738, as *CD pro* ad   Eᴘ 674, as
testa es tu *P pro* astes aestu(*A?*) Mɪ 337, as
B pro ais(*Ca*); 930, as *CD pro* has   Tʀᴜ 192,
ui as *A* ut inestu *P var em* ω; 558, as dis
PS̄† aedis *FZLULy* suas aedis *Rs*

ASCEDERE - - As 939, *E pro* abscedere
Tʀᴜ 884, ascessit *B*(accessit *CD*) *pro* abs.(*Ca*)

ASCENDO - - dein susum **ascendam**(*BDE*
ads. *J* escendam *BoS̄*) in tectum Aᴍ 1008   in
nauem **ascendit,** mulieres auexit Rᴜ 326   auderem tecum in nauem **ascendere** Rᴜ 538
corruptum: Mᴇʀ 259, ascendi in *CD*   escendū
P pro inscendo in(*A*)

ASCENSIO - - ad hirundininum nidum uisast simia **ascensionem**(*B* adcen. *CD* ads. *RsU*)
ut faceret admolirier Rᴜ 599

ASCRIBO - - **adscribe**(*B* asc. *CDR*) hoc
cito Bᴀ 734   **adscribedum**(assc. *CD*) etiam —
Bᴀ 745   plane **adscribito**(*B* assc. *CD*) Bᴀ
741   atque etiam in ea lege **adscribier**(-bere

C -bitor *DouU*) . . Per 69   *vide* Ps 1003, *ubi* adscriptam *R pro* scriptam

ASCRIPTIVOS - - idem istuc aliis **adscrip- tiuis**(ascriptius *D¹*) fieri ad legionem solet Men 184

ASELLUS - - in mentem uenit te bouem esse et me esse **asellum** Au 229 *Cf* Inowraclawer, p. 61; Ryhiner, p. 33; Wortmann, p. 28

ASIA - - ibit . . aliquo . . latrocinatum aut in **Asiam** aut in Ciliciam Tri 599 . . si quae forte ex **Asia** nauis . . uenerit St 151   per- contor . . ecquae nauis uenerit ex Asia St 367 aduenio ex Seleucia, Macedonia, Asia atque Arabia Tri 845 *Cf* Goerbig, p. 42; Koenig, p. 6

ASINARIA - - *fabula.* (Maccus) **Asinariam** uolt esse, si per uos licet As 12

ASINUS - - **I. Forma** **asinus** Au 230, Poe 684   **asini**(*pl.*) Au 234   **asinos** As *Arg* 3 (-is *J*), As 333, 339, 347, 397, 590, Ps 136 **asi- nis** As 337, 369, Au 235

II. Significatio 1. *nom.:* it ad me lucrum. #Illud quidem, quorsum asinus *caedit* calcibus Poe 684   *clamare* As 590(*infra* 2. a) *iaceam* ego asinus in luto Au 230   asini me mordi- cibus *scindant* Au 234(*cf* Egli, II. pp. 61, 70; Inowraclawer, p. 61, 62)

2. *acc.:* a. tu nempe eos asinos *praedicas* uetulos claudos . . As 339   meministin asinos Arcadicos . . nostrum *uendere* atriensem? As 333   asinos uendidit Pellaeo mercatori mer- catu As 397   *uerberarem* asinos si forte oc- ceperint clamare As 590   neque ego hominis magis asinos numquam *uidi* Ps 136(*cf* Wort- mann, p. 5, 28)

b. *post praep.* ob: ob asinos* relatum pre- tium Saureae numerari iussit As *Arg* 3   ait se ob asinos ferre argentum Atriensi Saureae As 347

3. *abl.:* hoc magnumst periclum ab asinis ad boues transcendere Au 235(*cf* Schneider, p. 5)   is argentum huc remisit quod daretur Saureae pro asinis As 337 . . te . . futurum . . Sauream dum argentum afferat mercator pro asinis As 369

ASOTUS - - mercatum **asotum**(*R* adsotiū *B* ase dum *CD*) filium extrudit pater Mer *Arg* II. 1

ASPECTO - - quam magis **aspecto**(ats. *B* ads. *RglU* aspicio *Isid or* XIX. 31, 2) tam ma- gis est nimbata Poe 348   quid me **aspectas**, stolide? Am 1028   caelum aspectat Am 270 em **aspecta**(ads. *Rgl*), rideo As 841   aspecta (ads. *RgU*) et contempla, Epidice Ep 622 quaeso edepol huc me aspecta(ads. *U*) Mo 1026   *corruptum:* Mo 793, uis aspecta *A pro* uise specta(*P*) *Cf* Langen, *Beitr.* p. 155

ASPECTUS - - exanimata exsequitur **aspec- tum**(*AP* ads. *Rg*) tuom Ep 572

ASPELLO - - ille qui **aspellit** is compellit Tri 672(*v. secl Bergk ω*) . . inde optume **aspel- lam**(*Ca* scispellam *B* cispellam *D* cispella *EJ*) uirum de supero Am 1000   usque abegi **aspuli**(*L* u. adiectaculem *PS*†: *aliter Rs ULy*) Tru 597   neque adeo spes quae mihi hunc **aspellat** metum Cap 519   qui aduorsum eunt, **aspellito**(-te *C*), detrude, deturba in uiam Mer

115   *vide* Au 707, *ubi* aspectabam *GulU* spec- tabam *LambRL pro* exspectabam

ASPER - - **asper** meus uictus sanest Cap 188   redibo huc ad senem ad cenam **aspe- ram** Cap 497   quid tu per barbaricas urbes iuras? #Quia enim item **asperae**(-re *P*) sunt ut . . Cap 884   aequiter, **asperiter** Fr II. 77 (*ex Prisc* II. 71)

ASPERGO - - euax, **aspersisti**(ads. *U*) aquam Ba 247   ah, aspersisti(*A* ab[abiab *B*] has persisti *P*) aquam Tru 366   ah, guttula pectus ardens mihi aspersisti(*AP* ads. *RgU*) Ep 555 *Cf* Egli, I. p. 29; Graupner, p. 15

ASPERNOR - - ego complexum huius nihil moror, meum autem hic **aspernatur** As 643 illi morem . . sic geras atque alios **aspernere** (*R* -res *P* -ris *B²LULy*) Mo 189   proque ignoto me **aspernari**? Cap 542

ASPICIO - - **I. Forma**(ads. *ubique fere U*) **aspicio** Am 681(*J* ascipio *BDE*), Au 812(*J* -tio *BDE*), Ba 534(-tio *C*), Cas 228(-tio *VE*), Cu 337(ausp. *J* -tio *E*), Men 189, 1001(*D* -tio *BC*), Mer 260, Mi 288, 1328(-tio *B* ads. *R*), Per 546(*R solus pro* specie: *vide corrupta*), 787, Poe 283, 1122(*CDLLy* -tio *B* ads.*RglSU*) **aspicin** Mer 879(*Ly* aspice[-ae *P*] non *P loc. perdub.*)   **aspicit** Mer 220(a. te *CDS*†*ULy* aspicit *B* aspiciet *CaRgL*) **aspiciam** Tru 892(a. confectum *L* hastis c. *PLy*† hostissim c. *Rs* astutis conficiam *GepSU post Sarac et Ca*) **aspiciet** Ba 688, Mer 220(*CaLR* aspi- cit [te] *Pψ*) **aspexi** Ba 374, Mer 262, Mo 1105   **aspexisti** Ba 204, Mi 1262, Ru 1131 (*Rs: vide* aspexit) **aspexit** As 770(ads. *Rgl*), Mer 199, Mi 123, 1264, 1273(assp. *D*), Ru 1131 (*CD* -xi *B* -xisti *Rs*) **aspexistis** Au 3(-ti *EJ*) **aspexerat** Men 717 **aspexero** Am 1048   **aspexeris** Poe 299 **aspexerit** Am 320, Ba 765, Ps 750, Tru 672(*BD* asspexit *C* ads. *RsS*) **aspiciam** Cas 939(-tiam *VE*), Tri 589   **aspicias** Cas 562(-tias *VE*), Ps 142(*A* -ies *P*), 1176(-tias *D* -tias *A ut vid*) **aspexeris** Ep 624(*A* uideres *P* ads *Rg*) **aspe- xerit** Mi 1391   **aspice** Am 750, 778(inspice *J*), Cap 570, Ci 693, Men 145, Mer 879(-iae *B* spice *RRg*), Mo 172, 855, 1105   **aspicito** Mi 1217(*Ca* -te *P*), Ru 755   **aspicere** Mo 423   *corrupta:* Au 398, des quam aspicis *BDJ pro* desquama piscis(*E*) Ep 668, aspice *J pro* apisci Per 467, aspice *P pro* apscede (*Dou*): 546, qui aspexi *CD*(aspeci *B*) *pro* quia specie(*Luchs duce Bergk*) Poe 348, aspicio *Isid or* XIX. 31, 2 *pro* aspecto; 376, aspice dehinc *CD pro* apscede hinc(*AB*); 456 b, aspicere *CD* picere *BS*† poricere *SeyL: v. om ω* Tri 489, aspicere *A pro* accipere(*P*)

II. Significatio 1. *absolute:* age aspice* huc sis nunciam Am 778   Mer 879(*ULy: vide infra* 3) aspicito* limis, ne ille nos se sen- tiat uidere Mi 1217   omnes profecto mu- lieres te amant ut quaeque aspexit Mi 1264 omnis se amare credit, quaeque aspexerit mu- lier Mi 1391   aspicedum contra me. #Aspexi Mo 1105   Per 546(*R solus*)   priusquam plane aspexit* ilico eum (uidulum) esse dixit Ru 1131 iam pol illic me inclamabit si ad- spexerit* Tru 672

2. *cum acc.* **a.** *personae:* si quem *alium*
aspexit caeca continuo siet As 770   quam
(*ancillam*) postquam aspexi, non ita amo ut
sani solent MER 262   quin tu illam (*canem*)
aspice ut placide accubat Mo 885   *erumne*
ego aspicio meum? Au 812   ubi quemque
hominem aspexero . . obtruncabo AM 1048   estne
hic *hostis* quem aspicio meus? BA 534   ego
seruos, quando aspicio *hunc*, lacrumo MI 1328
forte aspicio* *militem* Cu 337   militem pol
tu aspexisti? MI 1262   postquam aspexit *mulierem* rogitare occepit quoia esset MER 199
ibi ego aspicio forma eximia mulierem MER 260
omnia mala ingerebat *quemquam* aspexerat MEN
717   *quem* ego aspicio? POE 1122   nec . . scio . .
meam ut *uxorem* aspiciam contra oculis CAP 939
perii si *me* aspexerit AM 320   Sosia, age me
huc aspice AM 750   age me aspice MEN 145
ubi me aspiciet ad carnuficem rapiet continuo
senex BA 688   non conducit . . senem tranquillum esse ubi me(contra *add RRg*) aspexerit BA
765   ubi contra aspexit me, oculis mihi signum
dedit MI 123   quin me aspice et contempla
ut haec me deceat Mo 172   aspicedum contra
me Mo 1105   ut ego uxorem . . ubi *te* aspicio odi male MEN 189   ut tremit atque extimuit postquam te aspexit* MI 1273   ubi te
aspexerit narrabit ultro quid sese uelis Ps 750
o pater, enumquam aspiciam te? TRI 589
   b. *rei:* . . ut ne etiam aspicere *aedis* audeat
Mo 423   *faciem* quom aspicias*‛ eorum haud
mali uidentur Ps 142   quom *ornatum* aspicio
nostrum ambarum paenitet POE 283   *os* tuom
adspiciet, te uidebit esse(*Rg* postea aspicit[-iet
CaL] te timidam esse atque *PS†L†Ly aliter
R v. secl U*) exanimatum . . MER 220   *quid* ego
oculis aspicio* meis? MEN 1001   quid ego
aspicio? PER 787   quae ut aspexi me continuo contuli protinam in pedes BA 374   estne
consimilis quasi quom *signum* pictum pulcre
aspexeris* ÉP 624   ubi *suram* aspicias* scias
posse eum gerere crassas compedes Ps 1176
postea aspicito meum (*tergum*) quando ego
tuom inspectauero RU 755
   c. *adiungitur adiect. vel partic. praed.:* quom
grauidam et quom te pulcre plenam aspicio*
gaudeo AM 681   eccum incedit: at quom
aspicias* tristem, frugi censeas CAS 562   ne
istum ecastor hodie aspiciam* confectum(*L
vide supra* I) fallaciis TRU 892   ibi tibi erit
cordolium si quam ornatam melius forte aspexeris POE 299
   3. *seq.* **ad:** agedum aspice ad me CAP 570
ad terram aspice et despice CI 693   aspice* ad
(*L* aspice[-iae *B*] non ad[at] *P* spice nunc
RRg aspicin? *Ly*) sinisteram(aspice nunc, si-
nistera . . *U*) MER 879
   4. *seq. infin. vel partic.:* tristem astare aspicio* CAS 228   timidum esse MER 220 (*supra*
2. b *sub* **os**) familia unde exeuntem me aspexistis* . . Au 3   hic, exeuntem me unde aspexisti modo . . BA 204   ego illi aspicio osculantem Philocomasium cum altero MI 288   *Cf*
Sidey., p. 23; Votsch, p. 37
   5. *adverbia:* huc AM 750, 778   contra BA 765
(*add RRg*), CAS 939, MI 123, Mo 1105   plane RU
1131   *abl.:* oculis CAS 927, MEN 1001, MI 1217

6. *add. interr. obliq.:* Mo 172, 855
7. aspicere *et:* uidere Au 812   contemplare
Mo 172   despicere CI 693
ASPORTO - - . . illam abstrahat, trans mare
hinc uenum **asportet** MER 354   si quae **asportassent**(-sint *FLU*) redderent, se exercitum . .
domum reducturum AM 207   uideo uirginem
asportarier RU 67
ASSECUE - - subit, adsecue sequitur TRI
1118(*RRs* adsequitur subest subsequitur *Pψ*)
sequere adsecue FR I. 9(*Lach ex Varr de l. L.*
VI. 73 adseque *cod*)
ASSENTATIO - - istaec illum perdidit as-
sentatio‛(ads. *RgU*) BA 411
ASSENTATIUNCULA - - uendo, uel lalias
malacas, . . cauillationes, **adsentatiunculas**
(-tulas *D*) ST 228   *Cf* Ryhiner, p. 42
ASSENTATRIX - - nunc adsentatrix(*B* ass.
CD) scelestast, dudum aduorsatrix erat Mo 257
ASSENTIO(-R) - - mare quidem commune
certost omnibus.   ⌗**Adsentio**(at sentio *P* a te
sentio *MueU*) RU 975   tu recte dicis et tibi
adsentior(*B* ass. *CD*) MER 412   . . testes qui
illud quod ego dicam **adsentiant**(-ass. *J*) AM
824   *vide* TRU 350, *ubi* est uos adsentio *P
pro* aestuosas sentio(*B*) *Cf* Hofmann, p. 35
ASSENTOR - - etiam tu quoque **adsentaris**
huic? AM 702   **adsentabor**(*B* ass. *CD*) quicquid dicet mulieri MEN 418   tibi potius ad-
sentabor(*B* ass. *CD*) Mo 246   uera uolo loqui
te, nolo **adsentari** mihi AM 751   quoniam
sentio errare . . coepi adsentari(*B* ass. *CD*)
MEN 483   nolo ego te adsentari(*B* ass. *CD*)
mihi Mo 176   **adsentandumst** quidquid hic
mentibitur MI 35
ASSEQUOR - - quod ago **adsequitur,** subest subsequitur(ago subit adsecue sequitur *RRs*)
TRI 1118   ite cito: iam ego **adsequar** uos ML
1353   reprehende hominem: **adsequere** Ps
249   *corrupta:* MI 1277, assequi *CD* obsequit
B pro ab se   FR I. 9, adseque *cod Varronis
pro* adsecue
ASSER - - ligna hic apud nos nulla sunt.
⌗Sunt **asseres**? ⌗Sunt pol Au 357
ASSERO - - I. **Forma   adseruntur** RU 973
(ass. *B*)   **adseres** POE 964(*A* adsere *P*)   **adseras** POE 1102(ass. *CD*)   **adserat** POE 905
(-as *C*)   **adseratur** PER 717   **adsereret** Cu
491(*BE* ass. *JL*), Cu 709(*RgULy* ass. *Pψ*), POE
1318, 1392(*U* ass. *Pψ*)   **asseruisset** Cu 668
(ads. *RglULy*)   **adserito** PER 163   *vide* AM 930
ubi L dubitanter adsero *pro* duxero *conicit*
   II. Significatio *semper* add. manu 1. *cum
acc.:* miratus fui neminem uenire qui istas
adsereret manu POE 1348   exspectabam si qui
eas assereret manu POE 1392   *passive:* an
iam adseratur haec manu? PER 717   nec manu
adseruntur . . RU 973
   2. *add.* liberali causa: si quisquam hanc
liberali causa manu adsereret . . Cu 491   si
quisquam hanc liberali asseruisset manu . .
Cu 668   manu eas adserat* suas popularis,
liberali causa POE 905   eas liberali iam adseres* causa manu POE 964   manu liberali
causa ambas(eas *ReizRglU*) adseras POE 1102
si liberali quisquam hanc assereret manu . .
Cu 709   *Cf* Romeijn, p. 36

3. *add.* a *cum abl.:* continuo tu illam a lenone adserito manu Per 163

ASSERVO - - I. Forma adseruat Men 838
adseruatur Am 349 **adseruabam** Fr I. 102(*ex
Non* 84) **asseruabo** Cu 466(ads. *RgULy*) **adseruabis** Men 93(*B* ase. *C* ass. *D*) **adseruet**
Ba 750 **adseruentur** Cap 115(adsentur *J*) **adseruaret** Ru 379(*Ca* at seruaret *B* aut s. *CD*)
adserua Ep 604(obs. *A* ass. *PLRg²*), 714(*B* adserua *EJ*), Men 851(-uo *C¹*), 954(ass. *L*), Per
723, Ru 777(*A* ats. *P*) **adseruate** Cap 919, Tru
95(*Prisc* I. 425 -uas *P*) **adseruato** Ba 747(*B*
ass. *CD*) **adseruatote** Men 350(abs. *D* ass. *L*)
adseruare Men 87(*B* ass. *CD*), Tru 105
II. **Significatio** *de personis praeter* Am 349,
Men 350, Tru 95, Fr I. 102 1. *absolute:* cum
istoc mihi negoti nihil est . . tamen asseruabo
Cu 466 facile adseruabis dum eo uinclo uincies Men 93 rogas quid faceret? adseruaret*
dies noctesque Ru 379
2. *cum acc.:* a. illa *me* ab laeua rabiosa femina adseruat canis Men 838 sin uident quempiam *se* adseruare . . Tru 105 hanc adserua*
Circam Ep 604 *hunc* quoque adserua* ipsum
Ru 777 adserua hanc Per 723 adserua* *istum*
Ep 714 adseruate istunc sultis Cap 919 adserua* istunc Men 851 adserua tu istunc, me-
dice Men 954 *quem* tu adseruare recte ne
aufugiat uoles . . Men 87 *passive:* sed uti adseruentur magna diligentia Cap 115
b. *add. praed.:* ne illum uerberes uerum
apud te uinctum adseruato* domi Ba 747
. . ut . . uinctum te adseruet domi Ba 750
c. *de rebus:* adseruate* aedis ne quis . . abeat
Tru 95 adseruatote* haec sultis Men 350 (lingua) bene pudiceque adseruatur Am 349 in conspicillo adseruabam pallium Fr I. 102(*ex Non* 84)
3. *cum abl.:* magna diligentia Cap 115 *adverb.:* bene Am 349 facile Men 93 pudice
Am 349 recte Men 87

ASSEVERO - - neminem eorum haec **adseuerare**(*B* ats. *CD¹* ass. *D³*) audias Mi 761

ASSIDEO - - *in quibusdam formis nihil interest inter hoc verbum et* assido: ut fortunati
sunt fabri ferrarii qui apud carbones **adsident**
(*ACD* ass. *B*) Ru 532 circum argentarias
†scorti †lenones qui adsident(*MikkelsenLy* quasi
sedent *Pψ*) cottidie Tru 67 dies totos apud
portum seruos unus **adsidet**(*A* ass. *PL*) St 153
corruptum: Ru 687, adsidete *CD pro* adsidite(*B*)

ASSIDO - - I. Forma adsidam Au 606
adsedi Ba 278(consedi *Fulg exp serm.* XVII)
adsedistis Mi 83(-ti *D¹*) **adsedero** Mo 1143
assidat Cu 311(ads. *RgULy*) **adsideres** Ba 432
adside St 7b(ass. *AL* adsi *P* adsies *D²* adsies
R), 92(*A* ass. *P*) **adsidite** Ru 688(*B* -ete *CD*),
St 90(*A* ass. *L* abscedite *CDRRg* ascidite *B*)
corruptum: Tru 423b, adsido *P; v. om ω*
II. **Significatio** 1. *absolute:* ilico agite adsidite* St 90(istic a. *A*)
2. *seq.* in *cum abl.:* in ara hic adsidam*
sacra Au 606 adsidite* hic in ara Ru 688
qua adsedistis* causa in festiuo loco . . eloquar
Mi 83 cincticulo praecinctus iu sella apud
magistrum adsideres Ba 432(*cf* Cu 311 *infra* 3)
forte ut adsedi* in stega . . ego lembum conspicor Ba 278

3. *cum adverbiis:* hic(*vide supra* 2): Au 606,
Ru 688 hic, mea soror, adsidedum* St 7b
adside* hic, pater St 92 ego isti adsedero Mo
1143 date isti sellam ubi assidat cito Cu 311

ASSIDUOS - - 1. *adiective:* triduom hoc
unum modo foro operam **adsiduam**(ass. *J*)
dedo As 428 nihil est profecto stultius . . quam
urbani **adsidui**(*AB* ass. *CDL*) ciues quos scurras uocant Tru 202 *Cf* Gimm, p. 6
2. *adverbium* = perpetuo: istoc me **adsiduo**
(*J* ass. *BDEL*) uictu *delecto* domi. Cap 178 ei
rei nunc suam operam usque adsiduo(ads. *JU
Ly*) seruos *dat* Ci 185(*cf* As 428 *supra* 1) dum
tale facies quale adhuc adsiduo(*B* ass. *DL*
assu. *C*) *edes* Mi 50 ain . . *perpotasse* assiduo
(ats. *B¹* ass. *ULy*) . . ? Mo 976 noctesque diesque assiduo(ads. *RglULy*) satis superque *est
quo facto . . est opus* Am 168 ego tecum . . usque ero adsiduo(*BD* ass. *CL*). #Immo hercle
uero accubuo mauelim Tru 422 *Cf* Romeijn,
p. 1

ASSIMILIS . - quasi tu numquam quicquam
adsimile huius facti feceris Mer 957(*cf* Blomquist, p. 110; Schaaff, p. 27) hoc adsimilest quasi de fluuio qui aquam deriuat sibi
Tru 563 **adsimiliter**(*AD* aut sim. *C* ac sim.
B) mihi hodie optigit Ba 951

ASSIMULO - - I. Forma adsimulo Ba 962
(-ilo *PLLy*), Cap 223(*RsULy* ass. *BDEψ* asi. *J*),
Men 146(*B* ass. *CD*), Tru 464 **adsimulas** Poe
1106(*AD* ass. *BC*) **adsimulabam** Ep 420(*EJ*
ass. *BL*) **assimulabat** As 581(-ilabat *E*), Cap
654(ass. *FRsULy*) **adsimulabo** Am 874, 999,
St 84(assem. *B*) **adsimulabimus** Poe 599(ass.
P assimi. *D* adsimulemus *A*) **adsiuulabitur**
Mi 152(*A* ats. *P* ass. *B²D²*) **adsimulaui** Tru
390(-aui me esse *LLy* -asse me esse *A*§t -aui
meis se *P*), 472 **adsimulauit** Am 115(*v. om J*)
adsimulem Ba 75(simulem *R*), Men 833, Mi
1163(*A* adsimi. *BD* at similem *C*), St 77(adeo
a. *A om Rg* in eas simulem *PLU*) **adsimules**
Cap 1007(ass. *J*), Tru 500(ass. *C*) **adsimulet**
Mi 792(at simul et[que] *P* [eq. *B*]), Poe 562
(*RRg* -aret *Pψ* ass. *L*) **adsimularet** Poe 562
(ass. *L* -let *RRg*) **adsimulato** Ep 195(ass *J*),
Mi 1182 **adsimulatote** Poe 600 **adsimulare**
Ci 96(*A* ass. *P*), Mi 908(*Py* -ari *P*§t), 1170,
Tru 394 **adsimulasse** Tru 390(-asse me esse
P -aui me esse *LLy* -aui meis se *P*) **adsi-
uulans** Mer *Arg* I. 5(ac se ads. *RRg* ad se
simulans *B* se ads. *CD* ac se sim. *Grutψ*)
II. **Significatio** A. = simile facere, comparare: id periclum adsimulo*, Ulixem ut praedicant . . esse proditum Hecubae Ba 962
B. = simulare 1. *absolute vel add. adverb.:*
ita nos adsimulabimus* Poe 599 lepide hercle
adsimulas Poe 1106 quoi rei te adsimulare
retulit? Tru 394
2. *add. acc. pronominis:* ecquid adsimulo
similiter? Men 146 utrum ego istuc(id *R*)
iocon adsimulem* an serio? Ba 75 quasi numquam quicquam adeo adsimulem* . . St 77
3. *seq. infin.:* a. *absolute:* adsimulare amare
oportet Ci 96
b. *add. vel nom. vel acc. praed.:* alia esse
adsimulabitur* Mi 152 *Cf* Walder, p 35
nunc Amphitruonem memet . . *esse* adsimulabo

Aм 874   adsimulabo me esse ebrium Aм 999
ut adsimulabat Sauream med esse quam facete! As 581   ego me tuom esse seruom assimulo* Cap 223   adsimulasse* me esse prae-
gnatam haud nego Tru 390   puerperio ego
nunc med esse aegram adsimulo Tru 464   me
grauidam esse adsimulaui militi Babylonio
Tru 472   scio cur te patrem esse adsimules et
me filium Cap 1007   huius uxorem esse te(ted
Ly) uolo adsimulare* Mi 908(tu uolo adsimulari P)   adsimulet*que se tuam esse uxorem
Mi 792   isque se ut adsimularet* peregrinum
(esse add PRglLLy om Boψ) Poe 562   esse
omisso: illic seruom se assimulabat Cap 654
tibi opust aegram ut te adsimules Tru 500

    nempe ut adsimulem* me amore istius dif-
ferri Mi 1163   .. ego med adsimulem insanire
Men 833   amat senex hanc ac se adsimulans*
uendere tradit uicino Mer Arg I. 5

    4. seq. quasi et subiu.: sed ita adsimulauit
se quasi Amphitruo siet Aм 115(v. om J)   itaque adsimulato quasi per urbem totam hominem quaesiueris Ep 195   te .. ita uolo adsimulare prae illius forma quasi spernas tuam
Mi 1170   adsimulato quasi gubernator sies
Mi 1182   ita adsimulatote quasi ego sim peregrinus Poe 600   adsimulabo* quasi quam
culpam in sese admiserint St 84

    verbo omisso: ego illic me autem sic adsi-
mulabam quasi stolidam Ep 420

    5. adiungitur dat.: militi Babylonio Tru 472
    6. app. adverbia: facete As 581   ioco Ba 75
ita Aм 115, Ep 195, Mi 1170, Poe 599, 600
lepide Poe 1106   serio Ba 75   sic Ep 420   similiter Men 146

ASSISTO - - ego adsistam hinc altrinsecus
Mer 977   in genua ut astiti Cas 930(Sey g.
astituti P[astuti E¹] astituto ScalRsU) iam
adstiti(BD¹C ex ras[-tu C]) in currum Men
865   mane tu atque adsiste (hic add R) ilico
Mo 885   adsiste altrim secus atque onera hunc
maledictis Ps 357   adsistite omnes contra me
Ps 156   alter istinc, alter hinc adsistite(ass.
B): adsistite(ass. B) ambo. sic! Ru 808   de adstiti cf Langen, Beitr. p.240: „Adstiti ist bei
Plautus nur Perfekt von assisto und in der Regel
der Bedeutung nach voellig identisch mit dem
Praesens adsto, 'ich stehe da ἕστηκα' "
ASSOLEO - - uenire saluom gaudeo. #Quid
ceterum? #Quod eo adsolet(A ass.P addi solet
U q. coadsolet AcRg) Ep 7   ponite hic quae
adsolent Per 759 a
ASSUDASCO - - adsudascis(B² in spatio
-dasis VE -dassis J at sudabis U) iam ex
metu Cas 361
ASSUESCO - - auceps .. offundit cibum: aues
adsuescunt As 218   censen tu illum hodie primum adsuetum(ass. J) esse in ganeum? As
887   Cf Knapp, Clas. Weekly, XIV. p.177
ASSULA - - at etiam cesso foribus facere
hisce assulas(Ca his cas P)? Mer 130   Cf Egli,
I. p.34; Ryhiner, p.18
ASSULATIM - - pultando assulatim(Non 72
assultatim BJ absultatim E) foribus exitium
adfero Cap 832   hunc senem osse fini dedolabo
assulatim uiscera Men 859(cf R et Egli, I. p.34)
ASSUS - - elixus esse quam assus soleo

suauior Mo 1115   haec sunt uentri stabila-
menta: pane et assa bubula Cu 367   uel patinarium uel assum uorses quo pacto lubet
As 180   vide Cap 503   ubi assum Rs pro lassum
Poe 279, ubi assum(i. e. adsum) verbo elixus.
ioci causa opponitur
AST - - (cf Jordan, Beitraege, p.290) si ego-
hic peribo, at(si BriU) ille ut dixit non redit,
at erit mihi .. Cap 683   bene uelle illud uisus.
sum, ast non habere quoi commendarem capram Mer 246   si .. neque eos (mores) antiquos.
seruas, ast captas novos .. Tri 74(v. secl Rω)
corrupta: Mi 985, ast P pro St!(Ca)   St 310,
ast edes D pro asto et(Ā)
ASTAPHIUM - - ancilla; in supersc. Tru
act. I. sc. 2(astapium B); II. 1, 2, 3, 6, 7; III. 2
(nom.) Tru 93   (voc.) Tru 115(ads. B -ius P),
128(A. amabo A astat eum[astate CD] ambo
P staphium FlRs), 135(A. nouos A astaphi
unous[unus CD] P), 161(B staphium CD), 188
(AP staphium FlRs), 329, 480(ubi's A. Par ubi
saphilum P), 503(euge A eccam FZ eugastha-
phin[B euge staphin CD] maccam P), 541
(add Rs om PŞ†Ly), 673, 719, 747(add Ly),
897(A. litiumst Stud astaphilitium est[umst CD]
P: cf Koenig, p.16)   Cf Schmidt, p.179
ASTITUO - - iuben an non iubes astitui
(ads. U) aulas? Cap 846   in genua astituto
(ScalRsU -ti P[astuti E¹] ut astiti SeyŞLLy),
pectus mihi pedibus percutit Cas 930
ASTO - - I. Forma adsto Aм 993(asto U),
Cap 637(FRsU asto Pψ), Cas 567(JRsU asto
ABVEψ), Ep 691(RgU asto APψ), 716(B asto
JLLy), Men 56(asto Ly), Men 130(U asto Bψ
assto D asstro C), 468(U asto ABDψ assto C),
Poe 1250(U asto Pψ), Ps 1135a(add Rg solus),
Ru 585(RsU asto APψ), St 310(asto ω)   adstas
Ba 815(astas Ly), Cas 728(A astas PLy), Men
676(U astas B¹Dψ has stas B² asstas C), 697
(U astas Pψ), Mi 446(ZU astas BCD³Ly as-
stas D¹), Mo 522(U astas Zψ astias B astras
CD), Ps 394(U astas Pψ), 967(U stas LLy
astas Pψ), Tru 175(RsU astas Pψ)   astat Au
528(D ads. J astant B v. secl U), Ci 319(ads.
U), Mo 768(ads. FZU), 834(ads. U), 1172(R
ads. U restat PLy), Per 13 bis(ads. U), St 464,
Tri 85   astamus Mer 773(ads. U)   astatis
Ru 314(ads. Rs)   astant Au 514 bis(ads. RglU),
516 bis(ads. JRglU), Cap 2(stant EJ ads. Rs)
astabo Mi 1021(ads. U), Vi 68   astitisti Mi
1254(ads. U)   astitit Cap 664(ads. RsU), Mer
187(B ass. CD ads. U), Mi 201(Ly ads. Aψ
absistit P), 213(-it et Zω -tis et CD -tisset B
-tis sic R adstetisti Paul 61 ads. RgU), St
271   astiterunt Tri 625(ads. Rg)   astes Ep
674(a. aestu Weis et A(?) ads. U propius as
testa es P prope sist Aψ), Men 332(Ly ads.
APψ)   astet As 460(ads. Rgl)   astent Ba 1134
(ads. RgU)   asta As 703(ads. Rgl), 710(ads.
Rgl), Cas 737(ads. JU), 962(asta ilico Ly stalicio B talitio V talicio EJ sta ilico ψ), Ci
462(Rs in lac quam ret ψ), 597(ads. U), Ep
63(J ads. RsU aestu B), Mer 912(isti a. Sey
duce Ca istinc sat P istic sta Fψ), Mi 1022
(asta: tibi Pius ast abi B sta tibi CD ads. U),
Mo 324(ads. U), Per 224(ads. U), 273(P astas
A ads. U), Tri 1059   astate Mo 1064(isti a.

U[ads.] itastate A astate illic P ita state R),
Ru 836 astato Au 56(ads. GrutRg atasto BDE
adesto J), Ps 863(ads. U) astare Cas 228(ads.
JU astae E), Ci 331(LLy ads. Non 423 ψ),
Men 331(ads. BCω asstare D), 633(ads. U), Mer
808(ads. U asstare D), Ru 309(ads. Rs) adstitisse Ps 459(ast. ALy) astans Ci 291, Men
395(ads. U restans Rs), Per 208(ads. U astan
B), Poe 261(ads. U) astantem Ba 451(ads.U),
978(ads. P ast. Ly -tem eccum B -te mecum
CD) adstante Am 747 corrupta: As 772, adstet E ⁸J pro abs ted Mi 358, astas B² asstas D pro ais tu; 1260, qui adstare B pro
quia stare Tru 128, astat eum B astate CD
pro Astaphium

II. Significatio de significatione temporis
perfecti formarum cf Langen, Beitr. p. 240 sub
titulo assisto citatum A. = pedibus quiete stare:
ego miser uix asto prae formidine Cap 637
caue ne cadas: asta Mo 324

B. = stare, vel prope stare, vel consistere
1. absolute **a.** verbum fin.: asta Ci 462*, Ep 63*,
Per 224, 273* mane atque asta Cas 737 asta
atque audi Ci 597 patere atque asta* Mi 1022
heus, asta* ilico Cas 962(Ly) heus tu, asta
ilico Tri 1059 illic astate ilico Ru 836 asta
igitur, ut consuetus es puer olim As 703 asta,
ut descendam As 710 quid, malum, astas*?
Mi 446 etiamne a(d)stas? Cas 728, Men 697,
Mo 522* at etiam asto*? Mer 130 sic sine
astet As 460 sic sine astent Ba 1134 solearii
astant, astant molocinarii, .. strophiarii astant*,
astant* semisonarii Au 514-6 si astes*, aestu
calefacit Ep 674 si iste ibit, ito: stabit, astato
simul Ps 863 eccos uideo astare Ru 309 Epignomus hic quidemst qui astat St 464 egone
istuc dixi? #Tute istic etiam adstante hoc Sosia Am 747

b. partic. praed.: utrum deliras .. an astans
somnias? Ci 291 haec mulier canterino ritu
astans* somniat Men 395 te astans* contra
contuor Per 208 quid hic malum astans opsti-
puisti? Poe 261

2. add. adiect. praed.: miles inpransus astat*
Au 528 captiuos duos illi(iugati Rs) qui astant*
.. Cap 2 quid astitisti obstupida(an uoc.?)?
Mi 1254 solam Ci 331(infra 3. b.) tu astas
solus, Pseudole Ps 394 tibi moram facis, quom
ego solutus asto Ep 691 ita stupida sine animo
asto Poe 1250 tristem astare* aspicio Cas 228
maxuma hercle iniuria uinctus adsto Ep 716
quid ego hic asto infelix uuidus? Ru 585 similiter: tu qui cum hirquina barba astas* Ps 967
3. locus in quo quid accidit indicatur a. per
adverb.: dicam te hic adstare* Erotio: .. ut
te hinc abducat potius quam hic adstes foris
Men 331-2 non ego te modo hic ante aedis·..
uidi astare? Men 633 me moror quom heic
asto Mer 468 cur hic astamus? Mer 773 hic
astabo tantisper? Mi 1021 Poe 261(supra 1. b)
Ps 1135a(hic add Rg solus) .. dum hic astatis
Ru 314 Ru 585(supra 2) uide quam dudum
hic asto et pulto St 310 hic astabo atque obseruabo Vi 68 captiuos duos, illi(iugati Rs)
qui astant* Cap 2 istic astato Au 56 isti
asta* ilico Mer 912(S̸) ilico intra limen isti
astate* Mo 1064 hasce aedis conductas habet

meus gnatus, haec ubi astat Ci 319 foris Men
332(supra sub hic) ubi eam uidit? #Intus
intra nauem, ut prope astitit Mer 187
b. per praepp.: quasi flagitator astat usque
ad ostium Mo 768 ante aedis Men 633(supra
a, sub hic) cur ante aedis astas*? Men 676
uideo Syram astare* ante aedis Mer 808 quis
hic est quem astantem uideo ante ostium? Ba
451 cur .. ergo ante ostium .. astas? Tru 175
Priamum adstantem* eccum ante portam uideo
Ba 978 quis illic est qui contra me astat?
#Quis hic est qui sic contra me astat? Per 13
(cf Cap 664) Ioui .. qui in columine astat
summo Tri 85 in eopse adstas lapide ut praeco
praedicat Ba 815 illuc redeo unde abii atque
uno adsto in loco Men 56 meretricem adstare
in uia solam prostibuli sanest Ci 331(ex Non
423) inter uolturios duos cornix astat Mo 834
intra limen Mo 1064(supra a, sub isti)
4. app. adverb. modi: bene confidenterque
adstitisse* intellego Ps 459 confidenter etiam
Cap 664(infra C. b) euscheme hercle astitit*
et dulice et comoedice Mi 213 Tri 625(infra)
satin ut facete atque ex pictura astitit St 271
haut ineuscheme(Ca ei euscheme RRs in euscheme PS̸†) astiterunt Tri 625 illuc uide sis,
quem ad modum adstitit seuero fronte curans,
cogitans Mi 201 uiden ut astat* furcifer?
Mo 1172(ridens add U)
C. cum dativo coniunctum a. = adesse, subuenire: amanti subparasitor hortor adsto Am
993 contriui diem dum asto* aduocatus quoidam cognato meo Cas 567
b. vi hostili: ut confidenter mihi contra astitit Cap 664

ASTRABA - - nomen fabulae apud Varronem
de l. L. VI. 73, VII. 66 et Festum citatae
ASTRINGO - - (uincla escaria) quam magis
extendas tanto adstringunt(B asst. D astr. C)
artius Men 95 homo furti sese adstringet
(F -git P) Poe 737 illic cum seruo si quo
congressus foret et ipsum sese ut illum furti
adstringeret(ats. B) Ru 1260(cf Blomquist,
p. 103; Schaaff, p. 43) id agis ut ubi adfinitatem inter nos nostram adstrinxeris(astr.U)..
Tri 699 abducite hunc intro atque adstringite
ad columnam fortiter Ba 823 adstringite(-guite
J) isti sultis uehementer manus Cap 667(ast. Ly)
ASTU - - satin astu? #Docte(Bo attute BJV
arture E¹ astute E⁸RsU docte add B² in marg
om P docte? #Astute LLy astute? #Astute Rs)
Cas 488 ut astu(A astus P) sum adgressus ad
eas Poe 1223 adgrediundust hic homo mihi
astu. heus(B masticheus CD).. Tri 963 docte
atque astu(Bo astute AP) mihi captandumst
cum illo Mo 1069 doli non doli sunt nisi astu
colas Cap 221 hanc congrediar astu Ep 546
nullam rem oportet dolose adgrediri nisi astu
totam(L a. docte Rs astute Pψ) adcurateque
exsequare Tru 462 praecipe astu filiae Per 148
docte atque astu filias quaerit suas Poe 111
ad erum ueniam docte atque astu(Reiz astute
PL) Ru 928 .. ne ut astu(Rs uias ALy† ut
inestu P ut iusta BugL) utamur ira Tru 193
(aliter U) vide Mi 358, ubi astu B¹ pro ais tu
ASTUTIA - - cf Langen, Beitr. p. 106, 107
I. Forma astutiam Cap 530(-ciam B), 539,

Ep 363, Mi 237 **astutiā** Cap 250, 679(-cia B)
astutiarum Mi 233 **astutiis**(*abl.*) As 546(B^2J)
-us DE), Ep 375(-us E)
II. Significatio 1. *proprie:* fateor .. fallaciis
abisse eum abs te mea opera atque astutia
Cap 679
2. *translate* a. *gen.:* tace dum in regionem
astutiarum mearum te induco Mi 233(*cf* Goldmann, II. 19
b. *acc.:* nunc ego hanc astutiam *institui* Ep
463 hanc instituam astutiam Mi 237 aliquam
orde machinor astutiam Cap 530 *reperio* atro-
em mihi aliquam astutiam Cap 539
c. *abl.:* inest spes nobis in hac astutia Cap
250 nostris sycophantiisque dolis astutiisque*
.. freti As 546 eam .. astutiis* onustam mittam
Ep 375
ASTUTUS - - I. **Forma** astutum(*acc.*) Am
268, Ps 385(to $LU\ duce\ R$), 907(asst. C) **astuto**
Ps 385($LU\ duce\ R$ -tum $P\psi$) **astutis** Tru 892
(*Sarac et Ca* hastis PLy† hostissim Rs aspiciam
L) **astutiorem** Cas 860(-liorem A -ciorem B)
astute(*adv.*) Cas 488(E^3RsU at tute BVJ arture E^1 astu $Bo\mathfrak{s}$ docte LLy), *ib.*(add Rs pro
docte), Ci 694, Ep 281, Mi 466(R in loco desp:
vide infra II. 2), Mo 271, Ru 928(PL astu $Reiz\psi$),
1240, Tru 462(-ę D astu docte Rs astu totam L)
corrupta: As 546, astutus D pro astutiis; 565,
astutos P pro artutos Cas 930, astuti E^1 pro
astiti Ep 375, astutus E pro astutiis Mi 196,
uolut(uolunt B^1 uoluis B^2D^2) astute P pro uolutas tute(A) Mo 1069, astute AP pro astu
(Bo)
II. Significatio 1. *adiective:* me malum esse
oportet, callidum, astutum admodum Am 268
ad eam rem usust hominem astutum*, doctum,
cautum et callidum Ps 385 te adiutorem genuerunt mihi tam doctum hominem atque astutum* Ps 907 nec fallaciam astutiorem* ullus
fecit poeta Cas 860 istum ecastor hodie astutis* conficiam fallaciis Tru 892(*aliter RsL*)
2. *adverbium:* satin astute*? #Astute Cas 488
(*loc dub: vide ψ*) oculis in uestigiis astute *augura* Ci 694 consulte docte atque astute *cauet*
Ru 1240 orationem docte et astute* *edidit* Mi
466(R ducta////du it intuā B^1 ducta ediuit ut
tuā CD: var em ψ) .. nisi astute* adcurateque *exsequare* Tru 462 te commentum nimis
astute *intellego* Ep 281 ut lepide atque astute
in mentem *uenit* de speculo malae Mo 271
ad erum ueniam docte atque astute* Ru 928
AT - - (*cf* Jordan, *Beitr.* p. 303) I. **Forma**
1. *variae lectiones;* Am 369, ad E; 371, edepol
J pro at pol(BVE); 583, a BE; 612, ad E;
1025, aut J As 232, ad E; 300, ad E; 844,
ac BDE; 846, at ego Rgl pro ergo; 858, ad E
Au 356, adiam BD^1 hiat J pro at iam(B^2);
831, aut J Ba 74, ah $BLLy\mathfrak{s}^2$; 738, atque
idem PL† at quidem $MueRg\mathfrak{s}ULy$ haec quidem R; 887, et P corr Ac; 1080, et P corr Par
Cap 203, ad BDE; 664, attat $HermULy$; 690,
periit at $LindLLy$(perit ad Non 422) peritat
$P\mathfrak{s}$† perit abit Rs perit aiunt U; 707, ad E;
747, aut J; 888, et P corr Ca Cas 50, at add
Rs solus; 341, sat VE; 361, at sudabis U pro
adsudascis; 562, ut U 903, at add CaU: lac ψ
Ci 512, ait V; 537, at U pro ut; 584, a V^1E^1

ah VE^2J; 701, at U pro attat Cu 46, at add
$FlRg$; 554, aut E^1J; 602, ac J; 727, at add U
solus Ep 95, at om P add A; 173, ad E; 554,
at A om P var em RgU Men 547, ad BC^1;
670, ad B^1D^1 om P; 729, haut R hanc BoU;
746, ad B^1D ac B^2; 790, ad B^1; 963, at add
$CaRs$; 1021, et D; Mer Arg I. 5(at se simulans Ly ac se s. $Grut\psi$ ad se s. B; se adsimulans CD) Mer 130, ad D; 727, at pol qui
Rg at quid B atqui $CD\psi$; 966, at pol add Rg
Mi 28, hau R pro at in-; 232, at tu CaR pro
auden(B aut in P); 451, at eras hic R ac
erus ego B^2CD acherusa ego B^1 aliter LLy;
715, at R pro me; 936, gere at R solus pro
geras; 1214, ac P; 1307, ad CD; 1337, retine.
#At ultro misero L retineat flo miser P: var
em ψ Mo 94, atq' C pro at ego(v. secl ω);
216, et D; 583, ait U de A errans; 709, at
add R solus; 720, at hercle RU herde P quin
m— A; 781, at om PRU add $A\psi$ Per 104,
ad aedes Non 10 pro at edes; 170, at A ad
P om R; 224, a B; 233, at $BoRRs$ pro atque;
239, at $GoetzULy$ in lac: aliter ψ; 293, at qui
R pro atque; 569, hac D; 580, at qui L pro
atque; 622, at R pro ah; 834, PU at $R\psi$
Poe 140, at amans FZU adamans P amans
$Weis\psi$; 154, ad B; 529, ad P corr FZ; 571,
a B; 857, ad P at A; 914, ad B; 1032, ad B;
1197, at om CD; *ib.*, ate P pro at; 1217, ad
B; 1234, atthu B at tu C pro at tu; 1405, at
mas sum U ac massum $P\mathfrak{s}$†Ly incassum Bri
Rgl pessumo L; 1417, at add $MueRgl$ om $P\psi$
Ps 124, at om R; 142, atq' D hau Ly; 513,
at add R; 836, ad B; 936, at uide .. add U
ex v. 942; 942, ad A; 1157, ad A ut vid; 1241,
at om R; 1320, at ego add Rg Ru 170, v.
om U; 719, at qui L pro atqui; 760, at qui
L at quin U pro atqui(Ca atquin P); 1006,
ad BC om $GuyLy$; 1128, at $LambRs$ pro ac;
1413, ad B St 342, ad AP; 484, processit at
A ut vid et U processi sat $Sey\mathfrak{s}$ processit hac
RgL; 516, eat P at A; 694, ad P om R Tri
806, at om RRs; 919, atq' B Tru 237, ad A;
316, ad AC; 399, at $CDRs$ ac $B\psi$; 642, ad B;
722, at $P\mathfrak{s}$†Ly atque $RRsU$ ad $GuyL$; 775,
at Ly aut $P\psi$; 784, ad P; 946, at ego $CaRsU$
eat $P\mathfrak{s}$†L†Ly
2. *corrupta;* at *invenitur* pro ad: Au 737 D,
Mer 43 B, 265 D, 434 D, Mi 39 P, 72 C, 80
B^1C, 96 B^1, 105 B^1C^1, 116 B^1D^1, 121 P, 131
CD^1, 220 CD^1, 224 P(corr B^2D^2), 229 CD^1,
266 P, 491 B^1, 523 P, 535 P, 537 CD a B,
553 CD om B, 668 CD^1, 669 CD^1, 712 P, 716
CD, 757 BD, 771 P, 801 C, 804 B, 884 CD^1,
905 P, 934 CD, 949 C, 960 CD, 968 BC, 1028
P, 1112 B, 1150 CD^1, 1154 P, 1158 C, 1186
P, 1270 B, 1363 CD^1, 1377 BD, Mo 675 P,
931 B^1C, 940 A, 1005 A, Poe 485 B^2, 638 A,
781 B, 1307 AB, Ps 757 P, 985 A, 1067 B,
1159 P, Ru 77 P, 317 P(ac $FZRsLU$), 322 P,
366 B, 410 B, 525 P, 598 P, 612 B, 995 B,
1010 B, 1038 P, 1202 B, St 535 A, 667 B,
Tri 152 B, 646 D, 803 B, 868 BC, 887 B,
Tru 206 ABD, 369 AP, 579 P, 639 B, 716 B,
751 B, 782 P, 883 B, 921 B pro atque Men
792 B^1, 1035 C, Mi 947 P, 1085 B, Mo 146
B, Tri 167 D^1 pro ac: Tru Arg 5 P pro

an: Poe 533 *D*, Tru 164 *P*, 755 *D*   *pro* aut:
Cap 205 *J*   *pro* adi: As 722 *E*   *pro* eat: Mo
390 *P*(corr *B²*)   *pro* et: Cas 594 *B*, Ps 407 *P*
pro sed: Tru 261 *D*

   at *additur perperam:* Ba 212 *B¹*, Cas 48 *P*(om
Aω), Ps 1131 *P*, St 163 *P*(atque *D¹*), Tru 445 *P*
at cl- *pro* occl- Am 884 *B*   ate- *pro* ade-
Ep 163 *B*, Men 909 *B²*, Mi 420 *P*, 957 *CD¹*
atf- *pro* adf- Ru 729 *P*, Tri 814 *BC*, 1185 *P*
ati- *pro* adi Am 889 *BD*, Mi 871 *C*, 1144 *CD¹*
atp- *pro* adp- *vel* app- Mi 758 *CD*, 905 *CD*,
Ru 566 *P*, 735 *CD*   atl- *pro* adl- Mi 217 *CD*
ats- *pro* ads- Mi 792 *P*, 919 *CD¹*, 1163 *C*, Ru
379 *B*, 975 *P*, 1273 *P*   atr- *pro* adr- Ru 1332 *P*
atu- *pro* adu- Tri 1161 *B*

   Am 500, at quin perge *P pro* atque inperce
(*Ca*)   Cas 488, at tute *BDJ* arture *E¹ pro*
astute(*E³*) Ci 483, ✳✳✳at; 703, at tam *V pro*
actam   Ep 182, at cete(certe *E*) *BE pro* ta-
cete(*AJ*); 351, -re at *P₰†Ly†* -re hodie *Rg*
-rent *L* -res *U*   Men 1029, at quito *B¹ pro*
atque ito   Mer 45, uisum at *CD* ui sumat *B*
pro ui summa; 365, at tace *B pro* attatae
Mi 669, at tillas *CD¹* attollas *B¹ pro* ad illas
(*B²D³*); Mi 692, condi at da(dan *D¹*)*CD* conclamando *B:* var em *ω*; 1069, dixerit at *B*
pro de te meritast; 1336, at(ad *B*) nostram *P*
pro admotam(*Grut*)   Per 250, at *P pro* et(*Ac*);
748, at terram *B pro* alteram   Poe 552, hostis
at uis *C pro* hos te satius   Ru 269, at modum *BC*, 840 *B pro* admodum   Tri 722, at
aliquem ad(*B* aut *CD*) *PLy* atque aliquem
RRsU ad aliquem *GuyL* Tru 4, at nunc *D*
pro adnuont; 164, noueras si at *P pro* noueram.
#An; 219, at tutum *B pro* actutum
   II. Significatio *cf* Kriege, pp. 9, 22;
Lindskog, p. 88; Rost, *Opuscula* I. p. 240
   A. *in colloquiis usurpatum* 1. *responsum ad-*
versativum affert; vi vel forti vel miti: omnes
sani sunt profecto. #At me uxor insanum facit
..#At ego.. Am 1084-85   tu uale. #At* ego
est etiam..quod uolo loqui As 232   Sauream
non noui. #At nosce sane As 464   aliam tecum esse..possum perpeti. #At ego hanc uolo
As 846   (tuom uirum hic potare aio). #At scelesta ego praeter alios meum uirum frugi rata
As 856   eam desponde mihi. #At nihil est
dotis quod dem Au 238   memini. #At scio
quo uos soleatis pacto perplexarier Au 259
tibi do hanc operam. #At* nimium pretiosa's
operaria Ba 74   flagitium meum sit..te..
facere sumptum de tuo. #At ego nolo dare
te quicquam Ba 99   erras. #At quidem tute
errasti Ba 677   celerem oportet esse amatoris manum. #At* quidem herclest ad perdundum magis..cita Ba 738   eunt sic a
pecu palitantes. #At pol nitent Ba 1124   uetulae sunt minae ambae. #At bonas fuisse
credo Ba 1129   in re mala animo si bono
utare, adiuuat. #At nos pudet quia.. Cap 203
..si solutos sinat. #At fugam fingitis Cap
207   alium potius misero.. #At nihil est
ignotum..mittere Cap 344   neque scit qui
siet. #At etiam te suom sodalem esse aibat
Cap 561   filio nos oportet opitulari unico.
#At quamquam unicust, nihilo magis ille
unicust quam.. Cas 263   Casinam ego..

promisi uilico nostro dare. #At tua uxor
filiusque promiserunt mihi Cas 289   te ..
ulciscar. #At tamen mihi obtinget sors Cas
299   de istac Casina..gratiam facias. #At
pol ego nec facio nec censeo Cas 373   amo.
#At non opinor fieri hoc posse hodie Cas 473
tu i modo mecum domum. #At pol malum
metuo Cas 755   quid est factum✳✳✳ #At(*add*
CaU) flagitiumst Cas 903   eloquere. #At
pudet Cas 911   neque ego hanc superbiai
causa pepuli ad meretricium quaestum.. #At
satius fuerat eam uiro dare nuptum Ci 42
tuam stultitiam sola facito ut scias.. #At
mihi cordoliumst Ci 65   adsimulare amare
oportet.. #At ille.. iurauit.. me uxorem
ducturum esse Ci 98   .. si tu uis. #Volo.
#At enim ne tu exponas pugnos tuos Ci 235
quem quidem ego amem alius nemost. #At
ego a✳✳✳ Ci 371   supplicium †polliceri uolo.
#At mihi aps te accipere non lubet Ci 456
dabo ius iurandum.. #At ego nunc ✳✳llo
m✳✳✳ Ci 471(ab illo mihi caueo *LLy*)   non
.. destiti instare.. #At* non missam oportuit Ci 584   quod tuomst teneas tuom. #At
me huius miseret Ci 769   est eundum..
#At tandem tandem — Cu 7   qui uolt cu-
bare pandit saltum sauiis. #At illast pudica
Cu 57   quem dices digniorem esse hominem..? #At unum a praetura tua..abest
Ep 27   reuereor filium. #At* pol ego te credidi uxorem..exsequi Ep 173   age dic. #At
deridebitis Ep 262   conligandae haec (manus) sunt tibi hodie. #At non lubet Ep 689
age.. colliga. #At mihi magis lubet solutum te rogitare Ep 692   quid ille faciat ne
id obserues.. #At* enim ille hinc amat meretricem Men 790   melius sanam est..men-
tem sumere. #At ille suppilat mihi aurum
Men 803   principium inimicis dato. #At tibi
sortito id optigit Mer 136   quin non obiurgo.
#At ne deteriorem tamen hoc facto ducas
Mer 322   ego habebo. #At illic pollicitust prior
Mer 439   ego scio uelle. #At pol ego esse credo
aliquem qui non uelit Mer 453   nemo aiebat
scire. #At saltem hominis faciem exquireres
Mer 637   foris crepuerunt nostrae. #At ego
†ilico obserui foris Mi 328(*v. secl Ladewig§*)
certa res est nunc nostrum obseruare ostium..
#At.. somnium quam simile somniauit Mi
399   reddam impetratum. #At gestio. #At
modice decet Mi 1214   habeo equidem hercle
oculum. #At* laeuom dico Mi 1307   nolo:
retine. #At ultro misero Mi 1337(*L solus:*
vide ψ)   id tu mihi ne suadeas.. #At* hoc
unum facito cogites Mo 216 abi domum. #At*
uolo✳✳✳ Mo 583 b(*ex A solo*)   roga circumducat. #Heus tu, at hic sunt mulieres Mo 680
i intro atque inspice. #At enim mulieres — Mo
808   asta. #At* propero Per 224 dic ergo.
#At tu dic prius(a. t. d. p *GoetzU lac P* at
uotita sum *Ly aliter R*) Per 239   malo cauere
meliust te. #At si non licet cauere, quid agam?
Per 369   non demouebor. #At.. sapienter
potius facias quam stulte Per 374   uenient ad
te comisatum. #At ego intromitti uotuero Per
568   te uolo. #At onus urget. #At tu appone
Poe 857   eo facilius facere poterit. #At ego

hoc metuo.. Poe 883 uale. #At* enim nihil est nisi.. hoc agitur Poe 914 quid si eamus illis obuiam? #At ne inter uias praeterbitamus metuo Poe 1162(*v. om BrachmannRgl&*) quid uis? expedi. #At* enim hoc agas uolo. #At* enim ego istuc Poe 1197 te cum securi caudicali praeficio prouinciae. #At haec retunsast Ps 159 taceo. #At taceas malo multo quam tacer dicas Ps 209 Ps 513(*R*) ego nisi ipsi Balliㄴi nummum credam nemini. #At illic nunc negotiosust Ps 645 meditati sunt mihi doli docte.. #At* uide ne titubes Ps 942 tene (argentum). #At negabas daturum esse te mihi Ps 1314 istic ubi uis condormisce.. #At uides me ornatus ut sim Ru 573 quaere erum atque adduce. #At hic ne — Ru 775 meliorem neque.. sol uidet. #At ego ex te exquaero St 111 scis tu med esse imi subselli uirum. #At ei oratores sunt populi St 490 me uocato. #At ille ne suscenseat St 600 tibi nunc.. summas habeo gratias. #At operam perire meam.. perpeti nequeo Tri 660 egomet memini mihi. #At* enim multi Lesbonici sunt hic Tri 919 parumst. #At iam posthac temperabo Tri 1187 talis iactandis tuae sunt consuetae manus. #At qualis exercendas nunc intellego Vi 34

2. *sententiae adversae alterius respondetur per* at: non edepol uolo profecto (uapulare). #At* pol profecto ingratiis Am 371 at me uxor insanum facit.. #At ego faciam.. Am 1085 nemo etiam tetigit: sanun es? #At censebam attigisse As 385 at ego hanc uolo. #At* ego nunc.. As 846(*Rgl*) at scelesta ego.. #At* nunc dehinc scito illum.. minumi mortalem preti As 858 pinguiorem agnum isti habent. #At nunc tibi dabitur pinguior tibicina Au 332 temeti nihil allatum intellego. #At* iam afferetur Au 356 non potem ego quidem hercle. #At ego iussero cadum unum uini.. adferrier Au 570 nihil.. tibi abstuli. #At illud quod tibi abstuleras cedo Au 635 nolo inquam. #At uolo, inquam. #Quid opust? #At enim id quod te iubeo facias Ba 993 at nos pudet.. #At* pigeat postea nostrum erum si.. Cap 203 non me censes scire quid dignus siem? #At ea subterfugere potis es pauca Cap 970 moram offers mihi. #At tu mihi offers maerorem Cas 690 nempe obloqui me iusseras. #At nunc ueto Cu 42 siti sicca sum. #At iam bibes Cu 120 nemo it infitias #At tamen meliusculumst monere Cu 489 edepol facinus improbum. #At iam ante alii fecerunt idem Ep 32 at mihi magis lubet.. #At nihil scies Ep 692 non habeo. #At* tu quando habebis, tum dato Men 547 egomet haec ted arguo. #At ego te sacram coronam surrupuisse Ioui scio Men 941 tu prohibes. #At me incusato Mer 464 mea uxor.. in fermento iacet. #At ego expurigationem habebo Mer 960 totiens monere mirumst. #At metuo ut satis sis subdola Mi 355 erro quam insistas uiam. #At scietis Mi 794 stultitia.. sit.. #At meliust monerier Mi 881 tibi dixi.. #At nemo solus satis sapit Mi 885 pol istuc quidem multae (faciunt). #At non multae.. donum mittunt Mi 1017 at gestio. #At* modice decet Mi 1214 haec sunt sicut

praedico. #At tamen inspicere uolt Mo 772 nullam.. illic cornicem intuor. #At tu isto ad uos optuere Mo 837 essurio uenio.. #At* edes Per 104 tu quidem haud etiam es octoginta pondo. #At confidentia illa.. militatur.. Per 231 edictumst.. mihi ne.. crederem. #At tu hoc face Per 242 at ego intromitti uotuero. #At* enim illi noctu occentabunt ostium Per 569 iurgium hinc auferas si sapias. #At .. haec sciuisti? Per 797 eo credo, quia non inconciliauit, quom te emo. #At tamen(*loc dub:* †&).. Per 834 meae istuc scapulae sentiunt. #At* ego hanc uicinam dico Poe 154 tu's lapide silice stultior, qui hanc ames. #At uide sis Poe 292 si quidem tu's mecum futurus pro uua passa pensilis. #At ego amo hanc. #At ego esse et bibere Poe 313 haud amice facis qui.. offers moram. #At ob hanc moram tibi reddam operam Poe 853 at* onus urget. #At tu appone Poe 857 non.. quicquam scio. #At ut scias.. latine iam loquar Poe 1029 at enim hoc agas uolo. #At* enim ago istuc Poe 1197 etiam me meae latrant canes? #At* tu hercle adludiato Poe 1234 credo. #At ego credo Poe 1331(*v. habet A solus: secl* ω) Poe 1405 (at mas sum *U* incassum *BriRgl* ac massum P&†*Ly* pessumo *L*) (animus) non adest. #At tu cita Ps 32 .. oculum anne in aurum. #At* hoc peruolgatumst minus Ps 124 potin aliam rem ut cures? #At — #Bat! Ps 235 quid properas? placide. #At prius quam abeat Ps 242 quia non accepi piget. #At dabit Ps 283 periurauisti, sceleste. #At argentum intro condidi Ps 354 res agitur apud iudicem. #..At ego.. rediero Ps 646 quor ergo quod scis me rogas? #At hoc uolo, monere te Ps 915 uirile sexus numquam ullum habui. #At di dabunt Ru 107 ad carnificemst aequius.. commeare. #At si uidistis, dicite Ru 323 mitte modo. #At pol ego te adiuuo Ru 939 non audio. #At pol qui audies post Ru 946(*vide sub* atqui) malam rem.. illic reperias. #At tu hercle et illi et alibi Tri 555 uis subigit uerum fateri. #At* si uerum mihi eritis fassae.. Tru 784

3. *anaphoram adversam, sim. affert* at: per Iouem iuro.. #At ego per Mercurium iuro Am 436 equidem ualeo.. #At te ego faciam.. ut minus ualeas Am 583 neque.. habui nisi te seruom Sauream. #At* ego nunc.. dico Am 612 si obsequare, una resoluas plaga. #At pol qui certa res hanc est obiurgare Am 706 (*vide sub* atqui) ego istud curabo. #At ego te opperiar domi As 827 deos credo uoluisse.. #At ego deos credo uoluisse ut.. Au 743 amicos iit salutatum ad forum. #At ego hinc eo ad illum Ba 348 unde agis? #Unde homo miser atque infortunatus. #At pol ego ibi sum Ba 1107 idem mihi morbus in pectorest. #At mihi Chrysalus.. perdidit filium Ba 1112 atra bilis agitat hominem. #At pol te.. pix atra agitet Cap 596 puerum te uidi puer. #At ego te uideo maior maiorem Cap 631 spondeo. #At ego tuom tibi aduenisse filium respondeo Cap 899 labores homini euenisse optumo! #At ob eam rem mihi libellam.. argenti ne duis Cap 947 credin pudeat

quom autumes?.#At ego faciam ut pudeat CAP 962 (salue) tu quoius causa hanc aerumnam exigo. #At nunc liber in diuitias faxo uenies CAP 1010 hic fur est tuos qui paruom hinc te abstulit. #At ego hunc .. ad carnuficem dabo CAP 1019 uxor acriter tua instat, ne mihi detur. #At* ego sic agam CAS 341 credo ecastor uelle. #At pol ego hau credo, sed certo scio CAS 355 essurio hercle .. #At ego amo. #At ego hercle nihilo facio CAS 802 sic dabo. #At ∗∗∗o(tibi me do *Rs* ego nec do *StudLLy*) CI 464 seruate di med, obsecro. #At me perditis CI 573 iam quaero meam. #At po∗∗∗ quaero tertiam CI 758 perditus sum miser. #At pol ego oppido seruata CU 134 bellator uale. #Quid, ualeam? #At* tu aegrota aetatem si lubet CU 554 te hodie faciam cum catello ut accubes .. #At ego uos ambo .. ut pereatis CU 692 mea quidem hercle causa uidua uiuito .. #At* mihi negabas dudum surripuisse te MEN 729 resinam .. uorato. #At edepol tu calidam picem bibito MER 140 hominem ego iracundiorem quam te noui neminem. #At ego maledicentiorem quam te noui neminem MER 142 senex .. mandauit mihi ut emerem .. #At mihi quidam adulescens .. mandauit MER 427 uiginti minis opinor posse me illam uendere. #At ego ... #At ego .. MER 430-1 Athenis domus est. #At* erus hic MI 451 (*R*) ecce omitto. #At ego abeo missa MI 456 dari istanc rationem uolo. #At ego mihi anulum dari istunc tuom uolo MI 771   MO 720(at hercle *R* at ego hercle *U aliter ψ*) non .. uideo. #At ego uideo MO 833 Toxilo has fero tabellas ... #At ego hanc ad Lemniselenem .. abietim PER 248 assum apud te eccum. #At ego elixus sis uolo POE 279 haud quisquam hodie nostrum curret .. #At* si ad prandium me in aedem uos dixissem dicere .. POE 529 deciderint uobis femina in talos uelim. #At* edepol nos tibi in lumbos linguam POE 571 hunc uos lenonem Lycum nouistis? #Facile. #At pol ego .. nescio POE 592 Carthaginienses sunt. #At ego sum perditus POE 1377(= 1381 b) uetus nolo faciat. #At enim nequiquam neuis PS 436 iam heri constitueram. #At nunc disturba quas statuisti machinas PS 550 tibi hanc operam dico. #At ego ad forum ibo PS 561 hic lenost. #At hic est uir bonus PS 1144 perdidit me. #At me uiginti modicis multauit minis PS 1228 confracta nauis in marist illis. #At hercle nobis uilla in terra RU 153 multa .. scio multis bona euenisse. #At ego etiam .. spem decepisse multos RU 401 sacerdos .. me petere aquam †iussit a uobis. #At ego basilicus sum RU 435 noui .. quo pacto periit. #At ego quo pacto inuentust scio RU 964 elleborosus sum. #At* ego cerritus RU 1006 abeo ego hinc. #At ego hinc offlectam nauem ne quo abeas RU 1013 quemne ego excepi in mari — #At ego inspectaui e litore RU 1019 negas quod oculis uideo. #At ne uideas uelim RU 1067 ius merum oras meo quidem animo. #At meo hercle∗∗∗ RU 1138 (*vide ω*) di me seruatum cupiunt. #At me perditum RU 1164 ego habeo. #At* ego me hercle mauolo RU 1413 (*vide U*) mihi auctores ita sunt amici ... #At enim nos ..

aliter auctores sumus ST 129 salua sum. #At ego perii ST 340 cras apud me eritis. #At* apud me perendie ST 516 satis mihi pulcra's. #At enim mihi pulcerruma ST 738 edim nisi si ille uotet. #At pol ego, etsi uotet, edim TRI 474 non credibile dices. #At tu edepol nullus creduas TRI 606 lucrum .. uideor facere mihi .. ubi quippiam me poscis. #At ego ubi abstuli TRU 427 |dicam ut aliam condicionem filio inueniat suo. #At ego ab hac puerum reposcam TRU 850 ades, amica, te adloquor. #At ego ad te ibam TRU 921 dedi aurum huic. #At ego argentum... #At* ego oues TRU 946 (*vide ω*) oppositast clacendix. #At ego signi dicam quid siet VI 104 (*ex Prisc* II. 165) *similiter:* quasi mihi dicat: nec te iubeo neque uoto .. : at*ego nolo non eo TRU 642

4. *per* at *priori sententiae vel contradicitur vel contrarium affirmatur:* mentiris nunc. #At iam faciam ut uerum dicas dicere AM 345 tunicis consutis huc aduenio, non dolis. #At* mentiris etiam AM 369 malene id factum tu arbitrare? #Pessume. #At ego aio recte CAP 710 Stalagmus quoius erat tunc nationis? #Siculus. #At* nunc Siculus non est CAP 888 obsecro. #At frustra obsecras CI 467 tu quidem uigilas. #At meo more dormio CU 184 pater istum (anulum) meus gestitauit. #At* (pol *add PyRg*) mea matertera CU 602 licet antestari? #Non licet. #At ego quem licet te CU 623 et ego te uolo. #At ego uos uolo ambos CU 687 hunc ego esse aio Menaechmum. #At ego me MEN 1077 uter .. est aduectus mecum naui? #Non ego. #At ego MEN 1086 haud malast. #At tu malu's MER 756 quid somnias? #Egone? at quidem tu MO 1014 nemo homo umquam ita arbitratust. #At pol multi esse ita sciunt PER 211 prior rogaui. #At post scies PER 216 iam incubitatus es. #Ita sum ... At non sum ita ut tu, gratiis PER 285 abi in malam rem. #At tu domum PER 288 insimulari nolo. #At nequiquam neuis PER 358 ego pol uos eradicabo. #At te ille qui supra nos habitat PER 819 malum uobis dabo. #At tibi nos dedimus dabimusque etiam PER 847 non scis? #Non hercle. #At ego iam faxo scies POE 173 seruom hercle te esse oportet ... #At* hercle te hominem sycophantam POE 1032 gaudio ero uobeis — #At* edepol nos uoluptati tibi POE 1217 te uolo. #At* uos ego ambos PS 251 non licet conloqui te? #At mihi non lubet PS 253 tecum ago. #At qui (*L* atqui *Pψ*) mecum agendumst RU 719 oculos eripiam tibi. #At qui (*L* atqui *CaRs§Ly* atquin *P* at quin *U*) .. abducam semul RU 760 fac tu hoc modo. #At tu hoc modo ST 771

5. *in altercatione:* nunc falsa prosunt. #At tibi oberunt. #Optumest: at* erum seruaui CAP 706 mane. #Non maneo. #At pol ego te sequar CAS 231 est quidam homo. .. #At pol ille a quadam muliere .. gratiam ineat. #At sibi ille quidam uolt dari mercedem. #At pol illa quaedam .. negat esse quod det. #At enim ille quidam .. argentum expetessit. #At pol illi quoidam mulieri .. CI 736-40 ubi tu nata's? #Ut mihi mater dixit, in culina. #At ego

patriam te rogo... #Quae mihi sit nisi haec
ubi nunc sum? #At ego illam quaero quae fuit
PER 635　*similiter:* MI 1214

6. *prior sententia per* at *vel correcta vel am-*
plificata: meminero. #At quam primum poteris
CAP 398　ego orabo. #At blande orato CAS 707
age ergo recipe actutum(hoc ac. *FlRgl* #At ac.
U) CU 727　dice. #At enim placide uolo MER
159　praefregisti bracchium... #At* indiligenter iceram MI 28　recte rationem tenes.
#At nullos habeo scriptos MI 48　ni hebes
machaera foret, uno ictu occideras. #At pedita-
stelli quia erant, siui uiuerent MI 54　ut lepide deruncinauit militem. #At etiam parum
MI 1142　at gestio. #At modice decet MI 1214
ego illi porro denumerauero. #At enim ne quid
captionis mihi sit Mo 922　iam hic faxo aderit. #At ne propalam PER 446　cedo sane
mihi. #At clare recita PER 500　(saluos sum)
si quidem hanc uendidero. #At qui(*L* atqui
Pψ) aut.. uendes pulcre aut.. PER 580　taceo. #At perpetuo uolo POE 295　locum lepidum dabo. #At enim hic clam furtim esse uolt
POE 662　iam redeo ad te. #At* maturate propera PS 1157　ecquem conuenisti? #Multos.
#At* uirum ST 342

7. at *vel confirmat vel probat vel admonet:*
ego sic faciundum censeo... #At pol qui dixti
rectius AS 823(*vide* atqui)　scio. #At scire memento CAP 231　cedo tris mihi homines aurichalco contra cum istis moribus. #At quidem
..non inuenies alterum MI 659
dicam? #Atqui(at pol qui *Rg*) dicundumst
tamen MER 727　eueniant uolo tibi quae optas.
#Atque(at qui *Rs*) id fiat PER 293　dabo quae
placeat. #Cura. #At(*MueRgl* om *Pψ*) aurum
cras ad te referam tuom POE 1417　placet:
taceo. #At memineris facito ST 47(*v. om ALU*)

8. at *introducit sententiam interrogativam,*
si addatur etiam, *violentam:* quid nunc uis?
#At# etiam quid uelim id tu rogas? AM 1025
Alcumeus atque Orestes.. una opera mihi sunt
sodales qua iste. #At etiam, furcifer, male
loqui mihi audes? CAP 563　At* etiam asto?
at etiam cesso foribus facere hisce assulas?
MER 130　iniqua haec patior cum pretio tuo.
#At etiam minitatur audax? RU 711　uapula-
bis... #At etiam maledicis? TRI 991
indignans responsum, saepe cum minacio: at
scin quo modo? AM 356, AU 831*, POE 376, RU
797　etiam *addito:* at scin etiam quo modo?
AU 307　at scin quo modo tibi res se habet?
AU 47　nimis iracunde. #At scin quam iracundus siem? BA 594　lepidum te! #At scin
quo pacto me ad te intro abducas? BA 1178
(*laetanter dicit*)
vide etiam PER 369(*supra* 1), 797(*supra* 2) *et*
cf infra 11

9. at *precantis vel orantis vel imprecantis vel*
asseverantis est: a. non equidem capiam. #At
quaeso BA 1063　abducite! #At* unum hoc
quaeso CAP 747　ei uolo ire aduocatus. #At
quaeso..reuortere EP 423
b. confitemur cistellam habere. #At uos Salus
seruassit CI 742　tempore adueni modo. #At*
tibi di semper..faciant bene MEN 1021　ego
impetrare dico id quod petis. #At te Iuppiter

bene amet MI 231　ignoscam tibi istuc. #At
tibi di faciant bene MI 570　libera inquamst.
#At tibi di bene faciant omnes PER 488　in
cera cubat. #At te di deaeque quantumst —
#Seruassint quidem PS 37
c. at ita me rex deorum.. faxit patriae compotem ut .. CAP 622　at* ita me di deaeque
superi atque inferi et medioxumi — CI 512
at ita me machaera et clypeus ..: iam ego te
faciam .. CU 574　at ita me uolsellae.. bene
me amassint.. ut ego.. CU 577　at ita me di
deaeque omnis ament..: dedecoris pleniorem
erum faciam tuom MI 501　at ita me dei seruent ut hic pater est uoster POE 1258　ad ego
te per crura et talos.. obtestor.. RU 635
d. deos quaeso — #At tu ut oculos emungare ex capite CAS 391　at te, uicine, di
deaeque perduint MER 793　at te Iuppiter
dique omnes perdant MO 38, PS 836*, PER 622
(*R*)　at enim quod ille meruit, tibi id obsit
uolo PER 832　uelim.. #At edepol nos POE
571(*supra* 3)　at ego deos quaeso ut.. fiat
cinis RU 1256

10. at *minantis est:* at* te ego faciam hodie
..ut minus ualeas AM 583　at cum cruciatu
iam nisi apparet tuo AM 793　at ego te cruce
et cruciatu mactabo AM *fr* I.(*ex Non* 342)　sine:
at hercle cum magno malo tuo, si hoc caput
sentit AU 425　at cum cruciatu maxumo id
factumst tuo CAP 681　at ne tu hercle cum
cruciatu magno dixisti id tuo CU 194　at ego
te pendentem fodiam stimulis MEN 951　non-
omitto. #At iam crepabunt mihi manus malae
tibi nisi me omittis MI 445　at ne cum argento protinam permittas domum moneo te
PER 680　at tibi ego hoc continuo cyatho
oculum excutiam tuom PER 794　at malo cum
magno suo fecit hercle RU 656

11. *aliquid novi* at *addit vel imperat:* memini id quod memini .. #At* in Epidauro —
EP 554　quid deinde porro? #Libertatem. #At
postea? EP 726　at tu ne clam me comesses
prandium MEN 611　animum nequeo uortere ..
#At tu edepol sume laciniam MER 126　at te
Iuppiter bene amet. #At tu inperte amice(a.
t. i. a. add *GuyR*) MI 232　at hoc me facinus
misere macerat MI 616　MI 936(gere: at *FZR*
pro geras)　at scin quid tu facias? MI 1034
at tu mecum, pessume, ito aduorsus MO 897
at pol ego aps te concessero PER 50　at enim
hoc agas uolo POE 1197　at enim scin quid
mihi in mentem uenit? PS 538　at enim scin
quid est? PS 641　at* enim nimis longo sermone utimur TRI 806

B. *duae eiusdem personae sententiae inter se*
opponuntur; 1. *aliquid novi opponit sententiae:*
ingrata .. esse omnia intellego quae dedi ..:
at posthac tibi male..faciam AS 137　scibam
ego te nescire: at* pol ego..scio AS 300　nam
olim ..: at nunc priusquam septuennis est ..
puer paedagogo tabula disrumpit caput BA 440
scio absurde dictum hoc derisores dicere: at
ego aio recte CAP 72　'quod fit nusquam gentium.' At ego aio id fieri in Graecia CAS 71
eccum incedit. at* quom aspicias tristem frugi
censeas CAS 562　miserrumam habui: at(*U ut*
Pψ).. CI 537　liquet hoc satis: at(*U solus*)..

Cɪ 701   eam uolt meretricem facere: at* ea
me deperit Cu 46   exornatae multae incedunt
per uias. at tributus quom imperatus est, negant pendi potis Eᴘ 227   domum ire cupio:
at* uxor non sinit Mᴇɴ 963(*Rs*)   tibi .. me
esse experior summae sollicitudini: at tibi tanto
sumptui esse mihi molestumst Mɪ 672   Mo
709 (ad *add R*)   muliones mulos clitellarios
habent: at* ego habeo homines clitellarios Mo
781   hoc est eorum officium ..: at* .. hau mali
uidentur Pꜱ 142   unda eiecit alterum: at in
uadost Ru 170   illa (mater) med in aluo menses gestauit decem: at ego illam (famem) in
aluo gesto plus annos decem Sᴛ 160   batiochis bibunt: at* nos nostro Samiolo poterio Sᴛ
694   at ecastor nos rusum lepide referimus
gratiam Tʀu 111   non censeam tam esse tristem posse: at* pol ero beneuolens uisust suo
Tʀu 316   Tʀu 642 (*vide supra* A. 3)

2. *duo verba inter se per* at *opponuntur:* si
.. id non necarem ac(*B* at *CDRs*) tollerem
Tʀu 399

3. *per* at *alteri aliquid imperatur:* quia nos
eramus peregri, tutatast domi. at nunc abi
sane! Aᴍ 353   senex .. uirgis dorsum dispoliet
meum: at enim tu praecaue Eᴘ 94   optumo
habet: at* uide ne .. Pꜱ 936(*U*)

4. *oppositio varie efficitur:* male merenti bona's: at malo cum tuo Aꜱ 130   rem meam
constabiliui quom illos emi .. at etiam dubitaui
hos homines emerem Cᴀᴘ 455   fodico corculum: at* sudabis Cᴀꜱ 361(*U solus*)   quid tu
ergo hanc .. tractas tam dura manu? at mihi
.. non bellum facit Cᴀꜱ 351   omnes inimicos
mihi illoc facit repperi .. At pudicitiae eius
numquam .. uitium attuli Eᴘ 110(*v. om ARgℰU*)
nihil moror uetera .. uerba 'peratum ductare'
† at ego follitum ductitabo Eᴘ 351   amat senex
hanc, at*, se simulans uendere tradit uicino
Mᴇʀ *Arg* I. 5(*Ly*)   egon tibi male dicam? at*
tibi te mauelim Tʀu 775(*Ly*)

5. *animum ad alterius actionem advertit:* at*
scelesta uiden ut ne id quidem me dignum
esse existumat? Aꜱ 149   at etiam cubat cuculus Aꜱ 923   at ut scelesta sola secum murmurat Aꜱ 52   at(attat *HermU*) ut confidenter
mihi contra · astitit Cᴀᴘ 664   at candidatus
cedit hic mastigia Cᴀꜱ 446

6. *alium subiectum introducit:* at illa laus
est .. liberos hominem .. educare Mɪ 703   at
(*BoRRs* atque *Pψ*) ego hanc operam perdo Pᴇʀ
233   at amans .. Poᴇ 140(*FZU*)   at* ego
iam intus promam uiginti minas quas promisi
Pꜱ 1241   at* nos male agere praedicant uiri
solere secum Tʀu 237   at ego uidulum intro
condam in arcam Vɪ 59

7. *narrationem profert:* at nunc Cᴀꜱ 50(*Rs*)
at die illa*** Cɪ 420   at(*PU* et *Rψ*) me haud
par est Pᴇʀ 834   at ille cum auro uilicum
lenoni obtrudit Poᴇ *Arg* 5   at* aliquem ad
regem .. † sese coniecit Tʀɪ 722(*Ly*)

8. *sibi ipsi respondet per* at: at* enim .. bat
enim! Eᴘ 95   bona mea inhiant: at(*R solus
pro* me) .. Mɪ 715   hoc haud uidetur ueri
simile uobis: at* ego id faciam ita esse ut credatis Mo 94(*v. secl Rω*)

9. *post impera. indignantis:* abin hinc ..: at
etiam restas? abi istinc Mo 851

10. *sententiam vel definit vel corrigit:* ea res
me male habet, at* non eo quia tibi non cupiam quae uelis Aꜱ 844   potaui, dedi, donaui:
at* at enim id raro Bᴀ 1080(*v. secl LU*) insipienter . factum esse arbitror quom rem cognosco: at non malitiose tamen feci Mɪ 562   concredam tibi: at* si istorum nihil sit, ut mihi
reddas Ru 1128

11. *in apodosi:* si illi sunt uirgae ruri, at
mihi tergum domist Bᴀ 365   si tibist machaera,
at* nobis uerum est domi Bᴀ 887   si ego hic
peribo ast ille .. non redit, at erit mihi hoc
factum mortuo memorabile Cᴀᴘ 684   uiri etsi
(*Rs* uer**s *Aψ*) ita sunt, at nunc non potest
Cɪ 455   ignoscas, si qui inprudens culpa peccaui mea: at ob eam rem liber esto Eᴘ 730
si tibi displiceo, patiundum: at* placuero huic
Erotio Mᴇɴ 670   si me derides, at* pol illum
non potes Mᴇɴ 746   si tu in legione bellator
clues, at ego in culina clueo Tʀu 615   *Cf*
K r i e g e, pp. 9, 22

similiter: etsi scelestus est, at mihi infidelis
non est Tʀɪ 528   quamquam ego uinum bibo,
at* mandata non consueui simul bibere una
Pᴇʀ 170   qui per uirtutem periit, at* non interit Cᴀᴘ 690   quoniam nihil processit, at*
ego hac iero apertiore magis uia Sᴛ 484(*AU*)

C. at *vel semel vel pluriens iteratum:* Aᴍ 1085,
Aꜱ 856, Bᴀ 993, Cᴀᴘ 203, Cᴀꜱ 802, Cɪ 736, Eᴘ
95, 692, Mᴇʀ 130, 430, Mɪ 1214, Pᴇᴘ 569, 635,
Poᴇ 313, 857, 1197, Pꜱ 646, Tʀu 947

D. *vis particulae saepe per aduerbia augetur:*
ecastor Tᴛu 111   edepol Poᴇ 571, Tʀɪ 606   enim
(*cf* C l e m e n t, p. 10; L e o, *Plaut. Forsch.*² p. 330
adn. 2) Bᴀ 993, 1080, Cɪ 235, 739, Cu 194, Eᴘ
94, 95, Mᴇɴ 790, Mᴇʀ 159, Mo 922, Pᴇʀ 569, 832,
Poᴇ 662, 914, 1197, Pꜱ 436, 538, 641, Sᴛ 129, 738,
Tʀɪ 806, 919   etiam Aᴍ 369, 1025, Aꜱ 232, 923,
Au 307, Cᴀᴘ 455, 563, Mᴇʀ 130 *bis*, Mɪ 1142, Mo
851, Ru 401, 711, Tʀɪ 991   hercle Au 425, Bᴀ
738, Cᴀꜱ 802, Poᴇ 1032, 1234, Ru 153, 231, Tʀɪ
555   ne Cu 194   pol(*cf* F l e c k e i s e n, *Krit.
Misc.* p. 31; K i e n i t z, p. 56) Aᴍ 371, Aꜱ 300,
823, Bᴀ 1107, Cᴀᴘ 596, Cᴀꜱ 373, 755, Cɪ 736, 737,
740, 758, Cu 134, 602(*Rg*), Mᴇɴ 746, Mᴇʀ 727
(*Rg*), Pᴇʀ 50, 211, Poᴇ 592, Ru 939, 946, Tʀɪ
474   quidem Bᴀ 677, 738, Mɪ 569, Mo 1014
sane Aꜱ 464   tamen Cᴀꜱ 299, Cu 489, Mɪ 562,
Mo 772, Pᴇʀ 835   tandem Cu 7

ATAVOS - - pater, auos, proauos, abauos,
atauos, tritauos .. edere alienum cibum Pᴇʀ 57
ATER - - I. Forma ater Mᴇʀ 879(atra *FZL*
atrae *R*)   **atra** Cᴀᴘ 596, 597(*om U*), Mᴇʀ 879
(*FZL* ater *PRgℰ*† *ULy* atrae *R*)   **atrum** Mᴇʀ
306(atrun *A*), Ru 1000   (*acc. neut.*) Mᴇɴ 915, Pꜱ
814, Vɪ 36(*Stud* aerum *A* afrum *StudRg*)   **atra**
Aᴍ 727, Poᴇ 1290(*Rgl om APψ*)   **atri**(*nom. pl.*)
Ru 998   **atrior** Poᴇ 1290(acrior *C*)

II. Significatio 1. *attributive: atritas* Poᴇ
1290(*Rgl: vide infra* 2)   atra *bili* percitast
Aᴍ 727   atra bilis agitat hominem. #At pol
te .. pix atra* agitet Cᴀᴘ 596-7   si canum
(*caput*), .. siue atrumst*, amo Mᴇʀ 306   fiet
tibi puniceum *corium*, postea atrum denuo Ru
1000   (*corpus*) atrum* fecerit Vɪ 36   indunt

coriandrum . . atrum *holus* Ps 814 †*nubis*
ater *imber*que instat Men 879(nubis atra *FZL*
nubis atrae ut imber *R* nimbus ater *Rg* nu-
bes? ater imber *U*) pix Cap 597(*supra sub*
bilis) sunt alii (*uiduli*) puniceo corio, magni
item atque atri Ru 998 album an atrum
uinum potas? Men 915
2. *praedicative:* (amicam) ita replebo atritate
(atra at. eam *Rgl*) atrior multo ut siet quam
Aegyptini Poe 1290

ATHENAE - - cf Goerbig, pp. 29. 33. 36;
Koenig, p. 1; Leo, *Plaut. Forsch.*² p. 220,
adn. 2
1. *nom.:* satin **Athenae** tibi sunt uisae fortunatae atque opiparae? Per 549
2. *voc :* saluete, **Athenae**(-ne *P*), quae nutrices Graeciae St 649(*cf* Goldmann, I. p. 16)
3. *acc.* **a.** *obiectum directum:* **Athenas** nunc
colamus St 671 ..Athenas quo sine architectis (Plautus) conferat Tru 3
b. *termini:* abiit oratum ab se ut *abeat* ..
Athenas Mi 1146 prorsum Athenas protinus
abibo tecum Mi 1193 interibi hic miles forte
Athenas(-nis *C*¹) *aduenit* Mi 104 Athenas antidhac numquam adueni Ps 620 neque Athenas aduenit umquam Ps 731 ego Lemno aduenio Athenas nudius tertius Tru 91 ..ut
concubinam..hinc Athenas *auehat* Mi 938 ..ut,
si *itura* sit Athenas, eat(*Bo et A*[siet] si itura
est & thene se *B* s. i. essiã a[esia *C*] ethena
se a *CD*) tecum Mi 1186 ait sese Athenas
fugere cupere ex hac domu Mi 126 Athenas
traloco Tru 10(*Rs* translatum *U* athenis[-ninis
B] tracto *Lyt* Athenis mutabo *L*) nunc ad
amicam..Athenas Atticas *uiso* Tru 497
4. *abl* **a.** *separatiuus:* dicam **Athenis** *adue-*
nisse Mi 239 heri Athenis Ephesum adueni
uesperi Mi 439 heri huc Athenis cum hospite
aduenit meo Mi 489 suom *arcessit* erum Athe-
nis(erumna thenis *P* Ephesum dominum *Rg*)
Mi *Arg* I. 5 meretricem Athenis Ephesum
miles *auehit* Mi *Arg* I. 1 amicam erilem Athenis auectam scio Mi 114 hinc Athenis ciuis
eam *emit* Atticus Ep 602 parua *periit* Athenis
Ru 1111 haec Athenis parua fuit uirgo *surpta*
Ru 1105 mea soror geminast germana uisa
uenisse Athenis in Ephesum Mi 384 senex
qui huc Athenis exul uenit Ru 35
b. *pretii:* Athenis(-ninis *B*) mutabo(*L* tracto
PŞ† *Lyt*) Tru 10(*vide supra* 3. *sub* traloco)
c. *cum praep.:* longe ab Athenis esse se gnatam autumat Per 151
d. *originis:* meretricem †matre(altum *RRg*
acre *U*) Athenis Atticis Mi 100
5. *loc.* **a.** *absolute:* serue **Athenis** pessume!
Ps 270
b. *cum verbis:* neque me alter *est* Athenis
hodie quisquam.. As 492 quis me Athenis
nunc magis quisquamst homo.. Au 810 tibi
non erat meretricum aliarum Athenis(-aenis *C*)
copia? Ba 563 quem dices digniorem esse
hominem hodie Athenis alterum? Ep 26 fateor
me omnium hominum esse Athenis Atticis minumi preti Ep 502 de amica se indaudiuisse
autumat hic Athenis esse Men 945 erat erus
Athenis mihi adulescens optumus Mi 99 uideo illam amicam erilem Athenis(ate. *D*) quae

fuit Mi 122 .. sese illum amare meum erum
Athenis qui fuit Mi 127 ad illum deferat
meum erum qui Athenis fuerat Mi 132 hosticum hoc mihi est domicilium, Athenis domus
est(Atticis *add L*) Mi 451 Athenis te sit nemo
nequior Ps 339 *altum* Mi 100(*U supra* 4. d)
alter hoc Athenis nemo doctior dici potest Mo
1072 si..dictator *fiat* nunc Athenis Atticis,..
Ps 416 omnis res *gestas* esse Athenis autumant Men 8 *licet* haec Athenis nobis St 448
altera haec est *nata* Athenis nobis Ru 738
'audis) hanc Athenis esse natam liberam? Ru
739 immo (sum) Athenis natusque educatusque Atticis Ru 741 quid mea refert hae Athenis natae an Thebis sient? Ru 746
6. *adiectiua:* Atticae Ep 502, Mi 100, 451
(*L*), Ps 416, Ru 741, Tru 497 fortunatae atque opiparae Per 549 nutrices Graeciae St
649
7. *corrupta:* Mer 323, athene *P pro* ah, ne
Mi 1363, athene ne *B pro* ad te me Tri
798, tibi athenas aurum *P pro* abi ad then-
saurum(*Ca*)

ATHENIENSIS - - Atheniensis iuuenis Mi
Arg II. 2 ea inuenietur..ingenua Atheniensis
Cas 82 eam .. adulescenti dabo, ingenuo,
Atheniensi Ru 1198 adueni uesperi cum meo
amatore, adulescente **Atheniensi** Mi 440

ATHLETICE - - benene usque ualuisti? #Pan-
cratice atque athletice(adletice *D*) Ba 248 ualet pugilice atque athletice Ep 20 *Cf* Graupner, p. 20; Inowraclawer, p. 50

ATQUE - - *vide* AC *atque opera ibi citata;*
de scansione cf Skutsch, *Pl. u. Rom.* p. 52
I. Forma ante **a.** *circiter* 310*ies*
b. bellator Ps 992
c. caelum Mi 1395 caue Per 316 cogitare Cas 90 comitieis Men 459 conducticiam Ep *Arg* 2 conductoribus As 3 corde
Tru 177 cunila Tri 935 curat Per *Arg* I. 2
d. dentes Poe 382, Tri 925 deportari Vi
109 dis Per 254(*R*) dites Cu 475 dedisti
Men 508(ac *Ly*) domare Tri 829 ductu Am
657 duce Poe 1229
e. *circiter* 204*ies*
f. filiam Tri 1075 fratri St 630 fortunatus Au 182, Cas 382, 402, Mi 10 fronte
Men 829
h. *circiter* 147*ies*(*ante* hic *circiter* 100*ies*)
i. *circiter* 230*ies*
l. libera Poe 372 luculenta Tru 345 Lyciam Cu 444
m. *circiter* 25*ies*
n. nisi Per 142 nitide Ci 10(*BU*) noctes
Cas 320 non Tri 104 nos Tri 442
o. *circiter* 108*ies*
p. parce Poe 1145 partitudo Au 276 pauidam Cu 649 pellis Cap 135 per Ps 485,
527 pol Mo 708 porro Mo 990 potatores
Men 88 praedicabo Mi 931 procellae Tri 836
q. quanto Am 548 qui Ps 727 quom Mer 742
r. rem Ba 1113
s. salue Cap 744, Ci 116, Cu 522, 588 saeuo
Ba 763 se Cap 407 sedent At 719 sequere
Ba 137 seruom Tri 435 serua Men 272 si
Tri 677 solido Mer 21 stulte St 641, Tri 416

t. tam Bᴀ 1120 (*R*) te Cᴀᴘ 942, Cᴀs 752, Eᴘ
671, Pᴏᴇ 372, Tʀɪ 69   tenuius Rᴜ 1301   tu
Pᴇʀ 829, Ps 1133

u. *circiter 80ies (ante* ut, uti *circiter 50ies)*

z. Zeuxis Eᴘ 626   zonam Pᴇʀ 155

2. *pro* atque *invenimus in J saepe* atquę, *atque
in D quoque* Mɪ 1183, in *V* Cᴀs 548   atquem:
Mᴇɴ 808 *B*, Mɪ 256 *CD*¹, 260 *P*, 931 *P* (-aem *CD*)
atquam: Mɪ 706   adque *in B 23ies, in C 71ies,
in D 10ies, in A*: Bᴀ 527, Pᴇʀ 409, Ps 674, 694,
Tʀᴜ 122, 125, 185, 220, 313, 378, 386

3. *variae lectiones:* Aᴍ 193, agroque *LachRgl
Ly pro* atque agro; 500, atque inperce *Ca* at quin
perge *P*; 1101, om *BoS̄*   As 161, atque *Lach*
quae *vel* quę *P* quae me *FlU* quomque *Skutsch
Ly*; 247, atque experiri *PS̄*† *L*† *U* a. experi *Ly*
precibus *Rgl*; 456, aut *J*; 482, v. om ω; 578, atque *om SchmidtRgl*; 863, atque om *J*   Aᴜ 251,
atque auctor *Rg pro* auctorque (*Pψ*); 287, atqui
Py atque *PLLy*; 297, quam *FlRg*; 328, cape
atque abi intro ad nos *L in lac*; 614, etiam
atque om *D*; 679, atque inde *ParRg pro* indeque; 816, atque eloquar *om S̄LU* a. eloquor
PyRgLy   Bᴀ 471, ac quae *FlU*; 498, v. om
GoelRgS̄ -que *pro* atque *ÇaLU*; 624, atque *P
US̄*†*Ly* ac simitu *Rg* simulque *L*; 962, atque
om L; 1112, frugi homo atque optumus *Rg pro*
op. homo   Cᴀᴘ 212, atque aequiter *Rs pro* uobis;
279, atque atq' *D*; 287, atque *om J*; 369, aq'
D; 387, ac *U*; 562, aque *J*; 658, atque *PU* om
Guyψ; 672, deartuauistique *P* -asti atque *L ex
Non* 95; 710, atque *U pro* qui; 847, atque epulas *PS̄*†*t ULy* ac pernas *Rs*; 942, et *J*   Cᴀs 7,
atque antiqua *L* duce *Hauptio pro* antiqua; 246,
mades *Rs* adest *P* atque *U*; 364, atque *PL* atqui *Piusψ*; 375, ac *J*; 594, atque *VEJU* at *B*
et *Aψ*; 700, atqui *A* atque *PL*; 723, amicirier
atque *A* amiceque *P*; 736, atque *P ac Ly*; 752,
atque *AP* ac *Ly*; 819, atque *PU* tuaque *Aψ*;
945, **que *P* (quę *B) S̄* atque *RsLU*   Cɪ 10, ac
VEJ atque *B U*; 205, atque *add PU om Hermψ*;
500, pol te *A* atque *PŪ*; 512, atque *om Prisc*
I. 62; 591, aq'. *J*   Cᴜ 493, et commeminisse
PUS̄†*Ly*† atque ego com. *Rg* et quidem mem.
L   Eᴘ *Arg* 2, atque *PS̄*†*t L*† qui aliam *Rg* aliam
qui *PyU*   Eᴘ 168, erum meum atque *add RgU*;
254, adlata *U*; 257, *v. om J*; 522, ac *BoRgLy*
Mᴇɴ 7, atqui *R*; 33, atque auehit *R pro* auehitque (*Pψ*); 149, atque *FZ* atqui *P*; 360, *add
Ly* que *A ut vid om Pψ*; 508, atque *P* ac *Ly*;
572, atque *ALy* que *Pψ*; 643, audi atque ades
*B*² audiatqui (quid *B*¹) ades (adest *B*¹) *P* a. a.
huc ades *R*; 792, at *B*¹; 808, atque *B*² atquem
P; 869, atq' atq' *D*¹; 1029, at quito *B*¹ *pro*
atque ito; 1035, atque *AB* at *C* ad *D*   Mᴇʀ
Arg I. 2, emittatque *B pro* emit atque   Mᴇʀ
26, atque stultitia *RRg pro* stultitiaque; 74,
atquea *C pro* atque ea; 220, aspiciet, te uidebit esse *Rg* aspicit te timidum esse atque *PS̄*†*t L*
(aspiciet)*U*; 256, ibi *ARRgU* atque *Pψ*; 270,
atqui *R*; 276, atque illius haec nunc *PL* ac
metuo ne illaec *Aψ v. om RRgL*; 319, *A: vide
infra* II. A. 12; 354, a me *U pro* atque; 505,
atque *RRg* quod *ABCS̄*†*t LLy* quid *D* atque
ut *U*; 581, neque *BriRgLy*; 584, atqui *RRg*;
742, atqui *RRg*; 761, atque *Sey* aeque *A ut vid*
et B aeque atque *CDRL*†*t U*; 880, *vide infra* II.

A. 11   Mɪ 136, atque *RRgU* isque *MueL* itaque *PLy* itaque is *S̄*; 221, atque aliquo actutum *R* reliquos aut tu (autu *CD) var em ψ*; 310,
atque hunc *Heraldus* atquē hic *P* (hunc *B*²); 337,
v. habet B solus; 367, ac *RRgLy* quin *R*; 451,
atque erus *Ly* ac erus *B*²*CD* acherusa *B*¹ at
erus *RRgS̄* Atticis *L*; 552, atque ista *AB*² at-
quā histham *C* atquaem histuam *D* a /////// /ist
*B*¹; 583, aque *D*; 668, aequest atque *ex Non* 5
equestant (egestant *B*¹) que (quę *D* quā *B*²) *P*;
706, atque *A* atquam *P* atqui *B*²; 748, atque
om B; 777, itaque *PS̄*†*t* isque *LLy* atque *RibRgU*
atque is *R*; 878, atque *FZ* que *P*; 919, atque
architecto adsunt fabri *L aliter ψ* adsunt fabri
architectique *PS̄*†*t*; 947, atque ex *R* at *P*; 958,
atque *P* ac *FRg*; 1022, aeque *B*; 1085, at *B*;
1272, tremit atque *om R*; 1130, alio atque uti
LachLU aut utique *PS̄*†*t Ly*† atque uti quidem
BoRs; 1332, atque ecferto *Sey* atque certo *P*
adferte *R*; 1433, neque *B*   Mᴏ 105, atqui
SaupRs; 146, at *B*¹; 425, aq' *D om R*; 702,
atque anum habet *ARsLUS̄*†*t Ly* habet *cum lac*
P; 815, atque *om R*; 900, has aperit foras *A
ut vid* ecquis huc exit atque aperit *PR*; 1145,
mihi atque *R lac PL*†   Pᴇʀ *Arg* I. 2, emittatque *B pro* emit atque   Pᴇʀ 60, atque *L pro*
neque; 192, abque *D*¹; 233, at *BoRRs*; 572, atque anellum *Bo* (anulum *AP*) anulumque *GuyR*;
574, tu: haec eme *A ut vid* hanc eme atque
PRU tu eme *L*; 593, atque *A* et qui *P*; 597,
me inpulsore aut inlice *A* suasu atque inpulsu meo *PL*; 639, atqui *R*; 696, et *R*; 764,
atque *om R*   Pᴏᴇ 372, ac *BoRglLy*; 571, at
C; 617, atque *om NiemoellerLy*; 1040, dicat
quae *C pro* dic atque; 1116, i atque euoca *AP
LLy* atque *om Parψ*; 1243, atqui *GuyRgl*   Ps
106, atqui *R*; 191, usque *BriRgU*; 392, atque
exquire *A secl SeyLy* atque *secl S̄*; 566, at *R*;
586, atque *om Rg*; 768, simitu quidem *R pro*
atque eidem; 1024, atqui *R*; 1315, ac *SpRgULy*
Rᴜ 604, atque ex Progne *PL*†*t U* ac *PLy* attica
RsS̄; 930, ad *CD*; 1204, et *Rs*   Sᴛ 55, *v. om
ALU*; 154, atque *A om P*; 167, atque *add L*;
451, atque *A om PLy v. om* ω; 701, se atque
R pro dumque se   Tʀɪ 167, at *D*¹; 652, atqui
R; 722, ad aliquem regem *GuyL* at (*B* aut *CD*)
aliquem ad regem *PS̄*†*t Ly* atque a. a. r. *RRsU*;
746, atqui *HauptRs*; 825, atque *om BoRRs*;
910, atqui *HauptRs*; 935, ac *Ly*; 1164, atqui
RRs   Tʀᴜ 112, atque *A* loqui *P*; 553, atque
improbus se *Ca* aque inprouisse (*B* -ise *CD*) *P*
quin probe *Rs*; 775, atque *U* ad te *PS̄*†*t var
em ψ*; 802, atque *U* ea te *P* ex te *Boψ*; 898,
atqui *Rs*

4. *corrupta:* Aᴍ 884, atque clamitat *D*¹ *pro*
occlamitat   As 641, atque *BD v. om EJ* aeque
Ang   Aᴜ 784, atque *add P om Non* 105   Bᴀ
738, atque idem *PL*† at quidem *MueRgS̄ULy*
haec quidem *HermR*; 1115, atque *om Hermω*
Cᴀᴘ 437, atquae *J pro* neque   Cᴀs 364, atqui
Pius atque *P*; 833, impera atq; *E pro* impercito   Cᴜ 280, atque *om Flω*   Eᴘ 195, atque
*E*² *pro* itaque; 308, atque *om Pyω*; 311, pati
atque *J pro* faciat quae; 423, atque esto *E pro*
at quaeso   Mᴇɴ 447, atque *B pro* neque; 836,
eum (heu *B*² cubi *C* eubi *D*) atque heu *PS̄*†*t var
em ψ*   Mᴇʀ 40, atque animus phoebus aetate

P ut aetas ex ephebis *RRgẞ* ut ex ephebis aetate *MuretLULy*; 335, atque *B pro* aeque Mɪ 271, qui *A* atque *P*; 776, aeque *D³* atque *P* adaeque *GrutR*; 784, aequi *Lamb* atque *P*; 997, transiuit atque *Pẞ†* transbitat quae *Lψ*; 1199, mihi atque *B pro* inhiat quod Mo 94, atque *C pro* at ego; 523, atque *om Guyω* Poᴇ 179, atque *D pro* ad; 466, aut *Pius* haud *P* atque *A* Ps 142, atque *D¹ pro* at; 146, atque *C pro* aeque; 358, aeque *A* atque *P*; Rᴜ 1101, atque *D pro* atqui Sᴛ 163, ego *A* at ego *BCD²* atque ego *D¹*; 276, atque *D¹ pro* itaque; 518, amicosque *A* amicos atque *P* amicos *U* Tʀɪ 919, atque *B pro* at Tʀᴜ 933, ac tam *Sey* acta *B* atque *CD* Vɪ 82 atq. *A pro* neque(*Stud*)

II. Significatio A. *copulative* 1. *duo substantiva coniungit:* **a.** uictum atque expugnatum oppidumst, imperio atque auspicio eri mei Aᴍ 192 praeda atque* agro adoriaque adfecit popularis suos Aᴍ 193 dicant . . se . . pacem atque otium dare illis Aᴍ 208 eos auspicio meo atque ductu primo coetu uicimus Aᴍ 657 quid ego faciam quem aduocati iam atque amici deserunt? Aᴍ 1040 spes atque opes uitae meae iacent sepultae Aᴍ 1053 de ea re signa atque argumenta . . eloquar Aᴍ 1087 imperator diuom atque hominum Iuppiter Aᴍ 1121, Rᴜ 9 diuom atque hominum clamat continuo fidem Aᴜ 300 ita me rex deorum atque hominum faxit patriae compotem . . Cᴀᴘ 622 pro deum atque hominum fidem Cᴜ 694, Eᴘ 580 tu clamabas deum fidem atque hominum omnium Mᴇɴ 1053 diuom atque hominum quae superatrix . . es Mᴇʀ 842 deorum odium atque hominum! Rᴜ 319 deum hercle me atque hominum pudet Tʀɪ 912 per deos atque homines ego te obtestor Cᴀᴘ 727 per ego uobis deos atque homines dico Mᴇɴ 990 per deos atque homines dico Tʀɪ 520 te opsecro per deos atque homines perque stultitiam meam, perque tua genua — Mɪ 541 satis spectatumst deos atque homines eius neglegere gratiam Poᴇ 823 omnes di me atque homines deserunt Ps 381, 600(me *om Boω*) . . quoi deos atque homines censeam bene facere magis decere Rᴜ 407

nec recte quae tu in nos dicis, aurum atque argentum merumst As 155 uidulum aurum atque argentum ubi omne conpactum fuit Rᴜ 546 (si quis perdiderit) uidulum cum auro atque argento multo . . Rᴜ 1295, 1309 si uidulum . . cum auro atque argento saluom inuestigauero . . Rᴜ 1340 *Cf* Sjögren, p. 24 . . res uortat bene gregique huic et domino atque conductoribus As 3 aetatis atque honoris gratia hoc fiet tui As 191 quem te autem diuom nominem? #Fortunam atque Obsequentem As 716 (aedes) ita inaniis sunt oppletae atque araneis Aᴜ 84 probrum atque partitudo prope adest ut fiat palam Aᴜ 276 animis auidis atque insatietatibus neque lex . . caperest qui possit modum Aᴜ 487 mihi quidem aequomst purpuram atque aurum dari Aᴜ 500 laruae hunc atque intemperiae insaniaeque agitant senem Aᴜ 642 uini uitio atque amoris feci Aᴜ 745 nimis uilest uinum

atque amor Aᴜ 750 deos atque amicos iit salutatum ad forum Bᴀ 347 obsequens oboediensquest mori atque imperiis patris Bᴀ 459 hoc tecum oro ut illius animum atque ingenium regas Bᴀ 494 multi more isto atque exemplo uiuont Bᴀ 540(*v. om A*) sum sine bono iure atque honore Bᴀ 613 eum ego . . his foribus atque hac platea abegi reppuli(*L* hac★reppuli *Pẞ U* muliere r. *RRgLy*) Bᴀ 632 ego animo cupido atque oculis indomitis fui Bᴀ 1015 cano capite atque alba barba miserum me auro esse emunctum! Bᴀ 1101 ossa atque pellis sum Cᴀᴘ 135 fateor . . abisse eum abs te mea opera atque astutia Cᴀᴘ 679 iuben an non iubes . . laridum atque* epulas foueri? Cᴀᴘ 847 (*vide ω*) . . alium porcinam atque agninam et pullos gallinaceos Cᴀᴘ 849 seruolus . . dominum mulcat atque uilicum Cᴀs *Arg* 5 eicite ex animo curam atque alienum aes Cᴀs 23 dies atque(*cf* Sjögren, p. 2) noctes cum cane aetatem exigis Cᴀs 320 capillo scisso atque excisatis auribus Cɪ 383(*ex Non* 108) instruxi illi aurum atque uestem Cɪ 487 aurum atque uestem muliebrem omnem habeat sibi Mɪ 1099

ego te uideo inmutatis moribus esse, ere, atque ingenio Cᴜ 146 homo cum collatiuo uentre atque oculis herbeis Cᴜ 231 meorum maerorum atque amorum summam edictaui tibi Eᴘ 105 ego istuc accedam periclum potius atque(† *U*) audaciam Eᴘ 149 conspicor erum meum atque Apoecidem Eᴘ 186(*Rg¹* conspicor Apoecidae *Pẞ aliter ψ*) uirtute atque auspicio Epidici . . redeo Eᴘ 381 omnium legum atque iurum fictor condictor cluet Eᴘ 523 aduenienti des salutem atque osculum Eᴘ 571 uestitum atque ornatum immutabilem habet haec Eᴘ 577 quem Apella atque Zeuxis duo pingent pigmentis ulmeis Eᴘ 626 non meministi me auream ad te afferre . . lunulam atque anellum aureolum in digitum? Eᴘ 640 esca atque potione uinciri decet Mᴇɴ 88 quid hoc est? #Induuiae tuae atque uxoris exuuiae Mᴇɴ 191 sportulam cape atque argentum Mᴇɴ 219 in Epidamneis uoluptarii atque potatores maxumi (sunt) Mᴇɴ 259 eos oportet contioni dare operam atque comitieis Mᴇɴ 459 pallam atque aurum meum domo suppilas Mᴇɴ 739 imperium tuom(*vide U*) demutat atque edictum(*FZ* dictum *PU*) Apollinis Mᴇɴ 871 uasa atque* argentum tibi referam Mᴇɴ 1035 ait sese illius opera atque aduentu caprae flagitium . . fecisse Mᴇʀ 236 fac nos hilaros hilariores opera atque aduentu tuo Sᴛ 739 simia illa atque haedus mihi malum adportant Mᴇʀ 269 . . dum illius te cupiditas atque amor missum facit Mᴇʀ 657

patrem atque matrem ut meos salutem Mᴇʀ 659 patris atque matris memini Poᴇ 1063 patrem atque matrem uiuerent uellem tibi Poᴇ 1066 uerberauisti patrem atque matrem Ps 377 repperit patrem Palaestra suom atque matrem? Rᴜ 1267 erus atque alumnus tuos sum Mᴇʀ 809 ora ut ignoscat delictis tuis atque adulescentiae Mᴇʀ 997 miles . . plenus periuri atque adulteri Mɪ 90 inspectauit . . Philocomasium

atque hospitem osculantis M1 175   Athenis
domus est atque* erus M1 451(*Ly*)   expromam
tibi uel primarium parasitum atque obsonato-
rem optumum M1 667   ita praecipito mulieri
atque ancillulae M1 795   stultitia atque* insipientia mea istaec sit(*LLy* mfalsta[falsa *B*]
haec sit *P* insulsitasque haec esset *Rg duce
R* mecastor maxuma haec sit *BugU*).. M1 878
iube sibi aurum atque ornamenta.. dono habere M1 981   aurum atque ornamenta.. omnia
dat dono M1 1147
    uiden tu illam oculis uenaturum facere at-
que aucupium auribus? M1 990
    illam anum interfecero siti fameque atque
algu Mo 193   Iuppiter supremus summis opibus atque industriis me perisse.. cupit Mo 348
si quis dotatam uxorem atque* anum habet..
Mo 703(*locus dub*)   Alexandrum magnum atque Agathoclem aiunt maxumas duo res gessisse Mo 775   me suasore atque inpulsore id
factum audacter dicito Mo 916   hanc te
emisse dicas suasu atque impulsu meo Mer 597
(*PL* me inpulsore aut inlice *Aψ*)
    cape tunicam atque zonam Per 155   temperi
hanc uigilare oportet formulam atque aetatulam
Per 229   uirgo atque mulier nulla erit quin
sit mala Per 365, 367   operam atque hospitium ego isti praehiberi uolo Per 510   indas..
ferream seram atque* anellum Per 572   nomen
atque omen quantiuis iamst preti Per 625   ita
mihi supellex squalet atque aedes meae Per
732   Adelphasium eccam exit atque Anterastylis Poe 203   ego illi mastigiae exturbo
oculos atque dentes Poe 382   uoluptas huius
atque odium meum Poe 392   specie uenusta,
ore(crine *BentRgl*) atque oculis pernigris Poe
1113   hi loci sunt atque hae regiones Ps
595   solae.. haec sunt loca atque hae regiones Ru 227   conprimunda uox mihi atque
oratiost Ps 409   comprimendast mihi uox atque oratio Ps 788   .. ut qui argentum adferret atque expressam imaginem Ps 649   ego
illum dolis atque mendaciis in timorem dabo
Ps 927   te quoque etiam dolis atque mendaciis.. antidibo Ps 932   epistula atque
imago me certum facit Ps 1097   superauit
dolum Troianum atque Ulixem Pseudolus Ps
1244   .. unguenta atque odores, lemniscos,
corollas dari dapsiles Ps 1265
    illos.. reliqui.. cordi atque animo suo ob-
sequentis Ps 1272   hoc auferen..? #Luben-
tissumo corde atque animo Ps 1321   neminem.. mage amat corde atque animo suo Tru
177
    ambo in saxo, leno atque hospes, simul se-
dent eiecti Ru 72   illa autem uirgo atque
altera itidem ancillula de naui timidae desuluerunt Ru 74   is nauem atque omnia perdidit
in mari Ru 199   hisce hami atque haec harundines sunt nobis quaestu Ru 294   saluete
fures maritumi, conchitae atque hamiotae Ru
310   uae capiti atque aetati tuae Ru 375
Venus eradicet caput atque aetatem tuam Ru
1346   eho, Palaestra atque Ampelisca, ubi
estis nunc? Ru 512(*cf* Sjögren, p. 27)   audi
nunciam, Palaestra atque Ampelisca Ru 1129
omnium copiarum atque opum, auxili, praesidi

uiduitas nos tenet Ru 664   clientas repperi
atque ambas forma scitula atque aetatula Ru
894   ubi demisi rete atque hamum, quicquid
haesit extraho Ru 984   meum quod rete atque hami nancti sunt, meum potissumumst
Ru 985   instruam agrum atque* aedis, mancipia Ru 930   deos salutatum atque uxorem
modo intro deuortor domum St 534   o amice
salue atque aequalis Tri 48(a. a. *om LomanRs*)
amico atque aequali meo.. bene uolo ego illi
facere Tri 326
    sunt quorum ingenia atque animos nequeo
noscere Tri 92   erum atque seruom plurumum Philto iubet saluere Tri 435   tu nunc
dicis non esse aequiperabiles uostras cum
nostris factiones atque opes Tri 467   ut scias
hic factiones atque opes non esse.. Tri 497
quid illum putas natura illa atque ingenio?
Tri 812   ubi apsinthium fit atque cunila gallinacea Tri 935   uidetur tempus uenisse atque occasio Tri 999   liberi.. quos hic reliqui
filium atqui filiam Tri 1075(*cf* Sjögren, p. 9)
impetrabit te aduocato atque arbitro Tri 1161
habes fundum atque aedis Tru 177   in melle
sunt linguae sitae uostrae atque orationes, facta
atque corda in felle sunt sita atque acerbo
aceto Tru 178-9   date mihi huc stactam atque ignem in aram Tru 476   meum erum..
priuauit bonis luce honore atque amicis Tru 573
†pertilli doni causa, holerum atque escarum
et poscarum Tru 610   quid uideo? eram atque ancillam ante aedis Tru 895   mollitia
urbana atque umbra corpus candidumst Vi 35
    b. *duo substantiua praepp. sequentia α.* ab:
solus solitudine ego ted atque ab egestate
abstuli As 163   bis perit amator, ab re atque
ab(*Lamb om PLy*) animo simul Tru 47   ad:
uos.. ego iam detrudam.. ad puteum atque ad robustum codicem Poe 1153   me
aurum deferre iussit ad gnatum suom atque
ad amicum Calliclem Tri 956   apud: apud
hunc sodalem meum atque uicinum mihi locus
est paratus Cas 477   cum: uidulum cum auro
atque argento multo Ru 1295, 1309, 1340(*om
multo*)   de: lepide dictum de atramento atque ebure Mo 260   ex: ex spiritu atque anhelitu nebula constat Am 233   .. me meum erum
captum ex seruitute atque hostibus reducem
fecisse Cap 685   ut uiridis exoritur colos ex
temporibus atque fronte Men 829   .. natas ex
Philomela atque ex Progne(*PUL†* Ph. Attica
Rs§ Ph. ac Pr. *Ly*) Ru 604   ego ex te exquaero
atque ex istac tua sorore St 111   aduenio ex
Seleucia, Macedonia, Asia atque Arabia Tri
845   in: dedunt.. se.. in dicionem atque
in arbitratum cuncti Thebano poplo Am 259
satin parua res est uoluptatum in uita atque
in aetate agunda Am 633   in palaestra atque in foro.. sum defessus quaeritando Am
1012   sum defessus quaerere.. in gymnasio atque in foro Ep 198   me iam censebam esse in terra atque in tuto loco Mer 197
ita mihi in pectore atque in corde facit amor
incendium Mer 590   in mala uxore atque
inimico, si quid sumas sumptus est: in bono
hospite atque amico quaestus est quod sumitur
M1 673-4   quem pol ego ut non in cruciatum

atque in compedis cogam . . Per 786   atque
hoc euenit in labore atque in dolore Ps 686
illic habitat Daemones in agro atque uilla
proxuma propter mare Ru 34   in amicitiam
atque in gratiam conuortimus St 414   uereor
ne istaec pollicitatio te in crimen populo ponat
atque infamiam Tri 739   in felle sunt sita
atque acerbo aceto Tru 179   inter: facite
inter terram atque caelum ut sit Mi 1395
satin inter labra atque dentes latuit uir? Tri
925   per: per deos atque homines Cap 727,
Mi 541, Tri 520   per ego uobis deos atque
homines dico Men 990   per sycophantiam
atque per doctos dolos Ps(485 =)527   prae:
prae maerore adeo miser atque aegritudine
consenui St 215   propter: propter auaritiam
ipsius atque* audaciam Cap 287

β. *praep. variatur:* apud emporium atque in
macello Am 1012

γ. *praep. et clausula:* ego me iniuriam fecisse filiae fateor tuae . . per uinum atque inpulsu adulescentiae Au 795   uide si hoc utibile atque in rem deputas Tri 748(*infra* 6)

c. *duo adiectiva substantive usurpata:* haud
decorum facinus . . facis ut inopem atque innoxium . . me inrideas Au 221   ebrio atque
amanti impune facere quod lubeat licet Au
751   uox . . inimici atque irati tibi Tri 47
mei beneuolentis atque amici prodeunt Cas
435   quis homo? #Beneuolens tuos atque
amicus Tri 1177   stultus atque insanus damnis
certant Tru 950   optumum atque aequissumum
oras Cap 333, Ep 725, Men 1147(orat), Ps 389,
St 728   bene igitur ratio accepti atque expensi inter nos conuenit Mo 304   dulcia atque amara' apud te sum elocutus omnia Ps 694
ibi de diuinis atque humanis cernitur Tri 479

2. *duo pronomina coniungit*(cf Sjögren,
p. 62): a. quae quidem mihi atque uobis res
uortat bene As 2   salutem . . mihi atque uobis, spectatores, nuntio Men 2   me . . te atque illam amare aibas mihi As 208   omnis
exegit foras me atque hos onustos fustibus Au
414   plus uiderem . . quam me atque illo
aequom foret Ba 488(*v. om US*)   quis . . nominat me . .?   #Ego atque hic Ba 1121   te
uterque . . ego atque hic oramus Cas 371   gladium . . qui me atque te interimat Cas 752
properate istum atque istam actutum emittere
Cas 785   id mihi hodie aperuistis, tu atque
haec Ci 3   quot illic homo hodie me exemplis ludificatust atque te! Ep 671   quae te
malae res agitant? #Multae, ere, te atque me
Mer 134   metuo te atque istos expiare ut
possies Mo 465   ingeniis quibus sumus atque
aliae gnosco Poe 1185   harunc uoluptatum
mihi omnium atque itidem tibi distractio . .
uenit Ps 69   uincitis duritia hoc(*A* hoc duritia ergo *PU†* em *RRg*) atque me Ps 151
gladio . . qui hunc occidam atque me Ps 349
(*vide U*)

b. *ex praepp. pendent* ab: . . innoxium abs
te atque abs tuis me inrideas Au 221   ad:
utroque uorsum rectumst ingenium meum, ad
te atque* ad illum Cap 367   inter: mutatio
inter me atque illum ut nostris fiat filiis Cap
367   ita conuenit inter me atque hunc Cap

378   misit, inter te atque nos adfinitatem ut
conciliarem Tri 442   praeter: numquis est hic
alius praeter me atque te? Tri 69

3 *pronomen atque subst. coniungit;* a. *pronomen antecedit:* erroris ambo ego illos et dementiae complebo atque omnem Amphitruonis
familiam Am 471   ut meque teque maxume
atque ingenio nostro decuit As 577   te (opto)
mihi atque uxoris mortem As 905   nobis
prope adest exitium, mihi atque erili filiae
Au 275   tu, aula, multos inimicos habes atque istuc aurum Au 581   perdidi †me atque*
operam Chrysali Ba 624   nisi qui meliorem
adferet quae mihi atque amicis placeat condicio
magis Cap 180(*v. om Rs*)   uobis inuitis atque amborum ingratiis Cas 315   amator . . qui
me atque uxorem ludificatust Cas 592   satin
propter te pereo ego atque occasio? Cas 598
haec sic aiebat audiuisse ex eapse atque*
epistula Ep 254   similior numquam potis aqua
aeque sumi quam haec est atque* ista hospita
Mi 552   eam mihi des gratiam atque animo
meo Mo 925(*L vide ψ*)   i in malam rem. #I
tu atque erus Poe 873   hoc ego modo atque
erus minor hunc diem sumpsimus Ps 1268
cauistis ergo tu atque erus ne abiret? Ru 378
Neptuno credat sese atque aetatem suam Ru
486   parasitus mihi atque fratri fuisti St 629
hoc unum consolatur me atque animum meum
Tri 394   iam lauta's? #Iam pol mihi quidem
atque oculis meis Tru 378

b. *pronomen sequitur:* sodalem atque me
exercitos habet Ba 21(*ex Char* 229)   Bacchidem atque hunc suspicabar Ba 683   . . ut sine
hisce arbitris atque* uobis nobis detis locum
loquendi Cap 212   era atque haec dolum . .
hunc protulerunt Cas 687   erus atque ego
flagitio superauimus Cas 876

c. *post praepp.:* . . ut fueris animatus erga
suom gnatum atque se Cap 407   (sumbolus)inter
me atque illum militem conuenerat Ps 1093

4. *duo adiectiva coniungit:* . . boncque atque
amplo auctare perpetuo lucro Am 6
ueterem atque antiquam rem nouam ad uos
proferam Am 118   quin tu istanc orationem
hinc ueterem atque antiquam amoues? Mi 751
ueterem atque antiquom quaestum . . seruo atque obtineo Per 53   historiam ueterem atque
antiquam haec mea senectus sustinet Tri 381
Cf Sjögren, p. 41
bene quae in me fecerunt, ingrata ea habui
atque inrita Am 184   ingrata atque inrita esse
omnia intellego quae dedi As 136
perferam usque abitum eius animo forti
atque offirmato Am 646   fateor eam esse
inportunam atque incommodam As 62   extemplo facio facetum me atque magnificum
uirum As 351   nimis bella's atque amabilis
As 674   saluos atque fortunatus . . sies Au
182   uirginem habeo grandem, dote cassam
atque inlocabilem Au 191   mihi inani atque
inopi subblandibitur Ba 517   parasitus ego
sum hominis nequam atque inprobi Ba 573
multa mala mihi in pectore nunc acria atque
acerba eueniunt Ba 628   nunc truculento mihi
atque saeuo usus senest Ba 763   hoc in equo
insunt milites armati atque animati probe Ba

942　unde agis? ⸗Unde homo miser atque
infortunatus. ⸗At pol ego ibi sum, esse ubi
miserum hominem decet(h. d. m. *HermR*) atque infortunatum Ba 1106-7　Chrysalus frugi
homo atque optumus Ba 1112(*Rg* Ch. op. h.
Pψ)　stultae atque haud(*om CDRgU add B
in marg*) malae uidentur Ba 1139　genus illi
est unum pollens atque honoratissumum Cap 278

decet innocentem seruom atque innoxium
confidentem esse Cap 665　decet innocentem
qui sit atque innoxium seruom superbum esse
Ps 460

basilicas edictiones atque imperiosas habet
Cap 811　illi seruo nequam des armigero,
nihili(*ZLULy* nisi *P om Caψ*) atque improbo
Cas 257(*cf* Ba 573)

optumum atque* aequissumum istud esse
iure iudico Cas 375　hoc optumum atque
aequissumumst Ru 1029　*Cf* Sjögren, p. 46

quod bonum atque fortunatum sit mihi Cas
382, 402(mihi sit: *vide Rs*)　intus uidi ino-
uam atque integram audaciam Cas 626　haec
huc timida atque exanimata exsiluit Cas 630
aspicit te timidum esse atque* exanimatum
Mer 220(*vide Rg: loc dub*)　integrae atque
imperitae huic impercito Cas 832　prohibet
.. dote altili atque opima Ci 305(*ex Non* 72)
anus..multibiba atque merobiba Cu 77　tristes
atque ebrioli incedunt Cu 294　in foro infumo
boni homines atque dites ambulant Cu 475
scis mercari furtiuas atque ingenuas uirgines
Cu 620　me nescioquis arripit timidam atque
pauidam Cu 649　indemnatum atque intestatum me abripi? Cu 695　corpulentior uidere
atque habitior Ep 10　dederim uobis consilium catum .. atque ad eam rem conducibile Ep 260　ex occluso atque obsignato armario decutio argenti tantum Ep 185　mihi
hunc diem dedistis luculentum, ut facilem atque
impetrabilem Ep 342　fidicinam .. ita ridibundam atque hilaram huc adduxit simul Ep
413　tuon arbitratu? ⸗Meo hercle uero atque
hau tuo Ep 688　mulier haec stulta atque
inscitast Men 440　hoc utimur maxume more
moro molesto atque* multo Men 572(*Ly*) edepol ne hic dies peruorsus atque aduorsus mihi
optigit Men 899　haec..quemque attigit magno
atque solido multat infortunio Mer 21　stat
propter uirum fortem atque fortunatum Mi 10
quis magis deis inimicis natus quam tu atque
iratis? Mi 314　lepidum senem .. atque ..
educatum in nutricatu Venerio Mi 650　haec
atque †huius similia alia damna multa mulierum me uxore prohibent Mi 699　(uidi eam
aulam) plenam atque inanem fieri Mi 855 b
(*LLy in v. dub*) undest? ⸗A luculenta atque*
(*a add AcR*) festiua femina Mi 958　quom
multos multa admisse acceperim inhonesta
propter amorem atque aliena a bonis Mi 1288
molestum uis uideri te atque ignauom Mo 856
.. quae ero placere censeat praesenti atque
apsenti suo Per 9　tu meum ingenium fans
atque infans nondum etiam edidicisti Per 174
pecunias accipiter auide atque inuide Per 409
satin Athenae tibi sunt uisae fortunatae atque
opiparae? Per 549　(mulieres) insulsae admodum atque inuenustae(*ZLULy* -tate *Pȿ*)

cum lac *Rgl*) Poe 246(*v. secl U*)　dei deaeque
ceteri contentiores mage erunt atque auidi
minus Poe 461　.. hominem peregrinum atque aduenam qui inrideas Poe 1031　cupite
atque exspectate pater, salue Poe 1260　te
adiutorem genuerunt mihi tam doctum hominem
atque astutum Ps 907　peregrina facies uidetur hominis atque ignobilis Ps 964　hominem ego hic quaero malum .. peiiurum atque
impium Ps 975　mirum atque inscitum somniaui somnium Ru 597　miroque modo atque
incredibili hic piscatus mihi lepide euenit Ru
912　sunt alii (uiduli) puniceo corio, magni item
atque atri Ru 998　nimis paene inepta atque
otiosa eius amatiost Ru 1204　(ueru) quanto
magis extergeo, rutilum atque tenuius fit Ru
1301　omnium me exilem atque inanem fecit
aegritudinum St 526　perparuam partem
postulat Plautus loci de uostris magnis atque
amoenis moenibus Tru 2　re placida atque
otiosa .. amare oportet omnes Tru 75　me
fuisse huic fateor summum atque intumum Tru
79　si qua mihi obtigerit hereditas magna atque luculenta, nunc postquam scio dulce atque
amarum quid sit ex pecunia .. Tru 345-6

5. *adiectiva et substantiva coniungit*: .. incontinentem atque osorem uxoris suae As 859
pietate factumst mea atque maiorum meum
Cas 418　quot modis moderatrix ⟨linguae⟩
fuit atque immemorabilis Ci 538　Chrysopolim Persae cepere urbem .. plenam bonarum
rerum atque antiquom oppidum Per 507　te
faciet ut sis ciuis Attica atque libera Poe
372　inimicum ego hunc communem meum
atque uostrorum omnium Ballionem exballistabo
Ps 584　homo edepol fortis atque bellator
probus Ps 992　mala's atque eadem quae soles
inlecebra Tru 185

6. *adiectivum et clausulam coniungit*: ui atque inuitam ingratiis .. rapiam te domum Mi
449　cubare in naui lippam atque oculis turgidis
Mi 1108　te omnes saeuomque seuerumque atque* auidis moribus commemorant Tri 825　quo
honorest illic? ⸗Summo atque* ab summis uiris
Cap 279　.. ut detur nuptum nostro uilico
seruo frugi atque ubi illi bene sit Cas 255
noctu sum in caelo clarus atque inter deos
Ru 6　nimis bellust atque ut esse maxume
optabam locus Ba 724　uide si hoc utibile
magis atque in rem deputas Tri 748

7. *duo adverbia coniungit*(*cf* Sjögren, p. 56):
uide, Fides, etiam atque(e. a. *om D*) etiam
nunc saluam, ut aulam abs te auferam Au 614
te moneo hoc etiam atque etiam Tri 674　benene usque ualuit? ⸗Pancratice atque athletice
Ba 248　ualet pugilice atque athletice Ep 20
auferimus aurum omne .. palam atque aperte
Ba 302　omnis .. instructa domus opime atque opipare Ba 373　nos lepide atque* nitide
accepisti apud te Ci 10　decumbo, acceptus
hilare atque ampliter Mer 99　tu sapienter loquere atque* amatorie(*FZRL* -ri *Pȿ*† neque
am. *BriRgLy* -ris modo *U*) Mer 581　si quid faciendumst mulieri male atque malitiose.. Mi 887
ut lepide atque astute in mentem uenit Mo 271
docte atque astu(*Bo* astute *AP*) mihi captandumst cum illo Mo 1069　ita docte atque

astu filias quaerit suas Poe 111　　 ad erum
ueniam docte atque astu(*Reiz* astute *PL*) Ru
928　　 ille qui consulte docte atque astute
cauet . . Ru 1240
　　ut astu sum adgressus ad eas. #Lepide hercle
atque commode Poe 1223　　 bene atque amice
dicis Ps 521, St 469　　 ut honeste atque haud
grauate timidas . . accepit ad sese Ru 408
more hoc fit atque stulte mea sententia St 641
sero atque stulte . . rationem putat Tri 416
illic sum atque hic sum Tri 1109　　 spectaui
ludos magnifice (confectos *add L*) atque opulenter Fr I. 36(*ex Char* 209)
　　8. *adverb. et clausulam:* recten atque ut uis
uales? Au 183　　 bene opsonaui atque ex mea
sententia Men 273　　 bene ora commutaui atque ex mea sententia Men 1019　　 bene uiuo
. . atque ut uolo Mi 706　　 id quod odiost faciundumst cum malo atque* ingratiis Mi 748
id procedit lepide atque* ex sententia Mi 947
lepide ecastor aucupaui atque* ea mea sententia Tru 964　　 signum quod semper tempore
exoritur suo hic atque in caelo Ru 5　　 satin
ut facete (aeque *add FlRgL*) atque ex pictura
astitit? St 271
　　similiter: auspicio liquido atque ex ⟨mea⟩
sententia Ps 762
　　9. *adverb. et adiect.:* tu Pistoclerum falso
atque insontem arguis Ba 474　　 ignoscas si
quid stulte dixi atque inprudens tibi Men 1073
　　10. *duo enuntiata adverbialia coniungit:*
eadem in usu atque ubi periclum facias aculeata sunt Ba 63　　 in re populi placida atque
interfectis hostibus non decet tumultuare Poe
524
　　11. *duo verba coniungit (cf* 12 *infra*) a. *indic.*
praes.: hic . . habito ego atque horunc seruos
sum Am 356　　 ego id nunc experior domo atque ipsa de me scio Am 637　　 ille me temptat
sciens atque id se uolt experiri Am 662　　 sic
salutas atque appellas quasi dudum non uideris Am 683　　 nunc festinat atque ab hac minatur sese abire As 604　　 quin tu labore liberas
te atque istam (cruminam) inponis in me? As
659　　 . . si quidem mihi . . aram statuis atque
ut deo mihi hic immolas bouem As 713　　 taceo
atque abeo Au 103, Poe 916　　 impero atque
auctor(*Rg* auctorque *Pψ*) sum Au 251　　 occultant sese atque sedent quasi sint frugi Au 719
ego illi me inuenisse dico hanc praedam atque*
eloquor(*PyRgLy* -ar *P v. om ψ*) Au 816　　 quis . .
nominat me atque pultat aedes? Ba 1120　　 ubi
is nunc est? #Ubi ego minume atque ipsus
se uolt maxume Cap 640　　 quin potius . . id
curas atque urbanis rebus te apstines? Cas 101
amo te atque istuc expeto scire quid sit Cas 184
quid si ego impetro atque exoro a uilico? Cas
269　　 hanc seruolus tollit atque exponit Ci *Arg* 4
omnes homines supero atque* antideo cruciabilitatibus animi Ci 205(*PU*)　　 praestigiator
†es, si quidem hic non es atque ades Ci 297　　 uos
amo, uos uolo, uos peto atque obsecro Cu 148
quin tu is intro atque huic argentum promis?
Ep 303　　 patrem tuom uocas me atque oscu-
laris Ep 583　　 . . dum intro eo atque exeo Ep
650　　 Men 33(tollit atque auehit *R pro* auehitque)　　 id enim quod tu uis, id aio atque id

nego Men 162　　 alii me negant esse qui sum
atque excludunt foras Men 1040　　 adulescens . .
emit atque* adportat scita forma mulierem
Mer *Arg* I. 2　　 dicam si operaest auribus atque . . adest benignitas Mer 15　　 agit gratias mihi atque ingenium adlaudat meum Mer
85　　 inscendo in lembum atque ad nauem
deuehor Mer 259　　 quin ergo imus atque
obsonium curamus? Mer 582　　 tollo ampullam
atque hinc eo Mer 927　　 aduolat adulescens
atque in proxumo deuortitur Mi *Arg* II. 8
. . dum haec consilescunt turbae atque* irae
leniunt Mi 583　　 omnis res posteriores pono
atque operam do tibi Mi 953　　 ea demoritur
te atque ab illo cupit abire Mi 970　　 laudant
fabrum atque aedes probant Mo 103　　 ecquis
huc exit atque aperit fores? Mo 900(*PR* ec.
has a. f. *Aψ*)　　 suos amores Toxilus emit atque* curat leno ut emittat manu Per *Arg* I. 2
quaestum . . seruo atque obtineo et . . Per 53
abisne atque argentum petis? Per 671a　　 ***atque ut dignus perit Per 671b(*A solus*)　　 abeo
atque argentum adfero Per 672　　 eas uobis
habeo grates atque ago Per 756　　 audio . . atque animum aduorto Ps 230(*cf* St 546 *infra*)
di me seruant atque amant Ps 613　　 uideo
atque inspecto lubens Ru 869　　 scio atque in
cogitando maerore augeor St 55(*v. om A*) ripis
. . superat mihi atque abundat pectus laetitia
meum St 279　　 ausculto atque animum aduorto sedulo St 546　　 dum cessat se atque*
exornat St 701(*R*)　　 est atque non est mihi
in manu Tri 104　　 nisi mihi auscultas atque
hoc ut dico facis . . Tri 662　　 ego, Neptune,
tibi . . gratias ago atque habeo summas Tri
824　　 tuis seruio atque audiens sum imperiis
Tru 125　　 sentio atque intellego Tru 545　　 caue
tu nisi quod te rogo atque* exquiro Tru 802(*U*)
　　passive: nisi nobis producuntur iam atque
emittuntur foras, arietes truces nos erimus
Ba 1147　　 expectando exedor miser atque
exenteror Ep 320　　 nullo pacto possum uiuere
si illa a me abalienatur atque abducitur Ps 95
amatur atque egetur acriter Ps 273
　　b. *indic. imperf.:* ancillas meas suspicabar
atque insontis miseras cruciabam As 889
　　c. *indic. fut.:* simulabo atque audita eloquar
Am 200
　　ibo ad portum atque haec . . ero dicam meo
Am 460　　 domum ibo atque ex uxore hanc rem
pergam exquirere Am 1015　　 nunc ibo(*FlRgl*
nunc *om Ly* ∪ _ *SL v. secl U*) atque ibi manebo apud argentarium As 126　　 ibo aduorsum
atque electabo As 295　　 ibo intro atque illi . .
iam interstringam gulam Au 659　　 ibo atque
eloquar Au 817　　 domum ibo atque aliquid
surrupiam patri Ba 507a　　 ibo intro atque
intus subducam ratiunculam Cap 192　　 ibo
domum atque ad parentes reducam Selenium
Ci 630　　 ibo atque orabo Cu 273　　 ibo †intro atque
adulescenti dicam Ep 164(abi *et* dic *L* atque
om U)　　 eibo atque accersam medicum Men
875　　 ibo atque arcessam testis Poe 447　　 ibo
ad medicum atque me toxico morti dabo Mer
472　　 ibo ad forum atque haec Demiphoni
eloquar Mer 797　　 ego ibo domum atque* . .
operam huic . . dabo Mi 260　　 ibo atque* illam

huc adducam Mɪ 1085   ibo ad forum atque
onerabo meis praeceptis Simiam Ps 764   ibo
intro atque edicam familiaribus Ps 903   ibo
atque amicis uostra consilia eloquar Sᴛ 143
ibo atque hunc compellabo Sᴛ 315   egomet
ibo atque opsonabo opsonium Sᴛ 440   ea ibo
obsonatum atque* eadem referam opsonium
Sᴛ 451   ibo atque adloquar Sᴛ 464 (cf Bᴀ 978
infra sub adibo)   ibo ad meum castigatorem
atque ab eo consilium petam Tʀɪ 614   ibo ad
forum atque haec facta narrabo seni Tʀᴜ 313
Cf Sjögren, p. 78
       Amphitruo actutum uxori turbas conciet at-
que insimulabit eam probri Aᴍ 477   accedam
atque hanc appellabo et subparasitabor patri
Aᴍ 515   accedam atque adpellabo Mo 543
malum . . tibi di dabunt atque ego hodie
dabo Aᴍ 563   Amphitruonem memet . . esse
adsimulabo atque . . frustrationem hodie iniciam
maxumam Aᴍ 874   faciam res fiat palam atque Alcumenae . . auxilium feram Aᴍ 877   pergam quo occepi atque ibi consilia exordiar As
115   pergam ad forum atque experiar opibus
As 245   pernegabo atque obdurabo, periurabo
denique As 322   quoi ego iam linguam praecidam atque oculos effodiam domi Aᴜ 189
praecurram atque inscendam aliquam in arborem indeque (atque inde ParRg) obseruabo Aᴜ
678-9   tollam ego ted in collum atque intro
hinc auferam Bᴀ 571
       adibo atque adloquar Bᴀ 978, Mᴇɴ 277, 465
adibo atque* ultro adloquar Mᴇɴ 360 (Ly)   adibo (RRs ibo Caψ om P) ad hominem atque*
adloquar Mᴇɴ 808
       adibo atque hominem accipiam quibus dictis
meret Mᴇɴ 707   adibo ad hosce atque appellabo Punice Poᴇ 982
       supplicium dabo aurum et pallam atque illi
** Cɪ 477 (A)   ego ex te hodie faciam pilum
catapultarium atque ita te neruo torquebo Cᴜ
690   ego me conuortam in hirundinem atque
eorum exsugebo sanguinem Eᴘ 188   ego illum
conueniam atque adducam huc ad te Eᴘ 294
demam hanc coronam atque abiciam Mᴇɴ 555
patrem accersam meum atque ei narrabo tua
flagitia Mᴇɴ 735   securim capiam ancipitem
atque hunc senem . . dedolabo . . uiscera Mᴇɴ
858   fugiam hercle aliquo atque hoc in diem
extollam malum Mɪ 861   genua amplectar
atque obsecrabo (Stud Mɪ 1240   praeoccupabo (Stud
RLLy -ato Pψ) atque anteueniam et foedus
feriam Mo 1060   me inferam atque amicibor
gloriose Pᴇʀ 307   hanc amabo atque amplexabor Pᴏᴇ 1230   ego scibo atque hodie
experiar Ps 174   me et simul participes
omnis meos praeda onerabo atque opplebo
Ps 588   ostium pultabo atque intus euocabo
aliquem foras Ps 604   liberos . . habebis atque indigno quaestu conteres? Rᴜ 749   mihi
nauem faciam atque imitabor Stratonicum Rᴜ
932   capiam scopas atque hoc conuorram lubens Sᴛ 375   istos . . amasios . . exponam atque omnis eiciam foras Tʀᴜ 659   ego uidulum
intro condam in arcam atque occludam probe
Vɪ 59   hic astabo atque obseruabo Vɪ 68
       passive: ea conducetur atque ei praemon-
strabitur Eᴘ 317

       d. indic. perf.: ibi cenaui atque ibi quieui
Aᴍ 732   factum id Amphitruoni offuit atque
illi dudum meus amor negotium insonti exhibuit Aᴍ 894   istam adii atque amans ego
animum meum isti dedi As 141   discesti ab
ero atque abiisti ad forum As 251   erus
istunc nouit atque erum hic As 456   tibi
potestatem dedi . . atque amanti argenti feci
copiam As 848   cum magnifico milite . .
conflixi atque hominem reppuli Bᴀ 967   insputari saluti fuit atque is profuit Cᴀᴘ 555
occidi atque interii Cᴀs 665   non adiit atque ademit? Cᴀs 696   quamne in manibus tenui atque accepi hic . . cistellam . . Cɪ 675   uix
foras me abripui atque effugi Cᴜ 598   ita suasi
seni atque hanc habui orationem Eᴘ 355   surrupuistin uxori tuae pallam istanc hodie atque
dedisti Erotio? Mᴇɴ 508   (pallam) uxori abstuli atque huic detuli Erotio Mᴇɴ 601   illam
(pallam) dudum tibi dedi atque abii ad forum
Mᴇɴ 684   potaui atque accubui scortum Mᴇɴ
1142   emi atque aduexi heri Mᴇʀ 106   Mᴇʀ
418 (emi atque argentum dedi confingit R)   ut
corripuit se repente atque abiit Mᴇʀ 661   te
illum mirari coquom quod uenit atque haec
attulit Mᴇʀ 783   somnum sepeliui omnem atque edormiui crapulam Mo 1122   Atticam
hodie ciuitatem maxumam maiorem feci atque
auxi ciui femina Pᴇʀ 475   iste hinc abiit atque abduxit mulierem Ps 1053   tantundem
argenti dedit huic atque hominem exornauit
mulierem qui abduceret Ps 1208   prehendi
rete atque excepi uidulum Rᴜ 1292   emi atque argentum dedi Tʀɪ 125, 1061 (cf Mᴇʀ 418
supra)   nos diuitem istum meminimus atque
iste pauperes nos Tʀᴜ 220
       passive: id . . uictum atque expugnatum op-
pidumst Aᴍ 191   corrupta sum atque absumpta sum Aᴍ 1058   manus manicae amplexae sunt atque adductae ad trabem As 304
quod celatum atque occultatumest usque adhuc
nunc non potest Aᴜ 277   perditus sum atque
eradicatus sum Bᴀ 1092   postquam cenati atque appoti, talos poscit Cᴜ 354
       e. indic. plusquamperf.: iam addicta atque
abducta erat Mᴇʀ 616
       f. indic. fut. perf.: quando ego te . . cru-
ciauero atque . . morti misero . . Cᴀᴘ 692   si
non dederit atque hic dies praeterierit . . ille
ius iurandum amiserit Pᴇʀ 402
       g. subiunct. praes.: quadrigas si nunc in-
scendas Iouis atque hinc fugias . . Aᴍ 451   satis
faciat mihi ille atque adiuret insuper Aᴍ 889
. . quin centiens eadem imperem atque ogganiam As 422   praeripias scortum amanti atque argentum obicias lenae? As 814   qui quidem cum filio potet una atque* una amicam
ductet As 863   egon ut non domo uxori
meae subrupiam . . pallam . . atque ad te deferam? As 885   . . ut tibi ne quid credat atque ut uinctum te adseruet domi Bᴀ 750   . . ni
meum gnatum tam amem atque ei facta cupiam As 778   est miserorum ut male uolentes
sint atque inuideant bonis Cᴀᴘ 583   quid si
adeam atque appellem? Cɪ 231   quid si adeam
. . atque occentem Cᴜ 145   quid nunc ego faciam nisi uti adeam atque adloquar Mᴇɴ 712

. . ut fidicinam . . ulciscare atque ita curetur Ep 269   dum tibi ego placeam atque obsequar, meum tergum flocci facio Ep 348 . . malo cruciatu ut pereas atque abeas cito Ep 513   ego lenocinium facio qui habeam alienas domi atque argentum egurgitem? Ep 582   . . ubi sepulcrum habeamus atque hunc conburamus diem Men 152   has sustollat aedis totas atque* hunc in crucem Mi 310   ne tibi clam se subterducat istinc atque huc transeat Mi 343   fauces prehendam atque enicem scelestam stimulatricem Mo 219 (v. secl Ladewig§) abeamus nunciam . . atque porro quaeritemus Mo 990   . . ut me uerberes atque auctionem facias Poe 411   compositast fallacia ut eo me priuent atque inter se diuidant Poe 775 metuo . . ne deserat med atque ad hostis transeat Ps 1027   nec quicquamst melius quam ut hoc pultem atque aliquem euocem hinc intus Ps 1121   leno argentum hoc uolo . . accipiat atque amittat mulierem Ps 1123 quin . . bene facta . . exaugeam atque illam augeam St 304   ego . . edim atque ambabus malis expletis uorem Tri 475   quod in manu teneas atque oculis uideas id desideres Tri 914 . . quae ego sciam atque hic nesciat Tri 937 (v. secl RRs)

    h. subiunct. imperf.: miles Menaechmum cum uxore opprimeret sua atque obtruncaret moechum Ba 918   . . ne te opprimeret inprudentem atque electaret Mer 224

    i. subiunct. perf.: deciderint uobis femina in talos uelim. #At edepol nos in lumbos linguam atque* oculos in solum Poe 571

    k. imperat.(cf Ballas, I. p. 16; Loch, p. 25): mitte istaec atque* haec quae dicam accipe Am 1101   i, puere, pulta atque atriensem Sauream . . euocato huc As 383   pultadum fores atque euoca aliquem intus Mo 675   omitte ista atque* hoc . . responde As 578   hunc delude atque amplexare hanc As 679

    ad me adi uicissim atque experire As 722 adi atque adloquere Cap 540   adi sis tute atque ipse itidem roga Per 600   adei atque appella Poe 992   redi nunciam intro atque intus serua Au 81

tace atque abi intro Au 103   tace atque abi Au 273, Cas 149 tace atque sequere, Lyde, me Ba 137   Men 438(atque hinc abi add R) tace atque abi rus Mo 66   tace atque parce muliebri supellectili Poe 1145   tace atque hanc rem gere Ps 195

utere atque impera Au 143   uascula intus pure propera atque elue Au 270   propera atque abi Poe 426, St 265   propera atque* actutum redi St 154   curata fac sint . . †atque occlude aedis Au 274   cape atque abi intro Au 328(L in lac)   tu . . eum sume atque abi Au 329   prodi atque ostium aperi Au 350   subueni mihi atque adiuua Au 394   tu abi intro . . ad Bacchidem atque ecfer cito Ba 714   abi atque abstine manum Cas 229   intro abi atque actutum uxorem huc euoca ante aedis cito Cas 295   intro abi, uxor, atque adorna nuptias Cas 419   abi atque obsona, propera Cas 491   abi atque hastatos multos — Ci 287   intro abi atque*

animo bono's Ci 591   abi modo intro atque hanc adserua Ep 604   abi atque obsonium adfer Men 220   abi cito atque orna te Mi 1195   abi tu hinc intro atque ornamenta haec aufer Mo 294   abi atque caue sis a cornu Per 316   Cf Sjögren, p. 91

cura atque abduce me hinc Ba 1031   uale atque haec cura Ba 1035   cura quae iussi atque abi Cap 125   uale atque salue Cap 744, Ci 116, Cu 522, 588   nunc uale atque istanc iube Cas 548

i hac mecum intro atque . . filium concastigato Ba 1175   i tu atque arcesse illam Cas 587 i tu hinc ad uillam atque istos rastros uilico facito ut . . tradas Mer 277   i intro atque inspice Mo 807   i atque (APLLy om Parψ) euoca (uoca Ly) illum Poe 1116   ite istinc atque* ecferte lora Cap 658 (PU)   Cf Sjögren, p. 87

serua tibi in perpetuom amicum me atque hunc †inuentum inueni Cap 441   moue abs te †moram atque . . age hanc rem Cap 790   in furnum calidum condito atque ibi torreto me Cas 310 mane atque asta Cas 737   mane parumper atque haec audi Mer 922   mane tu atque adsiste ilico Mo 885   asta atque audi Ci 597   ambages . . mitte atque hoc age Ci 747   aufer istaec quaeso atque hoc responde Cu 245   absolue me atque argentum numera Ep 631(vide §)

cape atque serua Men 272   cape chlamydem atque isti asta ilico Mer 912   linteum cape atque exterge tibi manus Mo 267

desiste ludos facere atque i hac mecum semul Men 405   audi atque ades Men 643*, Poe 1075 (aperi si audes: atque adest Rgl)   liber esto atque* ito quo uoles Men 1029   sume laciniam atque absterge sudorem tibi Mer 126   hoc ausculta atque ades Mer 568   repudia istos comites atque hoc respice et reuortere Mer 871 anteueni aliqua atque* aliquo actutum circumduce exercitum Mi 221(R)   es, bibe, animo obsequere mecum atque onera te hilaritudine Mi 677   patere atque* asta Mi 1022   curre intro atque* ecferto aquam Mi 1332   curre in Piraeum atque unum curriculum face Tri 1103   fuge obsecro atque abscede ab aedibus Mo 460   fac sit mulier libera atque huc continuo adduce Per 439   exi atque educe uirginem Per 459   i sane, eme atque ausculta mihi Per 574 (PRU)   eloquere actutum atque indica Per 664   accede ad me atque* amplectere sis Per 674   accede ad me atque adi contra Ru 242   dic atque* impera Poe 1040   antestare me atque duce Poe 1229 adsiste altrinsecus atque onera hunc maledictis Ps 357   tu epistulam hanc a me accipe atque illi dato Ps 647   loquere atque i in malam crucem Ps 839   onera hunc †hominem (umerum SpRRg) atque* me consequere hac Ps 1315   quaere erum atque adduce Ru 775 huc redito atque agitato hic custodiam Ru 858 hoc animum aduorte atque aufer ridicularia Tri 66   consequere atque illam saluta et gratulare illi Tru 511   accipe hoc atque auferto intro Tru 914

concedite atque abscedite omnes, de uia decedite Am 984   concedite hinc uos intro atque operite ostium Tru 386   auscultate atque

operam date et mea dicta deuorate As 649 ad
fores auscultate atque adseruate aedis Tru 95
pandite atque aperite propere ianuam hanc
Orci Ba 368 abducite hunc intro atque adstringite ad columnam fortiter Ba 823 hanc
rem agite atque animum aduortite Cu 635
lumbos porgite atque exsurgite Ep 733 nunc
argumentum accipite atque animum aduortite
Men 5 aperite atque Erotium aliquis euocate Men 674 aperite atque adproperate, fores
facite ut pateant St 309 exite atque ecferte
huc intus omnia Mi 1338 uos modo hinc abite
intro atque haec hinc propere amolimini Mo
391 curate istic uos atque adproperate ocius
Per 85 sileteque et tacete atque animum aduortite Poe 3 ualete atque adiuuate Poe 128
intro abite atque haec cito celebrate (celerate
GulRRgL -ra *Ly*) Ps 168 ferte opem inopiae
atque exemplum pessumum pessum date Ru
617 plaudite atque ite ad uos comissatum St
775 hic apponite atque abite ab oculis Tru 477
bene ualete, plaudite atque exurgite Tru 968
   l. *infin. praes.:* uoltis .. me laetum lucris
adficere atque adiuuare Am 3 mihi in mentem fuit dis aduenientem gratias .. agere atque alloqui Am 181 me malum esse oportet ..
atque hunc .. a foribus pellere Am 269 certumst aperire atque inspicere Am 787 dignos
indignos adire atque* experiri †certumst mihi
As 247 (adire precibus decretumst *Rgl: loc dub
cf* Abraham, p. 235) te meliust expergiscier
atque .. fingere fallaciam As 250 hanc iube
petere atque orare mecum As 662, 686 (istanc)
meum cor coepit artem facere ludicram atque
in pectus emicare Au 627 quid dubitamus
pultare atque huc euocare ambos foras? Ba
1117 iube uasa tibi pura apparari .. atque
agnum afferri Cap 862 non mihi licere meam
rem me solum .. loqui atque cogitare? Cas 90
cesso magnifice .. amicirier atque (*A* amiceque
P om HermU) ita ero meo ire aduorsum?
Cas 723 .. ut decet uelle hominem amicum
amico atque opitularier Cu 332 ire hercle meliust te — interim atque accumbere Men 329
qui lubet ludibrio habere me atque ire infitias
mihi? Mer 396 equos iunctos iubes capere
me .. me atque in currum inscendere Men 863
me iubes facere impetum in eum .. atque* occidere Men 869 meliust nos adire atque hunc
percontarier Men 1091 (memini) inter homines
me deerrare a patre atque inde auehi Men 1113
ego enim lugere atque abductam illam aegre
pati Mer 251 (*infin. hist.*) amplecti uoles, confabulari atque ausculari Mer 571 te satiust
rus aliquo abire, ibi esse, ibi uiuere (abire te
aliquo atque ibi te u. *R*) Mer 656 te orare
atque obsecrare iussit Mi 971 tecum uiuere
uolt atque aetatem exigere Mi 1275 nihil
cessarunt ilico osculari atque* amplexari inter
se Mi 1433 dicat .. se amare uelle atque obsequi animo suo Poe 176 exporgi meliust
lumbos atque exsurgier Ps 1 satius est adire
blandis uerbis atque exquaerere Ps 450 propera hanc pellegere .. epistulam .. atque accipere argentum actutum mulieremque emittere
Ps 994 sultis adplaudere atque adprobare ..
Ps 1335 hanc .. uillam .. pulsare iussisti atque

aquam rogare Ru 332 spectaui ego pridem
comicos .. sapienter dicta dicere atque is plaudier Ru 1250 ne miremini homines seruolos
potare amare atque ad cenam condicere St
447 iuben domi cenam coqui atque ad illum
renuntiari? St 599 condicionem hanc .. dare
atque accipere .. te uolo Tri 489 .. te .. solitum dites damnare atque domare Tri 829
lubet adire atque appellare hunc Tri 1041
hunc †iuuenem insui culleo atque deportari
iussi Vi 109 (*ex Fulg de abstr serm* XXII:
vide Rg)
   m. *infin. perf.:* fures uenisse atque abstulisse
dicito Au 97 dicit .. se .. peperisse gnatam
atque eam se seruo ilico dedisse exponendam
Ci 181 tibi istam emptam esse scibit atque
hanc adductam alteram Ep 154 ait hanc dedisse me sibi atque eam meae uxori surrupuisse Men 480 permirum ecastor praedicas,
te adisse atque exorasse Mi 1224 credo aliquem inmersisse atque eum excepisse Ru 397
aiunt .. se iactatas atque eiectas hodie esse
aiunt e mari Ru 562
   n. *gerund.:* ad loquendum atque ad tacendum tute habeas portisculum As 518 illud
praecauendumst atque adcurandumst mihi Men
860 uix fuit copia adeundi atque impetrandi
Mi 1226 (amor) procul †adhibendust atque
abstandust Tri 264 (*loc perdub: vide ω*) dat
operam, ne sit reliquom, poscendo atque auferendo Tru 16
   o. *partic., sim.:* duello extincto maxumo atque internecatis hostibus Am 189 salute nostra
atque urbe capta per dolum domum reduco ..
exercitum Ba 1070 uidisse .. conseruom meum
cum suo amatore amplexantem atque osculantem Mi 245 quam .. uidisse aibas te osculantem atque amplexantem cum altero Mi 320
uidi et illam et hospitem conplexum atque osculantem Mi 534 me apsente atque* insciente ..
aedis uenalis hasce inscribit litteris Tri 167
   p. *formas diversas:* quin .. segnitiem amove
(-ues *LambRgl*) atque ad ingenium .. te recipis
tuom? As 255 totus doleo atque oppido perii
Au 410 in hac mecum intro atque ut induces
animum haec ut (*RRgU* atque **ut *PS* atque
ut *LLyS²*) eis delicta ignoscas Ba 1185 .. ut
qui erum me tibi fuisse atque esse nunc conseruom uelint Cap 243 me rabiosum atque insectatum esse hastis meum memoras patrem?
Cap 552 foris concrepuit atque eapse eccam
egreditur foras Cas 163 metuo ne non sit surda
atque haec audiuerit Cas 575 rem necesse eloquist quicquid egi atque ago Men 118 Menaechmus se subterduxit mihi atque abit ad
amicam Men 450 (abiit *LU* abit *Ly*) habeatis
curae quae imperaui atque impero Men 991
ilico occucurri atque interpello Men 201 ut
tremit atque extimuit Mi 1272 ualet ille quidem atque ego disperii Mo 375 quin tu is
intro atque* otiose perspecta Mo 815 (*vide R*)
ut adhuc fuit, mihi corium esse oportet sincerum atque ut uotem uerberari Mo 869 (*LLy
in loco perd: vide ψ*) per nebulam nosmet
scimus atque audiuimus Ps 463
   12. *duo enuntiata coniungit; multa etiam
quae supra 11 iam citata sunt huc sine dubio*

facillime referri possunt: ego serui sumpsi Sosiae mihi imaginem ut praesiuire .. possem patri atque ut ne qui essem familiares quaererent Am 127 (*cf* Sjögren, p. 123)   olet homo quidam .. atque haud longe abesse oportet Am 322 ita di faciant ut tu potius sis (Sosia) atque ego te ut uerberem Am 380   cura rem communem quod facis atque* inperce quaeso Am 500   te, nox, .. mitto uti cedas die .. atque quanto .. fuisti longior .. tanto breuior dies ut fiat faciam Am 548   quid tu me .. sic salutas .. atque me nunc proinde appellas quasi .. Am 685 (*v. secl MueRgl𝔖U*) .. tibi (ut *add U*) morigera atque ut munifica sim bonis Am 842 quid si adduco .. atque is si denegat .. quid tibi aequomst fieri? Am 850   quae neque sunt facta .. arguit atque id me susque deque esse habituram putat Am 886   quia uos tranquillos uideo, gaudeo .. atque ita seruom par uidetur frugi sese instituere Am 959   fac sis .. ut uelle med intellegis atque ut ministres mihi Am 983 ut tibi superstes uxor aetatem siet atque .. uiuos ut pestem oppetas As 22   omnes parentes .. liberis suis .. facient obsequentiam: atque ego me id facere studeo As 67   te ego ut digna's perdam atque ut de me meres As 148 si quidem .. summum Iouem te dicas detinuisse atque is precator adsiet .. As 415   dormitis interea domi atque erus in hara .. habitat As 430   mandata dicam facta ut uoluerit atque interea ut decumbamus suadebo As 914   senex uix promittit atque aulae timens .. uariis abstrudit locis Au *Arg* I. 8   insidias seruos facit huius Lyconides .., atque ipse obsecrat auonculum .. Au *Arg* I. 12   .. (uerbero) ut misera sis atque ut te dignam .. aetatem exigas Au 43   ausculta mihi atque eam desponde mihi Au 238   tace nunciam tu: atque agnum hinc uter est pinguior ∗∗∗ Au 327   cara omnia atque eo fuerunt cariora, aes non erat Au 376 istoc fortasse aurost opus .. atque eo fortasse iam opust Ba 221   ueniat quando uolt atque ita ne mihi sit morae Ba 224   .. Mnesilochum ut requiram atque ut eum mecum ad te adducam Ba 527   inimicos ipsi in sese omnis habent: atque i se quom frustrant frustrari alios .. existumant Ba 548   ego patrem exoraui .. atque aegre impetraui Ba 691   et profecto se ablaturum dixit .. atque id pollicetur se daturum aurum mihi Ba 742   potin ut cures te atque ut ne parcas mihi? Ba 751 facite .. accubitum eatis .. atque ibidem .. potetis cito Ba 756   uis tibi ducentos nummos iam promittier ut ne clamorem .. atque ut tibi mala multa ingeram? Ba 875   ibi uix me exsolui: atque (*om L*) id periclum adsimulo .. Ba 962   si erus tu mihi's atque ego me tuom esse seruom assimulo .. Cas 223   ne me secus honore honestes .. atque ut qui fueris .. ut memineris Cap 248   animum aduortas uolo: atque .. caue tu mihi iratus fuas Cap 431   Cap 710 (atque *U pro* qui)   facite deductus siet: atque hunc me uelle dicite ita curarier .. Cap 737   compedibus quaeso ut tibi sit leuior filius atque huic grauior seruos Cap 1026   dum mihi uolui, huic dixi atque adeo mihi dum cupio .. Cas 367   .. ne ea mihi

daretur atque ut illi nuberet Cas 431   .. ut uiro tuo semper sis superstes atque (*PU* tuaque *Aψ*) ut potior pollentia sit Cas 819   surgo, ut in eam in ∗∗∗ atque illam in ∗∗∗ Cas 926 ⟨scipionem perdidi at⟩que expalliatus sum Cas 945 (*Rs aliter ψ*)   .. ut amicitiam colunt atque ut eam iunctam bene habent Ci 26   ∗∗inis est amor ∗du∗ atque illam quam te amare intellego Ci 274   istuc ago atque istic mihi cibus est Ci 720   auscultes mihi atque istam exturbes .. aegritudinem Cu 224   (argentum) apud trapezitam situmst .. atque ei mandaui .. Cu 346   eamus nunc intro .. atque aliquid prius obtrudamus Cu 366   sta sis ilico. #Atque argentum propere propera uomere Cu 688   emit fidicinam .. senex .. atque* conducticiam .. pro amica ei subiecit filii Ep *Arg* 2   Ep 55 (atque *U pro* qui)   rem tibi sum elocutus omnem .. atque admodum .. summam edictaui tibi Ep 104   continuo arbitretur uxor tuo gnato atque ut fidicinam .. ulciscare Ep 267   ut .. praestines argento .. atque ut eam te in libertatem dicas emere Ep 278   ego illum conueniam atque adducam .. atque argentum ego cum hoc feram Ep 295   si plus dederis referam atque id non decem occupatum tibi erit argeutum dies Ep 298   hodie ducam scortum atque aliquo ad cenam condicam Men 124   iube .. prandium accurarier atque aliquid .. opsonarier Men 209   omne paratumst, .. ut iussisti atque ut uoluisti Men 365   (pallam) ut reconcinnetur atque ut opera addantur Men 427   hoc .. ad aurificem deferas atque huc ut addas auri pondo unciam iubeasque .. Men 526   .. ubi uir compilet clanculum quicquid domist atque ea ad amicam deferat Men 561   ut hoc utimur maxume moro moro .. atque uti .. morem habent hunc Men 572   quis arguit? #Egomet. #Et ego: atque huic amicae detulisti Erotio Men 652   ut aetas meast atque ut hoc usus factost, gradum proferam Men 753   ille hinc amat meretricem... #Sane sapit: atque .. etiam faxo amabit amplius. #Atque* ibi potat Men 792   me arguit hanc domo ab se surrupuisse atque abstulisse deierat Men 814   ea te causa duco ut id dicas mihi atque illum ut sanum facias Men 893   eri imperium .. sedate seruo id: atque id mihi prodest Men 981   .. aetate exiit atque animus studio amotus puerilist meus Mer 41 (*dub.*)   solitum uisere urbem atque .. rus rusum confestim exigi solitum a patre Mer 67 .. agrum se uendidisse atque* ea pecunia nauem .. parasse atque .. uectatum undique Mer 74   me .. inuisum meo patri esse intellego atque odio me esse Mer 81   instare factum simia atque hoc denique respondet Mer 242 mihi malum adportant: atque* eos esse quos dicam hauscio Mer 270   metuo ne uxor me castret mea atque* illius haec nunc simiae partis ferat Mer 276 (*v. secl RRgL*)   humanum amarest atque id uei optingit deum (*A ut uid* h. a. e. humanum autem ignoscere est *PRL*) Mer 319 (*vide Ly*)   si dico ut res sit atque illam mihi me emisse indico .. Mer 351   ∗∗∗atque* illam abstrahat Mer 354   impleantur .. meae fores carbonibus: atque ut nunc sunt male dicentes homines.. Mer 410 uisne eam ad portum?.. atque eximam mulierem pretio? Mer 486 si ibi amare forte occipias atque item eius sit inopia, iam inde porro aufugies? Mer 650 ..caelum ut est splendore plenum ⟨uide sis atque innubilum R ex aduorso uides PS non ex a. u. AcRg nonne ex a. u.? Ly atque ut dei istuc uorti iubent? L atque claritudine U) Mer 880 deuortiter apud.. senem: atque is illi amanti.. morem gerit Mi 136 ⟨RRgU) mulier feret imaginem atque eadem erit Mi 152 eam iube cito domum transire atque* haec ei dici Mi 256 huc despexi in inpluuium atque ego illi aspicio.. Mi 288 ut.. somnium quam simile somniauit atque ut tu suspicatus es eam uidisse osculantem Mi 401 qui scio an ista non sit Philocomasium atque alia eius similis sit? Mi 448 ego abeo a te.. atque apud hunc ero uicinum Mi 479 .. mihi amanti ire opitulatum atque ea te facere facinora quae.. Mi 621 bene uiuo et fortunate atque ut uolo atque animo ut lubet Mi 706 sycophantiam qui admutiletur miles usque.. atque uti.. ecficiamus copiam Mi 768 erus meus ita magnus moechus.. mulierumst.. atque* Alexandri praestare praedicat formam suam Mi 777 ludificari militem tuom erum uis?.. #Atque huius uxorem †tu uolo adsimulari Mi 908 haec carina satis probe.. statutast: atque* architecto adsunt fabri Mi 919(L solus: loc dub) si efficiam plane ut concubinam militis meus hospes habeat hodie atque hinc Athenas auehat Mi 938 eat tecum ad portum cito atque ut iubeat ferri in nauim Mi 1187 abibo tecum. #Atque ubi illo ueneris triduom seruire numquam te .. sinam Mi 1193 .. ne oculi eius sententiam mutent.. atque eius elegantia meam extemplo speciem spernat Mi 1235 argumentaque in pectus multa institui ego atque.. uolutaui Mo 87 esse ut praedico uera uincam: atque hoc uosmet ipsi.. dicetis Mo 96 cor dolet quom scio ut nunc atque ut fui Mo 149 nihilo ego quam nunc tu amata sum atque uni modo gessi morem Mo 200(loc dub) si tibi sat acceptumst fore tibi uictum sempiternum atque illum amatorem tibi proprium futurum in uita.. Mo 225 .. ut ego exheredem meis me bonis faciam atque (ut add U) haec sit heres Mo 234 tantum quantum quis fuge atque Herculem inuoca Mo 528 et bene monitum duco atque esse existumo humani ingeni Mo 814 dicam ut hinc res sint quietae atque hunc ut hinc amouerim Mo 932 uide sis, ne.. quopiam deuorteris atque ibi amplius.. biberis 967 ain amicam destinatam Philolachem? #Aio. #Atque eam manu emisisse? #Aio. #Et.. Mo 975 fac ego ne metuam mihi atque(m. a. R in lac *L) ut tu meum timeas uicem Mo 1145 suadet.. filia atque ita intricatum ludit potans Dordalum Per Arg I. 5 neque edacitate eos quisquam poterat uincere atque* eis cognomentum erat duris capitonibus Per 60(L) .. et mulier ut sit libera atque ipse ultro det argentum Per 327 eum ego ut requiram atque †ut redimam uolo Per 696(loc dub) quin tu meis

contra item dictis seruis? atque hoc quod tibi suadeo facis? Per 814 ego faxo .·dabit atque* te faciet ut sis ciuis Attica atque libera Poe 372 ego faciam ploratillum, nisi te facio propitiam atque hic ne me uerberetillum faciat.. male formido Poe 378 interibi attulerint exta atque* eadem mulieres.. apparebunt domi Poe 617 .. ut hortum fodiat atque ut frumentum metat Poe 1020 si sacruficem summo Ioui atque in manibus exta teneam.. Ps 266 tibi nunc dilectum para atque* ex multis exquire illis(atque om P ex multis atque ex. AL) Ps 392 cauendumst mihi aps te irato atque.. me uerberare.. cogitas Ps 474 hoc ego oppidum admoenire.. uolo atque* huc meas legiones adducam Ps 586 ita praecellet atque exinde sapere eum omnes dicimus Ps 680 conuiuis cenam conditam dabo hodie atque ita suaui suauitate condiam Ps 882 caue sis tibi a curuo infortunio atque in hunc intende digitum Ps 1144 hoc tibi erus me iussit ferre.. quod deberet atque ut mecum mitteres Phoenicium Ps 1151 te ad me misit.. hoc argentum ut mihi dares.. atque ut.. mulierem tu abduceres? Ps 1155 ita male uiuo atque ita mihi multae in pectore sunt curae exanimales Ru 221 omnia iam circumcursaui atque omnibus latebris perreptaui Ru 223 ego quod mihi imperauit sacerdos id faciam atque aquam.. rogabo Ru 404 eamque uenturam exagogam.. sospitem atque ab lippitudine usque siccitas ut sit tibi Ru 632 hasce esse oportet liberas.. atque eras tuas quidem hercle atque ex germana Graecia Ru 737 .. ut tempestas est nunc atque ut noctu fuit Ru 901 quid si ista.. hariolast atque omnia quidquid inerit uera dicet? Ru 1139 osculando meliust.. pausam fieri: atque adorna ut rem diuinam faciam Ru 1206 ut me manu emittat.. atque ut mihi Ampelisca nubat.. atque ut gratum mihi beneficium.. experiar Ru 1220-1 erga te benignus fui atque opera mea haec tibi sunt seruata Ru 1389 si illi improbi sint atque aliter †nos faciant.. St 43 haec uerba subigunt med ut mores barbaros discam atque ut faciam.., itaque auctionem praedicem St 194 aequiust eram mihi esse supplicem atque oratores mittere ad me St 291 uiden ridiculos nihili fieri atque ipsos parasitarier? St 637 .. salutem ut nuntiaret atque ei ut diceret St 653 si in aedem ad cenam ueneris atque ibi opulentus tibi par forte obuenerit.. Tri 469 .. ut uirtute eorum anteparta .. perderes atque.. ut uindex fieres? Tri 644 scio.. amorem tibi pectus obcurrasse: atque ipse amoris teneo omnis uias Tri 667 itast amor ballista ut iacitur..: atque is mores hominum moros.. efficit Tri 669 tanto meliust te.. egestatem exsequi atque eum agrum me habere quam te? Tri 687 .. ubi adfinitatem.. nostram adstrinxeris atque eum agrum dederis.. Tri 700 circumspectat sese atque aedis noscitat Tri 863 id genus hominum omnibus uniuorsis est aduorsum atque omni populo male facit Tri 1047 neu qui rem ipsam posset intellegere.. atque eum (thensau-

rum) a me..posceret Tʀɪ 1146 si id quod
oratur dedit atque est benignus.. Tʀᴜ 41
.. ut me extrudat foras.., atque ut cum solo
pergraecetur milite Tʀᴜ 87b nequit quin
nihili sit atque* inprobis se artibus expoliat
Tʀᴜ 553 dic.. me honorem illi habere..
atque ut huc ueniat obsecra Tʀᴜ 592 datin
soleas atque me intro actutum ducite Tʀᴜ 631
egon tibi male dicam aut tibi atque* male
uelim? Tʀᴜ 775(U)

13. *aliud quid addit a. ut narrationem proferat:* atque inuicem raptant pro moechis Aᴍ
Arg II. 6 atque(*U pro* quin) incommodi plus
malique ilico adsit.. Aᴍ 636 atque illuc
sursum escendero Aᴍ 1000 atque idem te
hinc uexerunt As 342 atque ego quidem
hercle ut uerum tibi dicam.. As 843 atque
ille uero minus minusque inpendio curare..
Aᴜ 18 atque id si scies qui abstulerit mihi
indicabis? Aᴜ 773 atque is dum ueniat sedens ibi opperibere Bᴀ 48 atque hic equos
non in arcem uerum in arcam faciet impetum
Bᴀ 943 atque ego si alibi plus perdiderim..
Bᴀ 1102 'quo imus' inquam 'ad prandium?'
atque illi tacent Cᴀᴘ 479(*v. om B*) 'ubi cenamus ⟨una⟩?' inquam atque illi abnuont Cᴀᴘ
481 atque* te nolim suscensere Cᴀᴘ 942 atque* antiqua opera et uerba quom uobis placent.. Cᴀs 7 atque hoc credo impetrassere
Cᴀs 271 atque edepol mirum ni subolet.. Cᴀs
554 atque* hoc poetae faciunt in comoediis
Mᴇɴ 7(*v. om Osann*ω) atque oppido hercle
bene uelle illud uisus sum Mᴇʀ 245 atque
ibi ego aspicio forma eximia mulierem Mᴇʀ
260 atque* hercle inuenies tu locum illi si
sapis Mᴇʀ 584 atque eadem quae illis uoluisti facere, illi faciunt tibi Mɪ 606 atque
illud saepe fit Mᴏ 108 atque* edepol ita
haec tigna.. putent Mᴏ 146 ego enim caui..,
atque animo meo sat sapio.. Mᴏ 926(*vide L*)
atque nisi gnatam tecum.. adducis, exigam
hercle ego te ex hac decuria Pᴇʀ 142 atque
ego omne argentum tibi hoc actutum redigam
Pᴇʀ 324 atque edepol firme ut quisque rem
accurat suam, sic ei procedit Pᴇʀ 451 atque
haec ut loquor nunc domo docta dico Pᴏᴇ 216
atque equidem hercle.. amicos fugitaui senes
Pᴏᴇ 508 atque ut opinor digitos in manibus
non habent Pᴏᴇ 980 atque heri iam edixeram omnibus Ps 148 atque ego me iam
pridem huic daturum dixeram Ps 406 atque
ego nunc me ut gloriosum faciam! Ps 674
atque hoc euenit in labore atque in dolore Ps
685 atque hoc scelesti in animum inducunt
suom Rᴜ 22 atque ut nunc ualide fluctuat
mare, nulla nobis spes est Rᴜ 303 atque
edepol in eas plerumque esca inponitur Rᴜ
1237 atque(*add L*) auditaui saepe hoc uolgo
dicier Sᴛ 167 mihi ipsi domi meae nihil
est: atque hoc scitis uos Sᴛ 591 atque qui-
dem(*SLy* equidem *Pψ*) ipsus ultro uenit Philto
oratum filio Tʀɪ 611 atque* ego istum agrum
tibi relinqui.. enixe expeto Tʀɪ 652 atque si
eris nactus.., ne scintillam quidem relinques
Tʀɪ 677 atque* aliquem ad regem.. Tʀɪ 722
(*RRgU: loc perdub: vide* ψ) atque* ea condicio huic uel primariast Tʀɪ 746 atque ego,

Neptune, tibi ante alios deos gratias ago Tʀɪ
824 atque haec celamus nos clam †mina industria Tʀᴜ 57

b. = atque insuper, *addito persaepe* etiam,
alius, adeo, *sim.*: atque ego quoque etiam..
metuo malum Aᴍ 30 atque is repente abiit
a me Aᴍ 639

atque ea si erant magnas habebas omnibus
dis gratias As 143 tibi quidem supplicium..
detur? #Atque etiam(†L).. poenae pendentur
mihi As 482(*v. om Uω*) Philaenium estne haec
quae intus exit? †atque Argyrippus una? As
586 atque etiam tu quoque ipse.. crederes
As 502 atque etiam hoc praedico tibi Aᴜ 99
haec sunt atque aliae multae in magnis dotibus incommoditates Aᴜ 532 atque id quoque
etiam fiet nisi fatere Aᴜ 644 dedecorat te
me amicos atque* alios Bᴀ 498(*v. om GoelRgS*)
uos duo eritis atque amica tua erit tecum
tertia Bᴀ 717 numquid aliud? #Hoc atque
etiam Bᴀ 757 perditus sum atque etiam eradicatus sum Bᴀ 1092(*cf* Aᴍ 1058, *supra* 11. d)

tantum affero quantum ipse ab diuis optat
atque etiam amplius Cᴀᴘ 777 dum 'mihi'
uolui, 'huic' dixi, atque adeo mihi dum cupio.. Cᴀs 367 pol tu quidem atque etiam facis Cᴀs 368 atque id quoque habeo Eᴘ 314
atque etiam fides.. tibi addam dono gratiis Eᴘ
473 cedo manus igitur. #Morantur nihil: atque arte colliga Eᴘ 694 atque adeo hoc argumentum graecissat Mᴇɴ 11 atque adeo..
ob eam industriam hodie ducam scortum Mᴇɴ
123 ecquid audes de tuo istuc addere?
#Atque* hilarissume Mᴇɴ 149 atque ob istanc
industriam etiam faxo amabit amplius Mᴇɴ
791 diuom atque hominum quae superatrix
atque era eadem es omnibus Mᴇʀ 842 atque
adeo ut ne legi fraudem faciant.. adcuratote:
ut.. Mɪ 164 haec atque †huius similia alia
damna multa mulierum me uxore prohibent
Mɪ 699 atque ut tu scire possis, * dico tibi
Mɪ 842 atque adeo audin? dicito docte atque
cordate Mɪ 1088 quin potius per gratiam
bonam abeat abs te: atque illaec quae dixi
dato Mɪ 1126 atque apud hunc senem omnia
haec sunt Mɪ 1183 atque etiam in ea lege
adscribier.. Pᴇʀ 69 Pᴇʀ 254(atque dis cunctis *add R*) illum Persam atque omnis Persas
atque etiam omnis personas male di omnes
perdant Pᴇʀ 783 sub cratim ut iubeas se
supponi atque eo lapides inponi multos Pᴏᴇ
1025 atque eho, mirari noli neque me contemplarier Pᴏᴇ 1128 feilias meas celauisti
clam me, atque etiam ingenuas leiberas Pᴏᴇ
1240 atque hoc ne dictum tibi neges, dico
prius Ps 119 cur ego uestem aurum atque
ea quibus est uobis usus praehibeo? Ps 182
fac sis ut delatum huc mihi frumentum.. atque* adeo ut frumento afluam Ps 191 satin
magnificus tibi uidetur? #Pol iste, atque etiam
maleficus Ps 195a atque adeo.. pietas prohibet Ps 291 uerberauisti patrem atque matrem. #Atque occidi quoque Ps 367 hoc alii
mihi renuntiant: atque id iam pridem sensi
Ps 421 atque hoc uerumst: proinde ut quisque fortuna utitur ita praecellet Ps 679 malum callidum doctum: .. atque qui hic non

uisitatus saepe sit Ps 727 (cf Sjögren, p. 121) quo seruitutem di danunt lenoniam puero, atque* eidem si addunt turpitudinem .. Ps 768 atque etiam habeto mulierem dono tibi Ps 1075 .. nisi mihi argentum redditur .. #Atque etiam mihi aliae uiginti minae Ps 1223 atque id ne uos miremini..: licet haec Athenis nobis St 446 atque adeo ut tu scire possis, pacto ego hoc tecum diuido St 697 atque egomet me adeo cum illis una ibidem traho Tri 203 atque quidem ipsus ultro uenit Philto oratum filio Tri 611 atque ea condicio huic uel primariast Tri 746 atque* etiam ultro ipsi aggerunt ad nos Tru 112 uidi equom ex indomito domitum (WeisL aliter Pψ) fieri atque alias beluas Tru 319 uapulo hercle ego nunc atque adeo male Tru 357

c. *aliquid noui subito addit, addito saepe* ecce: atque aperiuntur aedes Am 955 atque illam geminos filios pueros peperisse conspicor Am 1070 atque audin etiam? As 109 atque audin? Ep 400, Poe 406, 408, Ps 665, Tri 799 atque hoc audin? Poe 407 atque eccam inlecebra exit tandem As 151 atque hercle ipsum adeo contuor As 403 atque hic pater est ut ego opinor Au 619 atque hic quidem Eucliost, ut ego opinor Au 728 atque heus tu! Ba 327 atque hic quidem, opinor, Chrysalust Ba 774 atque (U adest P mades Rsψ) mecastor uide palliolum ut rugat Cas 246 atque eccum uideo Cu 455 atque ipse illic est Ep 101 atque eccum uideo Men 357 atque edepol eccum optume reuortitur Men 567 atque eccam eampse ante aedis..uideo Men 772 atque eccum incedit Men 888, Ru 492 atque eccam incedit tandem Mer 671 atque eccum ipsum hominem Men 898 atque eccum it foras Mer 561 atque ille exclamat derepente maxumum Mo 488 atque eccum optume Mo 1127 atque optume eccum ipsum ante aedis Per 738 atque tu Persa es qui me usque admutilauisti Per 829 (dub.) aperi si audes: atque adest Poe 1075 (Rgl: vide ψ et supra 11. i) atque ipse egreditur intus Ps 132 atque optume eccum exit foras Ru 1209 atque eccum tibi lupum in sermone St 577 atque is est St 582, Tru 122 Cf Gronov, p. 203

14. *sententiam priorem vel explicat.vel corrigit vel supplementum addit; saepe in responsis:* credo edepol equidem dormire Solem atque adpotum probe Am 282 hic in me uehementer dicit, atque id sine malo Am 742 uiginti minas atque ea lege: si alius ad me.. As 231 atque ecastor apud hunc fluuium aliquid perdundumst tibi Ba 86 meretricem indigne deperit: .. atque* acerrume aestuosam Ba 471 (vide ω) quadringentos filios habet atque equidem omnis lectos sine probro Ba 974 soluite istum nunciam: atque utrumque Cap 355 atque ut perspicio, profecto iam aliquid pugnae edidit Cap 585 ad te hercle ibam commodum. #Atque* hercle ego ad te Cas 594 (U) esurio hercle atque adeo hau salubriter Cas 801 respondit mihi paucis uerbis atque adeo fideliter Cu 333 et nunc idem dico. #Atque* ego commeminisse ego haec uolam te Cu 493 (Rg) tuas possidebit mulier faxo ferias, atque

ita profecto .. Ep 470 iube igitur tribus nobis apud te prandium accurarier..: atque actutum Men 213 scelus tu pueri's: atque* ob istanc rem ego .. te peculiabo Per 192 dabuntur dotis tibi inde sescenti logei: atque Attici omnes Per 395 .. nisi ero meo uni indicasso: atque ei quoque, ut ne enuntiet Poe 888 tun es is Harpax? #Ego sum: atque ipse harpax quidem Ps 1010 iam clientas repperi: atque ambas forma scitula Ru 894 oratio una interiit: .. atque optuma hercle meo animo St 184 mentire edepol, gnate, atque id nunc facis haud consuetudine Tri 362 tria dixti uerba: atque (ea add GuyLLy) mendacia Tru 757 (vide ψ)

numquae aduenienti aegritudo obiectast? #Atque acerruma Ba 538 duas .. eccas Bacchidas. #Quid, duae? #Atque ambas sorores Ba 569 dabo? #Atque orabis me quidem ultro ut auferam Ba 825 seruos? ego? #Atque meus Cas 736 patierin me periurare? #Atque* aliquanto facilius Ci 500 (PU) mihin malum minitare? #Atque edepol non minitabor sed dabo Cu 571 (arma) ad hostis transfugerunt. #Arma? #Atque equidem (Luchs quidem P) cito Ep 30 abeamus intro hinc ad me. #Atque aliquanto lubentius .. Ep 380 oboluit marsuppium ... #Atque edepol tu me monuisti probe Men 385 ecquis suppetias mihi audet ferre? #Ego, ere, (atque add AcR) audacissume Men 1003 nempe tu istic ais esse erilem concubinam? #Atque arguo.. Mi 337 (B solus) tun me uidisse..ais osculantem? #Atque* cum alieno adulescentulo dixit Mi 367 tun me uidisti? #Atque his quidem hercle oculis Mi 368 eueniant uolo tibi quae optas. #Atque (at qui R) id fiat, nisi .. Per 293 te ex puella prius percontari uolo quae ad rem referunt. #Atque* hercle tu me monuisti hau male Per 593 eum ego ut requiram .. uolo. #Atque edepol tu me commonuisti hau male Per 697 fures estis ambae. #Nosne tibi? #Vos inquam. #Atque ego scio Poe 1238 quaeso animum aduorte. #Audio: atque in pauca..confer quid uelis Ps 278 ecquid is homo habet aceti in pectore? #Atque acidissumi Ps 739 quin hinc metimur gradibus militariis? #Atque edepol .. recte mones Ps 1050 tenes iam? #Propemodo atque ausculto perlubens Tri 780 e caelo? #Atque e medio quidem Tri 941 haben tu id aurum .? #Atque etiam Philippum Tri 965

15. **atque** *in apodosi:* dum circumspecto, atque ego lembum conspicor Ba 279 quom ad portum uenio, atque ego illam illi uideo praestolarier Ep 217 postquam id quod uolui transegi, atque* ego conspicio nauem Mer 256 quoniam conuocaui, atque illi me ex senatu segregant Mo 1050 ut ad portum processimus atque istum..uidemus Poe 651 da mihi hoc, mel meum: .. atque (RRs ibi Pψ abi A) ille cuculus Tri 245 (vide ω)

16. *plures coniunctiones* (cf Ballas, II. p. 7) a. **atque-atque:** praecucurristi atque hinc pateram tute exemisti atque eam huic dedisti Am 796 istum amoues abs te atque †ipse me adgredere atque illa..mihi statuis supplicasque? As 714 Au 679 (Rg) iam perdidisti te

atque me atque operam meam BA 132   ita
nunc pudeo atque ita nunc paueo atque ita
inridiculo sumus ambo Cas 877   amant stulte
atque inmodeste atque inprobe Cɪ 280   imperas ut ego huius membra atque ossa atque
artua comminuam Mᴇɴ 855   agrum se uendidisse atque ea pecunia nauem..parasse atque
ea se mercis mercatum Mᴇʀ 75(L) illius oculi
atque aures atque opinio transfugere ad nos
Mɪ 589   illum conueniam atque illi hunc anulum dabo atque* praedicabo Mɪ 931   ..illum
expectes unum atque illi morem praecipue sic
geras atque alios aspernere Mo 188   clauem
cedo atque abi intro atque occlude ostium
Mo 411 b (secl Acω ⹄) 425 (alterum atque om R)
illum Persam atque omnis Persas atque etiam
omnis personas male di omnes perdant Pᴇʀ
783   bonam atque obsequentem deam atque
haud grauatam patronam exsequontur benignamque multum Ru 260   liberas atque eras
tuas quidem hercle atque ex germana Graecia
Ru 737   fac ut exores Plesidippum ut.., atque ut.., atque ut.. Ru 1220

b. atque-atque-que: As 714 (supra a), Ru 260
(supra a)

c. atque-et: accedam atque hanc appellabo
et subparasitabor patri Aᴍ 515   auscultate
atque operam date et mea dicta deuorate As
649   alium porcinam (praestinatum abire)
atque agninam et pullos gallinaceos Cap 849
hanc seruolus tollit atque exponit et ex insidiis aucupat Cɪ Arg 4   ita me deaeque
superi atque* inferi et medioxumi.. Cɪ 512
ineptia atque stultitiaque (RRg stultitiaque Pψ)
adeo et temeritas Mᴇʀ 26   repudia istos comites atque hoc respice et reuortere Mᴇʀ 871
stat propter uirum fortem atque fortunatum
et forma regia Mɪ 10   amicam destinatam
Philolachem?..atque eam manu emisisse?..
et..perpotasse Mo 975   praeoccupabo atque
anteueniam et foedus feriam Mo 1060   quaestum..seruo atque obtineo et magna cum
cura colo Pᴇʀ 53   consequere atque illam saluta et gratulare illi Tʀᴜ 512   tun †pertilli
doni causa, holerum atque escarum et poscarum.. Tʀᴜ 610

d. atque-que: praeda atque agro (agroque
LachRgl) adoriaque adfecit popularis suos Aᴍ
193   laruae hunc atque intemperiae insaniaeque agitant senem Aᴜ 642   illuc praecurram
atque inscendam aliquam in arborem indeque
obseruabo.. Aᴜ 678   ⸴stultitia atque insipientia
insulsitasque (RRg: loc dub: aliter ψ) haec sit
Mɪ 878   propera hanc pellegere quaeso epistulam..atque accipere argentum..mulieremque
emittere Ps 994   haec uerba subigunt med ut
mores barbaros discam atque ut faciam..,
itaque auctionem praedicem Sᴛ 194

e. atque-que-et: aequiust eram mihi esse
supplicem atque oratores mittere ad me donaque ex auro et quadrigas Sᴛ 291

f. atque-que-et-atque: quae quidem mihi
atque uobis res uortat bene gregique huic et
dominis atque conductoribus As 3

g. et-atque: quin tu abs te socordiam omnem
reice et segnitiam amoue atque ad ingenium..
te recipis tuom? As 255   id petam..corde et

animo atque* auribus Cap 387   intellego et
bene monitum duco atque esse existumo humani ingeni Mo 814   ne ego homo miser ⟨et
scelestus dudum at⟩que infelix fui Vɪ 63(L)

h. et-atque-atque: bene uiuo et fortunate
atque ut uolo atque* animo ut lubet Mɪ 706

i. et-atque-et: haud uidi magis: et quidem
Alcumeus atque* Orestes et Lycurgus postea
..mihi sunt sodales Cap 562

k. que-atque: ..curam iurgiumque atque
inopiam Mᴇʀ 162   illam anum interfecero siti
fameque atque algu Mo 193   imbres fluctusque atque procellae..frangere malum Tʀɪ 836
(etiam Mo 87 si addas: ego atque in meo corde
..eam rem uolutaui...quae omnia secl RRs§)

l. que-et-atque: meque teque maxume atque
ingenio nostro decuit As 577

m. que-et-atque: 'sileteque et tacete atque
animum aduortite' Poᴇ 3 (ex Achille Aristarchi)

n. que-que-atque: te omnes saeuomque seuerumque atque auidis moribus commemorant Tʀɪ 825

17. a. ultimum seriei membrum per **atque** adiungitur (cf Sjögren, p. 137): As 3 (supra 16. f)
madidum..nihili incontinentem atque osorem
uxoris suae As 859   uirginem habeo grandem, dote cassam atque inlocabilem Aᴜ 191
nescio, nihil uideo, caecus eo atque equidem
quo eam..nequeo..inuestigare Aᴜ 714   dedecorat te, me, amicos atque alios BA 498(v.
secl Goel Rg§: vide supra 13. b)   Pergamum
diuina moenitum manu, armis, equis, exercitu
atque eximiis bellatoribus BA 927   perdidit
filium, me atque rem omnem meam BA 1113
..ubi tibi sit lepide uictibus, uino atque unguentis BA 1181   me meamque deartuasti,
delacerauisti atque (ex Nonio 95 -auistique Pψ)
opes confecisti omnis Cap 672(L)   adsunt..
omnia: uxor sortis situla atque egomet Cas
359   ibi eludit anulo riualem scribit atque
obsignat litteras Cᴜ Arg 3   quid antepones
Veneri..? #Me, te atque hosce omnis Cᴜ 74
Cᴜ 148 (supra 11. a)   mihi tibi atque illi iubebo
iam adparari prandium Mᴇɴ 174   more moro,
molesto atque* multo Mᴇɴ 572   prandi perbene, potaui atque accubui scortum Mᴇɴ 1142
uim metum cruciatum, curam iurgium atque inopiam Mᴇʀ 162   os habet linguam perfidiam malitiam atque audaciam, confidentiam confirmitatem fraudulentiam Mɪ 189   es,
bibe, animo obsequere mecum atque onera
te hilaritudine Mɪ 677   ..quod dem..prae-
cantrici, coniectrici, hariolae atque haruspicae Mɪ 693   ego uestem, aurum atque ea
quibus est uobis usus praehibeo Ps 182   ducam legiones meas aui sinistra auspicio liquido †atque ex sententia Ps 762(v. secl U)
hominem ego hic quaero malum, legirupam,
inpurum, peiiurum atque impium Ps 975   sunt
alii puniceo corio, magni item atque atri Ru
998   ille qui consulte, docte atque astute
cauet.. Ru 1240   eram ex maerore eximam,
bene facta..exaugeam atque illam augeam
Sᴛ 304   ne uos miremini hominis seruolos potare, amare atque ad cenam condicere Sᴛ 447
aduenio ex Seleucia, Macedonia, Asia atque
Arabia Tʀɪ 845   loca contemplat, circum-

spectat sese atque aedis noscitat Tri 863   priuauit bonis luce honore atque amicis Tru 574 bene ualete plaudite atque exurgite Tru 968
   b. *seriei vel priora duo vocabula vel altera coniungit:* concedite atque abscedite omnes, de uia decedite Am 984   pernegabo atque obdurabo, periurabo denique As 322   pernam atque ophthalmiam, horaeum scombrum et trugonum et.. Cap 850   Rhodiam atque Lyciam, Perediam et Perbibesiam.. Cu 444   error, terror et fuga, ineptia atque stultitia(*RRg* i. stultitiaque *Pψ*) adeo et temeritas Mer 26 unguenta atque odores, lemniscos, corollas dari dapsiles Ps 1265   omnium copiarum atque opum, auxili, praesidi, uiduitas uos tenet Ru 664   instruam agram atque* aedis, mancipia (adiungam *add Rs*) Ru 930   aperite atque adproperate, fores facite ut pateant St 309   Tri 825 (*supra* 16. n)
   B. *particula adversativa; cf* Leo, *Goett. Nachr.* 1895, p. 423
   a. tu med ut meritus sum non tractas atque* eicis domo As 161   atque* ego istuc, Anthrax, aliouorsum dixeram Au 287   nescis nunc uenire te: atque in eopse adstas lapide Ba 815   *huc refert L etiam* Ba 1185 (*supra* A. 11. o)   atque* ego censui aps te posse hoc me impetrare Cas 364   atque id non tam aegrest iam, uicisse uilicum Cas 429   atque* ingratiis quoi non uolt nubat hodie Cas 700 atque haec stultitiast me illi uitio uortere Ep 431   atque* me minoris facio prae illo qui omnium legum.. condictor cluet Ep 522(?) illuc redeo unde abii atque uno adsto in loco Men 56   sist pauper atque haud malus nequam habetur Men 576(?)   ita edepol deperit: atque hodie primum uidit Mer 532   atque* quom recogito, nobis coquendast Mer 742   atque hoc haud uidetur ueri simile nobis Mo 93 (*v. secl Rω*)   operam parcunt suam: atque ubi illo inmigrat nequam homo.. hic iam aedibus uitium additur Mo 105(?)   atque ⟨ea⟩ haud est fabri culpa, sed magna pars morem hunc induxerunt Mo 114   atque pol nescio ut moribus sient uostrae Mo 708   atque etiam nunc satis boni sum Mo 827   atque equidem quid id esse dicam uerbum nauci nescio Mo 1042 mendacium edepol dicis: atque haud te decet Per 102(?)   atque* ego hanc operam perdo Per 233   atque* equidem miseret tamen Per 639   ualent apud te quos uolo? atque haud te uolo Poe 755   nihil tecum ago... #Atque* hercle mecum agendumst Poe 1243   atque* id futurum unde unde dicam nescio Ps 106 atque ego te uiuom saluomque uellem Ps 309 non demutabo: atque* etiam.. quo id sim facturus pacto, nihil etiam scio Ps 566 (*aliter R*)   atque edepol.. comprimere dentes uideor posse aliquo modo Ps 784(?)   atque* edepol equidem nolo Ps 1024 (*vim adv. negat L*) dabitur opera atque in negotio Ru 121   atque illa nimio iam fieri ferocior Ru 606   morem tibi geram: atque hoc est satis St 95   atque illa puerum me gestauit paruolum St 161   si id non feceris atque id' tamen mihi lubeat suspicarier.. Tri 86   nusquam per uirtutem rem confregit atque eget Tri 336(?)   atque*

ego istum agrum tibi relinqui.. expeto Tri 652   atque hanc tuam gloriam iam ante auribus acceperam Tri 828   atque* etiam modo uorsabatur mihi in labris primoribus Tri 910   atque* edepol sunt res quas propter tibi tamen suscensui Tri 1164 (*vim adv. negat L*) uisse illam: atque opperimino Tru 198   merito ecastor tibi suscenset. #Egon, atque* isti etiam parum male uolo Tru 898 (*LLy vide ψ*)
   b. *vis adversativa per negationem in altero membro insertam exprimitur:* As 161, Ba 750, 1139, Cas 431, Ci 297, Ep 688, Mi 448
   c. *vis adversativa in sequentibus levior est:* Au 18, Cap 479, 481, Mo 375, Ps 279, 291
   C. *particula comparativa* (*cf* Ballas, I. p. 47; Fraesdorff, p. 11; Fuhrmann, XCVII. p. 841; Persson, p. 88): a. nulla *adaequest* Acheruns atque ubi ego fui in lapidicinis Cap 1000   pumex non *aequest* ar(i)dus atque (quam *FlRg*) hic est senex Au 297   Ba 549 (*MueU: vide infra* b *sub* amicus)   numquam edepol ieiunium ieiunumst aeque atque ego te ruri reddibo Cas 129   nebula haud est mollis aeque atque huius est †pectus Cas 847   Mer 761 (*RL†U: infra* b)   non cinaedus malacus aequest atque (*ex Non* 5 maiacus equestant que *P*) ego Mi 668   satin ut facete (aeque *add FlRgL*) atque ex pictura astitit St 271   aequo mendicus atque ille opulentissumus censetur censu Tri 493   orationem.. praedicas [longe aliam.. praebes nunc atque olim quom dabam] *aliam* atque olim quom inliciebas me ad te As 205 numquid uidetur demutare alio atque* uti dixi esse Mi 1130 (*LU*)   alio tu modo me uerberare atque ego te soleo cogitas Ps 475   illi sunt alio ingenio atque tu Ps 1133   longe aliter (alter *AcRs*) est amicus atque amator Tru 171
   amicior mihi nullus uiuit atque is est Mer 897   nec fallaciam *astutiorem* ullus fecit poeta atque ut haec est fabre facta ab nobis Cas 861   tam *consimilest* atque ego Am 443 (*cf* Braune, p. 6)   haud consimili ingenio atque illest qui in lupanari accubat Ba 454 *demutare* Mi 1130 (*supra sub* alio)   *eundem* animum oportet nunc mihi esse.. atque olim priusquam.. Mo 221 (*cf* Niemoeller, p. 52) neque se luna quoquam *mutat* atque uti exortast semel Am 274   .. *item* atque*, tu (ut *U*) mihi si imperes, ego faciam Mer 505 (*RRgU*) *pariter* hoc fit atque ut alia facta sunt Am 1019   ecastor pariter hoc atque alias res soles Men 752
   b. *similiter:* (aeque *add MueU*) esse amicum ratus sum atque ipsus sum mihi Ba 549   quam dudum dixeras te odisse atque (*Sey* aeque *AB* aeque atque *CDRL†U*) anguis Mer 761   haud centesumam partem dixi atque.. possum expromere Mi 764
   D. 1. *nomina duo per* atque *coniuncta verbum plurale habere solent; singulare tamen:* Au 276, 750, Cas 598, Mi 878*, Per 732, Poe 873, Ps 409, 1097, Ru 1129, Tri 493, 999
   2. *unum adiectivum ad ambo nomina relatum:* As 155, 191, Au 750, Ba 540, 613, Cap 679, Cas 477, Cu 146, Ep 577, 626, Men 259, 739, Mer 236(?), 809, Mo 348, 775(?), Per 365, 367, 572,

732, Poe 1113, Ps 1272, 1321, Ru 375, 894, 985, 1267, 1295, 1309, 1346, St 739, Tri 326, 467, 812, Tru 177, 178(?)

3. *duo adiectiva diversa coniunguntur:* Ba 1015, 1101, Ci 383, Cu 231, Men 191, 871, Mi 667, Poe 392, Ru 294

4. *idem adiectivum iteratum:* Ba 632, Ep 640, Ps 595, Ru 227

E. *dubia:* Mer 879, aspice non ad sinisteram atque detis caelum .. *quod alii aliter emendant* Fr I. 7, mulionem nauteam fecisset ✱✱✱lem atque aro✱✱✱(*§ ex Fest* 165) Mi 997, dum huc transiuit atque *P§†* transbitat quae *RgLLy* transmittat quae *U aliter R*

ATQUI - - *cf* Fleckeisen, *Krit. Misc.* p. 23; Leo, *Goett. Nachr.* 1895, p. 421-4

I. **Forma** *certa:* As 670, Ba 824(*CD* at pol qui *MueRg* at qui *B*), Mer 727(*CD* at quid *B* at pol qui *Rg*), Per 580(*ACD* at qui *B*), Ru 719, 760(*Ca* atquin *P* at quin *U*), 1101(*C* at qui *B* atque *D*) *in tmesi:* at pol qui Am 705 (quin *J*), As 823(quin *J*), Ru 946 *per duo verba semper scribit* Leo

dubia: Au 287(*Py* atque *PLLy*), Cas 364(*Pius* atque *PL*) Cas 700(*A* atque *PL*) atqui *pro* atque *falso em* Men 7, *R*; Mer 270, *R*; 584, *RRg*; 742, *RRg*; Mo 105, *SaupRs*; 827, *BugU*; Per 639, *R*; Poe 1243, *GuyRgl*; Ps 106, *R*; 1024, *R*; Tri 652, *Rs*; 746, *HauptRs*; 910, *HauptRs*; 1164, *RRs*; Tru 898, *AcRs*

corrupta: Men 149, atqui *P* atque *FZω* Mi 706, atqui *B²* atque *Aω* atquam *P vide* Ru 537, *ubi* atqui *add Rs om Pψ*; Tru 617, *ubi* atqui *Rs pro* tuaque(aeque ut *U*)

II. **Significatio 1. atqui:** atqui pol hodie non feres, ni genua confricantur As 670 atqui✱ ego istuc .. aliouorsum dixeram Au 287 numquam auferes hinc aurum. #Atqui iam dabis Ba 824 atqui✱ ego censui aps te posse hoc me impetrare Cas 364 atqui✱ ingratiis quoi non uolt nubet hodie Cas 700 dicam? #Atqui✱ dicundumst tamen Mer 727 atqui aut hoc emptore uendes pulcre aut alio non potis Per 580 tecum ago. #Atqui mecum agendumst Ru 719 atqui✱ quia uotas utramque iam mecum abducam semul Ru 760 atqui✱ nunc abs te stat Ru 1101(*v. pro corrupto habet L*)

2. **at pol qui:** at pol qui certa res hanc est obiurgare Am 705 at pol qui dixti rectius As 823 at pol qui audies post Ru 946

ATRAMENTUM - - una opera ebur **atramento** candefacere postules. #Lepide dictum de atramento atque ebure Mo 259

ATRIDAE - - Atridae(*A* -es *CD*[adt. *D¹*] -as *B¹*) duo fratres cluent fecisse facinus maxumum Ba 925

ATRIENSIS - - 1. *nom.:* Demaenetum uolebam. #Si sit domi, dicam tibi. #Quid? eius **atriensis**? #Nihilo magis intus est As 393 adgreditur .. Pseudolus tamquam lenonis atriensis Ps *Arg* II. 11(*A solus*)

2. *dat.:* aut mihi in mundo sunt uirgae aut **atriensi** Saureae As 264 ait se ob asinos ferre argentum atriensi Saureae As 347 atriensi ego impero Ps 609

3. *acc.:* meministin asinos .. nostrum uen-

dere **atriensem**(attr. *DE*)? As 334 dico med esse atriensem As 352 iussit uel nos **atriensem** uel nos uxorem suam defraudare As 365 narra .. te ex Leonida futurum esse atriensem Suuream As 368 atriensem Sauream .. euocato huc As 383 ut memoriter me Sauream uocabat atriensem As 584(*v. secl R.MueRgl§*) idem me pridem .. facere atriensem uoluerat sub ianua Cas 462 quasi te dicas atriensem (-sem *C*). #Immo atriensi ego impero Ps 609

4. *abl.:* me reliquit pro **atriensi**(*AD¹* atrensi *P*) in aedibus Poe 1283

ATRITAS - - ita replebo **atritate**(atra atritate eam *Rgl*) atrior multo ut siet quam Aegyptini Poe 1290

ATRIUM - - stant thylacistae in **atriis** Au 518

ATROX - - occisast haec res, nisi reperio **atrocem** mihi aliquam astutiam Cap 539(*cf* Gimm, p. 14)

ATTALUS - - hic latro in Sparta fuit .. apud regem **Attalum** Poe 664 mirum quin regis Philippi caussa aut **Attali** te potius uendam quam mea Per 339 *Cf* Egli, III. p. 18; Vissering, p. 31

ATTAMEN - - †tattamen(at tamen *RsULLy*) non tamen('attamen' *ReizR* — tamen — *L* noli 'tamen' *U* — #Tamen agrest *Rs*) Per 835

ATTAT - - *cf* Richter, *Stud. Stud.* I. p. 407

I. **Forma** *in A exstat* Cas 619(atat *E*), 723 (atat *E ex ras.:* et *J*), Per 722, *ubique* attat *scriptum: alibi exstat in P:* Am 263(atat *J*), Au 411, 665, 712(atat *J*), Cap 664(*Herm ULy* at *Pψ* †§), 1007, Cas 434(atat *VE*), Ci 701(atat *E*), Cu 390, 583(atat *E*), Poe 821(atat *E*), Tru 575 *corrupta:* As 588, atat *J pro* attatae Cas 468, attat *J* aptate *E¹* astu *E³ pro* attatae Ep 181, atat *EJ pro* st(*AB*); 457, atat *J pro* attatae

II. **Significatio 1.** *eius est qui ex improviso aliquem vel adesse uel appropinquare* **a.** *cum gaudio videt:* attat✱ illic huc iturust Am 263 attat foris crepuit: senex eccum aurum ecfert foras Au 665 attat✱ eccum ipsum Au 712 attat✱ concedam huc: .. mei beneuolentis atque amici prodeunt Cas 434 attat✱ cesso .. ire aduorsum Cas 723 attat quem quaerebam: sequere me Cu 390 attat✱ e fano recipere uideo se Synceratstum Poe 821 attat eccam adest propinque Tru 575

b. *cum timore:* attat perii hercle ego miser: aperitur Bacchanal: adest Au 411

2. *eius est qui aliquid ex improviso animadvertit:* attat scio cur te patrem esse adsimules Cap 1007 attat✱ Curculio hercle uerba mihi dedit, quom cogito Cu 583

3. *eius est cui aliquid ex memoria elapsum in mentem recurrit:* attat oblitus sum intus dudum edicere Per 722

4. *clamore vel sonitu subito perterriti est:* attat quid illuc clamoris, opsecro, in nostrast domo? Cas 619

5. *nihil nisi stupentis admirationem significat:* attat✱ ut confidenter .. astitit Cap 664 attat✱ singulum uideo uestigium Ci 701

ATTATAE - - *cf* Richter, *Stud. Stud.* I. p. 407 *exprimit admirationem:* attatae(-te *BDE* atat *J*), modo hercle in mentem uenit As 588 Attatae(*Ly* optati *P var em* ψ) ciues, populares ..

Au 406   attatae(-te *B in ras V* atat *J* aptate *E*[1] astute *E*[3]), nunc pol ego demum in rectam redii semitam Cas 468   attatae(-te *P*), caedundus tu homo's Cas 528   attatae(*A* -te *B* aetate *E* atat *J*), nunc demum scio ego hunc qui sit Ep 457   attatae(*Palm* atate *CD*[1] at tace *B*), meus pater hic quidemst quem uideo Mer 365 *Vide* St 594, *ubi* euax, attatae *R pro* uae aetati tuae

ATTERO - - tuan ego causa, carnufex, quoiquam mortali libero auris atteram(at terram *B*)? Per 748

ATTICISSO - - (argumentum) non atticissat †uerum sicilicissitat Men 12(*loc dub*)

ATTICUS - - I. Forma **atticus** Ep 602, Ru 42(*A* -cos *P*)   **attica** Poe 372, Ru 218(*add Rs*)   **attici** Mi *Arg* II. 4   **atticum** (*masc.*) Mer 635   **atticam** Cas 652(-ca *A*), Per 474, Ps 702   **attico** Ep 306   **attica** As 793, Mo 30, Ru 604(*RsS̄* atque ex Progne *PL*†*U* ac Progne *Ly*)   **attici** Au 406(*Rg* optati *P: var em ψ*), Per 395   **atticas** Tru 497   **atticis** Ep 502, Mer 837, Mi 100, 451(*L* atque erus *Ly* at erus hic *P*[herus *B*] *ψ*), Ps 416, Ru 741(*A* -gis *P*)   *corrupta:* Ep 723, atticas *BE pro* attigas   Tru 276, atticas *P pro* attigas; 937, seruat ibi aticum *B* seruatib^ atticum *CD pro* serua tibi uiaticum

II. Significatio 1. *adiective* a. *de hominibus:* *adulescens* quidam ciuis huius Atticus* eam uidit ire Ru 42   hinc Athenis *ciuis* eam emit Atticus Ep 602   ciuem esse aibant Atticum Mer 635   te faciet ut sis ciuis Attica atque libera Poe 372   respondeo . . natas ex *Philomela* Attica* esse hirundines Ru 604(*RsS̄*)   Attici* *uiri*, populares Au 407(*Rg vide ψ*)

similiter: nemo adaeque *iuuentute* ex omni Attica antehac est habitus parcus Mo 30   huncine hic hominem pati colere iuuentutem Atticam? Ps 202

b. *de rebus:* nullum esse opinor ego agrum in *agro* Attico aeque feracem Ep 306   fateor te omnium hominum esse *Athenis* Atticis minumi preti Ep 502   is amabat meretricem †matre Athenis Atticis Mi 100   *Athenis* domus est Atticis* Mi 451(*L: vide ψ*)   Athenis natus altusque educatusque Atticis* Ru 741 si . . dictator fuat nunc Athenis Atticis Ps 416   Athenas Atticas uiso Tru 497   Atticam hodie *ciuitatem* maxumam maiorem feci Per 474   haud Atticam* condecet *disciplinam* Cas 652   neque ulla *lingua* sciat loqui nisi Attica As 793   dabuntur dotis . . sescenti *logei* atque Attici omnes Per 395

c. ego mihi alios deos penatis persequar, alium Larem, aliam urbem, aliam ciuitatem: ab Atticis abhorreo Mer 837

2. *substantive:* seruos Attici ut nuntiaret domino factum nauigat Mi *Arg* II. 4   qui minus seruio Attica* quam si forem serua nata? Ru 218(*Rs*)

ATTIGO - - ne adtigas(*ex Non* 75[att.] adtingas *P*[att. *D*] att. *RRgLLy*) puerum istac caussa Ba 445   ne attigas(*E*[3] atticas *BE*[1] attingas *J*) Ep 723   caue sis me attigas(*CD* attingas *BD*) Per 816   ne attigas(atticas *P* attingas *A*) me Tru 276   aedes ne **attigatis** (*Sciop* adt. *U* atigate *P* attingite *B*[2]) Mo 468

vide Ba 440, *ubi* attigas puerum *R pro* attingas eum   *corruptum:* Ru 741, attigis *P pro* attictis

ATTINEO - - I. Forma **adtines** Ba 180(att. *Ly*), Men 730(*Ly* att. *Pψ*), Tru 837(uinctos attines *Lip* uincto sati ines *P*)   **attinet** As 8(ac tinet *J*), Au 770(adt. *EU*), Ba 229(*B* adt. *CD LU*), 1110(*CDRLLy* adt. *Bψ*), Cap 226(*L* adt. *Pψ*), Cas 672(*AJ* adt. *BVEU*), Ci 701, Cu 631, Ep 75, Mo 160(adt. *U*), 940(*A ut vid vide* attinent), 941, Per 235(attenent *BR* adt. *U*), 284 (attingit *MueRsU*[adt.] om *R: vide infra* II. 2), 700, 701, Poe 36(adt. *U*), 637(*ACD* adt. *BU*), 1307(adt. *U*), Ps 14(adt. *U*), Ru 962, St 667, Tri 482(*BC*[2]*D* adein& *C*[1] attenet *A*), 978, 1065   **attinent** Men 145(*CD* adt. *BS̄U*), Mo 940(*Rs ex A* attinet *L fortasse cum A*), Per 497(adt. *U* alienent *A*)   **attinuit** Ep 130(*RgLLy* adt. *Pψ*), Men 589(adt. *DU* -nit *Ly*), Poe 1182(adt. *U*)   **attinuere** Mi 1327(*CaRLU* attinere *Pψ pro perf. habet Ly*)   **attinere** Mi 1327(attinuere *CaRU*[adt. *U*]), Ru 611(adt. *Rs*), Tri 613(adt. *FU*)

II. Significatio A. *proprie seq. acc.* 1: ita med attinuit*, ita detinuit Men 589   ita me uadatum amore uinctumque adtines Ba 180   reus solutus causam dicit, testis uinctos attines* Tru 837   senex est in tostrina, nunc iam cultros adtinet Cap 266   eandem (pallam) ante oculos attines Men 730

2. si forma huius, mores, uirtus animum attinuere hic tuom Mi 1327(*CaRLU* formam, morem . . attinere *PRg*†*S̄*† *pro perf. habet Ly*)

B. *translate; absolute vel seq.* ad *praep.* (*cf* Leo, *Plaut. Forsch.*[2] p. 265) 1. *de hominibus:* quid id ad *me* attinet? Tri 978   quid id ad me attinet, bonisque seruis tu utare an malis? Tri 1065   quid istuc ad me attinet? Poe 637   quid istuc ad me attinet quo tu intereas modo? Ep 75   quid istae picturae ad me attinent? Men 145   ego te de alia re resciuisse censui quod ad me attinet Au 770   quod ad me adtinuit, ego curaui Ep 130   nihil ad me attinet? Mo 941   negotium hoc ad me attinet aurarium Ba 229   ego istam rem ad me attingre intellego Tri 613   quod quidem ad nos duas attinuit (**att. *RsS̄*) . . Poe 1182   quid ad te attinet? Per 235*, St 667   quid id attinet ad te(*P ante* att. *A* autem id ad te *R* at te att. *L* ad te attingit *MueRsU*)? Per 284   nihil ad te adtinet Poe 1307   quid tu percontari ad te quae(*vel* quod *A* quod *L*) nihil attinent(-et *L*)? Mo 940   hae quid ad me? #Immo ad te attinent* et tua refert Per 497   an quippiam ad te attinet? Cas 672   ***quod ad te(nosti id q. a. t. *Rs* scire te quid *U*) attinet? #Quid attinet non scire? Per 700-1   hoc omne attinet ad te Ru 962   quid istuc ad uos attinet? Cu 631   quodque ad(om *Ly*) ludorum *curatores* attinet . . Poe 36   ad *duos* attinet Ci 701   numquidnam ad *filium* haec aegritudo attinet? Ba 1110

2. *de rebus:* quod ad *argumentum* attinet*, sane breuest As 8   nihil hoc Iouis ad *iudicium* attinet Ps 14   quid ea messis attinet ad meam *lauationem*? #Nihilo plus quam lauatio tua ad *messin* Mo 160   quam ad *rem* dicam hoc attinere somnium? Ru 611   quod ad *uentrem* attinet*. . . Tri 482

3. *seq. inter obl.:* Ep 75(*supra* 1, *sub* me) Tri 1065(*supra* 1, *sub* me)

4. *seq. infin.:* Per 701(*supra* 1, *sub* te)

5. *verb. omissum:* Per 284(*R*), 497

ATTINGO - - I. Forma **attingit** Per 284 (*MueRsU* attinet *APSLLy om R*), Tru 810(*Rs* pertinet *Pψ*) **attingunt** Mer 32(adt. *U*) **attigit** Ba 471(adt. *U*), Ci 382(*ex Non* 63 obt. *Non* 415), Mer 20(*B* attingit *CD*), St 178(*D* adt. *BCU*), Tru 864(adt. *RsU*), Vi 76(*RgL in lac*) **attigerat** Cas 913 **attigero** Ru 721 **attigeris** Men 857, Ru 759, 762, 793 **attigerit** Cas 388, Ru 776, Tru 228(*A* attingerit *P*) **attingas** As 373, Ba 440(attigas *DouR* adt. *U* ant. *B¹*), 915 (adt. *U*) **attigeris** Per 793(adt. *U*) **attigisset** Ba 196(adt. *U*) **attingere** Mi 472, Mo 263(adt. *U*) **attigisse** As 385(ati. *J*) **attactam** Au 754 *corrupta:* Ba 445, adtingas *P* (att. *D*) *pro* adtigas(*ex Non* 75) Ep 723, attingas *J pro* attigas(*E³*) Per 816, attingas *BD² pro* attigas (*CD¹*) Tru 276, attingas *A pro* attigas

II. Significatio A. *proprie* 1. *absolute:* nemo etiam tetigit: sanun es? #At censebam attigisse (fores) As 385 abstinere quin attingas (lippum oculum) non queas Ba 915 quid si attigero (ancillas)? Ru 721 maxumo malo suo si attigerit (ancillas) Ru 776

2. *cum acc.:* tu cauebis ne *me* attingas si sapis As 373 dabitur malum me quidem si attigeris Men 857 ne sis me uno digito attigeris Per 793 si attingas* *eum*(attigas puerum *R duce Dou*) manu, extemplo puer paedagogo tabula disrumpit caput Ba 440 si *illas* attigeris, dabitur tibi magnum malum Ru 793 *quas* si attigeris, oculos eripiam tibi Ru 759 absorbet, ubi *quemque* attigit Ba 471 quemque attigit*, magno . . multat infortunio Mer 20 condecet quemquem *hominem* attigerit*, profecto ei aut malum aut damnum dare (dari *APLy*) Tru 228 hanc attingere ausu's *mulierem* hinc ex proxumo Mi 472 ita mustulentus aestus *nares* attigit* Ci 382 si attigeris *ostium* .. Ru 762 non istanc aetatem oportet*pigmentum* ullum attingere Mo 263 deuotabit *sortis* si attigerit Cas 388 haud cessauit postquam *terram* attigit Vi 76(*RgL*) non attactam (*vel* aulam *vel* filiam) oportuit Au 754

B. *translate:* 1. (paupertas) artis omnis perdocet ubi *quem* attigit St 178

quicquid erat, calamitas profecto attigerat numquam Cas 913 egon ut quod ab illoc attigisset nuntius, non impetratum id aduenienti ei redderem? Ba 196 ut planiloquast, paucis ut rempsam attigit Tru 864

2 = attinere, pertinere: nihil attingunt ad rem, nec sunt usui Mer 32 quid id ad te attingit*? Per 284(*MueRsU*) magis haec malitia attingit* ad uiros quam ad mulieres Tru 810(*Rs*)

ATTOLLO - - quid si propius **attollamus** (*P sed* -ola. *J* attulamus *Diom* 380 *ad quem cf Keil*) signa Cas 357 sensim super **attolle** (*PLy* supera tolle *Aψ* †*S*) limen pedes(super limen pedes attolle *GepU*) Cas 815 *corrupta:* Mi 669, attollas *B¹ pro* ad illas Tri 399, attol-

lerem *CD pro* ac(at *Rs*) tollerem(*B*); 536, attolli *P pro* attuli

ATTONDEO - - *cf* Egli, I. p. 32; Graupner, p. 25; Gronov, p. 87; Inowraclawer p. 26, 63

ego metuo .. ne ulmos parasitos faciat, quae usque **attondeant**(*B²* adt. *U* attonde *B¹* attonedat *E¹* attondeat *J*) Ep 311

is me scelus auro usque **attondit**(adt. *U*) dolis doctis indoctum Ba 1095 **attonsae**(adt. *U*) hae quidem ambae usque sunt Ba 1125 utrum strictimne **adtonsurum** dicam esse an per pectinem nescio Cap 268

ATTRECTO - - nimium familiariter me **attrectas**(*B* adt. *Rs* adtractas *CD*) Ru 421 nihil **attrectat** sordidi Mi 1002(*v. secl RRgS*) ne me **attrecta**(adt. *U*) Per 227 comperce .. me **attrectare**(*PLU*[adt.]*Ly* attractare *Aψ*) Poe 350 *corruptum:* Mi 1001, nihil attrectat sordidi *A pro* laute et minime sordide(*P*)

ATTREPIDO - - **attrepidate**(*B* -tate *CD* adt. *ULy*) saltem: nam uos adproperare haud postulo Poe 544(*v. secl L*)

AU - - *cf* Richter, *Stud. Stud.* I. p! 415; *exclamatio mulieris:* au, nullan tibi linguast? St 259 *dubia:* Ci 646, au *pro* haud *Richter emendare volt* St 243, au *R pro* eu ecastor (*PSLULy* ecastor *BugRg*) *corrupta:* au *pro* aut Cap 623 *C*, Poe 220 *B*, Tri 862 *B* au *pro* hau Cu 512 *BE*(aut *V*), Mi 95 *CD¹*(aut *B¹* haud *B²U*), Ru 222 *A*(haud *PU*), Tru 657 *B* (aut *CD¹* haud *D⁴U*), 888 *B*(aut *CD*)

AVARITIA - - 1. *nom.:* non mihi **auaritia** (-cia *P*) umquam innatast Mi 1063 perfidia . . ex urbe et auaritia(-cia *B*) si exulant .. Per 555

2. *acc.:* (inditum id nomen est) propter **auaritiam**(-ciam *BD*) ipsius atque audaciam Cap 287 em mea malefacta, em meam auaritiam (*P* auarimiam *A*) tibi Tri 185

3. *abl.:* †hominum(*om TLy*) auaritia(-cia *B* uitio *L*) ego sum factus improbior coquos Ps 802 decipitur in transenna auaritia sua Ru 1239 mea opera hinc proterritum te meaque auaritia(-cia *B*) autument Tri 703

AVARUS - - I. Forma **auarus** Au *Arg* I. 1, II. 1(*add BoRg*), Cap 408, Tri 239(*AP: om Herm RRsU*), 285 **auara** Tru 459(-re *SeyRs*) **auari** Au *Arg* I. 7 **auarae**(*dat.*) Poe 457 **auare** (*voc.*) Per 687 **auaro**(*abl. masc.*) Ru 1259(*U* seruo *Pψ*) **auaras** Tru 238 **auariorem** Cap 320 *adverb.:* **auare** Tru 459(*SeyRs* -ra *Pψ*) **auariter** Cu 127, Ru 1238 *corruptum:* Tru 639, auarum *P quem var em ω*

II. Significatio 1. *adiective: senex* auarus .. Euclio .. aulam inuenit Au *Arg* I. 1 eo pacto auarae *Veneri* pulcre adii manum Poe 457

2. *praedicative:* numquam erit tam auarus quin te gratus emittas manu Cap 408 praedicant uiri .. nos auaras Tru 238 lucri causa auara* probrum sum exsecuta Tru 459 .. ne tuom animum auariorem faxint diuitiae meae Cap 320

3. *substantive:* Megadorus .. uxorem auari gnatam deposcit sibi Au *Arg* I. 7 Au *Arg* II. 1 (*BoRg*) id metuebas, miser, impure, auare, ne crumillam amitteres? Per 687 cum auaro

Ru 1259(*U solus*) cuppes, auarus*, elegans, despoliator Tri 239 miscent mores mali, rapax, auarus, inuidus Tri 285(*cf seq.* coniungit *Ly*)

4. *adverbia:* auare* Tru 459(*vide supra* 2) hoc uide ut ingurgitat inpura in se merum auariter Cu 127 si quis auidus poscit escam auariter Ru 1238

AUCEPS - - **auceps** quando concinnauit aream, offundit cibum As 216 aedis nobis areast, auceps sum ego As 220 circumspicedum. ne quis nostro hic auceps sermoni siet Mi 955 numquis hic est alienus nostris dictis auceps auribus? St 102 si papillam pertractauit, haud est ab re **aucupis** As 224 (aues) semel si captae sunt rem soluont **aucupi** As 219 piscator, pistor apstulit, lanii, coqui, holitores, myropolae, **aucupes** Tri 408 *Cf* Inowraclawer, p. 85; Wortmann, p. 36

AUCTARIUM - - **auctarium**(*P*-orarium *ARg*: *cf Paul* 14) adicito uel mille nummum Mer 490 auctarium orat(*RsU* aut ara aut[ut *B*] *PS*†*L*† aut aera aut *Ly*) Tru 33

AUCTIO - - I. Forma **auctio** Men 1157, Per 508 **auctionis** St 207(*AB* auticionis *CD*) **auctionem** Men 1153, 1156, Poe 411, 1364, 1421, St 195(*AD²* aut. *P*), 201, 208b(*P v.* om *A*), 218 (*AB* autcionem *CD*), 235(aut. *D¹*), 244, 384 **auctione** Men 1161 **auctionum** St 385(*CD* -tuonum *B* auctonum *A*) **auctiones** Ep 235 (*A* auetiones *B* autciones *V* aut tiones *E*)

II. Significatio 1. *nom.:* auctio fiet Menaechmi mane sane septimi Men 1157 ea comportatur praeda ut fiet auctio publicitus Per 508

2. *gen.:* dicam auctionis* causam St 207 maliuoli perquisitores auctionum* perierint St 385

3. *acc.:* uis *conclamari* auctionem? #Fore quidem(*S* a. f.? #Equidem *Bergkψ* sed quo die *pro* equidem *R*) die septimi Men 1156 auctionem hic *faciam* Men 1153 ..ut me uerberes atque auctionem facias Poe 411 cras auctionem faciam Poe 1364 auctionem facio Poe 1421 quando quem auctionem facturum sciunt, adeunt St 201 nunc auctionem facere decretumst mihi St 218 iam non facio auctionem St 384 ..ut..auctionem *praedicem* St 195 ..quam ob rem auctionem praedicem St 208b (*v.* om *Aω*) hic quom auctionem praedicabas.. St 244 ·

ecastor auctionem* haud magni preti! St 235 haec uocabula auctiones* subigunt ut faciant uiros Ep 235

4. *abl.:* uix crɔdo auctione tota †capiet quinquagesies Men 1161

AUCTO - - uoltis.. bonoque atque amplo **auctare** perpetuo lucro quasque incepistis res quasque inceptabitis Am 6

AUCTOR - - I. Forma **auctor** Au 251, Ci 249, Cu 498, Mer 312, Mi 1094, Poe 146, 410, Ps 231, 1166 **auctorem** Ep 357(*BJSLy* actorem *E* cautorem *Angψ*), Tri 107 **auctore** St 603 **auctores** Poe 721(-ris *B*), St 128, 129, 581

II. Significatio 1. *nom.* a. *absolute vel seq. acc. vel dat.:* quid auctor nunc mihi's? Ci 249 quid nunc mihi's auctor Ps 1166 nec nobis auctor ullus est nec uosmet estis ulli Cu 498 (*cf* Gronov, p. 90) suspende, uince, uerbera:

auctor sum, sino Poe 146 nos quarum res agitur aliter auctores sumus St 129

b. *seq.* ut *et subiu.:* impero auctorque ego sum ut tu me quoi uis castrandum loces Au 251 auctor sum ut me amando enices Mer 512 quid nunc mihi's auctor ut faciam? Mi 1094 quid nunc mihi's auctor? #Ut me uerberes atque auctionem facias Poe 410 quid es auctor huic ut mittam, ne..? Ps 231

quid nunc mihi auctores* estis? #Ut frugi sies Poe 721 mihi auctores ita sunt amici ut uos hinc abducam domum St 128 ita mihi auctores fuere ut egomet me hodie iugularem fame St 581

2. *acc.:* nunc auctorem* dedit mihi ad hanc rem Apoecidem Ep 357(*cf* Romeijn, p. 48) id ita esse ut credas, rem tibi auctorem dabo Tri 107(*cf* Gronov, pp. 151, 338)

3. *abl.:* non me quidem faciet auctore hodie ut illum decipiat St 603

AUCTORARIUM - - Mer 490, *ARg* auctarium *Pψ*

AUCTORITAS - - si exquiratur usque ab stirpe **auctoritas** unde quidquid auditum dicant.. Tri 217 si **auctoritatem** postea defugeris..ego pendeam Poe 147 *Cf* Gronov, p 152

AUCUPIUM - - hic noster quaestus aucupi (-pii *BDE* autupii *J*) simillumust As 215 uiden tu illam oculis uenaturam facere atque **aucupium** auribus? Mi 990 *Cf* Graupner, p. 23; Wortmann, p. 36

AUCUPO - - I. Forma(*cf.* Hofmann, p. 35) **aucupat** Ci *Arg* 4(aut cupat *V*) **aucupatur** (*dep.*) Ru 1093(ut palpatur *Rs*) **aucupaui** Tru 964(*ex Non* 467 -abat *P*) **aucupemus** As 881 (acc. *J*) **aucupet** Mi 995, Mo 473(acu. *C*) **aucupa** Men 570

II. Significatio 1. *absolute:* hanc seruolus tollit atque exponit et ex insidiis aucupat* Ci *Arg* 4 ex insidiis aucupa Men 570 lepide ecastor aucupaui* atque(*Non* 467 aucupabatque *P*) ex mea sententia Tru 964 uiden? scelestus aucupatur* Ru 1093(*cf* Langen, *Beitr.* p. 60)

2. *cum acc.:* numquis hic prope adest..qui aucupet me quid agam? Mi 995(*proleptice: cf* Redslob, *adn.* 7) numquis est sermones nostrum qui aucupet*? Mo 473

3. *seq. interr. obl.:* aucupemus* ex insidiis clanculum quam rem gerant As 881(*cf* Inowraclawer, p. 85) quid agam Mi 995(*supra* 2)

AUDACIA - - 1. *nom.:* homini quoi nulla in pectorest **audacia**(-tia *P*).. Mo 409 quae istaec audaciast, te sic interdius cum corolla ebrium ingrediri? Ps 1298

2. *gen.:* compositis mendaciis aduenisti, **audaciai**(*Ca* -tiae[-e̜, -e] *P*) columen Am 367

3. *acc.:* (inditum id nomen . . est) propter auaritiam ipsius atque **audaciam**(-tiam *BE*) Cap 287 intus uidi nouam atque integram audaciam(-tiam *VE*) Cas 626 hominis inpudentem audaciam(-tiam *P*)! Men 713 os habet, linguam, perfidiam, malitiam atque audaciam (*AB²D* -tia *B¹* -cia *C*) Mi 189a ego istuc accedam periclum potius atque audaciam(-tiam *B*) Ep 149

4. *abl.:* nunc **audacia** usust nobis inuenta et dolis As 312 neque eques neque pedes pro-

fectost quisquam tanta audacia(-tia *BD*) . .
Mı 464
5. *adiectiva:* integra Cas 626   noua Cas 626
inpudens Men 713   tanta Mı 464
6. *concrete usurpatum:* Cas 626   *fortasse* Ep
149, Mo 409   *vide supra*
AUDAX - - *de significatione cf* Gimm, p. 14,
de scansione cf Skutsch, *Phil.* LIX. p. 503
I. Forma audax Am 985(auidax *SkutschLy*),
Rυ 711   (*fem.*) Cas 919(*LipsU om Pψ*), Men 731
audacem Am 837, Ba 949, Mo 1078   **audax**
(*neut.*) Au 460, Mı 309(*voc.*) Men 1050 **audacis**
(*acc. masc.*)   As 565(-et *J*)   **audacior** Am 153
(-tior *E*), Mı 313, Ps 541(auditior *B*) **audacius**
Am 818(*J* -tius *BVE*), Men 631(-tius *D*), Mı 307
audacissimus Rυ 648(homo au. *add Lamb*
-umus *RsSLy*)   **audacissumam** As 521(-imam
PL)   **audacissume**(*voc.*) Au 745(audi. *D* -ime
PL), Ps 288(*B* -ime *ACD*)   *adverbia:* **audac-**
ter Am 836, 838, As 228, 308, Cap 310, 401, 630,
842, Cas 901, Cu 478, Ep 16, Men 52, 159, Mer
302, 726, Mı 734, 847, Mo 852, 916, Per 188(aucdacter *B*), Poe 517(aucdacter *B*), 878, Ps 708
(porge audacter *A*[proge] porclaudaciter *B om*
cum lac CD), 713(aucdacter *B*), 828, Trı 358, 519,
Tru 206(autdacter *B*)   **audacius** Cap 348, Cas 872
audacissume Men 1003(-ime *PL*)   *corruptum:*
Cap 997, audax *EJ* haud *B pro* haud ex(*Muret*)
II. Significatio 1. *attrib.: facinus* audax incipit Au 460   edepol facinus fecit audax Mı 309
qui me alter est audacior *homo?* Am 153   nec
quisquam tam audax fuit homo.. Am 985   homo
audacissume, .. te .. huc ad me adire ausum!
Au 745   ego hunc uicinum opinor esse hominem audacem et malum Mo 1078   nunc homo
audacissumus* eas deripere uolt Rυ 648   tu,
quam ego unam uidi *mulierem* audacissumam
As 521   .. ubi saepe causam dixeris pendens
aduorsus octo artutos audacis *uiros* As 565
2. *praed.:* quae non deliquit decet audacem
esse Am 837   Ulixem audiui fuisse et audacem
et malum Ba 949   tu quidem hercle audax* es
Cas 919(a. e. *add LipsU*)   multum et audax et
mala's Men 731   quis homo in terra te alter est
audacior? Mı 313   quis me audacior* sit si istuc
facinus audeam? Ps 541   quid illac inpudente
audacius? Am 818   nihil hoc homine audacius
Men 631 quid peius muliere aut audacius? Mı 307
3. *substantive:* men hodie usquam conuenisse
te, audax, audes dicere? Men 1050   at etiam
minitatur audax? Rυ 711   surruperet hic patri,
audacissume? Ps 288
4. *adverbium:* etiam nunc *concede* audacter
ab leonino cauo Men 159   .. neque adeo quoi
tuom *concredat* filium hodie audacius Cap 348
certumst *credere?* #Audacter licet As 308(*vide U*)
crede audacter meo periclo Poe 878   crede audacter quidlubet Trı 519   me hic ualere et tute
audacter *dicito* Cap 401   id tam audacter dicere
audes? Cap 630   audacter quamuis dicito Cas
901(*Rs* audacter*** *P*), Ep 16, Mer 726(*vide Rs*),
Ps 828   alteri de nihilo audacter dicunt contumeliam Cu 478   me suasore .. id factum audacter dicito Mo 916   egon *dem* pignus tecum? #Au-
dacter* Per 188   ausimne ego tibi *eloqui* fideliter? #Audacter Mer 302   age eloquere(*Par*
age te loquere *P*) audacter mihi Mı 847   elo-

quere(*AL* loquere *Pψ*) audacter patri Trı 358
ire intro audacter licet Mo 852   ibo igitur intro?
#Quippini? tam audacter* quam domum ad te
Tru 206   .. minus audacter scelesta *facerent*
facta Mı 734   ecquis suppetias mihi audet *ferre?*
#Ego, ere, audacissume Men 1003   *gaude* audac-
ter Cap 842   audacter *imperato* et dicito Men 52
quin tu si quid opust mihi audacter* imperas?
Ps 713   mulier es, audacter *iuras* Am 836   *lo-*
quere audacter Cap 310   loquere(*P* eloquere *AL*)
audacter patri Trı 358   diuitem audacter* solemus *mactare* infortunio Poe 517   *porge* audacter* ad salutem bracchium Ps 708   ibi
audacius licet quae uelis libere *proloqui* Cas
872   *remeato* audacter As 228

particula probationis: quae non deliquit de-
cet .. proterue loqui. #Satis audacter Am 838
AUDEO - - **I. Forma**(*cf* Hofmann, p. 10)
audeo Tru 818   **audes** Am 373, 561, 565, 566, As
476, Au 170(si audes *Ly ex Prisc* II. 9 quaeso *Pψ*),
Ba 1163, Cap 564, 630, Men 149, 697, 711, 732, 1050,
Mı 799 a(*LLy* sodes *SeyRgU* audis *PSt*), Per 39,
Poe 271, 757, 1075(si audes *Rgl* audi *Pψ*), 1310,
Ps 78(*FZ* ades *P*), 1322, Rυ 734, 870, 1030, Trı
244, Tru 425, 612, Fr II. 40(*ex Non* 447)   **auden**
Mı 232(*B³* aut in *P* at tu *GuyR* duce *Ca*)   **sodes**
Ba 837, Men 545, Per 318, Trı 562   **audet** Cas
697, Cu 502, Men 1003(*B²D³* aut et *P*), Rυ 646
(*L* -eat *Pψ*)   **audebas** Cap 662   **audebat** Cap 303
audebatis As 213   **audebit** Au 663(audaeb. *B*)
audeam As 25, Cap 238, Men 712, Ps 542   **au-**
deat Cap 753, Mo 423(-iat *B¹*), Rυ 646(audet *L*),
St 296   **audeant** Ps 205   **auderem** Cı 237(a. sex
dies *Rs* au*irem pies *A* porcueram pies *LLy*), Mı
963(*D³* -re *P*), Rυ 538   **ausim** Au 474, Ba 1056,
Mer 154, 301(*P* aussim *ARRgSLy*), Mo 923, 924,
Poe 149, 1358, Rυ 1383 (*U* aut sim *P var em ψ*)
ausis Rυ 982(*SeyRs* ausus *P* ausu's *Flψ*)   **ausit**
Ba 697, Mı 11   **ausus** Au 755, Cap 704, Mı 508,
1402   **ausu's**(*in AP ubique* ausus) Au 740(*Weis*),
Ep 697(*Lamb*), 710(*Lamb*), Men 493(*Lamb*), Mı
472(*Lamb*), 1405(*Lamb aliter U*), Per 416(*Bent*),
Ps 348(*R*), Rυ 982(*Fl* ausis *SeyRs*), Tru 604
(*Lamb*)   **ausa** Tru 289(es ausa *A* esse audes *P*),
458, 607   **ausum**(*acc. masc.*) Au 746, Ba 1102
corrupta: As 312, ausus *D pro* usus   Men 852,
audeo *P pro* audio(*B²*)   Mı 790, qui te(te quid
B) ausus *P pro* quid ea usus(*A*)   Mo 821,
auden *B²* *pro* audin(aut in *P*)   St 394, audeant *P pro* gaudeant(*A*)   Tru 705, totuca
audeo *P pro* totus gaudeo(*FZ*)
II. Significatio 1. *absolute:* dic mihi, si audes*, quis ea est Au 170(*Ly*)   dic, sodes, mihi
Ba 837(*cf* Loch, p. 16), Trı 562   da, sodes, aps
ted Men 545   ne me surdum esse arbitreris
sodes*(-are si audes *LLy*) Mı 799 a   emitte,
sodes Per 318   mitte ad me, si audes, hodie
Adelphasium tuam Poe 757   aperi si audes*
Poe 1075(*Rgl*)   da mihi hoc, .. si me amas.
si audes(*P* audes si amas *A*) Trı 244
ego si te audeam meum patrem nominem
Cap 238   quis me audacior sit si istuc facinus audeam(*Py* facere *add B* dicere *add CD*)?
Ps 542   quae ausa hunc(*L* h. a. *FULy* huc
a. *PSt* nunc a. *Rs*) sum, tantundem dolum ad-
gredirar Tru 458(*infra* 2 *sub* adgredior)   haud
aliter ausim Poe 1358

2.: eq. infin.(cf Walder, p. 19): . . quia ab amica *abesse* auderem* sex dies Ci 237(*Rs*) hic iam non audebit aurum *abstrudere* Au 663 nemo audet prope *accedere* Cas 697 ad foris nostras . . es ausa* accedere Tru 289(*v. secl BueRs*) ecquid audes de tuo istuc *addere?* Men 149 cum istacin te oratione huc ad me *adire* ausum! Au 746 nihilne *adiuuare* me audes*? Ps 78 quae nunc ausa sum tantundem dolum *adgrediri(CaRs)* Tru 458(*aliter ψ: vide supra* 1) tam bellatorem Mars se haud ausit dicere neque *aequiperare* suas uirtutes ad tuas Mi 11 . . quia(*P* qui *AS* quia id *Rs* qui una *MarxL*) auderem tecum in nauem *ascendere* Ru 538 . . ut ne etiam *aspicere* aedis audeat* Mo 423 hanc *attingere* ausu's mulierem hinc ex proxumo Mi 472 ab isto istuc *auferre* ausim Ru 1383(*U* haud ausim *Ly: vide ψ*) egone aps te ausim non *cauere?* Mo 924 *commouere* me miser non audeo Tru 818 ausu's* etiam *comparare* uidulum cum piscibus? Ru 982 neque *conari* id facere audebatis prius As 213 nec uobiscum quisquam in foro frugi *consistere* audet Cu 502 id non ausit *credere* Ba 697 nisi iurato mihi nihil ausu's credere? Per 416 tun te audes Sosiam esse *dicere?* Am 373 tune id dicere audes? Am 566 id tam audacter dicere audes? Cap 630 non occatorem dicere audebas prius? Cap 662 qua fiducia ausu's . . filiam meam dicere esse? Ep 697 tun tibi hanc surruptam dicere audes? Men 732 men hodie usquam conuenisse te, audax, audes dicere? Men 1050 Mi 11(*vide supra sub* aequiperare) tun . . mihi audes inclementer dicere? Ru 734 cur ausa's alium te dicere amare hominem? Tru 607 ego cum illo pignus haud ausim *dare* Ba 1056 quor dare ausu's Ep 710 non audes aliquid mihi dare munusculi? Tru 425 ausimne* ego tibi *eloqui* fideliter? Mer 301 egone ut ad te ab libertina *esse* auderem* internuntius? Mi 963 tune hic amator audes esse? Poe 1310 uix ipsa domina hoc . . *exoptare* ab deis audeat St 296 cur id ausu's *facere* ut . .? Au 740 hoc seruom meum non nauci facere esse ausum! Ba 1102 cur ausu's facere? Men 493 egone istuc ausim facere, praesertim tibi? Poe 149 illine audeant id facere? Ps 205 cur id ausus facere? Ps 348 non audes . . mihi gratiam facere hinc de argento? Ps 1322 egone te . . ausim dicto aut facto *fallere?* Mo 923 ecquis suppetias mihi audet* *ferre?* Men 1003 ecquid condicionis audes ferre? Ru 1030 amator istac *fieri* aetate audes? Ba 1163 nec machaera audes dentes *frendere* Fr II. 40(*ex Non* 447) . . ne tale quisquam facinus *incipere* audeat Cap 753 concubinam erilem *insimulare* ausus es probri Mi 508 quor *ire* ausu's? Mi 1405(quare's ausus? *R* exquire rem *BergkU*) memini quom dicto haud audebat, facto nunc *laedat* licet Cap 303 male *loqui* mihi audes? Cap 564 quid . . admisi in me ut loqui non audeam? Men 712 tun me . . audes erum *ludificari?* Am 565 meone ero tu . . *maledicere* audes? Tru 612 cur es ausus *mentiri* mihi? Cap 704 *muttire* uerbum unum audes aut mecum loqui?

Men 711 auden* *participare* me quod commentus? Mi 232 audes mihi *praedicare* id? Am 561 iam hunc non ausim *praeterire* Au 474 egon ausim tibi usquam quicquam facinus falsum *proloqui?* Mer 154 etiam audes mea reuorti gratia? Men 697 qua confidentia *rogare* tu a med argentum tantum audes? Per 39 tun audes etiam seruos *spernere?* Poe 271 cur es ausus *subigitare* alienam uxorem? Mi 1402 non audes mihi scelesto *subuenire* As 476 ŋon subuenire mihi audes? Ru 870 quia sum *tangere* ausus haud causificor quin eam ego habeam potissumum Au 755 quis homost tanta confidentia qui sacerdotem audeat* *uiolare?* Ru 646

3. seq. quin: . . ut non audeam profecto percontanti quin promam omnia As 25

AUDIENTIA - - exsurge, praeco, fac populo **audientiam**(-ciam *B*) Poe 11 *Cf* Gronov, p. 274

AUDIO - - I. Forma **audio** Am 416, 792, 812, 1059, As 447, 750, 791, 884, Au 616(audiui *BoRgLLy*), 734, 796, 822, Ba 798, Cap 240, Cas 312, 434, Cu 203, 229, 610, Ep 44, 246, Men 837, 852(*B²* audeo *P*), 1070, Mi 166, 218, 289 (auno *B¹*), 798, 1222, 1393, Mo 365, 629, 934, 993, Poe 1046, Ps 99, 230(audio, ere *AD* audi cere *BC*), 277, 291, 347, 749, 1214, Ru 235, 661, 739, 946, 1290, Tri 103, 1080, 1093, 1156 **audis** Am 577, 977, As 384, Au 270, Ba 212, Men 602, Per 488, Poe 1011, Ps 166, 230, Tri 717 **audin** Am 755, As 109, 116, 447, 598, 750, 884, Ba 861, Cap 592(audin quid ait *B²* in ras* inquid ait *VE* tu quid agis *J*), 602, Cas 707(*P* audi *A*), Ep 400, Men 254(*CD* audi//// *B²* adi//// *B¹*), 310(*B²D²* aut in *P*), 909, 920 (audin tu *B²D²* auditu *P*), Mer 953, Mi 1058, 1088, 1222, 1313(*Guy* audistis in *B* audistin *CD*), Mo 622(audi in *C*), 821(aut in *P* auden *B²*), Per 655, 676, Poe 406(audi *C*), 407(*RRglS* audi *APLULy*), 408, 999(aut in *A*), 1006(*A* audi *P*), 1155, Ps 194, 330, 665, Tri 799, Tru 331(aitdm *C*) **audit** Cap 313, Cas 166, Tru 487(-iit *Ly*) **auditis** Ru 623, Tru 584 **auditin** Ps 172 **audiunt** Tru 488, 490 **audiam** Cap 603 **audies** Ep 499(adies *B¹*), 507(iam audiens *A*), 886(*Ca* audis *P*), Ps 1173, Ru 946 **audibis** Cap 619, Poe 310 **audiet** As 749, Ba 911 **audietis** Mo 97 **audiui** Am 745, 764, 911(-uit *B*), Au 616(*BoRgLLy* audio *Pψ*), Ba 1(*ex Char* 201), 949(audi *B¹*), 953, 1008(*B* audire *D* audiuire *C*), Cap 634, 929, Cas 576, Cu 591, 594, Ep 191, 247, 457, 496, 507, 512, 563, Mer 333, 375, 953, Mi 275, 493, 1012, Mo 665, Per 32 a, 695, Poe 156, 761, 1404, Tri 547, Tru 195(*ACD* audine *B*), 382(adudiui *A*), 858(*RsLLy* -uit *P* adire *PistorU*), Vi 20, 74, 116(*ex Philarg ad Verg Buc* II. 63) **audiuisti** Au 538(-tin *Bent Rg*), Ci 545 (-disti *BV*), Ru 355, 993(*PRs* -disti *Guyψ*), St 246(eho an a. *A* ehon aut luisti *B* chon audisti *CD*), Vi 22 **audiuistin** Am 748, 752 **audisti** Ru 993(*Guy* -iuisti *PRs*) **audiuit** Ba 912, Mo 764(*A lac P vide ω*) **audiuimus** Am 1099, Ps 463 **audiuistis** Poe 921(*A* -ti *P*) **audistis** Ci 170 **audiuero** Ep 593(*A om P*), Per 219 **audierint** Cas 903 **audiam** Cas 962, Mer 886(quid ego a. *RRg* quod gaudeas *Pψ*), St 36 **audias** Ba 698, Ep 241, 451,

Mɪ 689, 761, 1408, Mo 942(*A solus*), Rᴜ 1343
audiat Cᴀᴘ 779, Mɪ 1220, 1254, Rᴜ 236 **audiant** Pᴇʀ 426 **audiuerim** Aᴍ 748 **audiueris**
Mɪ 1265(*Herm* -ieris *P*), Tʀɪ 538(indau. *U*)
audiuerit Cᴀꜱ 575(audierit *B*) **audisses** Tʀɪ
1086 **audi** Aꜱ 229, 791, Aᴜ 781(*Rg om Pψ*),
789, Bᴀ 276, Cᴀꜱ 649, 669, Cɪ 521, 597, Cᴜ 132,
Eᴘ 286, Mᴇɴ 643(audi atque *B*² audiat qui *P*
[quid *B*¹], Mᴇʀ 922, Mo 314, Pᴇʀ 750, Poᴇ 407
(*APLULy* audin *Rψ*), 1075(si audes *Rgl*), Ps
197, 255, Rᴜ 945, 955, 1063, 1129, 1327, Tʀɪ 528,
1059 **audite** Rᴜ 809 **audire** Aᴜ 652, 811,
Bᴀ 1161, Cɪ 543(-te *J*), 554, 555, Mᴇʀ 886, Mɪ
904, Poᴇ 4, Ps 523a, 1087, Tʀɪ 76(-rę *D*), 522,
626, 907, 932(-res *B*) **audiuisse** Eᴘ 254
(-uisse se *B*² -ui sese *P* se *om LLy*) **audisse**
Cᴀᴘ 1023(-sem *P* redisse *A ut vid*), Tʀᴜ 575
(*Ca* -iuisse *BC* -iiusse *D*) **auditu**(*sup.*) Cᴀꜱ
880 **audiendum**(*nom. neut.*) Mᴇʀ 178 **au-
dienda**(*acc. neut.*) Tʀᴜ 834 **audiens** Aᴍ 989,
991, Pᴇʀ 399(*A* audi eas *P*), Tʀɪ 1062, Tʀᴜ 125
(*A* -es *P*) **audientem** Aꜱ 544, Mᴇɴ 444, Pᴇʀ
836 **auditum**(*acc. neut.*) Tʀɪ 218 **audito** Bᴀ
469(-tu *B*²), Mᴇʀ 903 **audita**(*acc. pl.*) Aᴍ 200,
Tʀᴜ 490(*FZ* -tas *P*) **auditis** Cᴀꜱ 224 *corrupta:* Aᴜ 537, di audiui *B*¹*V*¹ audiui *V*²*J*
di *D pro* edi(*B*² *Non* 454) Cᴀᴘ 30, inde audiuit *P*(-iunt *J*) *pro* indaudiuit(*Gul*); 561, audiui
di *EJ pro* haud uidi(*B*) Eᴘ 545, audio *A*
animo *P pro* autumo(*Ca*) Mᴇʀ 941, inde
audiuerit *P pro* indaudiuerit Mɪ 211, audiui
A pro indaudiui(*Bo* inau. *P*); 442, audiui *B*
inaudiui *CD pro* indaudiui(*Bo*); 799a, audis
P pro audes(*Sey aliter R*); 1224, audisse *P
pro* adisse(*FZ*) Mo 408, audiens *D pro* an
cliens(*B*²); 423, audiat *B*¹ *pro* audeat; 720,
mel audis *CD pro* me laudas(*B*) Poᴇ 511,
audite *P pro* aut ite(*FZ*); 982, audibo *P pro*
adibo(*AB*²) Ps 654, audibis *A pro* haud ibis
(*P*) Sᴛ 77, inde audiuerim *P* inau. *A pro* in-
daudiuerim(*Par*); 167, audiui *CD* aut diui *B*
auditaui *Aꜱ*†*Ly*† indaudiui *R aliter ψ*
II. Significatio A. *verbum fin.* 1. *absolute*
a. *de sensu:* caput dolet neque audio nec oculis prospicio satis Aᴍ 1059
b. = *auscultare:* audiuistin tu me narrare
haec hodie? #Ubi ego audiuerim? Aᴍ 748
audin quae loquitur? #Audio Aꜱ 447, Mɪ 1222
audin? #Audio Aꜱ 750 audi reliqua. #Lo-
quere: audio Aꜱ 791 audin quid ait? #Audio
Aꜱ 884 non dico: audire expetis Aᴜ 652 secundum patrem, tu's pater proxumus. #Audio
Cᴀᴘ 240 istinc loquere, si quid uis: procul
tamen audiam Cᴀᴘ 603 cauebunt qui audierint faciant Cᴀꜱ 903 quasi non audiam
abibo Cᴀꜱ 962 recte audiuisti Cɪ 545*, Vɪ
22 utinam audire non queas Cɪ 555 quid
agis, bone uir? #Audio Cᴜ 610 tace ergo,
ut audias Eᴘ 241 quid tibi negotist meae
domi igitur? #Audies* Eᴘ 499 audio sed
non abire possum Mᴇɴ 837 audin tu? #Iam
dudum audiui Mᴇʀ 953 lucet hoc inquam.
#Audio Mɪ 218 . . quasique ego rei sim
interpres. #Audio Mɪ 798 ne parce uoci
(uocem *L*) ut audiat Mɪ 1220 tace ne audiat
Mɪ 1254 leno te argentum poscit: . . ut omnes
audiant Pᴇʀ 426 audire iubet uos imperator

Poᴇ 4 non audis? mures Africanos praedicat
. . dare se uelle aedilibus Poᴇ 1011 non audis
quae hic loquitur? #Audio* . . atque animum
aduorto Ps 230 animum aduorte. #Audio Ps
277 pietas prohibet. #Audio Ps 291 studeo hercle audire Ps 523a non audio. #At
pol qui audies †post Rᴜ 946 dico, Venus, ut
tu audias Rᴜ 1343 auctionem praedicabas.
#Pessuma, eho an audiuisti*? Sᴛ 246 argu-
mentum dicam. #Audire pol lubet Tʀɪ 522
. . quod edepol homini probo (nomen). #Lubet
audire Tʀɪ 907 lubet audire* nisi molestumst
Tʀɪ 932 credidi aegre tibi id ubi audisses
fore Tʀɪ 1086 non laudandust quoi plus credit qui audit* quam qui . . Tʀᴜ 487 non placet quem illi plus laudant qui audiunt quam . .
Tʀᴜ 488 qui audiunt audita dicunt Tʀᴜ 490
c. *locutiones quae animum ad sequentia praesertim convertunt:* audin*? Mo 622 audin*,
Menaechme? Mᴇɴ 254, 310 audin*, Palaestrio?
Mɪ 1313 auditin? Ps 172 audin* etiam?
#Quid uis? Tʀᴜ 331 satin audis? Ps 166
audin tu? Aꜱ 116, Mᴇʀ 953, Poᴇ 1006* audin
tu, mulier? Mɪ 1058 audin tu, Persa? Pᴇʀ
676 audin tu, patrue? Poᴇ 1155 atque
audin? #Quid uis? Eᴘ 400 atque audin*?
#Etiam(audin etiam? *LU*) Poᴇ 406 atque
audin? respice Poᴇ 408 atque audin, Harpage? Ps 665 atque audin? #Quid est? Tʀɪ
799 atque audin etiam? #Ecce Aꜱ 109 Poᴇ
406(*LU: supra*) atque adeo audin? Mɪ 1088
(tu *add PU*) sed audin*? Cᴀꜱ 707

mane, mane, audi Aꜱ 229 audi*: filiam ex
te tu habes Aᴜ 781(*Rg*) audi nunciam Aᴜ
789 quin tu audi Bᴀ 276 scibis, audi Cᴀꜱ
649, Eᴘ 286 audi: per omnis deos et deas
deierauit Cᴀꜱ 669 audi, meam ut scias
sententiam Cɪ 521 asta atque audi Cɪ 597
anus, audi: hoc uolo scire te Cᴜ 132 audi*
atque ades Mᴇɴ 643, Poᴇ 1075 audi: em
tibi imperatumst Mo 314 sine dicam. #Nolo.
#Audi. #Surdus sum Pᴇʀ 750 audi: nisi
carnaria tria . . mihi erunt . . Ps 197 omitte.
#Ballio, audi. #Surdus sum Ps 255 audi.
#Non audio. #At pol qui audies †post Rᴜ 945
audi: furtum ego uidi qui faciebat Rᴜ 955 audi
(tu *praemittit U*): loquere tu Rᴜ 1063 audi.
#Si(: si *LLy*) hercle abiero hinc, hic non ero
Rᴜ 1327 audi, heus tu. #Non sto Tʀɪ 1059
audite nunciam Rᴜ 809 *cf etiam:* ecquid audis?
atque hoc audin? si quid audis *infra* 2. b
2. *seq. acc.* a. *personae: te*n, Palaestra, audio?
#Quin uoco, ut me audiat, nomine illam suo?
Rᴜ 235-6 amicis morbum tu incuties grauem,
ut te uidere audireque aegroti sient Tʀɪ 76
audin *illum?* Aᴍ 755 audin *hunc* opera ut
largus est nocturna? Aꜱ 598 (*proleptice*) *quem*
ego hic audiui? Mɪ 1012
= audire de: mulierem peiorem . . non uiat
neque(aut *FlRgL*) audiui Cᴜ 594 fando ego
istunc hominem(*APLLyRg*² istuc nomen *Boψ*)
numquam audiui ante hunc diem Eᴘ 496
b. *rei:* metuo ne . . *haec* audiuerit*. #Audiui
ecastor Cᴀꜱ 575-6 haec sic audiui Eᴘ 512
mane parumper &que haec audi Mᴇʀ 922 atque hoc audi* Poᴇ 407 sumne ego mulier
misera quae *illaec* audio*? Mᴇɴ 852 *id* audire

expeto Ps 1087   *ecquid* audis?*(saepius ad prae-cedentia refert)* Aм 577, Au 270, Per 488, Tri 717   ecquid auditis? Tru 584(*vide infra* 4, a) id *quod* audiui audies* Ep 507   maxume quod uis audire id audies* Mer 886   quae audiui-stis* modo, nunc si eadem iterum iterem, in-scitiast Poe 921   sunt quae . . nosmet scimus atque audiuimus Ps 463   *quid* ego audio? Aм 792   quid ego audiam*? Mer 886(*RRg*) hem, quid ego audio? Poe 1046 (*cf* q. e. ex te a.? *infra* 3. b)   ohe, inquam, si quid audis As 384   nescio quid malefactum a nostra hic familiast, *quantum* audio Mi 166(*vide* Poe 1404 *infra sub* ingenium)
     satis iam audiui tuas *aerumnas* Cap 929 audi *cetera* Tri 528   intus *clamorem* audio Mi 1393   currite huc . . qui auditis clamorem meum Ru 623   quid hoc hic clamoris audio ante aedis meas? Tri 1093   *contumeliam* si dices audies Ps 1173   sonitum et *crepitum* claustrorum audio Cu 203   quando *dicta* audietis mea, haud aliter id dicetis Mo 97 quod ego *facinus* audiui* adueniens tuom? Tru 382(*vide infra* 3. b)   . . quantum audiui *in-genium* et mores eius quo pacto sient Poe 1404 (*proleptice*)   horrescet faxo lena, *leges* quom audiet As 749   *mores* Poe 1404(*vide sub* in-genium)   neque ego istuc *nomen* umquam audiui ante hunc diem Cap 634   Ep 496(*Bo RgSU supra a, sub* hominem) *omnia* Au 538 (*infra sub* sermo)   est lubido *orationem* audire duorum adfinium Tri 626   si audias meas *pugnas*, fugias . . domum Ep 451   audi *relicua* As 791   . . qui *res* alienas procures, quaeras, uideas, audias Mo 942   lubenter edi *sermonem* tuom.   #An audiuisti?   #Usque a principio omnia Au 538   litterarum ego harum sermo-nem audio Ps 391   *sonitum* Cu 203(*supra sub* crepitum)   audio *tumultum* Ru 661   salua spes est, ut *uerba* audio Cas 312   ut uerba audio non equidem in Aegyptum hinc modo uectus fui Mo 993   obsecro hercle te ut mea uerba audias Mi 1408   iam numquam audibis uerba tot tam suauia Poe 310   istuc magis magisque metuo quom uerba audio Ps 1214 ego *uocem* hic loquentis modo mihi audire uisus sum Au 811   audire* uocem uisa sum . . mei Lampadisci serui Ci 543   quoiam uo-cem ago audio? Cu 229
     3. *add.* ex (*de ab vide* Tri 538 *infra* b) *cum abl. personae:* a. quippe qui ex te audiui, ut . . Aм 745   ego equidem ex te audiui Aм 764 audire etiam ex te studeo Ba 1161   Ep 254 (*infra* b)   saepe ex te audiui, pater Mer 375 (*cf* Weizsenhorn, p. 7) numquam . . scibis prius quam ego ex te audiuero Per 219
     b. nescio tu ex me hoc audiueris* an non Mi 1265   haec sic aiebat se audiuisse(*KampS* h. ai. sic au *PRgLULy*) ex eapse atque epi-stula Ep 254   cur istuc . . ex ted audio? Aм 812   iam pridem equidem istuc ex te audiui Poe 156   caue sis audiam ego istuc posthac ex te St 36   quid ego ex te audio? Au 734, Ep 44, 246, Men 1070, Mo 365(ted *BoR*), Ps 347, Ru 739, Tri 1080(ted *RRs*)   quod facinus(ego f. *RgLLy*) ex te ego(*om RgLLy* ted *Rg*) audio? Au 796   quod ego facinus audio

ex te? Au 822   plura ex me audiet hodie mala quam audiuit umquam Clinia ex Deme-trio Ba 911-2   magis 'apage' dicas si omne ex(*Kamp om* P a *ASτLy*) me audiueris(omnia indau. *Ū*) Tri 538   . . primo ex med hanc rem ut audiat Cap 779   quod ego . . scelus ex te audio*? Mi 289   hoc numquam uerbum ex uxore audias Mi 689   ex me audibis uera quae nunc falsa opinare Cap 619
     4. *seq. vel enunt. rel. vel interr. obl.*(*cf* Fuhrmann, CV. p. 817): a. audi nun-ciam . . hoc quod loquor Ru 1129   ecquis haec quae loquor audit? Cas 165   ecquid auditis haec quae(*Ca* heque *PSτ* quae *Rs*) iam imperat? Tru 584   (audis) hoc quod ac-tumst Ep 246   (audis) hoc quod fabulor Ep 44 (audis) hoc quod res est Men 1070   (audis) id quod uerumst Au 734   id quod audiui au-dies* Ep 507   quod uis audire id audies* Mer 886
     b. audis quae dico Aм 977   si audias quae dicta dixit . . Ba 698   est profecto deus qui quae nos gerimus auditque et uidet Cap 313 audin quae loquitur? As 447, Ba 861, Men 909, Mi 1222   satin audis quae illic loquitur? Men 602   audin, furcifer, quae loquitur? Ps 194   non audis quae hic loquitur? Ps 230
     c. audin quid ait? As 884, Cap 592*(*praecedit* heus), Per 655   audin quid ait Iuppiter? Ps 330   non audiuisti . . quo pacto leno clan-culum nos hinc auferre uoluit? Ru 355   audire cupio quem ad modum (*sc* meditata sit) Mi 904   . . quantum audiui ingenium et mores eius quo pacto sient Poe 1404(*proleptice: cf* Redslob, p. 7. *adn.* 7)
     audin* tu ut deliramenta loquitur? Men 920 audin hunc opera ut largus est nocturna? As 598
     ex te audiui ut urbem maxumam expugna-uisses regemque Pterulam tute occideris Aм 745   animus audire expetit ut gesta res sit Ci 554
     5. *seq. infin.*(*cf* Votsch, p. 37; Walder, pp. 37. 46) a. *praes.:* audio *aperiri* fores Ba 798, Cas 434   neminem eorum haec *adseue-rare* audias Mi 761   egomet mihi non credo quom illaec *autumare* illum audio Aм 416   ut eampse uos audistis *confiterier*, dat eam puel-lam meretrici Ci 170   audiuistin tu hodie me illi *dicere*? Aм 752   audin illum?   #Ego uero ac falsum dicere Aм 755   audin* *fuerant* dicere? Mo 821   te audiui dicere operarium te uelle rus conducere Vi 20   haec quom audio in te dici, discrucior miser Tri 103 quod ego hunc hominem facinus audio *elo-qui*(*SchoeS* audiui[*Bo*] loqui[*P*] ψ)? Au 616 . . quantum hunc audiui *facere* uerborum se-nem Mi 493   quom mentionem *fieri* audio us-quam uiduli quasi palo pectus tundat Ru 1290 ego illum audiui in amorem *haerere* apud nescio quam fidicinam Ep 191   *loqui* Au 616 (*sub* eloqui)   egomet postquam id illas audiui loqui coepi . . accedere Ep 247   hic illam uidit osculantem quantum hunc audiui loqui Mi 275   te istaec audiui loqui Per 32a   istest ager profecto ut te audiui loqui . . Tri 547 credo audisse* haec me loqui. Tru 575   audi-

uistin tu me *narrare* haec hodie? #Ubi ego audiuerim? Aᴍ 748   au?iui feminam ego le-nonem semel *parire* Vɪ 1?6 (*ex Philarg ad Verg Buc* II. 63)   audin* *pollicitarier?* Poᴇ 999 probus homost ut *praedicare* te audio Ps 749 audin lapidem *quaeritare* Cᴀᴘ 602   tantum flagitium te *scire* audiui* meum Bᴀ 1008   ge-minum autem fratrem *seruire* audiui hic meum Pᴇʀ 695   in memoriam regredior audisse* me quasi per nebulam Hegionem meum patrem *uocarier* Cᴀᴘ 1023 (*cf.* Gronov, p. 80) si hercle te umquam audiuero* me patrem uocare . . Eᴘ 593

    b. audiui* ted esse iratam mihi Aᴍ 911 calidum hercle esse audiui optumum men-dacium Mo 665   isti umbram audiuit esse aestate (*Ca ex P aliter ALLy em RU vide* ω) perbonam Mo 764   seruom esse audiui meum apud te Poᴇ 761   tu numquam audisti* esse antehac uidulum piscem? Rᴜ 993

    c. *perf.:* Ulixem audiui fuisse aerumnosis-sumum Bᴀ 1 (*ex Char* 201)   Ulixem audiui* . . fuisse et audacem et malum Bᴀ 949   Ilio tria fuisse audiui fata Bᴀ 953   ei dono ad-uexe audiui Mᴇʀ 333   meam amicam audiui te esse mercatum Eᴘ 457   peperisse audiui* Tʀᴜ 195   antiquom poetam audiui scripsisse in tragoedia . . Cᴜ 591

    postquam audiui . . illam esse captam, con-tinuo argentum dedi Eᴘ 563   adeo etiam argenti faenus creditum audio Mo 629   filiam tibi desponsam esse audio Tʀɪ 1156   quid ego ex te audio? #Amicam (hoc: a. *MueRgU*) tuam esse factam argenteam Ps 347   num inuitus rem bene gestam audis eri? Bᴀ 212   quid ego ex te audio? #Hanc Athenis esse natam libe-ram Rᴜ 739

    6. *seq. participium:* uxorem tuam neque ge-mentem neque plorantem nostrum quisquam audiuimus Aᴍ 1099   neque tibicinam cantan-tem . . audio Mo 934   *Cf* Sidey, p. 23

    7. *sup.:* ridicula auditu iteratu ea sunt Cᴀs 880

    8. *passive usurpatum* a. *gerund.:* malum audiendumst Mᴇʀ 178   scio . . quae nolo multa mihi audienda ob noxiam Tʀᴜ 834

    b. *partic.:* si exquiratur . . auctoritas unde quidquid auditum dicant . . Tʀɪ 218   audita eloquar Aᴍ 200   qui audiunt audita* dicunt Tʀᴜ 490   uidisti an de audito nuntias? Mᴇʀ 903   uidi, non ex audito* arguo Bᴀ 469   hanc ego de me coniecturam domi facio magis quam ex auditis Cᴀs 224

    B. *participium praesentis adiective cum dat. usurpatum: cf* Gimm, p. 14; Gronov, p. 22; Sjögren, p. 16

    ego sum Ioui dicto audiens Aᴍ 989   pater uocat me . .: eius dicto imperio sum audiens Aᴍ 991   dicto sum audiens* Pᴇʀ 399   si non dicto audiens est, quid ago? Tʀɪ 1062   tuis seruio atque audiens* sum imperiis Tʀᴜ 125

    audientem dicto, mater, produxisti filiam As 544   dicto me emit audientem, haud impe-ratorem sibi Mᴇɴ 444   te mihi dicto audientem esse addecet Pᴇʀ 836

    C. *dubia:* Tʀᴜ 858, ubi id audiuit *P?*†   ubi id audiui *LLy tota linea suppleta* uidi audiui *J*

Rs lubet adire *PistorU*   Vɪ 74, et iam ego audiui***

AUDITO - - **auditaui** (*A?*†*Ly*† autdiui *B* audiui *CD* atque *praemittit L* ita *BergkRgU* ita indaudiui *R*) saepe hoc uolgo dicier Sᴛ 167

AUDITOR - - si meo arbitratu liceat, omnes pendeant gestores linguis, **auditores** auribus Ps 429

AVEHO - - I. Forma (*cf* Hofmann, p. 24) auehit Mᴇɴ 33, 1115 (uehit *B?*), Mɪ *Arg* I. 1, Poᴇ 72, Rᴜ 63 (*D³* auenit *P*)   auexi Rᴜ 862 auexisti Rᴜ 862 (*?* abduxisti *PU* abduxti *LLy* auexti *AcRs*)   auexit Bᴀ 574, 948 (*A* abduxit *PR*), Mᴇɴ 27, Rᴜ 326   auehat Mɪ 938 (*Dou* habeat *P*)   aueheret Ps *Arg* II. 7   auexerit Mᴇʀ 941 (*Sey* uexerit *PLLy*)   auehere Rᴜ 863 auehi Mᴇɴ 1113 (abiit *B¹* abii *B ex ras*)   auecta (*nom. fem.*) Cɪ 579, 580   auectam Mɪ 114

    II. Significatio 1. *cum acc.:* amicam se-cum auexit ex Samo Bᴀ 574   . . ut *concubi-nam* militis meus hospes . . hinc Athenas aue-hat* Mɪ 938   *geminum* alterum . Tarentum auexit secum ad mercatum simul Mᴇɴ 27   is *Helenam* auexit* Bᴀ 948   rogito quis *eam* auexerit* Mᴇʀ 941   ipse hinc ilico conscendit nauem, auehit* *meretriculas* Rᴜ 63 *meretricem* Athenis Ephesum miles auehit Mɪ *Arg* I. 1 . . ut . . secum auheret emptam *mulierem* Ps *Arg* II. 7   is nauem ascendit, mulieres auexit Rᴜ 326   arrabonem . . accepisti ob mulierem et eam (*PyLULy* iam *Pψ*) hinc (eam *add Rs*) auexisti*. #Non auexi . .: auehere non quiui miser Rᴜ 862-3   is *puerum* tollit auehitque Epidamnum eum (*Sey* atque in Ep. a. *R* Epi-damnium *PLLy*) Mᴇɴ 33   ille qui surripuit puerum, Calydonem auehit Poᴇ 72   quot eras annos gnatus quom *te* pater a patria auehit*? Mᴇɴ 1115

    2. *passive:* 'auectast' inquit 'peregre hinc habitatum'. #'Quo auectast, eo sequemur' Cɪ 579-80   amicam erilem Athenis auectam scio Mɪ 114   inter hominem me deerrare a patre atque inde auehi* Mᴇɴ 1113

    3. *terminus additur per aduerb.:* hinc Cɪ 579, Mɪ 938, Rᴜ 63, 862   inde Mᴇɴ 1113   peregre Cɪ 579   quo Cɪ 580   *acc.:* Athenas Mɪ 938 Calydonem Poᴇ 72   Ephesum Mɪ *Arg* I. 1 Epidamnum Mᴇɴ 33 (*Sey* -nium *PLLy*)   Taren-tum Mᴇɴ 27   *abl.:* Athenis Mɪ *Arg* l. 1, Mɪ 114   *praep.:* a patria Mᴇɴ 1115   ex Samo Bᴀ 574   in Epidamnum* Mᴇɴ 33 (*R*)

AVENIO - - Mɪ 169, auenit *A pro* aduenit (*P* uenit *FlU*)   Rᴜ 63, auenit *P pro* auehit (*D³*)

AUFERO - - I. Forma   aufero Aᴍ 930 (*Rgl* duxero *P?*†*Lt*†*ULy* '*an* adsero?' *L*), Tʀᴜ 887 (*Ca* auferue *B* aufferre *C* auferre *D*)   aufers Ps 1321 (*R vide* auferen), Tʀᴜ 876 (*BoU vide* auferes) aufert Cᴀs 43, Ps *Arg* II. 12 (*Mai* adfert *A*), 1316, Rᴜ 1124 (*BRs* -rret *Dψ* -ret *C*)   auferimus Bᴀ 301   auferunt Bᴀ 650, Rᴜ 20   auferam Bᴀ 571, Cᴜ 619   auferes Aᴍ 454, Bᴀ 824, Pᴇʀ 276, Tʀᴜ 876 (aufers *BoU*)   auferen Ps 1224 (auferen tu *A* auferetur *P*[-entur *B¹*]*R*), 1321 (*A* auferre *P* aufersne *R*)   auferent Mᴇɴ 847 auferere Aᴍ 358 (*J* -rrere *BDE*), Cᴜ 569 (auferre *J*)   auferetur P? 1224 (*R vide* auferen)   abs-

tuli(aps. *Ly*), As 163, Au 635(*B²J* abstoli *B¹*
DE), 645, Ba 958, Men 133, 476(*ABD²U* aps.
CD¹ψ), 601, 1142(*OnionsRsLLy om PS*[**]
mihi dedit *CaRU*), Mo 879(abstuli, abii *Bo*
duce Ca abstultabi *P*[-tabis *D³*]), Tru 427(*F*
-it *CD* astulit *B*), 888(abstuli mi *Rs* abstulimus *Pψ*) **abstulisti** Au 645(abstuli *D*), Men
604 **abstulit** Am 600, Au 313, Ba 666, Cap 1018,
Ci 650, Ep 352, Men 201, 649(*BDLU* aps. *Cψ*),
St 460, Tri 407(*ACDU* aps. *Bψ*), Tru 513(*U*
in loco dub: vide ω), 813(*Ca* adst uni *B* adē
uni *CD*) **abstulimus** Am 139, Ba 277, Tru 888
(abstuli mi *Rs: loc dub*) **abstulistis** Tru 139
abstulerunt Au 346 **abstuleras** Au 635(abstol.
P), 766 **abstulerat** Cap 18(-rit *B¹*) **abstulero** Ps 514(aps. *RRgL*) **abstuleris** Ps 512
(*CDU* aps. *ψ* apsuteris *B*), 513(*PU*[-it] aps. *ψ*)
abstulerit Ps 513(*U* -ris *Pψ*), Ru 472 **auferam** Au 433, 582, 614(aff. *D*), 695, Ba 525, Cu
428(adf. *B* -ro *Rg*), Ep 160, 193, Per 326, Ps
486 **auferas** As 816, Ba 694, Per 797, Ps 486
auferat Au 82, Ba 480(atef. *D¹*), 740, Cu 704,
Mi 1100, 1304(*A ut vid ut ferat CD* ei ferat
R), Pce 1293 **auferant** Tru 585 **auferres** Au
440(*RgLLy* haberes *PS*†*U*), Tru 748 **auferret** Ru 1124(*D* -feret *C* aufert *BRs*) **aaferre-
tur** Tru 798(*Rs* aff. *CaSU* ferretur *PLLy*)
abstulerim(aps. *Ly*) Men 1061 **abstulerit** Au
716, 773, 774, Ci 679, Cu 650. Mi 696 **aufer**
As 97, 469(*B²J* aufert *B¹DE*), Au 638, Cap
964, Ci 52(*UL* inter *RsS*†*Ly*), 340(*ex Non* 482),
450, Cu 245, Men 607(aufir *CD¹*), 627, 690, Mi
760, 761(aufert *CD¹*), 1335(*Bri* fer *PS*† *aliter*
R: vide infra II. A. 1. b. *β*), Mo 294, Poe 1035
(*A* aufers *P*), Ru 1032(aufert *B*), 1383(*U* aufer
te *Rs* auferre *Pψ*), Tri 66, Tru 861 **auferte**
Tru 364 **auferto** Men 430, Tru 914 **auferre**
As 154, Au 516, Ba 297, Ep 143, Mi 982(*FZ* auferet *PS*† *loc dub*), Ru 356, 1383(aufer te *Rs*)
auferri As 424, Ps 505, 1225, Tru 583 **auferrier** Mer 801 **abstulisse** Au 97, 646, 648,
764, Men 814 **ablaturum** Ba 741, 805(obl.
D), Tru 5(*ZLULy* abiaturum *P* adl. *Saracψ*)
auferendo(*abl.*) Tru 16 **ablatus** Men 992
ablata(*nom. fem.*) Am 807 *corrupta:* Au 258,
auferret *D* afferat *J pro* afferret Tru 19, auferat *P pro* auerrat (*Weis*); 929, aufero *P pro*
hau(haud *FZU*) ferro(*FZ*)

II. Significatio A. *proprie* 1. **a.** *absolute:*
qua me, qua uxorem .. potes, circumduce, aufer
As 97 ecquid agis? #Quid agam? #Auferre
(hinc *praemittunt ReizRg* mea *FranckenU*) non
potes Au 636
b. *cum acc. α. personae:* aufer* *te* domum
As 469 te, opsecro, hercle, aufer* modo Ru
1032 iam ab isto aufer te Ru 1383(*Rs*) tollam ego ted in collum atque intro hinc auferam Ba 571 hic fur est tuos qui paruom hinc
te abstulit Cap 1018 nec quo *me* pacto abstulerit possum dicere Cu 650 ni occupo aliquod
mihi consilium, hi domum me ad se auferent
Men 847 .. ne forte me auferat, pullom tuom
Poe 1293 ubi ea *se* abstulit Tru 513(*U solus*
in loco dub) leno clanculum *nos* hinc auferre
uoluit in Siciliam Ru 356 *passive:* aufe-
rere*, non abibis, si ego fustem sumpsero
Am 358(== mortuos au. *cf* Egli, I. p. 28) tu

auferere* hinc a me si perges mihi male loqui
Cu 569
fugitiuos ille .. *dominum* abstulerat* Cap 18
facite illic *homo* iam in medicinam ablatus sublimen siet Men 992 abiit, abstulit *mulierem*
Ci 650 exorat, aufert (*puellam*) detulit recta
domum Cas 43 era me rogitauit minor *puer*
ut auferretur* Tru 798(*Rs*) si auferes* a milite omnis tum spes animam efflauerit Tru
876
mustela *murem* abstulit praeter pedes St
460
β. rei: ego intus seruem? an nequis *aedes*
auferat? Au 82 factust optumum ut ted auferam, *aula,* in Fidei fanum Au 582 oro ..
hominem demonstretis quis eam (aulam) abstulerit Au 716 aulam auri .. quam tu confessu's mihi te abstulisse Au 764 illam
(aulam) ex Siluani luco quam abstuleras cedo
Au 766 neque scis †qui abstulerit?.... #Qui
abstulerit mihi indicabis? Au 773-4 facite indicium .. quis eam (*cistellam*) abstulerit Ci 679
probus hic *conger* frigidust: remoue, abi, aufer*
Mi 761 si uolebas participari, auferres *dimidium* domum Tru 748 ea *dona* .. abstulimus Am 139 *mensa* ablatast Am 807 properate, auferte mensam Tru 364 *mea* Au 636
(*FranckenU: supra* a) aufer illam *offam* porcinam Mi 760 aufer *manum* Ci 450, Men 627
abi tu hinc intro atque *ornamenta* haec aufer
Mo 294 collegit, omnia abstulit *praesegmina*
Au 313 iussin, sceleste, ab ianua hoc *stercus*
hinc auferri? As 424 (*uasa*) fures uenisse
atque abstulisse dicito Au 97 iube (uasa
add L) auferri intro (ad me *add Rs*) Tru 583
uasa nolo auferant Tru 585 quid si hanc
hinc abstulerit quispiam sacram *urnam* Veneris?
Ru 472 accipe *hoc* (aurum?) atque auferto
intro Tru 914 iubeas, si sapias, haec hinc
(*om PL*) intro auferrier Mer 801
.. nisi *labra* a labris nusquam auferat* Ba
480 labra ab labellis aufer, nauta: caue
malum(*BriRgLULy* ferinantace malum *CDS*†
fer ad macellum *B. aliter R*) Mi 1335
2. = *per fraudem vel per vim* obtinere, surripere: ne quisquam a me *argentum* auferat
Cu 704 senatum conuocabo in corde .. unde
argentum auferam Ep 160 hic quidem mihi
dat uiam quo pacto ab se argentum auferam
Ep 193 omnes sycophantias instruxi .. quo
pacto ab lenone auferam hoc argentum Per
326 hinc quidem a me non potest argentum
auferri Ps 505 si apstuleris* (argentum) ..
magnum facinus feceris. #Faciam. #Si non
apstuleris? #Virgis caedito: sed quid si abstulero? Ps 512-4 satin ultro et argentum
aufert et me inridet? Ps 1316 piscator, pistor
abstulit, lanii, coqui Tri 407 *aurum* hercle
auferre uoluere Ba 297 .. ut senem .. docte
fallas aurumque auferas Ba 694 sycophantias
componit aurum ut abs ted auferat et profecto se ablaturum dixit Ba 740-1 numquam
auferes hinc aurum Ba 824 te dixisti id
aurum ablaturum* tamen per sycophantiam
Ba 805 Syri, qui duas aut tris *minas* auferunt eris Ba 650 ecquas uiginti minas ..
paritas ut a med auferas? #Aps te ego aufe-

ram? Ps 486 ego *pecuniam* quadruplicem abs
te et lenone auferam Cu 619

(*palla*) quam hodie uxori abstuli Men 601
ne illam ecastor faenerato (mi *add FlRRs*)
abstulisti Men 604 quis eam surrupuit? #Pol
istuc ille scit qui illam apstulit Men 649 me
arguit hanc domo ab se surrupuisse atque
abstulisse deierat(*Ca*) Men 814 nihilo .. magis facietis ut ego (hınc *add RsⱮ*) hodie abstulerim pallam et spinter Men 1061 ab Hippolyta *subcingulum* Hercules haud aeque magno
umquam abstulit periculo Men 201

auferem* tu id *praemium* a me quod promisi per iocum? #De improbis uiris auferri
praemium et praedam decet Ps 1224-5 ut
dixeram *n*ostro seni mendacium .. ibi *signum*
ex arce iam abstuli Ba 958 adgreditur ..
Pseudolus tamquam lenonis atriensis, *symbolum* aufert* Ps *Arg* II. 12

tum *formam* una abstulit cum nomine Am
600 rem perdidi apud uos: uos meum *negotium* abstulistis Tru 139

meo malo a mala abstuli *hoc* Men 133 hoc
auferen* .. abs tuo ero? #Lubentissumo corde
Ps 1321 *quid* tibi surripui? .. *nihil* equidem
tibi abstuli. #At illud quod tibi abstuleras*
cedo Au 635 uidi petere miluom etiam quom
nihil auferret* tamen Ru 1124 *quid* abstulisti* hinc? #Di me perdant si ego tui *quicquam* abstuli, niue adeo abstulisse uellem Au
645-6 uah, scelestus quam benigne ut ne
abstulisse intellegam Au 648 ibi si perierit
quippiam .. dicant: 'coqui abstulerunt' Au 346

3. = *sine fraude* obtinere, sumere, accipere
a. *absolute:* dat operam ne sit relicuom ..
poscendo atque auferendo Tru 16

b. *cum acc.:* postquam *aurum* abstulimus
in nauem conscendimus Ba 277 postridie auferimus omne Ba 301 atque orabis me quidem
ultro ut auferam Ba 825 iube sibi aurum
atque ornamenta .. dono habere .. auferre* abs
te Mi 982 aurum atque uestem .. habeat
sibi .. sumat, habeat, auferat Mi 1100 pallam
et aurum hoc abstuli* Men 1142 ergo mox
auferto tecum (*pallam*) quando abibis Men 430
abstuli hanc Men 476 tibi habe, aufer, utere
uel tu uel tua uxor Men 690 leno omne
argentum abstulit pro fidicina: ego resolui Ep
352 iam ab isto auferre (argentum) haud
potis sim(*L* haud ausim *Ly* auferre aut sim
PⱮ† *aliter RsU*) Ru 1383 unde auferre (*minas*) uis me? a quo trapezita peto? Ep 143
bene merens *hoc preti* inde abstuli* Mo 879
decumam *partem* ei dedit, sibi nouem abstulit
Ba 666 scio *rem* quidem urbis(*L duce Langen*
melior me quidem uobis *PⱮ†Ly†* var em *ψ*)
me ablaturum* sine mora Tru 5

quia *nihil* abstulerit suscenset ceriaria Mι
696 cum *multum* abstulimus* haud multum
⟨eius⟩ apparet Tru 888 lucrum hercle uideor
facere mihi, ubi *quippiam* me poscis. #At ego
ubi abstuli* Tru 427

c. *seq. enunt. rel.:* .. tuo arbitratu, dum auferam* abs te id quod peto Cu 428 quod petebat abstulit* Tru 813 .. dum id quod cupio
inde aufero* Tru 887 omnia composita sunt

quae donaui: auferat* Mı 1304 istuc quod
me oras Au 695(*infra* d)

d. *addito praedicativo partic. vel adiec.* (*cf
infra* B. 2): .. ut istuc quod me oras impetratum ab eo auferam Au 695 utinam mea
mihi modu auferam quae ad te tuli salua Au
433 uide, Fides, saluam ut aulam abs te
auferam Au 614

B. *translate* 1. = mutare, emere: unum
quodque istorum uerbum nummis .. aureis non
potest auferre hinc a me As 154 *similiter:*
suspendam potius me quam tacita haec tu
auferas As 816(*i. e.* his celatis euadas) eo
istuc maledictum inpune auferes Per 276(*i. e.*
post maledictum ingestum impune effugies)

2. = (malum) accipere: · si me inritassis,
hodie lumbifragium hinc auferes Am 454 ad
focum si adesses, non fissile auferres* caput
Au 440

3. = obtinere: maiore multa multat quam
litem auferant Ru 20

4. = omittere: aufer *cauillam,* non ego
nunc nugas ago Au 638 *istaec* aufer, dic(ac
dic *CaL: cf L in adn.*) quid fers Cap 964
aufer *istaec* quaeso atque hoc responde quod
rogo Cu 245 *iurgium* hinc auferas si sapias
Per 797 *malum* aufer: bonum mihi opus
est Cι 340(*ex Non* 482) *maledicta* hinc aufer*
Poe 1035 aufer *nugas* Tru 861 aufer* hinc
palpationes Men 607 animum aduorte atque
aufer *ridicularia* Tri 66 sed tu aufer istaec
uerba Cι 52(*UL*)

5. = ducere, abducere: comitem mihi pudicitiam aufero* Am 930

6. = liberare, seruare: solus solitudine ego
ted atque ab egestate abstuli As 163

C. *adiungitur* 1. *terminus ad quem:* domum
As 469, Men 847, Tri 748 ad me Tru 583(*Rs*)
ad se Men 847 in Fidei fanum Au 582 in medicinam Men 992 in Siciliam Ru 356 intro
Ba 571, Mer 801, Tru 583, 914

2. *a quo:* domo Men 814 a me As 154, Cu
569, 704, Ps 486, 505, 1224 abs te Au 614, Ba
740, Cu 428, 619. Mi 982(?), Ps 486 ab se Ep
193, Men 814 ab eo Au 695 ab isto Ru 1383
ab lenone Cu 619, Per 326 abs tuo ero Ps
1321 a mala Men 133 ab Hippolyta Men 201
ab egestate, solitudine As 163 ab ianua As
424 a labris, labellis Ba 480, Mi 1335 de
uiris Ps 1225 ex arce Ba 958 ex Siluani luco
Au 766 hinc Am 454, As 154, 424, Au 636
(*ReizRg*), 645, Ba 571, 824, Cap 1018, Cu 569,
Men 607, 1061(*RsⱮ*), Mer 801, Mi 645, Per 797,
Poe 1035, Ps 505, Ru 356, 472 inde Mo 879,
Tru 887 unde Ep 143, 160 *cf* Persson, p. 21

3. *dat. separat.:* mihi Men 604(*FlRRs*) tibi
Au 635 eris Ba 650 uxori Men 601

AUFUGIO - - **I. Forma aufugit** Cι 161
aufugiam Mi 582(aut fugiam *B¹*) **aufugies**
Mer 651 **aufugit** Cap 875, Cι 725, Poe 665
aufugero Ba 363 **aufugiam** Ru 824 **aufugiat** Men 87(afu. *C*), Ps 1035(*Ca* aut f. *⌐*)
aufugerim Men 881 **aufugisse** Au 94

II. Significatio 1. *absolute:* tum aquam
aufugisse dicito Au 94(*translate*) aufugero
hercle, si magis usus uenerit Ba 363 quem tu
adseruare recte ne aufugiat* uoles .. Men 87

2. *addito termino vel instrumento:* iam *aliquo* aufugiam* et me occultabo Mi 582 ne me indicetis qua platea *hinc* aufugerim Men 881 non hercle quo hinc nunc gentium aufugiam scio Ru 824 *huc* Poe 665*(infra sub* inde) iam *inde* aufugies? Mer 651 inde nunc(huc *CaRglLU)* aufugit Poe 665 uestigium hic requiro *qua* aufugit quaedam*** Ci 725 qua platea Men 881*(supra sub* hinc) *quo* Ru 824 *(supra sub* hinc) . . Stalagmum seruom qui aufugit *domo* Cap 875 . . ut exulatum *ex pectore* aufugiat* meo Ps 1035 pedibus perfugium peperit, *in Lemnum* aufugit Ci 161
3. *seq. sup. acc.:* exulatum Ps 1035*(supra 2, sub* ex)

AUGEO - - I. **Forma** auges Cap 768 **augent** Ep 192, Men 551, Mo 865, Ps 1128*(A* alent augent rem meam mali *P* me alunt *R)* **augeor** St 55*(om A secl LU)* **augebo** Tru 875*(U* habebo *Pψ: loc dub)* **augebis** Mo 19 **auxi** Per 475 **auxerunt** Ru 1207 **auxerit** As 280 **augeam** Am 307, Mer 676*(Z* augeram *P),* St 304 **augete** Ci 200 **augerier** Mer 48 **auctus** Per 484 **aucta***(nom. fem.)* Tru 384, 516 **aucti***(nom. masc.)* St *Arg* II. 6 **auctior** Cap 782 *corruptum:* Mi 84, aucturi *P pro* acturi

II. **Significatio** 1. *absolute:* augent ex pauxillo *(thensaurum supp CaU in lac quam ret ψ)* Mo 865
2. *cum acc. de rebus:* augete *auxilia* uostris iustis legibus Ci 200 Atticam hodie *ciuitatem* . . auxi ciui femina Per 475 (lares) auxerunt nostram *familiam* Ru 1207 metuo ne *numerum* augeam illum Am 307 augebis ruri numerum Mo 19 Iuppiter . . meas auges *opes* Cap 768 lacerari ualide suam *rem,* illius augerier Mer 48 meam rem si quid hac re augebo Tru 875*(U solus, aliter Pψ)*
3. *de personis, apposito saepe abl. instrum., aliquando eodem fere sensu quo* ornare: di hercle omnis me adiuuant, augent, amant Ep 192, Men 551(di me quidem omnes *etc.)* boni me uiri pauperant, improbi augent* Ps 1128 quin . . illam (eram) augeam insperato opportuno bono St 304 *similiter passive:* uiri reueniunt opibus aucti St *Arg* II. 6 iam liberta auctu's? Per 484 quom tu's aucta liberis . . gaudeo Tru 384 quom . . es aucta liberis gratulor Tru 516 *cf* ciui femina Per 475*(supra* 2) *Cf* Koehm, p. 17
4. *de animi affectibus:* erum in obsidione linquet, inimicum animos auxerit As 280 mihi aegritudo auctior est in animo Cap 782 *et per enallagen:* scio atque in cogitando maerore augeor* St 55
5. = colere: aliquid cedo qui hanc uicini nostri aram augeam* Mer 676

AUGURIUM - - ita me spero facturum: **augurium** hac facit St 463 quantum ex **augurio** (hoc *add Rgl)* auspicioque(eius pici *GertzLU)* intellego . . As 263

AUGURO - - oculis in uestigiis astute **augura** Ci 694

AVIA - - itaque me Ops opulenta, illius (Iunonis) **auia** . . #Immo mater quidem Ci 515

matres duas habet et **auias** duas Tru 808 *corruptum:* Mi 856, auia *P pro* aula (aulla *A)*

AVIDITAS - - inhaeret etiam(inertia *L)* auiditas, residia, iniuria Mer 29

AVIDUS - - I. **Forma** auidus Ru 1238 **auidi***(gen. masc.)* Ba 276 **auidum** *(acc. masc.)* Ps 1323 **auide***(voc.)* Per 409 **auido***(abl. neut.)* Au 9 **auidi***(pl.)* Poe 461(auidi minus *P* auidiuiminus *A)* **auidos** Au 486, Per 266 **auidis***(abl. masc.)* Au 487, Tri 825*(CD* -dus *B)*
II. **Significatio** 1. *adiective:* pecuniae *accipiter* auide atque inuide Per 409 *animis* auidis atque insatietatibus neque lex . . capere est qui possit modum Au 487 faxo . . *dei* deaeque . . contentiores mage erunt atque auidi* minus Poe 461 . . triparcos *homines* (om *BoRU)* uetulos auidos aridos bene admordere Per 266 me dices auidum esse hominem Ps 1323 ingenium auidi haud pernoram *hospitis* Ba 276 ita auido *ingenio* fuit Au 9 te omnes saeuom . . atque auidis* *moribus* commemorant Tri 825
2. *substantive:* in paucioris auidos altercatiost Au 486 Per 266*(BoRU: supra* 1) . . si quis auidus poscit escam auariter . . Ru 1238 *(cf* Graupner, p. 23)

AVIS - - I. **Forma** auis Poe 975, Fr II. 54 *(ex Serv ad Aen* VI. 205; om *ARs)* **auis** *(gen.)* Cap 116, 123(aui *Serv ad Aen* X. 559) **auem** Mo 551 **aui** Cas 616*(A* aut *P),* Ep 184, Mi 895*(U in loco dub: vide ψ),* Ps 762(aue *BoR* ab *Non* 334) **aues** As 218(aoes *E),* 221, 259, Ba 290, Tru 908*(R* auis *Rs* et auio *PSↂtLↂ* ut catuli *SpU)* **auibus** Ru 770 **auis** Men 919, Mo 47(aueis *B¹RsS)* **auibus** Per 4 *corrupta:* Cas 1001, aui *A ut vid VE pro* aut Ci 454, auis *A ut vid RsSↂ* tuis *L* Mi 216, -rē auis *P pro* -re mauis Tru 115, auis *P pro* abis*(A)*
II. **Significatio** *(cf* Wortmann, pp. 36, 45) A. *proprie* 1. *nom.:* quae illaec auis est? Poe 975*(i. e.* homo forma auis similis) ipsa sibi auis* mortem creat Fr II. 54*(ex Serv ad Aen* VI. 205) offundit cibum: aues* adsuescunt As 218 lectus inlex est, amatores aues As 221 homines remigio sequi, neque aues neque uenti citius Ba 290 non enim possunt militares pueri ut auis* exducier Tru 908*(Rs)*
2. *gen.:* liber captiuos auis ferae consimilis est Cap 116 auis* me ferae consimilem faciam Cap 123
3. *dat.:* te ambustulatum obiciam magnis auibus pabulum Ru 770
4. *acc.:* nullam pictam conspicio hic auem Mo 839 soleamus esse auis squamosas? Men 919*(cf* Egli, II. p. 55) tu tibi istos habeas turtures, piscis, auis* Mo 47
5. *abl.:* cum leone . . cum auibus Stymphalicis . . deluctari mauelim Per 4
B. *translate:* Ci 454*(Rs in app. crit. dubie)* qua ego hinc amorem mihi esse aui* dicam datum? Cas 616 liquido exeo foras auspicio, aui sinistra Ep 184 mala mulieres natae aui* peioribus conuenirent Mi 895*(U)* ducam legiones meas aui* sinistra, auspicio liquido Ps 762 *similiter:* quouis admittunt aues, picus et cornix consuadent As 259

AVITUS - - ego te reduco et uoco ad **auitas**
(*Rs om PSU* summas *BriL*) ditias Cɪ 559　*cor-*
rupta: Cɪ 389, auiti∗∗∗ Mᴇɴ *Arg* 7, auitus *P*
ductus *MeursiusR* alitus *Pius* ψ
AVIUS - - Siluani lucus extra murumst auius
(*Py ex Non* 396 aulus *P*) Aᴜ 674　*corrupta:*
Tʀᴜ 356, auiuum *CD* auiuium *B pro* (s)auium;
908, auio *PS†Lt* auis *Rs* catuli *SpU*
　AULA(olla) - - **I. Forma aula** Aᴍ *fr* III
(*ex Non* 543), Aᴜ 392, 765, Cᴜ 368, Mɪ 854
(aula sic *R* anilis hic *P*), 856(*Beroald* ama *P*
aulla *ARgS*) **aulae**(*dat.*) Aᴜ *Arg* I. 8　**aulam**
Aᴜ *Arg* I. 3, 14, II. 1, Aᴜ 390, 610, 614
(auliam *VE*), 617, 709, 763, 809, 821, Rᴜ 135
(alilam *CD*), 434 (= *fr* II. *ex Diom* 380[ollas
B ullas *AM*] aullas *R* aulam *Rs*)　**aula**(*voc.*)
Aᴜ 580, 583(*Scut* aulam *PU*)　**aulā** Cᴜ 396
aulas Cᴀᴘ 89(-os *B¹*), 846, 916, Cᴀꜱ 774
　II. Significatio 1. *nom.:* neque istaec aula
quae siet scio Aᴜ 765　ibi erat bilibris aula∗
sic propter cados Mɪ 854　haec sunt uentri
stabilimenta:.. poculum grande, aula magna
Cᴜ 368　haec (aula) paruast, capere non quit
Aᴜ 391　ubi bacchabatur aula∗, cassabant
cadi Mɪ 856　optumo iure infringatur aula
cineris in caput Aᴍ *fr* III(*ex Non* 543) aurum
rapitur, aula quaeritur Aᴜ 392
　2. *dat.:* aulae timens domo sublatam uariis
abstrudit locis Aᴜ *Arg* I. 8
　3. *acc.:* abstrudit Aᴜ *Arg* I. 8(*supra* 2)　ibi
abstrudam (aulam) probe Aᴜ 583　audio eloqui se aulam onustam auri abstrusisse hic Aᴜ
617　aulam∗ *abstulas* Rᴜ 434(*Rs = fr* II) uide,
Fides, saluam ut aulam∗ abs te *auferam* Aᴜ
614　aulam auri .. te reposco quam tu confessu's mihi te abstulisse Aᴜ 763　illam ex
Siluani luco quam abstuleras cedo Aᴜ 766
exfodio aulam auri plenam Aᴜ 709　quadrilibrem aulam auro onustam *habeo* Aᴜ 809　uidi
eam plenam atque *inanem fieri* Mɪ 856(*loc dub*)
domi suae defossam .. aulam *inuenit* rursumque penitus conditam .. seruat Aᴜ *Arg* I. 3
Aᴜ *Arg* I. 14(*infra sub* perdo)　.. si quis
illam inuenerit aulam onustam auri Aᴜ 610
quom perdidisset aulam, insperato inuenit Aᴜ
Arg I. 14　aulam maiorem .. ex uicina *pete*
Aᴜ 390　semper petunt aquam hinc, .. aut
aulam∗ extarem Rᴜ 135　*repperi* .. quadrilibrem .. aulam auri plenam Aᴜ 821 *reposco*
Aᴜ 763(*supra sub* aufero)　*seruo* Aᴜ *Arg* I. 3
(*supra sub* inuenio)　aulam repertam auri plenam Euclio .. seruat Aᴜ *Arg* II. 1
　iuben an non iubes *astitui* aulas Cᴀᴘ 846
aulas calicesque omnis *confregit* Cᴀᴘ 916　perpeti potis parasitus *frangi* .. aulas∗ in caput
Cᴀᴘ 89　aulas *peruortunt* Cᴀꜱ 774
　4. *voc.* (*cf* Goldmann, l. p. 23): ne tu, aula,
multos inimicos habes Aᴜ 580　factust optumum ut ted auferam, aula∗, in Fidei fanum
Aᴜ 583
　5. *abl.:* quid id refert mea an aula quassa
cum cinere effossus siet? Cᴜ 396
　6. *app. adiectiva et genitiva:* inanis Mɪ 855b
magna Cᴜ 368, maior Aᴜ 390　paruа Aᴜ 391
plena Mɪ 855b　salua Aᴜ 614　bilibris Mɪ
854　quadrilibris Aᴜ 809, 814　extaris Rᴜ
135　modialis Cᴀᴘ 916　onustam auri Aᴜ

610, 617　auro onustam Aᴜ 809　auri ple-
nam Aᴜ 709, 821　cineris Aᴍ Fʀ II(*cf* Cᴜ 396)
auri Aᴜ 763　*participia:* conditam Aᴜ *Arg*
I. 4　defossam Aᴜ *Arg* I. 3　repertam Aᴜ *Arg*
II. 1　sublatam Aᴜ *Arg* I. 8　quassa Cᴜ 396
　AULIS - - Cᴀᴘ 9, aulide *J pro* Alide; 24,
aulidis *J pro* Aleis(*Turn* alidis *BDE*)
　AULUS - - Aᴜ 674, aulus *P pro* auius(*Py ex
Non* 396)　Cᴀᴘ 89, aulos *B¹ pro* aulas
　AVONCULUS - - is adulescentis illius est
auonculus(auu. *P*) Aᴜ 35 (*quadrisyl.*; *cf* Esch,
p.93)　hic mihist Megadorus auonculus(-lis *E*)
Aᴜ 778　repudium remisit auonculus causa mea
Aᴜ 799　eam tu despondisti, opinor, meo **auon-**
culo? Aᴜ782　ipse obsecrat **auonculum**(*qua-*
drisyl.: auu. *P*) Megadorum sibimet cedere
Aᴜ *Arg* I. 12　fac mentionem cum **auonculo**
(auom. *J*) Aᴜ 685　*Cf* Ryhiner, p. 12
　AVERRO - - quo citius rem ab eo **auerrat**
(*Weis* auferat *P* auor. *Rs*) cum puluisculo Tʀᴜ 19
　AVORSOR - - sta ilico: noli **auorsari** neque
te occultassis mihi Tʀᴜ 627
　AVORTO - - **I. Forma auortit** Mɪ 203(-te
C), Rᴜ 165(abu. *D*)　**auorti** Mᴇɴ 134(auerti
CD aduorti *B*), Mɪ 1074　**auortisti** Aᴍ 899
(aue. *P*), Tʀᴜ 358(*A* -tistis *P*)　**auortere** Tʀɪ
171(*B* aue. *CD*)　**auorti**(*med.*) Aᴍ 927　**auorsa**
(*nom. fem.*) Rᴜ 176(aue. *P*)　**auorsis**(*abl. masc.*)
Pᴇʀ 444(istac auorsis *CaU* istactauorsis *CD*
istractauorsis *B* ista trauorsis *Lambψ*)　*cor-*
rupta: Aᴍ 300, auorsum *BDE*(-e-) uersum *J pro*
aduorsum　Mᴏ 639, mercatur auortitur *P pro* mercatura uortitur(*Ca*) Ps 481, auorte *P pro* ad-
uorte(*Pius*) Tʀɪ 7, auertitis *P pro* aduortitis(*A*)
　II. Significatio 1. *intrans. vel medial.:* ecce
auortit∗: nixus laeuo in femine habet laeuam
manum Mɪ 203　ob eam causam huc abs te
auorti Mɪ 1074　dextrouorsum auorsa it in
malam crucem Rᴜ 176　*translate:* ab impudicis dictis auorti uolo Aᴍ 927　*cf infra* 3
　2. *cum acc.:* auorti∗ praedam ab hostibus
nostrum salute socium Mᴇɴ 134　ab saxo
auortit∗ fluctus ad litus scapham Rᴜ 165
　translate = praedari: gregem uniuorsum
uoluit totum auortere Tʀɪ 171
　3. se auortere: *quo*(quor *UmpfenbachRglL*)
te auortisti? Aᴍ 899, Tʀᴜ 358∗(quor *GepRsU*)
cf Mɪ 1074(*supra* 1)
　4. abi istac auorsis∗ angiportis ad forum
Pᴇʀ 444(*CaU*)
　5. *add. terminus:* ab hostibus Mᴇɴ 134　ab
saxo Rᴜ 165　ab impudicis dictis Aᴍ 927
abs te Mɪ 1074　ad litus Rᴜ 165　huc Mɪ
1074　quo Aᴍ 899∗, Tʀᴜ 358∗
　AVOS - - **I. Forma auos** Aᴜ 6(-us *P*), 22
(-us *P*), Mᴇɴ *Arg* 4, 40(-us *B²*), 44(-us *P*),
1129(-us *P*), Mɪ 373(-us *AP*), Pᴇʀ 57, Tʀɪ 645
(-us *A*)　**auo**(*dat.*) Aᴜ 5　**auom** Aᴍ 1050
(-um *P*), Aᴜ 797, Mᴇɴ 38, 751(-um *CD*)　**auo**
Tʀɪ 967　*corruptum:* Tʀᴜ 941, ab auo *CD*
alabo *B pro* amabo
　II. Significatio 1. *nom.:* .. filium pariter
moratum ut pater auosque huius fuit Aᴜ 22
ibi mei sunt maiores siti, pater, auos, proauos,
abauos Mɪ 373
　mihi auos huius .. *concredidit* thensaurum
auri Aᴜ 6　pater, auos, proauos, abauos,

tritauos . . semper *edere* alienum cibum Per 57
tibi paterque auosque facilem *fecit* et planam
uiam Tri 645 *immutat* nomen auos huic
gemino altero Men 40 nomen surrupti illi
indit qui domist auos paternos Men *Arg* 4
auos noster *mutavit* (nomen) Men 1129 ipsus
eodem est auos *uocatus* nomine Men 44

2. *dat.:* hanc domum . . colo patri auoque
iam huius qui nunc hic habet Au 5

3. *acc.:* idem hercle dicam si auom uis
adducere Men 751 quem ego auom *feci* iam
ut esses filiai nuptiis Au 797(*proleptice*) seu
patrem siue auom *uidebo* obtruncabo in aedibus Am 1050
rediit nuntius ad auom puerorum Men 38

4. *abl.:* mirum quin ab auo eius aut proauo acciperem Tri 967

AURA - - num quippiam aura mutat(*U
duce Ca* auarum ut ad *P§*† *var em ψ*) mores
mulierum? Tru 639

AURARIUS - - negotium hoc ad me attinet
aurarium Ba 229

AURATUS - - sed uestita **aurata**(aurota *E*¹)
ornata ut lepide Ep 222 te **auratam**(curatam *R*) et uestitam bene habet Men 801 (aduexit) lectos eburatos **auratos** St 377 *cor-*
ruptum: Mi 608, auratis *B*¹ *pro* auritis

AUREOLUS - - ensiculust **aureolus** primum
litteratus Ru 1156 non meministi me . . ad
te afferre . . anellum **aureolum** in digitum?
Ep 640 *Cf* Ryhiner, p. 46

AUREUS - - I. Forma aureus Am 144(*v.
om J*), As 691(*voc.*) **aurea** Am 260, 419, Ru
1158, 1171 **aureum** (*nom. neut.*) Men 530
(*acc. masc.*) Cas 711 **auream** Am 760, Cu 439,
Ep 639, Fr I. 53(*ex Non* 545) **aureā** Am 766,
Cu 139 **aurei** Poe 165, 345(laurei *A*), 713,
Ru 1313(*Ca* auri *PRs§*), St 25 **aureae** Am
1096(aurcace *E*) **aurea** Ru 1086 **aureum**
(*gen. masc.*) Tri 1139(*Ca* aurum *P*) **aureos**
Au 701, Ba 230, 590, 882 **aureas** Ba 647
aureis(*masc.*) As 153, Ba 934, 1010, Mi 16(auris
P A n. l.)

II. Significatio *aedes* totae confulgebant
tuae quasi essent aureae* Am 1096 dabo et
anulum in digito(-tum *MueL*) aureum Cas 711
nempe illum dicis cum *armis* aureis*? Mi 16
batiolam auream octo pondo habebam Fr I. 53
(*ex Non* 545) et *bulla* aureast pater quam
dedit mihi Ru 1171 regias *copias* aureasque
optuli Ba 647 nihil peto nisi *cistulam* et
crepundia. #Quid is ea sunt aurea? Ru 1086
non meministi me auream ad te afferre *lunu-*
lam? Ep 639 picis diuitiis qui aureos *montis*
colunt ego solus supero Au 701 neque ille
sibi mereat Persarum montis qui esse aurei
perhibentur St 25 unumquodque istorum uerbum *nummis* Philippis aureis non potest auferre
hinc a me As 153 mille et ducentos Philip-
pos(-um *Bent Rg§U*) attulimus aureos (nummos)
Ba 230 . . uel ut ducentos Philippos reddat
aureos Ba 590 ducentos nummos aureos Philippos probos dabin? Ba 882 misere male
mulcabere quadringentis Philippis aureis Ba
934 ducentis aureis Philippis redemi uitam
. . tuam Ba 1010 sunt tibi intus aurei trecenti nummi Philippi? Poe 165 sunt mihi intus

nescioquot nummi aurei* lymphatici Poe 345
hic sunt numerati aurei trecenti nummi qui uocantur Philippei Poe 713 nummi octingenti aurei* in marsuppio inferunt Ru 1313 is mille nummum se aureum* . . tibi ferre . . aibat Tri 1139
mi Libane, *ocellus* aureus, . . da istuc argentum
nobis As 691 *patera* donata aureast qui
Pterula potitare rex est solitus Am 260 Pterula rex qui potitare solitus est patera aurea
Am 419 negabis te auream mihi dedisse dono
hodie? Am 760 demiror qui illaec . . me donatum esse aurea patera sciat Am 766 altrinsecust *securicula* ancipes, itidem aurea Ru 1158
scin quid hoc sit *spinter?* #Nescio, nisi aureum
Men 530 tibi . . uineam pro aurea *statua*
statuam Cu 139 statuam uolt dare auream
solidam faciundam ex auro Cu 439 meo patri
autem *torulus* inerit aureus sub petaso Am 144
de nummis aureis cf Geppert, *Pl. St.,* I. p. 56

AURICHALCUM - - cedo mihi contra **auri-**
chalco(-calco *J*), quoi ego sano seruiam Cu
202 cedo tris mihi homines aurichalco(-calco
P) contra cum istis moribus Mi 658 aurichalco
(*B* -calco *A* -calcho *CD*) contra non carum
fuit meum mendacium Ps 688 *Cf* Egli, II. p. 36

AURICULA - - prehende **auriculis** As 668
sine prehendam auriculis(*BD* -lus *C* auris *A*)
Poe 375 *Cf* Ryhiner, p. 24

AURIFEX - - stat fullo, phrygio, **aurifex,**
linarius Au 508 . . ut hoc una opera ad
auriflcem deferas Men 525(†*§*) . . illud spinter
ut ad aurificem ferres Men 682 *corruptum:*
Tri 976, aurifici *P pro* auri feci(*FZ*)

AURIS - - I. Forma aurem Mer 310, Mi
1336(aut eñ *B*), Ps 124, Tri 207 **aures**(*nom.*
pl.) As 331, Cas 29, 475, 631, Mi 589(*A* -is *P*),
883(-is *P§L* -es *Caψ*), Per 495, Poe 968 **au-**
rium Ba 995, Ps 469 **auribus** Mer 14, Ru
806 **aures**(-is) Am 325, 333(-is: -es *J*), Cap
548(-is), Cas 641(-is: -es *AJ*), 642(-is: -es *AJ*),
Ci 118(-is: -es *J*), 510(-is: -es *JU v. om A*), Ep
335, 434(-eis *B*¹*JRg§* -es *B*² -is *LU*), Mer 864
(-es *CDL* -is *Bψ*), Mi 358(-is), 797a(uerbera
auris *R*, *proxumo v. omisso* uerberauit[-at uit
CD] si audis *P var em ψ*), 799 b(auris ut ** *A*
utor *Sey Rg U* auribus utor *L*) 954(-is: duris *C*),
Per 182(-is *PLU* -eis *Aψ: loc dub*), 748(-is),
Poe 434(-is: -es *U*), 1375(-is: -es *BL*), Ps 153
(-is), Ru 233(-is), 234(-is: -es *CD*), 332(-is), 905
(-is *RsU*), 1225(-is: -es *D*), 1293(-is: -es *L*),
St 88(-is), Tri 11(-is *P* -es *AL*) **auribus** Cap
387(uiribus *J*), Cas 879, Ci 383(*ex Non* 108),
Men 4, Mi 33, 599 b(*v. om A secl ω*), 774, 799 b
(*U* auris *Aψ praeter R*), 990, Mo 1118, Poe
981, Ps 429, Ru 224, St 102, Tri 828 *cor-*
rupta: Cu 488, aurē *E pro* aurum Men 839,
aurem *C pro* autem Mi 16, auris *P*(*A n. l.*) *pro*
aureis

II. Significatio (*cf* Egli, I. pp. 18, 20, 32;
II. p. 53; Goldmann, II. p. 5; Graupner, pp. 19,
31; Inowraclawer, p. 21, 27)

1. *nom.: adbibere* auris meae tuae oram
orationis Mi 883 huc aures magis sunt *ad-*
hibendae mihi Cas 475 orationem hanc aures
dulcem *deuorant* Poe 968 istuc quod adfers
aures *exspectant* meae As 331 benedictis tuis
. . aures meae auxilium *exposcunt* Per 495 il-

lius oculi atque aures atque opinio *transfugere*
ad nos Mɪ 589　unde meae *usurpant* aures sonitum? Cas 631　aures *uociuae* si sunt . . Cas 29
　　2. *gen.*: fac sis uociuas . . aedis aurium Ps
469(*cf* Egli, I. p.19)　aurium operam tibi dico
Ba 995
　　3. *dat.*: dicam, si operaest auribus Mer 14
illud quidem edepol tinnimentumst auribus Ru
806
　　4. *acc.*: a. temptabam spiraret an non.
#Aurem* *admotam* oportuit Mɪ 1336　*seca*
digitum uel aurem uel tu nasum uel labrum
Mer 310
　　b. mihi paternae uocis sonitus auris *accidit*
Sᴛ 88　huc *adhibete* auris quae ego loquor
Ps 153(*cf supra* 1)　suo mihi hic sermone
arrexit auris Ru 1293　tuan ego causa . . quoiquam mortali libero auris *atteram?* Per 748
auris* meas profecto *dedo* in dicionem tuam
Mɪ 954　*date* uociuas auris dum eloquor Tri
11　*eradicabam* hominum auris quando occeperam Ep 434(*v. secl RgS*)　*habeo* auris:
loquere quiduis Mɪ 358　*optine* auris, amabo
Cas 641　istoc ergo auris grauiter *obtundo*
tuas Cɪ 118　eius auris quae mandata sunt
onerabo Per 182　iam meas *opplebit* aures
uaniloquentia Ru 905　pectus auris caput
teque di perduint ita meas *repleuit* auris Ru
1225　quod uerbum auris meas *tetigit?* Poe
1375　certa uox muliebris auris tetigit meas
Ru 233　pergin auris *tundere?* Poe 434　hinc
enim mihi dextra uox auris . . *uerberat* Am 333
uerbera auris* Mɪ 799 a(*R solus*) ego recte meas
auris* *utor* Mɪ 799 b(*SeyRgU*)
　　c. uox mihi ad aures aduolauit Am 325 nescio-
quoia uox ad auris mihi aduolauit Mer 864
quoia ad auris uox mihi aduolauit? Ru 332
muliebris uox mihi ad auris uenit Ru 234　non
edepol ego istaec tua dicta nunc in auris recipio Cɪ 510(*v. om A*)　in oculum utrumuis conquiescito. #Utrum? #Anne in aurem? Ps 124(*A
[an]S* oculum utrum *P var em ψ*)　sciunt id quod
in aurem rex reginae dixerit Tri 207　neque
ego id inmitto in aures meas Ep 335(au. imm.
meas *R*)
　　5. *abl.*: a. est operae pretium auribus *accipere*(*AEJ* perc. *BRsU*) Cas 879　quaeso ut
benignis accipiatis auribus Men 4　atque
hanc tuam gloriam iam ante auribus acceperam Tri 828　numquis hic est alienus nostris
dictis *auceps* auribus? Sᴛ 102　uiden tu illam
oculis uenaturam facere atque aucupium auribus? Mɪ 990　nequis nostra spolia *capiat*
auribus Mɪ 599 b(*v. om A secl ω*)　omnes *pendeant,* gestores linguis, auditores auribus Ps
429　auribus *perhaurienda*(*Par* peraudi. *ABDU*
perauri. *CL*) sunt ne dentes dentiant Mɪ 33
id *persequar* corde et animo atque auribus*
Cap 387　*quaerere* conseruam uoce oculis auribus ut peruestigarem Ru 224　ego recte
meis auribus* *utor* Mɪ 799 b(*L: vide supra* 4. b)
　　b. capillo scisso atque excisatis auribus Cɪ
383(*ex Non* 108)　perpurigatis damus tibi
operam auribus Mɪ 774
　　c. (filium reliqui) . . cum digitis auribus oculis labris Mo 1118　incedunt cum anulatis
auribus Poe 981

　　6. *app. adiectiua:* anulatae Poe 981　benignae
Men 4　uociuae Cas 29, Tru 11
AURITUS - - face nunciam tu, praeco, omnem
auritum poplum As 4　pluris est oculatus
testis unus quam **auriti**(-te *vel* -tę *P corr ex
Apul Flor* 2. p. 2, *Fest* 178) decem Tru 489
. . nequis . . nostro consilio uenator adsit cum
auritis(auratis *B¹*) plagis Mɪ 608 *Cf* Graupner,
p. 24; Inowraclawer, p. 85
AURORA - - nos usque ab **aurorā** ad hoc
quod dieist (postquam aurora inluxit numquam
concessamus *secl Ac ω*) ex industria ambae numquam concessamus Poe 219 *Cf* Leers, p. 15
AURUM - - I. Forma **aurum** As 155, Au
63, 65, 201, 216, 265, 343, 392, 581, 765, 823,
Ba 335, Mo 288(natum *U: v. dub*), Poe 174, 302
(*v. secl R U*), 597, 782, Ru 396, 546, 1087, 1257,
Tru 52, Fr I. 43(*ex Char* 219)　**auri** Au *Arg*
II. 1, Au 7, 611, 617, 709, 723, 763, 786, 821, Ba
315, 352, 671, 705, 1098, 1184(*om R*), 1185,
1189, Men 526, Mɪ 1061, 1064, 1420, Mo 503,
Poe 179, 184(hauri *P*), 732, 1335(*om A*), 1384,
1414(*om SeyRglU*), Ru 1188, 1313(aurei *om LU*),
Sᴛ 374, Tri 252, 803(auri ad *F* auriat *B* hauriat *CD*), 973, 976(auri feci *FZ* aurifici *P*),
1158, Tru 893(minam auri *SeyRsL* mihi amare
PS† animo amaro *U*), 900, 913(nunc auri *U* amoris *P var em ψ*), 936　**auro** Au *Arg* II. 6,
Ba 299, 944, Tri 971　**aurum** As 525, Au 15,
39, 110, 185, 194, 500, 608, 615, 621(arum *J¹*),
663, 665, 679, 707, 748, 772, 829 *bis*, Ba 46,
104, 223, 233, 250, 269, 275, 277, 297, 301, 306,
326, 330, 338, 354, 360, 516, 520(arum *C*), 530,
576, 608, 622(*om R*), 631, 663, 684, 685, 686,
694(arum *C*), 703, 712, 736, 740, 742, 776, 804,
805, 824, 878(arum *D¹*), 903, 931, 1040, 1042,
1059, 1064, Cap 328, Cɪ 477(*A om Rs*), 487, Cu
201, 344, 435, 488(aurem *E*), Ep 301, Men 121,
544, 739, 803, 1142, Mer 488, Mɪ 981, 1099, 1127,
1147, 1302, Mo 282, 481, Poe 108, 180, 305(*v. secl
ω*), 595, 660, 681, 705, 710, 712, 723, 763(*AD³*
maurum *P*), 777, 1393, 1401, 1408, 1417, Ps 182,
926(quidem inest: aurum *Ca* quidē[-dem *D*]
instaurum *P*), Ru 1088, Sᴛ 666(uinum *SeyRg:
aliter R*), Tri *Arg* 7, 778, 779, 781, 785, 955, 961
(*Ca* mirum *P*), 964, 968 *bis*, 975, 981, 982,
1142, Tru 919(auru *B*), 935, 946(*Z* mirum *P*),
Fr II. 51(*ex Prisc* I. 516)　**auro** Au *Arg* II. 9,
Au 188, 809, Ba 14(*ex Serv ad Aen* XII. 7), 220
(*FZ* -um *P*), 242, 304, 311, 324, 332, 334, 367
(*v. secl U*), 392, 523, 640 *bis*, 958, 1095(*om R*),
1101, Cu 201, 348, 440, Ep 153, 300, 411(-um
B²), Mer 487, Mɪ 1076, Mo 286, Poe *Arg* 5,
Poe 301, 549, 598, 774, Ru 1087, 1295, 1309,
1340, Sᴛ 291, Tru 538, 929, Fr I. 33(*ex Char* 199)
corrupta: Ba 681, aurum *ins Char* 79: 736,
aurum *ins B¹* Poe 926, aurum *A pro* autem
Tri 798, tibi athenas aurum *P pro* abi ad then-
saurum(*Ca*); 1139 aurum *P pro* aureum(*Ca*)
　　II. **Significatio** A. *proprie* 1. *nom.*: nec
recte quae tu in nos dicis, aurum atque argentum merumst As 155　ibo ut uisam sitne ita
aurum ut condidi, quod me sollicitat Au 65
neque ego aurum neque istaec aula quae siet
scio Au 765　ubi id est aurum? #In arca apud
me Au 823　si non fatetur ubi sit aurum (conditum *add RRg*) Fr I. 43(*ex Char* 219)　et aurum

et argentum fuit lenonis omne ibidem Ru 396
ego deos quaeso, ut .. si aurum si argentumst,
omne id ut fiat cinis Ru 1257   aurumst profecto hic .. comicum Poe 597(cf Malden, Cl.
Rev., XVII. p. 160)
.. neu persentiscat aurum ubist *absconditum*
Au 63   uidulum aurum atque argentum ubi
omne *compactum* fuit Ru 546   *concreditum*
Au 581(*infra sub* habeo)   (aurum) in eapse
aede Dianai *conditumst* Ba 312 Fr I. 43(*RRg:
vide supra*)   qui praesente id aurum Theotimo *datumst?* Ba 335   ei dabitur aurum ut
ad lenonem deferat Poe 174   aurum auro
expendetur Ru 1087   tu, aula, multos inimicos *habes* atque istuc aurum quod tibi concreditumst Au 581   aurum mihi intus *harpagatumst* Au 201   id in istoc aurum *inest*
marsuppio Poe 782   aurum huic *olet* Au 216
aurum *rapitur*, aula quaeritur Au 392   (aurum)
in tuo luco et fanost *situm* Au 615   (aurum)
multa multis saepe suasit perperam Cap 328
(*cf* Inowraclawer, p. 19)   .. ne (aurum) *subreptum* siet Au 39   obsecro, aurum quid *ualet!*
Au 265
2. *gen.*: **a.** *aulam* auri .. te reposco Au 763
is me defodit .. auri *causa* Mo 503   ducitur
familia tota, uestiplica, unctor, auri *custos* Tri
252   quid tandem si *dimidium* auri redditur?
Ba 1185   dimidium auri datur Ba 1189 .. dupli
tibi auri* et hominis *fur* leno siet Poe 184
et mihi auri fur est Poe 1335(*om A*), 1384
relicum *id* auri factum quod ego ei .. promisissem Ba 1098   prius tu non eras quam
auri* feci *mentionem* Tri 976   ergo des *minam*
auri nobis Mi 1420   amicam mihi des facito
aut auri* mihi reddas minam Poe 1414   ego
minam auri* fero supplicium Tru 893   supplicium hanc minam fero auri Tru 900   alia
opust auri mina Tru 936   plus mihi auri
millest *modiorum* Philippi Mi 1064   *nihilne*
attulistis inde auri domum? #Immo etiam:
uerum quantum attulerit nescio Ba 315   nihil
auri fero Tri 973   argentum aurique aduexit *nimium* St 374   cum auri ducentis
nummis Philippis Poe 732   nummi octingenti
auri* in marsuppio infuerunt Ru 1313   spondeo
et mille auri Philippum dotis Tri 1158   fortassis tu auri dempsisti *parum* Ba 671   *pondo*
Tru 913(*U solus*)   *quantillum* usust auri tibi?
Ba 705   feci ut auri *quantum* uellet sumeret
Ba 352   deprome inde auri* ad hanc rem
quod sat est Tri 803   *talentum* Philippi huic
opus aurist Mi 1061   *tantum* auri perdidi
Au 723   auri tantum perdidi infelix miser
Au 786   alterum tantum auri* non meream Ba
1184   mihi .. concredidit *thensaurum* auri
clam omnis Au 7   .. huc ut addas auri pondo
unciam Men 526
b. .. si quis illam inuenerit aulam *onustam*
auri Au 611(*cf infra* 5. **b**)   audio .. se aulam
onustam auri abstrusisse hic Au 617   aulam
repertam auri *plenam* Euclio .. seruat Au *Arg*
II. 1   exfodio aulam auri plenam Au 709
repperi .. quadrilibrem .. aulam auri plenam
Au 821   leno ad se accipiet auri *cupidus* Poe 179
c. credo edepol ego illic inesse argenti et
auri largiter Ru 1188

3. *dat.*: auro formidat Euclio, abstrudit foris
Au *Arg* II. 6   uidemus auro insidias fieri
Ba 299   exlecebra fiet hic equos hodie auro
senis Ba 944   neque hodie is (Charmides) .. eris
auro huic quidem Tri 971
4. *acc.*: secundum eampse aram aurum
abscondidi Fr II. 51(*ex Prisc* I. 516)   *abstrudit*
Au *Arg* II. 6(*supra* 3)   hic iam non audebit
aurum abstrudere Au 663   obseruabo aurum
ubi abstrudat senex Au 679   exspectabam
(asp. *GulU* spec. *LambRL*) aurum ubi abstrudebat senex Au 707   .. sciuerit nos aurum
abusos Ba 360   tibi nunc operam dabo .. ut
hic *accipias* .. aurum Ba 104   accipitne aurum
ab hospite Archidemide? Ba 250   (dixi) me
id aurum accepisse extemplo ab hospite Archidemide Ba 686   cape hoc tibi aurum: i, fer
filio . . . #Non equidem accipiam: proin tu
quaeras qui ferat: nolo ego mihi credi . . .
#Cape uero. #Non equidem capiam Ba 1059—
63   a me aurum accipe Cu 201   aurum
poscunt praesentarium. #.. accipere tu non
mauis quam ego dare Poe 705   age accipe
hoc (aurum) sis Poe 713   uidistis leno quom
aurum accepit? Poe 723   haben tu id aurum
quod accepisti a Charmide? Tri 964 .. (aurum)
quod a me te accepisse fassu's Tri 969   aurum
ei *ademit* hospiti Mo 481   ad te uenit aurum*-
que *attulit* Poe 763   censebat aurum esse a
patre adlatum tibi: tu de thensauro sumes Tri
785   senex in Ephesum ibit aurum *arcessere*
Ba 354   postquam aurum *abstulimus* in nauem
conscendimus Ba 277   aurum hercle auferre
uoluere Ba 297   auferimus aurum omne illis
praesentibus Ba 301   .. ut senem .. fallas
aurum*que auferas Ba 694   sycophantias
conponit aurum ut abs ted auferat et profecto se ablaturum dixit Ba 740   te dixisti
id aurum ablaturum tamen per sycophantiam?
Ba 805   numquam auferes hinc aurum. #At
qui iam dabis. #Dabo? #Atque orabis me ..
ut auferam Ba 824   *capio* Ba 931(*infra sub*
expugno), 1059 *et* 1063(*supra sub* accipiam)
cedo (aurum) si necessest Ba 1066   cedo
aurum: ego post manupretium dabo Men 544
immo cedo abs te Men 546   cedodum istuc
aurum mihi Tri 968   *celabit* hominem et
aurum Poe 180   *comedo* Ba 743(*infra sub* do)
tuae fidei *concredidi* aurum Au 615   nolo ..
aurum concredi mihi Ba 1064   *congraeco* Ba
743(*infra sub* do)   mihi id aurum *credidit* Au
15   Autolyco hospiti aurum credidi Ba 275
quem ego qui sit homo nescio .. eine aurum*
crederem? Tri 961   aurum, argentum .. *debes*
semul Poe 1401   *defero* Poe 174(*supra* 1 *sub* do)
me aurum deferre iussit ad gnatum suom Tri 955
lubet scire quantum aurum erus sibi *dempsit* et
quod suo reddidit patri Ba 663   nos apud Theotimum omne aurum *deposiuimus* Ba 306   *deuoro*
Au 194(*infra sub* inhio)   *do* Ba 703(*infra sub*
posco)   id pollicetur se daturum aurum mihi
quod dem scortis quodque .. comedim et congraecem Ba 743   Ba 824(*supra sub* aufero)
dem potius aurum quam illum corrumpi sinam
Ba 1040   hic emet illam de te et dabit
aurum lubens Ep 301   da (aurum), sodes, aps
ted Men 545   Men 547(*infra sub* habeo)

Achillem orabo aurum ut mihi det Hector qui expensus fuit Mer 488   dat aurum, ducit noctem Poe 108   uidere equidem uos uellem quom huic aurum darem Poe 681   Poe 705 (*supra sub* accipio)   tute inspectes aurum lenoni dare Poe 710   tuos seruos aurum ipsi lenoni dabit Poe 712   dicat patrem id iussisse aurum tibi dare Tri 779   tu igitur demum adulescenti aurum dabis Tri 781   quod ego aurum dem tibi? Tri 968   fassu's Charmidem dedisse aurum tibi. #Scriptum quidem Tri 982   uenit quasi qui aurum mihi ferret aps te quod darem tuae gnatae dotem Tri 1143 dedin ego aurum? Tru 935   dedi ego huic aurum* Tru 946   credo *ecferet* iam secum (aurum) Au 664   senex eccum aurum ecfert foras Au 665   machinabor machinam unde aurum *efficiam* Ba 233   de amittenda Bacchide aurum hic *exigit* Ba 223   hodie exigam aurum hoc? #Exige Ba 903   cepi, *expugnaui* amanti erili filio aurum Ba 931(*v. secl Kies*ω) an tibi uerba blanda *esse* aurum rere? As 525 caue quoiquam indicassis aurum meum esse istic Au 608   negasne apud te esse aurum? Poe 777   *fero* Ba 1059 *et* 1061(*supra sub* accipio)   mandat qui dicat aurum ferre se a patre Tri *Arg* 7   dicat . . se aurum ferre uirgini dotem a patre Tri 778   ego me aurum ferre dixi Tri 975   Tri 1142(*supra sub* do)   *geritote* amicis uostris aurum corbibus Ba 712   omnes . . me suspicentur . . *habere* aurum domi Au 110   illic homo aurum scit me habere Au 185   si haec habeat aurum quod illi renumeret, faciat lubens Ba 46   habetin aurum? Ba 269   non habeo. #Quando habebis (aurum) tum dato Men 547   aurum habet Poe 660   Tri 964(*supra sub* accipio) iamne abis postquam aurum* habes? Tru 919 aurum* hic ego *inesse* reor Ru 926   *inhiat* aurum ut deuoret Au 194   credo aurum *inspicere* uolt ne subreptum siet Au 39   nos inspicere oportet istuc aurum Poe 595   non metuo ne quisquam (aurum) *inueniat* Au 609 perscrutabor fanum si inueniam uspiam aurum* Au 621   odi ego *aurum* Cap 328   . . ut aurum *perdas* Ba 1042   parasitus modo uenerat aurum *petere* hinc Ba 631   quantum lubet me *poscitote* aurum: ego dabo Ba 703 aurum poscunt praesentarium Poe 705   i, *redde* aurum. #Reddam ego aurum? #Redde . . ut huic reddatur quod modo fassu's esse in arca Au 829   . . aurum ut reddat Ba 330   stabilest me patri aurum* reddere Ba 520   reddidi patri omne aurum Ba 530   utrum aurum reddat anne eat secum semul Ba 576   patri reddidi omne aurum amens(o. a. a. *om R*) quod fuit prae manu Ba 622   Ba 664(*supra sub* demo)   reddidisti (aurum)? #Reddidi Ba 681 omne aurum iratus reddidi meo patri Ba 684 quid, ubi reddebas aurum, dixisti patri? Ba 685   tibi aurum reddidi Ba 736   mihi id aurum reddidit Ba 804   ego post reddidero tibi Men 545   ego post tibi reddam duplex Men 546   aurum tuom reddam quod apud mest Poe 1393   . . si aurum mihi(*BD si me aurum C*) reddes meum Poe 1408   aurum redde Tri 981   aurum cras ad te *referam* tuom Poe 1417   *renumero* Ba 46(*supra sub* habeo)   decretumst renumerare iam omne aurum patri Ba 516   iratus renumerauit omne aurum patri Ba 608   si (aurum) *repperero* . . Au 621   nauigo in Ephesum ut aurum *repetam* ab Theotimo domum Ba 776   capiundumst iter ut illud *reportes* aurum ab Theotimo domum Ba 326   tu aurum* *rogato* Ba 878 diuiti homini id aurum *seruandum* dedit Ba 338   quis *somniauit* aurum? St 666(donauit uinum *SeyRg: aliter R*)   ab eo licebit quamuis subito (aurum) *sumere* Ba 339   Tri 785(*supra sub* adfero)   tu id aurum non *surripuisti?* Au 772   fac sis aurum ut *uideam* Ru 1088

5. **abl. a. cum verbis, sim.:** is me scelus auro* usque *attondit* Ba 1095   . . si me illoc auro tanto *circumduxerit* Ba 311   auro, hau ferro *deterrere* potes Tru 929(-ri pote *BoRs*)   *detondebo* Ba 242(*infra sub* tondeo)   ab eo *donatur* auro uxore et filio Au *Arg* II. 9   miserum me auro esse *emunctum!* Ba 1101   hunc hominem decet auro *expendi* Ba 640   qui potius quam auro (mulierem) expendas? Mer 487 Mer 488(*supra* 4 *sub* do; *cf* Egli, III. p. 17) aurum auro expendetur Ru 1087   nescit quid *faciat* auro Ba 334   istoc fortasse auro*st *opus*. #Philippo quidem Ba 220   . . qui auro habeat soccis *suppactum* solum Ba 332(*cf* Egli, I. p. 23; II. p. 39)   *tondebo*(detondebo *GrosslotRU*) auro usque ad uiuam cutem Ba 242(*cf* Graupner, p. 25; Inowraclawer, p. 63) latro suam qui auro uitam *uenditat* Ba 14(*ex Serv ad Aen* XII. 7)

b. cum adiectivis: quadrilibrem aulam auro *onustam* habeo Au 809(*cf supra* 2. b)   illam adulescens deperit auro *opulentus* Ep 300   est Euboicus miles, locuples, multo auro *potens* Ep 153

c. absolutus vel instr.: macerato hoc pingues fiunt auro in barbaria boues Poe 598

d. cum contra: non *carus* auro* contra Ep 411   auro contra *cedo* modestum amatorem Cu 201   iam auro contra *constat* filius Tru 538   contra auro alii hanc *uendere* potuit operam Mi 1076

e. cum praepp. cum: a portu ire nos cum auro uident Ba 304   ille cum auro uilicum lenoni obtrudit Poe *Arg* 5   eum adlegarunt suom qui seruom diceret cum auro esse apud me Poe 774   si quis perdiderit uidulum cum auro atque argento multo . . Ru 1295   quid perdidisti? #Vidulum cum auro atque argento multo Ru 1309   si uidulum . . cum auro atque argento saluom inuestigauero Ru 1340

de: anus hercle huic indicium fecit de auro Au 188   de auro nihil scio nisi nescio Ba 324   techinam de auro aduorsum meum fecit patrem Ba 392   . . de auro quod eum ludificatus sit Ba 523   dixeram nostro seni mendacium . . de auro Ba 958   scitis . . ei paratae ut sint insidiae de auro Poe 549

ex: huic decet statuam statui ex auro Ba 640   statuam uolt dare auream solidam faciundam ex auro Philippo Cu 440   aequiust . . oratores mittere ad me donaque ex auro St 291

sine: nec quicquam positum sine loco auro ebore . . Fr I. 33(*ex Char* 199)

super: hanc fabricam dabo super auro amicaque eius BA 367(*v. secl U*)
　B. *ornamenta muliebria significat* 1. *nom.*:
hic autem apud nos . . est supellex aurum
uestis uasa argentea AU 343　　aurum* turpest
mulieri Mo 288(*Rs: loc dub: vide ψ*)　aurum id
fortuna inuenitur POE 302(*v. secl RU*)　aut
periit aurum aut conscissa pallulast TRU 52
　2. *acc.*: pallam et aurum hoc *abstuli* MEN 1142
(mihi dedit *CaRU*)　MI 981(*infra sub* habere)
contempla aurum et pallam, satin haec me
deceat Mo 282　　pallam atque aurum domo
suppilas . . *degeris* amicae MEN 739　luci
claro *deripiamus* aurum matronis palam AU
748　mihi quidem aequomst purpuram atque
aurum *dari* AU 500　　supplicium dabo aurum
et pallam CI 477　　MEN 1142(*CaRU in lac.*:
vide sub titulo aufero II. A. 3)　aurum atque
ornamenta quae ipse instruxit mulieri, omnia
dat dono MI 1147　*emi* uirginem triginta minis,
uestem aurum CU 344(*v. secl U*)　istic emi
uirginem . . et aurum et uestem CU 435　et
aurum* et uestem omnem suam *esse* aiebat
quam haec haberet CU 488　　aurum ornamenta
quae illi instruxisti *ferat* MI 1127　　aurum
ornamenta uestem . . duc adiutores . . qui ferant MI 1302　　meretricem pudorem quam
aurum *gerere* condecet POE 305(*v. secl Guyω*)
iube sibi aurum atque ornamenta quae illi
instruxti mulieri dono *habere* auferre MI 981
aurum atque uestem muliebrem omnem habeat
sibi quae illi instruxisti MI 1099　*instruxi* illi
aurum atque uestem CI 487　ego tibi ancillas
penum lanam aurum uestem purpuram bene
praebeo MEN 121　ego uestem aurum . . *praehibeo* Ps 182　*suppilas* MEN 739(*supra sub* degero)
ille suppilat mihi aurum et pallas MEN 803
　3. *abl.*: amator meretricis mores sibi emit
auro et purpura Mo 286(*v. secl Rsω*)　bono
med esse ingenio ornatam quam auro multo
mauolo POE 301　. . ut mulierem a lenone
cum auro et ueste abduceret CU 348
　C. *app. adiectiva*: comicum POE 597　merum
As 155　Philippum BA 220, CU 440, MI 1061, 1064
praesentarium POE 705　　scriptum TRI 982
aurum atque argentum, *sim.: vide* argentum II. 7
█ᴀAUS⁂ CI 266
█⁒ AUSCULOR, AUSCULUM - - *vide* osc-
█ █AUSCULTATIO - - quid mihi scelesto tibi
erat auscultatio? RU 502
　AUSCULTO - - I. Forma ausculto AU 496,
POE 841(*D⁴* aut culto *P*) Ps 523 a, RU
515, ST 546, TRI 148, 780, 1041, TRU 400
auscultas POE 495, TRI 662(*ACD* ausultas *B*)
auscultat TRU 597(*L* -taui *P§†* -tauit *SpRsU*)
auscultamus RU 694　　auscultant As 649
auscultabat BA 983(*CD* aucscult. *B*)　auscultabo BA 404, CI 771, POE 197, 493(*A solus: lac
P*), 822, Ps 453(absc. *B*), ST 197(auts. *B*)
auscultabimus ST 146(-uimus *A*)　auscultabunt As 65　auscultabitur MER 465　auscultaui MER 477, RU 540　auscultauit TRU
597(*FSpRsU* -taui *P§†* -tat *L*)　auscultem
MI 496(-tam *B*)　auscultes CU 223, Ps 237
auscultet AM 300　auscultemus As 588, CU
279　ausculta As 350, AU 237(proderis *V*) 820,
BA 273, 1005, CAP 338, CAS 204, 287, MER 568,

MI 496(aut sculta *D¹*), 805, Mo 484, 489(aut
sculta *D¹*), 491(aut sculta *D¹*), 585(autsculta *D*),
634, 1138, 1153, PER 273, 574, 701, POE 311,
493, 1406, Ps 1008, ST 602　auscultate As 649,
Mo 99, TRU 95　auscultato BA 855　auscultare CAS 133(haus. *A*), MI 81(*B²* -abunt *P*
-a *D²*), 82, POE 309(-ri *C²D*)　auscultando
(*dat.*) AM 1006　auscultandum MI 80(ad aus.
ω at aus. *CD* autic. *B*)　*corruptum:* BA 478,
auscultantem *A pro* osculantem(*P* ausc. *§*)
　II. Significatio 1. *absolute:* ausculto atque
animum aduorto ST 546　　ausculto perlubens
TRI 780, 1041　ausculto lubens TRU 400　tuom
iam diffidam caput nisi aut auscultas aut is
in malam crucem POE 495　　auscultā. #Non
hercle auscultabo* POE 493　　ad portum ne
bitas. #Auscultabitur MER 465　taciti auscultemus As 588　　ausculta PER 273, POE 493
(*supra sub* auscultabo)　ausculta ergo: scies As
350　ausculta ergo ut scias PER 701(*cf* Abraham, p. 234)　eloquar iam: auscultā AU 820
sine uicissim me loqui: auscultā Mo 1153　auscultā: tum scies CAP 338　auscultā, ego eloquar
CAS 287　MER 568(*infra* 2. a)　auscultā*, quaeso
MI 496　nunc tu auscultā(*AB* mi *add CD§*) MI
805　ego dicam: auscultā Mo 484　st, tace: auscultā* modo Mo 489　ita, sed auscultā* modo
Mo 491　auscultā modo Mo 1138, Ps 1008
auscultate atque operam date As 649　　ad
fores auscultate TRU 95　. . unde auscultare*
possis quom ego illam ausculer CAS 133　qui
autem auscultare* nolet exsurgat foras ut sit
ubi sedeat ille qui auscultare uolt MI 81　uos
uoltis auscultando operam dare AM 1006(*v. secl
MueU*)　. . si ad auscultandum* uostra erit
benignitas MI 80　auscultā *cum altero imper.*
per part. cop. componi solet: Sjögren, p. 100
　2. *cum acc.* a. *rei:* prius hoc(*om RRg*) ausculta atque ades MER 568　omnia ego istaec
auscultaui ab ostio MER 477　homines qui
gestant quique auscultant crimina, . . omnes
pendeant Ps 427　auscultā pugnam quam
uoluit dare BA 273
　b. *personae:* ego hunc ausculto lubens AU
496　nimis eum ausculto* lubens POE 841
ted ausculto* lubens Ps 523 a
　3. *cum dat.* = oboedire: liberis suis qui
mihi auscultabunt facient obsequentiam As 65
ausculta mihi AU 237*, Mo 585*, 634, PER 574
tace sis, stulta, et mihi ausculta CAS 204　si
recte facias . . auscultes mihi CU 223　potesne
mihi auscultare*? POE 309　ausculta mihi
modo ac suspende te POE 311　mihi modo
ausculta ST 602　nisi mihi auscultas*. . tute
pone te latebis TRI 662　tibi auscultabo CI
771, POE 197, Ps 453*　ego auscultem* tibi?
MI 496　tibi auscultaui RU 540　tibi auscultamus RU 694　nunc tibi auscultabimus*
ST 146　nunc uincito me, auscultato filio BA
855　ausculta sorori POE 1406
　similiter: in rem quod sit praeuorteris quam
in re aduorsa animo ausculetes Ps 237　mendicitatem mihi optulisti . . dum tuis ausculto
magnidicis mendaciis RU 515
　4. *seq. acc. cum infin.:* satis lubenter te
ausculto loqui Ps 523 b(*v. om R*)
　5. *add. enunt.* a. *rel.:* lacrumans, tacitus,

auscultabat* quae ego loquebar BA 983 quae
loquitur auscultabo* St 197 *vide* BA 273
(*supra* 2. a)
   b. *interr.*: .. ut hic auscultet quae loquar
AM 300   hinc auscultabo quam rem agant
BA 404   hinc auscultemus quid agat Cu 279
quid habeat sermonis auscultabo POE 822 auscultaui*, obseruaui quam rem agam TRU 597
(*locum desp. var em* ω)
   c. *enuntt. variae* dum: ausculta porro dum
hoc quod scriptumst perlego BA 1005 auscultate argumenta dum dico ad hanc rem Mo 99
si: ausculto si quid dicas TRI 148 ut: PER 701
(*supra* 1)
   6. a. *apponitur locus quo vel a quo:* ad fores
TRU 95 ab ostio MER 477 hinc BA 404, Cu 279
   b. *add. praedicativum vel adverbium:* lacri-
mans BA 983   lubens AU 496, POE 841, Ps
523a, TRU 400 perlubens TRI 780, 1041 tacitus BA 983 taciti As 588 lubenter Ps 523b
sedulo St 546 *Cf* Abraham, p. 182

AUSPEX - - argentum si quis dederit ..
ultro ibit nuptum non manebit **auspices**(aut
pisces *J*) CAs 86

AUSPICIUM - - *cf* Kampmann, *Res mil.*,
p. 2 1. *nom.:* an te **auspicium**(-tium *BE*) commoratumst? AM 690 nec omen illud mihi nec
auspicium(-tium *BD*) placet MER 274 liquidumst auspicium(-tium *CD*) PER 607
   2. *abl.:* expugnatum oppidumst imperio atque **auspicio**(-tio *BE*) eri mei Amphitruonis
AM 192 .. ut gesserit rem publicam ductu
imperio auspicio(-tio *E*) suo AM 196 eos
auspicio(-tio *E*) meo atque ductu.. uicimus
AM 657 ex augurio auspicioque(*Merula* auspicii *BJ* -tii *DE*) eius pici *GertzLU*) intellego
As 263 ne hercle malo cum auspicio(-tio
DE) nomen commutaueris As 374 ne ego
edepol ueni huc auspicio malo AU 447 liquido
exeo foras auspicio(-tio *E*), aui sinistra EP
183 .. ut importem in coloniam hunc meo
auspicio(-tio *E*) commeatum EP 343 uirtute
atque auspicio Epidici .. in castra redeo EP
381 sed meliore est opus auspicio(-tio *CD*)
ut liber perpetuo siem MEN 1149 ducam
legiones meas aui sinistra auspicio liquido Ps
762(*v. secl U*) auspicio(-tio *B*) hodie optumo
exiui foras St 459
   3. *adiectiva:* liquidum EP 183, PER 607, Ps
762   malum As 374, AU 447   melius MEN
1149   optumum St 459   aui sinistra *additur* EP 183, Ps 762
   4. *corruptum:* Cu 337, auspicio *J pro* aspicio
AUSPICO - - lucro faciundo ego **auspicaui**
in hunc diem PER 689(*cf* Herkenrath, p. 68;
Krause, p. 33) non habile isti rei auspicaui
ut cum furcifero fabuler Ru 717 ea(*sc* mustela:
eam *RRg*) ego auspicaui(*CD* -bi *A*) in(auspi-
cauin *B*) re capitali mea St 502 uide ut ingrediare **auspicato**(*abl. abs.?*) PER 607

AUSTER - - hic fauonius serenust, istic auster
imbricus MER 876 *corruptum:* EP 592, austrum
P pro plaustrum(*A*) *Cf* Hubrich, p. 49

AUT - - *cf* Kohlmann, *De vel imperativo
quatenus ab* **aut** *particula differat.* Marburg,
diss. 1898

   I. Forma *corrupta:* AM 271, a *D*; 409 ut

DE As 804, uel *ReisigRgl* AU 126, aut *add
L bis;* 511 aut *P* stant∗ *L secl GuyRgU* †SU
BA 80, ut *C*; 480, aut *add R*, nisi *U*; 519b,
plumea *R pro* grauior aut(*v. om A*); 650, *om
HermRRg* CAP 205, at *J*; 623, au *C*; 1003,
a *B* CAs 260, et *VEJ*; 1001, aui *A* ut *VE
Ci* 669, aut *PL* an *Sey*ψ Cu 90, *om Muret
bis, altero loco ret U*; 168, haud *VE*; 282, aut
genu *om B*^{1}; 539 haud *E*^{3}; 594, aut *FlRgL
pro* neque; 689, aut tecum *U* aut tibi *Luchs
RgL* aut tecum aut *P*S† EP 231, ac *Varro l L*
V.131 MEN 589, quicum *P* ait quaquam *A ut
vid* hau quiquam *Rs*S aut quicum *R*ψ; 587, *om
R*; 592, *om R bis*; 620, haut *B*^{2}; 771, ad *B*^{1};
1087, *om C*; 1161, quinque aut sex minas *U
pro* quinquigesies∗ MER 146, ut *GuyU*; 186, ac
D; 427, aut *add L solus*; 615, aut i in *U pro*
aliam MI 18, ut *P corr Z*; 221, aliqua aliquos
aut tu(autu *CD*^{1})*P* aliqua aut tu aliquosum *L
aliter* ψ; 307, *om B*^{1}; 469, haud *P* aut *A*; 607,
om CD; 722, ad *P* aut *AD*^{2}; 728, aut luculenta *add R in lac*; 1132, aut *add AL om P*ψ;
1133, aut *APL* ac *R*ψ; 1248, an *PU*(*corr R*)
Mo 34, mea ut *P pro* me aut(*Muret*); 288, usu
aut *Rs pro* aurum; 358, quinis aut *L* aliqui
quique *P*S† *U aliter RRs*; 624, ille aut *add Mue
U*; 1056, aut ut∗∗∗ *A om P*; 1113, desine aut
abi *Rs* destinant tibi *P*S† *aliter* ψ POE 220,
au *B*; 293, aud *B*; 395, aut *add RRglU*; 466,
haud *P* atq. *A corr Pius*; 495, *om P add A*;
511, audite *P pro* aut ite (*FZ*); 581 ut tragoedia *CD pro* tragoedi aut; 994, unde sit ne
parserit *A pro* aut quo ex oppido; 1414, tu aut
PyUpro leno tu autem *P*ψ †S Ps 71, intestauit
ibi est *P pro* in test aut tibist(*A*); 182, aut
add AL; 307, aut det usque aut *R pro* det,
det usque; 317 aut *add BergkRgU*; 836, aut
CDU aaud *B* haut *A om Guy*ψ; *ib.*, aud *B*
a *D pro* aut; 1261, allaut *B* alaut *CD corr R*;
Ru 114, ut *Rs*; 210, uidi aut *L* -dum adhuc
SpU dius *Rs* diu *P*S†; 257, aut *add Rs in lac*;
509, aut positast *NettleshipL* anteposita est *P
aliter* ψ; 712, tace aut cedo *Rs* cedo iudicem
L huce *A* ergo dato *TurnU in lac*; 1383, aut
miser sim *Rs* aut sim *P*S† haud potis sim *L*
ausim *U* St 152, uel *Rg*; 626, ut *A* TRI 89,
ut *A*; 130, aut quid interest *secl RRs*; 948,
∗∗∗ mit aut *P* faciam ita ut *SpRs*S*L aliter* ψ;
TRU 33, ut *B* auctarium orat *RsU* aut ara aut
(ut *B*) *P*†S*L*; 52, aut *add Porph.ad Hor ep* I.17.
55 *om P*; 267, ac *P corr A*; 374, ego a te *P*
ego abs te *L* abs te posco aut *A*ψ; 700, aut
add BoL FR I. 17, aut fuit *add SeyRg* FR I. 52,
ut *Varro*

   2. **aut** *pro* ac: As 212 *J*, MI 1133 *APL*
abi: MI 394 *B*^{1} atque: As 456 *J* ad: MI 801 *D*,
TRU 95 *B* ait: CAP 567 *B*^{1}*EJ*, TRU 303 *BD*
an: BA 162 *B*, Cu 463 *Non* 120, Mo 681 *A*, POE
109 *P* at: CAP 747 *J*, Cu 554 *E*^{1}*J* aui: CAs
616 *P* autem: MEN 777 *D* et: MER 536 *A*
haud(hau, haut): AM 348 *E*, 1124 *E*, 1142 *E*,
As 114 *E*, BA 159 *C*, 344 *B*, CAP 357 *E*, Ci
646 *E*^{1}*J*, Cu 171 *B*, 512 *V*, au *BE*, 698 *VE*,
EP 688 *E*^{1} aud *B*, MEN 985a *P*, MER 381 *P*,
MI 11 *P*, 95 *B*^{1} au *CD*^{1}, 145 *P*, 381 *B*^{1}, 629
B^1, 702 *P*, 872 *P*, 943 *P*, 1000 *B*, 1400 *P*,
1427 *P*, Mo 124 *P*, 791 *B*^{1}, PER 11 *P*, Ps 214

BC, Ru 190 *P* nil *Rs*, 266 *P*, 658 *CD* autem
FZRsU, St 59 *P*, 718 *P*, Tri 362 *A*, 721 *P*,
Tru 109 *B*, 143 *CD*, 161 *P*, 176 *P*, 194 *P*,
474 *P*, 657 *CD*¹ au *B*, 888 *CD* au *B* iit: Ci
698 *J* ut *VE* ut: Au 614 *B*¹, Ba 44 *C*, 574
A ut vid, Cas 389 *BE*¹*V*, Cu 160 *J*, Men 593
*D*¹, Mi 790 *A*, Mo 484 *P*, 1017 *D*, Ps 531 *CD*,
Ru 149 *P*, 1304 *P*   sed: Tru 261 *C*

3. **aut** *falso legitur:* Cas 86, aut pisces *J pro*
auspices; 276, aut illa *J pro* illa autem (*B*²
a. i. *B*¹*VE*) Ci *Arg* 4, aut cupat *V pro* aucupat Ep 235, aut t(c)iones *VE pro* auciones
Men 310, Mo 821, aut in *P pro* audin Men 1003,
aut et *P pro* audet Mi 234, aut in *P pro* auden
Mer 964, aut uenistis *CD pro* aduenistis Mi 496,
Mo 489, 491, aut sculta *D*¹ *pro* ausculta Poe 841,
autculto *P pro* ausculto Mi 582, aut fugiam *B*¹
pro aufugiam; 1336, aut eum *B pro* aurem Mo
1132, aut aumo *P pro* autumo Poe 508, fugit
aut *CD pro* fugitaui(*B*); 1291, aegi(y)pti aut
P pro aegyptini; 1299, aut rastris *B pro* Anterastylis Ps 930, aut tum et *P pro* autumet;
105, aut xilium *B pro* auxilium; 1037, uicia
aut uos *B pro* uici cautos   Ru 379, aut seruaret *CD pro* adseruaret; 699, *aut hae(ae)*P
pro lautae *vel* elautae Tru 206, aut dacter *B
pro* audacter; 502, adea aut *P pro* adeam ad
Men 98, aut uerte ducant, *Non* 422 *pro* alit, uerum educat Mi 24, epytir aut apud illa *P pro*
epityrum estur; 227, aut tui sane *P pro* ut uisa
ne; 1130, aut utique *PS*† atque ut quidem
BoRRg alio atque uti *LachLU* Ps 1222, aut
te sina me moriri *P pro* te hau sinam emoriri
St 246, ehon aut luisti (audisti *CD*)*P pro* eho
an audiuisti Tri 651, ha da aut intellecto(u)
P pro da ne in lecto; 722, at(*B* aut *CD*) aliquem ad *P* atque a. a. *RRsU* ad aliquem *GuyL*
Tru 33, aut ara aut(ut *B*) *P* †*SL* auctarium
orat *RsU*; 201, teu aut *B*, te aut *CD pro* te
ne tu(*A*); 266, aut medico *P pro* maledico

4. **aut** *falso additum:* Men 210 *A*, 1019 *P*,
Mer 7 *CD*, Mi 582 *P*, 889 *P*, Ru 540 *CD*

II. Collocatio Ru 509, *si sequimur NettleshipL verbum post* aut *in altero membro poni
potest*

III. Significatio A. *contraria disiungit*
1. *semel positum:* hercle uero uapulabis, nisi
iam loquere aut hinc abis Mer 168   . . nisi
cum illo aut ille mecum Mer 536a(*v. om A*ω)
loquere porro aut* i in malam rem Mer 615(*U*)
an iam uendidit aedis Philolaches? aut quidem iste uos defrudatur senex Mo 944   cruminam hanc emere aut facere ut remigret
domum Per 685   . . ut tu(aut *add RRglU*
[*post* huic]) huic irata ne sis, aut si id fieri
non potest, capias restim Poe 395   leno tu
autem(tu aut *PyU*) amicam mihi des facito
aut mihi reddas minam Poe 1414   necessest
hodie Sicyoni me esse aut cras mortem exsequi Ps 995   nisi abis actutum aut* dicis
quid quaeras cito, . . Tru 267

2. *bis positum:* aut pol haec praestigiatrix
. . maxumast, aut pateram hic inesse oportet
Am 782   . . quin ego illum aut deseram aut
satis faciat mihi ille Am 888   aut mihi in
mundo sunt uirgae aut atriensi Saureae As

264   pater expectat aut me aut aliquem
nuntium Cap 382   aut iam nihil est aut iam
nihil erit Cap 921   falsa memorat. #Aut ego
aut tu Cap 981   ille quidem aut iam hic
aderit . . aut iam adest Ep 257   haec mulier
aut insana aut ebriast Men 373   illic homo
aut sycophanta aut geminus est frater tuos
Men 1087   . . prius . . quam aut amicam aut
mortem inuestiquauero Mer 863   quin tu huic
respondes aliquid aut facturum aut non facturum Mi 1068   aut hoc emptore uendes pulcre
aut alio non potis Per 580 Mi 495(*supra* 1)
tuom iam dilidam caput nisi aut* ausculas
aut is in malam crucem Poe 495 Poe 1414
(*supra* 1)   aut* det usque aut . . amare desinat Ps 307(*R*)   promisimus carnufici aut
talentum magnum aut hunc hodie sistere Ru
778   aut olim . . non datas oportuit aut nunc
non aequomst abduci St 130   mira sunt ni
illic homost aut* dormitator aut sector zonarius
Tri 862

3. *cum imperativo coniunctum:* cenam coque
aut abi in malum cruciatum ab aedibus Au
459   redde mihi iam argentum aut uirginem
Cu 612   ite aut* ite hinc in malam crucem
Poe 511   tu autem amicam mihi des facito
aut mihi reddas minam Poe 1414   quin tu
mulierem mihi emittis? aut redde argentum
Ps 1183   placide, aut ite in malam crucem
Ru 1162   desine aut* abi Mo 1113(*Rs*)   tace
aut* cede Ru 712(*Rs in lac*) *cf* Poe 395(*supra* 1)

B. *diversa nectit*(*cf* Asmus, p. 46) 1. *semel
positum:* ubi ego nunc Libanum requiram
aut familiarem filium? As 267   aut quod
illa dicat peregre allatam epistulam . . As
761   . . ne illa minus aut plus quam tu
sapiat As 773   si coronas . . iusserit ancillam ferre Veneri aut* Cupidini As 804
ego censeo . . hominem (aut *add CaRgl*)
in senatu dare operam aut cluentibus As
871   fustem cepero aut stimulum in manum Au 48   mirum quin tua me causa faciat Iuppiter Philippum regem aut Dareum
Au 86   ego erga te . . peccaui aut gnatam
tuam Au 792   saliendo sese exercebant magis
quam scorto aut sauiis Ba 429   Parmenones
qui duas aut* tris minas auferunt eris Ba 650
ego hic ero, uir si aut quispiam quaeret Cas
167   mecum mentionem fecerat puerum aut
puellam alicunde ut reperirem sibi Ci 135
quid ego usquam male feci tibi aut* meus
quisquam id edisserta Ci 364   compedīti (aut
add RRs) anum lima praeterunt aut lapide
excutiunt clauom Men 85   neque quod uolui
agere aut* quicum (*RLU* uolui *add R* lubitumst *add U*) licitumst Men 589   num ancillae aut* serui tibi responsant? Men 620
†tibi aut adeo isti, quae mihi molestast quo-
quomodo? Men 827   . . nisi quidem uos uostra
crura aut latera nihili penditis Men 993
uix credo auctione tota capiet quinque aut*
sex minas Men 1161   clam patrem patria
hac effugiam aut aliquid capiam consili Mer
660   cecidissetue ebrius aut de equo uspiam,
metuerem ne ibi diffregisset crura aut* ceruices sibi Mi 721   per epistulam aut per
nuntium quasi regem adiri eum aiunt Mi 1225

. . ubi quinis aut* denis hastis corpus trans-
figi solet Mo 358(*L*)	nisi hinc hodie emi-
grauit aut heri certo scio hic habitare Mo 953
(nummos) continuo tibi reponam in hoc triduo
aut quadriduo Per 37	mirum quin regis
Philippi causa aut Attali te potius uendam
quam mea Per 339	. . neu lictor uerbum
aut uirgae muttiant Poe 18	curram . . aliquo
ad piscinam aut* ad lacum Poe 293	quid ei
diuini aut* humani aequomst credere?Poe 466
nec tibi nos obnixi sumus istuc, quid tu ames
aut oderis Poe 518	condoctior sum quam
tragoedi aut* comici Poe 581	id ego, nisi
quid di aut parentes faxint, qui sperem hauscio
Poe 1208	num tibi . . malae aut dentes
pruriunt?Poe 1315	spero . . hodie me bona
opera aut hac mea tibi inuenturum esse
auxilium Ps 104	Ps 836(*U: infra* 2)	cum
stimulis aut flagris insidiantur Ps 1240	. . ubi
mamma mammicula opprimitur aut* si lubet
corpora conduplicant Ps 1261	. . si erga
parentem aut deos me impiaui Ru 191	me
si sciam fecisse aut parentes . . minus me
miserer Ru 196	nec loci gnara sum nec uidi
aut* hic fui Ru 210(*L*)	si quis me quaeret,
inde uocatote aliqui: aut iam egomet hic ero
St 67	. . si quae forte ex Asia nauis heri
aut* hodie uenerit St 152	iubebo ad San-
garinum cenam coqui: aut egomet ibo atque
opsonabo opsonium St 440	de mendico male
meretur qui ei dat quod edit aut bibat Tri
339	mirum quin ab auo eius aut proauo
acciperem Tri 967	quini aut seni adueniunt
ad scorta congerones Tru 100	. . quaerere
puerum aut puellam qui supponatur mihi Tru
404(*cf* Ci 135)	dis stribula aut* de lumbo
obscena uiscera Fr I. 52(*ex Varr l L* VII. 67)
	2. *bis positum vel saepius:* te . . aut mola
salsa hodie aut ture conprecatam oportuit Am
740	quod illa aut amicum aut patronum
nominet aut quod illa amica amatorem prae-
dicet . . As 757	ea mihi cotidie aut ture
aut uino aut aliqui semper supplicat Au 24
nec mutam profecto repertam ullam esse aut*
hodie dicunt mulierem aut* ullo in saeculo
Au 126(*L*)	istic Philocrates non magis est
quam aut ego aut* tu Cap 623	patriciis
pueris aut monerulae aut anites aut* coturni-
ces dantur Cap 1002	. . quin uiro aut* sub-
trahat aut stupro inuenerit Cas 201	quis
mihi subueniet tergo aut capiti aut crucibus?
Cas 337	num ista aut populna sors aut
abiegnast tua? Cas 384	. . ne quem in cursu
capite aut cubito aut pectore offendam aut*
genu Cu 282	uesti quotannis nomina in-
ueniunt noua: tunicam rallam, . . indusiatam
. . caltulam aut* crocotulam, supparum aut
subminiam, ricam basilicum aut exoticum, cumatile aut plumatile, carinum aut gerrinum
Ep 231	Men 85(*supra* 1)	iube . . aliquid scita-
mentorum de foro opsonarier: glandionidam,
suillam (aut *add R duce A*), laridum, pernoni-
dam aut sincipitamenta porcina aut aliquid ad
eum modum Men 210	aut faenore aut* per-
iuriis habent rem paratam Men 583	aut* ad
populum aut in iure aut ad iudicem rest Men
587(*v. secl URsŠ*)	aut* plus aut minus quam

opus fuerat dicto dixeram Men 592	. . nisi
aut quid commissi aut* iurgi est causa Men
771	alios in comoediis ui uidi amoris
facere qui aut nocti aut dii aut soli aut
lunae miserias narrant suas Mer 4	ego
emero matri tuae ancillam . . aut Syram
aut Aegyptiam Mer 415	haec uasa aut
mox aut cras iubebo abs te peti Mer 781
quod illi gallinam aut columbam se sectari
aut simiam dicat . . Mi 162	sed speculator
ne quis aut hinc aut* ab laeua aut dextera
nostro consilio adsit Mi 607	ad me ut ue-
niat usust Acroteleutium aut* ancillula eius
aut* Pleusicles Mi 1132(*L*)	iuuabo aut re
aut opera aut consilio bono Ps 19	ego in
hoc triduo aut terra aut mari aut* alicunde
euoluam id argentum tibi Ps 317	ego cici-
lendrum quando in patinas indidi aut cepolendrum aut maccidem aut saucaptidem, eaepse
sese feruefaciunt ilico Ps 832	terrestris pe-
cudes cicimandro condio aut* hapalopside aut*
cataractria Ps 836	si is, aut dimidium aut
plus etiam faxo hinc feres Ps 1328	numquid
iratus es aut mihi aut filio propter has res?
Ps 1330	. . ut rem diuinam faciat aut hodie
aut heri Ru 130	quam spem aut opem aut
consili quid capessam? Ru 204	. . nisi pars
datur aut ad arbitrum reditur aut sequestro
ponitur Ru 1018	ibit istac aliquo . . latrocina-
tum, aut in Asiam aut in Ciliciam Tri 599	in-
terea loci auctarium orat(*RsU*) uinum aut
oleum aut triticum Tru 33

3. **aut** *in enumeratione adhibitur:* flammarii,
uiolarii, carinarii, aut manulearii aut* muro-
batharii Au 510(*v. secl GuyRg et* Kohlmann
†ψ) incedunt infectores corcotarii: aut aliqua
mala crux semper est quae aliquid petat Au
522	uoltisne oliuas, [aut] pulpamentum aut*
capparim? Cu 90	semper petunt aquam hinc
aut ignem aut uascula aut cultrum aut ueru
aut aulam extarem aut aliquid Ru 134	ex in-
dustria ambae numquam concessamus lauari
aut* fricari aut tergeri aut ornari Poe 220
aut periit aurum aut* conscissa pallulast aut
empta ancilla aut aliquod uasum argenteum
aut uasum ahenum antiquom aut electus
†laptilis aut armariola Graeca aut . . ali-
quid semper est Tru 52	mihi insignitos
pueros pariat postea aut uarum aut ualgum
aut compernem aut paetum aut broccum filium
Fr I. 118(*ex Fest* 375)

4. *ex duabus diuersis rebus utram esse credas
discernere non potes:* num tibi aut stultitia
accessit aut superat superbia Am 709	tu
certe aut laruatus aut cerritus es Am *fr* 37
(*ex Non* 44 & 247) As 263(*ita* Kohlm. *vide
supra* A. 2) num laruatus aut cerritust? fac
sciam Men 890	num eum ueternus aut aqua
intercus tenet?Men 891	*huc refert* Kohlm.
etiam Tri 599(*supra* 2)

C. 1. *pro vocabulis singulis fere idem va-
lentia supponuntur:* qui me alter est auda-
cior homo aut qui confidentior? Am 153	si
sis sanus aut sapias satis . . tu sermonem
nec ioco nec serio tibi habeas Am 904	quo-
tiens te uotui Argyrippum . . compellare

aut contrectare conloquiue aut contui? As 522
egone haec patiar aut taceam? As 810   cenaene
causa aut tuae mercedis gratia nos nostras
aedis postulas comburere Au 360   facinus
audax incipit qui cum opulento pauper coepit
rem habere aut negotium Au 461   quid si
apud te eueniat desubito prandium aut potatio
forte aut* cena . . Ba 79   . . ut celem patrem . . tua flagitia aut damna aut desidiabula? Ba 376   quam illa umquam . . ramenta
fiat grauior aut* propensior . . Ba 519 b(om AR
secl *S* trans RRg)   uiso ecquid eum ad uirtutem aut ad frugem opera sua compulerit
Ba 1085   non uerear ne iniuste aut grauiter
mihi imperet Cap 308   seruin uxorem ducent
aut poscent sibi? Cas 69   si facias recte aut*
commode me sinas curare ancillas Cas 260
nescio unde auxili praesidi perfugi mihi aut
opum copiam comparem aut expetam Cas 624
non sum scitior quae hos rogem aut quae fatigem Ci 680   numquid tu quod te aut genere
indignum sit tuo facis aut inceptas facinus
facere? Cu 23   mulierem peiorem . . non uidi
aut* audiui Cu 594   quid mecum tibi fuit
umquam aut nunc est negoti? Men 370   (uidit)
tam hercle certe quam ego te aut* tu me uides Mer 186   dicam si uideam tibi esse
operam aut otium Mer 286   facere damni
mauolebre quam ob probramentum aut flagitium
muliebre exferri domo Mer 423   illam mandauit mihi ut emerem aut* ad istanc faciem
Mer 427(L)   quae patria aut domus tibi stabilis esse poterit? Mer 653   non miror si
quid damni facis aut flagiti Mer 784   anteueni
aut* tu aliquosum circumduce exercitum Mi
221   quid peius muliere aut* audacius? Mi
307   . . si minus cum cura aut cautela locus
loquendi lectus est Mi 603(secl WeisRgS)   . . quae
probast aut* luculenta . . Mi 728(R)   si bene
quid aut fideliter faciundumst, eadem eueniet
Mi 889   iura te non nociturum . . nemini
quod tu hodie hic uerberatu's aut quod uer-
berabere Mi 1412   purpura aetate occultandaest usu aut* turpi mulieri Mo 288(Rs)   num
mirum aut nouom quippiam facit? Mo 345
quid ego huc recursem aut operam sumam
aut conteram? Mo 581   facio idem quod plurumi alii quibus res timida aut turbidast Mo
1052   si quam rem accures sobrie aut frugaliter Per 449   si malus aut nequamst, male
res uortunt quas agit Per 453   quid id ad me
aut ad meam rem refert Persae quid rerum
gerant, aut quid erus tuos? Per 513   quo genere aut qua in patria nata sit aut quibus
parentibus . . uolo te percontari Per 596   . . ne
temere hanc te emisse dicas me impulsore aut*
inlice Per 597   si quid mandare uoltis aut
curarier Poe 80   si tibi lubidost aut uoluptati,
sino Poe 145   . . ut quidem tu huius oculos
. . tractes aut teras? Poe 316   quoiates estis
aut* quo ex oppido? Poe 994   si de damnosis
aut si de amatoribus dictator fiat . . Ps 415
quicquid incerti mihi in animo prius aut ambiguom fuit nunc liquet Ps 759   an tu inuenire postulas quemquam coquom nisi miluinis aut aquilinis ungulis? Ps 852   tu istunc
(uidulum) hodie non feres nisi das sequestrum

aut arbitrum Ru 1004   hic . . summam in crucem cena aut* prandio perduci protest St 626
qui Ionicus aut cinaedicust, qui hoc tale facere possiet? St 769   haben tu amicum aut*
familiarem quempiam? Tri 89   si quid scis
me fecisse inscite aut inprobe . . Tri 95   quid
secus est aut quid interest(a. q. i. secl Rs)
dare te in manus argentum amanti? Tri 130
satin tu's sanus mentis aut animi tui? Tri 454
si in rem tuam . . esse uideatur gloriae aut
famae, sinam Tri 629   quid tibi interpellatio
aut in consilium huc accessiost? Tri 709   nisi
qui illud tractat aut mouet, mutumst Tri 1005
si quid amicum erga bene feci aut consului
fideliter . . Tri 1128   an tu te Veneris publicum aut Amoris . . habere posse postulas?
Tru 141   quid tibi ad hasce accessio aedis
est prope aut pultatio? Tru 258   plus pol-
lice quam abs te posco aut* postulo Tru 374
neque . . potest reperirier quoi ego nunc aut*
dictum aut factum melius . . uelim Tru 700
qui . . bella aut faceta's quae ames hominem
isti modi? Tru 930   quis est mortalis aut*
fuit tanta fortuna affectus umquam qua ego
nunc sum? Fr I. 17(Rq ex Macr III. 16, 1)

  2. bis positum: . . si ea in opificina nesciam
aut mala esse aut fraudulenta Mi 880   nos ex
te percontabimur aut patriam tuam aut parentes Per 620   aliquem uelim qui mihi . .
aut uiam aut semitam monstret Ru 212   caperes aut fustem aut lapidem Ru 842   quid
si ista aut superstitiosa aut hariolast? Ru 1139
condecet, quemquem hominem attigerit profecto ei aut malum aut damnum dare Tru 228
  3. compluria ita uariantur ut idem fere sensus
exoriatur: manus ferat ad papillas aut* labra
a labris nusquam auferat Ba 480   pigeat . .
si uos eximat uinculis aut* solutos sinat Cap
205   . . ne te mihi facias ferocem aut* supplicare censeas Cu 539   non tu abis quo dignus
es, aut te piari iube? Men 517   sanun es qui
istuc exoptes aut neges te umquam pedem . .
intulisse? Men 818   periuriorem hoc hominem si quis uiderit aut gloriarum pleniorem . . Mi 21   eo intro aut* tu illunc euoca
foras Mi 1248   stultitia . . haec sit me ire
in opus alienum aut tibi meam operam pollicitari Mi 879   si amauit umquam aut si parem sapientiam habet ac formam Mi 1251
quid tibi malum me aut* quid ego agam curatiost Mo 34   laudari multo malo quam . .
culpari aut meam speciem alios inridere Mo
180   memoradum mihi, si noui forte aut si
sunt cognati mihi Poe 1064   tune hic amator
audes esse . . aut contractare quod mares
homines amant? Poe 1311   . . nisi quae mihi
in test aut* tibist in' me' salus . . Ps 71   satin
est si hanc hodie mulierem efficio tibi tua ut
sit aut si tibi do uiginti minas?Ps 112   hisce
inter se consenserunt . . aut de conuecto faciunt Ps 540   si sumus conpecti . . aut si
de ea re umquam inter nos conuenimus . . Ps
543 b   peculiosum esse addecet seruom . .
quem praetereat oratio aut* qui inclementer
dicat homini libero Ru 114   ueneror ut nos
ex hac aerumna eximat aut* . . auxilio adiuuet Ru 257   tu enumquam piscatorem ui-

disti . . uidulum piscem cepisse aut protulisse?
Ru 987   ab isto aufer te aut miser sim si
istunc condemnauero Ru 1383(*Rs*)   si in te
aegrotant artes antiquae tuae aut si demutant
mores ingenium tuom . . Tri 73(*vide ω*)

4. *post unum exemplum alterum additur:*
ille nauem saluam nuntiat aut irati aduentum
senis Am 988   nisi tu aceruom ederis aut
quasi lumbricus terram . . Cas 127   . . nisi
si in uidulo aut si in mellina attulisti Ep 23
. . quasi quid filius meus deliquisset med
erga aut quasi non pluruma malefacta mea
essent Ep 391   enumquam tu uidisti tabulam
pictam . . ubi aquila Catamitum raperet aut
ubi Venus Adoneum? Men 144   . . quoius tu
legiones difflauisti spiritu quasi folia aut*
paniculum tectorium Mi 18   si amicus Diphilo
aut Philemoni's dicito is quo pacto . . Mo 1150
(cena) quae Thyestae quondam aut* positat
Tereo Ru 509   quasi tolleno aut pilum graecum reciprocas plana uia Fr I. 12(*ex Fest*
274)

5. *gradus ad inferiora:* satis superquest
quo facto aut dicto adeost opus Am 169
quid tibi hanc curatiost rem . ., aut muttitio? Am 519   si hercle tu ex istoc loco digitum transuorsum aut unguem latum excesseris aut si respexis . . Au 57   ducentos
Philippos . . da, si esse saluom uis me aut
uitalem tibi Ba 998   ne a me memores malitiose de hac re factum aut suspices, tibi
permitto Cas 394   dabitur malum me quidem si attigeris aut si propius ad me accesseris Men 857   an boni quid usquamst quod
quisquam uti possiet sine malo omni aut* ne
laborem capias? Mer 146

bis positum: nemost . . indignior . . quem
quisquam homo aut amet aut adeat Ba 617
si umquam posthac aut* amasso Casinam aut
occepso modo . . Cas 1001

6. *gradus ad superiora:* si quicquamst
aliud quod credam aut* certo sciam . . Am
271   minume miror, si te fugitat aut oculos
tuos aut si te odit Cap 545   tune huic credis? #Plus quidem quam tibi aut mihi Cap
572   quid uidisti aut* quid uidebis magis
dis aequiperabile? Cu 168   etiamne, inpudens,
muttire uerbum unum audes aut mecum loqui?
Men 711   . . ut absente ero rem eri diligenter
tutetur, quam si ipse adsit, aut rectius Men
969 (pater) uenibit multo potius quam te . .
umquam sinam egere aut mendicare Mo 230
egone te ioculo modo ausim dicto aut facto
fallere? Mo 923   quod quisque in animo habet
aut habiturust, sciunt Tri 206

D. *tota enuntiata interrogatiua, recta obliqua,
eandem fere rem indicant;* 1. *recta:* quid igitur ego dubito? aut* cur non intro eo in
nostram domum? Am 409   quid nunc uis tibi?
aut quis tu's homo? Am 1028   quid istuc est?
aut ubi istuc est terrarum loci? As 32a   cur
hoc ego ex te quaeram? aut cur miniter tibi?
. . aut cur postremo filio suscenseam? As 45
surripio ego tuom? unde? aut quid id est? Au
761   quis ait: hoc? aut quis profitetur? Cap 480
quid negabo? aut quid fatebor? Cap 535   qua

ego hunc amorem mihi esse aui dicam datum?
aut quid(*L*) ego umquam erga Venerem
inique fecerim? Cas 617(*v. om U*)   quid fecisti scipione aut quod habuisti pallium? Cas
975   unde haec gentium? aut* quis deus
obiecit hanc ante ostium nostrum? Ci 669
quid istuc negotist? aut quis es? num tu pudicae quoipiam insidias locas aut quam pudicam esse oportet? Cu 26   quid eum nunc
quaeris? aut quoiatis? Cu 407   quis tibi hanc
dedit mancipio? aut unde emisti? Cu 617   quid
mecumst tibi aut tibi*? Cu 689(*LuchsRgl*) quid
iam? aut quid est? Ep 56   deos do testes . .
#Qua de re aut quoius rei rerum omnium?
Men 812   num hinc exmigrastis? #Quem in
locum aut quam ob rem? Men 823   unde aut
quis tu homo es? Men 826   quid iam? aut
quid negotist? Mi 277   quis tu homo's? aut
mecum quid est negoti? Mi 425   quid iam?
aut* quid est? Mi 469   quam ob rem? aut
quam subito rem mihi adportas nouam? Mo
466   quid istuc est sceleris? aut quis id fecit? Mo 478   quidnam? aut quo die? Mo
1019   quid male facio? aut quoi male dico?
Per 210   quid in hanc uenistis urbem? aut
quid quaeritas? Poe 1009   quid ait? aut
quid orat? expedi Poe 1024   ubi sunt eae
aut quas, opsecro? Poe 1248   cur ego . . ea
quibus est uobis usus praehibeo? aut* quid mi
domi nisi malum uostra operast hodie? Ps 182
(*L*)   num quoipiamst . . nitidiusculum caput?
aut num ipse ego pulmento utor magis
unctiusculo? Ps 220   ubi tu me nouisti gentium? aut uidisti? aut conlocutu's? Ps 620   quis
hic homo chlamydatus est? aut undest? aut
quem quaeritat? Ps 963   sed eae mulieres
quae sunt? aut quid is iniqui fit? Ru 647
sumne ego . . scelestus qui illunc hodie excepi uidulum? aut . . qui non alicubi in solo
abstrusi loco? Ru 1184   risi te hodie multum.
#Quando aut quo in loco? St 243   quam du-
dum istuc aut ubi actumst? Tri 608   quid eos
quaeris? aut quis es? aut unde's? aut unde
aduenis? Tri 879   egon tibi male dicam aut . .
male uelim? Tru 775

2. *obliqua:* haud quisquam quaeret qui siem
aut quid uenerim Am 130   possum scire quo
profectus quoius sis aut quid ueneris? Am 346
quid istuc sit aut ubi istuc sit nequeo noscere
As 32b (= 46)   quo eam aut ubi sim aut qui
sim nequeo cum animo certum inuestigare Au
714   satin ut quem tu habeas fidelem tibi
aut quoi credas nescias? Ba 491   ille clam
obseruare it seruolus quo aut quas in aedis
haec puellam deferat Ci 169   peruelim mercedem dare qui monstret eum mihi hominem
aut ubi habitet Ep 536   curaest negoti qua
sit aut quid nuntiet Mer 121   capram illam
suspicor iam me inuenisse quae sit aut quid
uoluerit Mer 254   rogitares quis esset aut
unde esset Mer 634   non ego istuc curo qui sit
ille aut* unde sit Mo 624(*U*)   quid id ad me . .
refert Persae quid   rerum gerant aut quid erus
tuos Per 514   quo genere aut qua in patria
nata sit aut quibus parentibus . . uolo te percontari Per 596   . . nisi ut obseruemus quo
eat aut quam rem gerat Ps 1102

E. *additur:* adeo Am 169, Men̄ 827
F. *corruptum:* ***aut ut***Mo 1056
AUTEM - - I. Forma Au 227, autem *Bri
RgLU* item *PŚ*; 342, *om B* Ba 495, mi
autem *HermRRg pro* mihi; 633, autem *add R
post* quid; 953, autemst *BoR* fuit *U pro*
etiamst Cas 276, aut illa *J pro* illa autem
(*B²* a. i. *B¹VE*) Ep 280, ais *U duce Mue* Men
34, autem *om D*; 37, domum autem *RRs pro*
Syracusas; 67, autem *add Rs solus:* 777, aut
D; 839, aurem *C*; 1123, autem *MueRs pro*
tum Mer 766, suam autem uxorem *RRg pro*
u. s.; 890, sint antimus *BC* sint an////imus
D si autem animus *BoR* si mihi animus
Bueψ Mi 1006, illam autem absentem *PŚ†*
illa absente *Rg* mullo absente me *R* illam
absentem *U* autem absentem *L duce Rib*
Per 550, autem *add Rs post* hominum; 556,
autem *add R post* sexta Poe 927, aurum *A*;
1414, leno tu autem(atem *B)PŚ†RglL* tu aut
PyU Ps 209, te autumes *BergkU pro* dicas.
#Tu autem(*A* te d. t. a. *P*); 1028, meum *C¹*
tum *R* Ru 658, autem *FZRsU pro* haud
(*B* aut *CD*) St 213, item *BriR pro* autem
St 733, ea itidemst *RRg pro* ibi autemst(*B*
a. i. est *CD*); 765, *Turn RRg pro* tandem Tru
902, autem *PŚ†LU* ueste *Rs*
corrupta: tu autem Am 554 *P pro* tuatim
(*ex Char 221, Non 179, Gloss*) Men 886 autē
add B falso Mi 203, autem *add P post* ecce
om A St 450a, autem *add CD om AB*;
765, stantis autem(autū *B)P pro* stanti sauium
(*Sarac*) Tri 694, autem *add* (*CD*) *om P*(*B*);
693, autem *add* (*P*) *om P*
II. Collocatio *secundum locum occupare
solet; tertium locum habet:* As 716, 796, Au
30, 560, Cap 556, 654, 818, Cas 55, 307, 767,
Ci 173, Ep 25, 280, 672, Men 34, 777, 782, 810,
Mer 998, Mi 593, 678(*L*), 1149, Mo 778, Per
763, Poe 819, 927, Ru 173, Tri 683, Tru 838
quartum: Am 144, Ba 1060, Cas 28, 270, Ep
420, 621, Men 1090, Per 464, Ps 635, 692, St
733 *bis*, Tri 329, 385, Tru 902(*L*) *quintum:*
Poe 1306, 1344, Tru 335 *Cf* Langen, *Beitr.*
p. 315
III. Significatio 1. *contraria coniungit:*
iniusta ab iustis impetrari non decet, iusta
autem ab iniustis petere insipientiast Am 36
illi dudum meus amor negotium insonti exhibuit: nunc autem insonti mihi illius . . maledicta expetent Am 895 ego complexum
huius nihil moror, meum autem hic aspernatur
As 643 si quid est quod doleat, dolet: si
autem non est, tamen hoc hic dolet Ci 67 ea
me deperit: ego autem cum illa facere nolo
mutuom Cu 47 hic huius frater est, haec
autem illius(huius est *LuchsRg*) soror Cu 716
neque aqua aquae . . usquam similius quam
hic tuist tuque huius autem Men 1090 humanum amarest, humanum autem ignoscerest(*PRL*
atque id ui optinget deum *A ut vid ψ*) Am
319 si malus aut nequamst, male res uortunt: sin autem frugist, eueniunt frugaliter
Per 454 cur ego sine te sum? cur tu autem
sine me's? Per 763 matrem hic salutat suam,
haec autem hunc filium Poe 1144 si istas
amas, huc arido argentost opus: si autem

Veneri complacuerunt, habeat Ru 727(*vide Rs*)
unam amicam amamus ambo: mecum ubist,
tecumst tamen: tecum ubi autemst, mecum ibi
autemst* St 733 quod tuomst meumst, omne
meumst autem tuom Tri 329
2. *diuersa coniungit:* interdum fio Iuppiter,
quando lubet: huc autem quom . ., ilico Amphitruo fio Am 865 uenit hoc mihi . . in
mentem, ted esse hominem diuitem, . . me
autem* esse hominem pauperem Au 227 i sane
cum illo, Phrugia; tu autem, Eleusium, huc
intro abi ad nos Au 333 turba istic nulla
tibi erit . .: hic autem apud nos magna turba
Au 342 fiam, ut ego opinor, Hercules, tu
autem Linus Ba 155 hospitium . . pollicere
. . peregre aduenienti: ego autem uenturum
adnuo Ba 186 feci ut auri quantum uellet
sumeret, quantum autem lubeat reddere, ut
reddat patri Ba 353 serua tibi sodalem et
mi autem* filium Ba 495 (Mnesilochum) rus
misit pater: illa autem in arcem abiit aedem
uisere Ba 900 i, fer (aurum) filio: ego ad
forum autem hinc ibo Ba 1060 illum restituam huic, hic autem in Alidem me meo
patri Cap 588 illic seruom se assimulabat,
hic esse autem liberum Cap 654 ludis poscunt neminem, secundum ludos reddunt autem
nemini Cas 28 pater adlegauit uilicum . . .:
filius is autem armigerum adlegauit suom Cas
55 tu eum orato, ego autem orabo uilicum
Cas 273 ego discrucior miser amore, illa
autem* . . mihi aduorsatur Cas 276 hic est
danista, haec illast autem quam emi de praeda
Ep 621 tu magis amator mulierum es, Messenio, ego autem homo iracundus Men 269
quid tu tristis es? quid ille autem* abs te
iratus destitit? Men 777 quid tu tristis es?
quid illa autem irata abs te destitit? Men 810
domum ire cupio, uxor non sinit; hac autem
nemo intromittit Men 964 mihi hoc erat
quod nunc est, Menaechmo, illum autem* uocabant Sosiclem Men 1123 litigari nolo ego
usquam, tuam autem accusari fidem Mer 421
limen . . salue, simul autem uale Mer 830
. . si ad auscultandum uostra erit benignitas
. . qui autem auscultare nolet exsurgat foras
Mi 81 Palaestrio domi nunc apud mest,
Sceledrus nunc autemst foris Mi 593 facile
istuc quidemst si et illa uolt et ille autem cupit
Mi 1149 uehit hic clitellas, uehit hic autem
alter senex Mo 778 urbis speciem uidi, hominum
autem* mores perspexi parum Per 550(*Rs*) et
hoc docte consulendum . . et illud autem* inseruiendumst Poe 927 qui potuit fieri ut
Carthagini gnatus sis? hic autem habuisti
Aetolum patrem Poe 1057 Aeschrodora, tu
quae . .: tu autem* Xytilis, face ut animum
aduortas Ps 209 quasi tu dicas quasique
ego autem id suspicer Ps 635 hominem catum
eum esse declaramus, stultum autem illum . .
Ps 682 bene ego illum tetigi, bene autem
seruos inimicum suom Ps 1238 non conuenit me . . agrum habere, egere illam autem
Tri 683 leges mori seruiunt, mores autem
rapere properant qua sacrum qua publicum
Tri 1044 hic meus pater, illic autem Soterinis
est pater Vi 113

3. *narrationem continuat:* **a.** iubeas una opera me piscari in aere, uenari autem rete iaculo in medio mari As 100   quod illa autem simulet . ., hoc ne sic faciat As 796 illa illum nescit neque compressam autem pater Au 30   si autem deorsum comedent . ., superi incenati sunt Au 367   Ilio tria fuisse audiui fata: signum ex arce si periisset: alterum autemst* Troili mors Ba 954   hisce autem inter sese hunc confinxerunt dolum Cap 35   ego te aestumatum huic dedi uiginti minis, hic autem te ait mittere hinc uelle ad patrem Cap 365   ille autem postquam filium sensit suom eandem illam amare, . . Cas 60 post autem ruri nisi tu aceruom ederis . . Cas 126   si id factumst . .: si non impetrauit . .; si sors autem decolasset Cas 307 uilicus is autem cum corona candide uestitus . . ambulat Cas 767   illae autem in cubiculo armigerum exornant Cas 769   digne autem coqui nimis lepide ei rei dant operam Cas 772 illae autem senem cupiunt extrudere incenatum ex aedibus Cas 775   poste autem . . nisi ambo occidero . . Ci 525   ego illic me autem sic adsimulabam Ep 420   ut illic autem exenterauit mihi opes argentarias! Ep 672 pater eius autem* postquam puerum perdidit, animum despondit Men 34   postquam domum autem* de ea re rediit nuntius . . Men 37 illi autem* diuitiae euenerunt maxumae Men 67   illa me ab laeua rabiosa femina adseruat canis, poste autem* illic hircus Men 839   ait se obligasse crus fractum Aesculapio, Apollini autem bracchium Men 886   condigne autem haec meretrix fecit ut mos est meretricius Men 906   simul autem plenis semitis qui aduorsum eunt aspellito Mer 115(*vide LU*) et currendum et pugnandum et autem iurigandumst in uia Mer 119   post autem mihi scelus uidetur me parenti proloqui mendacium Mer 208   post autem communis est illa mihi cum alio Mer 451   et suam autem* uxorem ruri esse aibat Mer 766   ridiculis autem quasi sit alia, luditur Mi *Arg* I. 9   liberae sunt aedis, liberum autem ego me uolo uiuere Mi 678(*vide ω*)   si exulant quarta inuidia, quinta ambitio, sexta autem* obtrectatio Per 556   geminum autem fratrem seruire audiui hic meum Per 695   is me autem porro uerberat Poe 819   et adire lubet hominem et autem nimis eum ausculto lubens Poe 841 tu autem ea pacisci modo scis Ps 225   euge! par pari aliud autem quod cupiebam contigit Ps 692   metuo autem* ne erus redeat etiam dum a foro Ps 1028   nihilist autem suom qui officium facere inmemor est Ps 1104   illa autem uirgo atque altera itidem ancillula de naui timidae desuluerunt Ru 74   desiluit haec autem altera in terram e scapha Ru 173   quot adeo cenae . . mortuae! quot potiones mulsi, quot autem* prandia quae . . perdidi St 213 post autem aduexit parasitos secum St 388 egomet autem . . dormibo placide in tabernaculo Tri 725   abite tu domum, et tu autem domum Tru 838   puero opust cibo, opus est matri autem* Tru 902 (*L*)   muriaticam autem uideo in uasis stagneis, Fr II. 18(*ex Fest 166*)

b. et autem: Ba 495(*Rs supra* 2)   Mer 119 (*supra* **a**)   Mer 766(*supra* **a**)   Mi 1149(*supra* 2) Poe 841(*supra* **a**)   Poe 927(*supra* 2)   Tru 838 (*supra* **a**)

c. tum autem: tum meo patri autem torulus inerit aureus sub petaso Am 144   tum autem interdius . . domi sedet totos dies Au 72   tum obsonium autem Au 560   tum lanii autem . ., eorum ego si in uia petronem publica conspexero Cap 818   tum illic autem Lemnius propinquam uxorem duxit Ci 173   tum autem illa ipsast nimium lepida nimisque nitida femina Mi 1003   tum haec celocula autem* absentem subigit me ut amem Mi 1006(*L vide ψ: loc dub*)   tum hanc hospitem autem crepidula ut graphice decet Per 464   tum autem, si quid tu adiuuas, eo facilius facere poterit Poe 883   deglupta mena, sarrapis sementium . . tum autem plenior alli . . Poe 1313 tum autem aurum tuom reddam Poe 1393 tum autem sunt alii qui te uolturium uocant Tri 101   tum autem Syrorum . . nemo exstat qui ibi sex menses uixerit Tri 542

d. sed autem: sed autem quam illa . . ramenta fiat grauior . . mori me malim Ba 519 a (*om A*)   sed autem quid si hanc hinc abstulerit quispiam sacram urnam Veneris? Ru 472 sed quid haec hic autem tam diu ante aedis stetit? Tru 335

e. uerum autem: uerum autem altrouorsum quom eam mecum rationem puto Cas 555

4. *cum interiectionibus*   **a.** *ecce* (*bis eccere*): ecce autem uxor obuiamst Cas 969 ecce autem bibit arcus Cu 131   ecce autem litigium Men 784   ecce autem perii Mer 748, Mo 660, 676   ecce autem haec abiit Mer 792 eccere autem capite nutat Mi 207   ecce autem aedificat Mi 209   ecce autem commodum aperitur foris Mi 1198   ecce autem hic deposiuit caput Mo 382   eccere autem, quem conuenire maxume cupiebam, egreditur foras Per 300   ecce autem mala Poe 1124 ecce autem in benignitate repperi negotium Tri 389

b. heia: heia autem inimicos? Am 901

5. *in interrogationibus*   **a.** *scire volentis:* quem te autem diuom nominem? As 716   quid mihi id prodest? Ba 633(autem *add R post* quid) quid tu autem? etiam huic credis? Cap 556 quid si ego autem ab armigero impetro? Cas 270   quid tu autem*, Apoecides? Ep 280 Men 777(*supra* 2)   quid istuc autemst? Men 782   Men 810(*supra* 2)   quid autem urbani deliquerunt? Mer 718   quid si autem* animus fluctuat? Mer 890 quid autem? Mo 1016   quid autem* id ad te? Per 284   quid tibi negotist autem cum istac? Poe 1306   quid tibi mecum autem? Poe 1344   quid id autem unumst, expedi St 427   quid id est autem unum? Tri 385   **sed autem:** Ru 472, Tru 335: *vid supra* 3. **d**

b. *indignantis* (*cf* Langen, *Beitraege* p. 315): pergin autem? Am 539   pergin tu autem? Mer 998   heia autem inimicos? Am 901   iamne autem ut soles? deludis Au 819(*L* soles deludis ?)   iamne autem ut soles? Poe 1410, Tru 695   sumne autem nihili qui nequeam ingenio moderari meo? Ba 91 iam tu autem nobis praeturam geris? Ep 25 credere autem? Ps 305 iterum autem* imperabo? Ru 658 (RsU)

6. *in responsionibus:* tu autem in neruo iam iacebis nisi mihi argentum redditur Cu 718 leno, tu autem* amicam mihi des facito Poe 1414 prostibulist autem* stantem stanti sauium dare amicam amico St 765(RRg)

AUTOLYCUS - - *hospes.* Autolyco (Ca auiolico P[-loco B]) hospiti aurum credidi Ba 275 (cf Egli, III. p. 29; Inowraclawer, p. 47)

AUTUMO - - I. Forma autumo Am fr XIII (ex Non 237), Cap 236 (autumno J), Ep 545(Ca audio A animo P), Mo 97, 1132(B in ras aut humo P), Per 214 autumas Ba 822, Cap 891, 897(autumnas J), 955, Ep 644, Ps 985(auttumas C) autumat Am 306(atitumat D), 332, 752, Cap 606, Mer 944 autumant Men 8, Ru 704 autumantur Poe 241 autumabas Cap 885 autumaui Tri 324(autuman C) autumem Men 760(-men B) autumes Cap 961, Ps 209(BergkU) autumet Per 151, Ps 930 (A aut tum et P) autument Tri 703, 743 autumare Am 416

II. Significatio 1. *absolute:* quod ego fatear, credin pudeat quom autumes? Cap 961

2. *cum acc.:* haec, pater, autumaui* Tri 324 egomet mihi non credo quom illaec autumare illum audio Am 416 res . . adfert, quas si autumem* omnis nimis longus sermost Men 760 quid me oportet facere ubi tu talis uir falsum autumas? Cap 955 iterum gnatus uideor si uera autumas Cap 891 aeternum tibi dapinabo uictum si uera autumas* Cap 897 di me ex perdita seruatam cupiunt si uera autumas Ep 644

3. *seq. infin.* (cf Votsch, p. 38; Walder, p. 49): ego uereor ne . . detraxe autument Tri 743 quattuor uiros sopori se dedisse hic autumat* Am 306 audiuistin tu hodie me illi dicere ea quae illa autumat? Am 752 tun terrae me odium esse autumas? Ba 822 . . neque fuisse . . neque esse morbum quem istic autumat Cap 606 item asperae (urbes) sunt ut tuom uictum autumabas esse Cap 885 sin east quam incerte autumo* Ep 545 proinde uti nunc ego esse autumo . . Mo 97 confitere ut te autumo? #Fatear si ita sim Per 214 si salsa muriatica esse autumantur, . . Poe 241 sic ego illum . . in timorem dabo . . me ut esse autumet* qui ipsus est Ps 930 nisi hoc ita factumst proinde ut factum esse autumo Am fr XIII(ex Non 237) omnis res gestas esse Athenis autumant Men 8 longe ab Athenis esse se gnatam autumet Per 151 te ex concha natam esse autumant Ru 704 de amica se indaudiuisse autumat hic Athenis esse Mer 944 etiam inrides? #Quian me pro te ire ad cenam autumo*? Mo 1132 'nescioquem' loqui autumat Am 332 quem hanc misisse ad me autumas*? Ps 985 mea opera hinc proterritum te . . autument Tri 703 taceas malo multo quam tacere te autumes* Ps 209

4. *seq. interrog. ind.:* ut mihi te uolo esse autumo* Cap 236

AUXILIARIUS - - magis adeo ei consiliarius hic amicust quam auxiliarius Tru 216

AUXILIOR - - amanti argento filio auxiliarier . . uolt senex As Arg 1 neque commodius ullo pacto ei poteris auxiliarier(-rer A) Tri 377

AUXILIUM - - I. Forma auxilium Am 1064, Ep 117, 354(auxs- E), St 329 auxili Am 157(-ii P), Cas 623(-ii AB), Ep 82(-ii B), Ps 61 (A -ii P), Ru 349(-ii P), 642(-ii P), 665(-ii P) auxilio Am 92, 1131, Au 715, Ci 154, Cu 267 (EJ -ium B), Ep 660(Rg -ium APψ), 676(-lo B), Mo 148(ausi D), Poe 1137, 1277(auxiuo B) auxilium Am 870(-llium BD), 877, 1093, Cap 908, Ci 671(-ii VE¹), Cu 696, Ep 660(auxilio Rg), Mi 220, Per 495, Ps 105(aut xilium B), Ru 68, 893 auxilio Per 83, Ps 905, Ru 257 auxilia Cap 517, Ep 677 (acc.) Ci 200

II. Significatio A. 1. *nom.:* Alcumena, adest auxilium, ne time Am 1064 ut fallatur pater tibique auxilium* apparetur, inueni Ep 354 . . si ad rem auxilium emortuomst Ep 117(cf Graupner, p. 5; Inowraclawer, p. 19) ergo auxilium propere latumst St 329(vide infra 4) spes opes auxiliaque a me segregant spernuntque se Cap 517 auxilia mihi et suppetiae sunt domi Ep 677

2. *gen.:* . . neque in ero quicquam auxili* siet Am 157 nisi quid tibi in tete auxili* est, absumptus es Ep 82 prope adest exitium mihi nisi quid mihi in test auxili* Ps 61 nescio unde auxili* praesidi perfugi mihi aut opum copiam comparem Cas 623 omnium copiarum atque opum auxili* praesidi uiduitas nos tenet Ru 665 capitali ex periculo orbas auxilique* opumque huc recepit ad se Veneria sacerdos me et Palaestram Ru 349 mulieres . . intus hic sunt tui indigentes auxili* Ru 642

3. *dat. semel positum:* . . neque quisquam esse auxilio* queat Mo 148 cum altero dat.: (Iuppiter) auxilio is fuit Am 92 mihi auxilio oro obtestor sitis Au 715 Ioui, qui tibi auxilio* in iure iurando fuit Cu 267 auxilio* mihi magnast res Ep 660(Rg) mihi nunc auxilio* adiutores sunt Ep 676 tua pietas nobis plane auxilio fuit Poe 1137 tua pietas plane nobis auxilio* fuit Poe 1277 adsum auxilio, Amphitruo, tibi et tuis Am 1131

4. *acc.:* adfer domum auxilium* mihi Ep 660(vide supra 3) arripe opem auxiliumque ad hanc rem Mi 220 neque unde auxilium* expetam habeo Ci 671 bene dictis tuis bene facta aures meae auxilium exposcunt(A -tulant PR) Per 495 ueni ut auxilium* feram Am 870 Alcumenae in tempore auxilium feram Am 877 inuocat deos inmortales ut sibi auxilium ferant Am 1093 nunc ibo . . pernis auxilium ut feram Cap 908 obsecro . . auxilium ut feras Cu 696 tetuli ei auxilium et lenoni exitium simul Ru 68 uolup est me hodie his mulierculis tetulisse auxilium Ru 893 vide St 329(supra 1) spero alicunde hodie me . . tibi inuenturum esse auxilium* argentarium Ps 105 augete auxilia (= socios militares) uostris iustis legibus Ci 200 Cf Kampmann, Res mil. p. 2

5. *abl.:* si umquam quemquam di immorta-

les uoluere esse auxilio adiutum . . Ps 905
ueneror ut nos . . aliquo auxilio adiuuet Ru
257   eccum parasitum quoius mihi auxiliost
opus Per 83
   B. *deus:* mihist Auxilio nomen Ci 154 *Cf*
Goldmann, II. p. 17; Hubrich, p. 110
   AXICIA - - *cf* Goetz, *Archiv* II. 339   ita
me uolsellae . . bene me amassint meaque

axicia(*B²* -tia *VE* acicia *B¹ ut vid*) linteumque extersui ut . . Cu 578
   AXITIOSUS - - *cf* Goetz, *Archiv* II. 339
axitiosae(*Ald* ac sitiose *Varr*)annonam caram
e uili concinnant uiris Fr I. 11(*ex Varr l L*
VII. 66)   ego noui scio **axitiosa** quam sit
(*Ald et Sch* ac sitio aquam sic *Varr*) Fr I. 116
(*ex Varr l L* VII. 66)

B

BABAE - - *exclamatio admirantis vel irri-*
dentis (*cf* Richter, p. 422): quid? #Babae
(pape *V* papae *U*. #Quid? #Papae Cas 906
hui, babae(babe *B*), basilice te intulisti et
facete Per 806   fur. #Babae(babe *C* habe
D. #Fugitiue. #Bombax Ps 365   fac tu hoc
modo. #At tu hoc modo. #Babae(babe *CD*).
#Tatae. #Papae. #Pax St 771
   BABYLONICUM - - aduexit . . tum **Baby-**
lonica(*A* babi- *P*) et peristroma(et *om CaRg*)
St 378(*cf* Loewe, *Prodromus* 292: *errant*
RRgU)
   BABYLONIENSIS - - istic est puero pater
Babyloniensis(*A* -i- *P*) miles Tru 203 alium
repperit qui plus daret . . **Babyloniensem**(-i-
P) militem Tru 84   adsimulasse me esse
praegnatem haud nego . . propter militem Ba-
byloniensem(-i- *P*) Tru 392
   BABYLONIUS - - me grauidam esse adsimulaui militi **Babylonio**(-i *P*) Tru 472
   BACCHA - - 1. Bacchae(-e *BE*) bacchanti
si uelis aduorsarier . . Am 703 (*cf* Egli, II.
p. 17)
   2. Bacchides non Bacchides sed **Bacchae**
(bache *P*) sunt acerrumae Ba 371 (*cf* Inowraclawer, p. 47)   Bacchae hercle, uxor . .
#Bacchae? #Bacchae hercle, uxor . . #Nugatur
sciens. Nam ecastor nunc Bacchae nullae ludunt. #Oblitus fui. Sed tamen Bacchae . .
#Quid Bacchae? Cas 979(Bacchae *A* bache *P*)
eiusdem   Bacchae(bacche *vel* bache *Prisc*) fecerunt nostram nauem Pentheum Vi 93(*ex Prisc*
I. 300)
   3. cedo signum, si harunc **Baccharum**(bac-
carum *D* -ru *C*) es Mi 1016
   4. neque ego umquam, nisi hodie, ad **Bac-**
chas ueni in Bacchanal coquinatum Au 408
Bacchis, Bacchas(bachas *P*) metuo et bacchanal
tuom Ba 53   Pentheum diripuisse aiunt Bac-
chas(bachas *CD*) Mer 469
   BACCHANAL - - neque ego umquam, nisi
hodie, ad Bacchas ueni in **Bacchanal**(bacinal
P[a s i *B*] baccanal *Non* 85) coquinatum Au 408
aperit(aperitur *CaRg*) Bacchanal(bacchanal *P*)
Au 411   Bacchis, Bacchas metuo et bacchanal
(*B* bacanal *CD*) tuom Ba 53   uos in cella uinaria Bacchanal (*AP*) facitis Mi 858
   BACCHIS - - *meretrix et soror eiusdem no-*
minis. **Bacchis** (*nom.*) *in supersc.* Ba *act.* V *sc.* 2
Ba 216 (bacchis *P*) 473   **Bacchidi** Ba 228, 482
Bacchidem Ba 199(bachidem *P*), 390, 501, 568
(bachidem *P*), 588(bachidem *P*)*bis*, 683, 714,
835, 939   **Bacchis**(*voc.*)Ba 53(bachis *P*), 526,

1118   **Bacchide** Ba 177(bachide *P*), 223, 367
(*v. secl U*), 706   **Bacchides** (*nom.*) Ba 371 *bis*
(chides *P*) (*acc.*) 568, 719 *corruptum:* Ba 211,
ubi bachis *add P om Bo ω Cf* Schmidt, p.179
   BACCHOR - - Bacchae **bacchanti** si uelis
aduorsarier . . Am 703   . . ubi **bacchabatur**
(*A* bacca- *P*) aula, cassabant cadi Mi 856
   BACCHUS - - euhoe **Bacche,** Bromie(Richter[*duce R*]*LU*[euoe] euoe Bacche: heu *BR*
euhan euhoe Bromie *Rs* eubi [*C* euhi *D* eum
B¹ heu *B²*] atque heu Bromie *P*) Men 836
   BADIZO - - demam hercle iam de hordeo
tolutim ni **badizas**(- - -ssas *U*) As 706
   BAIULO - - ego **baiulabo,** tu . . ante me
ito inanis As 660   edepol equidem . . non
didici **baiolare**(*P* baiiolare *ARgS*) Mer 508
   BAIOLUS - - collo rem soluam iam omni-
bus, quasi **baiolus** Poe 1354   non pudet puel-
lam amplexari **baiolum**(*A* baliolum *P*) in media
uia Poe 1301(*cf* Loewe, *Analecta Pl.* p. 206)
   BALANUS - - echinos lopadas ostrias **ba-**
lanos(*F* -no *P*) captamus Ru 297
   BALINEUM - - *vide* balneum
   BALLAENA - - quaenam **ballaena**(*A* -ena
B bellana *CD* -l- *U*)meum uorauit uidulum
Ru 545 *Cf* Wortmann, p. 35
   BALLIO - - *leno: in supersc.* Ps *act.* I *sc.*
2, 3; *act.* III *sc.* 2; *act.* IV *sc.* 2, 5, 6, 7 Ps 599
(*Ca* ballion *P*) 607(es ballio: eoballio *B* est
oballio *CD*) 977, 978(ballino *D*) 1135 b, 1155,
1308(ball- *A*)   **Ballionis** Ps *Arg* I. 5, 627
Ballioni Ps 644, 998   **Ballionem** Ps 585 a,
987, 1140   **Ballio**(*voc.*) Ps 255, 264, 315(*D²*
callio *A* balho *B* balcho *CD¹*), 1004(*D²* baltio
P) **Ballione** Ps 193(ballione regem: baliato-
regem regem *A*) *Cf* Schmidt, p. 179
   BALLIONIUS - - uiso . . iamne habeat
signum ex arce **Ballionia**(*A* -iona *CD* -cona
B) Ps 1064
   BALLISTA - - *cf* Langen, *Beitr.* p. 270;
Egli, II. p. 8, 10; Graupner, p. 18; Inowraclawer, p. 90; Kampmann, *Res mil.* p. 2
   1. meus est **ballista** pugnus, cubitus catapultast mihi Cap 796   Lycus, quoi iam infortuni intenta ballistast probe Poe 201   itast amor
ballista(*A* balista *P*) ut iacitur Tri 668
   2. de ducentis nummis primum intendam
ballistam(bali . . *BD²*) in senem Ba 709
   3. ea **ballista**(bali . . *B*) . . peruortam turrim et propugnacula Ba 710
   BALLISTARIUM - - (ballistam) ego haud
multo post mittam e **ballistario** Poe 202(*cf*
Egli, II. p. 10; Kampmann, *Res mil.* p. 2)

BALNEATOR - - 1. faciam, ubi tu laueris
ibi ut **balneator**(*P* balniator *AS̄*) faciat un-
guentariam Poe 703 edepol, Neptune, es
balineator(*A* baln. *PRsU*) frigidus Ru 527(*cf*
Egli, I. p. 22)
2. omnes amantes **balneatores** sient Tru 325
(BALNEUM,) BALINEAE - - I. Forma
balineae Mer 127(*D* -naee *B* -neę *C*) **balineas**
As 357(balneas *Non* 194), Mo 756(balneas *B*²),
Ru 383 **balineis** Per 90(e balineis *R* ebalieneis *B* abilieneis *CD*¹ a balneis *D*²), Poe 976
(abaliniis *P* -nus *C* bal[neeis] *A*) Tri 406
II. Significatio 1. numquam edepol omnes
balineae* mihi hanc lassitudinem eximent Mer
127
2. ille in balineas* iturust As 357 it
lauatum in balineas Ru 383 gynaeceum aedificare uolt hic in suis et balineas* Mo 756
3. lautum credo e balineis* iam hic adfuturum Per 90 numnam in balineis* circumductust pallio? Poe 976 (argentum) comessum,
expotum, exunctum, elotum in balineis Tri 406
BALO - - ne **balant** quidem, quom a pecu
cetero absunt Ba 1139a *corruptum:* Ba 1136
balantes *P pro* palantes(*Ca*) *cf* Wortmann
p. 29
BARATHRUM - - o **barathrum**(-trum *P*)
ubi nunc es? Ba 149 age effunde hoc cito
in **barathrum**(-trum *P*) Cu 121 b(*de muliere
ebria; cf* Egli, I. p. 17) intro rumpam . . in
Veneris fanum. #In barathrum(*B* batrum *ACD*),
mauelim Ru 570
BARBA - - 1. tam consimilest atque ego.
sura, pes, statura . , **barba,** collus Am 445
quasi saetis labra mihi conpungit barba(*fortasse abl.*)*** Cas 929
2. cano capite atque alba **barba** miserum
me auro esse emunctum! Ba 1101 hercle ego
te continuo barba arripiam Ru 769 tu, qui
cum hirquina barba astas . . Ps 967
BARBARIA - - macerato hoc pingues fiunt
auro in **barbaria** boues Poe 598 in barbaria
(*i. e.* Italia *Fest*) quod dixisse dicitur libertus
suae patronae Fr I. 72(*ex Fest* 372) *corruptum:* Per 541, barbaria *P pro* Arabia(*A*)
BARBARICUS - - barbarica(*i. e.* Italica)
lege certumst ius meum omne persequi Cap
492 nihil moror (cenam) **barbarico** bliteo
(*A* ritu *PU*) Cas 748 quid tu per **barbaricas** (barar- *VE*) urbes iuras? Cap 884
BARBARUS - - I. Forma **barbarus** Ba
121, Mo 828 **barbaro** Mi 211 **barbarum** Ru
583 **barbaro** Ba 123 (-re *D*) **barbari** Cu 150
barbaros St 193 **barbare**(*adv.*) As 11, Tri
19(*ABD* babare *C*)
II. Significatio *semper fere de Italia, Ita-
lis*(*cf* Lorenz, *Prol ad* Mi, p. 54) 1. *adiec.:*
o Lyde, es barbarus Ba 121 barbarum
hospitem mihi in aedis nihil moror Ru 583
fite causa mea ludii barbari Cu 150 haec
uerba subigunt me ut mores barbaros discam
St 193 non enim haec pultifagus opifex
opera fecit barbarus Mo 828 os columnatum
poetae esse indaudiui barbaro Mi 211 stultior es barbaro* poticio Ba 123
2. *adv.:* Plautus uortit barbare As 11, Tri 19*
(*v. secl RRs*)

BARBATUS - - abigam nunc inpurissumum
barbatum tremulum Tithonum Men 854 solet
hic **barbatos**(-tor *V*) sane sectari senex Cas
466
BARDUS - - bardum me faciebam Ep 421
me quidem pro **barda** et pro rustica reor habitam esse aps te Per 169 stulti, stolidi,
fatui fungi, **bardi,** blenni, buccones Ba 1088
BASILICUS - - I. Forma **basilicus** Ru
435(bass. *B* -iscus *C*) **basilicum**(*masc.*) Ps 458
(*neut.*) Cu 359(*E*¹*J* -iscum *VE*² pasiliscum *B*)
Ep 232(*ABE*² -cam *E*¹*U* -iscum *J* uasilicam
Non 540) **basilico** Per 31 **basilica** Cu 472
basilicas Cap 811 **basilica** Tri 1030 **basilice** Ep 56(*J* -isce *VJ corr* balisce *B*), Per
29a(-ic *D*¹), 462(-illi *BC*), 806, Poe 577(-illi *A*)
II. Significatio 1. *adiec.:* ego basilicus*
sum Ru 435 basilicas edictiones atque imperiosas habet Cap 811 basilica hic quidem
facinora inceptat loqui Tri 1030 statum uide
hominis . . quam basilicum Ps 458 basilico
accipiere uictu Per 31 *vocabulum:* nomina inueniunt noua: supparum aut subminiam, ricam, basilicum* Ep 232
2. *substantive:* **a.** iacto basilicum* (*sc* iactum)
Cu 359
b. ditis damnosos maritos sub basilica quaerito Cu 472
3. *adverbium: cf* Gehlhardt p. 34 basilice*
agito(ago *BoR*) eleutheria Per 29 a euge,
euge, exornatu's basilice* Per 462 basilice*
exornatus cedit et fabre ad fallaciam Poe 577
hui babae, basilice te intulisti et facete Per
806 *cum vi affirmationis =* valde: di immortales, ut ego interii basilice* Ep 56
BAT - - *cf* Richter p. 422 at enim . . bat
enim Ep 95(*A:* om *R*) potin aliam rem ut
cures? #At . . #Bat. #Crucior. #Cor dura Ps
235(*cf Char* 239)
BATIOCHA - - *cf* Loewe, *Prodr.* p. 276
quibus diuitiae domi sunt, scaphiis cantharis
batiochis(*ABD* -iacis *TurnR* -iocis *LU* -iohis
C) bibunt St 693
BATIOLA - - batiolam auream octo pondo
habebam Fr I. 53(*ex Non* 545) *Cf* Loewe,
Prodr. p. 280; Ryhiner p. 13
BATTUO - - emito soleas. #Qui . . potius
quam sculponeas, quibus **battuatur**(*ex Fulgent
de abstr serm* XIV babt. *P* batu. *U*) tibi os?
Cas 496
BAXEA - - quis istest Peniculus? Qui
extergentur **baxeae**(*Scu* buxeae *B*¹ bexeae*P*)?
Men 391
BDELLIUM - - tu crocinum et casia's, tu
bdellium(*PiusRgU* telinum *Vψ* telium *B* ptel-
lium *EJ*) Cu 101
BEATUS - - *vide* beo
BEIA - - *cf* Richter p. 422. Heia! #Beia
(heia *LachR*) Per 212
BELLARIA - - fer huc uerbenam intus et
bellaria Tru 480 *Cf* Ryhiner p. 13
BELLATOR - - I. Forma **bellator** Men
187, Ps 992, Tru 615 **bellatorem** Mi 11 **bellator**(*voc.*) Cu 553, Ep 492, Tru 629(*L*) **bellatores**(*nom.*) Mi 1077 (*acc.*) Tri 723 **duellatores**(*voc.*) Cap 68 (duellares *J*) **bellatoribus**
Ba 927

II. Significatio 1. *nom.:* quid agit᾽ is? #Quod . . bellator probus Ps 992   si tu in legione bellator clues, at ego in culina clueo Tru 615   uter ibi melior bellator erit inuentus cantharo . . Men 187(*facete ut* Tru 615; *cf* Egli, II. p. 13)   meri bellatores gignuntur quas hic praegnatis fecit Mi 1077

2. *acc.:* tam bellatorem(tum b. *APL* Mars se(Mars *APL*) haud ausit dicere Mi 11   credo ad summos bellatores acrem . . fugitorem fore Tri 723

3. *voc.:*   bellator, uale Cu 553, Ep 492   adero dum ego tecum(*L in loco dub: vide* ψ) bellator arbitrum aequom ceperim Tru 629   ualete, . . domi duellique duellatores* optumi Cap 68

4. *abl.:*   Pergamum . . armis equis exercitu atque eximiis bellatoribus . . subegerunt Ba 927

5. *app.. adiectiva:* bonus Cap 68, Men 187   eximius Ba 927   merus Mi 1077   probus Ps 992   summus Tri 723   *similiter:* tam Mi 11

BELLEROPHON - - Bellerophontem(belle *RRgU* bello- Pψ -tam *RRg* -antem *B*) tuos me fecit filius Ba 810   *cf* Egli, III. p. 17; Graupner, p. 29

BELLIATULA - - i, belle **belliatula** Cas 854(*A* bella bellatula *P*)

BELLIATA - - em tibi aquam, mea tu **belliata**(bella *CaU*) Ru 463   *Cf* Ryhiner, p. 47; Studemund, *Pl. Wortf.* p. 300

BELLICUS - - memorant apud reges armis arte **duellica** diuitias magnas indeptum Ep 450

BELLIGERO - - I. Forma belligerant Cap 24, 93, Tru 184 **belligerem** Per 26 **belligerandum** Tru 628

II. Significatio *semper addito* **cum:** belligerant Aetoli cum Aleis Cap 24, 93   cum geniis suis belligerant parcepromi Tru 184(*tropice* == contendunt)   cum eis belligerem quibus sat esse non queam? Per 26   uerum sinedum petere siquidem belligerandumst tecum Tru 628

BELLITUDO - - Fr II. 78 **bellitudinem** sicut magnitudinem Verrius dixit *Paul* 35: *quod* Reitzensteinius (*Verr. Forsch.* p. 66) *ad Plautum refert, approbantibus* 𝔖*L*

BELLONA - - neque **Bellona** mihi umquam neque Mars creduat ni . . Ba 847   in tragoediis uidi Neptunum, Virtutem, Victoriam, Martem, **Bellonam**(-na *D*) Am 43   *vide* Tru 615, *ubi pro* uel legionem(*P*) *habent* ad l. Ca𝔖U in legione ZL Bellonae (*loc.*) Rs. *Cf* Hubrich, p. 104

BELLULUS - - 1. edepol haec quidem **bellulast**(belluas *B*) Mil 989 **bellula**(*voc.*) hercle Poe 347(*AP* -le *U* bellua herclest *FRgl* †𝔖) *Cf* Ryhiner p. 47, 51

2. edepol papillam **bellulam!** Cas 848

3. *adverb.:* **bellule** apud Plautum diminutivum est a bene Fr II. 79(*ex Paul* 35) †ueluti (uel *BoR* ut nunc *LangenRg* uel uti *U*) mihi (bellule mi *L*) euenit ut . . Ba 1069 Poe 347 (*U: vide* 1)

4. *corruptum:* Ru 543, bellula *CD pro* belua (*AB*)

BELLUM - - I. Forma bellum Am 101, Ep 160 **belli** Am 647, Ep 442, Mi 54(*R solus*) **duelli**(*loc.*), As 559, Cap 68(*Lamb* belli *P*)

bellum Am *Arg* I. 2, Cap 59, Cas 851 (*A iudice L* uallum *A teste StuRs*𝔖 *lac P aliter U*) Ci 300, St 82 **bello** Am 206, 214, Cap 25, Per 754 **duello** Am 189 **duella** Tru 483(*Gronov* -is *P*) **duellis** Ep 447(*RibRg* de illius *P*𝔖*L* prae huius *U*) *corruptum:* Tru 934, bellum *P pro* bellua (*Sp*)

II. Significatio 1. *nom.:* cum Telobois bellumst Thebano poplo Am 101   conuocabo senatum . . quoi potissumum indicatur bellum Ep 160

2. *gen.:* id . . datur mihi ut meus uictor uir belli clueat Am 647   uirtute belli armatus Ep 442, Mi 54, satietas belli *R de A ignorans*

3. *acc.:* bellum Aetolis esse dixi cum Aleis Cap 59   mihi . . non bellum* facit Cas 851 (*L*)   . . dum bellum gereret cum Telobois hostibus Am *Arg* I. 2   quid mihi opust . . cum meis gerere bellum? St 82   manibus duella* praedicare soleo haud in sermonibus Tru 483   caue sis cum Amore tu umquam bellum sumpseris Ci 300(*A solus*)

4. *abl.:* **a.** respondent bello se et suos tutari posse Am 214   si praedicat suas pugnas duellis* illae fiunt sordidae Ep 446(*Rg*)   ut fit in bello, capitur alter filius Cap 25   si sine ui et sine bello uelint rapta . . tradere . . Am 206

b. *abl. abs.:* duello extincto Am 189(e. d. *FlRgl*) bello extincto Per 754

5. *loc.:*   . . quae domi duellique male fecisti As 559   ualete iudices, iustissumi domi duellique* duellatores optumi Cap 68 *cf* Bell, p. 48; Kane, pp. 55, 56; Leers p. 17

BELLUS - - *cf* Woelfflin, *Archiv* IX. 11; Ryhiner p. 46, 51

I. Forma bellus Ba 345, 724, Cap 956, Men 626, Tru 934(*Sp* -um *P*𝔖†) **bella** As 674, Ba 1172, Poe 272, Ru 463(*CaU* belliata *P*ψ), Tru 272(d. *C*) 923, 930   **bellum**(*nom. neut.*) Cu 8 **bellum**(*acc. masc.*) As 931, Poe 1335, 1384 **bellam** Cas 108 (bonam *J*), Mer 524(*U* nullam *Bug*𝔖 ecce illam *CD* anullam *B* eccillam *Bo*ψ), Ru 426 **bellum** Au 285 **bella** (*voc.*) As 676, Cu 521 **bella**(*abl.*) Ba 838 **bellissumus** Mer 812(-isu- *BD*[1]) **bellissumi**(*gen. masc.*) Mer 688 (pel. *C* -mi *B*) (*nom.*) Ci 373(*ex Prisc* I. 111 & 279 -imi *Prisc L*) **bellissumum**(*acc. neut.*) Cu 20 (-imum *PL*) **belle**(*adv.*) As 676, Cas 851, 854 (*A* bella *P*), Cu 375(quom belle: cum uelle *BE*[1] conuellere *E*[3]*J*), 521 (-lę *E*), Ru 426, Tru 290   *corrupta:* Mo 806, bella *P pro* uelle Per 588, belle *ANon* 150 *pro* uelle (*P*) Tru 179, belle *B* bella *CD pro* felle(*A*)

II. Significatio 1. *substantive:* ei sane bella belle As 676   sequere istum bella belle Cu 521   bellus blanditur tibi Men 626   non licet . . placide bellam belle tangere? Ru 426   em tibi aquam, mea tu bella* Ru 463(*U*)

2. *praedicative:* nimis bella᾽s atque amabilis As 674   quamquam tu bella᾽s, malum tibi magnum dabo iam Ba 1172   fui ego bellus, lepidus Cap 956   istuc quidem nec bellumst nec memorabile Cu 8   quasi bella sit, quasi eampse reges ductitent Poe 272   an eo bella᾽s*? Tru 272   quamquam es bella, malo

tuo's Tru 923 qui, malum, bella aut faceta's?
Tru 930   scitus et bellust* mihi Tru 934
3. *adiective:* . . uxorem ut istam ducam . .
bellam* et tenellam *Casinam* Cas 108   *datores*
bellissumi* uos negotioli Ci 373(*ex Prisc* I. 111 &
279) bellum *filium!* As 931   bellum *hominem*
quem noueris Poe 1335(*om A*), 1384   ita bellus *hospes* fecit Archidemides Ba 345   nimis
bellust . . *locus* Ba 724   (*ostium*) bellissumum*
hercle uidi Cu 20   *ouem* tibi bellam* dabo
Mer 524(*U*)   tuos *pater* bellissumus* amicam
adduxit Mer 812   bellum et pudicum uero
prostibulum popli! Au 285   bellan uidetur
specie mulier? Ba 838   illam esse amicam tui
uiri bellissumi* Mer 688
4. *aduerbium:* ei sane bella belle As 676
i *belle* belliatula Cas 854   bucculas tam
belle *purpurissatas* habes Tru 290   quom
belle* *recogito* . . Cu 375   *sequere* istum bella
belle* Cu 521   non licet . . placide bellam
belle *tangere?* Ru 426   belle hanc *tracto* Cas
851

BELUA - - I. Forma **bellua** Poe 347(*FRgl*
post Sey bellula *AP* bellule *U*) **beluae**(*gen.*)
Mo 619(-ue *D*)   **beluam** Au 562(bestiam *J*)
Mo 607(*AB²* belum *P*), Ru 886, Tri 952, Tru
689(*FZ* uelbam *P*)   **belua**(*voc.*) Mo 569, Ru
543(*AB* bellula *CD*)   **beluas** Tru 319(*CD* uel-
bas *B*)   *corruptum:* Mi 989 belluas *B pro*
bellulast
II. **Significatio** 1. *nom.:* bellua* herclest
Poe 347 (*Rgl: translate de homine*)
2. *gen.:* iube obicere argentum ob os inpurae
beluae* Mo 619(*translate*)
3. *acc.:* scio magis curionem nusquam esse
ullam beluam* Au 562   uidi equom ex indomito
domitum fieri atque alias beluas* Tru 319
translate: neque ego taetriorem beluam* uidisse me umquam quemquam quam te censeo
Mo 607   credo alium in aliam beluam hominem uortier Ru 886   ne tu me edepol
arbitrare beluam Tri 952   *similiter:* 'rabonem': quam esse dicam hanc beluam*? Tru
689
4. *voc. translate* (*cf* Wortmann pp. 5, 14;
Egli, III. p. 34): abi sis, belua Mo 569   iam
postulabas te, inpurata belua*, totam Siciliam
deuoraturum insulam Ru 543
5. *app. adiectiva:* impura Mo 619   impurata
Ru 543   curio Au 562   taetrior Mo 607

BELUATUS - - Alexandrina **beluata** tonsilia tappetia Ps 147

BENEDICTUM - - *vide sub* bene(bonus D. 18)

BENEDICUS - - inliciebas me ad te blande
ac **benedice** As 206

BENEFACTUM - - *vide sub* bene(bonus D. 18)

BENEFICIUM - - I. Forma **beneficium**
Cap 358(-tium *E*), Poe 635(id b. interit *P*
aetatem expetit *A ex v. seq U omnia om RglL*),
Tri 1130   **benefici** Mer 996(*CD* bene fiet *B*)
beneficium Cap 935(-tium *E*), Per 719, 762,
Ru 1221(benene *B* benf. *RRs*), Tri 637, 638
beneficio As 285, 673(benf. *Rgl*), Tri 1052
(benf. *RRs*) **beneficiis** As 72 *corrupta:* Ba 395,
beneficium *P pro* beneficum(*F*) Ep 117, beneficium *EJ pro* beneficum(*B*) Tri 1128, benefici

B pro bene feci Tru 762, beneficia *P pro* ue-
nefica(*FZ*)
II. **Significatio** 1. *nom.:* quod bonis benefit beneficium*, gratia ea grauidast bonis
Cap 358   malo si quid bene facias, id beneficium* interit Poe 635   beneficium homini proprium quod datur, prosum perit Tri 1130(*v*
secl L)
2. *gen.:* memorem dices benefici* Mer 996
3. *acc.:* improbus est homo qui beneficium
scit accipere et reddere nescit Per 762   credidi gratum fore beneficium meum apud te
Per 719   . . gratum mihi beneficium* factis
experiar Ru 1221   nullum beneficium esse
duco id, quod quoi facias non placet Tri 638
. . beneficium* bene merenti nostro merito
muneres Cap 935   . . beneficium a bene uo-
lente repudies? Tri 637
4. *abl.:* nostro deuincti beneficio As 285
neque puduit . . beneficiis me emere gratum
suom sibi As 72   . . inimicum amicum beneficio* inuenias tuo(inuenias ex b. *A*) Tri 1052
redime istoc beneficio* te ab hoc As 673
5. *app. adiectiva:* gratum Per 719, Ru 1221
proprium Tri 1130

BENEFICUS - - malefactorem amitti satiust
quam relinqui **beneficum**(*F* -ium *P*) Ba 395
quid te igitur retulit beneficum(-ium *EJ*) esse
oratione? Ep 117   *corruptum:* Ep 221 beneficam
A -iam *J pro* ueneficam

BENEVOLENS - - *cf* Langen, *Beitr.* p. 225
I. **Forma** **beneuolens** Ba 553(bo. *D²* -alens
D¹), Cap 857(bene u. *PRs*), Ep 78(beni. *Rg*),
Mer 887(*Z* -es *P v. secl L*), Tri 1148, 1177,
Tru 316   **beneuolentis** Tri 46   **beneuolenti**
Ba 475(beni. *C*), Ep 78(*Rg* -te *PL* beni. *Rg*),
Mer 887(*add RRg:* om *Pψ*)   **beneuolentem**
Cap 390, Ci 586(-te *V* ue. *EV*), Mo 195, Ps
698, 699   **beneuolente** Ep 78(*APL* -ti *Rgψ*),
Tri 637(*P* -tii *A*)   **beneuolentis**(*nom.*) Cas 435
(*BE¹* -ti *VE²J* -tes *U*)   **beneuolentibus** Ps
1005, Tri 356   **beneuolentis** Ci 23(beni. *BRsᶊ*),
Per 650   **beneuolentibus** Mi 1351
II. **Significatio** 1. *adiective* **a.** *attributive:*
amicus (tibi beneuolenti *add RRg*)   aduenio
multum beneuolens* Mer 887(*v. secl L* † ᶊ *post*
872 *trans RRg*)   agite ite cum dis beneuolentibus Mi 1351   imperauit ut aliquem hominem strenuom beneuolentem adducerem ad se
Ps 698   ille amico et beneuolenti* suo sodali
rem mandatam exsequitur Ba 475
b. *praedicative, seq. aliquando dat. personae;*
semel inter *se:* beneuolens* sum beneuolenti*
Ep 78(cum beneuolente *APL*)   ero beneuolens
uisust suo Tru 316   tu mihi igitur erus es?
#Immo beneuolens* Cap 857   beneuolens*
uiuit tibi Ba 553   tibi beneuolenti* Mer 887
(*supra* a)   decet . . hunc esse ordinem beneuolentis* inter se Ci 23
c. *app. adverbium:* multum Mer 887
2. *substantive* (*cf* Wueseke, p. 15) **a.** *nom.:*
quis . . me exciuit foras? #Beneuolens tuos
atque amicus Tri 1177   Megaronides . . et tuos
beneuolens commentust Tri 1148   mei beneuolentis* atque amici prodeunt Cas 435
b. *gen.:* quoia hic uox prope me sonat?
#Tui beneuolentis Tri 46

c. *dat.: post* beneuolens* Ep 78(*supra* 1. b)
.. et aliis qui comitati simus beneuolentibus
Tri 356   manu salutem mittunt beneuolentibus
Ps 1005

d. *acc.*:   illaec se quandam aibat mulierem
suam beneuolentem* conuenire Ci 586   et
amicum et beneuolentem ducis Ps 699   .. si
quem alium beneuolentem uideris . . Cap 390
. . quae illum tibi aeternum putes fore amicum et beneuolentem Mo 195   ipsus probe
perditust et beneuolentis perdidit Per 650

e. *abl.*:   an id est sapere, ut qui beneficium
a beneuolente* repudies? Tri 637   te cupio
perire mecum, beneuolens cum beneuolente*
Ep 78

BENEVOLUS - - 1. me esse scit sese erga
beniuolum(*BJ* bene. *DE*) Cap 350   recipe
me ad te, Mors, amicum et beneuolum(beni. *J*)
Ci 640

2. mage amico utantur gnato et beneuolo
(beni. *J*) As 66(*v. secl Flω*)

BENIGNITAS - - I. **Forma   benignitas**
Ci 761, Men 16, Mer 15, Mi 80, 634, Poe 643,
St 50, 181 **benignitatem** Mer 289 **benignitas**(*voc.*) Tru 183 **benignitate** Tri 389   **benignitates** St 636

II. **Significatio** 1. *abstr.* a. *nom.*: tantum
ad narrandum argumentum adest benignitas
Men 16(*v. secl OsannRs*₰) aduortendum ad
animum adest benignitas Mer 15   ad auscultandum uostra erit benignitas Mi 80   benignitas quidem huius oppido adulescentulist
(-la est *L*), Mi 634 (b. q. *om C*)   ita uostrast
benignitas Poe 643

b. *acc.*: benignitatem tuam mihi experto
praedicas Mer 289

c. *abl.*: in benignitate hoc repperi negotium Tri 389

2. *concr.* a. *sing.*: . . ne bene merenti sit
malo benignitas Ci 761   mihi grata acceptaque huius benignitas St 50   generi nostro
haec redditast benignitas St 181

b. *plur.*: uiden benignitates hominum ut
periere et prothymiae? St 636

3. *epith. meretricium:* non istaec, mea benignitas, decuit te fabulari Tru 183

BENIGNUS - - I. **Forma   benignus** Mi
1230, Per 38, 476, 583, Ru 1389(te b. *Ca* tibi
nignus *B* tibi b. *CD*), Tru 34, 41   **benigno**
Ep 709(*PS*† maligno *ScaRgL* bono, gnato *U*)
benignum(*masc.*), Tri 740(-nem *C*) (*neut.*) Mi
1055 **benignam** Ru 261 **benignis**(*abl.*) Men 4
benigniorem Tri 459   **benigne**(*adv.*) As 14,
Au 197, 648, Cap 949, Cas 22, Ci 107, Cu 523,
Mer 949 (-e *CD* -ae *B*), Mi 576, 739, Mo 816
(*Ca* beni *BD* dem *C*), Poe 589, 752, Ru 288
(-nę *C*), 1368, 1391(benione *P corr D³*), St 565,
590(si essent, benigne *U* simitu hau maligne
PS†*L* si posset ego iam *Rg*), Tru 128   **be-
nigniter** Ci 448(*ex gloss Plaut*) **benignius** Au
114

II. **Significatio** *praecipue de personis* (*cf*
Gimm p. 15) 1. *adiective* a. *de deo*: obsequentem deam atque haud grauatam patronam exsequontur benignamque multum Ru 261

b. *de hominibus:* neque malo homini neque
benigno* tuo dedi Stratippocli Ep 709

c. *de rebus:* quaeso ut benignis accipiatis
auribus Men 4   exprome benignum ex te ingenium Mi 1055

2. *praedicative* a. *de deo*: generi lenonio
numquam ullus deus tam benignus fuit Per
583

b. *de hominibus:* ego hodie fui benignus
Per 476   temptat benignusne an bonae frugi
sies Tru 34   est benignus potius quam frugi
bonae Tru 41   age fi benignus Per 38

seq. dat.: benigniorem . . te mihi . . confido fore
Tri 459   non temere dicant te benignum*
uirgini Tri 740

seq. erga: oro et quaeso . . benignus quem
amo* erga me ut siet Mi 1230   erga te benignus* fui Ru 1389

3. *adverbium:* a. . . ut . . te . . accipiam benigne, lepide et lepidis uictibus Mi 739 date
benigne operam mihi As 14   uos . . esse
oratos uolo benigne ut operam detis ad nostram
gregem Cas 22   amice benigneque* honorem
. . nostrum habes Ru 288   ubi manum inicit
benigne, ibi onerat aliquam zamiam Au 197
si essent benigne* uos inuitassem domum St
590(*U*)   et operam et pecuniam benigne
praebuisti Cu 523   te mihi benigne* . . addecet bene merenti bene referre gratiam Ru
1391   me benignius omnes salutant quam
salutabant prius Au 114   magis me benigne
nunc salutas quam antidhac Poe 752

b. *formulae probandi:* bene uocas, benigne*
dicis Mer 949   benigne dicis, bene uocas(b.
u. *add Sp om P*) Tru 128(bene dicis benigneque uocas *AL*)
edepol, Hegio, facis benigne Cap 949   facis
benigne et amice Ci 107   bene benigneque*
arbitror te facere Mo 816   et bene et benigne facitis quom . . Poe 589   benigne
edepol facis Ru 1368   'fiat' ille inquit adulescens: 'facis benigne' inquit senex St 565

c. *ironice:* uah, scelestus, quam benigne (*sc.*
facit) ut ne abstulisse intellegam Au 648   quam
benigne gratiam fecit ne iratus esset Mi 576

d. *in glossario Plautino* (p. 235 *R*): in Cistel-
laria benigniter(448)

BEO - - I. **Forma   beas** As 332 **beat** Am
642, Cap 137, Mi 468 **beatus** Cu 371, Mo 588
(betus *D¹*), Ps 666(beatu *D¹*), Tru 808 **beatam**
Poe 303(*v. secl RRgl*)

II. **Significatio** 1. taceo. #Beas As 332 foris aliquantillum etiam quod gusto id beat Cap
137   nimis beat quod commeatus transtinet
trans parietem Mi 468   hoc me beat saltem
quom perduellis uicit Am 642

2. *partic.* (*de sensu cf* Soltau, *Curc. Pl.*
. . *interpretatio* p. 4) *semper praedicative* a.
nom.: beatus uideor Cu 371   beatus* uero es
nunc, quom clamas Mo 588   beatus* eris si
consuenit Ps 666   puer quidem beatust
Tru 808

b. *acc.*: bonam ego quam beatam me esse
nimio dici mauolo Poe 303(*v. secl RRglL*)

BESTIA - - *formae* **bestia**(*nom.*) *et* **bestiam**
solae inueniuntur; corruptum: Au 562 bestiam
J pro beluam 1. *nom.*: sus terrestris bestiast

Cap 189   ut istum di deaeque perdant: tamquam proserpens bestiast(*A* -ae *P*) bilinguis
et scelestus Per 299   . . micdilix, bisulci
lingua, quasi proserpens bestia Poe 1034
suffla celeriter tibi buccas quasi proserpens
bestia St 724   cogitato mus pusillus quam
sit sapiens bestia(*FZ* uestia *P*) Tru 868
translate, de personis(cf W o r t m a n n p. 13;
E g l i, III. p. 34): mala tu's bestia Ba 55
mala illa bestiast Poe 1293(*milite cum milvo
collato*)
    2. *acc.*: fac proserpentem bestiam me du-
plicem ut habeam linguam As 695(cf W o r t-
m a n n p. 45)   imitatur nequam bestiam et
damnificam . ., inuoluolum Ci 728   pereundumst propter nihili bestiam(*B* -ia *CD*), Mi
180(*de simia*)   homo sectatu's nihili nequam
bestiam Mi 285(*i. e.* simiam)   concludo in
uincla bestiam nequissumam Ru 610(*i. e.* simiam)
incertiorem nullam noui bestiam St 500(*i. e.*
mustellam)
    3. *app. adiectiva:* damnifica Ci 728(malefica
Isidorus 12, 5, 9)   incerta St 500   mala Ba 55,
Poe 1293   nequam Ci 728, Mi 285, Ru 610
nihili Mi 180, 285   proserpens As 695, Per 299,
Poe 1034, St 724   sapiens Tru 868   terrestris
Cap 189
    BETA - - apponunt rumicem, brassicam,
betam, blitum Ps 815
    BIBO - - I. Forma bibo Ba 646, Per 170,
Ru 884 **bibis** St 710, 715(*RRg* agis[agiss *B*]*P*
dico *U*), 716(bibes *D*[1]) **bibit** Cu 131, Mi 832
(expromptum bibit *R*   exbibit *Cav*   exuiuit
BD exciuit *C*), St 764, Tru 250(*FZRRs* et bibit *Non* 81 bibet *ANon* 484 ecbibit *MercerSL*
quo debebit *P*), Tru 832   **bibimus** St 695
(*R* uiuimus *AP*)   **bibunt** Cu 293(bibinunt *VE*
v. secl *Rg*), Ps 1133(potitant *R*), St 694(*CD*
bibum *B* uiunt *A*)   **bibitur** Mo 235, Poe 835
bibam Au 623   **bibes** Cu 120 a, Mo 238   **bibet**
Ci 785   **bibi** Am 576, As 890, Cas 933, Mi 833
(biui *CD*[1]), Ps 1280 b(tibi *D*[1] om *A*)   **bibisti**
Am 576(be. *J*), Cas 245(*B*[2]*J* uiuisti *B*[1]*VE* bi-
batur *Non* 135), Mi 833(*AB* biuisti *D* biiusti
C), St 723, Tru 1019   **bibimus** Per 822, St 706
biberis Ba 49(bibes *Cha* 209), *ib.* (om *Cha*)
biberit St 719   **bibam** Au 279, Men 742, Mo
373, Tru 367(*A* uiuam *B* uiuum *CD*)   **bibas**
As 772, Poe 534   **bibat** Mo 344, St 757, Tru
339 **bibatis** Per 823 **bibant** Cu 161 **biberem** Ci 19, Fr II. 27(*ex Fest* 333)   **biberet**
Cas 933, Ru 363   **biberis** Mo 967(lib. *C*)
bibe Cas 248, Mi 677(bono *B*), Ps 139, St 710
(*Scu* bibes *P*: v. secl *L* trans *RRg*), 715, *ib.*
(bibe si bibis *RRg* age si quid agis *P*[agiss
B] tibi dico *U*)   **bibite** Cu 88, Mo 22, 64(*B*[2]
bibi *P*)   **bibito** Mer 140(-te *D*[1]), Mo 1164
bibere As 895, Au 572, 574, Cu 161, Mi 834
(bere *CD*[1]), Per 170(di. *C*), 821(bibere da *B*
biberet *CD*), Poe 313, Tru 259, Tru 365   **bibi**
Mo 959   **bibisse** Ba 759   **bibentes** Cu 292(*B*
-tis *J* lubentis *E* lubentes *Rg*)   **bibendum** St
715 *corrupta:* Mer 43, bibit *D*[1] *pro* abibat
Mi 678, bibere *B*[2] libere *P* pro uiuere(*Rib om
R*) Mo 958, esse et bibi est(////*B*) *pro* potarier
(*A*) St 720, obibere *PS†L†* ebibere *Mueψ*
Tru 155 et bibitis *P* pro ecbibitis

    II. Significatio A. *de hominibus* **a.** *pro-
prie* 1. *absolute, de vino praecipue:* ubi bibisti*? #Nusquam equidem bibi Am 576   abs
ted accipiat, tibi propinat, tu bibas As 772
iam dudum factumst quom primum bibi As
890 mulsi congialem plenam . . tibi faciam:
uerum ego mihi bibam Au 623   eadem biberis,
eadem dedero tibi ubi biberis* sauium Ba 49
(erus) quicum ego bibo, quicum ego edo et
amo Ba 646   age ut lubet bibe, es, disperde
rem Cas 248(cf Mo 20)   es, bibe*, animo
obsequere mecum Mi 677   harpaga, bibe, es,
fuge Ps 139   dies noctesque estur, bibitur
Mo 235   bibitur, estur quasi in popina, hau
secus Poe 835   edunt bibunt* scortantur Ps
1133   ego amo hanc. #At ego esse et bibere
Poe 313   illud est dulce, esse et bibere Tri
259   triduom unumst haud intermissum hic
esse et bibi Mo 959   neque edes quicquam
neque bibes apud me his decem diebus Mo
238 . . ubi bibas edas de alieno quantum
uelis Poe 534   ei dat quod edit aut bibat
Tri 339 *similiter:* amplius etiam (orat) quod
bibit*, quod comest Tri 250
    iam bis bibisse oportuit Ba 759   ubi
lustratu's? ubi bibisti*? Cas 245   . . ut senex
hoc eodem poculo quo ego bibi biberet Cas 933
(cf S c h n e i d e r, p. 20) qui deliquit uapulabit,
qui non deliquit bibet Ci 785 sicca sum. #At iam
bibes Cu 120 (Graeci) quos semper uideas bibentes* esse in thermipolio Cu 292   neque tu bibisti*? #Di me perdant, si bibi*, si bibere*
potui Mi 833   dies noctesque bibite, pergraecamini Mo 22   bibite*, pergraecamini, este
Mo 64   cedo ut(om *RRsLU*) bibam Mo 373
cedo bibam* Tru 367   me praesente amato
bibito facito quod lubet Mo 1164   datur
cantharus: bibi* Ps 1280   semel (fel *add
Rs †S*) bibo Ru 884   (diuites) scaphio et
cantharis, batiochis bibunt*: at nos nostro Samiolo, poterio . . bibimus* St 694   bibe* si
bibis St 710, 715(*RRg*)   bibe, tibicen St 715
quin bibis*?St 716   ubi illic biberit, uel seruato meum modum St 719   age, tibicen,
quando bibisti, refer ad labeas tibias St 723
tum uos date bibat tibicini St 757   da mihi
sauium, dum illic bibit St 764   cum frugi
hominibus ibi bibisti Tri 1019   non edepol
bibere possum iam: ita animo malest Tru 365
qui improbust, is quasi(*L* si quam *PS†* situlam *Rs* si quid *U*) si bibit . ., ab ingenio
improbust Tru 832   ***esa farte biberem Fr
II. 27(*ex Fest* 333)   iam diu factumst postquam
bibimus Per 822
    2. *seq. acc.:* vide sis ne . . *amplius*(*A* am-
pliuscule *L* ne plus *R* melius *P: vide ω*)
quam satis fuerit biberis* Mo 967   mihi bibere decretumst *aquam* Au 572   . . tibi quoi
decretumst bibere aquam Au 574   operto
capitulo *calidum* bibunt* Cu 293   Mi 832(*R
solus: vide sub* ebibo)   uide quot *cyathos* bibimus St 706   *fel* Ru 884(*Rs vide supra* 1)
bibendum hercle *hoc* est: ne nega St 715   di
faciant ut *id* bibatis quod uos numquam transeat Per 823   eapse (anus) *merum* condidicit
bibere Cu 161   circumfer *mulsum:* bibere* da
usque plenis cantharis Per 821   *nauteam* bi-

bere malim . . quam illam oscularier As 895
tu calidam *picem* bibito*: aegritudo abscesserit M~ER~ 140   *quid* T~RU~ 832(*U: vide supra* 1)
quicquam Mo 238(*supra* 1)   raro nimium dabat
quod biberem C~I~ 19   monstra quod bibam
M~EN~ 742   da illi quod bibat Mo 344   credo
hercle anancaeo datum quod biberet R~U~ 363
T~RI~ 250, 339(*supra* 1)   *situlam* T~RU~ 832(*Rs:
vide supra* 1)   ego *uinum* bibo P~ER~ 170
    b. *translate:* malum maerorem metuo ne
inmixtum bibam A~U~ 279(*cf* E g l i, I. 20) mandata non consueui simul (*i. e.* cum uino) bibere* una P~ER~ 170
    B. *translate de rebus:* ecce autem bibit
arcus(*i. e.* lena) C~U~ 131(*cf* E g l i, I. p. 21) agite,
bibite, festiuae fores C~U~ 88   foribus date aquam
quam bibant C~U~ 161
    C. *instrumentum:* batiochis S~T~ 694   scaphio
S~T~ 694   poculo C~AS~ 933   poterio S~T~ 695
plenis cantharis P~ER~ 821, S~T~ 694   *adverbia:*
ibi T~RI~ 1019   nusquam A~M~ 576   eadem B~A~ 49
semel R~U~ 884   bis B~A~ 759   quasi T~RU~ 832(*L*)
alia: apud me Mo 238   ut lubet, de alieno
P~OE~ 534   in popina P~OE~ 835   operto capitulo
C~U~ 293   dies noctesque Mo 22, 235   quicum
B~A~ 646   mecum M~I~ 677   cum frugi hominibus
T~RI~ 1019   mihi(*dat. comm.*) A~U~ 623
    BICLINIUM - - ubist **biclinium** uobis stra-
tum? B~A~ 720   iam facite in **biclinio** cum amica
sua uterque accubitum eatis B~A~ 754   *Cf* S t r a u b,
ad Trin. (Pr. Ellwangen 1873) p. 24
    BIENNIUM - - 1. *nom.:* **biennium** iam
factumst, postquam abii domo M~ER~ 12   ecastor
iam bienniumst(*P* -unst *A*), quom mecum rem
coepit M~ER~ 533   iam bienniumst, quom habet
rem tecum(*A* t. r. h. *PL*)? M~ER~ 535
    2. *acc.:* hoc factumst ferme abhinc **bien-
nium** B~A~ 388   *Cf* K a n e p. 17
    3. *abl.:* (patriam) ego **biennio** postquam
hinc in Ephesum abii conspicio B~A~ 170
    BIFARIAM - - edixit mihi ut dispertirem
(† *U*) obsonium hic bifariam A~U~ 282
    BILIBRIS - - ibi erat **bilibris**(*D*³ ui. *P*)
aula sic propter cados M~I~ 854
    BILINGUIS - - tamquam proserpens bestiast
bilinguis et scelestus P~ER~ 299   alter alterum
bilingui(*i. e.* osculo: *cf Lorenz ad loc*) manufesto inter se prehendunt Ps 1260   ne duplicis
habeatis linguas ne ego **bilinguis**(*FZ* ibi linguis *P*) uos necem T~RU~ 781   *Cf* W o r t m a n n p. 46
    BILIS - - 1. *nom.:* atra **bilis** agitat ho-
minem C~AP~ 596   is mihi erat bilis, aqua intercus F~R~ I. 79(*ex Fest* 257, *Prisc* I. 271)
    2. *acc.:* non placet mihi cena quae **bilem**
mouet B~A~ 537
    3. *abl.:* atra **bili** percitast A~M~ 727(*cf* C~AP~
596)
    BINI - - I. **Forma**   **bini** M~I~ 212(*Ca* uini *P*),
P~ER~ 317(boni *B*)   **binae** P~OE~ 222   **binos** B~A~
1050, E~P~ 211, P~ER~ 471(*Ca* bi nons *B* non *CD*)
binis P~ER~ 265(*ex A vide infra* II)   *corruptum:*
E~P~ 651, bini *B*¹ pro boni
    II. **Significatio** binae singulis quae datae
nobis ancillae P~OE~ 222   amico homini binis
(*sc.* bobus) domitis(h. b. d. *A*[bibus *As*]) hominibus *B*²*CD* homibus *B*¹ h. bobus d. *CaR*
h. boues domitos *SpLU*) mea ex crumina

largiar P~ER~ 265   boues bini* hic insunt in
crumina P~ER~ 317   . . quoi bini* custodes
semper totis horis occubant M~I~ 212   ego
hodie compendi feci binos* panes in dies P~ER~
471   binos ducentos Philippos iam intus
ecferam B~A~ 1050   captiuorum quid ducunt
secum: pueros uirgines binos ternos E~P~ 211
    BINOMINIS - - *cui geminum est nomen ut
Numa Pompilius, Paul* 36: *ad Plautum* (F~R~ II.
80) *refert* R e i t z e n s t e i n i u s (*Verr. Forsch.* p. 66)
approbantibus RgL
    BIS - - 1. iam bis bibisse oportuit B~A~ 759
altera iam bis(his *D*¹) detonsa certost B~A~ 1128
nolo bis iterari Ps 388   hocine me aetatis
ludos bis(ludus his *D*) factum esse indigne?
B~A~ 1090   . . ea lege ut offigantur bis pedes,
bis bracchia Mo 360   bis peristi(disp. *FZR*)?
Mo 375   bis perit amator, ab re atque ab
animo simul T~RU~ 47
    2. bis tanto amici sunt inter se quam prius
A~M~ 943   ego tibi redimam bis tanto pluris
pallam M~EN~ 680   bis tanto ualeo quam ualui
prius M~ER~ 297   *Cf* F r a e s d o r f f p. 36
    3. *corruptum:* P~ER~ 171, bis pectatum *P pro*
tibi spectatum(*A*)
    BISULCIS - - migdilix, **bisulci** lingua, quasi
proserpens bestia P~OE~ 1034
    BITIENSES - - *dicuntur qui peregrinantur
assidue, Paul* 35: *ad Plautum* (F~R~ II. 81) *refert*
R e i t z e n s t e i n i u s (*Verr. Forsch.* p. 66).
    BITO - - *vide* B r i x - N i e m. *ad* C~AP~ 377
I. **Forma** **bitet** C~U~ 141   **bitas** M~ER~ 465(*A*
bites *CD* uitas *B*)   **bitat** M~I~ 997(*L in loc desp.*
ibit ac *P* $ † *aliter* ψ), S~T~ 608(ne bitat *Ca* nene
b. *A* ne ebitat *PLU*)   **bitere** Ps 254(*Lips*
uiuere *P*)
    II. **Significatio** suades ne bitat* S~T~ 608
licetne . . bitere* an non licet? Ps 254   qui
me in terra aeque fortunatus erit, si illa ad
me bitet? C~U~ 141   ad portum ne bitas, dico
iam tibi M~ER~ 465   eas nunc homines metuo
mihi ne obsint . ., domo si bitat* M~I~ 997(*L:
vide* ω)
    BLANDICELLA - - *verba blanda per demi-
nutionem sicut dicta, Paul* 35: *ad Plautum
refert* R e i t z e n s t e i n i u s (*Verr. Forsch.* p. 66)
    BLANDIDICUS - - nunc mihi **blandidicus**
es P~OE~ 138
    BLANDILOQUENTULUS - - amor **blandilo-
quentulus,** harpago mendax T~RI~ 239   *Cf* R y-
hiner p. 47
    BLANDILOQUOS - - ut **blandiloquast** (Bac-
chis)! B~A~ 1173
    BLANDIMENTUM - - pessum dedisti me
blandimentis tuis R~U~ 507   illum . . spero
inmutari pote blandimentis, oramentis, ceteris
meretriciis T~RU~ 318
    BLANDIOR - - I. **Forma** **blandior** C~AS~ 883
(*A lac P*)   **blanditur** M~EN~ 193, 626, T~RI~ 238
(*om RSRs*)   **blandiuntur** C~I~ 34   **blandire**
(*imp.*)P~OE~ 357   **blandiri** B~A~ 518(*A: vide infra*)
    II. **Significatio** 1. *absolute:* mihi . . sub-
blandibitur tum quom blandiri nihilo pluris
(*Brachmann* n. p. mihi b. *A* mihi n. p. *P* n.
p. b. *U*) referet B~A~ 518(*vide R*) conloco, fulcio, mollio, blandior* C~AS~ 883   meretrix tantisper blanditur dum illud quod rapiat uidet

MEN 193 exora, blandire, palpa POE 357 eos consectatur (amor), subdole blanditur* ab re consulit TRI 238

2. *seq. dat.*: mihi BA 518(*supra* 1) bellus blanditur tibi MEN 626 nostro ordini palam blandiuntur (matronae) CI 34

BLANDITIA - - I. Forma blanditia BA 50 (-cia *CD*) **blanditiā** TRU 573 **blanditiae**(*pl.*) POE 136(-tę *C* -tie *B*), TRU 28(*Z* -ter *P*) **blanditias** CI 539(*VE* -cias *BJ*), ST 659(-cias *BC*) **blanditiis** BA 964(-ciis *P*), CI 93(-ciis *BEJ*), RU 437(-ciis *B*)

II. Significatio 1. *abstr.*: uiscus merus uostrast blanditia BA 50 haec meretrix meum erum miserum sua blanditia intulit in pauperiem TRU 573

2. *concr.*: tuae blanditiae* mihi sunt quod dici solet, gerrae germanae POE 136 quot illic blanditiae*, quot illic iracundiae sunt! TRU 28 quot illi blanditias (*sc.* dedi), quid illi promisi boni CI 539 quot ego uoluptates fero . . quot sauia, saltationes, blanditias, prothymias ST 659 ille se blanditiis exemit(ab illa *praem R*) BA 964 inde in amicitiam insinuauit . . blanditiis muneribus donis CI 93 nisi multis blanditiis a me gutta non ferri potest RU 437

BLANDUS - - I. Forma blandus AU 196 TRI 241(*om Herm RRsL* †*S̄*) **blanda** CAS 584 (*pl. nom.*), EP 321, MO 395, PER 250 (*acc.*), AS 525 **blandis**(*neut.*), PS 450 **blandior** CAS 274, MER 169 **blandiores** MEN 262 *adverbia:* **blande** AM 507, AS 206, AU 184, CAS 228(bland' *E*), 707, CI 302, POE 685, TRU 162(*FZ* blande *P*), 225 **blanditer** BA 222, PS 1290(*A* blanditer *P*) **blandius** AU 185 *corruptum:* TRU 28, blanditer *P pro* blanditiae(*Z*)

II. Significatio *semper de loquendo* (*cf* Gimm, p. 5) 1. *adiective, de dictis:* expectando exedor . . quomodo mihi Epidici blanda dicta euenant EP 321 istaec blanda dicta quo eueniant, madeo metu MO 395 tibi uerba blanda esse aurum rere? AS 525 quid istic scriptum? #Nescio: nisi fortasse blanda uerba, PER 250 quanto satius est adire blandis uerbis PS 450

2. *praedicative, de personis:* blanda's parum CAS 584(*de Cleostrata*) nunc experiemur nostrum uter sit blandior CAS 274 amor . . latebricolarum hominum corruptor, blandus* inops(*om BriU*) celatum indagator TRI 241 nemini credo qui large blandust diues pauperi AU 196 meretrices mulieres nusquam perhibentur blandiores gentium MEN 262 nullust, quando occepit, blandior MER 169

app. adverbia: large AU 196 parum CAS 584

3. *adverbia:* cogito saeuiter blanditerne* adloquar PS 1290 adridere †ut quisque ueniat blandeque adloqui TRU 225 non temerariumst ubi diues blande appellat pauperem AU 184 blande* haec mihi mala mers appellandast CAS 228 haud istoc modo solita's me ante appellare, sed blande* TRU 162 bene salutando consuescunt, compellando blanditer AS 222 blande hominem compellabo POE 685 inliciebas me ad te blande ac benedice AS 206 blande ǫrato ut soles CAS 707 ex-

purges, iures, ores blande per precem CI 302 obseruatote quam blande mulieri palpabitur AM 507(*cf Serv ad Aen* XII. 725: *Don ad And prol* 2) eo me salutat blandius AU 185

BLATIO - - ita nugas **blatis** AM 626(*ex Non* 44: blattis *P*), CU 452(*Scu* blattis *P*) tu mihi aliquid aliquo modo alicunde ab aliquibus blatis (*J* latis *B*[1] latras *B*[2]), EP 334 *Cf* Reblin, p. 17

BLENNUS - - fatui, fungi, bardi **blenni** (blemni *Osberne* 72), buccones BA 1088 PER 169, blenna *R* rulla *Rs pro* rustica(*APS̄L*)

BLEPHARO - - *gubernator* (*nom.*) AM *Arg* II. 7 (*voc.*) AM 1037(blefaro *BEJ*) **Blepharonem** AM 951(blef. *P*), 968(blef. *BEJ*) *Cf* Schmidt, p. 357

BLITEUS - - blitea(-ttea *D*) et luteast meretrix TRU 854

BLITUM, BLITEUM - - lepide nitideque (cenam curari) uolo: nihil moror barbarico **bliteo**(*A* ritu *PU*) CAS 748 apponunt rumicem . . betam, **blitum** PS 815

BOEOTIA - - quam capiam ciuitatem cogito: . . Lesbiam, **Boeotiam**(*R* boio. *B* boe. *CD*) MER 647 *Cf* Schmidt, p. 180

BOIUS - - nunc Siculus non est: **Boius**(*B*[2] bolus *P*) est, **boiam**(bolam *E*) terit CAP 888 (*cf* Inowraclawer, p.40; Vissering, I. p. 89) aduorsum stimulos . . carceres numellas pedicas **boias** AS 550 *Cf* Allen, *HS* VII. p. 44

BOLUS - - I. Forma bolus TRU 31(*Ca* ebolus *P*) **bolum** RU 360 **bolo** POE 101(blo *D*), TRU *Arg* 3 (polo *C*), 844 **bolos** PER 658, TRU 724 **bolis** CAP 201(multabo bolis *Rs* multa *PS̄* † *aliter* ψ), CU 611, 612(-eis *BES̄Rg*) *corruptum:* CAP 888, bolus *P pro* boius(*B*[2]), bolam *E pro* boiam

II. Significatio 1. primumdum merces annua: is primus bolust* TRU 31(*cf* Graupner, pp. 6, 23; Inowraclawer, p. 38)

2. nimis lepide iecisti bolum RU 360 (*cf* Egli, I. p. 24) dabit haec tibi grandis bolos PER 658 intus bolos quos dat! TRU 724

3. tangere hominem uolt bolo* POE 101 . . ut ista ingenti militem tangat bolo TRU *Arg* 3 hoc ego te multabo bolo TRU 844 multabo bolis* oculos CAP 201(*Rs*) si uis tribus bolis uel in chlamydem. #Quin tu is in malam crucem cum bolis*, cum bulbis CU 611

BOMBAX - - fur. #Babae. #Fugitiue. #Bombax(-pax *C*), PS 365 *Cf* Richter, p. 423

BONITAS - - te oro . . per mei te erga **bonitatem** patris CAP 245 *corruptum:* MI 1172, bonitatis *D* oenitatis *CD*[1] *pro* amoenitatem(*A*)

BONUS - - I. Forma bonus BA 102, 400, 660, CAP 198, 956, CAS 238, CU 708, MI 364, 763, 911, 1365, MO 697(-um *A*), 873(boni sunt: bonust *BergkLU* bonus, si probi *Rs* boni sunt bonis *R* bonis[-i *D*]sum *PS̄*†), PER 479, POE 613, 1214, 1216, PS 452, 1144(*A* probus *PRU*), RU 687(*add U solus*), 1116, TRI 1064 **bona** AS 129, AU 100, CI 705, CU 243, MER 510, 824, MI 685, PER 189, PS 1138, RU 1114(melior *BentRsL*), ST 461(bona scaeua *U pro* quom strena), 673, TRI 41, TRU 812 **bonum** CAS 382, 402, CI 341, CU 176 *bis*, 189, MER 300(*PR* bene *A*ψ), MO 50, POE 16(*acc.*?), 302, TRI 462 (-umst *P* -ust *A*) **bonae** AS 602, CAP 956, 957,

Cas 284(*GepU* bone *PŞ*† bona e∗∗∗*Rs aliter*
L), 327(bonaees *J* bone es *BVE*), Cu 521(*A*
-am *P*), Poe 845, 1226, Ps 337, 468, St 379,
Tri 320(*A* bone *P*), 321(bone *B*), Tru 34(bone
P), 41(bone *B¹*) (*de bonae frugi gen. cf* Blomquist, p. 78; Schaaff, p. 39; Brix-N. *ad Capt.*
956; *pro dat. habent multi*) **boni** Am 47, 636(*BD*
doni *EJ*), 1125, As 310, 719, Au 671, Ba 1188,
Cap 45, 776, 869, Ci 539, Cu 65, Ep 651(bini *B¹*),
Men 475, 1144, Mer 145, 177, 471, Mo 27, 370,
Per 514, 675, Poe 640, 641(*om RRgl* bonum
U), 792(*FZ* bene *PNon* 392), 1253, Ps 937,
1067, 1109, Ru 415, 504, 950(*B* bonis *CD*),
1229, St 338(domi *A*), Tri 1066, 1067, Tru 182
(est boni *U* didici *APψ*†), 429(*Z* bona *P*)
bono Am 590, Cu 501, Ep 709(bono, gnato *U*
benigno *PŞ*† maligno *ScaRgL*), Men 966, Mi
837, Poe 634, 636 **bonae** Ci 626, Tru 700(add
Rs solus) **bono** Cap 271(*BD* -um *EJ*) **bonum** Am 545, 992, Au 192, 717, Ba 630, Cap
152, 167, Cas 387, Ep 182, 601, 618(num *A*),
Men 977, Mer 621, Mi 804, 1011, 1236, 1325,
1357, Mo 387, 721, Per 67, 166, 303, 320, Poe
1332, Ps 866, 867(*A om P*), 925, Ru 687, St
617(condi bonum *Rg* condip∗∗um *A* conspicor
PR concedier *BugU* condi∗∗*L*), Tri 284(bonŭs
D), Tru 525(habe bonum *FZ* habebo unum *P*),
Vi 24　　**bonam** Ba 1022, Cap 65, Ci 739(*add
SeyL in lac: aliter ψ*), Mer 512, Mi 1126, Mo
228, 439(banam *D¹*), 908, Per 721, Poe 303,
668, 683, 806, Ru 260, 305, 516, 939(nunc ut
das operam b. *Rs* nam *ψ*), Vi 109(*ex Fulg de
abst serm* XXII&XXIV), Fr II. 19(*ex Fest* 166)
bonum As 324, Ba 412, Men 274, 578, Mer
148, 340, Mi 893, Mo 682, Per 399, Poe 45,
641(*U* boni *PŞL om RRgl*), Ps 537, Ru 184,
1152, St 295, 726, Tru 543(ne bonum uerbum
Bue nemonum *B* ne unum *CD*) **bone** Ba
775, Cap 954, Cas 725, Cu 610, Per 788, Ps
1145(*A* none *B* nones *CD*) **bona** Per 789, 798,
Ru 231　　**bono** Am 671 *bis*, 996, 1131, As 638,
726, Au 732, 787, Cap 202, Ci 73, 591, Mer 531,
1022, Mi 674, 1143, 1206, 1342, Poe 5, 497, Ps
322, Ru 679, 872, Tru 710(*Rs* unum *Pψ*†), 728
bona Au 213, 772 *bis*, 773, Cap 890 *bis*, Cas
283(bona e∗∗∗*Rs vide* bonae), Mi 716, Mo 576,
670, 671, 672, Per 486, Poe 439(bonam *A*), Ps
104, 1095(bonan *B²* -am *P*), Tru 565, 586
bono Am 6, Au 212, 477, Ba 613, Cap 499, Ep
107(bono f probo *BJ*), 169, Mer 969, Mo 306,
658, 863(de bono *add AcRL* e bono *U ante
quod lac ret RsŞ*), Per 645, Poe 301, 1367, Ps
19, 937, St 116, 304(*Gul* modo *P* domo *A*), Tri
220　　**boni** Ba 397, Cap 234, 1034, Cu 475, Ep
539, Men 574, Mo 725, 827, 873(boni sunt:
bonust *BergkLU vide* bonus), Poe 39(*AcU*
bonis *Pψ*), 1389, Ps 1128, Ru 28, Tri 272(*A*
bonis *P*), 298(bonis *A*), Vi 111(*ex Non* 138)
bonae As 719, 734, Mi 688, Mo 107 **bona** Am
653, Per 492, Tri 300(bo *B*)　　**bonarum** Per
507, 633　　**bonorum** Ru 199(bonum *Rs*)Tru 552,
716(bonum *BugRs* domum *Aψ*) **bonis** Am 47,
842, Ba 118, 660, 725, Cap 358, 583, Per 674
(bonus *CD¹*), Poe 39(boni *AcU*), 1216(*PLU*
beneis *A* boneis *RglŞ*), Ru 939　　(*neut.*), Tri
822, Tru 859(liberis *L*) **bonos** Ba 619, Mi 611
(*AcRg* -nis *Pψ*), Poe 1389(bono *B*), Ru 21, Tri

28, 78　　**bonas** Ba 1129, Per 253, St 99, Tri 78
bona Am 43, 49, Ba 64, Cap 142, Cas 468, 712,
841(bona multa *Stu* m. b. *A* bonam uitam *P*),
Men 558, Mer 78, Mi 707, 715, Per 63, 74, 263,
734 (bona multa *A* bonam uitam *P* uitam
hodie *HerR*), Poe 208, 277, 456 b(*om A secl ω*),
667, 687, 1080, 1081, 1216, Ps 939 b (*Dou* dona*P
A n. l.* bene *R*), 1131, Ru 400(bona euenisse *CD*
bonę uenisse *B*), 506, 639, Men 187, Per 326, 834, 877,
1095, Tru 112, 113 b(bona mea degessi *A* done
adecessi *B* dona concessi *CD*), 117, 400, 556,
742, *fr*(*ex Prisc* II. 100) **bonis** Am 8, Cap 235,
Mi 611(-os *AcRg*), Tri 1065, Tru 224 (*fem.*) Tri
446 (*neut.*), Am 25, As 135, Cap 358, Mi 1288,
Mo 234, Ru 1287, Tri 214, Tru 213, 574(*FZ*
bones *B* bonas *CD*) **melior** As 717, Au 322,
Ba 211(*fem.?*), Cap 939, Men 187, Per 326, Ru
1232(*Rs* melius *Reizψ*), Tri 635, Tru 953　　(*fem.*)
Ru 1114(*Bent RsL* bona *Pψ*) **melius** Am 664,
As 249, 675, 717, Au 76, Ba 76, 496, Cas 500
MueRsU potero *B²* [*in margine*] *ψ om P*), Cu
265, 417, Ep 619, 669, Men 329, 802, 832, 1091,
Mer 463, 497, Mi 292, 881, 914, 1373, Mo 1068
(-s est *P* -sşt *A* -st *ψ*), Per 106(meliust *R* satiust *Rs* iusses *BugU* ius est *PŞL*), 346, 369,
Poe 546, 568, 677, 679, Ps 1, 1121, Ru 141,
145, 220(meliu' *B*), 328, 675 b, 872, 1189, 1205,
St 692(*L om Non* 511 *RRgU* †*Ş*), Tri 686,
1061, Tru 93(quibus melius *PŞ*† -quid m. e.
Rs quidem eius*SeyLU*), 150, 470(leuius *FZLU*),
846, 948　　**meliorem** Ba 1021, Cu 256, Men
669, St 622　　(*fem.*) Cap 179, Cas 973, Ep 332
(*L* aliam *U* mecum *Pψ*), Men 673, St 110
melius Mo 695, Ru 337 **meliore**(*neut.*) Men
1149(-or *B¹*)　　**meliores** Cap 1034　　**meliora**
Tri 393　　**melioribus** Poe 626　　**meliores** Au
492, St 225(*v. om Guy ω*), Tri 707(*U* -is *Pψ*)
(*fem.*) St 224(-is *A* ?)　　**meliora** Ba 626(*FlR*
melius *Pψ*), Poe 1400, Ps 315(*A* melius *PL*)
melioribus(*neut.*) Cap 482, St 400　　**optumus**
Ba 981, 1112(ob. *CD*), Cap 333, Cas 581, Ep 291
(-i- *EJL*), Mi 99(-tuimus *C*), 101(-i- *Don ad
Ad* I. 1, 25), Poe 238(-imus *L* -imum *P* -umum
ψ), Ps 805(-i- *BDL* obtimus *C*), Tri 486(-i- *C¹*),
1070(*A* -i- *P*), Tru 173(-i- *PL*)　　**optuma** Am
843(-i- *PL*), Au 136(om *U*), 139, 262(-e *U*), Cap
354(*E* -i- *BD* obtume *J*), St 184(*A* -i- *P*), Tri
63　　**optumum** Am 648(-i- *PL*), As 448(-i- *PL*),
786(*BRglU* -est *DEŞL*), 908(-i- *BJ*), Au 237
(-i- *P* -us *Non* 240), 485(*Ca* -i- *CaL* -imam
BDV -uma *J*), 567(*Sarac* -us *P*), 582(-i- *P*),
Ba 502(*AR* -me *Pψ*), Cap 10(*P* -me *L*), 557
(-un *B* -i- *V*), Cas 948(-i- *E¹*), Cu 240(-i- *V*),
Ep 59, Men 947(-i- *L*), Poe 238(-i- *R* -imus *L*),
Ps 185(*A* -i- *P*), Ru 377(-i- *PL*), 402(-i- *PL*),
1029(-i- *PL*), Tru 1188(*Guy* optimumst licet *CD*
otimust l. *B* licet *L*), Tru 170(-i- *PL*), 626,
Fr I. 26(*ex Gell* III. 3, 5: -i- *GellL*)　　**optumi**
(*masc.*) Tri 1069(-i- *AP*)　　**optumo**(*masc.*) Am
278, Cap 391(-i- *V*), 946, Mo 410(*v. secl RRgŞL*),
Per 251(*add Rg om Pψ*), Ps 1293　　**optumum**
As 681(-i- *PL*), Men 598(-i- *BCL* hoptintŭ *D*),
Mi 667, Mo 21(*CD* optinum *B¹* -mum *B²*), 719
optumam Am 278(-i- *D*), 677(-i- *PL*), Ru 849
(*B* -i- *CD*), Tri 1135(optimas *Non* 355) **optu-
mum** Au 144, Cap 333, Cas 375(-i- *PL*), 695,
Ep 725(-i- *AP*), Men 1147(*A ut vid* -i- *PL*),

Mo 665(-1- *PL*), Poe 673(-i- *B*), Ps 389(*A* -i- *P*),
Ru 757(-i- *PL*), St 83, 728(-i- *PL*), Tri 486
optume Ba 1170(-i- *PL*), Cap 836, Poe 1195
(*SchRgl* patruissime *P om Aψ*), Tru 121(*C*
optune *B* optime *A om D*) **optuma** Au 135
optumo Mi 1210(-imo *CDL* -ime *B*), Mo 84
(ob. *CD*), 673 **optuma** Ep 202, Mer 56, 964
(-i- *CDL* -imã *B*), Mi 49 **optumo** Am *fr* III
(*ex Non* 543: -i- *NonL*), Mo 713(-i- *APL*), Ru
476(-i- *BL* obtimo *C* obtime *D*), 537(-i- *APL*),
St 459 **optumi** Cap 68, Men 573(ob. *D*), Mo
155 **optumae** St 106(-e *B*) **optuma** Tri 392
(*A* -i- *P*) **optumorum** Am 648(*add Rgl soli*),
Cap 836(*om Rs*) **optumis**(*masc.*) Tri 487(-us
CD) **optumos** Cas 1(-i- *V*) **optumas** Mo 1152
optumis(*masc.*) Per 567(-i- *PL*) *adverbia:*
bene Am 5, 44, 184(bona *E*), 349, 352, 463,
499, 655, 784, 937, As 2, 59, 108(ei, bene *Fl*
fiet ne *P*), 129, 137, 175, 222, 606, 745, 945,
Au 175, 187, 257, 272, 372, 445, 787, 788, Ba
40, 84, *ib.* (om *R*), 101, 133, 212, 248, 402(*v.
secl RRg*), 617, 655, 726, 795(bene scio *Abraham*
ut nescio *PRLU* nescio *Rg*), 797, 1194, Cap
138, 315 *bis*, 358, 361, 404, 416, 424, 452 *bis,*
498, 700, 843, 850, 900, 935, 940, 941, 966,
992, 1017, Cas 87, 255, 256(*CaU* sibi *Rs lac*
SL) 346, 396, 452, 464, 526, 596, 605, 855, Ci
24, 26, 113, 173, 197, 242, 634, 761, Cu 199,
203, 214, 272, 514, 516, 517, 518, 519, 520,
527, 532, 563, 574, 578, 658, 662, 673, 680,
698, 729, Ep 124, 129(beni- *Rg*), 136, 137, 209,
212, 377, 493(*Rg exempli causa* homo es *PS†LU*),
647 *bis*, 696, 718, Men 121, 273, 372, 387, 418,
485(pene *B²* om *Don ad Eun* III. 4, 2), 603,
693, 801, 980, 1019(bona *U*), 1021, Mer 245,
298, 300, *ib.* (*A* bonum *PR*), 327 *ter*, 496, 510,
511, 549, 588, 835, 865(*om Non* 476), 866, 949,
1025, Mi 24, 208, 232, 258(*add R solus*), 570,
573, 600, 602(bonum *B²*), 662(*FZ* bona *P*),
706, 717, 724, *ib.*(uolt bene *CaR ex P* usui est
Aψ), 763, 815, 889, 898, 916, 918, 936 *bis*,
1169, 1308(bene add *MueU*), 1340, 1341, 1352,
1361 *bis*, 1373, 1416, 1419, *ib.* (bene es *CD*
bene adẽ *B* b. ades *RU* benest *A* uenis *L*),
Mo 52, 57(re bene gesta *add Rs solus*), 186,
207, 239, 242, 290, 298, 302, 304, 568, 646,
651, 761, 814, 816 a, 853, 879, 915, 1036, 1147,
Per 7, 30, 50, 88, 147, 207, 264, 267, 329, 456
(hilare *Rs*), 488, 495 *bis*, 518, 554, 587, 639,
662(*add Rs solus*), 735, 754, 755(*om R*), 758 b,
773 *ter*, 775, 777, 799, 842, 851 *bis*, 857, Poe
16(*add RRgl*), 133, 285, 360, 373, 568, 589,
622(*v. secl Bent ω*), 631, 633, 635, 639(mali *A*),
668, 734(*v. secl L*), 812, 912, 1078, 1212, 1216,
1326 *bis*, 1358 *bis*, Ps 233, 272, 320, 459, 521,
646, 681, 714, 732, 939(bene faciam *R pro*
bona dabo et f.), 1005, 1024, 1099, 1132, 1134,
1138, 1238 *bis*, Ru 38, 407, 640, 701, 835, 881,
892, 939 b, 1193(*v. secl LangenRsS*), 1241 *bis*,
1316, 1365, 1392 *bis*, 1408, 1411, St 32(*add Rg
solus*), 94, 143, 282(*versus dim. secl R ω*), 303,
374, 379, 395(*A* male *P*), 397, 402, 411, 469,
505, 507, 547, 586, 709 *quinquies*, 745, 753,
Tri 52, 56, 65, 318, 323 *bis*, 328, 347 *bis*, 352,
438, 439 *bis*, 500, 502, 572, 573, 633, 635, 715,
773, 901, 924, 1063, 1128(bene feci *CD* benefici *B*), 1182, Tru 128(bene uocas *add Sp ex*

A om P), 226, 369, *ib.* (ad te bene *A*[at] at-
tibent *P*), 385, 441, 446 *bis*, 467, 468(*v. secl
RsS*), 470(*v. secl Rs*), 741, 744, 751, 846, 881,
965(rem video bene *Bo* rem debere ne[nec
CD]P). *ib.* 968, Fr I. 107(*ex Varr l L* VII.
77 deux *F corr Pius*), II. 6(*ex Paul* 60) **melius**
Am 1134, As 144, Au 225, 544, Ba 626(meliora
FlR), Cap 700, 719, 975, Cas 338(opinione m.
Sarac -nem eius *P*), 813, Ci 73, 97, Cu 526,
Men 99, Mer 285, 392, 898, Mi 351, Mo 158,
303, 690, Per 111, 184, Poe 299, 890, 1270,
Ps 315(*PL* meliora *Aψ*), Ru 1232(melior *Rs*),
St 22, 157, 692, 714, Tri 139, 856, Tru 190,
578, 700 **optume** Am 278(-i- *D*), 335, 802(-i-
PL), 957(-i- *J*), 965, 1000, As 128, 449(-i- *E*),
786(-um *RglU*), Au 262(*U* -ma *Pψ*), Ba 502
(*P* -um *A*), 667(-i- *B* obtume *C*), 783(-i- *PL*),
Cap 10(*L* -um *Pψ*), 423(-ne *J*), 708, 900, Cas
308, 738(-i- *E*), 933, Men 567(-i- *B* obt. *D*), 1110
(-i- *PL*), Mer 224(-i- *PL*), 329(optume gnatum
CD optum ec natum *B*), 912, 977, 1009, Mi
245, Mo 337, 419(-i- *PL*), 449(-i- *PL*), 686(obt.
CD), 1127(*B²* -imi *P* -i- *L*), Per 543(-i- *ABC*),
738(*A* -i- *P*), Poe 480(obt. *C*), 569(-i- *PL*), 666,
1330(*A* Lyccum *P*), Ps 361, 936(obt. *CD*), Ru
705, 708(obt. *D*), 805(-i- *PL*), 1054(-i- *PL*), 1057
(-i- *PL*), 1209(-i- *PL*), 1423(*add Rs solus*), St
79, 145, 537(*A* -mum *P*), 668(-i- *PL*)

corrupta: As 120, fidem boni *L pro* eidem
homini Ba 942, meliusque *P pro* mi usque(*Bo*)
Cap 281, optume *BDE* -ae *J pro* opimae(*Ca*)
Cas 108, bonam *J pro* bellam Cu 547, melius
Don ad Ad V. 9, 22 *pro* sapientius Mer 996,
bene fiet *B pro* benefici (*CD*) Mi 677, bono *B
pro* bibe; 1082, optuma ẽ *B pro* ope natust (*CD*);
1274, melius *add P om Gul* eius *L* Mo 967,
melius cuiquam(quam *B*)*P* amplius quam *AS†U*
em ψ Per 317 boni *B pro* bini Poe 1372, melius
A pro miles Ps 232, bene *P pro* nihil (*A*); 1138,
si bono ui *P pro* ibo. noui (*A ut vid*) Ru 468,
melius *PS†* melli's *Rs* ludis *FlLU* St 505,
bene *add AP om Rω*; 692, melius *om Non* 511
RRgU adiect. ducit *L†S* Tri 52, bene *add P
om A* Tru 5, melior me quidem *PS†* varie
em ψ; 141, bene res(rem *CD*)*P pro* Veneris
(*A*); 548 boni *P pro* noui(*Sp*); 700, bene rem
(rẽ *BC*) *P pro* Veneri(*Ca*)

II. Collocatio 1. *adiectivum certum locum
non habet. Vocativus antecedere solet,* bene sequitur Poe 195(*Rgl*) et Ba 1170; *de ceteris ca-
sibus nihil est certi quod dicatur.* Adulescens
optumus *usurpatur ter,* di boni *semel,* bona fide
semper (cf Luchs, *Qu. met., p. 21*). *In multis
exemplis* bonus *nunc antecedit* nunc *sequitur,
ut:* bonus uir *et* uir bonus; bonus homo *et*
homo bonus; bonus seruos (*sexies*) *et* seruos
bonus (*semel*); bona res *et* res bona; bonum
consilium *et* consilium bonum; bonum genus
et genus bonum; bono modo *et* modo bono
(*cf* Abraham, *p. 210*); bono animo *et* animo
bono (*cf* Luchs, *Qu. met. p. 16 adn.*); bonum
auspicium *et* auspicium bonum

2. *adverbium item festum locum non habet,
sed in aliquis locutionibus collocatio certa videtur, ut* bene ament *saepe,* di bene uortant
semper apud Plautum, non apud Terentium,

quae res bene uortat, bene ambula, bene uale *etiam semper.* Cf Kellerhoff, pp. 78. 82

bene *saepissume antecedit, aliquando tamen sequitur, vel statim vel intercedente uno pluribusve vocabulis* **a.** *statim:* Am 784, As 2, Ba 133, 726, Cap 416, Cas 855, Ci 26, Cu 662, Ep 209, 212, 493(*Rg*), Men 980(?), 1021, Mi 570, 815, Mo 290, Per 456, Ps 272, Ru 1241, St 379, 586, 374, Tru 469

b. *intercedente uno vocabulo:* Mo 761, Per 7 *duobus v.:* Ci 242a, Mi 24 *tribus v.:* Cas 256 (*CaU*), Mo 568 *quattuor v.:* Cap 1017, Ci 173, Mi 302

melius *sequitur:* Tru 700 **optume** *seq.:* Cas 308, Mo 449, 1127, Poe 2330, Ps 361, St 79, 145

III. Significatio A. *adiective* 1. *attrib.* **a.** *de personis:* erat erus Athenis mihi *adulescens* optumus* Mi 99 corrumpe erilem adulescentem optumum* Mo 21 erilem filium uideo corruptum ex adulescente optumo* Mo 84 hic sodalis tuos, *amicus* optumus, nescioquid se sufflauit uxori suae Cas 581 quam ueterrumus homini optumust amicus Tru 173(*aliter Rs: vide* ω) ualete . . duelli *duellatores* optumi Cap 68 uter ibi melior bellator erit inuentus cantharo . . Men 187 . . eum esse *ciuem* et fidelem et bonum Per 67 tu bona ei *custos* fuisti Tru 812 bonam atque obsequentem *deam* . . exsequontur Ru 260 di boni, uisitaui∗∗∗ Ep 539 istuc mihi acerbumst quia *ero* te carendumst optumo* Mi 1210 da mihi, optuma *femina,* manum. #Ubi east . . optuma? . . nam optuma nulla potest eligi Au 136 bona femina et malus masculus uolunt se Ci 705 ut *filium* bonum patri esse oportet, item ego sum patri Am 992 si Bona *Fortuna* ueniat, ne intromiseris Au 100(*trans.*) mihi Chrysalus, optumus* *homo (vide Rg)* perdidit filium Ba 1112 optumus hominum es homo Cap 333 dicito . . me . . seruitutem seruire huic homini optumo Cap 391 quantumst hominum optumorum* uirum! Cap 836 propter meum caput labores homini euenisse optumo! Cap 946 in foro infumo boni(*i. e.* optimates) homines atque dites ambulant Cu 475 neque malo homini neque bono*, gnato tuo dedi Ep 709(*U*) . . quoiuis homini, uel optumo uel pessumo . . Mo 410(*v. secl RRs*§*L*) hominem optumum teneo Mo 719 quis est qui mentionem fecit homo hominis optumi? #Ipsus homo optumus Tri 1069 in bono *hospite* atque amico quaestus est quod sumitur Mi 674 *Ioui* opulento incluto (optumo *add Rs*) . . Per 251 illic homost qui egreditur *leno.* #Bonus est(egreditur. #Leno b. e. *RRgl*) Poe 613 o bone uir, salueto: et tu, bona *liberta* Per 789 at, bona liberta, haec sciuisti? Per 797 ut te bonus *Mercurius,* perdat Cas 238 tacitast bona(melior *BentRsL*) *mulier* quam loquens Ru 1114(*vide* ω) dare possum, opinor satis (si uis *Rg* duce *Stu*) bonum *operarium,* Vi 24 expromam tibi uel primarium parasitum atque *opsonatorem* optumum Mi 667 optumus sum *orator* Ba 981 o *patrue* mi optume* Poe 1195(*Rgl*) *senex* optume, quantumst in terra Ba 1170 miserruma istaec

miseriast *seruo* bono . . Am 590 bone serue, salue Ba 775 spectamen bono seruo id est . . Men 966 ubi istest bonus seruos? Mi 364 hocine boni esse officium serui existumas ut . .? Mo 27 hau bonum teneo seruom (manu *add L*)? Mo 721 quid id ad me attinet bonisne seruis tu utare an malis? Tri 1065 istucinest operam dare bonum *sodalem?* Mer 621 saluere iubeo *spectatores* optumos Cas 1 *Spes* bona, obsecro, subuenta mihi Ru 231 *translate:* bono *subpromo* et promo cellam creditam! Mi 837 bonus *uates* poteras esse Mi 911 *Venerem* hanc uenerremur bonam Ru 305 . . quoi ego nunc dictum . . melius quam bonae* meae Veneri(*i. e.* amicae) uelim Tru 700(*Rs*) quin ad hunc . . adgredimini, *uirum* . . optumum? As 681 cum optumis uiris rem habebis Per 567 uir malus uiro optumo obuiam it Ps 1293 boni me uiri pauperant improbi augent Ps 1128 **bonus** *uir(saepius ironice cf* Koehm, p. 27; Leo, *Goett. gel. Anz.* XI. p. 862): tu illuc procede, bone uir!... #Fui ego bellus, lepidus: bonus uir numquam Cap 954 bone uir, salue Cas 725 quid agis, bone uir? Cu 610 quando uir bonu's, responde quod rogo Cu 708 o bone uir, salueto Per 788 bonum uirum eccum uideo Poe 1332 hic est uir bonus*. sed tu, bone* uir flagitare saepe clamore in foro Ps 1144 bona *uxor* suaue ductust Mi 685

b. *de rebus:* α. *aedibus* uitium additur, bonae quom curantur male Mo 107 iuuenem insui culleo atque (in altum *cod Brux* 9172 *L*) deportari iussi *annonam* bonam piscibus Vi 109 (*ex Fulg de abst serm* XXII) animus aequos optumumst aerumnae *condimentum* Ru 402 . . quiuis dicat ampullarius optumum esse operi faciundo *corium* Ru 757 bonis esse oportet *dentibus* lenam probam Tru 224 quasi non habeam quo intromittar alium meliorem *locum* Men 669 non in loco emit perbono? #Immo in optumo Mo 673 posse edepol tibi opinor etiam uni locum condi bonum* St 617 (*Rg*) bono atque amplo auctare perpetuo *lucro* . . Am 6 hic inerunt uiginti *minae* bonae mala opera partae As 734 uetulae sunt minae ambae. #At bonas fuisse credo Ba 1129(*de amatoribus senibus*) uides in uasis stagneis *naricam*† bonam Fr II. 19(*ex Fest* 166) illi redimam meliorem (*pallam*) Men 673 faciunt a malo *peculio*(-um *PyRLU*) quod nequeunt de bono* Mo 863 quid *porticum?* #Insanum bonam Mo 908 mihi . . bonam *praedam* datis Poe 668 uirtus (optumum *add Rgl*) praemiumst optumum(-orum *Rgl*) Am 648 bonum anteponam *prandium* pransoribus Men 274 non mihi forte uisum ilico fuit melius quom prandium quam solet dedit Mo 695 hic rex cum aceto pransurust et sale, sine bono *pulmento* Ru 937 Chrysopolim . . urbem in Arabia plenam bonarum *rerum* Per 507 rerum omnium bonarum copiast Per 633 aduexit nimium bonae rei St 379 bonis tuis rebus meas res inrides malas Tri 446 me puero uenter erat *solarium* multo omnium istorum optumum et uerissumum Fr I. 25(*ex Gell* III. 3, 5) . . unde tibi pallium . . conficiatur *tunicaeque* hibernae bonae Mɪ 688 hic *uersus* melioris facit Tʀɪ 707

β. meliorest* opus *auspicio*, ut liber perpetuo siem Mᴇɴ 1149 auspicio hodie optumo exiui foras Sᴛ 459 numquae *causast* quin faciamus hodie? #Immo edepol optuma* Aᴜ 262 numquae causast quin . .? #Optuma* immo Cᴀᴘ 354 nisi qui meliorem (*condicionem*) adferet . . Cᴀᴘ 179(*v. secl Rs*) laudant: sapienter factum et *consilio* bono Aᴜ 477 mala res . . bonum quae meum conprimit consilium Mᴇʀ 340 iuuabo aut re aut opera aut consilio bono Ps 19 boni* consili ecquid in te mihist? Rᴜ 950 hoc petere me precario a uobis iussit leniter *dictis* bonis Aᴍ 25 dico unum ridiculum dictum de dictis melioribus Cᴀᴘ 482 discam de dictis melioribus Sᴛ 400 *diem* corrupi optumum* Mᴇɴ 598 tu igitur die bono, Aphrodisiis, addice tuam mihi meretricem minusculam Pᴏᴇ 497 ego si bonam *famam* mihi seruasso, sat ero diues Mᴏ 228 *familiam* optumam* occupauit Tʀɪ 1135 spes est fore mecum(aliam *U* meliorem *L*) *fortunam* Eᴘ 332 optumas *frustrationes* dederis in comoediis Mᴏ 1152 quali me arbitrare *genere* prognatum? #Bono Aᴜ 212 captiuam genere prognatam bono* de praeda's mercatus Eᴘ 107 genere natam bono pauperem domum ducere te uxorem . . Eᴘ 169 qui bono sunt genere nati, si sunt ingenio malo . . Mᴇʀ 969 haec erit bono genere nata Pᴇʀ 645 . . ut te ei habere *gratiam* aequom sit bonam Bᴀ 1022 quin potius per gratiam bonam abeat (ea) abs te Mɪ 1126 bonamst quod habeas gratiam merito mihi . . Rᴜ 516 hoc . . misere perit sine bona omni gratia Tʀᴜ 565 hortamini ut deuortatur ad me in *hospitium* optumum Pᴏᴇ 673 nemo meliores esse parasito sinam. *v. secl Guyω*] Sᴛ 224 calidum . . esse audiui optumum *mendacium* Mᴏ 665 . . dum id *modo* fiat bono Aᴍ 996 . . quod bono fiat modo Mᴇʀ 1022 seruitus si euenit ei uos morigerari *mos* bonust Cᴀᴘ 198 bonis uos uostros omnis *nuntiis* me adficere uoltis Aᴍ 8 *occasionem* hanc amisisti tam bonam* Mᴏ 439 optumo optume optumam *operam* das Aᴍ 278 ille quidem operam bonam* magis quam argentum expetessit Cɪ 739(*SeyL: vide ψ*) te sensi sedulo mihi dare bonam operam Pᴇʀ 721 bonam dedistis mihi operam Pᴏᴇ 683 bonam dedistis, aduocati, operam mihi Pᴏᴇ 806 spero alicunde me bona opera aut hac mea tibi inuenturum esse auxilium argentarium Ps 104(*ZL: vide ψ*) nescioquis senex . . is dedit operam optumam Rᴜ 849 nunc ut das operam bonam* Rᴜ 939(*add Rs*) optuma uos uideo *opportunitate* ambo aduenire Eᴘ 203 optuma* opportunitate ambo aduenistis Mᴇʀ 964 mulieri nimis male facere melius* opus (*Sca* onus *P* leuius onus *FZLU*) est quam bene Tʀᴜ 470 (*v. secl Rs*) *oratio* . . optuma hercle meo animo et scitissuma Sᴛ 184 bona *pax* sit potius Pᴇʀ 189 *piscatus* . . hic tibi hodie euenit bonus Bᴀ 102 ego faciam ut *pugnam* inspectet non bonam Cᴀᴘ 65 *ratione* pessuma a me quae ipsus optuma . . inuenisset . . dif-

funditari! Mᴇʀ 56 nimis bona ratione . . uides Mɪ 716 bona *scaeua*st mihi Ps 1138 bona* scaeua opscaeuauit Sᴛ 461(*U*) bona scaeua strenaque obuiam occessit mihi Sᴛ 673 ne bonum* *uerbum* quidem unum dixit Tʀᴜ 543 scio te bona esse *uoce* Mᴏ 576 bono *usui* estis nulli Cᴜ 501

γ. is amabat meretricem . ., et illa illum contra: quist *amor* cultu optumus Mɪ 101 bonum *animum* habe Aᴍ 545, Ps 867*(habere), Rᴜ 687(habete) bonum habe animum Aᴜ 192, Bᴀ 630, Mɪ 1011 habe bonum animum Cᴀᴘ 152, Eᴘ 618*, Mɪ 1325, Mᴏ 387, Tʀᴜ 525* habe modo bonum animum Cᴀᴘ 167, Ps 866 habe animum bonum Cᴀs 387, Eᴘ 182(habete), 601, Mɪ804, 1236, 1357, Pᴇʀ 166(habeat), 303(habere), 320, Ps 925 bonus animus in mala re dimidiumst mali Ps 452 unde bonus* animus mihi inuenitur? Rᴜ 687(*U*) bono animo es Aᴍ 671, *ib.* (sim), 1131, As 638, Aᴜ 787, Cɪ 73, Mᴇʀ 531, Mɪ 1143, 1342, Rᴜ 679 animo sis bono face As 726 animo bono es Aᴜ 732, Cɪ 591, Mɪ 1206, Ps 322 in re mala animo si bono utare, adiuuat Cᴀᴘ 202(*cf* Ps 452) . . bonoque ut animo sedeant in subselliis Pᴏᴇ 5 bono animo meliust te in neruom conrepere Rᴜ 872 bono* animo . . omnia agam Tʀᴜ 710(*Rs*) animo bono male rem gerit Tʀᴜ 728(*de reliquis variis lectt. vide sub* animus) quid *fide*? #Bona Aᴜ 213 dic bona fide. #Bona Aᴜ 772 neque scis . .? #Istuc quoque bona Aᴜ 773 dic bonan fide tu mihi istaec uerba dixisti? #Bona Cᴀᴘ 890 bonan fide? #Siquidem tu argentum redditturu's, tum bona: si redditurus non es, non emit bona Mᴏ 670 dic bona fide Pᴇʀ 486 uin bona* dicam fide? Pᴏᴇ 439 bonan* fide istuc dicis? Ps 1095 bona* fide? Tʀᴜ 586 numquam bonae *frugi* sient As 602 fui bonus uir numquam neque frugi bonae, neque ero: ne spem ponas umquam me bonae frugi fore Cᴀᴘ 956 bonae* frugi hominem iam pridem esse arbitror Cᴀs 284(*U: vide ψ*) . . si quidem tu frugi bonae's Cᴀs 327 fac sis bonae frugi sies Cᴜ 521 bonae* hercle te frugi arbitror Mᴇʀ 521 . . quasi ipse sit frugi bonae Pᴏᴇ 846 tu frugi bonae's Pᴏᴇ 1226 numquam eris frugi bonae Ps 337 tamen ero frugi bonae Ps 468 paenitet quam probus sit et frugi bonae Tʀɪ 320 nec probus est nec frugi bonae Tʀɪ 321 temptat benignusne an bonae* frugi sies Tʀᴜ 34 est benignus potius quam frugi bonae Tʀᴜ 41 (frugi bonae, *in fine tantum versus, nisi quod* Pᴏᴇ 1226 *in fine prioris hemistichi stat*) . . ego illum haberem rectum ad *ingenium* bonum Bᴀ 412 bono med esse ingenio ornatum . . mauolo Pᴏᴇ 301 aurum id fortuna inuenitur, natura ingenium bonum Pᴏᴇ 302(*PU: v. secl ψ*) nec boni ingeni quicquam in is inest Ps 1109 ubi facillume spectatur mulier quae ingeniost bono? Sᴛ 116 optimo *iure* infringatur aula cineris in caput Aᴍ *fr* III(*ex Non* 543) sine modo . . sum, sine bono iure atque honore Bᴀ 613 nullum . . genus est hominum taetrius nec minus bono cum iure quam danisticum Mᴏ 658 te ipsum iure optumo merito incuses licet Mᴏ

713　ius bonum orat Pseudolus Ps 537　optumo*
me iure in uinclis enicet magistratus Ru
476　　iure optumo me lauisse (elauisse
FlU) arbitror Ru 537　ius bonum oras Ru
1152　　bonum ius dicis St 726　　edepol
memoria's optuma Mi 49　*mores* meliores sibi
parent pro dote quos ferunt Au 492　hic nimium
morbus mores inuasit bonos Tri 28　Ioui . . opes,
spes bonas, copias commodanti . . Per 253
　2. *praedicative* **a.** *de personis:* bonus uolo
iam ex hoc die esse Per 479　　male merenti
bona's As 129　　iam istoc es melior As 717
tanto hercle melior (Bachis *add P*) Ba 211
tanto melior Per 326, Tru 953　　tanto immo
melior* Ru 1232(*Rs*)　certamen cernitur, sisne
necne ut esse oportet: malus, bonus Ba 400
bona si esse uis, bene erit tibi Mer 510
quando boni estis, . . facite . . Poe 1389　neque loquens es neque tacens umquam bonus
Ru 1116　　cogites id optumum esse tute uti
sis optumus Tri 486　bonus sit bonis Ba 660
si bonus est(es *APL*) obnoxius sum Tri 1064
uter uostrorumst celerior? #Ego et multo
melior Au 322　me meliorem fecit praeceptis
suis Ba 1021　　mihi bonae necessust esse ingratiis Ci 626　　bonum esse certumst potius
quam malum Men 977　　bonam ego quam
beatam me esse nimio dici mauolo Poe 303
(*PU: v. secl ψ*)　　esse bonum (te) e uoltu
cognosco Au 717　is optumust* amicae Tru
173(*Rs: vide ψ*) ista(*i. e.* Alcumena) . . examussimst optuma Am 843　qui ecastor ambae
(*i. e.* Fortuna et Salus) sunt bonae As 719
bonas fuisse credo(*sc.* ambas minas; *i. e.* Bacchidas) Ba 1129　comoedias ubi boni meliores
fiant Cap 1034　bonine (clientes) an mali sint,
id haud quaeritant Men 574　boni* sunt (serui):
bonust* (erus) Mo 873(*LU*) hic quidem genium
meliorem(*A* m. q. *P*) tuom non facies St 622
dum id impetrant, (homines) boni sunt Cap
234　ex bonis pessumi . . fiunt Cap 235　hic
(homo) erit optumus (*sc.* ad eam rem) Ep 291
bonus est hic homo Poe 1214　leno. #Bonus
est Poe 613(*vide RRgl*)　parant . . ut (liberi)
in usum boni et in speciem populo sint sibique Mo 123　quibus matronas moribus quae
optumae sunt esse oportet St 106　quasi dicas nullam mulierem bonam esse Mer 512
tacitast melior* mulier semper quam loquens
Ru 1114　(seruos) mihi melior quam sibi semper fuit Cap 939　Mo 873(*supra sub* erus)　tu
mihi's melior quam egomet mihi Tri 635
uxorem . . quam omnium Thebis uir unam
esse optumam diiudicat Am 677　　uxor contentast quae bonast uno uiro Mer 824　qui
sunt optumi, maxume morem habent hunc
Men 573　scibis tibi qui bonus sit, qui malus Mi 1365　nemo illum (*i. e.* coquom)
quaerit qui optumus* et carissumust Ps 805
moneo uos ego haec qui estis boni Ru 28
　b. *de rebus:* ecquid melius est? Tru 93(*Rs:
vide infra D*) hoc Cas 695(*Rs: infra* e. γ) ego
mussitabo: hoc optumumst atque aequissumumst Ru 1029　　non optuma haec sunt . .,
uerum meliora sunt quam quae deterruma Tri
392　ambula: id lieni optumumst Cu 240
quam primum expugnari potis (amator), tam

id optumumst amicae Tru 170　in maxumam
illuc populi partemst optumum* Au 485　optumum atque aequissumum istud esse iure iudico Cas 375　Mer 300(*PR* benest *Aψ*)　an
quid est homini Salute melius? As 717　id
quod in rem tuam optumum esse arbitror Au
144　quod bonum atque fortunatum sit mihi
Cas 382, 402(mihi sit: *cf Rs*)　　nihil est mi-
randum melius si nihil sit tibi Cu 265　*similiter:* (postes) etiam nunc satis boni sunt Mo
827　neque est melius morte in malis rebus
Ru 675 b　. . ut nobis haec habitatio bona
fausta fortunataque euenat Tri 41　nota mala
res optumast Tri 63　nunc dum saltura (salsura *BL*) sat bonast Cu 243　caninam scaeuam
spero meliorem fore Cas 973　　non bonust*
somnus de prandio Mo 697
　c. bonum est *seq. inf.* (*cf infra* D. 19): bonumst pauxillum amare sane, insane non bonumst Cu 176　et stulte facere et stulte
fabularier, utrumque . . in aetate hau bonumst*
Tri 462
　d. melius est α. *absolute:* quid istis nunc
memoratis opust quae commeminere? #Meliust
Mi 914
　β. *seq. inf.:* accumbere Men 329(*infra sub*
ire)　meliust nos *adire* atque hunc percontarier Men 1091　hoc *agere* meliust Ba 76
pernam quidem meliust* *adponi* Per 106(*R*)
te illum meliust *capere*, si captum esse uis
Poe 677　malo *cauere* meliust te Per 369
meliust te minis *certare* mecum quam minaciis
Tru 948　*consulere* quid emam meliust* Cas
500(*MueRsU*)　bono animo meliust te in
neruom *conrepere* Ru 872　cursores meliust
te aduocatos *ducere* Poe 546(*v. secl L*)　te aduocatos meliust celeris ducere Poe 568(*v. secl
WeisRglSU*)　*emere* meliust quoi imperes
Tri 1061　te meliust *expergiscier* atque . .
fingere fallaciam As 249　*exporgi* meliust lumbos atque exsurigere Ps 1　tanto meliust te
sororis causa egestatem *exsequi* atque eum
agrum me habere quam te Tri 686　*exsurigier*
Ps 1(*sub* exporgi)　seruo homini modeste melius* *facere* sumptum quam ampliter St 692
(*L*)　*fingere* As 249(*sub* expergiscier)　osculando meliust . . pausam fieri Ru 1205　*habere*
Tri 686(*sub* exsequi)　*ire* hercle meliust te
interim atque accumbere Men 329　ire meliust
strenue Mi 1373　ad pueros ire meliust Tru
150　*iubere* meliust prandium ornari domi
Ru 141　cum illoc te meliust tuam rem . .
loqui Poe 679　meliust *monerier* Mi 881(*vide* ω)
illum te *orare* meliust As 675　*percontarier*
Men 1091(*sub* adire)　medicum istuc tibi
meliust percontarier Mi 292　meliust te quae
sunt mandatae res tibi *praeuortier* Mer 463
alibi te meliust *quaerere* hospitium tibi Cu 417
alium tibi te comitem meliust quaerere Ep
669(*vide RgU*)　*redire* ad nauem meliust nos
Am 664　filium istinc tuom te meliust *repetere*
Tru 846　Cererem te meliust quam Venerem
sectarier Ru 145　melius sanam est . . mentem
sumere Men 802　te *uidere* meliust quid agas
Mo 1068　modice et modeste meliust uitam
uiuere Per 346

γ. seq. **quam** *cum subiunc.*: quid mihi meliust quam . . ego med adsimulem insanire? Men 832(ut *ins RU*) quid mihi meliust quam ilico hic opperiar erum? Ru 328   *seq.* ut *cum subiunc.*: neque quicquam meliust mihi . . quam ex me ut unam faciam litteram longam Au 76   nec quicquamst melius quam ut hoc pultem Ps 1121   quid mihi meliust . . quam a corpore uitam ut secludam? Ru 220 (ut *om P add A*) quid meliust quam ut hinc intro abeam? Ru 1189

δ. seq. **si:** melius esset me quoque una si (hic *R*) cum illo relinqueres Ba 496(*vide Rg*) meliust sanus si sis Mer 497(*R duce A* melius sanus sis *PLU*)

e. optumumst *α. absolute:* nequid sui membri commoueat . . . #Optumumst* As 786(*RglU*) quam proxume te adiunxeris, tam optumumst* Au 237 habeat: optumumst* Ba 502(*AR*) optumumst* Tri 1188 iam hoc tenetis? optumumst* Cap 10 mi optumum esse Cas 695(*vide infra γ*)

β. seq. inf.: concedi optumumst* Cap 557 in oculos inuadi optumumst As 908   occidi optumumst Tru 626(iam te *ins Rs* te *BueU* sic *L*)

γ. seq. subiu. (cf Morris, Amer. Journ. Phil. XVII. p. 145, 149): nunc adeam optumumst As 448   tu idem optumumst* loces efferundum Au 567   loricam induam(*SL* :hoc *GepRs*) mihi optumum esse opinor Cas 695(*U*)   sed taceam optumumst Ep 59   scin quid facias optumumst? Men 947   capillum promittam optumumst occipiamque hariolari Ru 377   *additur* ut: cogites id optumum esse tute uti sis optumus: . . ut optumis sit proxumus Tri 487

δ. seq. sup.: hoc mihi factust optumum ut ted auferam Au 582

. . quist amor cultu optumus Mi 101   modus omnibus rebus . . optumum* est habitu Poe 238 nunc adeo hoc factust optumum ut nomine quemque appellem suo Ps 185   hoc mihi optumum factu arbitror St 83   *dat. ger.:* operi faciundo Ru 757(*cf* Herkenrath, p. 71; Krause, p. 34)

B. *substantive* (cf Wueseke, p. 11) 1. *nom.:* bonus bene ut malos descripsit mores Mi 763 (*ironice cf* Raebel, p. 23) bonus bonis bene fecerit Poe 1216 (*laudantis*) illum laudabunt boni: hunc etiam ipsi culpabunt mali Ba 397(*v. secl RRg*)   boni miserantur illum, hunc inrident, mali Vi 111(*ex Non* 138) boni* sibi haec expetunt, rem fidem Tri 272   nihil ego istos moror faeceos mores . ., quibus boni* dedecorant se Tri 298   . . comoedias, ubi boni meliores fiant Cap 1034   . . neue . . extrudantur foras, quo deteriores anteponantur boni* Poe 39(*U*) optumi quique expetebant a me doctrinam sibi Mo 155   malum aufer, bonum mihi opus est Ci 341(*ex Non* 482)   meum bonum me, te tuom maneat malum Mo 50   nulli(nullum *L*) hominist perpetuom bonum Cu 189   omnia adsunt bona quem penest uirtus Am 653   tibi multa bona instant a me Per 492   haec tibi . . multa bona* in pectore consident Tri 300 bonum factumst edicta ut seruetis mea Poe 16 (*loc dub: vide* ω) haec . . bonum hercle factum pro se quisque ut meminerit Poe 45   modus omnibus rebus . . optumumst habitu Poe 238

2. *gen.:* . . . ut ego illic aliquid boni dicam Au 671 ecquid adportas boni*? St 338   quid hoc bonist? Ru 415   plus insciens quis fecit quam prudens boni Cap 45   quoi homini umquam . . boni dedistis plus? Men 475   perdidi etiam plus boni quam mihi fuit Ru 504   incommodi plus malique adsit, boni* si optigit quid Am 636   ecastor ambae sunt bonae(*i. e.* Fortuna et Salus). #Sciam, ubi boni quid dederint As 719   quid illi promisi boni! Ci 539 gaudeo . . si quid . . tibi euenit boni Men 1144   dic mihi an boni quid usquamst quod . .? Mer 145

si boni quid ad te nuntiem, instes acriter Mer 177   quid mihist in uita boni? Mer 471 quid mihi sit boni, si mentiar? Mo 370   nescio quid te instet boni Per 514   si quid bonis* boni fit, esse id . . gratum solet Per 674   si quid boni adportatis, habeo gratiam Poe 640 si quid boni* promittunt, perspisso euenit Poe 792   quid est igitur boni? Ps 1067   neque quicquam queo aequi bonique ab eo impetrare Cu 65   Poe 641(*RRgl: vide infra*)   . . ut exprobraret quod bonis faceret boni Am 47 quod di dent boni caue culpa tua amissis Ba 1188   quod bonist*, id tacitus taceas Ep 651 quod boni mihi dei danunt . . Poe 1253   habeas quod di daṅt boni Ru 1229   non est boni* quod sperent Tru 182(*U in loco desp.: vide* ψ) tantum adest boni inprouiso As 310   . Hegionem, quoi boni tantum affero Cap 776 tantum ego nunc porto a portu tibi boni Cap 869   tantum tibi boni di immortales duint . . Ps 937   . . si licet boni dimidium mihi diuidere cum Ioue Am 1125   boni malique in ea re pars tibist. #Partem alteram tibi permitto, illam alteram apud me quod bonist Tri 1066

ite, ite . . foras egerones bonorum exagogae Tru 552   . . faciat bonum* ad te exagogam Tru 716(*BugRs*)   haec bonorum* eius sunt reliquiae Ru 199

boni*(*sc. quid?*) de nostro nec ferimus (quicquam *add RRgl*) . . Poe 641

quicquid attulerit, boni* consulas Tru 429 (*vide Rs*) *Cf* Blomquist, p.91; Schaaff, p.37 3. *dat.:* malo bene facere tantundemst periculum quantum bono male facere? Poe 634 malo si quid bene facias . ., bono si quid male facias, aetatem expetit Poe 636   . . quo deteriores anteponantur bonis* Poe 39   bonus sit bonis, malus sit malis Ba 660   mali sunt homines qui bonis dicunt male Ba 118   . . ut exprobraret quod bonis faceret boni Am 47 bonus bonis* benefecerit Poe 1216   quod bonis benefit beneficium, gratia ea grauidast bonis Cap 358   si quid bonis* boni fit, esse id . . gratum solet Per 674   bonis quod bene fit, haud perit Ru 939   imperatum bene bonis factum ilicost Ba 725   est miserorum, ut maleuolentes sint atque inuideant bonis Cap 583   . . ut munifica sim bonis Am 842   . . ut quaestui habeant male loqui melioribus Poe 626 optumo optume optumam operam das Am 278   . . proxumum quod sit bono*, quodque a malo longissume Cap 271   . . quos penes mei fuit potestas, bonis mis quid foret et meae uitae

Tri 822 uideo eccum qui amans(suis *L*) tutorem med optauit suis bonis(o. liberis *L*) Tru 859

4. *acc.*: malus bonum* malum esse uolt ut sit sui similis Tri 284 omnis bonos bonasque adcurare addecet suspicionem .. ut ab se segregent Tri 78 ut bonos* facere addecet, facite Poe 1389 bonos in aliis tabulis exscriptos habet Ru 21 malos quam bonos par magis me iuuare Ba 619 facilest imperium in bonos* Mi 611(*AcRg*) bonas ut aequomst facere, facitis St 99 meliorem(*i. e.* feminam) neque tu reperies neque sol uidet St 110 meliorem quam ego sum subpono tibi Cu 256

tantum a portu adporto bonum St 295 ego bonum malum quo accedit mihi dari haud desidero Mer 148 dum ne scientis quid bonum faciamus, ne formida Mi 893 bonum* .. ferimus Poe 641(*U: vide supra* 2) fortiter malum qui patitur, idem post potitur bonum As 324 neque leges neque aequom bonum usquam colunt Men 578 bonum aequomque oras Mo 682, Per 399, Ru 184

ipsi uident eorum quom *agerimus*(*Sey* agg. *PL* abg. *U* adgredimur *Rs*) bona Tru 112 meane inimici mei bona istic *caedent*(*Kies* cedent *P* comedunt *StuU*)? Tru 742 quoi ego .. bona *commendaui,* Calliclem Tri 877 quali amico mea commendaui bona? Tri 1095 haec tanta oculis bona *concipio* Poe 277 ego huc bona* mea *degessi* Tru 113(*A*) non bona haruspex *dixit* Poe 456 b(*v. om A secl* ω) mea bona mea morte cognatis *didam* Mi 707 animum fodicent, bona *distimulant* Ba 64 *distraxissent* disque tulissent satellites tui me .. bonaque omnia Tri 834 *dabo* et anulum .. et bona pluruma Cas 712 Venus multipotens, bona* multa mihi dedisti Cas 841 .. ut haec quae bona di dant mihi, ex me sciat Men 558 o multa tibi di dent bona Poe 208 di deaeque uobis multa bona dent Poe 667 multa tibi di dent bona Poe 687 ego quae tibi bona* dabo et faciam! Ps 939 b Venus mihi haec bona dat Ps 1131 uobis multa bona *esse* uolt Tru 117 neque enim decet .. ire aliena *ereptum* bona Per 63 multa praeter spem scio multis bona* *euenisse* Ru 400 alios .. uidi .. commemorare quae bona uobis *fecissent* Am 43 arbitratur .. merito uobis bona se facere quae facit Am 49 ut mihi bona multa faciam! Cas 468 genio meo multa bona faciam Per 263 ne ego hodie tibi bona* multa feci Per 734(*vide R*) aequomst *habere* hunc bona quae possedit pater Poe 1081 multa bona uolt uobis facere Poe 1216 multa bona bene parta habemus Tri 347 .. bona sua med habiturum omnia Tru 400 bona sua pro stercore habet Tru 556 bona mea *inhiant* Mi 715 nostra *intellegimus* bona quom .. ea amisimus Cap 142 .. nusquam appareant qui .. aliena *oppugnant* bona Per 74 equidem tibi bona *optaui*(*Guy* exop. *P*) omnia Ru 639 .. dum quae tum haberet *peperisset* bona Mer 78 nauis .. scelus te et sceleste *parta* quae uexit bona Ru 506 bona *perdidi,* mala repperi Tru *fr* (*ex Prisc* III. 100) *possideo* Poe 1081(*supra*

sub habeo) paterna oportet filio *reddi* bona Poe 1080 *ueho* Ru 506(*supra sub* pario)

di melius* faciant Ba 626 b(meliora faxint *F!R*) di meliora faxint Poe 1400, Ps 315 (melius faciant *Px*)

optumum atque aequissumum oras Cap 333, Ep 725, Ps 389, St 728, Men 1147(orat)

5. *abl.*: facilest imperium in bonis* Mi 611 quid est suauius quam bene rem gerere bono publico? Cap 498 hoc si fiat, publico fiat bono Tri 220 .. hunc festum diem habeamus hilare huius malo et nostro bono Poe 1367 .. illam augeam (ex *add P om A*ω) insperato opportuna bono* St 304 in mare repperi (*sc.* bona), hic elaui bonis As 135 .. bonis qui hunc adulescentem euortisset suis Tri 214 .. ut ego exheredem meis me bonis faciam Mo 234(*vide* ω) haec qui gaudent, gaudeant perpetuo suo semper bono Mo 306(*v. secl Langen RsU*) quod bonis benefit beneficium, gratia ea grauidast bonis Cap 358 haec meretrix meum erum .. priuauit bonis*, luce, honore atque amicis Tru 574

multos multa admisse acceperim .. aliena a bonis Mi 1288 .. ut eam abducam, de bonis quod restat reliquiarum Ru 1287 huic homini amanti neniam mea era .. dixit de bonis Tru 213

6. *voc.*: optume*, odio's Tru 121

C. *adiectiva cum* bonus *vocabulo coniuncta:* aequos Cas 375, Cu 65, Mer 300(*PR*), Mo 682, Cap 333, Ep 725, Men 528, 1147, Per 399, Ps 389, Ru 184, 1029 amicus Mi 674 amplus Am 6 beatus Poe 303 bellus Cap 954 benignus Tru 34 carus Pe 805 terior Poe 39 dis Cu 475 faustus Tri 41 fidelis Per 67 fortunatus Cas 382, 402, Tri 41 frugi bonae Cap 456 improbus Mo 873, Ps 1128 incommodum Am 635 iniurius Ru 1152 lepidus Cap 954 malus *persaepe* miser Cap 563 obsequens Ru 260 probus Am 842, Ps 1144 Scitus St 184 sincerus Ru 757 stultus Cu 179(*Rg*) uerus Fr I. 25

quam *sequitur:* bona Ru 1114 melius Mo 695, Ru 1114(*BentRsL*), Am 76, Ru 220, 328, 145, 1189, St 692(*L*), Tri 392, 635, 686, 948, Tru 47, 470

post melius *seq. abl.:* morte Ru 675b salute As 717

vis adiectivi aucta est per insanum Mo 908 (*cf* Mo 761); sat Cu 243; tam Au 237

D. *adverbia* bene, melius, optume 1. *cum verbis agendi* a. *proprie:* sibi laudauisse hasce (aedis) ait architectonem .. exaedificatas (*ex A* esse aedif. *PR*) insanum bene Mo 761 haec carina satis probe fundata et bene* statutast Mi 918 nequiquam exornatast bene si moratast male Mo 290(*v. secl Rω*) pro .. nostro quaestu satis bene ornatae sumus Poe 285 .. bene lineatam si semel carinam conlocauit .. Mi 916 .. si centuriati bene sunt manuplares mei Mi 815 quicquid est .. bene coctum dabit Mi 208 hoc ego oculo utor minus bene* Mi 1308(*U*) struthea .. appara bene ut in scutris concaleant(*Sca* -at *PL*) Per 88 bene confidenterque adstitisse intellego Ps 459

bene nauis agitatur(agitur *BentRg*) Bᴀ 797
pugnasti bene* Eᴘ 493(*Rg*) optume itis. pessume hercle dicitis Poᴇ 569(*v. secl Weis*₷)
b. *translate:* si quippiamst minus quod bene
esse lautum tu arbitrare . . Rᴜ 701 bene
quom lauta tersa ornata fictast, infectast tamen
Sᴛ 745 amicitiam . . iunctam bene habent
inter se Cɪ 26
bene res nostra conlocatast istoc mercimonio
Mo 915 opinione melius res structast domi Aᴜ 544
c. facere, gerere, *sim:* nullus melius medicinam facit Mᴇɴ 99 inde optume aspellam
uirum de supero Aᴍ 1000 optumo optume
optumam operam das Aᴍ 278 eri imperium
exsequor bene et sedate seruo id Mᴇɴ 980 ne
illi melius (me seruabunt) Eᴘ 619 . . edicta
ut bene* seruetis mea Poᴇ 16(*RRgl*) ero
suo seruire uolt bene seruos seruitutem Pᴇʀ 7
purpuram bene(*i. e.* large) praebeo Mᴇɴ 121
ut res rationes . . bene (me *add LU*) expedire
uoltis Aᴍ 5 bene igitur ratio accepti atque
expensi inter nos conuenit Mo 305 optume
usque adhuc conueniunt signa Mᴇɴ 1110
optume praeceptis paruisti Mo 419 bene
opsonaui atque ex mea sententia Mᴇɴ 273
2. *cum verbis consulendi, dicendi, putandi:*
quid in consilio consuluistis? #Bene Bᴀ 40
bene consultum inconsultumst Mɪ 600 bene*
consultum consilium surripitur Mɪ 602(*v. secl
Weis* ω) bonus bene ut malos descripsit mores
Mɪ 763 si dignis dicitur bene dictumst meo
quidem animo Cᴜ 514 quae facta eloquar:
multo adeo melius quam illi Aᴍ 1134 quia
ut digna's dico, bene, non male loquor Pᴇʀ
207 bene putas Poᴇ 733(*v. secl L*)
3. = amice, benigne: bene me *accipies* aduenientem Bᴀ 101 acceptae bene et commode
eximus intus Cᴀs 855 hic uolo ante ostium
et ianuam meos participes bene accipere Pᴇʀ
758b ubi lena bene *agat* cum quiquam
amante . . As 175 bene agis mecum Tʀᴜ
846 illud quam tuam in rem bene *conducat*
consulam Cɪ 634 tuae rei bene *consulere*
cupio Tʀɪ 635 . . ut melius consulerem tibi
quam illi Cᴀᴘ 719 . . melius illi multo quem
ames consulas quam rei tuae Cɪ 97 bene
atque amice *dicis* Ps 521, Sᴛ 470 bene dicis
benigneque uocas Tʀᴜ 128(*AL* benigne d. bene
u. S*p*ψ) bene quaeso inter uos dicatis Mɪ 1341
si bene dicetis . . Poᴇ 631(*unum verbum U*)
bene equidem tibi dico Rᴜ 640 te potius
bene dicere aequomst homini amico quam
male Tʀɪ 924 neque gnatust . . quoi ego
nunc dictum aut factum melius quam meae
Veneri uelim Tʀᴜ 700
ingrata . . omnia intellego quae dedi et quod
bene *feci* As 137 caue sis te superare seruom siris faciundo bene Bᴀ 402(*v. secl RRg*)
nullus frugi esse potest homo nisi qui et bene
et male faciere tenet Bᴀ 655 quod bene
fecisti referetur gratia Cᴀᴘ 941 fecisti edepol et recte et bene Cᴀᴘ 1017 quom optume*
fecisti nunc adest occasio benefacta cumulare
Cᴀᴘ 423 miserumst ingratum esse homini
id quod facias bene. ego quod bene feci
male feci Eᴘ 136 sin bene quid aut fideliter
factumst . . Mɪ 889 si quid bene facias,

leuior plumast gratia Poᴇ 812 di te . . neque
ament nec faciant bene Ps 272 quid exprobras bene quod fecisti? Tʀɪ 318 nequam
illud uerbumst 'bene uolt' nisi qui bene facit
Tʀɪ 439 bene si facere incepit eius rei . .
odium percipit Tʀᴜ 467 paucae efficiunt si
quid facere occeperunt bene Tʀᴜ 469(*v. secl
Rs*₷) spes est (patrem) melius facturum Sᴛ 22
seq. dat.: nec quisquamst . . quin . . sibi
faciat bene As 945 nemost . . indignior quoi
di bene faciant Bᴀ 617 dum uiuas tibi bene
facias Bᴀ 1194 neque deos neque homines
aequomst facere tibi posthac bene Cɪ 242a
at tibi di semper . . faciant bene Mᴇɴ 1021
at tibi di faciant bene Mɪ 570 di tibi bene
faciant semper Mɪ 1419 at tibi di bene
faciant omnes Pᴇʀ 488 malo bene facere
tantundemst periculum quantum bono male
facere Poᴇ 633 malo si quid bene* facias
id beneficium interit Poᴇ 635 bene uolt
uobis facere Poᴇ 1212 bonus bonis bene
fecerit Poᴇ 1216(*unum verbum* ω) ego quid
tibi bene* faciam . . Ps 939(*R solus*) . . quoi
deos atque homines censeam bene facere
magis decere Rᴜ 407 si quoi homini dei
esse bene factum uolunt . . Rᴜ 1193(*v. secl
LangenRs*₷) quid exprobras bene quod fecisti? tibi fecisti non mihi Tʀɪ 318(*vide L*)
bene uolo ego illi facere Tʀɪ 328 bene si
amico feceris ne pigeat fecisse Tʀɪ 347 bene
quom simulas facere mihi te . . Tʀɪ 633 Tʀᴜ
700(*supra sub* dico) *seq.* **in:** bene* quae in
me fecerunt ingrata ea habui Aᴍ 184 *seq.*
erga: si ego item memorem quae me erga
fecisti bene . . Cᴀᴘ 416 si quid amicum erga
bene* feci . . Tʀɪ 1128
di melius faciant Bᴀ 626*, Cᴀs 813, Ps 315
(*PL* meliora faxint *A*ψ *cf* Bᴀ 628 *FlR*) di
melius faxint Mᴇʀ 285 quod bonis bene *fit*
(*unum verbum* ω) beneficium . . Cᴀᴘ 358 bonis
quod bene fit haud perit Rᴜ 940(*vide Rs*) dicito . . te . . bene ero *gessisse* morem Cᴀᴘ 404 si
quid tu in illum bene uoles *loqui,* id loqui licebit
Mo 239(*cf v. seq.*) . . male corde consultare,
bene lingua loqui Tʀᴜ 226(*cf* Pᴇʀ 207 *supra* 2)
bene *merenti* mala's As 129(*cf* Lᴀɴɢᴇɴ, *Beitr.*
p. 224) bene merenti bene profuerit Cᴀᴘ 315
. . ut beneficium bene merenti . . muneres Cᴀᴘ
935(*cf* Wᴜᴇsᴇᴋᴇ, p. 15) . . ne bene merenti sit
malo benignitas Cɪ 71 tu me bene merentem tibi habes despicatui Mᴇɴ 693 bene
merens hoc preti inde abstuli Mo 879 sicine
mihi abs te bene merenti male refertur gratia?
Ps 320 benigne . . addecet bene merenti
bene referre gratiam Rᴜ 1392 bene *procuras*
mihi Sᴛ 94(procuras: mihi *LU*) *promerenti*
optume hocin preti redditur? As 128 *prodesse*
Cᴀᴘ 315(*supra sub* mereo) *referre* Ps 320, Rᴜ
1392(*supra sub* mereo) neque quisquam melius
referet matri gratiam Sᴛ 157
. . ut tibi . . bene *uelim* plus quam mihi
Cᴀs 464 oppido hercle bene uelle illi uisus
sum Mᴇʀ 245 Mɪ 724(*CaR*) quin tibi qui
bene uolunt tibi uis item? Poᴇ 373 bene
uolumus leniter lenonibus Poᴇ 622 b(*v. secl
Bent*ω), 639 iam diu ego huic bene et hic
mihi uolumus Ps 233 illi bene uolo Ps 1024

bene uolt tibi TRI 438   nequam illud uerbumst 'bene uolt' TRI 439   egone illi ut non bene uelim? TRU 441   illi . . quae bene uolt mihi TRU 447   manu salutem mittunt bene uolentibus Ps 1005(*fortasse ad* beneuolens *referendum*) nec quisquamst mihi aeque melius quoi uelim CAP 700   nequest quoi magis me melius uelle aequom siet MER 898   illi ex omnibus optume uolo Mo 337

4. = iucunde, festiue *aliquando idem fere quod* feliciter: ei, bene* *ambula* (*de collocatione cf* K e l l e r h o f f, p. 82) As 108   bene ambula CAS 526   bene ambula, bene rem geras MI 936   fecisti commode: bene ambula Mo 853   bene ambulato. ♯Bene uale CAP 452   bene ambula et redambula CAP 900   abeo. ♯Bene ambulato EP 377   bene ambulato. ♯Bene uale. ♯Bene sit tibi MER 327   iamne abis? bene ambulato PER 50   benene* ambulatumst? ♯Huc quidem hercle ad te bene* TRU 369   *redambulo* CAP 900(*supra sub* ambulo) sat habes qui bene uitam *colas* AU 187   certumst bene me *curare* CU 532   . . damni cupidos, qui se suamque aetatem bene curant Ps 1132   cura quam optume potest CAP 900   curate igitur familiarem rem ut potestis optume ST 145(potestis. ♯Optume *L*) epityrum estur insanum bene MI 24   . . ut bene *haberem* me filiai nuptiis AU 372   te auratam et uestitam bene habet MEN 801   hanc se bene habere aetatem nimiost aequius MER 549   tibi sunt gemini . . si te bene habes MI 718   et rem seruat et se bene habet MI 724   *saluere* iubeo te, Misargyrides, bene Mo 568   'dato qui bene *sit*': ego ubi bene* sit tibi locum lepidum dabo BA 84(*cf v.* 83)   . . ubi illi bene sit ligno . . CAS 255   ecquid das qui bene sit? CU 519   quaeso ut hanc cures ut bene sit isti CU 517   hinc intro abeam ubi mihi bene sit MEN 603   MER 327(*supra sub* ambulo) bona si esse uis, bene erit tibi MER 510   illim . . malis bene esse solitumst MER 511   mihi benest et tibi malest Mo 52   sicut tibi bene esse pote pati PER 32   diu quod bene erit die uno absoluam PER 264   . . ut bene sit tibi PER 735   stultitiast quoi bene esse licet eum praeuorti litibus PER 799   te uoco bene ut tibi sit. ♯Nolo mihi bene esse PER 851   ualeas beneque ut tibi sit POE 912   bene sit tibi, Charine Ps 914   . . qui neque tibi bene esse patere et illis quibus est inuides Ps 1134   ST 753(*R et Pius U falso*) nec tibi bene esse pote pati neque alteri TRI 352   multo illi potius bene erit quae bene uolt mihi TRU 446   inuidere alii bene esse, tibi male esse miseriast TRU 744   eadem nunc quomst melius me . . ignoras As 144   . . propter me tibi sit melius mihique propter te et tuos AU 225   erit isti morbo melius CI 73   istas minas . . qui me procurem dum melius sit mihi CU 526   nec quoiquam quam illi . . meliust MI 351   melius anno hoc mihi non fuit domi Mo 690   quibus nunc in terra melius est? POE 1270 TRU 93†   *personaliter:* scis bene esse si sit unde CAP 850   minore nusquam bene* fui dispendio MEN 485 ST 753 (*Rg*) de eo nunc bene sunt tua uirtute TRU 741   ualetne? ♯Immo edepol melius iam

fore(*sc* illi?) spero TRU 190   bene *uale* AM 499, As 606, CAP 452, CI 113, CU 203, 214, 516, EP 647, MER 327, 496, MI 1361, POE 1358, ST 397, TRU 751(*Ca*), 881   et tu bene uale MI 1352, 1361, POE 1358   bene uale igitur MI 1373*, POE 568(*v. secl Weis*) bene ualete MER 1025, ST 143   ciues, bene ualete MER 866   spectatores, bene ualete PER 857, TRU 968   bene ualete et uincite CI 197   bene ualete et uiuite MI 1340   benene usque ualuit? BA 248, EP 129(ualuisti) ualuistin bene? ST 586   melius qui ualeat fero TRU 578   nunc bene *uiuo* et fortunate MI 706   ut bene uiuitur diu uiuitur TRI 65(diu u. bene *AcRRsL: cf* S c h n e i d e r, p. 25) decet . . hunc . . ordinem . . bene amicitia *utier* CI 24   diutine uti bene licet partum bene RU 1241   *similiter:* ego tibi meam filiam, bene quicum *cubitares* dedi ST 547   nusquam bene queo *quiescere* MER 588

5. = prospere, feliciter: bene ubi quod scimus consilium *accidisse,* hominem catum eum esse declaramus Ps 681   si intestatus non abeo hinc bene *agitur* pro noxia MI 1416   ecqui bene* agant ST 32(bene *add Rg om APψ*) Hercules, . . *discessisti* non bene* ST 395(*A aliter P*) istam rem uobis bene *euenisse*(uortisse *MueRgl*) gaudeo POE 1078   bene quod agas *eueniat* tibi TRI 715   re *gesta* bene AM 655   re bene gesta Mo 57(*add Rs*), PER 754   bene re gesta ST 402, TRI 1182   bene gesta re ST 411(*A rg. P*), 507   num inuitus rem bene gestam audis eri? BA 212   quid est suauius quam bene rem gerere bono publico? CAP 498   ualete, bene rem gerite et uincite CAS 87   bene gessi rem CU 527   bene ambula, bene rem geras MI 936   nuntiet . . illum bene gerere rem TRI 773   bene rem gerebat TRI 901(*v. secl L*) meam ut rem uideo bene* gestam uostram rursum bene geram TRU 965   bene res geritur MEN 418   crede huic tutelam: suam rem melius gesserit TRI 139   opinione melius* res tibi *habet* tua CAS 338   tanto illi melius* *optigit* qui perdidit RU 1232   bene prospereque hoc hodie operis *processit* mihi AM 463   rem . . *prouenturam* bene* confido mihi PER 456(b. p. *BoR*) quom bene prouenisti salua gaudeo TRU 385   uobis res *uortat* bene As 2   quae res tibi et gnatae tuae bene feliciterque uortat AU 788   quae res bene uortat mihi . . CAP 361, PER 329   non taceo quando res uortit bene CU 662   quae res bene uortat mihi et uobis CU 729   quae res bene uortat TRI 500, 572   di bene uortant(*de collocatione cf* K e l l e r h o f f, p. 78) AU 175, 257, 272, Ps 646, FR II. 6(*ex Paul* 10) di bene uortant: spondeo TRI 502, 513   deos uolo bene uortere istam rem uobis CU 658

6. = honeste: rem bene paratam comitate perdidit RU 38   diutine uti bene licet partum bene RU 1241   multa bona bene parta habemus TRI 347

7. = modeste, pudice: bene pudiceque (lingua) adseruetur AM 349   puer bene pudiceque educatust CAP 992   . . ubique educat pueros quos pariat bene* CAS 256(*CaU*) eaque educauit eam sibi pro filia bene ac pudice CI 173   pol miror . . bene te eductam(*CaRU* doctam

$P\psi$) Mo 186(*cf infra* 17)　　bene ego istam
eduxi . . et pudice Cu 518　　bene et pudice
me domi habuit Cu 698

8. = fauste: heia, bene dicite As 745(*LU
unum verbum* ψ)　bene dice Au 787(*LU unum
verbum* ψ), Cas 346(*LU unum verbum* ψ) bene
hercle nuntias Tri 56　melius ominare Ru 337
(*fortasse adiect.*) salua res est: bene promittit
Ep 124(*ironice*)　bene promittis multa ex multis
Poe 360

9. = blande, hilare: bene salutando consuescunt As 222

10. = opportune, *raro* bene, *saepissime*
optume: bene opportuneque obuiam es, Palaestrio Mi 898　optume aduenis Am 957, Mer
912　optume eccum ipse aduenit hospes Per
543　optume edepol eccum clauator aduenit
Ru 805　eccum optume* Mo 1127　　optume
eccum ipsum ante aedis Per 738　　eccum lenonem optume* Poe 1330　　optume eccum
exit senex Ru 705　optume eccum exit foras
Ru 1209　optume eccum incedit ad me Am
335　　optume eccum obuiam mihist Ba 667
progreditur optume eccum Olympio Cas 308
euge optume eccum . . Simo progreditur intus
Mo 686　edepol eccum optume reuortitur
Men 567　　optume* gnatum meum uideo, eccum Mer 329

11. *approbantis vel laudantis est:* benest
Cap 700　quin benest Cas 605　benest. #Ma-
lae rei dico. #Iam istuc non benest* Mer 300
optume Mer 224, Ru 708, 1423(*Rs* fiat *P*ψ *v.
secl WeisRs*§*U*), St 145(*L: vide supra* 4 *sub
curo*), 668(*v. secl GoelRRg*§*U*) euge, optume
Am 802　ehem, optume As 449(*sc* mones?)
immo edepol optume* Au 262(*U*)　　optume
hercle: perge Mer 977　†immo ut(*om BoRRg*
immo ut *om U*) optume Mi 245 nimis lepide
de latrone, de Sparta optume Poe 666 (*an
dictum?*)　istuc optume (*an accidit?*) quando
tuost Ru 1054, 1057　optumest Am 965, As
786*, Ba 502*, 783, Cap 10(*L* -umst *P*ψ), 706,
Cas 738, 933, Mer 1009, St 537*　bene factum
Poe 1326　bene hercle factum Mo 646, 651,
Ps 1099, Ru 835　bene mehercle(hercle *BRs*)
factumst Ru 1365(*cf* 1368)　nimis factum bene
Ep 209, St 374　bene hercle factum et gaudeo
Mo 207, 298, 1147(f. e. factum g.)　bene factum
et uolup est Ru 892　factum optume Mo 449,
Ps 361　res gestast bene Am 784　hercle
rem gestam bene Ep 212, St 379　bene hoc
habet Ep 696

12. *gratias agentis:* bene facis Am 937, Cap
843, Cas 396, Cu 272, 673(*cf* 674), Per 147,
Ru 1408, 1411　bene facit Am 352　bene
hercle facitis As 59　bene facitis Ru 881　et
bene et benigne facitis Poe 589　　bene fecisti Ep 647　bene uocas(*semper recusantis*):
uerum locata res est Cu 563　bene uocas:
tam gratiast Men 387　bene uocas, benigne
dicis Mer 949　benigne dicis bene uocas Tru
128(*Sp* bene d. benigneque u. *AL* bene u. *om
P*) bene benigneque arbitror te facere. Factum
edepol uolo Mo 816

13. *cum verbis monendi, imperandi, sim.:*
tene aquam. #Melius dicis(*i. e.* mones) St 714
imperatum bene bonis factum ilicost Ba 725

bene me mones Mi 570, Per 518　bene mones
Mi 1169, Tri 1063　intellego: et bene monitum duco Mo 814　tibi nequiquam saepe
monstraui bene Ba 133　　bene monstrantem
pugnis caedis Cu 199　Mi 256(bene ei *R pro*
ei dice)　bene praecipitis Poe 668　et bene
et male credi dico Cu 680　Fide non melius
creditur Poe 890

14. *cum verbis emendi, vendendi, sim.:* bene
emptum tibi dare hoc uerbum uolo Mo 298
uin bene emere? Per 587　Per 662(bene *add
Rs*)　numquam aeque id bene locassem Mo
242　nec quicquam argenti locaui . . aeque
bene Mo 302　ego . . operam nusquam melius
potui ponere Mo 303　bene hercle uendidi ego
te Cu 520

15. *ad notionem augendam: cf* Gehlhardt,
p. 32 **a.** lepidumst triparcos homines . . bene
admordere Per 267　nimis bene* ora(bona
hora *U* hora *P*) commutaui(*Pius* commetaui *PL*)
atque ex mea sententia Men 1019　(muraena
et conger) nimio melius oppectuntur frigida
Per 111　. . nec quom me melius . . rear esse
deficatam Mo 158　eo conductor melius de
me nugas conciliauerit Tri 856　erit cordolium si quam ornatam melius forte aspexeris
Poe 299　bene ego illam tetigi, bene autem
seruos inimicum suom Ps 1238　*similiter:* ei
mihi, bene dispereo St 753(*loc dub: vide* ω)
perge: optume hercle periuras Poe 480

b. satin haec meministi et tenes? #Melius
quam tu Per 184　quin melius noui quam
tu Cap 975　ego meas (filias) noui optume
St 79(*v. secl L*)　bene* scio quam rem gerat
Ba 795

c. ita me bene amet Lauerna Au 445　at te
Iuppiter bene amet Mi 232　ita me Iuppiter
bene amet, bene factum Poe 1326　di te bene
ament Cap 138　ita me di bene ament ut . .
Cas 452, St 505　ita me di bene ament,
sapienter Per 639　ita me machaera et clypeus . . bene iuuent pugnantem in acie Cu
575　ita me uolsellae, pecten . . bene me
amassint Cu 578　quom bene nos, Iuppiter,
iuuisti . . Per 755　nunc te obsecro, ut
me bene iuues Mo 1036　bene iuuas Ps 732
(*fortasse gratias agendi formula*)　di penates . . uobis mando meum parentum rem bene
ut tutemini Mer 835　inuoco uos, Lares uiales, ut me bene* tutetis Mer 865(iuuetis
CaRg)

16. *in invocationibus elliptice, seq. dat.:* bene
mihi, bene uobis, bene amicae Per 773a　bene
omnibus nobis Per 775　bene ei qui inuidet
mihi et ei qui hoc gaudet Per 777(*vide R*)
seq. acc.: bene uos: bene nos: bene te: bene
me: bene nostram etiam Stephanium St 709

17. *adiectivis apponitur, saepe cum notione
auctionis*(*cf* Gehlhardt): ut moratast? #Nul-
lam uidi melius mea sententia Mer 392　si
incolae bene sunt morati . . Per 554

aduocatus mihi bene es(mihi uenis *L*) Mi
1419　miror tam catam tam docilem(*L: vide* ω)
te et bene doctam(eductam *CaRU*) . . Mo 186
(*cf supra* 7)　bene morigerus fuit puer Cap
966　inde hic bene* potus primulo crepusculo Fr I. 107(*ex Varr l L* VII. 77)　bene

ego ab hoc praedatus ibo Ps 1138   bene ego (*CoLU* ergo *B*ψ) hinc praedatus ibo Ru 1316 ut bene uociuas aedis fecisti mihi Cas 596

18. **bene dictum, bene factum** *substantive usurpata:* bene dictis tuis bene facta aures meae auxilium exposcunt Per 495   quid ego memorem . . quis bene factis meus pater . . architectust omnibus? Am 44   nunc adest occasio bene facta cumulare Cap 424 . . pro bene factis eius ut ei pretium possim reddere Cap 940   ut acerbumst pro bene factis quom mali messim metas Ep 718   solus bene factis tuis me florentem facis Men 372   apud omnis conparebo tibi res bene* factis frequens Mi 662   pol bene facta tua me hortantur tuo ut imperio pareám Per 842   quibus pro bene factis fateor deberi tibi et libertatem . . Poe 133   bene facta maiorum tuum St 282(*secl Rω*)   bene facta maiorum meum exaugeam St 303   bene facta bene factis aliis pertegito, ne perpluant Tri 323   *ex his exemplis quaedam per duo verba scribunt editores nec inter se consentiunt*

19. **bene est** *seq. infin.:* bene herclest illam tibi ualere et uiuere Tri 52

20. *haec adverbia apponuntur:* aeque Mo 242, 302   insanum Mi 24, Mo 761   minus Mi 1308(*U*), Ru 701   nimis Ep 209, Men 1019, St 374   satis Poe 285   aeque melius Cap 700

post melius *sequitur* quam Cap 710, 975, Ci 97, Mi 351, Per 184, St 157, Tru 700   *abl. comp.:* opinione Au 544, Cas 338   *abl. modi:* nimio

21. *cum* bene *coniuncta sunt haec adverbia cf* Sjögren, p. 56: amice Ps 521, St 470   benigne Mer 949, Mo 816, Tru 128(*cf* Raebel, p. 23)   blanditer As 222   commode Cas 855   confidenter Ba 458   feliciter Au 788   fideliter Mi 889   fortunate Mi 706   lepide Ba 84, Poe 666   opportune Mi 890   prospere Am 463   pudice Am 349, Cap 992, Ci 373, Cu 518, 698   pulcre Per 587   sedate Men 900

E. *corrupta:* Cas 284, pro bone frugi *P*𝔖† pro bona **frugi *Rs* probum te et frugi *Sey L* bonae frugi *GepU* Cas 948 *** mihi optumumst *** St 282, benefacta maiorum tuum *om Rω*; 692, †sat est(: *L* satiust *GuyRRgU*)   seruo homini modeste melius(*om Non* 511 *RRgU*) facere sumptum quam ampliter Tru 93, haec quibus melius est *P*𝔖†   ecquid melius est *Rs* haec quidem eius *SeyLU*; 172, am †omini optumus amicus *P quod var em* ω; 470, melius onus *P* opus *ScaRs*𝔖 leuius onus *FZLU*

BOO - - **boat** caelum fremitu uirum Am 232 *cf* Inowraclawer, p. 62; Siewert, p. 46

BOS - - I. Forma **bos** Au 231, Cas 846(luca bos *A* iocabo *P*)   **bouem** As 713, Au 229, Tru 277(patulam bouem *A* patulum uoueri *P*(moueri *D*) patulu *Fest* 221)   **boui** (*abl.*) Mo 241 (*vide infra sub* boues *acc.*)   **boues** As 34, Au 234, Mo 35(*U* -is *P*ψ), Per 262, 317, Poe 598 (bobes *C*), Tri 524   **bubus** Mo 62(bobus *CD*), Tru 646   **boues**(*acc.*) Au 235, Mo 241(boues argento eo *U* bo argento *B*¹𝔖† boui eo a. *L* eo a. *R* probo a. *Rs* uiuo(ioui *C*) a. *B*²*CD*),

Per 259, 265(boues domitos *SpLU* homini binis domitis *A ut vid Rs*𝔖 hominibus *P*[homibus *B*¹] homini bobus [domitis *CaR*]), 322(*A* uobis *P*), Ps 812(-is *R*)   **bobus** Per 265(*CaR vide sub* boues *acc.*)   *corruptum:* Tru 573 boves *B pro* bonis

II. **Significatio**   (*cf* Inowraclawer, p. 61; Wortmann, p. 32, 34; Schneider, p. 5) *in* Persa bos *per lusum pro* argentum *usurpatur.*

1. *nom.:* tu me bos magis haud respicias Au 231   institit planta quasi luca bos* Cas 846 (*i. e.* elephas)

uiuos homines mortui incursant boues As 34   me . . boues incursent cornibus Au 234   in quincto quoque sulco moriuntur boues Tri 524   macerato hoc pingues fiunt auro in barbaria boues* Poe 598   an ruri . . non sunt quos cures bouis? Mo 35   boues quos emerem non erant Per 262   boues bini hic sunt in crumina Per 317

2. *dat.:* eruom daturin estis, bubus* quod feram? Mo 62 . . ut bubus glandem prandio depromerem Tru 646

3. *acc.:* ego me ruri amplexari mauelim patulam bouem* Tru 277(*cf* Egli, II. p. 19) . . ut deo mihi hic immolas bouem As 713 in mentem uenit te bouem esse et me esse asellum Au 229

boues qui conuiuas faciunt . . Ps 812   amico homini boues* domitos mea ex crumina largiar Per 265   erus meus me Eretriam misit domitos boues ut sibi mercarer Per 259   dominus me bouis* mercatum Eretriam misit Per 322   si summo Ioui boues* eo argento sacrificassem Mo 241(*U*)   hoc magnumst periculum ab asinis ad boues transcendere Au 235

4. *abl.:* si summo Ioui boui* argento eo sacrificassem . . Mo 241(*L*)   bobus* domitis . . largiar Per 265(*CaR*)

5. *adiectiva:* domitus Per 259, 265   luca Cas 846   mortuos As 34   patula Tru 277   pinguis Poe 598

BRACCHIALIS - - condamus alter alterum ergo in neruom **bracchialem**(*A* brachi. *CDU* braechi. *B*) Poe 1269

BRACCHIUM - - I. Forma **bracchium** (*acc.*) Men 886(brach. *Pω*), 910(brach. *Pω*), Mer 883(brach. *CDU*), Mi 26(brach. *CRU* brah. *D*), 27(brach. *DRU* prach. *C*), 30(brach. *B*²*U* bracc. *B*¹ brah. *D* prach. *C*), Ps 708(brach. *CDRU* bacch. *A*)   **bracchio**(*abl.*) Mi 1180 (brach. *U*)   **bracchia**(*nom.*) Mo 360(*RsL* brach. *P*ψ)   (*acc.*) Tru 783(brach. *CDU*)   **bracchiis**(*dat.*) As 696(*Rgl*𝔖 brach. *PLU* abl. ducunt *PyRglU*)

II. **Significatio**   1. *nom.:* . . ut offigantur bis pedes bis bracchia Mo 360

2. *dat.:* circumda torquem(*Havet* circumdato me *PyRglU* c. torque me *P*) bracchiis As 696

3. *acc.:* cur apertas bracchium? Men 910 ait se obligasse crus fractum Aesculapio, Apollini autem bracchium Men 886   porrige bracchium. #Prehende. iam tenes? #Teneo. #Tene Mer 883   ei pugno praefregisti bracchium. #Quid, bracchium? Mi 26   prehende, teneo Mer 883(*vide supra sub* porrigo) porge

audacter ad salutem bracchium Ps 708 . . perque os elephanti transmineret(transtineret R)
bracchium Mɪ 30
　ita lora laedunt bracchia Tʀᴜ 783
　4. abl.: exfafillato(expalliato U) bracchio
Mɪ 1180　As 696(PyRglU: vide supra 2)
　BRASSICA - - apponunt rumicem, brassi-
cam, betam, blitum Ps 815
　BREVICULUS - - (hominem) canum, uarum,
. . bucculentum, breuiculum Mᴇʀ 639(cf Ryhiner, p. 47)
　BREVIS - - I. Forma　breuis Mo 726(breui
CD)　breue As 8, Cᴀᴘ 743, Mᴇʀ 547, Sᴛ 307
(breuest P breuist R)　breui Mɪ 1020(breuin
an CD breuinā B breuem an A pro abl. habent
SU), Sᴛ 307(R)　breuem Cᴀᴘ 213, Ps 822
breui Eᴘ 466, Mɪ 1020(SU: vide sub dat.)
breuior Aᴍ 549, Mᴇʀ 1007
　II. Significatio 1. adiective: quod ad argumentum attinet, sane breuest As 8　curriculum Sᴛ 307(R: infra sub spatium)　tanto
breuior dies ut fiat faciam Aᴍ 549　eadem
breuior fabula erit Mᴇʀ 1007　breuem orationem incipisse Cᴀᴘ 213　cedo te mihi solae
solum. #Breuin* an longinquo sermone? Mɪ
1020　breue spatiumst perferundi quae mi-
nitas mihi Cᴀᴘ 743　breue iam relicuom
uitae spatiumst Mᴇʀ 547(A decurso in spatio
breue quod uitae relicuomst PL om in)　spatium hoc occidit: breuest curriculo Sᴛ 307(hoc
oppido breuist cur. R)　uitae quam sit breuis* simul cogita Mo 726　hic quidem homines
tam breuem uitam colunt Ps 822
　2. substantive: Mᴇʀ 547(PL: vide sub 1
spatium)　te absoluam breui Eᴘ 466
　BROCCHUS - - . . pariat postea aut uarum
. . aut brocchum(bocchum cod) filium Fʀ I. 119
(ex Fest 375)
　BROMIA - - Aᴍ 1077 Cf Schmidt, p. 180
　BROMIUS - - Bacchus deus: heu Bromie
Mᴇɴ 836
　BUBILE - - (boues) metuo ut possim reicere in bubile(Bo -lem P) Pᴇʀ 319
　BUBULCITOR - - decet me amare et te bubulcitarier Mo 53(-re Non 79 -lt. D)
　BUBULUS - - I. Forma　bubula Cᴜ 367
bubulam Aᴜ 374　bubula Aᴜ 601　bubulo
Tʀᴜ 955(Rs in loco dub pro ambulo)　bubuli
Tʀɪ 1011　bubulos Pᴏᴇ 139　bubulis Mo
882(buculis C) Sᴛ 63

　II. Significatio 1. adiective: qui ea curabit abstinebit censione bubula Aᴜ 601　tris
facile corios contriuisti bubulos Pᴏᴇ 139　caue
sis tibi ne bubuli in te cottabi crebri crepent
Tʀɪ 1011　mane castigabit eos bubulis* exuuiis Mo 882　uos monimentis commonefaciam bubulis Sᴛ 63(cf Graupner, p. 16;
Inowraclawer, p. 61)
　2. substantive: nunc meo subigam bubulo*
Tʀᴜ 955(Rs: sc corio?)　indicant agninam
caram, caram bubulam Aᴜ 374(sc carnem)
haec sunt uentri stabilimenta: pane et assa
bubula Cᴜ 367(sc caro)
　BUCAEDA - - illi erunt bucaedae(-e B -e̜
CD) multo potius quam ego sim restio Mo 884
(cf Loewius, Prod. 267)
　BUCCA - - 1. nom.: nescias utrum (tibicinae) maiores buccae (-e P) ne an mammae
sient Pᴏᴇ 1416
　2. acc.: me har bocca. #Quid ait? #Miseram
esse praedicat buccam sibi Pᴏᴇ 1003
　age, iam infla buccas(bucas B) Sᴛ 767(cf
Egli, II. p. 49)　suffla celeriter tibi buccas
quasi proserpens bestia Sᴛ 724　istas buccas
(PL bucculas om istas Aψ) tam belle purporissatas habes Tʀᴜ 290　buccas rubrica,
creta omne corpus instinxti tibi Tʀᴜ 294
　BUCCO - - stulti, stolidi, fatui, fungi, bardi,
blenni, buccones(B buco. CD) Bᴀ 1088
　BUCCULA - - bucculas(A istas buccas PL)
tam belle purporissatas habes Tʀᴜ 290 cf Ryhiner p. 25
　BUCCULENTUS - - (hominem) canum, uarum . . bucculentum, breuiculum Mᴇʀ 639
　BULBUS - - quin tu is in malam crucem
cum bolis, cum bulbis(bullis EJ) Cᴜ 612
　BULLA - - et bulla(CD etabula B) aureast,
pater quam dedit mihi Rᴜ 1171　iussin in
splendorem dari bullas has foribus nostris?
As 426　corruptum: Cᴜ 612, bullis EJ pro
bulbis
　BUMBOMACHIDES - - Mɪ 14(Py -marides
P A n. l.) Cf Schmidt, p. 357
　BUSTIRAPUS - - bustirape. #Certo #Fur-
cifer. #Factum optume Ps 361
　BUSTUM - - non in busto Achilli, sed in
lecto accubat Bᴀ 938
　BUTUBATTA - - hoc Plautus pro nihilo et
pro nugis posuit: Char II. 42

C.

C - - littera tertia: litteris recomminiscar:
c(Sca om P) est principium nomini Tʀɪ 915
C *** - - Cɪ 442
　CACULA - - 1. nom.: lenonem fallit syco-
phanta(R -tacie̜ ALꝉ -tans LoewU) cacula Ps
Arg II. 14
　2. dat.: minas . . dat subditiuo(R -ticio AL)
caculae Ps Arg II. 13
　3. acc.: uenientem caculam interuortit symbolo . . Pseudolus Ps Arg I. 4　uideo caculam

(Paul 45 -la B caula C calla D) militarem me
futurum Tʀɪ 721
　CADO - - I. Forma　cado Ps 1278a　cadit
Cᴀᴘ 81, Rᴜ 178　cadunt Aᴍ 234, 236, Mᴇɴ
375, Pᴏᴇ 360　cadebant Mᴇɴ 1116　cadam
Mᴇʀ 613　cades Mo 329, ib. (B²D³ clades
B¹ dades CD¹), Pᴇʀ 656　cadent Mᴇɴ 376
cecidit Tʀɪ 507　cecidero Ps 1248　cadam
Cᴀs 634(ne cadam amabo A nec adamabo VE¹
necat[nec ad B¹]　amabo B²E²J), Mɪ 1260,

Mo 329, Ps 1296   **cadas** Mɪ 1151(*AB* cadhas *CD*), Mo 324   **cadat** Cu 287   **cecidisset** Mɪ 721   **cadere** Mo 328   **cecidisse** Ps 681 (quoi *CaR pro* accidisse)
II. Significatio 1. *proprie* **a.** *de personis:* ubi circumuortor, cado Ps 1278 a   demisisti gladium in iugulum: iam cadam Mer 613 sine cadere me . . si cades, non cades* quin cadam tecum Mo 328   hercle si cecidero, uostrum erit flagitium Ps 1248   ne cadam*, amabo, tene me Cas 634   tene me, obsecro . . ne cadam Mɪ 1260   caue ne cadam Ps 1296   caue ne cadas Mo 324   scis . . maxumum periclum inde esse ab summo rusum cadas* Mɪ 1151   libera eris actutum, si crebro cades Per 656(*in malam partem*) nec quisquamst . . quin cadat, quin capite sistat Cu 287   . . cecidissetue ebrius aut de equo uspiam metuerem ne . . Mɪ 721   si ad saxum . . ea deorsum cadit . . Ru 178   cadunt uolnerum ui uiri(*Luchs* uolneris ui et uirium *PS*†) Am 234   hostes crebri cadunt Am 236
b. *de rebus:* folia nunc cadunt: . . tum arbores in te cadent Men 375   tunc dentes mihi cadebant primulum Men 1116   suo sibi suco (cochleae) uiuont, ros si non cadit Cap 81
c. *app. adiectiua, adverbia, sim.:* crebri Am 236   crebro Per 656   ebrius Mɪ 721   deorsum Ru 178   rusum Mɪ 1151   ab summo Mɪ 1151   ad saxum Ru 178   de equo Mɪ 721 in te Men 375   ui uirum Am 234(?)
2. *translate* = evenire (*cf* Langen, *Beitraege* p. 322): omnia in cassum cadunt Poe 360   Ps 681(*Ac. R*)   si haec res grauiter cecidit stultitia mea . . Tri 507
CADUS - - I. Forma cadus Am 429, St 721   **cado**(*dat.*) St 683   **cadum** As 624, Au 571, St 425, 647   **cado**(*abl.*) Poe 258   **cadi** Mɪ 850, 851, 856   **cados** Mɪ 854   *corruptum:* Poe 782, isto cado *CD* is to cadeo *B pro* istoc adeo
II. Significatio *semper de vino* (*cf* Blomquist, p. 25) 1. *nom.:* cadus erat uini Am 429   quam uis desubito uel cadus uorti potest St 721   hoc illi ,crebro capite sistebant cadi.   #Non hercle tam istoc ualide cassabant cadi Mɪ 851   . . ubi bacchabatur aulla, cassabant cadi Mɪ 856
2. *dat.:* cado te praeficio St 683
3. *acc.:* noctem tuam et uini cadum As 624 iussero cadum unum uini ueteris a me adferrier Au 571   cadum tibi ueteris uini propino St 425   cadum modo hinc a me huc cum uino transferam St 647   ibi erat bilibris aula, sic propter cados Mɪ 854
4. *abl.:* me decet donari cado uini ueteris Poe 258
CAECULTO - - numnam mihi oculi **caecultant**? Fʀ II. 10(*ex Paul* 62)
CAECUS - - I. Forma caecus Au 714, Mer 630, Mɪ 323(-u's *R*)   **caeca** As 770, Mɪ 1259 (caeca amorest *Grut* cecare ē *B* ceca ore est *C* ceca hora ē *D*)   **caecum** Mɪ 544   **caeca** Ps 301(coeca *D*)   -ae- Mer 630 *B*, Mɪ 544 *AP*, Ps 301 *C*(*non A*)
II. Significatio 1. *praedicative:* nescio, nihil uideo, caecus eo Au 714   (es) ad man-

data claudus, caecus, mutus Mer 630   tu quidem caecus*, non luscitiosu's Mɪ 323   si quem alium aspexit, caeca continuo siet As 770 caeca* amorest Mɪ 1259   nunc demum scio me fuisse excordem, caecum Mɪ 544
2. *adiective:* eme die caeca(*i. e.* futura: *cf* Graupner, p. 3; Morris *ad loc*) hercle oliuom, id uendito oculata die Ps 301(*cf Fest* 179)
CAEDES - - Mer 799, his caedibus *B pro* hisce aedibus, *eodemque modo frequenter* cedis, cedes, cedibus Mo 474, capitalis caedes factus *U in loco dub:* capitale scelus*BergkRsSL*
CAEDO - - I. Forma caedis Cu 199, Tru 768   **caedit** Poe 684   **caedor** Cas 407   **caedent** Tru 742(*Kies* cedent *P* comedunt *StuU*)   **caedere** Mo 1167, Per 282(credere *D*)   **caedat** Mer 397   **caedant** Am 159   **caederes** Am 377   **caedite** Mer 1002, Mo 65, St 358   **caedito** Ps 514   **caedi** Cɪ 246(*vide U*), Per 269, Ru 835(hac caedi *Rs* non accedam *P* accedam *LU* cedam *SeyS*)   **caesum**(*acc. masc.*) Men 943   **caedundus** Cas 528   **caedundum**(*acc. masc.*) Au 567   **caedundos** Cap 819   -ae- Am 159 *BD*, Au 567 *BD Non* 274, Cɪ 246 *A*, Mer 397 *B*, 1002 *B*, Mo 65 *B*, Per 269 *A*, 282 *B*(*non A*), Poe 684 *BD*, St 358 *AB*   *corrupta:* Ep 559 caedo *Non* 456 *pro* cedo Men 197, caedo *C pro* cedo Per 767, caedo *C pro* cedo
II. Significatio 1. *proprie:* nihil opust nobis ancilla nisi quae . . lignum caedat Mer 397(*citat Non* 271, 424)   alii ligna caedite St 358
2. = ferire, *praecipue de personis:* **a.** si stimulos pugnis caedis, manibus plus dolet Tru 768(*cf* Schneider, p. 4)   *similiter:* it ad me lucrum. #Illud quidem, quorsum asinus caedit calcibus Poe 684   Am 159(*infra* b)
b. perii. pugnis caedor, Iuppiter Cas 407 uerberibus, lutum(multum *UL*), caedere pendens Mo 1167   caedere* hodie tu restibus Per 282   caedundu's tu homo Cas 528   te uerberibus multum caedi oportere arbitror Cɪ 246   (me) uerberibus caedi iusserit Per 269 (te) caesum uirgis sub furca scio Men 943 abeas si uelis . . . hac (claua?) caedi Ru 836 (*Rs*)
quasi incudem me miserum homines octo ualidi caedant Am 159   bene monstrantem (*i. e.* me) pugnis caedis Cu 199   (me) uirgis caedito Ps 514   loris caedite (me) etiam, si lubet Mer 1002   quid uenisti? #Ut esset quem tu pugnis caederes Am 377
c. *abl. instrumenti:* calcibus Poe 684   claua Ru 826(*Rs*) loris Mer 1002   pugnis Cas 407, Cu 199, Tru 768   restibus Per 282   uerberibus Cɪ 246, Mo 1167, Per 269   uirgis Men 943, Ps 514
3. = vorare: este, ecfercite uos, saginam (†*U*) caedite Mo 65   bona istic caedent* Tru 742(*cf* Leo, *lect. Pl.* p. 567, *et opera ibi citata*)
4. = sacrificare; caedundum conduxi ego illum(*sc* agnum) Au 567   lanii . . qui locant caedundos agnos Cap 819(*cf* Giardelli, p. 24 *et* Brix-N. *ad loc*)
CAELEBS - - 1. ille erat **caeleps**(*A* -bs *RRgU* celeps *C* celep *B* celeps *D*) senex St 543

2. utrum nunc tu **caelibem**(ce. *P*) ted esse mauis liberum an . . Cas 290 si quem scibimus seu maritum siue hercle adeo caelibem (ę *D* e *C*) scortarier Mer 1018

CAELES - - eius sum ciuis ciuitate **caelitum**(ę *BC* e *D*) Ru 2

CAELIPOTENS - - bene nos, Iuppiter, iuuisti dique alii omnis **caelipotentes** (*C* ę *BD*) Per 755

CAELUM - - **I. Forma caelum** Am 233, 1055, Tri 1070 **caeli** Am 1065 **caelum** Am 270, 1143, Ci 622, Cap *fr*(= Fr III. 3), Mer 880, Mi 1395, Per 581, 604, Ps 841, Tri 942, 947 **caelo** Am 273, Ep 675(in celo *B* placeo *J*), Mi 1083, Per 258, Poe 434, Ru 5, 6, 8, Tri 940, 941 *corruptum:* Poe 1168 caelum ne *PU†* **onem *AŞ var em ψ* -ae- habent Am 1065 *J*, Cap *fr Non* 220, Mi 1395 *ABC*, Per 581 *A*, 604 *D*, Poe 434 *AC*, Ps 841 *ACD*, Ru 5 *CD*, 6 *CD*, 8 *CD*, Tri 1070 *A* -oe- Per 258 *U*

II. Significatio 1. *nom. vel voc.:* boat caelum fremitu uirum Am 233 (*cf* Egli, II. p. 33) mihi uidentur omnia, mare terra caelum consequi . . Am 1055 mare, terra, caelum, di, uostram fidem Tri 1070 *an huc etiam* Mer 880 *referendum? vide infra* 3.

2. *gen.:* et tibi et tuis propitius caeli cultor aduenit Am 1065

3. *acc.:* caelum aspectat Am 270 di omnes qui caelum colunt Per 581 quid nunc supina susum (in *add PyRsL*) caelum conspicis Ci 622 caelum ut est splendore plenum ex aduorso uides Mer 880(*loc. dub: vide ω*)

pileum . . diripuit eumque **ad** caelum tollit Cap *fr* (= Fr III. 3 *ex Non* 220) uolo ego hanc percontari. #A terra ad caelum quidlubet Per 604(*cf* Graupner, p. 31) pudicum neminem deputare oportet, qui aps terra ad caelum peruenerit Tri 947 ego in caelum migro Am 1143 Ci 622(*PyRsL: vide supra*) is odos dimissis pedibus in caelum uolat Ps 841 an etiam in caelum escendisti? Tri 942 facite inter terram atque caelum ut sit Mi 1395

4. *abl.:* ea nunc quasi decidit **de** caelo Per 258(*cf* Egli, II. p. 32) alia signa de caelo ad terram accidunt Ru 8 (iui) ad caput amnis qui de(*Guy* quod de *PL* quo ad e *RRs*) caelo exoritur sub solio Iouis Tri 940 sub solio Iouis? #Ita dico. #E caelo? #Atque e (*Par om P*) medio quidem Tri 941 neque se septentriones quoquam **in** caelo commouent Am 273 . . plus quam in caelo* deorumst immortalium Ep 675 hic haberet regnum in caelo Mi 1083 neque stellae in caelo . . Poe 434 signum . . tempore exoritur suo hic atque in caelo Ru 5 noctu sum in caelo clarus Ru 6

5. *corruptum:* Poe 1168 Thraecae sunt***** onem *A* sunt caelum ne *'PU†* sunt eculae: numero *LuebbertRgl* tragicae sunt: in calones *L*

CAENUM - - **I. Forma caenum**(*voc.*) Ps 366 **caeno**(*abl.*) Ba 384, Mo 41(*L* canem *PŞ†* canes *ScaRRsU*), Mo 291(*v. secl ω*), Per 407 (caeno sterculinum *A* caenoster(noster *CD*) cilinum *P*), Poe 306, 826, Ru 304 (in caeno *Rs* incenati[ę *CD*] *PL* cenati *Reiz ψ*) -ae- Per 407

AB, Poe 306 *AB*, Ps 366 *A* -oe- Ba 384 *CDRU*

II. Significatio .1. *proprie:* pulcrum ornatum turpes mores peius caeno conlinunt Mo 291(*v. secl ω*), Poe 306 *similiter:* nisi quid concharum capsimus in caeno* sumus Ru 304(*Rs*)

2. *contumeliose:* fraudulente. #Inpure leno. #Caenum! Ps 366 *similiter:* caeno *κοπρῶν* commixte Mo 41(*L* canem capram commixtam *PŞ† var em ψ*) lutum lenonium, commixtum caeno* sterculinum publicum Per 407 neque peior alter . . quam erus meus est neque . . tam caeno conlitus Poe 826 *de domo meretricium:* eum ex lutulento caeno . . hinc eliciat foras Ba 384

CAERINUM - - Ep 233, *Non* 548 *pro* carinum *A*(garinum *P*)

CAERULEUS, CAERULUS - - *de mari:* . . distulissent . . me miserum foede bonaque . . passim **caeruleos**(*D* ę *BC*) per campos Tri 834 nempe equo ligneo per uias **caerulas** (*Guy* ceruleas *P*) estis uectae? Ru 268 Poe 1289 **caerula** *U falso Cf* Graupner, p. 24

CAESARIATUS - - sycophantiam qui admutiletur miles usque **caesariatus** Mi 768

CAESARIES - - uide **caesaries**(*A* ce. *C* caess. *D* -iis *P*) quam decet Mi 64

CAESICIUM - - tunicam rallam, tunicam spissam, linteolum **caesicium**(*A* -tium *BV* cesitium *EJ*) Ep 230

CAIO - - **amica ne te **caiet** Ci 253(*Rs*)

CALAMISTRATUS - - quisnam istuc adcredat tibi, cinaede **calamistrate?** As 627

CALAMISTRUM - - ita me uolsellae, pecten, . . **calamistrum** meum bene me amassint . . Cu 577

CALAMITAS - - *cf* Goldmann, II. p. 20

1. *nom.:* quanta callo **calamitas** (ueniet) Cap 904 clades calamitasque(*P* -tatesque *A*) intemperies modo in nostram aduenit domum Cap 911 quicquid erat, calamitas profecto attigerat numquam Cas 913 quanta aduenit (aduentat *L vide ω*) calamitas hodie ad hunc lenonem Poe 923

2. *gen.:* hospitiumst **calamitatis** Tri 553(*cf* Graupner, p. 9)

CALAMUS - - et **calamum**(*i. e.* aromaticum) inice Per 88 in libro scribuntur **calamo**(*i. e.* penna) litterae Ps 544

CALATOR - - egomet mihi comes **calator** (caltor *B*) . . sum Mer 852 uenit calator militaris Ps *Arg* II. 9 Harpax calator(call. *C*) meus est . . qui uenit Ps 1009 estne hic Trachalio . . calator Plesidippi? Ru 335

CALCAR - - **calcari** quadrupedo (te) agitabo aduorsum cliuom As 708

CALCEATUS - - cum **calceatis** dentibus ueniam Cap 187(*propter asperum victum; cf* Egli, I. p. 18; Graupner, p. 12)

CALCENDIX - - oppositast **calcendix**(*L* cla. *Loew ex Paul Ş* claxendix *Rg* clax. *vel* clas. *codd*) Vi 104(*ex Prisc* II. 165)

CALCEOLARIUS - - propolae linteones, **calceolarii** Au 512

CALCEUS - - nec mihi adeost tantillum pensi iam quos capiam **calceos** Tru 765(*LU vide ψ*)

CALCHAS - - Calchas(*Ca* calcas *BD* callas *C*) iste quidem Zacynthiust Mer 945 noui (eum) cum **Calcha**(*ex Prisc* I. 239, *Char* 66 -chante *CD* -cantes *B¹* -cante *B²*) simul Men 748 *Cf* Egli, III. p. 9, 15; Inowraclawer,. p. 46

CALCITRO - - ianitorem clamat procul si quem uidet ire ad se **calcitronem** As 391

CALCO - - Men 748 calcantes *B¹ pro* Calcha Mer 945 calcas *BD pro* Calchas

CALEFACIO, -FIO - - **I. Forma** calefacit Ep 674 **calefiunt** Tru 932(*Rs* calent et *P*§† callent et *VallaL* callent nihil *U*) **calefierent** Per 110 **calefieri** Ep 655, Per 105 (tale. *D¹*)

II. Significatio 1. *proprie:* iube huic aquam calefieri Ep 655 . . ut muraena et conger ne calefierent Per 110 calefieri* iussi reliquias Per 105

2. *translate:* omnes homines ad suom quaestum calefiunt* fastidiunt Tru 932(*Rs* si astes aestu calefacit (Epidicus) Ep 674(*Weis fortasse A vide* ω)

CALEFACTO - - ut eapse succincta aquam (adiuuat *Rs*) **calefactat** Ru 411 tu ut liquescas ipse, actutum uirgis **calefactabere** (*B²EJ* calefacta uere *B¹V*) Cas 400

CALENDAE - - da **Calendis**(k. *L*) meam qui matrem munerem Mi 691 uos meministis quotcalendis(*A duo verba LU* quotk. *ADRRgL*) petere demensum cibum St 60 *Cf* Kane, p. 47

CALEO - - **I. Forma** calet Ba 105(k. *B*), Poe 914, Ps 1127, Ru 1326 **calent** Ru 532 **caletur** Cap 80, Tru 65 **calebit** Mi 835(*ex Non* 207(caleuit *CD* caluit *B*) *corruptum:* Tru 932 calent et *P*§† calefiunt *Rs* callent et *VallaL* c. nihil *U*

II. Significatio 1. *proprie:* **a.** aqua calet* Ba 105 (uinum) nimis calebit* Mi 835 *similiter:* os calet tibi Ru 1326(*cf* Poe 759) fabri ferrarii . . semper calent Ru 532

b. *impersonal. de caelo:* quom caletur cocleae in occulto latent Cap 80 lenonum . . plus est fere quam olim muscarumst quom caletur maxume Tru 65

2. *translate:* iamne illum comessurus es? #Dum calet, dum datur, deuorari decet Ps 1127 (*loc dub: vide* ω) nihil est nisi, dum calet, hoc agitur Poe 914(*cf* Graupner, p. 32)

CALIDORUS - - *adulescens* Ps *Arg* II. 1, 15 (caly. *A*), Ps 693(caly. *A*) **Calidori** Ps 897 (calu. *A*) **Calidoro** Ps 41(calu. *ACD*) **Calidorum** Ps 906(*D* caly. *AB* calli. *C*), 1043(caly. *B*) **Calidore** Ps 35(*D* caly. *ABC*), 273(caly. *A*), 383(calu. *A*) *Cf* Schmidt, p. 358

CALIDUS - - **I. Forma** **calidum** Mi 688, Mo 666(*v. secl et trai AcR*) **calidi** (*neut.*) Ep 256(*Dou* call. *P*) **calidum** Cas 309 **calidam** Mer 140 **calidum** Cu 293, Mi 226(call. *D³*), 832, 1026 (*R in loco dub: vide* ψ), Mo 665, Poe 759 **calido** Per 632(*AB¹D³* call. *B²CD¹*) **calida** Cas 255 **calidis** Ep 142 *adverbium:* **calide** Ep 284(*B* call. *J*) *corruptum:* Ps 385 calidum *B pro* callidum

II. Significatio A. *adiective* 1. *proprie:* . . ubi illi bene sit ligno, aqua calida, cibo Cas 255 tu calidam picem bibito Mer 140

calidum prandisti prandium hodie? Poe 759 *similiter:* in furnum calidum condito . . me Cas 309 natast in calido* loco Per 632 eme . . lanam, unde tibi pallium malacum et calidum conficiatur Mi 688

2. *translate* (*cf* Egli, I. p. 22 *adn.* 2): reperiamus aliquid calidi* conducibilis consili Ep 256 cedo calidum consilium cito Mi 226 calidum* refero ad te consilium Mi 1026(*R*) calidum hercle esse audiui optumum mendacium Mo 665 huic homini opust quadraginta minis celeriter calidis Ep 142

calidum hoc est(*i. e.* in angustiis sum) Mo 666(*vide* ω)

B. *substantive:* ubi quid subripuere, operto capitulo calidum bibunt Cu 293 ille hic calidum exbibit in prandium Mi 832

C. *adverbium:* tu igitur calide* quidquid acturu's age Ep 284

CALIENDRUS - - Men 295 *ScaR* Cunilindrus *Rs* ***l*** *A* Coriendrus *PLU*

CALIGO - - nunc demum experior mihi ob oculos **caliginem** opstitisse Mi 405

CALIX - - tetigit calicem clanculum Mi 823 (*i. e.* uinum surpuit) aulas calicesque omnis confregit Cap 916

CALLEO - - **I. Forma** calleo Per 176(callea *B*), 305(calleao *B*), 380 **callet** Mo 279, Per 305 **callemus** Poe 574(*v. secl WeisRgl*) callent Ps 136, Tru 932(*VallaLU* calent *P*§†) **calleas** Poe 578 **callere** Poe 579 **callenti** Ps 149(*L* neglegentes *P*§† neglenti *A: vide* ψ)

II. Significatio 1. *proprie:* ita plagis costae callent Ps 136

2. *translate* **a.** *absolute:* memini et scio et calleo* et commemini Per 176 docte calleo Per 380 callemus probe Poe 574(*v. secl Weis Rgl*) uide sis calleas Poe 578 omnes homines (qui *add U*) ad suom quaestum callent* et(nihil *U*) fastidiunt Tru 932 *cum lusu verborum:* magis calleo* quam aprugnum callum callet Per 305 callum aprugnum callere aeque non sinam Poe 579

b. *additur acc. cog.:* ut perdocte cuncta callet Mo 279

c. *seq.* **ad:** Tru 932(*VallaLU vide supra* **a.**), *app. adverbia:* docte Ps 380 perdocte Mo 279

3. *participium:* uos estis praediti callenti* ingenio inprobo Ps 149(*L*)

CALLIAS - - *nomen proprium* Tri 916(*Guy* callicias *BC* callitias *D*) *Cf* Schmidt, p. 180

CALLICLES - - *senex:* Tri *Arg* 4(-des *B*), 6, Tri 1083 (*voc.*) Tri 49(-des *CD*), 729(-des *B*), 1094 *ter*, 1153, Tru 826, 836(*D³Z* -cies *P*), 841 **Callicletis** Tri 1183(*Bergk* Callicli *PLU*§†) **Callicli** (*gen.*) Tri 1183(-cletis *BergkRRs*) **Calliclai** Tru 866(*KiesU* iam esse *PRg*§ esse *L*) **Callicli**(*dat.*) Tri *Arg* 2, 583, 899 **Calliclem** Tri 212, 875(*Herm* -en *P*), 877, 956, Tru 770(*Pius* -cten *P*) **Callicle** Tri 403(a c. *BD* [-de *D*] accalide *C*), 420 *corruptum:* Tri 944, calliclise *B* calliclis *CD pro* alii di isse(*Ac*) *Cf* Schmidt, p. 180

CALLIDAMATES - - *adulescens* Mo 311 (*voc.*) Mo 341(-mentes *C*), 372, 373 *bis*, 1130(*R* cali. *P* -te *P*) **Callidamati** Mo 938(*A* cali.

P) **Callidamatem** Mo 1121(cali. *B* -em illo *BD* -en ullo *C*) *Cf* Schmidt, p. 359

CALLIDEMIDES - - Tri 916(*B* -clemides *CD*) *Cf* Schmidt, p. 180

CALLIDUS - - **I. Forma callida** Ci 727, Per 622, Poe 234   **callidum**(*masc. acc.*) Am 268, As 186, Ba 643, Ep 428, Poe 1108(et callidum *Py* est ollidum *PU*† ✱✱✱dum *A* estolidum *L duce A*), Ps 385 (*CD* calidum *B* calido *ALU*), 725, Tru 416 (*neut. acc.*), As 257 **callido** Ps 385(*ALU* -dum *P* cali. *B*)   **callidis** (*abl.*) Ba 643   **callidiorem** Mo 270   *adv.:* **callide** As 349, Mer 35(-dus *C* -đ *D*), Per 455   *corrupta:* Ep 256, callidi *P pro* calidi(*Dou*); 284, callide *J pro* calide Mi 226, callidum *D*³ *pro* calidum   Per 631, callido *B*²*CD*¹ *pro* calido(*AB*¹*D*³)

II. Significatio A. *adiect.* 1. = versutus, *saepe in malam partem:* me malum esse oportet, callidum, astutum admodum Am 268   di istam perdant: ita catast et callida Per 622   ad suom quemque (hominem *add Rs*) aequomst quaestum esse callidum Tru 416   ad suom quemque hominem quaestum esse aequomst callidum As 186   ego si adlegassem ad hoc negotium minus hominem doctum manusque ad hanc rem callidum . . Ep 428   ad eam rem usust hominem astutum doctum cautum et callidum*(*Reifferscheid* scitum e. c. *P* cauto et callido *ALU* et homine astuto docto) Ps 385   si hominem inuenietis . . malum, callidum, doctum.. Ps 725   non uideor uidisse lenam callidiorem ullam alteras Mo 270   hercle mortalem catum, malum, crudumque et callidum* et subdolum Poe 1108   mala mers, era, haec et callidast Ci 727   callidum senem callidis dolis compuli Ba 643   miror . . soror, te istaec sic fabulari, quae tam callida et docta sis et faceta Poe 234

similiter: ad eri fraudationem callidum ingenium gerunt As 257   dolis Ba 643(*vide supra*)

2. *seq.* **ad** *finale:* hanc rem Ep 428 suom quaestum As 186, Tru 416   eri fraudationem As 257

3. *haec adiectiva coniunguntur:* astutus Am 268   catus Per 622, Poe 1108   cautus Ps 385   crudus Poe 1108   doctus Ep 428, Poe 234, Ps 385, 725   facetus Per 455(*infra* B), Poe 234   malus Am 268, Ci 727, Poe 1108, Ps 725   subdolus Poe 1108

B. *adverbium:* hanc ego rem exorsus sum facete et callide Per 455   . . ipsum uero se nouisse callide Demaenetum As 349   nullus usquam amator adeost callide* facundus Mer 35

CALLIMARCHUS - - *nomen proprium* Tri 917 (*FZ* cali. *C* -cus *B* calimarcitus *D*) *Cf* Schmidt, p. 359

CALLINICUS - - *nomen proprium* Tri 917 *Cf* Schmidt, p. 180

CALLIPHO - - *senex* Ps 458, 489(*Iunta* cali. *P*), 496(*D* -ppho *B* callyppho *C*), 539, 547 (capho *B*) **Calliphone** Ps 411 *Cf* Schmidt, p. 181

CALLIPPUS - - *nomen proprium* Tri 916 *Cf* Schmidt, p. 181

CALLUM - - **I. Forma callum** Per 305 **callo** Cap 904(collo *B*¹*E*)   **callum** Cu 323(*add PyRg*), Poe 579, Ps 166(*A* gallum *P*), Fr I. 49 (*Ursinus ex Fest* 330 galium *cod*)

II. Significatio 1. *absolute:* pernam, callum*, sumen sueris, glandium Cu 323(*vide* ω) pernam, callum*, glandium, sumen facito in aqua iaceant Ps 166   ego pernam, sumen sueris, spetile, callum*, glandia Fr I. 49(*ex Fest* 330)   quanta pernis pestis ueniet .., quanta callo* calamitas! Cap 904

2. magis calleo, quam aprugnum callum callet Per 305   callum aprugnum callere aeque non sinam Poe 579   *cf* Egli, III. p. 30

CALO - - tragicae sunt: in **calones** sustolli solent Poe 1168(*L* thraecae sunt ✱✱✱✱onem [caelum ne *P*] sus. sol. *AP: var em* ψ)

CALOR - - nec mihi ulla obsistet amnis . . nec **calor**(-orem *D*²) nec frigus Mer 860   *corruptum:* Mo 201, calorem *C*¹*D*¹ *pro* colorem

CALTULA - - quid istae quae uesti quotannis nomina inueniunt noua? tunicam rallam, . . patagiatam, **caltulam**(*ABE*³ *et Non* 548 catulam *VE*¹*J* catula *Non* 540) Ep 231 *cf* Ryhiner, p. 19

CALVIO - - ubi domi sola sum, sopor manus **caluitur**(*A et Non* 6 calpitur *P*) Cas 169   *vide* Mi 835 *ubi* caluit *B* caleuit *CD pro* calebat

CALUMNIA - - Ci 762, calŭnia *B* calŏnia *V* calŭpnia *E* calumpnia *J pro* alumna

CALVOS - - . . ut ego hodie raso capite **caluos**(-us *P*) capiam(capite portem *Serv ad Aen* VIII. 564) pilleum Am 462

CALX - - **I. Forma calcem** Poe 908   **calces** Mer 952   **calcibus** Poe 684, 819

II. Significatio prius disperibit faxo, quam unam calcem ciuerit Poe 908 (*cf* Egli, II. p. 62) clementer (sequere), quaeso: calces deteris Mer 952 (*cf* Egli, II. p. 47)   it ad me lucrum. #Illud quidem, quorsum asinus caedit calcibus Poe 684(*cf* Graupner, p. 30) incursat pugnis, calcibus Poe 819 *Cf* Reblin, p. 30

CALYDON - - ille qui surripuit puerum, **Calydonem** auehit Poe 72   is ex Anactorio . . huc commigrauit in Calydonem(*Py* -ne *P* cali. *D*) Poe 94 *Cf* Goerbig, p. 33; Koenig, p. 2

CALYDONIUS - - tantus ibi clientarum erat numerus quae ad **Calydoniam**(cali. *CD*) uenerant Venerem Poe 1181

CAMPANICUS - - . . ut ne peristromata . . aeque picta sint **Campanica**(cu. *C*) Ps 146

CAMPANS - - **Campans**(*Non* 486 campanis *A* campas *P*) genus (seruorum) Tri 545   *corruptum:* Tru 942 campas(capas *B*) dicit abaui (auaui *BLU*) †*SLU em Rs Cf* Vissering, I. p. 82

CAMPUS - - . . distulissent satellites tui . . bona omnia mea . . caeruleos per **campos** Tri 834   quemne ego seruaui in **campis** Curculioniis? Mi 13   ubi tu hic habitas? #Porro illic longe usque in campis ultumis Ru 1034 *Cf* Graupner, p. 24

✱✱**CAMU**✱✱ Ci 488(*A*)

CANALIS - - *substantivum:* (ambulant) in medio propter **canalem** ibi ostentatores meri Cu 476

CANALIS - - *adiectivum* = canalicius: ligulas **canalis**(ligulas, ca. *L*) ait se aduexisse et nuces Poe 1014

CANCER - - ut transuorsus, non prouorsus

cedit, quasi **cancer** solet Ps 955(*cf* Wortmann, p. 50)

CANDIDATUS - - **candidatus**(candit. *B¹E*) cedit hic mastigia Cas 446 aequius uos erat **candidatas** uenire hostiatasque Ru 270

CANDEFACIO - - una opera ebur atramento **candefacere** postules Mo 259

CANDIDUS - - I. Forma **candida** Ru 3 **candidum** Vi 35 **candida**(*abl.*) Am 547, Ps 1262 **candido** Mo 1148(cen. *C* -edo *D*) *adv.*: **candide** Cas 767

II. **Significatio** 1. *adiectivum:* sapere istac aetate oportet, qui sis capite candido* Mo 1148 mollitia urbana atque umbra corpus candidumst Vi 35 te, nox, . . mitto . . ut mortalis inlucescas luce clara et candida Am 547 manu candida cantharum dulciferum propinare . . Ps 1262 sum ut uidetis splendens stella candida Ru 3
2. *adverbium:* uilicus . . candide uestitus . . ambulat Cas 767

CANDOR - - (aedis) speculoclaras, **candorem**(*Sp* canorem *P* clarorem *CaR*) merum Mo 645 satin ut (sol) occaecatust prae huius corporis **candoribus** Men 181 *cf* Egli, II. p. 29

CANICULA - - apage istanc **caniculam**(*de amica dicit*) Cu 598 *Cf* Ryhiner, p. 33; Wortmann, p. 20

CANINUS - - hac ibo: **caninam** scaeuam spero meliorem fore Cas 973(*cf* Wortmann, p. 29)

CANIS - - I. Forma **canis** Ba 1146, Mi 268 (*fem.*) Men 718(-es *Pω* -is *B²D²*), 838, Mo 41(canes *ScaRRsU* caeno *L* canem *P§†*), 849, 850(cani *A*), Tri 170(-es *Pω*), 172(-es *APω*) **cani** Ep 234 **canem**(*fem.*) Am 680(*v. secl U*), Cap 485, Cas 389, Cu 110, Men 714, 936(-mem *D¹*), Mo 854, Ps 319(*masc. Non* 331), Poe 1236, Ru 842(quasi canem *B* qua sic non amem *CD*) **cane** Cas 320 **canes** Cas 971, Poe 648, 1234, Tri 835 (*acc.*) St 139 *corrupta:* As 461, cane *J pro* caue Cap 85, *add P om Pyω* Tri 343, miseres cane tui *B pro* miserescat ne tis
II. **Significatio** A. *proprie* 1. *nom.:* mane sis uideam ne canis . . #Agedum uide. #Est: abi canis*: est, abin dierecta? abin hinc in malam crucem? At etiam restas? abi istinc. #Nihil periclist . . tam placidast quam feta quaeuis Mo 849—852 illam (canem) aspice ut placide accubat Mo 855 lupus obseruauit dum dormitaret canes Tri 170(*per metaphoram*) ibo odorans quasi canis uenaticus Mi 268 fecisset edepol ni haec praesensisset canes Tri 172(*per metaphoram*) resto Mo 851(*supra sub* abeo)
nunc ego inter sacrum saxumque sum . .: hac lupi, hac canes Cas 971 (*cf* Schneider, p. 34) etiam me meae latrant(*AP* adlatrant *FRgl*) canes? Poe 1234 quasi canes . . circumstabant nauem turbines uenti Tri 835 canes compellunt in plagas lepide lupum Poe 648
2. *dat.:* cani quoque etiam ademptumst nomen Ep 234
3. *acc.:* canem esse hanc quidem magis par fuit: sagax nasum habet Cu 110 canem istam a foribus aliquis abducat face, etsi non metuendast Mo 854 una opera alligem fugi-

tiuam canem agninis lactibus Ps 319 (*cf* Schneider, p. 6) ne canem quidem irritatam uoluit quisquam imitarier Cap 485 ego quasi canem hominem insectarer lapidibus? Ru 842 eum salutat magis haud quiquam quam canem Am 680(*v. secl U*) hanc canem(*de se dicit*) faciam tibi oleo tranquilliorem Poe 1236 stultitiast . . uenatum ducere inuitas canes St 139
4. *abl.:* dies atque noctis cum cane (*de uxore dicit*) aetatem exigis Cas 320 B. *contumeliose dictum* (*cf* Egli, II. p. 17; Inowraclawer, p. 60; Wortmann, p. 19—22): praeter eos agnos meus est istic clam mordax canis Ba 1146 illa me ab laeua rabiosa femina adseruat canis Men 838 non tu scis . . Hecubam quapropter canem Grai esse praedicabant? Men 714 itaque ideo iure coepta appellarist canes* Men 718 uxorem suam esse aibat rabiosam canem* Men 936 hara suis, canes* capro commixta Mo 41(*ScaRRsU*)
C. *pedicarum genus* (*cf* Allen, *H. S.*, VII. p. 45): . . ut quidem tu hodie canem et furcam feras Cas 389
D. *app. adiectiva:* commixta Mo 41* femina Men 838 fugitiua Ps 319 inuita St 139 irritata Cap 485 mordax Ba 1146 placida Mo 850 rabiosa Men 838, 936 tranquilla Poe 1236 uenaticus Mi 268

CANITUDO - - stultus est aduorsum aetatem et capitis **canitudinem** Fr II. 8(*ex Paul* 62)

CANO - - tubae utrimque **canunt** contra Am 227(*P§†U* contra utr. occanunt *BergkRglL*)

CANOR - - Mo 645, **canorem** *P*(co. *B¹*) clarorem *CaR pro* candorem(*Sp*)

CANORUS - - matronae . . **canora**(*D* #onara *B* lan. *C*) hic uoce sua tinnire temperent Poe 33

CANTATIO - - lepidam et suauem **cantationem**(*P* cantionem *ω ex Non* 5) aliquam occupito cinaedicam St 760

CANTERINUS - - certe haec mulier **canterino**(*Py: cf Fest* 373 canthe. *PL*) ritu astans somniat Men 395 *Cf* Schneider, p. 33; Wortmann, pp. 5, 27

CANTHARA - - Ep 567 *Cf* Schmidt, p. 181

CANTHARUS - - I. Forma **cantharus** Ps 1280b, Ru 1319, St 705 **cantharum** Ba 69 (chan. *B v. secl BueRg§L*), Men 177, Mo 347, Per 801(cantarum *B*), Ps 957(*B* cantarum *ACD*), 1051, 1262(*Scu* canph. *P*), St 712 **cantharo** As 906, Men 187, St 730 **cantharis** Per 821 (cantaris *B*), St 693
II. **Significatio** 1. *nom.:* ob casum datur cantharus Ps 1280b inerit in crumina . . sinus, cantharus, epichysis Ru 1319 cur hic cessat cantharus? St 705
2. *acc.:* mille passum commoratu's cantharum Men 177 tu interim da ab Delphio cito cantharum circum Mo 347 da illi cantharum* Per 801 imponat in manum alius mihi pro cestu cantharum* Ba 69 manu candida cantharum* dulciferum propinare . . Ps 1262 tibi propino cantharum St 712
ite, hac . . ad cantharum recta uia Ps 1251 nihil . . harpagauit praeter cyathum et cantharum* Ps 957
3. *abl.:* mihi ob iactum cantharo mulsum

date As 906   uter ibi melior bellator erit inuentus cantharo . . Men 187   facetiast . . uno cantharo potare St 730

bibere da usque plenis cantharis* Per 821 scapho et cantharis, batiochis bibunt St 693

CANTHERIUS - - quamquam uetus **cantherius** sum . . Ci 307(*per metonymen*) piscatores . . aduehuntur quadrupedanti crucianti **cantherio** Cap 814   ego faxim muli . . sint uiliores Gallicis **cantheriis**(cante. *Osberne* 251) Au 495 *Cf* Inowraclawer, p. 62; Wortmann, p. 27

CANTILENA - - corrumpit mulierem malesuada **cantilena**(*U* uitilena *BD²S*† -dam utti lena *CD¹: var em ψ*) Mo 213 *Cf* Egli, II. p. 52

CANTIO - - 1. ego metuo lusciniolae ne defuerit **cantio** Ba 38   cantio *Graecast:* ἤ πέντ᾽ ἤ τρία St 707   *Cf* Schneider, pp. 10, 21

2. lepidam et suauem **cantionem**(*Non* 5 cantationem *P*) aliquam occupito cinaedicam St 760   redde cantionem ueteri pro uino nouam St 768

CANTO - - **I. Forma canto** Tri 287   **cantas** Mo 980   **cantat** Au 624, Cas 523, Ru 478   **cantent** Ba 985, Mi 690   **cantarem** Ep 500(-re *B¹*)   **cantaret** Ep 316   **cantari** Tri 350   **cantantem** Mo 934   **cantando** Cas 809

II. Significatio 1. *absolute:* . . ut . . cantaret sibi Ep 316   conducta ueni ut fidibus cantarem* seni Ep 500   priusquam galli cantent . . Mi 690   neque tibicinam cantantem . . audio Mo 934   eapse (urna) cantat quoia sit Ru 478

2. *cum acc.:* haec dies noctis canto tibi ut caueas Tri 287   metuo ne idem cantent quod priores Ba 985   non temerest quod coruos cantat mihi nunc ab laeua manu Au 624   merula †per uorsus quod cantat colas Cas 523 (*loc dub: vide* ω)   ciui inmuni scin quid cantari solet? Tri 350(*cf* Egli, II. p. 52)   dirrumpi cantando hymenaeum licet Cas 809 uera cantas. #Vana uellem Mo 980

3. *seq. interr. obliqua:* Ru 478(*supra* 1), **ut:** Tri 287(*supra* 2)

4. *apponitur dat.:* mihi Au 624   tibi Tri 287 sibi Ep 316   ciui Tri 350   seni Ep 500   per uorsus Cas 523(?) fidibus Ep 500

CANTOR - - fraudulente! #Inpure leno! #Caenum! #Cantores probos! Ps 366

CANTRIX - - ducitur familia tota: . . **cantrices**, cistellatrices Tri 253

CANTUS - - suaui **cantu** concelebra omnem hanc plateam hymenaeo Cas 799

CANUS - - **I. Forma cana** Cas 239(nihili cana culex *J* nihil hic anaculix *BDE*)   **canum** (*neut. nom.*) Mer 306   (*masc. acc.*) Mer 639   **cano** (*neut.*) As 934, Ba 1101(cono *B¹*), Cas 518, Mer 305   **canis**(*neut. abl.*) Ba 1208   *corruptum:* Mo 850   cani *A pro* canis

II. Significatio eho tu, nihili, cana* culex Cas 239   qua forma esse aiebant! #Canum, uarum, uentriosum Mer 639

cano capite te cuculum uxor ex lustris rapit As 934   cano capite . . miserum me auro esse emunctum! Ba 1101   'cano capite, aetate aliena' Cas 518   tun capite cano amas? #Si canum seu istuc rutilum siue atrumst, amo

Mer 305   non hodie hoc tantum flagitium facerent canis capitibus Ba 1208

CANUTUS - - †naricam bonam et **canutam** Fr II. 19(*loc dub ex Fest* 166: *vide* ω)

CAPELLA - - Poe 1271, capella *D pro* O Apella

CAPER - - canes **capro** commixta! Mo 41 (*ScaRRsU* canem capram commixtam *PS*† caeno κοπρῶν commixte! *L*)

CAPERRO - - quid illuc est quod illi **caperrat**(*A et Non* 8 illic aperrat [asperat *J*]*P* caperat *U*) frons seueritudine? Ep 609 *Cf* Wortmann, p. 32

CAPESSO - - **I. Forma capessis** As 158 (-as *Non* 247), Ba 113   **capessit** Ru 172, 179   **capessam**(*fut.*) Cap 776   **capesses** Tri 299   **capessam** Ru 204   **capessat** Ba 1077(-escat *C*)   **capessere** Am 262(-sscere *J ut vid*), Au 590

II. Significatio 1. *absolute:* si ad saxum, quo capessit (*sc* se), ea deorsum cadit . . Ru 179

2. *addita personali pronomine:* pergam me domum capessere Am 262   te in altum(in a. om *Non* 381) capessis* As 158   quo nunc capessis ted hinc aduorsa uia cum tanta pompa? Ba 113   horsum se capessit Ru 172 *tropice:* . . quam se (meus filius) ad uitam et quos ad mores praecipitem . . capessat* Ba 1077

3. **cursum:** ad senem cursum capessam Cap 776

4. **= capere:** consili quid capessam? Ru 204 = exsequi: in erum matura, in se sera condecet (seruom) capessere Au 590   haec tibi si mea imperia capesses, . . Tri 299

5. *additur:* domum Am 262   quo Ba 113, Ru 179   hinc Ba 113   horsum Ru 172   in altum As 158   ad senem Cap 776   ad uitam Ba 1077   huc Ba 1077

CAPILLUS - - **I. Forma capillus** Mo 254 (-um *Non* 298)   **capillum** Ep 623, Mo 255, Ru 377   **capillo** Ci 383(*ex Non* 108), Men 870, Mer 798, Ru 784   *corrupta:* As 892, capilli *E¹J pro* capuli Mi 631, albus capillus *BD² pro* albicapillus(*CD¹*) Per 230, capillus uersipellis (*vel* -bellis) *P pro* uorsicapillus(*R*)

II. Significatio (*cf* Ryhiner, p. 13) 1. *nom.:* capillus* satis compositast commode? Mo 254(uide capillum satin conpositum sit *Non* 298: *vide* ω)

2. *acc.:* ubi tu commoda's, capillum commodum esse credito Mo 255   capillum promittam optumumst occipiamque hariolari Ru 377(*cf* Egli, III. p. 9)   usque ab unguiculo ad capillum summumst festiuissuma Ep 623 (*cf* Schneider, p. 13)

3. *abl.:* quis hic est qui me capillo hinc de curru deripit? Men 870   meas quidem . . de ara capillo iam deripiam Ru 784   eloquar me istanc capillo protracturum esse in uiam Mer 798

capillo scisso atque excisatis auribus Ci 383 (*ex Non* 108)

CAPIO - - **I. Forma capio** Au 469, Mo 1049, Poe 1099, Ps 596, Ru 189, 972, Tru 455, 567   **capit** Am 114(*v. om J*), Ba 966, Cu 103 (*post* 109 *AcLU*), Ep 632(capit. #An tu neuis

U sapienter uenis *PL* sap. mones *AcRgŜ*) **capimus** Bᴀ 300 **capitis** Sᴛ 138 **capiunt** Aᴍ 939 *bis*, Mᴇʀ 970(*PRRgŜ*† sapiunt *L* cedunt *U*), Mɪ 118 **capitur** Cᴀᴘ 25, Mɪ *Arg* II. 6, 14, Pᴏᴇ 665, Rᴜ 995, Tʀɪ 271 **capiuntur** Rᴜ 997 **capiebat** Bᴀ 438(*Z* -ant *P*) **capiam** Aᴍ 999, 1007, Bᴀ 1063, Cᴀs 476, Mᴇɴ 858(cu. *B*¹), Mᴇʀ 660, Pᴏᴇ 2, Sᴛ 351(co. *A*¹), 375 **capies** Aᴍ 722 **capiet** Aᴍ 472, Mᴇɴ 1161(caput *C*) **cepi** Aᴍ 266(cᴇ. *BDE* coe. *J*), 641(cᴇ. *E* coe. *BDJ*), 1136(*B* cᴇ. *DJ* coe. *E*), Bᴀ 931(*AC* coe. *BD v.* secl Kiesω), 969(coe. *P*), Mᴇʀ 931(cᴇ. *C*), Mɪ 130, Pᴏᴇ 1285(coe. *CD*), Rᴜ 914(cᴇ. *BC*), 970(cᴇ. *C* coe. *B*), 972(coe. *B*), 1070(cᴇ. *C* coe. *D*) **cepit** Aᴍ *Arg* I. 3(cᴇ. *E*), Aᴍ 108(*ex Non* 230 coe. *BDE om J*), Mɪ 120, Ps 401(cum cepit *ABD* concepit *C*), Tʀᴜ 144(*A et Char* 140 acciṗ *BC* accipit *D*) **cepimus** Aᴍ 414(coe. *P*), Pᴏᴇ 193(coe. *C*) **ceperunt** Cᴀᴘ 653(cae. *B* coe. *J*) **cepere** Pᴇʀ 506(coe. *C*) **ceperam** Bᴀ 959(coe. *B*) **cepero** Aᴍ 671(coe. *J* sa c. *D*), Aᴜ 48(cᴇ. *BDJ*) **ceperis** Tʀᴜ 629(*Rs* -im *Pψ*) **ceperit** Rᴜ 902 **capso** Bᴀ 712 **capsimus** Rᴜ 304 **capiam** Aᴍ 462(caluus c. *P* portem *Serv ad Aen* VIII. 564), Bᴀ 67, 68, 71, Mᴇʀ 645, Mo 384, Tʀɪ 64, Tʀᴜ 765 **capias** Mᴇʀ 146, Mo 549c(*v.* secl *Ac*ω), 557, Pᴏᴇ 396, Ps 215 **capiat** Cᴀᴘ 722, Mᴇɴ 454(*A* -ant *BCU* percapiat *D*), Mɪ 599(captat *A*), Tʀᴜ 524 **capiatur** Cᴀᴘ 803, Ps 384, 585b(*vide R*) **capiantur** Mᴇɴ 68 **caperes** Rᴜ 842 **ceperim** Mɪ 709(*AD*³ caeperiam *P*), Tʀᴜ 629(-ris *Rs*) **capsit** Ps 1022(*Ca* ceperit[cᴇ. *CD*] capsti *P*) **cepissem** Mɪ 718(*AD*² -sse *P*) **cape** As 677, Aᴜ 328(*L in lac duce U*), 798, Bᴀ 728, 1059(cap *D*¹), 1062, Cᴜ 423, Mᴇɴ 202(capeḭ *A*), 219, 272, Mᴇʀ 309, 875, 912, 922, Mo 265, 267, 549c(*v.* secl *Ac*ω), 557, Pᴇʀ 154(-ae *B*), 437(*A* scape *B* sape *CD*), 815, Ps 20, Rᴜ 443, 465, 481, 1177, Sᴛ 351(cape illas *P* capellas *A*), 698(*om A*), Tʀɪ 650, 1026 **capere** Aᴍ 821, Aᴜ 391, 488, Cɪ 244, Mᴇɴ 863, Mᴇʀ 346, Mɪ 267, Mo 762, Pᴏᴇ 677, Sᴛ 422, 698, Tʀɪ 906, Tʀᴜ 110 **cepisse** Rᴜ 988, Sᴛ 162(cepisse illam *A* i. cepisset *P* cᴇ. *C*), Tʀɪ 1114 **captus** Aᴍ *Arg* II. 1, 7, Cᴀᴘ *Arg* 1, Cᴀᴘ 94(*om U*), 157(*v.* secl *BosschaRsŜ*), 256, 262, 330, Eᴘ 359, Mᴇʀ *Arg* II. 3, Mᴇʀ 735, Mɪ *Arg* I. 3(captust *BD* captst *C*), II. 6, Pᴇʀ 644 *bis*, Tʀɪ 658(*PL* aptus *Aψ*), Fʀ II. 17(*ex Fest* 165) **capta** Pᴏᴇ 109 **captum** Mᴇɴ 165, Pᴇʀ 362, Rᴜ 301 **capti**(*neut.*) Sᴛ 578 **capto**(*masc.*) Cɪ *Arg* 8 **captum** Cᴀᴘ *Arg* 4(*add BoL*), 8, Cᴀᴘ 31, 685, 718, Mo 479(captu *D*¹), Pᴏᴇ 677(*A* castum *P*) **captam** Eᴘ 564(captiuam *B*), Vɪ 66 **capta** Bᴀ 1070, Ps 1029 **capto** Bᴀ 972, Sᴛ 632(*Rg* caro *AŜ* capturus *PLU*) **capti** Bᴀ 1206(capiti *C* captis *B*¹), Cᴀᴘ 653(capiti *B*¹*J*), Ps 1029 **captae** As 219 **captos** Rᴜ 981 **capturus** Sᴛ 632(*PLU* caro *AŜ* capto *Rg*) **capturum**(*masc. acc.*) Tʀɪ 724 **capiundum** Bᴀ 325 **capiendi**(*gen. masc.*) Tʀᴜ 293(-dim *B*) **capiundas** Mo 226(*B*¹ *Non* 202 -endos *P*) **corrupta:** Aᴍ 422, captus *D pro* captas Aᴜ 461, capit *BD pro* coepit; 626 cepit *J pro* coepit Bᴀ 259, cepit *P pro* coepit Cᴀᴘ 27, cepit *BD pro* coepit; 856 capio *J*¹ *pro* cupio Cᴀs 651, cepit *E* cᴇpit *V pro* coepit; 701, cepi

VEJ pro coepi; 885, cepi *EJ* cᴇpi *B pro* coepi Cɪ 95, cepi *E* cᴇpi *V pro* coepi; 687, cepi *E pro* coepi Eᴘ 248, cepi *J pro* coepi; 389, ceperam *EJ pro* coeperam Mᴇɴ 646, capiat *P pro* captat(*Ca*) Mᴇʀ 250, cepit *BD pro* coepit Mɪ 286, hoc cepisti *D pro* occepisti; 581, capiam *B*¹ capiar *B*² capetam *CD pro* escam petam; 971, capiam *CD* cupiam *B pro* copiam; 1055, ubi cape *B* iniuirbicape *CD pro* urbicape(*Ca*) Mo 186, captam *P pro* catam(*Pius*) 1151, capto *P pro* pacto (*FZ*) Pᴇʀ 809, ceperas *BD pro* coeperas Pᴏᴇ 213, hoc ceperis *D pro* occeperis Tʀᴜ 264, esse cepisti *P*(cᴇ. *CD*) *pro* decepisti(*A*) Fʀ I. 108 (*ex Varr l L* VII. 62), cepi *F pro* coepi

II. Significatio A. *proprie* 1. = manu capere: *agnum* hinc uter est pinguior cape* Aᴜ 328(*LU* ✳✳✳ *ψ*) cape *aquam* hanc sis Rᴜ 465 cape (*argentum*) atque serua Mᴇɴ 272 (*cf* 219 *infra sub* sportulam) cedo soleas mihi ut *arma* capiam Mo 384 cape* hoc tibi *aurum* Bᴀ 1059 #Non equidem accipiam. #Cape uero. #Non equidem capiam Bᴀ 1062 nec mihi adeost tantillum penis iam quo capiam *calceos* Tʀᴜ 765(*loc dub*) puere, cape *chlamydem* Mᴇʀ 912 capiam *coronam* mihi in caput Aᴍ 999 cape *cultrum* ac seca digitum Mᴇʀ 309 si hercle hodie *fustem* cepero . . Aᴜ 48 capio fustem, obtrunco gallum Aᴜ 469 caperes aut fustem aut lapidem Rᴜ 842 *linteum* cape atque exterge tibi manus Mo 267 iam *lora* in manus cepi meas Mᴇʀ 931 ibo intro, *ornatum* capiam(= induam) qui potis decet Aᴍ 1007(*v.* secl *MueU*) cape* tibi hanc (*pallam*) Mᴇɴ 202 cape hoc (*marsuppium*?) sis As 677, Pᴇʀ 437* pro lorica malacum capiam *pallium* Bᴀ 71 cape sis, puer, hoc pallium Mᴇʀ 922 *pignus* cepi, abii foras Pᴏᴇ 1285 . . ut ego caluos capiam* *pilleum* Aᴍ 462 *restim* tu tibi cape crassam ac te suspende Pᴇʀ 815 . . capias restim ac te suspendas Pᴏᴇ 396 cape* illas *scopas*. #Capiam* Sᴛ 351 capiam scopas atque hoc conuorram lubens Sᴛ 375 *securim* capiam* ancipitem Mᴇɴ 858 si *situlam* cepero* . . Aᴍ 671 cape igitur *speculum* Mo 265 *sportulam* cape atque argentum Mᴇɴ 219 cepi *stilum* propere et *tabellas* tu has tibi Bᴀ 728 cape (tabellas), signum nosce Cᴜ 423 cepi tabellas Mɪ 130 cape has tabellas Ps 20 tabulas quom cepit* sibi . . Ps 401 cape *tunicam* atque *zonam* Pᴇʀ 154 . . ubi ego capiam pro machaera *turturem* Bᴀ 68 capedum, hunc si potes fer intro *uidulum* Rᴜ 1177 cedo mihi *urnam*. #Cape Rᴜ 443 cape hanc urnam tibi Rᴜ 481 *zonam* Pᴇʀ 154(*supra sub* tunicam)

similiter: . . hominem . . quocum una cibum capere soleo Tʀɪ 906 cape modo uorsoriam Mᴇʀ 875 cape uorsoriam Tʀɪ 1026(*cf* Graupner, p. 22) equos iunctos iubes capere me indomitos Mᴇɴ 863

de cape *imper. cf* Sjögren, p. 100

2. *de hominibus* = bello capere: **a.** legiones Teloboarum in pugnando cepimus* Aᴍ 414 ille qui me cepit dat me huic dono militi Mɪ 120 ui pugnandoque dominum caperest certa res Mɪ 267

capitur, donatus illi captus militi Mɪ *Arg* II. 6
indaudiuit . . captum esse equitem Aleum CAP
31 captust in pugna Hegionis filius CAP
Arg 1 ut fit in bello capitur alter filius
CAP 25 illic est captus* in Alide CAP 94
captus est? #Ita CAP 262 ipsus (miles)
captust in mari Mɪ *Arg* I. 3 . . postquam
captus est Philopolemus tuos CAP 157(*v. secl
BosschaRs*ₛ) metuo . . ne . . capta praeda
capti praedones fuant Ps 1029

captus = captiuos: donatus illi captus militi Mɪ *Arg* II. 6 rogitat . . captane an surrupta sit POE 109 audiui . . illam esse
captam* EP 564 satin me illi hodie scelesti
capti* ceperunt dolo CAP 653 is reduxit
captum et fugitiuom simul CAP *Arg* 8 . . me
meum erum captum . . reducem fecisse . .
CAP 685 filius meus . . seruit captus Alide
CAP 330 postulauisti . . recens captum hominem imperium nouicium te perdocere CAP
718 hospes necauit hospitem captum manu
Mo 479 studens ut natum (captum *add BoL*)
recuperet CAP *Arg* 4 captusnest pater? #Non
captus sed quod habuit perdidit PER 644

b. *de rebus:* si id (*oppidum*) capso, geritote
amicis uostris aurum BA 712 cepi, expugnaui
. . erili filio aurum(*uelut* oppidum) ab suo patre BA 931(*v. secl KiesRg*ₛ*L*) nec magis id
ceperam oppidum BA 959 inde nunc aufugit
quoniam capitur oppidum POE 665 hoc ego
oppidum admoenire, ut hodie capiatur, uolo
Ps 384, 585(*v. secl RL*) capiunt praedones
nauem illam ubi uectus fui Mɪ 118 . . ne
capta *praeda* capti praedones fuant Ps 1029
. . uirtute de praedonibus praedam capere TRU
110 de praeda praedam capio(*i. e.* furo) TRU
567 captam praedam perdidi Vɪ 66 *Ilio
capto* BA 972 uno ictu extempulo cepi *spolia*
BA 969 nequis nostri spolia capiat* consili
Mɪ 599a, 599b(*v. om Aω*) credo . . capturum
spolia ibi eum qui . . TRI 724 . . ne ille
priusquam spolia capiat, hinc nos extinxit
fames TRU 524 . . milite, *urbes* uerbis qui
inermus capit BA 966 urbe capta per dolum
BA 1070 Chrysopolim Persae cepere urbem
in Arabia PER 506

c. *de animalibus:* ego uno in saltu lepide
apros capiam duos CAS 476 semel si captae
(*aues*) sunt, rem soluont aucupi As 219 nisi
quid *concharum* capsimus, cenati sumus profecto RU 304 in digitis hodie percoquam
quod ceperit RU 902 nunc te (illum *palumbem*) meliust capere si captum* esse uis POE
677 aduorsum legem meam . . *pecudem* cepit* TRU 144 neque quicquam captumst *piscium* RU 301 neque piscium ullam unciam
pondo hodie cepi RU 913 quos (pisces) quom
capio, si quidem cepi, mei sunt RU 972 . . dicant in mari communi captos RU 981 (*uidulus
piscis*) est . . uerum raro capitur RU 995
hunc . . (uidulum) cepi in uenatu meo RU 970
tu enumquam piscatorem uidisti . . uidulum
piscem cepisse? RU 988 hoc colore capiuntur
pauxilluli RU 997 ni istum (uidulum) cepi,
nulla causast quin me condones cruci RU 1070

d. *per dolum, astutiam capere:* lepide ipsi
hi sunt capti* suis qui filiis fecere insidias BA
1206 . . ne quis propter culpam capiatur
suam CAP 803 satin me illi hodie scelesti
capti ceperunt dolo? CAP 653 saepe is cautor
captus est CAP 256 iam ipse cautor captust
EP 359 capitur ille (miles) Mɪ *Arg* II. 14 perfidiose captus edepol neruo ceruices probat FR
II. 17(*ex Fest* 165):

e. =*conuincere:* tu si me inpudicitiae captas
capere non potes AM 821

f. *translate:* amore captus Alcumenas Iuppiter . . AM *Arg* II. 1 natum spondet adulescentulo amore capto illius proiecticiae Cɪ
Arg 8 redimit ancillam hospitis amore captus
MER *Arg* II. 3 ui Veneris uinctus, otio
captus* in fraudem incidi TRI 658(*PL*)

B. *translate* 1.=obtinere: vix credo auctione
tota capiet †quinquagesis aes MEN 1161(*A*ₛ
vide ψ) populi . . honorem capiebat* suffragio
BA 438 nota mala res optumast. nam ego
. . si ignotam (*de uxore dicit*) capiam, quid
agam nesciam TRI 63

2. = assumere: formam cepi huius in med
et statum AM 266 *similiter:* cape sis uirtutem
animo TRI 650 hancine ego partem capio
ob pietatem praecipuam RU 189 . . quasi
uero corpori reliqueris tuo potestatem coloris
ulli capiendi* TRU 293

3. =incidere in: uolo me eleutheria(*A* -am
PU) capere(agere *R*) aduenientiem domum
ST 422 . . si occasionem capsit* Ps 1022

4. *sequuntur uaria substantiua:* capimus
consilium continuo BA 300 nec quid corde
nunc consili capere possim MER 346 . . aliquid capiam consili MER 660 capio consilium
ut . . Mo 1049 hoc primum agamus quod
consilium cepimus POE 193 hoc consilium
capio ut . . POE 1099 capti consili memorem
mones ST 578 uide quid es capturus* consili ST 632(*PLU* uide, nunc consilio caro[capto
Rg] opust *ARg*ₛ: *vide R*) hi loci sunt . . ut
oculis rationem capio Ps 596 *similiter:*
**captum sit collegium MEN 165(*i. e.* con-
sultum)

hinc exemplum capere uolt nisi tu neuis
Mo 762 inde mihi principium capiam ex ea
tragoedia POE 72 nunc tibimet illuc naui
capiundumst iter BA 325

neque lex neque sutor capere est qui possit
modum AU 488 tua gnata peperit decumo
mense pose: numerum cape AU 798

5. =eligere, deligere *aliquando addito altero
accusatiuo:* quam capiam ciuitatem cogito
potissumum MER 645 quin uos capitis condicionem ex pessuma primariam? ST 138 utram
tibi lubet etiam nunc capere, cape* prouinciam
ST 698

. . arbitrom aequom ceperim* TRU 629 cape
cum eo una iudicem: sed eum uideto ut capias
qui credat mihi Mo 549c(*v. secl Acω*), 557

Blepharo captus arbiter AM *Arg* II. 7 de
istac sum iudex captus MER 735

similiter: Alcmenam uxorem cepit usurariam
AM *Arg* I. 3 . . ut is in cauea pignus capiantur togae AM 68

6. = accipere, pati *vel bona vel mala:* usuram eius corporis cepit* sibi AM 108(*v. om J*)
Alcumenae usuram corporis cepi AM 1136

rogitant noctu ut somnum ceperim* Mɪ 709 lectus dabitur ubi tu hau somnum capias Ps 216 . . usque satietatem dum capiet pater illius quam amat Aᴍ 472 cum illa quacum uolt uoluptatem capit Aᴍ 114(*v. om J*) ca-piunt uoluptates, capiunt rursum miserias Aᴍ 939

hancine ego partem capio ob pietatem prae-cipuam Rᴜ 189 plus aegri ex abitu uiri quam ex aduentu uoluptatis cepi Aᴍ 641 . . ubi pro disco damnum capiam, pro cur-sura dedecus Bᴀ 67 suapte culpa damnum (*RRg* genere *PS*† *var em ω*) capiunt Mᴇʀ 970 quantum corde capio dolorem Tʀᴜ 455 . . ne laborem capias Mᴇʀ 146 illa puerum me gestauit paruolum, quo minus laboris cepisse* illam existumo Sᴛ 162 animo labor grandis capitur Tʀɪ 271 laborem eum ego cepisse censeo Tʀɪ 1114(*v. om U*) capiunt rursum mi-serias Aᴍ 939 satis cepissem* miseriarum e liberis Mɪ 718

ducite, ubi ponderosas capiat compedes Cᴀᴘ 722 compedes te capere oportet Cɪ 244 ubi captumst flagrum . . quanta adficitur miseria Pᴇʀ 362

ob istuc omen . . capies quod te condecet Aᴍ 722

C. *technice:* 1. quom citentur, census capiat* ilico Mᴇɴ 454

2. *de crinibus:* soli gerundum censeo mo-rem et capiundas* crines Mo 226(*cf* Inowra-clawer, p. 40)

3. *proprie de mensura:* haec paruast (aula); capere non quit Aᴜ 391 (anus) modicast, ca-pit quadrantal Cᴜ 103(*post* 109 *trai. AcLU*) tene cruminam: huc inde, capit* Eᴘ 632(*U*)

D. *variae locutiones; dat. ethicus:* mihi Aᴍ 999; tibi Bᴀ 728, 1059, Mᴇɴ 202, Pᴇʀ 815; sibi Aᴍ 108, Ps 401 *abl. modi:* dolo Cᴀᴘ 653 suffragio Bᴀ 438 uno ictu Bᴀ 969 uerbis Bᴀ 966 uirtute Tʀɪ 110 ui pugnando Mɪ 267 *abl. instrumenti:* amore Aᴍ *Arg* II. 1, Cɪ *Arg* 8, Mᴇʀ *Arg* II. 3 otio Tʀɪ 658(*PL*) *abl. localis:* animo Tʀɪ 271, 650 corde Mᴇʀ 346, Tʀɪ 455 naui Bᴀ 325 *adverbia:* hinc Mo 762 inde Pᴏᴇ 2

praepp.: de praedonibus Tʀɪ 110 ex abitu, aduentu Aᴍ 641 cum illa Aᴍ 114 una cum Mo 549 c, 557, Tʀɪ 906 in cauea Aᴍ 68 in mari Mɪ *Arg* I. 3, Rᴜ 981 in pugna Cᴀᴘ *Arg* I in uno saltu Cᴀs 476 in uenatu meo Rᴜ 970 in caput Aᴍ 999 in manus meas Mᴇʀ 931 in med Aᴍ 266 per dolum Bᴀ 1070

CAPITAL - - I. Forma capitale Mo 475 (-le scelus *S duce BergkRsL* -li scedis *P* -lis caedis *V* scelus *om R*) **capitalem** Pᴏᴇ 879 (*masc.*), Mɪ 294(*fem.*) **capital**(*neut.*) Mᴇɴ 92 (-le *B²*), Mᴇʀ 611 **capitali** Mᴇʀ 183(-lia *B*), Rᴜ 349, Sᴛ 502(-ti *A*), Tʀɪ 1088

II. Significatio (*cf* Gimm, p. 15) 1. *ad-iective:* a. tuis nunc cruribus capitique *frau-dem* capitalem hinc creas Mɪ 294 capitali ex *periculo* orbas . . recepit ad se Veneria haec sacerdos Rᴜ 349 capitali periclo per prae-dones plurumas me seruaui Tʀɪ 1088 nugare in *re* capitali* mea Mᴇʀ 183 ego auspicaui

in re capitali* mea Sᴛ 502 capitale* *scelus* factumst Mo 475(*vide ω*)

b. scin tu erum tuom meo esse inimicum capitalem? Pᴏᴇ 879

2. *substantive:* capital facies Mᴇʀ 611 tam etsi capital* feceris Mᴇɴ 92

CAPITO - - neque eis cognomentum erat duris **capitonibus** Pᴇʀ 60(*cf* Dousa, p. 456)

CAPITOLIUM - - locus non praeberi potis est in **Capitolio** Cᴜ 269 ego si te surru-puisse suspicer Ioui coronam de capite ex Capitolio . . Tʀɪ 84(*cf* Vissering, I. p. 73)

CAPITULUM - - scibam huic te **capitulo** (*i. e.* homini) hodie facturum satis pro iniuria As 496 operto capitulo(captulo *VE*) calidum bibunt Cᴜ 293 *Cf* Ryhiner, p. 25

CAPPADOCIA - - quid in **Cappadocia**(*A* capa. *BD* -tia *P*)? Mɪ 52(*cf* Koenig, p. 6)

CAPPADOX - - *leno* Cᴜ 233(capa. *B*) **Cap-padocem** Cᴜ 342(cap. *B*) *Cf* Schmidt, p. 81

CAPPARIS - - uoltisne oliuas pulpamentum **capparim**(*Sca* capa. *P*)? Cᴜ 90

CAPRA - - I. Forma capra Mᴇʀ 240, 268 **caprae**(*gen.*) Mᴇʀ 236 **capram** Mᴇʀ 229, 230, 238, 246, 250, 253 *corrupta:* Mᴇʀ 236, caprã *add B* Mo 41, canem caprã(capra n *B¹*)*P quod var em ω*

II. Significatio 1. mihi illud uideri mirum ut una illaec capra uxoris simiai dotem am-bederit Mᴇʀ 240 haec illast capra Mᴇʀ 268

2. ait . . aduentu caprae flagitium . . fe-cisse Mᴇʀ 236

3. infit mihi praedicare sese ab simia capram abduxisse Mᴇʀ 250 uisus sum . . non habere quoi commendarem capram Mᴇʀ 246 . . ei ne noceret quam domi ante habui capram Mᴇʀ 230 capram illam suspicor iam me in-uenisse Mᴇʀ 253 mercari uisus mihi sum formosam capram Mᴇʀ 229

dicit capram quam dederam seruandam sibi suae uxoris dotem ambedisse Mᴇʀ 238

CAPREAGINUS - - qui uarie ualent **ca-preaginum**(*AB¹J* caprig. *B²Rg*) hominum non placet mihi . . genus Eᴘ 18 *Cf* Wortmann, p. 5

CAPTIO - - I. Forma captio Eᴘ 297, 701 (capitio *V*), Mo 1144, Tʀᴜ 627 **captionis** Mo 922 (*GepRsS* -ni *PRLU*) **captiones**(*acc.*) As 790

II. Significatio 1. = deceptio,dolus: captiost Tʀᴜ 627 em istaec captiost* Eᴘ 701 enim istic captiost Mo 1144 nihil in ea re captiost Eᴘ 297

scio, captiones metuis As 790

2. = iniuria: at enim ne quid captionis* mihi sit si dederim tibi Mo 922

CAPTIVOS - - I. Forma captiuos Cᴀᴘ 116(-us *P*) **captiuom**(*acc.*) Cᴀᴘ 29(-uum *J*), 169(-uum *E*), 880(-uum *P*), 1016(-uum *P*) **captiuam** Eᴘ 43, 107 **captiui** Cᴀᴘ 510 **capti-uorum** Eᴘ 210 **captiuis**(*dat.*) Cᴀᴘ 752(-uus *J*) **captiuos** Cᴀᴘ *Arg* 3(-teiuos *AngelRs*), Cᴀᴘ 1, 27, 100, 110, 126, 458(-tuos *E*), Mᴇɴ 79 *corruptum:* Eᴘ 564, captiuam *B pro* captam

II. Significatio *et adiective et substantive* (*cf* Wueseke, p. 15) 1. *nom.:* liber captiuos

auis ferae consimilis est Cap 116 eo protinus ad fratrem . . mei ubi sunt alii captiui Cap 510
2. *gen.*: captiuorum quid ducunt secum Ep 210
3. *dat.*: ego illis captiuis* aliis documentum dabo Cap 752
4. *acc.*: eccum hic captiuom adulescentem intus Aleum Cap 169 *adduxtin* illum huius filium captiuom? Cap 1016 pater captiuos *commercatur* Aleos Cap *Arg* 3 coepit captiuos commercari hic Aleos Cap 27 homines captiuos commercatur Cap 100 istos captiuos duos heri quos *emi* de praeda Cap 110 captiuos* alios *inuiso* meos Cap 458 forma lepida et liberali captiuam adulescentulam de praeda *mercatust* Ep 43 captiuam genere prognatam bono de praeda's mercatus Ep 107 . . qui *mutet* suom . . illum captiuom Cap 29 ego *uidi* . . captiuom illum Alidensem Cap 880 homines captiuos qui catenis *uinciunt* . . nimio stulte faciunt Men 79
hos quos uidetis stare hic captiuos duos . . Cap 1
ego ibo ad fratrem ad alios captiuos meos Cap 126

CAPTO - - I. Forma captas Am 422(-tus *D*), 795, 821, Mer 648(*GuyRRg* coeptas *Pψ*), Poe 709, Tri 74(*v. secl ω*) **captat** Men 646(*Ca* capiat *P*), Ps 1251(capitat *C*) **captamus** Ru 297(agitamus *Rs*), 300 **captabant** Ep 215 **captauero** Cas 966 **captandus** Cas 444 **captandum** As 358, Mo 1069 **captatum**(*sup.*) Poe 765, 1033 *corruptum:* Mi 599a, captat *A pro* capiat

II. Significatio A. *proprie* balanos captamus*, conchas Ru 297 cibum captamus e mari Ru 300 *similiter:* obuiam ornatae occurrebant suis quaeque amatoribus: eos captabant Ep 215
heus tu, qui furem captas, egredere ocius Poe 709 captatum me aduenis cum testibus Poe 765 qui huc aduenisti nos captatum Poe 1033
addito gen. criminis: tu si me inpudicitiae captas capere non potes Am 821(*cf* Blomquist, p. 102; Schaaff, p. 43)
B. *translate?* 1. quid nunc consili captandum censes? As 358 cur istuc captas* consilium Mer 648 captandust horum clanculum sermo mihi Cas 444
neque eos antiquos (mores) seruas, ast captas nouos Tri 74(*v. secl ω*)
ego tecum aequom arbitrum extra considium captauero Cas 966
2. quid me captas*, carnufex? Am 422 me captas Am 795 uiden ut te scelestus captat*? Men 646 *similiter:* pedes (uinum) captat* primum Ps 1251
3. *fortasse e ludo gladiatorio:* docte atque astu mihi captandumst cum illo Mo 1069

CAPUA - - eamque euenturam exagogam **Capuam** saluam et sospitem Ru 631(*cf* Koenig, p. 2)

CAPULARIS - - tam tibi ego uideor oppido Acherunticus? tam **capularis**(co. *B*)? Mi 628

CAPULUS - - ut osculatur carnufex, **capuli** (capilli *E¹J*) decus As 892(*cf* Egli, III. p. 35;

Graupner, p. 6) dum gladium quaero . . *arripio**capulum Cas 909 *corruptum:* Tru 793, ut est capulis *P pro* tute(uerbo *L*) scapulis(*Ca*)

CAPUT - - I. Forma caput Am 1059(-ud *E*), As 728(-ud *DE*), 729(-ud *E*), Au 425(-ud *D*), 426(-ud *D*), Ba 829, 1193(-ud *D*), Cap 614, Cu 234(-ud *E¹*), Ep 95, Mer 591, Mi 494(-ud *B¹D*), 725, Mo 201(-ud *CD¹*), Per 184, 801, Ps 132(-ud *C*), 220, 446, 723(-ud *B*), Ru 1098, 1099, Tru 632 **capitis** As 132, Ba 490, Mi 371, Ps 1232, Tri 874, 962, Fr II. 8(*ex Paul* 62) **capiti** Am 741, Cap 597, Cas 337, Cu 314, Men 513, 841, Mi 294, 326, Mo 1002, Poe 645, Ps 175(*FZ* -tis *P*), Ru 375, 885, Tru 819 **caput** Am 999(-ud *DE*), *fr* III(*ex Non* 543), IV(*ex Non* 543), As 539(-ud *DEJ*), Au 440(-und *BD*), 454, Ba 30(*ex Non* 334), 441, Cap 89(-ud *BE*), 230(-ud *DE*), 687(-ud *E*), 946(-ud *E*), Cas 237, 642(-ud *E*), Cu 360(-ud *E¹*), Ep 369, Men 304, Mer 153(-ud *B*), 537, 600(-ud *D*), Mo 266, 382, 523(-ud *D¹*), Poe 292, 294, 343(caput et corpus *P* palpas et lallas *A* caput tu *U* †*L*), 494, Ps 1054(-ud *D*), Ru 510, 625, 731, 1118, 1346, St 751, Tru 726(cap *C*), 940(cap *BC*), 1169, Tru 525, Fr I. 115(*ex Non* 334) **capite** Am 462, 1094, As 403, 934, Au 700, Ba 1101, Cap 229, 475(*v. om D*), 476(*v. om D*), Cas 391, 518, Cu 282, 287, 288, 389, Men 1014, Mer 305, Mi 207, 792, 851, Mo 211(capte *C v. secl Ladewig*$), 242, 300, 424, 1110(capite emunxti *Pius* -te munxit *B* -tē uxti *C* -tem uncxi *D*), 1148, Per 36, Poe 24, 519, Ps 225, 1219, Ru 765, 929, 1303, Tri 84, 851(capite se *A* caput esse *B* capite *CD*) **capita**(*acc.*) Am 1109, Mer 609, Mi 1334, Poe 744, Tru 790 **capitibus** Ba 305, 1208 *corrupta:* Ba 1206, capiti *C* captis *D¹ pro* capti Cap 653, capiti *B¹J pro* capti Ep 701, capiti ost *B pro* captiost Men 1161, caput *C pro* capiet Mi 964, nequeas capiti uti *B pro* nequeas quae capiunt tui

II. Significatio (*cf* Keseberg, p. 6; Schuster, p. 9; Siewert, p. 32) I. *proprie* A. *de homine* 1. *nom.*: ni ex oculis lacrumae defendant, iam *ardeat*, credo, caput Mer 591 extingue ignem, si cor uritur, caput ne *ardescat* Per 801 si canum seu (caput) rutilum siue *atrumst*, amo Mer 306 . . ubi aetate hoc caput colorum *commutauit* Mo 201 mihi de uento misere *condoluit* caput Tru 632 caput *dolet* neque audio . . satis Am 1059 Tru 525(*infra* 4 *sub* tollo) num quoipiamst hodie tua tuorum opera conseruorum *nitidiusculum* caput? Ps 220 caput *prurit:* perii Ba 1193 at hercle cum magno malo tuo si hoc caput *sentit.* #Pol ego haud scio quid post fuat: tuom nunc caput sentit Au 426
similiter: plane hoc corruptumst caput Ep 95(*i. e.* cerebrum)
2. *gen.*: quaero . . alterum ad istanc capitis albitudinem Tri 874 stultus est aduorsum aetatem et capitis canitudinem Fr II. 8(*ex Paul* 62)
3. *dat.*: tuis nunc cruribus capitique fraudem capitalem hinc creas Mi 294 pix atra . . tuo capiti inluceat Cap 597 quis mihi subueniet tergo aut capiti aut cruribus? Cas 337

4. *acc.*: si praeterhac unum uerbum faxis hodie, ego tibi *comminuam* caput Ru 1118(*cf* Egli, I. p. 31) *contine,* quaeso, caput Ru 510 quando illi(*Bo* apud me *add P*S) mecum caput* et corpus *copulas* Poe 343 caput *deponit,* condormiscit Cu 360 hic deposiuit caput et dormit Mo 382 cesso caput pallio *detergere?* Cas 237 colaphis . . tuom iam *dilidam* caput Poe 494 nihil est qui illic homini *dimminuam* caput Men 304(*cf* Egli, I. p. 31) nimis uelim lapidem qui ego illi speculo dimminuam caput Mo 266 extemplo puer paedagogo tabula *dirrumpit* caput Ba 441 ni ei caput *exoculassitis* . . ego uirgis circumuinciam Ru 731 continuo *extollunt* ambo (angues) capita Am 1109 ad focum si adesses non fissile *haberes(P*S†*U* auferres *RgL)* caput Au 440 *impleuisti* fusti fissorum caput Au 454 . . nec cum quiquam *limares* caput Ba 30(*ex Non* 334) . . neuter stupri causa caput limaret Mer 537 cum illac numquam limaui caput Poe 292 limum petam. #Quid eo opust? #Ut illi et tibi limem caput Poe 294(*cum lusu verborum)* pater tuos numquam cum illa etiam limauit caput Fr I. 115(*ex Non* 334) capita inter se nimis *nexa* hisce habent Mi 1334 fuge, *operi* caput Mo 523 . . si uoles operire capita Poe 744(*loc dub)* pectus auris caput teque di *perduint* Cas 642(*cf infra* II. 1) *quassat* caput Mer 600 quid quassas caput? Tri 1169 nequeo caput *tollere:* ita dolet Tru 525

capiam coronam mihi in caput Am 999 infringatur aula cineris in caput Am *fr* III(*ex Non* 543) ne tu postules matulam . . aquae infundi in caput Am *fr* IV(*ex Non* 543) . . nisi qui colaphos perpeti potis parasitus frangique aulas in caput Cap 89 egomet autem quom . . sumpsero cassidem in caput . . Tri 726

5. *abl.*: **a.** ipsi de foro tam *aperto* capite ad lenones eunt quam in tribu aperto capite sontes condemnant reos Cap 475(*v. om D)* sapere istac aetate oportet qui sis capite *candido* Mo 1148 *cano* capite te cuculum uxor ex lustris rapit As 934 cano capite atque alba barba miserum me auro esse emunctum! Ba 1101 non hodie hoc tantum flagitium facerent canis capitibus Ba 1208 'cano capite, aetate aliena' Cas 518 tun cano capite amas? Mer 305 ex matronarum modo capite *compto* . . Mi 792 rufus quidam, . . *magno* capite, acutis oculis Ps 1219 . . capite *obuoluto* ut fugiat cum summo metu Mo 424 inuocat deos . . manibus puris capite *operto* Am 1094 isti Graeci palliati capite operto qui ambulant . . Cu 288 quis hic est qui operto capite Aesculapium salutat Cu 389 *quassanti* capite incedit As 403 subducunt lembum capitibus cassantibus Ba 305 . . ut ego hodie *raso* capite caluos capiam pilleum Am 462

b. eccere autem capite nutat Mi 207 . . ne quem in cursu capite aut cubito aut pectore offendam aut genu Cu 282 nec demarchus . . quin capite sistat Cu 287 capite* se totum tegit Tri 851

c. di te ament cum inraso capite Ru 1303

ego si te surrupuisse suspicer Ioui coronam de capite ex capitolio . . Tri 84 . . tu ut oculos emungare ex capite per nasum tuos Cas 391 cerebrum quoque omne e capite* emunxti meo Mo 1110 face ut oculi locus in capite appareat Men 1014 ego dabo ignem si quidem in capite tuo conflandi copiast Ru 765

B. *de rebus:* hoc illi crebro capite sistebant cadi Mi 851 quo inde isti porro? #Ad caput amnis qui de caelo exoritur Tri 940

ego caput huic argento fui hodie reperiundo. #Ego pes fui. #Quin nec caput nec pes sermoni apparet As 728(*cf* Egli, I. p. 16; Herkenrath, p. 69; Inowraclawer, p. 21; Krause, p. 33) garriet quoi neque pes neque caput compareat Cap 614

quicquid est, ad capita rerum perueni Mer 609 capita rerum expedito Tru 790

II. *translate (cf* Egli, I. p. 31; Graupner, p. 3) 1. *pro pronomine personali* **a.** *nom.*: cum magno malo tuo si hoc caput sentit Au 425(*vide supra* I. A. 1) liberam hodie tuam amicam amplexabere . . si quidem hoc uiuet caput Ps 723

similiter: o lepidum caput Mi 725 uerbereum caput Per 184 ipse egreditur intus periuri caput Ps 132 periuri caput! Ru 1099 dic, scelerum caput Ba 829 o scelerum caput, salueto Cu 234 tun Sceledre hic, scelerum caput Mi 494 hic mihi corrumpit filium, scelerum caput Ps 446 scelerum caput! Ru 1098

b. *dat.*: uae capiti tuo Am 741, Cu 314, Men 513, 841, Mi 326, Mo 1002 uae capiti atque aetati tuae Ru 375 ei Mars iratust. #Capiti uostro istuc quidem Poe 645 di te infelicent. #Isti capiti dicito Ru 885 nunc ego scibo atque hodie experiar, quae capiti*, quae uentri operam det Ps 175

c. *acc.*: meum caput comtemples, si quidem ex re consultas tua As 539 propter meum caput labores homini euenisse optumo! Cap 946 ibi leno sceleratum caput suom imprudens alligabit Ep 369 liberum caput tibi faciam cis paucos annos Mer 153 ferte suppetias qui Veneri . . in custodelam suom commiserunt caput Ru 625 . . ut te . . Venus eradicet caput atque aetatem tuam Ru 1346 fugit hoc libertas caput St 751

iube nunc uenire Pseudolum, scelerum caput Ps 1054

d. *abl.*: id pro capite* tuo quod dedit perdiderit tantum argenti Mo 211(*v. secl Ladewig*S) pro illius capite quod dedi numquam aeque id bene locassem Mo 242 triginta minas pro capite tuo dedi Mo 300 . . nummos sescentos quos pro capite illius perdam Per 36 . . uel aes pro capite dent Poe 24 quom argentum pro capite dedimus, nostrum dedimus, non tuom Poe 519 pro capite argentum mihi iam iamque semper numeras Ps 225 pauxillatim pollicitabor pro capite argentum ut sim liber Ru 929

e. = *uita vel simile:* capitis te perdam ego et filiam As 132 egone ut illam mulierem capitis non perdam? Ba 490 . . cum hoc insano fabuler, quem pol ego capitis perdam

Mɪ 371   quoi si capitis res sit, nummum numquam credam plumbeum Tʀɪ 962   Pseudolus mihi centuriati habuit capitis comitia Ps 1232(cf Inowraclawer, p. 81)   meo illic nunc sunt capiti comitia Tʀᴜ 819   tu nunc uides pro tuo caro capite carum offerre me meum caput uilitati Cᴀᴘ 229   . . meumque potius me caput periculo praeoptauisse quam is periret ponere Cᴀᴘ 687   ibo intro ubi de capite meo sunt comitia Aᴜ 700   Cf Blomquist, p. 104

III. app. adiectiva, sim.: apertum Cᴀᴘ475, 476 atrum Mᴇʀ 306   candidum Mo 1148   canum As 934, Bᴀ 1101, 1208, Cᴀs 518, Mᴇʀ 305, 306 carum Cᴀᴘ 229, 230   comptum Mɪ 792   inrasum Rᴜ 1303(semirasum U)   magnum Ps 1219   nitidiusculum Ps 220   obuolutum Mo 424   opertum Aᴍ 1094, Cᴜ 288, 389   quassans As 403, Bᴀ 305   rasum Aᴍ 462   rutilum Mᴇʀ 306   uerbereum Pᴇʀ 184   caput atque aetas Rᴜ 375, 1346

CARBO - - ut fortunati sunt fabri ferrarii qui apud **carbones** adsident Rᴜ 532   opust ligno opust **carbonibus** Tʀᴜ 904   translate: impleantur elegiorum meae fores carbonibus Mᴇʀ 409

CARBONARIUS - - ego remittam ad te uirum cum furca in urbem tamquam **carbonarium** Cᴀs 438

CARBUNCULUS - - quom istaec sciet facta ita, amburet ei misero corculum **carbunculus** Mo 986 Cf Ryhiner, p. 29

CARCER - - I. **Forma**   **carceris** As 297 **carcerem** Aᴍ 155, Mᴇɴ 942, Pᴏᴇ 692, 1409, Ps 1172(cf Serv in Aen I. 140), Rᴜ 715, 716, Sᴛ 621, 624   **carcere** Cɪ 275, Cᴜ 692, Pᴇʀ 289, Rᴜ 498(-are CD¹)   **carceres**(acc.) As 550(J -ris BDE -rem Non 144)

II. **Significatio** 1. gen.: quid agis custos carceris? As 297(contumeliose)

2. acc.: . . si tresuiri me in carcerem compegerint Aᴍ 155   ob eam rem in carcerem ted esse conpactum scio Mᴇɴ 942   leno, . . conpingare in carcerem Pᴏᴇ 1409   in carcerem conpingi est aequom Rᴜ 715   . . adueniens irem in carcerem recta uia Pᴏᴇ 692   dixi equidem in carcerem iter Sᴛ 624   ueni. #Hucine? #Immo in carcerem Sᴛ 621   . . donec totum carcerem contriueris Rᴜ 716 an etiam ille umquam expugnauit carcerem? Ps 1172(nisi forte carcerem aliquando effregistis Serv in Aen I. 140)

aduorsum . . catenas carceres* . . As 550

3. abl.: . . conclusos uos me habere in carcere Cɪ 275   ego uos (faciam) ambo in robusto carcere ut pereatis Cᴜ 692   utinam uades desint in carcere ut sis Pᴇʀ 289   utinam . . in carcere* illo potius cubuissem die Rᴜ 498

CARCERARIUS - - aegrest mihi hunc facere quaestum **carcerarium** Cᴀᴘ 129

CARCHEDONIUS - - **Carchedonius** uocatur haec comoedia Pᴏᴇ 53

CARDO - - num muttit **cardo**? est lepidus Cᴜ 94   pol haud periclumst **cardines** ne foribus effrangantur As 388   prohibe . . crepitum **cardinum**(EJ cardium B) Cᴜ 158   paene

effregisti . . foribus **cardines** Aᴍ 1026 Cf Goldmann, I. p. 22

CAREO - - I. **Forma**   **careo** Bᴀ 1005, Cᴜ 136, Mo 500(B²D² hareo P)   **caret** Cᴀᴘ 357, Pᴏᴇ 820, Rᴜ 36, Tʀᴜ 833   **carent** Mᴇɴ 983 (culpa c. P sed culparent B¹), Mo 858(AD³ carint P)   **carebo** Cɪ 533, 633   **carebis** Mɪ 368(-uis B¹), 1426(c. testibus A arebo cestibus P separabo a t. R)   **carui** Pᴏᴇ 1189   **caruit** Cᴜ 17, Sᴛ 2 b   **careat** As 802, Mɪ 1033   **carere** As 535   **caruisse** Tʀɪ 1129   **carens** Cᴀᴘ 925 (carendum AcRsU)   **carendum** As 595, Cᴀᴘ 925(AcRsU carens Pψ), Mɪ 1210

II. **Significatio** (cf Langen, Beitr. p. 228; Blomquist, p. 19)   1. = non habere: **a.** hoc quidem haud molestumst iam quod collus collari caret Cᴀᴘ 357   patiar si cibo carere me iubes As 535   si bibit siue adeo caret temeto, tamen ab ingenio improbust Tʀᴜ 833

serui qui quom culpa carent* metuont . . Mᴇɴ 983(v. secl Hermω) serui qui quom culpa carent* tamen malum metuont . . Mo 858   non uideor meruisse laudem, culpa caruisse arbitror Tʀɪ 1129   suspectus sum, quom careo noxia Bᴀ 1005

per inversionem: caruitne febris te heri? Cᴜ 17

seq. pro ablativo acc. pronominis: id quod amo careo Cᴜ 136   similiter: quod amat caret Pᴏᴇ 820

b. de personis: adhuc te carens dum fui (dum te carendum hic fuit AcRsU) sustentabam Cᴀᴘ 925(loc dub)   quamquam inuita te carebo . . Cɪ 633   . . illam miseram cruciari . . quia tis egeat, quia te careat Mɪ 1033 . . ut quibus annos multos carui Pᴏᴇ 1189 tam diu uidua uiro suo caruit Sᴛ 2 b

aliquando haud multum interest inter hoc caput et sequens

2. = priuari: (uidi) his quidem hercle oculis. #Carebis* credo Mɪ 368   neque is adeo propter malitiam patria caret Rᴜ 36   si posthac prehendero ego te hic carebis* testibus Mɪ1426 haec multa ei esto, uino uiginti dies ut careat As 802   me Acheruntem recipere Orcus noluit quia praemature uita careo* Mo 500

acerbum funus filiae faciet si te carendumst As 595   istuc mihi acerbumst quia ero te carendumst optumo Mɪ 1210   perdam operam potius quam carebo filia Cɪ 533

CAR - - Persas, . . Arabes, **Caras**(-es E¹L), Cretanos . . subegit solus Cᴜ 443

CARIA - - oppidum cf Goerbig, p. 41; Koenig, p. 7; Hueffner, De Pl. exemplis att. p. 188; Soltau, Curc. Plaut. . . . interpretatio, p. 27

inveniun!ur acc. et abl. soli: **Cariam** sequitur it Cᴜ Arg 1(in add PyRg)   misi Cᴜ 206 ueniam Cᴜ 339   in: Cᴜ 67(misi), 275(missust: in om Rg chariam P), 329(perueni), 438(uenimus in PLS† u. enim U aduenimus Rg)   **Cariā** sequitur rediit Cᴜ 225

CARINA - - bene lineatam si semel **carinam** conlocauit, facile esse nauem facere ubi fundata constitutast(f. c. om RRgS). Nunc haec **carina** satis probe fundata et bene statutast Mɪ 916

CARINARIUS - - (stant) flammarii, uiolarii, **carinarii**(cariari[-ii] *Non* 541, 549) Au 510 (*vide* ω)

CARINUM - - nomina noua . . **carinum**(*A* garinum *P*) aut cerinum Ep 233(*loc dub*)

CARIO - - *coquos* Mi 1397, 1427(*A ut vid* carios *P*) *Cf* Schmidt, p. 181

CARNARIUM - - adueniens totum deturbauit cum carne **carnarium** Cap 914   ego te distringam ad carnarium Ps 200   sumen sueris, glandium. #In **carnario** fortasse dicis Cu 324 nisi **carnaria** tria grauida tegoribus onere uberi hodie mihi erunt . . Ps 198

CARNUFEX - - **I. Forma carnufex**(*nom. et voc.*) Am 376(-i- *BDEL*), 422(-i- *BE*), 518 (-i- *BE* carnifices *J*), 588(-i- *BDEL*), As 482 (-i- *BEJ*), 697(-i- *B*), 892(-i- *Non* 4), Ba 785, 876, Mer 618(*A ut vid D* -i- fexa *B* fexa *C*), Mo 1114(-i- *PSLU*), Per 547(-i- *A*), 747(-i- *B*), Ps 707(-i- *B*), Ps 950(-i- *PRLU* cum carnufice *Rg*), Ru 882   **carnificis** Ci 384(*ex Non* 190) **carnufici** Poe 1302(-i- *ACD*), Ru 778(-i- *P*) **carnuficem** Ba 688(-i- *D*), Cap 597(-i- *PL*), 1019(-i- *BEL*), Poe 369(-i- *PSL*), Ru 322(-i- *PSLU*), 857(-i- *PSL*) **carnufice** Ps 950(*Rg* carnifex *Pψ*) **carnuficum** As 311(-i- *BDEL*) **carnificium** Mo 55 (*Py* -cum *P* -i- *P*) **carnifices** Mo 57(*ins L om PS*† aliter *em* ω)

II. Significatio (*cf* Hoffmann, *Schimpfwörter* p. 21; Siewert, p. 24) A. *proprie* 1. *nom.*: nisi effecero, cruciabiliter carnifex* me accipito Ps 950(cum carnifice *Rg*) te forabunt . . stimulus carnufices* Mo 57 (*L*)

2. *gen.*: . . quae quasi carnificis angiporta purgitans Ci 384(*ex Non* 190) omnes de nobis carnuficum concelebrabuntur dies As 311

3. *dat.*: ego illunc excruciandum totum carnufici dabo Poe 1302   promisimus carnufici aut talentum magnum aut hunc hodie sistere Ru 778

4. *acc. post* **ad**: eum quidem ad carnificemst aequius quam ad Venerem commeare Ru 322 hunc . . ob furtum ad carnuficem dabo Cap 1019(*cf supra* 3) ubi me aspiciet, ad carnuficem rapiet continuo senex Ba 688   ego illum iubeo . . ad carnificem rapi Poe 369 . . qui hinc ad carnificem (†S) traderent Ru 857

apud: te . . pix atra agitet apud carnuficem Cap 597

B. *epitheton contumeliosum* 1. *nom.*: ut contemptim carnufex! Per 547(*sc loquitur?*)   ut osculatur carnufex, capuli decus! As 892   ut paratragoedat carnufex! Ps 707   ut subblanditur carnufex! Ba 876

2. *voc.*: carnufex! Am 376, 422, 518*, 588, As 482(*v. secl Uω*), 697, Ba 785, Mer 618*, Mo 1114, Per 747, Ru 882   *solet addi interrogationi indignantis, raro aliter*

3. *similiter*: o carnuficium* cribrum, quod credo fore Mo 55

CARNUFICINA - - uel **carnuficinam**(carui. *J* -i- *PLU*) hunc facere possum perpeti Cap 132   credo ego amorem primum apud homines carnificinam(-u- *RsU*) commentum Ci 203

CARO - - *substantivum*: catulinam **carnem** esitauisse Romanos Fr I. 111(*ex Paul* 45) to-

tum deturbauit cum **carne**(*P* -ni *BoRsU*) carnarium Cap 914

CARO - - *verbum:* una opera . . inter ancillas (uiros) sedere iubeas, lanam **carere**(*Z ex Varr l L* VII. 54 carpere *P*) Men 797

CARPO - - Men 797 carpere *P pro* carere (*Z ex Varr l L* VII. 54)

CARTHAGINIENSIS - - **I. Forma carthaginiensis**(*nom.*) Poe 1124(cha. *D* carthagn. *B*) (*gen.*) Poe 997(-ses *BD* -nenses *C*) **carthaginiensi** Poe 84(-nensi *CD*) **carthaginienses** Poe 59(-gunenses *D*¹), 1377(-sis [*P*]) **carthaginiensis** Poe 963(ar. *B* -nensis *C*)

II. Significatio *praedicative:* Hanno Poe 1124   Muthumbalis Poe 997   (mulieres) Poe 1377   *attributive:* fratres Poe 59   patruo Poe 84   ingenuas Poe 963

CARTHAGO - - **carthaginem** Poe 79, 1054 (carta. *CD*), 1419(carta. *CD*) **carthagine** Poe Arg 1(-nem *D*), 66, 900(*om B cum spat* sariagine *CD*), 987(carta. *CD*), 989(carta. *CD*), 996, 1101   **carthagini**(*loc.*) Cas 71(*A* -ne *J* carta. *P*), Poe 1038(*B* -ne *A* carta. *CD*), 1056 (carta. *C*)

acc. sequitur: repudio Poe 1054   ire Poe 1419   reuortor Poe 79   *abl. sequitur:* esse Poe 900, 996 perierim(-re) Poe 987, 989   surripitur, surruptas esse Poe Arg 1, 66, 1101 *loc. sequitur:* fieri Cas 71   gnatus sum(sis) Poe 1038, 1056   *Cf* Goerbig, pp. 29, 33, 35; Koenig, p. 1.

CARUS - - **I. Forma carus** Cap 400, Ep 411(-um *J*), Men 246   **cara** Cap 495, Cas 757b, Ep 133, Per 668   **carum** Ps 688   **carum**(*acc.*) Mi 1041(earum *B*), St 179, Fr I. 11(*ex Varr l L* VII. 66)   **caram** Au 374 *bis*, St 179, Fr I. 11(*ex Varr l L* VII. 66)   **carum** Cap 230   **carā** Cas 313(*Rs* uera *BVES*† hera *J* uero *CaU* tua, era *L*)   **caro** Cap 229, St 632(*AS* capto *Rg* ali- *Pψ vide infra* II. 2)   **cari** Men 107   **caros** Au 374   **caris**(*masc.*) Men 105(-eis *BRsS*)   **cara** Au 375   **carior** Ba 310   **cariora**(*nom. pl.*) Au 376   **carissumus** Ba 309(kar. *B* -i- *PL*), Ps 805(-i- *PL*)   **carissumum**(*nom.*) Men 106   (*acc. masc.*) Ps 848(*A* -i- *P*)

II. Significatio I. = dilectus: tu nunc uides pro tuo caro capite carum offerre me meum caput uilitata Cap 229   tam mihi mea uita tua quam tibi carast Cas 757

meo neque carast cordi neque placet Ep 133 ego illum scio quam carus sit cordi meo Men 246   meus mihi suos quoiquest carus Cap 400 *substantive:* Men 105—7(*vide infra* 3)

2. = magni *vel* nimii pretii: rogito pisces: indicant caros: agninam caram caram bubulam, uitulinum cetum porcinam, cara omnia: atque eo fuerunt cariora, aes non erat Au 374—6

cenas decem meo arbitratu dent, quom cara annona sit Cap 495   per annonam caram dixit me natum pater St 179   axitiosae annonam caram e uili concinnant uiris Fr I. 11(*ex Varr l L* VII. 66)

non carust auro contra Ep 411   non edepol minis trecentis carast Per 668   nemo (coquom) quaerit qui optumus et carissumust Ps 805 fateor equidem esse me coquom carissumum Ps 848   ecastor haud mirum si te habes carum* Mi 1041 quid tu me cara* libertate territas? Cas 313 (Rs)

aurichalco contra non carum fuit meum mendacium Ps 688 uide nunc consilio caro* opust St 632(A uide quid es capturus consili PL vide R)

3. *cum lusu verborum inter* 1. *et* 2: in Ephesost Ephesiis carissumus. #Ne ille hercle mihi sit multo tanto carior si.. circumduxerit Ba 309—11 Cap 229(*supra* 1) domi domitus (*vide* ω) sum usque cum caris meis: nam neque edo nisi quod est carissumum. id quoque iam cari qui instruontur deserunt Men 105—7

CARYSTUS - - a patre aduenit **Carysto**(-i-CD) Ps 730 istic seruos ex Carysto(ch. D) qui hic adest(A aduenit P) Ps 737 Cf Koenig, p. 3

CASEUS - - 1. *nom.* (*appell. blanda*): mea colustra, meus molliculus **caseus** Poe 367 huius colustra, huius dulciculus caseus Poe 390 a(v. secl L om A) *proprie:* cum uirgis **caseum** radi potest Fr I. 103(*ex Non* 200)

2. *acc. proprie:* praestinatum abire.. et cetum et mollem **caseum** Cap 851

CASIA - - *pro* Casina *eiusque formis:* Cas 225 BRs, 305 B, 322 B¹

CASIA - - *substantivum:* tu crocinum et **casia**'s Cu 101(*appell. blanda*) qui quam amo 'Casiam' magis inicio Cas 225(*BRs cum lusu verbi:* casinam VEJ)

CASINA - - *ancilla.* **Casina** Cas 365, 428, 691, 896, 977, 1013 **Casinam** Cas Arg 6, 96, 108, 225(VEJ casiam BRs), 288, 305(casiam B), 322(casiam B¹), 467, 470, 533, 751, 891, 915, 976, 993, 1001 **Casinā** Cas 254(cass. E), 294, 339, 372, 486, 770, 988(cum Casina siet Rs *unc casinust* Aψ) Cf Wolff, Prol. ad Aul. p. 13; Schmidt, p. 359

CASINUS - - *vir fictus* Cas 814(ABV -na J -n' E), 988(A casina Rs)

CASSIS - - quom.. sumpsero **cassidem** in caput.. dormibo Tri 726 *vide* Cu 574, *ubi* et lorica et cassida *supplet U solus*

CASSO - - *vide* quasso

CASSUS - - 1. uirginem habeo grandem dote **cassam** atque inlocabilem Au 191 ten amatorem esse inuentum inanem quasi cassam nucem Ps 371 quid dare uelis? #Nummos trecentos. #Tricas. #Quingentos. #Cassam glandem Ru 1324

2. omnia in**cassum**(*duo verba LU*) cadunt Poe 360

3. *dubia:* Poe 1405 sit incassum BriRgl siet ac massum P𝔖† sit pessumo L sit #At mas sum U *etiam* Ci 668, *ubi* cassa U *pro* falsa(Ca)

CASTERIA - - sola ego in **casteria** ubi quiesco.. As 519

CASTIGABILIS - - hic illest.. qui admisit in se culpam **castigabilem** Tri 44

CASTIGATOR - - uicisti **castigatorem** tuom Tri 187 ibo ad meum castigatorem Tri 614

CASTIGO - - I. **Forma** **castigas** Ba 467 castigat St Arg II. 1 **castigabit** Mo 882 **castigem** Ba 908 **castigare** As 513, Cas 517, Mer 316, Tri 23 **castigatum**(*sup.*) Tri 216 **castigando** Ba 981

II. **Significatio** 1. *de plagis:* quom erus resciuerit mane castigabit eos bubulis exuuiis Mo 882

2. *de verbis:* cur amem me(Bue cura meme curam exime VEJ curam exime B) castigare.. Cas 517 tu me credo castigare cogitas Mer 316 ego te uolui castigare As 513 .. ut eum dictis plurumis castigem Ba 908 amicum castigare ob meritam noxiam inmoenest facinus Tri 23 prosilui amicum castigatum innoxium Tri 216 senex castigat filias quod.. St Arg II. 1 ad lacrumas coegi hominem castigando.. maleque dictis Ba 981 quid sodalem meum castigas? Ba 467

CASTOR - - ita me Iuppiter, Iuno, .. **Castor**, Polluces .. ament Ba 894 pone aedem **Castoris** ibi sunt subito quibus credas male Cu 481(*cf* Vissering, I. p.64) *corrupta:* castor *pro* ecastor: Ba 86 C; 1131(haec castor B) Ci 514(ecastor VEJLU et castor B *et Prisc* 62 et summus Aψ) Men 658 et castor D Mo 188 tuae castor C *pro* tu ecastor; 208 CD Tru 542 P *corr* F Cf Hubrich, p. 128

CASTRO - - I. **Forma** **castrabo** As 237 **castret** Mer 275 **castrari** Mer 272 **castrandum** Au 251

II. **Significatio** quasi hircum metuo ne uxor me castret mea Mer 275 impero.. ut tu me quoiuis castrandum loces Au 251 domi serui qui sunt castrabo uiros As 237 ego illunc hircum castrari uolo Mer 272

CASTRUM - - I. **Forma** **castrum** Fr II. 56 (*ex Serv ad Aen* VI. 775) **castra**(*acc.*) Am 256, Ep 381, Per 608 **castris** Am 216, Ru 692 *corruptum:* mala castra pularias P *pro* malacas crapularias

II. **Significatio** castrum Poenorum Fr II. 56(*ex Serv ad Aen* VI. 775) ad castra conuortamini Per 608 in castra ex urbe ad nos ueniunt flentes principes Am 255 cum praeda in castra redeo Ep 381 Amphitruo castris ilico producit omnem exercitum Am 216 aram habete hanc uobis pro castris Ru 692(*cf* Egli, II. p. 6)

CASTUS - - eo sumus gnatae genere ut deceat nos esse a culpa **castas** Poe 1186 .. insulas quo qui aetatem egerint **caste** suam conueniant Tri 550 *corruptum:* Poe 677, castum P *pro* captum(A)

CASUS - - nimiae tum uoluptati edepol fui. ob **casum** datur(fui ob casum. datur L) cantharus: bibi Ps 1280

CATAGELASIMUS - - ego nolo ex Gelasimo mihi fieri te **Catagelasimum** St 631

CATALOGUS - - Mi 603, catalogo P(-gos B¹) *pro* cautela(cautella AL)

CATAMITUS - - tabulam.. ubi aquila **Catameitum**(-mitum B²D³RU) raperet Men 144 (*cf* Egli, III. p. 11; Jordan, Beitr. p. 64) *vide* Tri 948, *ubi pro* **mit aut(P) catamitum haud *em* BugU faciam ita ut Spψ

CATAPULTA - - cubitus **catapultast** mihi Cap 796 **catapultā** hoc ictumst mihi Cu 394 illaec **catapultae**(*i. e.* aulae quassae) ad me crebro commeant Cu 398 ita te neruo torquebo, itidem ut catapultae solent Cu 690 uide modo, ulmeae catapultae(AD³ -putae P) tuom ne

transfigant latus Per 28   *Cf* Allen, *H. S.* VII.
p. 51;   Egli, II. p. 10;   Graupner, p. 18;
Inowraclawer, p. 90; Langen, *Beitr.* p. 275

CATAPULTARIUS - - ego ex te hodie faciam pilum **catapultarium** Cu 689

CATARACTRIA - - terrestris pecudes cicimandro condio . . aut **cataractria**(*AD* cacta.
B catactri *C*) Ps 836

CATELLUS - - tantillum loculi ubi **catellus**
cubet, id mihi satis est loci St 620(*cf* Egli,
I. p. 17) dic igitur med aniticulam, columbulam, **catellum** As 693(*cf* Wortmann, p. 21)
delicatum te hodie faciam cum **catello** ut accubes. ferreo ego dico Cu 691 *Cf* Allen, *H. S.*
VII. p. 45; Ryhiner, p. 33

CATENA - - *cf* Allen, *H. S.* VII. p. 41   o
catenarum(-rium *B*) colone! As 298(*cf* Egli, III.
p. 33; Graupner, p. 17; Inowraclawer,
p. 55) . . neruos **catenas** carceres . . As 550
is indito catenas singularias istas, maiores . .
demito Cap 112   intellego redauspicandum
esse in catenas denuo Cap 767   nos pudet
quia cum **catenis**(catenatis *B*) sumus Cap 203
homines captiuos qui **catenis** uinciunt . . nimis
stulte faciunt Men 79   se ex catenis eximunt
aliquo modo Men 84

CATILLO - - operam uxoris polliceor foras
quasi **catillatum**(catillae tum *J*) Cas 552(*cf*
Fulg de abst ser XVI)   *Cf* Ryhiner, p. 53

CATULINUS - - catulinam carnem esitauisse
Romanos Fr I. 111(*ex Paul* 45)

CATULUS - - catulo meo subblanditur nouos
amator As 184   aliter **catuli** longe olent,
aliter suis Ep 579(*cf* Schneider, p. 34; Wortmann, p. 22)   ego hic te, mulier, quasi sus
catulos(su scapulos *B*) pedibus proteram Tru
268   ego te concultabo ut sus catulos suos
Fr II. 49(*ex Serv ad Aen* II. 357)   *vide* Poe
828, *ubi* catulo *Mue pro* latere Tru 908, *ubi*
ut catuli *SpU* et auio *PS†Lt* ut auis *Rs*
corruptum: Ep 231, catula *Non* 540 *pro* caltulam *Cf* Ryhiner, p. 33

CATUS - - I. Forma   **catus** Mo 1142   **cata**
Mi 794(prime cata *Salm* primicata *P*), Per 622
catae(*dat.*) Men 131   **catum** Poe 1107(*om B*),
Ps 681(cautum *CD*) **catam** Mo 186(*Pius* captam
P) **catum** Ep 258   **cati** Tri 677, Tru 493(argute cati *Sey* arguit[argut *D*] eccati *P* arguti
et cati *ZLU*)   **cate** Men 413, Poe 131

   II. Significatio   1. *de hominibus:* miror tam
catam* tam doctam . . nunc stultam stulte
facere Mo 186   di istam perdant: ita catast
et callida Per 622   ecqua ancillast tibi? #Est
prime cata* Mi 794   . . proinde ut corde
amantes sunt cati Tri 677   sic hoc decet dari
facete uerba custodi catae Men 131   bene ubi
quod scimus consilium accidisse, hominem catum* eum esse declaramus Ps 681   eu hercle,
hominem catum*! Poe 1107   . . nimis qui's
orator catus Mo 1142

    substantive: strenui nimio plus prosunt populo quam argute cati* Tru 493

   2. *de re:* dederim uobis consilium catum
Ep 258

   3. *adverbium:* num istaec mulier illinc uenit,
quae te nouit tam cate? Men 413   res . .

quas tu sapienter docte et cordate et cate mihi
reddidisti . . Poe 131

CAUDEUS - - cistellam isti inesse oportet
caudeam(*ex Plac aliisque glossis* gaudeam *P*)
in isto uidulo Ru 1109, 1133

CAUDICALIS - - te cum securi **caudicali**
praeficio prouinciae Ps 158

CAVEA - - caueam, cauea *formae modo inveniuntur.*

   1. *proprie:* si faxis te (*quasi avem*) in caueam dabo Cap 124   cistella . . euolauit. #In
caueam latam oportuit Ci 732   in cauea si
forent conclusi illi itidem ut pulli gallinacei . .
Cu 449

   2. *theatri:* . . ut conquistores . . eant per
totam caueam spectatoribus Am 66   . . ut is
in cauea pignus capiantur togae Am 68   uenitne
in mentem tibi quod uerbum in cauea dixit
histrio? Tru 931

CAVEO - - I. Forma   **caueo** Ci 471(ab illo
mihi caueo *L* *llo m*** *Aψ*), Men 151, Mo 928
caues Ru 999   **cauet** Au 101, Cap 255   *ter*, Ru
1240, Tru 37   **cauent** Ba 544(*v. om A secl
LachRgS*) **cauebo** Au 571, Men 265   **cauebis**
As 373, Cas 838, Men 121   **cauebunt** Cas 903
caui Mer 958, Mo 926, Ps 909   **cauisti** Mer
189   **cauistis** Ru 378   **cauero** Men 270, Ps
478   **caueris** Men 347, Ru 832   **caueam** Ba
44, Ps 894, Ru 833   **caueas** As 119, Ba 44, 739,
Cas 683, Men 249(discaueas *CaR*), Ps 511, 517
bis, Tri 287b   **caueat** Ba 42, Ep 359, St 122
caueant Ps 128   **caueatur** Ba 418   **cauerem**
Ps 898, Ru 192   **caueres** Men 785, Ps 1227(c.
centiens *FZ* habere sentiens *P*)   **cauerent**
Mer 50(*LambU* tenerent *PL* timerent *Rψ*)
caue Am 608, 845, As 5, 30, 42, 256, 467(cane
J), 625, Au 90, 584, 608, 618, 660, Ba 147 *bis*,
402(*v. secl RRg*), 463, 744, 910, 1033, 1188,
Cap 431(caue tu *Bent* caueto *PL*), 439, 558, Cas
332, 386, 404(*Bo ne PLU*), 530, 627, Ci 300,
Cu 461, Ep 400, 437, 439, Men 934, 994, Mer
113, 484, Mi 967, 1125, 1245, 1335(aufer, nauta:
caue malum *Bri* ferinantace malum *CDS†* ter
ad macellum *B*), 1368, 1372, Mo 324, 326, 401,
517(caue uerbum faxis. #Dic *L in lac quam
ret S var suppl ψ: vide R*), 523, 808, 810, 1025,
Per 51, 316, 389, 816, 835, Poe 117, 1023, Ps
517, 1143, 1296, Ru 704, 828, 945, 1089, St 37,
285, 604, Tri 513, 555, 1011, Tru 801(*Ca* ca *P*),
942(*Rs aliter Pψ*), 943, Vi 83, 91   **caueto** As
372, Cap 431(*PL* caue tu *Bentψ*)   **cauere** Ep
292, Men 786, Mo 866(*U in lac quam ret RsSL*
praecauere *R*), 924, Per 369, 370, Ps 516, Ru
1246   **cauisse** Am 944, Ba 1017, Cap 256   **cauendum**(*nom.*) Mo 1142, Ps 474(*A* -us *P*) (*acc.*)
Cas 411, Men 345   **cauto**(*masc. dat. adiec.*) Mi
467(causto *B¹*), Ps 290   **cautum**(*neut. acc.*)
Cap 253(*B* chautum *BVE*), Per 370, Tri 416
(*adiec.*), Ps 385(*Reifferscheid* cauto *ALU* scitum
PR)   **cauto**(*neut. abl.*) Cap 225(causto *D¹E*),
Ci 531, Mer 466, Mo 903   (*adiec.*) Ps 385(*ALU*
cautum *ReifferscheidRRg* scitum *PR*)   **cautos**
(*adiec.*) Ps 1037(uici cautos *CD* uicia aut uos
B)   **cautiores** Ps 298   **caute**(*adv.*) Cu 31, Tri
327   **cautius** Men 151   *corrupta:* Ps 681,
cautum *CD* pro catum(*AB*)   St 38, caue *ins*
P om Aω   Tri 343, miseres caue(cane *B*) tui

alius(-is *D*)*P pro* miserescat ne tis alios(*A*)

II. Collocatio *de collocatione imperativi cf* L o c h, p. 23; Sjögrin, p. 100; *ante alterum imp. asyndetice collocatum est* Cas 627, Mo 324; *per et* Ba 463; Per 835; *per ac* Ru 1089; *si ordo inversus est, particula abesse solet*

III. Significatio A. *verbum* 1. *absolute:* uide ne tibi hodie uerba dat: quaeso caue Ba 744 prius te cauisse ergo quam pudere aequom fuit Ba 1017 qui cauet ne decipiatur uix cauet quom etiam cauet: etiam quom cauisse ratus est saepe is cautor captus est Cap 255-6 †auge caue Cas 386 hic poterit cauere recte, iura qui et leges tenet Ep 292 tum demum sciam recte monuisse, si tu recte caueris Men 347 ego enim caui recte . . atque animo meo sat sapio si aps te modo uno caueo Mo 926(*cf v.* 924) si non licet cauere(*sc* malo), quid agam? Per 370 egon ut cauere nequeam, quoi praedicitur? #Praedico, ut caueas: dico, inquam, ut caueas: caue Ps 516-7 numquid molestum mihi erit? #Nihil si caueris Ru 832 tu . . in uidulum te piscem conuortes, nisi caues Ru 999 ille qui consulte, docte atque astute cauet, diutine uti bene licet partum bene Ru 1240 *fortasse* Tri 287(*vide infra* 2)

2. *cum acc.:* ego *id* cauebo Au 577 id, amabo te, huic caueas. #Quid isti caueam? #Ut reuehatur domum Ba 44 id utrumque, argentum quando habebo, cauero, ne tu delinquas neue ego irascar tibi Men 270 id . . parate curaui ut cauerem Ru 192 ego *istuc* cauebo Men 265 qui ego istuc . . cauere possum? Men 786 semper cauere *hoc* sapientis aequissumumst ne conscii sint ipsi malefici suis Ru 1246 haec dies noctis canto tibi (*om RRsU*) ut caueas Tri 287 b *quid?* Ba 44(*supra sub* id) quid nunc primum caueam nescio Ps 894 quid est *quod* cauem? #Em, a crasso infortunio Ru 833 prius quod cautum oportuit . . post rationem putat Tri 416 caue *malum* et compesce in illum dicere iniuste Ba 463 aufer, nauta; caue* malum Mi 1335 caue sis *malam rem* As 42 mihi in pectore consiliumst cauere* malam rem Mo 866(*U*) caue *mendacium* Mi 967(*an dicas supplendum? cf* As 30, *infra* 10, b.)

3. *cum abl.:* caue sis *infortunio* Ru 828(*cf v.* 833 *supra* 2 *sub* quid) omitte, Lyde, ac caue *malo.* #Quid, 'caue malo'? Ba 147 malo, Charine, tibi cauendum censeo Cas 411 malo si sapis, cauebis Cas 838 malo cauebis, si sapis Men 121 caueas malo Men 249(*loc dub: vide ψ*) malo cauere meliust te Per 369 caue ergo sis malo Per 835 caue sis malo Ru 945 caue malo ac tace tu Ru 1089

4. *seq.* a(ab) *cum abl. separativo:* abi atque caue sis a cornu Per 316 caue sis tibi(*om GuyR*) a curuo infortunio Ps 1143 Ru 833 (*supra* 2 *sub* quid: *cf* Ru 828 *supra* 3) . . quasi qui a *me* recte caueat Ep 359(*U in loco dub*; *cf* Romeijn, p. 47) omnibus amicis . . edico meis in hunc diem a me ut caueant Ps 128 iam dico ut a me caueas Ps 511 mihi abs te caueo cautius Men 151 egone aps te ausim non cauere ne quid com-

ṁittam tibi? Mo 924 sat sapio si aps te modo uno caueo Mo 928 cauendumst* mihi aps te irato Ps 474 ego nunc ab *illo* mihi caueo* iure iurando Ci 471(*L*) proin tu ab *eo* ut caueas tibi Ba 739 dixin, ab eo tibi ut caueres*, centiens? Ps 1227 missa sum tibi ut dicerem ab ea ut caueas tibi Cas 683 non esse seruos peior hoc quisquam potest . . nec *quo* ab caueas aegrius As 119 stat nauis praedatoria aps qua cauendum nobis sane censeo Men 345 opere edixit maxumo ut mihi cauerem a *Pseudolo* seruo suo Ps 898

5. *cum dat. personae: mihi*(*supra* 4) Ci 471, Men 151, Ps 474, 898 hercle mihi tecum cauendumst Mo 1142 *nobis* Men 345(*supra* 4) caue sis *tibi,* ne tu inmutassis nomen Au 584 tibi Ba 739(*supra* 4) caue tibi Cap 558 Cas 411(*supra* 3) caue tibi, Cleostrata, apscede ab ista Cas 627 Cas 683(*supra* 4) de illis uerbis (*U*) caue tibi Men 934 ego tibi cautum uolo Per 370 Ps 1143(*supra* 4) Ps 1227(*supra* 4) caue sis tu tibi St 604 Tri 287(*supra* 2) caue sis tibi ne bubuli in te cottabi crebri crepent Tri 1011 haec ita me orat *sibi* qui caueat aliquem ut hominem reperiam Ba 42 id . . huic caueas. #Quid isti cauam? Ba 44

6. *seq.* **cum** *et abl.:* tecum Mo 1142(*supra* 5 *sub* mihi) malus cum malo stulte caui Ps 909

7. *addito abl. instr.:* qui Men 786(*supra* 2) iure iurando Ci 471(*supra* 4)

8. *seq.* **ne** *cum subiu.:* primum cauisse oportuit ne diceres Am 944 ea ipsa(*i. e.* Bona Fortuna) credo ne intromittatur cauet Au 101 dum caueatur praeter aquom ne quid delinquat sine Ba 418 sibi ne inuideatur ipsi ignaui recte cauent Ba 544(*v. secl LachRgS om A*) edepol tibi ne in quaestione essemus cautum* intellego Cap 253 qui cauet ne decipiatur . . Cap 255 amens ne quid faciat cauto opust Ci 531 Men 270(*supra* 2) eho tu, quin cauisti ne eam uideret? Mer 189 ne hic resciscat cauto opust Mer 466 caui ne quid facerem Mer 958 caue modo ne prius in uia accubes quam illi . . Mo 326 eo magis cautost opus ne huc exeat qui male mulcet Mo 902 Mo 924(*supra* 4) postilla omnes cautiores sunt ne credant alteri Ps 298 ego nequid noceat cauero Ps 478 cauistis ergo tu atque erus ne abiret? Ru 378 Ru 1246(*supra* 2) . . ut cotidie pridie caueat ne quid faciat quod pigeat postridie St 122 Tri 1011(*supra* 5) si inierit rete piscis, ne effugiat cauet Tru 37

9. *seq.* **ut** *cum subiu.:* . . sibi qui caueat . . ut ubi emeritum sibi sit se reuehat domum Ba 42 quid isti cauam? #Ut reuehatur domum Ba 44 cautost opus ut hoc sobrie sineque arbitris accurate agatur Cap 224

10. **caue** *sim. cum subiu. vel* **ne** *et subiu. (cf* L o c h, p. 17, 23; Morris, XVII. p. 144, 148, 163, 166) *vi prohibendi;* **a.** **ne** *et subiu.:* tu cauebis ne me attingas si sapis As 373 caueto ne suscenseas As 372 caue sis ne tu te usu perduis Am 845 age nunc reside: caue modo ne gratiis As 5 Au 584(*supra* 5) caue ne cadas: asta Mo 324 tene me: caue ne cadam Ps 1296

b. *seq. subiu. praes.:* caue sis reuideam

(*BoU* te uideam *P**§**†L†* reuideas *Rg*) Au 660
caue sis audiam ego istuc posthac ex te St 37
    caue sis reuideas Au 660(*Rg: vide supra*)
fac fidelis sis fideli, caue fidem fluxam geras
(feras *Non* 512 *et Rs*) Cap 439   tu caue in
quaestione mihi sis Cas 530   caue fuas in
quaestione Per 51   caue* tu mihi iratus fuas
Cap 431   caue praeterbitas ullas aedis Ep
437   tu caue quadraginta accepisse hinc tu
neges Mo 1025   caue sis me attigas Per 816
caue tu harum conchas spernas Ru 704   *simi-*
liter: cauebunt qui audierint faciant Cas 903
    perf.: quod di dant boni, caue culpa tua *amissis*
Ba 1188   diem caue *demutassis* Vi 91   dic..
quod te rogem: caue mihi mendaci quicquam
(*dixis?*) As 30   caue tu istuc dixis Mer 484,
Vi 83   caue* tu (dixis?) nisi quod tu rogo Tru
801   caue sis tu istuc dixeris Per 389   caue
sis dixeris me tibi dixisse hoc Tri 555   caue
tu idem *faxis* alii quod serui solent As 256
uerbum caue faxis As 625   caue* uerbum
faxis Mo 517(*RL*)   istuc caue faxis Mi 1125,
1245   caue faxis Mi 1372, Tru 943   caue tu
ullam flocci faxis mulierem Mo 808   tu istos
minutos caue deos flocci feceris Cas 332   caue
quemquam flocci feceris St 285   caue istuc
feceris Mi 1368   caue sis feceris quod hic
te orat Poe 1023   caue sis feceris Tri 513   tu
modo caue quoiquam *indicassis* aurum meum
esse istic Au 608   caue quemquam alienum
in aedis *intromiseris* Au 90   caue* *obiexis*
manum Cas 404   caue tu illi *obiectes* nunc in
aegritudine te has (aedis) emisse Mo 810   caue
parsis in eum dicere Ba 910   caue pigritiae
praeuorteris(-uortier *PyRRg*) Mer 113   incertus
tuom caue   ad me *rettuleris* pedem Ep 439
caue *respexis,* fuge, operi caput Mo 523   caue
quicquam nisi quod rogabo te mihi *respon-*
deris Am 608   caue sis te superare seruom
siris Ba 402(*v. secl RRg**§**)   caue siris cum
filia mea copulari hanc Ep 400   intus caue
muttire quemquam siueris Mo 401   caue tu
illi fidelis, quaeso, potius *fueris* quam mihi
Au 618   caue sis cum Amore tu umquam
bellum *sumpseris* Ci 300   uerbo caue* *suppli-*
cassis As 467

    cum numero plurali: caue dirumpatis Poe
117   *similiter:* quotiens . . edixi tibi ut
caueres neuter ad me iretis cum querimonia?
Men 784

    cum pers. tert.: caue quisquam quod illic
minitetur uostrum flocci fecerit Men 994   caue
in te sit mora mihi Cu 461   caue tibi ducenti nummi diuidiae fuant Ba 1033

    additur notionis augendae causa: sis Am 845,
Au 660, Ba 402, Per 389, 816, Poe 1023, Tri
513, 555 modo As 5, Au 608   quaeso Au 608
    11. *seq. infin.:* omnes cauerent* mutuitanti
credere Mer 50(*LambU*) Mer 113(*PyRRg: vide*
supra 10 *sub* praeuorto) *Cf* Walder, p. 22
    12. *adverbia:* aegre As 119 astute Ru 1240
cautius Men 151(*supra* 4 *sub* te) consulte Ru
1240   docte Ru 1249   recte Ba 544, Ep 359(*U*),
Men 347, Mo 926   stulte Ba 909
    13. *dubia:* Ep 359, auctorem dedit mihi ad
hanc rem Apoecidem . . †quasi quae amaret

(*P**§** [quasique a.]* L* qui recte *Rg* quasi qui a
me recte *U*) caueat Tru 942, caue ni consulam
istic nihili homo *Rs in loco desp* †*ψ*
    B. **cautus** 1. *adiectivum:* ut sublinitur os
custodi cauto*, conseruo meo Mi 467   uici
cautos* custodes meos Ps 1037   ad eam rem
usust hominem astutum doctum cautum* et
callidum Ps 385(*cf L*)   egon patri subrupere
possim quicquam tam cauto seni? Ps 290
    2. *adverbium:* mihi abs te caueo cautius
Men 151   quid istuc est uerbi? #Caute ut
incedas uia Cu 31   adulescenti .. minus qui
caute et cogitate suam rem tractauit Tri 327
    CAVILLA - - aufer **cauillam:** non ego nunc
nugas ago Au 638   *Cf* Ryhiner, p. 13
    CAVILLATIO - - uel iunctiones Graecas
sudatorias uendo: uel lalias malacas . . **cauil-**
lationes, adsentatiunculas St 228   istaec ridicularia, cauillationes(cauillatorum *SeyRs*) uis,
opinor, dicere Tru 685   *Cf* Nencini, *Em. Pl.*
p. 126
    CAVILLATOR - - uel **cauillator**(cauilator
B[1]) facetus uel conuiua commodus idem ero
Mi 642   iam sum cauillator(*P* caullator *WeisL*
caulator *ψ*) probus Tru 683 Tru 685, cauilla-
torem *Rs quem vide*
    CAULIS - - istud(*L* ita ut *PRs**§**)* pauxillum
differt a(differam te *Rs*) **cauillibus**(caulibus
BoRsU) Tru 686   *de sensu cf* Nencini, *Em.*
Pl. p. 126
    CÁVO - - Ps 670, cauata *P pro* allata(*A*)
    CAVUM - - concede audacter ab leonino
cauo Men 159(*cf* Inowraclawer, p. 51)   *cor-*
ruptum: Mi 1164, cauam *CD*[1] causam *B pro*
causa(*D*[3])
    CAUPO - - stat fullo .. **caupones** patagiarii,
indusiarii Au 509
    CAUPONIUS - - quis hic homost cum tunicis
longis quasi puer **cauponius?** Poe 1298
    CAUSA - - I. **Forma** **causa** Am 853, As
520, Au 262, 688, Cap 257, 353, Cas 1003, Ep 41,
Men 771, Mer 822, Mo 434, 920, Poe 533, Ru 1070,
1397, Tri 809   **causae** Au 92, Ps 533(-aest *Ca* -a
est *P* -ae est *U*), Ru 758, St 202, Tri 1188(-aest
F -a est *P*)   **causam** Am 157(-sa *E*), 852, *fr* XIII
(*ex Non* 237), As 564, 789, Ba 420, Cap 625,
Men 591, 799, Mi 1074, 1427, Mo 244, Ru 866,
St 207, Tru 229, 837   **causā** Am 540, 917,
1146, As 68, 194, 417, 432, 542, 822, 823, Au
44, 85, 122, 360, 463, 464, 632, 750, 799, Ba
89, 249, 398, 436, 445, 521, 523, 524, 948(-saa
R), Cap 14(cusa *E*), 431, 845, 853, 889, 1009,
Cas 77, 151, 269, 994, Ci 41, 82, 757(tibi causa
haec dixi *add L in lac quam ret Rs**§** aliter*
suppl U), Cu 150, 340, 491, Ep 41(qua causa
om J), 45, 91(animi causa *om Rg*), 289, 382, 389,
679, Men 490, 687, 727, 792, 892, 1029, 1060,
1147, Mer 138, 151, 341, 400(*P* -ssa *A**§**), 473,
527, 537(*P* -ssa *ARg**§**), 918, Mi 83, 756(-ssa
CD[1]*Rg**§**), 1009(gratia *MueRg*), 1164(*D*[3] -sam
B cauam *CD*[1]), 1277, 1286, 1308, 1352(-ssa *D*),
Mo 207, 246, 357, 394, 503, 597, 1169, 1177,
Per 65, 282(-ssa *A**§**), 335(-ssa *A**§**), 338(*P* -am
A), 339(-ssa *A**§**), 747, Poe 38, 95, 370(*ACD*
-am *B*), 540, 551, 638, 906(-ssa *A**§**), 964, 1041,
1102, Ps 55(-ssa *A**§**), 92(-ssa *A**§**), 122(-ssa *A**§**),
720(-ssa *A**§**), 847, Ru 31, 139, 140, 932(*om B*),

Sᴛ 312, 338, 363(-ssa *AS*),ʼ 601, 643, Tʀɪ 97, 180, 334, 686, 848, 979, 1090, Tʀᴜ *Arg* 8, 459, 609, 967 **causae**(*nom.*) Mɪ 250(*B²* -sa *CD* -se *B¹*), Tʀɪ 791 *corruptum:* Mɪ 1178, causae hanc *C* cause hanc *BD pro* causiam(*Pius*)

II. Significatio A. *proprie* 1. *nom.:* numquid causam dicis quin te hoc multem matrimonio? #Si deliqui, nulla causast Aᴍ 852 nuptias numquae causast quin faciamus hodie? #Immo edepol optuma Aᴜ 262 et causa iustast si quidem itast ut praedicas Aᴜ 688 an uero non iusta causast ut uos seruem sedulo? Cᴀᴘ 257 . numquae causast quin . . uiginti minas mihi des pro illo? #Optuma, immo Cᴀᴘ 353 nulla causast quin pendentem me, uxor, uirgis uerberes Cᴀs 1003 est causa qua causa simul mecum ire ueritust Eᴘ 41 . . nisi aut quid commissi(*CS*† commisi *B¹D* commissumst *R* commisit uir *SeyU*) aut iurgist causa(uiti iurgist c. *Rs* est causa iurgi *LingiusR* est iusta c. *L*) Mᴇɴ 771 uxor uirum si clam domo egressast foras uiro fit causa, exigitur matrimonio Mᴇʀ 822 hau causast ilico . . quin facias Mᴏ 434 hodie accipiat. #Ita enim uero: ne qua causa subsiet Mᴏ 920 an uero non iusta causast quor curratur celeriter? Pᴏᴇ 533 nulla causast quin me condones cruci Rᴜ 1070 de talento nulla causast quin feras Rᴜ 1377 lepidast illa causa . . dicere apud portitores (litteras) esse inspectas Tʀɪ 809

trecentae possunt causae* conligi Mɪ 250 sescentae ad eam rem causae possunt conligi Tʀɪ 791

2. *gen.:* . . ne causae quid sit quod te quisquam quaeritet Aᴜ 92 perquirunt quid siet causae ilico Sᴛ 202 numquid causaest* ilico quin te in pistrinum condam? Ps 533 quid causaest quin uirgis te . . sauciem? Rᴜ 758 numquid causaest* quin uxorem cras domum ducam? Tʀɪ 1188

3. *acc.:* numquid causam dicis quin . . ? Aᴍ 852(*supra* 1) non causam dico quin uero insimules probri Aᴍ *fr* XIII(*ex Non* 237) nullam causam dico quin mihi et parentum . . deliquio siet Cᴀᴘ 625 si posthac prehendero ego te hic, carebis testibus. #Causam haud dico (*sc* quin . .) Mɪ 1427 dicam auctionis causam Sᴛ 207 nolo illam (feminam) causam habere et uotitam dicere As 789 numquam amatoris meretricem oportet causam noscere Tʀᴜ 229

ob eam causam huc abs te auorti Mɪ 1074

4. *abl.:* **a.** si alia huc causa ad te adueni, aequom postulas Tʀɪ 97 intus potate hau tantillo hac quidem causa minus Mᴏ 394 illa causa ocius nihilo uenit Sᴛ 643 ea causa(*ad priora relatum*) Aᴜ 464, Mᴇɴ 1060(*cf* Lindskog, p. 88), Pᴇʀ 335 ea te causa duco ut id dicas mihi Mᴇɴ 892 ea causa equidem illam emi dono quam darem matri meae Mᴇʀ 400 ea causa miles hic reliquit symbolum . . ut qui . . Ps 55 an tu ea causa uis sciens suspendere ut me defrudes? Ps 92 nimis uellem hae fores erum fugissent ea causa ut haberent malum magnum Sᴛ 312 ne adtigas puerum istac causa quando fecit strenue Bᴀ 445 istacine causa tibi hodie nummum dabo? Ps 847 qua

causa? Aᴜ 44, 632, Mᴇʀ 918 qua causa Bᴀ 249, 398, Cɪ 82, 757*(*L*), Eᴘ 41, Mᴇɴ 490, Mᴇʀ 473, Mɪ 83, Rᴜ 31, Sᴛ 363 is Helenam auexit, quoia causa nunc facis obsidium Ilio Bᴀ 948

b. causa = gratia; *substantivo semper postponitur, nisi* Mɪ 1164, Mᴏ 597, *ubi inter subst. et adiec. inseritur; usurpatur cum pron. poss. vel gen.* (*cf* Kampmann, *Res mil.* p. 17)*:* mea causa As 417, 432, Bᴀ 523 mean me causa . . ? Cᴀᴘ 853 mea qui causa . . Sᴛ 601 causa mea(*in fine versus nisi* Cᴜ 150), Aᴍ 540, As 68, Aᴜ 799, Bᴀ 436, 521, 524, Cᴀs 269, Cᴜ 150, Mᴇɴ 1147, Mᴏ 1169, 1177, Pᴇʀ 339(*infra sub* regis), Pᴏᴇ 370* tua causa Cᴀᴘ 14*, Mɪ 1277, Pᴏᴇ 540 tua me causa . . Aᴜ 85 tuan causa . . ? Cᴀᴘ 845 tua quidem ille causa . . ? Mᴇɴ 792 tua ego hoc causa dico Mɪ 1352 tuan ego causa . . ? Pᴇʀ 747 causa tua Bᴀ 89 causa currendo tua Mᴇʀ 151 . . ne ille existumet amoris causa percitum id fecisse te magis quam sua causa As 823

mea(tua) causa = quod ad me(te) attinet: uel Graecus adeo uel mea causa Apulus Cᴀs 77 quaeras mea causa uel medio in mari Eᴘ 679 mea quidem hercle causa liber esto Mᴇɴ 1029 mea quidem hercle causa saluos sis licet Rᴜ 139 sis mea causa quilubet Tʀɪ 979 tua quidem, cucule, causa non hercle . . metuam Pᴇʀ 282 *Cf* pietatis causa Ps 122(*infra*)

cum gen. personae, sim.: gaudeo mihi nihil esse huius (mulieris) causa Mᴏ 207 quod eorum (hominum) causa obsonatumst culpant Mɪ 756 ne eius(*i. e.* Philolachetis) causa uapulem, tibi potius adsentabor Mᴏ 246 et tu (salue) quoius causa hanc aerumnam exigo Cᴀᴘ 1009 utinam, quoius causa* foras sum egressa . . Mɪ 1009 disperii miser propter eosdem quorum causa fui hac aetate exercitus Tʀɪ 1090 tui causa rupi ramices Mᴇʀ 138 . . ne te censeat fili causa facere Eᴘ 289 dudum fili causa coeperam ego me excruciare animi Eᴘ 389 Iouis summi causa clare plaudite Aᴍ 1146 miles aduenit natique causa dat propensa munera Tʀᴜ *Arg* 8 mirum quin regis Philippi causa aut Attali te potius uendam quam mea Pᴇʀ 339 meliust te sororis causa egestatem exsequi Tʀɪ 686 horunc hic nunc causa haec agitur spectatorum fabula Pᴏᴇ 551 horum causa haec agitur spectatorum fabula Ps 720 Veneris causa adplaudite Tʀᴜ 967

cum gen. rei: . . neue *ambitionis* causa (artifices) extrudantur foras Pᴏᴇ 38 . . ne illa existumet *amoris* causa percitum id fecisse te As 822 excusemus ebrios nos fecisse amoris causa Aᴜ 750 filio aduorsatur suo animi amorisque causa sui Cᴀs 151 tui amoris causa ego istuc feci Cᴀs 994(*vide LU*) quasi illius causa* amoris . . abierim Mɪ 1164 uerear magis me amoris causa hoc ornatu incedere Mɪ 1286 amoris(*RsS* moris *P* maris *PLU*) causa hercle hoc ego oculo utor minus Mɪ 1308 sine me amare unum Argyrippum *animi* causa As 542 Cᴀs 151(*supra sub* amoris) dico me aduenisse animi causa Cᴜ 340 cur eam emit? #Animi causa Eᴘ 45 ab legione abduxit animi causa* Eᴘ 91 amicam mihi paraui animi causa Mᴇʀ 341 animi causa* mihi nauem

faciam Ru 932   aliquantum animi causa in
deliciis disperdidit Tri 334   hospes hic me
necauit . . *auri* causa Mo 503   *cenae* causa
aut tuae mercedis gratia nos nostras aedis
postulas comburere? Au 360   tun tantilli
doni causa . . amas hominem non nauci? Tru
609   an metuis ne quo abeat foras urbe
exulatum *faenoris* causa tui? Mo 597   uelim
te arbitrari med haec uerba . . meai *fidei*
tuaique rei causa facere Au 122   hanc tibi
noctem *honoris* causa gratiis dono dabo As
194   simulauit mei honoris mittere huc causa
coquos Au 463   honoris causa quicquid est
quod dabitur gratum habebo Mer 527   nos
honoris tui causa ad te uenimus Poe 638   ita
celeri curriculo fui propere a portu tui honoris causa St 338   *lucri* causa auara probrum
sum exsecuta Tru 459   *maris* Mi 1308(*supra
sub* amoris) hosticas trium *nummum* causa
subeunt sub falas Mo 357   ego nunc subigor
trium nummum causa ut . . Tri 848   non *oris*
causa modo hominis aequom fuit sibi habere
speculum Ep 382   di te mihi semper seruent
uerum si potest *pietatis* causa uel etiam matrem
quoque Ps 122   dic atque impera *p pulari-
tatis* causa Poe 1041   *publicae rei* causa quicumque id facit magis quam sui quaesti . .
Per 66   huc commigrauit in Calydonem hau
diu sui *quaesti* causa Poe 95   ioco illa
dixeram dudum tibi *ridiculi* causa Am 917
. . neuter *stupri* causa caput limaret Mer 537
neque ego hanc *superbiai* causa pepuli ad
meretricium quaestum Ci 41   argentum dedi
thensauri causa Tri 180   tuin *uentris* causa*
filiam uendas tuam? Per 338   tu qui fana
uentris causa circumis Ru 140   horunc *uerborum* causa caue ita mihi iratus fuas Cap 431
      seq. gen. gerund.: neque edepol te defru-
dandi causa posco Men 687   liberorum quaerundorum causa ei credo uxor datast Cap 889
Cf Schaaff, p. 7
      liberali causa: . . si quisquam hanc liberali
causa manu adsereret Cu 491   manu eas adserat suas popularis liberali causa Poe 906
eas liberali iam adseres causa manu Poe 964
. . manu liberali causa ambas adseras Poe
1102
      5 *variae constructiones* **quin** (*supra* 1): Am
853, Au 262, Cap 383, Cas 1003, Mo 434, Ru
1070, 1397   (*supra* 2) Ps 533, Ru 758, Tri 1188
(*supra* 3) Am 852, *fr* XIII, Cap 625   ut (*supra* 1):
Cap 257 (*supra* 4) Men 892, Ps 55, 92, St 312
cur Poe 532(*supra* 1)   **quod:** Au 92(*supra* 2),
Ba 523(*supra* 4) **quando:** Ba 445(*supra* 4) *enunt.
rel.* . . **quam:** Mer 400(*supra* 4)   **qua causa:** Ep
41(*supra* 1)
      6. *app. adiectiva:* iusta Au 688, Cap 257, Men
771(*L*), Poe 933   lepida Tri 809   optuma Au
262, Cap 354
      B. *translate:* 1. ubi quiesco, omnis familiae
causa consistit tibi As 520
      2. = quaestio: . . nec causam* liceat dicere
mihi Am 157   . . ubi saepe causam dixeris
pendens aduorsus octo artutos audacis uiros
As 564   tu . . pro tam corrupto dicis causam
filio Ba 420   apud aediles pro eius factis . .
dixi causam Men 591   hinc stas, illim cau-

sam dicis Men 799   quae pro me causam
diceret patronum liberaui Mo 244   in iure
causam dicito: hic uerbum sat est Ru 866
reus solutus causam dicit, testis uinctos attines
Tru 837
      CAUSIA - - causiam(*Pius* causeam *ScuLU*
cause[-ae *C*] hanc *P*) habeas ferrugineam et
scutulum ob oculos Mi 1178   et chlamydem
adferto et causiam(*Pius* causeam *SarLU* cau-
sem *P*) Per 155
      CAUSIFICOR - - quia sum tangere ausus,
haud **causificor** quin eam ego habeam potissumum Au 755
      CAUTELA - - bene consultum consilium sur-
ripitur saepissume si minus cum cura aut
cautela(-lla *AL* catalogo[-os *B*¹]*P*) locus loquendi lectus est Mi 603(*v. secl WeisRs*𝔖)
      CAUTIO - - quom ego huius uerba inter-
pretor, mihi **cautiost** ne . . Ba 597   nunc
mihi cautiost ne meamet culpa meo amori obiexim moram Poe 445   ne quispiam(†𝔖) per-
tundat cruminam cautiost(-cio est *B*) Ps 170
Cf Romeijn, p. 48
      CAUTOR - - etiam quom cauisse ratus est
saepe is **cautor** captus est Cap 256   iam ipse
cautor captust Ep 359   nunc **cautorem**(*Ang
RgLU* actorem *E* auctorem *BJ*𝔖) dedit mihi
ad hanc rem Apoecidem Ep 357
      CECROPIUS - - illum(†𝔖) reliqui ad Rha-
damantem in **Cecropia**(-o *B* Cercopia *Meurs
RRs*   cercopum *BriU*) insula(*om GuyRsL*†)
Tri 928(*vide* ω)
      CEDO(*imper.*) I. Forma **cedo** Am 778(*BD*
credo *EJ*), 1076(credo *J*), Au 157(cẹdo *B*), 635,
766, Ba 303, 723, 748, 753, 789(cẹdo *D*), 1066,
1155(*add Rg solus*), Cap 838(credo *E*), *ib.*, 859
(credo *E*), Cas 363, 379, Ci 54, Cu 75, 201, 202,
307, 641, 654(*BE*³ credo *VE*¹*J*), Ep 559(caedo
Non 456), 694, 722, Men 197(caedo *C*), 265,
544, 546, Mer 149, 654, 675, 683(*Rg solus pro*
obsecro), 769(*AB* dabo *CD*), Mi 226, 355, 617
(*Ca* cedent *B*¹ te *CD* ted *B*²), 658(cedo tris
CD ceteris *B*¹ cet ris *B*²), 978, 1016, 1019, Mo
248, 258, 261, 298, 308, 332, 373, 384, 411b
(*v. secl Ac*ω), 425, 478, 572, 603, 1022, 1038,
1090, Per 225, 422(*A* coedo *BC* cẹdo *D*), 423
(coedo *B*), 500(cẹdo *CD*), 767(cẹdo *D* caedo *C*),
772, 776, Poe 315, 865, 896(cedo qui *A* sequi
P sed qui *D*⁴), Ps 387, 891, 987, 1065, Ru 243
(cẹdo *CD*), 443(me ames. cedo *CD* meam scedo
B), 712(*add RsL in lac quam ret* 𝔖 *aliter supp
U*), 1127, 1375, 1380, 1409(cẹdo *CD*), St 260,
768(*Rs* redde *P*ψ), Tri 968, Tru 363(*A* credo
P), 367(cẹdo *D*), 535, 696, 910   **cette** Cap 10
(huius: cette *Rs* huiusce *BDJ*𝔖*U* huisce *E*
huius *L*), Mer 965(*Ca* certe *P*), Fr II. 46(*ex
Clidonio* 59, *Pompeio* 240, *aliis*)
      II. Significatio A. = da, date 1. *absolute:*
eccillam quae dicat 'cedo' St 260   cedo ut
(*om RRsLU*) bibam Mo 373   cedo bibam Tru
367   cette patri meo Fr II. 46(*ex Clidonio*
59, *Pompeio* 240, *aliis*)
      2. *cum acc. rei: aliquid* cedo qui hanc . .
aram augeam Mer 675   cedo* (*anulum*) ut inspiciam Cu 654   cedo *aquam* manibus Mo 308
cedo mihi speculum et . . *arculam* Mo 248
cedo* sis mihi *argentum* Per 422   argentum

inquam cedo* Per 423 accipe hoc (argentum).
#Cedo quamquam parumst Tru 910 illam
(*aulam*) ex Siluani luco quam abstuleras cedo
Au 766 cedo (*aurum*) si necessest Ba 1066
cedo aurum: ego manupretium dabo. #Da
sodes aps te . . #Immo cedo aps ted, ego post
tibi reddam duplex Men 544 cedodum istum
aurum mihi Tri 968 cedo tu *ceram* ac linum
actutum Ba 748 cedo *cerussam* Mo 258
clauem cedo atque abi Mo 411 b(*v. secl Acω*)
425 tarde *cyathos* mihi das: cedo sane Per
772 dimidium tibi sume, *dimidium* huc cedo
Ru 1409 cedo mihi *epistulam* Ps 987 cedo
faenus, redde faenus Mo 603 *illud* quod tibi
abstuleras cedo Au 635 *linum* Ba 748(*supra
sub* ceram) seruorum operam et *lora* mihi
cedo Mo 1038 cedo *manum* Am 1076*, Cap
859*, Ep 559*, Mo 332, Ru 243, Tru 696 cedo
manum ac subsequere Ba 723 cedo* manum.
#Manum? #Manum, inquam, cedo tuam actu-
tum Cap 838 cedo manus igitur Ep 694
cedo tu, ut exsoluam, manus Ep 722 cedo
manum ergo Per 225 o fortunate, cedo fortunatam manum Ps 1065 cedo tuam mihi
dexteram Cu 307, Mer 149(mihi tuam *B*) cette*
dextras nunciam Mer 965 cedodum huc mihi
marsuppium Men 265 *mercedem* cedo* Mer
769 cedo amabo decem (*minas*) Mo 298
minas tibi . . debeo . . #Si debes, cedo Mo
1022 in medio *oculo* paullum sordet. cedo
(#Cedo *L*) sis deteram Poe 315 *operam* Mo
1038(*supra sub* lora) sustine hoc (*pallium?*) . .
#Cedo* Men 197 em tibi *pateram*: eccam.
#Cedo* mihi Am 778 cedo tu mihi istam,
puere, *perulam*(† *S* tu *et* istam *om RsU* istam
purpuram *BueL* omisso perulam) Tru 535 hoc
mea manus tuae *poculum* donat . . #Cedo Per
776 tum tu igitur cedo *purpurissam* Mo 261
cedo, puere, *sinum* Cu 75 cedo *soleas* mihi
ut arma capiam Mo 384 cedo* soleas mihi
Tru 363 *sortis* cedo mihi Cas 363 accipe
hanc (sortem) sis. #Cedo Cas 379 *speculum*
Mo 248(*supra sub* arculam) cedo *tabellas* Ba
753 cedo (tabellas) Ba 789 cedo sane mihi
(tabellas) Per 500(mihi *om MueL*) cedo sis
mihi *talentum* magnum argenti Ru 1375 cedo
modo mihi istum *uidulum* Ru 1127 cedo*
mihi *urnam* Ru 443

3. *similiter:* cedo* cantionem ueteri pro uino
nouam St 768(*RRg*) cedo signum si harunc
Baccharum es Mi 1016 cedo(-dum *add R*)
calidum consilium cito Mi 226 loquere et
consilium cedo Mi 978

4. *cum acc. personae:* auro contra cedo
modestum *amatorem* . . #Cedo mihi contra
aurichalco, quoi ego sano seruiam Cu 201
⌣ _ ⌣ _(tace aut cedo *Rs* cedo iudicem *L* duce
A ergo dato *TurnU*) . . quemuis opulentum
uirum(*A ut vid* arbitrum *CaRsU* lac *P*) Ru 712
quin tu is accubitum et *conuiuas* cedo Ps 891
cedo* tris mihi *hominis* aurichalco contra Mi
658 mihi hominem cedo Mo 1090 cedo
quicum habeam *iudicem* Ru 1380 his legibus
quam (*mulierem*) dare uis cedo Au 157(*PS*†
quam dare uis *om URg* dare uis? cedo *L*
omisso quam) cedo uel decem (mulieres):
edocebo Mi 355 cedo *parem* quem pepigi

Per 767 cedo *te* mihi solae solum Mi
1019

B. = dic, narra 1. *seq. interr.:* cedo, quid
illi? Ba 303 cedo*, quid me uis? Ba 1155(*Rg*)
cette*, iam hos tenetis? Cap 10(*Rs*) cedo . .
quae fuit mater tua? Cu 641 cedo, amorem
te hic relicturum putas? Mer 654 cedo*, qui
id credam? Poe 896 cedo mihi, quid es
facturus? Ps 387

2. *praec. interr.:* his legibus dare uis? cedo
Au 157(*L: vide supra* A. 4) quid clamas? cedo*
Mer 683(*Rs*) quid id est quod cruciat? cedo*
Mi 617 quis id fecit? cedo Mo 478 quin
quid uis? cedo Mo 572 quid id est? cedo
Poe 865

3. *parenthetice:* quid, cedo, te, obsecro, tam
abhorret hilaritudo? Ci 54

C. *varia; additur* 1. *dat. personae:* mihi
Am 778, Cas 363, Cu 202, 307, Men 265, 544(*R*),
Mer 149, Mi 658, 1018, Mo 248, 384, 1038,
1090, Per 422, 500, Ps 387, 987, Ru 443, 1127,
1375, Tri 968, Tru 363, 535 meo patri Fr II.
46(*supra* A. 1) *dat. commodi:* manibus Mo
308 *adverbium:* huc Men 265, Ru 1409
abl. cum ab: Men 546

2. *abl. pretii:* auro contra Cu 201 contra
aurichalco Cu 202, Mi 658

3. ut: Cu 654, Ep 722, Mo 248, 373, 384
enunt. rel. Mer 675, Ru 1380

4. *pronomen* tu: Ba 748, Ep 722, Mo 261,
Tru 635

5. *notio augetur per:* -dum Men 265, Mi 226
(*R*), Tri 968 sis Per 422, Poe 315, Ru 1375
amabo Mo 298 obsecro Ci 54 inquam Cap
838, Per 423 actutum Ba 748, Cap 838 cito
Mi 226 modo Ru 1137 nunciam Mer 965

6. *in protasi:* Men 544, 546, Mi 353

CEDO · · I. Forma cedis Men 1018, Ps
308(*A* cedes *P*) **cedit** As *Arg* 5, 405(*Sca* incedit *BEJL* incidit *D*), Au 526(cedis *J*), Cas
446, Mer 600(*Bo* incedit *PL*), Mi 897(*Bo* incedit *PRgL* ornatas ducis *R*), Poe 577(*A ut
vid* incedit *PL*), Ps 955 **cedunt** Au 517, Mer
970(*U* capiunt *PS*†*RRg* sapiunt *L*) **cedam**
Cas 443(dabo me *Fest* 165 *et U*), Ru 836(*SeyS*
accedam *PLU* hac caedi *Rs*) **cessisti** Cas
726(*Mue* incessisti *APLU*) **cedas** Am 546
(concedas *CaRglU*) **cedat** Am 550(e nocte accedat *P* cedat mox nocti *Rgl*), Mer *Arg* II. 15
(cedat suo *BoRRg* cederet *CDψ* cederit *B*)
cederem Ba 1069(*Sca* incederem *PLU*) **cederet** Mer *Arg* II. 15(*CD* -rit *B* cedat suo
BoRRg) **cedito** Cap 11(*Rs pro* accedito: absc.
U duce Bo) **cedere** Au *Arg* I. 12(credere *J*),
Cap 352(*BDESLU* credere *J* iter eat *Rs*) *corrupta:* Am 377, cederes *P pro* cae.; 524, cessissem *BD¹E pro* gessissem Au 567, cedendum
Non 272 *pro* caedundum Cap 819, cedundos
BEJ pro cae. Cas 407, cedor *P pro* caedor;
528, cedundus *P pro* cae. Cu 199, cedis *P pro*
caedis; 228, cessum *Non* 218 *pro* esum; 289,
quin cedunt *B¹VE¹ pro* qui incedunt Ep 253,
cedo *BS*† cedi *J* certo *Kampψ* Men 943, ce-
sum *P pro* caesum Mer 397, cedat *CD Non*
271, 424 *pro* caedat; 1002, cedite *CD pro* caedite Mi 617, cedent *B¹* te *CD* ted *B² pro*
cĕdo(*Ca*) Mo 65, cedite *CD pro* caedite; 547,

has cedis *CD pro* hasce aedis (*B*); 753, has cedis *B¹ pro* hasce aedis; 1167, cedere *BD pro* caedere Per 269, cedi *P pro* caedi(*A*); 282, cedere *AC pro* caedere Poe 684, cedit *C pro* caedit Ps 392, certust cedo *A pro* certus siet; 513, cedito *P pro* caedito St 358, cedite *CD pro* caedite(*AB*) Tru 742, cedent *P* caedent *KiesRsSL* comedunt *StuU*; 768, cedis *BC pro* caedis

II. Significatio A. *proprie* 1. *absolute:* a. cedunt, petunt trecenti Au 517   ibi ad postremum cedit* miles, aes petit Au 526 negat hercle ille ultimus accensus: cedito* Cap 11(*Rs: vide ψ*)   non cedam* potius Ru 836(*SeyS*)

b. *additur praedicativum:* candidatus cedit hic mastigia Cas 446 basilice *exornatus* cedit* et fabre ad fallaciam Poe 577   lepide *excuratus* cessisti* Cas 726   minis animisque *expletus* cedit* As 405   *inanis* cedis*: dicta non sonant Ps 308   . . ut *ouans* praeda *onustus* cederem* Ba 1069   lepide hercle *ornatus* cedit* Mi 897   quia *postremus* cedis, hoc praemi feres Men 1018   ut *transuorsus* non prouorsus cedit quasi cancer solet Ps 955   *tristis* cedit*: pectus ardet Mer 600

2. *cum* ad *praep.:* recessim cedam* ad parietem Cas 443   *similiter:* quam citissume potest, tam hoc cedere* ad factum uolo Cap 352   ad fallaciam Poe 577(*supra* 1. b. *sub* exornatus)

B. *translate* 1. = concedere *seq. dat.:* te, nox, . . mitto uti cedas* die Am 546   . . et dies cedat* mox nocti Am 550(*Rgl*)   ipse obsecrat auonculum Megadorum sibimet cedere* uxorem amanti Au *Arg* I. 12   orat cum suo patre nato ut cederet* Mer *Arg* II. 15   *seq. acc.:* cedit noctem filius As *Arg* 5   uxorem Au *Arg* I. 12

2. = inferiorem esse: suapte culpa genere cedunt* Mer 970(*U*)

CELEBER - - 1. celebre(*Ca* -brest *RRg* celedre e *B* sceledre *CD*) apud nos imperium tuomst(tuom *RRg*) Mi 1197   . . diem pulcrum et **celebrem** et uenustatis plenum Poe 255   hodie . . die festo **celebri** nobilique Aphrodisiis Poe 758

2. *corruptum:* Mi 358, celebre *B¹ pro* Sceledre

CELEBRO - - intro abite atque haec cito **celebrate**(cae. *B* celerate *GulRRgL* atque accelerate *U*) Ps 168   mihi Lauerna in furtis **celebrassit**(celerassit *Nonii cod Lugdun*) manus Fr I. 66(*ex Non* 134; *cf* Inowraclawer, p.46) *corruptum:* Mi 850, celebro *CD pro* crebro (*Lind*)

CELER - - **I. Forma** celere (*nom. neut.*) Tri 668(*de Cu* 283 *vide sub adverbiis*) **celerem** Ba 737(ederem *D¹*), Mer 850, Tri 1008 **celeri** Men 867, St 337, Tri 623, Tru 8 **celerīs** Poe 568   **celerior** Au 321 *adverbia:* celere Cu 283(scelede *J: pro adiectivo habet U: cf* Sjögren, p. 59) **celeriter** Ba 604, Cu 302, 604(celerier *EJ*), Ep 142, Mo 1065, Poe 533(celi. *B*), Ru 798(*Rs in lac quam ret S* huc domo *ReizU* adfer [to domo] *L*), 1323, St 609, 724, 759 **celerius** Mo 72(cecle. *C* scele. *B ante ras*)

corruptum: Ps 389, celeriter *A* scito *C pro* cito(*BD*)

II. Significatio A. *adiectivum* 1. *de hominibus:* uter (coquos) uostrorumst celerior? Au 431   te aduocatos meliust celeris ducere Poe 568(*v. secl Weisω*)   fac te propere celerem Tri 1008

2. *de rebus, sim.:* itast amor ballista ut iacitur: nihil sic celerest, neque uolat Tri 668   celerem* oportet esse amatoris manum Ba 737   ita celeri curriculo fui propere a portu St 337   cursu celeri facite inflexa sit pedum pernicitas Men 867   celeri gradu eunt uterque Tri 623

. . ad denegandum ut celeri lingua utamini Tru 8

date, di, quaesso, conueniundi mihi eius celerem copiam Mer 850

3. *adverbia apponuntur:* propere Tri 1008 sic Tri 668

B. *adverbium* 1. *verbis appon.:* quam (rem) habui *absumpsi* celeriter* Cu 600   curriculo *adfer* celeriter* duas clauas Ru 798(*Rs*)   manicas celeriter *conectite* Mo 1065   celeriter mihi hoc homine *conuentost* opus Cu 302   iube domi mihi . . celeriter cenam *coqui* St 609   non iusta causast quor *curratur* celeriter*? Poe 533   *eloquere* propere celeriter Ru 1323   celeriter *factost* opus Ba 604   ita nunc subito propere et celere* *obiectumst* mihi negotium Cu 283   celeriter lepidam . . cantionem *occupito* cinaedicam St 759   *suffla* celeriter tibi buccas St 724   nimio celerius* *uenire*(uenit *BentRsLU*) quod moleste feras quam . . Mo 72 *de collocatione cum imperativo cf* Loch, p. 9

2. *adiectivo appon.:* opust quadraginta minis, celeriter calidis Ep 142

3. *add. adverbium:* propere Ru 1323

CELERO - - intro abite atque haec cito **celerate**(*Gul:* celebrate *P*[cae. *B*]*S* atque accelerate *U*) Ps 168   *corruptum:* Fr I. 66, celerassit *Nonii* (134) *cod Lugdun pro* celebrassit

CELLA - - **I. Forma** cellae(*dat.*) Cu 387 **cellam** Mi 837   **cellā** Am 156, Mi 853, 857 **cellas** Cap 918, Cas 144

II. Significatio 1. reliqui in uentre cellae uni locum ubi reliquiarum reliquias reconderem Cu 387

2. bono subpromo et promo cellam creditam! Mi 837   cellas refregit omnis intus Cap 918 obsignate cellas, referte anulum ad me Cas 144

3. inde cras quasi e promptaria cella depromar ad flagrum Am 156(*cf* Graupner, p. 8) in cella erat nimis loculi lubrici Mi 853   uos in cella uinaria Bacchanal facitis Mi 857

CELLARIUS - - 1. *substantive:* prompsit †amardiminam(*PiusS* deprompsit nardini *FZRRg* dum misit nardum in *UL*) amphoram **cellarius**(*B* cellararius *CD*) Mi 824   te facio **cellarium** Cap 895

2. *adiective:* e sagina ego eiiciar **cellaria** ut . . Mi 845

CELO - - **I. Forma** celo Au 113, Mi 1014 bis **celas** Mi 1014(et celas èt *A ut vid* et etiam s' *B* etiam sed *CD* etiam sic *BoR*), ib. (colas *B*), 1015 **celamus** Tru 57(-umus *B*), 60

celabat Tru 201 **celabo** St 149 **celabis**
Ba 403(-bas *CD v. secl RRg𝔖*) **celabit** Poe
180 **celabitur** Per 246 **celauisti** Ba 167,
Per 799 **celauistis** Poe 1289 **celem** Au 74,
Ba 375, Cas 875, Ru 1245 **celes** Tri 800 **ce-**
letur Am 490 **celarentur** Tru 798(*v. secl*
Langen𝔖) **celassis** St 149 **celare** Men 641,
Per 221, Tru 90 **celatum**(*nom. neut.*) Au
277 **celata**(*nom. neut.*) Ps 491 **celatorum**
(*neut. subst.*) Mi 1013(*RRg* consiliarium *P𝔖✝*
consiliorum *FZLU*) **celatum**(*gen. subst.*) Tri
241 **celata**(*acc. subst.*) Tri 164 *corrupta:* As
135, celaui *J pro* elaui; 258, celo e͞e *B pro*
celocem Mo 923, celo culo *C pro* te ioculo
Tru 521, cela ad ob rem *P𝔖✝ var em ψ*
ę: Au 113 *EJ*, Mi 1014 *B*, Per 799 *D*, Tri
241 *CD*, Tru 57 *C*

II. Significatio A. *verbum* 1. *absolute:*
utut eris, moneo, haud celabis* Ba 403(*v. secl*
RRg) non potes celare: rem nouit probe Men
641 immo et celas* et non celas* Mi 1014

2. *cum acc. rei et personae:* istaec flagitia
me celauisti et patrem Ba 167 egone . .
ut celem patrem . . tua flagitia aut damna aut
desidiabula? Ba 375 uxorem quoque ipsam
hanc rem uti celes face Tri 800 haec sciuisti et me celauisti? Per 799 quor haec tu
ubi resciuisti ilico celata me sunt? Ps 491
neque ego te celabo, neque tu me celassis
quod scias St 149

3. *cum acc. rei:* **a.** haec celamus* nos clam
magna(*L* mina *P𝔖✝* omnes summa *Rs* nos
nostra damna *FZU*) industria Tru 57 ego
id quod celo hau celo Mi 1014 quod celatum atque occultatumst usque adhuc nunc non
potest Au 277(*cf* Leo, *Anal. Pl.*, I. p. 45)
egone ut quod ad me adlatum esse alienum
sciam celem? Ru 1245 tacitum erit. #Cela-
bitur Per 246 era me rogitauit minor . . ea
ut celarentur omnia Tru 799(*v. secl Langen*[*Stud.*
Pl. p. 386]*Rs𝔖L*) leno celabit hominem et aurum Poe 180 . . clandestina ut celetur consuetio Am 490 neque hoc dedecus quo modo
celem scio Cas 875 neque iam quo pacto celem
erilis filiae probrum . . queo comminisci Au 74

b. *similiter de hominibus:* Poe 180(*supra* **a**
sub aurum), 1239(*infra* 5)

4. *cum acc. personae:* celo sedulo omnes ne
sciant Au 113 *fortasse* Tru 57(*Rs vide supra*
3. **a**) quos quom celamus si faximus conscios
. . Tru 60 an me censuit celare se potesse
grauida si foret Tru 90 celabat metuebatque
se ne tu sibi persuaderes Tru 201 infidos celas: ego sum tibi firme fidus Mi 1015

5. *cum acc. et clam:* filias meas celauistis
clam me Poe 1239 *fortasse* Tru 57(*Rs: vide*
supra 3. **a**)

6. *seq. interr. obl.:* certus est celare, quo
iter facias? Per 221 *si:* Tru 90(*supra* 4) *ne:*
(*supra* 4) Au 113, Tru 201

B. *participium:* 1. celatum indagator Tri 241
(*cf* Wueseke, p. 36) socium tuorum conciliorum et participem celatorum* Mi 1013(*RRg*)

2. meam fidelitatem et celata omnia paene
ille ignauos funditus pessum dedit Tri 164

CELOCULA - - tum haec **celocula** illa
absente(*Rib duce BugRgU*[illam absentem] *cum*

L[omisso illam] cum haec elocutam illam autem
absentem *P𝔖✝ aliter R*) subigit me ut amem
Mi 1006 *cf* Ryhiner, p. 30

CELOX - - I. Forma **celox** Mi 986(cę. *B*),
987 **celocem** As 258(celo e͞e *B*), Poe 543
(*Non* 532, 533 ualocem *P*), Ps 1306 **celoce**
Cap 874(cę. *E* -te *EJ*)

Ⅱ. **Significatio** A. *substantive* = nauicula
1. *proprie:* filium tuom modo in portu . . uidi
in publica celoce Cap 874 *similiter:* unde
sumam? quem interuortam? quo hanc celocem*
conferam? As 258

2. *translate:* haec celox illiust quae hinc
egreditur internuntia. #Quae celox? #Ancillula
illius est Mi 986 unde onustam celocem(*de*
ebrio homine dicit) agere te praedicem? Ps
1306 *Cf* Graupner, p. 22; Inowraclawer,
p. 76

B. *adiective:* operam celocem* hanc mihi,
ne corbitam date Poe 543(*v. secl L*)

*** CEN *** Ci 258

CENA - - I. Forma **cena** Am 804, As 935,
Ba 80, 537 *bis*, Cap 189, Cas 743, 781, Ep 8,
Mer 742, Mi 753, Poe 1151, Ps 892, Ru 1215,
St 533, 662, 830, Tri 470(-ā *B*), 484, Tru 127
(cena detur *A* centur *P*) **cenae**(*gen.*) Au 360
cenam Am 311, As 736, 864, Au 365, 431, 435,
458, Ba 94, 185, Cap 173, 175(ad cenam *Rs*
nam *P*[*sed ad B¹* cenam *J*] *om U*), 497, 831,
910, Cas 747, 766, 781(c. faciam *Pius* unum
(-am *D*) factum(-tam *CD*)*P* unum faciam *GulL*),
Cu 350, 660, Men 124, 794, Mer 98, 578, 694
(se *SpRg*), Mi 712, Mo 1005, 1132, 1134, Per
850, Ps 796, 810, 854, 879, 881, 890, Ru 151,
508, 1264, 1418, 1420, St 185, 190, 428, 429
433, 439, 442, 447, 486, 510, 511, 512, 576, 588,
595, 596, 598, 602, 609, 611, 612, 654, Tri 468,
Tru 547, Vi 53 **cena** Am 283, Mo 485, 1130,
St 222, 223, 626 **cenae** St 212 **cenas** Cap
494, Men 101, Ps 819 ę: Am 283 *BDJ*, 311
BD, 804 *J*, As 935 *DEJ*, Au 431 *B*, 435 *B*,
Ba 537 *C bis*, Men 124 *C*, 794 *C*, Mer 480 *D*,
Mi 712 *D*, Poe 1151 *CD*, Ps 810 *CD*, Ru 151 *D*,
568 *CD*, 1215 *C*, 1264 *CD*, 1418 *C*, 1420 *C*,
St 185 *CD*, 190 *CD⁴*, 212 *C*, 222 *C*, 223 *CD*,
433 *C*, 439 *C*, 447 *C*, 486 *CD*, 510 *CD*, 511 *CD*,
512 *CD*, 576 *D*, 588 *C*, 595 *CD*, 596 *CD*, 598
CD, 609 *CD*, 611 *D*, 612 *CD*, 654 *CD*, 662 *CD*,
680 *CD*, Tri 468 *C*, 470 *C*, Tru 547 *CD* ae:
Am 311 *J*, Au 360 *P*, 458 *J*, Ba 80 *D*, Mer 98
C, Per 850 *C*, St 611 *C*, 626 *C* oe: Mi 712
C, Tri 468 *D*, 470 *D*, 484 *D* *corruptum:*
Ru 295, his cenā i *B* his cęnam *CD pro* hisce
hami(*Ca*)

II. Significatio 1. *nom.:* cena *adpositast*
Am 804, Mi 753 . . adposita cena sit popularem quam uocant Tri 470 (cena) Thyestae
quondam(✝ 𝔖) *antepositast* (Th. est anteposita *U*
Th. q. aut positast *NettleshipL*) et(*om L*) Tereo
Ru 509 cena *coquitur* As 935 cena modo
si sit cocta Cas 743 . . cena ubi erit cocta
Cas 781 coquendast cena atque quom recogito nobis coquendast Men 742 quam mox
coctast(coacta est *PU*) cena? St 533 cena
coctast(dictast *PLU*) St 662 curaui . . cena
cocta ut esset St 680 *corrumpitur* iam cena
Ps 892 patruo aduenienti cena *curetur* uolo

Poe 1151   hic fac sit cena ut curetur Ru 1215   cena *detur* Ba 537, Tru 127*   cena tibi dabitur Ep 8   si apud te *eueniet* . . cena, ut solet in istis fieri conciliabulis Ba 80   cena hac annonast sine sacris *hereditas* Tri 484(*cf* Egli, I. p. 17)   non *placet* cena quae bilem mouet Ba 537   *positast* Ru 509(*supra sub* antepositast) *terrestris* cenast. #Sus terrestris bestiast Cap 189

quot adeo cenae quas defleui mortuae! St 212 (*cf* Egli, I. p. 29; Graupner, p. 5; Inowraclawer, p. 16)

2. *gen.*: cenaene* causa aut tuae mercedis gratia nos nostras aedis postulas comburere? Au 360

3. *acc.* **a.** *post verba*: spondeo . . me (cenam) *accepturum* si dabis Ep 8   scelestiorem cenam *cenaui* tamen quam quae Thyestae †quondam antepositast et Tereo Ru 508   non ego item cenam *condio* ut alii coci Ps 810   Ps 882(*infra sub* do)   unum hoc faciam ut in puteo cenam *coquant* Au 365   sinas an non sinas nos coquere hic cenam? Au 431   qua prohibes nunc gratia nos coquere hic cenam? Au 435   i et cenam coque Au 458   cenam iam esset coctam oportuit Cas 766 . . ut esset hic qui mortuis cenam coquat Ps 796   ei homines cenas ubi coquent, quom condiunt non condimentis condiunt Ps 819 . . quin ibi constrictis ungulis cenam coquas Ps 854(*v. om C*)   intro abi et cenam coque Ps 890   iubebo nobis cenam continuo coqui Ru 1264   iubebo ad Sagarinum cenam coqui St 439   iuben domi cenam coqui? St 598, 602(iube c. d. c.)   iube domi mihi tibique . . celeriter cenam coqui St 609   . . ut cenam coqueret temperi St 654   . . noctem huius et cenam sibi ut *dares* As 736   ego sorori meae cenam hodie dare uolo uiaticam Ba 94   irrogabo multam ut mihi cenas decem meo arbitratu dent Cap 494   . . posthac cenam parasitis dabit Cap 910   . . tu ut hodie adueniens cenam des sororiam Cu 660   ipsus escae maxumae, cerialis cenas dat Men 101   utrum tu amicis hodie an inimicis tuis daturu's cenam? Ps 879   ego ita conuiuis cenam conditam dabo hodie atque ita suaui suauitate condiam . . Ps 881   magis par fuerat me uobis dare cenam aduenientibus St 512   ne duis, neque cenam Vi 53   *facite* cenam(*proleptice*) mihi ut ebria sit Cas 747(*cf* Inowraclawer, p. 16)   quid si igitur cenam* faciam? Mer 578(*vide L*)   ego ruri cenam* *inuenero* Cas 781(*Rs*)   tu istam cenam *largire*, si sapis, esurientibus Am 311   ego credo tibi hospitium et cenam *pollicere* . . peregre aduenienti Ba 185   *rogare* cenam* nihil moror St 429(*U*)

b. *post praepp.* **ad:** aliquo ad cenam condicam foras Men 124   condixi in symbolam ad cenam ad eius conseruom St 433(*CaL* conduxi *A* condici *P*𝕊† *var em RRgU*)   ne uos miremini homines seruolos potare amare atque ad cenam condicere St 447   hoc ecastor est quod ille it ad cenam cottidie As 864   me pro te ire ad cenam autumo Mo 1132   in tu (*Rs* asto *P*𝕊† ac te *UL*) ad me ad cenam.

#Dic uenturum(c. d. u. *UL*) Mo 1134   i intro, amabo, ad cenam Per 850   ad cenam ibone? St 428   ibisne ad cenam foras? St 612   tu num neuis me . . quo uocatus sum ire ad cenam? Tru 547   qui nisi temperi ad cenam meat . . St 442   prohibere ad cenam ne promittat postules Men 794   ad cenam hercle alio promisi foras St 596   redibo huc ad senem ad cenam asperam Cap 497   hic homo ad cenam recipit se ad me Cap 831   uenio Mo 1134(*RLU: vide supra sub* eo)   ueni illo ad cenam St 185   uin ad te ad cenam ueniam? St 486   tum ut uenias . . . #Vae aetati tuae. #Vasa lautum, non ad cenam dico St 595   si in aedem ad cenam ueneris . . Tri 468   uocatus es ad cenam? Cap 173   a te uocari ad te ad cenam* uolo Cap 175   uocat me ad cenam Cu 349   hospes me quidem adgnouit ad cenam uocat Mer 98   decem si ad cenam* uocasset summos(ad se uocasset summatis *SpRg*) uiros nimium opsonauit Mer 694   me ad se ad prandium ad cenam uocant Mi 712   . . ad cenam ne me te uocare censeas Mo 1005   uos quoque ad cenam uocem ni . . niue adeo uocatos credo uos esse ad cenam foras Ru 1418-20   uocem te ad cenam nisi egomet cenem foras St 190   uocem ego te ad me ad cenam . . St 510   me ad se ad cenam uocat St 511   quin uocasti hominem (ad te *add RRg*) ad cenam? St 576 . . hunc hercle ad cenam ut uocem, te non uocem St 588   Tru 547(*supra sub* eo)

per: per(= *quod attinet ad*) hanc tibi cenam incenato . . esse hodie licet St 611

post: post cenam, credo, lauerunt heri Ru 151

4. *abl.* **a.** *cum verbis*: quis cena poscit? ecqui poscit prandio? Hercules stabunt(*RRg* hercle aestumaui *BergkL* herculeo te amabit *P*[-ui *A*]𝕊†*U*) prandio(*U*) cena tibi St 222   hic . . summam in crucem cena aut prandio perduci pote est St 626

b. *cum praepp.*: mira sunt nisi inuitauit sese in cena plusculum Am 283   tuos gnatus postquam rediit a cena domum . . Mo 485   de cena facio gratiam Mo 1130

5. *app. adiectiva*: aspera Cap 497   cerialis Men 101   ebria Cas 747   melior St 224(?)   popularis Tri 470   scelestior Ru 508   sororia Cu 660   terrestris Cap 189   uiatica Ba 94

CENACULUM - - idem Mercurius . . in superiore qui habito **cenaculo**(cae. *J*) Am 863 *Cf* Tyrrell *in Ciceronis Epist.* II. *adn. suppl.* p. 242

CENATICUS - - ibo ad portum hinc: est illic mihi una spes **cenatica**(cę. *E*) Cap 496

CENO - - I. **Forma** ceno St 612 **cenas** St 430, Tru 359   **cenat** Men 126, Ps 844, 845, St 415, 664, 701(*PL A n. l.* cessat 𝕊 comit *CaRRg* cunctat *U*) **cenamus** Cap 481 **cenant** St 487   **cenabo** St 482, 599(-ui *A*) **cenabis** As 936, Cu 728, Poe 1400(-bitis *B*), St 325, Tru 360(-bist *P* cenas *A*), Vi 53   **cenabit** Per 473   **cenabitis** Cas 780   **cenaui** Am 310, 732, 823, Ru 508   **cenauisti** Am 735, 804, Cu 18   **cenauimus** Am 806   **cenauerat** Mo 484   **cenauero** Cas 781(cenam inuenero

Rs), Mo 1007   **cenem** As 935, St 190, 471
cenes Cap 837, Mo 1129(tenes *C*)   **cenet** Cas
773   **cenares** Per 710   **cenassit** St 192
(cenasit *D¹*)   **cenato** Ru 1417   **cenatote**
Ru 1423(*v. secl RsSU*)   **cenare** Mer 802, St
598   **cenaturus** Ru 181   **cenaturum**(*masc.*
acc.) St 511   **cenaturi**(*masc. nom.*) Men 750
cenandum(*neut. nom.*) Mo 701   **cenati**(*masc.*
nom.) Au 368, Cu 354, Ru 304(*Reiz* incenati[-cȩ.
CD]*PL* in caeno *Rs*)   **cenatas** Tru 279 *cor-*
ruptum: Mi 1318, cenissent *CD¹ pro* uenissent

II. **Significatio** A. *verbum* 1. *absolute:*
cenaui modo Am 310   quid postquam cenauimus? Am 806   non licet manere . . dum
cenem modo? As 935   coqui nimis lepide ei
rei dant operam ne cenet senex Cas 773   si
sapitis, uxor, uos tamen cenabitis Cas 780
heri cenauistine? Cu 18   non estis cenaturi?
Mer 750   eadem (opera) licebit mox cenare
rectius Mer 802   et cenandum et cubandumst
ei male Mo 701   hodie non cenabis St 325
amica mea et tua dum cenat* . . St 701(*PL*)
non cenabis? Vi 53

2. *cum adverbiis:* a. *hic* apud nos hodie
cenes Mo 1129   cras ires potius, hodie hic
cenares Per 710   hic hodie cenato, leno Ru
1417   uos hic hodie cenatote ambo Ru 1423
(*v. secl WeisRsSU*) hic apud me cenant alieni
decem St 487   hicine hodie cenas, saluos
quom aduenis? Tru 359   cenem *illi* apud te?
St 471   ibi cenaui atque ibi quieui in naui
noctem perpetem Am 732   ibi uoster cenat
cum uxore adeo et Antipho St 664   *ubi* cenamus una? Cap 481   nescioquem ad portum
nactus es ubi cenes Cap 837   ubi cenas
hodie? St 430   ubi cenabis*? #Ubi tu iusseris Tru 360

b. ei hercle ego uerbo lumbos diffractos
uelim . . si cenassit* *domi* St 192   cenabo
domi St 482   solus cenabo* domi? St 599
si *foris* cenat, profecto me . . ulciscitur Men
126   ut foris cenauerat tuos gnatus . . Mo 484
hodie cenabis* foris Poe 1400   uocem te ad
cenam nisi egomet cenem foris St 190   qui
malum tibi lasso lubet foris cenare? St 598
ego *ruri* cenauero* Cas 781

c. *variis:* una Cap 481   male Mo 701   rectius
Mer 802   *similiter:* solus St 599

3. *cum praepp.:* tu miles **apud** me cenabis
Cu 728   is hodie apud me cenat et frater
meus St 415   St 487(*supra 2. a*) nos Mo 1129
(*supra 2. a*)   uerum cras . . uel apud te cenauero Mo 1007   St 471(*supra 2. a*) . . dixisset
mihi te apud se cenaturum esse hodie St 511
apud fratrem ceno in proxumo St 612   mecum
cenauisti et mecum cubuisti Am 735   cenauisti
mecum Am 804   cum uxore St 664(*supra 2. a*)
si tu **de** illarum cenaturus uesperi's . . Ru 181
in proxumo St 612(*supra sub* apud)   cenauin
ego heri in naui in portu Persico Am 823   in
naui Am 732(*supra 2. a*)

4. *cum acc.:* iam hodie alienum cenabit,
nihil gustabit de meo Per 473   scelestiorem
cenam cenaui tuam quam quae . . Ru 508
ecastor cenabis hodie, ut dignus es, magnum
malum As 936 (*cf* Egli, I. p. 20)   eum odo-

rem cenat Iuppiter cottidie. #Si nusquam
coctum is, quidnam cenat Iuppiter? Ps 844—5
B. *participium:* 1. si autem deorsum comedent . ., superi incenati sunt et cenati inferi
Au 368   postquam cenati atque appoti, talos
poscit sibi in manum Cu 354   nisi quid concharum capsimus, cenati* sumus profecto Ru
304

2. ego me ruri amplexari mauelim patulam
bouem . . quam tuas centum cenatas noctes
mihi dono dari Tru 279(*cf* Egli, II. p. 19)

CENSEO - - I. **Forma   censeo** Am 279, 966,
1036, As 731, 820, 870, Au 597, Cap 301, Cas
202, 365, 373, 411, 807, 947, 1004, Ci 769, Cu
70, 112, 279, Ep 274, Men 345, 569, 617, 846
(*Rs creo P*[uero *B²*]*St* haereo *OnionsL* periculum est *U* iam reor *R*), Mer 143, 569, 580,
1015, Mi 1418, Mo 205, 226, 608, 1092, Poe
728, 1249, Ps 664, Ru 167, 182, 406(cesseo *D¹*),
787, 961(-ebo *Rs*), 1269, 1270, 1271, 1272(-ebo
D¹), *ib.*, 1273, 1274 *bis*, 1275, 1276 *bis*, 1277,
1278 *bis*, St 70, 112, 293, 368, 428, 548, 618,
736, Tri 392, 696, 713(ceseo *D*), 1114(*v. om U*),
Tru 424(icenseo *B*), Vi 18   **censes** Am 694, As 229,
299, 338(-seres *J*), 358, 485, Ba 321, 839, 1035
(cesses *D*), 1198, Cap 845, 853, 969, Cas 381
(cerses *VE*), 474, Cu 59, Ep 552, Men 514(sen-
ses *B¹*), 924, 948, Mer 222, 483(leto censes *CD*
uolet occenses *B*), 564, 578, Mi 1120, Mo 7,
272, 556, Ps 476, Ru 1099, 1271, 1272, St 113,
350, 598, 604, Tri 71, 563(*A* census *P*), 695,
1079   **censen** As 887(-em *BJ*), Au 309, 315,
Ci 268, Mer 461, Poe 730(*Bo* censent *CD* -erit
B quid tum? *ARgUL*), Ru 1269   **censet** Am
134, Au 528(*v. secl U*), Men 668, Poe 810, Ru
1279   **censent** Am 122(cessent *J*)   **censetur**
Tri 494   **censebam** As 385, Au 667, Ba 342,
Men 1072, Men 196, 815, Per 171(*A* censueram *P*),
257, Ps 956, Ru 452   **censebas** Am 1027(-abas
J), Men 605(*BD²* tens. *CD¹*) 636, Per 415, 815
censebat Men 1136   **censebo** Mi 395, Ps 646
(-abo *B*), Ru 961(*Rs* censeo *Pψ*)   **censebis**
Am 969(-nis *B¹*)   **censebit** Poe 182, 563, 735,
Tri 785   **censebitur** Poe 56   **censui** Am
1067, Au 770, Ba 122, Cas 364, Cu 84, Mi 549,
557, 1409, Tri 304   **censuit** Ba 961, Tru 89
censeam Mi 1120, 1371(-eat *P*), Mo 556, Per
190, Ru 407, Tri 1079, Tru 315   **censeas** Au
240, 517, 520, Ba 540(om *A*), 904, Cas 562, Ci
558, Cu 539, Mo 628, 1005, Per 191, Poe 521,
1022, Ps 464, St 294, 476, Tru 668   **censeat**
Am 1129, Ep 288, Men 23(solus *B*), Mo 284, Per
9, Tri 306, Tru 73   **censeant** Men 556, 700,
Poe 795   **censerem** Mi 721   **censeret** Ep
88, Mi 1080(-rit *B*), Ru 1261   **censerier** Cap
15(-senrier *J*)   **census** Tri 872   *corruptum:*
Cas 323, censurum *J pro* concessurum Mer 311,
censeor *B pro* sensero

II. **Significatio** A. *proprie, de censu et*
sim: 1. uos qui potestis ope uostra censerier*,
accipite relicuom Cap 15   census quom sum,
iuratori recte rationem dedi Tri 872

2. *per metaphoram:* argumentum hoc hic
censebitur Poe 56   aequo mendicus atque ille
opulentissumus censetur censu ad Acheruntem
mortuos Tri 494(*cf* Graupner, p. 16)
quod rogas, censeo. #Dic ergo quanti censes?

#Egone? censeo Ru 1272(*cf* Schaaff, p. 32) perii, dilectum dimisit: nunc non censet, quom uolo Ru 1279

B. *translate* 1. = decernere, admonere; **a.** *absolute vel addito adverbio* **censeo** = approbo, admoneo, *praecipue in responsis:* ego rem diuinam intus facio. #Censeo Am 966   quid si . . occentem? #Censeo Cas 807   quid si recenti re aedis pultem? #Censeo Poe 728   quid si eloquamur? #Censeo hercle Poe 1249 ad te accedent.   #Non hercle equidem censeo Ru 787   patri etiam gratulabor? #Censeo. #Quid, matri eius? #Censeo.   #Quid ergo censes? #Quod rogas, censeo.   #Dic ergo quanti censes?? #Egone? censeo.   #Adsum equidem, ne censionem semper facias. #Censeo.   #Quid si curram? #Censeo.   #An sic potius placide? #Censeo.   #Etiamne eam adueniens salutem? #Censeo.   #Etiam patrem? #Censeo.   #Post eius matrem? #Censeo.   #Etiam adueniens complectar eius patrem? #Non censeo.   #Quid, matrem? #Non censeo.   #Quid, eampse illam? #Non censeo Ru 1270—8   ad cenam iam ibo? #Si uocatu's censeo St 428(*RgL*)   uin amicam huc euocemus? ea saltabit.   #Censeo St 736   hodie sacruficare pro puero uolo . . quinto die quod fieri oportet.   #Censeo* Tru 424   hinc auscultemus quid agat.   #Sane censeo Cu 279   dabo operam somno.   #Sane censeo* Ps 664   ibo, adducam . .   #Enim censeo* Men 846(*Rs*)   quid ego nunc cum illoc agam?   #Male habeas: sic censeo Men 569 *similiter:* quid grauare? censeas(= adnuas) St 476(*v. secl U*)

b. *cum acc.:* quid nunc censes*, Chrysale? #Nihil ego tibi hodie consili quidquam dabo Ba 1035   quid censes? #Quid si uisam? Mer 564   quid nunc faciundum censes? #Egon quid censeam? Mo 556   quid ergo censes? #Quod rogas censeo* Ru 1271   hoc si censes coquom aliquem arripiamus Mer 578   em, istuc censeo Mer 580   utrum(itane *U*) tu censes? St 598

c. *seq. infin. praes.:* miles inpransis astat, aes censet dari Au 528(*v. secl U*)   ne supplicare censeas, nihili homo! Ba 904   ne tu mihi facias ferocem aut supplicare censeas Cu 539   ad cenam ne me te uocare censeas Mo 1005   *fortasse etiam* Tri 696(*vide infra* 2. e)

d. *seq. gerund.:* consulam quid *faciundum* censeat Am 1129   consulam hanc rem amicos quid faciundum censeat Men 700   (ego) sic faciundum censeo As 820, Ci 769, Ep 274   quid nunc faciundum censes? #Egon quid censeam? Mo 556   faciundum edepol censeo Mo 1092   sane faciundum censeo St 618

postibi (eum) *amittendum* censeo Mi 1418   censeo hanc *appellandam* anum Cu 112   quid nunc consili *captandum* censes dic As 358   malo, Chaline, tibi *cauendum* censeo Cas 411 . . aps qua cauendum nobis sane censeo Men 345   censeo ecastor ueniam hanc *dandam* Cas 1004   illis *curandum* censeo Ru 182   soli *gerundum* censeo morem et *capiundas* crines Mo 226   iam (eum) *deuorandum* censes*, si conspexeris? As 338   domino *dicundum* censeo*

Ru 961   *narrandum* ego istuc militi censebo Mi 395   exorando haud aduorsando *sumendam* operam censeo St 70   etiamne unguentis *unguendam* censes? Mo 27

e. *seq. vel subiu. vel subiu. cum ut vel impera.*(*cf* Morris, *Am. Jour. Phil.* XVII., p. 156; Schnorr, p. 4): dicamus senibus legem censeo Mer 1015   censen* hominem interrogem? Poe 730(*RŞU*)   quo leto censes* me ut peream potissimum? Mer 483   uolo scire ergo ut aequom censes.   #Ut . . omnibus os opturent St 113(*an post* aequom?)   *huc referunt nonnulli etiam* Am 694(*infra* 2. g. α) male habeas: sic censeo Men 569

f. *verbum supplendum est:* nostro uilico gratiam facias. #At pol ego nec facio neque censeo (faciundum) Cas 373   si deos salutas, dextrouorsum censeo (salutes) Cu 70   quo ego redeam? #Equidem ad Phrygionem censeo (redeas) Men 617   ad me face uti deferatur. #Itane censes? Men 948(faciundum?)   dicas uxorem tibi necessus ducere. #Itane tu censes (faciundum)? #Quid ego ni ita censeam? Mi 1120

2. = putare, opinari **a.** *seq. infin.*(*cf* Votsch, p. 36 *bis*; Walder, pp. 37, 47) *praes.:* omnes eum (*i. e.* Amphitruonem) esse censent* serui qui uident Am 122   illa illum censet uirum suom esse Am 134   iam hic ero quom illic censebis* esse me Am 969   an foris censebas* nobis publicitus praeberier? Am 1027   ardere censui aedis Am 1067   quot pondo ted esse censes nudum? As 299   erum nos fugitare censes? As 485   ego censeo . . hominem in senatu dare operam As 870(*v. dub*)   uero adeo eum(esse *PL*) parcum et miserum uiuere? Au 315   Fide censebam maxumam multo fidem esse Au 667   quem ego sapere nimio censui plus quam Thalem Ba 122   quos quom censeas esse amicos . . Ba 540(*v. om A*)   illam meretricemne esse censes? Ba 839(*aliter interpung. L*)   censuit Mnesilochum cum uxore esse dudum militis Ba 961   unde illum sumere censes, nisi quod tu dederis? Ba 1198   mean me causa hoc censes dicere? Cap 853   non me censes scire quid dignus siem? Cap 969   hoc uiri censeo esse omne quicquid tuomst Cas 202   men te censes* esse? Cas 381   ego nobis ferri(*Bent* afferri *PL*) censui (uinum) Cu 84   . . ut censeret suam sese emere filiam Ep 88   . . ne te censeat fili causa facere Ep 288   omnis cinaedos esse censes* tu quia's? Men 514   non mihi censebas esse qui te ulciscerer Men 636   tu me locustam censes esse? Men 924   ego hunc censebam ted esse Men 1072   hunc censebat te esse, credo Men 1136   . . sin saluti quod tibi esse censeo id consuadeo? Mer 143   equidem me iam censebam esse in terra atque in tuto loco Mer 196   censen certum esse? Mer 461   haud censebam istarum esse operarum patrem Mer 815   meam esse erilem concubinam censui Mi 549   si ei forte fuisset febris, censerem emori Mi 721   . . ne haec censeret* me aduorsum se mentiri Mi 1080   uiduam hercle esse censui Mi 1409   an ruri censes te esse? Mo 7   is nequid emat nisi

quod sibi placere censeat Mo 284 multa in pectore suo conlocare oportet quae ero placere censeat Per 9 . . ut domi sis, quom ego te esse illi censeam Per 190 . . uti domi sim, quom illi censeas Per 191 ille me censebit quaeri Poe 182 Milphionem quaeri censebit tuom Poe 563 alium censebit quaeritari Poe 735 nostro seruire nos sibi censet cibo Poe 810 . . ut tu censeas non Pseudolum sed Socratem tecum loqui Ps 464 at ego quando eum esse censebo* domi rediero Ps 646 minus malum hunc hominem esse opinor quam esse censebam coquom Ps 956 ut tute's, item omnis censes esse? Ru 1099 dum praedam habere se censeret . . Ru 1261 an uero nugas censeas, nihil esse quod ego nunc scio? St 294 illos itidemne esse censes quasi te cum ueste unica? St 350 . . nisi me non perspicere censes quod agas St 604 hicine nos habitare censes? #Ubinam ego alibi censeam? Tri 1079 accepta dico, expensa nequi censeat (sc me dicere) Tru 73 ibitur, ne me morari censeas Tru 668 .

b. esse omisso aequom censeo absolute: scio ut oportet esse si sint ut ego aequom censeo St 112 uolo scire ergo ut aequom censes St 113 utrum itane esse mauelit, ut eum animus aequom censeat an . . Tri 306 non optuma haec sunt neque ut aequom censeo Tri 392 si mihi tua soror, ut ego aequom censeo*, ita nuptum datur . . Tri 713 seq. infin.: dic quod me aequom censes pro illa tibi dare? As 229 eodem modo seruom ratem esse . . aequom censeo Au 597 non ego istunc me potius quam te metuere aequom censeo Cap 301 tuae memoriae interpretari me aequom censes? Ep 552 prius etiamst quod te facere ego aequom censeo Mer 569 amicos consulam quo me modo suspendere aequom censeant potissumum Poe 795 ad me adiri et supplicari egomet mihi aequom censeo St 293 nunc mihi reddi ego aequom esse abs te quicum cubitem censeo St 548 meum animum tibi seruitutem seruire aequom censui Tri 304

c. alia verba: . . quoi deos atque homines censeam bene facere magis decere Ru 407 illi me soli censeo esse oportere opsequentem Mo 205 censen talentum magnum exorari pote ab istoc sene? Au 309 ego censui aps te posse hoc me impetrare, . . et nunc etiam censeo Cas 364 . . si quidem cras censes te posse emitti manu Cas 474 clanculum te istaec flagitia facere censebas* potis Men 605 si honeste censeam* te facere posse, suadeam Mi 1371 an me censuit celare se potesse, grauida si foret Tru 89 non censeam tam esse tristem posse Tru 315

d. seq. infin. praeter.: neque ego hac nocte longiorem me uidisse censeo Am 279 neque ego umquam usquam tanta mira me uidisse censeo Am 1036 censebam (aliquem) attigisse As 385 satis iam delusum censeo As 731 censen* tu illunc hodie primum ire adsuetum esse in ganeum? As 887 eo dico, ne me thensauros repperisse censeas Au 240 iam hosce absolutos censeas Au 517, 520 de alia

re resciuisse censui Au 770 etiam dimidium (attulisse) censes Ba 321 censebam me effugisse a uita marituma Ba 342 ego illos non uidi, nequis uostrum censeat (sc me uidisse) Men 23(solus B) . . ut si sequentur me, hac abiisse censeant Men 556 male mihi uxor sese fecisse censet Men 668 iam censes patrem abiisse a portu? Mer 222 Philocomasium me uidisse censui Mi 557 neque ego taetriorem beluam uidisse me umquam quemquam quam te censeo Mo 608 me quidem iam satis tibi spectatam censebam* esse et meos mores Per 171 ne tuo nos amori seruos esse addictos censeas Poe 521 . . ne quid clam furtim se accepisse censeas Poe 1022 non uidisse undas me maioris censeo Ru 167 neque digniorem censeo* uidisse anum me quemquam Ru 406 . . quos periisse ambos misera censebam in mare Ru 452 . . cercurum, quo ego me maiorem non uidisse censeo St 368 censebit aurum esse a patre adlatum tibi Tri 785 ob eam laborem eum ego cepisse censeo Tri 1114(v. om U)

e. seq. infin. fut.: tuan causa aedis incensurum censes? Cap 845 quod ego non magis . . censebam: eam fore mihi occasionem Per 257 non mihi censebas copiam argenti fore Per 415 . . nisi tu me mihimet censes dicturum male Tri 71 te dictatorem censes fore, si aps te agrum acceperim? #Neque uolo neque postulo neque censeo Tri 695—6

f. paratactice (cf Weiszenhorn, p. 7): censen hodie despondebit eam mihi, quaeso? #Censeo Ru 1269

g. α. seq. acc. neut.; ironice: quid enim censes? te ut deludam contra Am 694 ludentis: quid censes? #Edepol merito esse iratum arbitror Ps 476 deprecantis: quid hic est locutus tecum? #Quid censes*? homost Tri 563 similiter: immo ut illam censes? ut quaeque illi occasiost subripere se ad me Cu 59 Per 257, quod refer. ad insequens infin. (vide supra e)

β. cum duobus acc.: quom (eum) aspicias tristem, frugi censeas Cas 562 illa tibi nutrix est, ne matrem censeas Ci 558 Philolaches debet . . quasi quadraginta minas: ne sane id multum censeas Mo 628 esse inseri solet (supra a)

C. incerta: ****censeo*** Cas 947 censen iuss*** Ci 268 **neque ⟨tem⟩pus censeo Vi 18

CENSIO - - adsum equidem, ne **censionem** semper facias Ru 1273(vide Sonnenschein ad loc) qui ea curabit abstinebit **censione**(E -eone BDJ) bubula Au 601 cf Inowraclawer, p. 80

CENSUS - - qui nisi adsint quom citentur, **census** († U) capiat(A -ant BCU percapiant D) ilico? Men 454(loc obscurus: census vel pro nom. vel pro acc. habent ω: vide Rs in append. crit. et L) aequo mendicus atque ille opulentissumus censetur **censu**(B -sui CD) ad Acheruntem mortuos Tri 494(cf Graupner, p. 16)

CENTAUROMACHIA - - Persas, Paphlagonas . . **centauromachiam**(B con. VEJ) subegit solus intra uiginti dies Cu 445

CENTESUMUS - - istic me haud **centesumam**(-i- PL -tens. Rs centessi. J) partem laudat quam . . Cap 421 haud centesumam

D^2 -ma *P* -i- *PLU* -tens. *R*) partem dixi atque . . Mɪ 763   *Cf* E g l i, I. p. 8

CENTIENS - - meque adeo scelestum, qui non *circumspexi* centiens prius . . Rᴜ 1167 infelix fui uidulum qui ubi uidi non me circumspexi centiens Vɪ64   *dixin* ab eo tibi ut caueres centiens(*FZ* habere sentiens *P*)? Ps 1227 . . quin centiens eadem *imperem* atque ogganiam As 422   liberare *iurauisti* me haud semel sed centiens(*A* deciens *CD* ent lens *B*) Poᴇ 361   si quidem centiens hic uisa sit, tamen infitias eat Mɪ 188   *Cf* E g l i, I. p. 8

CENTO - - tu alium quaeras quoi **centones** sarcias(= decipias) Eᴘ 455(*cf* G r a u p n e r, p. 32)

CENTUM - - centum in Cilicia et quinquaginta centum in Scytholatronia . . sunt homines(omnes *StuRg*) quos . . Mɪ 42—3   centum (certum *A*) doctum hominum consilia sola haec deuincit dea Ps 678   si pro peccatis centum ducat uxoris, parumst Tʀɪ 1186 (*cf* E g l i, I. p. 8; II. p. 19)

non centum (minis) datur Mᴇʀ 440   ut emas, habe centum(*Valla* trecentum *CD* trecentis *B A n. l.*) minis Pᴇʀ 662   infuerunt . . centum minaria Philippa(*L* mna Philippia *PS*† denaria *P. Non* 151 milia Philippi *Rs* nummi Philippei *U*) in pasceolo sorsus Rᴜ 1314   centum nummis minus dicetur Poᴇ 734 (*v. secl L*)   Rᴜ 1314(*U: vide supra*) uin centum et mille (nummum)? Rᴜ 1328   . . tuas centum cenatas noctes mihi dono dari Tʀᴜ 279   nudus uinctus centum pondo's As 301   grauius tuom erit unum uerbum ad eam rem quam centum mea Tʀɪ 388

substantive: priusquam unum dederis, centum quae poscat parat Tʀᴜ 51

CENTUMPLEX - - centumplex(*A* -tuplex *P*) murus rebus seruandis parumst Pᴇʀ 560 *cf* E g l i, I. p. 9

CENTUMPONDIUM - - ad pedes quando adligatumst aequom **centumpondium**(-uum E^1) . . As 303

CENTURIATUS - - miles pulcre **centuriatus** est expuncto in manipulo Cᴜ 585   si **centuriati** (centuar. *D*) bene sunt manuplaris mei Mɪ 815 Pseudolus mihi **centuriata** habuit capitis comitia Ps 1232   *Cf* E g l i, II. p. 5; G r a u p n e r, p. 16; I n o w r a c l a w e r, pp. 81, 88

CEPHALIO - - *nomen proprium* Fʀ I. 89 (*ex Prisc* II. 188)   *Cf* S c h m i d t, p. 182

CEPOLENDRUM - - ego cicilendrum quando in patinas indidi aut **cepolendrum**(*vel* cip. *A* si polidrum *P* cepoli. *RU*) Ps 832

CERA - - I. Forma cera As 767   **cerae** (*dat.*) Bᴀ 996, Pᴇʀ 528(*A* caere *BC* cere *D*) **ceram** Bᴀ 715, 748, Ps 42   **cera** Bᴀ 733 (incera *BD* incerta *C*), Ps 33, 36(*BC* -am *A* ceita *D*), 56   **ceras** Cᴜ 410   *corrupta*: Mo 578, ceram B¹C *pro* geram Sᴛ 742, ceram *C pro* geram

II. Significatio 1. *nom.*: comburas si uelis, ne illi sit cera, ubi facere possit litteras As 767

2. *dat.*: recitasti quod erat cerae* creditum Pᴇʀ 528   cerae quidem haud parsit neque stilo Bᴀ 996

3. *acc.*: cedo tu ceram ac linum actutum

Bᴀ 748   ecfer cito #Quid? #Stilum, ceram et tabellas, linum Bᴀ 715   Phoenicium Calidoro . . per ceram et lignum(*Auson* 273 linum *PRSU*) litterasque . . salutem inpertit Ps 42

dum scribo expleui totas ceras(*i. e.* ceratas tabulas) quattuor Cᴜ 410 *Cf* E g l i, II. p. 63

4. *abl.*: tu istinc ex cera(*i. e.* tabula) cita (animum meum) Ps 33   iam imperatum in cera* inest Bᴀ 733   eccam (amicam) in tabellis porrectam: in cera* cubat Ps 36   reliquit symbolum expressam in cera ex anulo suam imaginem Ps 56

CERCOBULUS - - *nomen proprium* Tʀɪ 1020 (Cerdo. *SpU* Cricolabus *RRs*: *vide L in adn. crit.*)   *Cf* S c h m i d t, p. 623

CERCONICUS - - *nomen proprium* Tʀɪ 1020 (cerno. *D¹*: *vide L in adn. crit.*) *Cf* S c h m i d t, p. 623

CERCOPIA, CERCOPES - - *vide* Cecropia

CERCURUS - - aedificit nauem **cercurum**(gubernatorum. *B* gerariam *CD* cercyrum *Ca et S ex Non* 533) et merces emit Mᴇʀ 87   conspicatus sum interim cercurum(*B* -rrum *CD* cyrcerum *Non* 533) Sᴛ 368   rediisse me uidet . ., sine aduocatis ibidem in **cercuro** in stega in amicitiam . . conuortimus Sᴛ 413

CERARIUS - - *vide* ceriarius

CEREBROSUS - - senex hic elleborosus(*A* cerebrosus *P*) est certe Mo 952

CEREBRUM - - I. Forma cerebrum(*nom.*) Bᴀ 251, Poᴇ 770(his c. *A* hisce crebro *CD om B*) (*acc.*)Aᴜ 152, Cᴀᴘ 601, Cᴀs 644, Mo 1110, Poᴇ 487(ger. *B*)   **cerebro** Rᴜ 1007, Tʀᴜ 288 (cerbro *D*)   *corruptum*: Mɪ 206, cerebro B² *pro* crebro

II. Significatio (*cf* E g l i, I. p. 31; II. pp. 27, 49) 1. *nom.*: cor meum et cerebrum . . finditur Bᴀ 251   id nunc is(*Sey* eis *SeyRgl* his *AL*) cerebrum* uritur Poᴇ 770

2. *acc.*: tibi istuc cerebrum dispercutiam Cᴀs 644   cerebrum quoque omne e capite emunxti meo Mo 1110   mihi misero cerebrum excutiunt tua dicta Aᴜ 152   . . ut illi mastigiae cerebrum excutiam Cᴀᴘ 601   eum necabam ilico per cerebrum* pinna sua sibi quasi turturem Poᴇ 487

3. *abl.*: ego istos fictos . . concinnos tuos unguentatos usque ex cerebro* exuellam Tʀᴜ 288   uerbum adde unum, iam in cerebro colaphos apstrudam tuo Rᴜ 1007

CERES - - ita me Iuppiter, Iuno, Ceres . . ament Bᴀ 892   tritico curat Ceres(uenus *B*) Rᴜ 146   illam stuprauit noctu Cereris uigiliis Aᴜ 36   ego me iniuriam fecisse filiae fateor tuae Cereris uigiliis Aᴜ 795   **Cererin** . . has sunt facturi nuptias ? Aᴜ 354   **Cererem**(*D* #prerem *P*) te meliust quam Venerem sectarier Rᴜ 145 *Cf* K e s e b e r g, p. 27; L e e r s, p. 16

CEREUM - - lautus luces **cereum** Cᴜ 9

CERIALIS - - cerialis(*ex Fest* 310 certalis *P* certetalis *B* cerealis *D*) cenas dat Mᴇɴ 101(*cf* E g l i, III. p. 11)

CERIARIA - - quia nihil abstulerit suscenset **ceriaria**(*A* ceraria *PU* uoraria *SalmR*) Mɪ 696

CERINUS - - nomina inueniunt noua . . **carinum**(*A* gar. *P* caer. *Non* 548) aut gerrinum (*AP* -nium *E* cerinum *Non* 549 *L*) Eᴘ 233

CERNO - - I. Forma cerno Poe 1299 **cernit** Poe 101 **cernitur** Ba 399, Cas 516, Mo 132, Tri 479(cernim D^1) **creui** Ci 1 *corruptum:* Am *Arg* II. 3, cernit P *pro* decernit(B^2)

II. Significatio 1. = perspicere, uidere: satin ego oculis cerno? Poe 1299 quia amare cernit, tangere hominem uolt bolo Poe 101 quom ego antehac te amaui et mihi amicam esse creui(= uidi, *Prisc* I. 529; = constitui, *Varr l L* VII. 98) . . Ci 1 igitur tum specimen cernitur, quo eueniat aedificatio Mo 132

2. = decernere: nunc specimen specitur, nunc certamen cernitur Ba 399(*v. secl RRg*), Cas 516 ibi(*i. e.* apud mensam) de diuinis atque humanis cernitur* Tri 479

CERO - - ne epistula quidem ulla sit in aedibus nec **cerata** adeo tabula As 763

CERRITUS - - tu certe aut laruatus aut **cerritus** es Am *fr* XII(*ex Non* 44 & 247) num laruatus aut cerritust? Men 890 elleborosus sum. #At ego cerritus Ru 1006(*verba trans Rs* † *§: vide* Leo, *Plaut. Forsch.* p. 249) quin tu istanc iubes pro **cerrita**(-tam *Non* 261) circumferri? Am 776 nos populus pro **cerritis** insectabit lapidibus Poe 528

CERTAMEN - - nunc specimen specitur, nunc **certamen** cernitur Ba 399(*v. secl RRg*), Cas 516

CERTATIM - - me certatim nutricant et munerant Mi 715(*A* c. -unt et -ra *P*)

CERTO - - *cum abl. instrumenti vel absolute:* ita animi decem in pectore incerti **certant** Mer 345 illi inter se certant donis Mi 714 stultus atque insanus damnis certant Tru 950 malitia **certare** tecum miseriast Per 238 meliust te minis certare(-tē *B*) mecum quam minaciis Tru 948

CERTUS - - I. Forma certus Mer 129 (sim certus $P§†U$ sim certior $CaRRs$ eximar L), Per 582, Ps 392 **certa** Am 705, Cap 778, Mer 363(in corde certast B in c. est D est in c. C), 857, Mi 267, 398, Mo 706, Per 223, St 473, Tri 270(certa est res A certunst P certumst L) **certum** Am 265, 339(J -us BDE), 372, 787, 847, 1048 (-tum est J -tust BDE), As 247(stat IlU: *vide Rgl*), 248, 261, 308, 613, Au 142, 676, 681, 717, Ba 382, 996, 1156, Cap 215a, 492, 732, 756, 765, 772, 794, 894, 1026 (-um est P -ust A), Cas 91, 294, 448, 522, Ci 509, 647, 781, Cu 216, 532, 686(-tust E^1), Ep 163, 664, Men 977, Mer 39, 461, 472(-tunst A), 505(-unst A -ust C -um D), 546(-unst A), 644, 663, 934, Mi 303(pertum B^1), 395, 485, 522, 574, 749(certumst A certus P), Mo 237, 667 (R decretumst $CD\psi$ -unst A rectum est B), 1090, Per 221, Poe 496, 497, 630, 1172, 1304, 1420, Ps 90, 551, 1235, 1237, 1239, Ru 684 (-unst B), 838, St 141, 473, 482 *bis*, 499, 503, 613, *ib.* (cestum C), 684, Tri 270(L certunst P certa res $A\psi$), 511, 585, 838, 1063(A -unst P), Tru 549(-cum B), 660 **certi**(*neut.*) Mi 407, Ps 397 **certum**(*masc.*) Ps 18, 1097 (*neut.*) Au 715, Cu 320, Men 242, Mer 461, 655(certum id pro certo *PL* pro certo incertum $RRg§†$ incertum pro certo U), Ps 566(*vide R*), 598, Ru 1092 **certo** Ba 511, Cap 644, Mer 655

(*vide sub* certum) (*adv.*) Am 93, 271, 332, 369, 447, 714, 904, 1022, *fr* I(*ex Non* 342 *om LU duce Py*), Au 60(*Francken* certe *PU*), 811, Ba 254(B certe CD), 437, 1104(-te *Langen Rg*), 1107(*add HermR*), 1128, Cap 72(*Rs* scortum $P\psi$), 644, 883, Cas 143, 355, Ci 606 (*PU* -te *Ca*ψ), Ep 46, 253(*Kamp* cedo $B§$† cede J), 378, 540(cete E^1), Men 282(R -te $P\psi$), 292, 312, 325, 373, 389, 390, 501(orto CD^1), 1058, 1109, Mer 535, 1012(BD -te C), Mi 273, 299, 323(illa quidem certo Rg illam q. illa $P§†$ *var em* ψ), 353, 378, 398, 483(-te C^1), 566, 586, 1156, Mo 953, Per 179, 844, Poe 623, 787, 1181, 1222, 1300(A erto P), Ps 361(A -te P), 566(certo sciam R *solus*), 642(exerto B), 1056, Ru 233, 351, 975, 1041(-te D), St 88, 169, 240, 480(A certum P -te R), 481, 561, Tri 752(AB -te CD), Tru 68, 786(certo ne Rs ego nec $P§$† egomet quia L ego mihi et U) **certi** Ps 390 (-te A) **certa** Per 183 **certos** Ps 400 **certas** Poe 1164 **certa** Ps 677, 685 **certis** (*masc.*) Tri 94 **certior** Am 347(-cior BD), Ba 841(-cior B), Cu 327(-cior B), Mer 129(sim c. Ca sim certus $P§†U$ eximar L), Poe 887(-cior C), Ps 3(-cior B) **certius** Cap 732(-cius B) **certiorem** Au 245, Cas 353, Cu 634(cerc. B), Poe 1021(berc. B), Ru 330, Tri 878(c. hisce FZ certiore hosce BC certior eosce D) **certius** Cap 644(tercius J), Men 763, Ps 965(-cius B) **certiores**(*acc.*) Cu 631(cerc. B), St 675 **certissumus** Poe 708(A -imus B certi sumus CD), Tri 94(-imus APL) **certissumum**(*nom.*) Men 1058(-imum PL), Mer 658(-imum D) **certe** (*adv.*) Am 271, 296, 308, 331, 399, 417, 441, 658, 829, *fr* XII(*ex Non* 44), As 263, 466, 614, 722, Au 60(U -to *Francken*ψ), 215(acerto *Non* 454, 652, Ba 535, 1104(*Langen*Rg -to $P\psi$), 1177, Ci 606(*Ca* -to *PU*), 697, Cu 615, Men 282(-to R), 395, 623, Mer 186(cente C), *ib.*, 324, 444 (B -to CD), Mi 379(A -to P), 433, Mo 303, 369, *ib.* (*Ca om P*), 571(*Sey om PLU*), *ib.*, 720, 952(-ti CD), Per 209, Ps 511, Ru 344, St 480 (R -to $A\psi$ -tum C), Tri 157(Bo -to P), 1072, Tru 173, 963 *corrupta:* Cas 260, certe P *pro* recte(*FZ*) Ep 5, certe P *pro* satis recte (A); 182, at certe E *pro* tacete (A) Mer 965, certe P *pro* cette(*Ca*) Mi 1332, certo BC cereo D^1 certo D^2 ferto D^3: *vide* ω Poe 969, certa CD *pro* creta(*AB*) Ps 678, centum A *pro* centum Tri 851, certe est *Fulg. My.* II. 2 *pro* generest

II. Significatio A. *adiectivum* 1. *praedicative:* **a.** *hoc* quidem profecto certumst non est arbitrarium Am 372 hoc mihi certissumumst Mer 658 *istuc* mihi certum erat Cap 215a certumnest tibi istuc? #Non moriri certius Cap 732 satin istuc tibi in corde certumst? Ci 509 pol istuc quidem iam certumst Poe 1172

si certumst* tibi commodulum obsona Mi 749 certumst* Mo 1090(*v. dub: vide* ω) promitte. #Certumst St 473 certumnest? #Censen certum esse? Mer 461 certumnest? #Certum St 482, 613* certumnest tibi? #Certum Poe 496 nihil inuenies magis hoc certo certius Cap 644 nisi de opinione certum nihil dico tibi Ru 1092 si . . certum id, pro certo

habes MER 655(*PL: vide* ψ)   cuncta .. certa
deformata habebam Ps 677

istuc quaero certum qui faciat mihi MEN
242   nimis uelim certum qui id mihi faciat
Ps 598 eccum qui ex incerto faciet mihi quod
quaero certius Ps 965   satin haec tibi sunt
plana et certa PER 183   nec quid id sit mihi
certius facit MEN 763

   b. **certum est** *cum infin. praes.* (*cf* Votsch,
p. 28): nunc non *abire* certumst istac gratia
Ps 551   *adire* certumst hanc amatricem Africam POE 1304   domi *adesse* certumst EP 664
nec tibi *aduorsari* certumst de istac re umquam AU 142   istam rem inquisitam certumst
non *amittere* AM 847 hanc ut habeo, certumst
non *amittere* CI 647   certumst *aperire* atque
inspicere AM 787   certumst* ad frugem *ap-
plicare* animum TRI 270   *bonum* esse certumst
potius quam malum MEN 977   certum est
celare, quo iter facias PER 221   certumst*
confidenter hominem contra *conloqui* AM 339
de Casina certumst *concedere* homini nato
nemini CAS 294   angiporta haec certumst
consectarier Ps 1235 certum herclest uostram
consequi sententiam As 261   certumst amicos
conuocare ut consulam ST 503   certumst *credere?* As 308   tibi credere certumst AU 717
amico homini tibi quod uolo credere certumst
BA 1156   nunc certumst nulli posthac quicquam credere CAP 756   certumst mustellae
posthac numquam credere ST 499   certumst
bene me *curare* CU 532   id certumst* *dicere*
Mo 667(*R*)   certumst nunc obseruationi operam *dare* MI 485   mihi certumst alio pacto
Pseudolo insidias dare Ps 1239   dotem nihil
moror. #Certumst dare TRI 511   certumst sine
dote haud dare (sororem) TRI 585   iam certumst otio dare me TRI 838   certumst* *efficere* in me omnia quae tu in te facis As 613
certumst hominem *eludere* AM 265   certumst
exulatum hinc *ire* me MER 644   tecum mihi
una ire certumst POE 1420   *eradicarest* certum cum primis patrem TRU 660   dignos indignos adire atque *experiri* certumst mihi As
247(*PS*†*L*† adire precibus decretumst mihi
Rgl)   in te hercle certumst principi .. experiri Mo 237   certum *exsequist* MER 934
facere certumst CAP 794*, 894, MER 505*, MI
395   certumst* facere MI 303   ita facere
certumst MI 522, 574, TRI 1063*(*cf* Fleckeisen,
Zur Kritik, p. 10, *adn.* 3) certumst mihi hunc
emortualem facere ex natali die Ps 1237 *inspicere* AM 787(*vide sub* aperio)   certumst
praeconum *iubere* iam quantumst conducier
MER 663   *migrare* certumst iam nunc e fano
foras CU 216   neminis *miserere* certumst*
CAP 765   ancillas domo certumst omnis *mittere* ad te CAS 522   certumst* *moriri* quam
hunc pati .. RU 684   certumst quo ferant
obseruare TRU 549   quidquid est *pellegere* certumst BA 996   barbarica lege certumst ius
meum omne *persequi* CAP 492   certumst mihi
ante tenebras tenebras persequi Ps 90   certumnest neutram uostrarum persequi imperium
patris? ST 141   certumst* principio *praeuortier* CAP 1026   praeuorti hoc certumst
rebus aliis omnibus CI 781   nunc domum

properare certumst CU 686   illuc *reuorti* certumst MER 39(*vide* ω)   certumst mihi .. te
semper *sequi* CAS 91   uos certumst sequi POE
630   nec quoiquam homini *supplicare* nunc
certumst mihi CAP 772   *temptare* certumst
nostrum hodie conuiuium ST 684   certumst
hasce hodie usque obsidione *uincere* RU 838

certumnest tibi istuc? #Non moriri certius
CAP 732

certissumumst mepte potius fieri seruom
quam te .. emittam MEN 1059

   c. **certum est** *cum indic. fut. vel subiu.* (*cf*
Morris, XVII. p. 145; Votsch, p. 17; Wal-
der, p. 28; Weiszenhorn, p. 5): certumst*,
introrumpam in aedis AM 1048   (minas)
si mutuas non potero, certumst sumam faenore
As 248   certumst Siluano potius credam quam
Fide AU 676   certumst malam rem potius
quaeram cum lucro AU 681   certumst iam
dicam patri BA 382(*v. secl RgSL*)   certumst
hunc Acheruntem praemittam prius CAS 448
certumst* ibo ad medicum atque ibi me toxico
morti dabo MER 472   certumst*, antiqua recolam et seruibo mihi MER 546

   d. *de personis* (*cf* Fraesdorff, p. 28): .. ex
hoc metu ut sim certus(*PSU* certior *CaRRg*
ut eximar *L*) MER 129   numquid nunc es
certior? AM 347   quod te misi nihilo sum
certior CU 327   certiorem te esse uolt POE 1021
ex me quidem hodie numquam fies certior
BA 841   numquam edepol mortalis quisquam
e me fiet certior POE 887   ex te .. fieri possem certior .. quae miseriae te .. macerent
Ps 3

face me certum quid tibist Ps 18   epistula
atque imago me certum facit Ps 1097   abiit
neque me certiorem fecit AU 245   face, Chaline, certiorem me quid meus uir me uelit
CAS 353   fac me certiorem, obsecro CU 634
faciet me certiorem RU 330   fac me si scis
certiorem* hisce homines ubi habitent TRI 878
per tua genua te obsecro ut nos facias certiores
CU 631   faciam uos certiores ST 675

   2. *attributive* a. *de rebus:* senem oppugnare
certumst consilium mihi EP 163   neque paratast gutta certi consili Ps 397   Magne Iuppiter, restitue certas mihi ex incertis opes POE
1164   nec .. mihi ulla spes in corde certast*
MER 363   habes .. neque ad detexundam
telam certos terminos Ps 400

   certa rest (*cf* Gimm, p. 5; Votsch, pp. 17,
29), *absolute:* abi iam, quando ita certa rest
PER 223   sic fac, inquam. #Certa rest ST 473
(*v. secl U*)   *cum infin.:* at pol qui certa
res hanc est obiurgare AM 705   certa rest
me usque quaerere illam quoquo .. MER 857
ui pugnandoque hominem caperest certa res
MI 267   certa res est nunc nostrum obseruare ostium ubiubist MI 398   exsequi certa
res est, ut abeam .. Mo 706   certast* res
ad frugem adplicare animum TRI 270(*vide L*)
cum indic. fut.: certa res est, .. coniciam in
collum pallium CAP 778

   b. *de personis:* pauci ex multis sunt amici
homini qui certi* sient Ps 390   ex multis exquire illis unum qui certus (amicus) siet Ps
392   tu ex amicis certis mihi's certissumus

Tri 94 ⊔am tu mihi's inimicus certus Per 582
. . ut ipsus testis sit sibi certissumus* Poe 708
  B. *substantive:* nihil habeo certi quid loquar
Mi 407   nequeo cum animo certum inuestigare Au 715   nolo hercle aliquid: certum
quam aliquid mauolo Cu 320   atque etiam
certum quod sciam(ut quod ego iam certo s.
R) . . nihil etiam scio Ps 566   certa mittimus, dum incerta petimus Ps 685(*cf* S c h n e i-
d e r, p. 27) amo hercle opinor, ut pote quod
pro certo sciam Ba 511   nihil inquam inuenies magis hoc certo certius Cap 644(*cf*
R a e b e l, p. 17)   certum id(incertum *RU*),
pro certo habeo Mer 655
  C. *adverbium cf* L a n g e n, *Beitr.* pp. 22—31:
'certo *bezeichnet . . die objektive Gewißheit und
ist gleichbedeutend mit* certum *est. Es liegt in
der Natur der Sache, daß an vielen Stellen die
Hervorhebung der subjektiven Gewißheit durch*
certe *ebenso zulässig ist als der Ausdruck der
objektiven durch* certo, *hier kann also nur fest-
gehalten werden, daß in allen Fällen, wo* certe
*geschrieben wird, die Hervorhebung der sub-
jektiven Gewißheit statthaft sein muß.'*
  1. certo a. 'objektive Gewißheit': mihi certo
nomen Sosiaest Am 332   equidem certo idem
sum qui semper fui Am 447   ecastor equidem
te certo . . salutaui Am 714   tibi Iuppiter
dique omnes irati certo sunt Am 1022   certo*
in conuiuio sibi amator . . scortum inuocat
Cap 72(*Rs*) hic quidem pol certo nihil ages
sine med arbitro Cas 143   certo prius quam . .,
ipse mandauit mihi . . ut . . Ep 46   certo*
ego occidi Ep 253   illa quidem certost* domi
Mi 323(*Rg*)   nunc quidem domi certost Mi
398   certo* illa quidem hic nunc intus est
in aedibus Mi 483   nunc pol ego perii certo,
haud arbitrario Poe 787   certo haec meast
Poe 1222   eius ex semine haec certost fames
St 169   lubens accipiam certo, si promiseris
St 481   hercle ille equidem certo adulescens
docte uorsutus fuit St 561
  b. 'subjektive': unum quidem hercle certo*
promitto tibi St 480
  c. 'restriktive': *proprie* Ci 606(*PU* certe *Caψ*)
Tri 157(*P* certe *Boω*)
  ubi etiam certe *scribi potuerat:* praeterea
certo (Iuppiter). prodit in tragoedia Am 93
at mentiris etiam: certo pedibus non tunicis
uenis Am 369   nam certo si sis sanus . . cum
ea tu sermonem nec . . tibi habeas Am 904
at ego te certo(*PgRgl* certo cruce et *NonҔ* te
cruce et *UL*) cruciatum mactabo Am *fr* I(*ex
Non* 342) at pol certo* ego ibi sum Ba 1107
pol hodie altera iam bis detonsa certost Ba
1128   me quidem certo seruauit consiliis
suis Ep 378   certo* east Ep 540   nam tu
quidem hercle certo non sanus satis Men 312
certo haec mulier aut insana aut ebriast Men
373   certo haec mulier non sanast satis Men
390   uerum certo* quisquis es . . mihi odiosus
ne sies Men 501   hac quidem pol certo uerba
mihi numquam dabunt Mi 353   nam certo
neque solariumst apud nos Mi 378   certo is
quidem nihilist qui nihil amat Per 179   certo
illi homines mihi nescioquid mali consulunt
Per 844   certo enim . . praepotentes . . fuimus

Poe 1181   estne illaec mea amica? et east
certo* Poe 1300   certo uox muliebris auris
tetigit meas Ru 233   mare quidem commune
certost omnibus Ru 975   certo enim mihi
paternae uocis sonitus auris accidit St 88
certo mecastor id fuit nomen tibi St 240
  d. *confirmantis est:* certo enim ego uocem
hic loquentis modo mihi audire uisus sum Au
811   certo* hic prope me mihi nescioquis
loqui uisust Ba 1104
  e. *in interrogationibus et responsis:* certon?
#Quin nihil . . inuenies . . Cap 644   certon?
#Ναὶ τὰν Φρουαινῶνα Cap 883
egon te iussi coquere? #Certo Men 389   liberum ego te iussi abire? #Certo Men 1058
esne tu Syracusanus? #Certo Men 1109   iam
bienniumst? #Certo Mer 535   an hic Palaestrast? #Certo Ru 351   *similiter:* Bustirape!
#certo* Ps 361
  f. certo scio (*raro disiuncta*) = certum esse
scio: scelestiorem me hac anu certo* scio uidisse numquam Au 60(certe *PU*)   quid ita?
#Quia edepol certo* scio Ba 254   alii . . nunc
sunt mores. #Id equidem ego certo scio Ba
437   at pol ego hau credo, sed certo scio
Cas 355   nam equidem insanum esse te certo
scio Men 292   non edepol tu homo sanus es,
certo scio Men 325   haec me uidisse ego
certo scio Mi 299   sat edepol certo scio occisam saepe sapere plus multo suem Mi 586
quod apud nos fallaciarum sex situmst, certo
scio, oppidum quoduis uidetur(sidetur *Luchs
L* munitum *V*) posse expugnari dolis Mi 1156
certo scio hic habitare Mo 953   fortunati
omnes sitis: quod certo scio nec fore . . Poe
623 Ps 566(*R: supra* B) nam certo* scio hoc
febrim tibi esse Ps 642   satis certo scio,
ego periurare me mauellem . . Ps 1056   istuc
esse ius meum certo* scio Ru 1041   nam
certo* scio, locum . . comederit Tri 752   quippe
qui certo scio . . plus scortorum esse Tru 68
certo* ne quod peccaui sciat Tru 786(*Rs*)
. . egomet certo sciam Mi 566   certon* scis
non suscensere mihi tuam matrem? #Scio Mer
1012   si quicquamst aliud quod . . certo
sciam Am 271   certo edepol scio me uidisse . .
Philocomasium Mi 273(*cf* L a n g e n, p. 23)
  2. certe a. 'objektive Gewißheit': certe
de istoc Amphitruone iam alterum mirumst
magis Am 829(*v. secl ULangen*) certe habes
Au 652
  b. 'subjektive Gewißheit': certe* ego te hic
intus uidi Mi 379   certe ego, quod te amo,
operam nusquam melius potui ponere Mo 303
St 480—1(*vide supra* 1. b) si quid eo fuerit,
certe* . . habeo dotem unde dem Tri 157
  c. 'restriktive': ego certe me incerto scio
hoc daturum nemini As 466   ego quidem ab
hoc certe exorabo Ba 1177   certe* modo
huius quae locutast quaerere aibas filiam Ci
606   certe eccistam (uirginem) uideo Cu 615
certe haec mulier canterino ritu astans somniat
Men 395   certe familiarium aliquoi irata's
Men 623   certe equidem noster sum Mi 433
certe huc Labrax ad prandium uocauit Plesidippum Ru 344   meum quidem te lectum
certe occupare non sinam Tru 963

d. *confirmantis est; sequitur aliquando* edepol, enim, hercle, *sed numquam antecedit (cf*
Kellerhoff, p. 63): certe edepol si quicquamst aliud quod credam . . credo ego . .
Am 271   certe aduenientem hic me . . accepturus est Am 296   cingitur: certe expedit
se Am 308   certe enim hic nescioquis loquitur
Am 331   certe edepol tu me alienabis numquam Am 399   hic quidem certe . . memorat
memoriter Am 417   certe edepol . . nimis
similest mei Am 441   certe enim me illi expectatum . . uenturum scio Am 658   tu certe
aut laruatus aut cerritus es Am *fr* XII(*ex Non*
44)   certe hercle ego quantum . . intellego
aut mihi in mundo sunt uirgae aut . . As 263
certe enim tu uita's mihi As 614(*v. dub*)   certe*
edepol equidem te ciuem . . semper arbitratus
sum Au 215   Ba 1104(*LangenRg: vide supra*
1. d)   certe eccam locus signat Ci 697(*v.
dub: vide L*)   certe* hic insanust homo Men
282   certe* edepol adulescens ille . . perit
Mer 444   certe* hic homo insanis est. hic
homost certe hariolus Mo 571   amice facis
quom me laudas. #Decet certe Mo 720   senex
hic elleborosus est certe* Mo 952   certe
equidem puerum peiorem quam te noui neminem Per 209   certe is est, is est profecto
Tri 1072   certe hercle quam ueterrumus . .
optumust amicus Tru 173

e. *in interrogationibus et responsis:* ain uero?
#Certe inquam As 722   estne hic hostis quem
aspicio meus? #Certe is est Ba 535   certen*
uidit? #Tam hercle certe quam . . Mer 186
uisumst. #Certen? #Perdis me Mer 324   tutin
uidisti? #Egomet, inquam. #Certe? #Certe* inquam Mo 369

f. certe scio: Am 658(*vide supra* d) As 466
(*supra* c)   Au 60(*PU: vide supra* 1. f)   iam
dico ut a me caueas. #Certe edepol scio: si
apstuleris, mirum et magnum feceris Ps 511

CERVA - - *pro fidicina haec* **cerua**(*A om P*)
suppositast tibi Ep 490(*de meretrice*) *vide* Poe
530(*infra sub* ceruos)

CERVIX - - metuerem ne ibi diffregisset
crura aut **ceruices** sibi Mi 722   neruo ceruices probat Fr II. 17(*ex Fest 165*)

CERVOS - - uinceretis **ceruom**(-um *P*) cursu
(circumcurso *Varr l L* VII. 69) uel(cursu ceruas et *Fest* 97) grallatorem gradu Poe 530(*cf*
Wortmann, p. 29)   cum leone, cum excetra, cum **ceruo**(c. c. *om Serv ad Buc.* X. 69)
. . deluctari mauelim Per 3

CERUSSA - - cedo **cerussam.** #Quid **cerussa**
opust nam? #Qui malas oblinam Mo 258   non
istanc aetatem oportet pigmentum ullum attingere neque cerussam neque . . Mo 264

CESSATIO - - ita negotium institutumst:
non datur **cessatio** Poe 925

CESSO - - I. Forma   **cesso** As 125, Au 397,
627, Cap 827, Cas 237, 723, Ep 100(censo *VE*[1]
ceso *E*[3]), 342, 344(concesso *E*), Men 552, 878,
Mer 130, Mi 896, Per 197, 234, 742, Ps 241
(concesso *C* quom cesso *RgSchoell*), 1099, Ru
454, 677, Tri 1135, Tru 630   **cessas** Cu 672,
Ep 684, Men 920   **cessat** Per 724, St 701(*S*
cenat *PL* cẹnat *CD* comit *CaRRg* cunctat *U*),
705   **cessamus** Per 112, Fr I. 62(*ex Varr l L*

V. 153)   **cessatis** Cap 651, Mi 1404   **cessant**
Men 128   **cessauit** Per 551, Vi 76   **cessarunt**
Mi 1432(*ACD* cessauerunt *B*)   **cesses** Men 249
(fac cesses *Rs* fac cessas *B*[1]*CS*†*U*† facessas
B[2]*DL*)   **cessa**(*imper.*) Ci 459(*Rs* ✳88 ✳✳ *Aψ*)
corrupta: Am 122, cessent *J pro* censent Ba
1035, cesses *D pro* censes Cas 381, cesses *VE*
pro censes

II. Significatio   1. *absolute:* quid nunc cessas? conliga Ep 684   mane dum narro. #Quid
cessatis? Mi 1404   sed ego cesso. #Mane Per
234   pater nunc cessat. #Quid, si admoneam?
Per 724   amica mea et tua dum cessat* . .
St 701(*S*)   cur hic cessat cantharus? St 705
pol haud cessauit postquam ✳✳ Vi 76

cum dat. incommodi: mihi cesso* quom sto
Ep 344   it dies: ego mihi cesso* Ps 241

2. *seq. infin. (cf* Walder, p. 21): quid ego
cesso . . *abire* ab his locis lenoniis? Men 552
quid cesso abire ad nauem? Men 878   cesso
magnufice . . *amicier* atque ita ero meo ire
aduorsum? Cas 723   sed ego cesso hinc me
amoliri? Tru 630   quid cessatis, compedes,
currere ad me meaque *amplecti* crura? Cap 651
nihil cessarunt* ilico osculari atque *amplexari*
inter se Mi 1432   quid ego cesso hos *conloqui?* Tri 1135   quid cessamus proelium
committere? Per 112   dona quid cessant mihi
conferre omnes congratulantes? Men 128   cesso
ego has *consolari?* Ru 677   cesso prius quam
prorsus perii *currere?* Au 397   sed ego cesso
currero Au 627   Cap 651(*supra sub* amplector)
cesso caput pallio *detergere?* Cas 237   numquid in principio cessauit uerbum docte *dicere?* Per 551   Ru 454(*infra sub* fugio) uerba
dare cessa* Ci 459(*Rs*)   quid cessas, miles,
hanc huic uxorem dare? Cu 672   dictum fac
cesses* dare Men 249(*Rs*)   quid cessas dare
potionis aliquid Men 920   cesso foribus *facere*
hisce assulas? Mer 130   quid ego cesso Pseudolum facere ut det . . ? Ps 1099   quid cessamus ludos facere? Fr I. 62(*ex Varr l L* V.
153)   quid ego cesso *fugere* in fanum ac
dicere haec Palaestrae? Ru 454   quid ego
cesso *ire* ad forum As 125   Cas 723(*supra sub*
amicier)   ego cesso* ire obuiam adulescenti
Ep 100   cesso ego illis obuiam ire? Mi 896
cesso ire ego quo missa sum? Per 197   quid
ego igitur cesso . . *lamentarier* minas? Per
742   ego hinc *migrare* cesso? Ep 342   ego
cesso hunc Hegionem *onerare* laetitia senem?
Cap 827   *osculari* Mi 1432(*supra sub* amplexor)

CESTUS - - . . inponat in manum . . mihi
pro **cestu** cantharum Ba 69(*v. secl* Bue*Rg𝔖L*)

CETERUS - - I. Forma   **ceterum**(*nom.*) Cas
750(*om B*), Ep 7, 548, Tru 21(*Rs in loco dub*)
(*masc. acc.*) Ps 1267(*RL* -ro *Pψ*) (*acc. neut.*)
Ba 703, 878(cẹ. *C*), Cas 94, Ci 764, Ep
512(cẹ. *BJ*), Men 224, Mer 267, Mo 63(*R solus
pro* porro), Per 692(cae. *C*), 708(cẹ. *C*), Poe 91,
125(ce. *CD*), Ps 755, Ru 1224, St 681(cẹ. *D*),
Tri 994(*Gul* sed erum *P*), Tru 847   **cetero**
Ba 1139, Ps *Arg* II. 6, 1267(-um *PL*)   **ceteri**
As 50(cẹ. *P*), Au 330, 478(cẹ. *P*), Men 280(cẹ.
D), Poe 460(cẹ. *C*), Tru 103(*add L: vide ψ*)   **ce-**

terae Cap 55(-e *E* cęterę *B*), Ps 268(cęterę *C*)
ceteris(*masc.*) Mo 871(*B²* -os *P*) (*fem.*) Poe
1183 (*neut.*) Tri 279(cę. *D*) **ceteros** Au 702
(cę. *BJ*), Mi 1383(cae. *C*) **ceteras** Poe 55
cetera As 199(cae. *B*), 240(cę. *P*), Ep 656(cae.
J cę. *B*), Mi 927, 1029(cę. *C*), Tri 289(cę. *BD*),
528(cę. *D* -ęra *C*), 1077 **ceteris**(*masc.*) Mi 168,
Mo 231(cę. *C*), (*fem.*) Ba 268(ce. *BC*) (*neut.*)
Tru 318(ce. *D* -es *B* illecebris *KiesU*) *corruptum:* Mi 658, ceteris *B¹* cet ris *B²pro* cedo tris
 II. Significatio A. *adiective* 1. *cum* quid,
nihil, *sim:* uenire saluom gaudeo. #Quid ceterum? Ep 7   salutem accipio mihi . . #Quid
ceterum? Ep 548   numquid est ceterum* quod
morae siet? Cas 750(*vide U*) numquid me uis
(nunc si quid uis me *A*) ceterum? Ep 512
numquid ceterum me uoltis? Per 692, 708
(*omisso* me) nihil curaui ceterum Cap 989
 2. *cum rebus, sim.:* ne balant quidem, quom
a pecu cetero absunt Ba 1139 . . qui attulisset signum simile cetero cum pretio Ps *Arg*
II. 6   **uictu cetero*(de *praem BergkU*
aliter RL), ne quis me roget Ps 1267(*v. secl*
L)   non pertractate factast (fabula) neque
item ut ceterae Cap 55   feceris partuis ceteris factis Tri 279   spero inmutari pote
blandimentis . . ceteris* meretriciis Tru 318(*cf*
B o e c k e l, *Exer. Pl.,* p. 13) nunc rationes ceteras accipite Poe 55   adulterare eum aibat
rebus ceteris Ba 268(*v. secl U*)   (non potest
pietati opsisti huic, utut res sunt ceterae Ps 268
 3. *cum personis:* . . dum illi agant ceteri*
cleptae Tru 103(*L ex rubricatore cod. B: vide*
app. crit.)   ubi conuiuae ceteri? Men 280
ego faxo posthac dei deaeque ceteri contentiores mage erunt Poe 460   cur postremo
filio suscenseam patres ut faciant ceteri As 50
istos reges ceteros memorare nolo Au 702 uos
ceteri ite huc ad nos Au 330
 B. *substantive* 1. *nom.:* his ruminandumst
. . ceterum Tru 21(*Rs solus: vide ψ*) meo quidem animo si idem faciant ceteri Au 478
 2. *dat.:* malum quom impluit ceteris*, ne
inpluat mihi Mo 871   neque . . inridiculo habitae, quod . . ceteris omnibus factumst Poe 1183
 3. *acc.* **a.** *cum verbis; cum singulare usurpatur saepe intellegi non potest an ad* **b.** *melius
locus referatur:* tu interibi adorna ceterum
quod opust Ru 1224   elocuta sum conuiuas:
ceterum cura Men 224   em tibi omnem fabulam: ceterum quo quicque pacto faciat ipsi
dixero Ps 755   ceterum ex ipsa . . exquaeritote Ci 764 dehinc ceterum quod restat, restant
alii qui faciant palam Poe 125(*v. secl GuyRgl*)
 audi cetera Tri 528   tu cetera cura Mi
1029   modo tecum una argentum adferto,
facile *patiar* cetera As 240   cetera intus
otiose *percontabor* quae uolo Tri 1077   cetera
haec posterius faxo *scibis* Ep 656
 b. = quod ad cetera attinet, *vel sim.:* ceterum quantum lubet me poscitote aurum Ba
703   tu aurum rogato: ceterum uerbum sat
est Ba 878 dehinc conicito ceterum: possisne
necne . . Cas 94   uosmet uidete ceterum
quanti siem Mer 267   uosmet nunc facite
coniecturam ceterum quid id sit hominis Poe
91   ceterum †tego curando id adlegaui St

681(c. e. operam do: is adlegauit *L: vide ψ*)
filium . . te meliust repetere: ceterum uxorem
. . abduce ex aedibus Tru 847
 cetera quae uolumus uti Graeca mercamur
fide As 199   potin ut hominem mihi des,
quiescas cetera? Mi 927   cetera rape trahe
fuge late Tri 289
 c. *in nonnullis ex prioribus exemplis vis con-
iunctionis fortasse latet; clarius tamen est:* ceterum* qui sis, qui non sis floccum non interduim Tri 994
 d. *cum praep.:* salue . . praeter ceteros duo
di quem curant Mi 1383
 4. *abl.:* nihili facio quid illis faciat ceteris:
Mi 168   quid illis futurumst ceteris qui te
amant? Mo 231
 CETUS - - rogito pisces: indicant caros:
. . uitulinam, **cetum**(cę. *BD*), porcinam cara
omnia Au 375   pernam atque ophthalmiam
. . et cetum et mollem caseum Cap 851
 CHAEREA - - *nomen proprium:* ait sese ire
ad . . **Chaeream**(-ę- *B* -e- *EJ* chęretam *D*)
As 865   *Cf* S c h m i d t, p. 182
 CHAERESTRATUS - - *nomen proprium:* ait
sese ire ad . . **Chaerestratum**(-ę- *BD* -e- *EJ*)
As 865   *Cf* S c h m i d t, p. 182
 CHAERIBULUS - - *adulescens, in superscr.*
Ep *act.* I *sc.* 2; *act.* III *sc.* 1 *et* 2   **Chaeribu-
lum** Ep 68, 345   **Chaeribule** Ep 104(chribole
B)   **Chaeribulo** Ep 102 che. *semper praeter*
104(*B*)   -bol- *praeter* 102(*BE*), 345(*BE*)   *Cf*
S c h m i d t, p. 182
 CHALCIS - - ciuitatem . Corinthum, **Chal-
cidem**(*Z* -tam *B* calchitam *CD*) Mer 646 nunc
perueni Chalcidem(cal. *CD*) Mer 939(*cf* Goer-
big, p. 33; Koenig, p. 2)
 CHALINUS - - *servus, in supersc.* Cas *act.* I
(*A* cal. *P*); *act.* IV *sc.* 4(*A om P*) Cas 351(*J*
cal. *BVE*)   **Chalino** Cas 343(cal. *E*)   **Chali-
num** Cas 272, 440, 859   **Chaline** Cas 104(cal.
J), 353(-nę *VE*), 362(cal. *E* -nę *V*), 411, 417
(cal. *J*)   *Cf* S c h m i d t, p. 182
 CHAR - - *syllabam tentatiuam ins RRs* Tri 922
 CHARES - - *nomen proprium* Tri 922   *Cf*
S c h m i d t, p. 182
 CHARICLES - - *nomen proprium* Tri 922,
RRs pro Charmides(Charmenes *SpU*)
 CHARINUS - - *adulescens, in supersc.* Mer
act. I *sc.* 1 *et* 2; *act.* II *sc.* 3 *et* 4; *act.* III
sc. 4; *act.* V. *sc.* 1 *et* 2 Mer 131(car. *D*), 866
Charini Mer 974(*B* -ne *CD*)   **Charinum** Mer
Arg I. 7(-ruium *C* adulescentem *RRg*), 128
Charine Mer 474, 601, 867, 878, 882(gar. *BC*),
905(car. *B*), 928   **Charinus** *in supersc.* Ps *act.*
II *sc.* 4 Ps 712, 736   **Charine** Ps 714, 743   *Cf*
S c h m i d t, p. 183
 ΧΑΡΙΣ - - euge, iam χάριν τούτῳ ποιῶ
(*Sca duce Ca* ποιοῦ *L* charytoi οἰπολῶ [πολω
D]P) Ps 712(*aliter U*)
 CHARMENES - - *nomen proprium* Tri 922,
SpU pro Charmides
 CHARMIDES - - *senex, in supersc.* Ru *act.*
II *sc.* 6 *et* 7   Ru 568, 867   *in supersc.* Tri
act. IV; *sc.* 1, 2, 3, 4; *act.* V *sc.* 2; *ante v.* 998
Tri *Arg* 1, 8, Tri 106, 149(-edes *C*), 922(Cha-
ricles *RRs duce Ac* Charmenes *SpU*), *ib.*, 970,
973, 975, 985, 988, 1068(-dē *B*)   **Charmidai**

Tri 359(*Sca* -di *A* charamide *P*)   **Charmidi**
Tri 744(*Fl* -dis *P* carmidi *A*)   **Charmidem**
Tri 950, 982, 1121, 1151   **Charmides**(*voc.*)
Tri 617(*R* -de *P*), 997   **Charmide** Tri 964,
966   *Cf* Schmidt, p. 183
 CHARMIDO - - proin tu te(tute *RRs*𝔖) iti-
dem ut **charmidatus** es, rursum recharmida
(de. *U*) Tri 977(*vide RRs*)
 CHEUMA - - ego te replebo usque unguen-
tum **cheumatis**(*R* geumatis *AL* egeumatis *P*)
Poe 701
 CHIRUCHUS - - *nomen fictum* Tri 1020, *RRs*
truthus *BL* truchus *CDS*† trochus *SpU*
 CHIUS - - quasi tu lagoenam dicas ubi
uinum **Chium** solet(s. c. *PyRg*) esse Cu 78
. . ubi tu Leucadio, Lesbio, Thasio, **Chio**(*A* choo
P t. c. 1. *RRgl*) . . uino . . aetatem inriges
Poe 699   *Cf* Lachmann, *in Lucr.* III. 374;
Buecheler, *Mus. Rhen.* XLI. 312
 CHLAENA - - purpuram . . adtuli, duas
Ponto **chlaenas** Tru 546(*U in loco desp.: vide* ψ)
 CHLAMYDATUS - - I. Forma **chlamydatus** Poe 620(cla. *CD* -id. *P*), Ps 963(clami. *P*),
1101(cla. *CD* -mnud. *B*)   **chlamydatum** Poe
644(*AB* clami. *CD*) **chlamydate** Ps 1139(clami.
CD), 1143(chlami. *CD* clamy. *B ex ras*)   **chlamydatos** Ru 315(clami. *P*)
 II. Significatio (*cf* Wueseke, p. 45) 1.
heus, chlamydate, quid istic debetur tibi? Ps
1139   chlamydate, caue sis tibi a curuo infortunio Ps 1143
 2. ille chlamydatus quisnamst? Poe 620 hunc
chlamydatum quem uides, ei Mars iratust Poe 644
 3. quis hic homo chlamydatus est? Ps 963,
1101(homost ch.) . . qui tres secum homines
(s. h. *om U*) duceret chlamydatos Ru 315
 CHLAMYS - - 1. *acc.*: cape tunicam . .
et **chlamydem**(clami. *CD*) adferto Per 155
cape chlamydem(clami. *P*) Mer 912 tuam
nec chlamydem(clami. *P*) do foras nec pallium
Men 658 . . suam qui undantem chlamydem
(cl. *P* -id. *EJ Non* 254) quassando facit
Ep 436 chlamydem(clami. *P*) sumam denuo
Mer 921
 chlamydem(*AB* clami. *CD*) hanc commemora
quanti conductast Ps 1184   . . quaeratis
chlamydem(clami. *P*) et machaeram hanc unde
ad me peruenerit Cu 632
 quid agis, bone uir? ⸗Audio: si uis tribus
bolis uel in chlamydem(clami. *P*) Cu 611
 2. *abl.*: de tunica et **chlamyde**(clami. *P* -dē *B*)
et machaera ne quid speres Mi 1423 opust
chlamyde(chamide *C* chamyde *D* echa. *B*) et
machaera Ps 735
 CHORAGIUM - - hoc paene iniquomst comico **choragio** conari desubito agere nos tragoediam Cap 61
 CHORAGUS - - *cf* Inowraclawer, p. 49
πόθεν ornamenta? ⸗Abs **chorago**(*Z* choragro
CD horago *B*) sumito Per 159 ipse ornamenta a chorago(-oga *B*¹ -aga *B*²) haec
sumpsit Tri 858
 CHORDA - - **chorda** tenditur Mo 743(*R* cor
tenditur *post lac PRS*) portenditur *UL*)
 CHREMES - - *nomen proprium:* ait sese ire
ʋd. . **Chremem**(-en *E* cr.*J*) As 866 *Cf* Schmidt,
p. 183

 CHRYSALUS - - *servus, in supersc.* Ba *act.*
II *sc.* 1 *et* 2; *act.* IV *sc.* 4, 5, 6, 9   Ba 243
(ck. *B*), 391(ck. *B* -ri. *BD*), 735(-ri. *P* riss.
Char 223), 774(-ri. *P*), 854(-ri. *P*), 1019(-ri. *B*),
1094(-ri. *B*), *ib.*(-ri. *BD*), 1112(-ri. *BC* cry. *D*),
1183(-ri. *P*) **Chrysali** Ba 624(-ri. *P*) **Chrysalo** Ba 240(ckri. *B* chrisali. *D*¹ -lo *D*²), 521
(-ri. *P*), 704(-ri. *P*), 828(-ri. *P*), 922, 997(-ri.
BC) **Chrysalum** Ba 639(-ri. *P*), 687, 771(-ri.
BD cri. *C*)   **Chrysale** Ba 182(-ri. *BD*), 209
(-ri. *P*), 244(-ri. *B*), 671(-ri. *BD*), 683(-ri. *P*),
691(-ri. *P*), 713(-ri. *P*), 794(-ri. *P*), 850(-ri. *P*),
909(-ri. *P*), 988(-ri. *B*), 1035(-ri. *B*), 1052(-ri.
P), 1059(-ri. *P*) **Chrysalo** Ba 362(-ri. *P*:
faciet . . Crusisalum me ex Chrysalo), 532(-ri.
BD cry. *C*) *Cf* Schmidt, p. 360
 CHRYSIS - - apud anum illam . . crassam
Chrysidem(*AD* chri. *C* chyrs. *B*) Ps 659 *Cf*
Schmidt, p. 183
 CHRYSOPOLIS - - **Chrysopolim**(-in *A* cleus.
P) Persae cepere urbem in Arabia Per 506
 CHRYSOS - - opust **chryso**(*C* -iso *BD*) Chry-
salo Ba 240
 CIBARIUS - - mihi rem summam credidit
cibariam(ti. *E* cy. *J*) Cap 901(*cf* Egli, I. p.18)
dedin ego aurum? ⸗Mihi? dedisti filio **cibaria**
(*FZ* -am *P*) Tru 935
 CIBATUS - - tibi muni uiam qua **cibatus**
commeatusque ad te . . possit peruenire Mi
224
 CIBUS - - I. Forma **cibus** Ba 23(*ex Non*
173), Cap 826(portu c. *BE* porticibus *J*), Ci
720, Per 330(*L: vide* cibum), Tri 368(cibust *A*
cibumst *P*), Vi 37(satis durus cibus *L lac A*ψ)
 cibi Cas 778(corbitam c. *Turn* corbitant tibi
P[ibi *J*] corbitam⁂⁂ *A*), Cu 319, Per 330(*R:
vide* cibum), Vi 42 **cibum** As 216, Cap 77
(cy. *BV v. secl SpRs*𝔖), 780, Ep 727, Mer 398,
Mi 349, Per 58, 132, 330(*Bue* cibo *ACDU*[*dat.*]
cybo *B* cibi *R* cibus *L*), Ps 368, Ru 300(cy. *D*),
St 60, 554(cy. *D*), 556(*v. secl U*), Tri 905, 944
(cy. *D*), Tru 534, Fr I. 93(*ex Prisc* II. 522), II. 1
(*ex Varr l L* VIII. 38) **cibo** As 535, 628, Cap
806, Cas 255, 524, 802(pro cibost *A* pericli *B*
pericl'i *E* percli *J* perditust *U*), Cu 186, Men
905, Mer 744, Mo 888, Per 330(*PU vide* ¡cibum), Poe 810, Ru 208, 283, St 563, Tru 137,
902(*Sp* cibum *P*) *corruptum:* Men 386, cibo
CD pro scibo
 II. Significatio A. *proprie* 1. *nom.:* perpetuo cibus⁎ ut mihi supersit Per 330(*L*) a
meis illic estur satis durus cibus Vi 37(*L*)
 similiter: tantus uentri commeatus meo adest
in portu cibus Cap 826
 2. *gen.:* corbitam cibi⁎ comesse possunt Cas
778 ita cibi uaciuitate uenio lassis lactibus
Cu 319 . . (seruos) cibi minumi maxumaque
industria Vi 42
 3. *acc.:* spero me ob hunc nuntium aeternum **adepturum** cibum(*i. e.* uictum) Cap 780
ridicule rogitas quocum una cibum *capere*
soleo Tri 905 cibum *captamus* e mari Ru
300 . . quae mihi *comedunt* cibum Tru 534
. . meum ne *contruncent*(*facete pro* comedint)
cibum St 554 isse ad uillam aiebant seruis
depromptum cibum Tri 944 quasi mures
semper *edimus* alienum cibum Cap 77(*v. secl*

SpRsꝰ), Per 58   ancilla . . quae *habeat* cottidianum familiae coctum cibum Mer 398 Epeum fumificum qui legioni nostrae habet coctum cibum Fr II. 1(*ex Varr l L* VIII. 38) auceps quando concinnauit aream *offundit* cibum As 216   nihil moror mihi fucum in alueo, apibus qui *peredit* cibum Fr I. 93(*ex Prisc* II. 522)   . . *perennitassitque* adeo huic perpetuo cibum* Per 330(*BueRsꝰ: vide etiam RL* [*supra* 1]*U*) uos meministis quotcalendis *petere* demensum cibum St 60   ille illi pollicetur qui eum cibum *poposcerit* St 556(*v.secl U*) *praebere* cibum Ep 727   me ut quisquam norit nisi ille qui praebet cibum Per 132   occidi . . potius quam cibum praehiberem Ps 368   primus ad cibum(*i. e.* cenam) uocatur Mi 349

4. *abl.:* **a.** patiar si cibo carere me iubes, mater mea As 535   puero opust cibo* Tru 902

b. . . ubi illi bene sit ligno, aqua calida, cibo Cas 255   uae misero illi quoius cibo iste factust imperiosior Cap 806   meo cibo et sumptu educatust Men 905   cibo perduci poteris quouis Mo 888   nec cibo nec loco tecta quo sim scio Ru 208(*per zeugma*)

idem fere est quod sumptus: nostro seruire nos sibi censet cibo Poe 810   Veneri cibo meo seruio Ru 283   tuo uestimento et cibo alienis rebus curas Tru 137

c. irascere si te edentem hic a cibo abigat Cu 186   cum cibo cum quiqui facito ut ueniant Cas 524   senex quidem uoluit . . indipisci de cibo(*i. e.* cibariis) St 563

B. *translate:* 1. cor meum, spes mea, mel meum, suauitudo, cibus, gaudium Ba 23 (*ex Non* 173) *fortasse* Cap 826(*supra* A. 1) istic mihi cibus est quod fabulare Ci 720(*cf* Egli, I. p. 19; Graupner, p. 6)   sapienti aetas condimentum, sapiens aetati cibust* Tri 368

2. tun uerberes, qui pro cibo habeas te uerberari? As 628   tibi amor pro cibost* Cas 802   qui amat quod amat si habet, id habet pro cibo Mer 744(*cf* Egli, I. p. 20)

C. *app. adiectiva et participia:* aeternus Cap 780 alienus Cap 77, Per 58   coctus Mer 398, Fr II. 1   demensus St 60   durus Vi 37(*L*)   minumum Vi 42   perpetuos Per 330(*U*)

CICATRICOSUS - - si tergum **cicatricosum,** nihil hoc similist similius Am 446

CICATRIX - - saepe . . in nostras scapulas **cicatrices** indiderunt As 552(*v. secl Boω*)

CICCUS - - mihi cum uostris legibus nec **ciccumst**(*Rs lac P* nil quicquamst *SeyL* nihil est *TurnU*) commerci Ru 725   eluas tu an exungare ciccum non interduim Ru 580   qui sis qui non sis ciccum(*RRs* floccum *Pψ*) non interduim Tri 994   quod uolt (†*L*) densum, ciccum non interduo Fr II. 2(*ex Varr l L* VII. 91)   *Cf* Blomquist, p. 25; Egli, I. p. 13

CICER - - tam frictum ego illum reddam quam frictumst **cicer** Ba 147

CICILENDRUM - - ego **cicilendrum**(*P* cocilindrum *A* cocilendrum *L* cicilindrum *U*) quando in patinas indidi . . Ps 831

CICIMANDRUM - - terrestris pecudes ci-

cimandro(*BD* ciomalindro *A* cicimdro *C* cicimalindro *UL*) condio Ps 835

CICONIA - - 'a' facio lucri ut Praenestinis 'conea' est **ciconia** Tru 691   *Cf* Jordan, *Beitr.,* p. 12 *et* 357

CIEO, CIO - - I. Forma   cieo Men 165(*Rs* c∗o∗s∗ *A om P*)   **ciet** Am *Arg* II. 5, Ba 415   **cibo** Ru 1040(*Rs* ibo ad *Pꝰ†LU*)   **cibit** Ru 1101(*Ac* ibi *PL†*)   **ciuerit**(*fut. pf.?*) Poe 908   *corrupta:* As 496, cibam *BD*[1]*E pro* scibam (*D*[2]*J*)   Tri 1167, cies *P pro* scies(*FZ*)   Tru 127, centur *P pro* cena detur(*A*)

II. Significatio 1. *proprie:* prius disperibit, faxo, quam unam calcem ciuerit Poe 908

2. *translate:* turbas uxori ciet(*i. e.* concitat: *cf* Am 476) Amphitruo Am *Arg* II. 6   quid hoc negotist Pistoclerum Lydus quod erum tam ciet(*i. e.* nominat) Ba 415   cibo*(*i. e.* inuocabo) arbitrum Ru 1040(*Rs*)   abs te stat: uerum hinc cibit*(*i. e.* dicet) testimonium Ru 1101   ∗∗cieo res nasum Men 165(*Rs in lac*)

CILICIA - - ibit aliquo . . latrocinatum aut in Asiam aut in **Ciliciam** Tri 599   centum in **Cilicia**(-am *A* inilicia *C*) . . sunt homines quos tu occidisti Mi 42   *Cf* Koenig, p. 6

CILIX - - *servi nomen* Fr II. 34(*ex Ps-Acrone ad Hor Serm* I. 6, 22)   *Cf* Schmidt, p.184

CIMEX - - item genus est lenonium . . ut muscae culices **cimices**(*Fest* 210 *om P*) pedesque pulicesque Cu 500(*cf* Wortmann, p. 49)

CINAEDICUS - - qui Ionicus aut **cinaedicust**(*R* -us *PU* cenyd. *CD* cened. *B*), qui hoc tale facere possiet? St 769   cantionem aliquam occupito **cinaedicam**(cyne. *P*) St 760

CINAEDUS - - I. Forma   cinaedus Au 422 (-e- *BD* cyne. *J*), Mi 668(-e- *B*), Poe 1319(cyne. *CD*)   **cinaedum** Per 804(-e- *P*), Poe 1318 (-du *A* cyne. *CD*)   **cinaede** As 627   **cinaedos** Men 514(cyne. *CD*), St 772(-dus *P* cyne. *CD*)

II. Significatio 1. fustibus sum mollior magis quam ullus cinaedus Au 422   ad saltandum non cinaedus malacus aequest atque ego Mi 668   scin quam cinaedus sum? Poe 1319   uin cinaedum nouom tibi dari Paegnium? Per 804   te cinaedum esse arbitror magis quam uirum Poe 1318   cinaede calamistrate! As 627   omnis cinaedos esse censes tu quia's? Men 514   omnis uoco cinaedos contra (ut saltent *add RRg* saltus *U*) St 772

2. *app. adiectiva:* calamistratus As 627   malacus Mi 668   mollis Am 422

CINCINNATUS - - Philocrates est . . subrufus aliquantum, crispus, **cincinnatus**(*B* cici. *E* cinnatus *J*) Cap 648   populi odium quidni nouerim, magnidicum, **cincinnatum**? Mi 923 . . moechum malacum, cincinnatum Tru 610

CINCINNUS - - ego istos fictos compositos crispos **cincinnos**(cinnos *CD*) tuos . . exuellam Tru 287

CINCTICULUS - - . . cincticulo praecinctus in sella apud magistrum adsideres Ba 432(*cf* Ryhiner, p. 19, 28)

CINGOR - - cingitur (*medialiter*): certe expedit se Am 308   quasi zona liene **cinctus** (cintius *E*) ambulo Cu 220   *corruptum:* Mi 1077, cinguntur *B pro* gign.

CINIS - - ego deos quaeso ut quidquid in illo uidulost . . omne id ut fiat **cinis** Ru 1257 optumo iure infringatur aula **cineris** in caput Am *fr* III(*ex Non* 543) edepol huius sermo haud **cinerem**(*CD*[haut] aut emerē *B*) quaeritat (*sc* ut poliatur) Mi 1000(*cf* E g l i, II. p. 51) quid id refert mea an aula quassa cum **cinere** effossus siet Cu 396

CINNAMUM - - *appell. blanda:* tu mihi stacte, tu **cinnamum,** tu rosa Cu 100

CIRCA - - hanc adserua **Circam**(*A* -ca *P*), Solis filiam Ep 604

CIRCITER - - *semel usurpatur de loco, atque post nomen collocatur; bis de tempore, ubi nomen antecedit.*

loca haec circiter excidit(c. e. h. *Rs*) (cistella) mihi Ci 677

illic noster est fortasse circiter triennium(trimenium *GuyRg*) Mi 350   redito huc circiter meridiem Mo 579

CIRCUM - - *saepe in compositione cum verbis inuenitur ubi editores de forma inter se discrepant, cum alii ut compositum alii ut duo verba scribant; vide* circum-eo, -moenio, -sisto, -sto, -teneo, -uector, -ueho, -uinco, -uiso, -uorto

A. *adverbium:* tu interim da ab Delphio cito cantharum circum Mo 347

B. *praepositio, de loco tantum:* sum defessus quaerere . . per myropolia . . circumque argentarias Ep 199   nusquam alibi si sunt, circum argentarias scorta et lenones . . Tru 66 Alcedonia sunt circum forum Cas 26   is germanum . . quaeritat circum omnis oras Men *Arg* 6   te adloquor . . quae circum uicinos uagas Mi 424   *corrupta:* Mer 272, illū circū *B pro* illunc hircum Tri 151, circum ispice *B pro* circumspice

CIRCUMCIRCA - - occepit ibi (gallus) scalpurrire ungulis circumcirca Au 468

CIRCUMCUR∗∗∗ Ci 425

CIRCUMCURSO - - omnia iam **circumcursaui** atque omnibus latebris perreptaui quaerere conseruam Ru 223(*cf* W a l d e r, p. 15) *corruptum:* Poe 530, circumcurso *Varr l L* VII. 69 *pro* ceruom cursu

CIRCUMDO - - **circumda**(-uda *J*) torquem (*Havet* torque me *P* circumdato me *PyRglU*) bracchiis As 696   iubeo ignem et sarmen arae . . **circumdari** Mo 1114

CIRCUMDUCO - - I. **Forma** **circumducitur** Tru 874   **circumducam** Ps 529   **circumduxerunt** Ba 1183   **circumducat** Mo 680   **circumduceret** Poe 1287(-duret *B*) **circumduxerit** Ba 311   **circumduce** As 97, Mi 221, Mo 843   **circumducere** Ps 431, 634, Tri 859, 959(*FZ* ciuēducere *P*)   **circumductus** Poe 976

II. **Significatio** A. *proprie:* anteueni aliqua et aliquo saltu(*KiesRg𝕊; aliter P*ψ) circumduce exercitum Mi 221   roga circumducat (aedis) Mo 680   istum, puere, circumduce hasce aedis et conclauia Mo 843

B. *translate* = decipere, fraudare 1. *cum acc. (vel nom.) personae:* qua me qua uxorem qua tu seruom Sauream potes, circumduce,

aufer As 97   . . dum aliquo (*sc* modo: aliqui *SpRs*) miles circumducitur Tru 874

2. *add. abl. rei:* . . filium te uelle amantem *argento* circumducere Ps 431   quasi tu dicas me te uelle argento circumducere Ps 634 . . si me illoc *auro* tanto circumduxerit Ba 311   nanctus est hominem *mina* quem argenti circumduceret∗ Poe 1287   . . si hunc possum illo *mille nummum* Philippum circumducere∗ Tri 959   quadringentis *Philippis* filius me et Chrysalus circumduxerunt Ba 1183 ego . . si potero *ornamentis* hominem circumducere Tri 859   numnam in balineis circumductust *pallio?* Poe 976   *similiter:* ea (tibicina) circumducam lepide lenonem Ps 529   *Cf* B o e c k e l, p. 42

CIRCUMDUCTIO - - in hac (fabula) nec pueri suppositio nec argentum **circumductio** (circun. *J*) Cap 1031

CIRCUMDUCTOR - - apage istum **circumductorem**(*R* a me perductorem *A om P*) Mo 845

CIRCUMEO - - I. **Forma** **circumis** Ru 140   **circumit** As 742(transiit *FlRgl* circumiit *L*), Tru 407(circuit *Rs*)   **circumimus** Men 231(circuimus *ZR*)   **circumire** Ps 899(*A* iret *P duo verba* ω *propter elisionem*)   **circumirier** Cu 452

II. **Significatio** 1. *absolute:* angiporto illac per hortum circumit∗ ne quis se uideret As 742 . . nam eum circumire∗ in hunc diem ut me . . muliere interuorteret Ps 899   haec ut(† 𝕊) opera(operast, *Rs* operans *U*) circumit per familias Tru 407

2. *cum acc. (vel nom.):* in cauea si forent conclusi . . ita non potuere uno circumirier Cu 451   heus tu, qui fana uentris causa circumis Ru 140   an quasi mare omnis circumimus insulas? Men 231

CIRCUMFERO - - *translate* = purgo, lustro: pro laruato te **circumferam**(-em *A*) Fr II. 55 (*ex Serv ad Aen* VI. 229)   quin tu istanc iubes pro cerrita circumferri? Am 776

proprie: age **circumfer** mulsum Per 821

CIRCUMMOENIO - - ita uinclis custodiisque **circummoeniti**(*BDJ* -tis *VE duo verba L*) sumus Cap 254

CIRCUMPLECTO - - circumda torquem bracchiis, meum collum **circumplecte**(-tere *J*) As 696(*cf* L e o, *Pl. Forsch.* p. 282, *adn.* 2)

CIRCUMSISTO - - quid me **circumsistitis** (*D*⁴ -statis *B*² -stitis *P*)? Men 998   **circumsistamus:** alter hinc, hinc alter appellemus As 618(*duo verba L*)

CIRCUMSPECTATRIX - - exeundum hercle tibi hinc est foras, **circumspectatrix** cum oculis emissiciis Au 41

CIRCUMSPECTO - - dum **circumspecto** (me *add RRg*), atque ego lembum conspicor Ba 279   loca contemplat, **circumspectat** sese Tri 863   te hercle ego **circumspectabam** Ps 912(*i. e.* si abisses)

CIRCUMSPICIO - - I. **Forma** **circumspexi** Ru 1167, Vi 64   **circumspice** Mi 955 (-spicedum *Guy* -spicito cum *P*), Mo 472, 474, Tri 146, 147, 151(circum ispice *B*)   **circumspicite** Mi 1137

II. **Significatio** 1. *absolute:* circumspice

etiam Mo 474 quaeso identidem circumspice Tʀɪ 147 sed circumspice* Tʀɪ 151 *etiam* Mɪ 955, 1137, Mo 472 *infra* 3 *et* 4

2. *add. pronomen pers.:* infelix fui . . qui . . non me circumspexi centiens Vɪ 64 *etiam* Rᴜ 1167; te Tʀɪ 146 *infra* 3

3. *seq.* ne: circumspicedum* ne quis nostro hic auceps sermoni siet Mɪ 955 simul circumspice te ne quis adsit arbiter Mɪ 1137, Tʀɪ 146(-spicedum te) di omnes perdant . . me . . qui non circumspexi centiens prius me ne quis inspectaret Rᴜ 1167

4. *seq. interr. obliqua:* circumspicedum numquis est sermonem nostrum qui aucupet Mo 472

CIRCUMSTO - - ita iam quasi canes haud secus **circumstabunt**(-stant *RRs duo verba L*) nauem turbines uenti Tʀɪ 835 *corruptum:* Mᴇɴ 998, circumstatis *B*² -stitis *P pro* circumsistitis (*D*⁴)

CIRCUMTEGO - - *vide seq.*

CIRCUMTENEO - - erus meus elephanti corio **circumtentust**(-tus est *B*² -tus sum *P* circumtectus est *Don ad Hec* II. 1, 17) non suo Mɪ 235

CIRCUMVECTOR - - oppida **circumuectabor** Rᴜ 933

CIRCUMVEHO - - in terras solas orasque ultumas sum **circumuectus**(*Z* -uentus *P*) Mo 996 Histros, Hispanos . . orasque Italicas omnis . . sumus **circumuecti** Mᴇɴ 238

CIRCUMVENIO - - Mo 996, circumuentus *P pro* circumuectus(*Z*)

CIRCUMVINCIO - - uos . . quasi murteta iuncis item ego uirgis **circumuinciam**(*Py* -clam *P*) Rᴜ 732

CIRCUMVISO - - angues oculis omnis **circumuisere**(*infin. hist.*) Aᴍ 1110

CIRCUMVORTO - - dum huc dum illuc rete **circumuortit**(*BueL* or *PS*† uortit *SpU v. om RRs*) impedit piscis Tʀᴜ 38 ubi **circumuortor,** cado Ps 1278 a citius iam a foro argentarii abeunt quam in cursu rotula **circumuortitur**(-etur *B*) Pᴇʀ 443

translate = fraudare: qui me argento **circumuortant**(*P* [-e-] *S*† interuortant *FlRgL* [-e-] *U*) Ps 541

CIRCUS - - iamst ante aedis **circus** ubi sunt ludi faciundi mihi Mɪ 991(*cf* I n o w r a c l a w e r, p. 50) quid cessamus ludos facere? circus noster(*de milite quem circumeunt ludentes*) ecce adest Fʀ I. 62(*ex Varr l L* V. 153) uola curriculo. #Istuc marinus passer per **circum** solet Pᴇʀ 199 . . Aegyptini qui cortinam ludis per circum ferunt Pᴏᴇ 1291 *corruptum:* Mᴇʀ 34, sumit circo *B pro* rursum idcirco

CIS - - *de tempore* (*cf* K a n e, p. 75; L e e r s, p. 39): liberum caput tibi faciam cis(*Gru duce Ac om P*) paucos mensis Mᴇʀ 153 cis hercle paucas tempestates, Tranio, augebis ruri numerum Mo 18(*cf* K u k l i n s k i, p. 44, *adn.* 1) nulla (pecunia) faxim cis(faxinicis *D*) dies paucos siet Tʀᴜ 348 *corruptum:* Mᴇʀ 76, cis *CD pro* scis(*B*)

CISTELLA - - **I. Forma** cistella Cɪ 655, 658, 684, 696, 731(*VS*† -am *BEJU* cistellula

BentRsL), Rᴜ 1362 **cistellam** Cɪ 637, 675, 709, 712, 731(*BEJU: vide* cistella *supra*), 738, 742, 767, 770, 771, Rᴜ 1109, 1130, 1133, 1143, Fʀ III. 8 (*ex Fulg de abst serm* XXII & XXIII) **cistella** Cɪ 703, 733

II. Significatio 1. *nom.:* haec cistella numnam hinc ab nobis domost? Cɪ 658 cistella* hic mihi, adulescens, euolauit Cɪ 731 (*vide* ω) haec excidit cistella Cɪ 696(*cf* 697) haec . . cistella hic iacet Cɪ 655 si nemo hac praeteriit . . cistella hic iaceret Cɪ 684 una istinc cistella exceptast modo cum crepundiis Rᴜ 1362(*cf etiam infra* 2)

2. *acc:* cistellam isti inesse oportet caudeam in isto uidulo Rᴜ 1109, 1133 est hic uidulus ubi cistellam tuam inesse aiebas? Rᴜ 1130 *accipe* hanc cistellam Cɪ 637 quamne in manibus tenui atque accepi hic ante aedis cistellam ubi ea sit nescio, nisi . . loca haec circiter excidit mihi . . . facite indicium quis eam abstulerit, quis sustulerit Cɪ 675—9 *amitto* Cɪ 710(*infra sub* quaero) *da* isti cistellam Cɪ 770 confitemur cistellam *habere* Cɪ 742 cistellam mihi *offers* cum crepundiis Fʀ III. 8(*ex Fulg de abst serm* XXII & XXIII) cistellam haec mulier *perdidit,* taceamus Cɪ 712(*L duce Sey* mulier✱✱✱✱amus *A* m. quid dicat uideamus *U*) quae illam cistellam perdidit Cɪ 738 ecquem uidisti *quaerere*(*PS*†*L*† to!lere *VallRsU*) hic . . in hac regione cistellam cum crepundiis quam ego hic amisi? Cɪ 709—10 quid *quaeritas?* #Cistellam* Cɪ 731(*U*) istanc cistellam te opsecro ut *reddas* mihi Cɪ 767 hinc ab ostio iacentem (cistellam) *sustuli* Cɪ 658 *teneo* Cɪ 675(*supra sub* accipio) tene tu cistellam tibi Cɪ 770 *uideo* cistellam. #Haecinest? #Istaec est Rᴜ 1143

3. *abl.:* quod periit, periit: meum corium cum cistella Cɪ 703 mirum quin grex uenalium in cistella infuerit una Cɪ 733

CISTELLATRIX - - ducitur familia tota: . . cantrices, **cistellatrices** Tʀɪ 253

CISTELLULA - - 1. *nom.:* **cistellula** hinc(*BentRsL* cistellā hic[hinc *J*]*P* cistella hic **S**† cistellam. huc *U*) mihi . . euolauit Cɪ 731 ubinam ea fuit cistellula? Rᴜ 391 isti inest cistellula huius mulieris Rᴜ 1078

2. *abl.:* ubi patera nunc est? #Est(*DouRglL om P* ✱ **S**) in cistula(In **cistellula** *U*) Aᴍ 420 (patera) quae in hac cistellula tuo signo obsignata fertur Aᴍ 773

CISTULA - - 1. *acc.:* leno ademit **cistulam** ei . . ubi habebat qui suos parentis noscere posset Rᴜ 389 agedum exsolue cistulam. #Quid ego istam exsoluam? obsignatast recte Aᴍ 783 nihil peto nisi cistulam et crepundia Rᴜ 1085 eam te quaeso cistulam ut iubeas hunc reddere illis Rᴜ 1119 ego faciam ut uideas cistulam Rᴜ 1088 conquiniscam ad cistulam Cɪ 657 *Cf* R y h i n e r, p. 30

2. *abl.:* ubi patera nunc est? #Est(*DouRglL om P* ✱ **S**) in **cistula**(In cistellula *U*) Aᴍ 420 hic patera nulla in cistulast Aᴍ 792 crepundia isti in ista cistula insunt, quae isti inest in uidulo Rᴜ 1082

CITO - - quid si ego huc seruos **cito**(*B*²

scio B^1 scito CD)? Men 844   otiosos homines
decuit delegi qui nisi adsint quom **citentur**
(AB^2D^3 cinetet~ B^1 citenet~ CD^1), census capiat ilico Men 454   quin **cita** illum in ius
Mo 1089(R quin et illum in ius $P\mathcal{S}$† var em ψ)
aduortito animum. #Non adest. #At tu **cita**.
#Immo ego tacebo: tu istinc ex cera **cita** Ps
32—3

CITRIO - - *servus* Cas 744($\mathcal{S}$ cito PLU
om Rs) Cf Schmidt, p. 360

CITUS - - I. Forma **citus** Am 1115, Ps 745,
St 391   **cita** Ba 738(*Herm* cito BL† scito
CD) **cito**(*adv.*). Am 689, 728, As 745, Ba 202,
714, 734, 748, 756, 857, Cap 861, Cas 241, 295,
635, 643(est cito hoc A scito P), 744(PLU
Citrio $\mathcal{S}$ om Rs), *ib.* (scito E^1), Ci 748, 781, Cu
121, 311, Ep 30, 142, 513, 630, Men 225, 737
(*Rs om Pψ*), Mi 226, 256, 522, 524, 732, 921,
1186, 1195, 1353, Mo 347, 541, Poe 567(*v. secl
Weis ω*), 874(P scito A), Ps 157(CDR scito B
coco $A\psi$), 168(*om R em U*), 389(scito C celeriter A), 920, Ru 434(*add Rs solus*), 799, 821,
Tri 160, 408, 409(*v. habet A solus*), 1108(morae
cito R moracii BC motii D morae, i, i *TaubL*),
Tru 267(A scito P), 467(rei [re $\mathcal{S}$] nimis cito
$Sp\mathcal{S}L$ eni~ scito[cito CD]P eam n. c. *MueU*
eampse n. c. *Rs*), Vi 75   **citi** Am 244, 1111
citis(*abl.*) Au 600   **citiorem** Fr II. 7(*ex Paul
61*)   **citius**(*adv.*) Am 505, Au 600(cic. B), Ba
290, Cas 806(*A lac magnam habent P*), Per 435
(cic. B), 442(cic. B v. om CD), Ru 891(cic. P),
St 643(AcR otius $AP\psi$), 645(A otius CD oc,ius
B), Tri 387(cic. CD), Tru 19(cic. B)   **citissume**
Cap 337(*Rs* is homo $P\mathcal{S}$†LU), 352(-ime $BDEL$)
corrupta: Ba 734, cito *add* B^1 *ante* hoc   Ps
157, cito CDR cito B *pro* coco(A); 748, citus
P *pro* scitius(*Ca*) Tru 934, horridus citus $P\mathcal{S}$†
var em ψ

II. **Significatio** A. *adiectivum* 1. *praedicative:* equites parent citi Am 244(*cf* Gimm,
p. 16)   pergunt (angues) ad cunas citi Am 1111
puer citus e cunis exilit Am 1115   ego huc
citus praecucurri St 391

2. *cum nominibus:* (manus) ad perdundum
magis quam ad scribundum cita* Ba 738   citis
quadrigis citius properet persequi Au 600
nullam ego rem citiorem apud homines esse
quam famam reor Fr II. 7(*ex Paul 61*) turbo
non aeque citust Ps 745

B. *adverbium* **cito** *plerumque in fine versus inuenitur (alibi circiter uicies) atque post
verbum; ante verbum usurpatur:* Cas 241, 744,
745, Mi 256, 522, 524, 921, Mo 541, Poe 567,
874, Ps 68, Tri 160, 1108, Tru 467 *per hyper-
baton in seq. clausula:* eloquere unde haec
sunt tibi cito crepundia Ci 748 *de collocatione
cum imperativi fut. cf* Loch, p. 9

1. *de tempore usurpatur plerumque, raro de
celeritate actionis* a. *cum verbis:* abi cito Ci
781 . . ut pereas atque abeas cito Ep 513 abi
cito atque orna te Mi 1195   propera *adduc*
hominem cito* Ps 389   . . is *adimerent* cito
Mi 732   *adscribe* hoc cito Ba 734   nimium
aduenisti cito Ep 630   hoc cito et cursimst
agendum Poe 567(*v. secl Weis ω*) *ambula* ergo
cito Ps 920   nihil est morae, cito* ambula

Tri 1108   iube uasa tibi pura *apparari* ad
rem diuinam cito Cap 861   *cedo* calidum
consilium cito Mi 226   intro abite atque
haec cito(*om R*) *celebrate*(*P$\mathcal{S}$* celerate *Gul
RRgL* atque accelerate *U*) Ps 168   in
opus ut sese *collocauit* quam cito Vi 75   ut
cito *commentust* Cas 241   nulla res tam delirantis homines *concinnat* cito Am 728 *confit*
(pecunia) cito Tri 408   scis tu ut *confringi* uas citc Samium solet? Ba 202 . . nisi
abis actutum aut *dicis* quid quaeras cito* Tru
267   non hercle (pecunia) minus diuorse
distrahitur cito quam si . . Tri 409   propere
(-rate *A*) cito(Citrio $\mathcal{S}$ om Rs) intro ite et
cito* *deproperate* Cas 744   *datin* isti sellam
ubi assidat cito Cu 311   tu interim da ab
Delphio cito(c. a. D. *HermR*) cantharum circum Mo 347   *ecfer* cito #Quid? #Stilum ceram
Ba 714   age *effunde* hoc cito in barathrum
Cu 121b   *ite* intro cito As 745   Cas 744
(*supra sub* deproperate)   . . eat tecum ad
portum cito Mi 1186   ite cito Mi 1353   quicquid est *eloquere* mihi cito Cas 635   eloquere
unde haec sunt tibi cito crepundia Ci 748
actutum uxorem huc *euoca* ante aedis cito
Cas 294   iube sis me *exsolui* cito Ba 857
uerbis paucis quam cito alium *fecisti* me Tri
160   ne istic fana *mutantur* cito Ru 821
age *obliga* obsigna (epistulam) cito. Ba 748
huic homini *opust* quadraginta minis . . et
cito Ep 142   cito erit *parata* nauis Mi 921
eius rei nimis cito* odium *percipit* Tru 467
cito* homo *peruorti* potest Poe 874   *petere*
aquam iussit cito* a uobis Ru 433(*Rs*) . . ibidem . . *potetis* cito Ba 756   *propera* cito Ru
799   quidnam hic sese tam cito* *recipit*
domum? Mo 541   *redi* cito Men 225   quid
huc uos *reuortimini* tam cito? Am 689   nisi
ex te *scio* quicquid hoc est cito*, hoc iam . .
Cas 643   fac plenum ahenum *sit* cito* Ps
157(*CDR*) cito *transcurre* curriculo ad nos Mi
522   cito transcurrito ad uos curriculo domum Mi 524   eam iube cito domum *transire*
Mi 256   illa ad hostis *transfugerunt.* #Ar-
mane? #Atque equidem cito Ep 30   . . ut *ueniat* ad me cito* Men 737(*Rs*)

b. *app. adverbia:* minus Tri 409   nimis
Tru 467   nimium Ep 630, Poe 844(*Rgl*) quam
Tri 160, Vi 75   tam Am 689, Mo 541   ut
Ba 202, Cas 241

2. **citius:** citius iam a foro argentarii *abeunt*
quam . . Per 442   . . si qui mea opera citius . . *addici* potest Ru 891   illa causa
nihilo citius *aduenit*(*AcR* ocius n. uenit $AP\psi$)
St 643   . . quo citius rem ab eo *auerrat*
(*Weis* auferat *P*) cum puluisculo Tru 19 citius quod non factost usus *fit* quam quod
factost opus Am 505   citius extemplo foro
fugiunt quam ex porta . . lepus Per 435   citis
quadrigis citius properet *persequi* Au 600
quid si . . occentem hymenaeum si qui citius*
prodeant(*A* hymenaeum *cum lac P*)? Cas 806
homines remigio *sequi* neque aues neque
ueuti citius Ba 290   nimio citius *transiges*
Tri 387   nihilo citius* *uenit* tamen hac gratia
St 645

3. **citissume:** fac citissume* ut redimatur

Cap 337(*Rs*) quam citissume potest tam hoc cedere(†**S** iter eat *Rs*) ad factum uolo Cap 352

C. *corruptum:* Tru 934, quam hic horridus citus bellum hi *P***S**† *var em* ψ

CIVICUS - - hic adulescens multo Ulixem anteit qui ilico errat intra muros **ciuicos** Ba 4 (*ex Char* 201)

CIVILIS - - Tru 425, munus ciuilium *CD* m. ciuilim *B pro* munusculi(*Bri* -lum *CaL*)

CIVIS - - I. **Forma ciuis** Ep 602, Mer 635, Per 474, Poe 372, Ru 2(cuius *CD*), 42, 440 **ciui** Ru 440, Tri 350 **ciuem** Au 215, Cas *Arg* 6, Ci *Arg* 10(cinem *J*), Men *Arg* 8, Men 840, Mer 612, 635, Per 67, Tru 495 **ciui** Per 475 **ciues** Am 678, Poe 621, Tru 100, 202, 654 **ciuium** Am 186, Poe 816 **ciuibus** Ps 586 **ciuis**(*acc.*) Mi 1289(cuius *C*), Per 749(cuus *B*), Ru 742(-es *APL*), Tri 102 **ciues**(*voc.*) Am 376, *fr* X(*ex Non* 331, 456), Au 406(optati ciues *J* o. uires *BL*† o. uiues *D***S**† attici uiri *Rg* opitulamini *U*), Cu 626 *bis*, Men 1000, 1005, Mer 866 **ciuibus** Per 753, Ps 1231(uicibus *C* ucibus *D*), St 11 *corrupta:* Ba 782, res ciuis ethera *D*[1] resciui scelera Poe 1174, ciuis *P* cuiuis *AL* quoiuis ψ Tri 533, ciuium *C* cuium *A* cuiũs *D pro* quoius (*B*); 959, ciuẽ ducere *P pro* circumducere Tru 615, ciuis, ciue *P pro* clues, clueo(*Ca*)

II. **Significatio** 1. *nom.:* cur tu operam grauare mihi quam ciuis ciui *commodat?* Ru 440 hinc Athenis ciuis eam *emit* Atticus Ep 602 rogitares . . ciuisne *esset* an peregrinus Mer 635 te faciet ut sis ciuis Attica atque libera Poe 372 eius sum ciuis* ciuitate caelitum Ru 2 adulescens quidem ciuis huius Atticus eam *uidit* ire Ru 42 sumne probus, sum lepidus ciuis? Per 474 . . ne omnino inopiam ciues obiectare *possint* tibi Tri 654 . . quam . . ciues Thebani uero *rumiferant* probam Am 678 Aetoli ciues te *salutamus* Poe 621 turpilucricupidum te *uocant* ciues tui Tri 100 nihil *est* profecto stultius . . quam urbani adsidui ciues quos scurras uocant Tri 202

2. *gen.:* quod numquam opinatus fui neque alius quisquam ciuium sibi euenturum Am 186 . . ut perderemus corruptorem ciuium Poe 816

3. *dat.:* ciui inmuni scin quid cantari solet? Tri 350 ciuis ciui *commodat* Ru 440(*supra* 1) si expugno, facilem hanc rem meis ciuibus faciam Ps 586

4. *acc.:* equidem te ciuem sine mala omni malitia semper sum *arbitratus* Au 215 Menaechmum omnes ciuem *credant* aduenam Men *Arg* 8 sine uirtute argutum ciuem mihi *habeam* pro praefica Tru 495 ciuem *esse* aibant Atticum Mer 635 . . eum esse ciuem et fidelem et bonum Per 67 adulescens ducit ciuem Casinam cognitam Cas *Arg* 6 aequalem et sodalem liberum ciuem *euicas* Mer 612 *perdidit* ciuem innocentem falso testimonio Men 840 rite ciuem* cognitam Alcesimarchus . . *possidet* Ci *Arg* 10 hostisne an ciuis *comedis* parui pendere Tri 102 . . qui hic *commercaris* ciuis* homines liberos Per 749 *defende* ciuis tuas, senex!

Ru 742 mitto iam ut *occidi* Achilles ciuis* passus est Mi 1289

5. *voc.:* per fidem, Thebani ciues! Am 376 ego hunc, Thebani ciues, . . teneo Am *fr* X(*ex Non* 331 & 456) optati ciues*, populares! Au 406 o ciues, ciues! #Quid clamas? Cu 626 Epidamnienses subuenite ciues! Men 1000 o facinus indignum et malum, Epidamnii ciues! Men 1005 ciues, bene ualete! Mer 866

6. *abl.:* ciuitatem maxumam maiorem feci atque auxi ciui femina Per 475 hostibus uictis, ciuibus saluis, re placida Per 753 cras agam cum ciuibus* Ps 1231 unus ciuibus ex omnibus probus perhibetur St 12

7. *adiectiua sim.:* adsiduos Tri 202 aduena Men *Arg* 8 arguta Tru 495 bonus Per 67(?) femina Per 475 fidelis Per 67(?) lepidus Per 474 liber, -a Mer 612, Poe 372 innocens Tri 350 innocens Men 840 optati Au 406(?) probus Per 474 salui Per 753 urbanus Tri 200 Aetoli Poe 621 Atticus Ep 602, Mer 635, Poe 372, Ru 42 Epidamnienses Men 1000 Epidamnii Men 1005 Thebani Am 376, 678, *fr* X

8. *gen. vel pron. poss.:* huius Ru 42 eius Ru 2 meus Ps 586 tuos Ru 742, Tri 100

CIVITAS - - 1. *nom.:* multo fiat **ciuitas** concordior Au 481 ibi quidem si regnum detur non cupitast ciuitas(cy. *D*[1]) Mer 841 . . ut ciuitas nomen mihi commutet Ps 192 *cf* Per 559, *ubi* ciuitas *pro* urbs *habet R*

translate: compendium tritor, pristinorum ciuitas(ciuilas *A*) Per 420 *Cf* Egli, III. p. 34; Inowraclawer, pp. 55, 79

2. *acc.:* quam capiam **ciuitatem** cogito potissumum, Megares, Eretriam . . Mer 645 Atticam hodie ciuitatem maxumam maiorem feci Per 474 ego mihi alios deos penatis persequar, . . aliam ciuitatem Mer 837 sex sodales repperi: uitam, amicitiam, ciuitatem (*PLU***S**† uoluptatem *RRg*) . . Mer 846 numquam ad ciuitatem uenio nisi . . Fr III. 4(*ex Serv ad Aen* I. 480)

3. *abl.:* eius(i. e. Iouis) sum ciuis **ciuitate** caelitum Ru 2 omnis mortales hunc aiebant Calliclem indignum ciuitate ac sese uiuere Tri 213

CLACENDIX - - *vide* Calcendix

CLADES - - **clades**(*AJ* -is *BE*) calamitasque intemperies modo in nostram aduenit domum Cap 911 quanta turba(*Stu ex A om cum lac P* q. clades *LambRgl* q. pestis *GepU*), quanta aduenit calamitas hodie ad hunc lenonem Poe 923 *corruptum:* Mo 329, clades *B*[1] dades *CD*[1] *pro* cades(*B*[2]*D*[3]) *Cf* Goldmann, II. p. 20

CLAM - - *cf* Langen, *Beitr.* p. 229 I. **Forma** Am 107, *v. om J*; 1122, clara *J* dam *E* As 826, clam. #Ne me mone *Rgl* narra. #Ne mone *L* duce *Ca* iam pridem, mone *U* iam emone *P***S**† Cas 468, clam *add* Pius om *P* Ci 181, clam *add* Rs *solus* Cu *Arg* 2, clam *add* Rg *solus* Men 611, ne clam *B*[2] nec iam *BC* nectiã *D* ni clam *R*; 804, clam *Ac* iam *B* tiam me *C* iã me *D*; 900, me clam *BD* -m eclam *BD* me dam *C*; 740, clam *add*

R solus Mer 43, clam *Gul* iam *P*; 342, dam
D; 545, clam filium *A* iam filio *P* Mi *Arg*
I. 3, clam *R falso pro* quiret (qui *AcU*); I. 6,
clam *B*² ciam *B*¹ sciam *CD* scite *R*; 112, clam
matrem *B²D* clamat rem *B¹C*; 343, dam *CD*;
431, clam *Bo* dum *PL*; 997, clam ut *Rg* ac
dum *PS*† *var em ψ*; 1028, clam *B pro* iam
Poe 662, clam *om B*   Tri *Arg* 1, clam *ins
RRs*   Tru 57, clam mina *PS*† c. magna *L*
cl. omnis summa *Rs* nostra damna *U duce Sp;*
311, ad uos clam *A* duo sciam *P*
  II. Significatio A. *adverbium* 1. *verbis app.*:
ilico res exulatum ad illam clam* *abibat* patris
Mer 43(*vide infra* B, 2) thensaurum clam* *abstrusum*..Tri *Arg* 1(*RRs*) ..ne quid clam furtim
se *accepisse* censeas Poe 1022   angiporto
illac per hortum *circumit* clam As 742 ..quod
meae *concredidumst* taciturnitati clam, fide ..
Tri 142   is se dixit cum Alcumena clam*
consuetum cubitibus Am 1122   *deduco* pedes
de lecto clam Cu 361   *defodit* insepultum
clam in hisce aedibus Mo 502   mea ornamenta clam* ad meretrices *degerit* Men 804
quo pacto .. clam dos *depromi* potest? Tri
756   clam* ibi *eludit* anulo riualem Cu *Arg* 2
(*Rg*)   de die potare, illam(amicam) *expilare* clam* As 826(*GulRgl*)   rem .. quae
nunc ad uos clam* *exportatur* Tru 311   quae
me clam* ratus sum *facere,* ea omnia fecit
palam Men 900   locum sibi uelle liberum
praeberier ubi nequam faciat clam Poe 178
forat geminis communem clam* parietem in
aedibus Mi *Arg* I. 6   .. ne clam* quispiam
nos uicinorum inprudentis aliquis inmutauerit
Mi 431   ille clam *obseruauit* seruolus Ci 168
quia te prohibet erus clam(*Guy* ero *add PS*†)
potior Cu 173   dicit..*peperisse* gnatam clam*
Ci 181   plus *perdit* clam quasi prohibuerit
palam Mer 1023   clam illuc *redeundumst*
mihi Am 527   hunc clam nostrum sermonem
sublegerunt Mi 1090   palam blandiuntur, clam
.. aquam .. *suffundunt* Ci 34   *suppiles* clam
domi uxorem tuam? As 815(*an sub* B. 1 *referendum?*) Men 740, clam *add R*   clam sibi
supposuit clandestino editum Tru *Arg* 4 ..ne
tibi clam* se *subterducat* istinc Mi 343 ..domo
si ibit, clam* ut huc *transbitat* Mi 997(*Rg duce
R: loc perdub*)
  2. *cum esse*: praeter eos agnos meus est
istic clam mordax canis Ba 1146   qua commeatus clam esset hinc huc mulieri Mi 143
  clam esse = celari, ignotum esse: meretricem
commoneri quam sane magni referat nihil
clamst Mi 882   hic clam* furtim esse uolt
nequis sciat Poe 662   mea nunc facinora
aperiuntur quam quae speraui fore Tru 795
  3. *cum verbo* **celare**: annos multos filias meas
celauistis clam me Poe 1239   haec celamus
nos clam* magna industria Tru 57
  4. **clam** *et* **furtim** *coniuncta*: (*supra* 3), 1022
(*supra* 1)
  B. *praep.* 1. *cum acc.*: *postpositum* Mer 821
fortasse Tru 57(*supra* A. 3) .. possisne necne
clam me sutelis tuis praeripere Casinam uxorem Cas 95   tu ne clam* me comesses prandium Men 611   Poe 1239(? *supra* A. 3) neque
potest clam me esse si qui sacruficat Ru 133

nos Tru 57(? *vide supra* A. 3)   uterque ..
legiones parat paterque filiusque clam alter
alterum Cas 51   nihil potest clam illum haberi
Mer 361
  emptast amica clam uxorem et clam* *filium*
Mer 545   is illius filiam conicit in nauem
miles clam* *matrem* suam Mi 112   mihi ..
concredidit thensaurum auri clam *omnis* Au 7
Tru 57(*Rs*)   .. ubi amans adulescens scortum
liberet clam suom *patrem* Cap 1032   ratus
clam* patrem me meum posse habere Mer 342
clam patrem patria hac effugiam Mer 660   is
clam patrem etiam hac nocte illac per hortum
transiluit ad nos Tru 248   scio equidem nullo
pacto iam esse posse haec clam *senem* Mo 1054
is amare occepit Alcumenam clam *uirum*(-ro
*D*²) Am 107(*v. om J*)   peculi probam nihil
habere addecet clam uirum(-ro *J*) Cas 200
uxor uirum(*Pius* uiro *P*) si clam domo egressast foras .. Mer 821   suppiles clam(*adv.* ?)
domi *uxorem* tuam? As 815(*supra* A. 1)   hic
senex si quid clam uxorem(-re *B²J*) ..fecit..
As 942   is sperat .. sibi fore paratas clam
uxorem(-re *AJ*) excubias foris Cas 54   erit
hodie tecum quod amas clam uxorem(-re *J*) Cas
451   bona multa faciam clam* meam uxorem
Cas 468   clam uxorem ducet semper scortum
Cas 1016   clam uxoremst ubi sepulcrum habeamus Men 152(*loc dub*)   hic mihi hodie
iussi prandium appararier clam meam uxorem
Men 1138 Mer 545(*supra sub* filium)   si uir
scortum duxit clam uxorem suam .. Mer 819
si quis clam uxorem duxerit scortum suam ..
Mer 827(*v. secl OsannRRgU*)
  2. *cum gen.*: res exulatum ad illam clam
abibat patris Mer 43(*sed melius coniunguntur
res et patris atque exemplum sub* A. 1 *collocatur*)
  3. *cum abl.*: Am 107 *D*; As 942 *BJ*; Cas 54
AJ; 200 *J*; 451 *J* Cu 173 *PS*† (*vide supra* A 1)
Mer 821 *P*(*corr Pius*)
  CLAMITATIO - - quid tibi, malum, hic ante
aedis **clamitatio**st(*Ac* clamat[-as *B*¹] iosi *P*)?
Mo 6
  CLAMITO - - ea quae sunt facta infecta ut
reddat (*inf. esse instat U*) **clamitat** (*L infectare est in* clamitare *BS*† [adcl. *E* accl. *D²J*]
atque cl. *D*¹]) Am 884   quid repperisti? #Non
quod pueri **clamitant** in faba se repperisse Au
818   parum clamitant me(*om Rg* mi *L*) ut
reuortar Ps 1276   .. ut quom opus adgreditur, **clamitent**(*Rs* quo**us*****t *AS aliter
LU*) Ci 313
  CLAMO - - I. Forma **clamo** Mo 577(*B*
clamabo *A ut vid et CD*), Tru 766, Fr II. 48
(*ex Serv ad Aen* I. 738)   **clamas** Am 376(-at
E), Au 415, Ba 872, Cu 626, Men 1114, Mer
683(*PS†RgLU* uis *R*), Mo 588(damus *C*), Tru
286 **clamat** As 391, Au 37, 300, 693, Cas 764,
Mi 823, Mo 876(*add U solus*)   **clamabas** Men
1053 **clamabis** Poe 14   **clamabit** Fr I. 116
(uxor cl. *Rgl* uxorculauit cod *ψ: ex Varr l L*
VII. 66)   **clamarat** Fr I. 30(*ex Varr l L* VI.
89 clamant *M*)   **clamaret** Ba 285   **clama**
Mo 576(*Ca* -at *A lac P*)   **clamare** As 590
corrupta: As 632, me clamantem *J pro med
amantem* Cas 232, te clamo *V pro ted amo* Ci

248, clamat *U falso ex A* Mer 226, clamant *B* donant *CD pro* danunt Mi 112, clamat *B¹C pro* clam matrem Mo 6, clamat iosi *P pro* clamitatiost (*Ac*) Poe 1211, clamabas *CD pro* uolo ambas Tri 242, clamat *CD pro* amat

II. Significatio *semper de hominibus(praeter* As 596) 1. *absolute:* etiam clamas* carnufex? Am 376 hic senex iam clamat intus ut solet Au 37 clamat, parturit Au 693 senex in culina clamat, hortatur coquos Cas 764 ne clama* nimis. #Ego hercle uero clamo* Mo 576 beatus uero's nunc, quom clamas* Mo 588 nisi clamabis, tacitum te obrepet fames Poe 14 *similiter:* . . si forte (asini *i. e.* nummi) occeperint hinc ex crumina clamare As 590 2. quid **clamas**, *saepe indignantis:* quid, stolide, clamas? Au 415 quid clamas? Ba 872, Cu 626, Men 1114 quid clamas* obsecro(cedo *Rg* Syra *U*)? Mer 683 quid clamas, insane? Tru 286
similiter: quid ego hic clamo? Tru 766 3. *cum acc.* **a.** *rei:* neque eo ad mensam publicas res clamo Fr II. 48(*ex Serv ad Aen* I. 738) **b.** *personae:* extemplo ianitorem clamat As 391 mulieres uxor clamabit* Fr I. 116(*Rg ex Varr l L* VII. 66) **c.** *temporis:* accensus clamarat* meridiem Fr I. 30(*ex Varr l L* VI. 89) **d.** *cognato:* eo magnum clamat Mi 823 4. = invocare: diuom atque hominum clamat continuo fidem Au 300 tu clamabas deum fidem atque hominum omnium Men 1053 5. *seq. infin.:* quom mihi . . Archidemides clamaret dempturum esse si quid crederem Ba 285 *Cf* Votsch, p. 35; Walder, p. 49 6. *seq. orat. recta:* Mo 576(*U*) *fortasse* Cas 764 7. *adverbia, sim.:* nimis Mo 576 hic Tri 766 intus Au 37 huc As 590 in culina Cas 764 ad mensas Fr II. 48 ex crumina As 590

CLAMOR - - I. Forma **clamor** Poe 1146 **clamoris** Au 403, Cas 620, Ru 614, Tri 1093 **clamorem** Am 228, Ba 874, Cu 277, Mi 1393, Ru 623, Tri 291(olo. *B*) **clamore** Am 245, As 423, Ci 536, Cu 683(-rem *J*), Ep 118(amore *J*), Men 46, Mer 49, Ps 556, 1145, Tru 253, 759(-rĕ *B*) **clamores**(*acc.*) Au 168
II. Significatio 1. *nom.:* parce muliebri supellectili. #Quae east supellex? #Clarus clamor sine (#Sine *L fortasse cum A sed perperam*) modo Poe 1146 2. *gen.:* quid hoc clamoris oritur hinc ex proxumo? Au 403 quid hic in Veneris fano . . clamoris oritur Ru 614 quid hoc hic clamoris audio ante aedis meas? Tri 1093 quid illuc clamoris . . in nostrast domo? Cas 620 3. *acc.:* intus clamorem audio Mi 1393 auditis clamorem meum Ru 623 clamorem utrimque efferunt Am 228 . . ne clamorem hic facias neu conuicium Ba 874 quid istic clamorem tollis? Cu 277 istas magnas factiones . . clamores, imperia . . nihil moror Au 168 erubui mecastor misera **propter** clamorem* tuom Tru 291

4. *abl.:* clamore ac stomacho non queo labori suppeditare As 423 anum sectatus sum clamore per uias Ci 536 postquam nihil fit, clamore* hominem posco Cu 683 egomet clamore* differor difflagitor Ep 118 illum clamore uidi flagitarier Men 46 si non dabis, clamore magno et multo flagitabere Ps 556 tu, bone uir, flagitare saepe clamore(*AB* in cl. *CD*) in foro Ps 1145 obiurigare pater: lacerari ualide suam rem, illius augerier: summo haec clamore Mer 49 . . item ut de frumento anseres clamore absterret abigit Tru 253 ego tibi . . ludos faciam clamore* in uia Tru 759
equites . . maxumo **cum** clamore inuolant Am 245
5. *app. adiectiva:* clarus Poe 1146 magnus Ps 556 multus Ps 556 maximus Am 245 sumus Mer 49

CLANCULUM - - *cf* Ryhiner, p. 51
I. Forma Ba 375, clancula *D¹* Mi *Arg* II. 10, clancilum *CD¹*; 934, dan. *D* danclum *C*; 985, dan. *CD* Ru 57, dan. *C* Tri 798, dan. *C* Tru 408, -lit *CD¹*; 670, clau. *B*
II. Significatio 1. *adv.:* clanculum (omnes *add Rgl*) *abii* a legione Am 523 abii illa per angiportum . . clanculum Mo 1045 abi ad thensaurum iam confestim clanculum Tri 798 *aucupemus* ex insidiis clanculum quam rem gerunt As 881 leno clanculum nos hinc *auferre* uoluit in Siciliam Ru 356 *captandust* horum clanculum sermo mihi Cas 444 nisi si clanculum* *conlapsus* est . . Tru 670 uir *compilet* clanculum quicquid domist Men 560 *concede* huc clanculum* Mi 985 nauis clanculum* *conducitur* Ru 57 conspicillo *consecutust* clanculum me usque ad fores Ci 91 cepi tabellas, *consignaui* clanculum, dedi(, cl. dedi *L*) mercatori quoidam Mi 130 puerum *uestigat,* clanculum* ad me *detulit* Tru 408 Mnesilochus noctu clanculum *deuenit* ad Theotimum Ba 317 haec cura clanculum ut sint *dicta* Poe 913 do Mi 130(*L vide supra sub* consigno) clanculum ex aedibus me *edidi* foras Mo 698 nequeo quae loquitur *exaudire* clanculum Men 478 illa noctu clanculum ad me *exit* Cu 22 clanculum te istaec flagitia *facere* censebas potis? Men 605 egone ut haec conclusa *gestem* clanculum*? Ba 375 . . quasi clanculum* ad eum *missa* sit Mi 934 (cistulam) rursum *obsignasti* clanculum Tri 797 continuo *operito* denuo: sed clanculum Tri 804 tute ab naui clanculum . . *praecucurristi* Am 795 domum *redimus* clanculum Ru 302 . . commeatus clanculum* qua *foret* amantum Mi *Arg* II. 10 hoc est quod olim clanculum ex armario te *surrupuisse* aiabas uxori tuae Men 531 quid meliust quam ut . . me *suspendam* clanculum? Ru 1189 *tetigit* calicem clanculum Mi 823
2. *praep.:* clanculum omnes Am 523(*Rgl: vide supra* 1 *sub* abeo)

CLANDESTINUS - - I. Forma **clandestinus** Cu 49(-das. *B¹*) **clandestina** Am 490 **clandestinae**(*pl.*) Cas 946(-ne *J*) **clandestino** (*adv.*) Am *fr* XIX(*ex Glos. Pl.*), Mi 956(dan. *CD¹*), Tru *Arg* 4

II. Significatio 1. *adiectivum:* malus clandestinus est amor Cu 49　　. . clandestina ut celetur consuetio(*Sciop* suspicio *P*) Am 490 ∗∗clandestinae nuptiae Cas 946
2. *adverbium:* clandestino Am *fr* XIX(*ex Glos. Pl.*) hoc negoti clandestino∗ ut agerem mandatumst mihi Mi 956　　clam sibi supposuit clandestino editum Tru *Arg* 4

CLARITUDO - - adspice . . caelum ut est splendore plenum atque **claritudine** (pl. ex aduorso uides *PS*† *var* em *ψ*) Mer 880

CLAROR - - Mo 645, clarorem *CaR* canorem *P*(co. *B¹*) candorem *Spψ*

CLARUS - - *locum habet semper post substantivum cf* Gimm, p. 16
I. Forma clarus Poe 1146, Ru 6　**clara** Ru 933　**clarum** As 947, Ru 1421, Tri 664 **claram** Ps 525　**clarum** Cas 3　**claro** Au 748 (*ex Non* 210 clara *P*)　**clarā** Am 547, 1120 **clara**(*nom. pl.*) Ps 591　**claras** Mo 645(speculo claras *P* speculoclaras *RsS*)　**clarior** Mi 1, Mo 151(*add UL: vide infra*)　*adverbia:* **clare** Am 300(clar *E* dare *J*), 1146(*D* clara *BJ* dare *E*), Ba 1211, Cas 1017(dare *E*), Men 1162, Mer 1026(dare *D*), Mi 630(-ris *B*), Per 500(dare *B*), Poe 610, Ru 536, Tru 676(dicin clare *U* dic inpera *FZψ* dic incipera *P*)　**clarius** Cu 379 (*B durius CD*)　*corrupta:* Am 1122, clara *J* dam *E pro* clam Mi 184, clari *C pro* dari Poe 259, clari *C pro* dari Tru 796, clare *D¹ pro* dare
II. Significatio A. *adiectivum* 1. *proprie* **a.** *de luce, sim.:* luci claro(*ex Non* 210 luce clara *P*) deripiamus aurum matronis palam Au 748
te, nox, . . mitto uti cedas die ut inlucescas luce clara et candida Am 547　　curate ut splendor meo sit clipeo clarior Mi 1　(aedis) . . speculo(*dat.*?) claras∗, candorem merum Mo 645 *similiter:* noctu sum in caelo clarus Ru 6(*Mercurius dicit*)
b. *de voce, sim.:* uoce clara exclamat uxorem tuam Am 1120　　parce muliebri supellectili. #Quae east supellex? #Clarus clamor Poe 1146　　plausum si clarum datis As 947 si uoletis plausum fabulae huic clarum dare . . Ru 1421 si uerum dixi, signum(*i. e.* plausum) clarum date mihi Cas 3
2. *translate* **a.** *de rebus:* magna me facinora decet efficere quae post mihi clara et diu clueant Ps 591　ubi nobilitas mea erit clara, oppidum magnum communibo Ru 933　dabo aliam pugnam claram et commemorabilem Ps 525
b. *de hominibus:* neque industrior de iuuentute erat quisquam nec clarior(*UL* erat arte gymnastica *P* a. g. *secl ψ*) disco Mo 152 in occulto iacebis quom te maxume clarum uoles Tri 664
B. *adverbium* 1. *de visu:* clare∗ oculis uideo, pernix sum pedibus Mi 630
2. *de sonitu:* uos ualere uolumus et clare adplaudere(plaudere *HermR:* v. *dub*) Ba 1211 ualete´ et nobis clare applaudite(*CDR* dare pl. *B* plaudite *Aψ*) Men 1162　clare crepito dentibus Ru 536　(fores) crepuerunt clare Poe 610　dicin clare∗ mihi Tru 676(*U*)　clare∗ aduorsum fabulabor Am 300　Iouis summi causa clare∗ plau-

dite Am 1146　Ba 1211(*sub* adplaudo) qui non manibus clare∗ . . plauserit . . Cas 1017　Men 1162(*sub* adplaudo)　ob senum . . industriam uos aecumst clare∗ plaudere Mer 1026　pugnis rem soluant, si quis poscat clarius∗ Cu 379　at clare∗ recita Per 500(recitato *Rg*)

CLASSIA - - **classiam** Unomammiam . . subegit Cu 445

CLASSIS - - ego erum expugnabo meum sine **classe** sineque exercitu Ba 930

CLATRATUS - - neque solariumst apud nos . . neque fenestra nisi **clatrata**(*Scu* clarata *AP*) Mi 379

CLAVA - - age accipe illinc alteram **clauam**, Sparax Ru 807　adfer(adferto *L in loco dub*) duas **clauas.** #Clauas? #Sed probas Ru 799 duo destituit signa hic cum **clauis** senex Ru 823

CLAVATOR - - optume edepol eccum **clauator** aduenit Ru 805　*corruptum:* Poe 530, clauatorem *membr Turn* clabatorem *B* glaba. *CD pro* grallatorem(*ex Fest* 97 *et Varr l L* VII. 69)　*Cf* Kampmann, *in Rud.*, p. 41

CLAUDIUS - - Ru 841 *P pro* gladius (*FZ*)

CLAUDO - - ∗∗**claudito** Ci 263 *Vide* cludo

CLAUDUS - - tamquam si **claudus** sim, cum fustist ambulandum As 427　quasi claudus sutor domi sedet totos dies Au 73　es . . ad mandata claudus(-u's *RRg*) caecus, mutus, mancus, debilis Mer 630　ego deuortor . . apud anum illam doliarem, **claudam**, crassam(*A et Don ad And* IV. 4, 31　diobolia recludam grassam *P* cludam *DonR*) Chrysidem Ps 659 tu nempe eos asinos praedicas uetulos, **claudos** As 340

CLAVIS - - **clauem** mihi harunc aedium Laconicam iam iube efferri intus Mo 404 clauem cedo Mo 411 b(*v. secl Acω*), 425(clauim *PRsSU*)　em clauim Mo 420(*SeyU* ∗iam iam *Pψ*)　accipias **clauis**(-es *J*) Ci 111　*corruptum:* Cas 881, lac cum clauem *BE¹ pro* conclaue

CLAVO - - Poe 232, qua clauata *P*(lauata *D⁴U*) est *pro* quae lautast(*Pψ*)

CLAVOS - - lapide excutiunt **clauom**(-um *CD*) Men 86　fixus hic apud uos est animus tuos **clauo**(dauo *D*) Cupidinis As 156　offerumentas habebis pluris in tergo tuo quem ulla nauis longa **clauos**(dauos *C* clauis *Rs ex errore?*) Ru 754 eae misere etiam (leges) ad parietem sunt fixae **clauis** ferreis Tri 1039

CLAUSTRUM - - sonitum et crepitum **claustrorum** audio Cu 203

CLAXENDIX - - *vide* calcendix

CLEAERETA - - *lena, in supersc.* As act. I *sc.* 3(cler *B* clerea *D* cleereta *EJ*), act. III *sc.* 1 (clereta *BEJ* cleereta *D*)　**Cleaeretae**(*dat.*) As 751(claeaeratę *BD* [-ae] claeaerate *E* cleretę *J*) *Cf* Schmidt, p. 360

CLEMENS - - **I. Forma clementem** Tri 827(-tem eo *HermRRs* -ti meo *Pψ*)　**clementi** (*abl.*) Mi 1252, Tri 827(-ti meo *PSLU* -tem eo *HermRRs*)　**clementer** Ep 205, Mi 695, Mer 952, St 531　**clementissume** Mi 1098(-ime *PL*)
II. Significatio 1. *adiect.:* placido te (Neptune) et clementi∗ meo usque modo . . usus

sum in alto Tʀɪ 827 clementi animo ignoscet
Mɪ 1252
  2. *adverbium:* **a.** sequor. #Clementer, quaeso:
calces deteris Mᴇʀ 952 recipe anhelitum.
#Clementer requiesce Eᴘ 205 hodie ne ex-
oneramus nauem? #Clementer (*sc* agere) uolo
Sᴛ 531 dixi . . quo pacto id fieri possit clementissume Mɪ 1098
  b. plicatricem clementer (*i. e.* honeste) non
potest quin munerem Mɪ 695
  CLEOBULA - - quae fuit mater tua? #**Cleobula**(clebula *J*) Cᴜ 643
  CLEOMACHUS - - Bᴀ 589
  CLEOSTRATA - - *matrona* Cᴀꜱ 393, 541, 627
et in supersc. act. II *sc.* 1, 2 *et* 3; *act.* III *sc.* 2
et 3; *act.* V *sc.* 1 **Cleostratam** Cᴀꜱ 1000
Semper trisyllaba sec. Seyffert, *Phil.* XXIX.
387
  CLEPO - - quia **clepis** tibi(*Rs cum A ut
putabat* accepisti *APψ*) armillas . . Tʀᴜ 272
ubi data occasiost, rape **clepe**(*om A*) tene Pꜱ
138 aut uasum ahenum raptum aut **cleptus**
lectulus Tʀᴜ 54(*Rs* a. u. a. aliquod aut electus
[*B* lectus *CDLU*] laptilis *PS†L†* *aliter em U*)
  CLEPTA - - . . dum illi agant ceteri **cleptae**
Tʀᴜ 103(c. c. *B rubricator L* agant *cum lac
CD* agant *S†U* harpagant *Rs*)
  CLERUMENOE - - Clerumenoe(*Valla* -moene
BV clerrimoene *E* clarumoenoe *J*) uocatur
haec comoedia Cᴀꜱ 31
  CLIENS - - I. Forma cliens Cᴀᴘ 335(clu.
RsSU clienius *J*), Mᴇɴ 577(clu. *RRs*), 588(clu.
RRs), Mᴏ 408(an cliens *B²* accliens *B¹* ad-
diens *C* audiens *D* clu. *RsU*) **clientem** Mᴇʀ
996 **clientibus**(*dat.*) Aꜱ 871(dien. *E* clu. *Rgl
SU*) **clientum** Mᴇɴ 575 (*ACD* -tium *B* clu.
RRs) **clientis** Mᴇɴ 573(-tes *L* clu. *RRs*), Mᴏ
746(-tes *B²* di. *C*) **clientibus** Tʀɪ 471(*P* clu.
Aω) *corrupta:* Mɪ 789, cliente *B pro* clientam Tʀɪ 312, cluentis *P pro* cluent
  II. Significatio (*cf* Wueseke, p. 15) 1.
nom.: is quidem huius est cliens* Cᴀᴘ 335
pluma haud interest patronus an cliens* pro-
brior(*B¹S†U†* proprior *CD* propior *B²* promptor
Rs probior *SciopL*) siet Mᴏ 408 sin diues
malust, is cliens frugi habetur Mᴇɴ 577 me . .
sollicitum cliens quidam habuit Mᴇɴ 588
  2. *gen.:* . . quam clientum* fides quoius
modi clueat Mᴇɴ 575
  3. *dat.:* . . hominem in senatu dare operam
aut clientibus* Aꜱ 871
  4. *acc.:* hunc senem para me(*om GuyRRg
LU*) clientem Mᴇʀ 996 clientis sibi omnes
uolunt esse multos Mᴇɴ 573 nihil moror
mihi istius modi clientis Mᴏ 746
  5. *abl.:* si illi congestae sint epulae a cluentibus . . Tʀɪ 471
  CLIENTA - - dominus aedium suam **clientam**(di. *CD*) sollicitandum ad militem subornat Mɪ *Arg* II. 13 habeo eccillam meam
clientam(*A* dicenta *D¹* dienta *C* cliente *B*) Mɪ
789 tantus ibi **clientarum**(elien. *B*) erat
numerus Pᴏᴇ 1180 **clientas**(*B* clu. *RsU* dien.
CD) repperi atque ambas forma scitula atque
aetatula Rᴜ 893
  CLIENTELA - - ea in **clientelam** suipte inprudens patris . . deuenit Rᴜ *Arg* 4

  CLINIA - - Bᴀ 912(-io *D*) **Cliniam** Aꜱ 866
corruptum: Aꜱ 866, cli. *E pro* Diniam *Cf*
Schmidt, p. 184
  CLIPEATUS - - clipeatus(*PU* clu. *L* cly.
RgS) elephantum . . machaera dissicit Cᴜ 424
Cf Wueseke, p. 44
  CLIPEUS - - ita me machaera et **clipeus**
(*BVJU* clu. *L* cly. *ERgS*) . . bene iuuent Cᴜ
574 gestandust peregre clupeus(*B* -cli. *CD*),
galea, sarcina Tʀɪ 596 curate ut splendor
meo sit **clipeo**(dibeo *C* clu. *RRgL*) clarior Mɪ 1
sarcinam constringam et **clipeum**(cly. *D* clu.
RRsLU) ad dorsum accommodem Tʀɪ 719
machaeram et clipeum(*BD* clippeum *C* clu.
RsL) poscebat sibi Tʀᴜ 506
  CLITELLA - - uehit hic **clitellas**(*AB¹* di.
B²CD), uehit hic autem alter senex Mᴏ 778
Cf Egli, I. p. 32; Inowraclawer, p. 62; Ryhiner, p. 13; Wortmann, p. 29
  CLITELLARIUS - - muliones mulos **clitellarios** habent, at ego habeo homines clitellarios Mᴏ 780(*cf* Egli, I. p. 33; Wortmann,
p. 29)
  CLIVOS - - iam (te) calcari quadrupedo
agitabo aduorsum **cliuom**(di. *E*) Aꜱ 708
  CLOACA - - effunde hoc (uinum) cito in ba-
rathrum: propere prolue **cloacam** Cᴜ 121 b
  CLOACINUS - - qui (uolt) mendacem . .,
(ito) apud **Cloacinae**(cloniae *J*) sacrum Cᴜ 471
Cf Vissering, I. 56
  CLUCIDATUS - - abi, picra's tu, non **clucidata** Mɪ 438(*Rg* adice testu non dicat ei *PS†*
ἄδικος es tu, non δικαία *SpLU aliter R*)
  CLUDO - - Bᴀ 375, clusa *D pro* conclusa
Cᴀꜱ 132, non cludere *A ut uid pro* concludere(*P*)
  CLUEO - - I. Forma clueo Rᴜ 286, Tʀᴜ
615(*Ca ciue P*) **clues** Tʀᴜ 615(*Ca ciuis P*)
  cluis Pᴏᴇ 13(*LoewU pro* colis) **cluet** Eᴘ 523,
Mᴇɴ 854(cluet cygno *Scut ex Prisc* I. 216[lucet]
cycno prognatum *P*), Pᴏᴇ 1192(duet *B*), Tʀɪ
309, 496, 620 **cluent** Bᴀ 925(clauent *C*), Eᴘ
189(-et *B²*), Tʀɪ 312(ciuent *A* cluentis *P*)
  clueas Cᴀᴘ 689(*B²* dueas *B¹* ducas *EJ*)
  clueat Aᴍ 646(*B²* redeat *B¹* reducat *EJ* ducat *D¹* eat *D²*), Mᴇɴ 575(*A ut uid et C* oleat
D ducat *B*) **clueant** Pꜱ 591(*P* ciueant *A*)
  cluear Pꜱ 918(cluerat *D¹*)
  II. Significatio A. *active* = dicor 1. *cum
nomine praedicatiuo:* si tu ad legionem bellator clues*, at ego in culina clueo* Tʀᴜ 615
eorum exsugebo sanguinem senati qui columen
cluent* Eᴘ 189 . . illo qui omnium legum
atque iurum fictor, condictor(*A* conditor *PRg
LU*) cluet Eᴘ 523 ego huius fani sacerdos
clueo Rᴜ 286 datur mihi ut meus uictor uir
belli clueat* Aᴍ 646 dum uiuit uictor uicto-
rum cluet Tʀɪ 309
  qui animum uincunt . . semper probiores
cluent* Tʀɪ 312(*v. secl RRsS*) facinora decet
efficere quae post mihi clara et diu clueant
Pꜱ 591
  similiter absolute: exerce uocem, quam per
uiuis et cluis* Pᴏᴇ 13(*U*)
  2. *cum abl. uel originis . uel limitationis:*
abigam nunc hunc . . Tithonum qui cluet*
Cygno(Cycino *RRsS*) patre Mᴇɴ 854 facito
ergo ut Acherunti clueas* gloria Cᴀᴘ 689

uolup est homini . . si quod agit cluet* uictoria Poe 1192

3. *cum adverb. vel gen.:* ubi mortuos sis, ita
sis ut nomen cluet Tri 496　　nimium difficilest reperiri amicum ita ut nomen cluet Tri
620　　res magis quaeritur quam clientum
fides quoiusmodi clueat* Men 575

4. *seq. infin.:* Atridae duo fratres cluent*
fecisse facinus maxumum Ba 925(*cf* Walder,
p. 37)

B. *passive:* ego . . stratioticus homo qui
cluear* Ps 918

CLUNIS - - quasi lupus ab armis ualeo,
clunes infractos fero Fr I. 5(*ex Non* 196[de-
sertos gero] *Paul* 61)

CLURINUS - - pudendumst uero **clurinum**
pecus Tru 269(*cf* Egli, III. p. 34; Wortmann,
p. 18)

CLUTOMESTORIDYSARCHIDES - - *nomen
militis fictum* Mi 14(*R* -mista- *L* clutum ista
ridis archidis *P* ✱✱starchidis *A*)

CNIDUS - - quam capiam ciuitatem cogito
Sicyonem, **Cnidum**(gn. *D*) . . Mer 647

CO✱✱✱ Ci 386

COACCEDO - - . . uestem aurum: et pro
his decem **coaccedunt**(*P* accedunt *GuyRg*)
minae Cu 344

COACTIO - - uetus est 'nihili **coactiost**'
(*EJ*✱†*LU* coaetiost *D* coctiost *FlRgl*) As 203

COADDO - - 'cano capite, aetate aliena'
coaddito(*GulU* eo addito *P*[-a *EJ*]*ψ*) ad compendium Cas 518

COAGMENTUM - - uiden **coagmenta** in
foribus? Mo 829

COADSOLEO - - quid ceterum? #Quod **coadsolet**(*AcRg* eo adsolet *ASL* eo ass. *P*) Ep 7

COCILENDRUM - - Ps 831 *L: vide sub* cicilendrum

COCHLEA - - uicistis **cocleam** tarditudine
Poe 532 (*cf Non* 181; Egli, II. p. 66) quom
caletur, **cocleae**(*Z* -e *B* -o *B* occleo *DVEJ*
cocliae *Macr*[G. L. VII. 648]) in occulto latent
Cap 80(*cf* Wortmann, p. 52)

COCLES, COCULES - - de **Coculitum**(*Rib*
coclitum *PLU Varr l L* VII. 71, *Serv ad Aen*
XII. 257) prosapia te esse arbitror Cu 393 *Cf*
Vissering, I. p. 46

COCTIO - - *vide* coactio

COCTRIX - - da quod dem quinquatribus
praecantrici coniectrici(*Ca* conl. *P sed* conectrici
*B*¹ **coctrici** *A ut vid*) Mi 693

COCULUM - - aeneis **coculis** mihi excoctast
omnis misericordia Fr II. 67(*ex Isid Or* XX. 88)

COCUS - - *vide* coquos

CODEX - - uos ego iam detrudam ad
molas . . atque ad robustum **codicem** Poe 1153
(*cf* Allen, *H.S.* VII. p. 63)

COEMPTIONALIS - - **coemptionalem**(*B*²*R
RgU* com. *PSL*) senem uendam ego Ba 976
Cf Romeijn, p. 52

COEO - - Mo 327, coimus *PS*†*R* comius *Rs*
concubimus *L* quo imus *U Cf* Schenkl, p. 42
St 35, coeunt *A pro* colunt(*P*)

COEPIO - - **I. Forma**　　**coepio** Men 960
(*Non* 89 cupio *P*)　　**coepit** Au 461(ce. *BD* cę.*J*),
Mer 250(cepit *BD*)　　**coepi** Au 16, Cas 701(*B*
ce. *VEJ* ∪ _ _), 885(cę. *B* ce. *EJ*), Ci 95(cę. *V*

ce. *E*), 687(ce. *E* ∪ _ _), Ep 248(ce. *J*), Men 483
(cę. *B*), Mer 42(cę. *D* -it *P*), Fr I. 108(cepi *F
ex Varr l L* VII. 62)　　**coepit** Au 626(cę. *BE*
ce. *J*), Ba 107(*R pro* qui huc it *v. secl Rω*),
259(ce. *P*), Cap 27(ce. *BD*), Cas 651(cę. *V* ce.
E), Mer 533(occeptauit *R:* ∪ _ _ ∪), Ps 742, Tru
891(*GepRs* cupit *PS*† *var em ψ*)　　**coeperam** Ep
389(cep. *EJ*)　　**coeperas** Per 809(cep.*BD*)　　**coepiat** Tru 232(*A Non* 89 cęp. *P*)　　**coepere**(*infin.*)
Per 121(co. *C*)　　**coepta**(*nom. sing.*) Men 718
(cepta *D*¹)　　(*acc. pl.*) Mer 39(certumst, ut coepta
RRg certum et conata *PS*† certumst conata
L certum ut conata *CaU*) corrupta: *pro formis verbi* capio: Am 108 *P*, 266 *J*(cę. *BDE*),
414 *P*, 641 *BDJ*(cę. *E*), 1136 *E*,cę *DJ*), Ba
931 *DE*(*v. secl Kiesω*), 959 *B*, 969 *P*, Cap 653
J(cae. *B*), Per 506 *C*, Poe 193 *C*, Ru 902 *B*,
970 *B*(cę. *C*), 972 *B*, 1070 *D*(cę. *C*) *vide sub*
capio　　*etiam* Ba 287, hoc coepi *C pro* occepi,
Mer 118, hoc coeperis *Non* 175 *pro* occeperis

II. Significatio A. *active* 1. *absolute:* pergam ut coepi* Ci 687　　perge ut coeperas*
Per 809

2. *cum acc.:* lubido extemplo coeperest* conuiuium Per 121　　neque pugnas neque ego litis
coepio* Men 960　　ubi nihil habeat, alium
quaestum coepiat Tru 232(*Non* 89) iam bienniumst quom mecum rem coepit* Mer 533
cur non ego id perpetrem quod coepi*? Cas
701

3. *cum infin.* (*cf* Walder, p. 19): coepi*
rursum uorsum ad illas pausillatim *accedere*
Ep 248　　consuetudine coepi* *amare* contra
ego illum et ille me Ci 95　　amare ualide
coepi* hic meretricem illico Mer 42　　extemplo
. . coepi *adsentari* Men 483　　coepit* captiuos
commercari hic Aleos Cap 27　　fili causa coeperam* ego me *excruciare* animi Ep 389(*loc
dub*) tua ancilla hoc pacto *exordiri* coepit*
Cas 651　　continuo meum cor coepit* artem
facere ludicram atque in pectus emicare Au
626　　qui cum opulento pauper coepit* rem
habere aut negotium . . Au 461　　coepit* *inridere* me Mer 250　　in corde *instruere* quondam coepi pantopolium Ps 742　　infitias *ire*
coepit* Ba 259　　ire ut coepit*, adimet rete
Tru 891(*Rs: loc desp*)　　domum ire coepi*
tramite dextra uia Fr I. 108(*ex Varr l L* VII.
62)　　coepi *obseruare* ecqui maiorem filius mihi
honorem haberet Au 16　　*tardus* esse ilico
coepi* Cas 885　　nescio qui *turbare* coepit*
Ba 107(*R: v. secl Rω*)

B. *passive:* itaque adeo iure (Hecuba) coepta
appellarist(*B*² *-are* est *P*) Canes Men 718　　illuc
reuorti certumst, ut coepta* *eloquar* Mer 39
(*RRg*)

COEPTO - - cur istuc **coeptas**(captas *Guy
RRg*) consilium Mer 648

COEPULONUS - - o mi Iuppitur terrestris,
te **coepulonus**(coepulo *GuyU*) compellat tuos
Per 100　　*corruptum:* Ba 716, coetum *D pro*
coctum

COETUS - - eos auspicio meo atque ductu
primo **coetu**(cętu *E*) uicimus Am 657(*cf* Kane,
p. 58)

COGITATIM - - Ci 446 *ex Gloss Plaut*

COGITATIO · · Cap 1030 cubi(subite *J*) co-
gitationes *EJ pro* subigitationes

COGITO · · I. Forma cogito Am 447, Au
673, 698, Cap 1022(*PLU* rec. *GruRsSL v. om
A secl OsannSL*), Cas 910, Cu 583, Men 886
(gito *CD¹*), Mer 645, 857, Mi 1375, Mo 702,
Poe 1402, Ps 1290, St 448 **cogitas** Mer 316,
Poe 1419(-ta *B*), Ps 475 **cogitat** Am 319, Men
967 **cogitabit** Am 160(-bat *E v. secl Hermo-
lausω*), 173(-bis *J ut vid*) **cogitaui** Mo 85
cogitem Mer 566 **cogites** Mer 565, Mo 216,
St 519, Tri 485 **cogitet** Au 591 **cogitarent**
Ep 386 **cogita** Mo 554(*loc lacunosus*), 726
(cogitandum *U*), Per 360, Poe 240 **cogitato**
(*cf* Loch, p. 11) Au 127, Cap 432, 711, Mi 915,
1364, Poe 237, Tru 868 **cogitare** Au 379,
Cas 90, Mo 790 **cogitans** Mi 201(*AD²* -tas *P*
-tat *B²*) **cogitandum**(*nom.*) Mo 726(*U* cogita
Pω) **cogitando**(*abl.*) St 55(*v. om A*), Tri 224
cogitatumst(*nom.*) Mer 344(-tat unde *B*), Tri
227 **cogitate**(*adv.*) Mi 944, Poe 1221, Tri 327
corruptum: Mer 941, cogito *P pro* rogito(*Pius*)

II. Significatio A. *verbum fin.* 1. *absolute:*
quom cogito, equidem certo idem sum Am 447
quom cogito, non habuit gladium Cas 910
Curculio . . uerba mihi dedit, quom cogito
Cu 583 quom cogito, . . est etiam hic ostium
aliud St 448 cogitato, si quis hoc . . faxit,
qualem haberes gratiam? Cap 711

egomet **mecum** cogitare interuias occepi Au
379(*cf* Weiszenhorn, p. 7) nunc ego mecum
cogito: si mihi dat operam . . Au 698 nunc
demum in memoriam redeo quom mecum cogito* Cap 1022(*PU v. om A secl OsannSLU*)
quom egomet mecum cogito, stulte feci Mi 1375
cum interr. obl. Poe 1402(*infra* 4)

quom magis cogito cum meo animo . . si
quis . . Mo 702

∗∗∗quom cogita Mo 554(*vide* ω) adstitit
seuero fronte curans, cogitans* Mi 201 in
cogitando maerore augeor St 55(*v. om A secl
LU*) multum in cogitando dolorem indipiscor
Tri 224

2. *cum acc.:* **a.** *hoc* cogitato: ubi probus
est architectus . . Mi 915 hoc tu facito ut
cogites: ut quoique homini res paratast . . St
519 hoc non . . satis cogitatumst utram . .
Tri 227 semper tu hoc facito . . cogites, id
optumum esse tute uti sis optumus Tri 485
hoc . . unum tamen cogitato, tibi proxumum
me mihique esse item te Au 127 hoc unum
facito cogites: si illum inseruibis . . Mo 216
(*v. secl* LadewigS) hoc unum tamen cogitato:
modus omnibus rebus . . optumumst habitu
Poe 237 . . si uoles uerbum hoc cogitare:
simul flare sorbereque haud factu facilest Mo
790 cogita *hoc uerbum:* erus si minatus
est . . Per 360 quod opust facto, facito ut
cogites. #*Quid* cogitem? Mer 566

b. hoc ubi abstrudam cogito solum *locum* Au
673 non mihi licere *meam rem* me solum . .
loqui atque cogitare sine ted arbitro? Cas 90

3. *seq. infin.* (*cf* Walder, p. 18): tu me,
credo, *castigare* cogitas Mer 316 mirum ni
hic me quasi murenam *exossare* cogitat Am 319
quando hinc *ire* cogitas* Carthaginem? Poe 1419

alio tu modo me *uerberare* atque ego te soleo
cogitas Ps 475

cogitato hinc mea fide *mitti* domum te
aestumatum Cap 432 cogita . . item nos *perhiberi* quam si . . Poe 240 tibi *proxumum
me . . esse* Au 127(*supra* 2. **a**) ita dormitet
seruom se esse ut cogitet Au 591 id *optumum
esse* Tri 485(*supra* 2. **a**)

4. *seq. interr. obli. vel enunt. rel.:* nec aequom
anne iniquom imperet cogitabit* Am 160(*v. secl
Hermolaus*S), 173 cogito saeuiter blanditerne
adloquar Ps 1290 cogito utrum me dicam
ducere medicum an fabrum Men 886 nec
satis cogitatumst utram harum artem expetessam Tri 227 cogitato identidem tibi quam
fidelis fuerim Mi 1364 uita quam sit breuis
simul cogita* Mo 726 cogitato mus pusillus
quam sit sapiens bestia Tru 868 quam capiam ciuitatem cogito potissumum Mer 645
diu cogitaui . . hominem quoius rei . . similem
esse arbitrarer Mo 85 cogito quonam ego
illum curram quaeritatum Mer 857 neque
is quom roget quid loquar cogitatumst* Mer
344 quid med hac re facere deceat egomet
mecum cogito Poe 1402 hoc ubi abstrudam
cogito solum locum Au 673 cogitarent postea
uitam ut uixissent olim in adulescentia Ep 386
spectamen bono seruo id est qui . . collocat
cogitatque ut absente ero rem eri diligenter
tutetur Men 967

quod opust facto facito ut cogites Mer 565

5. *adiungitur enunt. paratactice (vide supra):* Au 698, Cap 711, Mi 915, Mo 216, 702,
790, Per 360, Poe 237, St 519

5. *app. adverbia:* diu Mo 85 identidem Mi
1364 satis Tri 227 semper Tri 485

B. *adverbium:* ut pudice uerba fecit, cogitate
et commode Poe 1221 abeamus ergo intro
haec uti meditemur cogitate Mi 944 . . adulescenti . . minus qui caute et cogitate suam
rem tractauit Tri 327

COGNATUS · · I. Forma cognatus Cap
528(*v. secl U*), Poe 1256 **cognata** Ci 100
cognato(*dat.*) Cas 567(cgnato *E¹*), Poe 1323,
Ru 1198 **cognatum** Am 848, 918, Mo 130,
Poe 1388, Ru 1214 **cognatam** Ci 174, Poe
97 **cognato** Am 860 **cognati** Poe 1064,
Tri 307, Tru 59(-tis *B*) **cognatae** Poe *Arg*
3(-tę *C*) **cognatum**(*gen.*) Am 841 **cognatis**
Cap 390(cag. *E*), Mi 707(-tis didam *A* -tim dicam *P*) **cognatos** Mi 705, 1119, Tri 261, 702
(*om C*) **cognatis** St 580 *corrupta:* Ps 487,
a me cognato *P pro* meo gnato St 203, cognatam pararait *A pro* cogat an pararit

II. Significatio (*cf* Wueseke, p. 11) 1.
nom.: is sodalis Philocrati et cognatus est
Cap 528(*v. secl U*) hic est cognatus uoster
Poe 1256 ei nunc alia ducendast domum
sua cognata Lemniensis Ci 100

memoradum mihi si . . sunt cognati mihi
Poe 1064 . . ut parentis eum esse et cognati
uelint Tri 307 . . ne qui parentis neu cognati*
sent' ᵕnt Tru 59 eius cognatae duae nutrixque earum raptae Poe *Arg* 3

2. *gen.:* dotem duco esse . . deum metum
parentum amorem et cognatum concordiam
Am 841

3. *dat.:* asto aduocatus quoɪdam' cognato*
meo Cas 567   qui tibi lubidost . . loqui inclementer nostro cognato et patri? Poe 1323
eam de genere summo adulescenti dabo . .
cognato meo Ru 1198
  salutem dicito matri et patri et cognatis*
Cap 390   mea bona mea morte cognatis*
didam Mi 707(dicam etiam *R*)
4. *acc.:* quid si adduco tuom cognatum . .
Naucratem? Am 848   quin huc adducis meum
cognatum Naucratem? Am 918   adminiclum
eis danunt tum iam aliquem cognatum suom
Mo 130(*loc dub*)   propinquam uxorem duxit,
cognatam suam Ci 174   adulescens . . efflictim
perit suam sibi cognatam inprudens Poe 97
  . . patriam deseras, cognatos*, adfinitatem,
amicos Tri 702   fugit forum, fugat suos
cognatos Tri 261   habeo multos cognatos
Mi 705
  . . cognatum quem tuom esse intellego Poe
1388   dicito . . patrem eius . . mihi esse
cognatum Ru 1214   dicas . . cognatos persuadere, amicos cogere Mi 1119
5. *abl.:* iam ex Naucrate cognato id cognoscam meo Am 860   cum amicis deliberaui
iam et cum cognatis meis St 580
6. *app. adiectiva:* meus Am 860, 918, Cas 567,
Ru 1198, St 580   tuos Am 848, Poe 1388   suos
Ci 100, 174, Mo 130, Poe 97, Tri 261   noster
Poe 1323   uoster Poe 1256   *gen.:* eius Poe
Arg 3   *dat.:* mihi Poe 1064, Ru 1214   Philocrati Cap 528
  COGNOMEN - - ita (sancta Saturitas) suo
me semper condecoret cognomine Cap 878
  COGNOMENTUM-- neque eis **cognomentum**
erat duris capitonibus Per 60   meum **cognomentum** conmemorat Mi 1038   illa mea sunt
cognomenta: nomen si memoret modo Ps 976
  COGNOMINIS - - illa mea **cognominis** fuit
Ba 6(*ex Serv ad Aen* VI. 383)   quid agunt
duae germanae meretrices **cognomines**? Ba 39
  COGNOSCO - - I. **Forma cognosco** Am
441, Au 717, Mi 562, Ps 1002   **cognoscin** Am
822, Poe 1130   **cognoscit** Ci 179, Cu *Arg* 4,
Ep *Arg* 6, Tru *Arg* 9   **cognoscunt** Men *Arg*
10   **cognoscitur** Ps *Arg* I. 8, Ru *Arg* 5   **cognoscam** Am 860, 1075(*vide sub subiu.*)   **cognosces** Ci 780   **cognoui** Mi 1018   **cognouit**
Poe 1265, 1324, 1374   **cognoscam** Am 1075(-co
B: fut. DEJLU)   **cognoscat** Ba 730, Men 429
cognoscant Cas 16, Ci 636   **cognosceret** Poe
1378   **cognosce** Ps 988   **cognoscere** As 879
cognitum Ba 963   **cognitam** Cas *Arg* 6, Ci
Arg 10   **cognoscendum**(*gen.*) Ru 1145   *corrupta:* Mo 1157, cognoscas *C²* pro ignoscas
Poe 1185, cognosco(*B*) St 124, cognosco(*B*)
cognoscere *A* noscere *P* pro gnoscere(*R*)
  II. **Significatio** 1. *de rebus* **a.** . . quom
illum contemplo et formam cognosco meam
Am 441   te uolo scribere ut pater cognoscat
litteras Ba 730   cognoscit signum Lyco ubi
uidit militis Cu *Arg* 4   cedo signum. . . Enim
cognoui nunc Mi 1018   accipe et cognosce
signum Ps 988   uideo et cognosco signum
Ps 1002
  similiter: ut cognoscant (fabulam) dabimus
operam sedulo Cas 16

b. quicquid est iam ex Naucrate . . id
cognoscam Am 860   tandem compressae pater
cognoscit omnia Tru *Arg* 9   a me insipienter
factum esse arbitror quom rem cognosco Mi
562   res palam cognoscitur Ps *Arg* I. 8
2. *de hominibus:* cognoscin tu me saltem?
Am 822   uostra nutrix primum me cognouit
Poe 1265   crepundia . . mihi dedit, parentes
te ut cognoscant facilius Ci 636   i se cognoscunt fratres postremo inuicem Men *Arg* 10
hic nos cognouit modo et hunc sui fratris
filium Poe 1324   huc opesque spesque uostrum
cognoscendum condidi Ru 1145   ibo ut (*Ac*
et *PLU*) cognoscam*, quisquis est Am 1075
illuc ego metui semper ne cognosceret eas
aliquis Poe 1378   ea . . cognoscitur suoque
amico Plesidippo iungitur Ru *Arg* 5
  filium Poe 1324(*supra sub* nos)   filiam tuam
iam cognosces Ci 780   cognoscin Giddeninem,
ancillam tuam? Poe 1130   possis, si . . tuom
uirum conspexeris . ., cognoscere? As 879
. . Ulixem ut praedicant cognitum ab Helena
esse proditum Hecubae Ba 963
3. *cum acc. duobus:* adulescens ducit ciuem
Casinam cognitam Cas *Arg* 6   rite ciuem
cognitam Alcesimarchus . . possidet Ci *Arg* 10
4. *seq. infin.:* esse bonum e uoltu cognosco
Au 717   eam cognoscit esse quam compresserat Ci 179   modo cognouit filias suas esse
hasce ambas Poe 1374   . . ne uxor cognoscat
te (pallam) habere Men 429   conpressae ac
militis cognoscit opera sibi senex os sublitum
Ep *Arg* 6   *Cf* Votsch, p. 37
  COGO - - I. **Forma cogis** Cap 13, Mi 454
cogit Mi 1319(nam pietas cogit. #Sapis *Rg*
omni pietas scio[sit eo *CD*] chant sapis *PS* †
aliter ψ), Ps 207   **cogunt** Men 877   **cogam**
Ba 508(*v. om A secl U*)   **coget** Tru 314   **coegi**
Ba 971   **coegit** Am 163, Tru 310(*A* cogi *P*)
cogam Per 786   **cogat** St 203(cogat an *A* cognatam *P*)   **cogatis** Ps 150   **cogar** Ep 731
cogantur Ba 1133   **cogerem** Mi 76   **coge** Mi
222(*Ca* cor *P*)   **cogere** Ep 586, Mi 1119, Mo
893   **coactus** Ba 251, Mi 514   *corrupta:* Men
225, coacta *CD pro* cocta; 1105, cogite *B pro*
agite St 533, coacta *P pro* cocta   Tri 526,
coactum *P pro* coctum(*A*)
  II. **Significatio** 1. = colligere, congregare:
a. (oues) cogantur quidem intro Bi 1133   rex
Seleucus me . . orauit . . ut sibi latrones co-
gerem(ad conducendos latrones *Serv ad Aen*
XII. 7) et conscriberem Mi 76   coge* in
obsidium perduellis, nostris praesidium para
Mi 222
  b. perquirunt: . . alienum aes cogat* an pararit praedium St 203   non enim ille meretriculis munerandis rem coegit*, uerum parsimonia
Tru 310(*de ger. cf* Herkenrath, p. 70; Krause
p. 34)
  c. *translate:* neque istuc insegesti tergo
coget examen mali Tru 314(*cf* Inowraclawer,
p. 65
2. = adigere **a.** *absolute:* dicas . . cognatos
persuadere, amicos cogere Mi 1119   ibo quamquam inuita facio: nam pietas cogit* Mi 1319
(*Rg* n. p. sic uolt *U* p. consuadet *R* impietas
sit nisi eam *BriL duce Bo*)

b. *cum acc. (vel passive):* ui me cogis quisquis es Mɪ 454

ui coactus reddidit ducentos et mille Philippum Bᴀ 271   inuitus do hanc ueniam tibi nisi necessitate cogar Eᴘ 731 ita sum coactus . . ut nesciam utrum . . aequom siet Mɪ 514

c. *add. acc. pronominis:* haec eri inmodestia coegit me Aᴍ 163

d. *add. terminus per* in *vel* **ad:** ad lacrumas coegi hominem castigando maleque dictis Bᴀ 981 ut non(hominem *R*) in cruciatum atque in compedis cogam, si uiuam . . Pᴇʀ 786

e. *seq. infin.:* non med istanc cogere aequomst meam esse matrem si neuolt Eᴘ 586 . . officium uostrum ut uos malo cogatis commonerier Ps 150   histrionem cogis mendicarier Cᴀᴘ 13 *Cf* Votsch, p. 29; Walder, p. 16

f. *seq.* ut: iamne isti abierunt . . qui me ui cogunt ut ualidus insaniam? Mᴇɴ 877   non potes tu cogere me ut tibi maledicam Mo 893   ego illam cogam* usque ut mendicet-meus pater Bᴀ 508(*v. secl U*)   illine audeant id facere, quibus ut seruiant suos amor (†*U*) cogit? Ps 207

g. *ablativus modi:* vi Bᴀ 271, Mᴇɴ 877, Mɪ 454   necessitate Eᴘ 731

COHIBEO - - cum frugi hominibus . . qui ab alieno facile **cohiberent** manus? Tʀɪ 1019 **cohibete**(coibete *B*¹) intra limen etiam uos parumper Mɪ 596 . . neque potestatem sibi fuisse: adeo arte **cohibitum** esse se a patre Mᴇʀ 64

COLAPHUS - - ei, **colapho** me(*Ac duce Lamb* colaphum *P*) icit Pᴇʀ 846   qui **colaphos**(colo. *J*) perpeti potis Cᴀᴘ 88   iam in cerebro colaphos apstrudam tuo Rᴜ 1007(*cf* Egli, I. p. 31)   te hodie, si prehendero, defigam in terram **colaphis**(*PRLU* -eis *Aψ*) Pᴇʀ 294(*cf* Inowraclawer, p. 35) colaphis quidem hercle(*A omnia om P*) tuom iam dilidam caput Pᴏᴇ 494

COLAPHUS - - *servus*   Colaphe Cᴀᴘ 657 *Cf* Schmidt, p. 184

COLAX - - *fabula Plautina citata a Ter.* (*Eun* 25, 30 b), *Non.* (545), *M. Caes.* (*ad Front* 2, 10 p. 33), *Schol. Veron. Verg.* (*Aen* II. 670), *Varr.* (*l L* VII. 105) *Cf* Schmidt, p. 184

COLLABASCO - - sin res laxe labat, itidem amici **conlabascunt** Sᴛ 522

COLLABISCUS - - *vilicus, in supersc.* Pᴏᴇ *act.* III *sc.* 2(*AD²*), 3(*D³*), 6(*BD³*), Pᴏᴇ 170 **Collabisco**(*dat.*) Pᴏᴇ 415, 558   **Collabiscum** Pᴏᴇ 194   colly. *A* (III 2, *et v.* 415) *B*(194) colla. *B*(415, 558), *C*(415, 558), *D³*(III 2, 3, 6) cola. *D*(415)   collu. *B*(170), *C*(170), *D²*(170) colli. *C*(194), *D*(194, 558)   coly. *B*(III 6)   colly. *ubique L Cf* Schmidt, p. 363

COLLABOR - - clanculum **conlapsus** est hic in corruptelam suam Tʀᴜ 671

COLLABUS - - fuit Cerconicus, . . **Collabus** Tʀɪ 1020 *Cf* Schmidt, p. 361

COLLARE - - hoc . . haud molestumst iam quod collus **collari**(*Bent* -ria *P sed* -uria *J*¹) caret Cᴀᴘ 357

COLLATIO - - ubi facta erit **conlatio** nostrarum malitiarum, haud uereor . . Mɪ 942

COLLATIVOS - - quis hic est homo cum **collatiuo**(*P et Fest* .58 con. *PlacRgU*) uentre atque oculis herbeis? Cᴜ 231

COLLATOR - - (quaerito) symbolarum **collatores**(con. *RgU*) apud forum piscarium Cᴜ 474

COLLAUDO - - I. Forma **conlaudo** Tʀɪ 1148(quin c̄laudo *B* qui nunc laudo *CD*) **conlaudat** Mɪ 1045 **conlaudant** Tʀɪ 292(quos c. *AB om CD*)   **collaudaui** As 576(-uit *D* con. *RglU*) **collaudauit** Cᴀᴘ 421(*PL* colla. *E* con. *ψ*) **conlaudes** Pᴏᴇ 1184   **conlaudato** Mɪ 1027, 1173 **conlaudare** As 558(col. *J*), Tʀᴜ 496(*Non* 67 -ate *P*)

II. Significatio 1. *de hominibus:* . . quae alios conlaudare*, eapse sese uero non potest Tʀᴜ 496   illeac me sic conlaudat Mɪ 1045 num male relatast gratia, ut collegam collaudaui*? As 576   suom erum seruos conlaudauit Cᴀᴘ 421

2. *de rebus:* malim istuc aliis uideatur quam ut tute . . conlaudes Pᴏᴇ 1184 eosdem (mores) lutitant quos conlaudant* Tʀɪ 292   quin conlaudo* consilium et probo Tʀɪ 1148   conlaudato formam et faciem Mɪ 1027   formam, amoenitatem illius, faciem, pulcritudinem conlaudato Mɪ 1172   uirtutes qui tuas nunc possis conlaudare . . As 558

COLLECTRIX - - Mɪ 693, conlectrici *B²CD* conectrici *B*¹ coctrici *A ut uid pro* coniectrici (*Ca*)

COLLEGA - - id uirtute huius **collegai**(*Sey* -gae *BDRgl* -gę *J* -ge *E* con. *RglU*) meaque comitate factumst As 556 **collegam**(con. *RglU*) collaudaui As 576

COLLEGIUM - - **captum sit(si siet *BoR*) collegium** Mᴇɴ 165(*loc lac*)

COLLIBERTUS - - **conlibertus**(*A* -beratus *P* coll. *A*) meus faxo tu eris Pᴏᴇ 910

COLLIBET - - I. Forma **collubitum** *una invenitur et cum his variis lectt.* Aᴍ 858, conlitum *BD*¹*E* collitum *J* conli. *D²L* (conlu. *ψ*) Mᴇʀ 258, -tumst *P* -tunst *A*   colli. Aᴍ 343 *J*, Bᴀ 26 *CharLU*, Cɪ 128 *J* collu. Bᴀ 26 *Rgᶠ* conli. Aᴍ 343 *BDEL*, Cɪ 128 *LU*, Mᴇʀ 258 *PL*, Mᴏ 295 *PL alibi* conlu.

II. Significatio *cum dat. et infin.:* seruosne es an liber? #Utcumque animo conlubitumst meo Aᴍ 343 . . illi conlubitum* siet, meo uiro, sic me insimulare falso facinus Aᴍ 858 nisi lenocinium forte collubitumst tibi uideas . . Bᴀ 26(*ex Char* 200)   magis libera uti lingua conlubitumst mihi Cɪ 128 conlubitumst* illuc mihi nescioqui uisere Mᴇʀ 258   potare tecum conlubitumst mihi Mᴏ 295

COLLICREPIDAE - - Tʀɪ 1021, *BeckerRRsU pro* oculicrepidae(*Pψ*)

COLLIGO - - I. Forma **conligo** Eᴘ 689 (col. *A* coll. *PL*)   **conligas** Eᴘ 685(*BE* col. *A* coll. *JL*)   **conliga** Eᴘ 684(*B* col. *A* coll. *EJL*), 691(*RgU* coll. *APψ*), 694(*RgU fortasse A* coll. *Pψ* -gat *B*¹*E*)   **colligare** Aᴍ 1104 (conl. *RglU*) **colligatis**(*abl. pl.*) Ps 1033 **conligandae**(*pl.*) Eᴘ 689(coll. *AJL*)

II. Significatio neque eum quisquam colligare quiuit incunabulis Aᴍ 1104   ostendo manus . . . conliga. #Ilicet . . #Quin conligas? . .

Conligandae haec (manus) sunt tibi hodie. #At non lubet: non conligo. #Age inquam colliga. #Cedo manus igitur. #Atque arte colliga* Ep 684—94 *translate:* cor conligatis uasis expectat meum Ps 1033(*cf* Graupner, p. 18; Inowraclawer, p. 88)

COLLIGO - - **collegit** omnia abstulit praesegmina Au 313 quem uideo? **conlecto** quidemst pallio Cap 789 *translate:* trecentae possunt causae **conligi**(-ci *B ante ras* conici *B ex ras* concili *CD*) Mi 250 sescentae ad eam rem causae possunt conligi Tri 791

COLLINO - - pulcrum ornatum turpes mores peius caeno **conlinunt** Mo 291(*ex* Poe 306 continunt *P* continent *B²* v. secl *Rω*), Poe 306(*A* coll. *P*) neque peior alter usquamst . . neque tam luteus neque tam caeno **conlitus** Poe 826 *corruptum:* Am 858, conlitum *BD¹E* collitum *J pro* conlibitum(*D²*)

COLLOCO - - I. Forma **conloco** Cas 883 **conlocat** Au *Arg* I. 15(coll. *EJ*), Men 967(coll.) **conlocaui** Au 706(coll. *EJ*), Men 986(*B* coll. *CD*) **collocauit** Ep 360(conl. *RgU*), Mi 916 (conl.), Vi 75 **collocastis** Am 304(conl. *RgU*) **collocauerat** Cu 646(conl *RgU*) **collocem** Ep 531(conl. *RgU*), Tri 159(conl. *B*) **conloces** Mer 553(*AB* coll. *CD*) **conlocet** Tri 735 **conlocēre** Ci 560(*CaU* locere *Pψ*) **colloca** As 657(conl. *BRglU*) **conlocare** As 663(coll. *JL*), Per 8 **conlocata**(*nom. fem.*) Mo 915(coll. *C*) *corruptum:* Mo 242, colcocassem *P pro* locassem(*Guy*)

II. **Significatio** A. *proprie* 1. *absolute vel seq. acc.:* conloco, fulcio, mollio, blandior Cas 883

iam ut me collocauerat, exoritur uentus turbo Cu 646 bene lineatam si semel carinam collocauit . . Mi 916

2. *cum in et abl. vel adv.:* hic istam colloca cruminam in collo plane As 657 ipse in meo collo tuos pater cruminam collocauit Ep 360 istuc procliuest quo iubes me plane (cruminam) conlocare As 663(*cf* v. 657)

3. *cum in et acc.:* multo prius me conlocaui in arborem Au 706 in tabernam uasa et seruos conlocaui ut iusserat Men 986

B. *similiter* = nuptum dare(*cf* Kaempf, p. 45) 1. *cum acc. et dat.:* laetusque natam conlocat Lyconidi Au *Arg* I. 15

2. *cum acc. et in:* . . ut eam in se dignam condicionem conlocem Tri 159 *similiter:* . . ubi tu conlocere* in luculentam familiam Ci 560(*CaU*)

3. *add. supinum:* expectare uis ut eam sine dote frater nuptum conlocet Tri 735

C. *translate* 1. *cum acc.:* spectamen bono seruo id est qui rem erilem procurat, uidet, collocat Men 967 bene res nostra conlocatast istoc mercimonio Mo 915

2. *add. in cum abl. vel. adv.:* illum . . multa in pectore suo conlocare oportet quae ero placere censeat Per 8 neque ubi meas collocem spes habeo . . locum Ep 531

3. *add. in cum acc.:* in opus ut sese collocauit quam cito Vi 75 tum in otium te conloces Mer 553 heri . . homines quattuor

in soporem collocastis nudos Am 304(*i. e.* occidistis)

COLLOQUOR - - I. Forma **collocuntur** Am 224(*J* con. *Rgl* -quuntur *BDE* -quontur *LU*) **conloquar** Au 474(coll. *J*), Men 622 (set c. *R pro* nugas agis), Mo 783, St 197(*P* loquor *AL*), Tri 1150, Tru 576(*MueRs pro* adl.) **conloquatur** As 150(coll. *J* -catur *BD²E¹*) **conloqui** Am 339(coll. *J*), 898(coll. *J*), As 523 (coll. *J*), Cap 833(coll. *B* cōl. *E*), Men 431(coll. *D*), Mer 49, Mi 1008, Per 468, 728(coll. *B*) Ps 245, 252(coll. *D*), Tri 1135 **conlocutus** Ps 620(cū locutus *D*)

II. **Significatio** 1. *absolute:* extra turbam ordinum (imperatores) collocuntur simul Am 224 . . quin consistam et conloquar Au 474 set conloquar Men 622(*R*) interdum mussans conloqui, abnuere, negitare Mer 49 conloquar* quasi nesciam Tru 576(*MueRs*) quae loquitur auscultabo, priusquam conloquar* St 197

2. *cum acc.:* ubi tu *me* nouisti gentium aut uidisti aut conlocutu's*? Ps 620 *te* uolo, uxor, conloqui Am 898 em conloqui qui uolunt te Ps 245 non licet conloqui te? Ps 252 *hunc* uolo etiam conloqui Men 431 hunc hauscio an conloquar Mo 783 quid ergo hanc dubitas conloqui? Mi 1008 quid ergo cesso hos conloqui? Tri 1135 me dignum esse existumat *quem* . . conloquatur As 150 te uotui *Argyrippum* . . conloqui As 523 certumst confidenter *hominem* contra conloqui Am 339 perlubet hunc hominem conloqui Cap 833 hominis conloquar Tri 1150 *Cf* Ulrich, *Ueber die Comp.* p. 15; *De comp.* p. 25

3. *seq. cum:* ubi cum lenone me uidebis conloqui id erit adeundi tempus Per 468 ubi cum lenone me uidebis conloqui, tum turbam facito Per 728

COLLUS -UM - - I. Forma **collus** Am 445 (*ex Non* 200 -um *P*), Cap 357 **collum**(*nom.*) Ru 888(-us *Prisc* 200, *L*: vide *L in adn. et Plaut. Forsch.* p. 281) (*acc.*) As 696(-le *J*), Au 78, Ba 571, Cap 779(-am *J*), Cu 693, 707, Ep 194, Mer 308, Per 691, Poe 1266, 1401, Ru 626 **collo** Am 953, *fr.* IX(*ex Non* 453), As 657, Ep 360, Mi 1399, Per 312, Poe 790, 1354 (collo rem *A* colorem *P*), Ru 853, 868, 1203, Tri 595, Tru 652, 956 **collos** Cap 902 *corruptum:* Cap 904, collo *B¹E pro* callo

II. **Significatio** 1. *nom.:* tam consimilest atque ego. sura, pes, . . barba, collus*: totus Am 445 hoc . . haud molestumst, iam quod collus collari caret Cap 357 in columbari collum* haud multo post erit Ru 888(*vide L in adn. crit.*)

2. *acc.* a. *cum verbis:* meum collum* circumplecte As 696 aurum, argentum, collum (*i. e.* corpus) . . nunc *debes* simul Poe 1401 *decide* collum stanti, si falsum loquor Mer 308 ex me . . unam faciam litteram longam, meum laqueo collum quando *obstrinxero* Au 78 collum obstringe, abduce istum in malam crucem Cu 693 collum obstringe homini Cu 707 qui lubet tam diu *tenere* collum? Poe 1266

b. *cum praep. in:* tollam ego ted in collum Ba 571 coniciam in collum pallium

Cap 779   palliolum in collum conice Ep 194
hunc in collum . . impone Per 691
   c. *translate:* praetorquete iniuriae prius collum quam ad nos peruenat Ru 626   ut ego
collos praetruncabo tegoribus Cap 902   *Cf*
E g l i , I. pp. 18, 33
   3. *abl.* **a.** *cum verbis:* pecua . . collo in
crumina ego obligata defero Tru 956   uxor
conplexa collo retinet filium Ru 1203   collo*
rem soluam iam omnibus quasi baiolus Poe
1354
   b. *abl. abs.:* ego Amphitruonem collo hinc
obstricto traham Am 953   hunc obtorto collo
teneo furem Am *fr* IX(*ex Non* 453)   quid ego
dubito fugere hinc . . priusquam hinc oporto
collo ad praetorem trahor? Poe 790   rapi te
obtorto collo mauis an trahi? Ru 853   rapior
optorto collo Ru 868
   c. *cum praepp.* **de:** si (ager) alienatur, actumst
de collo meo Tri 595   homo cruminam sibi
de collo detrahit Tru 652
in: hic istam colloca cruminam in collo
plane As 657   ipse in meo collo tuos pater
cruminam collocauit Ep 360   uin faciam quasi
puero in collo pendeant crepundia? Mi 1399
quid hoc hic in collo tibi tumet? #Vomicast
Per 312
   COLLUTULENTO - - haec famigeratio te
honestet, me **conlutulentet**(-ent *E*) Tri 693
   COLLYRA - - **collyrae**(*Ald* -ire *CD* -irae
B) facite ut madeant et colyphia Per 92   tuae
blanditiae mihi sunt . . gerrae germanae hercle
et collyrae escariae(*RRgl* g. g. hae decollyrae
lyrae *P*S† ταὶ[αἱ *PalmU*] δὲ κολλῦραι λύραι
UL) Poe 137
   COLLYRICUS - - cremore crassost ius **collyricum**(-i- *P*) Per 95   quasi iuream(*BC*S†*L*†*U*
siseram *R* tyrium *Rs*) esse(iure se amesse *D*)
decet collyricum(-i- *P*) Per 97
   COLO - - **I. Forma colo** Au 4 ,   Per 54,
Ru 283   **colis** Poe 13(cluis *U duce Loew*
∗colis *L*), 1187   **colit** Poe 1097   **colitis** Ci
22, Mo 731(per colitis *Rs* ∗S †*L*)   **colunt** Au 701,
Ci 26, Men 578, Per 581, Poe 950, Ps 822
(qolunt *A*), St 35(coeunt *A*)   **colas** Au 187
(-is *D*), Cap 221, Cas 523, Tri 294(imbuas *RRs*),
700   **colat** Cas 157   **colamus** St 671   **colere**
As 508(-ore *B*¹*D*¹), Ba 198, Cas 963(-ore *E*),
Mi 186(colere. #Quem *A* colerem et q. *CD*
colorem et[*om B²*] q. *B*), Mo 765(*R solus:*
vide columen), Poe 829, Ps 202, St 40   **cultum**
(*acc. masc.*) Ru 214   **cultu**(*sup.*) Mi 101(cultor
Don ad Ad I. 1, 25)   *corrupta:* Mi 1014,
colas *B pro* celas Poe 841, aut culto *P pro*
ausculto(*D*⁴)   Tru 835, cultè *B* culte *CD pro*
culpae(*Sarac*)
   II. Significatio A. *proprie* 1. *de agro:* nec
prope usquam hic quidem cultum agrum conspicor Ru 214
   2. = habitare: peregrina omnia relinque =
Athenas nunc colamus St 671   hanc domum
iam multos annos est quom possideo et colo
Au 4   picis diuitiis qui aureos montis colunt
Au 701   regiones colere mauellem Acherunticas Ba 198
   similiter de deis: tamquam di omnes qui
caelum colunt Per 581

   absolute: exerce uocem quam per uiuisque
et (∗*L*) colis Poe 13(uiuis et cluis *U duce Loew*)
huncine hic hominem pati colere iuuentutem
Atticam? Ps 202(*nonnulli ad* 3 *infra referunt*)
   B. *translate* 1. *de deis qui locum vel hominem in tutela habent:* deos deasque ueneror
qui hanc urbem colunt Poe 950   Iuppiter,
qui genus colis alisque hominem Poe 1187
   2. *de rebus* = exercere, sequi, *sim.:* amicitiam colunt Ci 26   earum artem et disciplinam optineat colere* Mi 186   hisce ego de
artibus gratiam facio, ne colas* Tri 293   neque
leges neque aequom bonum usquam colunt
Men 578   ubi tu's hic qui colere* mores
Massilienses postulas? Cas 963   illi suom
officium non colunt* St 34   omnis sapientis
suom officium aequomst colere et facere St 40
hocinest pietatem colere* matri imperium minuere? As 508
   similiter: doli non doli sunt nisi astu colas
Cap 221   ueterem atque antiquom quaestum
. . seruo atque obtineo et magna cum cura
colo Per 54   hunc leno ludificatur. #Suom
quaestum colit Poe 1097   *in supino:* is amabat meretricem . . et illa illum contra: quist
amor cultu(amoris cultor *Don ad Ad* I. 1, 25)
optumus Mi 101
   3. *cum acc. personae:* me colitis et magni
facitis Ci 22   . . sub diu colere te usque
perpetuom diem Mo 765(*R* sub diu col *cum
lac P aliter A var em* ψ)
   4. = *agere, sim.:* sat habes qui bene uitam
colas* Au 187   faciam uti proinde ut est
dignus uitam colat Cas 157   uiro et uictu,
piscatu probo electili uitam ∗ colitis* Mo 731
hic quidem homines tam breuem uitam colunt*
Ps 822   egomet uix uitam colo Ru 283   nec
quicquam hic tibi sit qui uitam colas Tri 700
   similiter: apud lenonem hunc seruitutem colere Poe 829
   C. *dubia:* facitodum merula † (∗ *L* grui *Rs*)
per uersus quod(merui aperuorsus quos *P* merula peruorsus q. *L*) cantat colas Cas 523(*vide
Fest* 310)
   COLONIA - - post hoc quod habeo ut commutet **coloniam** ego id cauebo Au 576   ego
hinc migrare cesso, ut importem in coloniam
hunc . . commeatum? Ep 343   quid ego cesso
Pseudolum facere ut det nomen ad Molas coloniam? Ps 1100   *Cf* Graupner, p. 16; Inowraclawer, p. 92
   COLONUS - - o catenarum **colone**(-nae *Non*
250). #O uirgarum lasciuia As 298   *Cf* Graupner, p. 17
   COLOR - - **I. Forma colos** Men 828(-or
*D*²), Mi 1179(c. thalassicust *ex Non* 549   colost
alassicius *P* colo∗∗∗alassicus *A*)   **color** Mer
368(*om D*²)   **coloris** Ps 1196, Tru 293   **colorem** Mo 201(cal. *C*¹*D*¹)   **colore** Cu 232, Ru
997 *bis*   *corrupta:* As 508, colore *B*¹*D*¹ *pro*
colere Cas 963, colore *E pro* colere Mi 186,
colorem *B pro* colere Poe 1354, colorem *P pro*
collo rem(*A*)   Ru 998, colore *CD pro* corio (*B*)
   II. Significatio A. *proprie* 1. *nom.:* istuc
quid est tibi quod commutatust color*? Mer
368(*cf* Mo 201 *infra* 3)   ut uiridis exoritur
colos* ex temporibus atque fronte Men 828

palliolum habeas ferrugineum, nam is colos*
thalassicust Mɪ 1179
2. *gen.*: quasi uero corpori reliqueris tuo
potestatem coloris ulli capiendi Tʀᴜ 293 *vide
infra* B
3. *acc.*: me, ubi aetate hoc caput colorem*
commutauit, reliquit Mo 201(*cf supra* 1)
4. *abl.*: de colore non queo (hominem) nouisse Cᴜ 232 quo colorest (piscis *i. e.* vidulus)?
#Hoc colore capiuntur pauxilluli Rᴜ 997
B. *translate:* . . quem ego hominem (†*L*)
nullius(nulli *PyR*) coloris noui Ps 1196(*v. secl
LangenU: vide ω*)
COLORATILIS-- coloratilem(*Non* 204 -tum
Non 149) frontem habet Fʀ I. 110(*ex Non* 149 &
204)
COLUBER - - Tʀᴜ 780, colubri non *P pro*
colubrino
COLUBRA - - quid istic inest? #Quas tu
edes colubras? Sᴛ 321(*inridet hominem: cf*
Wortmann, p. 46)
COLUBRINUS-- uos colubrino(*FZ* colubri
non *P*) ingenio ambae estis Tʀᴜ 780 *Cf* Egli,
II. p. 23; Graupner, p. 26
COLUMBA - - *cf* Wortmann, p. 23. meus
pullus passer, mea columba, mi lepus Cᴀs 138
(*appell. blanda*) ubi quid dederam, quasi columbae pulli in ore ambae meo usque eratis
As 209 dic igitur med aniticulam, columbam
uel(*PRglLU* columbulam *Bent𝔖*) catellum As
693(*appell. blanda*) . . quod ille gallinam aut
columbam(colam. *D*¹) se sectari dicat Mɪ 162
vide Rᴜ 887, *ubi* columbam *Rs pro* columbum
COLUMBAR - - non ego te noui, naualis
scribi, columbar(*Sca* -bari *cod*), impudens? Aᴍ
fr XX(*ex Fest* 169: *secl 𝔖 om L*); Fʀ II. 21
in columbari collum haud multo post erit
Rᴜ 888 *Cf* Schroeder, *De frag.* p. 34
COLUMBULA - - dic igitur med aniticulam,
columbulam(*Bent𝔖* columbam uel *Pψ*) catellum As 693
COLUMBUS--illic in columbum(-bam *Rs*
colun. *C*) . . leno uortitur Rᴜ 887 *Cf* Wortmann, p. 43
COLUMEN - - 1. *nom. semper translate:* aduenisti, audaciai columen, consutis dolis Aᴍ
367 eccum egreditur senati columen, praesidium popli Cᴀs 536 eorum exsugebo sanguinem senati qui columen cluent Eᴘ 189
2. *abl. proprie:* isti umbram audiuit esse
aestate perbonam sub sudo columine usque
(*A ut vid* sub diu col *cum lac P* sub sicco
lumine usque *L aliter RU*) perpetuom diem
Mo 765(*vide ω*) te surripuisse suspicer Ioui
coronam . . qui in columine(*A* culmine *P*)
astat summo Tʀɪ 85
3. *corruptum:* Tʀɪ 743, columen *BC* incolu-
men *AR pro* columem
COLUMIS - - Mo 765, uitam . . sub sole
columem usque *U pro* umbram . . sub sudo
columine usque(*vide ω*) Tʀɪ 743, columem te
sistere (dotem) *Rs𝔖LU* incolumem *AR* columen
BC colum *D*; 823, urbem usque columem *R*
urbis cummam(*vel* cumam) *P𝔖*† *var em ψ Cf*
Gimm, p. 17
COLUMNA - - abducite hunc intro atque
adstringite ad columnam (-mpn- *D*) fortiter

Bᴀ 823 ecce autem aedificat: cólumnam(*A*
-na *P i. e.* cubito) mento suffigit suo Mɪ 209
(*cf* Egli, II. p. 67) iussin columnis(-mpn-
E) deici operas araneorum? As 425
COLUMNO - - os columnatum(oscolum natum *P*[oscu. *CD*]) poetae esse indaudiui barbaro Mɪ 211(*de Naevio in carcere dicit*) *Cf* Allen,
H. S., VII. p. 37; Cocchia, p. 6; Graupner,
p. 8
COLUS - - iussin colum ferri mihi? Cᴀs
170
COLUSTRA - - *appell. blanda:* meum mel,
meum cor, mea colustra(*AB* coll. *CD*), meus
molliculus caseus Poᴇ 367 huius colustra,
huius dulciculus caseus Poᴇ 390 *vide* Poᴇ 389,
ubi colustra *B pro* delicia(*Mercer* -iae *A v. om
CD*)
COLUTEA - - Pᴇʀ 87 *RRsU: vide seq.*
COLUTHEQUA - - struthea, (* *L* †𝔖) co-
luthequam(colutea *RRsU*) appara Pᴇʀ 87
COLYPHIA - - collyrae facite ut madeant
et colyphia(*B* coli. *CD*) Pᴇʀ 92
COMARCHUS - - nec quisquamst tam opulentus . . nec demarchus nec comarchus(*J* cho.
BVE) Cᴜ 286
COMBARDUS - - stolidum, combardum(*L*
cum bardum *P* quom b. *Rg𝔖* bardum *V*) me
fauebam Eᴘ 421
COMBURO - - I. Forma comburam(*subiu.*)
Rᴜ 768(*CD* -rem *AB*) comburas As 766(*DEJL*
con. *Bψ*) comburamus Mᴇɴ 153(*LU* combu-
ra////us *B*¹ conburamus *B*²ψ cēburnaus *CD*)
comburere Aᴜ 361(con. *Rg*) comburi Cᴜ 54
(con. *Rg*)
II. Significatio 1. *proprie:* nos nostras
aedis postulas comburere? Aᴜ 361 comburas
(picturam) si uelis As 766 fumo comburi nihil
potest, flamma potest Cᴜ 54 hasce ambas
(feminas) hic in ara ut uiuas comburam* id
uolo Rᴜ 768
2. *translate:* sepulcrum(pulchre *UL*) habeamus atque comburamus* diem Mᴇɴ 152(*cf* Egli,
I. p. 29)
COMEDO - - I. Forma comes Mo 12 comest Mo 549 e(*v. secl Acω*) 559, Tʀɪ 250, Tʀᴜ
593(cõ est *B* cũest *C* cũ ē *D*) comestis Tʀᴜ
155(comm. *P*) comedunt Mɪ 756(*v. secl Rg*),
Ps 1107 comedent Aᴜ 367 comedit Tʀɪ
360, 418 comederis(*fut. pf.*) Mᴇɴ 521(-eis
ARs𝔖) comederit Tʀɪ 753(com̄. *B*) comedim
Bᴀ 743(*BNon* 83 -am *CD*), Cᴜ 560(-am *J*)
comedis Tʀɪ 102(*CD* -es *B*) comedint Tʀᴜ
534(*Ca* cometin *P*), 742(*StuU* cedent *P* caedent
Kiesψ) comesses Mᴇɴ 611 comesse Bᴀ 580
(comm. *B* cõm. *C*), Cᴀs 779(*Sarac* comes esse
P A n. l.), Mᴇɴ 628, Mo 14 comessurus Ps
1126(*A* comes. *BU* commess. *CD*) comessuri
Tʀᴜ 338(quid c. *Rs* quo die euri *P* quo die
esuri *ZL* q. d. essuri *𝔖* de quoio esuri *BergkU*)
comessum Tʀɪ 406(*AP* exessum *R*²*Rs*) *corrupta:* Cᴀᴘ 473, comederint *BE* -runt *D pro*
quom(cum *J*) ederint(*FZ*) Ps 1240, comedis
B pro comoediis
II. Significatio A. *proprie:* si (coqui) autem
deorsum comedunt, si quid coxerint . . Aᴜ 367
quod eorum causa obsonatumst, culpant et
comedunt tamen Mɪ 756(*v. secl Rg*)

(ancillas) super adducas quae mihi comedint*
cibum Tru 534   noui ego illas ambestrices,
corbitam cibi comesse* possunt Cas 779(*cf* Egli,
I. p. 17; Graupner, p. 22)   comesse* *panem*
tris pedes latum potes Ba 580   faxo haud
inultus *prandium* comederis Men 521   at tu
ne clam me comesses prandium Men 611   properato apsente me comesse prandium Men 628
tam facile uinces quam *pirum* uolpes comest
Mo 549 e(*v. secl Ac*ω) 559
    B. *translate* (*cf* Egli, I. p. 20; Graupner,
p. 6)   1. = consumere *cum acc. rei:* qui . .
comedunt quod habent, si nomen diu seruitutis ferunt Ps 1107   non satis id est mali, ni
amplius etiam, quod ecbibit, quod comest Tri
250   quin comedit quod fuit, quod non fuit
Tri 360   uos saltem si quid quaeritis, ecbibitis et comestis* Tru 155   praediuinant quid
comessuri* sient Tru 338(*Rs*)
    . . argentum ut petam, ut ego potius come-
dim* quam ille Cu 560   id pollicetur se daturum aurum mihi quod . . in lustris comedim*
et congraecem Ba 743   . . ut inimici mei
bona istic comedint* Tru 742(*StuU*)   postquam
comedit rem, post rationem putat Tri 417
passive: comessum*(*i. e.* quadraginta minae),
expotum, exunctum, elotum in balineis Tri 406
similiter: certo scio, locum quoque illum
omnem ubi situst comederit Tri 753
    2. *cum acc. personae:* iamne illum comes-
surus*es? Ps 1126   . . comesse quemquam ut
quisquam absentem possiet Mo 14   quisnam
illic homost qui ipsus se comest? Tru 593   sine
modo (senem) uenire saluom, quem absentem
comes Mo 11   (dicunt) hostisne an ciuis come-
dis* parui pendere Tri 102
    COMES - - I. **Forma   comes** Am 635, Au
491, Mer 404, 852, Ru 160   **comitem** Am 930,
Ep 669, Mer 868, Poe 628, Ps 17   **comites**
(*nom.*) Cas 165(*AJ* -tis *BVE*), Mer 869 (*acc.*),
Am 929, Ep 631, Mer 871 *corruptum:* Cas 779,
comes esse *P pro* comesse(*Sarac*) Ru 286, comitem *C* comite *D¹ pro* comiter
    II. **Significatio** *et de personis et de rebus
usurpatur* 1. *nom.:* neque illa matrem satis
honeste tuam sequi poterit comes Mer 404
egomet mihi comes, calator, equos, agaso Mer
852 Palaemon, sancte Neptuni comes Ru 160
sequimini, comites*, in proxumum me huc Cas
165
    ita diuis est placitum, uoluptatem ut maeror
comes consequatur Am 635   quo lubeant nubant, dum dos ne fiat comes Au 491   non
amittunt hi me comites qui tenent. #Qui sunt
ei? #Cura, miseria, aegritudo . . Mer 870
    2. *acc.:* alium tibi te comitem meliust quae-
rere Ep 669   alium comitem quaerite Mer
868   tu me antidhac supremum habuisti
comitem(se . . . *Fest* 305) consiliis tuis Ps 17
iuben mihi ire comites? Am 929   numera, ne
comites morer Ep 631   comitem mihi Pudicitiam duxero(*PS†L†U* aufero *Rgl* adsero *dubitanter L*) Am 930   repudia istos comites(*i. e.*
curam, miseriam etc.) Mer 871   uiam qui
nescit qua deueniat ad mare, eum oportet
amnem quaerere comitem sibi Poe 628
    3. *add. gen.:* Neptuni Ru 160   *dat.:* con-

siliis tuis Ps 17   *dat. comm.:* mihi Am 929,
Mer 852   tibi Ep 669   sibi Poe 628
    COMICUS - - I. **Forma   comicum** Poe 597
comico Cap 61   **comici** Cap 778, Per 465(-itj
D¹), Poe 581   **comicos** Ru 1249
    II. **Significatio** 1. *adiective:* hoc paene
iniquomst, comico choragio conari desubito
agere nos tragoediam Cap 61   eodem pacto
ut comici serui solent, coniciam in collum pallium Cap 778   aurumst profecto hic . . comicum Poe 597(*cf* Mald'en, *Cl. Rev.* XVII. 160)
    2. *substantive:* tragici et comici numquam
aeque sunt meditati Per 465   condoctior sum
quam tragoedi aut comici Poe 581   spectaui
ego pridem comicos ad istunc modum sapienter
dicta dicere Ru 1249
    COMIS - - 1. *adiective:* malignus, largus:
comis(*BugRgLU* commodus *PS†*) incommodus
(tristis commodus *HermR*) Ba 401(*v. secl RRg*)
fit ipse dum illis comis est inops amator Tri
255
    2. *adverbium:* te . . hospitio accipiam apud me
comiter (*R* commitas *B* ē comitas *CD*) Mi 676
factum a uobis comiter Poe 805   quicquid
est, comiter(-te *D¹* -tem *C*) fiet a me Ru 287
illi, ubi lectus est stratus **comius**(*Rs* coimus
PS† nos c. *HermR* quo imus *U* concubimus
L) Mo 327   *vide* Mi 1337, *ubi* retine: adiuta
comiter *U falso*
    3. *corruptum:* Mi 941, comi sum & *CD pro*
compsissume
    COMISSOR - - *una modo forma usurpatur,*
sup. **comissatum:** alio credo comissatum
(*LU* comisa. *A*ψ commiss. *P* commesse. *B²D³*)
abisse Mo 989   nunc comissatum(*RLU* commiss. *CD* commis. *B* comis. *RsS*) ibo ad
Philolachetem Mo 317   nempe domum eo
comissatum(comm. *FR*) Mo 335   ite ad uos
comissatum(com̄. *CD* omnis satū *B*) St 775
uenient ad te comissatum(comis. *ABRsS*) Per
568   comissatum(comis. *PS*) omnes uenitote
ad me ad annos sedecim Ru 1422   quisquis
praetereat, comissatum(com̄. *P A n. l.*) uolo
uocari St 686
    COMITAS - - I. **Forma   comitas** Mi 79
(*B²D²* comtas *P*) **comitati** Tri 356 **comitatem** Mi 636(c. erga *Ca* comitante merce *B²CD*
c. merced//// *B¹*), Tri 333   **comitate** As 556
(-ttate *J*), Cap 410, Ru 38 *corruptum:* Mi 676,
ē: comitas *CD* commitas *B pro* comiter(*R*)
    II. **Significatio** 1. *nom.:* mihi ad enar-
randum hoc argumentumst comitas* Mi 79
    2. *dat.:* habemus . . aliis qui comitati simus
beneuolentibus Tri 356
    3. *acc.:* magis nosces meam comitatem* erga
te amantem Mi 636   rem perdidit . . per
comitatem edepol, pater Tri 333
    4. *abl.:* id uirtute huius collegai meaque
comitate factumst As 556   tua opera et
comitate et uirtute et sapientia fecisti ut . .
Cap 410   rem bene paratam comitate perdidit Ru 38
    COMITIALIS - - istorum (hominum) nullus
nefastust, **comitiales** sunt meri Poe 584   *Cf*
Vissering, I. p. 38; Wueseke, p. 18
    COMITIUM - - I. **Forma   comitium** Cu 403
(*acc.*) Cu 470(-cium *EJ* -to *C*)   **comitio** (*abl.*)

POE 807 **comitia** Au 700(-cia *J*), TRU 819(*Ca* cō tia *B* coitia *C* castia *D*¹ costia *D*²) **comitiis** MEN 459(*PLU* -tieis *A ψ*) **comitia** Mo 129(in c. *Rs* comita *PS*† *om BugU* quom itur *FR* cum ita paratos mittunt *L*), Ps 1232

II. **Significatio** 1. *locus:* nec mihi placet tuom profecto nec forum nec comitium Cu 403 qui periurum conuenire uolt hominem ito in comitium Cu 470   cras mane, quaeso, in comitio* estote obuiam POE 807

2. *plur. sensu technico* **a.** *proprie:* quibus negoti nihil est, . . eos oporte contioni dare operam atque comitiis MEN 459 ad legionem in comitia* adminiclum eis(*i. e.* parentibus) danunt (liberi) Mo 129(*Rs*)

b. *translate:* ibo intro ubi de capite meo sunt comitia Au 700   meo illic nunc fiunt capiti comitia* TRU 819 Pseudolus mihi centuriata habuit capitis comitia Ps 1232 *Cf* Graupner, p. 16; Inowraclawer, p. 81

COMITO - - MI 636, comitante merce(merced//// *B*¹)*P pro* comitatem erga(*Ca*) MI 1103, cum comita(com̄. *B*)*P pro* concomitata(*Ac*) Mo 129, comita *PS*† *om BugU var em ψ* POE 807, comito *C pro* comitio

COMMARITUS - - eccum progreditur . . meus socius, compar, **commaritus,** uilicus CAS 797

COMMEATUS - - *duae modo formae usurpantur, nom. et acc. sing.* A. *proprie:* medium parietem perfodit seruos, **commeatus**(con. *U*) clanculum qua foret amantum MI *Arg* II. 10 in eo conclaui ego perfodi parietem, qua commeatus clam esset hinc huc mulieri MI 143

B. *translate* 1. = aditus, circuitus: scin tu nullum **commeatum** hinc esse a nobis? MI 339 per hortum utroque commeatus(*ACD* come. *B* con. *U*) continet ST 452   nimis beat quod commeatus(cm̄. *CD* con. *U*) transtinet trans parietem MI 468

2. = cibatus(*cf* Egli, I. p. 17; II. p. 2; Inowraclawer, pp. 90, 92): tantus uentri commeatus(con. *RsU* cōe. *E*) meo adest in portu cibus CAP 826 . . ut importem in coloniam hunc . . commeatum(con. *Rg*) EP 343 intercludite inimicis commeatum(interclude iter inimicis, contra tu *BugU*), tibi muni uiam qua cibatus commeatusque(con. *CD*) ad te . . tuto possit peruenire MI 223   *similiter:* negotium quo in commeatum(*AB* come. *CD* con. *U*) uolui argentarium proficisci Ps 424

COMMEMINI - - **I. Forma commemini** AM 254(*PSL* con. *ψ*), Cu 710(*J* cōe. *E* commeni *B* con. *RgU*), MI 645(-it *P* con. *U*), PER 176, Ps 696a(con. *U*), TRU 114(com̄. *B*), 778(cōm. *B* con.*RsU*) **commeministi** MEN 1074 (cōminuisti *C* con.*U*), POE 985(con. *U* comministi *A ut vid*) **commeminit** AM 738(*B*² con. *RglU* comminit *P*) TRI 1027(con. *RRsU*) **commeminere** MI 914(comminere *B*) **commeminisse** Cu 493 (et c. *B* et quidem meminisse *L* con. *U vid ω*), POE 726(meminisse *Char* 240)

II. **Significatio** 1. *absolute:* recte dicit, ut commeminit* AM 738 memini et scio et calleo et commemini PER 176 ego huc bona mea degessi. #Commemini TRU 114 rogitaui ego uos . .: commemini TRU 778

2. *cum acc. rei:* hoc adeo hoc commemini magis, quia illo die inpransus fui AM 254 et commeminisse* ego haec uolam te Cu 493 quid istis nunc memoratis opust quae commeminere*? MI 914   istaec uolo ergo uos commeminisse* omnia POE 726   commemini omnia Ps 696a

3. *cum gen.:* non fugituost hic homo: commeminit domi TRI 1027(*cf* Blomquist, p. 106; Schaaff, p. 40)

4. *seq. infin.* (*cf* Walder, p. 26): incommoditate abstinere me . . commemini* MI 645 non commeministi* dicere Cu 710   non commeministi* semul te hodie mecum exire ex naui? MEN 1074   *verbo omisso:* ecquid commeministi* Punice? POE 985

COMMEMORABILIS - - dabo aliam pugnam claram et **commemorabilem**(con. *U* commerabilem *B*) Ps 525

COMMEMORO - - I. **Forma commemoras** BA 1179(con. *RRgU*), CAP 414(con. *RsU* cmem. *E*), TRI 951(con. *RRsU*) **commemorat** MI 1038(*Herm* -auit *CD* con. *SU* quis commerauit *B*) **commemorant** MEN 1083(con. *LU* commemorant *C*), TRI 825(con. *RsU*) **commemorabitur** TRU 882(*Ca* con. *Rs* -uiter *P*[-bitere *C*¹]) **commemoraui** TRI 809(*CD* con. *RsU* commemeraui *B*) **commemores** EP 170(*AP* con. *RgU*) **commemora** CI 65(cō. *V* cŭ. *E* con. *U*), Ps 1184(*A* con. *U* -es *PR*) **commemorato** MI 1027(con. *U* -ate *B*) **commemorare** AM 43 (con. *Rglu*) **commemorari** CAS 218 **commemoratum**(*sup.*) Ps 1283(con. *U* cōprobatum *A ut vid*)

II. **Significatio** 1. *absolute:* feci ego ista ut commemoras CAP. 414   lepidast illa causa, ut commemorauit*, dicere . . TRI 809

2. *cum acc. rei:* omnia quae cupio commemoras BA 1179 meum cognomentum commemorat* MI 1038   uenio foedus commemoratum* Ps 1283 conlaudato formam et faciem et uirtutis commemorato* MI 1027

passive: nec potis quicquam commemorari, quod . . CAS 218   id quoque interim futatim nomen commemorabitur* TRU 882(*loc dub*)

3. *seq. infin.:* . . praesertim etam qua ex tibi commemores hanc . . filiam prognatam EP 170 . . illum quem tibi istas dedisse commemoras epistulas TRI 951   *uerbo omisso:* te (Neptune!) omnes saeuomque seuerumque. atque auidis moribus commemorant, spurcificum . . TRI 825

4. *cum acc. seq. enunt. rel. vel interr.:* id undest tibi cor, commemora CI 65   alios . . uidi Neptunum, Virtutem . . commemorare, quae bona uobis fecissent AM 43   patriam et patrem commemorant* pariter qui fuerint MEN 1083   *proleptice* (*cf* Redslob, *adn.* 7): chlamydem hanc commemora* quanti conductast Ps 1184

COMMENDO - - I. **Forma commendo** CAP 445(con. *V*) **commendamus** PER 765(cōmdam' *D*) **commendaui** TRI 877(con. *RRsU*), 1095 (con.*RRsU*) **commendauit** TRI 113(con.*RRsU*) **commendaueras** TRI 1083(con. *RRsU*) **commendes** MER 702 **commendarem** MER 246 **commendata** CI 242 b(*v. secl Maiω* =)245(*ex*

A solo) corruptum: Cas 241, commendatus
BVE -tatus *J pro* commentust (*Py*)

II. Significatio 1. *alicui aliquid vel aliquem:*
qualine amico mea commendaui bona? Tri
1095 Callicles, quoi tuam rem commendaueras Tri 1083 tibi commendo spes opesque
meas Cap 445 *similiter:* uisus sum . . non
habere quoi commendarem capram Mer 246
mihi commendauit uirginem . . et rem suam
omnem et . . filium Tri 113 . . quoi ego liberosque bonaque commendaui Calliclem Tri 877
de matrimonio: em, quoi te et tua quae tu
habeas commendes uiro Mer 702 amica . .
quae mihi esset commendata et meae fidei
concredita Ci 245(*vide* 242 b)
2. *aliquem alicui rei:* quin lectis nos actutum commendamus? Per 765
3. *dat. additur:* amico Tri 1095 mihi Ci
245, Tri 113 tibi Cap 445 quoi Mer 246, Tri
877, 1083 quoi uiro Mer 702 lectis Per 765

COMMENTOR - - satin istuc tibi in corde
certumst? #Quin ne(*Sey* qui ne *A* quin ego
PLU con. *U*) **commentor** quidem Ci 509
Achillem Aristarchi mihi **commentari**(con. *U*)
lubet Poe 1 discant dum mihi commentari
liceat(*Ac* argentarilliceam *B* argentari illic
eam *CD* con. *Rs*), ni oblitus siem Tru 736
interea magister dum tu **commentabere**(con.
Rs), uolt illa itidem commentari(con. *Rs*).
#Quid? #Rem accipere identidem Tru 737
(*loc dub*) *corruptum:* Cas 241, commentatus *J*
-datus *BVE pro* commentus(*Py*)

COMMEO - - postquam in urbe crebro **commeo**(*Ca* cōmobeo *B* cōmoueo *D* commoueo *C*)
dicax sum factus Tru 682 illaec catapultae
ad me crebro **commeant**(con. *RglU*) Cu 398
eum quidem ad carnificemst aequius quam ad
Venerem **commeare**(cōeare *B*) Ru 322 *corruptum:* Cap 185, commeat *E pro* commetat

COMMERCIUM - - (*cf* Inowraclawer, p. 79)
cum ea quoque etiam mihi fuit **commercium**
(come. *B* cōe. *D* -tium *P*) Tru 94 quid tibi
mecumst **commerci**(-cii *BDJ* -tii *E* con. *RgU*),
senex? Au 631 quid tibi commercist(*B* -cii
est *CD* con. *U*) cum dis damnosissumis? Ba
117 mihi cum uostris legibus nil quiquamst
(*SeyL* nihil est *TurnU* nec ciccumst *Rs lac PŞ*)
commerci(-rcli *B* -rdi *CD* con. *U*) Ru 725
corruptum: St 519, commerci *P* commercium
ZR pro commers (*A*)

COMMERCOR - - pater captiuos **commercatur**(con. *RsU*) Aleos Cap *Arg* 3 homines
captiuos commercatur(con. *RsU* coe. *E* comer-
tatur *D*) Cap 100 coepit captiuos **commercari**
(con. *RsU* cōme. *B²DEJ* coe. *B¹V*) hic Aleos
Cap 27 tuan causa . . qui hic **commercaris**
ciuis homines liberos? Per 749

COMMEREO - - I. Forma **commerent** Mer
828(con. *U* conueninerint *B*) **commerui** Au
735(erga te c. *Redslob* emerui *P* de te c.
BriRgL nam de te merui *U*), Mi 531(*RL* con.
Pψ -ui malum *B²D³* -u malum *B¹* -ū alum
CD¹), Mo 516(*D³* quom. *P* con. *U*) **commeream** Mo 1178(con. *U*) **commeruisse** Cap
403(con. *RsU*), Ep 62(con. *Rs*) **commeritum**(*partic.*) Au 738(con. *RgU* cum. *E*) **com-

meritā**(*adiect.*) Tri 26(con. *RsU* commissa *codd
Corn* II. 23, 35)

II. Significatio *semper de malo* 1. *cum
acc.:* me culpam commeritum scio Au 738
dicito . . neque te commeruisse culpam Cap
403 . . ut illae exiguntur quae in se culpam
commerent(que in sculpam conuenirent *B*) Mer
828 commerui* malum Mi 531 uidere commeruisse hic me absente in te aliquid mali
Ep 62 quid ego erga(de *BriRgL*) te commerui*, adulescens, mali? Au 735(*Redslobʂ*)
nihil ego commerui*, neque istas percussi fores
Mo 516 . . quasi non cras iam commeream
aliam noxiam Mo 1178
2. *sequitur:* de te Au 735(*BriRgL*) erga te
Au 735(*Redslobʂ*) in te Ep 62 in se Mer 828
3. *partic. adiective usurpatum:* ego amicum
hodie meum concastigabo pro commerita*
noxia Tri 26(*cf Auct. ad Her.* II. 23. 35)

COMMERS - - pax **commers**quest(-q. est
A -que est *LU* commercique est *P* -ciumquest
ZR) uobis mecum St 519 *Cf* Studemund,
Pl. Wortf. p. 290

COMMETIOR - - ego ipse et Philolaches in
publico omnis porticus sumus **commensi**(con.
U) Mo 911

COMMETO - - meus scruposam uictus **commetat**(con. *RsU* commeat *E*) uiam Cap 185
corruptum: Men 1019, commetaui *B¹C* cōmeta
ui *D pro* commutaui(*Pius*)

COMMIGRO - - ilico huc **commigrauit**(con.
U) Ci 177 leno hau dum sex menses Magaribus huc est quom commigrauit(con. *U*) Per
138 is ex Anactorio . . huc commigrauit in
Calydonem hau diu Poe 94 is habitatum huc
commigrauit(con. *RRsU*) Tri 1084

COMMINGO - - Per 407, commictum *R pro*
commixtum

COMMINISCOR - - *cf* Langen, *Beitr.* p. 60
I. Forma comminiscor Tri 516(*L* con. *Pψ*)
comminiscar(*subiu.*) Cap 531(comi. *J* con. *Rs*)
comminiscere(*imper.*) As 102(*BDE Non* 471
commiscere *J* con. *RglU*), Mi 226(comi. *B* con.
U), Mo 662(con. *U*) **comminisci** Au 69(con.
RgU), 76(con. *RgU*), Ba 982(con. *RgU*) **com-
mentus** Am 979(*J* con. *RglU* cūme. *BE* cum
mente *D*), Cas 241(*Py* con. *U* commendatus
BVE -tatus *J*), Men 451(*D³* -tu *P* come. *A*),
Mi 232(con. *U*), Mo 668(con. *U*), Ps 689(con.
U), 1206(-tum *P* (*B*) con. *U*), Tri 1148(come. *B*
commetus *C* con. *RRsU*) **commenta** Tru 85
(*CDL* con. *Bψ*) **commentum**(*acc. masc.*) Ci
203(con. *U* conmtū *J²* comomtū *J¹*), Ep 281
(con. *RgU*), (*neut.*) Mi 241, Tru 451(*CDL* con
Bψ) **commenti** Cap 48(con.*ERsU v. secl Guyω*)
II. Significatio *semper de fictis.* A. *active*
1. *absolute:* ut cito commentust* Cas 241 te
commentum nimis astute intellego Ep 281 age
comminiscere ergo Mo 662 quid igitur? iam
commenti's? Mo 668 reperi, comminiscere,
cedo calidum consilium cito Mi 226
2. *cum acc.:* Megaronides communis hoc
meus . . commentust* Tri 1148 quid machiner?
quid comminiscar? Cap 531 plane periimus
nisi quid ego comminiscor Tri 516 fabricare
quiduis, quiduis comminiscere* As 102 auden
participare me quod commentu's? Mi 232

credo ego amorem primum . . carnificinam commentum* Cɪ 203 ut docte dolum commentust* Ps 1206 nunc commentast dolum Tʀᴜ 85 . . male dictis, quae quidem quiui comminisci Bᴀ 982 meum mendacium, hic modo quod subito commentus fui Ps 689

3. *seq. interr. obl.:* noenum . . quid ego ero dicam meo malae rei euenisse . . queo comminisci Aᴜ 69 neque iam quo pacto celem erilis filiae probrum . . queo comminisci Aᴜ 76

4. *seq. infin.:* illum di omnes perduint qui primus commentust* contionem habere Mᴇɴ 451 *seq.* ut: fac . . ut abigas: quouis pacto fac commentus* sis Aᴍ 979

B. *passive* 1. *participium:* edepol commentum male! Tʀᴜ 451

2. *substantive:* laudo commentum tuom Mɪ 241 *Cf* Wueseke, p. 15

C. *dubium:* Cᴀᴘ 48, itaque hi commenti de sua sententia *quae omnia secl Guy*ω

COMMINOR - - ad trisuiros iam ego deferam nomen tuom . . quia **comminatu**'s (comi. *B* con. *Rg*) mihi Aᴜ 417

COMMINUO - - **I. Forma comminuam** Mᴇɴ 856(con. *U*), Rᴜ 1118(comi. *B* con. *RsU*) **comminui** Bᴀ 1119(con. *U*) **comminuit** Fʀ I. 23(*ex Gell* III. 3, 5 comi. *Gell cod P*) **comminuto**(*partic. abl. masc.*) Sᴛ 690(con. *U*) *corruptum:* Mᴇɴ 1074, cōminuisti *C pro* commeministi

II. Significatio 1. *proprie:* ego tibi comminuam caput Rᴜ 1118 ego huius membra atque ossa atque artua comminuam illo scipione Mᴇɴ 856 . . nisi mauoltis fores et postes comminui securibus Bᴀ 1119 *Cf* Egli, I. pp. 31, 34

passive: hoc conuiuiumst . . satis commodule nucibus . . lupillo comminuto Sᴛ 690

2. *similiter:* primus qui horas repperit . . mihi comminuit(*i. e.* in horas diuidit) misero articulatim diem Fʀ I. 23(*ex Gell* III. 3, 5)

COMMISCEO - - I. Forma commiscuit Rᴜ 487(con. *RsU*) **commisceam** Mɪ 478(-at *B*¹ con. *U*) **commisce** Pᴇʀ 87 **commixta** (*nom.*) Aᴍ 59(con. *RglU v. om J*), Mo 41(*Sca RRsU* -tam *Pᵹ*† -te *L*) **commixtum**(*neut.*) As 310(con. *RglU*), Pᴇʀ 407(-ctum *R*) **commixte**(*voc.*) Mo 41(*L: vide* commixta) *corruptum:* As 102, commiscere *J pro* comminiscere

II. Significatio A. *proprie* 1. *cum acc.:* commisce mulsum Pᴇʀ 87 *passive:* faciam ut commixta sit tragico comoedia(*Pᵹ*ω† haec tragicomoedia *FlRgl* ut tragicomoedia *L*) Aᴍ 59

2. *cum abl.:* canes capro commixta Mo 41 (*ScaRRsU* canem capram commixtam *Pᵹ*† caeno *κοπρῶν* commixte *L*) oh, lutum lenonium, commixtum* caeno sterculinum publicum Pᴇʀ 407 tantum adest boni . . uerum commixtum malo As 310

B. *translate seq.* cum *et abl.:* ego abeo a te nequid tecum consili commisceam* Mɪ 478 si quis cum eo quid rei commiscuit . . Rᴜ 487

COMMISERESCO - - unum te obsecro ut ted huius **commiserescat**(con. *RsU*) mulieris Rᴜ 1090 *Cf* Blomquist, p. 100; Schaaff, p. 40

COMMITTO - - I. Forma committit Tʀᴜ 869 **committam**(*fut.*) Aᴜ 450(comi. *J* con. *RgU*), Bᴀ 1037(con. *U*), Sᴛ 640(con. *U*) **commisi** Mᴇɴ 686(con. *RRsU*) **commiserunt** Rᴜ 625(con. *RsU*) **committam** Mo 925 **committas** Cᴜ 655(con. *RgU*) **committe** Pᴇʀ 771 **committere** Pᴇʀ 112 **commissurum**(*acc. masc.*) Tʀɪ 704(con. *RRs*) **commissi**(*neut.*) Mᴇɴ 771 (-isi *B*¹ -sum *R* -sit *SeyU: loc dub*) *corrupta:* Mɪ 941, cōmissū *B*, comi sum & *CD pro* compsissume Tʀɪ 26, commissa *Corn* II. 23, 35 *pro* commerita

II. Significatio A. *proprie* 1. *de proelio, sim.:* quid cessamus proelium committere? Pᴇʀ 112 age, puere, a summo septenis cyathis committe hos ludos Pᴇʀ 771

2. = *patrare* a. *seq.* ut: neque istic in tantis periclis umquam committam ut siet Aᴜ 450 neque ego haud committam ut . . fecisse dicas de mea sententia Bᴀ 1037 neque ego hoc committam ut me esse omnes mortuom dicant fame Sᴛ 640 id me commissurum ut patiar fieri ne animum induxeris Tʀɪ 704

b. **commissum**, *substantivum?* nec pol filia umquam patrem accersit ad se nisi aut quid commissi*† aut iurgist causa Mᴇɴ 771(*vide* ω)

B. *translate* = mandare, tradere 1. *cum acc.:* quae commisi ut me defrudes ad eam rem adfectas uiam Mᴇɴ 686

2. *additur dat. personae:* sanan es quae (anulum) isti committas? Cᴜ 655 egone aps te ausim non cauere, ne quid committam tibi? Mo 924 *similiter per metaphoram:* mus pusillus . . aetatem . . non cubili uni umquam committit suam Tʀᴜ 869

3. *seq.* in: ferte suppetias qui Veneri . . in custodelam suom commiserunt caput Rᴜ 625

COMMODITAS - - I. Forma commoditas Eᴘ 614(con. *RgU*), Mᴇɴ 137, Mɪ 1134, Poᴇ 421 **commoditatis** Mᴇɴ 140, Pᴇʀ 255 **commoditatem** Poᴇ 916 **commoditate** Mɪ 1183

II. Significatio (*cf* Langen, *Beitr.* p. 252)

1. *proprie:* commoditatis omnis articulos scio Mᴇɴ 140 meo amico amiciter hanc commoditatis copiam danunt (di) Pᴇʀ 255 mihi commoditatem creas Poᴇ 916

2. *similiter de hominis ingenio:* salue, uir lepidissume, cumulate commoditate Mɪ 1383

3. *dea:* satine ut Commoditas usquequaque me adiuuat? Mɪ 1134

4. *appel. blanda de uiris usurpata:* quid agis, mea commoditas Eᴘ 614 o mea Commoditas, o mea Opportunitas, salue Mᴇɴ 137 mi Milphidisce, mea commoditas, mea salus Poᴇ 421

COMMODO - - 1. = dare, donare: si uelis, da, **commoda** (comoda *E*) homini amico As 445 Ioui opulento, . . opes, spes bonas, copias **commodanti** Pᴇʀ 253 cur tu aquam grauare . . quam hostis hosti **commodat**? #Cur tu operam grauare mihi, quam ciuis ciui commodat(commdat *B*)? Rᴜ 438

2. = morem gerere: credetur: **commodabo** Pᴇʀ 320

3. *corrupta:* Mo 255, commodes *P pro* commoda's(*Ca*) Ps 443, commodem *A pro* commodi: em(*P*)

COMMODULUS -- *cf* Langen, *Beitr.* p. 256; Ryhiner, pp. 47, 51

commodulum(cum. *C* -olum *D*) obsona, ne magno sumptu Mɪ 750 **commodule** quaedam (*sc* dic) Cɪ 741(*L* commodo[-da *J*] loquelam [-llam *B²*]P𝕾† condomo loquelam *Rs* commoda loquellast *U*) commodule ludis(*FlLU* melius P𝕾† melli's *Rs*) Rᴜ 468   hoc conuiuiumst (-ium *RRg*) pro opibus nostris satis commodule(-umst *RRg*) nucibus, fabuli, ficulis .. Sᴛ 690

COMMODUS - - **I. Forma commodus** Bᴀ 401(*CDR𝕾*† comodus *B ex corr* comis *Bugψ*) Mɪ 642(*v. secl RibRg*), Poᴇ 1331(*A solus v. secl Rgl𝕾 om LU*) **commoda** Cɪ 741(*JU* -do *BVE var em ψ*) Mo 255(-a's *Ca* -es *P*) **commodum** As 558, 862(-ũest *DJ* -ust *B* comodust *E*), Cɪ 486, Mᴇʀ 918(*FZ* -di *P*), 919, Mo 807, Rᴜ 1318, Sᴛ 186   (*acc. masc.*) Mo 255   (*neut. adv.*) Aᴍ 669(*B in marg om DEJ*), Cᴀs 593, Mᴇʀ 219, Mɪ 1198, Rᴜ 519, Sᴛ 365, Tʀɪ 400(*A* -de *P*), 1136   **commodā** As 401(con. *Rgl*)   **commodo** (*adv.*) Mɪ 644(*R* quomodo P𝕾† -dos *MueU*), Fʀ I. 78(*ex Char* 193, 196)   **commodi** Ps 443 (-diem *P* -di *R* -dem *A*)   **commoda** Tʀɪ 1117 **commodis**(*neut.*) Mo 307(*B²* -di *P v. secl Langen Rs𝕾U*)   **commodos** Mɪ 644(*MueU vide* modo), Poᴇ 616   **commodas** As 725(-da *Non* 266)   **commodis**(*fem.*) Mᴇʀ 438 (*neut.*) Sᴛ *Arg* 4 *adverbia*(*vide* commodum, commodo): **commode** Bᴀ 130, Cᴀs 200(*Lips* -di *P*), 260(comode *E*), 855(comode *J*), Cɪ 315(*A solus*), Eᴘ 552(con. *RgU*), Mᴇɴ 601(*add Rs solus*), Mɪ 615, 907, 945, Mo 254(*om Non* 298), 853, Pᴇʀ 697(*Rs* hau [haud *BU*] male *APψ*), Poᴇ 284, 401, 1221, 1223(-do *B*), Rᴜ 309, Fʀ II. 30(*ex Gell* XVIII. 12, 3)   **commodius** Tʀɪ 377 *dubium:* Vɪ 13, commodiu∗   *corrupta:* Cɪ 741, commodo *BVE𝕾*† *JU* condomo *Rs aliter L* Mo 1152, commodiis *P* -dus *D²* pro comoediis

II. Significatio '... *hat nie bei Plautus die Bedeutung vorteilhaft, sondern bezeichnet dem gehörigen Maß entsprechend, passend, angemessen mit Rücksicht auf die Zeit oder überhaupt auf die obwaltenden Umstände ..'* Langen, *Beitr.* p. 253

A. **adiectivum** 1. *de personis:* uel cauillator facetus uel *conuiua* commodus idem ero Mɪ 642(*v. secl RibRg: vide Lorenz*) apud conuiuas commodos∗ Mɪ 644(*U*) conuiuas uolo reperire nobis commodos Poᴇ 616   quam pauci estis *homines* commodi∗ Ps 443 ubi *tu* commoda's∗, capillum commodum esse credito Mo 255 *etiam* Bᴀ 401 *ubi* commodus *PHermR𝕾*†, comis *Bugψ*

2. *de rebus:* capillus Mo 255(*supra* 1) qua facie uoster Saureast? #Truculentis oculis, commoda *statura*, tristi fronte As 401   quid ego aliud exoptem amplius nisi . . uiginti argenti commodas∗ *minas?* As 725   commodis (minis) poscit Mᴇʀ 438 *talentum* argenti commodum magnum inerit in crumina Rᴜ 1318

commoda's∗ loquellast Cɪ 741(*U*) contra uerbis delenitur commodis Sᴛ *Arg* 4 *hisne exemplis* suauis *significat?*

3. *praedicative:* **a.** edepol hic uenit commodus Poᴇ 1331(*A solus: v. secl ω*) ita commoda quae cupio eueniunt Tʀɪ 1117

b. *neut.:* proinde ut commodumst et lubet,

quicque facias Aᴍ 558   idem Mercurius . . fit, quando commodumst∗ Aᴍ 862   nisi tibist incommodum. #Immo commodum Mo 807   promitte uero: ne grauare: est commodum?(. *U*) Sᴛ 186

add. dat. personae: hoc si tibi commodumst quae∗∗ Cɪ 486   non est illi commodum∗. #Itane? commodum illi non est, quae . .? Mᴇʀ 918

B. *substantive* (*cf* Wueseke, p. 11): qui inuident, neumquam eorum quisquam inuideat prosus commodis∗ Mo 307(*hic significat* rebus bonis: *v. secl LangenRs𝕾U*)

C. **adverbium** 1. **commodum** *de tempore:* ad aquam praebendam commodum∗ *adueni* domum Aᴍ 669   eas res *agebam* commodum Rᴜ 519   ecce autem commodum *aperitur* foris Mɪ 1198 ad te hercle *ibam* commodum Cᴀs 593   commodum∗ ipse *exit* Lesbonicus cum seruo foras Tʀɪ 400   hoc commodum *orditur* loqui Tʀɪ 1136   commodum radiossus sese sol *superabat* ex mari Sᴛ 365   si istac ibis, commodum obuiam *uenies* patri Mᴇʀ 219

2. **commodo** *de tempore:* incommoditate abstinere me apud conuiuas commodo∗ commemini Mɪ 644   commodo commodeque, *ut Plautus in Frivolaria:* 'Commodo dictitemus' Fʀ I. 78(*ex Char* 193 & 196)

3. **commode a.** *de tempore* = opportune: sed quos perconter commode eccos uideo stare Rᴜ 309 *fortasse* Mᴇɴ 601, *ubi* commode *ins Rs post* quam

b. = ut decet, recte, *sim.: acceptae* bene et commode, eximus intus ludos uisere Cᴀs 855 ut astu sum *aggressus* ad eas. #Lepide hercle atque commode∗ Poᴇ 1223   hoc rugat pallium: *amictus* non sum commode Fʀ II. 30 (*ex Gell* XVIII. 12, 3) neque commodius ullo pacto ei poteris *auxiliarier* Tʀɪ 377   edepol tu me *commonuisti* commode∗ Pᴇʀ 697(*Rs*) capillus satis *compositust* commode? Mo 254(*vide supra* A. 1) . . satis ut commode pro dignitate opsoni haec *concuret* cocus Bᴀ 130   paenitet *exornatae* ut simus. #Immo uero sane commode Poᴇ 284 . . ut accurate et commode hoc . . *exsequamur* Mɪ 945   non modo ipsa lepidast, commode quoque hercle *fabulatur* Cɪ 315(*A solus*)   interpretari me aequom censeo. #Commode *fabulatu's* Eᴘ 552   si *facias* recte aut commode∗ me sinas curare ancillas Cᴀs 260   eo ego hinc ad forum. #Fecisti commode Mo 853   ut pudice uerba fecit, cogitate et commode Poᴇ 1221   quis homo sit magis meus quam tu's? #*Loquere* lepide et commode Mɪ 615   lepide et sapienter, commode et facete res *paratast* Mɪ 907   quae (peculium) habet, *partum* ei haud commodest∗ Cᴀs 200   aliquid huic *responde* . . commode, ne incommodus nobis sit Poᴇ 401

D. *adverbia, adiectiva vel coniuncta vel opposita:* bene Cᴀs 855   accurate Mɪ 945   cogitate Poᴇ 1221   facetus, -te Mɪ 642, 907   incommodus Bᴀ 401(*P*), Mo 806, Poᴇ 401   lepida, -de Cɪ 315, Mɪ 615, 907, Poᴇ 1223   pudice Poᴇ 1221   recte Cᴀs 260   sapienter Mɪ 907   tristis Bᴀ 401(*HermR*)

COMMONEFACIO - - quom ego reuortar, uos monimentis **commonefaciam** bubulis St 63

COMMONEO - - I. Forma commones Ru 743(con. *Rs*) **commonuisti** Per 697 **commoneri** Mi 881(-ueri *B*) **commonerier** Ps 150 (con. *U*) **commonitus** Tri 1050(con. *RRsU* commotus *A*)

II. Significatio 1. *cum acc. personae absolute:* tu me commonuisti hau male(commode *Rs*) Per 697   meretricem commoneri* quam sane magni referat, nihil clamst Mi 881

2. *add. gen.:* mearum me(*B* mearum *CD* memet *A*) absens miseriarum commones Ru 743(*cf* Blomquist, p. 106; Schaaff, p. 40)

3. *add. acc. rei:* . . officium uostrum ut uos malo cogatis commonerier Ps 150

4. *add. abl. instr.:* re ipsa modo commonitus* sum Tri 1059   malo Ps 150(*supra* 3)

COMMONSTRO - - I. Forma commostras Mer 894(conmon. *U*) **commonstrabo** Cu 467 (*BV* -most. *EJ* con. *RgU*), Mer 897(*Z* -bor *P* cum mon. *B* con. *U* conmos. *S*) **commonstrasso** Ep 441(-auero *B*[1] con. *RgU*) **commonstret** Cu 301(con. *RgU*), 590(con. *RgU*) **commonstraret** Au 12(con. *U* conmos. *ERg* conmos. *S*) **commostraremus** Poe 602(*A* conmons. *PU*[con.]) **commonstra** Poe 1043 (-tra si *A* commonstransi *B* -strans *CD* conmonstra *U*) **conmonstrare** Cu 404(con. *RgU*)

II. Significatio 1. *absolute vel cum acc.:* non longe hinc abest a nobis. #Quin commostras si uides Mer 894   quaero . . commostra* si nouisti . . Agorastoclem Poe 1043 (*v. secl SeyLU*) hunc quem quaero commonstrare si potes . . Cu 404   omnia commonstrabo* Mer 897

2. *add. dat.:* ecquis est qui mihi commonstret Phaedromum? Cu 301 si istunc hominem . . tibi commonstrasso* . . Ep 441   . . quasi . . oraueris liberum ut commostraremus tibi locum et uoluptarium ubi ames Poe 602 ..quam eum thensaurum commonstraret filio Au 12

3. *seq. interr. obl.:* commonstrabo quo in quemque hominem facile inueniatis loco Cu 467   cupio dare mercedem qui illunc ubi sit commonstret mihi Cu 590

COMMORATOR - - Mer 921, conmoratori *U pro* commoratur: *vide sub* commoror II. 1

COMMOROR - - I. Forma commoror Poe 924(me com. *A* memoror *BU* memorer *CD*), Ps 1135(con. *U*) **commorare** Mer 873 **commoratur** Mer 921(quom moratur *RRg* conmoratori *U*) **commoratus** Men 177 **commoratum**(*nom.*) Am 690 **commorandus** Per 203 (-dumst *FU*) *corruptum:* Men 1083, commorant *C pro* commemoram

II. Significatio (*cf* Langen, *Beitr.* p. 180; Goldmann, I. p. 12) 1. *transitive, cum acc. vel personae vel rei:* ego nunc est quom me commoror* Poe 924 me nunc commoror quom has fores non ferio Ps 1135   male facis properantem qui me commorare Mer 873   ego stultior qui isti credam. commoratur* (me) Mer 921(isti credam conmoratori *U*) an te auspicium commoratumst? Am 690

mille passum commoratu's cantharum Men 177

2. *passive:* commorandust apud hanc *obieci

gradus Per 203(*S* duce Langen* hanc [hana *B*] obieci *P var em* ψ)

COMMOVEO - - 1. neque se septentriones quoquam in caelo **commouent**(con. *RglU*) Am 273   pessuli . . nec mea gratia commouent(con. *RgU*) se ocius Cu 154   scis tu . ., mea si **commoui**(con. *U* -uissem *Serv Dan in Aen* IV. 301) sacra . . quantas soleam turbelas dare Ps 109   . . nequid sui membri **commoueat**(con. *RglU*) quicquam in tenebris As 786   neque miser me **commouere**(con. *RglU*) possum prae formidine Am 337   lapideus sum, commouere (*B* -tē *CD*) me miser non audeo Tru 818

2. *corrupta:* Mi 881, commoueri *B pro* commoneri Tri 1050, commotus *A pro* commonitus Tru 682, commoueo *CD* -beo *B pro* commeo (*Pius*)

COMMUNICO - - communicabo semper te mensa mea Mi 51   **communicaui** tecum consilia omnia Per 334   ego te quaeso ut me opera et consilio iuues **communicesque**(con. *RsU*) hanc mecum meam prouinciam Tri 190

COMMUNIO - - ubi nobilitas mea erit clara, oppidum magnum **communibo**(con. *RsU* -moe. *Rs*) Ru 934 a

COMMUNIS - - I. Forma communis Ba 282, Mer 451(-is est *CD* -est *BL*[*cf* Leo, *Plaut. Forsch.* p. 259] -ist *U*), 455, Tri 1147(con. *RRs*) **commune** Ci 587, Ru 975 **communem** Am 10 (con. *Rgl*), 499(con. *Rgl*), Cas 19, Mi *Arg* I. 6, Ps 584, Ru 976 **commune** As 286(con. *RgU*), Cap 246, Ps 1165 **communi** Au 200(con. *Rg*), Ru 977(-ne *P*), 981 **communia** Mo 732(*PS*† conuiuia *Rs* omnia *PyU* simitu omnia *R*) **communibus**(*abl.*) Cas 807

II. Significatio A. *adiectivum* 1. *praed.:* commune istuc (argentum) esse oportet Ps 1165

2. *cum dat.:* mare quidem commune certost omnibus. #Adsentio: qui minus hunc communem . . mihi esse oportet uidulum Ru 975 *Cf* Vissering, II. p. 78

3. *additur dat. et cum:* communis* est illa cum alio Mer 451   communis mihi illast cum illo(alio *CaU*) Mer 455(*vide RRg*)   mulierem . . commune quacum id esset sibi negotium Ci 587   *pro dat. inuenitur cum et abl.:* is (lembus) erat communis cum hospite et praedonibus Ba 282

4. *attributive* a. *de persona:* inimicum ego hunc communem meum atque uostrorum omnium . . Ballionem exballistabo lepide Ps 584

b. *de rebus:* te oro per . . conseruitium commune quod hostica euenit manu Cap 246 (poetae) nunc abierunt hinc in communem locum(*i. e.* mortui sunt) Cas 19   ego te adiuuabo(*A* -tabo *PLU*) in nuptiis communibus Cas 807   forat geminis communem clam parietem in aedibus Mi *Arg* I. 6   in mari inuentust (uidulus) communi* Ru 977   dicant in mari communi captos (piscis) Ru 981 . . ea uti nuntiem quae maxume in rem nostram communem sient Am 10   cura rem communem Am 499   te uolo de communi *re* appellare mea et tua Au 200

B. *substantive:* Megaronides communis hoc meus et tuos . . commentust Tri 1147   metuo in commune ne quam fraudem frausus sit As 286

C. *dubium:* nobis †communia(conuiuia *Rs*
simitu omnia *R* omnia *PyLU*) haec exciderunt
Mo 732

COMMUTO - - I. Forma **commuto** Ps 1281
(con. *U*) **commutas** Mɪ 327(con. *U*) **commutat** Mɪ 206(con. *U*) **commutant** Cᴀᴘ 37
(con. *ERsU*) **commutaui** Mᴇɴ 1019(*Pius* con.
U commetaui *B¹C* comment. *B²* cõmeta ui
D) **commutauit** Mo 201(con. *U*) **commutauero** Aᴍ 53(con. *RglU v. om J*) **commutem** Aᴍ 305(con. *RglU*) **commutes** Pᴇʀ 571
(con. *U*) **commutet** Aᴜ 576(-itet *J* con. *RgU*),
Ps 192(con. *U*) **commutemus** Tʀɪ 59(con.
RRsU) **commutaueris** As 374(con. *RglU*)
commutatus Mᴇʀ 368(con. *RU*)
II. **Significatio** 1. *absolute:* deus sum,
commutauero (*sc* tragoediam?) Aᴍ 53 uin commutemus?(*sc* uxores?) tuam ego ducam et tu
meam? Tʀɪ 59

2. *cum acc.:* rem agat . . hoc quod habeo
ut commutet *coloniam* Aᴜ 576 aetate hoc
caput *colorem* commutauit Mo 201 formido
male ne ego hic *nomen* meum commutem Aᴍ
305 . . ne hodie malo cum auspicio nomen
commutaueris As 374 . . ut ciuitas nomen
mihi commutet Ps 192 nimis bene *ora* commutaui* atque e mea sententia Mᴇɴ 1019 (*cf*
Egli, I. p. 34) commuto ilico *pallium* Ps
1281 laborat, crebro commutat *status* Mɪ 206
passive: istuc quid est tibi quod commutatust
color? Mᴇʀ 368

additur inter se: inter se commutant uestem
et nomina Cᴀᴘ 37
3. *additur abl.:* Mɪ 327(*infra* 4)
4. = mutatione facta comparare: oculos
orationemque aliam(*PLU* alia *GuyRRg§*) commutas tibi Mɪ 327 ferras aedis commutes
Pᴇʀ 571

COMO - - 1. *verb. fin.:* amica mea et tua
dum **comit**(*CaRRg* cenat *DL* cęnat *CD* cessat
§ cunctat *U*) dumque se exornat Sᴛ 701

2. *participium:* ex matronarum modo capɪte
compto crinis uittasque habeat Mɪ 792 ego
istos fictos **comptos**(*BueRs* compositos *APψ*)
. . exuellam Tʀᴜ 287

COMOEDIA - - I. Forma **comoedia** Aᴍ 55
(-iã *D* comm. *BC*), 59(tragico com. *P§*†*U* haec
tragicomoedia *FlRgl* sit tragicom. *L v. om J*),
60(*v. om J*), 63(tragico comoedia *B*[come.] *DU*
traicomoedia *E* tragicomoedia *Pareus ψ v. om
J*), Cᴀs 31(-edia *BVE* cõm. *V*), Pᴏᴇ 53(-edia
CD -ędiae *B*), 1371(-ocdia *B* -edia *C*), Tʀɪ
706(-edia *CD*) **comoediae** Aᴍ 96(-ę *BE*) **com-
moediai** Cᴀs 30(*Pareus* -ia *BVE* -iae *J* come.
P), Mɪ 84(*Sciop* -iae *P*), Pᴏᴇ 51 **comoediae**
(*dat.*) Mɪ 86 **comoediam** Aᴍ 88(come. *BJ*),
868(come. *BDE* comę. *J*), Cᴀs 13(come. *VEJ*
comme. *B*), Tʀᴜ 11(come. *P*) **comoedia** As 13
(come. *E* comę. *J*), Cᴀs 64(*AJ om B¹* come.
B²VE), 83(come. *EJ* comę. *J*), Cɪ 787(come.
EJ comę. *B*) **comoediae** Cᴀs 9(-ie *E* come.
P) **comoedias** Cᴀᴘ 1033(come. *BE*) **comoediis** Aᴍ 987(comę. *J*), Mᴇɴ 7(come. *CD*),
Mᴇʀ 3(come. *CD*), Mo 1152(*Z* commodiis *P*
-dus *D²*), Ps 1081(comae. *B*), 1240(cõm. *D* comedis *B*)
II. **Significatio** 1. *nom.:* faciam ex tra-

goedia comoedia* ut sit omnibus isdem uor-
sibus Aᴍ 55 faciam ut commixta sit tragico
comoedia* Aᴍ 59 me perpetuo facere ut sit
comoedia..non par arbitror Aᴍ 60 faciam sit
. . . tragico commoedia* Aᴍ 63(*U*) Clerumenoe
uocatur haec comoedia Cᴀs 31 Carchedonius
uocatur haec comoedia* Pᴏᴇ 53 si placuit
plausum postulat comoedia Pᴏᴇ 1371 hic
uictust: uicit tua comoedia Tʀɪ 706
nunc nouae . . comoediae multo sunt ne-
quiores quam nummi noui Cᴀs 9

2. *gen.:* . . dum huius argumentum eloquar
comoediae Aᴍ 96 comoediai* nomen dare
uobis uolo Cᴀs 30 comoediai* . . et argumentum et nomen uobis eloquar Mɪ 84 nomen
dare uobis uolo comoediai Pᴏᴇ 51

3. *dat.:* Alazon Graece huic nomen est comoediae Mɪ 86

4. *acc.:* ipse hanc acturust Iuppiter comoediam Aᴍ 88 uenio . . ne hanc incohatam
transigam comoediam Aᴍ 868 antiquam eius
(*i. e.* Plauti) edimus comoediam*, quam uos
probastis Cᴀs 13 . . dum transigimus hanc
comoediam Tʀᴜ 11
huius modi paucas poetae reperiunt comoedias Cᴀᴘ 1033

5. *abl. semper cum* in: inest lepos ludusque
in hac comoedia As 13 is . . hodie in hac
comoedia* in urbem non redibit Cᴀs 64 neque
quicquam stupri faciet profecto in hac quidem
comoedia Cᴀs 83 more maiorum date plausum postrema in comoedia Cɪ 787
mihi . . qui minus liceat deo minitarier
populo . . quam seruolo in comoediis? Aᴍ 987
hoc poetae faciunt in comoediis Mᴇɴ 7 non
ego item facio ut alios in comoediis ui uidi
amoris facere Mᴇʀ 3 optumas frustrationes
dederis in comoediis* Mo 1152 uerba quae
in comoediis solent lenoni dici Ps 1081 mihi
certumst alio pacto Pseudolo insidias dare,
quam in aliis comoediis fit Ps 1240

COMOEDICUS - - euscheme hercle astitit
et dulice et **comoedice**(*Z* -ę *P* come. *BC* coeme.
D) Mɪ 213

COMPACISCOR - - A. *verbum fin.:* si sumus **conpecti** seu(*Ac* conspecti siue *CD* con-
spectis lue *B* com. *L*) consilium umquam
iniimus . . Ps 543

B. **de conpecto** (*cf* Egli, I. p. 18): sciui
extemplo rem de compecto(con. *RsU* compacto
P) geri Cᴀᴘ 484 omnes de(*Fl om P*) com-
pecto(*Pareus* con. *RsU* compacto *P*) rem agunt
quasi in Velabro olearii Cᴀᴘ 489 si hisce
inter se consenserunt . . aut de conpecto(*B*
-acto *CD* com. *L*) faciunt consutis dolis . .
Ps 540

C. *corrupta:* Pᴏᴇ 1294, compecti *A pro* complecti

COMPAR - - eccum progreditur . . meus
socius **compar**(con. *U*), commaritus, uilicus
Cᴀs 797 hunc **comparem**(con. *U*) metuo
meum ne deserat med atque ad hostis transeat Ps 1026 nunc nostri amores, mores, . .
compressiones artae amantum **comparum**(*CD*
corporum *ABL* con. *RgU*) Ps 66

COMPARCO - - **comperce**(*AB* -ta *CD*), amabo,

me attractare Poe 350 *Cf* Jordan, *Beitr.* p. 139; Langen, *Beitr.* p. 292; Loch, p. 23

COMPAREO - - I. Forma compares Au 629(conp. *Rg*) **conparet** Tri 418(com. *CL*) **comparebas** Au 629(*J* -abas *BDE* con. *Rg*) **conparebat** Vi 105(*ex Non* 258 com. *Mercer L* -abat *codd praeter* *L*[1]) **conparebo** Mi 662 (com. *L* -abo *B*[1]) **compareat** Cap 614(con. *RsU*) **compareant** Am 630(con. *RglU v. secl Uω*)

II. **Significatio** 1. *proprie:* foras, lumbrice, qui .. modo nusquam comparebas*: nunc quom compares, peris Au 629 ita apud omnis conparebo* tibi res benefactis frequens Mi 662 signum recte conparebat* Vi 105(*ex Non* 258) *similiter:* garriet quoi neque pes umquam neque caput compareat Cap 614

2. *de pecuniae ratione:* nequaquam argenti ratio conparet tamen. #Ratio . . apparet: argentum οἴχεται Tri 418

3. *translate* = fieri: memor sum et diligens ut quae imperes compareant Am 630(*v. secl Uω*)

COMPARO (*ex compar*) - - . . prehende auriculis, **compara** (con. *JRglU*) labella cum labellis As 668 ausu's etiam **comparare**(con. *RsU*) uidulum cum piscibus? Ru 982

COMPARO (*ex com + paro*) - - I. **Forma comparaui** Per 325(con. *R*) **comparauit** Cap 47(con. *U v. secl LorenzRs*§) **comparassit** Ep 122(con. *Rg*) **comparem** Cas 505, 624 **comparet** Am 960(con. *RglU* cop. *D*) **compara** Ba 693(con. *RgU*) **comparato** Poe 211(con. *U*) **comparare** Ep 324(*Rg* copiam parare *P*[c. tibi p. *B*]§†*L* tibi parare *U*) **comparatum**(*nom.*) Am 634(con. *U*) **comparando**(*dat. neut.*) As 250 *corrupta:* Au 629, comparabas *BDE pro* -ebas (*J*) Mi 662, comparabo *B pro*[1] -ebo Per 508, comparatur *P pro* conportatur(*A*) Vi 105, comparabat *Nonii codd pler pro* -ebat

II. **Significatio** A. *proprie* 1. proinde eri ut sint, ipse item sit: uoltum e uoltu comparet Am 960

2. compara, fabricare, finge quod lubet, conglutina ut senem .. fallas Ba 693 ita compararunt et confinxerunt dolum Cap 47(*v. secl LorenzRs*§) .. quin ego illis hodie comparem magnum malum Cas 505 iam omnes sycophantias instruxi et comparaui quo pacto .. Per 325

B. *translate* 1. = instituere: ita quoique comparatumst in aetate hominum Am 634

2. = obtinere: meliust . . argento comparando fingere fallaciam As 250 nescio unde auxili praesidi perfugi mihi aut opum copiam comparem aut expetam Cas 624 per illam tibi copiam copiam parare(comparare *Rg*) aliam licet Ep 324(*vide ψ*) nisi hodie prius comparassit mihi quadraginta minas Ep 122 nauem et mulierem, haec duo, comparato Poe 211

COMPEDIO - - in lapidicinas (eum) **conpeditum**(com. *L*) condidi Cap 944 ulcerosam, **conpeditam**(*Ursinus* conpen. *Fest*), subuerbustam Fr II. 26(*ex Fest* 309) **compediti** (con. *U*) anum lima praeterunt Men 85(*cf Non* 333)

COMPELLATIVUS - - Per 100, *CD*[1] *pro* compellat tuus (*BD*[3])

COMPELLO - - I. **Forma compellit** Tri 672(*v. secl Bergk*ω) **compellunt** Poe 648(con. *U*) **compuli** Ba 644(con. *RgU*) **conpulit** As 738(*B c̄. D q. E* com. *JL*) **compulerunt** Cu 685 **compulerit**(*subiu.*) Ba 1085(*B* con. *CDRgU*)

II. **Significatio** 1. = colligere: hosce amores nostras dispulsos conpulit As 738(*cf* Inowraclawer, p. 60)

2. = cogere, *absolute:* ille qui aspellit, is compellit: ille qui consuadet, uetat Tri 672(*v. secl Bergk*ω) amici compulerunt: reddit argentum damno Cu 685 *seq.* ad: uiso ecquid eum ad uirtutem aut ad frugem opera sua compulerit Ba 1085 *seq.* in: canes compellunt in plagas lepide lupum(*ARglLU* lycum *P* λύχον §) Poe 648 *seq.* ut: callidum senem callidis dolis compuli et perpuli mihi omnia ut crederet Ba 644

COMPELLO - - I. **Forma compellat** Mo 616(con. *U*), Per 100(-at tuus *BD*[3] -atiuus *CD*[1] adpellat *R*) **compellabo** Ep 547(*PL* con. *Aψ*), Per 203, Poe 685(con. *BRglU*), Ps 270(con. *U*), 702(con. *U*), St 315(*A* con. *U* compello *P*), Tri 1042(*L* con. *Pψ*) **conpellet** Men 374(*B c̄. CD* com. *L*) **compellarem** As 523(con. *RgU* -lem *ac U*) **compellare** As 523(con. *RglU*), Men 378(con. *RsU*), Mi 1052(*CDRL* con. *Bψ* -ret *B*), Ru 1227(*B* con. *RsU c̄ō. CD*) **compellando** As 222(con. *RglU c̄. E cf Non* 186)

II. **Significatio** 1. *absolute:* conpellabo Ep 547, Per 203 compellabo. salue multum, serue Athenis pessume Ps 270 metuo, si conpellabo, ne aliam rem occipiat loqui Tri 1042 bene salutando consuescunt, compellando blanditer As 222

2. *cum acc.:* quid nunc uolt? #Te conpellare, et conplecti et contrectare Mi 1052 o mi Iuppiter terrestris, te coepulonus compellat* tuos Per 100 quam mox licet te compellare, Daemones? Ru 1227

sine me dum hanc compellare Men 378 ibo atque hunc compellabo* St 315 compellarem* ego illum, ni metuam ne desinat memorare mores mulierum Au 523

quotiens te uotui Argyrippum filium Demaeneti compellare aut contrectare aut conloquiue aut contui As 523 quid Philolachetem gnatum compellat meum? Mo 616 . . quae hominem ignotum conpellet me tam familiariter Men 374 blande hominem compellabo Poe 685 magnufice hominem compellabo Ps 702

3. *app. adverbia:* blande Poe 685 blanditer As 222 familiariter Men 374 magnufice Ps 702

COMPENDIUM - - *cf* Langen, *Analecta Pl.* I. p. 9; Blomquist, p. 164

I. **Forma compendi** As 307(con. *RglU* -dɪo *EJ*), Ba 183(-ii *BC* -ɪo *D*), Cap 965(dicta c. *Guy* dictis -ium *P* con. *ERsU*), Mo 60(-dj *D*), Per 471(con. *R* -mdi *B*[1]), Poe 351(*PL* con. *Aψ*), Ps 1141(con. *U*), Tru 377(*ACD* con. *BRs*) **compendium** Ba 159(*B*[2] compedium *P* con. *U* .. secl *LangenRs*§), Cas 517, 518, 519, Mi 781 (*L* con. *Pψ*), Ps 605(*ACD* con. *BRRgU*), Ru 180(con. *RsU*), St 194(*ACD* con. *BRRgU* cor-

ruptum: Per 420, compendium *C pro* compedium

II. Significatio 'quod quis lucratur cum sumptui parcit' 1. *gen.:* **compendi facere** (*vel* **fieri**) *cum acc.* (*cf* Schaaff, p. 39): si quid tibi compendi facere possum, factum edepol uelim Tru 377   si sapias, curam hanc facere compendi potes Poe 351   iam fieri dicta compendi* uolo Cap 965   orationis operam compendi face Mo 60   operam fac compendi quaerere Ps 1141   ego hodie compendi feci binos panes in dies Per 471   uerbiuelitationem fieri compendi* uolo As 307   compendi uerba multa iam faciam tibi Ba 183

2. *acc.:* **a.** compendium ego te facere pultandi uolo Ps 605   si ad saxum . . cadit, errationis fecerit compendium Ru 180   . . ut faciam praeconis compendium itaque auctionem praedicem St 194

cur amem me castigare, id ponito ad compendium: 'cano capite, aetate aliena' eo addito(coaddito *GulU*) ad compendium: 'quoi sit uxor' id quoque illuc ponito ad compendium Cas 517—9   quam potis tam uerba confer maxume ad compendium Mi 781

b. compendium* edepol haud aetati optabile fecisti Ba 159(*v. secl LangenRgS*)

COMPERCO - - *vide* comparco

COMPERIO - - Poe 350, comperta *CD pro* comperce (*AB*)

COMPERNIS - - aut uarum aut ualgum aut **compernem** . . filium Fr I. 119(*ex Fest* 375)

COMPES - - *cf* Allen, *H. S.*, VII. p. 41; Egli, I. p. 36; Goldmann, I. p. 25; Inowraclawer, pp. 18, 57

I. Forma compedes Cap 651(con. *RsU*), Men 974 a **compedium** Per 420(compend. *C*) **compedes** As 549(*DJL* c̄. *E* con. *Bψ*), Au 602 (con. *Rgl*), Cap 722(con. *JRsU*), 734(con. *RsU* -is *Rs*), 1027(con. *RsU* -is *PRsSL*), Ci 244(*L* -deis *Uψ* -ceis *A*), Men 80(con. *U*), Per 269 (pedicas *R*), 573(*U* -is *Pψ* con. *ARsSU*), 786 (*CRsU* -is *BDψ*), Ps 1176(con. *U*) **compedibus** Cap 1025(con. *RsU*) *corruptum:* Ba 159, compedium *P pro* compendium(*B²*) *v. secl Langen RgS*

II. Significatio 1. *nom. (vel voc.):* quid cessatis, compedes, currere ad me meaque amplecti crura, ut uos custodiam? Cap 651 . . quid preti detur ab suis eris ignauis . . uiris, uerber, compedes, molae . . Men 974 a

2. *gen.:* uir summe populi, . . compedium* tritor, pristinorum ciuitas Per 420 (*lenonem alloquitur*)

3. *acc.:* **a.** . . ut istas compedis tibi *adimam,* huic dem Cap 1027   ducite (eum) ubi ponderosas crassas *capiat* compedes Cap 722   compedes* te capere oportet neque eas umquam ponere Ci 244   ubi suram aspicias, scias posse eum *gerere* crassas compedes Ps 1176   iubete huic crassas compedes *inpingier* Cap 734 (me) uerberibus caedi iusserit, compedes* inpingi Per 269   ferreas tute tibi inpingi iubeas crassas compedis(con. cr. *A*) Per 573   fugitiuis seruis *indunt* compedes Men 80   nec sua opera *rediget* umquam in splendorem compedes Au 602

b. aduorsum stimulos lamminas crucesque conpedesque . . As 549(*loc dub*)   . . quem pol ego ut non in cruciatum atque in compedis cogam . . Per 786

4. *abl.:* compedibus quaeso ut tibi sit leuior filius atque huic grauior seruos Cap 1025

5. *app. adiectiva:* crassae Cap 722, 734, Per 573, Ps 1176   ferreae Per 573   ponderosae Cap 722

COMPESCO - - linguam **conpescas**(*ABD* com. *CL*) face Poe 1035   caue malum et **conpesce**(*BD* com. *CL* -te *D¹*) in illum dicere iniuste Ba 463   *Cf* Langen, *Beitr.* p. 292; Loch, p. 23; Walder, p. 22

COMPILO - - illic homo aedis **compilauit** (con. *RglU*), more si fecit suo As 272 . . uir **compilet**(con. *RsU om B¹*) clanculum quicquid domist Men 560   strepitust intus. numnam ego **compilor**(con. *Rg*) miser? Au 389

COMPINGO - - I. Forma compegerint Am 155(con. *ERglU hiat J*) **conpingare** Poe 1409(com. *CDL*)   **compegeris** Ru 1147(con. *RsU*) **conpingite** Men 691(com. *CDL*) **conpingi** Ru 715(com. *BL*) **conpactum** Men 942 (cō. *CD* com. *L*), Ru 546(*AD* cō. *C* com. *BL*)

II. Significatio 1. *de hominibus:* quid faciam, nunc si tresuiri me in carcerem compegerint? Am 155(*cf Prisc.* II. 421)   ob eam rem in carcerem ted esse conpactum scio Men 942   . . niue (te) in carcerem conpingi est aequom Ru 715   leno, quando ex neruo emissu's, conpingare in carcerem Poe 1409

2. *de rebus:* . . uidulum aurum atque argentum ubi omne conpactum fuit Ru 546 (pallam) etiam in loculos conpingite Men 691 *similiter:* tibi . . quae parentis tam in angustum tuos locum compegeris Ru 1147

COMPLACEO - - si autem Veneri (ancillae) **complacuerunt** (com. *BL* -re *Rs*), habeat Ru 727   ego uos nouisse credo . . quantus amator (meus pater) sit quod **complacitum**st(con. *Rgl*) semel Am 106   ita diuis est conplacitum (*HermRgl* placitum *Pψ*) Am 635   hoc deo complacitumst(con. *U*) me hoc ornatu∗∗∗ Ru 186

COMPLECTOR - - I. Forma conplectar (*subiu.*) Men 1124(cō. *CD* com. *L*), Ru 1172(c̄. *CD* com. *BL*), 1277(*RsU* com. *Pψ*) **conplectatur** As 697(cō. *D* com. *L*) **complectere** As 615(con. *ERglU*), Tru 370(con. *BRs*) **complecti** Cu 188(*BJ* con. *ERgU*), Mi 1052(*CDL* con. *Bψ*), 1329(con. *CDRU* -leti *CD*), Poe 1260 (con. *BRglU*), 1294(*CDL* con. *Bψ* compecti *A*) **complexus** Am 132(con. *DRglU*), 290(*DJL* con. *Bψ* c̄. *E*), Ps 1259   **conplexa** Ru 1203(cō. *CD* com. *L*)   **conplexum** Mi 534(*Ac* -am *PL*), Poe 698(*ACD* con. *BRglU*) **conplexam** Mi 534 (*vide* conplexum)   **complexae** As 304 (*Non* 350 -e *BDJ* -e *E* con. *RglU*)   **complexos** As 640(con. *ERglU*), 642(con. *RglU v. om EJ*)

II. Significatio 1. *absolute:* **a.** complectere. #Facio lubens As 615   complectere. #Lubens Tru 370   nequeunt complecti satis Cu 188   contineri quin conplectar non queo Men 1124, Ru 1172   licet complecti* priusquam proficisco? #Licet Mi 1329

b. *praedicative:* . . lepidam mulierem com-

plexum contractare Poe 698 cubat complexus, quoius cupiens maxumest Am 132
conplexus cum Alcumena cubat amans Am 290
suauiust complexos fabulari As 640 uobis
est suaue amantibus complexos fabulari As
642(*v. om EJ*) uxor conplexa collo retinet
filiam Ru 1203
2. *cum acc.* **a.** *proprie:* ten conplectatur,
carnufex? As 697 quid nunc uolt? #Te conpellare et conplecti et contrectare Mi 1052 ut
nequeo te satis conplecti*, mi pater! Poe 1294
pater, te complecti nos sine Poe 1260
. . ubi amans complexust amantem Ps 1259
uidi et illam et hospitem conplexum(*Ac* -am
PL) atque osculantem Mi 534 etiamne adueniens complectar eius patrem? Ru 1277
b. *translate:* . . ubi manus manicae complexae sunt As 304
COMPLEO - - I. Forma complebat Poe
179 **complebatur** Mi 855(-uatur *C* -tur *D*
-tiatur *B* con. *U*) **complebantur** Am 251(con.
RglU) **complebo** Am 471(con. *RglU*) **compleui** Ci 127(con. *U v. om AL secl ψ*) **conpleuit** Men 901(*B²* -bit *P* com. *BL*) **compleuerit**(*subiu.*) Am 1016(con. *ERglU*) *corruptum:*
Mi 1329, completi *CD pro* complecti
II. Significatio 1. *absolute:* Arabus(*Char*
123 *et A ut vid* -bius *P* aras tus *L*) murrinus
omnis(omnia *CaU*) odor complebat Poe 1179
2. *cum acc.:* aras Poe 1179(*L vide supra* 1)
omnia Poe 1179(*U vide supra* 1) *passive:* ea
(aula) saepe deciens complebatur* in die Mi
855
3. *cum gen. rei abstractae*(*cf* Blomquist,
p. 13; Egli, I. p. 5; Schaaff, p. 40): erroris
ambo ego illos et dementiae complebo Am 471
parasitus qui me conpleuit* flagiti et formidinis Men 901 . . quis fuerit quem propter
corpus suom stupri compleuerit Am 1016
4. *add. abl. rei concretae:* adeo me compleui
flore Liberi Ci 127(*v. om AL secl ψ; cf* Egli,
II. p. 20) uortentibus Telobois telis complebantur corpora Am 251
COMPLEXUS - - ego **complexum**(con.
ERglU) huius nihil moror, meum autem hic
aspernatur As 643
COMPLICO - - mane . . dum hanc tibi
quam trahis(t. q. t. *om Non* 221) rudentem
complico(con. *RsU*) Ru 939 armamentis (nauis)
complicandis(con. *RRgU*), componendis studuimus Mer 192
COMPLURES - - curiosi sunt hic **complures**(*A* con. *U* quiam plures *B* qui iam plures
CD quomplures *RRg*) mali St 198 scio fures
esse hic **complures**(con. *Rg* -is *U*) Au 718 iam
complures(con. *B* -is *ARg*) annos (fames) utero
haeret meo St 170(*v. secl RRg*)
COMPLURIENS - - sensi ego iam complu-
riens(-ies *Non* 87; *cf Gell.* V. 21, 16) Per 534
(*cf* Ritchl, *Op.*, II. p. 236)
COMPLUSCULUS - - non hercle . . iam hos
dies **complusculos**(con. *RsU*) quemquam istic
uidi sacruficare Ru 132
COMPONO - - I. Forma conponit Ba 740
(com. *RL*) **componere** Cu 701(con. *RgU*)
componi Mer 953 **compositus** Mo 254(con.
Non 298 *et U* -um sit *Non* -umst *AcR*) **com-**

posita(*nom. sing.*) Poe 774 (*nom. plur.*) Mi
1304 **compositos** Tru 287(*ACD* con. *B*
comptos *BueRs*) **compositis**(*neut.*) Am 366
(con. *RglU*) **componendis** Mer 192(con.
RRgU)
II. Significatio 1. armamentis complicandis componendis studuimus Mer 192 aurum,
ornamenta . . omnia composita sunt quae
donaui Mi 1304
2. capillus satis compositust* commode? Mo
254 ego istos fictos compositos* crispos . .
usque ex cerebro exuellam Tru 287
3. . . si possum hoc inter uos componere
Cu 701 pacem componi uolo meo patri cum
matre Mer 953
4. compositast fallacia ut . . Poe 774 sycophantias conponit, aurum ut abs ted auferat
Ba 740 ne tu istic hodie malo tuo compositis mendaciis aduenisti Am 366
COMPORTO - - ea **conportatur**(*A* com. *R*
comparatur *P*) praeda ut fiat auctio publicitus
Per 508 quicquid erat, noctu in nauem **conportat**(cõ. *B* com. *L*) domo Ru 58
COMPOS - - *cum gen.*(*cf* Blomquist, p. 16;
Schaaff, p. 27)
1. uicit et domum laudis **compos**(con. *RglU*)
reuenit Am 643 *vide* Per 255 *ubi* compos ut
egenti *R in loco dub*
2. suom erum faciet libertatis **compotem**
(con. *Rs*) Cap 41 ita me rex deorum atque
hominum faxit patriae compotem(con. *RsU*)
Cap 622 aerumnosam et miseriarum com-
potem(con. *RgU*) mulierem retines Ep 559
ego tibi me obnoxium esse fateor culpae com-
potem(*Sarac* con. *Rs* cultẹ cõpotemi *B* culte
compote mị *CD*) Tru 835 quae uolumus nos
copia est: †ea(consili *Rs*) facitis nos **compotes**
(con. *RsU*) Cap 217
COMPOTIO - - 1. *causative:* . . salute horiae quae in mari fluctuoso piscatu nouo me
uberi **compotiuit**(con. *RsU*) Ru 911(*i. e.* me
compotem fecit) *Cf* Blomquist, p. 21
2. *deponens:* ita hic sola solis locis∗∗∗(*lac
om RsLU*) **compotita**(con. *RsU*) sum Ru 205
COMPRECOR - - abi intro et **conprecare**
(com. *CDL* -rint *B¹*) Mi 394 te prodigiali
loui . . ture **conprecatam**(com. *J* comprae. *BD*)
oportuit Am 740
COMPREHENDO - - scio quam rem gerat:
ut . . domi **comprehendar**(*A* -dat *P*) Mi 579
metuo hercle ne illa mulier mihi insidias locet
ut comprehendar(con. *RsU*) cum sacra urna
Veneria Ru 475 ibi si perierit quippiam . .,
(coquos) **comprehendite**(con. *U*) Au 346 illic
hic nos insectabit lapidibus nisi illunc iubes
conprehendi(*B* cõ. *VE* com. *L*) Cap 594 quid
si hunc conprehendi(*E* com. *BJL*) iusserim?
Cap 599
COMPRESSIO - - nunc nostri amores, . .
compressiones(*ACD* con. *BRRgU*) artae amant-
tum comparum(*CD* corporum *ABL*) . . Ps 66
COMPRESSOR - - compressoris(con. *RglU*)
seruolus (aurum) surpit Au *Arg* II. 7
COMPRESSUS - - grauidam fecit is eam
compressu(con. *ERglU*) suo Am 109(*v. om J*)
. . quae meo compressu(con. *RgU*) peperit
filiam Ep 542 ad amicam . . uiso, quam gra-

uidam hic reliqui meo conpressu(*B* cō. *D* com.
CL -sū *B*) Tʀᴜ 498
COMPRIMO - - I. Forma comprimit Cɪ
Arg 1(con. *U*), Mᴇʀ 340(*CDL* con. *Bψ*) **com-
primor** Mo 203(con. *U*), Rᴜ 1402(*CDL* con.
Bψ) **comprimam** Aᴍ 348(con. *RglU*), 496(con.
ERglU) **conprimes** Mɪ 571(*A* con. *L* -is *P*)
compressit Aᴜ 28(con. *RgU*), Cɪ 158(compssit
E), 616(con. *U* compssit *E*) **compresserat**
Aᴜ 33(con. *ERgU*), Cɪ *Arg* 6(*E²J* con. *U*
comps. *E* com conpr. *BVE*[*sed* cō], 162(con.
U), 178(con. *U* comps. *EJ*), 179(con. *U* comps.
E) **conprimat** As 292(*B* cō. *E* com. *DJL*)
compresserit Aᴜ 29(con. *RgU*) **comprime**
Aᴍ *fr* XIX(*ex Non* 233 con. *Rgl*), Cᴀs 250(con.
U), 362(con. *U*), Rᴜ 1073(con. *RsU*), Tʀᴜ 262
(*A* cō. *CD* con. *BRsU*), ib. (*L* con. *ARsS̃*
c̄primas *B* comprimas *CD* comprimi *U*) **con-
primere** Eᴘ 540(com. *EJL*), Ps 787(com. *CS̃L*),
Rᴜ 1075(*RsU* com. *Pψ*), 1125(*RsU* com. *Pψ*)
comprimi Rᴜ 1064(con. *RsU* -emi *B*), Tʀᴜ 292
(*U vide* -me) **conpressisse** Aᴜ 689(*D¹* com.
B²DJ -presissse *B*) **conpressae**(*gen.*) Eᴘ *Arg*
5(com. *J* -ę *B* -e *J*), Tʀᴜ *Arg* 9(com. *Pω*)
compressam Aᴜ 30(con. *RgU*) **compressā** Cᴀs
405(-an *BJ* cōpresis an *V* cōpsan *E¹*) **conprimunda** Ps 409(*A sed* compre. -menda *P* cō.
CD com. *L*), 788(*RgU* comprimenda *PS̃L*)
II. Significatio A. *proprie* 1. comprimere
dentis uideor posse aliquo modo Ps 787 com-
pressan* palma an porrecta ferio? Cᴀs 405
2. *in malam partem:* eam compressit de
summo adulescens loco. is scit adulescens quae
sit quam compresserit: illa illum nescit neque
compressam autem pater Aᴜ 28—30 . . quo
ille eam facilius ducat qui compresserat Aᴜ 33
. . si itast ut praedicas, te eam compressisse*
uinolentum uirginem Aᴜ 689 comprimit adulescens Lemnius Sicyoniam Cɪ *Arg* 1 Lemno
post rediens ducit quam compresserat* Cɪ *Arg* 6
isque hic compressit uirginem adulescentulus
Cɪ 158 tum illa quam compresserat . . peperit
filiam Cɪ 162 duxit uxorem hic sibi eandem
quam olim uirginem hic compresserat et eam
cognoscit esse quam compresserat Cɪ 178—9
prius hanc compressit quam uxorem duxit
domum Cɪ 616 conpressae ac militis cognoscit
opera sibi senex os sublitum Eᴘ *Arg* 5 pau-
perculam memini conprimere Eᴘ 540 tandem
compressae pater cognoscit omnia Tʀᴜ *Arg* 9
dubio sensu: Aᴍ 348(*infra* B) Rᴜ 1073(*infra*
B) Tʀᴜ 262(*infra* B)
B. *translate* 1. *de rebus:* mala res . . quae
meum conprimit consilium Mᴇʀ 340 animam
(*i. e.* iracundiam) comprime Aᴍ *fr* XIX(*ex Non*
233: *cf* Schroeder, p. 29) comprime sis eiram.
#Eram quidem hercle tu . . conprime* Tʀᴜ 262
tibi istam hodie . . comprimam linguam.
#Haud potes: bene pudiceque adseruatur Aᴍ
348 edepol hominem infelicem qui patro-
nam(*i. e.* linguam) conprimat As 292 ne tu
hercle . . linguam conprimes* Mɪ 571 orationem comprimam Aᴍ 496 sed conprimunda
uox mihi atque oratiost Ps 409, 788(comprimendast)
2. *de personis:* a. comprime istum. #Immo
istunc qui didicit dare Cᴀs 362 comprime

te, nimium tinnis Cᴀs 250 non ego te comprimere possum sine malo? Rᴜ 1125 comprime hunc sis si tuost. #Quid, tu idem mihi
uis fieri, quod erus consueuit tibi? si ille te
comprimere solitust, hic noster nos non solet
Rᴜ 1073 *passive:* ut nequitur comprimi Rᴜ
1064 non tacebo umquam alio pacto nisi
talento conprimor Rᴜ 1402
b. *seq.* quin: uix comprimor quin inuolem
illi in oculos stimulatrici Mo 203
COMPROBO - - lepidi mores turpem ornatum facile factis **comprobant**(*ACD* con. *BRglU*)
Pᴏᴇ 307 *corruptum:* Ps 1283, cōprobatum *A*
ut vid pro commemoratum
COMPSISSUME (*κομψῶς*) - - lepidissume
et compsissume (*ex Gloss Pl.* compl. *K* comi sum
& *CD* cōmissū *B*) confido confuturum Mɪ 941
COMPUNGO - - ita quasi saetis labra mihi
conpungit(*B* com. *VEJ*) barba** Cᴀs 929
COMPUTO - - dextera digitis rationem **conputat**(*P* com. *AL*) Mɪ 204
CONCALEO - - prius abis quam lectus ubi
cubuisti **concaluit** locus Aᴍ 513 struthea . .
appara bene ut in scutris **concaleant**(*Sca* -at
PL) Pᴇʀ 88
CONCASTIGO - - ego amicum hodie meum
concastigabo(cong. *C*) pro commerita noxia
Tʀɪ 26 cura et **concastiga**(cong. *D¹*) hominem
probe Bᴀ 497 ibi si quid uis filium **concastigato**(c̃. *B* c̃g. *C* cong. *D*) Bᴀ 1175
CONCEDO - - I. Forma concedo Rᴜ 1036
concedit Aᴍ 276 **concedam** Bᴀ 610, Cᴀs 434,
Eᴘ 103, Mᴇʀ 862, Mo 429, Ps 414, Rᴜ 1127
BRs concredam *CDψ*), Tʀɪ 477 **concessi** Eᴘ
681, Mᴇɴ 1086 **concessero** Aᴜ 666, Mo 687,
Pᴇʀ 50, Tʀɪ 1007 **concedas** Aᴍ 546(ut c. *Ca
RglU* ut cedas *BEJ* nec cedas *D* uti cedas
Grutψ) **concedamus** Cᴀᴘ 213, Mᴇɴ 570 **concede** Cᴀᴘ 215a, Cᴜ 427, Mᴇɴ 158, *ib.* (*om CD*),
159, 822(conce *CD¹*), 835, 1086, Mɪ 985, Mo
575(conde *CD¹*), Pᴇʀ 609, Rᴜ 1403, Tʀɪ 517
concedite Aᴍ 984, As 646, Tʀᴜ 386(*A solus*)
concedere Aᴍ 990, Cᴀs 265, 294, Ps 571 **concedi** Cᴀᴘ 557 **concedier** Sᴛ 617(*BugU* con-
dip***ū *AS̃* conspicor *PR* condi bonum *Rg*
condi* *L*) **concessurum** Cᴀs 323(censurum *J*)
concessum(*acc. neut.*) Aᴍ 11 *corrupta:* Aᴍ 722,
concedet *BDE pro* condecet(*J*) Tʀᴜ 113, dona
concessi *CD* done adecessi *B pro* bona mea
degessi(*A*)
II. Significatio A. *proprie* 1. *absolute:*
concedite atque abscedite omnes, de uia decedite Aᴍ 984 mihi magis par est uia decedere et concedere Aᴍ 990 concedi optumumst,
Hegio! Cᴀᴘ 557 te uolo. huc concede. #Con-
cessi. quid est? Mᴇɴ 1086 paulisper remitte
restem dum concedo et consulo Rᴜ 1036
2. *cum abl.:* oculis tuis Eᴘ 681(*AP a add
BeckerRs: vide infra* 3 *sub* a) uia(?) Aᴍ 990
(*supra* 1)
3. *cum praepp.* a(ab): num oculis concessi a
(*BeckerRs a om APψ*) tuis Eᴘ 681 concede huc
a foribus Mᴇɴ 158 concedam a foribus huc Mo
429 concede audacter ab leonino cauo Mᴇɴ
159 concede huc, mea nata, ab istoc quam
potest longissume Mᴇɴ 835 at pol ego aps te
concessero Pᴇʀ 50

ad: tantisper huc ego ad ianuam concessero Au 666

4. *cum adverbiis* **huc:** Au 666(*supra* 3 *sub* **ad**) huc concedam Ba 610 attat, concedam huc Cas 434 nos concedamus huc Cap 213 huc concedamus Men 570 concede huc Cap 215 a, Men 158(*supra* 3 *sub* **a**), 822*, 835(*supra* 3 *sub* **a**), Mo 575* huc concede Men 1086 concede huc clanculum Mi 985 huc concede aliquantum Tri 517 concede hoc tu, leno Ru 1403 etiam concede* huc Men 158 Mo 429(*supra* 3 *sub* **a**) huc concessero Mo 687, Tri 1007

hinc: concedere aliquantisper hinc mihi intro lubet Ps 571 concedite hinc uos intro atque operite ostium Tru 386(*A solus*)

istuc: concedite istuc As 646 concede istuc (*A* sis iam *CD* si scam *B*) Per 609

intro: Ps 571, Tru 386 *vide sub* **hinc**

5. *adverbia alia:* audacter Men 159 aliquantum Tri 517 aliquantisper Ps 571 clanculum Mi 985 longissume Men 835 paulisper Ru 1036 tantisper Au 666

6. *verba coniuncta:* abscedere Am 984 decedere Am 984, 990 fugere Ep 681

B. *translate* 1. *absolute:* non concedam neque quiescam usquam .. prius profecto quam .. Mer 862

2. *cum dat.:* te, nox, .. mitto ut concedas* die Am 546(*RglU*) statim stant signa, neque nox quoquam concedit die Am 276 negaui enim ipsi me concessurum* Ioui si is mecum oraret Cas 323 *add.* **de:** de Casina certumst concedere homini nato nemini Cas 294

3. *add. acc. rei:* illum mihi aequiust quam me illi quae uolo concedere Cas 265 neque illi concedam quicquam de uita mea Tri 477

4. **=dare: a.** concede (litteras): inspiciam quid sit scriptum Cu 427 cedo modo mihi istum uidulum. #Concedam* tibi Ru 1127(*BRs*) posse edepol tibi opinor etiam uni locum concedier* St 617(*BugU*)

b. *seq. subiu.:* scitis concessum et datum mihi esse ab dis aliis, nuntiis praesim et lucro Am 12

CONCELEBRO - - omnes de nobis carnuficum **concelebrabuntur** dies As 311 suaui cantu **concelebra** omnem hanc plateam hymenaeo Cas 799 decet eum(*i. e.* diem natalem) omnis uos **concelebrare**(concebrare *B*) Ps 165

CONCENTURIO - - .. dum **concenturio** in corde sycophantias Ps 572 epistula illa mihi **concenturiat**(-lae illae .. -ant *MeierRRs*) metum in corde et illud mille nummum quam rem agat Tri 1002 *Cf* Egli, I. p. 9; Graupner, p. 16

CONCESSO - - quid ego hic properans **concesso** pedibus, lingua largior? As 290 [postquam aurora nluxit numquam **concessauimus**] ex industria ambae numquam **concessamus** Poe 218—9(*v.* 218 *eiecit Ac*) *corrupta:* concesso *pro* cesso Ep 344 *E*, Ps 241 a *C*

CONCHA - - te ex **concha** natam esse autumant: caue tu harum conchas spernas Ru 704(*cf* Schuster, p. 36, *adn.*; Wortmann, p. 52) nisi quid **concharum**(*D*³ conclarum *P*) capsimus, cenati sumus profecto Ru 304 echinos, lopadas .. captamus(agitamus *Rs*), **conchas** Ru 297 Ru 704(*sub* conchā) quinas fartas, conchas piscinarias Fr II. .20(*ex Fest* 166)

CONCHITA - - saluete fures maritumi, **conchitae** atque hamiotae Ru 310

CONCHYLIATUS - - Ps 147, **conchyliata** tapetia *CaR pro* tonsilia tappetia St 378, *idem R pro* tonsilia et tappetia

CONCIDO - - paene in cursu **concidi** Ep 200 ubi quisque institerat, **concidit** crepitu Am 1063 ut prae timore in genua in undas concidit Ru 174

CONCIDO - - hunc senem osse tenus dolabo et **concidam** Men 859(*R* osse fini dedolabo *Pψ*) istic homo te articulatim **concidit**(-is *A*), senex, tuos seruos. #Qui concidit? Ep 488 .. eius ornamenta et corium uti **conciderent** Am 85

CONCILIABULUM - - .. ubi esset damni **conciliabolum**(*P* -litabulā *A* -ulum *LU*) Tri 314 *in malam partem:* quid si apud te eueniat .. cena, ut solet in istis fieri **conciliabulis**? Ba 80 *Cf* Graupner, p. 14

CONCILIATRIX - - ancilla **conciliatrix** quae erat dicebat mihi Mi 1410

CONCILIO - - I. Forma concilio Ep 654, Mi 1212 **conciliauisti** Ep 472 **conciliauerunt** Poe 769 **conciliauerit** Tri 856 **concilies** Tri 386 **conciliarem** Mi 801(*B* -re *CD*), Mo 1127(coc. *B*¹), Tri 443 **conciliari** Cap 131 **conciliandi** Per 539 **conciliati**(*plur.*) Ps 133

II. Significatio 1. *de re amatoria* **a.** *absolute:* tute ad eum adeas, tute conciles, tute poscas Tri 386

b. =commendare, *cum* **ad:** a tua mihi uxore dicam delatum .. ut mihi eam conciliarem* Mi 801 *cum dat.:* super hanc uicina, quam ego nunc concilio tibi Mi 1212

2. =per emptionem pacare **a.** *absolute:* si ullo pacto ille huc conciliari potest, .. Cap 131 estne empta mihi? .. #Conciliauisti pulcre Ep 472 .. ut tibi recte conciliandi primo facerem copiam Per 539

b. *cum acc. et* **de:** conductor melius de me nugas conciliauerit Tri 856 *cum acc. et dat.:* hi qui illum dudum conciliauerunt mihi peregrinum Spartanum .. Poe 769(= uendere) *similiter:* exite, ignaui, male habiti et male conciliati Ps 133(= empti: *cf* Wueseke, p. 50)

3. = parare, obtinere, efficere: **a.** ego de sodalitate solus sum orator datus qui a patre eius conciliarem* pacem Mo 1127 meus gnatus me ad te misit, inter te atque nos adfinitatem ut conciliarem et gratiam Tri 443

b. sororem in libertatem .. opera concilio mea Ep 654

CONCILIUM - - I. Forma concilium Ci 700(*PLU* †*L trans Rs*) (*acc.*) Cap 493(*PS*† in con. *Rs* consilium *BosschaLU*), Mi 598 **concilio** Mi 249 **conciliorum** Mi 1013(*P* consiliorum *D*³*RRg*) *corrupta:* Ba 40, concilio *P pro* consilio(*R*) Mi 250, concili *CD* conici *B*² conlici *B*¹ *pro* conligi; 736, concilia *P pro* consilia(*A*) Per 834, in concilia ut *P pro* inconciliat(*Py*) Tri 709, concilium *P pro* consilium (*Donat*) Vi 67, concilium *A pro* consilium (*Stu*)

II. Significatio 1. *nom.:* hic stetit, hinc illuc exiit, hic concilium* fuit (f. c. *MueRs*) Cɪ 700

2. *acc.:* qui concilium* iniere(in conc. iere *Rs: vide LU*) quo nos uictu . . prohibeant Cᴀᴘ 403 . . ne uspiam insidiae sient concilium quod habere uolumus Mɪ 598

3. *abl.:* si ambas uidere in uno miles concilio uolet . . Mɪ 249

4. *gen.:* socium tuorum conciliorum* (cons. *D³RRg*) et participem †consiliarium(celatorum *RRg* consiliorum *FZLU*) Mɪ 1013

CONCINNO - - I. Forma **concinnas** Aᴍ 529, Tʀᴜ 793(*PSLU* -es *BriRs*) **concinnat** Aᴍ 728(-ant *J* -inat *E*), Cᴀᴘ 601(-inat *P*), Cɪ 726 (*RsLLy in lac quam ret S aliter complet U*) Mᴇɴ 102, Tʀɪ 684 **concinnant** Cᴀᴘ 818, Fʀ l. 11 (*ex Varr l L* VII. 66) **concinnauit** As 216 (*D* -inauit *BEJ*) **concinnem** Rᴜ 96 **concinnes** Tʀᴜ 793(*BriRs* -as *Pψ*) **concinnet** Vɪ 109(*add L ex Fulg de abst serm* XXII *et* XXIV) **concinna** Sᴛ 286 **concinnandam** Mᴇɴ 733 **concinnatam** Mᴇɴ 467

II. Significatio A. *proprie* = apte componere: tantas struices concinnat patinarias Mᴇɴ 102 auceps quando concinnauit aream offundit cibum As 216 ego tibi hanc (pallam) hodie probe lepideque concinnatam referam temperi Mᴇɴ 467 (palla) quam mihi dedit alia mulier ut concinnandam darem Mᴇɴ 733

B. *translate* 1.=*parare:* alienum concinnat* malum et (alienum....et *P*) maerorem familiarem Cɪ 726 iam liuorem tute scapulis istoc concinnas* tuis Tʀᴜ 793

2. = *reddere, seq. adiec. praed.:* lacrumantem ex abitu concinnas tu tuam uxorem Aᴍ 529 nulla res tam delirantis homines concinnat* cito Aᴍ 728 illi mastigiae cerebrum excutiam, qui me insanum uerbis concinnat* suis Cᴀᴘ 601 lanii autem qui concinnant liberis orbas oues Cᴀᴘ 818 si sapiam, hoc quod me mactat concinnem lutum Rᴜ 96 tranquillam concinna uiam Sᴛ 286 numquam erit alienis grauis qui suis se concinnat leuem Tʀɪ 684 iuben hunc insui culleo atque deportari suis ut annonam bonam piscibus concinnet* Vɪ 109(*L ex Fulg de abstr serm* XXII & XXIV) axitiosae annonam caram e uili concinnant uiris Fʀ I. 11(*ex Varr l L* VII. 66)

CONCINNUS - - age, age, ut tibi maxume **concinnum**st(*Ca* -nus *P*) Mɪ 1024 sat edepol **concinna**st(*Ca* -nas *P* -na *D³*) facie Pᴇʀ 547 sed uestita, aurata, ornata ut lepide, ut **concinne**, ut noue! Eᴘ 222

CONCIO - - I. Forma **conciet** Aᴍ 476(*EJ* -tiet *BD*), Mᴇʀ 877(coniciet *B*), Tʀɪ 399(-tiet *B*) **conciuit** Mᴇɴ 902(-nit *C*), Mᴇʀ 796, Pᴇʀ 784(*Ca* consciuit *P*) **concias** As 824

II. Significatio ita misero Toxilus haec mihi conciuit* Pᴇʀ 784 hic facit tranquillitatem, iste omnis fluctus conciet* Mᴇʀ 877 conciuit hostem domi mi uxorem acerrumam Mᴇʀ 796(*RRg* hostis domi uxor acerrumast *PS*† h. domi: u. a. *L*) meus Ulixes, suo qui regi tantum conciuit* mali Mᴇɴ 902 illam inportunam tempestatem conciet Tʀɪ 399 Am-

phitruo actutum uxori turbas conciet Aᴍ 476 tu ergo fac ut illi turbas, lites concias As 824

CONCIPIO - - I. Forma **concipio** Poᴇ 277 **concipiet** Aᴍ 301 **concepisti** Ps 1077 **conceptis**(*abl. neut.*) As 562, Bᴀ 1028, Cɪ 98, Mᴇʀ 790(-eis *ARgS*), Ps 353, 1056, Tʀᴜ 767 *corrupta:* Pᴇʀ 567, concipient *B pro* cupient Ps 401, concepit *C pro* cum cepit

II. Significatio A. *verbum fin.:* haec tanta oculis bona concipio Poᴇ 277 magis..maiorem in sese concipiet metum Aᴍ 301 nullumst periclum . . stipularier, ut concepisti uerba Ps 1077

B. *partic.* **conceptis uerbis:** . . ubi uerbis conceptis sciens lubenter periuraris As 562 ego iusiurandum uerbis conceptis dedi Bᴀ 1028 ille conceptis iurauit uerbis apud matrem meam Cɪ 98 conceptis* uerbis iam iusiurandum dabo Mᴇʀ 790 fateor. #Nempe conceptis uerbis? #Consutis quoque Ps 353 conceptis hercle uerbis . . ego periurare me mauellem miliens Ps 1056 conceptis me noʀ facturum uerbis iurem si uelit Tʀᴜ 767

CONCIPULO - - etiam, scelus uiri, minitare, quem ego iam iam iam **concipulabo**(*gloss. Vat.* -ilabo *P*) Tʀᴜ 621 *Cf* Persson, p. 110; Ryhiner, p. 13

CONCLAMITO - - conclamitare(-ret *B*) tota urbe et praedicere omnes timerent mutuitanti credere Mᴇʀ 51

CONCLAMO - - ubi abit, **conclamo:** heus, quid agis? Mɪ 178 uis **conclamari** auctionem? Mᴇɴ 1156 *corruptum:* Mɪ 692, conclamando *B* condi at da *B²CD²*(dan *D¹*) *var em* ω

CONCLAVE - - nouam nuptam . . recta uia in **conclaue**(*A* uia recta**claue *BVJ et om spatio E*) abduxi Cᴀs 881 unum conclaue(-em *B ante ras CD*) . . quod dedit miles . . in eo **conclaui** ego perfodi parietem Mɪ 140—2 thensaurum demonstrauit . . hic in conclaui (cond. *C*) quodam . . nummorum Philippum ad tria milia Tʀɪ 151 angulos omnis mearum aedium et **conclauium** mihi peruium facitis Aᴜ 438 eho, istum, puere, circumduce hasce aedis et **conclauia** Mo 843

CONCLUDO - - I. Forma **concludo** Rᴜ 610 **concludere**(*fut.*) Cᴀs 132(*P* non cludere *A ut vid*) **conclusit** Rᴜ 392 **concludi** Eᴘ 402(c. uolo *B²* om *P vide ad* 399), Pᴇʀ 570 **conclusum**(*acc. masc.*) Aᴍ 341 **conclusi**(*plur.*) Cᴜ 450 **conclusos** Bᴀ 1145, Cɪ 275, Rᴜ 1144, Tʀɪ 909(*D* -so *BC*) **conclusa** Bᴀ 375(-si *C* clusa *D*) *corrupta:* Eᴘ 399, concludi uolo *add EJ: vide v.* 402 Tʀɪ 678, conclusit *CD* condiscat *B pro* congliscat(*Ca*)

II. Significatio A. *proprie* 1. *cum abl. instrumenti:* proin tu tibi iubeas concludi aedis foribus ferreis Pᴇʀ 570

2. *seq. acc. et in cum acc. vel abl. vel adv.:* concludere* in fenestram firmiter Cᴀs 132 **conclusos uos me habere in carcere** Cɪ 275 in cauea si forent conclusi illi (*FlRg* om *Pψ*) itidem ut pulli gallinacei . . Cᴜ 450 in aediculam istanc sorsum concludi* uolo Eᴘ 402 nostros agnos conclusos istic esse aiunt duos Bᴀ 1145 concludo in uincla bestiam nequissumam Rᴜ 610 (cistulam) conclusit ipse in

uidulum Ru 392 o mi parentes, hic uos conclusos gero Ru 1144   quo ambulas tu, qui
Volcanum in cornu conclusum geris? Am 341
    3. *similiter:* non placet qui amicos intra
dentes conclusos* habet Tri 909
    B. *tropice:* egone ut haec conclusa* (*sc* in
animo) gestem clanculum? Ba 375
CONCOMITO - - sororem geminam adesse
et matrem dicito quibus **concomitata**(*Ac* cum
comita *CD* c. comita *B* quibuscum conuecta
BugU) recte deueniat domum Mi 1103
CONCOQUO - - item ut Medea Peliam **concoxit** senem Ps 869 *vide* Am 1055, *ubi* concoqui *U pro* consequi(*Pψ*)
CONCORDIA - - denique Alcumenam Iuppiter rediget antiquam coniugi in **concordiam**
Am 475   iam uos redistis in concordiam? Am
962   non ego illam mihi dotem duco esse . .
sed pudicitiam . . parentum amorem et cognatum concordiam Am 841
CONCORS - - si idem faciant ceteri . . ut
indotatas ducant uxores domum, et multo fiat
ciuitas **concordior,** et . . Au 481   sane illi
(dei) inter se congruont **concorditer** Cu 264
CONCREDO - - I. Forma **concreduo** Au
585 **concredam** Ru 1127(concedam *BRs*) **concredidi** Au 615(non credidit *E¹* nunc c. *E³*),
Men 702 **concredui** Cas 479(-dun *J*) **concredidit** Au 6   **concredat** Cap 348(-das *Rs*)
concrederem Mer 900(*RRg* sit dicerem *L lac
P aliter em U*)   **concrederet** As 80, Tri 957
concredere Per 441, Mer 233(simiae c. *CD* si
aecongredere *B*), Tri 144 **concredi** Ba 1064
concredita Ci 245 **concreditum** Au 581(*V²J*
congreditum *BDV¹*), Poe 926, Tri 141(*B* -us
CD) *corruptum:* Ci 242 b, concrediti *A v. secl
Maiω*
    II. Significatio 1. *cum acc.:* caue sis tibi
ne tu inmutassis nomen si hoc concreduo Au
585   *passive:* hoc docte consulendum quod
modo concreditumst Poe 926
    2. *cum acc. et dat., active et passive:* . . quod
meae concreditumst*(-um sim *P*) taciturnitati
clam fide et fiduciae Tri 141 praesertim quom is
me dignum quoi (id) concrederet habuit As 80
. . ut mihi necesse sit iam id tibi concredere
Tri 144 hoc non in mentem uenit dudum ut
tibi concrederem(*RRg* ob ∗∗ *CD* tibi ∗∗ *B* obice-
rem moram *U* ubi sit dicerem *LLy*) Mer 900
ei *amorem* omnem meum concredui Cas 479
(*ancilla*) quae mihi esset commendata et meae
fidei concredita Ci 245   istuc *aurum* quod
tibi concreditumst* Au 581   tuae fidei concredidi* aurum Au 615   nolo . . aurum concredi mihi Ba 1064   neque quemquam . .
potes mittere ad eum . . quoi tuom concredat*
filium hodie audacius Cap 348   *marsuppium*
Messenioni cum argento concredidi Men 702
mihi (mille *nummum* Philippum) concrederet
ni . . Tri 957   mihi auos huius obsecrans
concredidit *thensaurum* auri clam omnis Au 6
cedo modo mihi istum *uidulum*. #Concredam*
tibi Ru 1127
    3. *seq.* in *cum acc.:* fortasse metuis (nummos
sescentos) in manum concredere Per 441
(capram) uisus sum in custodelam(*Gru* -diam
P) simiae concredere* Mer 233

dat.: mihi Au 6, Ba 1064, Ru 1127, Tri 957
tibi Au 581, Mer 900(*RRg*), Tri 144 ei Cas 479
Messenioni Men 702   quoi As 80, Cap 348
fidei Au 615, Ci 245, Tri 142 fiduciae Tri 142
taciturnitati Tri 142
CONCREO - - Per 308, concreabor *A*, constabor *BC* contestabor *D pro* conscreabor
CONCREPO - - I. Forma **concrepuit** Ba
234, Cas 163, Men 348, 523, Mi 154, 206, Mo
507, 1062, Per 404   **concrepuerunt** Ba 610,
Cas 936(-re *J*), Mi 328(*PLLy* -rint *U* crepuerunt
Lindψ) *corrupta:* Mi 270, concrepuerunt *CD
pro* crep. (*AB*); 410, concrep. *CD pro* crep. (*B*)
    II. Significatio 1. sed foris concrepuit
nostra Ba 234   sed foris concrepuit atque . .
Cas 163 sed foris concrepuit hinc a uicino sene
Mi 154 concrepuit foris Mo 507 quid hoc est
quod foris concrepuit proxuma uicinia? Mo
1062   sed ibi concrepuit foris Per 404   nam
concrepuerunt fores Ba 610   sed concrepuerunt* fores Cas 936 sed fores concrepuerunt*
nostrae Mi 328(*v. secl Ladewig*§*Rg*) nam concrepuit ostium Men 348   sed c. o. Men 523
    2. concrepuit digitis: laborat, crebro com-
mutat status Mi 206
CONCRIMINOR - - si illic **concriminatus**
(*BD* congr. *P*) sit aduorsum militem . . eam
uidisse . . Mi 242 *Cf.* Walder, p. 50
CONCUBINA - - I. Forma **concubina** Ep
466, Mi 362(cocu. *D*), 416, 458   **concubinae**
(*dat.*) Mi 140(-ne *P*), 146(-ne *P*) **concubinam**
Mer 757, Mi *Arg* I. 11, II. 15(*om C*), Mi 337(*B
solus*), 470(-na *B¹*), 508, 549, 814, 937, 1145,
St 562   **concubina** Mi 973(-nam *P*), 1095
    II. Significatio 1. *nom.:* ego illam uolo
hodie facere libertam mihi concubina quae sit
Ep 466   eri concubinast* haec quidem Mi
362   haec mulier . . estne erilis concubina
Philocomasium? Mi 416 tam east quam potis
nostra erilis concubina Mi 458
    2. *dat.:* unum conclaue concubinae . . dedit
miles Mi 140   meus conseruos . . quem concubinae militis custodem addidit Mi 146
    3. *acc.:* scitam hercle opinor concubinam
hanc Mer 757   impellit militem Palaestrio
omissam faciat concubinam Mi *Arg* I. 11 dimittit concubinam* Mi *Arg* II. 15 nempe tu
istic ais esse erilem concubinam Mi 337(*v.
habet B solus*) domi eccam erilem concubinam* Mi 470   concubinam erilem insimulare
ausus es probri Mi 508   meam esse erilem
concubinam censui Mi 549   eripiam ego hodie
concubinam militi Mi 814   . . ut concubinam
militis meus habeat hodie atque hinc Athenas
auehat Mi 937   ipse miles concubinam intro
abiit oratum suam ab se ut abeat Mi 1145
seni illi concubinam dare dotatam noluit St
562
    4. *abl.:* quid illa faciemus concubina* quae
domist? Mi 973   quid . . mihi's auctor ut
faciam . . de concubina? Mi 1095
CONCUBITUS - - Alcumenae usuram corporis cepi et **concubitu** grauidam feci filio
Am 1136
CONCUBINATUS - - illam minorem in **concubinatum**(*B* -tam *CD*) sibi uolt emere miles
Poe 102   . . ne mihi hanc famam differant

me germanam meam sororem in concubinatum
tibi . . dedisse T̄ri 690(*iteratum post v.* 705)

CONCUBIUM - - si ante lucem ire occipias
a meo primo nomine **concubium** sit noctis
prius quam . . Tri 886

CONCULCO - - ego te **conculcabo** ut sus
catulos suos Fr II. 49(*ex Serv Dan ad Aen* II. 357)

CONCUMBO - - illi ubi lectus est stratus
concumbimus(*L* coimus *PS†Ly* nos c. *HermR*
quo imus *U* comius *Rs*) Mo 327

CONCURO - - . . ut commode pro dignitate
opsoni haec **concuret** cocus Ba 131

CONCURSUS - - fit **concursus** per uias
Ep 211

CONCUSTODIO--perdidi quod **concustodiui**
(*B* -idiui *D* custodidi *VEJ*) sedulo Au 724

CONDALIUM - - satin in thermopolio **condalium** es oblitus Tri 1014   inter eosne homines condalium te redipisci postulas? Tri 1022
Cf Ryhiner, p. 20   *Etiam comoediae titulus
apud Varr l L* VII. 11, *Fest* 229 *citatus*

CONDECET - - 1. *cum acc.:* capies quod te
condecet(*J* comedet *BVE*) Am 722   uide,
ornatus hic me satis condecet(-det *C*)? Ps 935
tua ancilla . . exordiri coepit quod haud Atticam condecet disciplinam Cas 652   aetatem
aliam aliud factum condecet(*Lach* conuenit *P*)
Mer 984
    2. *cum infin.:* (seruom) in erum matura, in
se sera condecet *capessere* Au 590(*Non* 266)
magis meretricempudorem quam aurum *gerere*
condecet Poe 305(*v. secl Guyω*)   meretricem
sentis similem *esse* condecet(*P* addecet *A*)
Tru 227   *Cf* Walder, p. 28

CONDECORO - - tiara ornatum lepide **condecorat** tuom(schema *RsLULy ex Prisc* I. 200
schemam *AcR*) Per 463   ita suo me semper
(Saturitas) **condecoret** cognomine ut . . Cap 878

CONDEMNO - - I. Forma **condemnant** Cap
476(-mpn. *BEJ v. om D*)   **condemnabo** Mo
1099(*B²* -mdabo *B¹C* -mpdabo *D*) **condemnauero** Au 1383(-mpn. *CD*) **condemnatum** (*acc.
masc.*) Cu 697(*PLLy* indemnatum *Piusψ* -mpn.
P)   **condemnati**(*nom. pl.*) Tru 486(-dēnati *B*
-mpn. *C* -dēpnati *D*)
    II. Significatio 1. *cum acc.:* aperto capite
sontes condemnant reos Cap 476 (*v. om D*)
. . si istunc condemnauero Ru 1383   *passive:*
noli hunc condemnatum perdere Cu 697(*PLLy*)
    2. *add. gen.:* apud iudicem hunc argenti
condemnabo* facilius Mo 1099 *Cf* Blomquist,
p. 104; Schaaff, p. 40
    3. *add.* de: . . qui et conuicti et condemnati*
falsis de pugnis sient Tru 486

CONDICIO - - I. Forma **condicio** Cap 180
(*D* -tio *BEJ v. secl Rs*), Mi 952(*C* -tio *BD*),
Ru 1417(*B* -tio *CD*), St 51(-tio *P*), 118(*A* -tior
CD -cior *B*), Tri 746(*ex A solo*) **condicionis**
Ru 1030(*B* -tionis *CD*) **condicionem** Au 237
(*DJ* -tionem *BV Non* 240), Cas 292(*B* -tio. *VEJ*),
Ru 957(-tio. *P*), 1032(*B* -tio. *CD*), 1040(*B* -tio.
CD -ne *C*), 1407, St 138(*A* -tio. *P*), Tri 159
(*B* -tio. *CD*), 455(-tio. *D*), 488(*AC* -tio. *BD*),
501(-tio. *D*), Tru 849(*D* -tio. *BC*)   **condi-
cione** Au 476(*C* -tio. *BD*), Ep 79(-tio. *J*) **con-
diciones**(*nom.*) Ba 1041(-tio. *P*) (*acc.*)Men 591
(*C* -tio. *BD*)

II. **Significatio** A. *generaliter* 1. *nom.:*
nisi qui meliorem adferet quae mihi . . placeat condicio magis . . Cap 180(*v. secl Rs*)
fiat: condicio placet Ru 1417   utra sit condicio* pensior, uirginemne an uiduam habere?
St 118   duae condiciones sunt: utram tu
accipias uide Ba 1041
    2. *gen.:* ecquid condicionis audes ferre? Ru
1030
    3. *acc.:* optio haec tuast: utram harum uis
condicionem accipe Cas 292   fero ei condicionem hoc pacto Fu 957   mane dum refero
condicionem Ru 1032   ne iste haud scit quam
condicionem tetulerit Ru 1040   uin tibi condicionem luculentam ferre me? Ru 1407   dixi
causam: condiciones tetuli tortas confragosas
Men 591
    4. *abl.:* abi in malam rem maxumam cum
istac condicione Ep 79
    B. *specialiter* 1. *uxoria* a. *nom.:* me qui-
dem haec condicio nunc non paenitet St 51
ea condicio huic uel primariast Tri 746
    b. *acc.:* tu condicionem hanc accipe: atque
eam desponde mihi Au 237   quin uos capitis condicionem ex pessuma primariam? St 138
. . ut eam in se dignam condicionem conlocem
Tri 159   satin tu's sanus mentis . . qui condicionem hanc repudies? Tri 455   condicionem hanc quam ego fero et quam aps te peto,
dare atque accipere . . te uolo Tri 488   pro
di inmortales, condicionem quoius modi! Tri
501   dicam ut aliam condicionem filio inueniat suo Tru 849
    c. *abl.:* narraui amicis multis consilium meum
de condicione hac Au 476
    2. *meretricia:* condicio noua et luculenta fer-
tur per me interpretem Mi 952
    C. *adiectiua:* confragosae Men 591   digna
Tri 159   luculenta Mi 952, Ru 1407   pri-
maria St 138, Tri 746   tortae Men 591   melior Cap 180   pensior St 118   pessuma St 138

CONDICO - - hodie ducam scortum atque
aliquo ad cenam **condicam** foras Men 124   eo
condixi(*CaL* conduxi *A* condici *PS†*) in sym-
bolam(condixi: symbolam *Rg* condicam: sum.
R condicam sym. *U*) ad cenam ad eius conseruom St 432   . . seruolos potare, amare
atque ad cenam **condicere** St 447   *term. tech.:*
si status **condictus**(*B* conditus *VEJ*) cum hoste
intercedit dies Cu 5(*cf.* Romeijn, p. 24)

CONDICTOR - - omnium legum atque iurum
fictor condictor(*A* conditor *P*) cluet Ep 523

CONDIGNUS - - 1. *adiectivum:* meas confregisti imbrices et tegulas ibi dum **condignam**
(-num *B¹*) te sectaris simiam Mi 505   ecastor
condignum donum, qualest qui donum dedit.
Immo sic(: *L*) condignum donum qualest
quoi dono datumdst Am 357-8
    2. *adverbium* = convenienter (*cf* Langen,
Beitr. p. 209): **condigne** etiam meus med intus gallus gallinacius . . perdidit paenissume
Au 465   condigne is (fecit *an* nuntiauit?)
quam techinam de auro . . fecit Ba 392   condigne autem haec meretrix fecit, ut mos est
meretricius Men 906   condigne haruspex . .
omnibus in extis aibat portendi mihi malum
damnumque Poe 463

cum abl.: condigne pater est eius moratus moribus Cap 107   noctu ut condigne te cubes curabitur Cas 131

CONDIMENTUM - - I. Forma condimentum Cas 221, Poe 1370, Ru 402, Tri 368 **condimento**(*abl.*) Cas 220   **condimenta** Ps 834 (*acc.*) Mi 194, 692(*RRgULy* condi at da *B²CD²* (dan *D¹*)$† * condiat, da *L* conclamando *B¹*), Ps 828   **condimentis** Cas 219, Ps 820, 826, 837

II. **Significatio** *proprie et translate* 1. *nom.:* ubi amor condimentum inerit, quoiuis placituram credo (*sc* escam *vel* patinam) Cas 221 quod postremumst condimentum fabulae . . plausum postulat comoedia Poe 1370 animus aequos optumumst aerumnae condimentum Ru 402   sapienti aetas condimentumst Tri 368 haec ad Neptuni pecudes condimenta sunt Ps 834 *Cf* Graupner, p. 11

2. *acc.:* domi habet hortum et condimenta ad omnis mores maleficos Mi 194   da qui faciam(*R* faciat *P$*†) condimenta*, da quod dem quinquatribus praecantrici Mi 692   diuinis condimentis utere qui prorogare uitam possis hominibus, quia ea culpes condimenta? Ps 828

3. *abl.:* cocos equidem nimis demiror qui utuntur condimentis, eos eo condimento uno non utier, omnibus quod praestat Cas 220   ei homines cenas ubi coquont quom condiunt non condimentis condiunt sed strigibus Ps 820 Ps 826(*supra* 2)   te Iuppiter dique omnes perdant cum condimentis tuis Ps 837

CONDIO - - I. Forma condio Ps 810, 835 **condiunt** Ps 813, 819(-dunt *B*), 820 **condiam** Ps 882(*A* -dim *P*)   **condiuit** Cas 511 **condiuero** Ps 830(*A* -didero *P*)   **condiam** Cas 512   **condias** As 179   **conditam** Ps 881 **conditum**(*acc. neut.*) Ps 883   **condita**(*acc.*) Ps 811 *corruptum:* Mi 692, faciat condi at da (*B²CD²* dan *D¹*) faciam * condiat da *L duce R var em* ψ

II. **Significatio** A. *verbum finit. cum acc.* 1. *proprie:* ibo intro ut id quod alius condiuit coquos 'ego nunc uicissim ut alio pacto condiam Cas 511   non ego item cenam condio ut alii coci Ps 810   ei homines cenas ubi coquont, quom condiunt*, non condimentis condiunt sed strigibus Ps 819   ego ita conuiuis cenam conditam dabo hodie atque ita suaui suauitate condiam* ut quisque quicque conditum gustauerit . . Ps 881-3   uel ducenos annos poterunt uiuere meas qui essitabunt escas quas conduiero* Ps 830   terrestris pecudes cicimandro condio, hapalopside aut cataractria Ps 835   eas herbas herbis aliis porro condiunt Ps 813

2. *translate de amatore:* quasi piscis itidemst amator lenae: . . eum quouis pacto condias uel patinarium, uel assum uorses As 179

B. *participium:* Ps 881(*supra* A. 1) . . ut quisque quicque conditum gustauerit . . Ps 883 mihi condita prata in patinis proferunt Ps 811

CONDIP✶✶**U - -** St 617 *A* conspicor *PR* condi bonum *Rg* concedier *BugLU*

CONDISCO - - incedo iratus iracundia . . eapse illa qua excidionem facere   **condidici** oppidis Cu 534(*v. om B¹*)   ego istuc(*i. e.* pal-

pationem) aliis dare condidici Ps 945(*cf* Walder, p. 24) eapse (anus) merum **condidicit** bibere Cu 161 . . nisi cum pedicis **condidicistis** istoc grassari(*Lamb* condedicisti *B* condidicisti *CD*[-tei] sis occrassari *P*) gradu Poe 514 *corruptum:* Tri 678, ubi condiscat *B pro* congliscat(*Ca*)

CONDITOR - - prae illo qui omnium legum atque iurum fictor, **conditor**(*P* condictor *A$*) cluet Ep 523

CONDO - - I. Forma condo Tru 654 **condam** Ru 936(abdam *Rs*), Vi 59 **condidi** Au 65 Cap 944, Ps 354, Ru 1145, Tru 920 **condidisti** Tru 520   **condam** Au 712, Ps 534   **condamus** Poe 1269 **condito** Cas 309 **condite** Au 347 **condi** St 617(condi bonum *Rg* conspicor *PR* condip✶✶u *A$* concedier *BugLU*) **conditus** Am 1107 **conditum**(*nom.*) Ba 312, Ps 575, Ru 1374, Fr I. 43(*add RRg ex Char* 219) **conditam** Au *Arg* I. 3   **condita**(*nom. plur.*) Ps 941   *corrupta:* Cu 5, conditus *VEJ pro* condictus (*B*)   Mi 692, condi at da *B²CD²*(dan *D¹*) conclamando *B* condimenta da *RRgULy* condiat da *L*   Mo 575, conde *CD pro* concede   Poe 514, conde dicisti *B pro* condidicistis Ps 819, condunt *B pro* condiunt; 830, condidero *P pro* condiuero(*A*)

II. **Significatio** A. *proprie:* 1. posse edepol tibi opinor etiam uni locum condi* bonum St 617(*Rg sed sensu perdubio*)

2. = ponere, reponere 1. *de rebus:* argentum intro condidi Ps 354   aulam inuenit rursumque penitus conditam . . seruat Au *Arg* I. 3 ibo ut uisam sitne ita aurum ut condidi Au 65 ibo ut hoc (aurum) condam domum Au 712 in eapse aede Dianai conditumst Ba 312   condidi intro quod dedisti Tru 920   si non strenue fatetur ubi sit aurum conditum* Fr I. 43(*ex Char* 219 c. *add RRg*)   minas uiginti mihi dat, . . condo in cruminam Tru 654   huc opesque spesque uostrum cognoscendum condidi Ru 1145   hunc nunc uidulum condam* Ru 936 b   ego uidulum intro condam in arcam Vi 59

3. *de personis:* una edepol opera in furnum calidum condito atque ibi torreto me Cas 309 numquid causaest ilico quin te in pistrinum condam? Ps 534   condamus alter alterum ergo in neruom bracchialem Poe 1269   in lapidicinas conpeditum (eum) condidi Cap 944 dicant: comprehendite (coquos), uincite, . . in puteum condite Au 347   postquam (puer) in cunas conditust . . Am 1107

4. *additur in cum abl.:* aede Ba 312   in *cum acc.:* arcam Vi 59   cruminam Tru 654 cunas Am 1107 furnum calidum Cas 309 lapidicinas Cap 944   neruom bracchialem Poe 1269   pistrinum Ps 534   puteum Au 347 *acc. term.:* domum Au 712 *adverbium:* huc Ru 1145 intro Ps 354, Tru 920, Vi 59   penitus Au *Arg* I. 3 ubi Fr I. 43 (?)

B. *translate:* 1. ius iurandum rei seruandae non perdendae conditumst Ru 1374 (*de ger. cf* Henkenrath, p. 68; Krause, p. 34)

2. neque quod dubitem neque quod timeam meo in pectore conditumst consilium Ps 575 teneo omnia: in pectore condita sunt Ps 941

uim . . mihi magni doloris peruoluptatem
tuam condidisti in corpus Tᴿᴜ 520

3. *additur* in *cum abl.*: pectore Ps 575, 941
in *cum acc.*: corpus Tᴿᴜ 520

CONDOCEO - - fac modo ut **condocta**(*AB*
conducta *CD*) tibi sint dicta ad hanc fallaciam.
#Quin edepol **condoctior**(conduc. *C* ind. *D*)
sum quam . . Poᴇ 580

CONDOLEO - - mihi de uento misere(-ae
CaU) **condoluit** caput Tᴿᴜ 632

CONDOMO - - **condomo**(*Rs* commodo *PS*†)
loquelam (commodule quaedam *L* commoda
loquellast *U*) tua tibi nunc prodens Cɪ 741

CONDONO - - tibi hanc pateram . . **condono**
Aᴹ 536 si quam (malam rem) debes, te
condono Bᴀ 1143 caue , . . ne tibi . .
malam magnum dem. #Utere: te condono
Pᴇᴿ 817 mihi triobolum ob eam ne duis:
condono te Rᴜ 1368 ego illam (pallam) non
condonaui, sed sic utendam dedi Mᴇɴ 657
ni istum (uidulum) cepi, nulla causast quin
me **condones** cruci Rᴜ 1070

CONDORMISCO - - ille ebibit, caput deponit, **condormiscit**(*B²* -escit *B¹* cum dormiscit *VEJ*) Cᴜ 360 abimus omnes cubitum,
condormiuimus Mᴏ 486 da mihi aliquid
ubi **condormiscam** loci(*AB* l. u. c. *CD*). #Istic
ubi uis **condormisce**(-ce *D*) Rᴜ 571 qui lubitumst illi **condormiscere**? #Oculis, opinor Mɪ 826

CONDUCIBILIS - - **I. Forma conducibile**
Cɪ 78, Eᴘ 388, Tᴿɪ 25 **conducibilis**(*gen. neut.*)
Eᴘ 256 **conducibile** Bᴀ 52, Eᴘ 260, Tᴿɪ 36
(*A* conductibile *P*)

II. Significatio 1. *adiective attrib.*: reperiamus aliquid calidi conducibilis *consili* Eᴘ
256 dederim uobis consilium catum . . atque ad eam rem conducibile Eᴘ 260 non
ego istuc *facinus* mihi . . conducibile esse arbitror Bᴀ 52 amicum castigare . . inmoenest
facinus, uerum in aetate utile et conducibile
Tᴿɪ 25

2. *praed.*: fuit conducibile hoc quidem mea
sententia Eᴘ 388 *seq. infin.*: matronae magis
conducibilest istuc . . unum amare et . . Cɪ 78

3. *substantive*: ita uincunt illud conducibile*
gratiae Tᴿɪ 36(*sed cf v. 25*)

4. *additur dat. comm.*: mihi Bᴀ 52 matronae
Cɪ 78 ad *finale*: Eᴘ 260

CONDUCO - - **I. Forma conduco** Tᴿɪ 815
conducit Bᴀ 56, 764 **conducunt** Cᴀᴘ 906,
Ps 806 **conducitur** Rᴜ 57 **conducebas**
Ps 799(coc udebas *D¹*) **conducetur** Eᴘ 317
conduxi Aᴜ 567, Bᴀ 752, Mᴇᴿ 697, 758(-xim *R*),
Mɪ 949 **conduxit** Aᴜ 280, Mᴇᴿ 747, Ps 1192,
Tᴿɪ 853 *bis* **conducam** Vɪ 48 **conducat**
Cᴀᴘ 386, Cɪ 634, Mᴇᴿ 560 **conducatur** Tᴿɪ
765(cun. *B*) **conducere** Eᴘ 315, Vɪ 21, 43
conduci As 886, Cᴀs 504, Mᴏ 961(*RRs* ducere
PS†*L*†*U*†*Ly*), Vɪ 45(*L in lac*) **conducier** Mᴇᴿ
663 **conductum**(*sup.*) Ps 804 **conductus**
Aᴜ 448, 457, Ps 850 **conducta** Aᴜ 455, Eᴘ
372, 500, Ps 1184 **conducto**(*dat. neut.*) Aᴍ
288 **conductam** Bᴀ 1097, Eᴘ 417(*B² v. om P*)
conducti Mᴇᴿ 743(quoi c. *Ca* ducti *P*) **conductas** Cɪ 319(*A solus*) **conducendos** Serv
ad *Aen* XII. 7 (*vide infra* II A. 1. c) *corrupta*:
Eᴘ *Arg* 2, conductam *PL*† *pro* conducticiam

(*Py*) Poᴇ 580, conducta *CD pro* condocta (*AB*);
581, conductior *C* indoctior *D pro* condoctior
(*AB*) Sᴛ 432 conduxi *A* condici *PS*† *var em* ψ
Tᴿɪ 856, conducto *A pro* conductor

II. Significatio A. *opp.* locare 1. **a.** *de
rebus:* hasce aedis conductas habet meus gnatus
Cɪ 319(*A solus*) ut mihi aedis aliquas conducat uolo Mᴇᴿ 560 chlamydem hanc commemora quanti conductast Ps 1184(*cf* Blomquist, p. 98; Schaff, p. 37) nauis clanculum
conducitur Rᴜ 57 opera huc conductast ustra
non oratio Aᴜ 455 mea fiducia opus conduxi et meo periclo rem gero Bᴀ 752

b. *de personis:* non edepol conduci possum
uita uxoris annua As 886 nummo sum conductus Aᴜ 448 coctum ego (huc *add MueRg*),
non uapulatum dudum conductus fui Aᴜ 457
tribus non conduci possum libertatibus quin
ego illis hodie comparem magnum malum Cᴀs
504 conducta ueni ut fidibus cantarem seni
Eᴘ 500 cena . . nobis coquendast non quoi
conducti* sumus Mᴇᴿ 743 si me arbitrabare
isto pacto . ., cur conducebas*? Ps 799 pro
pretio facio ut opera appareat mea, quo conductus uenio. #Ad furandum quidem Ps 850
ille qui me conduxit, ubi conduxit, abduxit
domum Tᴿɪ 853 em me licet conducere Vɪ
43 eccum qui nos conduxit senex Mᴇᴿ 747
non ego sum qui te dudum conduxi* Mᴇᴿ 758
quantillo argento te conduxit Pseudolus? Ps
1192

erus . . conduxit *coquos* tibicinasque hasce
apud forum Aᴜ 280 egomet conduxi coquom
Mᴇᴿ 697 quom extemplo ueniunt conductum
coquom, . . illum conducunt potius qui uilis-
sumust Ps 804-6 ipsus illi dixit conductam
esse eam (*fidicinam*) Eᴘ 417(*B² solus*) mane
me iussit senex conducere aliquam fidicinam
sibi huc domum Eᴘ 315 ea conducetur Eᴘ
317 ego parabo aliquam dolosam fidicinam
nummo conducta quae sit Eᴘ 372 . . fidicinas tibicinas conduci* . . Mᴏ 961(*RRs*) homo
conducatur* aliquis iam quantum potest Tᴿɪ
765 . . ut *latrones* quos conduxi . . duceret
Mɪ 949 memorauit eam (*meretricem*) sibi hunc
anum conductam Bᴀ 1097 te audiui dicere
operarium te uelle rus conducere Vɪ 21 non
*** conduci arbitror Vɪ 45(*supplet L*) iam ***
unde conducam mihi Vɪ 48 certumst *praeconum* iubere iam quantumst conducier Mᴇᴿ
663 haec nox scitast exercendo *scorto* conducto male Aᴍ 288 ego *sucophantam* iam
conduco de foro Tᴿɪ 815 *tibicinas* Aᴜ 280
(*sub* coquos), Mᴏ 961(*sub* fidicinas)

c. *dubium:* Serv ad *Aen* XII. 7 *Plautus in
Pyrgopolinice:* rex me Seleucus misit ad conducendos latrones (*cf* Mɪ 76)

2. caedundum conduxi ego illum (agnum).
#Tum tu idem optumumst loces efferundum
Aᴜ 567 *Cf* Herkenrath, p. 46; Romeijn,
p. 15

3. *additur dat. comm.*: mihi Mᴇᴿ 560, Vɪ 48
sibi Bᴀ 1097, Eᴘ 315 quoi(= illi quoi *vel*
illi a quo) Mᴇᴿ 743 *gen. pretii*: quanti Ps 1184
abl. pretii: nummo Aᴜ 448, Eᴘ 372 quantillo
argento Ps 1192 uita uxoris annua As 886
tribus libertatibus Cᴀs 504 quo (pretio) Ps

850   *adverb. pretii:* male Aᴍ 288   *abl. modi:*
mea fiducia Bᴀ 752   *acc. temporis:* hunc annum Bᴀ 1097   *acc. termini:* domum Eᴘ 315
rus Vɪ 21   *adverb.:* huc Aᴜ 455, 457(*Rg*), Eᴘ
315 *locus quo:* apud forum Cᴜʀ 280   de foro
Tʀɪ 815   unde Vɪ 48   *supinum:* coctum non
uapulatum Aᴜ 457   ut (quae) *cum subiu.:*
Eᴘ 315, 417, 500   **ad** *cum ger.:* furandum Ps
850   **quin:** Cᴀs 504(*cf* As 886)
   B. = conuenire, utile esse: huic aetati
non conducit, mulier, latebrosus locus Bᴀ 56
non conducit huic sycophantiae senem tranquillum esse Bᴀ 764(*cf* Wᴀlder, p. 50) .. ut
.. quod in rem recte conducat tuam id petam
Cᴀᴘ 386 .. ut illud quam(quem ad modum *L*)
tuam in rem bene conducat, conducam Cɪ
634 si alia memorem quae ad uentris uictum
conducunt morast Cᴀᴘ 906
   CONDUCTIBILIS - - Tʀɪ 36, conductibile *P*
pro conducibile
   CONDUCTICIUS - - conducticiam(*Py* conductam *PL*†) iterum pro amica ei subiecit
filii Eᴘ *Arg* 2 Apoecidi quam ostendam fidicinam aliquam conducticiam(-tiam *J*) Eᴘ 313
me ludos fecisti de illa **conducticia** (-tea *E*)
fidicina Eᴘ 706
   CONDUCTOR - - si quid ego addidero amplius eo **conductor**(-to *A*) melius de me nugas
conciliauerit Tʀɪ 856   has regiones demonstrauit mihi ille conductor meus Tʀɪ 866 mihi
atque uobis res uortat bene gregique huic et
dominis atque **conductoribus** As 3
   CONDUPLICATIO - - quid hoc est **conduplicationis**? quae haec est geminatio? Poᴇ
1297
   CONDUPLICO - - ubi amans complexust
amantem, .. ubi mamma mammicula opprimitur, aut si lubet corpora **conduplicant**(-cantur
U) .. Ps 1261
   CONDUS - - condus promus sum, procurator
peni Ps 608
   CONEA - - ut Praenestinis 'conea' (conia *L*)
est ciconia Tʀᴜ 604
   CONECTO - - manicas celeriter **conectite**
(*P* cŏn. *D* coniec. *A*) Mo 1065   palliolum
.. id **conexum**(*Non* 540 conn. *ZR* conixum *B*
comixum *CD*) in umero laeuo .. Mɪ 1180 si-
cilicula(*BLU* ensicula *Rs*) argenteola et duae
conexae(-e *BD*) maniculae Rᴜ 1169
   CONFABULOR - - intus intra nauem (uidit)
.. et cum ea **confabulatust** Mᴇʀ 188   ego
meam rem magnam **confabulari** tecum volo Cɪ
743   si illo intro ieris, amplecti uoles, confabulari atque ausculari Mᴇʀ 571
   CONFERO - - I. Forma   confers Tʀᴜ 829
(*Ca* confer *P* confert *UL*) **conferunt** Cᴜ 290
(conserunt *FRg*) **confertur** Bᴀ 797 **conferam**
As 88, Eᴘ 547, Mᴇɴ 6, Mo 931 **conferet** Aᴍ
478   **conferemus** Mo 1161(-imus *B*) **conferentur** Poᴇ 298(*A* -untur *P*) **contuli** Bᴀ
374   **contulit** Cᴀᴘ 276 **conferam** As 258,
Mo 663(rem c. *RU* mendacium *P*[-tium *BD*]
'aliud verbum' *A: lac* ψ)   **conferas** Aᴍ 788
conferat Cᴀᴘ 795, Tʀᴜ 3 **conferant** As 318,
Poᴇ 34   **confer** Cᴀs 648(*A* refer *BEJ* refert
V), Mᴇɴ 554(proter *LangenU*), Mᴇʀ 882, Mɪ 781,
Pᴇʀ 661, Poᴇ 1224(conuer *B*), Ps 278, 707

conferto Cᴜ 28 **conferre** Mᴇɴ 129, Poᴇ 1047
(com. *A*), Rᴜ 338 **conlatis** Cᴀs 352(*BE* coll.
JU consolatis *V*)
   II. Significatio 1. *de donis, sim.:* dona
quid cessant mihi conferre omnes congratulantes quia pugnaui fortiter? Mᴇɴ 129 faenus,
sortem .. nos dabimus, nos conferemus*, nostro
sumptu Mo 1161   *similiter:* si quidem omnes
coniurati cruciamenta conferant, habeo .. familiarem tergum, ne quaeram foris As 318
   2. *de gradu:* propera, Menaechme, fer pedem,
confer* gradum Mᴇɴ 554   confer gradum contra pariter Ps 707   contra pariter fer gradum
et confer pedem Mᴇʀ 882
   3. *de pugna:* nunc nos conlatis* signis depugnabimus Cᴀs 352
   4. **se conferre:** nunc ego me illac per posticum ad congerrones conferam Mo 931   *similiter:* me continuo contuli protinam in pedes
Bᴀ 374
   5. = ferre, portare, *sim.:* quo hanc celocem
conferam? As 258 perparuam partem postulat
Plautus loci .. Athenas quo sine architectis
conferat Tʀᴜ 3   *passive:* bene nauis agitatur,
pulcre haec confertur ratis Bᴀ 797 (*cf* Gʀᴀᴜᴘɴᴇʀ,
p. 22)
   similiter: ne quis in hanc plateam negoti
conferat quicquam sui Cᴀᴘ 795   orationis
aciem contra conferam(*i. e.* conpellabo) Eᴘ 547
(*cf* Iɴowʀᴀclᴀwᴇʀ, p. 89) *fortasse:* meus
pater eam seditionem illi in tranquillum conferet Aᴍ 478
   6. *de sermone:* **a.** uerum omnes sapientes
decet conferre et fabulari Rᴜ 338 constant
conferunt* sermones inter se drapetae Cᴜ 290
cum alio sensu: matronae .. domum sermones
fabulandi conferant Poᴇ 34
   b. uerba in pauca conferam quid te uelim
As 88   hoc quicquid est, eloquere, in pauca
confer* Cᴀs 648   argumentum .. quam potero in uerba conferam paucissuma Mᴇɴ 6   tu
pauca in uerba confer Pᴇʀ 661   in pauca
confer* Poᴇ 1224   in pauca .. confer quid
uelis Ps 278   quam potis tam uerba confer
maxume ad conpendium Mɪ 781
   7. = accommodare, aptare: ut facete orationem ad seruitutem contulit Cᴀᴘ 276   *similiter:*
ita tuom conferto amare semper .. ne id quod
ames .. tibi sit probro Cᴜ 28 *Cf* Wᴀlder, p. 28
   8. = comparare: ubi exempla conferentur*
meretricum aliarum, ibi tibi erit cordolium Poᴇ
298 tesseram conferre* si uis hospitalem eccam attuli Poᴇ 1047
   9. = ascribere: .. ne posterius in me culpam conferas Aᴍ 788 in mutum culpam confers* qui non quit loqui Tʀᴜ 829 *fortasse:*
.. ut in uicinum hunc proximum rem conferam* Mo 663(*RU*)
   10. *variae constructiones* **ad** *cum acc.:* compendium Mɪ 781   congerrones Mo 931   seruitutem Cᴀᴘ 276   **in** *cum acc.:* me Aᴍ 788
mutum Tʀᴜ 829 uicinum Mo 663(*RU*) pedes
Bᴀ 374   hanc plateam Cᴀᴘ 795   tranquillum
Aᴍ 478   pauca As 88, Cᴀs 648, Mᴇɴ 6, Pᴇʀ
661, Poᴇ 1224, Ps 278   inter sese Cᴜ 290 per
posticum Mo 931 mihi Mᴇɴ 129   quo As 258,
Tʀɪ 3   contra Eᴘ 547, Mᴇʀ 882, Ps 707   domum

Poe 34 facete Cap 276 pulcre Ba 797
nostro sumptu Mo 1161 ita . . ne Cu 28

CONFESTIM - - abi ad thensaurum iam confestim clanculum Tri 798 (*cf* Loch, p. 9) . . quinto anno quoque solitum uisere urbem, atque extemplo inde . . rus rusum confestim exigi solitum a patre Mer 68

CONFICIO - - I. Forma conficio Mer 97, St 535 **conficit** Ba 32(*U: infra sub* confecit) **conficimus** Tri 807 **conficiebam** St 628(*U solus in v. ficto*) **conficiam** Tru 613(*LipsLULy* officiam *P* oppigam *RsᏚ*), 626, 892(*GepᏚL* confectum *Pψ*) **conficiet** Mer 416(-tiet *B*), Ps 464 **conficient** Ci 783(-tient *E*) **confeci** Mo 531, Per 272 **confecisti** Cap 673 **confecit** Ba 32(*ex Non* 421, *Serv Dan ad Aen* IV. 194 te c. *R* tecum sic ut *Serv Dan* tecum saeuis *Non* t. saeuust *L* t. saeuit *Ly* te conficit *U*) **confeceris** Cap 725(quem feceris *J*) **conficiatur** Mi 688 **conficere** Ru 921 **confectum**(*masc.*) Tru 892(*PRsL: vide* conficiam) **confecto**(*neut.*) Men 469 **confectos** Fr I. 36 (*add L ex Char* 203) **confectis**(*neut.*) Mer 92, Tru 619(*Ly* confessus *PᏚ*† *var em ψ*) *corruptum:* Mer *Arg* I. 4, conficit *P pro* confingit(*Z*)

II. Significatio 1. *bono sensu:* haec si ita ut uolo conficio, continuo ad te transeo St 535 his sic confectis nauem soluimus Mer 92 quidquid dabas conficiebam St 628(*omnia add U solus*)

spectaui *ludos* magnifice confectos* et opulenter Fr I. 36(*L ex Char* 203) nemo exibit, omnes intus conficient *negotium* Ci 783 quid ego hodie negoti confeci mali Mo 531 uigilare decet hominem qui uolt sua temperi conficere *officia* Ru 921 eme . . lanam, unde tibi *pallium* malacum et calidum conficiatur tunicaeque hibernae bonae Mi 688 ita *peculium* conficio grande Mer 97 ea . . conficiet *pensum* Mer 416 pensum meum quod datumst confeci Per 272 pallam ad phrygionem fert confecto *prandio* Men 469 nisi cottidiano *sesquiopus* confeceris* . . Cap 725

2. *malo sensu, praecipue de personis*(*cf* Egli, I. 26): Cupidon te confecit(tecum saeuust *L*) anne Amor? Ba 32(*ex Non* 421, *Serv Dan ad Aen* IV. 194) conficiet iam te hic uerbis Ps 464 iam hercle ego te hic hac offatim conficiam* Tru 613 confectis* omnibus rebus Tru 619(*Ly*) iam ego te hic offatim conficiam Tru 626 ne istum ecastor hodie astutis conficiam* (aspiciam confectum *L* hostissim c. *Rs*) fallaciis Tru 892

diem conficimus, quom iam properatost opus Tri 807 delacerauisti deartuauistique opes, (*comma om L*) confecisti omnis (*, L*) res ac rationes meas Cap 673

3. *add. adverbia:* magnifice, opulenter Fr I. 35(*L*) offatim Tru 613, 626 hostissim Tru 892(*Rs*) temperi Ru 921 *abl. modi:* fallaciis Tru 892 verbis Ps 464

CONFIDENTIA - - I. Forma confidentia Am 1054(-iā *DE*), Mi 229, Ps 763 **confidentiae**(*dat.*) Cap 523(*v. secl FlU*), Mo 350(Con. *L*) **confidentiam** Cap 805, 812, Mi 189(*AB²D²* -ia *P*) **confidentia** As 547(-dendentia *B*), Per 39(-tentia *P* fiducia *SeyRs*), 231, Ru 645

II. Significatio *cf* Goldmann, Inowraclawer II. 18, p. 29.

1. *nom.:* neque ullast confidentia* iam in corde quin amiserim Am 1054 *seq. infin.:* confidentiast nos inimicos profligare posse Mi 229 confidentiast inimicos meos me posse perdere Ps 763

2. *dat.:* nec confidentiae usquam hospitiumst nec deuorticulum dolis Cap 523(*v. secl FlU*) nusquam stabulumst confidentiae(Con. *L*) Mo 350 *Cf* Graupner, p. 9

3. *acc.:* mira edepol sunt ni hic in uentrem sumpsit confidentiam Cap 805 habet profecto in uentro confidentiam Cap 812 habet . . confidentiam*, confirmitatem fraudulentiam Mi 189 b

4. *abl.:* scapularum confidentia* uirtute ulmorum freti As 547 qua confidentia* rogare tu a med argentum tantum audes? Per 39 confidentia illa militia militatur multo magis quam pondere Per 231 quis homost tanta confidentia qui sacerdotem audeat uiolari? Ru 645

CONFIDENTILOQUOS - - nihil est profecto stultius . . neque **confidentiloquius** . . quam urbani adsidui ciues quos scurras uocant Tri 201

CONFIDO - - 1. Forma confido Am 935, Au 687, Cap 167, 171, 575, 696, Cu 143, Mer 746, Mi 941, Per 286, 456, 627, Poe 1165(*v. secl Brachmann Ꮪ*), St 454, Tri 460 **confidis** Ru 633 **confidit** Ps 1204 **confidam** (*indic.*) Ci 73 (*subiu.*) Cap 536, Mer 363 *participium:* **confidens** Per 285 **confidentem** Cap 666, Mer 855, Tri 769(*A cum* fidentem *P*) **confidente** Mer 856 **confidentes**(*nom.*) Cu 477 (*VEJ* -tentes *B*) **confidentior** Am 153 **confidentius**(*nom.*) Men 614 *adverbium:* **confidenter** Am 339, 837, Cap 664, Mi 465, Mo 38, Ps 459 **confidentius** Poe 62

II. Significatio A. *verbum fin.* 1. *absolute:* satin confidit nequam? Ps 1204(*RRg* non confidit: sycophanta *PᏚ*†*U et L reliquo versu var emendato A n. l. secl U*)

2. *cum dat.:* quid rebus confidam meis? Cap 536 nec qui rebus meis confidam mihi ulla spes . . certast Mer 363 nugis Ps 1204(*interprete L quem vide*)

3. *seq. infin.* (*cf* Votsch, p. 37; Walder, pp. 37, 47): **a.** *praes. = fut.:* istuc confido a fratre me impetrasse Au 687 illum confido domum in his diebus me reconciliassere Cap 167 hoc illum me mutare confido pote (*Mue* fore *P*) Cap 171(*cf* Lindsay *ad loc*)

b. *fut.:* propitius sit potius . . #Confido fore Am 935 liber fuisti: at ego confido fore Cap 575 erit isti morbo melius. #Confidam fore Ci 73 ego me confido liberum fore Per 286 mihi quoque Lucridem confido fore te Per 627 ego quidem meos amores mecum confido fore Poe 1165(*v. secl Brachmann Ꮪ*) seu tibi confidis fore multam magudarim . . Ru 633 benigniorem . . te mihi . . confido fore Tri 460

. . si ille huc rebitet, sicut confido affore Cap 456 confido parasitum hodie aduenturum cum argento ad me Cu 143 compsissume confido confuturum Mi 941 tam confido quam potis me meum optenturum regem ridiculis logis Sᴛ 454   prouenturum bene confido mihi Pᴇʀ 456   nos confido onustos redituros domum Mᴇʀ 746

B. *participium* 1. *adiective:* decet innocentem seruom atque innoxium confidentem esse suom apud erum potissumum Cᴀᴘ 666   quis me alter audacior homo aut qui confidentior? Aᴍ 153   nihil hoc (homine?) confidentius Mᴇɴ 614

tu quemuis confidentem facile tuis factis facis, eundem ex confidente actutum diffidentem denuo Mᴇʀ 855-6

2. *substantive(cf* Wueseke, pp. 45, 50): confidens! ⸱Sum hercle uero Pᴇʀ 285   aliquem . . falsilocum, confidentem* Tʀɪ 769(*v. perdub*) confidentes* garrulique et maleuoli supra lacum (*i. e.* sunt *vel* ambulant) Cᴜ 477   856(*supra sub* 1)

3. *adverbium:* ut confidenter mihi contra *adstitit* Cᴀᴘ 664   bene confidenterque adstitisse intellego Ps 459   certumst confidenter hominem contra *conloqui* Aᴍ 339 apud uos *dico* confidentius quia . . Pᴏᴇ 62   neque eques . . quisquam . . qui aeque *faciat* confidenter quicquam Mɪ 465   decet . . confidenter pro se et proterue *loqui* Aᴍ 837   quam confidenter loquitur! Mᴏ 38

CONFIGO - - Apollo, quaeso, . . **confige** sagittis fures thensaurarios Aᴜ 395   *corrupta:* Bᴀ 967, confixit *P pro* conflixi (*B²*) Cᴀᴘ 35, confixerunt *DVJ:* 46, *J pro* confinxerunt

CONFINGO - - **confingit** (*Z* conficit *P*) seruos (eam) emptam matri pedisequam Mᴇʀ *Arg* I. 4   hisce autem inter sese hunc **confinxerunt** (*BE* confix. *DVJ*) dolum Cᴀᴘ 35   ita compararunt et confinxerunt(confix. *J*) dolum Cᴀᴘ 47(*v. secl Lorenz*⸱)

CONFINIUM - - eius (argumenti) nunc regiones, limites, **confinia** determinabo Pᴏᴇ 48

CONFIO - - (argentum) **confit** cito Tʀɪ 408

CONFIRMITAS - - os habet . . confidentiam, **confirmitatem,** fraudulentiam Mɪ 189b

CONFIRMO - - . . ut . . nuptiis dies constituatur: eadem haec **confirmabimus** Tʀɪ 581 uolui animum tandem **confirmare** hodie meum Aᴜ 371

CONFITEOR - - I. Forma **confiteor** Tʀɪ 184   **confitere** Pᴇʀ 214   **confitetur** Mᴏ 555 (*CaRLU in lac*)   **confitemur** Cɪ 741   **confiteri** Cᴀᴘ 296   **confiterier** Cɪ 170   **confessus** Aᴍ *Arg* I. 10, Aᴜ 763, Cᴀᴘ 298, 412, Mᴏ 555, Tʀᴜ 619(confessa *Rs: vide infra* II. 6)   **confessa** Cɪ 661, Tʀᴜ 619(*Rs vide supra*)   **confessae**(*nom.*) Tʀᴜ 778(-e *P*)   *corrupta:* Bᴀ 889, confessiorem *D pro* confossionem   Cᴜ 477 confitentis *B pro* confidentes   Pᴇʀ 39, confitentia *P pro* confidentia

II. Significatio 1. *absolute:* ut eampse uos audistis confiterier . . Cɪ 170   non confitetur*? ⸱Dicam si confessus sit Mᴏ 555   confitere ut te autumo? Pᴇʀ 214   *fortasse* Tʀᴜ 619(*L: vide infra* 6)

2. *cum acc.:* haec tu eadem si confiteri uis, tua *ex* re feceris Cᴀᴘ 296   omnia infitiare iam quae dudum confessast mihi Cɪ 661   quo quicque pacto sitis confessae scio Tʀᴜ 778 tibist confessus uerum Cᴀᴘ 298   apud hunc confessus es et genus et diuitias meas Cᴀᴘ 412

3. *seq. infin.* **a.** **esse** *omissum:* adulterum se Iuppiter confessus est Aᴍ *Arg* I. 10

b. aulam . . quam tu confessu's mihi te abstulisse Aᴜ 763   confitemur cistellam habere Cɪ 741   ego me fecisse confiteor Tʀɪ 184

4. *additur dat.:* mihi Aᴜ 763, Cɪ 661   tibi Cᴀᴘ 298   apud hunc Cᴀᴘ 412   *abl. modi:* quo facto Tʀᴜ 778

5. *passive:* res confessast omnibus Tʀᴜ 619 (*Rs vide infra* 6)

6. *dubium:* Tʀᴜ 619, odiose(odiesse *B*) confessus omnibus teus *P*⸱†*U*†   odio senio's? res confessast omnibus *Rs*   odiosu's, confessus omnino reus *L aliter Ly*

CONFLIGO - - cum magnifico milite . . **conflixi**(*B²* confixit *P*) atque hominem reppuli Bᴀ 967

CONFLO - - ego dabo ignem, si quidem in capite tuo **conflandi** copiast Rᴜ 765

CONFLUO - - ego . . quoi multa in unum locum **confluont**(-unt *P*), quae meum pectus pulsant Eᴘ 528   . . ut non dicamur . . dignissumi esse quo cruciatus **confluant** As 314(*v. secl U*⸱)

CONFODIO - - luto usust multam, multam terram **confode** Rᴜ 100   hic apud me hortum **confodere** iussi Aᴜ 244   (ueruina) te faciam . . **confossiorem**(confes. *D*) soricina nenia Bᴀ 889(*cf* Schneider, p. 9)

CONFRAGOSUS - - ego illud quaero **confragosum**(-frang. *VE*), quo modo prior posterior sit Cɪ 614   condiciones tetuli tortas, **confragosas**(com. *ACDRs*⸱) Mᴇɴ 591

CONFRICO - - hodie (argentum) non feres, ni genua **confricantur** (*E³* confrigantur *J* confringantur af confricantur *B* c. af confringantur *DE*

CONFRINGO - - I. Forma **confringit** Mᴏ 108   **confregi** Mᴏ 453(-frigi *CD¹*), 456(*B²D³* -frigi *P*)   **confregisti** Cɪ 503, Mɪ 504   **confregit** Cᴀᴘ 916(*A ut vid J* confringit *BVE*), Tʀɪ 108, 336   **confregimus** Sᴛ 630   **confringi** Bᴀ 202   **confracta** Rᴜ 73, 152, 354, 1308(*Py* contra facta *P*[fracta *D²*]) *corruptum:* As 670, confringantur *BDE pro* confricantur

II. Significatio A. *proprie:* **a.** *aulas* calicesque omnis confregit* Cᴀᴘ 916   pultando paene confregi* hasce ambas *foris* Mᴏ 453 pultando . . paene confregi* foris Mᴏ 456 meas confregisti *imbricis* et *tegulas* Mɪ 504   tempestas uenit confringit tegulas imbricesque Mᴏ 108   hic apud nos iam . . confregisti *tesscram* Cɪ 503 (= amicitiam sustulisti; *cf* Inowraclawer, p. 41)   scis tu ut confringi uas cito samium solet Bᴀ 202

b. *de navi:* nauis confractast eis Rᴜ 73   confracta nauis in marist illis Rᴜ 152   confractast . . hac nocte nauis nobis Rᴜ 354   confractast* nauis Rᴜ 1308

B. *translate de re perdenda:* dum parasitus mihi . atque fratri fuisti, rem confregimus Sᴛ 630   eius rem confregit filius Tʀɪ 108   nusquam per uirtutem rem confregit atque eget Tʀɪ 336

CONFUGIO - - I. Forma **confugiam** Rᴜ 457   **confugisti** Mᴏ 1135(confuisti *C*)   **confugiamus** Rᴜ 455(*B* cum f. *CD*)   **confugiant**

Mo 1098 **confugite** Ru 1048 **confugere** Mo 1095

II. Significatio sed tu, istuc quid confugisti* in aram? Mo 1135 . . in aram ut confugiamus* Ru 455 uos confugite in aram potius quam ego Ru 1048

. . ne illi huc(*Sarac* hic *P*) confugere possint Mo 1095 confugiam huc(*Lamb* huic *P* hinc *ZRs*) Ru 475 id maxume uolo, ut illi istoc confugiant Mo 1098 istuc Mo 1135(*supra sub* in)

CONFULGEO - - ardere censui aedes: ita tum **confulgebant** Am 1067 aedes totae confulgebant tuae quasi essent aureae Am 1096 (*cf* Studemund, *Em. Plaut.* p. 10)

CONFUNDO - - istae ueteres . . interpoles . . itidem olent, quasi quom una multa iura **confudit** cocus Mo 277

CONFUSICIUS - - similest ius iurandum amantum quasi ius **confusicium** Ci 472(*Stu ex A*)

CONFUTO - - ego istos qui nunc me culpant **confutauerim**(*Ca* -runt *B* -r̄ *CD*) Tru 349

CONGEMINATIO - - quid hoc est conduplicationis? quae haec est **congeminatio**? Poe 1297

CONGEMINO - - si patera pateram peperit, omnes **congeminauimus** Am 786

CONGER - - probus hic **conger**(*Z* concer *P*) frigidust Mi 760 . . ut muraena et conger (gonger *Prisc* I. 224) ne calefierent Per 110 tu, Machaerio, **congrum,** muraenam exdorsua Au 399

CONGERO - - **I. Forma congerunt** Ps 823 **congeret** Ru 889 **congeretur** Ps 178(*R ex Prisc vide infra* II) **congestum**(*nom.*) Tri 472 (*acc. neut.*) Cu 10 **congestae**(*nom.*) Tri 471 (-te *P*) *corruptum:* Per 89, congero *CD pro* congerro(*B*)

II. Significatio si illi congestae sint epulae a cluentibus, si quid tibi placeat, quod illi congestum siet, edisne? Tri 471-2 homines . . hasce herbas huius modi in suom aluom congerunt Ps 823 in neruom ille (*leno cum columbo collatus*) hodie nidamenta congeret Ru 889(*cf* Graupner, p. 27) egon apiculaporum era congestum (*i. e.* mel) non feram . . melculo dulci meo? Cu 10(*cf* Wueseke, p. 32) ni mi annuos congeretur* penus . . Ps 178(*R* annuus penus ab amatoribus congeretur *Prisc* I. 170 an. p. datur *Serv ad Aen* I. 703 *et U* penus a. hodie conuenit *PRgꟅL†* *A* *n. l.*)

CONGERRO - - iam pol ille hic aderit . ., **congerro**(congero *CD*) meus Per 89 seni adueniunt ad scorta **congerrones**(-erones *P*) Tru 100 capio consilium ut senatum **congerronum** (*ex B² -nem A* -geronem *P* -geronsum *B²*) conuocem Mo 1049) ego me illac per poticum ad **congerrones** conferam Mo 931

CONGIALIS - - mulsi **congialem** plenam faciam tibi fideliam Au 622

CONGLISCO - - ne scintillam quidem relinques genus qui **congliscat**(*Ca* condiscat *B* conclusit *CD*) tuom Tri 678

CONGLUTINO - - fabricare, finge quod lubet, **conglutina** ut senem . . fallas Ba 693

CONGRAECO - - id pollicetur se daturum aurum mihi, quod . . in lustris comedim et

(*om Non* 83 *et L*) **congraecem**(*Ca* -gregem *P* -greger *Non* -graecer *U*) Ba 743

CONGRATULOR - - dona quid cessant mihi conferre omnes **congratulantes**(-gratantes *R*)? Men 129 *Cf* Ryhiner, p. 13

CONGREDIOR - - **I. Forma congrediar** Au 813, Cu 234, Ep 546, Mo 783(-ibor *WeisRRs: cf* Langen, *Beitr.* p. 84), Per 15 (*subiu.*) Ep 543(-ias *Non* 473), Ps 580 **congredere** Ba 980, Mi 1266 **congrediri** Au 248(*Ac* -di *P*) **congressus** Ru 1259 *corrupta:* Au 581, congreditum *BDV¹ pro* concreditum Ba 980, congredior *B pro* gradior Mer 233, si ae congredere *B pro* simiae concredere

II. Significatio 1. *absolute:* congrediar. #Contollam gradum Au 813 congrediar. #Salue, Palinure Cu 234 haud scio an congrediar* Ep 543 congrediar*. heus, Theopropides Mo 783 congrediar. #Contra adgredibor Per 15 congredere. #Gradior Mi 1266 si opulentus it petitum pauperioris gratiam, pauper metuit congrediri* Am 248

2. *cum acc.:* hanc congrediar astu Ep 546

3. *cum dat. vi hostili:* ut, ubiquomque hostibus(*A* cum h. *P* ubi cum h. *R*) congrediar.. Ps 580

4. *seq.* cum: illic cum seruo(auaro *U*) si quo (illic seruos si cum iniquo *Rs*) congressus foret . . Ru 1259

CONGREGO - - Ba 743, congregem *P* con greger *Non* 83 *pro* congraecem(*Ca* -cer *U*)

CONGRIO - - *cocus. In supersc.* Au *act.* II *sc.* 4, 5: III. 2, 3(Congrio *B ubique*), Au 328 **Congrione** Au 401 *Cf* Schmidt, p. 363

CONGRUO - - sane illi (dei) inter se **congruont**(-unt *PU*) concorditer Cu 264 cum illa (muliere) sane **congruit** (*D³* -uis *D¹* -uus *CU* -uost *RRg* -uos *L*) sermo(conseruo *B*) tibi Mi 1116

CONGRUOS - - cum illa sane **congruost** (*RRg* -uus *CUL*[-os] -uis *D¹* -uit *D³Ʂ*) sermo (conseruo *B*) tibi Mi 1116

CONIA - - *vide* conea

CONICIO - - **I. Forma conicio** Cu 253 (-tio *P*) **conicit** Mi 112(*Ca* contigit *B* contegit *CD*) **conicitis** Mer 932(coicitis *R*) **conicitur** Poe 69 **coniciam** Cap 779(-tiam *E*), Cas 342(-tiam *BV* -tie *E*), Ru 769(*AB* coiciam *CD*) **coniciet** Tri 722(*L* -iecit *PꟅ†Ly†* coniexit *Parψ*) **coniecisti** Per 796 **coniexit** Tri 722(*ParRRsU*-iecit *PꟅ†* -iciet *L*) **conice** Ep 194(coŏe *J*) **conicite** Cas 386 **conicito** Cas 94 **conicere** Tri 237b *corrupta:* Mer 877, coniciet *B pro* conciet(*CD*) Mi 250, conici *B ex ras*(conlici *B ante ras*) concili *CD pro* conligi

II. Significatio A. *proprie* 1. *de rebus, sim.:* coniciam in collum pallium Cap 779 orna te . . et palliolum in collum conice* Ep 194 *similiter:* te . . in ignem coniciam* Ru 769 is illius filiam conicit* in nauem miles clam matrem suam Mi 112

2. *de sortibus:* coniciam* sortis in sitellam et sortiar tibi et Chalino Cas 342 conicite sortis nunciam ambo huc Cas 386

3. = conferre: quin, pedes, uos in curriculum conicitis* in Cyprum recta? Mer 932 ali-

quem ad regem in saginam erus sese coniecit*
meus Tri 722(si erus se coniexit *RRsU*)

B. *translate* 1. *de fallendo:* ut me in tricas
coniecisti? Per 796   numquam amor quemquam nisi cupidum hominem postulat se in
plagas conicere Tri 237b(*cf* Graupner, p. 23)

2. *medialiter de aegrotando:* conicitur ipse in
morbum ex aegritudine Poe 69

3. = ex coniectura iudicare, interpretari: si
in crucem uis pergere, sequi decretumst: dehinc conicito ceterum Cas 94   mane sis dum
huic conicio somnium Cu 253

C. *sequitur in cum acc.:* collum Cap 779, Ep
194 ignem Ru 769 nauem Mi 1112 sitellam
Cas 342   plagas Tri 237b   tricas Per 796
morbum Poe 69   curriculum in Cyprum Mer
932   **ad** *cum acc.:* aliquem regem Tri 722
adverbium: huc Cas 386 *dat. commodi:* huic Cu
253   **ex** *causale:* aegritudine Poe 69

CONIECTOR - - ego Teresiam **coniectorem**
aduocabo et consulam Am 1128   Oedipo opust
coniectore qui Sphingi interpres fuit Poe 444
quin **coniectores** a me consilium petunt Cu
249

CONIECTRIX - - da quod dem quinquatribus praecantrici, **coniectrici**(*Ca* conlectrici
B²CD coctrici *A ut vid* conectrici *B¹*), hariolae atque haruspicae Mi 693

CONIECTURA - - 1. *acc.* **a. coniecturam**
facere: hanc ego de me coniecturam domi facio magis quam ex auditis Cas 224   hanc ego
de me coniecturam domi facio ni(ne*E³RsU*)
foris quaeram Ci 204   potin coniecturam
facere, si narrem tibi hac nocte quod ego
somniaui? Cu 246   ecquid tu de odore possis . . facere coniecturam cu***(quoi sit *Rs*)?
Men 164   uosmet nunc facite coniecturam
ceterum quid id sit hominis Poe 91   quom
coniecturam egomet mecum facio haec illast
simia Ru 771

b. *cum praep.* **ad**: quam ad rem dicam hoc
attinere somnium numquam hodie quiui ad
coniecturam(*CD* colec. *B* coiecturam *RsŞ*) euadere Ru 612

2. *abl.:* quod ad exemplumst (nomen)? **coniectura** si reperire possumus Tri 921

CONIERO - - *vide* coniuro

CONITOR - - si quidem **conisus**(conn. *R*)
esses, per corium . . elephanti transmineret
bracchium Mi 29   *corruptum:* Mi 1180, conixum *B* comixum *CD pro* conexum(*Non* 549)

CONIVEO - - dormiunt (coagmenta)? *Illud
quidem, ut **coniuent**(contuent *B³*), uolui dicere
Mo 830   *Cf* Graupner, p. 5

CONIVNGO - - ubi tecum **coniunctus** siem
. . iaceam ego asinus in luto Au 229

CONIVNX - - eam domi deprehensam **coniunx**(coniux *B*) illius uicini scortum insimulat
Mer *Arg* II. 11   Iuppiter mutauit sese in
formam eius (*i. e.* Alcumenae: absentis *Rgl*)
coniugis Am *Arg* II. 2 denique Alcumenam Iuppiter rediget antiquam **coniugi**(*Lind* -gis *P*)
in concordiam(*Ca* in c. coniugis *P*) Am 475
cf Kaempf, p. 36

CONIVOLA - - Ci 445 *ex Festo Pauli* 611;
cf Reitzenstein, *Verrian. Forsch.* 59. 63

CONIVRIVM - - Mer 59, coniurium *B*   conuirium *CD pro* conuicium

CONIVRO - - I. **Forma coniurauimus** Mer
536(cŭ. *D*)   **conierauimus** Ps 543b(*Rg* con-
ueniamus *PŞ†U†* conuenimus *FZLLy*) **coniurasset** Ci 241(*ex A solo*)   **coniurati** As 318

II. **Significatio** 1. *verb. fin.:* inter nos
coniurauimus* ego cum illo et ille mecum
neuter strupri causa caput limaret Mer 536
de ea re . . inter nos conierauimus* Ps 543b(*Rg*)
praesertim quae coniurasset mecum et firmasset
fidem . . Ci 241

2. *participium:* si quidem omnes coniurati
cruciamenta conferant . . As 318

CONOR - - si istuc ut(quod *RRs*) **conare**
(si c. istuc ut *U*) facis(* *L*) . . Tri 675(*PŞ†*)
solus sto nec quod **conatus** sum agere ago?
Tri 1150   neque **conari**(coronari *DEJ*) id
facere audebatis prius As 213   hoc paene
iniquomst comico choragio conari desubito
agere nos tragoediam Cap 62(*cf* Walder, p. 19)
certumst **conata**(*L* certum ut conata *CaU* certum et[i *C*] conata *P* certumst, ut coepta
RRg) eloquar Mer 39   *corrupta:* Mer 17,
per mea (me *CD*) per conatus sum *P pro* mea
persona ut sim ad(*RRg aliter U*) Per 308, conatus *Non* 479 *pro* ansatus

CONQUAESTOR - - hoc me orare . . iussit
Iuppiter ut **conquaestores**(*LambRglL* -qui-
stores *WeisŞU* -quisitores *P et Serv ad Aen*
VIII. 636) . . eant per totam caueam Am 65
hoc etiam mihi in mandatis dedit ut conquae-
stores(*RglL* -quistores *WeisŞU* -quisitores *P*)
fierent histrionibus Am 82   ibo, orabo ut con-
quaestores(*LachRRgL* -quistores *ŞU* -quisito-
res *P*)   det mihi in uicis omnibus Mer 665

CONQVEROR - - meam pauperiem **con-
queror**(eror *E*) Au 190   hic qui uerna natust
conqueritur(*RRgl* queritur *Pψ* quaeretur *Non*
43)Am 179 quisnam homo hic ante aedis nostras
eiulans conqueritur maerens? Au 727   conqueritur mecum mulier fortunas suas Mi 125
corruptum: Mer 251, conqueri *CD*   conquiri *B*
pro aegre pati(*A*)

CONQVIESCO - - de istac re in oculum
utrumuis **conquiescito**. *Utrum? anne in
aurem? Ps 123(*vide edd*) pergunt turbare usque ut nequis possit **conquiescere** Mo 1053

CONQVINISCO - - conquiniscam(*ex Non* 84
quonq'[cŭq. *J*] mei sciam *P*) ad cistellam Ci
657   si iste ibit, ito: . . si **conquiniscet**(*ACD*
-scest *Non* 85   conquiscet *B*) istic,(, isticR*U*)
conquiniscito(*A* simul *add P* ceneto simul
Non 85) Ps 864

CONQVIRO - - Mer 251, conquiri *B* conqueri *CD pro* aegre pati(*A*)

CONQVIS(I)TOR - - *vide* conquaestor

CONSANGVINEVS - - meis **consanguineis**
nolo te iniuste loqui Poe 1037

CONSCENDO - - nauem **conscendo** Mer 946
conscendit (in *add MueRs*) nauem Ru 63
postquam aurum abstulimus, in nauem **conscendimus**(insc. *R*) Ba 277   iam in currum
conscendi(*FZRg* escendi *CDψ* cursum uescendi
B) Mer 931

CONSCINDO - - aut periit aurum aut **conscissa**(*BD* concissa *C*) pallulast Tru 52

CONSCISCO - - alio modo, si non quibo impetrare, **consciscam**(CD^3 conciscam B conscirscam D^1) letum Mi 1241 *corrupta:* Men 756, conscitus P conscius B^2 *pro* consitus(*ex Non* 1) Per 784, consciuit C ĩsciuit *BD pro* conciuit (*Ca*)

CONSCIO - - Ru 551, consciare P *pro* consociare

CONSCIUS - - nihil est miserius quam animus hominis **conscius** Mo 544 nec mihi conscius est(-sciut L) ullus homo Ru 924 anum foras extrudit ne sit **conscia** Au 38 ***faciem (-am J -et Rs) **consciam** Ci 590 semper cauere hoc sapientis aequissumumst ne **conscii** sint ipsi malefici(*Py* -ciis *PU* malficiis *Rs*) suis Ru 1247(*cf* Blomquist, p. 107; Schaaff, p. 27) quos quom celamus, si faximus **conscios**(*FZ* -as P) . . faxim . . siet Tru 61(*loc dub*) *corruptum:* Men 757, conscius B^2 conscitus P *pro* consitus(*ex Non* 1) *Cf* Langen, *Beitr.* p. 121

CONSCREO - - quis hic ansatus ambulat? #Magnifice **conscreabor**(*ex Non* 479 concreabor A constabor BC contestabor D) Per 308

CONSCRIBO - - **I. Forma conscripsi** Ps 72(R scibi P sciui $A\psi$) **conscripsti** As 746 (*Ald* -pisti P) **conscripsit** Ba 984 **conscribas** Cu 370 **conscribat** As 600 **conscriberem** Mi 76 **conscribito** Ps 545 **conscriptam** Ps 999(cns. C) **conscriptis**(*abl. fem.*) Ba 749, Ps 28

II. Significatio A. *proprie* 1. *de tabellis:* quid istis (tabellis) ad istunc usust conscriptis modum? Ba 749 tacitus conscripsit tabellas Ba 984 dicam quem ad modum (tabellas) conscribas Cu 370 cur inclementer dicis lepidis litteris, lepidis tabellis, lepida conscriptis manu? Ps 28

2. *de epistulis, sim.:* miles lenoni Ballioni epistulam conscriptam mittit Ps 999 esse negotiosum interdius uidelicet Solonem leges ut conscribat As 600 istum ostende quem conscripsti* syngraphum inter me et amicam et lenam As 746 *vide* Ps 72, *ubi* conscripsi R *falso pro* sciui(*A*)

3. = in tabulas referre: rex Seleucus me opere orauit maxumo ut sibi latrones cogerem et conscriberem Mi 76 B. *translate:* stilis me totum usque ulmeis conscribito Ps 545

CONSECTOR - - ad equas fuisti scitus admissaritus qui **consectare** qua maris qua feminas Mi 1113 eos (cupidos homines) Amor cupit, eos **consectatur**(P sectatur $ARRg$) Tri 238 omnia me mala **consectantur**(conf. D) Ba 1093 angiporta haec certumst **consectarier** Ps 1235

CONSEDEO - - Ba 278, ego ut istega sedi *Fulg de extr serm* XVII. *et L pro* ut adsedi in stega

CONSENESCO - - tuo maerore maceror, macesco, **consenesco** et tabesco miser Cap 134 hoc uenenatumst uerum: ita in manibus **consenescit** Ru 1302(*v. secl GuyRsŠ * L*) prae maerore adeo miser atque aegritudine **consenui** St 216

CONSENTANEUS - - non par uidetur neque sit **consentaneum**..paedagogus una ut stet Ba

139 procul amantem abesse haud consentaneumst Cu 165 misero male esse fuerit consentaneum(L esse***con***ne** A) Vi 38 *Cf* Gimm, p. 17

CONSENTIO - - senis uxor .. una **consentit** cum filio Cas 59 hisce inter se **consenserunt**(conses. B). . qui me argento circumuortant(*PŠ*† interuortant *Fl*ψ) Ps 539

CONSEQUOR - - **I. Forma consequor** Fr I. 10(*ex Varr l L* VI. 73) **consequitur** Ru 948 **consequatur** Am 635 **consequamur** Ru 241 **consequere** Ps 1315, Tru 511 **consequimini** Mi 896 **consequi** Am 880(sequi J), 1055(concoqui U), As 261, Mer 670, Poe 979, Ru 493, Fr I. 9(*ex Varr l L* VI. 73) **consecutus** Ci 91

II. Significatio A. *proprie* 1. *absolute:* consequere atque illam saluta Tru 511 ita uos decet: consequimini Mi 896 anum non uideo consequi nostram Syram Mer 670 uiden hominis sarcinatos consequi? Poe 979

2. *cum acc.* **a.** *personae:* Mercurium iussi me continuo consequi* Am 880 conspicillo consecutust clanculum me usque ad fores Ci 91 onera hunc hominem atque me consequere hac(. #Hac U) Ps 1315 te nequeo consequi tam strenue Ru 493 uide num quispiam consequitur prope nos Ru 948(*an de* prope *pendet nos?*)

similiter: ita diuis est placitum, uoluptatem ut maeror comes consequatur Am 635

b. *rei:* consequamur gradu uocem Ru 241

3. *additur abl. modi:* gradu Ru 241 *adverbium:* hac Ps 1315(*vide U*) prope Ru 948(?) strenue Ru 493 conspicillo Ci 91 continuo Am 880 usque ad fores Ci 91

B. *translate:* ita mihi uidentur omnia, mare terra caelum consequi* iam ut opprimar Am 1055 certum herclest uostram consequi sententiam As 261 sequere adsecue . .: meam spem cupio consequi. #Sequor hercle equidem: nam lubenter meam speratam(R mea sperata *codd*) consequor Fr I. 9(*ex Varr l L* VI. 73)

CONSERO - - *vide* consitus

CONSERO - - constant conferunt(**conserunt** *FRg*) sermones inter sese drapetae Cu 290 dein pugnam **conserui** seni Ba 967 ut (gladius) ubi usus ueniat, contra **conserta** manu, praestringat oculorum aciem . . hostibus Mi 3

CONSERVITIUM - - te oro . . per fortunam incertam . . perque **conseruitium** commune quod hostica euenit manu Cap 246

CONSERVO - - **conseruauit** me illic homo aduentu suo Ps 667

CONSERVOS - - **I. Forma conseruos** Cap 241(*AcU pro* seruos) Mi 145 (-us *PDon ad Hec* I. 2, 100), 176(-us *AP*), 243, 261 (-us P), 271 (-us *AP*), 276(*AB* -us *CD*) **conserua** St 651 **conseruo** Mi 198(*AD²* -ua P), 467, St 680 **conseruom** Am 129(-um P), Cap 243(-um P), Mi 244 (-um P), St 433 **conseruam** Cas *Arg* 1, 108, Ru 224 **conserui**(*nom.*) Cas *Arg* 1 (serui J), Mi 1340 **conseruae** Mi 1340 **conseruorum** Ps 219 **conseruis** Mi 167(uis meis *ABras* -uus meus P -uos meos D^2) **conseruas** As 386 *corruptum:* Men 1027, ne conseruus meus *C pro* nec meus seruus Mɪ 1116 conseruo *B pro* seruo

II. Significatio 1. *nom.:* **a.** quis hic est? #Tuos conseruos Mɪ 276 inuestigando .. qui fuerit conseruos qui hodie sit sectatus simiam Mɪ 261   illic est Philocomasio custos meus conseruos qui it foras Mɪ 271   meus conseruos est homo haud magni preti Mɪ 145   *Vide* Cᴀᴘ 241(*AcU*)

si illic concriminatus sit aduorsum militem meus conseruos .. Mɪ 243   quis homo id uidit? #Tuos conseruos Mɪ 176

b. amica et conserua quid agat Stephanium curaest ut uideam Sᴛ 651

c. conseruam uxorem duo conserui* expetunt Cᴀs *Arg* 1

2. *gen.:* num quoipiamst hodie tua tuorum opera conseruorum nitidiusculum caput? Ps 219

3. *dat.:* **a.** consulo .. quem dolum doloso contra conseruo* parem Mɪ 198   ut sublinitur os custodi cauto, conseruo meo Mɪ 467   illud tamen negotium meis curaui amicis Sticho et conseruo Sagarino meo cena cocta ut esset Sᴛ 680

b. hic senex talos elidi iussit conseruis* meis Mɪ 167

4. *acc.:* **a.** esse credent seruom et conseruom suom Aᴍ 129   .. ut qui erum me tibi fuisse atque esse conseruom uelint Cᴀᴘ 243   .. eam arguam uidisse apud te contra conseruom meum cum suo amatore amplexantem Mɪ 244 condixi(*CaL vide ψ*) in symbolam ad cenam ad eius conseruom Sagarinum Syrum Sᴛ 433

b. .. ut istam ducam .. Casinam, conseruam tuam Cᴀs 108   conseruam uxorem duo conserui* expetunt Cᴀs *Arg* 1. omnia iam circumcursaui .. quaerere conseruam Rᴜ 224

c. *translate:* nolo ego fores conseruas meas a te uerberarier As 286(*cf* Egli, I., p. 35)

5. *voc.:* conserui conseruaeque omnes, bene ualete et uiuite Mɪ 1340

6. *adiectiva et sim.:* meus As 386, Mɪ 145, 167, 243, 244, 271, 467, Sᴛ 651, 680   tuos Cᴀs 108, Mɪ 176, 276, Ps 219   suos Aᴍ 129   eius Sᴛ 433   *dat. comm.*(?): tibi Cᴀᴘ 243   dolosus Mɪ 198   duo Cᴀs *Arg* 1   omnes Mɪ 1340

CONSIDERO - - quom **considero** meminisse uideor fieri Tʀɪ 404   *corruptum:* Eᴘ 624, considera *B²* cons *cum lac B¹E* conspice *sine lac J pro* consimilis(*A*)

CONSIDIUM - - ego tecum aequom arbitrum extra **considium** captauero Cᴀs 966   *Cf* Studemund, *Pl. Wortf.* p. 285

CONSIDO - - haec tibi si mea imperia capesses multa bona in pectore **consident** Tʀɪ 300

CONSIGNO - - I. Forma consignat Ps *Arg* I. 2   **consignabo** Tʀɪ 816(*v. secl Rω*) **consignaui** Mɪ 73, 130(*B²Dras* -uit *P*), Pᴇʀ 460   **consignemus** Cᴜ 365, Tʀɪ 775(nos c. *ABC* noston signemus *C*)   **consignato**(*impera.*) Cᴜ 369   **consignatis**(*dat. fem.*) Bᴀ 924   **consignatas** Bᴀ 935

II. Significatio(*cf* Langen, *Beitr.* p. 314) 1. *de litteris, sim.:* eas (epistulas) nos consignemus* Tʀɪ 775   epistulasque iam consignabo

duas Tʀɪ 816(*v. secl Rω*)   simul consignat symbolum ut .. Ps *Arg* I. 2   aequomst tabellis consignatis credere Bᴀ 924   ego has tabellas obsignatas consignatas quas fero non sunt tabellae Bᴀ 935   eamus nunc intro ut tabellas consignemus Cᴜ 365   tu tabellas consignato, hic ministrabit Cᴜ 369   cepi tabellas, consignaui* clanculum Mɪ 130   educe uirginem et istas tabellas quas consignaui tibi Pᴇʀ 460

2. *de personis:* .. ut in tabellis quos consignaui hic heri latrones ibus dinumerem stipendium Mɪ 73

CONSILESCO - - me occultabo aliquot dies dum haec **consilescunt**(-liescunt *C*) turbae atque irae leniunt Mɪ 583

CONSILIARIUS - - 1. magis .. ei **consiliarius** hic amicust quam auxiliarius Tʀᴜ 216   saltem amicus mihi esto consiliarius (*Rs* manubinarius *Pψ†*) Tʀᴜ 880

2. iam senatum conuocabo in corde **consiliarium** Eᴘ 159   socium tuorum consiliorum(*P* cons. *DRg*) et participem consiliarium (*PS†* celatorum *RRg* consiliorum *FZRU*) Mɪ 1013

CONSILIUM - - I. Forma **consilium** Cᴜ 351, Eᴘ 86, 163, Mᴇʀ 348, Mɪ 344, 602, Mᴏ 866 (*U* -li*** *Rψ*), Pᴏᴇ 180, 188, 927, Ps 575, 662, Rᴜ 928   **consili**(-ii *AP nisi ubi notatum est*) As 358, Bᴀ 606, 651(-ii *C* -io *D* -iis *B*), 1036, Cᴀᴘ 217(*Rs pro* ea: *loc dub*), Cɪ 165, Eᴘ 152 (-li es *LU* -li's *ψ* -liis *A* -lii es *P*), 256, Mᴇʀ 346, 660, Mɪ 478, 599 a(-i *B¹* -iis *B²CD* -ii *A*), 886, Mᴏ 688, 866(-li*** *P* -lium *U: vide infra* II. 1. b), Pᴏᴇ 130, Rᴜ 204, 213, 950(Cᴀ -iis *P*), Ps 11, 397(*A* -ii *P*), Sᴛ 578(*B* -ii *CD*), 632 (*PLU* -io *Aψ*), Tʀɪ 763   **consilio** Mɪ 608   **consilium** Aᴜ 475, Bᴀ 300, Cᴀᴘ 493(*Bosscha LULy* concilium *Pψ*), Cᴜ 249, Eᴘ 190, 255, 258, 264, Mᴇɴ 847, Mᴇʀ 340, 379, 648, 736, Mɪ 144, 226, 604, 978, 1026, 1114, 1148, Mᴏ 1049, 1103, Pᴇʀ 548, 598, Pᴏᴇ 193, 1099, Ps 543, 681, Sᴛ 73, Tʀɪ 614, 709(*Don conc. P*), 763, 764, 1148, Vɪ 67(*Stu conc. A*)   **consilio** Aᴜ 477, Bᴀ 40(*R conc. A*), 940, 1154, Mɪ 137, 605, 612(*v. secl U*), Ps 19, 601, Rᴜ 961, Sᴛ 632 (*ARgSLy* -ii *P* -i *ψ*), Tʀɪ 189, Tʀᴜ 101(*PKiesRsU* -ia *Ca cum Placido ψ*)   **consilia** Cᴜ 368, Mᴏ 1104, Tʀɪ 101(*CaSL cum Placido* -io *Pψ*), **consiliorum** Mɪ 1013(*D²RRg* conc. *Pψ*), *ib.* (*FZLULy* consiliarium *PS†* celatorum *RRg*)   **consiliis** As 17   **consilia** As 115, Eᴘ 99, Mɪ 197, 234(-iam *CD*), 257(*B²* consimilia *P*), 736 (*A* conc. *P*), Mᴏ 656, 685, 861, Pᴇʀ 334(-ia omnia *AB* -io meo *CD*), Ps 138, 678, Sᴛ 143 (-iia *C*), Tʀɪ 576, 1155, Tʀᴜ 215, 388, Fʀ II. 9 (*ex Paul* 62)   **consiliis** Eᴘ 379   *corrupta:* Mᴇɴ 1063, consilia *CD* cons *cum lac B¹* consimilis *B²* consimiles uoi la *A* -lest *RsSL* -list *RU*   Mɪ 1025, consilium *D* cilum *PS†* var em *ψ*   Ps 147, concilia *P pro* tonsilia(*A*)

II. Significatio 1. *nom.* (*vel acc.*) *subiectum:* **a.** consilium placet Cᴜ 351, Pᴏᴇ 180   placet consilium Pᴏᴇ 188   sane sapis et consilium placet Ps 662   ego nunc quomodo me expeditum .. faciam consilium placet Eᴘ 86, 264 (*infra* 4. **a** *sub* reperio)   Tʀɪ 763(*infra* 4. **a**

sub uideo) serui mei perplacet mihi consilium
MER 348   bene ubi quod scimus consilium accidisse
hominem catum eum esse declaramus, stultum
autem illum quoi uortit male Ps 681   neque
quod dubitem . . meo in pectore conditumst
consilium Ps 575   illud autem inseruiendumst
consilium uernaculum POE 927   bene consultum consilium surripitur saepissume si minus . . MI 602(*v. secl WeisRgSL*)

b. nunc sic faciam: sic consiliumst RU 928
mihi in pectore consiliumst* cauere(*U* consili[-ii *B*]*** *PSL* id consilist, praecauere *R*)
malam rem MO 866   consiliumst ita facere MI
344   senem oppugnare certumst consilium
mihi EP 163 *Cf* Votsch, p. 29

c. haec sunt uentri stabilimenta: . . poculum
grande, aula magna ut satis consilia suppetant
CU 368   plus sapio sedens: tum consilia firi-
miora sunt de diuinis locis MO 1104   consulta
sunt consilia*: quando intro aduenerunt . . TRU
101(*vide infra* 5. **c**)

2. gen. a. *cum pronominibus:* reperiamus
aliquid calidi conducibilis consili EP 256   aliquid capiam consili MER 660(*vide* 4. **a**) id consilist* praecauere MO 866(*R supra* 1. **b**) nihil
ego tibi hodie consili quicquam dabo BA 1036
boni consili* ecquid in te mihist? RU 950   ego
abeo a te nequid tecum consili commisceam
MI 478   quid nunc consili captandum censes?
AS 358   . . ut quid consili dem meo sodali
. . nesciam BA 606   nec quid corde nunc consili capere possim scio MER 346   nunc . .
consili quid capessam? RU 204   uide quid es
capturus consili* ST 632(u. nunc consilio caro
[capto *Rg*] opust *ARgS*)   uide consilium si
placet. #Quid consilist? TRI 763

b. *cum substantiuis:* neque paratast gutta
certi consili Ps 397   ego multos saepe uidi
regionem fugere consili MI 886(*cf* Goldmann,
II., p. 19)   mihi senatum consili in cor conuoco MO 688   . . inimicus nequis nostri spolia
capiat consili* MI 599a(*cf* Graupner, p. 19)

c. *cum adiectivis, sim.:* consili* facitis nos
compotes CAP 217(*Rs*) nequius nihil est quam
egens consili* seruos BA 651   hac an illac
eam, incerta sum consili RU 213(*Cf* Blomquist, p. 98)   ego res multas tibi mandaui . .
dubias, egenas, inopiosas consili POE 130   neque tui participem consili quemquam facis Ps
111(*vide* CI 165 *infra* **d**)

d. *cum verbis:* capti consili memorem mones
ST 578   paternum seruom sui participat consili CI 165

e. socium tuorum conciliorum(cons. *D³RRg*)
et participem consiliarium(*PS*† consiliorum
FZLU celatorum *RRg*) MI 1013

3. dat.: a. speculabor ne quis . . nostro consilio uenator adsit cum auritis plagis MI 608

b. tu me antidhac supremum habuisti comitem consiliis tuis Ps 17

4. acc.: a. *capimus* consilium continuo BA 300
capio consilium ut senatum congerronum non-
uocem MO 1049   hoc primum agamus quod
consilium cepimus POE 193   hoc consilium
capio . . ut te allegemus POE 1099   ST 578
(*supra* 2. **d**), 632(*Rg infra* 5. **b**) capto MER

648(*infra sub* coepto)   reperi, comminiscere,
cedo calidum consilium cito . . ut uisa ne sint
MI 226   loquere et consilium cedo MI 978
cur istuc *coepta*(captas *GuyRRg*) consilium?
MER 648   *conlaudo* consilium et probo TRI
1148   *comminiscor* MI 226(*supra sub* cedo)
mala res . . bonum . . meum *conprimit* consilium MER 340   *consulo* MI 602(*supra* 1. **a**),
TRU 101(*infra* 5. **c**)   *dederim* uobis consilium
catum quod laudetis . . uterque EP 258   is consilium dedit MI 144   istuc quod das consilium
mihi . . uerba facere de ista re uolo MI 1114
ita ego consilium dedi MI 1148   sic tamen
hinc consilium dedero MO 1103   neque tu ut
facias consilium dabo ST 73   consilium a te
expetesso EP 255   . . uelis ut *fero* ad te(ferrem abs te *L* id refero *GertzU* calidum refero *R* uide sis refero *RibRg*) consilium MI
1026(*vide edd*)   qui consilium(*BosschaLU*
conc. *PS*†) *iniere*(in conc. iere *Rs*) quo nos
. . prohibeant, is diem dicam CAP 493   seu
consilium umquam iniimus . . Ps 543a   scitum
. . consilium inueni TRI 764   *laudo* consilium
tuom EP 190, PER 548, EP 258(*supra sub* do)
laudo, inquam, consilium tuom PER 598(*v. habet
A solus*)   *narraui* amicis multis consilium
meum de condicione . . hac AU 475   ni *occupo*
aliquod mihi consilium . . MEN 847   . . nisi
quid ego mei simile aliquid contra consilium*
paro VI 67   coniectores a me consilium *petunt*
CU 249   ab eo consilium petam TRI 614   *probo*
TRI 1148(*supra sub* collaudo)   si placebit utitor consilium, si non placebit *reperitote* rectius
EP 264   MI 226(*supra sub* cedo)   qui si *resciuere*(*TyrrellLU* hi s. r. *A ut vid S*† illi si
r. *Rg* scire siuere *P* si resciuerint *CaR*) inimici consilium tuom . . MI 604   *uide* consilium si placet TRI 763(*fortasse nom.?*)

alter acc.: quod *sequitur* consilium capere
POE 193   **c.** dare MI 1114   hoc *sequitur* consilium capere POE 1099   *fortasse* aliquid *seq.*

c. paro VI 67

b. quid illuc est quod ille a me solus se in
consilium seuocat? MER 379   nunc tu in consilium istam aduocauisti tibi MER 736   quid
tibi . . in consilium* accessiost? TRI 709   *vide
etiam titulum* concilium

c. *communicaui* tecum consilia* omnia PER
334   ego mihi consilia in animum *conuoco*
MI 197   *conruspare* tua consilia in pectore FR
II. 9(*ex Paul* 62)   tibi mea consilia semper
summa *credidi* TRU 348   qui deorum consilia* *culpet*(*A* conc. culpe[-ae *D¹J*]*P*), stultus
. . sit MI 736   centum doctum hominum consilia sola haec *deuincit* dea Ps 678   tu quidem
antehac aliis solebas *dare* consilia mutua EP
99   amicis uostra consilia* *eloquar* ST 143
mea era sua consilia summa eloquitur libere
TRU 215   ibi consilia *exordiar* AS 115   illi
qui nihil metuont . . stulta sibi *expetunt* consilia MO 861   di *fortunabunt* uostra consilia
TRI 576   haec *habent* consilia Ps 138   mea
consilia undique *oppugnas* male MO 685   . . ut
scias iuxta mecum mea consilia* MI 234(*cf*
Goldmann, II., p. 19)   . . ut *teneat* consilia*
nostra MI 257   deos uolo consilia uostra recte
uortere TRI 1155

5. *abl.:* **a.** nos opera consilioque adhortatur, iuuat Mɪ 137   sapienter factum et consilio bono Aᴜ 477   tuo consilio faciam Rᴜ 961 ego sum Ulixes quoius consilio haec gerunt Bᴀ 940   eodem consilio . . gerimus rem? Mɪ 612(*v. secl U*) iuuat Mɪ 137(*supra sub* adhortatur)   iuuabo aut re aut opera aut consilio bono Ps 19   ego te quaeso ut me opera et consilio iuues Tʀɪ 189   tuopte tibi consilio occludunt linguam et constringunt manus Mɪ 605

b. *post* opus: nouo consilio nunc mihi opus est Ps 601   uide nunc consilio* cano(capto *Rg* sano *R*) opust Sᴛ 632(*A* uide quid es capturus consili *P*[-ii]*LU*)

c. *abl. abs.:* consulto consilio*(*KiesRsU* consulta sunt consilia *Ca cum Placψ*) quando intro aduenerunt . . Tʀᴜ 101

d. *cum* in *praep.* (*cf* concilium): quid in consilio* consuluistis Bᴀ 40   quid illaec illi in consilio duae secreto consultant? Bᴀ 1154

e. me quidem certo seruauit consiliis suis Eᴘ 379

6. *adiectiva, sim.:* bonum Aᴜ 477, Mᴇʀ 340, Ps 19, Rᴜ 950   calidum Eᴘ 256, Mɪ 226, 1026 (*R*)   carum Sᴛ 632(*AS*) catum Eᴘ 258   certum Eᴘ 163, Ps 397   conducibile Eᴘ 256 mutua Eᴘ 99   nouom Ps 601   sanum Sᴛ 632(*R*)   scitum Tʀɪ 764   stultum Mo 861 summa Tʀᴜ 215, 354   mei simile Vɪ 67(?) centum doctum hominum Bᴀ 678   consultum Mɪ 602, Tʀᴜ 101   captum Sᴛ 578, 632(*Rg*)

CONSIMILIS - - **I. Forma   consimilis** Aᴍ 443(-is est *D²JU* -e est *P* -est *ψ*), Cᴀᴘ 116, Eᴘ 624(*A* cons *cum lac B¹E* considera *B²* conspice *cum lac J*), Mᴇɴ 1063(-is est *B²* -ist *RU* est *ψ* -les *sive* -le *A* consi *cum lac B¹* consilia est *CD; cf* Buecheler, *Rh. Mus.* XXIX, p. 199), Poᴇ 824 **consimile** Mɪ'820 **consimilem** Cᴀᴘ 123 (similem *Serv ad Aen* X. 559) **consimili** Bᴀ 454 *corruptum:* 257, consimilia *P pro* consilia(*D³*)

II. Significatio 1. *absolute:* tuast imago: tam consimilest* (ille) quam potest Mᴇɴ 1063

2. *seq. gen.:* liber captiuos auis ferae consimilis est Cᴀᴘ 116   auis me ferae consimilem* faciam Cᴀᴘ 123   quoius hominis(*GepRgl* quo hi homini[-es *C*]*PS*† quoi homini *PyLU*) erus est consimilis Poᴇ 824 *Cf* Blomquist, p. 110; Schaaff, p. 27

3. *seq. dat.:* Poᴇ 824(*PyLU: vide supra* 2)

4. *seq.* atque: tam (ille) consimilest atque ego Aᴍ 443(*cf L et* Persson, p. 87) haud consimili ingenio atque illest Bᴀ 454 *Cf* Fuhrmann, *Ann. Phil.* XCVII, p. 845; Langen, *Beitr.* p. 296

5. *seq.* quasi: estne consimilis* quasi quom (cons *cum lac B¹E*) signum pictum pulcre aspexeris Eᴘ 624   consimilest quom stertas quasi sorbeas Mɪ 820

CONSISTO(*vide* consto) - - **I. Forma** **consistit** As 520(constitit *E*) **consistunt** Aᴜ 116 **consistet** Poᴇ 287(*clausulam om U*) **constitit** Cɪ 699(*B* consistit *VEJ*), Cᴜ 503 **constiterit** Poᴇ 346 **consistam** Aᴜ 474 **consistite** Poᴇ 1211 **consistere** Cᴜ 502

II. Significatio A. *proprie:* 1. nisi piget consistite Poᴇ 1211   adeunt, consistunt, copulantur dexteras Aᴜ 116   hunc non ausim

praeterire quin consistam et conloquar Aᴜ 474 nec uobiscum quisquam in foro frugi consistere audet. Qui constitit, culpant eum Cᴜ 502-3   in hoc iam loco cum altero constitit* Cɪ 699

2. *additur* cum: Cɪ 699, Cᴜ 502   in *cum abl.:* foro Cᴜ 502   hoc loco Cɪ 699

B. *translate:* ubi quiesco, omnis familiae causa consistit* tibi(*dat. incomm.*) As 520   at tamen quaestus non consistet(*omnia om U*), si eum sumptus superat Poᴇ 287   *de morbo:* deferto (eum) ad me: faxo actutum constiterit lymphaticum Poᴇ 346

CONSITUS - - **consitus**(*ex Non* 1 conscitus *P* conscius *B²*) sum senectute Mᴇɴ 756(*cf* Graupner, p. 24)   omnes mortales uocant Molestum ****consitum** Cɪ 466(*Rs ex A solo* con. *om Ly*)

CONSOCIO - - ubi sese sudor cum unguentis **consociauit** illico itidem (meretrices ueteres) olent quasi . . Mo 276   uel **consociare** (*A* consciare *P*) mihi quidem tecum licet: aequas habemus partes Rᴜ 551

CONSOLOR - - **I. Forma   consolatur** Tʀɪ 394(*A* -turum *CD* -tum *B*)   **consoler** Rᴜ 399   **consolari** Mɪ 5(mihi c. uolo *Pω* meam dico *Don ad Ad prol* 15), Rᴜ 677(*FZ* consu. *P*), 682(*Z* consu. *P*)   **consolandus** Bᴀ 625 *corruptum:* Cᴀs 352, consolatis *V* collatis *JU pro* conlatis(*BE*)

II. Significatio   *seq. acc.:* consolandus hic mihist Bᴀ 625   ego hanc machaeram mihi consolari* uolo ne lamentetur Mɪ 5   . . ut eam intro consolerque eam ne sic se excruciet animi Rᴜ 399   cesso ego has consolari*? Rᴜ 677   desiste dictis nunciam miseram me consolari* Rᴜ 682   hoc unum consolatur* me atque animum meum Tʀɪ 394

CONSOMNIO - - quid **consomniauit**(*PS*† hem, q. c. *RRs* q. ergo somniauit *LLy* q. somni somniauit *MueU*)? Mo 757

CONSONO - - tubae utrimque canunt contra: **consonat** terra Aᴍ 228

CONSPECTUS - - *in duabus modo formis usurpatur, acc. et abl. sing.*

1. *acc. semper post* in *praep.:* nihilne te pudet . . populi in **conspectum** ingredi? Aᴍ *fr* VIII (*ex Non* 453)   pudet prodire me ad te in conspectum, pater Bᴀ 1007   non te pudet prodire in conspectum meum? Mᴇɴ 708   illum prodire pudet in conspectum tuom Mo 1155 ait se metuere in conspectum sui patris procedere Mo 1125(*R* consp***ocedere[*occ.CD*]*P*)

2. *abl.* **a.** *cum* abs *praep.:* neque latebrose me aps tuo **conspectu**(*A* -tus *P*) occultabo Tʀɪ 278 b

b. *cum* e(x) *praep.:* ex conspectu eri . . sui se abdiderunt Ps 1106   peristis nisi iam hunc e conspectu abducitis Cᴀᴘ 749   abduce . . hasce hinc e conspectu Suras Tʀᴜ 541   abin (hinc *add PyRgl*) e conspectu meo? Aᴍ 518 iamne isti abierunt . . ex conspectu meo? Mᴇɴ 876   . . ne tu me ignores quom extemplo meo e conspectu abscesseris Cᴀᴘ 434   age illuc apscede procul e conspectu Pᴇʀ 467 (*Don* aspice de procul in conspectum *P*), 727

CONSPERGO - - ubi ego uino has **conspersi** fores, de odore adesse me scit Cᴜ 80 age tu ocius †pinge(terge *R* finge *BugRg* tinge *LipU*) humum, **consperge** ante aedis Sᴛ 354

CONSPICILLUM - - dum redeo domum **con-spicillo**(*P* conspicio *A*) consecutust clanculum me usque ad fores Cɪ 91   in conspicillo(*Mer-cer* -cilio *vel* -cuo *codd*) adseruabam pallium Fʀ I. 102(*ex Non* 84) *Cf* Ryhiner, p. 14

CONSPICIO - - I. **Forma conspicio** Aᴍ 754(-tio *BE*), Bᴀ 171, Cᴀᴘ 97(-tio *DVE*), Cᴜ 274(-tio *E*), Mo 839(-tio *B*), Ps 769, Sᴛ 371, 465, Tʀɪ 636   **conspicis** Cɪ 622   **conspi-ciunt** Mᴇɴ 228(-tiunt *BC* prosp. *Plac Lact ad Stat Theb* II. 194)   **conspicitur** Cᴜ 503(*EJ* -titur *BV* conspuitur *E*³ *in marg Rg*) **con-spexi** Cᴜ 363(prosp. *Non* 376), Eᴘ 14, Tʀɪ 1141 **conspexit** Aᴍ 1114   **conspexero** As 479, Cᴀᴘ 809, 821   **conspexeris** As 338   **conspicias** Poᴇ 585   **conspiciant** Mᴇʀ 407   **conspiceret** Mᴇʀ 190   **conspexeris** As 878, Tʀɪ 950   **con-spexerit** Mᴇɴ 429   **conspicere** Eᴘ 401, Mo 835   *corrupta:* Cɪ 91, conspicio *A pro* con-spicillo(*P*)   Cᴀᴘ 926, conspicio *BVJ* -tio *E pro* conspicor(*Gep*)   Eᴘ 624, conspice *sine lac J* cons *cum lac B*² *lac* considera *B*² consimilis quasi quom *A*   Mᴇɴ 229, conspicias *B pro* uideas(*P*)   Ps 543, conspecti siue *CD* con-spectis lue *B pro* conpecti seu(*Ac*)

II. **Significatio** 1. *absolute:* illi, quantum ego nunc corde conspicio meo, malam rem magnam . . danunt Ps 769

2. *seq. acc.:* **a.** *aedes* lamentariae mihi sunt quas quotiensquomque conspicio fleo Cᴀᴘ 97 postquam conspicio *angues* ille alter puer, citus e cunis exilit Aᴍ 1114   nullam pictam con-spicio hic *auem* Mo 839   quid nunc supina susum (in *add PyRsL*) *caelum* conspicis? Cɪ 622 tu nunc si forte eumpse *Charmidem* conspexe-ris . . Tʀɪ 950   huc ad me specta, *cornicem* ut conspicere possis Mo 835   fiet ut uapules, *Demaenetum* simulac conspexero hodie As 479 interibi *Epignomum* conspicio tuom uirum et seruom Stichum Sᴛ 371   iam deuorandum (*hominem*) censes, si conspexeris? As 338 *ostium* ubi conspexi*, exinde me ilico protinam dedi Cᴜ 363   erilis *patria* salue, quam ego . . conspicio lubens Bᴀ 171   eorum ego si in uia *petronem* publica conspexero . . Cᴀᴘ 821 eorum si quoiusquam *scrofam* in publico con-spexero . . Cᴀᴘ 809   . . quando ex alto pro-cul *terram* conspiciunt* Mᴇɴ 228

b. . . ut apud portum te conspexi, curriculo occepi sequi Eᴘ 14   . . si in uia (te *an* pallam?) conspexerit Mᴇɴ 429   ut ego nunc te con-spicio lubens! Sᴛ 465

caue siris cum filia mea copulari hanc neque conspicere Eᴘ 401   qui constitit, culpant eum, conspicitur*, uituperatur Cᴜ 503   quin . . eam abstrudebas, ne eam conspiceret pater? Mᴇʀ 190 (eam) contemplant, conspiciant omnes Mᴇʀ 407 ibi eos conspicas quam praetorem saepius Poᴇ 585   neque eum ante usquam conspexi prius Tʀɪ 1141   nunc primum istanc tecum conspicio simul Aᴍ 754   pro di immortales, quem con-spicio? Cᴜ 274   satis in rem quae sint meam ego conspicio mihi Tʀɪ 636

3. *seq. in cum acc.:* in caelum Cɪ 622(*PyRsL: vide supra* 2 *sub* caelum)

4. *seq. partic.:* possis si forte accubantem tuom uirum conspexeris cum corona amplexum amicam . . cognoscere? As 878

5. *additur adiect. praed.:* lubens Bᴀ 171, Sᴛ 465   supina Cɪ 622   *adverb.:* ibi Poᴇ 585 usquam Tʀɪ 1141   susum Cɪ 622   procul Mᴇɴ 228   satis Tʀɪ 636   *locus quo vel a quo:* in uia Cᴀᴘ 821, Mᴇɴ 429   in publico Cᴀᴘ 809   ex alto Mᴇɴ 228   apud portum Eᴘ 14   *varia:* tecum simul Aᴍ 754   mihi (*dat. comm.*) Tʀɪ 636

CONSPICOR - - I. **Forma conspicor** Aᴍ 1070, Aᴜ 388, Bᴀ 181, 279, 669, Cᴀᴘ 926(*Gep* -cio *BVJ* -tio *E*), Cɪ 656, Eᴘ 4, 186, 345, 435, Mᴇɴ 522, 1132, Mᴇʀ 109, 256, Rᴜ 214, 335, 1202, Sᴛ 617(*PR* condip∗∗um *A§L*   condi bonum *Rg* concedier *BugU*) **conspicer** Vɪ 68 **con-spicetur** Poᴇ 605(-cietur *D*¹ -ciatur *D*⁴) **con-spicari** Eᴘ 70(-rier *RsMueU*), Mo 838   **con-spicatus** Aᴍ 242, Cᴀs 40, Mᴇʀ 194, Mo 353, Ps 981, Sᴛ 367   **conspicata** Cᴜ 595   **conspi-cati**(*nom. masc.*) Aᴍ 1111(-ae *Ly*) **conspicatae** Eᴘ 242(*A* -tę *BVJ* -te *E*)

II. **Significatio** *cf* Langen, *Beitr.* p. 60 1. *cum acc.:* nec prope usquam hic quidem cultum *agrum* conspicor Rᴜ 214   obseruabo si quem *amicum* conspicer Vɪ 68   conspicatus sum interim *cercurum* Sᴛ 367   *cornicem* nequis conspicari Mo 838   *Epidicum*ne ego conspi-cor? Eᴘ 4   neque quisquam *hominem* con-spicatust Mᴇʀ 194   *locum* conspicor* Sᴛ 617 (*PR vide* ψ)   mali maeroris *montem* maximum ad portum modo conspicatus sum Mo 353 ego conspicor *nauem* Mᴇʀ 256   *patrem* . . non uolt . . conspicari* Eᴘ 70   *Pistoclerum* conspi-cor Bᴀ 181   postquam *pueros* (angues) con-spicati*, pergunt ad cunas citi Aᴍ 1111   ante aedis duo *sodales*, erum et Chaeribulum, con-spicor Eᴘ 345

in tenebris conspicatus si sis me apstineas manum Ps 981   illam sunt conspicatae quam tuos gnatus deperit Eᴘ 242   eccum ipsum ante aedis conspicor Eᴘ 186   o salue, inspe-rate, multis annis post quem conspicor Mᴇɴ 1132   estne hic Trachalio quem conspicor? Rᴜ 335   nec quemquam conspicor alium in uia Cɪ 656   satine ut quemque(-quem *BU*) conspicor ita me ludificant Mᴇɴ 522   hoc ubi Amphitruo erus conspicatus est ilico equites iubet dextera inducere Aᴍ 242   quid con-spicor? Rᴜ 1202

2. *seq. infin.* **a.** *praes.:* ego lembum con-spicor . . exornarier Bᴀ 279   conspicatust pri-mulo crepusculo puellam exponi Cᴀs 40   med hunc habere conspicatast anulum Cᴜ 595

esse *vel addito vel omisso:* quid uos tam maestos tristesque esse conspicor? Bᴀ 669 (*Cf* Walder, p. 47) hunc conspicor* in po-testate nostra Cᴀᴘ 926   . . ne hic uos mecum conspicetur leno Poᴇ 605

b. *perfecti:* illam geminos filios pueros pe-perisse conspicor Aᴍ 1070

3. *seq. partic.:* quis illic est quem huc ad-uenientem conspicor? Eᴘ 435   quid currentem seruom a portu conspicor? Mᴇʀ 109   quid ego apertas aedis nostras conspicor? Aᴜ 388

4. *additur locus quo:* apud portum Mo 353

ante aedis Ep 186, 345   in tenebris Ps 981
in uia Ci 656   prope hic usquam Ru 214

CONSPUO - - qui constitit, culpant eum,
conspuitur(*E* ³ *in marg Rg* conspicitur *E* ¹*Jψ*
-stitur *BV*), uituperatur Cu 503

CONSTABILIO - - edepol rem meam **constabiliui**, quom illos emi Cap 453

CONSTITUO - - quin sic faciam uti **constitui** Am 1052   quin rus ut irem iam heri
constitueram(*PS†* mecum statueram *Lorenzψ*)
Ps 549   i hac . . mecum ut coram nuptiis dies
constituatur Tri 581   nempe eandem (*nominem*) quae dudum **constitutast** Mi 808 hoc cogitato, . . facile esse nauem facere ubi (carina)
fundata constitutast Mi 917(f. c. *om RRgS*)

CONSTO - - ex spiritu atque anhelitu
nebula . . **constat** Am 234   iam auro
contra constat filius Tru 538   isti Graeci palliati . . **constant,** conferunt sermones inter
sese drapetae Cu 290   *corruptum:* Per 308,
constabor *BC* contestabor *D pro* conscreabor

CONSTRINGO - - I. **Forma constringunt**
Mi 605   **constringam**(*indic.*) Ps 200 (*R* stringam *P* destringam *Aψ*) (*subiu.*) Tri 719 **constringe** Ba 799   **constrictas** Tru 771   **constrictis**(*abl. fem.*) Ps 854(constictis *A*)
II. **Significatio** Calliclem uideo . ., ancillas duas constrictas ducere Tru 771   constringe tu illic . . actutum manus Ba 799
tuopte tibi consilio occludunt linguam et constringunt manus Mi 605   quid ego nunc agam
nisi uti sarcinam constringam? Tri 719 . . quin
ibi constrictis* ungulis cenam coquas? Ps 854
te,.. constringam ad carnarium Ps 200(*R solus*)

CONSUADEO - - sin saluti quod tibi esse
censeo id **consuadeo**? Mer 143   pietas con-
suadet. #Sapis Mi 1319(*R* omni pietas scio
[sit eo *CD*] chant sapis *PS† var em ψ*) consuadet homini, credo Tri 527   ille qui con-
suadet(*Ca* non c. *P* non suadet *U*), uetat Tri
672(*v. secl Bergkω*) picus et cornix ab laeua,
coruos parra ab dextera **consuadent** As 261
minus placet quod **consuadetur**(*RRs* magis
quod suadetur *APψ*) Tri 670

CONSUCIDUS - - latutam uis an quae nondum sit lauta? #Sic **consucidam**(*BD* -suodam
C siccum et succidam siccam, succidam *U*)Mi787

CONSUDO - - beatus eris si **consudaueris**
Ps 666

CONSUESCO - - I. **Forma consuescunt**
As 222   **consueui** Per 170(consui *B*)   **consueuisti** Ci 87   **consueuit** Ru 1074   **consueuerunt** As 79(*FZ* conseuerunt *PU*)   **con-
sueuere** As 727(*Py* consuere *P*)   **consuerunt**
Poe 612(*Py* -sueuerunt *P*)   **consuetus** As 703,
Cap 867, St 759   **consuetum** Am 1122, Au 637
consuetae Vi 33
II. **Significatio** 1. *cum infin.*(*cf* Walder,
p.24): mandata non consueui* simul bibere una
Per 170   id quidem pol te datare(dictare *U*)
credo consuetudo, senex Au 637   si hoc eduxeris, proinde ut consuetu's antehac, . . St 759
faciunt scurrae quod consuerunt* Poe 612   tu
idem mihi uis fieri, quod erus consueuit(*sc* facere)
tibi? Ru 1074   utconsueue* hominis Salus frustratur et Fortuna As 727   illum mater arte
contenteque habet patres ut consueuerunt As 79

2. **consuetus** *cum dat.*: talis iactandis tuae
sunt consuetae manus Vi 33

3. *in malam partem:* bene salutando (meretrices) consuescunt As 222   asta igitur, ut
consuetus (astare?) es puer olim As 703   facile patior. #Credo: consuetu's puer Cap 867
is se dixit cum Alcumena clam consuetum
cubitibus Am 1122   tu enumquam cum quiquam uiro consueuisti? #Nisi quidem cum
Alcesimarcho nemine Ci 87

CONSUETIO - - . . clandestina ut celetur
consuetio(*Sciop* suspicio *P*[-tio *E*]) Am 490

CONSUETUDO - - 1. *abl.*: **consuetudine**
coepi amare contra ego illum et ille me Ci 94
consuetudine animus rursus te huc inducet Mer
1001   hoc adeo fieri credo consuetudine Mi
1295   mentire . . atque id nunc facis haud
consuetudine Tri 362
2. *nom. plur.*: nunc nostri amores, mores,
consuetudines, iocus, ludus . . Ps 64

CONSULO - - I. **Forma consulo** Mer 482,
Mi 197, Ru 1036   **consulis** Tri 572(*Ca* consuis
B cum suis *CD*), 633   **consulit** Per 277, Tri
238, 396   **consulunt** Per 844   **consulam**
Am 1128, Men 700, Poe 794, 1396   **consului**
Tri 1128   **consuluit** As 409   **consuluistis**
Ba 40   **consulam** Ci 634, St 503, Tru 942
(*Rs* consultam *Pψ†*)   **consulas** Ci 97, Men
310, Ps 379(*P* postulas *A*), Tru 429   **consulerem** Cap 519   **consuleres** As 938   **consule**
Mi 219(*FZ* -li *PL*)   **consulere** Au 130, Ba
524, Cas 500(conso. *V*),   Mi 684(*v. secl RibRsS*
transp R), Mo 1102, Tri 635   **consuli** Mi 219
(*PU* -le *FZψ*)   **consuluisse** Ba 684   **consultura** Ci 518   **consultum**(*nom.*) Mi 600,
602(*Bo om AP v. secl Weisω*), Ru 225   **consulto** Poe 788, Tru 101(*KiesRsU* -ta *Pψ* **consulta**(*nom. plur.*) Tru 101(-to *KiesRsU*)   **consultis**(*abl.*) Ps 353(*PiusRRgU* consulis *P*
consutis *ASL*), 540(*GuyR* consutis *Pψ*)   **consulte**(*adv.*) Ru 1240   **consulendum**(*nom.*) Poe
926   **consultum**(*sup.*) Ba 565
II. **Significatio** A. *verb. fin.* 1. *absolute*
a. *sc* mecum, tecum: consule*, arripe quem
Mi 219(*vide infra* 2 *et* 5 *sub* tergo) paulisper
remitte restem, dum concedo et consulo Ru
1036   quid nunc? etiam consulis*? Tri 572
b. *sc dat.*: bene cum simulas facere mihi
te, male facis, male consulis Tri 633   **erga:**
si quid amicum erga bene feci aut consului
fideliter . . Tri 1128

2. *cum acc. rei:* nihil aliud nisi quod . .
Tri 396(*infra* 7)   hoc docte consulendum
Poe 926   consulere quiddamst quod tecum
uolo Mo 1102   quid in consilio consuluistis?
#Bene Ba 40   anne etiam quid consultura sis
sciam? Ci 518   *proleptice:* illi homines mihi
nescioquid mali consulunt quod faciant Per
844
similiter: consilium Mi 602(*infra* B)   consulta* sunt consilia(consulto consilio *KiesRsU*)
Tru 101 obsidium Mi 219(*U: infra sub* tergo)
uerbis(*infra* B) Ps 540, 753

3. *cum acc. personae:* si me consulas,
nummum illum . . Men 310   te nunc consulo
Mer 482   neque te consulit Per 277   nunc
ibo, amicos consulam, quo me modo suspen-

dere aequom censeant Poe 794   ego Teresiam
coniectorem aduocabo et consulam quid faciundum censeat Am 1128

4. *cum acc. duobus:* ibo et consulam hanc
rem amicos, quid faciundum censeant Men 700

5. *cum dat.:* aequomst . . et mihi te et tibi
me consulere et monere Au 130   ego man-
dassem tibi . . mihi ires consultum male Ba
565   Bacchidem atque hunc suspicabar . .
mihi male consuluisse Ba 684   tibi Au 130
(*supra sub* mihi)   postulauisti . . te perdocere ut melius consulerem tibi quam illi . .?
Cap 719   tu homo et alteri sapienter potis
es consulere et tibi Mi 684(*v. secl RibRgS*) illi
aequomst me consulere Ba 524   Cap 719(*supra
sub* tibi) melius illi multo . . consulas quam
rei tuae Ci 97   caue ni consulam* istic, nihili
homo! Tru 942(*Rs*)   dicebam . . tibi ne matri
consuleres male As 938

cruribus As 409(*infra sub* tergo)   rei tuae
Ci 97(*supra sub* illi)   tuae rei bene consulere
cupio Tri 635   ne ille edepol tergo et cruribus consuluit haud decore As 409   uiden . .
tuo tergo obsidium consuli* Mi 219(*PU*)

6. *seq. interr. obliqua:* in re praesenti ex
copia piscaria consulere* quid emam potero
Cas 500   . . ut illud quam(quem ad modum
L) tuam in rem bene conducat, (aequi *add
U*) consulam (admodum *add Rs*) Ci 634   quid
censea(n)t Am 1128(*supra* 3), Men 700(*supra* 4),
Poe 794(*supra* 3) . . dum consulo quid agam,
quem dolum doloso contra conseruo parem Mi
197   haec meast sententia ut tu hinc porro
quid agas consulas* Ps 379   quid mihi par
facere sit, ego mecum(*MahlerRglL*) mecum
egomet *GepU* cum egomet *PS†*) consulam
Poe 1396   neque quo eam neque qua quaeram consultumst Ru 225   certumst amicos
conuocare ut consulam qua lege nunc med . . .
essurire oporteat St 503

enunt. finale: Per 844(*supra* 2).

7. *cum praepp.* **cum:** mecum Poe 1396(*supra*
6) tecum Mo 1102(*supra* 2) **ab:** amor . . eos
cupit . ., ab re consulit Tri 238   **aduorsum:**
qui nihil aliud nisi quod sibi soli placet consulit aduorsum filium, nugas agit Tri 396

8. *additur gen. pretii:* aequi Ci 634(*U: supra* 6) quicquid attulerit, boni consulas Tru
429   *Cf* Schaaff, p. 37

9. *add. adverbium:* bene Ba 40, Mi 600, 602
(*infra* B. 1), Tri 635   melius Cap 719, Ci 97
decore As 409   docte Poe 926   fideliter Tri
1128   male As 938, Ba 565, 684, Tri 633
sapienter Mi 684   *similiter:* vi Tru 942(*U*)
in re praesenti ex copia piscaria Cas 500 in
consilio Ba 40

B. **consultus, consultum** 1. *substantive:*
nam bene consultum inconsultumst, si id inimicis usuist Mi 600   *Cf* Wueseke, p. 31

2. *adiective:* bene consultum* consilium surripitur saepissume si . . Mi 602(*v. secl Weisω*)
fateor. #Nempe conceptis uerbis? #Etiam consultis* quoque Ps 353   de concepto faciunt
consultis* dolis Ps 540(*GuyR*)

3. *adverb.:* **a.** consulto hoc factumst mihi ut
insidiae fierent Poe 788

b. ille qui consulte, docte atque astute
cauet . . Ru 1240

C. *dubium:* Campas dicit abaui consultam
istuc mihi homo Tru 942(*P em Rs* †ψ)

CONSULTATIO - - iam igitur amota ei fuerit
omnis **consultatio** nuptiarum Ep 282

CONSULTO - - meum caput contemples,
si quidem ex re **consultas** tua As 539   nimium
consultas diu Cu 207   quid me consultas quid
agas? Mi 1097   quid illaec illic in consilio
duae secreto **consultant** Ba 1154   male corde
consultare(*A* -ri *P*) bene lingua loqui Tru 226

CONSUM - - lepidissume et compsissume
confido **confuturum**(*Ca* cum futurum *P*) Mi
941   *corruptum:* Mo 1135, c̃ fuisti *C pro*
confugisti

CONSUO - - compositis mendaciis aduenisti
. . **consutis** dolis. #Immo equidem tunicis
consutis huc aduenio, non dolis Am 367-8
fateor. #Nempe conceptis uerbis? #Etiam con-
sutis(*A* consulis *P* consultis *PiusRRgU*) quoque Ps 353   de conpecto faciunt consutis(consultis *GuyR*) dolis Ps 540   *corrupta:* As
727, consuere *P pro* consueuere(*Py*) Per 170,
consui *B pro* consuei Tri 572, consuis *B*
cum suis *CD pro* consulis(*Ca*)   *Cf* Graupner,
p 14; Inowraclawer, p. 70; Siewert, p. 44

CONSURGO - - As 776, consurgat *EJ* cum
surgat *BDL* quom s. *Fψ*

CONTABEFACIO - - me miseria et cura
contabefacit Ps 21

CONTABESCO - - edepol cor miserum meum
quod guttatim **contabescit**, quasi in aquam
indideris salem Mer 205

CONTAGIO - - ego quoque etiam, qui Iouis
sum filius, **contagione** mei patris metuo malum
Am 31

CONTECHINOR - - uide modo ne illic sit
contechnatus(*B* -inatus *RRg* con thecnatus
CD) quippiam Ps 1096

CONTEGO - - Mi 112, contegit *CD* contigit
B pro conicit(*Ca*)

CONTEMNO - - I. Forma contemnit Mi
1236(-mpn- *PU*), Tri 322(-mpn- *PU*) **contemnor** Ps 916(-mpn- *CR* -ẽpn *D*) **contempsi**
Poe 1177   **contempsisti** As 416   **contemnam**
Ps 917(*AB* -mpn- *CDR*), St 305(contundam *D¹*)
contemnat Per 603(-mpn- *CD* -ẽpn *B*)   **contemptim** Per 537(*om Non* 507), 547   *corruptum:* As 78, contempte *J pro* contente Cap
177, contemptus *BDE pro* contentus(*J*)

II. Significatio A. *verb. fin.:* 1. nimis
tandem ego aps te contemnor. #Quippe ego te
ni contemnam? Ps 916-7   . . ut ne contemnat te ille Per 603   ut ipsa se contemnit Mi
1236   qui ipsus se contemnit, in eost indoles
industriae Tri 322

2. tu, uerbero, imperium meum contempsisti?
As 416   neque contempsi (Veneris) opes hodie
Poe 1177   contundam facta Talthybi, con-
temnam*que omnis nuntios St 305

B. *adverbium:* sat edepol concinnast facie.
#Ut contemptim carnufex! Per 547   ne nos tam
contemptim* conteras Poe 537

CONTEMPLO - - I. Forma contemplo Am
441, Mo 831(*Langen [Beitr.* p. 60] *RsL* -plor

$AP\psi$), Per 564(-pl** A) **contemplor**(*dep.*) Mo 831(-plo *LangenRsL*)　　**contemplat** Tri 863 (-tepl. *A ut vid*)　　**contemplabor**(*dep.*) Ci 702 **contemples** As 539　　**contemplemus** Per 548 (*LangenRs* -mur $P\psi$)　**contemplemur** Per 548 (-mus *LangenRs*)　**contemplent** Mer 407　**contemplarent** Ep 383(E^3J -ret BE^1)　**contempla** Ep 622, Mi 1029, Mo 166, 172, 282　　**contemplarier** Poe 1129(*A ut vid* -mptarier P)

II. Significatio 1. *absolute:* is hac abiit, contemplabor Ci 702　　aspecta et contempla, Epidice Ep 622　　contemplent, conspiciant omnes, nutent, nictent, sibilent Mer 407　　tu cetera cura et contempla(*sc* me?) et de meis uenator uerbis Mi 1029

2. *cum acc.:* quom illum contemplo, .. nimis similest mei Am 441　meum caput contemples, si quidem ex re consultas tua As 539 quom hanc magis contemplo* magis placet Per 564　　mirari noli neque me contemplarier* Poe 1129

aequom fuit sibi habere speculum ubi os contemplarent* suom Ep 383　　agedum contempla aurum et pallam satin haec me deceat Mo 282(*proleptice: cf* Becker, p. 167; Redslob, p. 8 *adn.*) taciti contemplemur* formam Per 548　loca contemplat* Tri 863　ut quicquid magis contemplor*, tanto magis placet Mo 831

3. *add. interr. obl.:* quin me aspice et contempla ut haec me deceat Mo 172　contempla .. satin haec me uestis deceat Mo 166, Mo 282(*supra* 2)

CONTEMPTIM ▪ ▪ *vide* contemno

CONTEMPTOR ▪ ▪ Poe 1129, contemptarier *P pro* contemplarier(*A ut vid*)

CONTEMPTRIX ▪ ▪ ego illam me uelim conuenire .. **contemptricem** meam Ba 531

CONTENDO ▪ ▪ quis hic est, qui recta platea cursum huc **contendit**(*VJ* ostendit *E* tendit B) suom? Ci 534　**contende** ergo uter sit tergo uerior Ru 752　　signum recte conparebat: huius **contendi** anulum Vi 105(*ex Non* 258)

CONTENTUS ▪ ▪ *vide* contineo

CONTEREBROMNIA ▪ ▪ *terra ficta:* oram omnem **Conterebromniam**(-oniam J contenebrom*niam B contenebroniam U) .. subegit Cu 446　*Cf* Ulrich, *Ueber die Comp.* p. 7, *n.* 4

CONTERO ▪ ▪ I. **Forma**　**conteris** Ci 609 **conteres** Ru 749　**contriui** Cas 566　**contriuisti** Poe 139　**conteram** As 419, Mo 581 **conteras** Ba 781, Poe 537　**contriueris** Ru 716　**conterere** Mo 984(AB^2 conterre P)

II. Significatio A. *proprie:* utinam nunc stimulus in manu mihi sit qui latera conteram tua As 419　heri in tergo meo tris facile corios contriuisti bubulos Poe 139　.. ibi te usque habitare donec totum carcerem contriueris Ru 716(*cf* Egli, II. 63)

B. *translate:* 1. conteris tu tua me oratione Ci 609(= fatigas) quid ego huc recursem aut operam sumam aut conteram (me *an* operam?) Mo 581　est domi quod edimus: ne nos tam contemptim conteras Poe 537(= dispicias)

similiter: ut .. ferratus in pistrino aetatem (= te)　conteras Ba 781　*in malam partem:*

tune hic faelis uirginalis liberos .. indigno (*i. e.* meretricio) quaestu conteres? Ru 749

2. is uel Herculi conterere* quaestum possiet Mo 984(*loc dub*)

3. *de tempore:* aetatem Ba 781(? *vide supra* 1) contriui diem dum asto aduocatus quoidam cognato meo Cas 566

CONTESTOR ▪ ▪ Per 308, contestabor D constabor BC *pro* conscreabor

CONTICINIUM ▪ ▪ uidebitur: factum uolo: redito huc **conticinio**(*Plac* 28, 17:　*Varr l L* VI. 53　-nno BDE *Varr* VII. 95 *LULy*) As 685 *Cf* Kane, p. 46

CONTICISCO ▪ ▪ sed **conticiscam**(cot. B^1): nam audio aperiri fores Ba 798　sed conticiscam(*AB* -cescam *CD*): nam eccum it uicinus foras Mer 271　sed fores uicini proximi crepuerunt: conticiscam(B -cescam *CD*) Mi 410 sed conticiscam(-giscam P -cescam D^3): eccum exit Ru 1356

tandem opinor **conticuit**: nunc adeam optumumst As 448

CONTINEO ▪ ▪ I. **Forma**　**continet** Am 690, St 452(BCD^2 conuerit A conuenit D^1Rg) **contini** As 582(*Bo* -nui *PRglU*)　**contineant** Cu 298　**contine** Cas 636, Ru 510　**continete** Cap 804　**continere** Mo 822　**contineri** Cap 592, Men 253(A *ut vid* -re P), 1124, Ru 1172 **continens** Mo 31(-eas B^1)　**continentem** As 857　**contentus** Cap 177(contemptus BDE), Mer 825　**contenta** Mer 824(*v. om B*)　**contenti** (*pl.*) Mer 1016　**contente**(*adv.*) As 78(contempte J)　**contentiores** Poe 461　*corruptum:* Mo 291, continent B^2 continuit P *pro* conlinunt: (*v. secl* $R\omega$)

II. Significatio A. *verb. fin.* 1. an te auspicium commoratumst an tempestas continet qui non abiisti? Am 690

2. continete uos domi, prohibete a uobis uim meam Cap 804　sese domi contineant, uitent infortunio Cu 298　*Cf* Abraham, p. 211

3. contine(, Rs) pectus Cas 636(*loc dub*) contine, quaeso, caput Ru 510

4. nimis aegre risum contini* As 582　uix uidetur continere lacrimas Mo 822

5. *medie, vel absolute vel seq.* quin: enim uero iam nequeo contineri Cap 592　nequeo contineri* quin loquar Men 253　contineri quin complectar non queo Ru 1172

6. *intrans.:* per hortum utroque commeatus continet* St 452

B. *participia* 1. *praesens:* nemo adaeque .. antehac est habitus parcus nec magis continens* Mo 31　ego praeter alios meum uirum †frugi rata .. continentem As 857　*Cf* Gimm, p. 17

2. *perf.* **contentus** a. *absolute:* dicamus senibus legem censeo .. qua se lege teneant contentique sint Mer 1016　ego faxo posthac dei deaeque ceteri contentiores mage erunt Poe 461

b. *cum abl.:* si pausillo(*Lamb* -lum PU) potes contentus* esse. #Ne perpauxillo(D -lum *DEJU*) modo Cap 177(*cf* Lindsay, *ad loc*) uxor contentast quae bonast(*haec omnia om B*) uno uiro: qui minus uir una uxore contentus siet? Mer 824-5

c. *adverb.*: illum mater arte contente*que habet, patres ut consueuerunt As 78

CONTINGO - - I. Forma contigit Am 187, 834, 1061, Poe 1271(contingit *A*), Ps 692, Ru 1176 **contingat** As 720 **contingere** Ci 497 *corruptum:* Mi 112, contigit *B* contegit *CD pro* conicit(*Ca*)

II. Significatio A. *proprie:* mihi extra unum te mortalis nemo corpus corpore contigit Am 834

B. *translate* = euenire. 1. *absolute:* par pari aliud autem quod cupiebam contigit Ps 692 **2.** *add. dat. personae:* ita erae meae hodie contigit Am 1061 opta id quod contingat tibi uis As 720 quodcumque optes, tibi uelim contingere Ci 497 tandem huic cupitum contigit* Poe 1271 uolup est quom istuc ex pietate uostra uobis contigit Ru 1176 **3.** *add.* **ut:** quod numquam opinatus fui neque alius quisquam ciuium sibi euenturum, id contigit ut salui poteremur domi Am 187

CONTINUOS - - I. Forma continuom(*acc. neut.*) Mi 742(*A* -uum *PU*), St 214(-uum *CDU* -tenuum *B*) **continuos** Ci 226(-uo *U*), Mi 743 **continuas** Am 314 **continuo**(*adv.*) Am 204, 880, 1094, 1109, As 170, 361, 770, Au 59, 300, 626, Ba 261, 300, 374, 688, Cap 128, Cas 930, Ci 214, 226(*U* -uos *Pψ*), 577, Ep 155, 190, 267, 424, 564, Mi 536, 720, 1008, Mo 142, 570(-nu *CD*[1]), 641, 1065, Per 37, 163, 439, 794, Poe 182, 886, 1117, Ps 585 b (*R in versu ficto*), 587, Ru 769, 1098, 1162, 1264, 1344, 1352, 1388, St 535, 623(contenuo *A: cf* Loewe, *Anal. Pl.* p. 184), Tri 804(-od *RRs*)

II. Significatio A. *adiectivum, semper de tempore*(*cf* Gimm, p. 17): ita pater apud uillam detinuit me hos dies sex ruri continuos* Ci 226 hospes . . ubi triduom continuom fuerit, iam odiosus siet: uerum ubi dies decem continuos sit, east odiorum Ilias Mi 742-3 continuas has tris noctes peruigilaui Am 314 quae autem prandia quae inter continuom* perdidi triennium St 214

B. *adverbium:* abi intro ad uos domum continuo Mi 536 huc continuo (mulierem) *adduce* Per 439 Ps 585 b — 587(*R in versu ficto*) continuo pro imbre amor *aduenit* Mo 142 continuo antiquom hospitem nostrum sibi Mnesilochus *aduocauit* Ba 261 continuo *arbitretur* uxor tuo gnato Ep 267(*v. om J*) ego te continuo barba *arripiam* Ru 769 continuo tu illam a lenone *adserito* manu Per 163 *capimus* consilium continuo Ba 300 diuom atque hominum *clamat* continuo fidem Au 300 continuo meum cor *coepit* artem facere ludicram Au 626 me continuo *contuli* protinam in pedes Ba 374 Mercurium iussi me continuo *consequi* Am 880 ibi continuo *contonat* sonitu maxumo Am 1094 ibi iubeto nobis cenam continuo *coqui* Ru 1264 continuo hercle ego te *dedam* discipulam cruci Au 59 continuo Amphitruo *delegit* uiros primorum principes Am 204 *detinuit* Ci 226(*U; vide supra* A) continuo hunc nouisse *dicent* scilicet Ru 1098 continuo argentum *dedi* ut emeretur Ep 564 talentum argenti magnum continuo dabo Ru 1344 id (argentum) ego

continuo huic dabo Ru 1388 ego hanc continuo uxorem *ducam* Mi 1008 si ille argentum prius hospes huc affert, continuo nos ambo *exclusi* sumus As 361 **continuo *excruciarer* animi Mi 720(*A solus*) tibi ego hoc continuo cyatho oculum *excutiam* Per 794 ilico intro limen isti astate ut quom extemplo uocem continuo *exiliatis* Mo 1065 continuo *extollunt* ambo capita Am 1109 continuo is me ex Syncerasto Crurifragium *fecerit* Poe 886 ***continuo ut maritus *fiat* Ep 190 continuo* adueniens pilum *iniecisti* mihi Mo 570 ubi elocutus ego continuo anum(*om AcLU*) *interrogo*(† *S* obsecrans *Rs*) 'ubi habitat'? inquam Ci 577 quod lubet non *lubet* iam id continuo Ci 214 continuost alias aedis *mercatus* sibi Mo 641 continuo tibi *negabit* Poe 182 si illarumst nutrix, me continuo *nouerit* Poe 1117 ad oppidum hoc uetus continuo meum exercitum protinus *obducam*(*vide R*) Ps 587 continuo* *operito* denuo: sed clanculum Tri 804 continuo te *orabit* ultro ut . . Ep 155 continuo in genua ut astiti, pectus mihi pedibus *percutit* Cas 930 *pergite,* obsecro, continuo Ru 1162 ubi me aspiciet ad carnuficem *rapiet* continuo senex Ba 688 inde me continuo *recipiam* rursum domum Cap 128 quos (nummos) continuo tibi *reponam* in hoc triduo Per 37 eum tu continuo uidulum *reposcito* Ru 1352 continuo iam ut *remittam* ad te rogas As 170 continuo hic *ero* Ep 424 si quem alium aspexit, caeca continuo siet As 770 haec si ita ut uolo conficio, continuo ad te *transeo* St 535 poste ad te continuo* transeo St 623 *de collocatione cum imperativo cf* Loch, p. 9

CONTIO - - si qua forte **contio**st(-tio est *vel* -cio est *lib*) ubi eum hietare nondum in mentem uenit Fr II. 42(*ex Diom* 345) quibus negoti nihil est . . eos oportet **contioni** dare operam atque comitiis Men 459 in **contionem** mediam me inmersi miser Men 448 qui illum di omnes perduint qui prius commentust ** contionem habere Men 452 dico omnibus, pube praesenti in **contione,** omni poplo Ps 126 *dubium:* Men 455, deu***contionemidah *A*

CONTOLLO - - congrediar. #**Contollam** gradum Au 814 adibo contra et contollam (*A* tollam *P*) gradum Ba 535

CONTONO - - ibi continuo **contonat** (-ar *E*) sonitu maxumo Am 1094

CONTOR - - rogitare oportet et **contarier** (*ABLy* contrarier *VEJ* percon. *Pyψ*) adsitne . . Cas 571

CONTORPLICO - - longa nomina **contorplicata** habemus Per 708

CONTRA - - I. Forma Ba 765, contra *add RRg* Mer 919, contraham *CD* contra iam *B pro* contra amo(*FZ*) Mi 223, contra tu *BugU pro* commeatum(*Pψ*): 658, contra cum istis *B*[2] contramitum histis *CD* contra////u histuis *B*[1] Poe 1355, contram *A pro* contra me *corruptum:* Ru 1308, contra facta(fracta *D*[2]) *P pro* confracta(*Py*)

II. Significatio A. *praep.* **1.** *cum acc.:* num quid recusas contra* me? #Haud uerbum quidem Poe 1355   quis illic est qui contra me astat? #Quis hic est qui sic contra me astat? Per 13   adsistite omnes contra me Ps 156 *fortasse:* certumst confidenter hominem contra conloqui Am 339   Mo 1105(*infra* B. 6).

2. *cum dat.* (*semper postpositum*)*:* at ut confidenter mihi (an *dat. ethicus?*) contra astitit Cap 664   consulo . . quem dolum doloso contra conseruo parem Mi 198   praesidio Veneris malitiae lenonis contra incedam Ru 693

3. *cum abl.:*   auro contra cedo modestum amatorem Cu 201   (seruos) non carust auro (aurum *B²*) contra Ep 411   contra auro alii hanc uendere potuit operam Mi 1076   iam (mi *add CaRsL*) auro contra constat filius Tru 538

cedo mihi contra *aurichalco,* quoi ego sano seruiam Cu 202   cedo tris mihi hominis aurichalco contra* cum istis moribus Mi 658   aurichalco contra non carum fuit meum mendacium Ps 688

B. *adverbium* 1. = e contrario loco *vel* obviam: contra Teloboae ex oppido legiones educunt suas Am 217   item hostes contra legiones suas instruont Am 222   hostes crebri cadunt: nostri contra ingruont Am 236   interclude iter inimicis contra* tu Mi 223(*BugU: vide* ψ)

contra pariter fer gradum et confer pedem Mer 882   fer contra manum et pariter gradere Tru 124   confer gradum contra pariter Ps 708   *similiter:* compellabo. #Orationis aciem contra conferam Ep 547

adibo contra et contollam gradum Ba 535   accede ad me atque adi contra Ru 242   congrediar. #Contra adgredibor Per 15   at ut confidenter mihi contra astitit Cap 664(*vide supra* A)   Per 13(*supra* A. 1)   Per 208(*infra* 6)

2. = mutuo: tubae utrimque canunt contra (*PS̶†U* c. utr. occanunt *Bergkψ*) Am 227   omnis uoco cinaedos contra (ut saltent *add RRg* saltus *U*) St 772(*infra* 7)

nunc sibi uterque contra legiones parat Cas 50   . . ut . . contra conserta manu praestringat oculorum aciem . . hostibus Mi 3

3. = inuicem: quae me amat, quem contra amo Am 655   coepi amare contra ego illum, et ille me Ci 95   quae me amaret contra . . . Ci 239   quae me amat, quam ego contra* amo Mer 919   is amabat meretricem . . et illa illum contra Mi 101   is . . hanc deperit mulierculam . .: contra . . eum haec deperit Ci 132   is amore proiecticiam deperit . ., et illa hunc contra Ci 193   sisto ego tibi me et mihi contra itidem tu te ut sistas suadeo Cu 163   uiden ut tuis dictis pareo?   quin tu meis contra item dictis seruis? Per 813   . . te ut deludam contra, lusorem meum Am 694   mihi quoque edepol, quom hic nugatur, contra nugari lubet Tri 900   . . nisi quid ego mei simile aliquid contra consilium paro Vi 67(*cf* Mi 198(*supra* A. 2)   qui arguat se, eum contra uincat iure iurando suo Mi 190

4. *leniore sensu:* eam puellam hic senex amat efflictim et item contra filius Cas 49(*cf* Fleckeisen, *Zur Kritik* p. 673)   contra istoc detrudi maleficos aequom uidetur Tri 551   te omnes saeuom commemorant: . . ego contra

opera expertus Tri 826   contraque uerbis delenitur commodis St *Arg* II. 4   ut, si illic concriminatus sit . ., eam arguam uidisse apud te contra . . Mi 244   item a me contra factumst Au 20

5. *notionem verbi amplificat:* . . potius ut quod uir uelit fieri, id facias quam aduorsere contra Cas 253

6. *cum verbis videndi:* non conducit . . senem tranquillum esse ubi me (contra *add RRg*) aspexerit Ba 765   nec . . scio nec meam ut uxorem aspiciam contra oculis Cas 940   ubi contra aspexit me oculis mihi signum dedit Mi 123   aspicedum contra me Mo 1105   feminam scelestam te astans contra contuor Per 208

7. *cum verbis loquendi, sim.:* certumst confidenter hominem contra conloqui Am 339(*supra* A. 1)   pariter ambo omnis uoco cinaedos contra St 772(ut saltent *add RRg* saltus *U: an supra* A. 1 *referendum?*)

CONTRACTO - - *vide* contrecto

CONTRAHO - - I. Forma   **contraxistis** Am 52(*v. om J*)   **contraxit** Cas 551   **contrahat** Cap 63(*B* contraat *DVE*)   **contraxerim** Am 871   **contrahere** Cas 561   **contractā** Ru 318 *corruptum:* Mer 919, contraham *CD*   contra iam *B pro* contra amo(*FZ*)

II. **Significatio** 1. *proprie:* quid(? *L*) contraxistis frontem?(*om LU*)   Am 52(*v. om J*) ecquem recaluom . . senem . ., tortis superciliis, contracta fronte (uidistis)? Ru 318

2. *translate:* mea sit culpa, quod egomet contraxerim si id Alcumenae innocenti expetat Am 871   . . propter operam illius hirqui . . qui hoc mihi contraxit Cas 551

si quis pugnam exspectat, litis contrahat* Cap 63   ego aliquid contrahere cupio litigi inter eos duos Cas 561

CONTRECTO - - quotiens te uotui Argyrippum . . compellare aut **contrectare**(contraec. *D*)? As 523   quid nunc uolt? #Te conpellare et conplecti et contrectare(*D* contrac. *B* contrec. *C*) Mi 1052   . . lepidam mulierem complexum contractare(*P* contrec. *AL*) Poe 698   tune hic amator audes esse . . aut contractare (-e- *Ly*) quod mares homines amant? Poe 1311

CONTREMO - - era mea quoius propter amorem cor nunc miserae **contremit**(*Rg* miser*** *A in marg* S̶ *om* ψ) Mi 996 b

CONTROVERSIA - - nulla **controuersia** mihi tecum erit Au 261   apage, controuersia (-ūsia *B* -orsia *RsU*) est Ru 826   aut plus aut minus quam opus fuerat dicto dixeram † **controuersiam**(*AP* -orsiam *RsS̶ om R*)   ut (*** *Rs*) sponsio fieret(u. s. controuorsiam finiret *R*) Men 592   repromisit mihi . . sine **controuersia** omne argentum reddere Cu 669

CONTRUNCO - - eos ego hodie omnis **contruncabo** duobus solis ictibus Ba 975(*v. secl L*)   . . dum equidem hercle quod edant addas, meum ne **contruncent** cibum St 554(*cf* Leo, *Lect. Plaut.* p. 567)

CONTUBERNALIS - - illa nos uolt . . omnis crucibus **contubernalis**(*P* -es *AL*) dari Mi 184

CONTUEOR - - *vide* contuor

CONTUMELIA - - I. Forma   **contumelia** Mer 30   **contumeliam** As 489, Cu 478, Ps 1173,

Tʀᴜ 299 **contumeliae** Mᴇɴ 520 **contumelias** Bᴀ 267, Mᴇʀ 704

II. Significatio 1. *nom.:* (amori) inhaeret etiam auiditas .. inopia contumelia et dispendium Mᴇʀ 30 dicatur As 489(*infra* 2) omnes in te istaec recident contumeliae Mᴇɴ 520

2. *acc.:* contumeliam si dices, audies Ps 1173 alteri de nihilo audacter dicunt contumeliam Cᴜ 478 sanus si uideare, dicam 'dicis contumeliam' Tʀᴜ 299 tu contumeliam alter facias, tibi non dicatur? As 489

infit dicere .. quot innocenti ei dixit contumelias Bᴀ 267 em, quoi decem talenta dotis detuli .., ut ferrem has contumelias Mᴇʀ 704

CONTUNDO - - **contundam** facta Talthybi contemnamque(contundamque *D¹*) omnis nuntios Sᴛ 305 nonne hic modo me pugnis **contudit?** Aᴍ 407 Sosia ille .. me contudit Aᴍ 618 uigilantem ille me iam dudum uigilans pugnis contudit Aᴍ 624 Pistoclerus Lydum pugnis contudit(-tit *D*) Bᴀ 450 ita me miserum et meos discipulos fustibus male **contuderunt** Aᴜ 409

CONTUOR - - atque hercle ipsum adeo **contuor** As 403 quid agis? #Feminam scelestam te astans contra contuor Pᴇʀ 208 uiden limulis, opsecro, ut **contuentur**(*BoRRg* intuentur *BD²* intuent *CD¹*)? Bᴀ 1130 scio .. me hunc scipionem **contui** As 124 quotiens te uotui Argyrippum .. conloquiue aut contui? As 523 .. si uolturios forte possis contui Mo 838 *corruptum:* Mo 830, contuent *B²* *pro* coniuent

CONTURBO - - hodie hercle, opinor, hi **conturbabunt**(-bit *J*) pedes Cᴀꜱ 465 perii: illisce hodie hanc conturbabunt(contbabunt *B*) fabulam Mo 510

CONTUTUS - - fugat ipsus se ab suo **contutu** Tʀɪ 262

CONVADO - - ubi tu's qui me **conuadatu**'s Veneriis uadimoniis Cᴜ 162 *Cf* Graupner, p. 17; Inowraclawer, p. 82

CONVEHO - - sororem geminam adesse et matrem dicito quibuscum **conuecta**(*BugU* quibus concomitata *Acψ* quibus cum comita [coṁcta *B*]*P*) recte deueniat domum Mɪ 1103

CONVENA - - .. amantis una inter se facerem **conuenas**(*Ca* -nias *P* -nire *B²*) Mɪ 139

CONVENIO - - I. Forma **conuenio** Rᴜ 226 (*A* inuenio *P*) **conuenit** Aᴍ 225, 853, Bᴀ 129, 185, 658, Cᴀᴘ 648, Cᴀꜱ 272(conuenit. uin *Gep* conueni tu uis[*BJ* ius *VE*]*P*), Mᴇɴ 1131, Mᴇʀ 551, Mo 304, Poᴇ 1340, Ps 178, 1060, 1111, Rᴜ 703, Sᴛ 452(*DRg* continet *BCD²ψ* conuerit *vel* conuehit *A*), 686, Tʀɪ 623, 681, Tʀᴜ *Arg* 10 **conuenibat** Mᴇɴ 1110, Mɪ 894, Mo 312, Poᴇ 340, Ps 204, Tʀᴜ 794 **conueniebat** Ps 1181(*A* -bant *P*) **conuenibo** Cᴀꜱ 548 **conueniam** Aᴜ 176, Eᴘ 294, Mᴇɴ 557, Mᴇʀ 559, Mɪ 931, 1379(conuenam *R*), Pᴇʀ 182 **conueni** As 395(conueni. sed *UL* cum uenisset *P𝕾†* quom abiit. sed *Rql*), Eᴘ 80, Mᴇɴ 401, Mɪ 1106 (*R* -nit *Pψ*), Mo 547, Sᴛ 408 **conuenisti** Aᴍ 767, Mɪ 1105(*R duce Guy* -nit *Pψ*), 1219, Ps 1079, Sᴛ 342 **conuenit** Bᴀ 1086, Cᴀᴘ 378, Mɪ 1105(-isti *R duce Guy*), 1106(-ni *R*), Ps 1001,

Tʀɪ 1120, Tʀᴜ 321(*Gul* -nire *P*) **conuenimus** Ps 543 b(*FZLLy* -niamus *P𝕾†U* conierauimus *Rg*) **conuenerat** Ps 1093 **conuenerant** Mᴇɴ 30 **conuenero** Bᴀ 848, 921, Cᴀꜱ 545, Mᴇʀ 562, Ps 1059(conuero *B*) **conueniam** As 274, Bᴀ 348 (-nam *BoRL*), Cᴀᴘ 919, Eᴘ 196(coue. *B*) **conuenias** Cᴀᴘ 515 **conueniat** Cᴀᴘ 342(*FZ* -nit *P*), Tʀɪ 583(-nat *LU*) **conueniant** Ps 177, Tʀɪ 551 **conuenerit** Cᴀᴘ 395, Cᴜ 435 **conuenire** Aᴍ 1009, Bᴀ 175, 531, Cɪ 586, Cᴜ 470, Eᴘ 70, Mɪ *Arg* I. 7, Mɪ 171(*A* quam ueniret[-re *B* conueniret *C*]*P*), Pᴇʀ 301(*A* cum uenire *P*), Sᴛ 298, Tʀɪ 569(-ri *AcRRg*), Tʀᴜ 250, 283 **conuenisse** Aᴜ 258, Cᴀᴘ 381, Mᴇɴ 1050, Mɪ 277 (-set *B¹*), Pᴇʀ 856 b(*loc dub*) **conueniri** Tʀɪ 569(*Ac* -re *Pψ*) **conuentum**(*acc. masc.*) Cᴜ 304, 468, Mɪ 1138, Tʀɪ 1175 **conuentam** Cɪ 704, Poᴇ 1119 **conuento**(*abl. masc.*) Cᴀꜱ 502, Cᴜ 302 **conuentas** Sᴛ 127 **conuentis** Cᴜ 322(-tus *EJ*) **conueniundus** Tʀɪ 1122(-endus *C*) **conueniundi** Cᴀᴘ 748, Mᴇʀ 850, Mɪ 1010 *corrupta:* Mᴇʀ 828, conuenirent *B pro* commerent: 984, conuenit *P pro* condecet(*Lach*) Mɪ 96, conuenirit *C pro* deuenerim(-rit *B¹D¹*): 139, conuenias *P*(-ire *B²*) *pro* conuenas(*Ca*) Pᴇʀ 629, conueniant *P pro* eueniant(*A* conuenant *P*) Tʀɪ 1174, quod eum conuentum *iterat B falso*

II. Significatio A. *proprie* 1. = congregare: mortales multi ut ad ludos conuenerant Mᴇɴ 30 conueniunt manuplares eccos Mo 312 eo conueniunt mercatores Poᴇ 340 ubi latent .. qui amant a lenone? quin conueniunt? Ps 204 fortunatorum .. insulas, quo cuncti .. conueniant Tʀɪ 551

.. licere ut quiret(clam *R* qui *AcU*) conuenire amantibus Mɪ *Arg* I. 7

similiter: facite hodie ut mihi munera multa huc ab amatoribus conueniant Ps 177

2. = obuiam ire, occurrere. **a.** *absolute:* ad tonsorem ire dixit. #Conueni* .. sed post non rediit? As 395 ego hinc eo ad illum ut conueniam* quantum potest Bᴀ 348 illum examinalem faxo si conuenero Bᴀ 848 sic ut eum, si conuenit, scio fecisse Bᴀ 1086 molesta ei esse nolo: post conuenero Cᴀꜱ 545 adducam ego illum iam ad te si conuenero Mᴇʀ 562 deridebo hercle hominem si conuenero* Ps 1059 *Cf* Abraham, p. 208

b. *cum acc.:* uenero te ne Nicobulum me sinas .. conuenire Bᴀ 175 men hodie usquam conuenisse te .. audes dicere? Mᴇɴ 1050 dic Callicli me ut conueniat* Tʀɪ 583 modo me Stasimus .. conuenit domi Tʀɪ 1120 te conueni Mᴇɴ 401 te, Palaestrio, uolup est conuenisse* Mɪ 277 ecquem conuenisti? #Multos. #At uirum? #Equidem plurumos Sᴛ 342 .. nisi tu dudum hanc conuenisti Aᴍ 767 conuenit*ne eam? #Conuenit* Mɪ 1105 eum uolo conuenire Tʀᴜ 250 ego illam me uelim conuenire, .. contemptricem meam Bᴀ 531 tum istam conuenibo Cᴀꜱ 548 ego illum conueniam atque adducam huc ad te Eᴘ 294 ego ad forum illum conueniam Mɪ 931 ego nam(*dub.*) conueniam* illum(miliṫem *MueRg*) Mɪ 1379 conueni illum, unde hasce aedis emeram Mo 547 tute ipsum conuenisti? Mɪ

1219 quem conuenire* maxume cupiebam ego, egreditur Per 301

iam *Antiphonem* conueni, adfinem meum St 408 ego conueniam *Euclionem,* si domist Au 176 . . priusquam *filium* conuenero Ba 921 . . eum *hominem* ut conuenias Cap 515 qui periurum conuenire uolt hominem, ito in comitium, qui mendacem et gloriosum . . Cu 470 numquam hominem quemquam conueni . . Ep 80 hau multos homines . . nunc uidere et conuenire* quam te mauellem Mi 171 conuenistin hominem? Ps 1079 aetatem uelim seruire, *Libanum* ut conueniam modo Au 274 *militem* Mi 1379(*MueRg: vide supra sub* illum) illaec se quandam aibat *mulierem* . . conuenire Ci 586 mulieres uolo conuenire uostras Tru 283 *Naucratem* quem conuenire uolui, in naui non erat Am 1009 alium potius misero . . tuom qui conueniat* *patrem* Cap 342 patrem . . se conuenire non uolt Ep 70 utinam conueniam* domi *Periphanem* Ep 196 haud conuenit* etiam hic dum *Phronesium* Tru 321 neque . . *responsorem* quemquam interea conuenio* Ru 226 ego ibo ut conueniam *senem* Cap 919 ibo et conueniam *seruom,* si potero meum Men 557 conueniam hunc *Toxilum* Per 182 conuenisse te Toxilum memineris Per 856 b(*loc dub*) hunc *uicinum* prius conueniam quam domum redeam Mer 559

c. *passive:* sunt qui uolunt te conuentam Ci 704 quis nominat me? #Qui te conuentum cupit Cu 304 . . si quem conuentum uelit Cu 468 neminem pol uideo nisi hunc quem uolumus conuentum Mi 1138 est qui illam conuentam esse uolt Poe 1119 esse ambas conuentas uolo St 127 subitost propere quod eum conuentum uolo Tru 1175

mihi uicino hoc etiam conuentost opus Cas 502 celeriter mihi hoc homine conuentost opus Cu 302 illis conuentis* sane opus est meis dentibus Cu 322

mihi is propere conueniundust Tri 1122 . . ut mihi eius facias conueniundi copiam Cap 748 date . . conueniundi mihi eius celerem copiam Mer 850 utinam . . eius conueniundi mihi potestas euenat Mi 1010

B. *translate* 1. = pactum esse a. *absolute:* si deliqui, nulla causast. #Conuenit Am 853 recte conuenisse sentio Cap 381 quid si ego autem ab armigero impetro? #Conuenit* Cas 272 iam scio ut conuenerit Cu 435 quisquis praetereat comissatum uolo uocari. #Conuenit St 686

b. *seq.* ut (*cf* Langen, *Beitr.* p. 221): omnibus amicis meis idem unum conuenit ut me suspendam Poe 1340 conuenit, uicti utri sint . . urbem . . uti dederent Am 225 memineris conuenisse ut nequid dotis mea ad te afferret filia Au 258 Cap 379(*infra* c); 395 (*infra* c); 648(*infra* 2. a) . . ut illam ducat qui uitiarat conuenit Tru *Arg* 10

c. *cum praepp.* cum: de dote mecum conuenire* potest Tri 569 dicito patri quo pacto mihi cum hoc conuenerit de huius filio: . . ut eum redimat Cap 395

inter: ita conuenit inter me atque hunc . .

ut te aestumatum in Alidem mittam: . . ut uiginti minas dem pro te Cap 379 . . si de ea re umquam inter nos conuenimus* Ps 543 b (*FZL: loc dub*) epistulam . . imagine obsignatam quae inter nos duos conuenit olim Ps 1001 . . obsignatum symbolum . . qui inter me atque illum militem conuenerat Ps 1093 nescioquid non satis inter eos conuenit Tri 623

2. = congruere a. *absolute:* hospitium et cenam pollicere, ut conuenit Ba 185 in pistrino credo, ut conuenit fore Ps 1060

subrufus aliquantum, crispus, cincinnatus. #Conuenit. #Ut quidem . . pessume processerim Cap 648(*cf* Langen, *Beitr.* p. 221 *et supra* 1. b)

quid erat nomen nostrae matri? #Teuximarchae. #Conuenit Men 1131

optume usque adhuc conueniunt signa Men 1110 conueniunt adhuc utriusque uerba Tru 794

similiter: bene igitur ratio accepti atque expensi inter nos conuenit Mo 304

b. *cum dat.:* non omnis aetas, Lyde, ludo conuenit Ba 129 ***peioribus conueniunt Mi 894(*loc dub*) hoc uidetur mihi magis meo conuenire huic nuntio St 298 cum his mihi nec locus(*i. e.* consociatio) nec sermo conuenit Ps 1111

c. *cum infin.:* uorsipellem frugi conuenit esse hominem pectus quoi sapit Ba 659 rei tuae quaerundae conuenit operam dare Mer 551 ignoscere his te conuenit Ru 703 non conuenit me . . in ditiis esse agrumque habere Tri 681 *Cf* Walder, p. 50

d. *cum in praep.:* conueniebat* ne in saginam tua machaera militis? Ps 1181

C. *dubia:* Ps 178, nisi mihi penus annuos hodie(* L) conuenit *PRgS var em RU: cf* Ps 177, *supra* A. 1 St 452, per hortum utrique commeatus conuenit *D¹Rg* continet *BCD²SLU* conueuit *vel* conuehit *A*

CONVENTICIUS - - illa te, ego hanc mihi educaui ex patribus **conuenticiis**(*Gul* -tus *B* conticus *VE* conticius *J*) Ci 40

CONVENTUS - - Ba 140, quom erus in conuentu sit *U* cum haec intus sit *PS†* var em *ψ* Ci 40, conuentus *B* conticus *VE* conticius *J pro* conuenticius

CONVERRO - - *vide* conuorro

CONVERTO - - *vide* conuorto

CONVICIUM - - *in acc. modo casu usurpatur:* . . ut ne clamorem hic facias, neu **conuicium**(*B* -tium *CD*) Ba 874 ea simia . . male mihi precatur et facit conuicium(*C* -tium *BDRRg*) Mer 235 praesenti tibi facit conuicium(-tium *B²CDR* contum *B¹*) Mo 617 (ait) conuicium(*Ca* conuirium *CD* coniurium *B*) tot me annos iam se pascere Mer 59(*cf* Dousa, p. 366)

CONVINCO - - tu . . quem ego iam hic **conuincam**(-ciam *J*) palam Am 779 conuincam illum(*U* quin et illum *PS†* var em *ψ*), in ius si ueniam Mo 1089 tu inuentu's uera uanitudine qui **conuincas** Cap 570 mille memorari potest qui et **conuicti** et condemnati falsis de pugnis sient Tru 486 mihi diuidiaest tonstricem meam sic **conuictam**(*L* sicut multam *P*₿† *var em ψ*) male Tʀᴜ 856

CONVIVA - - I. **Forma conuiua** Mɪ 642 (*v. secl RibRg*) **conuiuae**(*dat.*) Ps 885(*A* -ui *P* -is *D³R*) **conuiuam** As 768(-ua *E*), Mɪ 666 (*FZ* -uium *P*), Rᴜ 592, Sᴛ 478, 661 **conuiuae** Bᴀ 141(-ua *B*), Mᴇɴ 276, 280, Sᴛ 594 (-ue *D* -uę *C*) **conuiuarum** Mo 379, 933 **conuiuis** Ps 821, 881, 885(*D³R* -ui *P* -uae *Aψ*) **conuiuas** Mᴇɴ 224(*P* com. *ARs*₿), 281, Mɪ 644 (*B²* -uias *P*), Poᴇ 615, Ps 812, 891(*P* properas *A*)

II. **Significatio** 1. *nom.*: uel cauillator facetus uel conuiua commodus idem ero Mɪ 642 (*v. secl RibRg*)

quom .. conuiuae alii accubent Bᴀ 141 ubi conuiuae abierint, tum ut uenias Sᴛ 594 iam conuiuae ambulant(obam. *RRs*) ante ostium Mᴇɴ 276 ubi (sunt *add R*) conuiuae ceteri? Mᴇɴ 280

2. *gen.*: hic .. offendet .. aedis plenas conuiuarum et mulierum Mo 379 hic quidem conuiuarum sonitust .. neque .. Mo 933

3. *dat.*: priusquam quoiquam conuiuae* dabis gustato tute prius Ps 885 condiunt .. strigibus, uiuis conuiuis intestina quae exedint Ps 821 ita conuiuis cenam conditam dabo .. ut .. Ps 881

4. *acc.*: uel hilarissumum conuiuam* hinc indidem expromam tibi uel .. Mɪ 666 fero conuiuam Dionysum mihique et tibi Sᴛ 661 alium conuiuam quaerito tibi in hunc diem Sᴛ 478 lenonem quid agit intus uisam, conuiuam meum Rᴜ 592 uocet conuiuam* neminem illa: tu uoca As 768

quin tu is accubitum et conuiuas* cedo Ps 891 elocuta sum conuiuas* Mᴇɴ 224 alii coqui .. boues qui conuiuas faciunt Ps 812 quos tu conuiuas quaeris Mᴇɴ 281 conuiuas uolo reperire nobis commodos Poᴇ 615 incommoditate abstinere me apud conuiuas* commodo commemini? Mɪ 644

5. *adiectiua*: commodus Mɪ 242, Poᴇ 615 hilarissumus Mɪ 666 uiuos Ps 821

CONVIVIUM - - I. **Forma conuiuium** Aᴍ 805, Mᴇɴ 464 (conuium *C*), Sᴛ 663, 689 **conuiui** Bᴀ 1182(*C* -ii *BD*), Mo 316, Sᴛ 710 **conuiuio** Sᴛ 702 **conuiuium** As 834, Bᴀ 834 (conuium *D*₎, Cᴀs 787, Mɪ 165(-tium *B²* conuium *CD¹*), Pᴇʀ 121, Sᴛ 684 **conuiuio** Cᴀᴘ 70, 72(uiuio *J¹*), Mɪ 643, 652(*B* -uium *CD*), 654 **conuiuia** Mo 732(*Rs* communia *P*₿† simitu omnia *R* omnia *Pyψ*) *corrupta*: Mɪ 666, conuiuium *P pro* conuiuam(*FZ*) Ps 885, conuiui *P* conuiuis *D³R pro* conuiuae(*A*)

II. **Significatio** 1. *nom.*: apud nos est conuiuium Sᴛ 663 hoc conuiuiumst pro opibus nostris satis commodule(-lumst *RRg*) nucibus Sᴛ 689 ei, non placet conuiuium Aᴍ 805 sublatumst conuiuium* Mᴇɴ 464

nunc nobis conuiuia* haec exciderunt Mo 732(*Rs*)

2. *gen.*: ita me male conuiui sermonisque taesumst Mo 316 satis, satis iam uostrist conuiui Bᴀ 1182 edepol conuiui sat est Sᴛ 710

3. *dat.*: strategum te facio huic conuiuio Sᴛ 702

4. *acc.*: age, ergo, hoc agitemus conuiuium As 834 adcuratote ut sine talis domi agitent conuiuium* Mɪ 165 lubido extemplo coeperest conuiuium Pᴇʀ 121 cras habuero .. conuiuium Cᴀs 787 omnibus modis temptare certumst nostrum hodie conuiuium Sᴛ 684 uiden conuiuium* Bᴀ 834

5. *abl.*: inuocatus soleo esse in conuiuio Cᴀᴘ 70 scortum in conuiuio* sibi amator .. inuocat Cᴀᴘ 72 neque ego oblocutor sum alteri in conuiuio Mɪ 643 neque ego umquam alienum scortum subigito in conuiuio* Mɪ 652 neque per uinum umquam ex me exoritur discidium in(*om B*) conuiuio Mɪ 654

CONVOCO - - I. **Forma conuoco** Mɪ 197, Mo 688 **conuocabo** Eᴘ 159 **conuocaui** Mo 1050 **conuocem** Mo 1049 **conuocare** Sᴛ 503

II. **Significatio** 1. *proprie*: certumst amicos conuocare ut consulam Sᴛ 503 capio consilium ut senatum congerronum conuocem. quoniam conuocaui, atque illi me ex senatu segregant Mo 1049-50

2. *translate*: ego mihi consilia in animum conuoco Mɪ 197 iam senatum conuocabo in corde consiliarium Eᴘ 159 mihi senatum consili in cor conuoco Mo 688 *Cf* Gʀᴀᴜᴘɴᴇʀ, p. 16

CONVORRO - - I. **Forma conuorram** Sᴛ 376(*A* -e- *P*) **conuorret** Rᴜ 845(-e- *PR A n. l.*) **conuorri**(*perf.*) Sᴛ 389(-e- *APL*) **conuorre** Sᴛ 351(-e- *APL*) **conuorrite** Bᴀ 10 (*ex Char* 219 -e- *CharRLU*)

II. **Significatio** cape illas scopas .. : hoc egomet, tu hoc conuorre Sᴛ 351 hercle uero capiam scopas atque hoc conuorram lubens Sᴛ 375 reuorram hercle hoc quod conuorri modo Sᴛ 389 conuorrite _ ᴜ(aedis *Rs* ∗*L* [*'fortasse* istuc']) scopis, agite strenue Bᴀ 10 (*ex Char* 219) *translate*: conuorret iam hic me totum cum puluisculo Rᴜ 845

CONVORTO - - I. **Forma conuortimus** Sᴛ 414(*perf.*?) **conuorror** Sᴛ 402 **conuortitur** Aᴍ 238(-e- *E*) **conuortimini** Aᴍ 689(*FlU* reuor. *Pψ*) **conuortam** Eᴘ 188(uortam *Non* 479) **conuortes** Rᴜ 999(-e- *PL*) **conuortamini** Pᴇʀ 608(-e- *AL: ex A solo*) **conuortere** Poᴇ 1321(-e- *APL*) **conuorti** Rᴜ 1151

II. **Significatio** 1. *activum*: iam ego me conuortam* in hirundinem Eᴘ 188 tu hercle .. in uidulum te piscem(bis *L*) conuortes nisi caues Rᴜ 999 si quid per iocum dixi, nolito in serium conuortere Poᴇ 1321

2. *intrans.*: sine aduocatis ibidem in cercuro in stega in amicitiam atque in gratiam conuortimus Sᴛ 414

3. *deponens*: bene re gesta saluos conuortor domum Sᴛ 402 quid huc uos conuortimini* tam cito? Aᴍ 689(*U*) curabo ut praedate pulcre ad castra conuortamini Pᴇʀ 608(*A solus*) sed †fugam in se(sic *U*) tamen(in fugam sed tamen *LindRgl*) nemo conuortitur Aᴍ 238 quod posterius postules te ad uerum conuorti nugas .. magnas egeris Rᴜ 1151

COOPERIO - - linna **coopert**ast (*Isid* cooperata est *cod!* *lib glos*) testrio(*lib glos* *Rg*†S† textrina uolgo textrino *L*) gallia F_R II. 63(*ex Isid Or* XIX. 23, 3 *et lib glos: vide* L o e w e , *Prod.* 289)

COORIOR - - ubi qui mala tangit manu, dolores **coori**untur(*ACD* cooriuuntur *B*) P_{ER} 313

COPIA - - I. **Forma** **copia** A_U 254, B_A 393, 487(*v. secl US*), 563, C_{AP} 217, 529, 852, C_{AS} 810(*PL* -iae *Aψ*), E_P 162, 330, 356, M_{ER} 990(*Guy* -ie *B* -ię *CD* -iae *SLy*), M_I 1041, 1226, 1229, P_{ER} 633(*ABD* copiosa *C*), P_{OE} 1178, Ps 736(*RU* Copia *ψ*), R_U 288 (quo non copia *PS*†*LU*† necopia quo *Rs*), 392(opia *B*), 557, 765, 781, T_{RI} 671, 1131, T_{RU} 370 **copiae** B_A 422, C_{AS} 810(*A* copia *PL*), M_{ER} 990(*SLy* -ie *B* -ię *CD* -ia *Guyψ*), Ps 671(-iaest *Z* -iast *AP*) **copiam** A_S 75, 848, B_A 639, C_{AP} 374(cupiam *D*), 748, 1008, C_{AS} 450, 624, 842, C_I 138, C_U 330, E_P 323, 324(c. parare *CDS*†*LLy* c. tibi parere *B* comparare *Rg* tibi parare *U*), 325(*v. dub*), 385 (*v.* secl *L*), M_{ER} 850, 908(*F* copia *P*), M_I 769, 971(*FZ* cupiam *B* capiam *CD*), P_{ER} 255, 415 (*A* tantulum *R* talenaum *U de A* errans), 539, P_{OE} 362, T_{RI} 135, V_I 87 **copia** A_M 219, A_S 245, A_U 541, C_{AS} 499, C_I 30, 377(*ex Prisc* III. 33), M_{ER} 506, T_{RU} 148(copia hic *Ca* copiae lu *B* copie *cum spat CD*) **copiae** A_S 554(-ie *EJ*) **copiarum** A_S 655, R_U 664 **copias** A_M 246, B_A 551, 647, 653(ut c. *add R solus*), P_{ER} 253, Ps 579 *corrupta:* Mo 966, copiam *P pro* quopiam(*A*) S_T 351, copiam *A*¹ *pro* capiam

II. Significatio A. 1. = opes, *sim.:* **a.** quidquid est, comiter fiet a me quo non copia* ualebit R_U 288(*v. dub*) tibi . . copiast, dum lingua uiuet, qui rem soluas omnibus R_U 557 **b.** haec allata cornu copiaest*, ubi inest quidquid uolo Ps 671

custos erilis, decus popli, thensaurus copiarum A_S 655 omnium copiarum atque opum . . uiduitas nos tenet R_U 664 **c.** nescio unde . . opum(opis *L*) copiam comparem aut expetam C_{AS} 624 mihi qui uiuam copiam inopi facis V_I 87 . . nec qui deterior esset faceres copiam T_{RI} 135 neque ego usquam aliam mihi paraui copiam P_{OE} 362 per illam tibi copiam copiam* parare aliam licet E_P 323-4(*loc dub: vide ψ*)

Ioui . . opes, spes bonas, copias commodanti . . P_{ER} 253 . . nisi habet . . pectus (ut copias *add R*) . . expromat suo B_A 653 ille . . accuratum habuit . . inconciliaret copias omnis meas B_A 551(*v. om A secl S*) regias copias aureasque optuli ut domo sumeret B_A 647 **d.** experiar opibus, omni copia A_S 245 nostra copia nihil uolunt nos potesse C_I 30

pro re nitorem et gloriam pro copia qui habent . . A_U 541 si quidem imperes pro copia pro recula C_I 377(*ex Prisc* III. 33) facere certumst pro copia et sapientia quae te uelle arbitrabor M_{ER} 506 uolo habere aratiunculam pro copia* hic apud nos T_{RU} 148 *similiter:* i[.] re praesente ex copia piscaria consulere quid emam potero C_{AS} 499

2. *idem fere ac* auxilium, *seq.* in: sciui equidem . . nullam tibi esse in illo copiam E_P 325 (*v. dub*) nec sodali tuo in te copiast? E_P 330 3. *de militibus:* utrimque exitumst maxuma copia A_M 219 foedant et proterunt hostium copias iure iniustas A_M 246 *similiter:* legiones copiae exercitusque eorum . . fugae potiti A_S 554 in meo prius pectore ita paraui copias . . facile ut uincam Ps 579

4. = abundantia, *sim.:* orauit . . ut sibi amanti facerem argenti copiam A_S 75 amanti argenti feci copiam A_S 848 argenti rogo uti faciat copiam C_U 330 non mihi censebas copiam* argenti fore P_{ER} 415(*A solus*) *similiter:* techinam de auro . . fecit . . ut mihi amanti copia esset B_A 393

meo amico amiciter hanc commoditatis copiam danunt P_{ER} 255 . . perspicere ut possint cordis copiam E_P 385(*v. dub: secl L*) tibi non erat meretricum aliarum Athenis copia? B_A 563 rerum omnium bonarum copiast* saepissuma P_{ER} 633 tanta ibi copia uenustatum aderat P_{OE} 1178 *Cf* B l o m q u i s t , p. 25 5. = facultas, potestas **a.** *absolute:* quae uolumus nos copia est C_{AP} 217 multae aliae idem istuc cupiunt, quibus copia non est M_I 1041 conclusit ipse in uidulum ne copia* esset ei(*Luchs* eius *PLU*) qui suos parentes nosceret R_U 392

b. *cum gen.:* saepe de corpore amicae bona multa mihi dedisti huius quom copiam mihi dedisti(*AP* fecisti *GulU*) C_{AS} 842 quod maxume cupiebas, eius copiam feci tibi C_{AS} 450 feci eius ei quod me orauit copiam C_I 138 ita suasi seni . . ne tibi eius copia esset E_P 356 deos orato ut eius faciant copiam* M_{ER} 908 quaeso ut eius mihi sit copia quem amo quemque expetesso M_I 1229 R_U 392 (*PLU: vide supra* **a**) quom inopiast cupias: quando eius copiast, tum non uelis T_{RI} 671 tui M_I 971 (*infra* **c**)

c. *cum pron. demonstr.:* gratiam habeo tibi quom copiam* istam mihi et potestatem facis C_{AP} 374 obsecrare iussit ut eam(tui *FZR*) copiam* sibi potestatemque facias M_I 971 . . uti huic amanti . . hanc ecficiamus copiam, ut hic eam abducat abeatque M_I 770

6. = potestas, occasio, opportunitas **a.** *absolute:* neque . . facio, neque si cupiam, copiast A_U 254 neque iam Salus seruare . . me potest: nec copiast, nisi si . . C_{AP} 529 quiescas an sic sine malo, si copiast? R_U 781 **b.** *cum gen. gerund.:* uix fuit copia *adeundi* atque impetrandi M_I 1226 . . ut tibi recte *conciliandi* primo facerem copiam P_{ER} 539 ego dabo ignem si quidem in capite tuo *conflandi* copiast R_U 765 quaeso . . ut mihi eius facias *conueniundi* copiam C_{AP} 748 date . . conueniundi mihi eius celerem copiam M_{ER} 850 non enim nunc tibi *dormitandi* neque *cunctandi* copiast E_P 162 *nominandi* istorum tibi erit magis quam *edundi* copia C_{AP} 852 *impetrandi* M_I 1226(*supra sub* adeundi) ut . . illius *inspectandi* mihi esset maior copia B_A 487(*v. secl US*) id *repetundi* copiast quando uelis T_{RI} 1131 lucis das *tuendi* copiam C_{AP} 1008 tui *uidendi* copiast T_{RU} 370 *Cf* K r a u s e , p. 26

c. copiae est *seq.* ut: nego tibi hoc annis uiginti fuisse primis copiae digitum longe a paedagogo pedem ut efferres aedibus Ba 422 ut aliter facias non est copiae* Mer 990 illo morbo quo dirrumpi cupio non est copiae*(*sc* ut dirrumpar) Cas 810 *Cf* Blomquist, p. 166
B. *translate: dea:* non Charinus mihi hic quidem sed Copiast(co. *RU*) Ps 736 *similiter:* tuam copiam eccam(-um *B²RU*) Chrysalum uideo Ba 639
C. 1. *adiectiva:* aureae Ba 647 celer Mi 850 iniustae Am 246 maxuma Am 219 omnis Au 245 piscaria Cas 490 regiae 647 saepissuma Per 633
2. **a.** *nom. praed. cum verbis:* est Au 254, Ba 393, 487, 563, Cap 217, 529, 852, Cas 810 (*PL*), Ep 162, 330, 356, Mer 990(-iae 𝔖), Mi 1041, 1226, 1229, Per 633, Ru 392, 557, 765, 781, Tri 671, 1131. Tru 370 adsum Poe 1178 potior As 554 ualeo Ru 288
b. *gen. sequitur:* est Cas 810(*ARs𝔖L*), Mer 990(𝔖) hoc Ba 422(?) cornu Ps 671 thensaurus As 655 uiduitas Ru 664
c. *gen. obiec. sequitur:* hostium Am 246 argenti(*supra* A.4) huius Cas 842 eius(*supra* A. 5. b) cordis Ep 385 omnium bonorum Per 633 uenustatum Poe 1178 *gerund.* (*supra* A.6. b)
d. *acc. sequitur verba:* commodo Per 253 comparo Cas 624 do Cap 1008, Cas 842, Mer 850, Per 255 ecficio Mi 769 expromo Ba 653 facio As 75, 848, Cap 374, 748, Cas 450, 842(*U*), Ci 138, Cu 330, Mer 908, Mi 971, Tri 135, Vi 87 foedo Am 246 inconcilio Ba 551 offero Ba 647 paro Ep 324, Poe 362, Ps 579 perspicio Ep 384 protero Am 246 uideo Ba 639
esse Ep 325, Per 414
praep. **per:** Ep 323
e. *abl. modi:* Am 219, As 245, Ci 30 *sequitur pro:* Au 541, Ci 377, Mer 506, Tru 148 *ex:* Cas 499

COPIOSUS - - Per 633, copiosa *C pro* copia (*ABD*)

COPIS - - exorsa haec ţela . . mihist ut amantum erilem **copem**(*Scut* quopem *BD* quiopem *C*) facerem filium Ba 351 ego nunc me ut gloriosum faciam et **copi** pectore Ps 674 (*vide R*)

COPULA - - in manibus gestant **copulas** secum simul Ep 617 *vide* Mi 653, *ubi* copulum *P pro* poculum(*B²*)

COPULOR - - quando illi (apud me *add PRgLU om* ψ) caput et corpus(et c. *om U*) **copulas**? Poe 343(* *L*) sermonem ibi nobiscum **copulat**(*A* -ant *P*) Poe 655 adeunt, consistunt, **copulantur**(*medial.*) dexteras Au 116 caue siris cum filia mea **copulari** hanc neque conspicere Ep 401

COQUA - - coquast haec quidem . . ut ego opinor Poe 248 *corrupta:* Mer 697, coquā *P pro* coquom Ps 851, coquam *B pro* coquom (*A* coqum *CD*); 853, coquam *CD pro* quoquam (*AB*)

COQUINO - - quanti istuc unum me (* *L*) **coquinare** perdoces? ‡Quid? ‡Ut te seruem Ps 874 neque ego umquam, nisi hodie, ad Bacchas ueni in Bacchanal **coquinatum** Au 408

an tu coquinatum(*P* quoqui. *A*) te ire quoquam (*AB* coquam *CD*) postulas, quin ibi constrictis ungulis cenam coquas? Ps 853 *Cf* Sauppe, *Qu. Plaut.* p. 10.

COQUINUS - - forum **coquinum** qui uocant, stulte uocant, nam non coquinumst, uerum furinumst forum Ps 790-1

COQUITARE - - Fr III. 10 *ex Paulo* 61, 18: c. *pro* coctitare . . *Plautus posuit*

COQUO - - I. Forma coquo Tri 225 **coquont** Ps 819, St 35(-unt *P* coeunt *AR*) **coquitur** As 935 **coquet** Mer 416(*B om CD*) **coquetur** Cas 149, Men 214(*RU* quoquitur *P* quoquetur *Bent A[ut vid]* 𝔖) **coxit** Men 141 **coquas** Ps 854(*AD* quoquas *B v. om C*) **coquat** Ps 796 **coquant** Au 365(coquam *Non* 400) **coqueret** St 654 **coxerint** Au 367 (*an fut. perf.* ?) **coque** Au 458(quoque *J¹*), Ps 890(quoque *C*) **coquite** Au 453 **coquere** Au 431, 435, Men 388, 389, Ps 797(coq̄re *D*) **coqui** Ru 1264, St 439, 598, 602, 609 **cocta**(*nom. fem.*) Cas 743, 781, St 533(*A* coacta *P*), 662(*R* dicta *PLU*), 680 **coctum**(*nom.*) Ba 716(coetum *D*), Ru 342, Tri 526(*A* coactum *CD* coactu *D*) (*acc. masc.*) Mer 398, Fr II. 1 (*ex Varr l L* VIII. 38) **coctam** Au 366, Cas 766 **coctum** Au 430, Mi 208(coctu *CD*) **cocta**(*neut. pl.*) Men 225(*B* coacta *CD*), St 251 (ctocta *B*) **coctiores** Poe 586(*A ut vid* PL doctiores *FZ*ψ) **coctum**(*sup.*) Au 325, 429, 457, Ps 845(c. is *A* is coctis *P* is coctum *D²L*) **coquenda**(*nom. fem.*) Mer 742, 743 *corruptum:* Ps 164, coctaque *P pro* unctaque(structaque *PistorRU*)

II. Significatio A. *proprie* 1. *absolute:* coquite, facite, festinate nunciam quantum lubet Au 453 cocus ille . . in nonum diem solet ire coctum Au 325 uenimus coctum ad nuptias Au 429 coctum ego, non uapulatum, dudum conductus fui Au 457 si nusquam coctum* is, quidnam cenat Iuppiter? Ps 845 ea molet coquet* conficiet pensum Mer 416 neque paro neque hodie coquetur Cas 149 dum quoquetur*, interim potabimus Men 214 cocta* sunt: iube ire accubitum Men 225
2. *cum acc.:* unum hoc faciam ut in puteo *cenam* coquant*: inde coctam sursum subducemus corbulis Au 365-6 sinas an non sinas nos coquere hic cenam? Au 431 quid est qua prohibes nunc gratia nos coquere hic cenam? Au 435 ei cenam coque* Au 458 . . ut esset hic qui mortuis cenam coquat Ps 796 ei homines cenas ubi coquont* . . Ps 819 . . quin ibi constrictis ungulis cenam coquas* Ps 854(*v. om C*) intro abi et cenam coque* Ps 890 iubebo nobis cenam continuo coqui Ru 1264 iubebo ad Sagarinum cenam coqui St 439 iuben domi cenam coqui? St 598 iube cenam domi(*R* d. c. *P*) coqui St 602 iube domi mihi tibique tuaeque uxori celeriter cenam coqui St 609 . . ut cenam coqueret temperi St 654 cena coquitur As 935 Au 366(*supra sub v.* 365) cena modo si sit cocta Cas 743 cenam iam esse coctam oportuit Cas 766 uos . . cenabitis cena ubi sit cocta Cas 781 mihi amatori seni coquendast cena: atque quom recogito, nobis coquendast

non quoi conducti sumus Mᴇʀ 742-3   quam mox coctast* cena? Sᴛ 533   cena coctast* Sᴛ 662   meis curaui amicis Sticho et conseruo Sagarino meo cena cocta ut esset Sᴛ 680   ancilla .. quae habeat cottidianum familiae coctum *cibum* Mᴇʀ 398   Epeum fumificum qui legioni nostrae habet coctum cibum Fʀ II. 1(*ex Varr l L* VIII. 38)   iamne *exta* cocta* sunt? Sᴛ 251   cur igitur me tibi iussisti coquere dudum *prandium*? #Egon te iussi coquere? #Certo, tibi et parasito tuo Mᴇɴ 388-9   coctumst* prandium? Bᴀ 716   quam mox coctumst prandium? Rᴜ 342   uin tu facinus luculentum inspicere? #Quis *id* coxit coquos? Mᴇɴ 141   si autem deorsum comedent, si *quid* coxerint . . Aᴜ 367   hic solus illis coquere *quod* placet potest Ps 797

3. *coctum* substantive: quid tu . . curas utrum crudum an coctum ego edim? Aᴜ 430

4. *adverbia, sim.*: hic· Aᴜ 431, 435   nusquam Ps 845   ibi Ps 854   ubi Cᴀs 781   domi Sᴛ 598, 602, 609   ad Sagarinum Sᴛ 439   ad nuptias Aᴜ 429   celeriter Sᴛ 609   continuo Rᴜ 1264   quam mox Rᴜ 342, Sᴛ 535   temperi Sᴛ 654   in nonum diem Aᴜ 325   constrictis ungulis Ps 854

5. *add dat. agentis*: mihi Mᴇʀ 741   *dat. commodi*: mihi Sᴛ 609   tibi Mᴇɴ 388, 389, Sᴛ 609   nobis Mᴇʀ 743, Rᴜ 1264   illis Ps 797   quoi Mᴇɴ 743   amicis Sᴛ 679   conseruo Sᴛ 680   mortuis Ps 796   parasito Mᴇɴ 389   seni Mᴇʀ 741   uxori Sᴛ 609

B. *translate* 1. *de dolore in cogitando accepto*: egomet me coquo et macero et defetigo Tʀɪ 225   *cf* Egli, I. p. 26

2. *de consilio*: quidquid est, incoctum non expromet, bene coctum dabit Mɪ 208 *cf* Graupner, p. 10

3. *de vitibus*: uinum prius quam coctumst* pendet putidum Tʀɪ 526

4. *de iuridicis*: hodie iuris coctiores* (*A ut vid PL*) non sunt qui lites creant quam hi .. Poᴇ 586(*vide L in adn.*: *et* Turnēbi *Advers.* 15, 7 *citatum apud* Graupnerum, p. 10 *adn.* 1)

COQUOS - - I. **Forma cocus** Aᴜ 324(coquos *ÚLy*), Bᴀ 131(coquos *RgULy*), Cᴀs 511 (*BVEL* coquus *J* coquos *ψ*), Mᴇɴ 141(*D* quocus *BC* coquos *Zψ*), 357(coquos *Aω* coquus *P*), Mᴇʀ 695 (coquos *Pω*), 748(coquos *ω* coquus *P*), Mo 277, Ps 168(coquos *U*), 382(coquos *LU* quoquos *ARgS* quoquis *B* quoquis *CD*), 800(coquus *PS* coquos *ψ*), 802(coquos *ω* cocus *B* coquus *CD*)   **coqui** Ps 893(quoqui *A*)   **coco** Ps 157(*A* cito *CDR* scito *B*)   **cocum** Aᴜ 292 (coquom *ULy*), 322(coquom *ULy*), 323(coquom *ULy*), 417(coquom *ULy*), Cᴀᴘ 917(coquom *Ly*), Mᴇɴ 218(coquom *LULy* quoquom *ARsS* quoquum *P*), Mᴇʀ 578(coquom *Bω* -um *CD*), 697 (coquom *D²Ly* coquā *P*), 782(coquom *BLy* -um *CD*), Ps 789(coquom *ω* coqum *B* coquum *CD*), 793(*Rg* coquom *LULy* -um *B¹* coqum *CDS* peiorem *R*), 804(*CD* coqum *BS* coquom *ψ*), 848(coquom *A* cocum *P*), 851(coquom *ALy* coqum *CD* coquam *B*), 956(coquom *A* -um *B* cocum *CD*)   **coqui** Aᴜ 346(*C* quoqui *BD*), 363, 404, 451, Cᴀs 772, Ps 810(coci *PS*), Rᴜ 659, Tʀɪ 407   **coquos** Aᴜ *Arg* II. 5, Aᴜ 280(*BD*

cocus *J*), 351, 463, 470(*JRgLU* cocos *BDS*) 553(*JRgLU* cocos *BDS*), Cᴀs 219(*BEJRsLyU* cocos *VSL*), 764(*J* coquos *BVERsLy*) cor*ruptum*: Tʀɪ *Arg* 6, cocū *B* pro quo cum *de scansione cf* Leo, *Plaut. Forsch.* p. 272

II. **Significatio** 1. *nom.*: perii: coquos adest Mᴇʀ 748   ubi illest quem coquos ante aedis esse ait? Mᴇɴ 357   . . satis ut commode pro dignitate opsoni haec concuret cocus Bᴀ 131   . . quod alius condiuit coquos Cᴀs 511   una multa iura confudit cocus Mo 277   uin tu facinus luculentum inspicere? #Quis id coxit coquos*? Mᴇɴ 141   exossabo ego illum simulter itidem ut muraenam coquos* Ps 382   coquos . . ita hortabatur Mᴇʀ 695   . . ne mora quae sit cocus quom ueniat Ps 168

cocus ille nundinalist, in nonum diem solet ire coctum Aᴜ 324   cur sedebas in foro, si eras coquos, tu solus praeter alios? Ps 800   hominum auaritia ego sum factus improbior coquos Ps 802

coqui* abstulerunt Aᴜ 346   pistor abstulit, lanii, coqui Tʀɪ 407   non ego item cenam condio ut alii coci, qui mihi condita prata in patinis proferunt, . . faciunt, . . oggerunt, . . condiunt Ps 810-3   digne autem coqui nimis lepide ei rei dant operam Cᴀs 772   ite sane nunc intro omnes et coqui et tibicinae Aᴜ 451   ego interuisam quid faciant coqui Aᴜ 363   coqui . . faciunt officium suom Aᴜ 404   iube oculos elidere itidem ut sepiis faciunt coqui Rᴜ 659

2. *gen.*: hic quoque scelestus est coqui* sublingulo Ps 893

3. *dat.*: face plenum ahenum sit coco* Ps 157

4. *acc.*: hoc si censes, coquom aliquem arripiamus, prandium qui percoquat Mᴇʀ 578   egomet conduxi coquom*: sed eum demiror non uenire Mᴇʀ 697   quom exemplo ueniunt conductum coquom*, nemo illum quaerit qui optumus et carissumust Ps 804   cultrum habes. #Cocum decet Aᴜ 417   cocum ego non furem rogo. #Cocum ergo dico Aᴜ 323   ducit coquom* Ps 789   ego si iuratus peiorem hominem quaererem coquom*, non potui quam hunc quem duco ducere, multilocum, gloriosum, insulsum, inutilem Ps 793   iussit dari cocum alterum itidemque alteram tibicinam Aᴜ 292   euocate intus Cylindrum mihi coquom* Mᴇɴ 218   an tu inuenire postulas quemquam coquom* nisi miluinis aut aquilinis ungulis? Ps 851(*cf* Inowraclawer, p. 85)   cocum percontabatur Cᴀᴘ 917·   fortasse te illum mirari cocum quod uenit atque haec attulit Mᴇʀ 782   quaero Ps 793(*supra sub* duco)   rogo Aᴜ 322(*supra sub* dico)   comprehendite (coquom), uincite, uerberate, in puteum condite Aᴜ 346

fateor equidem esse me coquom carissumum Ps 848   minus malum hunc hominem esse opinor quam esse censebam coquom Ps 956

quid uis? #Hos ut accipias coquos Aᴜ 351   postquam obsonauit erus et conduxit coquos* Aᴜ 280   cocos* equidem nimis demiror qui utuntur condimentis Cᴀs 219   lubens ut faciat dat coquos cum obsonio Aᴜ *Arg* II. 5

senex . . hortatur coquos Cas 764 mihi intromisti in aedis quingentos cocos Au 553 simulauit mei honoris mittere huc causa coquos Au 463
credo edepol ego illi mercedem gallo pollicitos cocos Au 470

5. *adiectiva:* carissumus Ps 804, 848 gloriosus Ps 794 improbior Ps 802 insulsus, inutilis Ps 704 multilocus Ps 794 nundinalis Au 374 optumus Ps 804
similiter: miluinis aut aquilinis ungulis Ps 851

COR - - I. Forma cor Au 626, Ba 22(*ex Non* 173), 251, 405(ter *U*), 1159, Cap 636, Cas 622, Ci 65(*Bent* cordolium *P*), 238(*Rs in lac A n. l.*), 551, Men 971, Mi 783(corpusque *P§*† cor pectusque *DziatzkoLLy* cor corpusque *CaRRg* corpus usque *U*), 786, 996b(*A solus: v. dub:* om *RL*), 1088(cor ei saliat *CD* curas aluii *B*), Mo 87(*v. secl RRg§*), 149, 743(cor tenditur *post lac PRg§* portenditur *UL* chorda t. *R*), Per 800, 801(*om ReizR*), Poe 367, 388, 390b(*v. secl Angω*), Ps 760, 1033, 1045, Tri 1169, Tru 855 **cordis** Cu 238, Ep 385(*v. secl L*) **cordi** Am 922, Au 382, Ba 1109(*U pro* par), Ci 109(mihi c. *Ca* in cordi *PLULy*), Ep 133, Men 246, Mo 323(*Herm* corde *P*), Ps 576, 1272(*Lamb* corde *P*) **cor** Ba 33(*ex Non* 102, *Serv in Buc* VIII. 71), 213, 1099(*Sey om P* pectus *Rs*), Cas 414, Ep 384(*v. secl GepRg§*), Mer 204, Mi 202, 617, Mo 143, 688, Per 25, 623, Poe 383, Ps 235, 1215, Tru 773, 853 **corde** Am 1054, Cap 387, 420, 530, Cas 188, 240(*A solus: v. dub*), Ci 509, Ep 146, 159, Men 761(corda *CD*¹), Mer 346, 363, 590, Mi 196, 336, Mo 87, 165, Poe 196, 578, Ps 44, 572, 742, 769, 1321, Tri 223, 650, 660(*om CaRRs*), 677, 1003, Tru 177, 180(*v. secl Guy§*), 226, 451, 455, 918(*Rs om P§*†*Ly*) **corda**(*nom.*) Tru 179 *corrupta:* Ba 712, cordibus *D*¹ *pro* corbibus Cas 861, cor *J pro* cur Mer *Arg* I. 7, obduxisti cor tuum *B pro* obduxe scortum Mi 226, cor *P pro* coge(*Ca*) Mo 142, in cor meum *add P ex v. seq* ?

II. Significatio A. *proprie*(*cf.* Egli, I. 38, Inowraclawer, p.22) 1. *nom.:* continuo meum cor coepit artem facere ludicram, atque in pectus emicare Au 626 cor meum et cerebrum . . funditur istius hominis ubi fit quomque mentio Ba 251 quin quiescis? i(*Gul* quiescis *P§*†) dierectum, cor meum, ac suspende te: tu sussultas, ego miser uix asto prae formidine Cap 636 iam horret corpus, cor salit Ci 551 mihi cor retunsumst oppugnando pectore Ps 1045
2. *gen.:* cruciatur iecur, radices cordis pereunt Cu 238
3. *acc.:* credo . . quoiuis excantare cor potes Ba 33(*ex Non* 102, *Serv in Buc* VIII. 71) cor lienosum, opinor, habeo Cas 414 pectus digitis pultat, cor, credo, euocaturust foras Mi 202

B. *translate*(*cf* Goldmann, II. 9; Inowraclawer, p. 23) 1. = *mens, iudicium, sim.* **a.** *nom:* mulierem quoi facetiarum cor* corpusque sit plenum et doli Mi 783 cor non potest (sapere), quod nulla habet Mi 786 dicito docte et cordate. #Ut cor* ei saliat - -

Mi 1088 in meo corde — sist quod mihi cor — eam rem uolutaui et diu disputaui Mo 87(*v. secl RRs§*) cor dolet, quod scio ut nunc sum atque ut fui Mo 149 nunc liquet, nunc defaecatumst cor mihi Ps 760 si alia membra uino madeant, cor sit saltem sobrium Tru 855
in melli sunt linguae sitae nostrae atque orationes, facta atque corda in felle sunt sita atque acerbo aceto Tru 179
b. *gen.:* sed qui perspicere possent cor sapientiae, igitur perspicere ut possint(cor . . possint *secl GepRRs*) cordis copiam(igitur . . copiam *secl L*) Ep 385
c. *dat.:* postquam hanc rationem uentri cordique edidi, accessit animus ad meam sententiam Au 382
d. *acc.:* Ep 384(*supra* b) mihi senatum consili in cor conuoco Mo 688 ut sapiens habet cor Per 623
e. *abl.: α.* dic idem hoc: nam pol hau satis meo corde accepi querellas tuas Cas 188 nec quod corde nunc consili capere possim scio Mer 346 proinde ut corde amantes sunt cati, . . Tri 677 quantum ego nunc corde conspicio meo Ps 769 male corde consultare, bene lingua loqui Tru 226 lingua dicta dulcia datis, corde amara facitis Tru 180(*v. secl GuyRs§:* cf *v.* 179 *supra* a) . . nisi si aliquam corde machinor astutiam Cap 530 id petam idque persequar corde et animo atque auribus Cap 387 te haec dicta corde* spernere Tri 660(*v. dub*) neque te quicquam sapere corde neque oculis uti Mi 336
β. satin istuc tibi in corde certumst? Ci 509 iam senatum conuocabo in corde consiliarium Ep 159(*cf* Mo 688 *supra* d *et* Mi 197) nec . . mihi ulla spes in corde certast(*B* est *CD*) Mer 363 quid est . . quod uolutas tute tecum in corde? Mi 196 atque in meo corde . . eam rem uolutaui et diu disputaui Mo 87(*v. secl RRs§*) iam tenes praecepta in corde? Poe 578 concenturio in corde sycophantias Ps 572 multas res simitu in meo corde uorso Tri 223 eam rem in corde agito Tri 451
2. = *animus vel animi motus, ut amor, timor, audacia, lubido, sim.* **a.** *nom.:* nunc experior sitne aceto tibi cor* acre in pectore Ba 405 (*vide U*) cor stimulo (amoris) foditur Ba 1159 cor metu mortuomst, membra miserae tremunt Cas 622 mihi cordoliumst. #Quid? id undest tibi cor*, commemora . . quod neque ego habeo neque . . Ci 65 nihili hercle uero's cuidoroiaroperite(*A* quod cor∗∗∗∗perit *Rs* ∗∗∗∗perdite *L*) Ci 238 crura quam uentrem oportet potiora esse quoi cor modeste situmst Men 971 era mea, quoius propter amorem cor miserae contremuit(*Rg* miser∗∗∗ *Aψ*) Mi 996b(*v.* om *RL*) tunc∗∗∗ cor tenditur Mo 743(*RRs§ aliter ψ*) uritur cor mihi (*sc* propter iram). #Da illi cantharum: extingue ignem, si cor* uritur Per 800, 801 cor conligatis uasis expectat meum . . ut exulatum ex pectore aufugiat meo Ps 1033 cruciatur cor mihi et metuo Tri 1169
b. *dat.: α.* ego illum scio quam doluerit cordi meo Am 922 ea stultitiast facinus ma-

gnum timido cordi credere Ps 576 reliqui . . cordi* atque animo suo obsequentis Ps 1272

β. meo neque carast cordi neque placet Ep 133 ego illum scio quam carus sit cordi meo Men 246

pol mihi cordi* idemst quod tibi Ba 1109(*U*) utut erga med est meritus mihi cordist(in cordi est *PLU*) tamen Ci 109 si tibi cordist* facere, licet Mo 323

c. *acc.:* non res sed actor mihi cor odio sauciat Ba 213 hoc, hoc est quod cor* peracescit Ba 1099 amor in pectus permanauit, permadefecit cor meum Mo 143 hoc me facinus misere macerat, meumque cor corpusque cruciat Mi 617 crucior. #Cor dura Ps 235 sagitta Cupido cor meum transfixit Per 25 mihi . . ille Surus cor perfrigefacit Ps 1215 una cura cor meum mouit modo Tru 773 ne ista stimulum longum habet, quae usque illinc cor pungit meum Tru 853

edepol cor miserum quod guttatim contabescit Mer 204

d. *abl.:* α. uideas corde amare inter se Cap 420 **acerba faceret corde Ci 240(*Rs* facere in corde *Aψ*) facile tu istuc sine periclo et cura corde libero fabulare Ep 146 salutem abs te expetit lacrumans titubantique animo corde et pectore Ps 44 hoc auferen . .? #Lubentissumo corde atque animo Ps 1321 cape sis uirtutem animo et corde expelle desidiam tuo Tri 650 neminem hodie mage amat corde atque animo suo Tru 177 quantast cura in animo quantum corde capio dolorem! Tru 455 quem ego ecastor corde* mage amo quam te Tru 918(*v. dub*)

β. neque ullast confidentia in corde quin amiserim Am 1054 Ci 109(*PLU: supra* b. β) Ci 240(*supra* α) haec res mihi in pectore et corde* curaest Men 761 ita mihi in pectore atque in corde facit amor incendium Mer 590 madent iam in corde parietes Mo 165 Cupido in corde uersatur Poe 196 in corde instruere quondam coepit pantopolium Ps 742 epistula illa mihi concenturiat metum in corde Tri 1003

3. *appellatio blanda:* cor meum, spes mea, mel meum Ba 22(*ex Non* 173) meum mel, meum cor, mea colustra Poe 367 em mel: em cor: em labellum Poe 383 huius mel, huius cor, huius labellum Poe 388 huius cor, huius studium Poe 390b(*v. secl Angω*)

C. *adiectiva:* liberum Ep 146 lienosum Cas 414 lubentissumum Ps 1321 sapiens Ep 384 timidum Ps 576

cor *et:* animus Cap 387, Ps 44, 1272, Tri 177, 455, 650 cerebrum Ba 251 corpus Ci 521, Mi 617, 783(?) lingua Tru 178, 180, 226 membra Tru 855, Cas 622 pectus Men 761, Mer 590, Mo 143, Ps 44 uenter Au 382

CORAM - - *adv.:* istos rastros uilico Pisto ipsi facito ut coram(*A* c. u. *Pψ*) tradas in manum Mer 278 tute ipsus coram(*APS* ipsum *Baierψ*) praesens praesentem uides Ps 1142 i hac . . mecum ut coram nuptiis dies constituatur Tri 580 *Cf* Pradel, p. 504

CORAX - - *servus.* Colaphe, Cordalio, Corax! ite istinc Cap 657 *Cf* Schmidt, p. 184

CORBIS - - si id capso, geritote amicis uostris aurum **corbibus**(cordibus *D¹*) Ba 712 *Cf* Egli, I. p. 25

CORBITA - - noui ego illas ambestrices, **corbitam** cibi(*Turn* corbitant tibi *P*[ubi *J*] corbitam*** *A*) comesse possunt Cas 778 obsecro hercle operam celocem hanc mihi, ne corbitam date Poe 543(*v. secl L; cf* Graupner, p. 22) hos duco aduocatos . . tardiores quam **corbitae**(*Non* 533 corditae *P*) sunt in tranquillo mari Poe 507 *Cf* Blomquist, p. 26; Egli, I. 17; II. 43, 46

CORBULA - - . . ut in puteo cenam coquant: inde coctam sursum subducemus **corbulis** Au 366 *Cf* Ryhiner, p. 20

CORCOTARIUS - - iam hosce absolutos censeas quom incedunt infectores **corcotarii** (*Wagner* croc. *PL* -artum *J*) Au 521

CORCOTA - - pro illis **corcotis**(cro. *U*), strophiis, sumptu uxorio Au *fr.(ex Non* 534)

CORCULUM - - 1. *acc.:* stimulum ego nunc sum tibi: fodico **corculum** Cas 361 amburet ei misero corculum carbunculus Mo 986

2. *voc. translate:* meum **corculum**, melculum, uerculum Cas 837(*cf* Ryhiner, p. 25)

CORDALIO - - *servus.* Colaphe, Cordalio, Corax! ite istinc Cap 657

CORDALUS - - *libertus.* ad meum libertum Cordalum(-ium *J*) in lapidicinas facite deductus sint Cap 736

CORDATUS - - miror tam catam tam **cordatam**(*Rs* doctam te *PS†U* docilemte *L*) . . stulte facere Mo 186 dicito docte et **cordate** Mi 1088 res . . tu sapienter docte et cordate et cate mihi reddidisti opiparas Poe 131

CORDOLIUM - - mihi **cordoliumst**. #Quid? id undest tibi cor(*Bent* cordolium *P*) commemora Ci 65 ibi tibi erit cordolium si quam (meretricem) ornatam melius forte aspexeri Poe 299

CORIANDRUM - - indunt **coriandrum**, feniculum, alium, atrum holus Ps 814

CORIENDRUS - - seu tu Cylindrus seu **Coriendrus**(*PLULyS†* **l** A Caliendrus *ScaR* Cunilendrus *Rs*), perieris Men 295

CORINTHIENSIS - - mihi interbibere sola, si uino scatat, **Corinthiensem**(corr. *J*) fontem Pirenam potest Au 559

CORINTHUS - - Megares, Eretriam, **Corinthum,** Chalcidem . . Mer 646 *Cf* Goerbig, p. 33

CORISCUS - - As 432, *nomen proprium ex* em *FlRgl* ecquis *PS†LU†Ly*

CORIUS, -UM - - I. Forma **corius** Fr II. 5(*ex Paul* 60) **corium** (*nom.*) Ba 434, Ci 703, Ep 65, Ru 1000 (*acc.*) Am 85, Ep 91, 625, Mi 29, Mo 868, 1067, Poe 855(sorium *codd Non* 396), Ru 757 **corio** Mi 235, Ps 229, Ru 998 (*B colore CD*) **corios** Poe 139

II. Significatio A. *de cute praecipue servorum per translationem usurpatur, raro proprie animalium(cf* Egli, I. p. 38) 1. *nom.:* detegetur corium de tergo meo Ep 65 fieret corium tam maculosum quam nutricis pallium Ba 434 fiet tibi puniceum corium, postea atrum denuo Ru 1000 quod periit, periit, meum corium cum cistella Ci 703 iam tibi tuis meritis crassus corius redditust Fr II. 5 (*ex Paul* 60)

2. *acc :* . . eius ornamenta et corium uti concideret A~M~ 85   quoius ego hodie ludificabor corium . . probe M~O~ 1067   si sibi nunc alteram ab legione abduxit .., corium perdidi E~P~ 91   . . ut enim ubi mihi uapulandum sit, tu corium* sufferas P~OE~ 855   meum futurum corium pulcrum praedicas E~P~ 625   mihi corium esse oportet sincerum M~O~ 868   dicat ampullarius optumum esse operi faciundo corium et sincerissumum R~U~ 757
    per corium, per uiscera perque os elephanti transmineret bracchium M~I~ 29
3. *abl.:* erus meus elephanti corio circumtentust, non suo M~I~ 235   cras, Phoenicium, poenicio corio inuises pergulam Ps 229   (uiduli pisces) sunt alii punicio corio* R~U~ 998
4. *adiectiva:* atrum R~U~ 1000   crassus F~R~ II. 5   maculosum B~A~ 434   optumum R~U~ 757   pulcrum E~P~ 625   punicium Ps 229, R~U~ 998, 1000   sincerum M~O~ 868, R~U~ 757
B. *lororum genus:* tris facile corios contriuisti bubulos P~OE~ 139

CORNICULA - - *comoediae titulus apud Varr l* L V. 153, VII. 52, *Non* 63, 134(cornicularia), 147(?), 220(?), *Diom* 383   *Cf* Ritschl, *Parerga* 154

CORNIX - - picus et **cornix**(*DJ* -nex *BE*) ab laeua, coruos parra ab dextera consuadent A~S~ 260   uiden pictum ubi ludificat una cornix(*A* c. u. *PL*) uolturios duos? . . inter uolturios . . cornix astat: ea uolturios duo uicissim uellicat. Quaeso huc ad me specta, **cornicem** ut conspicere possies. #Profecto nullam equidem illic cornicem(-cum *A*) intuor. #At tu isto ad uos optuere, quoniam cornicem nequis conspicari M~O~ 832-7   *Cf* Inowraclawer, p. 85; Wortmann, p. 42

CORNU - - haec (epistula) allata **cornu** copiaest, ubi inest quidquid uolo Ps 671   quo ambulas tu, qui Volcanum in **cornu**(-nŭ *B*) conclusum geris? A~M~ 341   abi atque caue sis a cornu P~ER~ 317   (formido) ne in re secunda nunc mihi obuortat **cornua** Ps 1021   boues incursent **cornibus** A~U~ 234   *Cf* Egli, II. p. 11, 39; Inowraclawer, p. 46, 61; Wortmann, p. 34; Siewert, p. 60

COROLLA - - pro galea scaphium, pro insigni sit **corolla** plectilis B~A~ 70   quae istaec audaciast, te sic interdius cum **corollā**(corr. *C*) ebrium ingrediri? Ps 1299   unguenta atque odores, lemniscos, **corollas** dari dapsiles Ps 1265   *Cf* Ryhiner, p. 28

CORONA - - 1. *acc.* **a.** *sing.:* capiam **coronam** mihi in caput A~M~ 999   demam hanc coronam atque abiciam ad laeuam manum M~EN~ 555   ego te sacram coronam surrupuisse Ioui scio M~EN~ 941   ego si te surrupuisse suspicer Ioui coronam de capite ex Capitolio qui in columine astat summo . . T~RI~ 84(*cf* Becker, *Ant. Pl.* p. 40)   eccam coronam quam habuit M~EN~ 565
    b. *plur.:* si **coronas**, serta, unguenta iusserit ancillam ferre Veneri aut Cupidini . . A~S~ 803   dat mihi coronas A~U~ 25   tusculum emi hoc et coronas floreas A~U~ 385
2. *abl :* a. Larem **corona** nostram decorari uolo T~RI~ 39

b. *post* cum *praep.:* si .. tuom uirum conspexeris cum corona amplexum amicam . . A~S~ 879   uilicus is autem cum corona candide uestitus . . ambulat C~AS~ 767   eccum progreditur cum corona et lampade meus socius C~AS~ 796   Menaechmus cum corona(cho. *P*) exit foras M~EN~ 463   pallam ad Phrygionem cum corona (-ā *CD*) ebrius ferebat M~EN~ 563   ante aedis cum corona me derideto(*B²* coronam ederi[dari *B¹*] deto *P*) ebrius M~EN~ 629   ego te modo hic ante aedis cum corona florea uidi astare M~EN~ 632   quid uideo ego**×**? #Cum corona ebrium Pseudolum tuom Ps 1287   cum corona, quiqui liceat, ueneat F~R~ I. 91(*ex Fest* 306)   *Cf* Romeijn, p. 115
3. *adiectivum:* florea A~U~ 385, M~EN~ 632

CORONO - - A~S~ 213, coronari *D¹EJ pro* conari

CORPULENTUS - - **corpulentior**(opulentior *Don*) uidere atque habitior E~P~ 10(*cf Don in Ter Eun* II. 2. 11)

CORPUS - - I. **Forma** **corpus** A~S~ 512, C~I~ 551, M~I~ 783(corpusque *P&*† cor pectusque *DziatzkoL* cor corpusque *CaRRg* c. usque *U*), 1043(humanumst corpus *U* -um stergeo *P: vide* ψ), M~O~ 358(*an acc.?*), R~U~ 422, V~I~ 35 **corporis** A~M~ 108, 1135, A~S~ 656(*DERgl&*†*L*†*Ly* hominis *B U*†), B~A~ 601, M~EN~ 181, M~I~ 997(corporist *B* -is est *CD*), M~O~ 275 **corpori** T~RU~ 292 **corpus** A~M~ 833, 1016, *fr* XV(*ex Non* 182), B~A~ 482, 863, C~AP~ 595, M~EN~ 757, M~I~ 617, 785, M~O~ 358 (? *vide supra*), P~OE~ 343(caput et c. *P* palpas et lallas *A × L* et corpus *om U*), T~RU~ 294, 520, F~R~ II. 52(*ex Serv ad Aen* I. 478)   **corpore** A~M~ 833, C~AP~ 647, 841, 1001, C~I~ 563, M~ER~ 73(-ra *B*), M~I~ 640, 785, P~OE~ 1112, 1140, R~U~ 220 **corpora** A~M~ 251, Ps 1261(*L acc.* ψ)   **corporum** Ps 66(*ABL* comparum *CD*ψ)   **corpora** Ps 1261(*nom. L*)

II. **Significatio** 1. *nom.* **a.** *sing.:* iam horret corpus, cor salit C~I~ 551   lingua poscit, corpus quaerit A~S~ 512(*cf* Goldmann, II. p. 7)   . . ubi aliqui quique(*P&*†*U*† uel ubiquomque *R* ubi quom quiqui *Rs* ubi quinis aut *L*) denis hastis corpus transfigi solet M~O~ 358
    mollitia urbana atque umbra corpus candidumst V~I~ 35   non hercle humanumst corpus M~I~ 1043(*U*)   . . quoi facetiarum †corpusque* sit plenum et doli M~I~ 783(*vide* ω)   heia, corpus quoius modi! R~U~ 422
    b. *plur.:* uortentibus Telobois telis complebantur corpora A~M~ 251   *cf* Ps 1261(*L: infra* 4. b)
2. *gen.* **a.** *sing.:* satin ut (sol) occaecatust prae huius corporis candoribus? M~EN~ 181   illius sum integumentum corporis B~A~ 601   salus interioris(interior *BoLy*) corporis* amorisque imperator A~S~ 656(*loc dub*)   uetulae edentulae quae uitia corporis fuco occulunt M~O~ 275   usuram eius corporis cepit sibi A~M~ 108   Alcumenae usuram corporis cepi A~M~ 1135
    huius cupiens corporist* M~I~ 997(*loc dub*)
    b. *plur.:* compressiones artae amantum corporum* Ps 66(*ABL*)
3. *dat.:* quasi uero corpori reliqueris tuo potestatem coloris ulli capiendi T~RU~ 292
4. *acc.* **a.** *sing.:* . . quae alat corpus corpore M~I~ 785   quis fuerit quem propter corpus suom stupro compleuerit A~M~ 1016   mihi

extra unum te mortalis nemo corpus corpore
contigit Aᴍ 833(*cf* Raebel, p. 15)   quando
illi mecum caput et corpus* copulas? Pᴏᴇ 343
(*L*) hoc facinus . . meum cor corpusque cruciat Mɪ 617   atrum (corpus) fecerit Vɪ 36 (?)
onustum gero corpus Mᴇɴ 757   corpus tuom
uirgis ulmeis inscribam Fʀ II. 52(*ex Serv ad
Aen* I. 478)   buccas rubrica creta omne corpus instinxti tibi Tʀᴜ 294   uiden tu illi maculari corpus totum maculis luridis? Cᴀᴘ 595
corpus publicat uolgo suom Bᴀ 863   me absente corpus uolgauit suom Aᴍ *fr* XV(*ex Non*
182)

    manum sub uestimenta ad corpus tetulit
Bacchidi Bᴀ 482   uim . . mihi magni doloris . . condidisti in corpus Tʀᴜ 520

    an Mo 358 *acc. graecus est? vide supra* 1. a
    b. *plur.:* si lubet corpora conduplicant
(-antur *L*) Ps 1261

    5. *abl.* **a.** *cum verbis:* . . quae alat corpus
corpore Mɪ 785   nemo corpus corpore con-
tigit Aᴍ 833   . . facerent indignum genere
quaestum corpore Pᴏᴇ 1140   . . tu tibi indigne dotem quaeras corpore Cɪ 563   postquam recesset uita patrio corpore* . . Mᴇʀ 73

    b. *qualitatis:* est Philocrates macilento ore,
naso acuto, corpore albo, oculis nigris Cᴀᴘ 647
statura haud magna, corpore aquilost Pᴏᴇ
1112

    c. *cum praepp.:* quid mihi meliust . . quam
a corpore uitam ut secludam? Rᴜ 220 iam ego
ex corpore exigam omnis maculas maerorum
tibi Cᴀᴘ 841   labore lassitudost exigunda ex
corpore Cᴀᴘ 1001   ego amoris aliquantum
habeo umorisque etiam in corpore Mɪ 640

    6. *adiectiva:* candidum album Cᴀᴘ 647 aqui-
lum Pᴏᴇ 112, Vɪ 35   atrum Vɪ 36 (?)   plenum Mɪ 783   interius As 656 (?)   amantia
Ps 66(*L*?)   onustum Mᴇɴ 761   patrium
Mᴇʀ 73

CORPUSCULUM - - o **corpusculum** malacum Cᴀs 843   *Cf* Ryhiner, p. 25

CORRADO - - obsecro te ut liceat simplum
soluere trecentos Philippos: credo **conradi**
potest Pᴏᴇ 1363

CORREPO - - . . nisi forte in uentrem filio
conrepserit(*B* corr. *A* cum r. *CD*) Tʀɪ 424
bono animo meliust te in neruom **conrepere**
(*A* corr. *B* -ripere *CD*) Rᴜ 872

CORRIGO - - quin ad frugem (eum) **conrigis**(cŏrigis *D*)? Tʀɪ 118   ego istum agrum
tibi reliqui . . ut tibi sit qui te **corrigere**(conr.
RRs) possis Tʀɪ 653

CORRIPIO - - ut **corripuit**(-iuit *C*) se
repente atque abiit Mᴇʀ 661   *corruptum:* As
883, correptum *D pro* corruptum Rᴜ 872, cor-
ripere *CD pro* conrepere(*A* corr. *B*)

CORRUMPO - - **I. Forma** **corrumpor**
Tʀᴜ 915(con. *Rs*)   **corrumpis** Mᴇʀ 501(cor. *C*)
corrumpit As 875(con. *Rgl* -rupit *B*), Cɪ 317,
Eᴘ 268(conr. *Rg v. om EJ*), Mᴇɴ 596(*P* -rupit
B²RLU), Mo 213(-rūpit *C* -et *R*), Ps 446(conr.
U)   **conrumpitur** Ps 892(*P* -ruppitur *D¹*
corr. *AL*)   **corrumpet** Mo 213(*R* -pit *Pψ*)
corrupi Mᴇɴ 598   **corrupit** Mᴇɴ 596(*B²RLU*
-rumpit *Pψ*)   **corrumpat** Mo 28   **corrumpatur** Bᴀ 1078(conr. *U*), 1190(con. *U*)   **cor-**

rumperem Mᴇʀ 544(*ACD* coru. *B*)   **corrumpe**
Aᴍ 530, Mo 21   **corrupisse** Mo 1138(-isti *C*) **corrumpi** Bᴀ 419(con. *U*), 1040(con. *U*), Tʀɪ 1165
corruptus As 875(con. *Rgl*)   **corrupta** Aᴍ
1058(con. *Rgl*)   **corruptum**(*nom.*) Eᴘ 95(con.
Rg corpuptū *B¹*)   (*acc. masc.*) As 883(*BEJ*
-eptum *D* con. *Rgl*), Bᴀ 492(con. *U*), Mo 29,
84, Tʀɪ 114(*CD* -rūtū *B* corrumptum *RRsU*),
116(*FZ* corruitū *P* corrumptum *RRsU*)   **corrupto**(*abl. masc.*) Bᴀ 420(con. *U*)

    II. Significatio 1. *de hominis natura phy-
sica:* animo malest, aquam uelim: corrupta
sum atque absumpta sum Aᴍ 1058   corrumpor
situ Tʀᴜ 915

    2. *de mente:* nihil est istuc: plane hoc cor-
ruptumst caput Eᴘ 95

    3. *de moribus, praecipue de amore perditis:*
perde rem, corrumpe erilem adulescentem
optumum Mo 21(*vide Rs§*) adulescentem quem
esse corruptum* uides Tʀɪ 116   is etiam corruptus porro suom corrumpit* filium As 875
tu qui pro tam corrupto dicis causam filio Bᴀ
420   egon ubi filius corrumpatur meus, ibi
potem? Bᴀ 1190   haec herclest . . meum quae
corrumpit filium Cɪ 317(*A solus*) . . ut eri sui
corrumpat et rem et filium Mo 28   eccum
erilem filium uideo corruptum ex adulescente
optumo Mo 84   filium corrupisse* aio te
meum Mo 1138   hic mihi corrumpit filium,
scelerum caput Ps 446   mihi commendauit . .
et rem suam omnem et illum corruptum* filium
Tʀɪ 114   meum corrumpi . . perpessu's filium
Tʀɪ 1165   uiden ut aegre patitur gnatum
esse corruptum tuom? Bᴀ 492   illa hanc corrumpit* mulierem malesuada Mo 213

    quid fatere? #Me ex amore huius corruptum*
oppido As 883   tandem impetraui ut egomet
me — corrumperem* Mᴇʀ 544   is As 875
(*supra*)   magis adformido ne is pereat neu
corrumpatur Bᴀ 1078   neque equidem illum
me uiuo corrumpi sinam Bᴀ 419   dem potius
aurum quam illum corrumpi sinam Bᴀ 1040
. . quae illum corrumpit tibi Eᴘ 268(*v. om EJ*)
ego illum corruptum duco, quom his factis
studet Mo 29

    4. *de rebus, sim.:* corrumpitur* iam cena Ps
892   rem Mo 28, Tʀɪ 114(*vide supra* 3) hunc
hodie corrumpit* diem Mᴇɴ 596   diem corrupi optumum Mᴇɴ 598   ne corrumpe oculos
Aᴍ 530   oculos corrumpis* talis(*CD* tales *BL*)
Mᴇʀ 501

    5. *dat. incomm. additur:* mihi Ps 446   tibi
Eᴘ 268   *abl. modi:* situ Tʀᴜ 915   *abl. causae:*
ex amore As 883   *condicio prior:* ex adulescente optumo Mo 84

CORRUO - - ibi me **conruere**(*A* corr. *P*)
posse aiebas ditias Rᴜ 542   *corruptum:* Tʀɪ
116, corruitū *P pro* corruptum(*FZ*)

CORRUPTELA - - is apud scortum **corruptelaest**(*Sca* -e[e] et *P Non* 333)   liberis,
lustris studet As 867   . . nisi si clanculum
conlapsus est hic in **corruptelam**(conr. *Rs*)
suam Tʀᴜ 671   quae illic hominum **corruptelae**(*B* -telle *C* -tellae *D*) fiunt! Pᴏᴇ 830

CORRUPTOR - - pessumus hic mihi dies
hodie inluxit **corruptor** Pᴇʀ 780   Amor . .
latebricolarum hominum corruptor(*A* -ruptor

PLLy) Tri 240   impetrauimus ut perderemus **corruptorem** ciuium Poe 816

CORRUSPO - - **conruspare** tua consilia in pectore Fr II. 9(*ex Paulo* 62)

CORTINA - - . . atrior multo ut siet quam Aegyptini qui **cortinam** ludis per circum ferunt Poe 1291

CORVOS - - picus et coruos ab laeua, **coruos**, parra ab dextera consuadent As 260(*cf* Keseberg, p. 8)   non temerest quod coruos cantat mihi nunc ab laeua manu Au 624   ni subuenisset coruos, periissem miser Au 669 nimis hercle ego illum **coruom** ad me ueniat uelim . . ut ego illic aliquod boni dicam Au 670   uidi petere miluom etiam coruom(*Rs* cum nihil *Pψ*) Ru 1124

CORUSCUS - - omnia **corusca** prae tremore fabulor Ru 526

COSTA - - plagis **costae**(-ę *BD*) callent Ps 136

COTTABUS - - caue . . ne bubuli in te **cottabi** crebri crepent Tri 1011   *Cf* Egli, I. p. 36; Graupner, p. 21

COTTIDIANUS - - hoc (nomen) **cotidianum**st (*FZ* cott. *Ly* -ust *P*) Tri 890   proin tu tui **cottidiani**(coct. *B* quott. *E* cot. *J*) uicti uentrem ad me adferas Cap 855   . . quae habent **cottidianum**(cot. *U*) familiae coctum cibum Mer 398   nisi **cottidiano**(*Gul* -nos *P* coti.*PLLyU*) sesquiopus confeceris . . Cap 725   *Cf* Kane, p. 41, *et* Lindsay *ad loc*

COTTIDIE - - . . ut cotidie(*ACD* cott. *BL*) pridie *caueat* ne faciat quod pigeat postea St 122   eum odorem *cenat* Iuppiter cottidie (*BC* cot. *AD*) Ps 844   hoc ecastor est quod ille *it* ad cenam cottidie(cot. *EJRglU*) As 864 cottidie(cot. *VEJ*) ipse ad me ab legione epistulas *mittebat* Ep 58   haec quidem ecastor cottidie(cot. *PU*) uiro *nubit* Ci 43   uteri dolores mihi *oboriuntur*(oriuntur *R*) cotidie (*ACD* cott. *BR* quot dies *Rg* ∗*L*) St 165 dum . . quod potet *praebeas* . . usque ad fatim cottidie(cot. *D et ut vid A*) Men 91   cotidie(*Ca lac PL*) ex urbe ad mare huc *prodimus* pabulatum Ru 295   cotidie ille *scit* quis hic quaerat malum Ru 16   circum argentarias scorta et lenones qui *sedent* cottidie (*B* cot. *CDRsU*) Tru 67   sic me *subes* cottidie quasi fiber salicem Fr II. 13(*ex Paul* 90) ea mihi cottidie(*DSLLy* cot. *BEJψ*) . . semper *supplicat* Au 23   *Cf* Kane, p. 41

COTURNIX - - dic igitur me passerculum, gallinam, **corturnicem** As 666   patriciis pueris aut monerulae aut anites aut **coturnices** (cotor. *VE*) dantur quicum lusitent Cap 1003 *Cf* Wortmann, p. 44

COXENDIX - - cor stimulo foditur. #Pol tibi multo aequius est (nequam stimulari *add R*) **coxendicem** Ba 1159

CREBRO - - inritabis **crabrones**(crabones *BE ante ras*) Am 707   *Cf* Egli, II. 17; Graupner, p. 32; Wortmann, p. 49.

CRAPULA - - inde huc exii **crapulam**(*A* gra. *P*) dum amouerem Ps 1282   somnum sepeliui omnem atque edormiui(*Ca* obd. *P*) **crapulam** Mo 1122   abeo . . ut edormiscam hanc crapulam Ru 586

CRAPULARIUS - - uendo . . uel lalias malacas(, *L*) **crapularias**(*A* trap. *P* [-ll- *D*]), cauillationes . . St 227(*vide L*)

CRAS - - I. Forma Au 156, transueniat *J pro* cras ueniat Ep 272, herus *E*[1] *corr. E*[3] Mo 1178, gras iam *B* gratiã *C* grãm *D pro* cras iam(*B*) Poe 1417, crassa *P pro* cras ad (*Lips*) Tru 958, cras *add U*

II. Collocatio *antecedit nisi* Mo 654 *et* Ps 82(*ubi transp Bo*R*Rg*)

III. Significatio *cum verbis:* ille abducturus est mulierem cras(m. c. est *Bo*R*Rg*) Ps 82 huc cras adducam ad lenam As 915   eruom tibi aliquis faxo ad uillam adferat Mo 68   cras agito , perendie agito Mer 375(*cf* Egli, II. p. 27)   cras agam cum ciuibus Ps 1231   sicut cras∗ hic aderit Ep 272   cras . . uel apud te cenauero Mo 1006   etiam Mer 949(*infra sub* sum)   quasi non cras∗ iam commeream aliam noxiam Mo 1178   te ipsam ego cras faciam ut deportere in pergulam Ps 214   inde cras quasi e promptaria cella depromar ad flagrum Am 156   cras te . . item ego te distringam ad carnarium Ps 199(constringam *R*) hic nuptialem cras dabit Cu 661   hinc tu ante lucem rus cras duces postea Cas 487 numquid causaest quin uxorem cras domum ducam? Tri 1188   . . si quidem cras censes te posse emitti manu Cas 474   supplicatum cras eat Per 447   cras ires potius hodie hic cenares Per 710   necessest hodie Sicyoni me esse aut cras mortem exsequi Ps 995   cras auctionem faciam Poe 1364   petito cras. #Abeo : sat habeo si cras fero Mo 654   cras habuero, uxor, ego tamen conuiuium Cas 787   cras, Phoenicium, poenicio corio inuies pergulam Ps 229   relinque aliquantum orationis, cras quod mecum litiges Cas 251   cras mane, quaeso, in comitio estote obuiam(ob uiam *U*) Poe 807 cum primo luci cras nisi (†*SU*) ambo occidero . . Ci 525   interminatus est . . eum cras cruciatu maxumo perbitere Ps 778   cras peti (minas) iubeto Cu 526   cras petito: dabitur Mer 770   haec uassa aut mox aut cras iubebo abs te peti Mer 781   Mo 654(*supra sub* fero)   cras mihi potandus fructus est fullonius Ps 782   cras poplo prostituam uos Ps 178   quam (drachumam) cras reddam tibi Ps 86   metuo ego uxorem, cras si rure redierit Mer 586   aurum cras∗ ad te referam tuom Poe 1417   cras suscribam homini dicam Poe 800   ego cras hic ero Cas 786 cras apud te (ero *an* cenauero?), nunc domi Mer 949   cras ea quidem sunt: prope adest exitium tibi Ps 60   cras apud me eritis et tu et ille cum uostris uxoribus St 515   cras de reliquiis nos uolo St 496   quae cras∗ ueniat, perendie . . foras feratur Au 156   ∗m hercle cras∗∗∗∗∗ Ci 267

CRASSITUDO - - specta postes quoius modi: quanta firmitate facti et quanta **crassitudine** Mo 819

CRASSUS - - I. Forma **crassus** Fr II. 5 (*ex Paul* 60)   **crassam** Per 815, Ps 659(*A* grassam *P*)   **crasso** Per 95 (cresso *B*), Ru 833(*FZ* craeso *P*)   **crassas** Cap 722, 734,

Per 573, Ps 1176 **crassis** Ps 1218 *cor-ruptum:* Poe 1417, crassa *P pro* cras ad(*Lips*)

II. Significatio A. *proprie:* 1. nisi cremore crassost* ius(*CaL* crasso [cresso *B*] sotius *PS†* var em ψ) collyricum . . Per 95

2. . . ubi ponderosas crassas capiat compedes Cap 722 iubete huic crassas compedes inpingier Cap 734 ferreas tibi inpingi iubeas crassas compedis(*P* com. cr. *A*) Per 573 scias posse eum gerere crassas compedes Ps 1176 iam tibi tuis meritus crassus corius redditust Fr II. 5(*ex Paul 60*) restim tu tibi cape crassam ac te suspende Per 815 rufus quidam, uentriosus, crassis suris, subniger Ps 1218

de muliere: ego deuortor . . apud anum illam doliarem, claudam, crassam* Chrysidem Ps 659 B. *translate:* quid est quod caueam? #Em, a crasso* infortunio Ru 833

CRASTINUS - - I. Forma crastinum(*acc. masc.*) Cas 680, Ps1335(-nã *B*) St 638 **crastinam** Men 881 **crastini** (*loc.*) Mo 881

II. Significatio . . neque se . . uiri uitam sinere in (diem *add Rs om APψ*) crastinum protolli Cas 680 sultis . . adprobare hunc gregem . in crastinum* uos uocabo Ps 1335 numquam edepol me uiuom quisquam in crastinum inspiciet diem St 638 hoc die crastini quom erus resciuerit . . Mo 881 inde usque ad diurnam stellam crastinam potabimus Men 175

CRATINUS - - *iuuenis.* ait sese ire ad . . Cratinum As 866 *Cf* Schmidt, p. 185

CRATIS - - orat . . sub **cratim**(cra**∗∗**m *A* gratum *P*) ut iubeas se supponi Poe 1025 *corruptum:* Cap 948, cratis *BVE* gratis *J pro* gratiis(*Bo*)

CREBER - - I. Forma crebro(*abl. neut.*) Au 675(creber *Non* 396) **crebri** Am 236, Poe 485(crebri ad *A ut uid* crebi ad *B²CD* crebrit *B¹*), Tri 1011 **crebras** Tru 50a(*StuRsLU: uide infra* II. 1) *adverbia:* **crebro** Am 128, Cu 398, Mi 206(-ros *A* cerebro *B²*), 851 (*Lind* cebro *B* celebro *CD*), Per 656, Tru 682 **crebrius** Ru 102 *corrupta:* Mi 368, crebro *A pro* credo Poe 770, hisce crebro *CD om B pro* is cerebrum (*Sey*) Tru 388, crebri *BCD²* crebi *D¹ pro* credidi(*A*)

II. Significatio 1. *adiective* a. *attributiue:* Siluani lucus extra murumst . . crebro salicto (creber salictu *Non* 396) oppletus Au 675 si raras noctes ducit, ab animo perit, sin crebras ducit(*Stu* sin crebrauit *B* si increpauit *CD* si increbauit *D* sin increbrauit *CaS*), ipsus gaudet Tru 50a

b. *praedicatiue:* hostes crebri cadunt Am 236 tam crebri* ad terram accidebant quam pira Poe 485 caue sis tibi ne bubuli in te cottabi crebri crepent Tri 1011

2. *adverbia:* a. libera eris actutum, si crebro cades Per 656 laborat, crebro* commutat status Mi 206 in urbe crebro commeo Tru 682 illaec catapultae ad me crebro commeant Cu 398 hoc illi crebro* capite sistebant cadi Mi 851 . . uorsari crebro hic quom uiderent me domi Am 128

b. nam nunc perlucet (uilla) quam cribrum crebrius Ru 102

CREBRO - - Tru 50, sin crebrauit *B* si increpauit *CD²* si increbauit *D¹ var em* ω

CREDIBILIS - - 1. credibile hoc est? Ba 616 credibile hoc quoipiamst? Ba 623(*omnia add R solus*)

2. neque credibilest . . eam me emisse ancillam matri Mer 210

3. **credibile**(-bille *B*) ecastor dicit Poe 1329 non credibile dices(dicis *FZRLU*) Tri 606

CREDO - - I. Forma credo Am 104, 272, 282, 297, 391, 416, 516, 653, 757, 1045, 1074 (-de *E*), As 63, 398, Au 39, 101, 110, 196, 204, 266, 306, 307, 404, 470, 568, 637, 664, 742, 743, 815, Ba 33(*ex Non* 102: *Serv ad Buc* VIII, 71), 47, 106, 184, 361, 1129, 1138, Cap 197, 867, 882(*L* diu *PS†U†Ly* diui *Rs*), 889, 963, Cas 67, 182, 217, 221, 234(crodo *B*), 271, 327, 355 (-de *VEJ*), *ib.*, 383, 388, 455, 667, 759, 976, 1007, Ci 203, 290, 318(*A solus*), 625, 653, Cu 131, 226, 310, 452, 530, 714, Ep 34, 128, 257, 535, 613, Men 178, 238, 335, 450, 461(credo datum uoluisse *PS†L†Ly* c. letum obisse*KochU* c. halatum oluisse *Rs* credideram insoluisse *R*), 600, 703,765,965,1032,1130,1136,1161, Mer 6, 177, 207, 316, 389, 453, 470, 591, 689, 706, 914, 1014, Mi 202(-dat *C*), 310, 331, 359, 368(*P* crebro *A*), 402, 776(-dam *CaR*), *ib.*, 851(*add R solus*) 1005, 1044, 1076, 1128, 1283, 1295, 1352, Mo 16, 55, 70, 202(-de *AcRRs*), 428(*B²* uedo *P*), 441, 602, 826, 989, 1080, Per 89, 90(crodo *B*), 172, 482 *bis,* 484 *bis,* 490, 530, 617, 628, 834, Poe 297, 323, 409, 490, 618, 643, 764, 1016, 1019, 1330 *bis,* 1331 *bis*(*A solus: secl* ω), 1363, 1413, Ps 25, 417, 952, 980, 1060, 1302, Ru 151, 246, 363, 397, 513, 547, 886, 887, 1188, 1284, 1366, St 11, 144, 180, 585(rediisse. #Credo *A* redisse saluum *P* r. salue *H* rediisse. #Saluo *LLy*[saluo *A teste Stu*]), Tri 53(-de *B*), 61, 115, 527, 545, 723, 864, 1073, 1098, Tru 5(c. equidem uobis *SpU in loco dub*) 190(*PRs* spero *Aψ*), 322, 336, 474, 544, 550, 575(cre *C*), Vr10, 44, 82, Fr I. 120(*ex Gell* VI. 9, 7) **credis** Am 756, 773, Ba 208, Cap 156, 556, 572, 886, Mer 914, 1014, Per 529, Poe 490, Ps 877(si c. *AD³* sic reddis *P*), 888(*A* -das *P*), Tri 607, 649, Tru 900(c. respice *Ac et Muret* rides pice *P*), Vi 45 **credin** Cap 961, Poe 441 **credit** As 459(*Ca* -didit *P*), Ep 353(*Py* -didit *PSU v. secl RRgSU*), Men 616, Mi 1391, Tru 438, 487 (*v. secl BriRSU*) **credimus** Tru 193, 242 (*A om P*) **credunt** As 202, Men Arg 8 **creditur** Cu 681, Men 699, Poe 890 **credebam** Am 597, Cu 541, Per 477, Ru 1186 **credebat** Mer 212, 216, 217 **credam** As 195, 463, Au 676, Ba 922(cridam *D¹*), Cas 999, Poe 877 *bis,* 889, *ib.* (creditam *C*), Ps 644, Ru 581 **credet** Am 437(-deret *EJ*), 469 *bis,* Mer 207, 210, 212 **credent** Am 129(-dens *P*) **credetur** Per 320(*Guy* -ditur *P*), St 509(*Bo* -ditur *P*) **credidi** As 439, Ba 275, Cap 559, 675 (c. te *J* credite *BE*), Cu 466, 541, Ep 173, Men 1071, Mer 172, 631, Mo 437, 520, 824, Per 476, 478, 533, 718, Poe 456c(*v. om A secl* ω), 1385, Ru 324, 458, 1195, Tri 1086, Tru 388(*A* crebri *BCD²* crebi *D¹*) **credidisti** Ep 549, 598 **cre-**

pro ea(*Sciop*); 906, de edepol *CD* dedepol *B pro* edepol; 940, qui de *Guy§* quod *PLLy* quo ad e *RRs* Tru 2, deum eris *P* de moeris *LipsRs* de uostris *FZψ*(ue. *FZL*); 213, de *om SpLy*; 253, uide *P pro* ut de(*A*); 338, de quoio *BergkU pro* quo die; 381, alter de altero *ALLy* alteri *P* alter prae altero *U* alter alteri *GrutRs§*; 561, damnum hoc obsoni *Rs pro* iam de hoc obsonio; 815, de istoc *PLy* idem istuc *Kiesψ*; 953, et *P pro* de(*Ca*)

II. Collocatio *inter adiectivum et substantivum:* suis de finibus Am 215(*LyU*) meo de studio As 210 quo de genere Cap 277 quibus de signis Ep 599 qua de re Cas 253, Men 812, Per 109, Poe 317, 733, Ru 1060 nescioqua de re Mer 365 hoc de umero Am 294(*L*) hisce .. de* artibus Tri 293

III. Significatio A. *de loco et trans.* 1. *de loco superiore:* **a.** alia signa de caelo ad terram *accidunt* Ru 8 *cecidisse* tue ebrius aut de* equo uspiam .. Mi 721 *decido* de lecto praecipes Cas 931 ea nunc quasi decidit de caelo Per 258 *deduco* pedes de lecto clam Cu 361 ego hinc araneas de foribus *deiciam* et de pariete St 355 quis hic est qui me capillo hinc de curru *deripit?* Men 870 de naui timidae *desuluerunt* in scapham Ru 75 homo cruminam sibi de collo *detrahit* Tru 652 omnis de tecto (uentus) *deturbauit* tegulas Ru 87 ego me deorsum *duco* de arbore Au 708 ad caput amnis qui de* caelo *exoritur.* #E caelo? #Atque e medio quidem Tri 940 de* naui timidae ambae in scapham *insiluimus* Ru 366 .. te *surrupuisse* suspicer Ioui coronam de capite ex Capitolio Tri 84

oberrans custos hos *uidet* te tegulis Mi *Arg* I. 8 de tegulis modo nescioquis *inspectauit* Mi 173 inde optume *aspellam* uirum de supero Am 1001

b. *translate de origine:* eam compressit de summo adulescens loco Au 28 indaudiuit de summo loco summoque genere captum esse equitem Aleum Cap 30 nec recte dicis nobis diues de summo loco Poe 516 eam de genere summo adulescenti dabo ingenuo Ru 1197 quo de genere natust illic Philocrates? #Polyplusio Cap 277 consilia firmiora sunt de diuinis locis Mo 1104

similiter: de lumbo obscena uiscera Fr I. 52 (*ex Varr l L* VII. 76)

2. *idem fere quod ex vel ab:* **a.** mihi non liceat meas ancillas Veneris de ara *abducere?* Ru 723 ilico properaui *abire* de foro Men 600 item ut de* frumento anseres clamore *absterret, abigit* Tru 253 ego sycophantam iam *conduco* de foro Tri 815 de uia *decedite* Am 984, Cu 281(secedite *P§Ly*) decedam ego illi de uia, de semita, de honore populi Tri 481 properiter de suis finibus exercitus *deducerent* Am 215 sciens de uia in semitam *degredire* Cas 675 *similiter:* ut ne quoquam de ingenio degrediatur muliebri Mi 185 b(*A solus*) de me hanc culpam *demolibor* iam Ba 383 ego de hac sententia non *demouebor* Per 373 neque *demutauit* animum de firma fide Tri 1111 cubitis *depulsa* de uia St 286 meas de ara capillo iam *deripiam* Ru 784 meamne ille amicam leno .. de ara deripere Veneris

uoluit? Ru 840 hoc adsimilest quasi de fluuio qui aquam *deriuat* sibi Tru 563 *detegetur* corium de tergo meo Ep 65 Mo 140 (de *Fl R pro* a) *detinet* nos de nostro negotio Poe 402 de* agro ego hunc senem *deterrui* Tri 560 illic homo hoc de* umero uolt pallium *detexere* Am 294(*L*) *deturbabo* iam ego illum de pugnaculis Mi 334 *exoritur* Tri 940(*vide supra* 1) ipsi de foro .. ad lenones *eunt* Cap 475 (*v. om B*) de suo tigillo fumus si qua *exit* foras Au 301 de* digito donum *mittunt* Mi 1017 aliquid scitamentorum de foro *opsonarier* Men 209 iam *redii* de* exilio Mer 947 inde de hippodromo et palaestra ubi *reuenisses* domum Ba 431 *secedo* Cu 281 (decedo *RgLU: vide supra*) .. capite *sistat* in uia de semita Cu 287 .. ut *surrupuisti* te mihi dudum de foro Men 491 reti piscator de mari *extraxit* uidulum Ru *Arg* 1 standumst in lecto, si quid de summo *petas* Men 103

b. *cum verbis emendi, merendi, sim. de personis:* de improbis uiris *auferri* praemium et praedam decet Ps 1225 ibist .. uirtuti de praedonibus praedam *capere* Tru 110 conductor melius de me nugas *conciliauerit* Tri 856 *emit* hosce e(*Stu* de *PLy*) praeda ambos de quaestoribus Cap 34 captiuos .. quos emi de(e *StuU*) praeda de (*PULy* a *Flψ*) quaestoribus Cap 111 de illo emi uirginem Cu 343 hic emet illam de te Ep 301 de uicino hoc proxumo tuos emit aedis filius Mo 669 de te aedis. #Itane? de me ille aedis emerit? Mo 1026 e(*A solus*) raptamque ui emeret de praedone uirginem Per *Arg* I. 3 illas emit .. paruolas de praedone Siculo Poe 897 emistin de adulescente has aedis? Tri 124 neque de illo quicquam neque emeres neque uenderes Tri 134 *mercatus* te hodiest de* lenone Apoecides Ep 495 eam de praedone uir mercatur pessumus Ru 40 illam mercatust de lenone uirginem Ru 81 ouis Tarentinas erat mercatus de patre Tru 649

meruimus et ego et pater de uobis et re publica Am 40 te ego ut digna's perdam atque ut de me meres As 148 ego te dehinc ut meritu's de me et mea re, tractare exsequar As 160 de te neque re neque uerbis merui ut faceres quod facis Au 222 tu .. de me ut meruisti, ita uale Cap 745 .. proinde ut tu promeritu's de me et filio Cap 933 male mereri de inmerente inscitiast Cu 185 quid de te merui, qua me causa perderes? Men 490 numquam male de* te meritast Mi 1069 gratiam referre ut meritust de me Mo 214(*v. secl Ladewig§*) de mendico male meretur qui ei dat Tri 339 quid ego de* te *commerui* .. mali? Au 735(demerui *Ly* merui *U*) non edepol, ita *promeruisii* de me, ut pigeat quae uelis Men 1067 *similiter:* de praeda praedam *capio* Tru 567 .. ter *demeritas* dem laetitias de tribus fraude partas Ps 705(*infra* e)

c. *de supplicio:* etiam de* tergo ducentas plagas praegnatis *dabo* As 276 dabitur pol supplicium mihi de tergo uostro As 481 tibi quidem supplicium .. de nobis detur? As 482 mihi supplicium uirgarum de te datur Mi 502

. . nisi mihi suplicium stimuleum de* te datur Mi 511

d. *cum verbis rogandi:* . . at hic senex de proxumo sibi uxorem poscat Au 31   aquam hinc de proxumo rogabo Ru 404

e. *de sumptu:* de meo Mi 905(*infra* 3) hodie alienum cenabit, nihil gustabit de meo Per 473   bene uolo ego illi facere. #Nempe de tuo? #De meo Tri 329   . . ad eam operam facere sumptum de tuo Ba 98   homo lepidissume! #Ecquid audes de tuo istuc addere? #Atque hilarissume! Men 149   ducam hodie amicam. #Vel decem dum de tuo St 426   Tri 328(*supra sub* meo)   hic non poterat de suo senex obsonari filiai nuptiis? Au 294   tuburcinari de suo, si quid domist Per 122   boni de nostro tibi nec ferimus nec damus Poe 641   de nostro saepe edunt(*FZLLy* sepe aedunt *P*§ †*U*† specimen edunt *Rs*) Tru 107   noster esto, sed de* uostro uiuito Tru 953   . . ubi bibas, edas de alieno . . quod tu inuitus numquam reddas domino de quoio ederis Poe 533-4 prius praediuinant de* quoio essuri sient Tru 338(*BergkU:* vide ψ)   omnes de nobis carnuficum concelebrabuntur dies As 311

te de aliis quam de te alios(*A* a. d. t. *RRLU*) suauiust fieri doctos Per 540   . . ter demeritas dem laetitias de tribus . . partas Ps 705 (*vide supra* b)

. . quam illa umquam de mea pecunia ramenta fiat plumea propensior Ba 512   iube te piari de mea pecunia Men 291   . . qui de* uesperi uiuat suo Mi 995   si tu de illarum cenaturus uesperi's   Ru 181   *similiter:* cras de reliquiis nos uolo St 496

f. faciunt de* malo peculio quod nequeunt de* bono Mo 863-4

g. *cum nominibus rerum vel personarum unde quis notitiam vel argumentum habet:* de forma noui: de colore non queo nouisse Cu 232   de odore adesse me scit Cu 81   scio iam de argumentis Tru 507   de forma Cu 232(*supra sub* colore) iam de ornatu . . scitis Ru 293 quibus de signis agnoscebas? Ep 597   *similiter:* nos eius animum de nostris factis noscimus St 3   . . numquam uiderim . . de opinione credo Ci 318(*A solus*) hic nisi de opinione certum nihil dico tibi Ru 1092   uidisti an de* audito nuntias? Mer 903

ecquid tu de odore possis . . facere coniecturam? Men 163   scio de* olefactu Mi 1255(*Ly*) hanc ego de me coniecturam domi facio magis quam ex auditis Cas 224   hanc ego de me coniecturam domi facio, ni foris quaeram Ci 204 ipsa de me scio Am 637   de te quidem didici omnia Poe 280

3. *vi partitiva* a. *pendet ex verbis:* de mea (uita) ad tuam addam As 610   neque illi concedam quicquam de uita mea Tri 477 demam hercle iam de hordeo As 706   de magnis diuitiis, si qnid demas, plus fit an minus? Tri 349   iam de hoc obsonio de mina una deminui modo Tru 561   ibo intro . et discam de dictis melioribus St 400(*cf* Cap 482 *infra* b) de thensauris integris demus danunt Tru 245(*loc dub*)   emit hosce de(*PLy* emi *Stu*ψ) praeda ambos Cap 34   heri quos emi

de* praeda Cap 111   illos emi de praeda a quaestoribus Cap 453   amatne istam quam emit de praeda? Ep 64   haec illast autem quam emi de(*A* ex *PRg*) praeda Ep 621 captiuam adulescentulam de* praeda mercatust Ep 44   captiuam . . de* praeda's mercatus Ep 108   ibi de pleno promitur As 181 tu de thensauro sumes Tri 786   *Cf* Blomquist, p. 68; Schaaff, p. 19

similiter: ad tua praecepta de meo nihil his nouom adposiui Mi 905(*supra* 2. e) . . ut eam abducam de bonis quod restat reliquiarum Ru 1287

b. *pendet ex substantivis, sim.:* dico unum ridiculum dictum de dictis melioribus Cap 482 de paulo paululum hic tibi dabo Cu 123   memento ergo dimidium istinc mihi de praeda dare Ps 1164   is (ager) de diuitiis meis solus superfit . . relicuos Tri 510   aliquam partem mihi gratiam facere hinc de argento(*A* h. argenti *AcRL* hic argenti *P* argenti *U*) Ps 1322 ego neque partem posco mihi istinc de istoc uidulo Ru 1077   perparuam partem postulat Plautus loci de* uostris magnis atque amoenis moenibus Tru 2   quid si de uostro quippiam orem? Tru 6   dan tu mihi de tuis deliciis . . quicquid pausillulum? Tru 940(*loc dub*)

similiter: quo neque industrior de iuuentute erat Mo 150   nunc ego de sodalitate solus sum orator datus Mo 1126   de senatu Cyrenensi quemuis opulentum uirum Ru 713   si de damnosis aut si de amatoribus dictator fiat nunc . . Ps 415   de Coculitum prosapia te esse arbitror Cu 393

4. *idem fere quod Graecum* περί, a. *cum verbis dicendi, sim.:* te uolo de communi re *appellare* Au 200   de Alcumena dudum quod *dixi* minus . . Am 479(*v. om URRg*§)   uera dico. #Non de hac quidem hercle re: de aliis nescio Am 736   quo minus dixi quam uolui de te animum aduortas uolo Cap 430   numquid est quod dicas aliud de illo? Mer 642   lepide dictum de atramento atque ebure Mo 260 numquid dixisti de illo quod dixi tibi? Mo 548 ita ut occepi dicere . . de illac pugna pentetronica Poe 471   quod haruspex de ambabus dixit . . #Velim de me aliquid dixerit Poe 1206   de prandio tu dicis Poe 1350   Tri 567 (*infra* e) mea era apud nos neniam dixit de bonis Tru 213   ego prime de me domo docta scio Tru 454

de ea re signa atque argumenta paucis uerbis *eloquar* Am 1087   ut sit, de ea re eloquar Ci 565   ibi de istis rebus plura *fabulabimur* Tri 711   satur nunc *loquitur* de me et de parti mea Men 479(*v. om A secl* ω) quidquid istaec de te loquitur . . Mi 1002(*v. secl RRg*§) de istis rebus tum amplius tecum loquar Tru 871   multa uolo tecum loqui de re uiri St 8 ita properauit de puellae *proloqui* suppositione Ci 151

etiam *fatetur* de hospite? Mo 549 b(*v. secl Ac*ω), 553   qua de re nunc inter uos *litigatis?* Ru 1060   te de isto multi cupiunt(*P*§† *LLy* opinentur *Gertz U*) non(nunc *AcRRgLy*) *mentirier* Mi 779   non curo istunc: de illa (*R duce Ac* curam de istuc ulla [-am *CD*]*P*) copia quibuscum *haberes rem*, nisi cum illa? Ba 564

. . nec cum quiquam *limares* caput Ba 30 (*ex Non* 334) inter nos coniurauimus ego cum illo et ille mecum [ego cum uiro et ille cum muliere nisi cum illo aut ille mecum] neuter stupri causa caput limaret Mer 536 cum* illac numquam limaui caput Poe 292 pater tuos numquam cum illa etiam limauit caput Fr I. 115(*ex Non* 234)

cum* illa quacum uolt *uoluptatem capit* Am 114 . . suadeas gnato meo ut *pergraecetur* tecum Ba 813 . . ut cum solo pergraecetur milite Tru 87

prurio Tru 706(*Rs: vide supra* A. 1)

Amphitruo . . quicum Alcumena est *nupta* Am 99, 364(nuptast *A*) ego istuc scio ita fore illi dum quidem cum illo nupta eris As 870 adulescens nuptast cum sene Mi 966 uosne ego patiar cum mendicis nuptas me uiuo uiris St 132 dum quidem hercle tecum nupta sit . . Tri 58

2. *cum verbis pugnandi, belligerandi, litigandi, sim.*: . . dum bellum gereret cum Telobois hostibus Am *Arg* I. 2 . . Amphitruo dum decernit cum hostibus Am *Arg* II. 3 cum magnifico milite . . conflixi Ba 966 an ego experior tecum uim maiorem? Ba 1168 belligerant Aetoli cum Aleis Cap 24, 93 docte atque astu mihi captandumst cum illo Mo 1069 mihi tecum cauendumst Mo 1142 cum leone cum excetra, cum* ceruo, cum apro Aetolico, cum auibus Stymphalicis, cum Antaeo deluctari mauelim quam cum Amore Per 3-5 cum eis belligerem quibus sat esse non queam? Per 26 malitia certare tecum miseriast Per 238 . . non experiar tecum Poe 1408 malus cum malo stulte caui Ps 909 fiet istuc potius quam nunc pugnem tecum Ru 1042 principium ego quo pacto cum* illis occipiam, id ratiocinor St 75 quid mihi opust decurso aetatis spatio cum meis gerere bellum? St 81 quicumuis depugno multo facilius quam cum fame St 627 qui homo cum animo . . depugnat suo . . Tri 305 cum geniis suis belligerant parcepromi Tru 184 belligerandumst tecum Tru 628 melius te minis certare mecum quam minaciis Tru 948

relinque aliquantum orationis cras quod mecum litiges Cas 251 quicum litiges, Olympio? #Cum eadem qua tu semper. #Cum uxore mea? Cas 317-8 si nihil est quicum litigent, lites emunt Poe 587 quicum* litigas apscessit Poe 798

3. *cum verbis agendi, rem habendi, sim.*: hanc fabulam . . ipse aget et ego una cum illo Am 95 mirum quid solus secum secreto ille agat Am 954 dedi equidem quod mecum egisti As 171 male agis mecum As 173 neque fictum usquamst . . ubi lena bene agat cum quiquam amante As 175 lege agito mecum Au 458 lubet Chalinum quid agat scire, nouom nuptum cum nouo marito Cas 859 nihil ago tecum Cu 107, Ru 1053 quid ego nunc cum illoc agam? Men 568 neque quod uolui agere aut quicum(*R* ag. quicum *P* ag. ait qu(a)quam *A* hau quiquam *Rs§*) licitumst

Men 589 cum eo nos hac lege agemus Mer 1019 illo praesente mecum agito si quid uoles Mo 1121 nihil tecum ago . . . #Atque hercle mecum agendumst Poe 1243 principio . . tecum ago Ps 188 cras agam cum ciuibus Ps 1231 ago cum illa ne quid noceat meis popularibus Ru 605 tecum ago. #Atqui mecum agendumst Ru 719 ui agis mecum Ru 733 tute agito cum nato meo Tri 570 . . ut quae cum eius filio egi, ei rei fundus pater sit potior Tri 1122 nos male agere praedicant uiri solere secum Tru 237 bene agis mecum Tru 846 *similiter*: maritumis moribus mecum experitur (*E³LU* expetitur *PRs§†Ly*) Ci 221

facinus audax incipit qui cum opulento pauper coepit rem habere Au 461 quid tibi mecumst commerci? Au 631 quid tibi commercist cum dis damnosissumis? Ba 117 Ba 564(*supra* 1) quid tibi negotist mecum? Cas 97 quid cum ea negoti tibist Cas 673 . . commune quacum id esset sibi negotium Ci 587 nihil mecum tibi Ci 646 quid mecumst tibi? aut †tecum aut (aut tibi *LuchsRgLLy* aut tecum? #Quia *U*)? Cu 688 quid tibi mecumst rei? Men 323, 494 quid mecum tibi fuit umquam aut nunc est negoti? Men 369 quasi res cum ea esset mihi, coepi adsentari Men 482 nihil mihi tecumst Men 648 quid mihi tecumst? Men 826 iam bienniumst quom mecum rem(med amare *RgU*) coepit Mer 533 iam bienniumst quom habet rem tecum(*A* t. r. h. *PL*)? Mer 535 ius iurandum dabo me numquam quicquam cum illa . . Mer 791 mecum quid est negoti (-tist *RRg*)? Mi 425 mecum rem habe Mo 653 quod me apsente hic tecum* filius negoti gessit. #Mecum ut ille hic gesserit . . negoti? Mo 1016-7 cum optumis uiris rem habebis Per 567 quid tibi negotist autem cum* istac(quo nisi ac *B*)? Poe 1306 quid tibi mecum autem? Poe 1344 ne quid tibi cum* istoc rei sit . . Poe 1405 quid cum uostris legibus nihil quicquamst commerci Ru 724(*vide edd.*) quid mecumst tibi? St 333 utriscum rem esse mauis? Tru 152 *vide etiam supra* 1. 2, *ubi idem sensus haud raro apparet*

4. *cum verbis loquendi, orandi, sim.*: cum lenone me uidebis conloqui Per 468, 728 ego rem meam magnam confabulari tecum uolo Ci 744 cum ea confabulatust Mer 188 cum hoc quem noui fabulor Men 324 quid illuc est quod solus secum fabulatur filius? Mer 364 si quidem mecum fabulari uis, subsequere Mer 872 ego stulta . . quae cum hoc insano fabuler Mi 371 quicum tu fabulare? #Quicum nisi tecum? Mi 424 stulta multum quae uobiscum fabulem Mi 443 nunc demum ego cum* illa fabulabor libere Poe 1159 mihi uideor cum* ea fabularier Ps 62 quin tu mecum fabulare? Ps 1147 non hodie isti rei auspicaui ut cum furcifero fabuler Ru 717 sciunt quod Iuno fabulatast cum Ioue Tri 208

. . ut tuam rem ego tecum hic loquerer familiarem Au 134 quid tu solus tecum loquere? Au 190 ego tecum* otiose, si

otiumst, cupio loqui Au 771 tecum loquar
Cas 216 ego te porrectiore fronte uolo mecum loqui Cas 281 quid loquitur tecum?
Cas 321 neque te amittam hodie nisi quae
uolo tecum loqui . . Ci 463 quicum haec mulier loquitur? ⋕Equidem tecum Men 369
etiamne . . audes . . mecum loqui? Men 711
tecum loquor. ⋕Immo edepol tute tecum Mi
422 cum ipso pol sum locuta placide Mi
1220 cum ero pauca uolo loqui (*R* eloqui *P*)
Mi 1353 quid tute tecum loquere? Mo 512
quicum istaec loquere? Mo 519 quid tute
tecum? Mo 551 sine me cum puero loqui
Mo 955 cum* illoc te meliust tuam rem . .
loqui Poe 679 ego operae si sit, plus tecum
loquar Ps 377 . . tu censeas non Pseudolum
sed Socratem tecum loqui Ps 465 quid illic
solus secum(*A* secum solus *PL*) loquitur? Ps
615 ego homo insipiens qui haec mecum
egomet loquar solus Ps 908 multum uolo
tecum* loqui de re uiri St 7b quid hic est
locutus tecum Tri 563 quid tecum Stasime?
Tri 567 de istis rebus tum amplius tecum
loquar Tru 871

e contrario: quod bonist id tacitus taceas
tute tecum Ep 651 tecum habeto. ⋕Et tu
hoc taceto. ⋕Tacitum erit Per 246 hoc tu
tecum tacitum habeto Poe 890

hanc . . iube petere atque orare mecum As
662, 686(*sed* istanc) hoc tecum oro ut illius
animum . . regas Ba 494 tecum orarem ut
. . faceres Ba 554 negaui . . me concessurum Ioui si is mecum oraret Cas 324 quid
tecum oraui? Cas 595 tecum oro et quaeso
. . ut ei detur Cu 432 orat(hortatur *RRg*)
cum suo patre nato ut cederet Mer *Arg* II. 15
ille mecum* orauit Mer 530 tecum oraui ut
nummos secentos mihi dares Per 117 argentum hic inest quod mecum dudum orasti(*A*
me a. rogasti *P*) Per 321 quasi tu nobiscum
adueniens hodie oraueris Poe 601 scin quid
tecum oro? Ru 773 Ru 1152(tecum *Mue U*
pro* te)

varia: conqueritur mecum mulier fortunas
suas Mi 125 caue siris cum* filia mea copulari hanc Ep 400 quid tumultuas cum*
nostra familia? Mi 172 . . nesciam utrum
me expostulare(*R* postulare *PL*) tecum aequom
siet Mi 515 opstetrix expostulauit mecum Mi
697 cum istoc primum qui te nouit disputa
Ru 718 solet iocari saepe mecum illoc modo
Men 317 quid murmurillas tecum et te
discrucias? Fr II. 38(*ex Non* 143) ut scelesta sola secum murmurat Au 52 egomet
mecum* mussito Mi 714 te cum illa uerba
facere de istac re uolo Mi 1115

5. *cum verbis cogitandi, putandi, consentiendi,
sim.:* ipse mecum etiam uolo hic meditari Am
202 mecum* argumentis puta Am 592 egomet
mecum cogitare inter uias occepi Au 379 itur,
putatur ratio cum argentario Au 527 disputatast ratio cum argentario Au 529(*v. secl U*)
nunc ego mecum cogito Au 698 nequeo cum
animo inuestigare Au 715 multimodis meditatus egomet mecum sum Ba 385 in memoriam redeo quom mecum recogito(*Grut* cogito
PU) Cap 1022(*v. secl Osann∞*) quom eam mecum

rationem puto . . Cas 555 quid . . uolutas tute
tecum in corde? Mi 196 quom egomet mecum cogito, stulte feci Mi 1375 quom magis
cogito cum meo animo . . Mo 702 consulere quiddamst quod tecum uolo Mo 1102 quid
mihi par facere sit ego mecum* consulam Poe
1396(*MahlerRgl: vide ψ*) quid med hac re facere deceat, egomet mecum cogito Poe 1402
rus ut irem, iam heri mecum* statueram Ps
549 quom coniecturam egomet mecum facio,
haec illast simia Ru 771 cum amicis deliberaui iam et cum cognatis meis St 580 haec
ego quom cum animo meo reputo(*A* quom ago
cum meo animo et recolo *PL*) . . Tri 257

6. *cum verbis quae significationem cum aliquo vel aliqua re in harmoniam vel coniunctionem congrediendi habent:* ego abeo a te nequid tecum consili commisceam Mi 478 si
quis cum eo quid rei commiscuit . . amittit
ornatum domum Ru 487 compara labella
cum labellis As 668 ausu's etiam comparare
uidulum cum piscibus? Ru 982 si status condictus cum hoste intercedit dies . . Cu 5
praesertim quae coniurasset mecum et firma-
uit fidem Ci 241 inter nos coniurauimus
ego cum illo et ille mecum [ego cum uiro et
ille cum muliere] . . Men 536 ubi tecum
coniunctus siem . . Au 229 una consentit
cum filio Cas 59 sese sudor cum unguentis
consociauit Mo 276 uel consociare mihi quidem tecum licet Ru 551 dicito patri quo
pacto mihi cum hoc conuenerit de huius filio
Cap 395 cum his mihi nec locus nec sermo
conuenit Ps 1111 de dote mecum conuenire
non potest Tri 569 satin ego tecum paci-
ficatus sum? St 517 pacisci cum illo pau-
lula pecunia potes? Ba 865 tecum sentio Mo
928, Ps 958 egomet me adeo cum illis una
ibidem traho Tri 203

praesertim de verbis communiter partiendi:
licet boni dimidium mihi diuidere cum Ioue
Am 1125 praedam pariter cum illis partiam
As 271 dimidiam tecum potius partem diuidam Au 767 communicaui tecum consilia
omnia Per 334 pacto ego hoc tecum(t. h.
BRU) diuido St 697 . . malum ut eius cum
tuo misceres malo Tri 122 communices hanc
mecum meam prouinciam Tri 190 is suo
cum domino ueste uersa ac nomine . . fecit
Cap *Arg* 6 *falso* Cap 101, . . aliquem inuenire
quicum (qui *Sciopω*) mutet filium.

7. *cum nominibus coniunctum: sed in multis
locis melius cum verbo ut supra construitur:*
in amicitiam insinuauit cum matre et mecum
simul Ci 92 si quidem amicitiast habenda,
cum* hoc habendast Poe 1215 cum Telobois bellumst Thebano poplo Am 101 bellum
Aetolis esse dixi cum Aleis Cap 59 caue
sis cum Amore tu umquam bellum sumpseris
Ci 300 cum ea quoque etiam mihi fuit commercium Tru 94 illic cum seruo si quo
congressus foret . . Ru 1259 nulla controuersia mihi tecum erit Au 261 tecum seruaui fidem Cap 930 fidem seruas mecum
Cu 139 mecum seruatur fides Mer 531 perdidisti me et fidem mecum tuam Mer 625
si tu argentum attuleris, cum* illo perdidero

fidem Ps 376 tu cum Alcumena uxore antiquam in gratiam redi Am 1141 cum* eo
reueni ex amicitia in gratiam St 409 abi
diiunge inimicitias cum inprobo Poe 1406 tun
legirupionem hic nobis cum dis facere postulas? Ru 709 litigium tibist cum uxore Men
151 credo cum uiro litigium natum esse
aliquod Men 765 fac mentionem cum auonculo Au 685 saepe mecum mentionem fecerat Ci 134 qua de re ego tecum mentionem feceram Per 109 ego autem cum illa
facere nolo mutuom Cu 47 edepol mutuom
mecum* facit Tri 438 ego cum Casina faciam nuptias Cas 486 hic eam rem uolt . .
mecum adire ad pactionem Au 202 pacem
componi uolo meo patri cum matre Mer 954
pax mihist cum mortuis Mo 514, 524(aliter R)
pax commersquest uobis mecum St 519 . . ne
ego cum illo pignus haud ausim dare Ba 1056
ni fit, mecum pignus . . dato Cas 75 egon dem
pignus tecum? Per 188 si quid eius esset,
esset mecum postulatio Cas 556 cum ea tu
sermonem nec ioco nec serio tibi habeas Am
906 cum illa sane congruit sermo tibi Mi
1116 sermonem ibi nobiscum copulat Poe
655 nolo ego cum improbis te uiris . . sermonem exsequi Tri 281 id signumst cum
Theotimo Ba 329 neque quicquam cum ea
fecit etiamnum stupri Poe 99(v. secl Guy) haec
mihi hospitalis tessera cum* illo fuit Poe 1052
8. *cum adiectivis coniunctum:* uis hostilis
cum istoc fecit meas opes aequabiles Cap 302
aequa lege pauperi cum diuite non licet . .
Ci 532 . . ut aeque mecum sitis gnarures
Poe 47 cum uostra nostra non est aequa
factio Tri 452 dicis non esse aequiperabiles
uostras cum nostris factiones atque opes Tri 467
. . ut sinat sese alternas cum illo noctes hac
frui As 918
is erat communis cum hospite et praedonibus Ba 282 communis est illa mihi cum alio
Mer 451(vide RRg) quicum mihi communist
illa Mer 455(R c. mihi illest cum illo P𝔖L
cum alio CaU) Cupido tecum saeuust(L
saeuis Non saeuit Ly sic ut Serv Dan te confecit RRg𝔖 te conficit U) anne Amor? Ba 32
(ex Non 421, Serv Dan ad Aen IV. 194)
C. *vis praep. per adverbia quae sequuntur
augetur:* aeque As 232 iuxta Au 682, Mi 234,
Per 249, Ps 1161, Tri 197 iuxta aeque Per
545 simul Am 498(MueRg), 631, 754, 768,
Au 655, Ba 527, 576, 577, 591, Ci 92, 770, Ep
41, 617, Men 27, 405, 736, 745, 748, 1075, Mer
525, 689(?), 788, Mi 1318, Mo 930, 977, Ps 58,
693, 1012, 1034, 1123, 1327, Ru 760, 1210 St
249, 364, 743, Vi 30 una Am 95, 125(FlRgl)
401, 600, 808, 850, As 240, 283, 771, 862, Ba
140(R), 496, Cap 720, Cas 36, Cu 653, Ep 55,
Men 1034, Mer 868(MueRg), Poe 86, 554, 1105,
1240, Mo 557, 1159, Ru 201 a, 490, 538(MarxL),
Tri 15(VollbehrRRs) 203, 905 una simul Mo
1037, Ps 411 item una Tri 834
D. *falsa:* Cap 101, aliquem inueniri suom
quicum(qui Sciopω) mutet filium Cas 932, exeo
hoc ornatu BVE cum ornatu J cum hoc ornatu U; 988, **cum Casina ei et Rs *unc Casinust ** Aψ Ep 288, cum lenone quae opus

sunt facto Rg nam te nolo neque opus factost
Uψ nā te lonon eque opus factost P Mer Arg
II. 16, absente cum lenone perfido P v. secl Piusω
Per 777, mecum add R Ps 1030, iuxta cum
his metuo R quom haec metuo, metuo Pψ Ru
129, quicum Rs pro quique Tru 570, mecum
(† 𝔖U em RsL) subeste apparet; 958, et tu
ergo (uergo P) a me cum tu P𝔖† et tu ergo
abi me post tu Rs i, tu eris mecum, tum tu
L i . ., tu ergo mecum: tu cras eris U Fr II.
60, mecum habet (𝔖† m. amat Rg medicum
habet BueL) patagus morbus hes ex Macr V.
19, 11 W. E. Waters
CUMATILIS - - quid istae quae uesti quotannis nomina inueniunt noua? . . **cumatile**
aut plumatile Ep 233(v. secl 𝔖L)
CUMBO - - As 828, agedum cumbamus E[1]
a. cubamus J pro age decumbamus v. secl Weis
ω Men 714, hec cumbam C pro Hecubam
CUMULO - - 1. *verbum:* nunc adest occasio benefacta **cumulare**(cumi. E) Cap 424
2. *partic.:* salue, uir lepidissume, **cumulate**
(-ante D) commoditate Mi 1383 egone te
emittam manu, scelerum **cumulatissume**(-atus
sume B)? Au 825(cf Blomquist, p. 17;
Schaaff, p. 31)
CUNAE - - 1. *acc.:* in **cunas** conditust Am
1107 angues pergunt ad cunas citi Am 1111
ego cunas recessim rursum uorsum trahere et
ducere Am 1112
2. *abl.:* alter puer citus e **cunis** exilit Am
1115 tune etiam cubitare solitu's in cunis
puer? Ps 1177 fasciis opus est, puluinis,
cunis, incunabulis Tru 905
CUNCTO - - tu hic **cunctas:** intus alii festinant Cas 792 amica mea et tua dum **cunctat**
(U cenat P[ce. CD]LLy† comit CARRg cessat
𝔖) . . St 701 non enim nunc tibi dormitandi neque **cunctandi** copiast Ep 162
CUNCTUS - - I. Forma **cunctam** Mo
1168 **cuncti** Am 259, Tri 544, 550 **cunctae**
Ps 187(-e CD) **cuncta** Mer 18, Mo 414, 734,
841 **cunctis**(masc.) Per 254(atque dis cunctis
R pro que), Ps 189(quanti L) **cunctos** Tri 805
cuncta Mo 279, Poe 1007, Ps 223, 676
II. Significatio 1. *adiective:* Ioui . . ui-
tulor (atque dis cunctis R que Pψ) merito
Per 254 fac istam cunctam gratiam Mo 1168
amorem haec cuncta uitia sectari solent Mer 18
2. *substantive vel praedicative* a. dedunt se
. . in dicionem . . cuncti Thebano poplo Am
259 cuncti (Syri) solstitiali morbo decidunt
Tri 544 . . insulas quo cuncti qui aetatem
egerunt caste suam conueniant Tri 550
aduortite animum cunctae Ps 187
tranquille cuncta et ut proueniant sine malo
Mo 414 prospere uobis cuncta usque adhuc
processerunt Mo 734 ea mihi profecto cuncta
uehementer placent Mo 841
b. amica's frumentariis, quibus cunctis* montes maxumi frumenti . . sunt domi Ps 189
c. cunctos exturba aedibus Tri 805
ut perdocte cuncta callet Mo 279 sic uolo
profecto uera cuncta huic expedirier Poe 1007
reprehendam ego cuncta hercle(P r. hercle ego
cuncta A[ego hercle]RgLU) una opera Ps 223
quo modo quicque agerem . . iam instituta,

ornata cuncta(institutam cuncta *A*) in ordine
.. habebam Ps 676

CUNDE - - *vide* unde

CUNEUS - - si arte poteris accubare. #Vel
inter **cuneos** ferreos Sᴛ 619 *Cf* E g l i, I. p. 17

CUNIL⁎⁎ Vɪ 37(*A* tu, a meis *L*)

CUNILA - - (Arabiast) ubi apsinthium fit
atque **cunila** gallinacea Tʀɪ 935

CUNILIDRUS - - *nomen proprium confinxit*
Rs Mᴇɴ 295(coriendrus *P₷†LU* culienarus *ScaR*
—l— *A*)

CUPIDITAS - - amori accedunt etiam haec:
.. petulantia et **cupiditas**, maliuolentia Mᴇʀ
28 . . ibi uiuere adeo dum illius te cupiditas
atque amor missum facit Mᴇʀ 657

CUPIDO - - I. **Forma cupido** Bᴀ 32(*ex*
Non 421), Cᴜ 3(cupio *V*), Mᴇʀ 854(o c. *Ca* occ. *B*
c. *CD*), Mo 163(co. *D¹*), Pᴇʀ 25, Poᴇ 196, Tʀɪ 676
cupidinis As 156(co. *E*) **cupidini** As 804
cupidinem Aᴍ 840, Tʀɪ 673 **cupidine** Poᴇ 157

II. **Significatio** 1. *affectio animi:* tibi
aquae erit cupido, genus qui restinguas tuom
Tʀɪ 676 ego illam mihi dotem duco esse..
pudicitiam et pudorem et sedatum cupidinem
Aᴍ 840 differor cupidine eius Poᴇ 157

2. *deus(cf* G o l d m a n n, II. p. 13; H u b r i c h,
p. 111; K e s e b e r g, p. 34). a. Cupidon te con-
fecit(*R* tecum saeuis *Non L* [saeuust] *Ly* [saeuit]
te conficit *U*) anne Amor? Bᴀ 32(*ex Non* 421,
Serv Dan ad Aen IV. 194) o Cupido*, quantus es: nam tu quemuis confidentem facile
tuis factis facis Mᴇʀ 854 quo Venus Cupido*-
que imperat, suadet Amor Cᴜ 3 mihi Amor
et Cupido* in pectus perpluit meum Mo 163
sagitta Cupido cor meum transfixit Pᴇʀ 25
Cupido in corde uersatur Poᴇ 196

b. fixus hic apud nos est animus tuos clauo
Cupidinis* As 156

c. . . . unguenta iusserit ancillam ferre Veneri
aut Cupidini As 804

d. insanum malumst hospitio deuorti ad Cupidinem Tʀɪ 673

CUPIDUS - - I. **Forma cupidus** Mɪ 1215,
Poᴇ 179 **cupida** Cᴜ 98 b **cupidum** Tʀɪ
237 **cupidam** Cᴜ 97 a **cupido**(*masc.*) Bᴀ
1015 **cupidae** Ps 183(-ę *B* -e *CDNon* 500)
cupidos Ps 1132 **cupide**(*adv.*) Cᴀᴘ 102(*add*
SpU), Cᴀs 267, Mo 73(*om R*), Sᴛ 284 *cor-*
ruptum: Mᴇʀ 841, cupida *B pro* cupita

II. **Significatio** A. *adiectivum(cf* G i m m,
p. 17) 1. *attributive:* ego animo cupido atque
oculis indomitis fui Bᴀ 1015 numquam amor
quemquam nisi cupidum hominem postulat se
in plagas conicere Tʀɪ 237

2. *praedicative:* moderare animo: ne sis cupidus Mɪ 1215 eius amor cupidam me huc
prolicit Cᴜ 97

3. *cum gen.:* ut ueteris uetusti cupida sum
(ueteris uini sum cupida *Rg duce Lind et Fl*
ueteris uetus tui *LLy duce Sp* ueteris uetus *U*)
Cᴜ 98 leno ad se accipiet auri cupidus
ilico Poᴇ 179 uini modo cupidae . . Ps 183
hos huc adigit lucrifugas, damni cupidos Ps 1132
Cf B l o m q u i s t, p. 23; S c h a a f f, p. 28

B. *adverbium:* quod quidem ego nimis quam
cupide* cupio fieri(*Rs om PLU ⁎L*) ut impetret Cᴀᴘ 102 quid istuc tam cupide cupis(petis

Non 308) Cᴀs 267 uirum suom cupide expetit Sᴛ
284 .. quam illud quod cupide petas Mo 73

CUPIO - - I. **Forma cupio** As 83, 321,
325, 648, 900, Aᴜ 172, 771, Bᴀ 105, 1179, Cᴀɪ
102, Cᴀs 367, 561, 606, 810, 892, Cᴜ 305, 382,
590, 673, 724, Eᴘ 77, 270(*v. om VEJ*), 323, Mᴇɴ
963, Mᴇʀ 338, 473, 722, Mɪ 535, 904, 972, 980,
1128, Mo 301, 674, Pᴇʀ 134, 766, Poᴇ 159, 161,
154, 870, 1161, Ps 448, Sᴛ 753, Tʀɪ 54, 88, 374,
635, 841, 1117, Tʀᴜ 877, Fʀ I. 9(*ex Varr l L* VI.
73) **cupis** As 84, Cᴀs 267(petis *Non* 308),
397, Cᴜ 305, 364, Mo 61, Poᴇ 870, Ps 468, Tʀɪ
568 **cupit** Aᴜ 249, Cᴀᴘ 399, 463(rupit *Rs*), Cᴜ
304, Mɪ 970(*Ac* cipit *CD* incipit *B*), 973, 1050,
1149, Mo 349, Tʀɪ 238(*P* petit *ARRs*), 557, Tʀᴜ
891(coepit *GepRs*) **cupimus** Mɪ 1300 **cupiunt**
Cᴀs 776, 814, Eᴘ 644, Mɪ 779(opinentur *GertzU*
†₷ ⁎*L*), 964(c. tui *Sciop* cupit uti *CD* capiti
uti *B*), 1040, Rᴜ 1164 **cupiebam** Pᴇʀ 301,
Ps 692 **cupiebas** Cᴀs 450 **cupiebat** Tʀᴜ
186 **cupiet** Mɪ 801 **cupient** Pᴇʀ 567(concipient *B*) **cupiam** As 844, Aᴜ 254, Bᴀ 778,
Cᴜ 171, 172, Mɪ 1230 **cupias** Bᴀ 57, Cᴀᴘ 856
(cap. *J¹*), Eᴘ 275, Mo 914(*Ca* -es *P*), Tʀɪ 671
cupiat Mɪ *Arg* I. 12, Mo 351, 354 **cupere**
As 84, Cᴀs 286, Mɪ 126(*B²* -ret *P*) **cupiens** Aᴍ
132, Mɪ 997, 1165, Poᴇ 660 **cupienti**(*dat.*) Poᴇ
74 (*abl.*) Mɪ 1049(*B* -tis *CD*) **cupientes** Bᴀ
378 **cupienter** Ps 683 **cupita** Mᴇʀ 841
(cupida *B*) **cupitum** Poᴇ 1271 **cupite**(*voc.*)
Poᴇ 1260 *corrupta:* As 76, sane capio *Non*
454 *pro* percupio Cᴀᴘ 374, cupiam *D pro* copiam Cᴜ 3, cupio *V pro* cupido Mᴇɴ 858, cupiam *B¹ pro* capiam; 960, cupio *P pro* coepio
Mɪ 971, cupiam *B pro* copiam Ps 219, cupiam
P pro quoipiam Tʀɪ 1053, cupias *P pro* occipias

II. **Significatio** A. *verbum* 1. *absolute:*
a. idem quando occasio illaec periit, post sero
cupit Aᴜ 249 ille — eius modist — cupiet
miser Mɪ 801(i. e. m.: c. *LLy*) cupio hercle
equidem, si illa uolt. #Quae cupit? Mɪ 972-3
si ante uoluisses esses: nunc sero cupis Tʀɪ
568 quom inopiast, cupias Tʀɪ 671
neque, si cupiam, copiast Aᴜ 254 facile
istuc quidemst, si et illa uolt et ille autem
cupit Mɪ 1149 nec Salus nobis saluti iam
esse, si cupiat, potest Mo 351 adde operam,
si cupis Poᴇ 870

b. *in responsis, post interrogationes vel peti-*
tiones: uin faciam . . ? #Cupio hercle As 648
uin scire plane? #Cupio Mɪ 535 uin tu illam
actutum amouere? #Cupio Mɪ 980 uin tu
illi nequam dare nunc? #Cupio Poᴇ 159 uin
dare malum illi? #Cupio Poᴇ 161 uin tu
illam . . tuam libertam facere? #Cupio Poᴇ 164
tibi nunc operam dabo . . ut hic accipias . .
aurum. #Cupio Bᴀ 105 quid cessas . . dare?
#Si haec uolt. #Mi frater, cupio Cᴜ 673 te
orare atque obsecrare iussit ut . . facias. #Cupio
hercle equidem Mɪ 972 aurum ornamenta . .
ferat. #Cupio hercle Mɪ 1128 hoc tu mihi
reperire argentum potes. #Cupio hercle Pᴇʀ 134
me sequere. #Iam dudum equidem cupio Poᴇ 1161

2. *cum acc.:* omnia quae tu uis ea cupio
Pᴇʀ 766 cupis id quod cupere te nequiquam intellego As 84 quid istuc tam cupide
cupis*? Cᴀs 267 multae aliae .idem istuc

cupiunt Mɪ 1040   quod As 84(*supra sub* id)
quod maxume cupiebas eius copiam feci tibi
Cas 450   sane haud quicquamst magis quod
cupiam tam diu Cu 171   laudato quando illud quod cupis effecero Cu 364   proprium nequit
mihi euenire quod cupio? Mer 338   quod
cupiam ne grauetur Mɪ 1230   aliud autem
quod cupiebam contigit Ps 692   . . dum id
quod cupio inde aufero Tru 887   omnia quae
cupio commemoras Ba 1179   commoda quae
cupio eueniunt Tri 1117   tibi non cupiam
quae uelis As 844

     gratiam cupient* tuam Per 567
. . ut quae te cupit eam ne spernas Mɪ 1050
amor eos(*i. e.* cupidos) cupit*, eos consectatur
Tri 238

     ibi quidem si regnum detur non cupitast
(*Weis* est c. *CD* est cupida *B*) ciuitas Mer 841
     3. *cum gen.:* quamquam domi(*A et Don in Ter
Eun* IV. 7. 45 domum *P*) cupio, opperiar Tri
841(*cf* Brix-Niem. *ad loc et opera ibi cit*)
. . ingenuis satis responsare nequeas, quae
cupiunt tui(*Sciop* neq' asq' cupit uti *CD* nequeas capiti uti *B*) Mɪ 964   *Cf* Blomquist,
p. 21; Schaaff, p. 32
     4. *cum dat. ethico:* tibi As 844(*supra* 2)
     5. *cum infin.:* (*cf* Votsch, p. 29; Walder,
p. 17, 48): ab illo cupit* *abire* Mɪ 970   si hercle *accipere* cupias*, ego numquam sinam Mo
914   cupio cum utroque (*accumbere:* esse bene
RRgU) St 753   ipse *adire* ut cupit ad me
Tru 891(*loc dub: vide edd*) *audire* cupio quem
ad modum Mɪ 904   meam spem cupio *consequi* Fr I. 9(*ex Varr l L* VI. 73) tuae rei
bene *consulere* cupio Tri 635   ego aliquid
contrahere cupio litigi inter eos duos Cas 561
quem *conuenire* maxume cupiebam egreditur
intus Per 301   illo morbo, quo *dirrumpi*
cupio, non est copiae Cas 810   cupio *dare*
mercedem Cu 590   eam cupio, pater, *ducere*
uxorem sine dote Tri 374   cupio aliquem
emere puerum Cu 382   qui quom *esse*(† 𝕾)
cupit(se rupit *Rs*), quod edit non habet Cap
463(*v. secl BriU*) illae autem senem cupiunt
extrudere Cas 776   si quid stulte *facere* cupias prohibeam Ba 57   faciam ut tute cupias*(ut recupias *E*) facere sumptum Cap 856
cupio tibi . . aliquid aegre facere Cas 606
facere cupio quiduis Ep 270(*solus B*) facere
argenti cupiat aliquantum lucri Mo 354   ait
sese Athenas *fugere* cupere* ex hac domu Mɪ 126
cupio hercle *inspicere* hasce aedis Mo 674   domum *ire* cupio Men 963   quasi tu cupias *liberare*
fidicinam Ep 275   ego tecum otiose . . cupio
loqui Au 771   cupio malum *nanciscier* As
325   . . ei senis uicini cupiat uxor *nubere*
Mɪ *Arg* I. 12   *rapere* cupio publicum As 321
sitne quid necne sit *scire* cupio Ep 323   cupio
hercle scire Mer 722   istuc negoti cupio scire
quid est(*A* i. n. scire cupio quicquid est *P*)
Tri 88   nauim cupimus *soluere* Mɪ 1300
cupio illam operam seni *surripere* Cas 892
non tuom tu magis *uidere* quam ille suom
gnatum cupit Cap 399   cupiebat te era uidere Tru 186   hoc etiamst quam ob rem
cupiam *uiuere* Cu 172   . . qua causa uitam
cupio uiuere Mer 473

     6. *cum acc. et infin.* **a.** *praes.:* hic qui-
dem cupit illum ab se *abalitenarier* Tri 557
eius cupio filiam uirginem mihi *desponderi* Au
172   hunc ego cupio *excruciare* Ps 448   quod
quidem ego nimis quam (cupide *add SpU*) cupio
fieri(*Rs* om *PU* *L*) ut impetret Cap 102
omnis te *imitari* cupis? Cas 397   ut ego
hanc familiam *interire* cupio! Poe 870   . . nisi
te mala re magna *mactari* cupis Mo 61   edepol qui te de isto multi cupiunt(*P𝕾*† *L*)
non(nunc *AcRRgLy* multi opinentur *GertzU*)
mentirier Mɪ 779   egone id exprobrem, qui
mihimet cupio te id *opprobrarier?* Mo 301
ego te uehementer *perire* cupio Cu 724   te
cupio perire mecum Ep 77   cupio *esse* amicae quod det argentum suae As 83   cupis
me esse nequam Ps 468   omnibus amicis
quod mihist cupio esse idem Tri 54
     b. *perf.:* quid quom adest? *#Perisse* cupio
As 900   Iuppiter . . me perisse et Philolachetem cupit erilem filium Mo 349
quis nominat me? *#Qui te *conuentum* cupit.
*#Haud magis me cupis quam ego te cupio Cu
304-5   nihil est me cupere *factum*, nisi tu
factis adiuuas Cas 286   factum cupio: nam
nefacere, si uelim, non est locus Tru 877
. . ei facta cupiam quae is uelit Ba 778   di
hercle me cupiunt *seruatum* Cas 814   di me
ex perdita seruatam cupiunt Ep 644   di me
seruatum cupiunt. *#At me perditum Ru 1164
     7. *seq.* ut *cum subiu.:* quod quidem ego nimis
quam (cupide *add SpU*) cupio (fieri *ins Rs𝕾*
om *PLU*) ut impetret Cap 102(*cf* Langen,
Beitr. p. 207)
     8. *structio dubia:* dum 'mihi', uolui 'huic'
dixi, atque adeo mihi dum cupio . . perperam
iam dudum hercle fabulor Cas 367
     B. *participia*(*cf* Gimm, p. 17) **1.** *praesens*
a. *absolute:* itane illest cupiens? Poe 660
     b. *cum gen.:* cubat complexus, quoius cu-
piens maxumest Am 132   in nauem conscendimus domi(*R* domum *P*) cupientes Ba
278(*cf* Tri 841 *supra* A. 3)   huius cupiens
corporist Mɪ 997   hunc anulum ab tui cupienti huic detuli Mɪ 1049   quasi . . ex hoc
matrimonio abierim cupiens istius nuptiarum
Mɪ 1165   uendit eum domino . . cupienti
liberorum osori mulierum Poe 74
     2. *perf.:* **a.** cupite atque exspectate pater,
salue Poe 1260   cupita Mer 841(*supra* A. 2
ad fin.)   *Cf* Wueseke, p. 31
     b. tandem huic cupitum contigit Poe 1271
     3. *adverb.:* . . quom quid cupienter dari
petimus nobis Ps 683
     CUPPEDIA - - tene aquam. *#Melius dicis:
nihil moror **cuppedia** St 714
     CUPPES - - (amor) blandiloquentulus, har-
pago, mendax, **cuppes**, auarus, elegans, despoliator Tri 239   *Cf* Leo, *Pl. Forsch.* p. 256,
adn. 2
     CUR - - **I. Forma** cur *usurpari solet et in
mss. et in edd.; inuenimus autem:* **1.** quor Am
409(*Rgl* cur *P*ψ), 581(cur *U*) 687(*Rgl* qur *E*
cur *BDJ*ψ), 730(*PRglL* cur *𝕾U*), 812(*Rgl* cur
*P*ψ), 899(*UmpfenbachRglL* quo *P*ψ), 912(*Rgl*
cur *P*ψ), As 45 *bis*(*RRgl* cur *P*ψ), 49(*Rgl* cur
*P*ψ), 413(*Rgl* cur *P*ψ), 591(*R* cur *P*ψ), 608(*RRgl*

cur $P\psi$), 611(Rgl cur $P\psi$), 730(Rgl cur $P\psi$),
B Λ 333(F qur BD cur CLU), C ΛP 704(FRs
cur $P\psi$), 715(FRs cur $P\psi$), 739(FRs cur $P\psi$),
862(FRs cur $P\psi$), 985(JRs cur $BVE\psi$), 1007
(FRs cur $P\psi$), C ΛS 701($FRsL$ cur $P\psi$), Cu437
(Rg cur $P\psi$), 542($RgSL$ quur BE cur JU),
Ep 45(Rg cur $P\psi$), 574(AE cur BJU), 575
(RgL qur B cur $EJ\psi$), 587(Rg cur $P\psi$), 709
(A cur PU), Mı 1260(B cur CDU), 1405(Sey
vide infra 3), Mo 10(RRs qur BC cur $CD\psi$),
184(Rs cura P cur ψ), 209(RRs cur $P\psi$), 300
($FRRs$ cur $P\psi$), 454($FRRs$ cur $P\psi$), 518(R
solus in lac), 524(RRs cur $P\psi$), 525(RRs cur
$P\psi$), Per 620($RRsL$ qur AS cur PU), Poe 533
(R quo P), 547($RRgl$ quod $P\psi$), 891(RRs qur
BCS cur $D\psi$), Ps 318(A cur PU), 348(R qur
ABS cur $CD\psi$), 490(B cur CDU), 491($RRgL$
cur $P\psi$), 799(R qur BC cur $CD\psi$), 800(R cur
$P\psi$), 914(AL cur CD qur BS quid RU), Ru
382(Rs cur $P\psi$), 438(Rs cur $P\psi$), 440(Rs cur
$P\psi$), 862(RsU cur $P\psi$), St 52(B cur $CDLU$),
Tru 358($GepRs$ quo $P\psi$), 604(Rs cur $P\psi$),
607(Rs cur $P\psi$), 797(Rs cur $P\psi$), 878(quor
cures L quo c. U procures P pro cura aes
$RsSLy$)

2. qur semper Ly Am 687(E quor Rgl cur
$BDJ\psi$), B Λ 333(BD cur CLU quor $FRgS$), Cu
542(BE cur JU quor ψ), Ep 575(B quor RgL
cur $EJ\psi$), Mer 471 bis (A cur PLU), 504(A cur
PLU), 773(A cur PLU), Mı 682($APRgS$ quor
R cur LU), Mo 10(BS quor RRs cur $CD\psi$),
891(BCS quor RRs cur $P\psi$), Per 620(AS
quor $RRsL$ cur PU), Poe 353(B cur ACD
LU), ib.(AB cur $CDLU$), 354(AB cur CDL
U), 1272(ABC cur $CD\psi$), 1317(qur [cur C
DU] non $APS\dagger U$ quin $Gep\psi$) Ps 27(AS cur
Px), 182($ARsS$ cur $PRLU$), 348(AS quor R
cur $CD\psi$) 799(BS quor R cur $CD\psi$), 914(BS
cur CD quor AL quid RU), Vı 62($A\omega$)

3. var. lectt.: Au 796, cur eiulas B^2 cur ei uias
B^1DE curre i uias J C ΛS 517, cur amem me
Bue cura meme curam exime VEJ curam
exime B; 701, nam cur P(quor $FRsL$) numquam A Mer 504, qur emeris A cur empris
CD^1 curê prius B cur emeres DLU Mı 1405,
quor ire Sey quirere CD quare BR aliter U
Mo 518, quor add R in lac; 1026 b, cur add L in
lac Poe 533, quo P pro quor(R); 1225, quur
B; 1317 qur non $ABS\dagger$ quin $GepRglL$ cur
non CDU Ps 501, cur non PU quin $R\psi$ Tri
192, cur est P pro cures(A)

II. Significatio (cf Langen, Anal. Pl.
II. p. 3) 1. interr. rectae: **a.** cur me tenes?
Am 532 cur negas? #Quia . . Am 687 quor*
te auortisti? Am 899(Rgl), Tru 358(Rs) cur
dixisti? inquies. ego expediam tibi Am 912
cur hoc ego ex te quaeram aut cur miniter
tibi? As 45 aut cur postremo filio suscenseam? As 49 cur me retentas? #Quia . .
As 591 cur id ausu's facere? Au 740 cur*
eiulas, quem ego auom feci iam ut esses? Au
796 quor ita fastidit? #Tantas diuitias habet B Λ 333 cur es ausus mentiri mihi?
#Quia . . C ΛP 704 cur ego te inuito me esse
saluom postulem? C ΛP 739 cur omen mihi
uituperat? C ΛS 410 ei misero mihi: cur

eum (gladium) habet? C ΛS 661 ubi ipsust?
cur non nenit? #Ego dicam tibi: quia . .
Cu 437 cur eam emit? #Animi causa Ep
45 quor dare (argentum) ausu's? #Quia
mihi lubitumst Ep 710 cur ausu's facere
Men 493 mi Menaechme, cur ante aedis
astas? Men 676 qur ego ueiuo(A uiuo PLU)?
qur non morior? Mer 471 cur istuc coeptas
consilium? #Quia . . Mer 648 qur hic
astamus? quin abimus? Mer 773 uidi: cur
negem quod uiderim? Mı 556 cur es ausus
subigitare alienam uxorem? Mı 1402 quor*
ire ausu's? em tibi Mı 1405 perii: qur me
uerberas? #Quia uiuis Mo 10 cur exprobras?
Mo 300 Mo 517(quor sermonem R pro quid)
cur tanto opere extimueras? Mo 525 quadraginta istas cur mihi argenti minas filius ut ais
debebat? Mo 1026 b(L q*****s**i argenti minas fu*** A) qur ego hic mirer, mi homo?
Per 620 Toxile mi, cur ego sine te sum?
cur tu autem sine me's? Per 763 cur ego
apud te mentiar? Poe 152 qur mihi haec
iratast? #Qur haec iratast tibi? qur ego
id curem? Poe 353-4 o Apella, o Zeuxis
pictor, qur numero estis mortui? Poe
1272 qur inclementer dicis lepidis litteris? Ps 27 qur ego uestem aurum atque
ea . . praehibeo? Ps 182 Ps 208(quor R pro
quom) qur id ausu's facere? #Lubuit Ps 348
quor haec tu ubi resciuisti ilico celata me
sunt? cur non resciui? #Eloquar. quia . .
Ps 490 qur conducebas? #Inopia Ps 799
cur sedebas in foro? #Ego dicam tibi Ps 800
cur ego adflicter? Ps 1295 cur tu istuc dicis? #Res palamst Ru 382 cur tu aquam
grauare, amabo . .? #Cur tu operam grauare
mihi? Ru 438-40 cur negas? #Quia pol
prouexi Ru 862 cur hic cessat cantharus?
St 705 cur ausu's mihi inclementer dicere?
#Lubitumst Tru 604 cur ausa's alium te dicere amare hominem? #Lubitumst Tru 607
quid tu? cur eum accepisti? Tru 797(v. secl
Langenω) qur malum patronum quaeram?
Vı 62

b. quid igitur ego dubito? aut cur non intro eo in nostram domum? Am 409 cur non
uenisti, ut iusseram, in tonstrinam? As 413
cur ego te non noui? #Quia . . C ΛP 985 qur
non morior? Mer 471 quid negoti sit rogas?
#Cur non rogem? Mı 317 nolo mihi oblatratricem in aedis intro mittere. #Qur non uis?
Mı 682 quid astisisti obstupida? cur non
pultas? #Quia . . Mı 1254 id cur* non
additumst? Mo 184 eho an tu tetigisti has
aedis? #Cur non tangerem? Mo 454 cur non
fugis tu? #Pax mihist cum mortuis Mo 524
quod faciundumst cur non agimus? Poe 1225
†qur non adhibuisti(cur non adhibes tu U),
dum istaec loquere, tympanum? Poe 1317
cur non resciui? #Eloquar: quia . . Ps 491
Ps 501(cur non PU quin $R\psi$)

c. follem obstringit ob gulam. #Cur? #Nequid animae forte amittat dormiens Au 303
iube . . agnum afferri . . . #Cur? #Ut sacrufices C ΛP 862 tu homo insanis. #Egone?
#Tune. #Cur? #Quia . . Ep 575 operae non
est. #Cur? #Quia . . Mer 918 tene me, ob-

secro. #Quor? #Ne cadam Mɪ 1260　oculi
dolent. #Qur? #Quia fumus molestus est Mo
891　ne occupassis, obsecro, aram. #Cur?
#Scies: quia . . Mo 1097

d. egone osculum huic dem? #Quor non,
quae ex te nata sit? Eᴘ 574　tibi ego credam? #Quor non? #Quia . . Ps 318

e. vis augetur per particulas: nam quor istuc
dicis? Aᴍ 581　nam cur me miseram uerberas? #Ut misera sis Aᴜ 42　nam cur*
non ego id perpetrem . .? Cᴀs 701

amabo, . . cur uirum tuom sic me spernis? Cᴀs
918　cur tu aquam grauare, amabo . .? Rᴜ 438
cur ergo minitaris mihi? As 611　responde.
#Opinor. #Cur ergo iratus mihi's? #Quia . .
Cᴀᴘ 715　istud ego scio. #Qur* ergo quod
scis me rogas? Ps 914　Tʀᴜ 175(infra)

#cur igitur praedicas te heri me uidisse? Aᴍ
730　neque dignum arbitror. #Cur igitur
poscis . .? #Ut . . Aᴜ 224　credidi te nihil
esse redditurum. #Quor nunc a me igitur
petis? #Scire uolo Cᴜ 542　non med istanc
cogere aequomst meam esse matrem. #Cur me
igitur patrem uocabas? Eᴘ 587　tam gratiast.
#Cur igitur me tibi iussisti coquere dudum
prandium? Mᴇɴ 388

cur tu, obsecro, . . me morti dedere optas?
As 608　cur, obsecro, non curem? #Libera's
iam Mo 209(v. secl Ladewig𝔖) obsecro ecastor,
cur istuc . . ex ted audio? Aᴍ 812　cur, obsecro, ergo ante ostium . . astas? Tʀᴜ 175

quaeso, cur apertas brachium? Mᴇɴ 910

2. interr. obliquae: a. nec quid dicatis scire
nec me cur ludatis possum. As 730　scio quor
te patrem esse adsimules et me filium Cᴀᴘ 1007
cura amem me castigare, id ponito ad conpendium Cᴀs 517　eloquere . . qur* emeris
me Mᴇʀ 504　procura quando quor* cures
habes Tʀᴜ 878(L)

b. an uero non iusta caussat quor* curratur celeriter Poᴇ 533　nequest quor studeam has nuptias mutarier Sᴛ 52　Poᴇ 547
(RRgl quod Pψ)

c. alterius interr. iterata: qur mihi haec
iratast? #Cur haec iratast tibi(tibi haec irata
sit U)? Poᴇ 353

CURA - - I. Forma cura Aᴜ 364, Eᴘ 135,
Mᴇʀ 19(-am B), 870, Ps 21, Tʀᴜ 455, 773(om B)
curae(dat.) Bᴀ 498(RU curat A cura Pψ),
1078, Mᴇɴ 761(B² cura B¹ dura CD), 991(-ę
BD -e C), Mᴇʀ 121(Bent -a P), Sᴛ 652(Stu
-a PR)　**curam** Cᴀs 23, Eᴘ 338, Mᴇʀ 162,
Mɪ 41, Poᴇ 351, Sᴛ 681(ULy in loco vex)　**cura**
Aᴜ 564(-ā D om Non 501), Bᴀ 398, Cᴀᴘ 928,
Eᴘ 146, Mᴇɴ 895, 897, Mᴇʀ 247, 347, Mɪ 603
(v. secl Weisœ), Pᴇʀ 54, 198(F -as P), Poᴇ 254
(adsunt: cum cura add RgU), Sᴛ 310, Tʀɪ 621,
Tʀᴜ 878(pro cura aes Rs procures P quor cures
L quo c. U)　**curae** Rᴜ 221　**curas** Mᴇɴ
760(Rs quas Pψ)　**curis**(?) Tʀɪ 708(BL†U†
turis CD𝔖† tueris RRs) corrupta: Cᴀᴘ 632,
cura VE pro curo Cᴀs 517, cura meme curam
exime VEJ curam exime B pro cur amem me
(Bue) Mᴇʀ 899, curam de istuc ulla(-ā CD)
P pro curo istunc de illa(R duce Ac) Mɪ1088,
curas aluit P pro cor ei saliat　Mo 15, cura
B¹ pro scurra; 184, cura P pro cur (quor RRs)

Pᴇʀ 165, curam metibi P pro cura: interibi(Ac)
Ps 130, cura D¹ pro crura Rᴜ 1274, c ram B
pro curram Tʀɪ 391, curam A pro cura; 708,
curis BLULy turis CD𝔖 tueris RRs † 𝔖LULy

II. Significatio 1. nom.: illam amabam
olim: nunc iam alia cura (amicam indicat)
impendet pectori Eᴘ 135　amorem haec
cuncta uitia sectari solent: cura*, aegritudo . .
Mᴇʀ 19　me miseria et cura contabefacit Ps
21　una cura* cor meum mouit modo Tʀᴜ
773　non amittunt hi me comites: cura, miseria, aegritudo . . Mᴇʀ 870

quantast cura in animo Tʀᴜ 455　mihi multae in pectore sunt curae exanimales Rᴜ 221

seq. ut: quos pol ut ego hodie seruem cura
maxumast Aᴜ 364

2. dat.: curaest* Bᴀ 498(RU)　sapienter
habeatis curae quae imperaui Mᴇɴ 991

haec res mihi in pectore et corde curaest*,
quidnam hoc sit negoti Mᴇɴ 761　curaest*
negoti quid sit aut quid nuntiet Mᴇʀ 121　quid
agat Stephanium curaest* (,L) ut uideam Sᴛ
652

magis curaest . . ne is pereat neu corrumpatur Bᴀ 1078

3. acc.: eicite ex animo curam atque alienum aes Cᴀs 23　si sapias, curam hanc facere conpendi potes Poᴇ 351　quid fers?
#Vim, metum, cruciatum, curam Mᴇʀ 162　Sᴛ
681, curam mihi U curam do Ly pro curando
in loco dub

per hanc curam quieto tibi licet esse Eᴘ 338
decet curam adhibere ut praeolat mihi quod
tu uelis Mɪ 41

curas* si autumem omnis . . Mᴇɴ 760(Rs)

4. abl.: quid facerem, cura cruciabar miser
Mᴇʀ 247　ossa ac pellis totust: ita cura* macet Aᴜ 564 me maceraui Cᴀᴘ 928(Rs: vide infra)
me cum cura esse aequom obuigilatost opus
Bᴀ 398　magna cum cura ego illum curari
uolo Mᴇɴ 895　ego illum cum cura magna
curabo tibi Mᴇɴ 897　tantus cum cura meost
error animo Mᴇʀ 347　minus cum cura aut
cautela locus loquendi lectus est Mɪ 603(v. secl
Weisœ) ueterem atque antiquom quaestum . .
magna cum cura colo Pᴇʀ 54　face rem hanc
cum cura* geras Pᴇʀ 198　Poᴇ 254, adsunt:
cum cura add RgU

satis iam dolui ex animo et cura, satis me
(A me satis et PLU cura satis me et Ly satis
me et cura et Rs) lacrumis maceraui Cᴀᴘ 928
procura, quando pro cura* aes habes Tʀᴜ
878(Rs𝔖Ly)

facile tu istuc sine periclo et cura, corde
libero fabulare Eᴘ 146　nimis haec res sine
cura geritur Sᴛ 310　sine omni cura dormias Tʀɪ 621

CURATIO - - quid tibi hanc **curatio**st rem,
uerbero, aut muttitio? Aᴍ 518　me sinas
curare ancillas: quae meast curatio Cᴀs 261
quid tibi malum me aut quid ego agam curatiost? Mo 34　qui istaec magis meast curatio
(-cio B)? Poᴇ 354

CURATOR - - quod ad ludorum **curatores**
attinet, ne palma detur quoiquam artifici iniuria Poᴇ 36

CURCULIO - - parasitus. in supersc. Cᴜ act.

II *sc.* 3; *act.* V *sc.* 1. et 2 *nom.* Cu *Arg* 1,
Cu 303, 306, 583   **Curculionem** Cu 586

CURCULIO - - *vermex.* ubi nunc Curculionem inueniam? #In tritico facillume uel quingentos **curculiones** pro uno faxo reperias Cu
587   *corruptum:* Ep 14, curculio *BVE* curiculo *E pro* curriculo(*AJ*) Cf Koenig, p. 9;
Wortmann, p. 48

CURCULIONIUS - - quemne ego seruaui in
campis **Curculioniis**(*RgL* -ieis *A§* curcus [cur-
tus *D*] lis donis *P* Gorgonidoniis *R* corcodi-
loniis *U*)? Mı 13   *Cf* Egli, I. p. 13; Schneider, p. 33

CURCULIUNCULUS - - nummos trecentos.
#Tricas! #Sexcentos. #**Curculiunculos**(cor.*Prisc.*
I. 108 *libri aliquot*) minutos fabulare Ru 1325
Cf Graupner, p. 26; Ryhiner, p. 33; Wort-
mann, p. 49

CURIA - - noster nostrae quist magister
curiae(ę *P*) diuidere argenti dixit nummos in
uiros Au 107   *Cf* Prescott, *Am. Phil. Ass.
Trans.* XXXIV. p. 41

CURIALIS - - neque quisquam **curialium**
uenit neque magister quem . . Au 179

CURIO - - quo quidem agno sat scio magis
curionem(*Gul* -osam *P et Non* 455) nusquam
esse ullam beluam. #Volo ego ex te scire qui
sit agnus curio(-osus *B²*) Au 561-3 *corruptum:*
Ps 1143, curio *P pro* curuo(*A*)

CURIOSUS - - **curiosus** nemost quin sit
maleuolus St 208   **curiosi** sunt hic complures mali alienas res qui curant St 198   *corrupta:* Au 562, curiosam *P et Non* 455 *pro*
curionem(*Gul*); 563, curiosus *B²* pro curio *Cf*
Gimm, p. 17

CURO - - I. **Forma**   **curo** Cap 632(*BJ*
cura *VE*), Mer 899(curo istunc de illa *R duce
Ac* curam de istuc ulla[-ã *CD*]*P*), Mo 624, Per
75, 264, Ps 627, Tri 197   **curas** Au 428, Cas
101, 385, Mo 889, Ru 1068, Tru 137, Vı 23
curat Ba 458(-ã *D¹*), Mı 482, Per *Arg* 2, Ru
144 *bis*   **curamus** Mer 583(*Ca* -emus *P*) **curant** Mı 1384, Ps 1132 b, St 199   **curantur**
Mo 107   **curabo** Am 949, As 827, Ba 227,
Men 207(curaro *B¹*), 897, Per 608(-to *RU de A
errantes*), 610, 843, Ps 232, Ru 779(*Fl* abo *post
lac A qui solus v. habet; aliter RsU*), St 682
curabis Mer 526   **curabit** Au 601   **curabimus** Poe 593   **curabunt** Mı 708(curant *R*)
curabitur Cap 728, Cas 131, Men 539(dicito. c.
AB² dicit occurabitur *P*), Mo 401   **curaui**
Cap 989, Ep 130, Mı 1238, Ps 72, Ru 192, St
679   **curauit** Am 487, Ru 381, St 525   **curaueris** Am 741   **curauerit** Cap 314   **curem**
Ba 692, Mo 209, 992, Poe 352, 354, Tri 1057
cures Ba 751, Cap 632, Cu 517, Mer 495, Mı
812(*PLULy* adcures *Rψ*), Mo 35, 208(*Py om P
v. om Ladewig§*), Ps 235, St 320, Tri 192(*A*
cur est *P*), Tru 878(quor cures *LU*[quo] pro
cures *P* pro cura aes *Rg§Ly*)   **curet** Am 87,
827, Cas 44, 105, 503, Mı 994   **curemus** Poe
1422   **curer** Poe 693, Ps 774(*Gul* -et *BCD²*
curre *D¹*)   **curetur** Ep 269, Mı 910(*FZULy*
eieceretur *B* ceretur *CD* eiceretur *§* adcuretur
Lind RRg ei curetur *RibLLy*), Per 527, Poe 1151,
Ru 1215   **curassis** Mo 526, Poe 553, Ps 232
curassint Poe 27(curasint *P*)   **cura** Am 499,

As 107, Ba 497(cura et *P* curat *A* curaest *R*
cura. ei *LLy* [i] est curae *U*), 1031, 1035, 1066, Cap
125, 894, 900, Cas 526, 613, 718, Cı 113, 595,
Men 224(curari *A*), 352, Mer 955, Mı 929, 934,
951, 1029, 1123, Mo 889(*add R solus*), Per 165
(cura: interibi *Ac* curam metibi *P*), 511, 527
bis, Poe 913, 1417(-ato *GepU*), Ru 776, Tri 391
(-am *A*), 582   **curate** Au 363, Ba 760,
Mı 1, 935, Per 85, 405, Ru 820, St 145(qur.
B)   **curato** Cap 190, Cu 30, 138   **curare**
Am 19, Cas 261, Cu 532, Men 539, 796
(*Rs* dare *Pψ*), 949, Mo 283, Per 76,
190(*PR* ire *L* currere *A* curre *Ly*), 523(*A* accurrare *PL*), Ps 662, St 96, Tri 1106   **curauisse** Ep 509   **curari** Cas 74, Men 51, 53,
528, 895, Poe 694   **curarier** Cap 737, Poe 80
curans Mı 201(*A* curas *PR*)   **curatum** Ba
1067(cor. *D*), Men 367(-us *P*), Mı 1123, Ru 776,
Tri 138   **curatam** Men 801(*R*), Mo 26   **curatum**(*acc.*) As 120, Cas 439   **curata** Am 981, Au 273
curaturum Men 529, 548, Tru 430   **curandum**
Ba 691, Ru 182   **curando** St 681(ego curando id
P§† id curando aliquem *R* curando id me
Rg ego curam mihi *U* ego operam do: is *L*)
corrupta: Men 928, curans *P pro* cubans(*Ac*)
Mer 504, cure prius *B* cur empris *CD pro* cur
emeris(*A*)   Per 190, curare *P pro* currere(*A*)
ire *L*; 587, aequo mihi corat *B* a. m. curat *CD
pro* aequom hic orat(*A*)

II. Significatio 1. *absolute:* tua istuc refert, si curaueris Am 741   curate: ego interuisam quid faciant coqui Au 363   abi intro
ego hic curabo Ba 227   cura quam optume
potest Cap 900   praefeci ruri recte qui curet
tamen Cas 105   cura: ego ad forum modo ibo
Cas 526   abi et cura Cas 718   Lampadio,
obsecro, cura Cı 595   intus para, cura, uide
Men 352   dicam curare? #Dicito, curabitur
(*AB²* dicit occurabitur *P*) Men 539   ergo cura
Mer 955   adstitit seuero fronte curans*,
cogitans Mı 201   uos modo curate: ego illum
. . acciebo Mı 935   curate istic uos atque
adproperate ocius ne mihi morae sit umquam
Per 85   tuxtax tergo erit meo: non curo
Per 264   curate isti intus: iam ego domum
me recipiam Per 405   taceas: curabo ut
uoles Per 610   meo ego in loco sedulo
curabo Per 843   . . ne et hic uarientur
uirgis . . si minus curassint* Poe 27   nos
curabimus Poe 593   dabo quae placeat. #Cura*
Poe 1417   ut multi fecit ita probe curauit
Plesidippus Ru 381   cura. #Curatumst: abi
Ru 776   procura, quando quor cures* habes
Tru 878

2. *cum acc.* **a.** *rei:* tum tu igitur *aliud*
cura quidlubet As 107   abi et aliud cura
Cas 613   et istuc et aliud si quid curari
uolet, me curaturum dicito Men 528   potin ut
aliud cures? Mer 495   alia cura Mı 929, 934,
Mo 889(*add R solus*) *haec* curata sint fac sis
Am 981   curata fac sint quoma foro redeam
domum Au 273   hoc tibi curandumst Ba 691
uale atque haec cura Ba 1035   cura hoc. iam
ego huc reuenero Ba 1066   haec me curaturum dicito ut . . ueneant Men 548   haec
cura et hospes cura ut curetur. uale Per 527
uale et haec cura clanculum ut sint dicta Poe

913   ego dum hoc curabo recte(*FlLLy* e. d. ◡
abo recte *P$* e. d. pro te teneam *Rs* e. eum
non sinam hinc abire *U*) Ru 779   curate
haec sultis magna diligentia Ru 820   qui *ea*
curabit, abstinebit censione bubula Au 601
quid tu id curas? Cas 385   sed ita ut det
unde curari id possit sibi Men 53   tu modo
istuc cura quod agis. #Curatum id quidemst
Mi 1123   quid id curas? Mo 889   cur ego
id curem? Poe 354   ego curando id adlegaui St 681(*P$*† *loc dub*)   ego *istuc* curabo Am
949, As 827(*JRglU* istud *BDEψ*), Men 529
(*supra sub* aliud) Mi 1123(*supra sub* id)   istuc
curaui ut opinione illius pulcrior sis Mi 1238
. . quae istuc cures* ut te ille amet. #Cur,
obsecro, non curem? Mo 208   non me istuc
curare(*Guy* c. i. *P*)   oportet Mo 283   non ego
istuc curo, qui sit unde sit Mo 624   abi et
istuc cura* Per 165   tu istuc cura quod iussi
Tri 582   quid tu istuc curas? Vi 23   eidem
homini si *quid* curatum uelis, mandes As
120   quid uis curem? #Ut ad senem etiam
alteram facias uiam Ba 692   si quis quid
uostrum Epidamni curari sibi uelit . . Men 51
Men 528(*supra sub* aliud) si quid mandare uoltis aut curarier . . Poe 80   argentum accepi
nihil curaui ceterum Cap 989   *ceterum* cura*
Men 224   tu cetera cura Mi 1029   nihil
curassis . . . ego pro me et pro te curabo
Ps 232

pronomine omisso: factum et curatum dabo
Cas 439   curabitur Men 539, Mo 401   cura.
#Curatumst Ru 776   edepol mandatum pul-
cre et curatum probe! Tri 138   cura quae
iussi atque abi Cap 125   tu intus cura quod
opus est Cap 894   mihi uicino . . conuentost
opus ut quod mandaui curet Cas 503   quod
ad me adtinuit, ego curaui Ep 130   curabo*
quae uoles Men 207   cura quae is uolet Per
511   tua quod nihil refert, ne cures St 320
    hic iam *aedibus* uitium additur, bonae quom
curantur male Mo 107   patruo aduenienti
cena curetur uolo Poe 1151   iam hic fac sit
cena ut curetur Ru 1215   *prandium* hic curatumst* Men 367   quin ergo imus atque
opsonium curamus*? Mer 583
    maiore opere ibi seruiles nuptiae quam libe-
rales etiam *curari* solent Cas 74
    ecastor munus te curaturum scio ut . . mit-
tas mihi Tru 430   quin potius quod legatumst tibi negotium id curas? Cas 101   Mi
482(*infra* 3)   illud tamen negotium meis curaui amicis . . cena cocta ut esset St 679 uos
uostrum curate officium, ego officium meum
Ba 760   curare* una opera pensum postulas
Men 796(*Rs*)   ei praecepta sobrie ut cures*
(s. adcures *R*) face Mi 812
    numquid uis? #Cures* tuam fidem Tri 192
cura *rem* communem, quod facis Am 499
. qui . . tuam rem curet Am 827(*secl RglU*)
in mare it, rem familiarem curat* Ba 458
meam rem non cures, si recte facias: num ego
curo* tuam? Cap 632   quasi ea res per
me . . curetur* Mi 910   quin tu tuam rem
cura potius quam Seleucī Mi 951   numquis
hic prope adest qui rem alienam potius curet
quam suam? Mi 994   hocine modo hic rem

curatam offendet suam? Mo 26   sumne ego
stultus qui rem curo publicam, ubi sint magistratus quos oporteat? Per 75-6   potin
aliam rem ut cures? Ps 235   res rationesque eri Ballionis curo Ps 627   curate* igitur familiarem rem ut potestis optume St 145
alienas res . . curant studio maxumo St 199
me absente familiarem rem uxor curauit meam
St 525   age rem cura* Tri 391
    b. *personae:* ille uero minus minusque im-
pendio curare (*me*) Au 19   nunc pater, ne
perierem, cura atque abduce me hinc Ba 1031
tu me curato ne sitiam Cu 138   certumst
bene me curare Cu 532   hi apud me aderunt, me curabunt* Mi 708   nihil me curassis, inquam Mo 526   nos tu ne curassis
Poe 553   ego id quaero hospitium ubi ego
curer mollius quam . . Antiocho oculi curari
solent Poe 693   age sis, eamus nos curemus
Poe 1422   me uolo curare Ps 662   neque
ego amatorem mihi inuenire ullum queo . . ut
curer* tandem nitidiuscule Ps 774   quid tu
me curas quid rerum geram? Ru 1068   potin
ut cures *te*? Ba 751   cura te, amabo Ci 113
Men 801(curatam *R solus*)   quid? ego non te
curem? Poe 352   . damni cupidos qui *se*
suamque aetatem bene curant Ps 1132   *hunc*
me uelle dicite ita curarier . . Cap 737   quaeso
ut hanc cures ut bene sit isti Cu 517   is uti
tu me hic habueris, proinde *illum* illic curauerit Cap 314   magna cum cura ego illum
curari uolo. #Ego illum cum cura magna curabo tibi Men 895-7   orat ut *eam* curet
educat Cas 44   eam te uolo curare* ut istic
ueneat Per 523(*per prolepsin*)   iuxta eam
curo cum mea Tri 197   non curo* istunc:
de illa quaero Mer 899   cumulate commoditate . . duo di quem curant Mi 1384

pronomine omisso: ne tu istunc hominem
perduis. #Curabitur Cap 728   ita curetur
usque ad mortem ut seruiat Ep 269   *fortasse*
Tri 138(*supra* a)
    curato *aegrotos* domi Cap 190   *amicos* meos
curabo hic aduenientis St 682   me sinas curare *ancillas* Cas 261   mihi nisi ut *erum* metuam et curem nihil est Mo 992   mirari nolim uos, quapropter Iuppiter nunc *histriones*
curet Am 87   cura* et concastiga *hominem*
probe Ba 497   ibi meo arbitratu potero curare hominem Men 949   *hospes* cura ut curetur. uale Per 527   numquam enim nimis
curare possunt suom *parentem* filiae St 96
    similiter: an ruri, quaeso, non sunt quos
cures? Mo 35   eam (ouem) si curabis, perbonast Mer 526   oculi Antiocho Poe 694
(*supra sub* me)

3. *additur dat. comm.:* amicis St 679(*supra*
2. a *sub* negotium)   Amori haec curat, tritico
curat Ceres Ru 144   illis curandum censeo
Ru 182   neque erili negoti(*Bri* erile negotium
APL) plus curat quasi . . Mi 482   ego sum
insipientior qui rebus curem publicis Tri 1057
tuo uestimento et cibo alienis rebus curas Tru
137   sibi Men 51, 53(*supra* 2. a *sub* quid *et*
id).   **pro** *cum abl.*: ego pro me et pro te
curabo Ps 232

4. *seq.* ut *vel* ne: a. pater curauit uno ut fetu fieret Aм 487   Stratippoclem aiunt . . curauisse ut fieret libera Eᴘ 509   Bᴀ 692 (*supra* 2. a *sub* quid) noctu ut condigne te cubes curabitur Cᴀꜱ 131   Cᴜ 517(*supra* 2. b *sub* hanc)   Eᴘ 269(*supra* 2. b) ut ueneant Mᴇɴ 549(*supra* 2. a *sub* haec), Pᴇʀ 523(*supra* 2. b *sub* eam)   curate ut splendor meo sit clipeo clarior Mɪ 1   Mɪ 1238(*supra* 2. a *sub* istuc) Mo 208(*supra* 2, a *sub* istuc) suos amores Toxilus emit atque curat leno ut emittat manu Pᴇʀ *Arg* I. 2   ita uolo te curare* ut domi sis Pᴇʀ 190(*PR*) . . ut curetur Pᴇʀ 527(*supra* 2. b *sub* hospes)   curabo ut praedati pulcre ad castra conuortamus Pᴇʀ 608   haec cura clanculum ut sint dicta Poᴇ 913   haec quae ego sciui ut scires curaui omnia Ps 72   id .. parate curaui ut cauerem Rᴜ 192   Sᴛ 679(*supra* 2. a *sub* negotium)   iubeto Sagarionem quae imperaueram curare ut efferantur Tʀɪ 1106   Tʀᴜ 430 (*supra* 2. a *sub* munus)

b. *seq.* ne (*cf* Lo c h, pp. 11, 23): semper curato ne sis intestabilis Cᴜ 30   . . ne perierem Bᴀ 1031(*supra* 2. b *sub* me) ne sitiam Cᴜ 138(*supra* 2. b *sub* me)   ne mihi morae sit quicquam Pᴇʀ 86(*supra* 1)

5. *seq. interr. obliqua:* quid tu, malum, curas utrum crudum an coctum ego edim? Aᴜ 429 non ego istuc curo, qui sit, unde sit, Mo 624 quid rerum geram Rᴜ 1068(*supra* 2. b *sub* me)

6. *seq. infin.:* curatumst esse te senem miserrumum Bᴀ 1067   *Cf* Wᴀlder, p. 51

7. *apponuntur adverbia, sim.:* hic Bᴀ 229, Mᴇɴ 367   istic Pᴇʀ 85, 405   domi Cᴀᴘ 190 intus Cᴀᴘ 894, Mᴇɴ 352, Pᴇʀ 405   meo in loco Pᴇʀ 843

minus Aᴜ 19, Poᴇ 227   plus Mɪ 482   nihil Mo 526   nimis Sᴛ 96   quid Aᴜ 429, Mo 889

studio maxumo Sᴛ 199   cum magna cura Mᴇʀ 895, 897   magna diligentia Rᴜ 826   impendio Aᴜ 19   meo arbitratu Mᴇɴ 949

bene Ps 1132   mollius Poᴇ 693   nitidiuscule Ps 774   parate Rᴜ 192   probe Bᴀ 497, Rᴜ 381, Tʀɪ 137   recte Aꜱ 120, Cᴀꜱ 105 sedulo Pᴇʀ 843   sobrie Mɪ 812   quam optume pote(st) Cᴀᴘ 900   ut potestis optume Sᴛ 145   ut uoles Pᴇʀ 610

CURRICULUM - - 1. *acc.:* quin, pedes, uos in **curriculum** conicitis in Cyprum recta? Mᴇʀ 932   curre in Piraeum atque unum curriculum face Tʀɪ 1103

2. *dat.:* spatium hoc occidit: breuest **curriculo** Sᴛ 307

3. *abl.:* a. ita celeri **curriculo** fui Sᴛ 337 b. *adv.:* abi sane ad litus **curriculo** Rᴜ 855   licet uos abire curriculo Fʀ II. 4(*ex Paul* 49, 6)   ego sumne infelix, qui non curro curriculo domum? Mo 362   idum, Turbalio, curriculo Rᴜ 798   curriculo(*AJ* curculio *BVE*[1] curiculo *E*[3]) occepi sequi Eᴘ 14 transcurre curriculo ad nos .. cito transcurrito ad uos rursum curriculo domum Mɪ 523-5 curriculo iube in urbem ueniat Mo 930   uola curriculo Pᴇʀ 199   *Cf* Loch, p. 9

CURRO - - I. **Forma curro** Mo 362   **currit** Aꜱ 265, 910   **currunt** Mᴇɴ 997   **curram**

Poᴇ 293, Ps 358   **curret** Poᴇ 527   **curram** Aᴜ 713 *bis*, Mᴇʀ 857, Rᴜ 1274(curam *B*) **curratur** Poᴇ 533   **curre** Aꜱ 740, Cɪ 286, Mɪ 1332(*Sey* currit *P* currite *RU*), Pᴇʀ 190(*Ly* currere *ARgS* curare *PR* ire *L*), Sᴛ 285(*A* currere *P*), Tʀɪ 1103   **currite** Rᴜ 622   **currere** Aᴜ 393(*v.* secl *USL* post 242 *trans Rg*), 397, 627, Cᴀᴘ 652, Pᴇʀ 190(*A* curre *Ly* curare *PR* ire *L*), Poᴇ 523, Sᴛ 288, Tʀɪ 1012   **currens** Aꜱ 709, Mᴇʀ 175   **currenti** Mᴇʀ 117, Tʀɪ 1023 **currentem** Cᴜ 278(uideo c. *Ca* uide occurentem *P*), Mᴇʀ 109, 598   **currendum** Mᴇʀ 119, Ps 331(*D* -du *AB* -dus *C*)   **currendo** Mᴇʀ 151   corrupta: Aᴜ 796, curre i uiuas *J* cur ei uias *B*[1]*DE* pro cur eiulas (*B*[2]) Ps 774, currenandem *D* pro curer(*Gul* curet *P*) tandem

II. **Significatio** 1. *absolute* a. *verb. fin.:* quid si curram*? #Censeo. #An sic potius placide? Rᴜ 1274   non iusta causast quor curratur celeriter Poᴇ 533

Leonida, curre, obsecro Aꜱ 740   i curre, equm adfer Cɪ 286   age ut placet, curre* ut lubet Sᴛ 285

cesso prius quam prorsus perii currere? Aᴜ 397   sed ego cesso currere Aᴜ 627   ita uolo te currere* ut domi sis Pᴇʀ 190   seruile esse duco festinantem currere Poᴇ 523   quidnam dicam Pinacium lasciuibundum tam lubenter currere? Sᴛ 288   ne destiteris currere Tʀɪ 1012

b. *partic.:* . . ut ibi cruciere currens Aꜱ 709 quid siet quod me per urbem currens quaerebas modo Mᴇʀ 175

currenti, properanti, haud quisquam dignum habet decedere Mᴇʀ 117   eorum unus surrupuit currenti cursori solum Tʀɪ 1023 parasitum tuom uideo currentem* Cᴜ 278 isnest quem currentem uideo? Mᴇʀ 598

et currendum et pugnandum et autem iurigandumst in uia Mᴇʀ 119   me rupi causa currendo tua Mᴇʀ 151

2. *add. terminus* a: quid currentem seruom a portu conspicor? Mᴇʀ 109

ad: quid cessatis, compedes, currere ad me? Cᴀᴘ 652   quid illisce homines ad me currunt? Mᴇɴ 997   numquam ad praetorem aeque cursim curram Ps 358   curram igitur aliquo ad piscinam aut ad lacum Poᴇ 293

extra: extra portam mihi etiam currendumst* prius Ps 331

in: currite huc in Veneris fanum Rᴜ 622 curre in Piraeum Tʀɪ 1103

per: haud quisquam hodie nostrum curret per uias Poᴇ 527

aliquo: Poᴇ 293(*supra sub* ad)   huc: quid illuc quod exanimatus currit huc Leonida? Aꜱ 265   . . ego intro huc propere propero currere Aᴜ 393(*v.* secl *USL*: post 242 *trans Rg*) Rᴜ 622(*supra sub* in)   quo: quo curram? quo non curram? Aᴜ 713   Mᴇʀ 857(*infra* 3)   intro: Aᴜ 393(*supra sub* huc)   curre* intro atque ecferto aquam Mɪ 1332   domum: ego sumne infelix, qui non curro curriculo domum Mo 362

3. *seq. infin.:* ecquis currit pollinctorem accersere? Aꜱ 910(*cf* Votsch, p. 31; Walder, p. 15)   *sup.:* cogito quonam ego illum curram quaeritatum Mᴇʀ 857

4. *adverbia et adiec. praed.:* celeriter Poe
533 curriculo Mo 362 cursim Ps 358
lubenter St 288 festinantem Poe 523 exanimatum As 265

CURRUS - - 1. *acc.:* iubes . . me . . in
currum inscendere Men 863 iam adstiti in
currum Men 865 iam in currum(cursum *B*)
escendi(conscendi *FZRRgU*) Mer 931
2. *abl.:* quis hic est qui me capillo hinc de
curru deripit? Men 870

CURSIM - - hoc cito et cursimst agendum
Poe 567(*v. secl Weisœ*) numquam ad praetorem aeque cursim curram Ps 358 i cursim
(*Rg* iturus sum *PS†* ituru's *BoLy* i rusum
RU[rursum] i prorsum *L*) domum Ba 146
ego illum iubeo quadrigis cursim ad carnificem rapi Poe 369

CURSOR - - eorum unus surrupuit currenti
cursori solum Tri 1023 genua hunc **cur-**
sorem deserunt Mer 123 si properas, **cur-**
sores meliust te aduocatos ducere Poe 546(*v.*
secl L)

CURSURA - - 1. *acc.:* quid illuc est quod
ille tam expedite exquirit **cursuram** sibi? Mer
120 quis hic est qui huc in plateam cursuram incipit? Tri 1106 is hunc hominem
cursuram(cursur in *B*) docet Tri 1016
ad cubituram . . magis sum exercita fere
quam ad cursuram(*Muret a cursura Non*) Ci
380(*ex Non* 198) exercent sese ad cursuram
Mo 862 ad (*om RLU*) cursuram meditabor,
ad ludos Olympios St 306
2. *abl.:* non uides me ex **cursura** anhelitum
etiam ducere? As 327 palaestra ubi . . pro
cursura dedecus (capiam) Ba 67

CURSUS - - 1. *acc.:* nunc ad senem **cur-**
sum capessam hunc Hegionem Cap 776 quis
hic est qui recta platea cursum huc contendit
suom? Ci 534
2. *abl.:* ibi **cursu**, luctando . . sese exercebant Ba 428 quo neque industrior de iuuentute erat . . disco, hastis, pila, cursu . .
Mo 152 cursu celeri facite inflexa sit pedum
pernicitas Men 867 uinceretis ceruom cursu
(circumcurso *Varr l L* VII. 69 cursu ceruas
Fest 97) Poe 530
faciam ut . . meminerit qui mihi in cursu
opstiterit Cap 801 . . ne quem in cursu capite . . offendam Cu 282 paene in cursu(-si
E¹ su *V*) concidi Ep 200 citius iam a foro
argentarii abeunt quam in cursu rotula circumuortitur Per 443 *Cf* Kane, p. 69
3. *corruptum:* Mer 931, cursum *B* pro currum

CURVOS - - te aggerunda **curuom**(cor. *J*
-um *AP* curruum *E*) aqua faciam probe Cas
124 Chlamydate, caue sis tibi a **curuo**(*A*
curio *P*) infortunio Ps 1143

CUSTODELA - - *ex emendatione semper*
pro formis custodia *vel* custos *vocabulorum*
usurpatur
1. *acc.:* capram . . uisus sum in **custode-**
lam(*Grut* -diam *P*) simiae concredere Mer 233
in tuam custodelam(*Bo* -diam *P*) meque et
meas spes trado Mo 406 Veneri . . more
antiquo in custodelam(*Grut* -diam *P*) suom
commiserunt caput Ru 625 te obsecramus . .

in custodelam(*Pius* -diam *P*) nos tuam ut
recipias Ru 696
2. *abl.:* . . ne . . quoquam pedem ecferat
sine **custodela**(*BoU* custode *PS†RsLy†* iam
ad *add LU* desubito *Rs*) Cap 457

CUSTODIA - - 1. *acc.:* huc redito atque
agitato hic **custodiam** Ru 858
2. *abl.:* . . ut sis apud me lignea in **custo-**
dia Poe 1365 si amabat . . in custodia esset
semper Ru 380
uinclis **custodiis**que circummoeniti sumus
Cap 254
3. *corrupta:* custodiam *in mss pro* custodelam *inuenitur:* Mer 233, Mo 406, Ru 625,
696 *Vide sub* custodela

CUSTODIO - - rem familiarem curat, **cu-**
stodit domum Ba 458 noctu neruo uinctus
custodibitur Cap 729 quid cessatis, compedes, currere ad me . . ut uos **custodiam**?
Cap 652 *corrupta:* Au 724, custodiui *VEJ*
pro concustodiui(*B*) Mi 467, custodiit *CD*
custodi ut *B pro* custodi(*A*)

CUSTODITIO - - **custoditio** est opera ad
custodiendum quid sumpta *Paul* 61. *ad Plau-*
tum refert Reitzensteinius, *Verr. Forsch.*
p. 58-67

CUSTOS - - I. **Forma** **custos** As 297, 655,
Cu 76, Mer 92, Mi *Arg* I. 8, Mi 271, 298, Ru 385,
Tri 252, Tru 812 **custodi** Men 131, Mi 153,
467(*A* custodiit *CD* custodi ut *B*) **custo-**
dem Au 556, Cap 374, 708, Cu 91, Mi 146(-es *C*),
305, 550, Tru 105(obludant *Rs*) **custode** Cap
457(-dela *BoU*) **custodes**(*nom.*) Mi 212 (*acc.*)
Ps 141, 865, 1037
II. **Significatio** 1. *nom.* (*vel acc. subi.*) *vel*
voc.: quid agis, custos carceris? As 297 di
te seruassint semper, custos erilis As 655 anus
hic solet cubare custos ianitrix Cu 76 seruom
una mittit . . quasi uti mihi foret custos Mer
92 oberrans custos hos uidet de tegulis Mi
Arg I. 8 illic est Philocomasio custos Mi
271 tu ei custos additus Mi 298 custos
qui fur sit nescit Ru 385 ducitur familia
tota, uestiplica, unctor, auri custos Tri 252
tu bona ei custos fuisti Tru 812
poetae barbaro . . bini custodes semper . .
occubant Mi 212
2. *dat.:* sic hoc decet, dari facete uerba
custodi catae Men 131 ita sublinetur os
custodi mulieris Mi 153 sublinitur os custodi* cauto, conseruo meo Mi 467
3. *acc.:* Argus . . quem quondam Ioui Iuno
custodem addidit Au 556(*cf Prisc* I. 209) erum
seruaui, . . quoi me custodem addiderat erus
maior meus Cap 708 meus conseruos . .
quem concubinae miles custodem* addidit Mi
146 custodem me illi miles addidit(*Don*
tradidit *P*) Mi 305 concubinam . . quoi me
custodem erus addidit miles meus Mi 550
exsuscitate uostram huc custodem mihi Cu 91
nisi quod custodem habeo liberum me esse
arbitror Cap 394 obludeant qui custodem*
oblectent Tru 105(*loc dub*)
. . mauelis lupos apud ouis quam hos domi
linquere custodes Ps 141 his discipulis priuos custodes dabo Ps 865 uici cautos custodes meos Ps 1037

4. *abl.:* . . ne quoquam pedem ecferat sine custode* CAP 457

5. *adiect. et genitivi:* bona TRU 812   cata MEN 131   cautus MI 467, Ps 1037   erilis As 655   ianitrix CU 76   priuos Ps 865   auri TRI 252   carceris As 297   mulieris MI 153

CUTIS - - tondebo auro usque ad uiuam **cutem** BA 242   me usque admutilauisti ad cutem(*D*³ curtem *CD*¹ custem *B*) PER 829 *vide* Ps 296, *ubi* saturata cute *KampR pro* satis poti uiri(*A* saturi poti *P*)

CYATHISSO - - tibi saepissume **cyathisso** (ci. *P*) apud nos MEN 303   tun **cyathissare** (cyatis. *B*) cratis. *CD*) mihi soles? MEN 305

CYATHUS - - **I. Forma cyathus** RU 1319 **cyathum** Ps 957(*AC* -tum *D* crathum *B*)   **cyatho** PER 794(ciatho *BD*¹ citatho *CD*²), POE 274(*D* ciatho *C* ciratho *B*)   **cyathos** PER 772 (ciatas *CD*¹ ciagas *B* ciatos *D*), ST 706(cyatos hos *D*)   **cyathis** PER 771(ci. *BC*)

II. Significatio 1. *nom.:* inerit in crumina . . gaulus, cyathus RU 1319

2. *acc.:* nihil etiam dum harpagauit praeter cyathum* et cantharum Ps 957   tarde cyathos* mihi das: cedo sane PER 772 uide quot cyathos* bibimus ST 706

3. *abl.:* tibi ego hoc continuo cyatho* oculum excutiam PER 794 . . quoius ego nebulai cyatho* septem noctes non emam POE 274(*cf* Blomquist, p. 26)   age, puere, a summo septenis cyathis* committe hos ludos PER 771

CYGNUS - - Tithonum qui cluet **Cygno** (*RLU ex Prisc* I. 216 cycno *P* Cucino *Rs* Cycino *S*) patre MEN 854

CYLINDRUS - - *coquos; in supersc.* MEN *act.* I *sc.* 4(cilinidorus *P*), *act.* II *sc.* 2.   **Cylindrus** (*A* cu. *RRs* ci. *P*) ego sum. #Si tu Cylindrus seu Coriendrus perieris MEN 294-5(*vide edd.*) euocate intus **Cylindrum**(cu. *PRU*) mihi coquom actutum foras MEN 218   *Cf* Schmidt, p. 365

CYNICUS - - **cynicum**(ci. *M*) esse egentem . oportet parasitum probe PER 123   potius in subsellio   **cynice** hic accipimur quam in lectis ST 704   TRU 423, quinice *Rs pro* quin his

CYPRUS - - quam capiam ciuitatem cogito . ., Cretam, **Cyprum**(ci. *D*) MER 646 quin, pedes, uos in curriculum conicitis in Cyprum recta? MER 933   iam Cyprum ueni MER 937 *Cf* Goerbig, p. 33; Koenig, p. 3

CYRENAE - - huc esse nomen urbi Diphilus **Cyrenas**(ci. *P*) uoluit RU 33   is eam huc Cyrenas(ci. *P*) leno aduexit uirginem RU 41 *Cf* Koenig, p. 2

CYRENENSIS - - non tu **Cyrenensis**(*CD* -riensis *B* ci. *P*) es? RU 740   Venus Cyrenensis(ci. *P*), testem te testor mihi RU 1338 . . de senatu **Cyrenensi**(ci. *P*) quemuis opulentum uirum RU 713   pro **Cyrenenses**(ci. *B*) populares RU 615

CYRNEUS - - AM 429, cyrneam *Non* 546 *pro* hirneam(*P*)

CYRUS - - As 357, unde in balneas Cyrus *Non* 194 *pro* ille in balineas iturust

D.

D - - sinet. #D*** CI 271(*A*)   **d* CI 393(*A*)

DAEDALIS - - *Attica.* loquere matris nomen . . quid siet. #**Daedalis**(de *P*) RU 1164 mater tua eccam hic intus Daedalis(*B* de. *CD*) RU 1174   *Cf* Schmidt, p. 185

DAEMONES - - *senex; in supersc.* RU *act.* II *sc.* 7 (DAEMONIS *D om ABC*); *act.* III *sc.* 1, 2, 4(de. *D*), 5(de. *D*); *act.* IV *sc.* 1(de. *D*), 4 (de. *D*), 5(de. *D*), 6(de. *D*), 7(de. *D*); *act.* V *sc.* 3(de. *D*)   *etiam* RU 33(*Z* demonies *P*), 99 (de. *BC* do. *D*), 1160(*C* doe. *B* de. *D*), 1174 (doe. *B* de. *CD*), 1227(doe. *B* de. *CD*), 1245 (doe. *B* de. *CD*)   *Cf* Schmidt, p. 365

DAMNAS - - ego minam auri* fero supplicium **damnas**(*DouRsLy* damnis *BS*† *L*† dampnis *CD*) ad amicam meam TRU 893

DAMNIFICUS - - imitatur nequam bestiam et **damnificam**(*B* dampn. *VEJ* maleficam *Isidor* XII. 5, 9) CI 728

DAMNIGERULUS - - ite hac simul, mulieri (*LLy* mulieri i *P om Rs* muli erei *PalmS*) **damnigeruli**(muli eridamnigeruli *U*) TRU 551

DAMNO - - me . . ad recuperatoris modo **damnauit**(dampn. *C*) Plesidippus RU 1282 sed(†*S*) si lege rumpam** qui(sed**si legirupam *BriL* set ni legirumpam damnet qui *R*

sed legirupam qui *FZU*)   **damnet**(*B* damne *CD*), det in publicum dimidium PER 68 b(*cf* Goetz, *Mus. Rhen.* XXX. 170 *et L ad loc*) te . . solitum diuites **damnare**(*B* dampn. *CD*) atque domare TRI 829(*cf* Langen, *Beitr.* p. 279) **damnatus** demum, ui coactus reddidit ducentos et mille Philippum BA 271

DAMNOSUS - - **I. Forma damnoso**(*abl. masc.*) EP 319(dampn. *P*)   **damnosi** Ps 1129(*R Rg* improbi *AP*ψ)   **damnosorum** TRU 63(*B* dampn. *CD*)   **damnosos** CU 472(*E* dampn. *BJ*), 485(*E* dampn. *BJ v. secl Ca*ω)   **damnosis** Ps 415(*P* dampn. *D* -seis *ARgS*)   **damnosiorem** TRU 82(*B* dampn. *CD*)   **damnosissumis** BA 117(-imis *BDL* -imus *C* dampn. *D*)

II. Significatio A. *adiective:* quid tibi commercist cum dis damnosissumis BA 117 (*act.*)   minus damnosorum hominum quam nunc sunt siet TRU 63 b(*act.*)   ditis damnosos maritos sub basilica quaerito CU 472(*med.*) dites damnosos maritos apud Leucadiam Oppiam CU 485(*v. secl Ca*ω)   argentum accipiam ab damnoso sene EP 319(*pass.*)

B. *substantive:* si de damnosis aut si de amatoribus dictator fiat . . Ps 415(*act.*) poplo strenui, mihi damnosi* usui sunt Ps 1129

(*RRg*) alium repperit qui plus daret damnosiorem Tru 82(*act.*)

DAMNUM - - I. Forma damnum Cu 49
(*B* -mpn- *EJ*) **damni** As 182(-mpn- *J*), Ba
1032(-mpn- *CD*), Ci 321(*A solus*), Men 988, Mer
422(-mpn- *C*), 784(-mpn- *CD* -nei *ARgℐ*), Ps
440(-mpn- *D*), 1132(-mpn- *CD*), Tri 314(-mpn-
CD), Tru 304(-mpn- *CD*, -nis *A*) **damno** As
571(-mpn- *P*), Ba 1103(-mpn- *CD*), Ci 50(-mpn-
VEJ), 371(*A solus*), Tri 586(-mpn- *CD*) **damnum** Ba 67(-mpn- *D*), 378(*v. secl R*), Cap 327
(-mpn- *J*), Ci 106(-mpn- *P*), Men 133(-mpn- *D*),
267, Mer 237(-mpn- *C*), 970(*RRg* genere *Pψ*
†*ℐ*), Poe 327(-mpn- *CD*), 465(-mpn- *CD*), 749
(-mpn- *CD*), Tri 1025, Tru 228(*A* -mpn- *P*),
561(*Rs* iam *Pψ*) **damno** As 187(-mpn- *J*),
Au 535(-mpn- *J*), 726(-mpn- *EJ*), Cas 722
(-mpn- *P*), Men 264, Poe 163(d.[-mpn- *CD*] et
dispendio tuo *P* damno tuo *PyU* dispendio
Grutψ), 199(-mpn- *CD*), St 207(*A* amno *B*
animo *CD*), Tri 219(-mpn- *C*) **damna**(*nom.*) Mi
699, St 209(-mpn- *C*) (*acc.*) Ba 376, Tru 57(nostra
damna *U duce Sp* nos clam mina *Pℐ*† n. c.
omnes summa *Rs* n. c. magna *LLy*) **damnis**
Ba 66, Tru 950(*FZ* dannis *P*) *corrupta:* Mi
1168, damnum *CD*¹ dampnum *B pro* domum
(*ADℐ*) Ru 934, in damno *C*(-mpn-)*D pro* indam
nomen (*B*) Tri 1062, dampnū *CD* dãnū *B pro*
da magnum (*A*) Tru 893, damnis *Bℐ L* dampnis
CD damnas *DouRsLy*)

II. Significatio A. *proprie* 1. *nom.:* malus
clandestinus est amor, damnumst merum Cu 49

haec atque horum similia alia damna multa
mulierum me uxore prohibent Mi 699 damna
euenerunt maxuma misero mihi St 209

2. *gen.:* Venus .. hos huc adigit, lucrifugas,
damni cupidos Ps 1132

.. ne penetrarem me usquam ubi esset
damni conciliabolum Tri 314(*cf* Goldmann,
I. p. 19; Graupner, p. 14) mali damnique
inlecebra, salue Ci 321(*A solus*) uirum ex hoc
saltu damni saluom ut educam foras Men 988
(*cf* Graupner, p. 19) is ad uos damni*
permensust uiam Tru 304 tu quod damni et
quod fecisti flagiti populo uiritim potuit dispertirier Ps 440 non miror si quid damni*
facis aut flagiti Mer 784 quam propter tantum damni feci et flagiti Ba 1032 *Cf* Blomquist, p. 165; Schaaff, p. 39

neque ille scit quid det quid damni faciat
As 182 si quid faciendumst, facere damni
mauolo Mer 422

3. *dat.:* minus .. id mihi damno ducam Ba
1103 eris damno et molestiae et dedecori
saepe fueris As 571 multis .. damno et mihi
lucro .. eris Ci 50 damnum sunt tui mihi similes Ci 371(*RsL* d. sunt * mihi s * * es *Aℐ*)
neque enim illi damno umquam esse patiar...
meam neglegentiam Tri 586

4. *acc.: amare* Poe 327(*infra* B) .. ubi pro
disco damnum *capiam* Ba 67 suapte culpa
damnum(a) capiunt Mer 970(*RRg* sapiunt *L*
cadunt *U pro* capiunt) damnum hoc obsoni
(*Rs* iam de hoc obsonio *Pℐ LLy* .. d. h. opsonatu *GepU*) de mina una *deminui* modo Tru
561(*cf* Blomquist, p. 158) quamquam . .
damnum *dabis,* faciam Ci 106 quid metuis?

#Ne mihi damnum in Epidamno duis Men 267
meretricem .. condecet quemquam hominem
attigerit, .. damnum dare Tru 228 est etiam
ubi profecto damnum praestet *facere* quam
lucrum Cap 327 ait sese .. flagitium et
damnum fecisse haud mediocriter Mer 237
aibat *portendi* mihi malum damnumque Poe
465 dicebant mihi malum damnumque
maxumum portendier Poe 749

.. ut celem patrem .. tua flagitia aut
damna aut desidiabula? Ba 376 atque haec
celamus nostra damna* industria Tru 57(*FZU*)
(damna) quibus patrem .. adfectas .. ad
probrum damnum flagitium adpellere Ba 378
(*v. secl R*) hoc ad damnum deferetur Men
133(*infra* B) laborem ad damnum apponam
epithecam insuper Tri 1025(*cf* Graupner, p.13)

5. *abl.:* dotatae mactant et malo et damno
uiros Au 535 duplico damno dominos multant Cas 722

alii laetificantur meo malo et damno Au 726
.. ut damno* gaudeant St 207 penetrem me
in palaestram ubi damnis desudascitur Ba 66
stultus atque insanus damnis* certant Tru 950

perdidici istaec esse uera damno cum magno
meo As 187 famigeratori res sit cum damno
et malo Tri 219 nere fere sine damno huc
(*A* h. s. d. *PL*) deuortitur Men 264 uin tu
illam hodie sine damno(a) tuo tuam libertam
facere? Poe 163 amoris macula .. sine
damno magno quae elui ne utiquam potest
Poe 199

B. *translate, de amica:* meo malo a mala abstuli hoc, ad damnum deferetur Men 133(*cf* 173:
nisi forte hic usus ex mercatura originem ducit)
ecquid amare uideor? #Damnum .. Poe 327

C. *adiectiva· apponuntur:* merum Cu 49
magnum As 187, Poe 199 maxumum Poe
749, St 209 duplex Cas 722

cum damnum vocabulo coniungitur dedecus
As 571 desidiabula Ba 376 flagitium Ba
376, 378, 1032, Mer 376, 784, Ps 440 malum
Au 535, 726, Ci 321, Poe 465, 749, Tri 219
molestia As 571 probrum Ba 378 *opponitur* lucrum Cap 327, Ci 50, Poe 327

DANISTA - - I. Forma danista Ep 55, 607,
621, 646, Mo 537, 623 **danistae**(*dat.*) Ep 115
(dastinae *J* -e *E*), 142, 347(-ę *B* -e *E*) **danistam** Ps 287 **danista** Ep 33, 252, Mo 917
(-ne *C*¹)

II. Significatio 1. *nom.:* is danista aduenit Ep 55 male morigerus mihist danista
Ep 607 hic est danista Ep 621 accipe
argentum hoc, danista! Ep 646 danista adest
qui dedit∗∗∗ Mo 537 uidetur .. idoneus
danista qui sit, genus quod inprobissumumst
Mo 623

2. *dat.:* quadraginta minas, quod danistae*
detur Ep 115 minis .. danistae quas resol-
uat Ep 142 decem minis plus attuli quam
tu danistae debes Ep 347

3. *acc.:* ad danistam deuenires, adderes
faenusculum Ps 287

4. *abl.:* id adeo argentum ab danista ..
sumpsit faenore Ep 53 .. eum argentum
sumpsit .. ab danista faenore Ep 252 subegi
faenore argentum ab danista ut sumeret Mo 917

DANISTICUS - - nullum . . genus est hominum . . minus bono cum iure quam **danisticum** Mo 658

DANO - - *una modo forma usurpatur, eaque vel in clausula vel in fine versus nisi* Cu 126, Per 256, Poe 767

dupla(*Rost* -am *PL* dubiam *U*) agninam danunt Cap 819   Cu 124(danunt *L pro* dant) di . . somnia in somnis danunt(*Py ex Rud* 594 donant *CD* clamant *B*) Mer 226, Ru 594(*v. secl RRsSL*) adminiculum eis danunt Mo 129   mihi neque faenus neque sortem argenti danunt(dabunt *D³*) Mo 561   (di) meo amico amiciter hanc commoditatis copiam danunt Per 256 sescenti nummi . . quas turbas danunt! Per 852   nunc quod boni mihi dei danunt(danint *C* dant *D*) . . Poe 1253   quoi seruitutem di danunt lenoniam . . malam rem magnam multasque aerumnas danunt Ps 767-70 habeas quod di danunt(*Ly* dant boni *Bψ* danunt dant boni *C* boni danunt dant *D*) Ru 1229 amantis si quid non danunt . . Tru 181(*P* amanti si cui ṅ quod dabo non est *A*)   de thensauris integris demus danunt(*P* demum occerunt *A*) Tru 245

DAPINO - - aeternum tibi **dapinabo** uictum si uera autumas Cap 897

DAPSILIS - - largitu's dictis **dapsilis**(*nom. L 'λόγοις δαψιλής': pro abl. habuit* Dousa, p. 392) lubentias(*RU* ubi sunt ea? *APS†LLy*) Ps 396   lemniscos, corollas dari dapsilis(-es *SL*) Ps 1266 dotes dapsiles(-las *Non* 304 -lis *U*) . . nihil moror Au 167   nihil hoc quidem, triginta minae praequam alios dapsilis(*B²* -lies *P*) sumptus facit Mo 982

DAREUS - - *rex.* me . . faciat Iuppiter Philippum regem aut **Dareum**(darieum *DE* darium *PLU*) Au 86   *Cf* Egli, II. p. 18

DATARIUS - - nullast mihi salus **dataria** Ps 969   linguam . . uendidit **datariam**(*A* uendidit ariam *B* uendit ariam *CD*) St 258

DATATIM - - isti qui ludunt **datatim**(clat. *B¹*) serui scurrarum(serui sc. d. *Non* 96) in uia Cu 296

DATO - - argentum accepto et quoi debet **dato** Ps 627   tu solus . . faenore argentum **datas** Mo 602   Venus mihi haec bona **datat** (dat at *P* dat *AL*) Ps 1131   id quidem pol te **datare**(dictare *U*) credo consuetum Au 637

DATOR - - **I. Forma** **dator** Ps 1127(*L* dum datur *APLy* var em *RRgU*) Tru 247(*FZ* datur *P* amator *A*)   **datori** Tru 571(dotori *E*)   **datores** Ci 373(*ex Prisc* I. 111 & 279) (*acc.*) Cu 297, Tru 244

II. Significatio 1. dum recens est dator* dum calet(*L* d. r. e. dum datur dum calet *P* d. r. e. dum calet dum datur *ASLy* variant *R RgU*) Ps 1127   nimis pol mortalis lepidus nimisque probus dator* Tru 247

datores bellissumi uos negotioli(u. d. n. b. *Rs* d. b. n. u. *L*) . . soletis esse Ci 373(*ex Prisc* I. 111 & 279)

2. des quantumuis nusquam apparet neque datori* neque acceptrici Tru 571(*v. secl Rs*)

3. et datores et factores omnis subdam sub solum Cu 297(*cf* Ribbeck, *Leipz. Ber.* 1879, p.88) semper datores nouos oportet quaerere Tru 244

DATUS - - is mille nummum se aureum meo **datu** tibi ferre . . aibat Tri 1140

DAVOS - - exi tu, **Daue**, age sparge Fr II. 31(*ex Gell* XVIII. 4)   Sosiam . . **Dauo** prognatum patre Am 365   Sosiam . . alterum . . Dauo (*D²J* dabo *BD¹E*) prognatum patre eodem quo ego sum Am 614   *Cf* Egli, III. p. 19; Schmidt, p. 185

ΔE - - gerrae germanae, αἱ (σοὶ) δὲ κολλῦραι λύραι(*PalmerLULy* hae decollyrae [*B* -irae *C* -irę *D*] lyrae *P* hercle et collyrae escariae *RRgl*) Poe 137

DE - - *adverb.* quae neque sunt facta neque ego in me admisi, arguit, atque id me susque deque esse habituram putat Am 886

DE - - *praep.* *Cf* Kampmann, *De DE et EX praepositionum usu Plautino* . . Pr. Vratislauiae 1850. *De verbis cum de compositis cf* Ulrich, *Ueber die Composita* pp. 20, 24, *De verborum comp.* p. 19

I. Forma Am 294, de umero *L pro* denuo; 828, nam quom de *MueRglSULy* nam quod de *L* namque *P v. secl U* As 276, dat ergo *E pro* de tergo Au 54, de *E pro* ne 628, de *Osberne pro* sub; 735, de te conmerui *BriRgL* (com.) de te demerui *Ly* nam de te merui *U* erga te commerui *RedslobS* Ba 271, de otium *CD¹ pro* demum(*BU³*) Cap 34, de *PLy* e *Stuψ*; 111, de *PULy* a *Flψ*; 172, de *P pro* deae; 489, de *Fl* om *P*; 506, de *EDJ pro* dedi Cas 246, de *V pro* di Ci 84, de ea te *PLU* oranti *Aψ* Ep 108, de *Stu* in *PLy* im *A*; 151, de *add P* om *Aω*; 447, duellis *Rib Rg* prae huius *U pro* de illius; 495, de *om A*; 544, de ubi an *B* de ibi an *E¹* dubia *ALLy* dubiam dant *E³J var* em *RgU*; 607, qui de *BVE³T* quid *P* ico *P* quei a(*A*); 621, ex *PRg pro* de(*A*) Men 37, dea *C pro* de; 616, †*S soli*; 659, de *CD¹* dē *D³ pro* do Mer 365, de *add LuchsRg*; 454, de me *B pro* id mea; 903, uidisti an de *Guy* uidistis ante *P*; 947, redii de *R* redi ex *KampLLy* redi *P*   Mi 511, dedatur *CD* datur *B pro* de te datur(*Lamb*); 585, dem *A pro* de me *v. secl RibRgS*; 721, de quo *CD¹ pro* de equo; 995, quidē *BC* quidem *D pro* qui de (*Ca*); 1017, di *B pro* de; 1040, de te moritur *B* te demeritur *CD pro* te demoritur(*Pius*); 1069, dixerit. At *B pro* de te meritast; 1255, de olefactu *SkutschLy* edepol (aed. *C*) facio(ecio *B*). *PS†* var em ψ; 1409, de nihilo *Ly* dum nihillo *BS* donec *CD* var em ψ; 1423, det *B pro* de Mo 140, de *Fl R pro* a; 563, de his *P pro* deis(*Pius*); 655, de *P pro* di; 668, de *C pro* di; 684, de *C pro* di; 863, de *GulRL* a *PRsS* e *U*; 864, de bono *AcRL* e bono *U* ante quod *** PS*; 865, de *P* quod inde *CaRU* em ψ   Per 33, dies *CaRLU pro* de † *S**Rs*; 470, de *B pro* di   Ps 543a, de istac re *P om Boω*; 869, me de apelleme *B* me de appellemme *CD* meoeappellam *A pro* Medea Peliam(*Merula*); 1221, dem et *B* idem et *CD pro* de me(*Ca*); 1267, de *add BergkU*; 1322, hic argenti *P* hinc argenti *RL* argenti *U* hinc de argento *ARgSLy* Ru 366, nauis *P pro* de naui(*Fl*)   St 349, de hic iam *P pro* deiciam(*A Non* 192) Tri 215, deorum *A pro* de eorum; 293, te *AP pro* de(*Bo*); 576, de *Non* 109 *pro* di; 594, de hac *CD* dea *B*

pro ea(*Sciop*); 906, de edepol *CD* dedepol *B pro*
edepol; 940, qui de *Guy*§ quod *PLLy* quo ad
e *RRs* Tʀᴜ 2, deum eris *P* de moeris *LipsRs*
de uostris *FZψ*(ue. *FZL*); 213, de *om SpLy*; 253,
uide *P pro* ut de(*A*); 338, de quoio *BergkU pro*
quo die; 381, alter de altero *ALLy* alteri *P*
alter prae altero *U* alter alteri *GrutRs*§; 561,
damnum hoc obsoni *Rs pro* iam de hoc obsonio; 815, de istoc *PLy* idem istuc *Kiesψ*;
953, et *P pro* de(*Ca*)

II. Collocatio *inter adiectivum et substantivum:* suis de finibus Aᴍ 215(*LyU*) meo de
studio As 210 quo de genere Cᴀᴘ 277 quibus
de signis Eᴘ 599 qua de re Cᴀs 253, Mᴇɴ 812,
Pᴇʀ 109, Pᴏᴇ 317, 733, Rᴜ 1060 nescioqua de
re Mᴇʀ 365 hoc de umero Aᴍ 294(*L*) hisce
. . de* artibus Tʀɪ 293

III. Significatio A. *de loco et trans.* 1. *de
loco superiore:* **a.** alia signa de caelo ad terram *accidunt* Rᴜ 8 *cecidisse* tue ebrius aut
de* equo uspiam . . Mɪ 721 *decido* de lecto
praecipes Cᴀs 931 ea nunc quasi decidit de
caelo Pᴇʀ 258 *deduco* pedes de lecto clam
Cᴜ 361 ego hinc araneas de foribus *deiciam*
et de pariete Sᴛ 355 quis hic est qui me
capillo hinc de curru *deripit?* Mᴇɴ 870 de
naui timidae *desuluerunt* in scapham Rᴜ 75
homo cruminam sibi de collo *detrahit* Tʀᴜ 652
omnis de tecto (uentus) *deturbauit* tegulas Rᴜ
87 ego me deorsum *duco* de arbore Aᴜ 708
ad caput amnis qui de* caelo *exoritur.* #E
caelo? #Atque e medio quidem Tʀɪ 940 de*
naui timidae ambae in scapham *insiluimus* Rᴜ
366 . . te *surrupuisse* suspicer Ioui coronam
de capite ex Capitolio Tʀɪ 84
oberrans custos hos *uidet* te tegulis Mɪ *Arg* I. 8
de tegulis modo nescioquis *inspectauit* Mɪ 173
inde optume *aspellam* uirum de supero Aᴍ 1001
b. *translate ab origine:* eam compressit de
summo adulescens loco Aᴜ 28 indaudiuit de
summo loco summoque genere captum esse
equitem Aleum Cᴀᴘ 30 nec recte dicis nobis diues de summo loco Pᴏᴇ 516 eam de
genere summo adulescenti dabo ingenuo Rᴜ
1197 quo de genere natust illic Philocrates? #Polyplusio Cᴀᴘ 277 consilia firmiora
sunt de diuinis locis Mᴏ 1104
similiter: de lumbo obscena uiscera Fʀ I. 52
(*ex Varr l L* VII. 76)
2. *idem fere quod* ex *vel* ab: **a.** mihi non
liceat meas ancillas Veneris de ara *abducere?*
Rᴜ 723 ilico properaui *abire* de foro Mᴇɴ
600 item ut de* frumento anseres clamore
absterret, abigit Tʀᴜ 253 ego sycophantam
iam *conduco* de foro Tʀɪ 815 de uia *decedite*
Aᴍ 984, Cᴜ 281(secedite *P*§*Ly*) decedam ego
illi de uia, de semita, de honore populi Tʀɪ
481 properiter de suis finibus exercitus *deducerent* Aᴍ 215 sciens de uia in semitam
degredire Cᴀs 675 *similiter:* ut ne quoquam
de ingenio degrediatur muliebri Mɪ 185b(*A
solus*) de me hanc culpam *demolibor* iam Bᴀ
383 ego de hac sententia non *demouebor*
Pᴇʀ 373 neque *demutauit* animum de firma fide
Tʀɪ 1111 cubitis *depulsa* de uia Sᴛ 286 meas
de ara capillo iam *deripiam* Rᴜ 784 meamne
ille amicam leno . . de ara deripere Veneris

uoluit? Rᴜ 840 hoc adsimilest quasi de fluuio
qui aquam *deriuat* sibi Tʀᴜ 563 *detegetur*
corium de tergo meo Eᴘ 65 Mᴏ 140 (de *Fl R
pro* a) *detinet* nos de nostro negotio Pᴏᴇ 402
de* agro ego hunc senem *deterrui* Tʀɪ 560
illic homo hoc de* umero uolt pallium *detexere* Aᴍ 294(*L*) *deturbabo* iam ego illum de
pugnaculis Mɪ 334 *exoritur* Tʀɪ 940(*vide supra* 1) ipsi de foro . . ad lenones *eunt* Cᴀᴘ 475
(*v. om B*) de suo tigillo fumus si qua *exit*
foras Aᴜ 301 de* digito donum *mittunt* Mɪ
1017 aliquid scitamentorum de foro *opsonarier* Mᴇɴ 209 iam *redii* de* exilio Mᴇʀ
947 inde de hippodromo et palaestra ubi
reuenisses domum Bᴀ 431 *secedo* Cᴜ 281
(decedo *RgLU: vide supra*) . . capite *sistat*
in uia de semita Cᴜ 287 . . ut *surrupuisti*
te mihi dudum de foro Mᴇɴ 491 reti piscator de mari *extraxit* uidulum Rᴜ *Arg* 1
standumst in lecto, si quid de summo *petas*
Mᴇɴ 103
b. *cum verbis emendi, merendi, sim. de personis:* de improbis uiris *auferri* praemium et
praedam decet Ps 1225 ibist . . uirtuti de
praedonibus praedam *capere* Tʀɪ 110 conductor melius de me nugas *conciliauerit* Tʀɪ
856 *emit* hosce e(*Stu* de *PLy*) praeda
ambos de quaestoribus Cᴀᴘ 34 captiuos
. . quos emi de(e §*tuU*) praeda de (*PULy* a
Flψ) quaestoribus Cᴀᴘ 111 de illo emi
uirginem Cᴜ 343 hic emet illam de te Eᴘ 301
de uicino hoc proxumo tuos emit aedis filius
Mᴏ 669 de te aedis. #Itane? de me ille
aedis emerit? Mᴏ 1026 e(*A solus*) raptamque ui
emeret de praedone uirginem Pᴇʀ *Arg* I. 3
illas emit . . paruolas de praedone Siculo Pᴏᴇ
897 emistin de adulescente has aedis? Tʀɪ
124 neque de illo quicquam neque emeres
neque uenderes Tʀɪ 134 *mercatus* te hodiest
de* lenone Apoecides Eᴘ 495 eam de praedone uir mercatur pessumus Rᴜ 40 illam mercatust de lenone uirginem Rᴜ 81 ouis Tarentinas erat mercatus de patre Tʀᴜ 649
meruimus et ego et pater de uobis et re
publica Aᴍ 40 te ego ut digna's perdam
atque ut de me meres As 148 ego te dehinc
ut meritu's de me et mea re, tractare exsequar
As 160 de te neque re neque uerbis *merui*
ut faceres quod facis Aᴜ 222 tu . . de me
ut meruisti, ita uale Cᴀᴘ 745 . . proinde ut
tu promeritu's de me et filio Cᴀᴘ 933 male
mereri de inmerente inscitiast Cᴜ 185 quid
de te merui, qua me causa perderes? Mᴇɴ 490
numquam male de* te meritast Mɪ 1069 gratiam referre ut meritust de me Mᴏ 214(*v. secl
Ladewig*§) de mendico male meretur qui ei
dat Tʀɪ 339 quid ego de* te *commerui* . .
mali? Aᴜ 735(demerui *Ly* merui *U*) non edepol, ita *promeruisii* de me, ut pigeat quae
uelis Mᴇɴ 1067 *similiter:* de praeda praedam *capio* Tʀᴜ 567 . . ter *demeritas* dem
laetitias de tribus fraude partas Ps 705(*infra* e)
c. *de supplicio:* etiam de* tergo ducentas
plagas praegnatis *dabo* As 276 dabitur pol
supplicium mihi de tergo uostro As 481 tibi
quidem supplicium . . de nobis detur? As 482
mihi supplicium uirgarum de te datur Mɪ 502

.. nisi mihi suplicium stimuleum de* te datur Mɪ 511

d. *cum verbis rogandi:* .. at hic senex de proxumo sibi uxorem poscat Aᴜ 31 aquam hinc de proxumo rogabo Rᴜ 404

e. *de sumptu:* de meo Mɪ 905(*infra* 3) hodie alienum cenabit, nihil gustabit de meo Pᴇʀ 473 bene uolo ego illi facere. #Nempe de tuo? #De meo Tʀɪ 329 .. ad eam operam facere sumptum de tuo Bᴀ 98 homo lepidissume! #Ecquid audes de tuo istuc addere? #Atque hilarissume! Mᴇɴ 149 ducam hodie amicam. #Vel decem dum de tuo Sᴛ 426 Tʀɪ 328(*supra sub* meo) hic non poterat de suo senex obsonari filiai nuptiis? Aᴜ 294 tuburcinari de suo, si quid domist Pᴇʀ 122 boni de nostro tibi nec ferimus nec damus Pᴏᴇ 641 de nostro saepe edunt(*FZLLy* sepe aedunt *PS�†U†* specimen edunt *Rs*) Tʀᴜ 107 noster esto, sed de* uostro uiuito Tʀᴜ 953 .. ubi bibas, edas de alieno .. quod tu inuitus numquam reddas domino de quoio ederis Pᴏᴇ 533-4 prius praediuinant de* quoio essuri sient Tʀᴜ 338(*BergkU:* vide *ψ*) omnes de nobis carnuficum concelebrabuntur dies Aѕ 311 te de aliis quam de te alios(*A* a. d. t. *RRLU*) suauiust fieri doctos Pᴇʀ 540 .. ter demeritas dem laetitias de tribus .. partas Ps 705 (*vide supra* b) .. quam illa umquam de mea pecunia ramenta fiat plumea propensior Bᴀ 512 iube te piari de mea pecunia Mᴇɴ 291 .. qui de* uesperi uiuat suo Mɪ 995 si tu de illarum cenaturus uesperi's Rᴜ 181 *similiter:* cras de reliquiis nos uolo Sᴛ 496

f. faciunt de* malo peculio quod nequeunt de* bono Mᴏ 863-4

g. *cum nominibus rerum vel personarum unde quis notitiam vel argumentum habet:* de forma noui: de colore non queo nouisse Cᴜ 232 de odore adesse me scit Cᴜ 81 scio iam de argumentis Tʀᴜ 507 de forma Cᴜ 232(*supra sub* colore) iam de ornatu .. scitis Rᴜ 293 quibus de signis agnoscebas? Eᴘ 597 *similiter:* nos eius animum de nostris factis noscimus Sᴛ 3 .. numquam uiderim .. de opinione credo Cɪ 318(*A solus*) hic nisi de opinione certum nihil dico tibi Rᴜ 1092 uidisti an de* audito nuntias? Mᴇʀ 903 ecquid tu de odore possis .. facere coniecturam? Mᴇɴ 163 scio de* olefactu Mɪ 1255(*Ly*) hanc ego de me coniecturam domi facio magis quam ex auditis Cᴀѕ 224 hanc ego de me coniecturam domi facio, ni foris quaeram Cɪ 204 ipsa de me scio Aᴍ 637 de te quidem didici omnia Pᴏᴇ 280

3. *vi partitiva* **a.** *pendet ex verbis:* de mea (uita) ad tuam addam Aѕ 610 neque illi concedam quicquam de uita mea Tʀɪ 477 demam hercle iam de hordeo Aѕ 706 de magnis diuitiis, si quid demas, plus fit an minus? Tʀɪ 349 iam de hoc obsonio de mina una deminui modo Tʀᴜ 561 ibo intro . et discam de dictis melioribus Sᴛ 400(*cf* Cᴀᴘ 482 *infra* b) de thensauris integris demus danunt Tʀᴜ 245(*loc dub*) emit hosce de(*PLy* e *Stuψ*) praeda ambos Cᴀᴘ 34 heri quos emi

de* praeda Cᴀᴘ 111 illos emi de praeda a quaestoribus Cᴀᴘ 453 amatne istam quam emit de praeda? Eᴘ 64 haec illast autem quam emi de(*A* ex *PRg*) praeda Eᴘ 621 captiuam adulescentulam de* praeda mercatust Eᴘ 44 captiuam .. de* praeda's mercatus Eᴘ 108 ibi de pleno promitur Aѕ 181 tu de thensauro sumes Tʀɪ 786 *Cf* Blomquist, p. 68; Schaaff, p. 19

similiter: ad tua praecepta de meo nihil his nouom adposiui Mɪ 905(*supra* 2. e) .. ut eam abducam de bonis quod restat reliquiarum Rᴜ 1287

b. *pendet ex substantivis, sim.:* dico unum ridiculum dictum de dictis melioribus Cᴀᴘ 482 de paulo paululum hic tibi dabo Cᴜ 123 memento ergo dimidium istinc mihi de praeda dare Ps 1164 is (ager) de diuitiis meis solus superfit .. relicuos Tʀɪ 510 aliquam partem mihi gratiam facere hinc de argento(*A* h. argenti *AcRL* hic argenti *P* argenti *U*) Ps 1322 ego neque partem posco mihi istinc de istoc uidulo Rᴜ 1077 perparuam partem postulat Plautus loci de* uostris magnis atque amoenis moenibus Tʀᴜ 2 quid si de uostro quippiam orem? Tʀᴜ 6 dan tu mihi de tuis deliciis .. quicquid pausillulum? Tʀᴜ 940(*loc dub*)

similiter: quo neque industrior de iuuentute erat Mᴏ 150 nunc ego de sodalitate solus sum orator datus Mᴏ 1126 de senatu Cyrenensi quemuis opulentum uirum Rᴜ 713 si de damnosis aut si de amatoribus dictator fiat nunc .. Ps 415 de Coculitum prosapia te esse arbitror Cᴜ 393

4. *idem fere quod Graecum* περί, **a.** *cum verbis dicendi, sim.:* te uolo de communi re *appellare* Aᴜ 200 de Alcumena dudum quod *dixi* minus .. Aᴍ 479(*v.* om *URRgS̵*) uera dico. #Non de hac quidem hercle re: de aliis nescio Aᴍ 736 quo minus dixi quam uolui de te animum aduortas uolo Cᴀᴘ 430 numquid est quod dicas aliud de illo? Mᴇʀ 642 lepide dictum de atramento atque ebure Mᴏ 260 numquid dixisti de illo quod dixi tibi? Mᴏ 548 ita ut occepi dicere .. de illac pugna pentetronica Pᴏᴇ 471 quod haruspex de ambabus dixit .. #Velim de me aliquid dixerit Pᴏᴇ 1206 de prandio tu dicis Pᴏᴇ 1350 Tʀɪ 567 (*infra* e) mea era apud nos neniam dixit de bonis Tʀᴜ 213 ego prime de me domo docta scio Tʀᴜ 454

de ea re signa atque argumenta paucis uerbis *eloquar* Aᴍ 1087 ut sit, de ea re eloquar Cɪ 565 ibi de istis rebus plura *fabulabimur* Tʀɪ 711 satur nunc *loquitur* de me et de parti mea Mᴇɴ 479(*v.* om *A secl ω*) quidquid istaec de te loquitur .. Mɪ 1002(*v. secl RRgS̵*) de istis rebus tum amplius tecum loquar Tʀᴜ 871 multa uolo tecum loqui de re uiri Sᴛ 8 ita properauit de puellae *proloqui* suppositione Cɪ 151

etiam *fatetur* de hospite? Mᴏ 549 b(*v. secl Aco*), 553 qua de re nunc inter uos *litigatis?* Rᴜ 1060 te de isto multi cupiunt(*PS̵†* *LLy* opinentur *GertzU*) non(nunc *AcRRgLy*) *mentirier* Mɪ 779 non curo istunc: de illa (*R duce Ac* curam de istuc ulla [-am *CD*]*P*)

quaero. #De illa ergo ego dico tibi Mer 899
. . ni meae uxori *renuntiaret* de palla et de prandio Men 421 . . sermone suo aliquem familiarium *participauerit* de amica eri Mi 263
anus hercle huic *indicium fecit* de auro Au 188
dixeram . . *mendacium* et de hospite et de auro
et de lembo Ba 958 *mentionem* ego fecero de
filia Au 204 subauscultemus ecquid de me
fiat mentio Mi 993 qua de re ego tecum
mentionem feceram Per 109 Syracusas de*
ea re rediit *nuntius* Men 37 quaeso hercle
abstine iam *sermonem* de istis rebus Mo 898
rem narraui uobis . . de lenone hoc Poe 548
te cum illa *uerba* facere de ista re uolo Mi
1115 ibo intro ubi de capite meo sunt
comitia Au 700
similiter uerbo omisso: nimis lepide de latrone, de Sparta optume Poe 666

b. *cum verbis sentiendi, putandi, sciendi, consulendi, sim.:* de amica se indaudiuisse autumat hic Athenis esse Mer 944 metuo ne de
hac re quippiam indaudiuerit Mo 542 iam de
istis rebus uoster quid sensit senex? Mo 749
de Alcumena ut rem teneatis rectius . . Am
110 in mentem uenit de speculo malae Mo
271 extemplo leno errabit. #Qua de re?
Poe 733(*v. secl L*)
de palla memento, amabo As 939 meminero: de istoc quietus esto Cu 492
credit iam tibi de isto Men 616(*vide* **S**) de*
tunica et chlamyde et machaera ne quid speres
Mi 1423
senex quidem uoluit . . indipisci de cibo St
563 non curo istunc: de* illa quaero Mer
899(*vide supra* a) iam de istoc rogare omitte
Per 642 de* uictu cetero ne quis me roget
Ps 1267(*U*) nihil inuestigo quicquam de illa
muliere Mer 806
. . ut teneat consilia nostra . . de gemina
sorore Mi 258 narraui amicis multis consilium meum de condicione hac Au 476 Ps
543 a(de istac re *P secl Boω*)
deos do testis. #Qua de re? Men 812 de
istac sum iudex captus Mer 735 istic symbolust . . de muliere Ps 648
dicito patri suo pacto mihi cum hoc conuenerit de huius filio Cap 396 si de ea re
umquam inter nos conuenimus(*FZLLy* con-
ueniamus *P*§†*U*† conierauimus *Rg*) Ps 543 b
de dote mecum conuenire nihil potest Tri 569
(pactio) haec de* summa hodiest, mea amica
sitne libera an . . Per 33(*Rs*)
. . nam ibi de diuinis atque humanis cernitur
Tri 479
de argento si mater tua sciat . . As 744 de
auro nihil scio nisi nescio Ba 324 de aliis
(rebus) nescio Am 736 hunc nescire sat scio
de illa amica Mer 383 si scis de symbolo
Ps 696 b(*v. om Aω*) ego te, Euclio, de alia re
resciuisse censui Au 770 de* istoc ipsa . .
intellego Tru 815(*PLy*)

c. *cum verbis agendi, sim., proprie et translate:* nihil ego nunc de istac re ago Tru 861
. . ne a me memores malitiose de hac re factum Cas 394 quid nunc mihi's auctor ut
faciam . . de concubina? Mi 1095 de dote
ut uideat quid opus sit facto Tri 584 id fa-

cias. #Qua de re? #Rogas? super ancilla Casina Cas 253
neque de hac re negotiumst Cap 525(*v. secl
U*) tibi nunc operam dabo de Mnesilocho
Ba 103
actumst de me hodie Ps 85 actumst de*
me Ps 1221 actumst de collo meo Tri 595
techinam de auro aduorsum meum fecit patrem Ba 392 de ducentis nummis primum
intendam ballistam in senem Ba 709 mea
causa de auro . . eum ludificatus est Ba 523
quo modo me ludos fecisti de illa conducticia
fidicina Ep 706 . . ei paratae ut sint insidiae de auro et de seruo meo Poe 549

d. *varia:* iam illuc non placet principium
de osculo Am 801 nec tibi aduorsari certumst
de istac re umquam Au 142 nihil est de
signo quod uereare Tri 808 quom de illo
subditiuo Sosia mirumst nimis, certe de istoc
Amphitruone iam alterum mirumst magis Am
828-9(*v. secl U*) ueniam mihi quam grauate
pater dedit de Chrysalo Ba 532 de istac
Casina huic nostro uilico gratiam facias Cas
372 de cena facio gratiam Mo 1130 hisce
ego de* artibus gratiam facio Tri 293 de
ea re gessit morem(*PLU* gessit morem oranti
Aψ) morigere mihi Ci 84 ego de re argentaria iam senatum conuocabo Ep 158 quin
ego hunc adgredior de illa? Mer 384 de
lanificio neminem metuo, una aetate quae sit
Mer 520 de* me quidquid est, ibo hinc
domum Mi 585(*v. secl Ribω*) spes est de argento Mo 567 quid de argentost? Mo 569
quo modo de Persa manus mihi aditast! Per
796 mitto de illoc: ad te redeo Poe 1061
eloquere, ut haec res optigit de filia Ru 1211
deos . . ueneror . . ut quod de mea re huc
ueni . . Poe 951 principium placet de
lectis St 358(*cf* Am 801 *supra*) de hac re mihi
satis hau liquet Tri 233 et conuicti et condemnati falsis de pugnis sient Tru 486 de
istac re argutus es Mer 629

e. *absolute, idem fere significat quod* in, quoad
attinet ad aliquid: de istac re in oculum
utrumuis conquiescito Ps 123 de illo uidulo,
si sapias, sapias Ru 1228 de talento nulla
causast quin feras Ru 1397 de argumento
ne exspectetis fabulae Tri 16 de istoc quod
dixti modo Tri 567 de Casina certumst concedere homini nec nemini Cas 294 *similiter:*
de eo nunc bene sunt tua uirtute Tru 741

B. *vi causali* **a.** = ob, propter: iura te non
nociturum esse homini de hac re nemini quod
tu hodie hic uerberatu's Mi 1411 nimia nos
socordia hodie tenuit. #Qua de re, obsecro?
#Quia . . #Poe 317 ego de* eorum uerbis
famigeratorum insciens prosilui amicum castigatum innoxium Tri 215
alteri de nihilo audacter dicunt contumeliam
Cu 478 non de* nihilo factumst Mi 1409(*Ly*)
de nihilo nihil est irasci, quae te non flocci
facit Tru 769
de labore (cor) pectus tundit Cas 415 solli-
citus mihi nescioqua (de *add LuchsRg*) re uidetur Mer 365 ut lassus ueni de uia, me uolo
curare Ps 661(*an supra referendum?*) mihi de
uento misere condoluit caput Tru 632

b. = secundum: meo de studio studia erant uostra omnia As 210 . . fecisse dicas de mea sententia Ba 1038 itaque di commenti de sua sententia Cap 48(*v. om Guyω*) sciui extemplo rem de compecto geri Cap 484 omnes de* compecto rem agunt Cap 489 de exemplo meo ipse aedificato Mo 773 de compecto faciunt consutis dolis Ps 540 mille drachumarum . . quas de ratione dehibuisti Tri 426 iam aps te metuo de uerbis tuis Men 266 de illis uerbis caue tibi Men 934 immo Nestor nunc quidemst de uerbis, praeut dudum fuit Men 935 tu cetera cura et contempla et de meis uenator uerbis Mi 1029

C. *idem fere quod* prae *significat:* strenuiori deterior si praedicat suas pugnas, de illius (p. duellis *RibRg* prae huius *U*) illae fiunt sordidae Ep 447 inter nos sordebamus alter de altero(*ALLy* alter alteri *Grut* alteri *P* prae *U*) Tru 381

D. *vi modali:* de industria fugiebatis As 212 . . neque quoi ego de industria amplius male plus lubens faxim Au 420 dat operam de industria Cas 278

E. *de tempore:* ecqua pars orationis de die dabitur mihi? As 516 . . cum suo sibi gnato unam ad amicam de die potare As 825 non bonust somnus de prandio Mo 697 de nocte . . abiit piscatum ad mare Ru 898 de nocte multa impigreque exurrexi Ru 915 *Cf* Kane, p. 75

F. *cum gerundivo:* de amittenda Bacchide aurum hic exigit Ba 223 *Cf* Herkenrath, p. 102

G. de *repetitur cum duobus subst. coniunctis per:* aut Ps 415 et Men 421, 479, Poe 549 *asyndetice* Poe 666, Tru 561

de *cum duobus subst. coniunctis per:* atque Mo 260, Tri 479 et Am 40, As 160, Ba 431, Cap 933 -que Cap 30

de *cum tribus subst. coniunctis per:* et . . et Mi 1423

de *ter repetitum cum tribus subst. coniunctis per:* et . . et . . et Ba 958 *asyndetice:* Tri 481

commutatio praepositionum: de me . . ex auditis Cas 224 de capite ex Capitolio Tri 84 de caelo . . e caelo Tri 940—1

de foro . . ad lenones Cap 475 de caelo ad terram Ru 8

de uia in semitam Cas 675 de naui in scapham Ru 75, 366 in uia de semita Cu 287

H. *praepositioni apponuntur adv.:* deorsum Au 708 foras Au 301 hinc Men 870, Ps 1322 inde Am 1001, Ba 431 istinc Ps 1164, Ru 1077 domum Ba 431 (*W. E. Waters*)

DEA - - *vide* deus

DEAGO - - *vide* dego

DEAMO - - **I. Forma** deamat Ep 219(-abat *B¹*), Poe 894, Fr I. 99(*ex Non* 107) **deamaui** Poe 1176 **deamata** Tru 703(*FZ* -mat *P*)

II. Significatio Adelphasium quam erus deamat tuos ingenuast Poe 894 cum illa quam tuos gnatus annos multos deamat*, deperit Ep 219 deamaui . . lepidissuma munera meretricum Poe 1176 insanum ualde uterque deamat Fr I. 99(*ex Non* 107) mea dona deamata* acceptaque habita esse . . Tru 703

DEARTUO - - me meamque rem . . delacerauisti(,*U*) **deartuauisti**que(-asti atque *L et Non* 95) opes Cap 672 tum igitur ego deruncinatus **deartuatus** sum miser huius scelesti techinis Cap 641(*v. secl U*) *Cf* Egli, I. p. 39; Inowraclawer, p. 26, 61

DEASCIO - - tibi dixi miles quem ad modum potisset **deasciarei**(*Palmer* -ri *RLU* deasdarei *CD* assecla rei *B*) Mi 884 *Cf* Egli, I. p. 33; III. p. 29; Graupner p. 15; Inowraclawer, p. 68

DEBEO - - **I. Forma**(*cf* Langen, *Beitr.* p. 273) **debeo** Cu 373(dehiheo *Rg*), 374(*v. secl BoRgL †ſLy*), 538, 565, 570, 722, Men 930, Mo 1021, Ru 1354, 1371 **debes** Ba 1143, Ep 347, Mo 1022, Poe 1401(-emus *C*), Ru 1372, Tru 938(*Goel* debe isi *B* debet nisi *CD*) **debet** Au 530(*v. secl CaRgU*), Cu 666, Mo 595 *bis*, Mo 626, Per 160, Ps 373, 619(delet *D²*), 627, 733 **debemus** Poe 1233 **debetis** Am 39 **debent** Ba 1142, Tri 893 **debetur** Ba 884, Ep 71, Mi 421, Mo 618, Poe 1350(debitur *B*), Ps 1137(*v. secl RRgLU*), 1139, Tru 261 **debentur** Mo 630, 919 **debebas** Mo 321 **debebat** Mo 1026 c(*L in lac*), Tru 648 **dehibuisti** Tri 426(*AB* debuisti *CD*) **debuit** Ba 231, 272, Ps 1206 **debeam** Ci 189, Per 274 **debeat** Mo 1026 d(*Rs* **ebeat *A aliter L*), Tru 56(dedat *Rs*) **debeatur** Ru 117 **deberet** Ps 1151 **debere** Ba 260, Mo 1024 **deberi** Poe 133 *corrupta:* Cas 902, debuisti *P pro* decubuisti(*Lamb*) Men 88, debet *CD pro* decet(*B*) Mo 926, eam debes *B²R* eam dehis *P* eambis *A var em* ψ Tri 249, quo debebit *P pro* quod ecbibit(*Mercer*) Tru 965, rem debere ne *P pro* rem uideo bene(*Bo*)

II. Significatio (*cf* Langen, *Beitr.* p. 284) 1. *absolute vel cum acc. rei et dat. personae* **a.** *absolute vel cum acc.:* ducentos Philippum attulimus aureos . . quos hospes debuit nostro seni Ba 231 coepit . . negare se debere tibi triobolum Ba 260 reddidit mille et ducentos Philippum. #Tantum debuit Ba 272 numquid debetur tibi? Ba 884 haec oues uobis malam rem magnam quam debent dabunt. #Si quam debes, te condono Ba 1142—3 uolo persoluere, ut expungatur nomen, ne quid debeam Ci 189 mactare soleo, quoi nihil debeo Cu 538 neque equidem debeo quicquam Cu 565 . . quoi ego nisi malum nihil debeo Cu 570 leno hic debet nobis triginta minas Cu 666 . . id argentum quod debetur pro illa dinumerauerit Ep 71 quid tibi istic in istisce aedibus debetur? Mi 421 non dat, non debet. #Non debet? #Ne frit quidem ferre hinc potes Mo 595 quid illi debetur? Mo 618 est — huic debet Philolaches paulum. #Quantillum? #Quasi quadraginta minas Mo 626 quattuor quadraginta illi debentur minae, et sors et faenus Mo 630 nempe octoginta debentur huic minae? #Hau nummo amplius Mo 919 minas tibi octoginta argenti debeo. #Non mihi quidem hercle: uerum, si debes, cedo Mo 1021—2 profecto non negabo debere, et dabo Mo 1024 quadraginta istas cur mihi minas filius ut ais debebat? Mo 1026c(*L lac A aliter ψ*) Mo 1026d(debeat *Rs ex A* *vide supra* I) exhibeas molestiam .. si quid debeam Per 274 quibus pro benefactis fateor deberi tibi et libertatem et multas gratas gratias Poe 133 quid tibi debemus? Poe 1233 de prandio tu dicis: debetur*, dabo Poe 1350 aurum, argentum, collum, leno, tris res nunc debes* semul Poe 1401 nisi mihi hodie attulerit miles quinque quas debet minas .. Ps 373 argenti meo ero lenoni quindecim dederat minas, quinque debet* Ps 619 quid istic debetur tibi? Ps 1137(*v. secl RRgLU*), 1139 hoc tibi erus me iussit ferre .. quod deberet Ps 1151 tantundem argenti quantum miles debuit dedit huic Ps 1206 hominem .. quoi debeatur nihil Ru 117 non ego illic hodie debeo triobolum Ru 1354 neque edepol tibi do neque quicquam debeo Ru 1371 non debes? #Non hercle uero Ru 1372 trapezitae mille drachumarum .. quas de ratione dehibuisti* redditae Tri 426 eloquere isti tibi quid homines debent quos tu quaeritas? Tri 893 aliquid semper est quod †petra debeatque* amans scorto suo Tru 56 quid debetur hic tibi nostrae domi? Tru 261 ad uillam argentum meo qui debebat patri Tru 648 quid isti ·debes*? #Tria. #Quae tria nam? #Unguenta, noctem, sauium Tru 938

b. *cum dat.:* mihi Mo 1022, 1026c(*L*) nobis Cu 666 tibi Ba 260, 884, Mi 421, Mo 1021, Poe 133, 1233, Ps 1137, 1139, Tri 893, Tru 261 huic Mo 626, 919 illi Mo 618, 630, Ru 1354 isti Tru 938 quoi Cu 538, 570, Ru 117 nostro seni Ba 231 scorto suo Tru 56 meo patri Tru 648 ubi disputatast ratio cum argentario, etiam ipsus ultro debet argentario Au 530(*v. secl CaRgU*) diues sum si non reddo eis quibus debeo*: si reddo illis quibus debeo plus alieni est Cu 373—4(v. 374 *secl BoRgL†*) rem soluo omnibus quibus debeo Cu 722 decem minis plus attuli quam tu danistae debes Ep 347 resolui argentum quoi debeo Men 930 argentum accepto et quoi debet dato Ps 627 huius mihi debet pater Ps 733

c. *additur* pro illa Ep 71 pro benefactis Poe 133 de ratione Tri 426

2. *seq. infin.:* debetis uelle quae uelimus Am 39 semper istoc modo moratus ***uitae debebas (moratu's tute. ire huc debebas *L* more alio uti debebas *U*) Mo 321 abs chorago sumito. dare debet Per 160

DEBILIS - - ad mandata claudus, caecus, mutus, mancus, **debilis** Mer 630

DEBLATERO - - ubi tu's quae **deblaterauisti**(*F* -asti *Non* 44 deblattauisti *BD* deblatrauisti *J*) iam uicinis omnibus meae me filiae daturum dotem? Au 268 *Cf* Reblin, p. 17

DECEDO - - I. Forma decedam(*fut.*) Tri 481 **decedat** Am 987 **decedamus** Ba 107 (*v. secl Rω*) **decedite** Am 984, Cu 281(*RgLU* secedite *Pψ*) **decedere** Am 990, Mer 117

II. Significatio *absolute vel seq. dat. energico vel abl. vel de cum abl.:* de uia decedite Am 984, Cu 281* .. minitarier populo, ni decedat mihi Am 987 mihi magis par est uia decedere et concedere Am 990 decedamus Ba 107(*v. secl Rω*) currenti properanti haud quisquam dignum habet decedere Mer 117 decedam

ego illi de uia, de semita, de honore populi: uerum quod ad uentrem attinet, non hercle hoc longe Tri 481—3 *Cf* Abraham, p. 210

DECEM - - *saepe in proverbiis usurpatur. Cf* Egli, I. p. 9

I. *substantive:* ego et Menaechmus et parasitus eius. #Iam isti sunt decem Men 222 cedo uel decem: edocebo(*A* dece *B¹* dice me docebo *CDB²*[doce]) Mi 355

2. *adiective:* anni Ba 818, St 160, 168, Fr I. 64(*ex Varr l L* VII. 52: *cf Non* 134) dies Ep 298(decet *P Non* 355), Mi 743, Mo 238(his decem *Bent* is dec *B* isdem *CD* meis *D*) menses St 159

minae Cu 344, 525, 528(*B²E³J* detem *VE¹* dete *B¹*), 682, Ep 347, Mo 298(*Ac* decum *P*), 299, Per 669 talenta Mer 703

modii St 253 passus Ba 832 pondo Tru 913(*loc dub*)

amicae St 426 homines Mi 755 sodales Per 561 testes Tru 489(*Apul Flor* 2. p. 2; *Fest* 178 decet *P*) uiri Mer 694

animi Mer 345 cenae Cap 494 linguae Ba 128 sauia Tru 373

3. *corruptum:* St 443, decem *A*(*vix* et) pro decet(*R*) *vide etiam* Ci 755, *ubi* septem et decem *CaU* pro septemdecim(*Bo* -decē *J* -decet *B¹VE* -decē et *B²*)

DECEO - - *ancilla.* Men 736(*PL*† *vide* Decio)

DECERNO - - I. Forma decernit Am *Arg* II. 3(*B²* cernit *P*) **decrero** Cu 703(*B²E³* decretro *E* decreto *J om B*) **decernere** Am *Arg* II. 8, *fr* XIV(*ex Non* 285) **decretum** As 73, 247(*Rgl* certumst *PS*†*L*† stat *FIU*), Au 572, 574, Ba 516, Cas 94(decertum *B*), Ci 648, Mer 1(ducere nc *B*), Mi 77(*B* -t////| *B* -tus *B* deoretus *C*), Mo 666(-un *A* rectum *B*), Poe 501, St 218(-um est *P* -ust *A*), Vi 61(-tust *A*)

II. Significatio A. = statuere, constituere **a.** *cum acc.:* 1. .. si quidem uoltis quod decrero* facere(q. d. f. *om B¹*) Cu 703

2. *seq. orat. obl.:* uter sit non quit Amphitruo decernere Am *Arg* II. 8 qui nequeas nostrorum uter sit Amphitruo decernere Am *fr* XIV(*ex Non* 285)

3. **decretum est a.** *cum infin.:* eos me decretumst persequi mores patris As 73 dignos indignos adire precibus decretumst* mihi As 247(*Rgl* adire atque experire certumst mihi *PSL*) mihi bibere decretumst aquam Au 572 .. tibi quoi decretumst bibere aquam Au 574 mihi decretumst renumerare iam omne aurum patri Ba 516 si in crucem uis pergere, sequi decretumst* Cas 94 ad me adglutinandam totam (hanc) decretumst dare Ci 648 duas res simul nunc agere decretumst* mihi Mer 1 regi hunc diem mihi operam decretumst* dare Mi 77 quidquid dei dicunt, id decretumst* dicere Mo 666 auctionem facere decretumst mihi St 218 perfidiose numquam quicquam hic agere decretumst mihi Vi 61 *Cf* Votsch, p. 29

b. *cum subiu.:* profestos festos habeam decretumst Poe 501

c. *add. dat. agentis:* mihi As 247(*Rgl*), Au 572, Ba 516, Mer 1, Mi 77, Poe 501, St 218, Vi 61 quoi Au 574

B. = decertare. pro patria Amphitruo . . decernit* cum hostibus Am *Arg* II. 3

DECET - - I. **Forma decet** Am 35, 267, 522, 820, 836, 838, 973, 1007(*v. secl MueU*), As 81, 470, 660, 833, Au 138, 417, Ba 640 *bis*, 1107, Cap 196, 372, 665, 966, Cas 230, Ci 20, 22, 457, Cu 332(docet *J*), 352, Ep 25, 422, Men 88(*B* debet *CD*), 131, 169(licet *AcR*), 203, Mer 37, 376, 950, 982(decet ted *Abraham*⅏ decet te *B* decete *CD* decebat *PyLU*), Mi 40, 64, 220, 616(ded//// *B*¹), 737, 765, 896, 1214(*B* dice *CD*), Mo 53(licet *CD*), 720(dicet *D*), 724, 729, Per 62, 97, 102, 113, 181, 213, 220, *ib.*(haud decet *PRs*⅏*Ly* item addecet *R* haud dedecet *RostU* addecet *L*), 464, 776, 807, Poe 21, 258, 304, 459, 525, 674, 743(sed nos decet *U in loco dub*), 861, 866, Ps 165, 460, 590, 1127, 1225, Ru 112(*PU* addecet *Bo*ω), 249, 338, 702, 921, St 28, 46,284, 443(decem *A ut vid*), 693, Tri 478, 548(dicet *C*), 478, Tru 478, 712(dece *D*¹), Vi 89, Fr I. 45(*ex Char* 220)　　**decent** Cas 239, St 300, Tri 490(*A* decet *P*)　　**decebat** Mer 982(*Py* decet te *B* decete *CD* decet ted *Abraham*⅏), 983 b　　**decuit** As 577, Men 453, Tru 183(*A* docuit *P*) **deceat** Am 201, Cap 208, Ep 443(*om E*³), Mo 166, 172(*Ca* decet *P*), 173, 282, Poe 1186, 1202, 1402 **deceret** Ba 488(liceret *A v. secl U*⅏), Mer 79(*Py* diceret *P*), Tri 657　　**decere** Cap 321(*P*⅏†*LU* decore *Rs*), Mer 79(*Py* diceret *P*), Ru 407　　*corrupta:* Ci 755, septem decet *B*²*VE pro* septemdecim(*Bo*)　　Ep 298, decet *P et Non* 355 *pro* decem(*F*); 443, deceat *ins BE falso*　　Ps 738, decet P *pro* addecet(*A*)　　Tru 489, decet P *pro* decem

II. Significatio *vel cum nom. vel impersonali modo* 1. *absolute:* **a.** bene morigerus fuit puer: nunc non decet Cap 966　　bardum me faciebam. #Immo ita(*Py* sta *B*²*EJ* stat *B*¹ em istuc *L* haud *U*) decet Ep 422　　lepide ut fastidis. #Decet* Men 169　　sic decet, sic fieri oportet Mer 950　　gestio. #At modice decet* Mi 1214　　me laudas. #Decet* certe Mo 720 scis iam quid loquar. sic decet Mo 723(*vide U*) proinde ut decet, amat uirum suom St 284

b. amabo, hicine istud decet? Ci 20　　Ep 422(*L: supra* **a**)　　sic hoc decet, dari facete uerba custodi catae Men 131　　arripe opem auxiliumque ad hanc rem: propere hoc, non placide decet Mi 220(*sc* agi *vel* arripi) uide caesaries quam decet Mi 64

2. *cum acc.:* recte loquere et proinde diligentem ut uxorem decet Am 973　　satis audacter. #Ut pudicam decet Am 838　　tu ut decet dominum, ante me ito inanis As 660 cultrum habes. #Cocum decet Au 417　　haud nos id deceat, fugitiuos imitari Cap 209　　uix teneor, quin quae decent te dicam Cas 239 ius dicis. #Me decet Ep 25　　me idem decere*, si, ut deceret me, forem Mer 79　　ita uos decet. consequimini Mi 896　　contempla . . satin haec me uestis deceat Mo 166　　contempla ut haec me deceat* Mo 172　　uirtute formae id euenit te ut deceat quicquid habeas Mo 173 contempla aurum et pallam satin haec me deceat Mo 282　　mendacium edepol dicis: atque haud te decet Per 102　　scelestu's. #Decet me. #Me quidem haud decet* Per 220　　hanc

hospitam autem crepidula ut graphice decet Per 464　　ego pausam feci. sic ago, sic me decet Poe 459　　lepide loquere. #Me decet Poe 861　　secundas fortunas decent superbiae St 300　　suom quemque(quoique. *Ly*) decet St 693(*cf* Schneider, p. 28)　　deos decent* opulentiae Tri 490　　face ut accumbam . . . em, sic decet puerperam Tru 478

3. *cum dat.* (*cf* Dousa, p. 467; Persson, p. 21): istuc facinus quod tu insimulas, nostro generi non decet Am 820　　ornatum capiam qui potis(*Lips* potius *P*) decet Am 1007　　Men 131(huic *Colvius* *RU pro* hoc)　　fateor ego profecto me esse ut decet lenonis familiae Per 213 St 693(*Ly supra* 2)

4. *constructio mixta:* ut meque teque maxume atque ingenio nostro decuit As 577(*omnia haec habent pro abl. Ussingius et Grayius post veteres; me et te pro acc.* ingenio nostro *pro dat. Persson, p.* 21)

5. *seq. infin.:* nunc *abire* hinc decet nos Ru 249　　mihi omnis mortalis *agere* deceat* gratias Ep 443　　musice hercle agitis aetatem ita ut uos decet Mo 729　　nouisse mores me tuos meditate decet curamque *adhibere* . . Mi 40 decet* me *amare* et te bubulcitarier, me uictitare pulcre, te miseris modis Mo 53　　ama id quod decet, rem tuam Tru 712　　hoc animo decet *animatos* esse amatores probos Men 203 *arripere* Mi 220(?: *vide supra* 1. **b**)　　de improbis uiris *auferri* praemium et praedam decet Ps 1225　　*bubulcitarier* Mo 53(*supra sub amare*)　　decet eum omnis uos *concelebrare* Ps 165　　omnes sapientes decet *conferre* et fabulari Ru 338　　*defaenerare* hominem egentem hau decet Vi 89　　neque nos hortari neque *dehortari* decet hominem peregrinum Poe 674 non ad eam rem otiosos homines decuit *delegi* Men 453　　nunc istis rebus *desisti* decet Mi 737　　dum datur, *deuorari* decet Ps 1127 *dicere* Ep 25, Per 102(*supra* 2)　　*dari* Men 131 (*supra* 1. **b**)　　aduorsitores pol cum uerberibus decet* *dari* St 443　　hoc mea manus tuae poculum *donat* ut amantem amanti decet Per 776 me decet donari cado uini ueteris Poe 258 dum manest, omnis *esse* mortalis decet Per 113 magna me facinora decet *efficere* Ps 590　　*ire* As 660(*supra* 2)　　neque enim decet sine meo periclo ire aliena ereptum bona Per 62　　*ire* decet me ut erae opsequens fiam Per 181 hunc hominem decet auro *expendi* Ba 640 uerbis quibus me deceat *fabularier* . . Am 201 Ru 338(*supra sub* conferre)　　non istaec . . decuit* te fabulari Tru 183　　*facere* Ep 422(? *vide supra* 1. **a**)　　ita decet* hunc facere Mi 616　　. . ut deceat nos facere quicquam Poe 1202　　quid med hac re facere deceat . . Poe 1402　　. . quoi deos atque homines censeam bene facere magis decere Ru 407　　nihil feci secus quam me decet Fr I. 45(*ex Char* 220) ita fero ut *ferri* decet Cap 372　　*frui* Mo 723(*U*)　　meretricem pudorem *gerere* magis decet quam purpuram Poe 304　　decet et facta moresque huius *habere* me similes item Am 267　　me habere honorem eius ingenio decet As 81　　Au 417(*supra* 2)　　*hortari* Poe 674(*supra sub* dehortari)　　*imitari* Cap 208(*supra* 2)　　non

te mihi *irasci* decet Am 522   uos mihi irasci
ob multiloquium non decet Mer 37   minume
irasci decet St 28   iniusta ab iustis *impetrari*
non decet Am 35   decet abs te id impetrari
Ru 702   *laudare* Mo 720(*supra* 1 **a**)   decet
audacem esse, confidentem pro se et proterue
loqui Am 836   Am 973(*supra* 2)   Poe 861(*supra* 2)
nostrum officium *meminisse* decet St 46   neque
tis *misereri* decet Ci 457(*A solus*)   .. malos
in quem (agrum) omnes publice *mitti* decet*
Tri 548   neque diem decet me *morari* (d. remorari *CaRg*) neque nocti *nocerier* Cu 352
nouisse Mi 40(*supra sub* adhibere)   nos decet*
operire capita Poe 743(*U*)   decet id *pati* animo aequo Cap 196   rei mandatae omnis sapientis primum *praeuorti* decet Mer 376   ei
rei primum praeuorti decet Mi 765   decet te
equidem uera *proloqui* Au 138   *remorari* Cu
352(*CaRg*)   .. decere(*Pﬆ*† decore *Rs*) uideatur magis me saturum *seruire* Cap 321   huic
decet statuam *statui* ex auro Ba 640   tem-
perare istac aetate istis decet* ted artibus
(noxiis *RRg*) Mer 982   non decet *tumultuari*
Poe 525   .. ut decet* *uelle* hominem amicum
amico Cu 332   *uerecundari* neminem apud
mensam decet Tri 478   *uictitare* Mo 53(*supra
sub* amare)   *uigilare* decet hominem qui ..
Ru 921   esca atque potione *uinciri* decet*
Men 88   plus *uiderem* quam deceret* .. Ba
488(*v. secl Uﬆ*)   *utier* Ci 22(*infra*)

quae non deliquit, decet audacem *esse* Am
836   non decet superbum esse hominem
seruom As 470   decet uerecundum esse adulescentem As 833   ego ibi sum, esse ubi
miserum hominem decet Ba 1107   decet innocentem seruom .. confidentem esse Cap 665
non decet esse te tam tristem tuo Ioui Cas
230   decet .. hunc esse ordinem beniuolentis
inter se beneque amicitia utier Ci 22   uacuom
esse istac ted aetate his decebat noxiis Mer
983 b   †iuream esse ius decet collyricum Per 97
decet me facetum esse Per 807   memora num
esse aliter decet Poe 866   .. ut deceat nos
esse a culpa castas Poe 1186   decet innocentem .. seruom superbum esse Ps 460   peculiosum esse decet* seruom et probum Ru 112
scibam ut esse me deceret Tri 657   *Cf* Votsch,
p. 20; Walder, pp. 27, 50

6. *seq. subiu.:* decet animo aequo nunc stent
uel dormire temperent Poe 21

7. *adverbia apponuntur:* ita Ep 422, Mi 896
sic Men 131, Mer 950, Mo 723, Poe 459, Tru
478   graphice Per 464   modice(?) Mi 1214

DECHARMIDO - - ut charmidatus es, rur-
sum(†ﬆ) decharmida(*U* te d. *RRs* recharmida
Pψ) Tru 977

DECIDO - - I. Forma decido Cas 931
decidit(*an perf.?*) Ba 1136, Per 258   decidunt Tri 544   decidi Per 594   deciderint
(*subiu.*) Poe 570

II. Significatio 1. *absolute de morte:* ita
cuncti solstitiali morbo decidunt Tri 544

2. *cum praep.* de: ea nunc (occasio) quasi
decidit de caelo Per 258   decido de lecto
praecipes Cas 931   in: uide sis, ego ille
doctus leno paene in foueam decidi ni hic adesses Per 594   Poe 570(*infra* 3)

3. *cum dat. ethico:* omnis fructus iam illis
decidit Ba 1136   deciderint uobis femina in
talos uelim Poe 570

DECIDO - - ego pol istam iam aliquouorsum tragulam **decidero** Cas 297   **decide**
collum stanti, si falsum loquor Mer 308   *Cf*
Graupner, p. 18

DECIES - - - equidem **deciens**(-es *BDJﬆL*
deties *E*) dixi Am 577   .. si uis deciens(-es
PL) dicere(dicier *FlRg*) Am 725   me miseram
.. decies(-ens *U* deties *E*) die uno saepe extrudit aedibus Au 70   dignu's deciens qui
furcam feras Ci 248(*A solus*)   ea (aula) saepe
deciens(deiciens *B*) complebatur in(*Sca om P*)
die Mi 855(uidi eam *L pro* in die)   quaene
eapse deciens(*P* -es *A*) in die mutat locum
St 501   *Cf* Egli, I. p. 9; Siewert, p. 49
corruptum: Poe 361, deciens *CD* ent lens *B*
pro centiens(*A*)   deciens *semper Ly*

DECIO - - ancilla. Men 736, Ca deceo *PL*†
decto *U: vide Rs in app. crit. et* Schmidt, p. 388

DECIPIO - - I. Forma decipitur Am *Arg*
I. 5, Cas *Arg* 3, Poe 1338, Ru 1239   **deci-**
piuntur Ru 1236   **decipiam** Am 424   **deci-**
piemus Poe 187   **decepi** Ba 965(decipi *D¹*)
decepisti Tru 264(*Rﬆ*†*LU* esse cepisti *P* usu
cepisti *Rs*)   **decepit** Ru 346(dece. *D*)   **deci-**
piat St 603   **decipiatur** Cap 255   **decipere**
Mer 928(-pier *R*)   **decipi** Cas 349(*BJ* decepi
VE)   **decepisse** Ru 401   **deceptus** As 501,
Ba 275, Cap 757(-is *VE*), Mo 501(dceptus *D*),
Ps 1326   **deceptum**(*masc.*) St 610   *cor-*
ruptum: Mi 763, decepsit *B* descipsit *CD pro*
descripsit(*FZ*)

II. Significatio 1. *active* **a.** *absolute:*
eiram dixi: ut(†ﬆ) decepisti*! Tru 264(*loco dub:*
vide ω)

b. *seq. acc.:* me decipere haud potes. #Ne-
que edepol uolo Mer 928   iam ego hunc decipiam probe Am 424   non me quidem faciet
auctore hodie ut illum decipiat St 603   si
deos decepit et homines, lenonum more fecit
Ru 346   ita decipienus fouea lenonem Lycum
Poe 187   ego dolis .. decepi* senem Ba
965   ego etiam (scio), qui sperauerint, spem
decepisse multos Ru 401

2. *passive:* nequest deceptus in eo As 501
deceptus sum Ba 275   qui cauet ne decipiatur, uix cauet quom etiam cauet Cap 255   satis sum semel deceptus* Cap 757   senem adiuuat sors: uerum decipitur dolis Cas *Arg* 3
per fidem deceptus* sum Mo 501   redi modo:
non eris deceptus Ps 1326   in aetate hominum plurumae ﬁunt transennae ubi decipiuntur dolis Ru 1236   si quis auidus poscit escam
auariter, decipitur in transenna auaritia sua Ru
1239   non opinor dices deceptum fore St 610
his Alcmena decipitur dolis Am *Arg* I. 5
uidi ego deis fretos saepe multos decipi* Cas
349   decipitur nemo .. qui suis amicis narrat .. Poe 1338

3. *abl. instrumenti:* dolis Am *Arg* I. 5, Ba
965, Cas *Arg* 3, Ru 1236   fouea Poe 187
abl. causalis: auaritia sua Ru 1239   *locus*
quo: in transenna Ru 1239   *limitatio:* in
eo As 501   *adverbia:* probe Am 424   semel
Cap 757   per fidem Mo 501

DECIMUS - - I. Forma **decumus** Ps 973 (-i-*A*), T$_{RU}$ 402(-i- *PL*) **decumum**(*nom.*) P$_{ER}$ 558(-i- *APL*) **decumum**(*acc. masc.*) S$_T$ 708 (*ARgS* -mam *BLU* -ma *CD*) **decumam** B$_A$ 666(-i- *PL*), S$_T$ 233, 386(*A* -i- *P*), 708(*BLU* -ma *CD* -mum *Aψ*) **decumo** A$_M$ 481(-meno *E*), 670(dę. *J*), A$_U$ 798(-i- *Non* 254), B$_A$ 928, C$_I$ 163, T$_{RU}$ 497(-i- *PL et Non* 457)

II. Significatio Pergamum . . decumo *anno* post subegerunt B$_A$ 928   alter decumo* post *mense* nascetur puer A$_M$ 481(*v. secl US*) adueni domum, decumo post mense A$_M$ 670 tua gnata peperit decumo mense post A$_U$ 798 decumo post mense exacto hic peperit filiam C$_I$ 163   ad amicam decumo mense post Athenas Atticas uiso T$_{RU}$ 497   iam decumus mensis aduentat prope T$_{RU}$ 402

Herculem fecit ex patre: decumam *partem* ei dedit B$_A$ 666   . . ut decumam partem Herculi polluceam S$_T$ 233   Hercules, decumam (partem) esse adauctam tibi quam uoui gratulor S$_T$ 386   decumam* a fonte tibi tute inde S$_T$ 708(*sc* partem; decumam *ARgS sc* cyathum)

octaua indiligentia, nona iniuria, decumum . . scelus P$_{ER}$ 558

in foro uix decumus quisquest, qui ipsus sese nouerit Ps 973

DECLARO - - hominem catum eum esse **declaramus**(-atur *A*) Ps 682 *corruptum:* A$_M$ 728, declarantis *J*[1] *pro* delirantis

DECLINO - - ego **declinaui** paululum me extra uiam A$_U$ 711

DECOLO - - si ea (spes) **decolabit**(*Lamb* decollabit *PLy* decollauit *Diom* 365), redibo huc C$_{AP}$ 496   si sors autem **decolassit**(*BJ* -asit *VE* decoll. *Ly*), gladium . . incumbam C$_{AS}$ 307   M$_{EN}$ 859, decolabo *D*[2] *pro* dedolabo

DECOLLYRAE - - hae decollyrae(*B* -irae *C* -ire *D*) lyrae P$_{OE}$ 137(*PS†* hercle et collyrae escariae *RRgl* αἰ[σαῖ *L*] δὲ κολλῦραι λύραι *PalmerLULy*)

DECONCILIO - - nihil **deconciliare**(*Bue* -siliare *Fest*) sibus, nisi qui persibus sapis F$_R$ II. 22(*ex Fest* 217)

DECORIS - - ne patri, tametsi unicus sum, **decore**(*Rs* decere *PS†LU*) uideatur magis me saturum seruire C$_{AP}$ 321

DECORO - - digitos despoliat suos et tuos digitos **decorat** M$_I$ 1048   nostram pietatem adprobant **decorant**que di immortales P$_{OE}$ 1255 Larem corona nostrum **decorari**(*ACD* -ali *B*) uolo T$_{RI}$ 39   *corruptum:* M$_I$ 1405, decoratus *B pro* dic. oratus

DECORUS - - I. Forma **decorum** As 509, 689, 701   **decorum**(*acc. neut.*) A$_U$ 220, R$_U$ 254 **decora**(*acc. neut.*) M$_I$ 619   **decore**(*adv.*) As 409   *corruptum:* A$_M$ 45, decorum *E pro* deorum

II. Significatio A. *adiectivum* 1. *cum abl.:* haud decorum facinus tuis factis facis A$_U$ 220   me tibi istuc aetatis homini facinora puerilia obicere ac neque te decora neque tuis uirtutibus M$_I$ 619   uideo decorum dis locum uiderier R$_U$ 254

2. **decorum** est *cum infin.:* an decorumst aduorsari meis te praeceptis? As 509   magis

decorumst libertum potius quam patronum onus in uia portare As 689   . . si uerumst(*dub.*) decorum erum uehere seruom, inscende As 701

B. *adverbium:* ille edepol tergo et cruribus consuluit haud decore As 409

DECREPITUS - - **decrepitus** senex As 863 Acherunticus, senex uetus, decrepitus M$_{ER}$ 291 uetulus, decrepitus senex M$_{ER}$ 314   ego illum nihili **decrepitum** meum uirum ueniat uelim C$_{AS}$ 559   illic homo ludibrio nos uetulos **decrepitos** duos habet? E$_P$ 666   *Cf* Gimm, p. 18

DECRESCO - - ualetudo **decrescit**, adcrescit labor C$_U$ 219

DECUMBO - - I. Forma **decumbo** M$_{ER}$ 99 **decumbam** S$_T$ 646   **decubuisti** C$_{AS}$ 902(*Lamb* debuisti *P*)   **decumbas** M$_{ER}$ 373   **decumbamus** As 828(dum cumbamus *E*[1] dum cubamus *J*; *v. secl. Weisω*), 914(decubamus *J*), C$_U$ 351(decubamus *J*)   **decumbe** C$_{AS}$ 882(decumbe inquam *ABJ* decumbenquam *VE*)

II. Significatio 1. age decumbamus* sis, pater As 828(*v. secl. Weisω*)   interea ut decumbamus* suadebo As 914   dum senex abest, decumbe* inquam C$_{AS}$ 882   postquam decubuisti*, inde uolo memorare C$_{AS}$ 902 quid si abeamus, decumbamus*, inquit C$_U$ 351   uenio, decumbo, acceptus hilare atque ampliter M$_{ER}$ 99   si sapias, eas ac decumbas domi M$_{ER}$ 373   iam hercle decumbam solus S$_T$ 646

2. *additur* domi M$_{ER}$ 373   solus S$_T$ 646

DECURIA - - exigam hercle ego te ex hac **decuria** P$_{ER}$ 143

DECURRO - - quid mihi opust **decurso**(det. *B*) aetatis spatio cum meis gerere bellum? S$_T$ 81(*cf* Graupner, p. 19)   decurso in(*om L*) spatio breue quod uitae reliquumst(-cuumst *B* -cuumst *L*) . . M$_{ER}$ 547(*PL* breue iam relicuom uitae spatiumst: quin ego *Aψ*)   *Cf* Lachmann, *In Lucr.* IV. 283; Niemeyer, *De Pl. fab. rec. dupl.* p. 7

DECUS - - 1. *nom. et voc.:* di te seruassint semper, custos erilis, **decus** popli, . . As 655   mi Libane, ocellus aureus, donum decusque amoris . . As 691   ut osculatur, carnufex, capuli decus As 892(*cf* Graupner, p. 6)   simul res, fides, fama, uirtus, decus deseruerunt Mo 144

2. *dat.:* nobis lucro fuisti potius quam decori tibi As 192

3. *acc.:* nunc tibi potestas adipiscendist gloriam laudem decus S$_T$ 281   mihi tibique magnum peperisti decus T$_{RU}$ 517

4. *corruptum:* A$_M$ 898, decoris *E pro* dedecoris

DECUTIO - - ex . . armario **decutio** argenti tantum quantum. mihi lubet E$_P$ 309

DEDECET - - P$_{ER}$ 220, dedecet *RostU* haud decet *PRsSLy*(hau) addecet *BoRL*

DEDECORO - - qui **dedecorat** te me amicos atque alios flagitiis suis B$_A$ 498(*v. secl GoelRgS*)   mores turbidos, quibus boni **dedecorant** se T$_{RI}$ 298

DEDECORUS - - B$_A$ 1191, dedecorum *P pro* dedecori(*R*)

DEDECUS - - I. Forma **dedecoris** A$_M$ 883, 898(decoris *E*), M$_I$ 512 **dedecori** As 571, B$_A$ 1191(*R* -rum *P*)   **dedecus** B$_A$ 67, C$_{AS}$ 875   **dedecore** S$_T$ 72

II. Significatio 1. *gen.*: ita me probri stupri dedecoris a uiro argutam meo! Aм 883 me miseram arguit stupri dedecoris* Aм 898 dedecoris pleniorem erum faciam tuom quam .. Mі 512

2. *dat.*: eris damno et molestiae et dedecori saepe fueris As 571 id utut est etsist dedecori*, patiar Bа 1191

3. *acc.*: pro disco damnum capiam, pro cursura dedecus Bа 67 neque hoc dedecus quo modo celem scio Cаs 875

4. *abl.*: aduorsari sine dedecore(*A* aduersariis indedecoris *P*) et scelere summo haud possumus Sт 72

DEDICO - - Tru 935, dedixisti *P pro* dedisti(*D*[1]) Pоe 554, dedicimus *P pro* did.(*Z*)

DEDISCO - - haud aequom facit qui quod didicit, id **dediscit** Aм 688

DEDO - - **I. Forma** **dedo** As 428(*Bent* dedi *P*), Bа 93, 1150, Mі 954(*D*[2] dido *P*), Sт 435 **dedam** Aм 258 **dedam** Au 59, Cu 627, Mі 567(*AB*[2]*D*[2] didam *P*) **dedidi** As 141(*LachRgl* dedi *Pψ*) **dedidisti** Bа 687(*AcR* dēdisti *PS*[†]*LLy*[†] tu dedisti *FlRgU*) **dedam** Ps 1226 **dedas** Ps 1226 dedat Tru 56(deferat dedat *Rs* petra debeat *PS*[†]*L*[†] optet d. *U*) **dederent** Aм 226 **dediderit** Bа 45(*L* 'fortasse redditerit' *Ly* dederit *Fzψ*) **dedere** As 608 **dedita**(*nom. sing.*) Mo 498 **deditā** Cі 670, Pоe 508(hercle d. *CD* haec edita *B*), Tri 67 *corrupta*: Mеn 116, dedam *B*[2] detam *B*[1]*D*[1] detiam *C pro* petam Mі 511, dedatur *CD*, datur *B pro* de te datur Ru 849, dedito *CD pro* dedit Tri 906, dede pol *B* de edepol *CD pro* edepol

II. Significatio A. *proprie*: 1. cur tu, obsecro, .. me morti dedere optas? As 608 continuo hercle ego te dedam discipulam cruci Au 59 istoc dicto dedidisti* hodie in cruciatum Chrysalum Bа 687(*R*) senem illum tibi dedo ulteriorem, lepide ut lenitum reddas Bа 1150 accede huc tu: ego illum tibi dedam Cu 627 dato excruciandum me: egomet me dedam* tibi Mі 567 saltem Pseudolum mihi dedas. #Pseudolum ego dedam tibi? quid deliquit? Ps 1226

2. *milit. term. techn.*: conuenit .. urbem, agrum, aras, focos seque uti dederent Aм 226 deduntque se, diuina humanaque omnia, urbem et liberos in dicionem atque in arbitratum cuncti Thebano poplo Aм 258 *similiter translate*: auris meas profecto dedo* in dicionem tuam Mі 954

3. hic habito, haec mihi deditast habitatio Mo 498 aliquid semper est quod deferat dedatque* amans scorto suo Tru 56(*Rs*)

B. *translate* 1. amans ego animum meum isti dedidi* As 141(*LachRgl*) hunc tibi dedo diem Sт 435 triduom hoc unum modo foro operam adsiduam dedo* As 428 tuos sum, tibi dedo operam Bа 93 ubi ei dediderit* operas ne hanc ille habeat Bа 45(*LLy*)

2. **dedita opera**: an quis deus obiecit hanc .. quasi dedita opera in tempore ipso? Cі 670 equidem hercle dedita* opera amicos fugitaui senes Pоe 508 ego dedita opera huc ad te uenio Tri 67

DEDOLO - - hunc senem osse fini **dedolabo** (deco. *D*[2] dolabo *R*) assulatim uiscera Mеn 859 (*et Non* 72) *Cf* Egli, I. p. 34

DEDUCO - - **I. Forma** **deduco** Cu 361 **deducam** Pеr 480(*A* ducam *P* inducam *GrutR*), Tri 5 **deduxi** Cаs 881 **deduxit** Mі 121(*Ca* duxit *P*) **deducas** Mі 790(delucas *CD*[1]), Tru 534(insuper d. *Rs* men super adducas *Pψ*) **deducerent** Aм 215, Cаs 533(-ret *BU*) **deduce** Tru 479(*Gep* duce *P*) **deduci** Cаs 472, Mі 685(si ea deduci potis sit *U* sua deductust *CD* sua deductus ē quā *B*[1] suaue ductust *Aψ*) **deductus** Cаp 736(did. *BE*) *corruptum*: Mo 36, deducere *B*[1] pro ducere

II. Significatio 1. *proprie de movendo cum dat. vel* **de**: deduco pedes de lecto clam Cu 361 soleas mihi deduce* Tru 479

2. *de re militari*: properiter(*Rgl* propere *PU* propere irent, *L*) de suis(propere suis de *BoLyU*) finibus exercitus deducerent Aм 215

3. *de supplicio vel dolo*: in lapicidinas facite deductus* siet Cаp 736 hunc hominem ego hodie in transennam doctis deducam* dolis Pеr 480

4. *de errante*: nequis erret uostrum, paucis in uiam deducam Tri 5

5. *de matrimonio vel concubinatu*: sine prius deduci Cаs 472 .. liberae aedes ut sibi essent, Casinam quo deducerent* Cаs 533 ubi intro haec nouam nuptam deduxi .. Cаs 881 bona uxor si ea deduci* potis sit usquam gentium .. Mі 685(*U*)

.. ut ad te eam (meretricem) iam deducas* domum Mі 790 quin etiam insuper deducas* quae mihi comedint cibum? Tru 534(*Rs in loco dub*) *aliter*: in aedis me ad se deduxit* domum Mі 121

6. *additur praep. de* Aм 215, Cu 361 **ad** Mі 121, 790 **in** Cаp 736, Mі 121, Pеr 480, Tri 5 domum Mі 121, 790 mihi Tru 479 *abl. instrumenti*: dolis Pеr 480 paucis Tri 5 *adverbia*: clam Cu 361 propere Aм 215 quo Cаs 533 intro Cаs 881 usquam Mі 685(*U*)

DEERRO - - inter homines me **deerrare** a patre atque inde auehi .. Mеn 1113 *Cf* Inowraclawer, p. 75

DEFAECO - - nunc liquet, nunc **defaecatum**st(defe. *P*) cor mihi Ps 760 .. me melius .. rear esse **deficatam**(es edificatā *CD*) Mo 158 nunc **defaecato**(defe. *P et Non* 459) demum animo egredior domo Au 79

DEFAENERO - - **defaenerare** hominem egentem hau decet Vі 89 *Cf* Studemund, *Pl. Wortf.* p. 293

DEFENDO - - **I. Forma** **defendam** Mеn 1009 **defendet** Pеr 430 **defendas** Mі 811, Ru 774 **defendat** Mo 900 **defendant** Mеr 591(*B*[2]*CD*[2] -dat *B*[1]*D*[1]), Sт 607 **defenderet** Tru 830(*FZ* -rem *P*) **defende** As 431, Ru 742 **defendere** Bа 846 *corruptum*: Ru 789, defendero *C pro* offendero

Significatio 1. *absolute*: hospes, te obsecro, defende As 431 et operam dabo et defendam et subuenibo sedulo Mеn 1009 ni ex oculis lacrumae defendant*(*i. e.* prohibeant), iam ardeat, credo, caput Mеr 591 tanto pluris qui defendant ire aduorsum iussero Sт 607

2. *cum acc.:* **a.** . . qui me meosque non
queam defendere Bᴀ 846 . . actutum partis
defendas tuas Mɪ 811 nisi me haec (lingua)
defendet, numquam delinget salem Peʀ 430
opsecro, defende ciuis tuas, senex! Ru 742
uinum si fabulari possit, se defenderet* Tʀu 830
b. oro . . ut illas serues, uim defendas Ru 774
3. *cum acc. et abl.:* ecquis hic est maxumam
his qui iniuriam foribus defendat? Mo 900

DEFENSO - - hinc ego uos **defensabo** Ru
692 noster esto dum te poteris **defensare**
iniuria Bᴀ 443

DEFATIGO - - egomet me coquo ac macero
et **defetigo**(*A* -cigo *B* -ctigo *CD*) Tʀɪ 225
corruptum: Eᴘ 118, defatigor *EU* diffatigor
BJRg pro difflagitor(*Skutsch*)

DEFERO - - I. Forma defero Tʀu 956
defert As 532(*Rgl* adfert *Pψ*) **deferam** Aᴜ
416, Bᴀ 1075, Ps 1242(*PRgLULy* feram *A𝕊*),
Tʀu 661(hoc d. *Sp* hoc die[hodie *CD*] efferam *P*)
deferetur Mᴇɴ 133, 173 **detuli** Bᴀ 960(tetuli
AcR), Mᴇɴ 601(degessi *Rs*), Mᴇʀ 703, Mɪ 1049,
Ps 260, Tʀu 655, 799 **detulisti** Mᴇɴ 393, 652,
689 **detulit** Aᴍ 701, Cᴀs 43, Cɪ *Arg* 5, 635(tetulit *B*), Poᴇ 781, Ru 482, Tʀu 408 **detulerat**
Mᴇɴ 807 **deferam** As 885 **deferas** Mᴇɴ
426, 525 **deferat** Cɪ 169, Eᴘ 287, Mᴇɴ 561,
Mɪ 131, Poᴇ 174, Tʀu 56(d. dedatque *Rs* petra
debeatque *P𝕊*†*L*† optet debeatque *U*) **deferant** Mᴇɴ 952 **deferatur** Mᴇɴ 948(uti d. *B*[ut]
ut id eferatur *CD*) **deferrem** Mɪ 960(-ret *P*)
deferret Poᴇ 559 **detulerit** Mɪ 912, Poᴇ 561
deferto Poᴇ 346(-rio *C*) **deferre** Peʀ 694,
Tʀɪ 949, 955, Tʀu 166(*FRsLU* referre *P𝕊Ly*)
deferri Tʀu 444(*StuRs* perferri *Pψ*), 739 **detulisse** As 852(detullisse *J*) **delatum**(*nom.*)
Poᴇ 738, Ps 190 (*acc. masc.*) Mɪ800 (*acc. neut.*)
Tʀu 740(*masc. L*) *corrupta:* Bᴀ482, detulit*BD
pro* tetulit(*AC*); 811, detuli *B²CD pro* tetuli(*B¹*)
Mᴇɴ 381, detulit *B² pro* tetulit(*P*); 591, detuli
AB² pro tetuli(*P*); 630, detuli *B² pro* tetuli(*P*)
Mo 471, detulit *B² pro* tetulit Peʀ 294, **de-**
feram *A pro* defigam(*P*)

II. Significatio A. *proprie* (*cf* Boeckel,
p. 18) 1. *absolute vel cum acc.:* opus est homine, qui illo *argentum* deferat pro fidicina
Eᴘ 287 hoc deferam* ad hanc argentum Tʀu
661 ei dabitur *aurum* ut ad lenonem deferat
Poᴇ 174 . . quod me aurum deferre iussit ad
gnatum suom atque ad amicum Calliclem Tʀɪ
955 mihi huc argenti defert* uiginti *minas*
As 532 ain tu meum uirum . ad amicam
detulisse* argenti uiginti minas? As 852
obuiam ei ultro (uiginti minas) deferam* Ps
1242 iubebo ad istam quinque deferri* minas Tʀu 444(*StuRs*) . . ei quinque argenti
deferri minas, praeterea unam in obsonatum
(una mina obs. *L*). #Idem istoc delatum scio
Tʀu 739-40 . . trecentos *Philippos* . . quos
deferret huc ad lenonem Poᴇ 559 . . ubi is
detulerit . . Poᴇ 561 ad te trecentos Philip-
peos modo detulit Poᴇ 781 *nummi* aurei lymphatici . . #Deferto* ad me Poᴇ 346 decem
talenta dotis detuli Mᴇʀ 703
a tua mihi uxore (*anulum*) dicam delatum
et datum Mɪ 800 . . quasi anulum hunc ancillula tua abs te detulerit ad me Mɪ 912

eius hunc mihi anulum ad te ancilla porro ut
deferrem* dedit Mɪ 960 hunc anulum ab
tui cupienti huic detuli Mɪ 1049 fac sis sit
delatum huc mihi *frumentum* Ps 190 subrupiam . . *pallam* . . atque ad te deferam As
885 pallam mihi detulisti Mᴇɴ 393 pallam
illam . . ad phrygionem ut deferas Mᴇɴ 426
(pallam) huic detuli* Erotio Mᴇɴ 601 huic
amicae detulisti Erotio Mᴇɴ 652 tute ultro
ad me detulisti Mᴇɴ 689 pallam et spinter,
quod ad hanc detulerat Mᴇɴ 807 hanc *praedam* omnem iam ad quaestorem deferam Bᴀ
1075 *spinter* Mᴇɴ 807(*supra sub* pallam)
muliercula hanc (*urnam*) nescioquae huc ad me
detulit Ru 482
mandatae quae sunt uolo deferre *epistulas*
Peʀ 694 . . quibus me oportet has deferre
epistulas Tʀɪ 949 *tabellas* ad senem detuli*
Bᴀ 960 . . qui ad illum (tabellas) deferat
meum erum Mɪ 131
nunc ad amicam uenis *querimoniam* deferre*
Tʀu 166
meo malo a mala abstuli, hoc(a. hoc, *LU*)
ad damnum(*i. e.* amicam?) deferetur Mᴇɴ 133
nunc ad amicam deferetur hanc meretricem
Erotium Mᴇɴ 173 . . ut hoc una opera (iam
add RRs sibi *UL*) ad aurificem deferas Mᴇɴ
525 . . ea ad amicam deferat Mᴇɴ 561 idem
istoc delatum scio Tʀu 740 perdidi . . quod
tibi detuli Ps 260 aliquid semper est quod
deferat* . . scorto suo Tʀu 56(*Rs*) homo furti
sese adstringet quantumquantum ad eum erit
delatum Poᴇ 738
ouis in crumina hac (huc *add GepRs*) in urbem detuli Tʀu 655 pecua ad hanc collo in
crumina ego obligata defero Tʀu 956
quid si e portu nauis huc nos dormientis
detulit? Aᴍ 701 ad me face uti (homo) deferatur* Mᴇɴ 948 i arcesse homines qui illunc ad me deferant Mᴇɴ 952 (puellam) detulit recta domum Cᴀs 43 eam sublatam
meretrix alii detulit Cɪ *Arg* 5 . . quas in
aedis haec puellam deferat Cɪ 169 puerum
uestigat clanculum ad me detulit Tʀu 408
(puerum) ad meam eram detuli Tʀu 799 te
illa olim ad me detulit* Cɪ 635
2. *additur praep.* ad: amicam As 852, Mᴇɴ
173, 561 amicam Tʀɪ 955 aurificem Mᴇɴ
525 damnum(*i. e.* amicam) Mɪ 133 eram
Tʀu 759 lenonem Poᴇ 174, 559 gnatum Tʀɪ
955 phrygionem Mᴇɴ 426 quaestorem Bᴀ
1075 senem Bᴀ 960 me Cɪ 635, Mᴇɴ 689,
948, 952, Mɪ 912, Poᴇ 346, Ru 482, Tʀu 408,
te As 885, Mɪ 960, Poᴇ 781 hanc Mᴇɴ 807,
Tʀu 661, 956 illum Mɪ 131 eum Poᴇ
738 istanc Tʀu 444
in: aedis Cɪ 169 urbem Tʀu 655
add. adv.: huc Aᴍ 701, As 532(*Rgl*), Poᴇ 559,
Ps 190, Ru 482, Tʀu 655(*Rs*) illo Eᴘ 287 obuiam Ps 1242 domum Cᴀs 43 recta Cᴀs 43
abs te Mɪ 912 abs tui cupienti Mɪ 1049
a tua uxore Mɪ 800 e portu Aᴍ 701 pro
fidicina Eᴘ 287
3. *add. dat.:* mihi As 532, Mᴇɴ 393, Mɪ 800,
Ps 190 tibi Ps 260 ei Ps 1242, Tʀu 739
alii Cɪ *Arg* 5 sibi Mᴇɴ 526(*L*) huic Mɪ 1049
quoi Mᴇʀ 703, Tʀɪ 949 Erotio Mᴇɴ 601, 652

B. *translate:* ad trisuiros iam ego deferam nomen tuom Au 416 *fortasse* Men 133, ad damnum *si e mercatura ductum est(supra* A)

DEFESSUS - - I. **Forma defessus** Am 1014, Ep 197, 720, Mer 805, St 313 **defessi** (*nom.*) Men 654, Ep 719, 720, Poe 224 **defessae** Tru 468(-se *D*)
II. **Significatio** 1. *absolute:* nos iam defessi sumus Men 654 nimis quam paucae sunt defessae male quae facere occeperunt Tru 468 (*v. secl RsŚ*)
2. *cum infin.:* sum defessus quaerere Ep 197 uterque sumus defessi quaerere. #Ego sum defessus reperire, uos defessi quaerere Ep 719—20 defessus sum urbem totam peruenirier Mer 805 *Cf* Votsch, p. 32
3. *cum gerund.:* sum defessus quaeritando Am 1014 aggerunda .. aqua sunt uiri duo defessi Poe 224 defessus sum pultando St 313 *Cf* Krause, p. 44

DEFICIO - - si intellegam (te) **deficere** uita, .. uitam meam tibi largiar As 609

DEFIGO - - .. nisi te hodie .. **defigam**(*P* deferam *A*) in terram colaphis. #Tun me **defigas**? te cruci ipsum adfigent .. alii Per 294-5

DEFINIO - - non remittam: **definitumst** Ci 519

DEFIO - - ita animus per oculos meos(mihi *add R* meus *HauptRgLULy †Ś*) **defit**(fit *B*) Mi 1261 obsonium adfer, tribus uide quod sit satis: neque **defiat** neque supersit Men 221 omnia iterum uis memorare .. ut defiat dies Ru 1107

DEFLEO - - quot adeo cenae quas **defleui** mortuae St 212 egone illum non fleam? egon non **defleam** talem adulescentem? Cap 139 *Cf* Egli, I. p. 29

DEFLOCCO - - fusti **defloccabit**(flocco habebit tibi *Non* 7) iam illic homo lumbos meos Cas 967(*A solus et Non* 7) per urbem duo **defloccati** senes quaeritant me Ep 616 *Cf* Studemund, *Pl. Wortf.* p. 285; Graupner, p. 13 *et adn.* 1

DEFODIO - - in medio foco **defodit** (thensaurum) Au 8 eumque hic defodit hospitem ibidem in aedibus Mo 482 isque me defodit insepultum clam in hisce aedibus Mo 502 ubi erat haec (aula) **defossa** occepit ibi scalpurrire ungulis Au 467 domi suae **defossam** .. aulam inuenit Au *Arg* I. 2

DEFORMO - - iam instituta, ornata cuncta in ordine .. certa, **deformata** habebam Ps 677

DEFRAUDO - - I. **Forma defraudabis** Ru 1416(-ahis *D*) **defraudaui** Au 724(*BD* fraudaui *VEJ*), Tri 413(*ACD²U* defrudaui *BDŚL* fraudaui *RRs*) **defraudaueris** As 95(*BEJRgl LU* defru. *DŚ: an subiu.?*) **defrudem** As 93(*P* defrau. *L v. secl FlRglŚU*), 94(*P* defrau. *Fl RglL*) **defrudes** Men 686, Ps 93(*B* defrau. *ACDLU*) **defraudares** Ru 1387(*B corr* defraudandum dares *P*) **defraudauerim** Ba 736(*Ca* frau. *PL*) **defraudato** As 91(defru. *DJ*) **defraudare** As 366 **defrudandi** Men 687 **defru.** *semper Ly*
II. **Significatio** 1. *cum acc. personae:* me defraudato ... Defrudem te ego? age sis tu sine pennis uola(*v. secl FlRglŚU*). Ten ego

defrudem? quoi ipsi nihil est in manu nisi quid tu porro uxorem defrudaueris As 91—5 iussit uel nos atriensem uel nos uxorem suam defraudare As 366 egomet me defraudaui*, animumque meum geniumque Au 724 .. quia non te defraudauerim* Ba 736 quae commisi ut me defrudes Men 686 neque edepol te defrudandi causa posco Men 687 .. ut me defrudes, drachumam si(-ma, si *CDRg*) dederim tibi Ps 93 iam te ratu's nactum hominem quem defraudares*? Ru 1387 numquam hercle iterum defraudabis* me quidem Ru 1416
2. *cum acc. rei:* quid As 95 quae commisi Men 686 quid quod ego defrudaui*? Tri 413
3. *cum abl. rei:* Ps 93(*CDRg: vide supra* 1)

DEFRINGO - - As 474, defringentur *AcU pro* dif. Mi 156, defregeritis *AB²D²RU pro* dif.; 722, defregisset *ABRU pro* dif. St 191, defractos *APRU pro* dif.(*Rib*)

DEFRUSTROR - - an iam uendidit aedis Philolaches? aut quidem(quid *Rs*) iste nos **defrustratur** senex Mo 944(*A solus*)

DEFRUTUM - - habet .. murrinam, passum, **defrutum**(defructum *B*), mellam .. Ps 741

DEFUGIO - - si auctoritatem postea **defugeris** .. ego pendeam Poe 147

DEGERO - - pallam atque aurum meum .. tuae **degeris**(dederis *B²*) amicae Men 741 mea ornamenta clam ad meretrices **degerit** Men 804 **degessis** Men 601(*Rs* detuli *Pψ*) ego huc bona mea degessi(*A* dona adecessi *B* dona concessi *CD*) Tru 113b Tru 556(degeri *Rs* ecferri *U* feri *BD* fieri *C* ferri *FZψ*)

DEGLUPTA - - tune hic amator audes esse, hallex uiri, .. **deglupta** mena, sarrapis sementium .. Poe 1312

DEGO - - I. **Forma dego** Mo 534 **degam** Au 165(*E³Ly Non* 278 demam *Pψ*) **degetur** Ep 65(*Ly* degitur *Non* 278 detegetur *Pψ*) **degerem** Ci 77 **degere** Cas 291 *Vide* Ps 351, *ubi* degit *em LipsR falso*(*cf* Bugge, *Phil.* XXXI, p. 254)
II. **Significatio** (*cf Non* 278) 1. = agere: a mani ad noctem usque in foro dego diem Mo 534 .. quicum aetatem degerem Ci 77 .. maritum seruom aetatem degere et gnatos tuos Cas 291
2. = minuere: ego istum, soror, laborem degam* et deminuam tibi Au 165
3. = detrahere: deagetur* corum de tergo meo Ep 65

DEGREDIOR - - sciens de uia in semitam **degredire**(*Bent* -dere *AP*) Cas 675 ut ne quoquam de ingenio **degrediatur** muliebri Mi 185 b

DEHINC - - *de tempore praeter* Cas 94: nemost quem iam dehinc metuam mihi As 111 ego te dehinc .. tractare exequar As 160 nunc dehinc scito .. As 858 dehinc conicito ceterum Cas 94(*idem quod* igitur *vel* ex hoc) et quidem ego dehinc iam — Mer 1000 dehinc ceterum quod restat, restant alii qui faciant palam Poe 125(*v. secl GuyRRglŚ*) nunciam dehinc erit uerax tibi Poe 374 ut scias nunc dehinc latine iam loquar Poe 1029 dehinc iam(*A* deinde hinc *P*) certumst otio dare me Tri 838 *corrupta:* Mo 667, dehinc dicam *R*

solus pro dei dicunt   Poe 376, aspice dehinc
CD pro apscede hinc(*AB*)   St 349, dehinc
iam *CD* de hic iam *B pro* deiciam(*A*)

DEHORTOR - - immo edepol, si erit occasio, haud **dehortor** Cap 209   neque nos
hortari neque **dehortari** decet hominem peregrinum Poe 674

DEICIO - - ego hinc araneas de foribus
deiciam(*AP*) et de pariete St 355   hinc med
amantem ex aedibus **deiecit**(*CaULy* delegit *PS*
eiecit *FlRglL*) huius mater As 632   .. ut **deiciam**(*A Non* 192 de hic iam *B* dehinc iam
CD) .. eorum omnis telas St 355   pernam et
glandium **deicite** St 360   iussin columnis de-
ici operas araneorum? As 425(*et Non* 192)
corruptum: Ci 603, deiciam *BV* deitiam *E pro*
dicam (*J*) *vel* deicam

DEIERO - - hanc domo ab se surrupuisse
atque abstulisse **deierat**(*CaRLU* deiurat *B²*
delirat *D³* delurat *PS*† peierat *Rs*) Men 814
per omnis deos et deas **deierauit**(*Bent* delera-
uit se *A* deiurauit *P*) occisurum eam .. Cas
670   **deiera**(*Bent* deiura *P*) te mihi argentum
daturum Ru 1336

DEIN, DEINDE - - *Cf* Skutsch, pp. 82
& 89. dein *usurpatur ante consonantes tantum;*
deinde *etiam ante vocales:* Am 223, 1002, Au
379, Cap 488, Men 651, St 86, Fr I. 50
1. **dein**(*Ca* deinde *P*) susum escendam
in tectum Am 1008   dein pugnam conserui
seni Ba 967   Men *Arg* 3, dein *add Rs falso*
Mi 124, dein *CD* deinde *Bω*   Mo 667, dein
fiet *U falso pro* dei dicunt   Per 817, dein *B
pro* dem
2. **deinde** utrique imperatores in medium
exeunt Am 223   deinde illi actutum sufferet .. poenas Sosia Am 1002   quid fit deinde?
Am 1098, 1119   deinde egomet mecum cogitare
.. occepi Au 379   uenio ad alios, deinde ad alios
Cap 488   quid deinde porro? Ep 726   inde
porro aufugies? deinde item illinc? Men 651
deinde(*B* dein *CD*) .. conqueritur mecum Mi
124   deinde(*L* item *RRgl om Pψ*) eius cognatae duae .. raptae Poe *Arg* 3   quid deinde?
Poe 655   postid .. deinde .. faciam palam
St 86   deinde senex ille illi dixit St 545
deinde porro — #Deinde(*Ca* mande *P*) porro
nolo quicquam praedices Tri 945   deinde adfigatur cruci Fr I. 50(*ex Non* 221)
corrupta: Am 1008, deinde *P pro* dein(*Ca*)
Men 53, ut deinde *B² pro* ut det unde   Mo
862, deinde *add R solus* Tri 838, deinde hinc
P pro dehinc iam(*A*)

DEIUNGO - - As 665, deiunge *P pro* di-
iunge(*Fl*)

DEIUVO - - deserere illum et **deiuuare** in
rebus aduorsis pudet Tri 344

DELACERO - - me meamque rem .. tuis
scelestis falsidicis fallaciis **delacerauisti**(di.
Non 95) deartuauistique opes Cap 672(*loc dub
vide L*)   Chrysalus med hodie **delacerauit**
(*RRgU* lacerauit *BCψ* laz. *D*) Ba 1094   *Cf*
Wortmann, p. 14

DELASSO - - censeo .. ibi labore **delassatum** noctem totam sterter As 872

DELECTO - - I. Forma **delecto** Cap 178
delectauero Men 548   **delectauerit** Ps 573

delectem Cap 1004(*Lamb* -et *P*)   **delectet**
Fr I. 114(*ex Fest* 306)   **delectare** Poe 192
II. Significatio 1. *cum acc.:* istoc me adsiduo uictu delecto domi Cap 178   mihi ..
upupa qui me delectem* datast Cap 1004
tibicen nos interibi hic delectauerit Ps 573
similiter: oculos uolo meos delectare munditiis meretriciis Poe 192   breue iam relicuom
uitae spatiumst: quin ego(*A* decurso in spatio
breue quod uitae relicuomst *PL*) uoluptate
uino et(*omRRg*) amore delectauero(id de. *Rg*)
Mer 547—8   subcenturiatum require qui te
delectet domi Fr I. 114(*ex Fest* 306)
2. *add. abl. modi:* Cap 178, 1004, Men 548,
Poe 192   *locus quo:* Cap 178, Fr I. 114, Ps 573

DELECTUS - - *vide* dilectus

DELEGATUS - - si quoi fauitores **delegatos**(-tores *Non* 99) uiderint .. Am 67   qui sibi
mandasset **delegati** ut plauderent .. Am 83

DELENIFICUS - - domi habet (mulier) **delenifica**(dolo. *B²*) facta, domi fallacias Mi 192
(*v. secl RgSU*)

DELENIO - - I. Forma **delenis** Ci 517
(lenis *J*)   **delenitur** St *Arg* II. 4(-ter *B¹*)
deleniam(*subiu.*) St 457(*A ut vid* deliniam *P*)
delenire As 434   **delenitus** Am 844(*ex Non*
278 deli. *P*)
II. Significatio   delenitus* sum profecto
ita ut me qui sim nesciam Am 844   uah, delenire apparas As 434   tu me delenis*; propter te haec pecco Ci 517   uerbis delenitur*
commodis habere ut sineret .. St *Arg* II. 4
.. ut eum aduenientem meis dictis deleniam*
St 457

DELEO - - Ci 110, deleat *VE¹ pro* doleat
Ps 619, delet *D² pro* debet   Ru 1193, delesse
P pro dei esse(*FZ*)   St 749, deleo *C pro* doleo

DELIBERO - - cum amicis **deliberaui** iam
et cum cognatis meis St 580

DELIBUTUS - - an te ibi uis inter istas
uorsarier prosedas .. miseras schoeno **delibu-
tas**(dili. *Fest* 329) ..? Poe 267   *Cf* Graupner,
p. 13

DELICATUS - - uah, **delicatu's**, quae te
umquam oculos amet Mi 984   puere, nimium
delicatu's(*Py* adelicatus *P* -tum *ARs*) Mo 947
sed ubi tu's **delicata**? Ru 465   **delicatum** te
hodie faciam cum catello ut accubes Cu 691
nimium ego te habui **delicatam** Men 119   *Cf*
Dousa, p. 312

DELICIAE - - I. Forma **delicia** Poe 365
(*F* -ciae *ABC* -tiae *D*), 389(*Mercer* -ciae *A*
colustra *B v. om CD*), Tru 921   **deliciae**(*dat.*)
Ru 429(-tię *CD*)   **deliciae** Mo 15(-tiae *BD*),
Per 204(-ciet *B* -tię *D*), Ps 180(-tiae *C* -tię *D*),
227(-tię *CD* dilicię *B*), St 742(-cie *C*)   **deliciarum** St 591(mihi d. *U in lac A codicis
aliter ψ*)   **delicias** Cas 528(-tias *VE*), Men 381,
Poe 280(-tias *CD*), 296(-tias *C*)   **deliciis** As
885(-tiis *E*), Ps 173(-tiis *C*), Tri 334, Tru 940
(*Z* -ctis *P*)   *corrupta:* Cap 823, et delicias
J pro aedilicias Mer 997, deliciis *P pro* delictis
II. Significatio 1. *nom. et voc.:* ubi isti
sunt, quibus uos oculi estis, quibus uitae,
quibus deliciae estis? Ps 180
tu urbanus uero. scurra, deliciae popli, rus
mihi tu obiectas? Mo 15   Paegnium, deliciae*

pueri, salue PER 204(cf Blomquist, p. 161; Schaaff, p. 23 Phoenicium, .. deliciae* summatum uirum Ps 227 morem uobis geram, meae deliciae ST 742(an pluraliter intell.?)

mea uoluptas, mea delicia*, mea uita .. POE 365 huius uoluptas .. huius delicia*, huius salus amoena .. POE 389 at ego ad te ibam mea(Sp duce Ac ad me P) delicia TRU 921

2. gen.: sed mihi deliciarum* nihil est ST 591(U)

3. dat.: tibi operam ludo et deliciae dabo RU 429

4. acc.: nimias delicias facis CAS 528 heia, delicias facis MEN 381 enim uero, ere, facis delicias POE 280 enim uero, ere, meo me lacessis ludo et delicias facis POE 296

5. abl.: dan tu mihi de tuis deliciis* .. pausillulum? TRU 940 subrupiam in deliciis pallam AS 885 uos .. in munditiis mollitiis deliciisque aetatulam agitis Ps 173 aliquantum .. in deliciis disperdidit TRI 334

DELICO - - vide deliquo

DELICUOS - - tibi nihil domi delicuomst (-cuum BVE -qu E -quium J) CAS 207 Cf Dousa, p. 188 et Varr l L VII. 106

1. **DELIGO** - - Amphitruo delegit uiros primorum principes AM 204 hinc med amantem ex aedibus delegit(PS eiecit FlRglL deiecit CaLyU) huius mater AS 632 non ad eam rem otiosos homines decuit delegi(deligi BL) MEN 453

2. **DELIGO** - - apud mensam plenam homini rostrum deliges(-gis Non 455) MEN 89

DELINGO - - hic hodie apud me numquam delinges(-gens VE) salem CU 562 nisi me haec (lingua) defendet, numquam delinget (-guet CD) salem PER 430

DELINQUO - - I. Forma delinquont AS 510(-unt PU), MER 716(-qunt C -quon B -quunt D), ST 328(B -qunt A -quunt CD) deliqui AM 817, 853, BA 1014, CAP 660, MEN 625, 780, MER 983, RU 860 deliquit AM 836(-id DE delinquit Non 262), BA 1024(-id D¹), CI 785 bis, MEN 620(-id P), Ps 1227(-id BD¹ -qud C¹) deliquimus MO 1159(Pius delin. P) deliquerunt MER 718 deliquerit MEN 799 delinquas MEN 271 delinquat BA 418 deliqueris AM 816 deliquisset EP 391 delicto(dat.) MER 997(-ciis P) delictum(acc. neut.) AM 494, BA 1171 delicta(acc.) BA 1186(-tas C) corrupta: MER 430, delinquet CD pro delinget(AB) TRU 867, delicta C pro derelicta: 940, delictis P pro deliciis(Z)

II. Significatio A. verbum; absolute vel cum acc. cogn.: 1. quae non deliquit*, decet audacem esse AM 836(Non 262) si deliqui, nulla causast .. AM 853 ne me, in stultitia si deliqui, deseras BA 1014 .. ut qui deliquit, supplex est ultro omnibus BA 1024 qui deliquit, uapulabit, qui non deliquit bibet CI 785 cauero, ne tu delinquas, neue ego irascar tibi MEN 271 numquis seruorum deliquit? MEN 620 fateor, deliqui profecto MER 983 nos deliquimus* MO 1159 tuos inclama, tui deliquerunt* ST 328

2. ex me quaeris quid deliqueris? #Quid ego tibi deliqui, si .. ? AM 816-7(cf Lindskog, p. 66) quid ego deliqui? CAP 660, RU 860

.. quasi quid filius meus deliquisset med erga EP 391 si ille quid deliquerit .. MEN 799 quid autem urbani deliquerunt? dic mihi MER 718 quid deliquit*? Ps 1227 dum caueatur praeter aequom ne quid delinquat, sine BA 418 numquid delinquont* rustici? MER 716

neque quae delinquont amo AS 510 non edepol deliqui quicquam MEN 625 nusquam equidem quicquam deliqui MEN 780

B. partic. substantive usurpatum(cf Wueseke, p. 15): 1. dat.: ora ut ignoscat delictis* tuis atque adulescentiae MER 997

2. acc.: deum non par uidetur facere, delictum suom .. expetere in mortalem ut sinat AM 494 .. istuc delictum desistas .. ire oppugnatum BA 1171 .. ut eis delicta* ignoscas BA 1186

DELIQUESCO - - utinam .. ista in sortiendo sors deliquerit(B Non sorde liquerit VE delicuerit Rs) CAS 399(Non 334) Cf Buecheler, Mus. Rhen. XXXVIII. 520

DELIQUIO - - nullam causam dico quin mihi et parentum et libertatis apud te deliquio siet CAP 626 Cf Dousa, p. 388; Langen, Beitr. p. 221

DELIQUO - - .. ut te ipse me dixisse delices MI 844 Cf Walder, p. 50

DELIRAMENTUM - - haec quidem deliramenta loquitur AM 696 iam deliramenta loquitur CAP 598 audin tu, ut deliramenta loquitur? MEN 920

DELIRO - - I. Forma deliras CI 291 delirat AM 727 deliramus EP 393 delirare MEN 1074 delirantis(acc.) AM 728(decla. J¹), 789 delirantibus AM 585 corruptum: MEN 814, delirat D³ deiurat B² delurat PS† var em ψ

II. Significatio 1. verbum: delirat uxor AM 727 utrum deliras, quaeso, an astans somnias CI 291 profecto deliramus interdum senes EP 393 delirare mihi uidere MEN 1074

2. partic.: nulla res tam delirantis* homines concinnat cito AM 728 haec quidem nos delirantis facere dictis postulat AM 789 .. erum .. ludificas dictis delirantibus AM 585

DELITESCO - - amat hercle me, ut ego opinor: delituit mala RU 466

DELOQUOR - - ST 372, delocutus A pro elocutus

DELPHI - - Delphis tibi responsum dicito (ducito RRg) Ps 480 Cf Goerbig, p. 30; Koenig, p. 2

DELPHIUM - - meretrix. in supersc. MO act. I sc. 4; act. II sc. 1(voc.) MO 343, 372, 393(delephium B delphyum C), 397(-phym CD -phum B¹) Delphio MO 347 Cf Schmidt, p. 185

DELUBRUM - - delubrum .. hodie ornatum eo uisere uenit POE 1175

DELUCTO - - quibus aerumnis deluctaui (cum his ae. -uit Non 468) filio dum diuitias quaero TRI 839 cum Antaeo deluctari (dell. B) mauelim quam cum Amore PER 4

DELUDIFICO - - deludificauit me ille homo indignis modis RU 147 deludificatust (Bo te lud. P) me hodie indignis modis MO 1033(v. om. U) deludificatust(te lud. B disperdidit R) me hodie in perpetuom modum

Mo 1035　　Mi 1161, deludificari *R solus pro*
ludificarier

DELUDO - - I. Forma **deludis** Au 819
(-sis *E*)　**deludit** Ci 218', Tri *Arg* 8　**delu-**
dunt As 527　**deluduntur** As *Arg* I. 7　**de-**
ludam Am 295, Ps 691(ludam *A*)　**deludetur**
Am 998, 1005　**delusi** Cas 560　**delusisti** As
677　**delusistis** As 711　**deluseris** Am 1097
deludam Am 694　**deluserit** Ba 506(*RU de A*
errantes deluderet *A* derideat *P*ψ)　**delude**
As 679, Per 811(*D³* -be *P* lude *Rs*)　**deludi**
Am 980(*J* di- *BDE*), 997, As 646　**delusum**
(*acc. masc.*) As 731　*corruptum:* Mi *Arg* I. 9,
deludit̄ur *CD pro* luditur(*B̄*)

II. Significatio 1. *absolute:* qui deludunt
deperis As 527　iamne autem ut soles(?*U*) de-
ludis*?　Au 819　quod dat non dat, deludit Ci
218　delude* ut lubet, erus dum hinc abest
Per 811

2. *cum acc. vel pass.:* uterque deluduntur(*Bo*
dolis *add P*) in mirum modum Am *Arg* I. 7
timet homo: deludam ego illum Am 295　.. te
ut deludam contra Am 694　uolo deludi* illum Am 980　Amphitruonem uolt deludi meus
pater; faxo probe iam hic deludetur Am 997–8
iam ille hic deludetur probe Am 1005　absoluito hinc me extemplo, quando satis deluseris
Am 1097　uin erum deludi? As 646　furcifer,
etiam me delusisti? As 677　hunc delude atque amplexare hanc As 679　ambo ut est lubitum nos delusistis As 711　satis iam deludam
censeo As 731　Ba 507(*RU falso, de A er-*
rantes)　hunc delusi alterum Cas 560　tris
deludam*, erum et lenonem et qui hanc dedit mihi epistulam Ps 691　hunc deludit Charmides senex Tri *Arg* 8

3. *adverbia, sim.:* probe Am 997, 1005　satis Am 1097, As 731　in mirum modum Am
Arg I. 7　est lubitum Am As 711

DEMAENETUS - - *senex. in supersc.* As *act.*
I *sc* 1(*nom.*) As 382(deme. *BDE* -rus *J*), 488
(deme. *P*), 911(deme. *P*)　**Demaeneti** As 522
(deme. *P*)　**Demaenetum** As 344(-ene- *J* -ene-
DE), 349(deme. *P*), 354(deme. *BDE* demerum
J), 392(deme. *P* -tam *E* -ta *J*), 452(deme. *P*),
479(deme. *P*), 580(dẹ. *B* -ẹne- *BD* -ene- *J*)　**De-**
maenete As 104(-ẹne- *B* -ene- *J*)　**Demaeneto**
As 455(deme. *P*)　*corruptum:* As 531, demeneti
si *E³J pro* dum eius　*Cf* Schmidt, p. 185

DEMARCHUS - - nec quisquamst tam opu-
lentus . . nec **demarchus** nec comarchus . .
Cu 286　**demarcho** item ipse fuit adoptaticius
Poe 1060　*Cf* Schmidt, p. 185

DEMENS - - haec est prior quae meum
erum **dementem** facit Poe 204

DEMENTIA - - erroris ambo ego illos et
dementiae complebo atque omnem Amphitruonis familiam Am 470

DEMEREO - - quid mercedis petasus hodie
domino demeret? Ps 1186　quid ego de te
demerui(*Ly* emerui *P var em* ψ) . . . mali?
Au 735　quaero quoi . . artibus tribus ter **de-**
meritas dem laetitias Ps 705 a　*corruptum:*
Mi 1040, te demeritur *CD* de te moritur *B pro*
te demoritur(*Pius*)

DEMETIOR - - uos meministis quot calendis
petere **demensum** cibum St 60　argumentum

uobis demensum(-sus *B*) dabo non modio neque trimodio uerum ipso horreo Men 14　*Cf*
Egli, I. p. 25; Graupner, p. 9

DEMETRIUS - - regi latrocinatus decem
annos **Demetrio** Fr I. 64(*ex Varr l L* VII. 52;
cf Non 134)　mala . . audiuit umquam Clinia
ex **Demetrio** Ba 912　*corruptum:* As 531,
demetrius *E* demeneti si *E³J pro* dum eius

DEMIGRO - - animam omittunt prius quam
loco **demigrent** Am 240

DEMINUO - - ego istum, soror, laborem
demam et **deminuam**(di. *E³J*) tibi Au 165
de hoc obsonio(*loc dub*) de mina una **deminui**
modo Tru 561

DEMIPHO - - *senex. in supersc.* Ci *act.* V,
Mer. *act.* II *sc.* 1, 2, 3; *act.* III *sc.* 2, 3; *act.* V
sc. 3　(*nom.*) Ci 599(*B* dephimo *VEJ*), Mer 692
Demiphoni Mer 797　**Demipho**(*voc.*) Mer 283,
287, 307, 563, 710　*vide* Mo 1149, ubi demipho *CaR pro* diphilo　*Cf* Schmidt, p. 186

DEMIROR - - nimis **demiror**(*DJ* demimor
E demirnor *B*), Sosia, qui illaec . . sciat Am
765　demiror quid sit et quo euadat sum in
metu As 51　cocos equidem nimis demiror
(deminor *V*) . . eo condimento uno non utier . .
Cas 219　demiror ubi nunc ambulet Messenio
Men 706　eum demiror non uenire ut iusseram
Mer 698　demiror quid illaec me ad se arcessi iusserit St 266

DEMISSICIUS - - genus hoc mulieresumsu
tunicis **demissiciis**(*A* -isi- *BD* -cus *C*) Poe
1303

DEMITTO - - ubi **demisi** rete atque hamum, quicquid haesit extraho Ru 984　**demi-**
sisti gladium in fugiam Mer 613　fugias manibus *demissis*(*APLy* di. *Lamb*ψ) domum Ep 452
is odos demissis(*APLy* di. ψ) pedibus in caelum
volat. ＃Odos demissis(*ALy* di. *P*ψ) pedibus?
＃Demissis(*BCLy* di. *AD*ψ) manibus uolui dicere
Ps 841-3　*Cf* Dousa, pp. 258, 357

DEMO - - I. Forma **demam** As 706, Au
165(degam *E³Ly Non* 278), Men 555, Tru 845(-an
CD)　**dempsisti** Ba 671, Tru 264(*A* sidem
sist *B* fidẽ si est *CD*)　**dempsit** Ba 664
dempserat Au 312(dep̄sserat *V* depresserat *J*
deserat *Non* 151)　**demas** Tri 349　**deme** As
788, Tru 367　**demito** Cap 113(-tto *DE*)
demi Mi 759(denui *B*)　**dempturum** Ba 285
(-us *D¹*)　*corrupta:* Ep 363, dempsit *B¹ pro*
adempsit Mer 542, demes *C pro* dentes, 595,
tamen dempsi *P*(demsi *B*) *var em* ω　Mi 739,
demi *P* doni *A pro* domi(*B²D³*)

II. Significatio 1. *absolute vel cum acc.:*
. . nomen . . clamaret dempturum* esse si
quid crederem Ba 285

lubet scire quantum aurum erus sibi dempsit
Ba 664　fortassis tu auri dempsisti parum?
Ba 671　istas maiores (catenas) quibus sunt
uincti demito* Cap 113　demam hanc coronam atque abiciam Men 555(*cf* Tru 367)　ego
istum, soror, laborem demam* et deminuam
tibi Au 165　iam rediit animus, deme soleas,
cedo bibam Tru 367　sex talenta magna dotis demam* pro istac inscitia Tru 845　ut
decepisti! dempsisti* unam litteram Tru 264
ipsi pridem tonsor unguis dempserat*: collegit
. . praesegmina Au 312(*Non* 151, 273)

iube illud demi*: tolle hanc patinam Mɪ 759 deme istuc As 788(*i.e.* omitte) de magnis diuitiis si quid demas, plus fit an minus? Tʀɪ 349

2. *cum de praep.:* demam hercle iam(tibi *add CaRgl*) de hordeo As 706 de magnis diuitiis Tʀɪ 348(*supra* 1) *dat. comm.:* tibi As 706(*CaRgl*), Aᴜ 165 sibi Bᴀ 664 ipsi Aᴜ 312

DEMOLIOR - - de me hanc culpam de- molibor iam Bᴀ 383

DEMONSTRO - - I. Forma demonstraui As 346, Mɪ 875, 1028 demonstrauit Tʀɪ 150, 866(deman. *B*) B) demonstretis Aᴜ 716(-ntre- tis *D*), Poe 593 demonstra Cᴀᴘ 359(*PLy* monstra *Caψ*), Cɪ 578 demonstratae As 381 (-te *vel* -tes *P*), Ps 595(-te *P*)

II. Significatio A. *proprie* 1. *cum acc.:* aedis demonstraui nostras As 346 ut demon- stratae sunt mihi, hasce aedis esse oportet As 381 oro . . hominem demonstretis* quis eam abstulerit Aᴜ 716 eum mihi uolo demonstre- tis hominem Poe 593 hi loci sunt atque hae regiones, quae mihi ab ero sunt demonstratae Ps 595 has regiones demonstrauit* mihi ille conductor meus Tʀɪ 866 thensaurum demon- strauit mihi(*B* m. d. *CD*) in hisce aedibus Tʀɪ 150 *absolute:* dice, demonstra*, praecipe Cᴀᴘ 359

2. *additur dat.:* mihi As 381, Poe 593, Ps 595, Tʀɪ 150, 866 **ab:** ab ero Ps 595

B. *translate:* ubi habitat?' inquam 'dic ac demonstra mihi' Cɪ 578 rem omnem tibi . . tibique una . . domi demonstraui ordine Mɪ 875 ad eam rem habeo omnem aciem, tibi uti dudum iam demonstraui Mɪ 1028

DEMOPHILUS - - *poeta.* Demophilus(-ylus *J*) scripsit As 11

DEMORIOR - - 1. *de amore:* ea demoritur te atque ab illo cupit abire Mɪ 970 (era mea) te demoritur(*Pius* te demeritur *CD* de te moritur *B*) Mɪ 1040

2. *proprie:* paene sum fame demortuos (*RRg* emor. *Pψ* -us *PU*) Sᴛ 216 *similiter:* potationes plurumae demortuae(-ę *CD²* -o *D¹*) Sᴛ 211 *Cf* Goldmann, I. p. 12; Graup- ner, p. 5

DEMOROR - - neque diem decet demorari (*Ly* me morari *PLU* remorari *CaRg*) Cᴜ 352 quid sacerdoti me dicam hic demoratum(*Mue* -tam *PLLy*) tam diu? Rᴜ 447(*cf* Langen, *Beitr.* p. 180) diu me estis demorati Eᴘ 376

DEMOSTHENES - - ait sese ire ad Archi- demum, . . Demosthenem(-tenen *BDE* de- monstenem *J*) As 866 *Cf* Schmidt, p. 186

DEMOVEO - - ego de hac sententia non demouebor Pᴇʀ 374

DEMUM - - *cf* Langen, *Beitr.* p. 304. I. Forma demus Tʀɪ 781(*KochRRs* demum *APψ*), Tʀᴜ 245(demus danunt *P* demum oc- cerunt *A*); *aliter* demum *corrupta:* demum *pro* domum Aᴍ 653(*E*), Bᴀ 326, Eᴘ 452(*B*)

II. Significatio 1. nunc demum: ei nun- ciam ad erum. #Nunc demum? As 487 nunc defaecato demum animo egredior domo Aᴜ 79 nunc demum in memoriam redeo Cᴀᴘ 1022(*v. om A secl Osann ω*) nunc edepol demum in memoriam regredior Cᴀᴘ 1023 nunc pol ego

demum in rectam redii semitam Cᴀs 469 em, nunc enim tu demum nullum scitum scitiust Cᴀs 525(*loc dub*) nunc pol demum ego sum liber Cᴀs 836 nunc demum scio ego hunc qui sit Eᴘ 458 remigrat animus nunc demum mihi Eᴘ 569 redeo nunc demum domum Mᴇɴ 635 nunc demum experior(nunc scio *Serv Dan ad Aen.* I. 233) mihi ob oculos caliginem opstitisse Mɪ 405 nunc demum(*AB²D²* dem *CD¹* idem *B¹*) scio me fuisse excordem Mɪ 543 nunc demum a me insipienter factum esse arbitror Mɪ 561 nunc demum ego cum illa fabulabor libere Poe 1159 nunc tu sapis de- mum(*add R lac P*) Ps 240 nunc demum mihı (*P* n. m. d. *AU*) animus in tuto locost Ps 1052 nunc demum istuc dicis, quoniam . . Rᴜ 1122

2. tum demum: tum demum sciam recte monuisse, si . . Mᴇɴ 346 si id facies, tum demum scibis tibi qui bonus sit Mɪ 1365 magis hoc tum demum dices: nunc etiam ru- dest Poe 189 tum tu igitur demum* adu- lescenti aurum dabis . . Tʀɪ 781

3. igitur demum: igitur demum magis(*AcRgl* magis modum *PĦ†* magis demum *L aliter ULy*) maiorem in sese concipiet metum Aᴍ 301 igitur demum omnes scient quae facta Aᴍ 473 post igitur demum faciam res fiat palam Aᴍ 876 demum igitur, quom seis iam senex, tum in otium te conloces Mᴇʀ 552 miserumst opus igitur demum fodere puteum, ubi sitis fauces tenet Mo 380(*B solus*) iam ubi liber ero, igitur demum istruam agrum Rᴜ 930

4. post demum: Aᴍ 876(*supra* 3) poste demum huc cras adducam ad lenam As 915

5. *absolute* = denique: damnatus demum(de otium *CD¹*) ui coactus reddidit Bᴀ 271

hoc, hoc est quod cor peracescit, hoc est de- mum quod percrucior Bᴀ 1099 ille demum antiquis est adulescens moribus Cᴀᴘ 105 illic ibi demumst(-nst *E*) locus ubi labore lassitu- dost exigunda ex corpore Cᴀᴘ 1000 seruata res est demum, si illam uidero Mᴇʀ 909 non curo . . . nam id demum lepidumst triparcos homines . . bene admordere Pᴇʀ 266 ibi esse homines uoluptarios dicit: potesse ibi demum (*Rs* eum *Pψ*) fieri diuitem Rᴜ 55 Tʀᴜ 885 (*Rs falso*)

6. = etiam: latius demumst(-nst *B*) operae pretium iuisse Mo 842 de thensauris integris demus* danunt(*P* demum occerunt *A*) Tʀᴜ 245 *negat* Langen

DEMUTO - - I. Forma demutat Mᴇɴ 871 (-as *U*) demutant Tʀɪ 73(*v. secl Rω*) de- mutabo Ps 655, 566 demutauit Tʀɪ 1111 demutassis Vɪ 91 demutassit Sᴛ 725(*fut. perf.*) demutare Mɪ 1130 demutanda Mɪ 1291

II. Significatio 1. *absolute:* numquid uide- tur demutare? Mɪ 1130 non demutabo Ps 555, 566 uter demutassit, poculo multabitur Sᴛ 725

2. *cum acc. vel pass.:* neque demutauit ani- mum de firma fide Tʀɪ 1111 imperium tuom (tu deum *U*) demutat* atque edictum Apolli- nis Mᴇɴ 871 si demutant mores ingenium tuom . . Tʀɪ 73(*v. secl Rω*) oratio alio mihi demutandast mea Mɪ 1291 quam ad reddi-

turum te mihi dices diem caue demutassis
Vɪ 91

DENARIUM · · Rᴜ 1314, denaria *Non* 151
pro minaria(*L in loco dub*)

DENARRO · · . . ni ego ero maiori uostra
facta **denarrauero** Tʀᴜ 308

DENASO · · si adbites propius, os **denasabit** tibi mordicus Cᴀᴘ 604

DENEGO · · I. Forma denegat Aᴍ 850
denegant Mᴇɴ 580 **denegabit** Pᴏᴇ 736(-auit*C*)
denegem Tʀɪ 1171 **denegarit** Sᴛ 558(*Ac* -uit
P) **denegare** Cᴜ 350(dena. *B*) **denegandum**
Tʀᴜ 8

II. Significatio 1. *absolute:* uocat me ad
cenam: religio fuit, denegare* nolui Cᴜ 350
extemplo denegabit*. #Iuratus quidem Pᴏᴇ
736 ad denegandum ut celeri lingua utamini
Tʀᴜ 8

2. *cum dat.:* metuo si tibi denegem quod
me oras, ne . . Tʀɪ 1171

3. *cum infin.:* . . denegarit* dare se granum tritici Sᴛ 558

is si denegat facta, quae tu facta dicis . .
Aᴍ 850   datum denegant quod datumst Mᴇɴ
580

DENI · · ego ecfodiam in die **denos** scrobes Aᴜ *fr* III(*ex Non* 225)   **denis** hastis corpus transfigi solet Mo 358   *Cf* E g l i, I. p. 9

DENIQUE · · denique ut uoluimus, nostra
superat manus Aᴍ 235   denique Alcumenam
Iuppiter rediget antiquam coniugi in concordiam Aᴍ 474   pernegabo atque obdurabo,
periurabo denique(-ę *J*) As 322   quid denique
agitis? Bᴀ 294, Tʀᴜ 401   tum denique homines
nostra intellegimus bona, quom . . Cᴀᴘ 142
quid fit denique edisserta Cᴀs 915   tibi denique iste pariet laetitiam labos Mᴇʀ 72   instare factum simia atque hoc denique respondet Mᴇʀ 242   aliquam mihi partem hodie
operae des denique Mɪ 1030   ut quisque rem
accurat suam sic ei procedit post principio
denique Pᴇʀ 452   denique diei tempus non
uides? . . iam dudum ebriust Tʀɪ 810   lubet
experiri quo euasurust denique Tʀɪ 938   Mo
816, denique *B² pro* benigne

DENIXE · · ego istum agrum tibi relinqui
. . denixe(*BergkRRs* enixe *ADψ*) expeto Tʀɪ 652

DENS · · I. Forma dentes Aᴍ 295, Mᴇɴ
1116, Mᴇʀ 541, 542(demes *B*), Mɪ 34, Pᴏᴇ 1315
(-ens *B*), Tʀᴜ 943(*CDLLy* -tis *Bψ*) **dentibus**
Cᴀᴘ 79(*v. secl Rs*)   **dentes** Cᴀᴘ 486(-is *RsU*),
Cᴜ 318(*pro nom. habet U*), Pᴏᴇ 382, Ps 787(-is
RRgU), Tʀɪ 909(-is *U*), 925(-is *U*), Fʀ II. 40
(*ex Non* 447)   **dentibus** Cᴀᴘ 187, 913, Cᴜ 322,
Eᴘ 429, Rᴜ 536, Tʀᴜ 224, 601, Fʀ I. 20(*ex Macr*
III. 16, 1)

II. Significatio 1. *nom. vel acc. subi.:*
tunc dentes mihi cadebant primulum Mᴇɴ 1116
. . ne dentes dentiant Mɪ 34(*cf Varr l L* VI. 83)
hau sane diust quom dentes exciderunt. #Quid,
dentes*? Mᴇʀ 541—2   perii, dentes pruriunt
Aᴍ 295   num tibi . . malae aut dentes* pruriunt? Pᴏᴇ 1315   *Cf* E g l i, I. p. 18; G r a u p -
n e r, p. 4; I n o w r a c l a w e r, p. 22
. . quoi sunt dentes ferrei Tʀᴜ 943(*loc dub*)

2. *dat.:* simul prolatae res sunt nostris dentibus Cᴀᴘ 79(*v. secl Rs*)

3. *acc.:* comprimere dentes uideor posse aliquo modo Ps 787   ego illi mastigiae exturbo
oculos atque dentes Pᴏᴇ 382   . . dentes ut
restringerent Cᴀᴘ 486

nec machaera audes dentes frendere Fʀ II. 40
(*ex Non* 447)

gramarum habeo dentes plenos(,dentes flent
U) Cᴜ 318

non placet qui amicos intra dentes conclusos
habet Tʀɪ 909   satin inter labra atque dentes
latuit uir minumi preti? Tʀɪ 925

4. *abl.:* clare crepito dentibus Rᴜ 536   ita
frendebat dentibus Cᴀᴘ 913   dentibus frendit,
icit femur Tʀᴜ 601   quoius ego latus in latebras reddam meis dentibus et manibus Fʀ I. 20
(*ex Macr* III. 16, 1)

illis conuentis sane opus est meis dentibus
Cᴜ 322

me albis dentibus meus derideret filius meritissumo Eᴘ 429   bonis esse oportet dentibus
lenam probam Tʀᴜ 224

cum calceatis dentibus ueniam tamen Cᴀᴘ
187(*cf* G r a u p n e r, p. 12)

5. *adiectiva, sim.:* boni Tʀᴜ 224   calceati
Cᴀᴘ 187   albi Eᴘ 429   ferrei Tʀᴜ 943   pleni
Cᴜ 318

DENSUS · · quid uolt(† *L*) **densum**, ciccum non interduo Fʀ II. 2(*ex Varr l L* VII. 91)

DENTATUS · · non ego te ad illum duco
dentatum uirum Macedoniensem Ps 1040

DENTIFRANGIBULUS · · uale, **denti-
frangibule** Bᴀ 605   ita **dentifrangibula** haec
meis manibus gestiunt Bᴀ 596   *Cf* E g l i, I.
p. 32

DENTILEGUS · · **dentilegos**(*F* -cos *P*)
omnes mortales faciam Cᴀᴘ 798   *Cf* E g l i, I.
p. 32

DENTIO · · auribus perhaurienda sunt, ne
dentes **dentiant** Mɪ 34(*cf* G r a u p n e r, p. 4)

DENUMERO · · I. Forma denumerantur
Eᴘ 468(den. *vel* din. *A* din. *Rg¹U* -entur *J*)
denumeraui Eᴘ 353(*LLy* din. *P v. secl RRgℰU*),
367(din. *JRg¹U*), Rᴜ 1406(din. *FlRs*) **denumerauero** Mᴏ 921   **denumerauerit** Eᴘ 71(*L* din.
Pψ an subiu.?)   **denumerem** Mɪ 74(*PLLy* et
Non din. *ψ ex B²D³*, *Placido* -ent *C* -enm *D¹*)
denumerato Mᴏ 921   **denumerare** As 453

II. Significatio *cum acc. rei et dat. personae:* istuc argentum . . mihi si uis denumerare, repromittam . . As 453   . . quam id argentum quod debetur pro illa denumerauerit*
Eᴘ 71   ego resolui, manibus his denumeraui*
Eᴘ 353(*v. secl RRgℰU*)   ego . . nudiustertius
meis manibus denumeraui* Eᴘ 367   si sexaginta mihi denumerantur* minae Eᴘ 468   . . ut
. . ibus denumerem* stipendium Mɪ 74(*cf Non*
486, *Plac* 57, 21)   uel mihi denumerato: pop
illi porro denumeraueo Mᴏ 921   mille nummum
denumeraui* Rᴜ 1406

DENUNTIO · · Mɪ 1142, denunciauit *B pro*
deruncinauit Tʀɪ 56, denuntias *D pro* nuntias

DENUO · · 1. = de integro: illic homo me
interpolabit, meumque os finget denuo(denuoo
E) Aᴍ 317   aedificantur aedes totae denuo
Mᴏ 117

2. = iterum: lubet etiam mihi has perlegere
denuo Bᴀ 923   minus si tenetis, denuo uolo

percipiatis plane Mɪ 876 diui me faciant quod
uolunt, ni .. te liberasso denuo Mo 223 iam
ego tibi, si me inritassis, Persam adducam
denuo Pᴇʀ 828 lepidam Venerem ... O lepidam Venerem denuo Poᴇ 850 'parum' clamitant me ut reuortar. occepi denuo hoc modo
Ps 1277 si parum intellexti, dicam denuo Rᴜ
1103 .. quom dederit, dare iam lubeat denuo
Tʀᴜ 234

3. = rursus, *saepe vel pleonastice:* illic homo
hoc denuo(de umero *L*) uolt pallium detexere
Aᴍ 294 Amphitruonis ego sum seruos Sosia.
#Etiam denuo (*sc hoc dicis*)? Aᴍ 394 .. ut
redire liceat ad parentis denuo Cᴀᴘ 411 nunc
intellego redauspicandum esse in catenas denuo
Cᴀᴘ 767 Diphilus hanc graece scripsit, postid
rursum denuo latine Plautus Cᴀs 33 ecce,
Apollo, denuo me iubes facere inpetum in eum
Mᴇɴ 868 reuortor rursus denuo Carthaginem
Poᴇ 79 reuorsionem ut ad me faceret denuo
Tʀᴜ 396

4. *idem fere quod Graece* αὖ: eundem ex confidente (facis) actutum diffidentem denuo Mᴇʀ
856 ego stultior qui isti credam: commoratur. chlamydem sumam denuo Mᴇʀ 921 fiet
tibi puniceum corium, postea atrum denuo Rᴜ
1000 aperi, deprome inde auri ..: continuo
operito denuo Tʀɪ 804

DEORSUM - - deuolant angues iubati **deorsum** in inpluuium duo Aᴍ 1108 si autem
deorsum comedent .. superi incenati sunt Aᴜ
367 ego me deorsum duco de arbore Aᴜ 708
si ad saxum .. ea deorsum cadit .. Rᴜ 178,
Cᴀs 407, deorsum *U pro* rursum(*loc dub*)

DEOSCULOR - - ut ego hodie Casinam
deosculabor Cᴀs 467 sine tuos ocellos **deosculer**(deobsculer *J*) Cᴀs 136 ob istanc rem
quin te **deosculer**(deobs. *J*) uoluptas mea.
#Quid **deosculere**(*Meurs* deosculer *BVERsU*
deobs. *J*)? Cᴀs 453—4

DEPECULATUS - - me inpune irrisum esse,
habitum **depeculatui**(*Bue* -tum *PU*) Eᴘ 520
(*v. om A secl* ω)

DEPELLO - - nec tuis **depellar**(*A* -or *P*)
dictis quin rumori seruiam Tʀɪ 640

DEPENDEO - - nec **dependes**(*Ang* -is *P*)
nec propendes quin .. As 305

DEPENDO - - nempe quas (minas) spopondi. #Immo 'quas **dependi**' inquito(*A* despondi *C.G.Mue et RRs* dependit inquit *P*[-id
B]) Tʀɪ 427(*cf* Romeijn, p. 105) As 305,
dependis *P pro* dependes(*Ang*)

DEPEREO - - I. Forma deperis As 527,
Cᴀs 107 **deperit** Aᴍ 517, Bᴀ 470, Cᴀs 470, Cɪ
131, 132(*A* perdita est *PULy*), 191, Cᴜ 46, Eᴘ
65(†𝔖), 219, 242, 299, Mᴇʀ *Arg* II. 4, 532, Mɪ
999(-rii *B*), Poᴇ 103(*FZ* peperit *P*), Ps 528
deperibat Eᴘ 482, Mɪ *Arg* II. 1, Ps *Arg* II. 2
depereat Mɪ 1026(-ant *B*) **deperire** Mɪ 796
(perire *B*), 932

II. Significatio 1. *absolute:* liberabit ille
te homo: ita edepol deperit (te *add CaU*)
Mᴇʀ 532

2. *cum acc.:* pater aduolat .. uisam ancillam (illam *add RRg*) deperit Mᴇʀ *Arg* II. 4
hic ipsus Casinam deperit Cᴀs 470. hanc ..
filius meus deperibat fidicinam Eᴘ 482 meretricem indigne deperit Bᴀ 470 meretricem ingenuam deperibat mutuo Atheniensis iuuenis
Mɪ *Arg* II. 1 Calidorus iuuenis (meretricem ..
in lac add Rω) ecflictim deperibat Ps *Arg* II. 2
.. ut simulet .. se .. deperire* hunc militem
Mɪ 796 mulierem alius illam adulescens deperit Eᴘ 299 is amore misere hanc deperit
mulierculam Cɪ 131 contra amore eum haec
deperit* Cɪ 132

ea me deperit Cᴜ 46 satin haec quoque
me deperit* Mɪ 999 hic te ecflictim deperit
Aᴍ 517 Mᴇʀ 532(*U supra* 1) .. quasi hunc
depereat* Mɪ 1026 is amore proiecticiam
illam deperit Cɪ 191 praedicabo .. eam illum
deperire Mɪ 932 miles .. qui illam deperit*
Poᴇ 103 amatne istam ..? #Deperit Eᴘ 65
(*loc dub*) .. istam ducam quam tu deperis
Cᴀs 107 cum illa quam tuos gnatus annos
multos deamat, deperit Eᴘ 219 illam sunt
conspicatae, quam tuos gnatus deperit Eᴘ 242
tibicinam illam tuos quam gnatus deperit
Ps 528

illos qui dant, eos derides: qui deludunt,
deperis As 527

3. *adverbia:* ecflictim Aᴍ 517, Ps *Arg* II. 2
indigne Bᴀ 470 misere Cɪ 131 *abl.:* amore,
Cɪ 131, 132, 191

DEPINGO - - formam quidem hercle uerbis
depinxti(*AB* -xisti *CD*) probe Poᴇ 1114

DEPLORABUNDUS - - homo ad praetorem
deplorabundus uenit(*Non* 509 *et Ly* plor. deu.
Pψ) Aᴜ 317

DEPONO - - I. Forma deponit Cᴜ 360
deposiui Cᴜ 536(*B* -ui *VEJ*) **deposiuit** Mo
382(*Ca* -uit *P*) **deposiuimus** Bᴀ 306(*Ac* -ui-
mus *P*) **deponat** Aᴜ 575

II. Significatio 1. caput deponit, condormiscit Cᴜ 360 hic deposiuit* caput et dormit
Mo 382

2. nos apud Theotimum omne aurum deposiuimus* Bᴀ 306 triginta minas, quas ego
apud te deposiui* Cᴜ 536

3. ut me deponat uino, eam adfectat uiam
Aᴜ 575

DEPORTO - - I. Forma deportat Mɪ *Arg*
II. 4(-tat Ephesum: -tata pessum *B¹*) **deportem** Sᴛ 297 **deportere** Ps 214 **deportatum**
(*nom. neut.*) Ps 213 **deportari** As 524, Vɪ 109
(*ex Fulg de abst serm* XXII & XXIV)

II. Significatio quid dedit? quid deportari iussit ad nos(a. n. i. d. *L*)? As 524 (eam)
deportat* .. inuitam Mɪ *Arg* II. 4 si mihi non
.. oleum deportatum erit te ipsam .. faciam
ut deportere in pergulam Ps 213—4 nunc
ultro id deportem? hau placet Sᴛ 297 iuben
hunc insui culleo atque in altum deportari?
Vɪ 109(*ex Fulg: loc dub*)

DEPOSCO - - uxorem auari gnatam **deposcit** sibi Aᴜ *Arg* I. 7

DEPRECATIO - - neque **deprecatio**(*B* precatio *VEJ*) perfidiis meis nec malefactis fugast Cᴀᴘ 522

DEPRECOR - - si uoltis **deprecari** huic
seni ne uapulet, remur impetrari posse As 946
te .. nihil moror mihi deprecari(*Bo* deprae *BJ*
depre *E* depraecari *A ut vid*) Eᴘ 687

DEPREHENDO - - uir eius me **deprehendat** (*LoewLULy* est metuendus *R* med ut prehendat *Rg* metuendus est *B* metuere hendast *CDS*† me . . . dat *A*) Mɪ 1276 dolis(doli *AcRRg*) ego **deprensus**(*BD* deprehensus *C* prensus *ALU* in d. e. p. *L*) sum Bᴀ 950(*cf* Blomquist, p. 103) eam domi **deprehensam**(deprensam *RRgLy*) coniunx . . scortum insimulat Mᴇʀ *Arg* II. 11 Aᴜ 749, deprensi *WagnerU pro* prehensi(*Ca* prensi *P*)   Mo 1051, deprensum *U pro* uenire

DEPRIMO - - simul haec quae porto **deprimunt** Mᴇʀ 675   suas paelices esse aiunt: eunt **depressum** Cɪ 37(depssum *E*) *corruptum:* Aᴜ 312, depresserat *J* depsserat *V pro* dempserat

DEPROCUL - - Pᴇʀ 467 aspice deprocul *P pro* apscede procul

DEPROMO - - I. Forma **depromuntur** Cᴜ 251   **depromar**(*fut.*) Aᴍ 156   **deprompsit** Mɪ 824(*LambRRg* prompsit *PiusS* dormisit *B* domi sitam *CD* dum misit *UL*†*Ly*)   **depromerem** Tʀᴜ 646   **deprome** Cᴜ 255, Tʀɪ 803   **depromi** Tʀɪ 756   **depromptum**(*sup.*) Tʀɪ 944
II. Significatio A. *proprie praecipue de cibo, sim.:* depromuntur mihi quae opus sunt Cᴜ 251   abi, deprome Cᴜ 255   deprompsit* nardini amphoram cellarius Mɪ 824   Iouem isse ad uillam aiebant seruis depromptum cibum Tʀɪ 944   . . ut bubus glandem prandio depromerem Tʀᴜ 646
quo pacto . . clam dos depromi potest? Tʀɪ 756   aperi, deprome inde auri . . quod sat est Tʀɪ 803
B. *translate:* cras quasi e promptaria cella depromar ad flagrum Aᴍ 156

DEPROPERO - - prius quam Venus expergiscatur, prius **deproperant** sedulo sacruficare Pᴏᴇ 321   propere . . intro ite et cito **deproperate**(properate *A* -orate *E*) Cᴀs 745

DEPUGNO - - I. Forma **depugno** Sᴛ 627   **depugnat** Tʀɪ 305   **depugnabimus** Cᴀs 352 (*B²J* -uimus *B¹VE*)   **depugnarier** Cᴀs 344 (rep. *Philarg*)   **depugnato**(*abl. neut.*) Mᴇɴ 989
II. Significatio necessumst uorsis gladiis depugnarier* Cᴀs 344(*cf Philargyrius ad Aen* III. 222) nunc nos conlatis signis depugnabimus* Cᴀs 352   metuo ne sero ueniam depugnato proelio Mᴇɴ 989 quicumuis depugno multo facilius quam cum fame Sᴛ 627   homo cum animo inde ab ineunte aetate depugnat suo Tʀɪ 305   *Cf* Inowraclawer, p. 90

DEPULSO - - cubitis **depulsa** de uia Sᴛ 286

DEPURGO - - alii piscis **depurgate**, quos piscator attulit Sᴛ 359

DEPUTO - - uide si hoc utibile magis atque in rem **deputas** Tʀɪ 748 nec quisquam sit quin me malo omnes esse dignum **deputent** Aᴍ 158 pudicum neminem **deputare**(*RRsU* ***re *CDSLy* pre *B* pax, referre *L*) oportet qui . . Tʀɪ 947

DERECTE - - Tʀɪ 457, derecte *P pro* dierecte(*A*)   Mᴇɴ 442, derectum *B¹ pro* dierectum

DERELINQUO - - me quasi pro **derelicta** (*BD* delicta *C* relicta *U*) sis habiturus Tʀᴜ 867

DEREPENTE - - ei derepente tantus morbus incidit Mᴇɴ 874   ille exclamat derepente maximum Mo 488

DERIDEO - - I. Forma **derideo** Aᴜ 223 (-ero *J*)   **derides** Aᴍ 963, As 527(*Ca* dederis *P*), Bᴀ 1010, Cᴜ 18, 392, Mᴇɴ 499, 746, Mᴇʀ 909(*FZ* -is *P*), Ps 1310(*PU om Aψ*)   **deridebo** Ps 1059   **deridebitis** Eᴘ 262   **derideat** Bᴀ 506(*P* deluderet *A* deluserit *RU*), 864   **derideret** Eᴘ 430(*B* -det *B* -dere *J*)   **deriserit** Cᴜ 556(*an indic.*?)   **derideto** Mᴇɴ 629   **deridere** Bᴀ 1126   **derideri** Aᴜ 205   **derisum**(*acc. masc.*) Mo *Arg* 10   (*sup.*) Aᴜ 223, Tʀɪ 448   *corrupta:* Mᴇɴ 1010, derideres(derires *B*) te cuius *P pro* perirest aequius Tʀᴜ 517, deristi *P pro* peperisti(*Z*)
II. Significatio 1. *absolute:* derides qui scis haec dudum me dixisse per iocum Aᴍ 963   pol haud derides Bᴀ 1010   age dic. ᵃAt deridebitis Eᴘ 262   etiam derides, quasi nomen non gnoueris? Mᴇɴ 499   deos orato . . ᵃDerides*? Mᴇʀ 909   derides*. pessumu's homo Ps 1310(*PU*)
2. *cum acc.:* deridesne me? Cᴜ 18, 392 . . si hic me hodie umbraticus deriserit Cᴜ 556 . . me albis dentibus meus derideret* filius Eᴘ 430   ante aedis cum corona me derideto (*B²* coronam ederi[deri *B¹*] deto *P*) ebrius Mᴇɴ 629   si me derides, at pol illum non potes Mᴇɴ 746   ut uidentur deridere nos Bᴀ 1126   neque edepol ego te derisum uenio neque derideo* Aᴜ 223   neque te derisum aduenio neque dignum puto Tʀɪ 448   sese a me derideri rebitur Aᴜ 205   post se derisum dolet Mo *Arg* 10   illos qui dant, eos derides* As 527   ego faxo hau dicet nactam quem derideat* Bᴀ 506   faxo se haud dicat nactam quem derideat Bᴀ 864   deridebo hercle hominem, si conuenero Ps 1059

DERIDICULUM - - quid tu me **deridiculi** (-duculi *J*) gratia sic salutas? Aᴍ 682   is **deridiculost**(*Ac* -lust *B* -dicust *C* derisuist *D¹* -ui est *D³*) quaqua incedit omnibus Mɪ 92   mihi illum uerba per **deridiculum**(*AB* dericulum *CD*) dare Ps 1058

DERIPIO - - I. Forma **deripit** Mᴇɴ 870   **deripiam** Rᴜ 784   **deripuit** Aᴜ 316(*GulRg* eripuit *Dψ* eripui *J* ripuit *B*), Rᴜ 673(ui d. *B* uideri potuit *CD*), Fʀ III. 3(*Bo ex Non* 220 dir. *NonRs* = Cᴀᴘ *fr*)   **deripiamus** Aᴜ 748(dir. *P* disr. *Non* 210)   **deripere** Rᴜ 649(dir. *D*), 840   **deripier** Mᴇɴ 1006(deru. *R* dera. *B²*) *corrupta:* Cɪ 209, deripior *BVE pro* diripior(*J*)   Mᴇʀ 840, qui deripiatur *P pro* que id eripiatur(*Sciop*)
II. Significatio 1. *cum acc.:* erum meum hic in pacato oppido luci deripier* in uia Mᴇɴ 1006   homo audacissumus eas deripere* uolt Rᴜ 649   pilleum quem habuit deripuit* Fʀ III. 3(*ex Non* 220)
2. *add. dat. incomm.:* pulmentum pridem ei deripuit* miluos Aᴜ 316(*GulRg*)   luci claro deripiamus* aurum matronis palam Aᴜ 748
3. *add. praep.:* meas . . de ara capillo iam deripiam Rᴜ 784   meamne ille amicam leno ui, uiolentia de ara deripere Veneris uoluit? Rᴜ 840   quis hic est qui me capillo hinc de

curru deripit? Men 870   nosque ab signo intumo ui deripuit* sua Ru 673

DERISOR - - scio absurde dictum hoc **derisores** dicere Cap 71

DERISUS - - Mi 92, derisuiest(*D*[1] -sui est *D*³) *D pro* deridiculost

DERIVO - - hoc adsimilest quasi de fluuio qui aquam **deriuat** sibi: nisi **deriuetur**(di. *CD*) tamen omnis .. abeat in mare Tru 563—4

DEROGITO - - As 326, que derogita *P pro* quid rogita(*Ca et Bo*)

DERUNCINO - - ut lepide **deruncinauit** (*CD* denunciauit *B*) militem Mi 1142   tum ego **deruncinatus**(*T fortasse Non* 95 erumnatus *BVE* erumpnatus *D*), deartuatus sum miser Cap 641 (*v. secl U*) Cf Egli, I. p. 33; III. p. 29; Graupner, p. 15; Inowraclawer, p. 68; Ramsay *ad Most* p. 273

DESCENDO - - asta, ut **descendam** nunciam in procliui As 710   neque quom **descendat**(-et *D*) inde, det quoiquam manum As 777 *corrupta:* Mi 1150, descendere *P pro* esc.(*A*); 1395, descendite *B* discindite *CDω*

DESCRIBO - - bonus bene ut malos **descripsit**(*FZ* descipsit *CD* decepsit *B*) mores Mi 763   non potuit pictor rectius **describere** eius formam As 402

DESERO - - I. **Forma deseris** Ep 97(desideris *J*) **deserit** As 874, Ep 165 b(*v. om E*), Men 756   **deserunt** Am 1040, Cu 548, Men 107, Mer 123, Ps 381, 600(*v. secl ω*)   **deseram** Ps 103, 267(*A* destram *B* dextram *CD*)   **deseret** Mo 196   **deseruit** Mo 202, 737   **deseruerunt** Mo 145   **deseram** Am 888   **deseras** Ba 1014, Cap 436(*B*² desideras *P*), Mi 1363, Tri 701(*Ca* -es *PLLy*)   **deserat** Ci 568, Ps 1027   **deserere** Ru 92, Tri 344   **deseruisse** Cap 405   **desertos** Fr I. 5(desertos gero *Non* 196 infractos fero *Paul* 61 *Ŝ* gero *RgL*) *corrupta:* Au 312, deserat *Non* 151 *pro* dempserat Ba 468, deseruit *C pro* di sirint   Mer 613, deserint *CD* desierint *B pro* di sirint St 241, desertum *CD pro* disertim(*A? B Non* 509)

II. **Significatio** A. *proprie* 1. *absolute:* cari qui instruontur (*quasi milites*) deserunt Men 107(*cf* Graupner, p. 19)

2. *cum acc. personae:* ne me, in stultitia si deliqui, deseras Ba 1014   ne me deseras Mi 1363 .. qui pol me .. reliquit deseruitque me Mo 202   omnes ita me atque homines deserunt Ps 381, 600(*nisi om* me: *v. secl Reizω*)   hunc comparem metuo meum ne deserat med Ps 1027   dicito .. neque med umquam deseruisse te Cap 405   te ille deseret aetate et satietate Mo 196   ego te amantem, ne paue, non deseram Ps 103   obsecrans, ne deserat se Ci 568 non edepol faciam .. quin ego illum aut deseram aut .. Am 888   deserere illum et deiuuare in rebus aduorsis pudet Tri 344   pars lenonum libertos qui habent et eos deserunt Cu 548   quid ego faciam quem aduocati iam atque amici deserunt? Am 1040   *similiter:* ne tu me ignores .., pignus deseras* Cap 436

3. *cum acc. rei:* fundum alienum arat, incultum familiarem deserit As 874   profugus patriam deseras* Tri 701   potius rem diuinam deseram* Ps 267

similiter: ita nunc uentus nauem nostram deseruit Mo 737

B. *translate* 1. *absolute:* pernicitas deserit Men 756   nunc simul res, fides, fama, uirtus, decus deseruerunt Mo 145

2. *cum acc.:* tu tete deseris* Ep 97   ibi eos deserit pudor Ep 166 b(*v. om E*)   genua hunc cursorem deserunt Mer 123   mea desidia spem deserere nolui Ru 92

3. *dubium:* lupus ab armis ualeo, clunes desertos gero Fr I. 5(*Non* 196 c. infractos fero *Paul* 61 *vid edd*)

DESICCO - - uasa nolo auferant, **desiccari** iube Tru 585

DESIDEO - - quid tu intus, quaeso, **desedisti**(tam diu? *AcU* quam diu? *LLy*) Ps 1044 meus formidat animus, nostrum tam diu ibi **desidere** neque redire filium Ba 238

DESIDERO - - I. **Forma desidero** Cap 145, Cas 423, Mer 148, St 514   **desiderat** Ba 208, Cap 316   **desiderem** Am 662   **desideres** Ba 914, Tri 914   **desideret** Mi 1244   *corrupta:* Ep 97, desideris *J pro* deseris   Cap 436, desideras *P pro* deseras(*B*²)

II. **Significatio** 1. *absolute:* misera amans desiderat Ba 208   si non est, nolis esse neque desideres Ba 914   expertus quanti fuerit nunc desidero Cap 145   sine ultro ueniat, quaeritet, desideret, exspectet Mi 1244

2. *cum acc.:* id se uolt experiri, suom abitum ut desiderem Am 662   quam tu filium tuom, tam pater me meus desiderat Cap 316 quod in manu teneas .., id desideres Tri 914

3. *cum infin.:* praesente hoc plura uerba fieri non desidero Cas 423   bonum .. mihi dari haud desidero Mer 148   me gratiam abs te inire uerbis nihil desidero St 514   *Cf* Votsch, p. 29

DESIDIA - - I. **Forma desidia** Mer 29 (*D*³*RRgLLy* residia *PŜ*† *aliter AcU*)   **desidiae** (*dat.*) Ba 1083(-iȩ *C*), Mer 62(-ie *D* insidiae *B*)   **desidiam** Tri 650(deis. *B*)   **desidia** Ru 92, Tri 647

II. **Significatio** inhaeret etiam auiditas, desidia*, iniuria(recti incuria *AcU*), inopia Mer 29   nimis nolo desidiae ei(†*Ŝ*) dare ludum Ba 1083(*cf R*)   non .. amori neque desidiae* in otio operam dedisse Mer 62   corde expelle desidiam* tuo Tri 650   mea desidia spem deserere nolui Ru 92   tu fecisti ut difficilis foret, culpa maxume et desidia .. Tri 647

DESIDIABULUM - - ut celem patrem .. tua flagitia aut damna aut **desidiabula**(-ola *D* dispoliabula *Non* 75)? Ba 376

DESIDIOSUS - - Men 453, desidiosos *Rs pro* otiosos   Ps 149, desidioso *LoeweU pro* neglegentes *in loco dubio*

DESIGNO - - Mo 413, designata *ZRL pro* diss.   Mo 1113, designaueris *R duce Ac in loco dubio*

DESIGNATOR - - Poe 19, designator *C pro* diss.

DESILIO - - desiluit haec autem altera in terram e scapha Ru 173   de naui timidae **desuluerunt**(desi. *U*) in scapham Ru 75

DESINO - - I. **Forma desinebat** Ba 439 **desines** Men 122   **desinam** Ba 100(*an fut.?*)

desinat Au 523, Ps 307   **desine** Men 405(*PRU*
desiste *Flψ*), Mo 1113(*Rs vide infra* II. 1), Ps
1320, Ru 681   **desitum** Mo 958   *corrupta:*
Mer 323, desiuerint *BD pro* di siuerint; 613,
desierint *B pro* di sirint   Per 289, desinit *A
pro* desint Ru 817, desinent *P pro* sinent
  II. Significatio 1. *absolute:* desine aut abi
Mo 1113(*Rs* destinant tibi *PSt* desistam tibi
L aliter RU)   heu, heu! #Desine. #Doleo Ps
1320   ah, desine Ru 681
  2. *cum infin.:* prius hic adero quam te
amare desinam Ba 100   quando nihil sit, simul amare desinat Ps 307   iam, . desine*
ludos facere Men 405   .. ni metuam ne desinat memorare mores mulierum Au 523   uirum
obseruare desines Men 122   magistro desinebat esse dicto oboediens Ba 439   *Cf* Walder,
p. 20
  numquam hic triduom unum desitumst(*B
-um est ALULy -ŭ esse CD*) potarier Mo 958
  DESIPIO - - desipiebam mentis, quom illa
scripta mittebam tibi Ep 138
  DESISTO - - I. Forma **desistam** Men 245,
Mo 1113(*L* destinant *PSt var em ψ*), Ru 228
destiti Ci 582(*Rs* dedisti *P*)   **destitisti** Mo
787(res. *LambR*)   **destitit** Men 777, 810(*Dou*
destituis *B* dedistitus *CD¹* dedisti tuis *D³*)
desistas Ba 1171   **destiteris** Tri 1012   **desiste** Ep 40, Men 405(*Fl* desine *PRU*), Ps 496,
Ru 682   **desisti** Mi 737
  II. Significatio A. *proprie:* quid ille autem abs te iratus destitit? Men 777   quid
illa autem irata abs te destitit*? Men 810
quid illic, opsecro, tam diu destitisti*? Mo
787   numquam edepol hodie hinc si uiuo inuitus desistam* tibi Mo 1113(*L quem vide*)
  B. *translate* = desinere. 1. desiste: recte
ego meam rem sapio Ps 496
  2. *cum abl.:* nunc istis rebus desisti decet
Mi 737
  3. *cum infin.:* desiste dictis nunciam miseram me consolari Ru 682   ne destiteris currere
Tri 1012   desiste* ludos facere Men 405
aliter uiuos numquam desistam exsequi Men
245   non hercle hoc longe destiti* instare
Ci 582   .. ut .. desistas .. ire oppugnatum Ba 1171   desine percontarier Ep 40   *Cf*
Walder, p. 20
  4. *cum quin:* neque .. uiua umquam quin
inueniam desistam Ru 228
  DESPICOR - - pessumis me modis **despicatur** domi Cas 186(*A* me habet pessimis despicatam[despectam *J¹* -tu *U*] modis *PU*) uir
me habet pessumis **despicatam**(-tu *U*) modis
Cas 189(*v. om A*)
  DESPICATUS - - tu me bene merentem
tibi habes **despicatui** Men 693   *vide* Cas 186,
189, ubi despicatu(*dat.*) *U pro* despicatam
  DESPICIO - - forte fortuna per inpluuium
huc **despexi**(-it *B ante ras*) in proxumum Mi
287   hoc age, ad terram aspice et **despice**
(di. *J*) Ci 693   et me **despexe** ad te(*A* despexi atte *P*[atte *om B*] despexisse *B²D³*) per
inpluuium tuom Mi 553   *corruptum:* Cas 186,
despectam *J¹ pro* despicatam
  DESPOLIATOR - - amor .. cuppes auarus
elegans **despoliator**(-lator *ALy*) Tri 240

DESPOLIO - - me **despoliat**, mea ornamenta clam ad meretrices degerit Men 804
ab illa quae digitos despoliat suos Mi 1048
uir te uestiat, tu uirum **despolies**(spolies *SpU*)
Cas 822   uirgis dorsum **despoliet**(*BE²JLRg²*
dispoliet *VE¹ψ* depoliet *Palmer*) Ep 93   aliam
nunc mihi orationem **despoliato**(di. *J*) praedicas As 204
  DESPONDEO - - I. Forma **despondes**
Au 255   **despondebit** Mi 1053(-dit *B*), Ru
1269   **despondi** Au 271, Tri 427(*C.G.Mue
RRs* despendi *Aψ* dependit *P*)   **despondisti** Au 782(despodisti *J*)   **despondit** Ci
498(dep. *A* disp. *E*), 601(*J* disp. *BVE*), Men
35(di. *B²* disponit *B¹*), Tri 604   **desponderas** Tru 825(*Bo* dicis ponderas *P*)   **despondeam** Mer 614   **despondeas** Cu 671,
Poe 1156   **despondeat** Au 205, Mi 6   **de-
sponderit** Poe 1268(despen. *B*)   **desponde** Au
238, 241, Cu 663, Mer 614, Poe 1357   **desponderi** Au 173   **despondisse** Poe 1279, Tri
603(d.: em *R* despondissem *P*[-set *D¹*]), 1133
(dis. *Non* 306)   **desponsa**(*sing.*) Mi 1007(*B
-sata CD*)   **desponsam** Tri 1156(*B* -satam
CD Non 144)   *corruptum:* Ci *Arg* 7, despondit *P pro* spondet(*Par*)
  II. Significatio A. *proprie de filia in ma-
trim. collocanda:* 1. *absolute* noui: ne doceas.
desponde. #Fiat Au 241
  2. *cum acc. et dat.:* ubi mentionem ego fecero de filia, mihi ut despondeat .. Au 205
etiam mihi despondes filiam? #Illis legibus,
cum illa dote .. Au 255   filiam despondi ego
Au 271   Alcesimarcho filiam suam despondit*
in diuitias maxumas Ci 601   tuam mihi maiorem filiam despondeas Poe 1156   facito in
memoria habeas tuam maiorem filiam mihi te
despondisse Poe 1279   tuam .. mihi desponde
filiam Poe 1357   filiam meam tibi desponsam*
esse audio Tri 1156   .. Lesbonicum suam
sororem despondisse* ... #Quoi homini despondit? #Lysiteli . sine dote Tri 603—4   .. eum
sororem despondisse* suam in tam fortem
familiam, Lysiteli Tri 1133   eius cupio filiam
uirginem mihi desponderi Au 173   .. prius
quam te mihi despondet* Poe 1268   Diniarchus, quoi illam prius desponderas* Tru 825
eam desponde mihi Au 238   eam tu despondisti*, opinor, meo auonculo Au 782   censen hodie despondebit eam mihi? Ru 1269
tu istanc desponde huic, miles Cu 663   .. ut
mihi hanc despondeas Cu 671   mihi haec desponsast Mi 1007   illam uxorem duxero umquam mihi quam despondit* pater Ci 498
  B. *translate*(cf Egli, I. p. 28): 1. animum
despondit* Men 35   quaeso, hercle, animum
ne desponde. #Nullust quem despondeam Mer
614   .. ne (machaera) lamentetur neue animum despondeat Mi 6   iam illa animum despondebit* Mi 1053
  2. *immo* 'quas despondi*' inquito Tri 427
(*C.G.MueRRs*)
  DESPONSO - - Mi 1007, desponsata *CD pro*
desponsa Tri 1156, desponsatam *CD Non*
144 *pro* desponsam
  DESPUO - - teque obsecro hercle ut quae
locutu's **despuas** As 38

DESQUAMO - - Dromo, **desquama** pisces (desquam aspicis *BDJ*) Au 398

DESTIMULO - - animum fodicant, bona destimulant(*B¹Ly* di. *B²CDψ*) Ba 64

DESTINO - - I. **Forma destinas** Per 542 destinat Ep *Arg* 4, Mer *Arg* II. 13, Mo 646, Ru 45 **destinauit** Ep 487(d. fidicinam *A* fidicinam emit fidicinam *B¹ alt.* fid. *om B²* . . . fidicinam *EJ*) **destinare** Per 667 a **destinatam** Mo 974 b(*AꞨ*† -tum *P* -asse *RU*) *corruptum:* Mo 1113, inuitus destinant tibi *PꞨ*† *var em ψ*

II. **Significatio** (*cf* Langen, *Beitr.* p. 300 *et Ac ab eo citatus*): 1. *idem fere quod* emere, mercari: eo (argento) sororem destinat inprudens iuuenis Ep *Arg* 4 is ipse hanc destinauit* fidicinam Ep 487 quid, eas quanti destinat? #Talentis magnis Mo 646 ain minis triginta amicam destinatam* Philolachem? Mo 974 b etiam tu illam destinas? Per 542 (*fortasse* = designas?) di deaeque te agitent . . qui hanc non properes destinare? Per 667 minis triginta sibi puellam destinat Ru 45 *Cf* Blomquist, p. 94; Schaaff, p. 37
2. = in animo habere: mercator exspes patria fugere destinat Mer *Arg* II. 13

DESTITUO - - duo **destituit** signa hic cum clauis senex Ru 823 *corruptum:* Men 810 destituis *B* dedistitus *CD pro* destitit

DESTRINGO - - *vide* discingo

DESUBITO - - ego (desubito *add Rs*) apparebo domi Cap 457 iniquomst comico choragio conari desubito(d. neos *J* desubitontos *B¹D*) agere nos tragoediam Cap 62 quid si apud te eueniat(*Ca* ueniat *PU*) desubito prandium aut . . Ba 79 quamuis desubito facilest facere nequiter Mo 411 quamuis desubito (*FZ* quam uide subito *P*) uel cadus uorti potest St 721

DESUDASCO - - adulescens homo penetrem me huiusmodi in palaestram ubi damnis **desudascitur**(desuad. *C*)? Ba 66

DESULTURA - - ego istam insulturam et **desulturam** nihil moror Mi 280

DESUM - - me potius non amabo quam huic **desit** amor Tru 442(*v. secl Rs*) utinam uades **desint**(desinit *A*) in carcere ut sis Per 289 ibo intro, ne dum absum, alter sorti **defuat**(*L* multae sortitae fiat *AꞨ*†*Ly*† multi sortito[fortito *D*] fuā[fu *B²*]*PU*† illis sortitus fuat *RRg*) Mi 595 metuo mihi in monendo ne **defuerit**(metuo n. d. m. i. m. *L*) oratio(*PꞨ*†*LU* optio *BernaysR* memoria *Rg*). #Pol ego metuo lusciniolae ne defuerit cantio Ba 37—8(*cf* Schneider, p. 10) . . ut tibi ulmeam ni **deesse**(*L* uberem esse *CD* ubi rē ēē *B* ni metere *Rs*) speras uirgidemiam Ru 636

DETEGO - - **detegetur**(degitur *Non* 278 deagetur *Ly*) corium de tergo meo Ep 65(*loc dub*) haec uerecundiam mihi deturbauit . . **detexit**que a(de *FlR*) me ilico Mo 140 mihi . . modestiam omnem detexit tectus qua fui Mo 162 detexit uentus uillam Ru 85

DETERGEO - - mensam, quando edo, **detergeo** Men 78(*cf Fest* 258, *Mar Plot* 486) cesso caput pallio detergere? Cas 237

DETERIOR - - I. **Forma deterior** Ep 446, Tri 135 **deteriorem** Ba 1180, Mer 322, Tri 680 **deteriores**(*nom.*) Poe 39, Mer 838 **deterius**(*nom.*) Cap 738 **deterruma**(*nom. pl.*) Tri 393(-ima *A*)

II. **Significatio** A. *de rebus* 1. *adiective:* mores deteriores increbrescunt in dies Mer 838 me a peccatis rapis deteriorem in uiam Tri 680
2. *praedicative:* nequi deterius huic sit quam quoi pessumest Cap 738 meliora sunt quam quae deterruma Tri 393

B. *de personis* 1. *adiective praed.:* uidi . . te neminem deteriorem Ba 1180 at ne (me) deteriorem tamen hoc facto ducas Mer 322 nec qui deterior esset faceres copiam Tri 135
2. *substantive:* strenuiori deterior si praedicat suas pugnas . . Ep 446 . . foras quo deteriores anteponantur bonis Poe 39

DETERMINO - - eius nunc regiones limites confinia **determinabo** Poe 49

DETERO - - sequor. #Clementer, quaeso: calces **deteris** Mer 952 in medio oculo paullum sordet. cedo sis: **deteram**(*Sca* dexteram *APLULy*) Poe 315 *corruptum:* Tru 929, deterere *B pro* deterrere

DETERREO - - I. **Forma deterrebit** Mi 332(*Klotz* deterēuti *CD* deteruti *B* deterruerit *CaR*) **deterrebor** Mi 369(*AB²* dat/////erebo *B¹* deterebo *C* deteraebo *D*) **deterrui** Tri 560 **deterrere** Am 560, Tru 929(-terere *B* -ri *BoRs*)

II. **Significatio** 1. *cum abl. et* **de:** lepide hercle de agro ego hunc senem deterrui Tri 560
2. *seq.* **ne:** auro hau ferro deterrere* potes hunc ne amem Tru 929(*SeyL vide ψ*)
3. *seq.* **quin:** quin loquar . . numquam ullo modo me potes deterrere Am 560 me homo nemo deterrebit* quin ea sit in hisce aedibus Mi 332 numquam hercle deterrebor* quin uiderim id quod uiderim Mi 369

DETESTOR - - Men 812, detestor *B²D²* detestes *P pro* do testis(*Grut*)

DETEXO - - illic homo hoc denuo(de umero *L*) uolt pallium **detexere**(*B² in ras* dextere *DJ*[-ẹ] dextere e *E*) Am 294(*cf* Dousa, p. 22; Graupner, p. 14; Inowraclawer, p. 70; Nencini, p. 73) neque exordiri primum unde occipias habes neque ad **detexundam** (-endam *A*) telam certos terminos Ps 400

DETINEO - - I. **Forma detinet** Per 505 (detenet *A*), Poe 402 **detinui** Ru 93 **detinuit** Ci 225, Men 589 **detinuisse** As 414 *corruptum:* Mi 446, detines *CD* detenes *B¹* tetenes *B²* retines *PyRgꞨLy* tenes *BentLU*

II. **Significatio** ita pater apud uillam detinuit me hos dies sex ruri continuos Ci 225 ita med attinuit, ita detinuit Men 589 hic est quod me detinet* negotium Per 505 detinet nos de nostro negotio Poe 402 si quidem . . Iouem te dicas detinuisse . . As 414 eo uos, amici, detinui diutius Ru 93

DETONDEO - - altera iam bis **detonsa** certost Ba 1128 *vide* Ba 242, *ubi* ita detondebo *Hieron. Grosslot et RU pro* itaque tondebo *Cf* Graupner, p. 25; Inowraclawer, p. 63

DETRAHO - - homo cruminam sibi de collo **detrahit** Tru 652 quinque nummos mihi de-

traxi, partem Herculaneam Tru 562　　nudo **detrahere** uestimenta me iubes As 92　columem te sistere illi et **detraxe**(*A* -xi *P*) autument Tri 743

DETRUDO - - I. Forma **detrudam** Poe 1152　**detrusti** Au 335(*Ac* detrusisti *P*) **detrude** Mer 116(d. deturba *CD* detrudetur iam *B*) **detrudere** Men 204　**detrudi** Tri 551(*AD* destrudi *B* detrumdi *C*)

II. **Significatio** A. *proprie:* detrude*, deturba in uiam Mer 116　istoc(*i. e. in istum agrum*) detrudi* maleficos aequom uidetur Tri 551

B. *translate:* hucine detrusti* me ad senem parcissumum? Au 335　ad mendicitatem properent se detrudere Men 204　uos . . ego iam detrudam ad molas, inde porro ad puteum atque ad robustum codicem Poe 1152

DETURBO - - I. Forma **deturbabo** Mi 334(-pabo *B²*)　**deturbauit** Cap 914(*P* deturbat *habere uidetur A*), Mo 140, Ru 78, 87　**deturba** Mer 116(detrude d. *CD* detrudetur iam *B*)　**deturbatote** Mi 161(*B* dec. *A* detb. *CD*)

II. **Significatio** 1. adueniens totum deturbauit* cum carne carnarium Cap 914　*translate:* haec uerecundiam mihi et uirtutis modum deturbauit Mo 140

2. uillae deturbauit uentus tectum et tegulas Ru 78　ita omnis de tecto deturbauit tegulas Ru 87　*translate:* deturbabo iam ego illum de pugnaculis Mi 334

3. detrude deturba* in uiam Mer 116　quemque . . uideritis hominem . ., huc deturbatote* Mi 161

DEVEHOR - - inscendo in lembum atque ad nauem **deuehor**(*A* aduehor *CD* adueer *B*) Mer 259　eas qui surripuit in Anactorium **deuehit**(dehit *D¹*) Poe 87　qui eum surrupuit huc **deuexit** Poe 903　*Cf* Inowraclawer, p. 91

DEVELLO - - nolito edepol **deuellisse**(deuelisse *A*) Poe 872

DEVENIO - - I. Forma **deuenio** Ru 957　**deuenit** Au 317(uenit *Non* 509 *et Ly*), Men *Arg* 6, Ru *Arg* 5, Ru 44　**deueniunt** Mi 889(eo d. *Ly* eadem ueniunt *P var em ψ*)　**deueniam** Ep 364　**deueni** Men 136(*B²D³* -nit *P*)　**deuenit** Ba 318, 606(*Gertz U* reuenit *PRsSLy* uenit *L*)　**deuenero** As 105(*v. secl U*)　**deuenerit** Mi 404 (d., peribis *ASᵗLᵗU* uenerit, p. *RRg* ob oculos peruenit peruis *P¹*: *loc dub*)　**deuenias** Ci 301(*A solus*)　**deueniat** Mi 1103, Poe 627　**deuenires** Ps 287　**deuenerim** Mi 96(*B²D²* -rit *B¹D¹* conueniret *C*)　**deueneris** Mo 968 (*A* neueneris *P* nunc ueneris *BugU*) **deuenisse** Cu 337(*CaU pro* adu.)

II. **Significatio** A. *proprie* 1. *cum* ad: ad danistam deuenires Ps 287　ad furem egomet deuenio Ru 957　. . quo modo ad hunc deuenerim* in seruitutem ab eo quoi seruiui prius Mi 96　deueniam ad lenonem domum egomet solus Ep 364　ad lenonem deuenit Ru 44　ad matrem eius deuenias domum Ci 301 (*A solus*)　homo ad praetorem plorabundus deuenit* Au 317(*cf Non* 509)　Mnesilochus noctu clanculum deuenit ad Theotimum Ba 318

. . ne ad alias aedis perperam deueneris* Mo 968　uiam qui nescit qua deueniat ad mare, eum oportet . . Poe 627

2. *cum* in: si forte in insidias deuenero . . As 105(*v. secl U*)　perii, in insidias deueni*. #Immo in praesidium Men 136　*similiter:* ea in clientelam suipte inprudens patris . . deuenit Ru *Arg* 5　in seruitutem Mi 96(*supra* 1)

3. *add. terminus:* Epidamnum deuenit Men *Arg* 6(*B solus*)　domum Ci 301(*supra* 1), Ep 364(*supra* 1)　. . quibus concomitata recte deueniat domum Mi 1103　. . med illo frustra deuenisse* Cu 337(*CaU*)

B. *translate:* in eum deuenit* res locum, ut quid consili dem . . Ba 606(*U*)　si ad erum haec res prius(*om RRgU*) deuenerit*, peribis pulcre Mi 404(*U* ᵗ*PL var em ψ*)　eo deueniunt . . ut . . Mi 889(*Ly*)

DEVINCIO - - 1. *proprie:* Dircam olim . . duo gnati Iouis **deuinxere** ad taurum Ps 200　adducam qui hunc . . domi **deuinciant** Men 845

2. *translate:* . . nobis sint obnoxii, nostro **deuincti** beneficio As 285　em istoc me facto tibi **deuinxti**(*Ca* -xisti *BDE* diu. *J*) As 850

DEVINCO - - uino te **deuincis**(*APLLy* deungis *Palmψ*) Ps 222　centum doctum hominum consilia sola haec **deuincit** dea Ps 678　eum ego adeo uno mendacio **deuici** Ba 968　*corruptum:* Am 225, deuicti *J ut vid pro* uicti

DEVITO - - saluae sunt, si illos fluctus **deuitauerint**(*Py* -runt *CDRs* deuitarunt *B*) Ru 168

DEVNGO - - uino de **deungis**(*Palm duce Ac* deuincis *APLLy*) Ps 222

DEVOLO - - deuolant angues iubati deorsum in inpluuium duo Am 1108　*Cf* Wortmann, p. 39

DEVORO - - I. Forma **deuorat** Tru 569 (d. nec datis *Bue* deuoratis *P*)　**deuorant** Poe 968　**deuoraui** Tri 908　**deuoret** Au 194　**deuorate** As 649　**deuorari** Ps 1127　**deuoraturum** Ru 544(*AB²* -taturum *P*)　**deuorandum** As 338

II. **Significatio** (*cf* Wortmann, p. 15) *semper translate:* ubi is homost? #Iam deuorandum censes, si conspexeris? As 338　operam date et mea dicta deuorate As 649　inhiat aurum ut deuoret Au 194　quam orationem hanc aures dulcem deuorant Poe 968　dum (homo) recens est, dum calet, dum datur, deuorari decet Ps 1127　iam postulabas te . . totam Siciliam deuoraturum* insulam Ru 544　deuoraui nomen inprudens modo Tri 908(*cf* Egli, I. p. 19)　(meretrix) quod des deuorat* nec datis umquam abundat Tru 569

DEVERSORIVS - - abduc istos in tabernam actutum deuorsoriam(di. *B*) Men 436　in tabernam ducor deuorsoriam Tru 697

DEVERTICVLVM - - nec confidentiae usquam hospitiumst nec **deuorticulum**(deue. *E* diue. *BJ* diuo. *U*) dolis Cap 523(*vide edd*)　*Cf* Graupner, p. 9

DEVORTIVM - - Au 233, deuorti *P pro* diuorti

DEVORTOR - - I. Forma **deuortor** Ps 658 (-ar *ScaRU*) St 534　**deuortitur** Men 264(di. *D*), Mi *Arg* II. 8(*Bo* reu. *B* reuer. *CD*), Mi 134 (*F* diuor. *U* deuer. *P*), 1110(-tetur *B* diu. *R*)

deuortatur POE 673   **deuorteris**(*act.*) Mo 966
deuortier MI 240(di. *ScuU*)   **deuorti** MEN
635(*DRs* di. *BCψ*), MI 741(*CD* di. *BU* deuerti
A), PS 961, TRI 673   **deuortisse** MI 385(*A*
sed -e- deuortis *B¹* deuorti sunt *B²CD*)
II. Significatio *vel active vel neut.*: 1. nemo
ferme sine damno huc deuortitur* MEN 264
adulescens . . in proxumo deuortitur* apud
hospitem paternum MI *Arg* II. 8   ut
dudum deuorti* abs te . . MEN 635(*DRs*)
in proxumo hic deuortitur* apud suom paternum hospitem MI 134   apud te eos hic
deuortier* dicam hospitio MI 240   ambo
hospitio huc in proxumum mihi deuortisse*
uisi MI 385   hospes nullus tam in amici hospitium deuorti* potest quin . . MI 741   is
ad hos nauclerus hospitio deuortitur* MI 1110
uide sis, ne forte ad merendam quopiam deuorteris* Mo 966   . . ut deuortatur ad me
in hospitium optumum POE 673   ego deuortor* extra portam huc in tabernam tertiam
PS 658   in id angiportum me deuorti iusserat
PS 961   deos salutatum atque uxorem modo
intro deuortor domum ST 534   insanum malumst hospitio(*Mue* in hospitium *PLLy*) deuorti
(d. i. h. *HermU*) ad Cupidinem TRI 673   *Cf*
S c h e n k l, p. 5
  2. *variae constructiones apponuntur:* ad hos
MI 1110 ad me POE 673   ad Cupidinem TRI
673   ad merendam Mo 966   apud MI *Arg*
II. 8, MI 134, 240   in angiportum PS 961   in
tabernam PS 658   in proxumum MI 385   in
proxumo MI *Arg* II. 8, MI 134   in hospitium
MI 741, POE 673, TRI 673(?)   extra portam PS 658
abs te MEN 635(*falso*)   hic MI 134, 240   huc
MEN 264, MI 385, PS 658   quopiam Mo 966
domum ST 534
DEVOTO - - hodie **deuotabit**(*J* deuobit
BVE) sortis si attigerit CAS 388
DEUS - - *cf* H u b r i c h, *De diis Plautinis
Terentianisque Diss.* Regimonti 1883   *de
vocis mensura cf* A b r a h a m, p. 204
I. Forma deus AM 53(*v. om J*), AU 737,
BA 120, 638, 818, CAP 313, CI 153, 669, CU 167,
MER 844, MI 1043(*Bri* heus *CDR* heuis *B*),
PER 583, RU 256, ST 395, FR II. 45(*ex variis
Gramm*)   **dea** PS 678   **deae** BA 312(*add
HermR*), RU 1064(*U in lac*)   **deo** AM 986, AS
713, CI 150, RU 187   **deum** AM 493, AS 23
(*falso pro* Dium), 782, CAP 865(*PLLyU* diuom
Boψ)   **deam** AS 781(beam *E*), POE 456c,
1134, RU 260   **dea** POE 1177(*GuyRgl* diua *Pψ*),
di(*vel* **dei**) AM 61(dii *BDE v. om J*), 380(*BD*
dii *E*), 563(*BD* dii *EJ*), 597(dii *J*), 632(dii *J*),
1022(dii *J*), 1051(dii *J*), 1089(dii *J*), AS 44(dii
J), 467(dii *J*), 623(dii *J*), 654(dii *J*), AU 88(dii
J), 149, 175(dii *J*), 183(dii *J*), 207(dii *J*), 257
bis(dii *J*), 272(dii *J*), 496(dii *J*), 545(dii *J*), 645
(dii *J*), 658(dii *J*), 677(dii *E*), 785(dii *J*), 788
(dii *J*), 789*bis*(dii *J*), 810(dii *DEJ*), BA 111,
239, 255(*U* dei *BD²* diei *CD¹*), 457, 468(di sirint
BD deserint *C*), 617, 626, 816, 895(dii *P*), 1188
(dii *P*), CAP 22(*v. secl Rs*), 138(dii *J*), 172(dii
J), 195(*D* dii *BEJ*), 242(dii *J*), 355(dii *J*), 537
(*BE* dii *DJ*), 587(dii *J*), 859(dii *J*), 868(dii *J*),
909(*BVL* dei *AEψ* dii *J*), 934(dii *J*), CAS 246

(dę *V* dem *J*), 275(dii *J*), 279, 324(dii *EJ*),
417(di iuuere *Sp* diu uiuere *BVE* dum uiuere
J), 452(dii *J*), 609(dei *BVE*), 642(dii *J*), 813
(dii *J*), 814, CI 51 *bis*(dii *J*), 422(dei *Aω*), 481
(*Rs in lac*), 497(*BVE* dei *ARsS* dii *J*), 512(dii
EJ), 522(dii *J*), 671(dii *J*), CU129(*E* dii *BJ*), 317
(dii *J*), 455(dii *J*), 531(di sunt *LULy* dei s. *Bψ*
dehis *V* deius *E*), 557(dii *EJ*), 720(dii *J*), EP 6
(dii *EJ*), 13(dii *EJ*), 23(*BV* dei *AS*dii *EJ*), 192
(dii *J*), 396(dii *J*),515(dii *J*),644(dii *EJ*), MEN 278,
308, 451(*PRLU* dea *ARsS*), 551, 558, 596, 666,
933, 1021, 1120, MER 225(*CD* dii *B²* du *B¹*),
285*bis*(*CD* dei *ARgS* dii *B*), 323(di siuerint *Ca*
desiuerint *BD* dessiuerint *C*), 402, 436(*CD* dii
B diui *SeyS*), 613(di sirint *Ca* desierint *B* deserint *CD*), 626(dii *B*), 710, 793, 880(dei *L in
loco perdub: vide ψ*), 966, 967, MI 117(*Lips om P*),
286, 293, 501(me di deaeque *CD* madida eaeq'
B), 570(*A om P s. scr. B²D⁵*), 571, 701, 725(me
di deaeque *B²D²* media eaeque *D¹C*[eaque]
medietaq' *B¹*), 833, 871, 1038(dii *B*), 1384, 1403,
1419, Mo 39, 170, 192, 222(*PRU* diui *Boψ*),
341, 464, 520, 655(*A* de *P*), 667(dei *APRsSL*
dein *U*), 668(di istum *AB²D* diis tuum *B¹* de
istum *C*), 684(di te *D* dice *B* de te *C*), 717,
806(*RRsU* dei *Pψ*), 1130(*RULy* dei *Pψ*), PER
16(*PRLU* dei *Aψ*), *ib.*, 205(di uolent *add Rs
in lac*), 292(*A* dii *P*), 296, 298, 470(de *B*),
483, 488, 492(dei *R*), 581, 622(dii *B*), 639,
652, 666(dii *B*), 755, 784, 823, 831, POE 208,
289(*PLU* dei *Aψ*), *ib.*, 439, 449(si *D¹* dii *Non*
126b), 460(*PLU* dei *Aψ*), 504, 588(*PLU* dei
Aψ), 610, 659(*PLU* dei *Aψ*), 667, 687(*PLU*
dei *Aψ*), 751(*PLULy* dei *Aψ*), 827, 859(*PLU*
dei *Aψ*), 863(*PRglLU* dei *AS*), 909(*PLU* dei
Aψ), 910(*PLU* dei *Aω*), 911(*PLU* dei *Aψ*), 917
(dii *BD* dei *ARglS*), 1055, 1208(*PLU* dei *Aψ*),
1219(me di *P* dei *A*), 1252(*PLULy* dei *Aψ*),
1253(*CDLULy* dei *Aψ* dii *B*), 1255(*PLULy* dei
ψ det *A*), 1258(*PLU* dei *Aψ*), 1400(de *B*), 1413,
PS 37, 121(di te *AB²D* dicite *B¹C*), 271, 315,
381, 600(*v. om Reizω*), 613, 646, 767, 837(*A* dii
P), 905(*A* dii *P*), 937(di immortales *FZ* dii
mortales *B* dum m. *CD*), 943(*A* dii *P*), 1130
(*AB om CD*), 1230, 1294, RU 107, 194, 593, 728
(dei *A ut vid SLy*[di] do *P det Dissadψ*), 885(*CD*
dii *B*), 1112, 1164, 1166, 1183, 1193(*ULy* dei esse
FZψ delesse *P*), 1229, 1303, 1316(diui *Rs* duce
L), ST 261(tibi di dent *PU* d. t. dent *RRg* qui-
dem si uis *A*), 469, 505, 595, 685, 754, TRI 384,
436, 490(*ALU* dei *Pψ*), 502(uin *ALy*), 573, 576(de
Non 109), 923, 944(alii di isse *Ac* calliclise *B*
calliclis *CD*), 992, 997, 1024, 1076, 1152, TRU
331, VI 86, FR I. 21(*ex Gell* III. 3, 5 dii *VR*),
II. 6(*ex Paul* 60)   **deae**(*nisi ut notatur* dee
vel deę *mss*) AU 785(*J*), CAP 172(de *BDE* dae
J), CAS 279(*BVJ*), CI 481(*A solus*), 512(*AB*),
CU 720(*BJ*), EP 396(*BJ*), MER 793(*B*), MI 501
(*C vide di supra*), 725(*AB²D² vide di supra*),
Mo 192(*P*), 464(*P*), 655(*AB²* dea *P*), 684(*P*),
PER 292(dę *CD*), 296(*ABC*), 298(*AP*), 666(*P*),
831(*P*), PS 37(*BC*), 271(*P*)   **deorum** AM 45(de-
corum *E*), BA 124, CAP 622, 863, EP 675, MEN
217, MI 736, Mo 712, RU 319   **deum** AM 841,
AS 716(*P* diuom *BentSL*), AU 166, CAP 324(*v.
secl ω*), CU 694, EP 580(*om J*), MEN 872(tu deum

U tuum Pψ), 1053, MER 319(*A longa aliter P: vide infra* II. 2. c), MI 676, 679, PER 390, POE 254, TRI 346, 355, 912   **dis** AM 181(diis *J*), 635 (*PRglULy* diuis *LS*), As 143(diis *J*), BA 119, 144(diis *B*), CAP 454(diis *OJ*), 922(*RsLLyU* diis *P* dei *AS*), CI 484(deis *A solus*), 624(diis *J*), CU 168(diis *BJ*), MO 926(*Ly* dehis *P* debes *B²R* bis *A* ambis *RsS* mihi des *L* habebis *U*), PER 26(*PL* deis *Aψ*), 254(*U in lac*), POE 452(*PLU* deis *Aψ*), 1254(*PLULy* deis *Aψ*), Ps 1257(deis *APω*), RU 254, TRU 423(*SpRULy* quin his *PS†* quinice *Rs*), 647(*FZLU* deis *Pψ*), FR I. 52(dis stribula *Bue ex Varr* VII. 67 distribula *Varr*) **deos** AM 284, 720, 1061, 1090, 1093, AU 742, 743, BA 347, 387, 452, 777, 906, CAP 727, CAS 332(dōs *E om J*), 336(dos *E*), 346(d'os *E*), 389 (d'os *E*), 396(d'os *E*), 670, CI 242, 596, 664, CU 70, 263, 658, EP 302, 610, MEN 615, 655, 812, 990, MER 627, 836, 908, MI 531, 541, 726, 1209, POE 282, 465, 823, 950, Ps 269, RU 6, 191, 346, 407, 499, 650, 1146, 1256, ST 534, 623, TRI 57, 490, 520, 824, 1155(deus *B*) **deas** CAS 670, POE 950   **di**(*voc.* dii *BC* dii *J ubique fere;* di *semper Ly*) AM 455, 822, 1130, AU 265, 460, 616, 808, BA 181, 244, 414, CAP 418, 697, 891, 902, 974, CI 259(dei *A solus*), 573, 663, CU 274, EP 56(*P* dei *Ag*), 196, 341, 539, 627(dii *E*), MEN 473(*A* dii *P*), 872b, 1001 (di immortales *B* dum mortales *CD*), 1062(dii *B*), 1081(dii *B* dū mortales *CD*), MER 537(di *RLU* dii *P* dei *Aψ*), 834, 850, MI 361(di immortales *B* dūmmortales *CD*), 529, MO 77, 206, 530(dii *P*), 912(dii *CD*), PER 565(dii *CD*), POE 275(dii *BC*), 608(di immortales *FZ* dii mortales *P*), 830, 900(*PLU* dei *Aψ*), 917(*C* dii *BD* dei *ARglS*), 923(*CDLU* dii *B* dei *Aψ*), 953 (*PLU* dei *Aψ*), 967(*LU* dii *P* dei *Aψ*), 988 (*LU* dii *P* dei *Aψ*), 1274(*PLU* dei *Aψ*), Ps 667(dii mortales *B*), 688(*A* dii *P*), 736(*A* dii *P*), RU 83, 148(dii *P*); 194, 421(dii *B*), 458 (dii *BC*), 1161(dii *D*), 1191, 1293(dii *P*), 1298, 1360, ST 625(*A* dii *P*), 657, TRI 160(dii *B*), 501, 591, 1300, 1070, TRU 29, 434(dii *CD*), 701(di *LULy* dii *PS†* diui *BoRs*), 770, 805(*L* filiolo dei *Angψ* filio lodel *P*), 864 **deae** POE 1274(*AD*)   **dis**(*vel* **deis**) AM 12 (diis *B²*), BA 117, CAP 777(*BELLyU* diis *J* diuis *Boψ*), CAS 346(diis *J*), 348(*LU* deis *Pψ*), 349(dis fretos *BLU* deis f. ψ disertos *VEJ*), CU 168(dies *VE¹* diis *SJ*), EP 675(di et *U*), MI 314(*LU* deis *ψ* de his *P*), 1351, MO 563(*RLU* deis *Piusψ* de his *P*), PER 332(*PLU* deis *Aψ*), 774, Ps 1253(et dis dignis *StuL* dis d. *ARg* diuis d. *S* dignis *U* digni ah *P*), RU 26(diis *B*), 254, 709, ST 296(*U* dist *P* deis *Aψ*), TRI 830   *corrupta:* As 23, deum *PU pro* Dium v. *secl U* AU 637, di *P pro* id(*Par*) CAP 208, di *VDE pro* id(*B*) *om JRs*; 561, audiui di *EJ pro* haud uidi(*B*)   MEN 37, dea ea *C pro* de ea; 288, ipso nature deo *CD pro* opsonatu redeo MER 983 b, aetate diis *B pro* ted aetate his MI 1017, di *B pro* de   MO 305, di *CD¹ pro* id; 881, di *P pro* die(*B²*); 1033, dis *P pro* modis PER 26, dis *P pro* eis(*A*); 36, deus *B pro* des; 239, di *B pro* die   POE 958, deum *P pro* ad eum(*A*)   Ps 285, di *ins B*; 293, amoruu deo *B pro* amori uideo   RU 647, q diis *BC pro*

quid is   ST 215, deo *P pro* adeo(*AD²*)   TRI 215, deorum *A pro* de eorum; 594, dea *B* de hac *CD pro* ea(*Sciop*)   TRU 2, deum eris *P* de moeris *LipsRs pro* de uostris(*FZ*); 196, quod diis *P* quod *Non pro* quotiens(*A*); 558, as dis *P pro* aedis(?)

II. Significatio 1. *nom.:* **a.** deus sum, commutauero AM 53(*v. om J*)   sum deus. #Immo homo haud magni preti CU 167(*cf* Egli, II. p. 31)   deus impulsor mihi fuit, is me ad illam inlexit AU 737   est profecto deus qui quae nos gerimus auditque et uidet CAP 313   ecquinam deus est, qui mea nunc laetus laetitia fuat? MER 844   deus* dignior fuit quisquam homo qui esset? MI 1043   quisquis est deus, ueneror ut nos ex hac aerumna eximat RU 256   Hercules, qui deus sis, sane discessisti non bene ST 395   numquam ullus deus tam benignus fuit qui fuerit propitius PER 583   an deus est ullus Suauisauiatio? BA 120   tibi Iuppiter dique omnes irati certo sunt AM 1022   quis me Athenis nunc magis quisquamst homo quoi di sunt propitii AU 810   quoi homini di* sunt propitii, lucrum ei profecto obiciunt CU 531   di tibi propitii sunt MI 701   quoi homini di* propitii sunt, aliquid obiciunt lucri PER 470   esne tu huic amicus? #Tamquam di omnes qui caelum colunt PER 581   di diuites sunt TRI 490   di deaeque ceteri contentiores mage erunt atque auidi minus POE 460

b. *addunt* Ps 767(*infra sub* dant) ecficiam tamen ego id, si di *adiuuant* CAP 587   di te omnes adiuuant CAP 859   di hercle omnis me adiuuant, augent, amant EP 192, MEN 551(di me quidem omnes)   di deaeque te adiuuant EP 396   di me adiuuant MER 402   di hercle hanc rem adiuuant MI 871   hic deus praesens *adest* FR II. 45(*ex var gramm*)   alii di* isse ad uillam *aiebant* seruis depromptum cibum TRI 944   di deaeque te *agitant* irati PER 666   hunc si ullus deus *amaret*, . . mortuom esse oportuit BA 818   EP 192(*supra sub* adiuuant) propera igitur fugere hinc, si te di amant EP 515   MEN 551(*supra sub* adiuuant)   tu istam, si te di ament, temere hau tollas fabulam MI 293   ne tu hercle, si te di ament, linguam conprimes MI 571   ita me di ament ut illa me amet malim quam di POE 289   tu si te di amant age tuam rem POE 659   di me seruant atque amant Ps 613   quom te di amant, uoluptatist mihi RU 1183   nostram pietatem *adprobant*, decorantque di* immortales POE 1255   *audit* CAP 313(*supra* a)   *augent* EP 192, MEN 551(*supra sub* adiuuant)   *colunt* PER 581 (*supra* a)   di hercle me *cupiunt* seruatum CAS 814   di me ex perdita seruatam cupiunt EP 644   di me seruatum cupiunt. #At me perditum RU 1164   . . praeter ceteros duo di quem *curant* . . Mars et Venus MI 1384   *decorant* POE 1255(*supra sub* adprobant)   centum doctum hominum consilia sola haec deuincit dea Ps 678   omnes di me atque homines *deserunt* Ps 381, 600(me *om P v. secl Reizω*)   quidquid di* *dicunt*(dein fiet *U*), id decretumst dicere MO 667   quem di *diligunt*, adulescens moritur BA 816(*cf* Schneider,

p. 27)   *discessisti* Sᴛ 395(*supra* 1)   malum
quod tibi di *dabunt,* atque ego hodie dabo
Aᴍ 563   quod di dant fero Aᴜ 88   quod di
dant boni, caue culpa tua amissis Bᴀ 1188
di eam potestatem dabunt Cᴀᴘ 934   nisi quid
mihi opis di dant, disperii Cɪ 671 .. ut haec
quae bona dant di mihi, ex me sciat Mᴇɴ 558
ne indigna indignis di darent, id ego euenire
uellem Pᴏᴇ 1252   nunc quod boni mihi di*
danunt .. Pᴏᴇ 1253   quoi seruitutem di danunt lenoniam puero atque eidem si addunt
turpitudinem, ne illi .. malam rem magnam
.. danunt Ps 767—70   malum quod tibi
di* dabunt Ps 1130   di* tibi argentum
(dent)? Rᴜ 728   habeas quod di dant boni
Rᴜ 1229   nemost .. indignior quoi di bene
faciant Bᴀ 617   miris modis di* ludos faciunt
hominibus mirisque exemplis somnia in somnis
danunt Mᴇʀ 225—6, Rᴜ 593—4(*v. alterum secl*
RRsⱾL) di melius *faxint.* #Di hoc quidem
faciunt Mᴇʀ 285   id ego nisi quid di aut parentes faxint, qui sperem hauscio Pᴏᴇ 1208
di nos quasi pilas homines *habent* Cᴀᴘ 22(*v.*
secl Rs)   *eximat* Rᴜ 256(*supra* a)   *inlexit* Aᴜ
737(*supra* a)   Volcanus, Luna, Sol, Dies, dei*
quattuor scelestiorem nullum *inluxere* alterum
Bᴀ 255   aspice ad sinisteram .. ut dei istuc
uorti *iubent* Mᴇʀ 880(*L* .. ex aduorso uides
PⱾ†var em ψ) nos di* *iuuere* Cᴀꜱ 417   bene
nos, Iuppiter, iuuisti dique alii omnes caelipotentes Pᴇʀ 755   *obiciunt* Cᴜ 531, Pᴇʀ 470
(*supra* a)   an quis deus obiecit hanc ante
ostium nostrum? Cɪ 669   nobis di immortales
animum *ostenderunt* suom .. ut qui .. uelint
Cᴀᴘ 242   neque me Iuppiter, neque di omnes
id *prohibebunt* si uolent, quin .. Aᴍ 1051(*cf*
Egli, III. p. 5)   sine opera tua di horunc
nihil facere *possunt* Cɪ 51   ego eram dicturus,
deus qui poteram planius Cɪ 153   deus *re-*
spiciet nos aliquis Bᴀ 638   di* homines respiciunt Rᴜ 1316   di *sciunt* culpam meam
istanc non esse ullam Mᴇʀ 626   di me *ser-*
uant Aᴍ 1089, Aᴜ 207, Mᴇʀ 966   di me seruant atque amant Ps 613   *uolent* Aᴍ 1051
(*supra sub* prohibebunt)   di me saluom et
seruatum uolunt Aᴜ 677, Tʀɪ 1076   extexam
ego illum pulcre iam, si di uolunt Bᴀ 239
si di immortales id uoluerunt .. Cᴀᴘ 195
Cᴀᴘ 242(*supra sub* ostenderunt)   di me seruatum uolunt Mᴇɴ 1120   fit quod di* uolunt Mɪ
117   conlibertus meus faxo eris, si di uolent
Pᴏᴇ 910   utrum hercle di uolent Pᴇʀ 205(d. u.
add Rs in lac)   di immortales meum erum
seruatum uolunt et hunc disperditum lenonem
Pᴏᴇ 917   si umquam quemquam di* immortales uoluere esse auxilio adiutum . tum me ..
seruatum uolunt Ps 905   si quoi homini di*
esse bene factum uolunt Rᴜ 1193(*v. secl Langen*
RgⱾ) comoedia reges quo *ueniant* et di Aᴍ 61
   c. *in precationibus, execrationibus, sim.* (*de*
collocatione cf Kellerhoff, p. 77): ita me di
ament, credebam .. Aᴍ 597   ita me di ament
ut Lycurgus mihi quidem uidetur .. Bᴀ 111
ita me Iuppiter, Iuno, Ceres, .. dique omnes
ament, ut ille .. Bᴀ 895   ita me di bene
ament, ut ego .. Cᴀꜱ 452   ita me di* deaeque omnis ament, nisi .., dedecoris pleniorem

erum faciam tuom Mɪ 501   ita me di* deaeque ament, aequom fuit .. Mɪ 725   ita me
di ament, ultro uentumst ad me Mɪ 1403   ita
me di ament, lepidast Scapha Mᴏ 170   ita
me di ament, ut .. Pᴇʀ 492   ita me di bene
ament, sapienter! Pᴇʀ 639   ita me di ament,
ut illa .. Pᴏᴇ 289   ita me di ament, tardo
amico nihil est quicquam inaequius Pᴏᴇ 504
ita me di ament, .. mauelim Pᴏᴇ 827   ita
me di ament, ut(*Sey om P*) mihi uolup est
Pᴏᴇ 1413   ita me di ament, .. ut ego .. Ps
943   ita me di bene ament measque mihi
seruassint filias, ut mihi uolup est Sᴛ 505
ita me di ament, lepide accipimur Sᴛ 685
ita me di ament, numquam enim fiet .. Sᴛ
754   ita me di ament, graphicum furem Tʀɪ
1024   ita me di *amabunt,* ut ego hunc ausculto lubens Aᴜ 496   ita me di amabunt, mortuom illum credidi expostulare Mᴏ 520   ita
me di amabunt .. ita me Iuppiter .. Pᴏᴇ 439
ita me di* amabunt, ut ego .. Pᴏᴇ 1219   ita
me Iuppiter, itaque me Iuno, itaque Ianus, ita
.. di me omnes magni minutique et etiam
patellarii *faxint,* ne ego .., nisi ego .. Cɪ 522
di* me faciant quod uolunt, ni ob istam orationem te liberasso Mᴏ 222   di deaeque
omnes me pessumis exemplis *interficiant,* nisi
ego .. Mᴏ 192   di* me et te *infelicent,* si
ego .. Cᴀꜱ 246   di me *perdant,* si ego . Aᴜ
645   di me perdant si bibi si bibere potui
Mɪ 833   di te perdant, si te flocci facio Tʀɪ
992   ita me di *seruent,* ut hic pater est uoster
Pᴏᴇ 1258   Sᴛ 505(*supra sub* ament)   ita me
di deaeque superi atque inferi, et medioxumi,
ita me Iuno regina .. Cɪ 512
   di tibi *dent* quaequomque optes As 44, Mɪ
1038   di* dent tibi omnes quae uelis Pᴏᴇ 1055
tantum tibi boni di* immortales duint, quantum
tu tibi exoptes Ps 937   malum quod isti di*
deaeque omnes duint Mᴏ 655   o multa tibi
di dent bona quom .. Pᴏᴇ 208   di deaeque
uobis multa bona dent, quom .. Pᴏᴇ 667
malum di tibi(tibi di *PU*) dent Sᴛ 261(*PRRgU*
malum quidem si uis *Aψ*)   di deaeque et te
et geminum fratrem *excrucient* Pᴇʀ 831   ita
di *faciant* ut tu potius sis Aᴍ 380   di faciant
ut siet Aᴜ 545   di faciant ut id bibatis Pᴇʀ
823   utinam di faxint, infecta dicta re eueniant tua Aᴍ 632   male tibi di faciant Cᴜ
129   at tibi di semper .. faciant bene Mᴇɴ
1021   at tibi di* faciant bene Mɪ 570   at
tibi bene faciant semper Mɪ 1419   at tibi di
bene faciant omnes Pᴇʀ 488   di tibi illum
faxint filium saluom tuom Vɪ 86   di te deaeque omnis faxint cum istoc omine .. Mᴏ 464
mihi lucro .. saepe eris. #Di faxint Cɪ 51
liberis procreandis .. #Ita di faxint Aᴜ 149
(*cf* Seyffert, *Stud. Pl.* p. 2)   di bene uortant. #Ita di faxint Aᴜ 257   ita di faxint,
inquito. #Ita di faciant. #Et mihi ita di faciant
Aᴜ 788—9 hoc illum me mutare confido pote.
#Ita di deae*que faxint Cᴀᴘ 172   diuitias tu
ex istac facies. #Ita di faxint Pᴇʀ 652   ita
paratumst. #Ita di faxint, ne apud lenonem
hunc seruiam Pᴏᴇ 909   conlibertus meus faxo
eris. #Ita di faxint Pᴏᴇ 911   perii. #Di melius faciunt(meliora faxint *FlR*) Bᴀ 626   num

me expertu's uspiam? #Di melius faciant Cas
813 (ago) quod miserrumus. #Di melius faxint Mer 285 ut minam mihi argenti reddas.
#Di* meliora faxint Poe 1400 an umquam
tu huius nupsisti patri? #Di meliora faxint
(A melius faciant PL) Ps 315 spondeo
. . . #Di fortunabunt uostra consilia Tri 576
di immortales te infelicent Ep 13 hercle illunc di* infelicent Mer 436 di illum infelicent omnes Poe 449 di te infelicent Ru 885
di tibi omnes omnia optata offerant(Fl ferant
P) Cap 355 hercle istum di omnes perduint
As 467 Iuppiter te dique perdant Au 658,
Cap 868, Cu 317, Ru 1112 at te Iuppiter dique omnes perdant Mo 39 at te Iuppiter
dique omnes perdant cum condimentis tuis Ps
837 qui te Iuppiter dique omnes . . perduint
Men 933 Diespiter te dique . . perdant et uentrem tuom . . Cap 909 ut illum di immortales
omnes deaeque quantumst perduint Au 785
utinam te di prius perderent quam . . Cap 537
Hercules dique istam perdant Cas 275 qui
illum di omnes deae*que perdant Cas 279
quin hercle di te(te di LangenRs) perdant Cas
609 pectus auris caput teque di perduint
Cas 642 **(di add Rs) deaeque illam perdant Ci 481 te . . di deaeque perduint Cu
720 di* me perdant — Ci 497 di te perdant
Ep 23, Mer 967, Mi 286, Poe 588, Ps 1230 di
te perduint St 595 di illos homines qui illic
habitant perduint Men 308 qui illum di
omnes perduint Men 451 di illum omnes
perdant, ita mihi . . Men 596 qua uirum
qua uxorem di uos perdant Men 666 ut te
omnes . . di perduint Mer 710 at te . . di
deaeque perduint cum tua amica cumque . . Mer
793 di* istum perduint Mo 668 di* te deaeque omnis funditus perdant Mo 684 di deaeque me omnes perdant Per 292 qui te di
deaeque . . . Per 296 ut istum di deaeque
perdant Per 298 ah, di istam perdant: ita
catast et callida(admirantis est) Per 622 qui
illum Persam . . male di omnes perdant Per
784 di te perduint Poe 610 di te et tuom
erum perduint #Me non perdent . . Poe 863
qui te di omnes perdant Ru 1166 qui istum
di perdant Tri 923 qui di te(te di ScaRRs
LULy) omnes aduenientem peregre perdant Tri
997 di me perduint, qui . . Tru 331 ut illum di perdant primus qui . . Fr I. 21(ex Gell
III. 3, 5) di te seruassint semper As 654
di te seruassint mihi Cas 324, Tri 384 at te
di deaeque quantumst . . #Seruassint quidem
Ps 37 di* te mihi semper seruent Ps 121
periit tibi sodalis. #Ne di* sirint Ba 468
egon te (deteriorem ducam?) ah, ne di* siuerint
Mer 323 aequalem et sodalem enicas. #Ne
di* sirint Mer 613 haec pauper placet. #Di
bene uortant Au 175(praecipue in sponsionibus)
spondeo. #Di bene uortant Au 257 huic
nuptum Megadoro dabo. #Di bene uortant Au
272 res agitur apud iudicem. #Di bene uortant Ps 646 quin fabulare 'di* bene uortant
spondeo .'? Tri 502 quando ita uis, di bene
uortant: spondeo Tri 573 di bene uortant:
tene cruminam Fr II. 6'(ex Paul 60) dei me
omnes**** Ci 422

d. in salutationibus: saluos . . sies. #Di te
ament Au 183 saluos sis. #Di te ament Ba
457 Ergasile, salue. #Di te bene ament Cap
138 leno, salue. #Di te ament Cu 455 salue, amicissume mihi omnium hominum. #Di
te ament Mo 341 di te ament plurumum,
Simo. #Saluos sis, Tranio Mo 717 saluom te
aduenisse gaudeo. #Di te ament Mo 806 O Sagaristio, di ament te. #O Toxile, dabunt di
quae exoptes Per 16 saluos sis, leno. #Di te
ament Poe 751 saluos sis. #Di omnes deaeque ament — Poe 859 salue multum. #Di
te deaeque ament, uel huius arbitratu uel meo
Ps 271 di te ament, Pseudole. #Hae(fu RL
hahae Rg pfui BU) Ps 1294 adulescens,
salue. #Di te ament cum inraso capite Ru
1303 saluom te aduenire gaudeo. #Multa
tibi di dent bona Poe 687 iubet saluere . . .
#Di duint tibi . . quaequomque optes Tri 436
Charmidem . . Lysiteles salutat. #Di dent tibi
. . quae uelis Tri 1152 Menaechme salue.
#Di te amabunt quisquis es Men 278 Philae-
nium, salue. #Dabunt di quae uelitis uobis
As 623 salue. #Di dent quae uelis Ep 6
unde agis te? #Credo tibi. di dent quae uelis Per 483 uirile iubeo te saluere . . #Calli-
damates, di te ament Mo 1130 Sophoclidisca,
di . . me amabunt. #Quid me? . . #Odio hercle
habeant Per 205

uirile sexus numquam ullum habui. #At di
dabunt Ru 107 propino tibi salutem . . #Di
dent quae uelis St 469

2. gen.: a. quis benefactis meus pater, deorum* regnator, architectust omnibus? Am 45 ita
me rex deorum atque hominum faxit . . Cap 622
b. quem tu autem deum*(deum autem Bo
RglU) nominem? As 716 (ut sacruficem) quoi
deorum? Cap 863 nihil erit quod deorum
ullum accusites Mo 712
c. ego uirtute deum et maiorum uostrum
diues sum satis Au 166, Cap 324(v. secl ω)
deum uirtute est te unde hospitio accipiam
Mi 676 mihi deum uirtute dicam . . licuit
uxorem . . ducere Mi 679 pol deum uirtute
dicam et maiorum meum . . Per 390 edepol
deum uirtute dicam . . et maiorum et tua . .
habemus Tri 346 deum uirtute habemus Tri
355 humanum amarest atque id ui optingit
deum* Mer 319(A h. a., humanum autem igno-
scerest PRL)
d. in aede deae* Ba 312(HermR) e fano
deae Ru 1064(U in lac)
e. pro deum atque hominum fidem Cu 694,
Ep 580(p. d. om P) tu clamabas deum fidem
atque hominum omnium Men 1053 dotem
duco esse . . deum metum, parentum amorem
. . Am 841 fraudulentum, deorum odium atque hominum . . Ru 319 omnia quae ad
deum pacem oportet adesse Poe 254
f. qui deorum consilia culpet, stultus in-
scitusque sit Mi 736 imperium tu deum* de-
mutas Men 872(U) neque . . meream deorum
diuitias mihi Men 217 tantus natu deorum
nescis nomina Ba 124
g. duodecim deis plus quam in caelo deorumst immortalium . . Ep 675 deum hercle
me atque hominum pudet Tri 912

3. *dat.:* **a.** mihi. in mentem fuit dis aduenientem gratias .. agere Am 181 Ioui disque ago gratias merito magnas Cap 922 disque ago gratias Per 254(*U in lac:* atque dis cunctis *ins R eodem loco*) uobis habeo grates atque ago Per 756 dis est aequom gratias nos agere sempiternas Poe 1254 magnam habebas omnibus dis gratiam As 143 dis hercle habeo gratiam Ci 624 ego enim caui recte: eam dis* gratiam! Mo 926(*Ly*) Per 756(*supra*)

tu dis nec recte dicis Ba 119 si mihi dedisses uerba, deis numquam dares? Ci 484(*A solus*) .. ut deo mihi hic immolas bouem As 713 deis meis iratissumis sex immolaui agnos Poe 452 dis* hodie sacruficare pro puero uolo Tru 423

disne aduorser? Per 26(*cf* Egli, III. p. 7) expediui ex seruitute filium, si dis placet Cap 454 post illoc ueni quam aduenit, si dis placet Tru 647(*loc dub*) ita dis* est placitum (comp. *HermRgl*) Am 635 hoc deo complacitumst .. Ru 187

mihi quidem hercle qui minus liceat deo minitarier populo? Am 986 uix reliquit deo quod loqueretur loci Ci 150 quo eueniat dis in manust Ba 144(*cf* Schneider, p. 28)

b. quid uidebis magis dis* aequiperabile? Cu 168 uideo decorum dis locum uiderier Ru 254 deis proxumum esse (hoc) arbitror Ps 1258

c. dis* stribula aut de lumbo obscena uiscera Fr I. 52(*ex Varr l L* VII. 67)

4. *acc.* **a.** *subiectum:* deum non par uidetur facere, delictum suom .. ut sinat Am 493 neque deos neque homines aequomst facere tibi posthac bene Ci 242 item alios deos facturos scilicet Cu 263 quoi deos atque homines censeam bene facere magis decere Ru 407 satis spectatumst deos atque homines eius neglegere gratiam Poe 823 aequom fuit deos paruisse .. Mi 726(*cf* Keseberg, p. 18) non reor deos facere posse Mi 531 arbitror .. nisi deos ei (amico) nihil praestare Ba 387 deos credo uoluisse Au 742 at ego deos credo uoluisse ut .. Au 743 deos uolo bene uortere istam rem uobis Cu 658 deos* uolo consilia uostra recte uortere Tri 1155

deos esse tui similis putas? Am 284 .. ut scias tibi tuaeque uxori deos esse omnis propitios Am 1090 deam esse indignam credidi Poe 456c(*v. om A secl ω*) aibat .. deos esse iratos mihi Poe 465 tibi hercle deos iratos esse oportet, quisquis es Ru 1146

b. *seq. verba:* si undecim deos praeter sese secum *adducat* Iuppiter .. Ep 610(*cf* Egli, III. p. 5) deos quoque edepol et *amo* et metuo Poe 282 deos *decent* opulentiae Tri 490 Ru 407(? *vide supra* a) si deos *decepit* et homines .. Ru 346 summum Iouem deosque *do* destis Men 812 proin tu deum* hunc saturitate *facias* tranquillum tibi Cap 865 tu istos minutos caue deos* flocci feceris Cas 332 (*cf* Egli, III. p. 4) Ps 269(*infra sub* metuo) bonam atque obsequentem deam atque haud grauatam patronam *exsequontur* benignamque multum Ru 260 ubi parturit, deos sibi *inuocat* Am 1061 inuocat deos inmortales, ut sibi auxilium ferant Am 1093 deam* inuocet sibi quam lubebit propitiam, deum nullum As 781—2 *metuo* Poe 282(*supra sub* amo) deos quidem quos maxume aequomst metuere, eos minumi facit Ps 269 quid deos obsecras? Ci 664 deos absentis testis *memoras* Mer 627 deos quidem *oro* Ep 302 deos orato ut eius faciant copiam Mer 908 oratum ierunt deam ut sibi esset propitia Poe 1134 deos .. oro ut uitae tuae superstes suppetat Tri 57 quis .. deos tam parui pendit? Ru 650 ego mihi alios deos penatis persequar Mer 836 deos *quaeso* ut salua pariam filium Am 720 deos quaeso .. #Ut quidem tu .. furcam feras Cas 389 deos quaeso ut tua sors .. effugerit Cas 396 deos immortales quaeso .. uti .. Ru 499 ego deos quaeso ut .. fiat cinis Ru 1256 deos atque amicos iit *salutatum* ad forum Ba 347 si deos salutas, dextrouorsum censeo Cu 70 deos salutatum atque uxorem .. deuortor domum St 534 deos salutabo modo St 623 dis sum fretus, deos *sperabimus* Cas 346 deos teque spero Ci 596 deos sperabo teque Mi 1209 deos deasque *ueneror* .. ut .. siritis Poe 950 deos propitios me *uidere* quam illum haud mauellem mihi Ba 452

c. *cum praepp.:* quom **ad** deos minoris redierit regnum tuom .. Cas 336 ego, Neptune, tibi **ante** alios deos gratias ago Tri 824 **erga** parentem aut deos me impiaui Ru 191 noctu sum in caelo clarus atque **inter** deos Ru 6 **per** deum Fidium As 23(*falso*) per omnis deos adiuro .. Ba 777 sine me, per, te, ere, opsecro, deos immortales, ire Ba 906 per deos atque homines ego te obtestor Cap 727 per omnis deos et deas deierauit Cas 670 per Iouem deosque omnis adiuro Men 615, 655 per ego uobis deos atque homines dico, ut .. Men 990 per deos atque homines perque stultitiam meam .. Mi 541 per deos atque homines dico ne ... Tri 520

5. *voc.:* **a.** di (immortales), obsecro uostram fidem Am 455, 1130, Ci 663, Tru 805* di, uostram fidem Cap 418, Ci 259(dei), Men 872b, Poe 830, 900, 953, Tri 591 mare, terra, caelum, di, uostram fidem! Tri 1070 di uostram fidem, hui! Tru 29 di immortales, obsecro, .. Au 265 di immortales, facinus audax incipit Au 460 di immortales, quod ..! Am 616 di immortales, quibus ..! Au 808 di immortales, meum sodalem hic nominat Ba 414 di imm., iterum gnatus uideor Cap 891 di imm., iam ut ..! Cap 902 di imm., ut ego interii Ep 56 di imm., utinam ..! Ep 196 di imm., sicin iussi ..? Ep 627(*loc dub*) di* imm., .. date mihi Men 1081 di imm., etiam .. non cubat? Mer 537 di penates meum parentem .. uobis mando Mer 834 di imm., mercimoni lepidi Mo 912 di imm., nullus leno .. Per 565 di* imm. omnipotentes, quid est apud uos pulcrius? Poe 275 quaeso, di* imm. .. Poe 608 di imm., quanta turba! Poe 923 di* imm., conseruauit me illic homo Ps 667 di imm., aurichalco .. Ps 688 di imm., non Charinus .. est Ps 736 di imm., ubi loci sunt spes meae? Ru 1161 di imm., hic .. potest

Sᴛ 625　di imm., basilica hic .. inceptat loqui Tʀɪ 1030　di imm., ut planiloquast Tʀᴜ
864　o di imm.: meus est Rᴜ 1360　seruate,
di, med, obsecro Cɪ 573　di boni, uisitaui∗∗
Eᴘ 539　date, di, quaeso ... Mᴇʀ 850　di
deaeque omnes, uobis habeo .. gratias Pᴏᴇ
1274　hoc mihi indecore .. datis, di Rᴜ 194
di, quaeso, subuenite Rᴜ 1298　di∗ magni,
ut ..! Tʀᴜ 701

　b. pro di immortales! Aᴍ 822, Bᴀ 181, 244,
Cᴀᴘ 697, 974, Cᴜ 274, Eᴘ 341, Mᴇɴ 473, 1001∗,
1062, Mɪ 361∗, 529, Mᴏ 77, 206, 530, Pᴏᴇ 967,
988, Rᴜ 83, 148, 421, 458, 1191, 1293, Sᴛ 657,
Tʀɪ 160, 501, Tʀᴜ 434, 770

　6. abl.: a. munera .. digna dea∗ uenustissuma Venere Pᴏᴇ 1177　munditiis diuis(ᛋLy dis
ARg et dis StuL) dignis(m. dignis U m. digni
ah P) Ps 1253　hoc dis dignumst Tʀɪ 830
dis sum fretus Cᴀs 346　omnes mortales dis
sunt freti: sed tamen uidi ego dis∗ fretos
saepe multos decipi Cᴀs 348—9

　b. quis magis dis∗ inimicis natus quam tu
atque iratis? Mɪ 314　ego .. natus dis∗ inimicis omnibus Mᴏ 563　duodecim deis∗ plus
quam in caelo deorum est immortalium .. adiutores sunt Eᴘ 675

　c. id iam scitis concessum et datum mihi
esse ab dis aliis Aᴍ 12　tantum affero quantum ipse a dis∗ optat Cᴀᴘ 777　hic mihi dies
datus hodiest ab dis Pᴇʀ 774a　a dis supplicans .. inueniet ueniam sibi Rᴜ 26　uix ipsa
domina hoc .. exoptare ab dis∗ audeat Sᴛ 296
quid tibi commercist cum dis damnosissumis?
Bᴀ 117(cf Goldmann, II. p. 14)　age ite,
cum dis beneuolentibus Mɪ 1351　sequere hac
.. me cum dis uolentibus Pᴇʀ 332　tun legirupionem hic uobis cum dis facere postulas?
Rᴜ 709

　7. duo substantiva coniuncta: die deaeque
24ies di atque homines 14ies di et homines
Rᴜ 346　di et deae Cᴀs 670　di aut parentes
Pᴏᴇ 1208, Rᴜ 191(parens)　neque deos neque
homines Cɪ 242　di deaeque omnes, Iuno, Saturnus, Ops Cɪ 512　di et maiores Aᴜ 166,
Cᴀᴘ 324, Pᴇʀ 390, Tʀɪ 346　di atque amici Bᴀ
347　di atque uxor Sᴛ 534　di tuque Cɪ 596,
Mɪ 1209　neque Iuppiter neque di omnes Aᴍ
1051　Iuppiter dique alii Pᴇʀ 756　Iuppiter
dique Aᴍ 658, Cᴀᴘ 868, Cᴜ 317, Cᴀᴘ 922, Mᴇɴ
812, Rᴜ 1112　Iuppiter dique omnes Mᴇɴ 615,
655, 933, Mᴏ 39, Ps 837　Iuppiter(sedecimque
alii di) dique omnes Bᴀ 895　Iuppiter, Iuno,
Ianus di omnes Cɪ 532　Diespiter dique Cᴀᴘ
909　Hercules dique Cᴀs 275　reges et di
Aᴍ 61

　8. adiectiva adiunguntur: immortales(semper
post) 65ies　omnes 35ies　absentes Mᴇʀ 627
alii Aᴍ 12, Mᴇʀ 836, Pᴇʀ 755, Tʀɪ 824, 944
auidi Pᴏᴇ 460　amicus Pᴇʀ 581　beneuolens
Mɪ 1351　benignus Pᴇʀ 583　boni Eᴘ 539, Rᴜ
260　caelipotentes Pᴇʀ 755　ceteri Pᴏᴇ 460
contentus Pᴏᴇ 460　damnosus Bᴀ 117　dignus
Mɪ 1043, Pᴏᴇ 1177(Rgl)　duodecim Eᴘ 675
indigna Pᴏᴇ 456c　inferi Cɪ 512　inimicis Mɪ
314, Mᴏ 563　irati Aᴍ 1022, Mɪ 314, Pᴇʀ 666,
Pᴏᴇ 452, 465, Rᴜ 1146　laeti Mᴇʀ 844　magni
Cɪ 522, Tʀᴜ 701　minores Cᴀs 336　medio-

xumi Cɪ 512　minuti Cɪ 522　patellarii Cɪ 522
penates Mᴇʀ 834, 836　obsequens Rᴜ 260
omnipotentes Pᴏᴇ 275　praesens Fʀ II. 52
propitii Aᴍ 1090, As 781, Aᴜ 810, Bᴀ 452, Cᴜ
531, 537, Mɪ 701, Pᴇʀ 470, 583, Pᴏᴇ 1134
quattuor Bᴀ 255　superi Cɪ 512　tranquilli
Cᴀᴘ 865　uenusta Pᴏᴇ 1177(Rgl)　undecim Eᴘ
610　uolentes Pᴇʀ 322

DEXTER - - I. Forma dexterum(nom.)
Mɪ 205(dextera R: pro acc. ducunt LU)　**dexteram** Aᴍ 923(EJ dextram BD), Aᴜ 650(J dextram BDE), Cᴀᴘ 442, Cᴜ 307(J dextram BE),
339(J dextram BEU), Mᴇʀ 149(Sarac dextram
P), Pᴏᴇ 315(APLU deteram Scalψ), 417, 711,
Rᴜ 156(dextram B), 253b(dextram B)　**dexterum** Mɪ 205(vide supra sub nom.)　**dextera**
Aᴍ 243(dextra J), 244(dextra J), 333(PRgl
dextra Lindψ), As 260, Cᴀᴘ 442, Mᴇɴ 138(Ca
dextra P), 204(AD -ã BC), Mɪ 607(dextra CD),
Fʀ I. 108(ex Varr l L VII. 62)　**dexteras** Aᴜ
116, Mᴇʀ 965(dextras Pω)　corrupta: Aᴍ 294,
dextere(-ę) P pro detexere(B²)　Ps 267, dexteram B dextram CD pro deseram

　II. Significatio A. dextera∗ digitis rationem conputat: feruit(Stu feries P ferit ALU)
femur dexterum∗ Mɪ 205　domum ire coepi
tramite dextra uia Fʀ I. 108(ex Varr l L VII. 62)

　B. de manu: 1. a. ostende huc manum
dexteram Aᴜ 650(cf Langen, Beitr. p. 152)
haec per dexteram tuam te dextera retinens
manu opsecro Cᴀᴘ 442

　b. manus omissum: per dexteram tuam te
.. oro opsecro Aᴍ 923　Cᴀᴘ 442(supra a)　opsecro te .. hanc per dexteram perque . hanc
sororem laeuam .. Pᴏᴇ 417
cedo tuam mihi dexteram Cᴜ 307, Mᴇʀ 149
cedo sis dexteram∗ Pᴏᴇ 315(APLU)　prendit
dexteram, seducit Cᴜ 339
adeunt, consistunt, copulantur dexteras Aᴜ
116(cf Non476)　cette dextras nunciam Mᴇʀ965
teneo dextera genium meum Mᴇɴ 138　dex-
tera∗ digitis rationem conputat Mɪ 204

　2. de loco(cf Gimm, p. 18): specta ad
dexteram Pᴏᴇ 711　ubi sunt hi homines?
∗Hac ad dexteram Rᴜ 156　ubist? ∗Ad dexteram Rᴜ 253(vide Rs)　Mᴇʀ 879, dextram R
pro terram probante Langenio
ilico equites iubet dextera inducere Aᴍ 243
(cf v. 244)　hinc enim mihi dextra uox auris
.. uerberat Aᴍ 333
equites .. ab dextera maxumo cum clamore
inuolant Aᴍ 244(cf v. 243)　picus et cornix ab
laeua, coruos, parra ab dextera consuadent
As 260　.. ne quis hinc aut ab laeua aut
(a add CDRU: cf Gimm) dextera .. adsit
Mɪ 607

DEXTRO(VO)RSUM - - quo me uortam
nescio. ∗Si deos salutas, dextrouorsum censeo Cᴜ 70　nam dextrorsum quid(Rg non me
[ne CDLU] ex aduorso Pψ †ᛋ) uides? Mᴇʀ 879
dextrouorsum auorsa it in malam crucem Rᴜ
176　nos cum scapha tempestas dextrouorsum
differt ab illis Rᴜ 368　Cf Keseberg, p. 14
DI ∗∗∗∗ Cɪ 488(A); Fʀ II. 27(ex Fest 333)
DIABATHRARIUS - - (stant) sedentarii su-
tores, **diabathrarii**(ex Paul 74 -tharii J dio-
batharii BD) Aᴜ 513

DIABOLUS - - *adulescens. in supersc.* As *act.* IV *sc.* 1 As 634 Glauci filius As 751 ibo ad **Diabolum** As 913 *Cf* Schmidt, p. 186

DIALIS - - Mer 865, diales *Non* 476 *pro uiales*

DIANA - - illic sacerdos est **Dianae**(-ne *P* -nai *CaRgLy*) Ephesiae Ba 307 in eapse aede (deae *add HermR* Ephesiae *U*) Dianae(*RU* -ne *P* -nai *Goelψ*) conditumst Ba 312 . . ut Ephesiae Dianae(danę *D*[1]) laeta laudes gratesque agam Mi 411

DIAPONTIUS - - ego transmarinus hospes sum **Diapontius** Mo 497

DICA - - te ad praetorem rapiam et tibi scribam **dicam** Au 760 cras susscribam homini dicam Poe 800 ego hunc scelestum in ius rapiam exules **dica**(*Palmer et Sonnenschein* exulem *APSⱡL* exigam ex. *Rs* excruciabilem *U*) Ru 859

DICACULUS - - satis **dicacula**'s(dici. *J* acula es *E*) amatrix As 511 quid me amare refert sisi sim doctus ac **dicaculus**(*Kies* dicax[dicas *BVE*] uiuis[uiuus *B*] *P*)? Cas 529 *Cf* Ryhiner, p. 47

DICAX - - **dicax** sum(*Ca* hic axsum *B* dic axum *CD*) factus Tru 683 Cas 529, dicax uiuus *B* dicas uiuis *VE pro* ac dicaculus(*Kies*) Cu 512, male dicax *U pro* maledicax

DICEA - - 'nomen falsum'. **Diceae** (*i. e.* Διϰαίᾳ *Sp*[dicaeae] dicere *PSⱡ* Glycerae *Par RRg*) nomen est Mi 436 quem nominem? **#Diceam**(*P* Glyceram *LipsRRg* ⱡ*S*) Mi 808 *Cf* Schmidt, p. 186

DICIO - - deduntque se . . in **dicionem** (dit. *ERgl*) atque in arbitratum cuncti Thebano poplo Am 259 auris meas profecto dedo in dicionem(*D* dit. *BC*) tuam Mi 954(*cf* Graupner, p. 19)

DICO - - quin tibi hanc operam **dico** Ps 560 aurium operam tibi dico Ba 995

DICO - - I. **Forma dico** Am 395, 562, 612, 618, 736, 835, 977, *fr* XIII(*ex Non* 237), As 37, 42, 54, 186, 203(dicom *E*), 345, 352, 376 *bis*, 499(nunc dico *PSⱡLⱡ om Ly* hodie *Lachψ*), Au 240, 323, 545(dico et ita *Rg* et∗∗∗ *PS* quod satis est *UL*), 652, 816, Ba 485, 880, 999, 1063, Cap 482, 513, 625, 643, 844, 886, Ci 549, Cu 132, 340, 342, 362, 493, 513(*P* duco *LambRg*), 516, 665, 680, 692, Ep 207, 668, Men 148(dic *B*[1]), 378(*B*[2] dicos *P*), 688, 696, 904, 990, 1078, Mer 83, 105(dico eius *P* dicens *Non* 137), 300(*P* deico *AS*), 351, 355(*StuRgU* igitur *Pψ* ⱡ*S*), 465(*PLU* deico *Aψ*), 512(*PRLU* deico *Aψ*), 554(*PRLU* deico *Aψ*), 899, 940, Mi 36, 217, 230, 231(*Ca* dicom *P*), 434, 842(edico *CaRU* dice *D*[1]), 1039, 1059, 1307(dica *B*), 1352, 1427, Mo 99, 522, 583a(*P* dic. #Oh *Rs*), 848, 945, 968, Per 207, 210, 281, 485, 589, 641(*em U*), 653, Poe 62, 154, 216, 474(*PLU* deico *Aψ*), 1155, 1305, 1309, 1344(has dico *U et A ut vid* hasce aio *Caψ* hasce mo[*B* modo *CD*] *P*), Ps 119(tibi *C*), 125, 243, 511, 517, 1152, Ru 128, 640, 830, 1025, 1072, 1092, 1094, 1343(dic: o *Rs*), St 546, 549, 595, 715(tibi dico *U* age si quid agis *PSLLy aliter RRg*), Tri 341, 342, 404, 468, 518, 520, 662, 941, Tru 73, 266(maledico *A* aut medico *P* maldico *R*), 454(*Sp* dicito *P*),

650, 696, Fr I. 73(*ex Fest* 372) **dicis** Am 522, 581, 693(dicas *E*[1]), 758, 851, 852, As 63(dictis *EJ*), 155, 471, 612, Au 293(ducis *VJ*), 294, 298 (*BVJ* dicas *D* dixi *WagnerL*), Ba 41(dices *L*), 119, 420, 718, 753, Cap 124, 678, 983, Cas 647, Ci 47, Cu 50, 324, Ep 25, 31, 404, 460, 462, Men 428, 639, 799, 1130, 1139, Mer 412(dices *B*), 724, 902, 905, 914(quae d. *Z* quia edicis*P*), 949(benigne[-ę *CD*] dicis *CD* benigna aedicis *B*), 1003, 1007, Mi 16, 229, 255, 291, 475(ut dicis *ACD* uidicis *B*[1]), 780, 843(dices *RLy*), 911, 913, 983, 1184, 1400, Mo 660, 735, Per 102, 144, 154, 278(*A* edicis *P*), 279, 281, 287, 543, Poe 516, 1350, Ps 27,108, 360(*A* dices *P*), 521, 612(*A* dicas *P*), 1095, Ru 345, 364, 382, 1080, 1122, St 469, 714(dice *U*), 726, Tri 466, 606 (*FZRLU* dices *Pψ*), 991(male d. *unum verbum* ω), Tru 128, 157, 267(dicas *A*), 273, 299, 690 (dicis. #A *Sp duce Lamb* dic ista *P*), 826, Vi 90(dices *WinterL*) **dicin** Tru 825 **dicit** Am 738, 742, Ba 442, 734, 808, Ci 180, 717, Cu 431, 634, Ep 206(*Reiz* scit *PSⱡ*), Men 309, Mer 238, 563(dicis *B*), Mi 346, Mo *Arg* 4, 8, Per 90(dicti *B*), 501(dixit *D*), 623, Poe 1329, Ps 1080, Ru 55, 1096, St 23, 263, 549, Tri 463(dico *A*), 896, Tru 837, 942 **dicimus** Mi 87, Ps 680(duc. *A*) **dicitis** Cap 201(miram dicitis *U* miraclitis *PSⱡ var em ψ*), 993(*B* diteris *E* dictetis *J*), Cas 996, 999, Poe 569(*v. secl Weis*ω) **dicunt** Au 126, Ba 118, Cu 478, Mi 758, Mo 667 (dei dicunt *AP* dehinc dicam *R* dein fiet *U*), Per 820, Tru 490, Fr I. 56(*ex Caes ad Front* II. 10) **diceris** Ru 161 **dicitur** Am 839, As 382, Ci 755, Cu 513, 514, Men 10, 585, Ps 870, Tru 84, 192, Fr I. 72(*ex Fest* 372), 76(*ex Gell* III. 3, 7) **dicebam** As 938, Men 484, Mer 216, Tru 332 **dicebas** Poe 391 **dicebat** Mi 1410, Tru 504(-ant *A*) **dicebant** Ep 603, Men 1046(*PRs cum lac* aiebant *Caψ*), Poe 748 **dicam** Am 18(*v. om J*), 261, 460, 1101, As 7, 10, 302, 913, Au 283(hic hodie *MueRg*), Ba 382(*v. secl RgSL*), 599, 600, Cap 494(-at *D*), 646, 920, Cas 372, 654(*om Rs* ⱡ*S*), 656(quid? d. *Rs pro* quid est), Ci 249, 603(*B*[2]*JLU* deitiam *E* deiciam *B*[1]*V* deicam *Grut*ψ), Cu 370, 437, 442, 453, 633, 635, 702, Ep 19, 69, 164(*A* diciam *B* ditiam *VE* dic iam *L*), 708, Men 10, 119, 228, 319(*U* inquam *PRsSL*), 331, 751, 1044, Mer 14, 159, 208, 638, 783, Mi 241, 246, 296(*FZ* dictam *P*), 679, 800, 810, 1075, 1191, Mo 92, 484, 661, 664, 757, 888, 932, 1026 c, Per 390 (-co *A*), 746, Poe 51, 294, 407, 477, 1264, Ps 336, 581, 637, 751, Ru 388, 951, 1103, 1134, 1135, St 207, 364, Tri 7(ducam *C*), 90, 346, 480, 522, 1099, Tru 158, 849, Vi 104(*ex Prisc* II. 165) **dices** Am 1107, Ba 41(*L* dicis *Pψ*), Cu 132, Ep 26(dictis *A*), Men 434(dicas *B*[1]), 468, Mer 164, 996, Mi 664(*FZ* dicis *P*), 1367(dies *C*[1]), Poe 189, Ps 1173, 1323(*RLU* deices *Bψ* dicis *CD*), Ru 971, St 610, Tri 606(*P* dicis *FZRLU*), 920, Vi 90(*WinterL* dicis *Aψ*) **dicet** Ba 506, Cas 134, Ep 713, Men 418, Poe 1233(dicet illi *P* deicetis *A*), Ru 1047, 1140, 1141, Tri 814 **dicetis** Mo 99, Poe 631(diceris *D*[1] ducetis *D*[4]), 632 **dicent** Mer 662, Mi 1369(*PLU* dicant *Rψ*), 1370(*L* dicant *Pψ*), Ru 1098 **dicetur** Poe 734(*Pius* diceretur *P*) **dicentur** Cas 139

dixi Aм 53, 63(*v. om J*), 479(*v. secl URgl𝔖*), 491, 526, 577, 747, 762, 768, 908, As 9, 356 (dixi erum *Ac* dixeram *P*), Au 256, 298(*WagnerL* dicis *BVJψ* dicas *D*), 682, 764, Bа 806, 856, 1018, 1153, 1202, Cаp 59(*B²J* dix *B¹VE*), 430, 558, 624, Cаs 3, 367, 686 *bis*, 788, Cı 295, 366, 527, 757(tibi causa haec dixi *L in lac: aliter U*), Cu 346, 608, Eр 591, 622(*om J*), Mеn 283, 375, 591(*PRLU* dèixei *Aψ*), 637, 937(dixti *L*), 1056, 1073, Mеr 24(dixi minus *B* diximus *CD*), 658, 761(*om BoR*), 763(*PRL* deixi *Aψ*), 936, Mı 155(*AB²D²* dixit *B¹* dix̄ *CD¹*), 185, 365, 367, 764, 884, 1046(*Reiz om P*), 1059, 1080, 1097, 1126, 1131(dixi esse *P* dixisse *A*), Mo 76, 118, 548(*B²D³* dixit *P*), 549, 552, 640, 1087, Pеr 185, 304, Pоe 531, 541, 556, 572, 704, 1169, 1231, 1321, 1411, Ps 489, 690, 701, 1227, 1309, Ru 376, 817, 1078(dixi sed *B* dixisset *CD¹*), 1079, 1103, 1104, 1111, Sт 624(dixti *A*), Trı 449(dixit *A*), 685(dixit *P*), 923, 975, Tru 264 **dixisti** Aм 410, 912, 964, As 902, Bа 685, 805, Cаp 890, Cı 296, Cu 194, Mеn 637, 1097(dixti: et *SeyRsLU*), 1098(*Par* dixit *B¹C* dixti *DL* dixti: et *SeyRs* dixsti *B²*), Mеr 206, 658, Mo 548, Pоe 1357(dixti *A*), Ps 1220(postquam d. *PRRgLULy* ut nominauisti *A ut vid𝔖*), Trı 556 (*P* dixti *A* dixti tu *R*) **dixti** As 823(*Py* dixisti *P*), Bа 1202(quod d. *add U solus*), Cаp 155(*J* dixit *BVE*), Cu 128, Mеn 937(*L* dixit *Pψ*), 1097(dixti: et *Sey* dixisti *P𝔖*), 1098(*DL* dixti: et *SeyRs* dixit *B¹C* dixsti *B²* dixisti *Parψ*), Mеr 164(dixi *D*), 658, 754(*CaRLU* dixtei *ARg𝔖* dixisti *P*), Mo 552, Trı 556(dixti tu *RRg* dixti *A* dixisti *Pψ*), 567(*A* dixisti *P*), 602(*Dou* dixisti *P*), 655(*A* dixisti *P*), Tru 757(dixit *B*) **dixit** Aм 75, 764, 1122, 1124, As 366, 394, 594, 634, Au 108(didxit *E*), Bа 267, 525, 698, 699, 741, Cаp 683, Cаs 479, 483, 552, 668, 669, Cı 14, 575, Cu 544, Eр 241, 250, 273, 407, 415, 417, 419(*B²* v. om *P secl ω*), 598(*v. om A secl Rg*), Mеn 22, 36 b(*Rs in v. conficto*), 336, Mеr 420, 593, 936, Mı 365, 367, 1109, Mo 1026 d (*L in v. lac*), 1029, 1123(*Py om P* narrauit *KampRU*), Pеr 260, 602, 631, 841, Pоe 63, 456 c(*v. om A secl ω*), 664, 669, 899, 1206, Ps 554(*AD³* dixi *P*), 596, 701, 901, 1080(*Bo* dicit *P𝔖U*), 1156, Ru 405, 1132(*CD* dixi *B* dixti *Rs*), Sт 179, 545, 564, Trı 854, 960. 1121(dix *B*), Tru 213, 409, 543, 857, 931(*FZ* dixi *P*), Fr I. 48(*ex Macr Sat* III. 18, 9) **diximus** Au 436, Pоe 780 **dixistis** Ps 372 **dixerunt** Mı 60, Pоe 689 **dixeram** Aм 916, Au 287, Bа 957, Cаp 17, 194, Mеn 57, 592, Pеr 576, Ps 406, 565, Ru 864 **dixeras** Aм 691, 761, 919(-is *J et DE ante cor*), Cаs 599, Mеn 889, 1095, Mеr 760(dei. *ARg𝔖*), Tru 133 **dixerat** Mеn 483, Mеr 467 (dei. *ARg𝔖*), 975, Ru 48, 95 **dixero** Aм 198, As 839, Pеr 185(-iero *B*), Ps 755, Ru 1135, Trı 465 **dixeris** Aм 428, Au 762, Mo 240 **dicam** Aм 197, 824, 825, As 393, 587, 703, 843, Au 67, 804, Cаp 268, 533, 541, 744, 907, 967, Cаs 239, 617, Cı 61, 454, 520, 667, 713, Cu 1, 12, 13, 128, 463, Mеn 539, 887, Mеr 128, 270 (*L* deicam *Aψ*), 286, 516(*PLU* deicam *Aψ*), 628, 721, 723, 727, 728, Mı 20, 55, 239, 300, 1201, Mo 555, 633, 676, 893(male d. *LU unum verbum ψ*)' 1042, Pеr 400(dicat *A*), 664, 750,

Pоe 439, Ps 106, 522, 744, 801(dico *D*), 966, Ru 264(*Non* 597 edicam *P*), 447, 611, 1231, Sт 115, 288(*om A*), Trı 2, 163, 346, 641, 849, 897, Tru 70, 299, 689, 775 **dicas** Aм 345, 572 (maledicas *ω*), 695, As 414, 813, Bа 1038, Cаs 234, Cu 78, 129(-am *J*), 457, 629, Eр 278, Mеn 313, 495, 892, Mеr 293, 512(*BC* dicias *D* deicis *A* deicas *ψ*), 642, Mı 1101, 1118, 1166(*A* -at *P*), 1429, Mo 895, Pеr 391, 597, Pоe 1100, Ps 209(autumes *BergU*), 609, 634, 635, 949, Ru 99, 638, 960 b, 1390, Trı 98, 148, 538, 737, 762(dicant *RRs*), 891 **dicat** Aм 750, 806(-it *B¹D*), As 761, 780, 783, 800, Au 489, 498, Bа 807, 864, 1055, Cı 667, 712(quid d. *U in lac*), 734 *bis*, Eр 365, Mеn 243(*PRLU* deicat *Aψ*), 654, Mı 163, 687, 691, Pеr 373, Pоe 175, Ru 114, 756, 1063(-ca *BC* -câ *D*), 1073, Sт 106, 114, 260, 261, Trı *Arg* 7, 776, 779, Tru 643, Vı 46 **dicamus** Mеr 1015, Pоe 596 **dicatis** As 730, Mı 1341 **dicant** Aм 205, 528, Au 346, Cаp 694(*PL* aiant *Flψ*), Mı 1369(*R* dicent *PLU*), 1370(dicent *L*), Pеr 372, Ru 981(*CDPrisc* I. 332 dicet *B*), Sт 640, Trı 105 *bis*, 218, 740, 762(*RRs* dicas *Pψ*), **dicatur** As 489 **dicamur** As 313(*v. secl U𝔖*) **dicerem** Bа 217(duc. *LipsR*), Cаs 681(*A* di *P* dicam *B²U*), Mеr 731, 900(*L in lac* concrederem *RRs*), Pеr 240(*Lamb* edicerem *PRLLy*), Tru 681 **diceres** Aм 944, Bа 699(dixeris *ZR*), Cаp 871, Mеr 294 (dei. *ARg𝔖*), Pоe 387, Tru 816(*Sarac* dicere *B* -et *CD*) **diceret** Cı 541, Mеr 70, Mo 244, 493 (*B* -rit *CD¹* dixerit *D³*), Pеr 634, Pоe 773, Sт 653 **dixerim** As 491(-imus *EJ*), Bа 1012, Mı 860(*A* -it *P*), Trı 755 **dixeris** As 20, 564, 698, Cı 110, Mеr 401, Mo 252, Pеr 389, Ps 657, Trı 555 **dixis** As 839, Au 744, Cаp 149, Mеr 484(*P* deixis *ARg𝔖*), Mı 283(-it *B¹* -xti *B²*), Vı 83 **dixerit** As 800, 806, Bа 701, Mеn 644, Pоe 1206, Ps 962, Ru 790, Sт 555, Trı 207 **dixeritis** Mı 862 **dixissem** Pоe 529(uocassem *Isidor Or* XV. 3, 2) **dixem** Ps 499(*RL* id faxem *Pψ*) **dixisset** Mеr 993, Sт 510 **dic**(*cf* Skutsch, p. 50) Aм 391(dic si quid uis *Lind* dicito *P* dicito sis *U*), 421, 743 (dice *Ly*), 855, As 29, 229, 232, 358(dice *RglLy*), 666, 667, 693, 804, Au 170, 193, 212, 720, 772, Bа 203, 555, 558, 600, 633(dic mihi *Rg om P𝔖ULy* quom ipse ueniet *L*), 705, 716(*HermRRg* dice *Pψ*), 733, 742, 829, 830, 837, 1149(*SeyRg om Pψ*†𝔖), Cаp 570, 623, 890, 964, 987, 1021, Cаs 187, 705, Cı 578(*Becker* duc *PU*), 639, 722, Cu 129(dice *RgU*), 406, 605(*U pro* quid), 651, Eр 143, 164(dic iam *L* dicam *Aψ* diciam *B* ditiam *VE*), 262, Mеn 143, 147, 148, 397, 626, 809, 914(*om B¹*), 923, 925, 1111, 1121, Mеr 145, 161, 386, 528(deic *ARg𝔖*), 605(*B ex ras* dico *P* dice *RgL*), 620, 653, 718, 727(dice *Ly*), 893, 901, Mı 440, 902, 1070, 1089, 1405(dic oratus *CD* dice o. *Ly* decoratus *B v. om A*), 1428, Mo 517(*L in lac*), 551(dit *CD¹*), 583(dic — ⸗Oh *Rs* dico *Pψ*), 633, 634 *bis*, 929, 1134(dic uenturum *B* dicuntur um *CD*), Pеr 216, 239 (di *B*), 245 *bis*, 303, 485, 646, Pоe 160, 259, 759, 986, 1040(dic atque *BD* dicat quae *C*), 1061, 1087, 1132, 1143, 1306, Ps 340, 488, 709, 1305(dica *A*), Ru 124, 238, 243, 951(dice *LU*), 1076, 1105, 1160, 1272, 1343(dic oh *R𝔰* dico *Pψ*), 1345, 1405, Sᴛ 115, 118(*add RRg om ψ* †𝔖), Tʀɪ 562, 578, 583, 1177, Tʀᴜ 130(*A istic P*), 368(*A dicat P*), 588, 589, 676(dicin *U*), 679, 754(dic me *Sp* dicam *P*), 941(*Rs in loco dubio: vide* II. 15, c)   **dice** Aѕ 358(*RglLy* dic *Pψ*), Aᴜ 787(bene d. *LU* benedice *ψ*), Bᴀ 716(dic *HermRRg*), Cᴀᴘ 359, Cᴀѕ 196(*Ly pro* tace), 346(bene d. *LU* benedice *ψ* dice *V*), Cᴜ 129(*RgU* dic *Pψ*), 132, Mᴇʀ 159, 605(*RgL* dico *P* dic *B²ψ*), Mɪ 256(*A om P*), Mo 469(dice. #Eloquar *Rs* eloquere *Pψ*†), Rᴜ 124, 951(*LU* dic *Pψ*), 1156, Sᴛ 696(age dice *L* age dic *U* amica *P𝔖*† nunc *Rg*), 714(*U pro* dicis)   **di- cite** Aѕ 745(bene d. *L* bened. *ψ*), Cᴀᴘ 737(du- cite *E*), Mᴇɴ 1105 Pᴏᴇ 556, Rᴜ 323   **dicito** Aᴍ 353, 391(*PULy* dic. si quid uis *Lindψ*), Aᴜ 94, 97, Bᴀ 83, 227, 556, Cᴀᴘ 389, 395, 401, Cᴀѕ 901(quamuis d. *Rs in lac*), Cᴜ 524, Eᴘ 16(dit. *B*), Mᴇɴ 52, 529, 539(dicito: cu. *AB²* dicit occu. *P*), 548(dicto *C*), 737, Mᴇʀ 281(*PLU* dei. *Aψ*), 726, Mɪ 185, 247, 1088, 1102, Mo 422, 916, 1151, Pᴇʀ 302(*A* dicto *P*), Pᴏᴇ 406, Ps 480, 828, Rᴜ 866, 885, 1149, 1213 Sᴛ 265   **dicere** Aᴍ 157, 345, 373, 384(-re e *E*), 426, 435, 566, 687, 725 (dicier *FlRgl*), 752, 755, 803, 1089, As 9, 36, 789, 903, Bᴀ 265, 463, 910, 1155 b, Cᴀᴘ 71, 630, 662, 853, Cᴀѕ 67, 197, 275, 366, 674(discere *E*), 702(d. uolebam *A* uolebam non sed *P* non .. uolebam *Rs de A* errans), 794, 897, 957, Cɪ 517, 751, 754, Cᴜ 43, 135, 421, 597, 650, 710, Eᴘ 260, 261, 505(d. admodum *A* dum *P*), 698, Mᴇɴ 656, 732, 1050, Mᴇʀ 282(dei. *Rg*†𝔖 fiet *R*), 403, 484(dei. *ARg𝔖*), 934, Mɪ 11, 27, 36, 753, 819, 830, 1316, Mo 119(†𝔖), 667, 821, 830, Pᴇʀ 168, 291, 371, 493, 551, 711, Pᴏᴇ 118, 251, 437, 470, 1036(male d.: maled. ω), 1231(dece *B* dei. *ARgl𝔖*), Ps 171, 370, 711, 843, 982, 1085, 1089, Rᴜ 423, 454, 734, 1065, 1089, 1119, 1250, Sᴛ 344, Tʀɪ 77, 504, 777, 809, 924, 932, 1137, Tʀᴜ 604, 607, 612(male d.: maldicere *Rs* maled. *ψ*), 680, 685, 884, Vɪ 20, Fʀ I. 71(*ex Fest* 170, *Paul* 171), 86(*ex Fest* 297, *Paul* 296)   **dicier** Aᴍ 725(*FlRgl* dicere *Pψ*), Bᴀ 396, Cɪ 83(*B* ditier *V* dictier *É* didicier *J*), 233(*LLy in lac*), Cᴜ 479 (ditier *E*), Sᴛ 167   **dici** Aᴍ 593, 609(diu *EJ*), 902(diti *B*), Aѕ 162, Bᴀ 269, 435, 464, 721, 897, Cᴜ 122, 594, Mo 181, 459, 625, 1072, Pᴏᴇ 136, 303(deci *E*), 368, 1337(multam dici *LipsU pro* multo induci), Ps 1082, Tʀɪ 103(dici is *Vahlen* dicis *PLy*† dici *RRsL*), 263, 793   **dixisse** Aᴍ 963, Bᴀ 807, Cᴀѕ 601, Mɪ 844, Mo 492, Tʀɪ 556, Fʀ I. 72(*ex Fest* 372)   **dixe** Aᴍ *fr* XI(*ex Non* 105), Pᴏᴇ 961(dixi∗ *A*)   **dicens** Ps *Arg* I. 5 **dicentiorem** Mᴇʀ 142(male d. *unum verbum* ω) **dicturus** Cɪ 153, Mᴇʀ 431, Pᴇʀ 296   **dictura** Aᴜ 174(duc. *J*)   **dicturum**(*masc.*) Tʀɪ 71 **dictus** Eᴘ 534   **dicta** Aѕ 838(ducta *D*), Sᴛ 662(*P* cocta *Rω*), Tʀᴜ 457   **dictum** Aᴍ 21, 920, Cᴀᴘ 176, Cᴜ 514, Mo 260, Pᴇʀ 615, 729, Pᴏᴇ 607, 637(*om C*), 876, 913, Ps 501   **dicto** (*dat. neut.*) Aᴍ 989, 991(digo *E ut vid*), Aѕ 544 (dicio *D*), Bᴀ 439, Mᴇɴ 444, Mᴇʀ 378(dicito *B*), Pᴇʀ 223(dicito *CD*), 378, 399, 836, Tʀɪ 1062 **dictum**(*neut.*) Aѕ 37, 43, 407, 698, Cᴀᴘ 71, Cᴀᴘ 482, Cᴜ 513, Mᴇɴ 249, 871(*PU* edictum *FZψ*), Mᴇʀ 724, Pᴇʀ 214, 276(male dictum ω), Pᴏᴇ 1155, Ps 119, 125, 186, Tʀᴜ 700   **dicto**(*abl.*

neut.) Aᴍ 169, Bᴀ 447, 679, 687, Cᴀᴘ 303, Mᴇɴ 592(fuerat dicto *A* erat multo *P*), Mo 923, Tʀɪ 503   **dicta** Aᴍ 632, 815, 896(-ti *E* maledicta ω), Aᴜ 152, Cᴀᴘ 429, Cᴀѕ 139, Eᴘ 321, Mo 395, Pᴏᴇ 580, 913(*A* dicia *BC* ditia *D*), Ps 308, 432, 470(dicia *B*)   **dictis**(*dat.*) As 56, Cᴜ 195, Mᴇɴ 945, Pᴇʀ 495(*A* dicis *P*), 812, 813, Ps 108, Sᴛ 102   **dicta** Aᴍ 890, 1030, Aѕ 525, 649, 927, Bᴀ 449, 698, Cᴀᴘ 219, 965(*Guy* dictis *PLy*), Cᴀѕ 653, 668, 996(*om WeisU*), Cɪ 316, 510(*v. om A secl Rs𝔖*), Mᴇɴ 945, Mo 97, 199(mea d. *om R*), Pᴏᴇ 542(*R* dictum *PLy*), 1035(maledicta ω), Ps 369(docta *B*), 372, Rᴜ 364, 1250, Sᴛ 280, Tʀɪ 77, 380, 660, Tʀᴜ 180(*v. secl Guy* ω)   **dictis** Aᴍ 25, 285, 585, 789, 927, 1118, As 189(male- dictis ω), 483(*v. secl U* ω), Bᴀ 632, 907, 982, Cᴀᴘ 482, 965(*PLy* -ta *Guy ψ*), Cᴀѕ 155(maledictis ω), 156(*om BoRs*), Cɪ 556, Cᴜ 195, 335, Mᴇɴ 496, 707, 945, Mᴇʀ 978, Mo 198, Ps 310(*AB v. om CD*), 357(maledictis ω), 359, 393(dicis *A*), 396, Rᴜ 682(*Py* dictus *P*), 1108(maledictis ω), Sᴛ 400, 457, Tʀɪ 140(maledictis ω), 640, Fʀ I. 56(*ex Caes ad Front* II. 10)   **dicendum** Aᴍ 619 (dicu. *U*), Cᴜ 609, Mᴇʀ 727(dicu. *CD* ω), Mo 948, Rᴜ 961(dicu. *Pω* -clum *C*)   **dicendi** Cᴜ 706 (dicu. *RgU*)   **dictu** Ps 824   *corrupta:* Aᴍ 648, dicam *D²EJ pro* ducam As 327, dicere *D pro* ducere; 483, male dictis *P pro* male- dicis(*Bent*) Aᴜ 520, dicuntur *DJ pro* ducun- tur; 613, dicat *J¹ pro* ducat Bᴀ 519, dicat iocum *P pro* narret logos(*A*) Cᴀᴘ 72, dico *E²J* dio *E¹* clio *BD pro* aio(*Ca*); 151, dicis *VEJ pro* ducis Cᴀѕ 23, dicite *V pro* eicite; 361, eo dico *P pro* fodico(*Bent*); 362, dicit *P pro* didicit(*Lips*); 529, dicas uiuis *VEJ pro* ac dicaculus(*Kies*); 719, dicit *P pro* ducit Cɪ 177, dixit *E¹V pro* duxit Eᴘ 210, dicunt *E pro* ducunt Mᴇɴ 117, dixit *Non* 24 *pro* duxi; 450, dicere *D¹ pro* ducere; 466, sed dico *B* sed co *CD pro* ego(*A ut vid*) Mᴇʀ 79 diceret *P pro* decere; *ib.*, diceret *P pro* deceret(*Py*) Mɪ 5, meam dico *Don ad Ad prol* 15 *pro* mihi consolari uolo; 355, dice me docebo *CD pro* decem: edocebo(*A*); 436, dicere *P𝔖*† *var em ψ*; 438, dicat ei *P𝔖*† *var em ψ*; 707, dicam *P pro* didam(*A*); 923, magni dicunt *CD pro* magni- dicum(*B*); 1069, dixerit. #At *B pro* de te meri- tast; 1214, dice *CD pro* decet; 1394, dicite *D pro* ducite Mo 29, dico *B² pro* duco; 684, dice *B pro* di te; 720, dicit *D pro* decet Pᴇʀ 495, bene dicis *P pro* b. dictis(*A*); 575, dicet *D pro* indicet; 722, dicere *A pro* edicere Pᴏᴇ 217, dixi *D pro* diei Ps 121, dicite *B¹C pro* di te; 258, dicito *B pro* ducito; 542, dicere *ins CD* facere *B om Py*; 884, dictos *B pro* digitos Rᴜ 1342, dico *add CD* Sᴛ 400, dicam *A pro* discam; 722, qui dicitur (*P*) quid agi- tur *PU* quid igitur *Sarac ψ*(*v. interatur post* 766) Tʀɪ 186, maledictas *P* malas *A𝔖* maledicas *R ψ*; 548, dicet *C pro* decet Tʀᴜ 454, dicta *P pro* docta(*Py*); 678, dicere *B pro* ducere; 735, dicere *P pro* discere(*FZ*); 825, dicis ponderas *P pro* desponderas(*Bo*)

II. Significatio A. *verbum* 1. *absolute, ad- dito saepe dat. personae:* **a.** meditabor quo modo illi dicam Aᴍ 197   dic∗ si quid uis Aᴍ 391 uictus sum si dixeris Aᴍ 428   equidem de-

ciens dixi Aᴍ 577   ego, inquam, si uis deciens dicere* Aᴍ 725   quotiens dicendumst
tibi Aᴍ 619, Mo 948   quotiens dicundumst?
Cᴜ 609

recte dicit, ut commeminit Aᴍ 738   at pol
qui dixti* rectius As 823   hercle qui tu recte
dicis Mᴇɴ 428, Mᴇʀ 412*, 1007   recte dicis
Mᴇʀ 1003

tace tu: tu dic Aᴍ 743   mirum quin te aduorsus dicat Aᴍ 750   neque edepol dedi neque dixi Aᴍ 762   neque edepol ego dixi neque .. Aᴍ 768   perge porro dicere Aᴍ 803, Cɪ
754, Tʀɪ 777   perge dicere Cɪ 517, 751   immo
etiam porro, si uis, dicam Cᴜ 453

cur dixisti? Aᴍ 912   primum cauisse oportuit ne diceres Aᴍ 944   sine me dicere Aᴍ
1089   te mihi dixe per iocum Aᴍ fr XI(ex
Non 105)   eo dico, ne .. censeas Aᴜ 240
dic, si quid opust Aᴜ 193   si quid est opus
dic Cɪ 722   si quid opus est dic Poᴇ 1040*,
Rᴜ 124(dice)

certumst iam dicam patri Bᴀ 382(v. secl
ℰRglL)

caue parsis in eam dicere Bᴀ 910   dici uolo
Bᴀ 721   dic modo Bᴀ 742, Cᴀᴘ 570, Mo 634
nihil est illorum, quin ego illi dixerim Bᴀ 1012
eho, amabo, dic* Bᴀ 1149   si sit domi, dicam
tibi As 393   si magis religiosa fuerit, tibi
dicat As 783   dixi tibi mater Aᴜ 682   tibi
dico Bᴀ 999

facete dictum Cᴀᴘ 176, Poᴇ 637*   uale atque salue, etsi aliter ut dicam meres Cᴀᴘ 744
dice*, nam hic nunc licet dicere Cᴀs 197   ..
nunc liceat dicere Cᴀs 275   nimium saeuis.
#Numero dicis Cᴀs 647(cf Mɪ 1400)   Cᴀs 654
(dicam Rs pro est)   pudet dicere me Cᴀs 897
audacter quamuis dicito* Cᴀs 901(Rs in lac),
Eᴘ 16, Mᴇʀ 726   audacter imperato et dicito
Mᴇɴ 52   audacter dicito Ps 828

si tacuisset tamen ego eram dicturus Cɪ 153
sine dicam .. Cɪ 454   uix exculpsi ut diceret,
quia ei promisi .. Cɪ 541   dic* ac demonstra
mihi Cɪ 578   si mihi alia mulier istoc pacto
dicat .. Cɪ 667   sine dicat. #Si dicat quidem Cɪ 734   sine dicam. #Nolo Pᴇʀ 750

iamne ego huic dico? #Quid dices? #Me
perisse. #Age dice Cᴜ 132   heus tu, tibi ego
dico Cᴜ 516   heus mulier, tibi dico* Mᴇɴ 378
heus tu, tibi dico Mᴇɴ 696, Poᴇ 1305   heus
hodie nate, tibi ego dico Ps 244   uobis dico:
heus uos Rᴜ 830

dixi equidem tibi Cᴜ 608   nego me dicere
Cᴜ 597   ego dicam: surge Cᴜ 635   dicendi
non rem perdendi gratia Cᴜ 706   non commemini dicere Cᴜ 710   serione dicis tu? Eᴘ 31
Epidicus dixit mihi Eᴘ 598   quid istuc dubitas dicere? #Vos priores esse oportet, nos
posterius dicere Eᴘ 261   docte et sapienter
dicis Eᴘ 404   dicito docte et cordate Mɪ 1088
dico ego tibi iam ut scias Eᴘ 668   iam ipsa
res dicet tibi Eᴘ 713   adulescenti dicam*
Eᴘ 164

nunc adeo ut facturus dicam Mᴇɴ 119   Mᴇɴ
319(dicam U pro inquam)   quid id est igitur quod uis? #Dicam. #Dice Mᴇʀ 159   dic*,
obsecro Mᴇʀ 605   dic igitur. #Dicam. #Atqui
dicundumst tamen Mᴇʀ 727   domo doctus

dico* Mᴇʀ 355   domo docta dico Poᴇ 216
de me domo docta dico* Tʀᴜ 454   iam dixisti? #Dixi. #Frustra dixti Mᴇʀ 658   si
falsa dicam, frustra dixero Rᴜ 1135   uin
dicam? Mᴇʀ 721(ℰ)   quin dicis? .. dictum
oportuit Mᴇʀ 724   iam, si nihil usus esset,
iam non dicerem Mᴇʀ 733   de illa ergo ego
dico tibi Mᴇʀ 899   bene uocas, benigne dicis*
Mᴇʀ 949   benigne dicis*, bene uocas Tʀᴜ 128
(bene dicis benigneque uocas ALLy)   tibi ego
dico Mɪ 217, 434   mihi ne dixis Mɪ 283   ego
enim dicam tum, quando usus poscet Mɪ 810
ille me uetuit dicere Mɪ 830   ut tu scire
possis dico* Mɪ 842   ut tu ipse me dixisse
delices Mɪ 844   .. quia sibi non dicerem* Mɪ
860   ne dixeritis obsecro huic uostram fidem
Mɪ 862   itaque ancilla .. dicebat mihi Mɪ
1410   non licet mihi dicere? #Dic* Mɪ 1405
ne nequiquam .. tam lepide dixeris .. Mo 252
lepide dictum de atramento atque ebure
Mo 260   ait illum hoc pacto sibi dixisse
mortuom Mo 492   lepide hercle dicis Pᴇʀ 154
obsecro hercle, quin dice Mo 469(Rs)   dicam,
confessus sit Mo 555   uerum hercle dico Mo
583(loc dub)   dic. #Egone? #Tu ipsus Mo 634
dixtin(† ℰ) quaeso? Mo 552   mirum quin uigilanti diceret* Mo 493   sic dixit mihi Mo 1029
atque cum alieno adulescentulo dixit. #Dixi
hercle uero Mɪ 367

satis fuit indoctae immemori insipienti dicere totiens Pᴇʀ 168   dic amabo. #Dic amabo.
#Nolo ames Pᴇʀ 245   ut digna's dico Pᴇʀ 207
non es (malus) neque me dignumst dicere Pᴇʀ
371   operam do ne alii dicant quibus licet
Pᴇʀ 372   dic* ergo. #At tu dic prius Pᴇʀ 239
(Gertz U)   dic bona fide Pᴇʀ 485   prius dico
Pᴇʀ 589   non hi dicunt, uerum ego Pᴇʀ 820
dic tu: prior rogaui Pᴇʀ 216   sin odiost, dicam tamen Poᴇ 51   apud uos dico confidentius Poᴇ 62   mihi pollinctor dixit Poᴇ 63
domo docta dico Poᴇ 216   uin bona dicam
fide? Poᴇ 439   optume itis, pessume hercle
dicitis Poᴇ 569(v. secl Weisω)   non dictumst:
uale Poᴇ 913   dico ne dictum neges Poᴇ 1155
(cf Ps 119, 125, 186)   magis qui credatis dicam Poᴇ 1264   de prandio tu dicis Poᴇ 1350

hoc ne dictum tibi neges dico prius Ps 119
ne quis dictum sibi neget dico omnibus Ps 125
ne dictum esse actutum sibi .. neget Ps 186
dixin, Callipho, dudum tibi? Ps 489   .. si
dixem*, mihi Ps 499(RL)   quin dictumst
mihi? Ps 501   sciam si dixeris Ps 657
herbas formidulosas dictu Ps 824   si uidistis
dicite Rᴜ 323   saepe dixi Rᴜ 376   ita ut occepi dicere, illum quem .. Rᴜ 1065   di te
infelicient. #Isti capiti dicito Rᴜ 885   uolo
ut dicas Rᴜ 960   tu perge ut occepisti dicere
Rᴜ 1089   nisi dat domino dicundum* Rᴜ 961
dixi equidem: sed si parum intellexti dicam
denuo. hasce ambas, ut dudum dixi, ita esse
oportet liberas Rᴜ 1103—4   sicuti dixi prius
Rᴜ 1111   dico, Venus, aut audias Rᴜ 1343(LU)

utraque ut dicat mihi Sᴛ 106   dic uicissim
nunciam tu Sᴛ 115   senex ille illi dixit Sᴛ
545   quasi ego nunc tibi dico Sᴛ 546   tibi
dico Sᴛ 715(U vide ψ)   edepol haud dicam
dolo Tʀɪ 90   non tibi dicam dolo Tʀɪ 480

quin dicant, non est (in manu): merito ut ne
dicant, id est Tri 105   hercle qui dicam tamen si sic non licebit, luscus dixero Tri 465
nunc quom opus est, non quit dicere Tri 504
dixisti* arcano satis Tri 556   si animum aduortas dicam Tri 897   dixi ego iam dudum
tibi Tri 923   quin discupio dicere Tri 932
oblitus intus dudum tibi sum dicere Tri 1137
dicis si facias modo Tri 1187   non tibi dicebam Tru 332   dicin an non? Tru 825
***dicat simul Vi 46   aliter regi dictis di-
cunt, aliter in animo habent Fr I. 56(*ex Caes
ad Front* II. 10)

   b. *parenthetice:* me quidem hercle dicam*
palam non diuides Au 283   maior (uoluptas),
non dicam dolo, si . . Men 228   mihi, deum
uirtute dicam, . . licuit . . Mi 679   pol deum
uirtute dicam* et maiorum meum . . . Per 390
maiorum meum fretus uirtute dicam . . Ps 581
edepol deum uirtute dicam . . et maiorum et
tua . . Tri 346

   c. *post* ut: estne hoc ut dico? As 54   hoc
ut dico factis persequar Mer 554   hoc modo
res gestast ut ego dico Ru 1072   nisi . . hoc
ut(quod *RRs*) dico facis . . Tri 662   ut dicis
Am 693*, Mi 255, 475*, 983   ain tandem? #Ita
esse ut dicis* Au 298(*vide RgL*)   ita ut dicis
Cap 124   itast ut dicis Ep 460   fateor omnia
facta esse ita ut tu(*Ca om P*) dicis Cap 678
est hercle ita ut tu(*B om EJ*) dicis Cu 50
credo ita esse factum ut dicis Men 1130   ego
ita esse ut dicis teneo pulcre Mi 780   ita ut
dicis facta hau nego Mo 735   est ita ut tu
dicis Tri 1132   si ut dicis, ita futura's Ci 47
nempe sicut dicis Au 294   sicut dicis Ba 718
quicque ut dicebam mihi credebat Mer 216
proinde ut dixi Am 63(*v. om J*)   facitne ut
dixi? Am 526   ut iam dudum dixi Am 491
miser errat ut ego dixi Ci 366   estne ita ut
dixi? Ep 622   haec aedis ita erant ut dixi
tibi Mo 640   sicut dixi* faciam Tri 685   tuam,
ut dixisti*, mihi desponde filiam Poe 1357   ille
ut dixit non redit Cap 683   ut quidem ille
dixit mihi Men 22   ut quidem ille insanus
dixit Men 336   Tranio ut dixit mihi Mo 1026 d
(*L in lac*)   ut mihi mater dixit Per 631   ut
quidem ipse nobis dixit Poe 664   ut ipse nobis dixit Poe 669   ut dixeram ante Cap 17
ut dudum dixeram Per 576   ita uti dudum
dixeras Am 691   ita ut occepi dicere Poe 470

   2. *cum acc.* a. *pron.:* omnium primum
iste qui sit Sosia, *hoc* dici* uolo Am 609   nisi
etiam hoc falso dici* insimulaturus es Am 902
praefiscini hoc nunc dixerim* As 491   namque
hoc qui dicat: quo . . Au 489   mean me
causa hoc censes dicere? Cap 853   dic modo
hoc quod ego te iubeo. #Dico*: homo lepidissume Men 148   ei et hoc memento dicere* Mer
282(†ℬ) hoc ei dicito Mi 185 a   dixi hoc tibi
dudum et nunc dico Mi 1059   tua ego hoc
causa dico Mi 1352   numero hoc dicis Mi
1400   quin etiam illi hoc dicito Mo 422   ne
hoc quoiquam homini dicerem* Per 240   iam
hoc tibi dico Per 653   magis hoc tum demum
dices Poe 189   hoc, ne dictum tibi neges,
dico* prius Ps 119   dic mihi . . hoc quod te
rogo Ps 340   auditaui saepe hoc uolgo dicier

St 167   arcano tibi ego hoc dico Tri 518
caue sis dixeris me tibi dixisse hoc Tri 556
dici hoc potest, apud portitorem eas resignatas . . esse Tri 793   haec sic dicam erae Am
261   haec uti sunt facta ero dicam meo Am
460   scis haec dudum me dixisse per iocum
Am 963   haec nunc meo sodali dici discrucior
Ba 435   quom mihi haec dicentur dicta . .
Cas 139   modo quidem hercle haec dixisti.
#Non praesens quidem Ci 296   quid qua tibi
causa haec dixi*? Ci 757(*L in lac*)   . . haec
pater sibi diceret Mer 70   haec ei dice* Mi
256   haec uobis dixi per iocum Poe 541   haec
cura clanculum ut sint dicta* Poe 913   quid
ego cesso . . dicere haec Palaestrae? Ru 454
haec quom audio in te dici . . Tri 103   non
eo haec dico quin . . Tri 341   dic *idem* hoc
. . obsecro Cas 187   haec eadem dicit tibi St
263(*loc dub*)   et nunc idem dico Cu 493   mulier quicquid dixerat, idem ego dicebam Men
484   idem hercle dicam, si auom uis adducere Men 751   idem ego dicam, si . . Mi
246   *id* . . numquam poterit dicere Am 426
id dici uolo Am 593   an id ioco dixisti? equidem serio ac uero ratus Am 964   habetin
aurum? id mihi dici uolo Ba 269   . . ne id
nequiquam dixerit Ba 701   id mihi dice Ba
716   id tam audacter dicere audes Cap 630
mihi enim — ah — non id uolui dicere Cas
366   id ut occepi dicere Cu 43   ne tu hercle
cum cruciatu magno dixisti id tuo Cu 194
quis id dixit tibi? Ep 250   magis id(*BentRRg
om APψ*) dicas Mi 1429   ea te causa duco
ut id dicas mihi Men 892   quando dicta
audietis mea, haud aliter id dicetis Mo 98   id
uolo mihi dici Mo 625   quidquid di dicunt id
decretumst dicere Mo 667   immo si efficies,
tum faxo magis id(*R om P*) dicas Ps 949   ut
id occepi dicere Ru 1119   . . qui (id *add
LomanRRgU* illi istaec *L*) dixerit St 555
id ego dico tibi Fr I. 73(*ex Fest* 372)

   ego *illud* numquam dixi Mer 763   peccaui:
illuc dicere* 'uilicum' uolebam Cas 674   illud
quidem dicere(†ℬ) uolebam 'nostro uilico'
Cas 702(*vide Rs*)   illud dicere uolui: femur
Mi 27   illud 'stertit' uolui dicere(*de collocatione* cf Kellerhoff, p. 83) Mi 819
illud quidem, 'ut coniuent' uolui dicere Mo
830   illud quidem uolui dicere* Poe 1231
illud quidem 'subaquilum' uolui dicere Ru
423   si illud quod uolumus dicitur . . Tru
192   illud uolui dicere: fraterculabant Fr
I. 86(*ex Fest* 297)   ioco illa dixeram dudum
tibi Am 916   mene ego illaec patiar praesente dici? Poe 368   nam quor *istuc* dicis?
Am 581   egone istuc dixi? Am 747   quis
istuc tibi dixit? Am 764   neque hercle ego
istuc dico nec dictum uolo As 37   posterius
istuc dicis* quam credo tibi As 63   magis
istuc percipimus lingua dici quam factis fore
As 162   ne dixis istuc. #Ne sic fueris. ilico
ego non dixero As 839   istuc cum malo magno
tuo dixisti in me As 902   ego istuc, . . aliouorsum dixeram, non istuc quo . . Au 287
ne istuc dixis Au 744   ego istuc illi dicam
Ba 600   egone istuc dixi? #Ita. #Quis homost
qui dicat me dixisse istuc? Ba 806-7   num-

quam istuc dixis Cap 149 .. magis tu tum istuc diceres Cap 871 quid istuc dubitas dicere? Ep 260 caue tu istuc dixis Mer 484 egone istuc dixi* tibi? #Mihi quidem hercle Mer 761 noli istuc, quaeso, dicere Mer 934 dixi ego istuc Mi 185a scio et istuc illi dicam Mi 1075 caue sis tu istuc dixeris Per 389 sat est istuc alios dicere nobis Poe 251 bonan fide istuc dicis? Ps 1095 cur tu istuc dicis? Ru 382 nunc demum istuc dicis, quoniam .. Ru 1122 quis istuc dicit? St 549 quo modo tu istuc .. dixti*? Tri 602 caue tu istuc dixis Vi 83 dixi ego istuc idem illi Mo 1087 tuo ego istaec igitur dicam illi periculo Ba 599 dixin ego istaec, obsecro? Ci 295 ioculo istaec dicit St 23

.. praeut *alia* dicam Mi 20 numquid est quod dicas aliud de illo? Mer 642 .. ut ego illic *aliquid* boni dicam Au 672 uelim de me aliquid dixerit Poe 1206

si *quid* dictumst per iocum Am 920 si quid tu med erga hodie falsum dixeris .. As 20 nec quid dicatis scire .. possum As 730 scio quid dictura's: hanc esse pauperem Au 174 quid diximus tibi secus quam uelles? Au 436 quid .. dixisti patri? Ba 685 quid dixit? Ba 699, Cas 669 quid dicam nisi .. me .. rapi? Ci 61 quid dicam nescio Ci 520 quid dicat* uideamus Ci 712(*U in lac*) quid ego erae dicam Ci 713 huic quid primum dicam nescio Cu 128 quid dices? #Me perisse Cu 132 quid tibi uis dicam nisi quod est? Ep 19 ibi illarum altera dixit illi .. #Quid? Ep 241 quid dixisti? #Nescio Men 637 quid hic mihi dixerit, faxo scias Men 644 quid ego dixi? #Insanus, inquam .. Men 937(quid ego? #Dixti *L*) si quid stulte dixi atque inprudens tibi Men 1073 nescis quid dicturus sum Mer 431 quid uis me igitur dicere? Mer 484 nescio quid dicam Mer 723 scio iam quid uis dicere Mi 36 quid eae dixerunt tibi? Mi 60 quid tibi uis dicam, nisi quod uiderim? Mi 300 nunc quid dicam nescio Mo 676 quid ergo dixi? #Ego recte apud illam dixero* Per 185 scis quid hinc porro dicturus fuerim ni ..? Per 296 .. quid dicamus mox pro testimonio Poe 596 si quid per iocum dixi .. Poe 1321 quid dicit* tibi? #Nugas theatri Ps 1080 quid uis tibi dicam? St 115 quid tibi ego dicam? Tri 163 si quid dixi iratus aduorsum animi tui sententiam .. Tri 1411 expecto si quid dicas Tri 98 ausculto si quid dicas Tri 148 numquid dixisti? Mo 548 (*infra sub* quod) numquid aliud etiam uoltis dicere? Ps 370 uobis *quod* dictum foret scibat facturos Am 21 nunc de Alcumena dudum quod dixi minus .. Am 479(*v. secl URglS*) quod tu dicis .. non te mihi irasci debet Am 522 illud quod ego dicam adsentiant Am 824 quod me dixi uelle uobis dicere dicam As 9 .. si istuc quod dicis faxis As 612 neque osculatur neque illud quod dici solet Ba 897 ego quod dixi haud mutabo Ba 1153 quod semel dixi haud mutabo Ba 1202 fit quod tibi dixi Cap 558 mihi nihil credis quod ego dico sedulo Cap 886 di istam perdant, quod nunc liceat dicere Cas 275 uobis credam quod uos

dicitis Cas 999 quod ille dixit Ci 14 em istuc quod mihi dixti Cu 128 .. quod in se possit uere dicier Cu 479 nihil est quod ille dicit Cu 634 quod praeterii dicere .. Mer 403 si opprimit pater, quod dixit, exsolatum abiit salus Mer 593 ego quod dilam, id mihi in manust Mer 628 numquid est quod dicas aliud de illo? Mer 642 hic quod dixit, id mentitust Mer 936 quid illuc quod dico? Mi 36 neque quod dixi flocci existumat Mo 76 numquid dixisti de illo quod dixi* tibi? Mo 548 quod dicis facere non quis Per 287 nummus abesse hinc non potest quod nunc dicam Per 664 tuae blanditiae mihi sunt quod dici solet gerrae Poe 136 hau uostrumst iracundos esse quod dixi ioco Poe 572 quod dictumst mutae mulieri Poe 876 opino hercle hodie quod ego dixi per iocum id euenturum esse et seuerum et serium Poe 1169 est quod domi dicere paene oblitus fui Ps 171 flocci non fecit .. quod iuratus adulescenti dixerat Ru 48 quid tu ais? #Quod primarius uir dicat Ru 1073 estne hoc quod dico? Tri 404 hoc quod dixi* meus me orauit filius Tri 449 Tri 662(quod *RRs pro ut*) quod dixisse dicitur libertus suae patronae Fr I. 72(*ex Fest* 372) quin quae dixisti modo omnia ementitu's Am 410 audis quae dico Am 977 haec quae dicam accipe Am 1101 nec recte quae tu in nos dicis .. As 155 mihi quae dicam edissere Cap 967 amori accedunt etiam haec quae dixi* minus Mer 24 omnia equidem credo quae dicis* mihi Mer 914 hic mihi dixit tibi quae dixi* Mi 365(*vide RL*) illaec quae dixi dato Mi 1126 nec quae dicis optemperas Mo 522 quae dixi ut nuntiares Per 304 mihi quae uobis dudum dixi dicite Poe 556 .. quae ego dixi omnia Poe 704 utinam quae dicis dictis facta suppetant Ps 108 haec sese ecfecturum dixit quae dixi tibi Ps 701 quae tibi dixi, ut effecta reddidi Ps 1309 omnia ego istaec quae tu dixti* scio Tri 655 adsentabor, *quicquid* dicet, mulieri Men 418 mulier quicquid dixerat, idem ego dicebam Men 483 quidquid dei dicunt, id decretumst dicere Mo 667 pudet dicere me tibi *quiddam* Ba 1155 dicere hic *quiduis* licet Cas 794, Per 711, Poe 437, Tru 884 dicito* quiduis Am 391(*CaLy*) satis superquest quo facto aut dicto adeost opus Am 169 aut plus aut minus quam opus fuerat dicto* dixeram Men 592

b. *cum adiect. subst. vel partic.: aequom* dicis Ba 753 aequa dicis Per 543 scis cuius: non dico* *amplius* As 203(*adv.?*) qui audiunt *audita* dicunt Tru 490(*v. secl Rs*) non *bona* haruspex dixit Poe 456 c(*v. om A secl ω*) *certum* nihil dico tibi Ru 1092 *credibile* ecastor dicit Poe 1329 non credibile dices* Tri 606 *exploratum* dico et prouisum hoc tibi Cap 643 haud miranda *facta* dicis Ru 345 iuro .. neque me *falsum* dicere Am 435 quae facta dixi omnia huic falsa dixi Cas 686 si falsa dicis*, .. excruciabere Mi 843 si falsa dicam, frustra dixero Ru 1135 (*audio*) falsum dicere Am 755 adiuro .. nos non falsum dicere Men 656 haud *iniquom* dicit. #Immo hercle insignite inique Ru 1096 *minus* dixi quam

uolui Cap 430   eo minus dixi, ne .. Mi 1080
(adv.?)   magis iam faxo mira dices Am 1107
iamne nihil dico? Tru 696(vide RsU)   ego
dicam omnia Cu 633   omnia hercle uxori dixi
Men 637   dixi hercle uero (ei add RRs) omnia
Mo 549a   dixtin, quaeso? #Dixi, inquam,
ordine omnia Mo 552   aut plus aut minus
quam opus fuerat dicto* dixeram Men 592
paene oblitus sum relicuom dicere Poe 118(v.
secl WeisRgS)   satis iam dictum habeo Per
214   satis est dictum Per 615   satis dictumst
Poe 607   dixi satis Ru 817   non uerisimile
(duo verba U) dicis Mi 291   iam faciam ut
uerum dicas dicere Am 345   uera dico Am
395, 562, 736, 835, As 186, Mo 945   uera dicis
Mer 905, Mi 913   dicis* uera Ps 360   uera
didici dicere Am 687   dic mihi uerum serio
Am 855   .. ut uerum tibi dicam As 843   si
uera dicis .. Cap 983   .. si uera dicitis*
Cap 993   si uerum dixi .. Cas 3   uera dicas
uelim Cas 234   uerum hercle dico Cu 665(loc
dub)   uerum hic dicit. #Tibi ergo dicit Mer
971   uera dixi equidem tibi Mer 936   si tu
uera dicis .. Mer 902   uerum uolo dici mihi
Mo 181   quidquid inerit uera dicet? Ru 1140
non feret nisi uera dicet Ru 1141   uerum
hercle hic dicit* Tri 463   .. ut uerum dicas*
Tri 762
    c. cum subst.: sine modo argumenta dicat*
Am 806   ei rei argumenta dicam Mo 92, Tri
522   argumenta .. dico ad hanc rem Mo 99
haec argumenta ego aedificiis dixi Mo 118
numquid causam dicis quin ..? Am 852   non
causam dico quin .. Am fr XIII(ex Non 237)
nullam causam dico, quin .. Cap 625   dicam
auctionis causam St 207   causam haud dico
Mi 1427   tu contumeliam alteri facias, tibi
non dicatur? As 489   quot innocenti ei dixit
contumelias Ba 267   alteri de nihilo audacter
dicunt contumeliam Cu 478   contumeliam si
dices, audies Ps 1173   'dicis contumeliam'
Tru 299   dicta dicere: vide infra B. 5   si
dixero mendacium .. Am 198   mendacium ei
dixit Ba 525   dixeram nostro seni mendacium
et de hospite et .. Ba 957   mendacium edepol dicis Per 102   etiam uis nomen dicam?
Mer 728   dic nomen Per 646   nomen patris
dices Tri 920   nugas istic dicere licet Cas 957
quid dicit tibi? #Nugas theatri Ps 1080   huic
homini .. mea era apud nos neniam dixit de
bonis Tru 213   haud centesumam partem dixi
atque .. Mi 763   perdidisti postquam dixisti*
(i. e. descripsisti) pedes Ps 1220(PRgLU aliter
AS)   rationem quam mihi ita dixit erus Ps
596(PLU)   qui istuc? #Rationem dicam Tru
158   est res quaedam quam occultabam tibi
dicere Per 493   Telobois iubet sententiam ut
dicant suam Am 205   dicam meam sententiam
Cu 702   nulla (uerba) igitur dicat Au 498
eadem istaec uerba dudum illi dixi omnia Ba
1018   bonan fide tu mihi istaec uerba dixisti? Cap 890   istuc unum uerbum dixisti
uerissumum Mer 206   numquid in principio
cessauit uerbum docte dicere? Per 551   uerba
quae in comoediis solent lenoni dici Ps 1082
ego hoc uerbum quom illi quoidam dico, prae-
monstro tibi Tri 342   ne bonum uerbum qui-

dem unum dixit Tru 543   tria dixti* uerba
atque mendacia Tru 757   .. quod uerbum in
cauea dixit* histrio Tru 931   nondum didici
nupta uerba dicere Fr I. 71(ex Fest 170: cf
Goldmann, II. p. 8)   uxori uitium dicere
As 903
    nec causam liceat dicere mihi Am 157   .. ubi
saepe causam dixeris pendens aduorsus octo
.. uiros As 564   pro tam corrupto dicis causam filio Ba 420   apud aediles pro eius factis
.. dixi causam Men 591   hinc stas illim causam dicis Men 799   .. quae pro me causam
diceret Mo 244   in iure causam dicito Ru
866   reus solutus causam dicit Tru 837   itur
illinc iure dicto Ba 447   pro praefectura mea
ius dicam larido Cap 907   ius dicis Ep 25
bonum ius dicis St 726   dicamus senibus
legem censeo Mer 1015   oculis multam miram
dicitis Cap 201(U in loco desp vide ψ)   quasi
dies si dicta* sit As 838   is diem dicam* Cap
494   eis ubi dicitur dies, simul patronis dicitur Men 585   similiter(?): mater supremam
(Turn -um PU) mihi tua dixit As 594
    Mnesilochus salutem dicit suo patri Ba 734
salutem dicito matri et patri Cap 389   multam
me tibi salutem iussit Therapontigonus dicere
Cu 421   salutem multam dicito patrono Cu
524   hospiti suo .. plurumam salutem dicit
Cu 431   salutem dicit* Toxilo Timarchides et
familiae omni Per 501   Veneri dicito multam
meis uerbis salutem. #Dicam Poe 406   erus
meus tibi me salutem multam uoluit dicere
Ps 982   mater et soror tibi salutem me iusserunt dicere Mi 1316   fortasse As 594, si
post supremum vox 'salue' subaudiendast
    cena dicta(P cocta Rω) est St 662
    cum illa dote quam tibi dixi Au 256   signa
ut dixi Ci 717   centum nummis minus dicetur* Poe 734(v. secl L)
    3. bene, male dicere, sim., seq. vel dat. vel in
cum acc.(cf Persson, p. 22): heia: bene dicite
As 745(L unum v. ψ)   bene dice Au 787(LU
unum v. ψ), Cas 346(LU unum v ψ)   bene
dicis Tru 128(AL benigne dicis Pψ)   bene
atque amice dicis Ps 521, St 469   bene ..
inter uos dicatis Mi 1341(vide edd)   bene
dictis* tuis bene facta aures meae auxilium
exposcunt Per 495
    indignis si male dicitur, male dictum id esse
dico: uerum si dignis dicitur, bene dictumst
Cu 514-5   si bene dicetis*, .. si male dicetis* .. Poe 631(v. secl RRgl)   qui lubet
male dicere(unum verbum ω)? #Bene equidem
tibi dico Ru 639-40   bene dicere aequomst
homini amico quam male Tri 924
    tene aquam. #Melius dicis* St 714   quoi
ego nunc dictum aut factum melius quam
meae Veneri uelim? Tru 700
    merito male dicas mihi, si .. Am 572   nec
ulli uerbo male dicat: si dixerit .. As 800
mali sunt homines qui bonis dicunt male Ba
118   illi male aegre patere dici Ba 464   nolo
huic male dici Cu 122   ipsus male dicas tibi
Men 313   ipse male dicit sibi Men 309   mihi
male dicas Men 495   non potes tu cogere me
ut tibi male dicam* Mo 893   si sobrius sis,
male non dicas (mihi add R) Mo 895   quoi

male dico? Per 210   male dicis maiori Per 279   seruom tibi male dicere Per 291   male dicere huic tu temperabis Poe 1036(*unum v. ω*) ei male dixit Per 841   nequis merito male dicat sibi St 114   me mihimet censes dicturum male? Tri 71   at etiam male dicis(*unum v. ω*)? Tri 991   male .. tibi dicis Tru 157 quid tibi ego male dico*? Tru 266(*unum v. ω*) meone ero tu .. male dicere* audes? Tru 612 (*loc dub*)   egon tibi male dicam? Tru 775 (*unum v. Rs*)   ego male dicentiorem(*unum v. ω*) quam te noui neminem Mer 142   *de* male dictis Ba 982, Cu 195, Men 496 *vide infra* B. 4 *Vide etiam* Ci 233, *ubi* mala multa dici L ***adigi *fortasse* A

isti nec recte dicis As 471   tu dis nec recte dicis Ba 118   nec recte si illi dixeris .. Mo 240   si nec recte dicis nobis Poe 516   quanti refert ei nec recte dicere? Ps 1085   *Cf* Langen, *Beitr.* p. 135; Lorenz, *Ad Most.* 240

compesce in illum dicere iniuste Ba 463 dicis* iniuste alteri Ps 612   ego istum patior dicere iniuste mihi St 344

iterum iam hic in me inclementer dicit Am 742   inclementer dicis lepidis litteris Ps 27 inclementer dicat homini libero Ru 114   mihi audes inclementer dicere? Ru 734   mihi inclementer dicis Tru 273, 604(dicere)

4. *in respondendo vel iterum affirmando:* uera dico Am 395, 562, 736, 835, As 186, Mo 945(*vide supra* 2. b)   at ego nunc .. dico Am 612   etiam nunc dico As 499(*loc dub*)   quid habeo? #Non dico Au 652   ita dico Cap 844, Mo 968, Poe 1309, Ps 1152, Tri 941   ita dico quidem Poe 474   dico ut res se habet Ba 1063   quid est? #Dicam enim Cas 372   quid negotist? #Dicam Cas 654*, Ru 951   quam ob rem istuc? #Dicam Cu 442   et nunc idem dico Cu 493   si tu me roges, dicam ut scias Cu 12   quid ita? #Dicam Ep 69   dicisne hoc quod te rogo? #Dicam Mo 661   quid est igitur quod uis? #Dicam.   #Dice Mer 159 quid est? #Dicam Mer 286   dicam tibi Cap 646, Ci 249, Ep 708, Mi 296*   ego dicam tibi Ci 603*, Cu 437, Mer 638, Mo 757, 1026c, Ps 336, 801*, Ru 388, Tri 1099(*nulla vox antecedere solet:* Kaempf, p. 5)   qua propte ..?   #Ego dicam Mo 484   quid me in ius uocas? #Illi apud praetorem dicam Per 746   quid eo opust? #Ego dicam Poe 294   quo modo potuisti? #Dicam Poe 477   quid es acturus? #Dicam Ps 751   id expedi. #Dicam St 364   qui parasitus sum? #Ego enim dicam Mo 888   tu .. si dicis .. #Dico et recipio Mi 230 expedi: quid taces? #Dico equidem Per 640 (*vide U*)   quia tibi debemus? #Dicet* illi Poe 1233   ita tu nunc dicis? #Dico Tri 468

5. = nominare, vocare, appellare: dic igitur med aniticulam .. As 693   nimio inpendiosum praestat te quam ingratum dicier Ba 396 nescio quid istuc negoti dicam Am 825   hanc Iunonem dicerem* Ba 217   quasi tu lagoenam dicas Cu 78   dic igitur me passerculum .. As 666   non occatorem dicere audebas prius? Cap 662   ego nolo me meretricem dicier* Ci 83   scio ut(*i. e.* qualem) me dices* Men 434   miserum (me) dices. #Tu dixti*

Mer 164(*vide L*)   memorem dices (me) benefici Mer 996   tam bellatorem Mars se haud ausit dicere Mi 11   id nos Latine gloriosum dicimus Mi 87   alter hoc Athenis nemo doctior dici potest Mo 1072   dicens Syrum se Ballionis Pseudolus Ps *Arg* I. 5   quasi te dicas atriensem Ps 609   numquam hercle quisquam me lenonem dixerit Ru 790   neque eum sibi amicum uolunt dici Tri 263(*v. secl* BoRRs) mater dicta .. sum Tru 457   istaec ridicularia cauillationes uis .. dicere Tru 685   nunc illud est quod 'responsum Arreti' ludis magnis dicitur Fr I. 76(*ex Gell* III. 3, 7)

6. = in animo habere, significatum uelle, mentionem facere, *sim.:* Sosia ille quem iam dudum dico Am 618   ubi fit polenta te fortasse dicere As 36   caue sis malam rem. #Uxoris dico, non tuam As 42   scin ut dicam? As 703   nempe huc dimidium dicis*, dimidium domum Au 293   cocum ego non furem rogo. #Cocum ego dico Au 323   quis illic igitur est? #Quem dudum dixi .. tibi Cap 624   dum 'mihi' uolui, 'huic' dixi Cas 367   illud quidem dicere uolebam Cas 702 in carnario fortasse dicis Cu 324   apud trapezitam .. illum quem dixi Cu 346   cum catello ut accubes, ferreo ego dico Cu 692 Epidamniensis ille, quem dudum dixeram Men 57   hanc dicis .. pallam quam ego habeo? Men 1139   modo hercle in mentem uenit quid tu diceres Mer 294   benest. #Malae re dico Mer 300   adducam ego illum. .. #Me dicit* Mer 563   nempe illum dicis cum armis aureis Mi 16   hic illest lepidus quem dixi* senex Mi 155   non me dico sed eram meam Mi 1039 haec illaec est ab illa quam dudum dixi* Mi 1046   habeo .. oculum. #At laeuom dico* 1307'   aedis dico Mo 848   me dicit*: eugae Per 90   ego hanc uicinam dico Poe 154 quotumas aedis dixerit, id .. incerto scio Ps 962   hic dico Ru 128   nempe tu hanc dicis Ru 1080   est hic quoius dico uidulus Ru 1094 Gripo dico* Ru 1343(*S*)   uasa lautum non ad cenam dico St 595   accepta dico Tru 73 eiram dixi Tru 264   †parasitumet(peculium *Rs aliter U*)   *fortasse:* dicere? #Intellexisti lepide quid ego dicerem Tru 680   ubi is homost quem dicis? Tru 826

similiter: illud dicere uolui: femur Mi 27 illud 'stertit' uolui dicere Mi 819   illud quidem uolui dicere Poe 1231   illud quidem 'subaquilum' uolui dicere Ru 423

7. a. *seq. dat., saepe cum vi hostili*(*cf* Persson, p. 22; Redslob, p. 8, *adn.* 8): mihi Am 572, 815, 855, *fr* XI, As 594, Au 170, 212, Ba 83, 269, 600, 606, 705, 716, 837, Cap 623, 890, 987, Cas 134, 139, 479, 552, Ci 578, 667, Cu 128, 406, 651, Ep 273, 407, 598, Men 22, 143, 495, 644, 809, 892, 914, 923, 925, 1121, Mer 145, 161, 653, 718, 753, 761, 914, 993, Mi 283, 364, 440, 687, 902, 1109, 1410, 1428, Mo 181, 625, 895(*R*), 1026d(*L*), 1029, 1123, Per 631, Poe 63, 160, 759, 986, 1061, 1087, 1132, 1143, Ps 340, 372, 501, 596, 701 Poe 556, 748(?), Ru 638, 734, 1076, 1106, 1405, St 106, 344, 510, Tri 71, 561, 854, 1121, 1177, Tru 273, 368, 604, 641, 679   nobis Poe 251, 516, 664, 669

tibi Aᴍ 764, 916, As 393, 489, 938, Aᴜ 436, 682, Bᴀ 698, 856, 995, 999, 1155, Cᴀᴘ 558, 624, 643, Cᴀs 681, Cɪ 757(*L in lac*), Cᴜ 421, 516, 608, Eᴘ 19, 250, 622*, 668, 708, 713, Mᴇɴ 283, 313, 378, 654, 688, 696, 1073, Mᴇʀ 465, 638, 761, 899, 936, 971, Mɪ 55, 60, 217, 365, 434, 842, 884, 1059, 1097, 1316, Mo 640, 757, 1026c, Pᴇʀ 291, 493, 630, Poᴇ 780, 961, 1305, Ps 119, 244, 336, 489, 701, 801, 1080, 1089, 1309, Rᴜ 388, 640, 1092, Sᴛ 115, 263, 546, 549, 715(*U*), Tʀɪ 163, 518, 556, 923, 1137, Tʀᴜ 157, 266, 332 (*vide* L), 775, Fʀ I. 73   uobis As 9, Mᴇɴ 990, Mɪ 1131, Poᴇ 541, 556, Rᴜ 830   sibi Mᴇɴ 309, Mᴇʀ 70, Mɪ 860, Mo 492, Ps 125, 186, Sᴛ 114, Tʀɪ 480, 1099

alteri Cᴜ 478, Ps 612   huic Cᴀs 686, Cᴜ 128, 132, Mɪ 862, Poᴇ 1036   illi Aᴍ 197, 752, Bᴀ 464, 599, 600, 1012, 1018, Cɪ 180, Eᴘ 241, 417, Mɪ 1075, 1191, Mo 240, 422, 1087, Poᴇ 1233, Sᴛ 545, 555(*L*)   illic Aᴜ 672   illi quoidam Tʀɪ 342   ei Bᴀ 267, 525, Cɪ 549, Mɪ 256, Mo 549(*RRs*), Pᴇʀ 841, Ps 1085, Sᴛ 653, Tʀɪ 737 is Cᴀᴘ 493, Mᴇɴ 585, Mo 1151   isti As 471, Cᴜ 129   ipsi As 634, Ps 755   quoi Pᴇʀ 210, Tʀᴜ 700   ulli As 800

adulescenti Eᴘ 164, Rᴜ 48   Bacchidi Bᴀ 227 bonis Bᴀ 118   Callicli Tʀɪ 583   capiti Rᴜ 885   dis Bᴀ 119   dignis Cᴜ 514   domino Rᴜ 961   ero Aᴍ 460   erae Aᴍ 261, Cɪ 713 Erotio Mᴇɴ 331   familiae Pᴇʀ 501   filio Eᴘ 164, Mo 929   homini Pᴇʀ 240, Rᴜ 114, Tʀɪ 924, Tʀᴜ 213   hospiti Cᴜ 431   indoctae, immemori, insipienti Pᴇʀ 168   indignis Cᴜ 513 lenoni Ps 1082   litteris Ps 27   maiori Pᴇʀ 279   matri Cᴀᴘ 389   mulieri Poᴇ 876   omnibus Ps 125   Palaestrae Rᴜ 454   patri Bᴀ 382, 685, 734, Cᴀᴘ 389, 395   patrono Cᴜ 524, Mᴇɴ 585, Fʀ I. 72   Philocomasio Mɪ 1089   puero Bᴀ 442   regi Fʀ I. 56   reginae Tʀɪ 207 seni Bᴀ 957, Mᴇʀ 1015   sodali Bᴀ 435   Telobois Aᴍ 205   Toxilo Pᴇʀ 501   Veneri Poᴇ 406, Tʀᴜ 700   uigilanti Mo 493   uxori As 903, Cᴀs 705(*Rs*), Mᴇɴ 637

b. *cum praepp.* (*vide infra* 15, b): **aduorsus:** me Bᴀ 698   te Aᴍ 750   octo uiros As 564 **apud:** illam Pᴇʀ 185   uos Poᴇ 62   nos Tʀᴜ 213   aedilis Mᴇɴ 591   praetorem Pᴇʀ 746 **de:** ambabus Poᴇ 1206   me Poᴇ 1206, Tʀᴜ 454   te Cᴀᴘ 430   Alcumeᴜa Aᴍ 479   illa Mᴇʀ 899   illo Mᴇʀ 642, Mo 548   hospite, auro, lembo Bᴀ 957   hac re Aᴍ 736   atramento Mo 260   ebure Mo 260   illac pugna Poᴇ 471 prandio Poᴇ 1350   nihilo Cᴜ 478   bonis Tʀᴜ 213   **erga:** me As 20   in(*cum vi inimica vel benigna:* cf Persson, p. 22; Redslob, p. 8, adn. 8): me Aᴍ 742, As 698, 902   nos As 155   te Tʀɪ 103   se Cᴜ 479   illum Bᴀ 463 eum Bᴀ 910   aurem reginae Tʀɪ 207   **inter:** se Cᴀs 67   uos Mɪ 1341   **pro:** filio Bᴀ 420 eius factis Mᴇɴ 591   me Mo 244   fidicina Eᴘ 365(*Rg*)

8. *cum infin.* (cf Votsch, pp. 34, 36; Walder, pp. 34, 49): mutuom acceptum dicit pignus Mo *Arg* 8   hasce epistulas dicam ab eo homine me *accepisse* Tʀɪ 849   testem quem dudum te *adducturum* dixeras* Aᴍ 919   ego me dixi* erum adducturum As 356   me pae-

lices adduxe dicet Rᴜ 1047   te adducturam huc dixeras eumpse Tʀᴜ 133   illa dicat peregre *allatam* epistulam As 761   adferre non petere hic se dicet Tʀɪ 814   dicam te hic *adstare* Erotio Mᴇɴ 331   tu intus dicito Mnesilochum *adesse* Bacchidi Bᴀ 227   mihi alius dixit . . mane hic adfore Eᴘ 273   sororem geminam adesse et matrem dicito Mɪ 1102 dic* me adesse Tʀᴜ 754   utrum strictimne *adtonsurum* dicam esse an . . Cᴀᴘ 268   . . neu te *aduexisse* dixeris Mᴇʀ 401   *aduenisse* familiares dicito Aᴍ 353   te aduenisse dicas Aᴍ 695   tun me heri aduenisse dicis Aᴍ 758 dico me illo aduenisse Cᴜ 340   sororem . . dicam Athenis aduenisse Mɪ 239   dic me aduenisse filio Mo 929   is mihi dixit suom erum . . aduenisse Tʀɪ 1121   quidnam esse *acturum* hunc dicam* uicinum meum Pᴇʀ 400 dicit capram . . dotem *ambedisse* Mᴇʀ 238 amica quam dudum mihi te *amare* dixit* Mᴇʀ 753   si . . ioculo dixisset mihi se illam amare Mᴇʀ 993   dic me illam amare multum Pᴇʀ 303, Tʀᴜ 589(plurumum)   cur ausa's alium te dicere amare hominem? Tʀᴜ 607   dixit mihi suam uxorem hanc *arcessituram* esse Cᴀs 552 tute dixeras tuam arcessituram esse uxorem . . Cᴀs 599   quam ad rem dicam hoc *attinere* somnium? Rᴜ 611   unde quidquid *auditum* dicant Tʀɪ 218   . . te *abstulisse.* #Neque edepol ego dixi . . Aᴜ 764   se ablaturum dixit Bᴀ 741   te dixisti id aurum ablaturum Bᴀ 805   aquam *aufugisse* dicito Aᴜ 94   dicant in mari communi (pisces) *captos* Rᴜ 981 . . nisi dixisset mihi te apud se *cenaturum* esse Sᴛ 510   ipsus illi dixit *conductam* esse eam Eᴘ 417(*B² v. om P*)   is se dixit . . clam *consuetum* cubitibus Aᴍ 1122   men . . *conuenisse* te . . audes dicere? Mᴇɴ 1050   et bene et male *credi* dico Cᴜ 680   tibi me dico credere Pᴇʀ 485   *cubare* in naui lippam . . nauclerus dixit . . mihi Mɪ 1109   me *curaturum* dicito Mᴇɴ 529   dicam curare? #Dicito*: curabitur Mᴇɴ 539   haec me curaturum dicito* Mᴇɴ 548 quidnam dicam* Pinacium . . currere? Sᴛ 288 non . . dices *deceptum* fore Sᴛ 610   a tua mihi uxore dicam *delatum* et datum Mɪ 800 me dicam hic *demoratum* tam diu Rᴜ 447 si . . summum Iouem te dicas *detinuisse* . . As 414   apud te eos hic *deuortier* dicam hospitio Mɪ 241   faciam ut uerum dicas *dicere* Aᴍ 345   dicat me dixisse istuc Bᴀ 807 nullus homo dicet Bᴀ 808   scio absurde dictum hoc derisores dicere Cᴀᴘ 71   male dictum id esse dico* Cᴜ 513   caue sis dixeris me tibi dixisse hoc Tʀɪ 555   magister curiae *diuidere* argenti dixit* nummos Aᴜ 108   dixit sese operam promiscam *dare* As 366   is mihi se locum dixit dare Cᴀs 479   amorem mihi esse . . dicam datum Cᴀs 616   Cɪ 180(*infra sub* parere)   sibi esse datum argentum dicat Eᴘ 365   dic te daturum. #Egon dicam dare? #Dic Mo 633   mihi dixit dare potestatem eius Pᴇʀ 602   dic dari (uinum) Poᴇ 259   ego me iam pridem huic daturum dixeram Ps 406 dare argentum tibi, quod dixit* Ps 554   daturos dixit Rᴜ 405   dicito daturum meam illi filiam uxorem Rᴜ 1213   dotem dare tu ei

dicas Tʀɪ 737   dicant . . datam tibi dotem
Tʀɪ 740   dotem dare si dixerim Tʀɪ 755   me
sibi epistulas dedisse dicit Tʀɪ 896   quod
sibi me dedisse dixit Tʀɪ 960   datum sibi
esse dixit Tʀᴜ 409   (patera) te illi *donatum*
esse dixeras Aᴍ 761   utrum me dicam *ducere*
medicum an fabrum Mᴇɴ 887   si . . uos dixissem* ducere . . : uos mihi aduocatos dixi . .
ducere Pᴏᴇ 529-31   is mihi haec sese *ecfecturum* dixit quae dixi tibi Ps 701   eam te
in libertatem dicas *emere* Eᴘ 278   adulescentem . . dicebant emisse Eᴘ 603   illam matri
meae me emisse dicam Mᴇʀ 208   ille . .
ancillam matri emisse dixerat Mᴇʀ 975   eas
emisse aedis huius dicam filium Mᴏ 664   ne
temere hanc te emisse dicas Pᴇʀ 597   ad
tonsorem *ire* dixit As 394   ad fratrem quo
ire dixeram, mox iuero Cᴀᴘ 194   quo te dicam ego ire? Cᴜ 12   dico me ire quo saturi
solent Cᴜ 362   dico esse iturum me mercatum
Mᴇʀ 83   is se ad portum dixerat ire dudum
Mᴇʀ 467   unde uos ire cum uuida ueste dicam* Rᴜ 264   quid ego ero dicam meo . .
euenisse? Aᴜ 67   denegat facta, quae tu *facta*
dicis Aᴍ 851   mandata dicam facta As 913
fecisse dicas de mea sententia Bᴀ 1038   dixit
se facturam uxor mea Cᴀs 483   quis hoc
dicit* factum? #Ego ita factum esse dico Eᴘ
207   te pro filio facturum dixit rem esse
diuinam Eᴘ 415   Eᴘ 419(*B²* v. om ω)   mea
facturam omnes dicent esse ignauia Mᴇʀ 662
ego nusquam dicam nisi ubi factum dicitur
Mᴇɴ 10   an illic faciat quod facturum dicit
Mɪ 346   dic me omnia quae uolt facturum
Mɪ 1070   uerum factum . . post dices magis
Mɪ 1367   hoc dicito: facturum ut . . Mᴏ 422
id factum audacter dicito Mᴏ 916   . . quod
facturum dixeram Ps 565   rem diuinam se
facturam dixerat Rᴜ 95   dicat aurum *ferre*
se a patre Tʀɪ *Arg* 7   se . . aurum ferre . .
dicat Tʀɪ 779   ego me aurum ferre dixi Tʀɪ
975   terrifica monstra dicit *fieri* in aedibus
Mᴏ *Arg* 4   meos te dicam *fugitare* oculos
Cᴀᴘ 541   molluscam nucem . . dixit *impendere*
tegulas Fʀ I. 48(*ex Macr Sat* III. 18, 9)   ego
impetrare dico* id quod petis Mɪ 231   socer et
medicus me *insanire* dicebant* Mᴇɴ 1046(*PRs*)
ego illi me *inuenisse* dico hanc praedam Aᴜ 816
dixin tibi ego illum inuenturum te qualis sit
Bᴀ 856   dixit* meum Diniarchi puerum inuenturum filium Tʀᴜ 857   mihi tris hodie litis
iudicandas dicito Mᴇʀ 281   dici hoc potest
apud portitorem eas resignatas sibi *inspectas-
que* esse Tʀɪ 793   . . dicere apud portitores
esse inspectas Tʀɪ 809   ibi *mercatum* dixit
esse die septumi Pᴇʀ 302   ait . . dixisse te
eam non *missurum* Cᴀs 601   me esse omnes
mortuom dicant fame Sᴛ 640   ego faxo hau
dicet *nactam* quem derideat Bᴀ 506, 864   te
Syracusis *natum* esse dixisti* Mᴇɴ 1097   per
annonam caram dixit me natum pater Sᴛ 179
dico me *nouisse* extemplo As 345   dico me
nouisse Cᴜ 342   continuo hunc nouisse dicent
scilicet Rᴜ 1098   uxor . . quam dudum dixeras
te *odisse* Mᴇʀ 760   dic me uxorem *orare* ut . .
Cᴀs 705   dic me orare ut . . Cɪ 639   illa
illi dicit . . se . . *peperisse* gnatam atque eam

se seruo dedisse exponendam Cɪ 180   *paratum* iam esse dicito* Pᴇʀ 302   lubet *perditum*
dicere te esse Cᴜ 135   ego illum *perisse* dico
Bᴀ 485   periisse ut tu dicas* Cᴜ 129   quid
dices? #Me periisse Cᴜ 132   quasi dicas . .
'pax' periisse ilico Tʀɪ 891   argentum dixi
me *petere* Mᴇɴ 1056   adferre non petere hic
se dicet Tʀɪ 814   ne me uxorem *praeuortisse*
dicant Aᴍ 528   quo ted hoc noctis dicam
proficisci foras? Cᴜ 1   quo illum nunc hominem *proripuisse* foras se dicam? Cᴀᴘ 533
dudum dicebant mihi malum . . *portendier* Pᴏᴇ
748   eum *promisisse* firmiter dixit sibi Ps 901
hospitium . . illi dixerunt . . te(† 𝔖) *quaeritare* a
muscis Pᴏᴇ 689   quid dicam nisi . . me in
maerorem rapi? Cɪ 61   si *recipere* hoc ad te
dicis Mɪ 229   quam ad *redditurum* te mihi
dicis* diem Vɪ 90   dixit se *redhibere* Mᴇʀ 420
quam ad rem dicam . . *referre* habere Tʀᴜ 70
remissum quem dixti* . . exercitum Cᴀᴘ 155
nec mutam profecto *repertam* ullam esse hodie
dicunt mulierem Aᴜ 126   Delphis tibi *responsum* dicito* Ps 480   quin tibi dico uxorem
resciuisse Mᴇɴ 688   *resignatas* Tʀɪ 794(*supra
sub* inspicere)   *sapere* eum omnes dicimus*
Ps 680   qui sese dicat *scire* eum esse emortuom Mᴇɴ 243   quod ille gallinam . . se
sectari . . dicat Mɪ 163   mea (opera sunt *seruata*), ne tu dicas tua Rᴜ 1390   dixin ego
istaec hic *solere* fieri? Mᴇɴ 375   . . hoc uolgo
dicier solere elephantum grauidam . . esse Sᴛ 167
tun tibi hanc *surruptam* dicere audes? Mᴇɴ
732   . . quam *tacere* dicas Ps 209   me hic
ualere et tute audacter dicito Cᴀᴘ 401(*loc dub:
vide L*)   dixit se furtiuas uendere Pᴏᴇ 899
meministin tibi me dudum dicere eam *ueni-
uisse(FlRg)* Ps 1089   fures *uenisse* atque abstulisse dicito Aᴜ 97   uenisse dixit* mihi
suom . . patrem Mᴏ 1123   dic* uenturum Mᴏ
1134   iam illo uenturum dicito Sᴛ 265   . . ei
ut diceret me hodie uenturum Sᴛ 653   nolo
illam . . *uotitam* dicere As 789   is Summanum
se *uocari* dixit Cᴜ 544   Menaechmum opinor te
uocari dixeras Mᴇɴ 1095   quod me dixi *uelle*
uobis dicere dicam As 9   pure uelle habere
dixerit As 806   hunc me uelle dicite* ita
curarier Cᴀᴘ 737   quasi tu dicas me te uelle
argento circumducere. #Immo uero quasi tu
dicas Ps 634   uelle dixit fieri Sᴛ 564   alteram
dicat tibi dare sese uelle Tʀɪ 776   te ego
audiui dicere operariam te uelle rus conducere
Vɪ 20   dixit mihi iam dudum se . . tuom
uidisse hic filium Eᴘ 407   me uidisse . .
dixit Mɪ 367   uirtute dixit uos uictores
uiuere Aᴍ 75   dicant* uiuere Cᴀᴘ 694
quid . . dicam . . te unum in terra uiuere?
Mɪ 55

tragoediam dixi *futuram* hanc Aᴍ 53(*v.* om *J*)
tun te audes Sosiam esse dicere Aᴍ 373   alterum tuom esse dixit puerum Aᴍ 1124   dico
med esse atriensem As 352   quidnam esse
dicam? As 587   haedillum me tuom dic esse
As 667   te . . dicas senem As 813   scio quid
dictura's: hanc esse pauperem Aᴜ 174   immo
esse dico* Aᴜ 545(*Rg*)   seruom esse ubi dicam meum Aᴜ 804   quid esse dicis* dignius?
Bᴀ 41   infit dicere adulterinum et non eum

esse symbolum Ba 265   me esse dicito ignauissumum Ba 556   si tu illum solem sibi
solem esse diceres* . . Ba 699   bellum Aetolis
esse dixi cum Aleis Cap 59   dico eum esse
apud me Cap 513   quis illic igitur est? #Quem
dudum dixi Cap 624   si dixi (inpudicam esse),
nihilo magis es Am 908   me esse dicat cruciatu
malo dignum Ba 1055   fit quod futurum dixi
Cas 788   dicam esse ebriam Ci 667   halophantam . . hunc magis hoc esse dicam Cu 463
quem dices* digniorem esse hominem Ep 26
filiam meam dicere esse Ep 698   dic hominem lepidissumum esse me Men 147   dixin
tibi esse hic sycophantas plurumos? Men 283
non faxo eam esse dices Men 468   ita rem
esse dicito Men 737   quid esse illi morbi
dixeras Men 889   illius esse dico quae meast
Men 904   tu's Menaechmus? #Me esse dico
Men 1078   Moschum tibi patrem fuisse dixisti* Men 1098   dico* . . gratum me et munem fore Mer 105   domin an foris dicam
esse erum? Mer 128   eos esse quos dicam
hauscio Mer 270   puerum te esse dicas Mer
293   quasi dicas* nullam mulierem bonam
esse. #Haud equidem dico Mer 512   quid
nomen tibi dicam esse? Mer 516   simillumas
dicito esse Mi 247   leniorem dices* (esse)
quam mutumst mare Mi 664   dicas uxorem
tibi necessus ducere Mi 1118   dicas tempus . .
esse ut eat domum Mi 1101   dixi* esse uobis
dudum Mi 1131   hasce esse aedis dicas* dotalis tuas Mi 1166   quidnam tam intus fuisse
dicam diu? Mi 1201   dicant* te mendacem . .
esse Mi 1369   dicant* seruorum praeter me
esse fidelem neminem Mi 1370   quid id esse
dicam uerbum nauci nescio Mo 1042   ne te
indotatam (esse) dicas Per 391   dicat se peregrinum esse Poe 175   bonam . . me esse
nimio dici* mauolo Poe 303(v. secl ω)   illa . .
dicebas tua esse Poe 391   . . suom seruom
diceret . . esse apud me Poe 773   quem tibi
nos esse Spartiatem diximus Poe 780   ain tu
tibi dixe . . eas esse ingenuas? Poe 961   filias
(esse) dicas tuas surruptasque esse Poe 1100
has dico* liberas ingenuasque esse Poe 1344(AU)
id futurum unde unde dicam nescio Ps 106
mihi ita dixit . . septumas esse aedis a porta
Ps 596   eum esse me dicam Ps 637   lenonis
me esse dixi Ps 690   quid nomen esse dicam
ego isti seruo? Ps 744   unde ego hominem
hunc esse dicam gentium? Ps 966   Phoenicium esse dixit Ps 1156   me dices* auidum
esse hominem Ps 1323   ibi esse homines
uoluptarios dicit: potesse ibi eum fieri diuitem
Ru 55   quasi me tuom esse seruom dicas Ru
99   dicat . . optumum esse operi faciundo
corium Ru 756   tibi me dixeram praesto fore
Ru 864   ecquem esse dices in mari piscem
meum? Ru 971   hunc meum esse dico Ru
1025   neque meum esse hodie umquam dixi*
. . mulieris . . quam dudum dixi fuisse liberam
Ru 1078-9   eum esse dixit* Ru 1132
. . meum esse dicam Ru 1231   finem fore
quem dicam nescio Tri 2   ita tu nunc dicis
uon esse aequiperabiles Tri 466   non temere
dicant te benignum (esse) uirgini Tri 740
ego faxo dicat me . . crudum uirum esse Tru

642   dico esse in urbe Tru 650   quam esse
dicam hanc beluam? Tru 689
    active cum nom.: quas (minas) ipsi daturus
dixit As 634
    passive cum infin.: dotem . . quae dos di-
citur (esse) Am 839   . . ut nos dicamur duo
omnium dignissumi esse As 313(v. secl US)
Demaenetus ubi dicitur habitare As 382   quot
annos nata (esse) dicitur? Ci 755   neque pol
dici neque fingi potest peior Cu 594   in his
dictust locis habitare mihi Ep 534   ubi
factum dicitur Men 10   alter hoc Athenis
nemo doctior dici potest Mo 1072   dicitur
fecisse rursus . . adulescentulum Ps 870   Her-
culis socius esse diceris Ru 161   is nunc dicitur uenturus peregre Tru 84   in barbaria
quod dixisse dicitur Fr I. 72(ex Fest 372)
    9. seq. enunt. relativo: audiuistin tu hodie
me illi dicere ea quae illa autumat? Am 752
nolle esse dicta quae in me insontem protulit
Am 890   quod egomet solus feci . . id quidem
hodie numquam poterit dicere Am 426   tune
id dicere audes quod nemo . . uidit Am 566
quod me dixi uelle uobis dicere dicam As 10
dic . . quod te rogem As 29(subiu. pro futuro?
vide U)   dic quod lubet As 232   dice, monstra, praecipe quae ad patrem uis nuntiari
Cap 359   quae decent te dicam Cas 239   ne
quid quod. illi doleat dixeris Ci 110   dixi
quae uolui Ci 527   quae didici dixi omnia
Ep 591   dic modo hoc quod ego te iubeo
Men 148   dic mihi istuc . . quod uos dissertatis Men 809   dic* mihi hoc quod te rogo
Men 914, Mo 660(dicisne), Ps 340   id quod
rogabo dicite Men 1105   quid tibi ego dicam
quod omnes mortales sciunt? Mi 55   hic mihi
dixit tibi quae dixi* Mi 365(loc dub)   quae
sunt futura dicis Mi 911   dicat quod quisque uolt Per 373   dicit quod opust Per 623
per iocum itidem dicta* habeto quae nos tibi
respondimus Poe 542   mihi quae uobis dudum dixi dicite Poe 556   dixi quod uolebam
Poe 1231   uin etiam dicam quod uos magis
miremini? Ps 522   dic quod te rogo Ru 124
dicam ea quae promeres Tri 641   quae
uoluit mihi dixit Tri 854   dicam quicquid
inerit nominatim Ru 1134
    haec uti sunt facta ero dicam meo Am 460
dico ut usust fieri. #Dico hercle ego quoque
ut facturus sum As 376   dico ut res se habet
Ba 1063   res uti facta dico* Am 573   Si
dico ut res est Mer 351
    10. seq. interr. cum indic.: signi dic quid
est Am 421   dic amabo an fetet anima uxoris
As 894(interr. recta?)   dic mihi quaeso, quis
east Au 170   dic igitur quis habet Au 720
dic ubi ea nunc est Ba 203   dic quis est Ba
558   dic, scelerum caput, dic, quo in periclost meus Mnesilochus filius Ba 830   eho.
dic mihi, quis illic igitur est? Cap 623   dic
quid fers Cap 964   dic quid est id quod
negem Men 397   dic mihi an boni quid usquamst Mer 145   dic igitur . . quoia sum
Mer 529   dic igitur, ubi illast Mer 901   id
uolo mihi dici . . quod illuc argentumst? Mo 625
uin dicam(? S) quoiast? Mer 721   dice quis
emit Mer 620   dicam id(om PRL) quid(quod

BeckerRgU) est Mer 783   dic ubi's Ru 238
non potest dici quam indignum facinus fecisti
Mo 459   dic mihi quid id ad uidulum pertinet Ru 1105   dic, .. quod nomen est
paternum Ru 1160   dic hoc negoti quo modo
actumst Tri 578   dic* quo iter inceptas
Tru 130

11. *seq. interr. cum subiu.*: quoius iussu
uenio et quam ob rem uenerim dicam Am 18
(*v. om J*)   iste qui sit Sosia hoc dici* uolo
Am 609   quid processerim .. dicam As 7
ego dicam quo argumento et quo modo(*sc* sit?)
As 302   dixi .. unde ad me hic peruenerit
Cu 608   .. tu mihi quid quaeras dixeris Au
762(*cf* Tru 267)   dic modo hominem qui sit
Ba 555   dic quem ad modum? Ba 733
dicito patri quo pacto mihi cum hoc conuenerit Cap 395   dico ei quo pacto eam ..
uiderim Ci 549   dicas quid uelis Cu 457
.. mihi dicas unde illum habeas anulum Cu
629   nec quo me pacto abstulerit possum
dicere Cu 650   dicam quem ad modum conscribas Cu 370   dicis quid uelis Ep 462   ubi
habitet dicere* admodum incerte scio Ep 505
quin dicis quid sit? Men 639   eam ut sim
inplicitus dicam Mer 13   dic quid uelis Mer
386   ut ubi sit dicerem* Mer 900(*L in lac*)
dico quid eo aduenerim Mer 940   tibi dixi
miles quem ad modum potisset deasciari Mi
884   dixi equidem tibi quo pacto id fieri
possit Mi 1097   quin tu dicis quid facturus
sim(sum *ARU*)? Mi 1184   dic* quid segreges
Mo 517(*L cf U*)   uolo dicere(† *RsŠ*) ut homines aedium esse similis arbitremini Mo 119
dicam ut hinc res sint quietae atque hunc ut
hinc amouerim Mo 932   dicito is quo pacto
tuos te seruos ludificauerit Mo 1151   quin
dicis quid facturus sis? Per 144   etiam dicis*
ubi sit(est *BoR*), uenefice? Per 278   dicisne
mihi ubi sit Toxilus Per 281   rogarat ubi
nata esset diceret Per 634   dic utrum Spemne
an Salutem te salutem Ps 709   quo quicque
pacto faciat ipsi dixero Ps 755   dic* tamen
.. unde onustam celocem agere te praedicem? Ps 1305(*an infra sub* 14*?*)   dic ..
ecquem tu hic hominem crispum .. uideris
Ru 124   ut mihi istuc dicas negoti quid sit
Ru 638   dicito quid insit Ru 1149   dicedum
in eo ensiculo litterarum quid sit(*Reiz* est
PRsLU) Ru 1156   age dice* uter utrubi accumbamus St 696(*L*)   quae ego sim .. dicam*
Tri 7   .. dicis* quid quaeras cito Tru 267
ut is quis esset diceres* Tru 816   ego signi
dicam quid siet Vi 104(*ex Prisc* II. 165)

12. = imperare *seq.* **a.** *ut*: .. tibi ut dicerem* ab ea ut caueas tibi Cas 681   dicam
ut sibi penum alibi adornet Cap 920   uobis
.. dico ut imperium meum sapienter habeatis
curae Men 990   dicam ut a me abeat liber
Men 1044   Philocomasio dic .. domum ut
transeat Mi 1089   ego illi dicam ut me adiutorem .. roget Mi 1191   dico ut perpetuo
pereas Per 281   quae dixi ut nuntiares Per
304   dico omnibus .. notisque edico meis ..
a me ut caueant Ps 127   iam dico ut a me
caueas Ps 511   dico .. ut caueas: caue Ps 517
dixin ab eo tibi ut caueres, centiens? Ps 1227

dic ut te in quaestu tuo Venus eradicet Ru
1345   dic Callicli me ut conueniat Tri 583
dicam ut aliam condicionem filio inueniat suo
Tru 849

b. *ne*: dicebam .. tibi ne matri consuleres
male As 938   adulescenti dicam* .. ne hinc
foras exambulet Ep 164   ad portum ne bitas
dico iam tibi Mer 465   dico ne tu illunc
agrum tuom siris umquam fieri Tri 520

c. *subiu.*: dixi* equidem in carcerem ires
St 624

13. *seq. oratio recta:* 'Amphitruonis socium'
dudum me esse uolui dicere Am 384(*Rgl: loc dub*)
quom iaciat, 'te' ne dicat As 780   namque
hoc qui dicat: quo illae nubent diuites dotatae? Au 489   mihi dicito 'dato qui bene sit'
Ba 83   dicant 'coqui abstulerunt' Au 346
puero sic dicit pater: 'Noster esto' Ba 442
quam mox dico 'dabo'? Ba 880   inter se
quos nunc credo dicere: 'Quaeso hercle ..'
Cas 67   mihi illa dicet 'mi animule' Cas 134
quaesiui et dixit 'meretrici Melaenidi' Ci 575
quae 'tu tu' usque dicat tibi Men 654   dico:
'homo lepidissume' Men 148   haec pater sibi
diceret: 'tibi aras' Mer 70   mihi numquam
hoc dicat* 'eme, mi uir, lanam' Mi 687   dicat
'da, mi uir, .. qui matrem munerem' Mi 691
i solent .. dicere 'quid opus fuit hoc sumptu
tanto?' Mi 753   numquam dicunt 'iube illud
demi' Mi 758   ei mihi! #Magis dicas, si ..
Mi 1429   audin 'fuerant' dicere Mo 821
sic enim diceres 'huius uoluptas' Poe 387
dic* καὶ τοῦτο ναί Ps 488   'adduxi' uolui
dicere Ps 711   'dimissis manibus' uolui dicere Ps 843   illud quidem 'subaquilum' uolui
dicere Ru 423   dic 'o Venus' Ru 1343(*Rs*)
quae quidem dicat 'dabo': uentri reliqui eccillam quae dicat 'cedo' St 260   senex ille
illi dixit .. 'ego tibi .. dedi' St 545   ubi
usus nihil erat dicto 'spondeo' dicebat* Tri 503
magis 'apage' dicas Tri 538   sanus si uideare,
dicam 'dicis contumeliam' Tru 299   non tibi
dicebam 'i' modo Tru 332(*L*)   quin tu 'arrabonem' dicis*? Tru 690

ego nunc .. dico: Sosiam .. faciam ut offendas domi Am 612   dico ego tibi: alium ..
meliust quaerere Ep 668   tibi .. nunc dico:
nisi .. adfertur merces .. Mi 1059   iam
hoc tibi dico: actutum .. Per 653   nunc
quasi mihi dicat*: nec te iubeo Tru 641   *Cf*
Weiszenhorn, p. 7

14. *seq. interr. recta*(*cf* Fuhrmann, CV,
p. 819): **a.** dic mihi, .. ecquis alius Sosia intust?
Am 855   dic, quid me aequom censes .. dare?
As 229   dic mihi, quali me arbitrare genere
prognatum? Au 212   dic bona fide, tu id
aurum non surripuisti? Au 772   dic mihi,
quis tu's? Ba 600   dic sodes mihi, bellan
uidetur specie mulier? Ba 837   dic mihi,
quis illic igitur est? Cap 623   dic, bonan fide
mihi, istaec uerba dixisti? Cap 890   dic, oro,
pater meus tun es? Cap 1021   dic mihi, quid
eum nunc quaeris? Cu 406   tu dic mihi, ubi is
est homo? Cu 651   dic modo, unde auferre uis
me? Ep 143   dic mihi, enumquam tu uidisti
tabulam? Men 143   dic mihi, isne istic fuit?
Cap 987   dic, mea uxor, quid tibi aegrest?

Men 626   dic mihi hoc, solent tibi umquam oculi duri fieri? Men 923   dic mihi, enumquam intestina tibi crepant? Men 925   dic mihi, uno nomine ambo eratis? Men 1121 dic mihi, quid hic tibi in Ephesost negoti? Mi 440   dic mihi, ecquid hic te onerauit praeceptis? Mi 902   dic* mihi, †dixtin quaeso? Mo 551   dic bona fide, iam liberast? Per 485   dic mihi, .. uin dare malum illi? Poe 160   dic mihi, ecquid meministi? Poe 1061   dic mihi, quid lubet? Poe 1087   dic, uiuisne? Ru 243   dic ergo, quanti censes? Ru 1272   dic mihi, quanti illam emisti? Ru 1405   St 118(RRg)   dic sodes mihi, quid hic est locutus tecum? Tri 562   dic* mihi, benene ambulatumst? Tru 368   dic, .. ubist Diniarchus? Tru 588   dic, .. quid lubet quo uis modo? Tru 676   dic mihi, haben? Tru 679   b. quid longissume meministi, dic mihi, in patria tua? Men 1111   qui scire potui, dic mihi, qui .. perierim? Poe 986   c. quo id .. pacto potest nam? id dici uolo Am 593   habetin aurum? id mihi dici uolo Ba 269   quid mihi id prodest, dic* mihi (d. m. add Rg soli) Ba 633   quantillum usust auri tibi, Mnesiloche, dic mihi Ba 705   ubi habitat? .. dic Ci 578   quid autem urbani deliquerunt? dic mihi Mer 718   quid ibi faciunt? dic mihi Poe 1132   quid illi locuti sunt inter se? dic mihi Poe 1143   quid tibi negotist? dic mihi Poe 1306   quid nunc consili captandum censes? dic* As 358   quid nunc es facturus? id mihi dice Ba 716   quid fers? dic mihi Mer 161   quis modus tibi .. eueniet? .. dic mihi Mer 653   quid taces? dic Mer 893 Philocomasium iam profectast? dic mihi Mi 1428   calidum prandisti prandium hodie? dic mihi Poe 759   quid negotist, modo dic* Ru 951   quid nunc tu uis? dic mihi Ru 1076 satine salue? dic mihi Tri 1177   quid id amabost quod dem, dic. #Tu .. (Rs quid ita ab auo quod idem dictum P† var em ψ).: Tru 941   15. app. adverbia, sim.: a. absurde Cap 71 aliouorsum Au 287   aliter Cap 744, Mo 98, Fr I. 56   amice Ps 521, St 469   arcano Tri 518, 556   audacter Cap 630, Cas 901(Rs), Cu 478, Ep 16, Men 52, Mer 726, Ps 828   bene As 745, Cu 514, Per 495, Poe 631, Ps 521, Ru 640, St 469, Tri 924, Tru 128(LLy)   melius St 714, Tru 700   benigne Mer 949, Tru 128   cito Tru 267   clanculum Poe 913   confidentius Poe 62   continuo Ru 1098   cordate Mi 1088 demum Poe 189   denuo Ru 1103   docte Ep 404, Mi 1088, Per 551   dudum Am 963, Cap 624, Men 57, Mer 753, 760, Mi 1059, 1131, Poe 556, 748, Ps 489, 1089, Ru 1079, 1104 extemplo As 345   facete Cap 176, Poe 637 falso Am 902   fortasse As 36, Cu 324, Tru 680   frustra Mer 658, Ru 1135   hodie Cas 668   iam Ba 382, Mer 465   iam dudum Am 491, 618, Tri 923   iam pridem Ps 406   inclementer Am 742, Ps 27, Ru 114, 734, Tru 273, 604   ilico As 839   inique Ru 1097   iniuste Ba 463, Ps 612, St 344   ita Cap 844, Mi 1410, Mo 968, Poe 474, 1309, Ps 596, Tri 941   Latine Mi 87   lepide Mo 252, 260, Per 154 male As 800, Ba 118, 464, 982, Cu 122, 514,

Men 309, 313, 495, Mer 142, Mo 895, Per 210, 279, 291, 841, Poe 632, 1036, Ru 639, St 114, Tri 71, 924, Tru 157, 266, 775   minus Am 479, Mer 24   modo Ba 742, Cap 570, Ep 143, Mo 634, Tri 567   mox Poe 596   nequiquam Am 835, As 698, Ba 701   nominatim Ru 1134   numero Mi 1400   numquam Am 426   nunc Am 612, Cas 197, 275, Cu 493, Mi 1059, St 546, 549   ordine Mo 552   palam Au 283   porro Am 803, Ci 754, Cu 453, Per 296, Tri 777   posterius Ep 261   prius Per 589, Ru 1063, 1111   procul Ru 1148   recte (de significatione cf Langen, Beitr. p. 135) Am 738, As 155, 471, 823, Ba 119, Men 428, Mer 412, 1003, 1007, Mo 240, Per 185, Poe 516, Ps 1085   saepe As 564, Ru 376   sapienter Ep 404, Ru 1250   secus Au 436   sedulo Cap 886   serio Am 855, 964, Ep 32   sic Am 261, Ba 442, Mo 1029, Poe 387   stulte Men 1073 tum Poe 189   uere Cu 479   uero Am 964 uero serio Poe 160   uicissim St 115   uolgo St 167

centiens Ps 1227   deciens Am 577, 725 quotiens Am 619, Cu 609, Mo 948   totiens Per 168

hic Cas 794   hinc Per 296   illi Per 746 illim Men 799   istinc Ru 1148

b. abl.: dolo Men 228, Tri 90, 480   merito Tri 105, St 114   ioco Am 916, 964, Poe 572 ioculo Mer 993, St 23   per iocum Am 920, 963, fr XI, Poe 541, 542, 1169, 1321   uerbo As 800   meis uerbis Poe 406   hoc pacto Ci 667, Mo 492   bona fide Au 772, Cap 890, Per 485, Poe 439, Ps 1095   quo modo Am 197

praepp.: a principio Cap 624   in principio Per 551   cum malo magno tuo As 902   cum cruciatu magno Cu 194   tuo periculo Ba 599 aduorsum sententiam Poe 1411   in cauea Tru 931   in iure Ru 866   pro praefectura Cap 907   pro testimonio Poe 596

c. adiect. praed.: domo docta Poe 216, Tru 454   inprudens Men 1073   iratus Poe 1411 iuratus Ru 48   luscus Tri 465

B. dictum substantive usurpatum(cf Wueseke, p. 14) 1. nom.: istaec dicta: te experire (dicta te[LU tua Rs] experiri[-re et Rs]) .. uolo Cap 429   fors fuat an istaec dicta sint mendacia Ps 432   insonti mihi illius .. male dicta* expetent Am 896   mihi misero cerebrum excutiunt tua dicta Au 151   infecta dicta re eueniant tua Am 632(v. secl L)   quo modo mihi Epidici blanda dicta euenant Ep 321 istaec blanda dicta quo eueniant madeo metu Mo 395   dicta non sonant Ps 308   mea ut migrare dicta* possint Ps 470

dicta dicuntur: vide infra 5   fac modo ut condocta tibi sint dicta ad hanc fallaciam Poe 580

dictum sapienti sat est Per 729

2. dat. a. cum substantivis, sim.: bene dictis* tuis bene facta aures meae auxilium exposcunt Per 495   iam fieri dictis* uolo compendium Cap 965(PLy loc dub)   si quidem isti dicto* solida et perpetuast fides Mer 378   numquis hic est .. nostris dictis auceps auribus? St 102

b. *cum verbis:* uiden ut tuis dictis pareo?
Per 812   male dictis pro istis dictis moderari
ut queas Cu 195   quin tu meis contra item
dictis seruis? Per 813   non suppetunt dictis
data As 56   utinam quae dicis dictis facta
suppetant Ps 108   satin haec pro sano male
dicta male dictis respondeo? Men 945   par
pari respondes dicto* Per 223

c. *post partic.:* ego sum Ioui dicto audiens
Am 989   eius dicto* imperio sum audiens Am
991   audientem dicto* mater produxisti filiam
As 544   dicto me emit audientem Men 444
dicto sum audiens Per 399   te mihi dicto
audientem esse addecet Per 836   non dicto
audiens est Tri 1062   magistro desinebat
esse dicto oboediens Ba 439   futura's dicto
oboediens an non patri? Per 378   *dat. per-*
sonae etiam saepe additur

3. *acc.:* **a.** dicta docta (rere esse) pro datis
As 525   .. ut uera haec credas mea dicta*
Mo 199   fieri dicta* c͞ompendi uolo Cap 965
ne arbitri dicta nostra arbitrari queant Cap
219   dicta audietis mea Mo 97   eo istuc
male dictum* inpune auferes Per 276   male
dicta* hinc aufer Poe 1035   mea dicta deuorate As 649   demutat .. dictum* Apollinis
Men 871(*PU*)   eo lingua dicta dulcia datis
Tru 180(*v. secl Guyψ*)   dictum fac cessas
dare Men 249(*Rs* facessas *L: cf Hermes*, XVIII,
576)   istaec dicta te experiri .. uolo Cap 429
(*supra* 1)   . neminem meum dictum magni
facere As 407   feci ego istaec dicta(†$: feram
Rs) quae uos dicitis Cas 996   honesta dicta
factis St 280   dicta in me ingerebas As 927
in pertussum ingerimus dicta* dolium Ps 369
huius dicta intellego Ba 449   dicta huius
interpretor Ci 316   timor praepedit dicta
linguae Cas 653   ego istaec tua dicta nunc
in auris recipio Ci 510(*v. om A secl Rs$*)   te
haec dicta corde spernere Tri 660   dicere,
loqui, respondere *vide infra* 5

b. *seq. ob:* quem .. ego hodie ob istaec
dicta faciam feruentem flagris Am 1030   dono
te ob istuc dictum ut expers sis metu As 43

4. *abl.* **a.** *modi:* hoc petere me .. iussit
leniter dictis bonis Am 25   erum .. ludificas
dictis delirantibus Am 585   istoc dicto dedisti hodie in cruciatum Chrysalum Ba 687
hominem accipiam quibus dictis meret Men
707   *causae:* mihi horror membra misero
percipit dictis tuis Am 1118   animus iam
istoc dicto plus praesagitur mali Ba 679   nec
tuis depellar dictis quin rumori seruiam Tri
640   *instrumenti:* haec quidem nos delirantis facere dictis postulat Am 789   male dictis*
te eam ductare postulas As 189   eum ego
meis dictis malis his foribus .. reppuli Ba
632   .. ut eum dictis plurumis castigem Ba
907   ad lacrumas coegi hominem castigando
maleque dictis Ba 982   dicto (laedere) haud
audebat Cap 303   ego illum siti male dictis*
male factis amatorem ulciscar: ego pol illum
probe incommodis dictis* angam Cas 156
perdis me tuis dictis Cu 335   dictis nequis
perduci ut .. Mo 198   egone te ioculo modo
ausim dicto aut facto fallere? Mo 923   iam
ego te differam dictis meis Ps 359   tibi

moram dictis* creas Ps 393   largitu's Ps 396
(*infra* c)   desiste dictis* .. me consolari Ru
682   .. ut eum .. meis dictis deleniam
St 457   subigis male dictis* me tuis Tri 140
aliter regi dictis dicunt Fr I. 56(*ex M. Caes*
ad Front II. 10)

b. *cum verbis:* abstine male dictis(*unum*
v. ω) Ru 1108   pergo illam onerare(*RsL* his
alloqui *U in lac*) dictis Ci 556   onera hunc
male dictis* Ps 357(*unum v. ω*)

c. *cum adiectt.:* erili filio largitu's dictis
dapsilis(*acc.? nom. L = λόγοις δαψσιλις*) luben-
tias(*RU* ubi sunt ea? *APS*†*L*) Ps 396   quibus est dictis dignus usque oneremus ambo
Mer 978

d. *post praepp.:* ab impudicis dictis auorti
uolo Am 927   mihi quidem .. cum istis dictis
mortuost Ps 310   dico unum ridiculum dictum de dictis melioribus Cap 482   discam
de dictis melioribus St 400   ego pol te istis
tuis pro dictis et male factis .. accipiam Am
285   pro dictis uostris maledicis poenae pendentur mihi hodie As 483(*v. secl ω*)   em tibi
male dictis pro istis Cu 195   tibi malam
rem uis pro male dictis dari? Men 496

5. *fig. ety.:* istaec propter dicta dicantur
mihi? Am 815   ne istuc nequiquam dixeris
tam indignum dictum in me As 698   si
audias quae dicta dixit me aduorsum tibi Ba
698   dico unum ridiculum dictum Cap 482
mihi haec dicentur dicta Cas 139   si scias
dicta quae dixit hodie Cas 668   feci ego
istaec dicta* quae uos dicitis Cas 996(*vide edd*)
utinam quae dicis dicta facta suppetant Ps 108
multa maleque dicta dixistis mihi Ps 372   ut
mulsa dicis Ru 364   spectaui ego pridem comicos .. sapienter dicta dicere Ru 1250
qui in mentem uenit tibi istaec dicta dicere?
Tri 77   *Cf* Fr I. 56

multa ego possum docta dicta quamuis facunde loqui Tri 380

male dicta maledictis respondeo Men 945
Cf Per 223

6. *app. adiect.:* blanda Ep 321, Mo 395
bona Am 25   meliora Cap 482, St 400   de-
lirantia Am 585   docta As 525   dulcia Tru
180   impudica Am 927   indignum As 698
infecta Am 632   mala Ba 632, Ps 372   male-
dica As 483   mulsa Ru 364   multa Ps 372
pluruma Ba 907   ridiculum Cap 482   *gen.*
poss.: Apollinis Men 871(*PU*)   huius Ba 449,
Ci 316

app. adverbia: bene Per 495   male Ba
982, Cu 195, Men 496, 945 *bis*, Ps 357, Ru 1108
sapienter Ru 1250   *composita per advv. supra*
citata sunt pluruma

C. *dubia:* As 499, etiam nunc dico *P* etiam
hodie *LachRglU*†$*L*   Tru 941, dictum super
feri *P*†$*LU* dic. #Si superfit, os - - feri *Rs*
Tru 942, Campas dicit abaui *P* †$*LU* Campans
icit linqua *Rs*   [*E. G. Sihler*]

DICTATOR - - si de dæmnosis aut si de
amatoribus **dictator** fiat nunc Athenis Atticis .. Ps 416   te **dictatorem** censes fore, si
aps te agrum acceperim? Tri 695

DICTATRIX - - do hanc tibi florentem
florenti: tu hic eris **dictatrix** nobis Per 770

DICTITO - - male **dictitatur** tibi uolgo in sermonibus Tri 99 commodo **dictitemus** Fr I. 78(*ex Char* 193, 196)

DICTO - - ut rationem te **dictare**(*PLy* ductare *Lamb§* putare *Uψ*) intellego Am 670 Au 637, dictare *Ū pro* datare Cap 993, dictetis *J* diteris *E pro* dicitis(*B*)

DIDO - - meā bona . . cognatis **didam**(*A* cognatim dicam *P*) Mi 707 ob eam rem inter participes didam(*HauptRsL* diuidam *Pψ*) praedam Per 757 ratione pessuma a me quae . . inuenisset . . diffunditari ac **didier** (*Gronov* diedere *P* me . . didere *Gul§*) Mer 58 *corrupta:* Mi 567, didam *P pro* dedam(*AB²D²*); 954, dido *P pro* dedo(*D²*) Poe 1055, diderit *P pro* di dent

DIDUCO - - Cap 736, diductus *BE pro* deductus(*J*)

DIECULA - - illud (malum) erat praesens, huic erant **dieculae**(-le *C* -la *U*) Ps 503 *Cf* Ryhiner, p. 43

DIERECTUS - - I. **Forma dierectus** Cas 103(dir. *J*), Cu 240(*Ca* -ructus *BVE* dirruptus *J*), Mer 183, 756(dir. *D*), Poe 160(d rectus *B*) **dierecta** Mo 850(*B* -te *ACD*), Ru 1170 **dierectum** Cap 636, Men 442(*B²* der. *B¹* dler. *CD*) **dierecte** Ba 579, Mo 8(*B¹D* dir. *B²C*), Poe 347, Tri 457(*A* der. *P*)

II. **Significatio** *De significatione et scansione cf* Sonnenschein *ad Ru* 1170; Brix-N. *ad Tri* 457; Bosscher, *De Curc.* p. 21 A. *adiectivum:* 1 lien dierectus't Cu 240(*cf* Inowraclawer, p. 43) ducit lembum dierectum* nauis praedatoria Men 442

2. *in exsecrationibus:* abi rus, abi dierectus* tuam in prouinciam Cas 103 abi dierectus* Poe 160 abin dierectus*? Mer 756 abin dierecta*? Mo 850 in hinc(quin abi *RRg*) dierectus? Mer 183 quin tu i dierecta cum sucula Ru 1170 quin † quiescis(quiescis? i *Gul RsLU*) dierectum cor meum ac suspende te Cap 636 *Cf infra* B

B. *adverbium(vel fortasse voc.) in exsecrationibus:* abi (hinc *add R*) dierecte* Mo 8 abin hinc dierecte*? Tri 457 ei dierecte in maxumam malam crucem Poe 347 recede hinc dierecte Ba 579

DIES - - I. **Forma dies** Am 549, 550, As 534, 838, Au 722, Ba 255, 700, 1203, Cap 174, 518, 774(*Py* mihi *P*), Cas 137, 510, Cu 5, Men 155, 585, 899, Per 402, 712, 773b, 780, Poe 1133, 1180, Ps 165, 241, 775, Ru 1101, 1007, St 648, Tri 581, Tru 912 (*fem.*) Ep 545, Per 33(*Ca de PRs§*), Ps 58, 374, 623 **diei** As 253, Cap 800(die *BoRs*), Poe 217(*BC* dixi *D*), Tri 811 **diei**(*dat.*) Cap 464(die *BoRsLy*) **die** (*dat.*) Am 276(*ex Serv ad Geor* I. 208 diei *P*), 546(*Py* diei *P*), Tri 843(*Bo* diei *AP*) **dii** (*dat.*) Mer 4(*ex Serv Dan ad Aen* I. 636 die *P*) **diem** Am 672, As 198, 291, 847, Au 20(die *P*), 324, 531, 704, Cap 417, 494, 634, Cas 565, 566, 679(*add Rs om APψ*), Ci 175, 613, Cu 352, Ep 157, 341, 496, 576(die *J*), 606, Men 62, 112, 153, 305, 477, 500, 596, 598, 692, 749, 959, Mer 218(*GeyRgU* in *P§L*), 542, 585, Mi 77 (*B²D³* die *P*), 565, 861(*Ca* die *P*), Mo 436, 534, 765, Per 115, 689, 768, Poe 77, 255, 449,

500, 503, 904, 1070, 1188, 1366(dem *B*), Ps 128, 179, 534, 547, 621, 731, 899(*om D¹*), 1158(*A* die *BR* diu *CD*), 1268, Ru 686(*Ly* *§L* nimis *Rs* quamquam *FlU*), 1416, St 267, 421, 424, 435, 453, 478, 517, 638, Tri 796, 807, 961, Tru 906, Fr I. 23(*ex Gell* III. 3, 5) (*fem.*) Vi 90 *vide etiam* propediem **die**(*abl.*) Am 254, *fr* VI (*ex Prisc* I. 168, 320, *Non* 225 die *cod G et RglL* dies *ψ*), As 516, 825, Au 70, 380, *fr* III(*ex Non* 225), Ba 341, Cap 717, 731, Cas 857, Ci 469, Cu 656, Ep 639, Men 474, 749, 896(*LambRsL* dies *Pψ*), 1103, Mer 38, Mi 45(uno die *ABD* una hodie *C*), 855, Mo 1019, Per 264, 479, Poe 344, 472, 497, 500, 758, 848, Ps 234, 1173(quotumo die *B* quotum hodie *CD*), 1237, Ru 498, 1171, 1337, St 501, Tru 338(quo die *P* quid com- *Rs* de quoio *BergkU*), 424, 907(uno die *P* unum hodie *Rs*) (*fem.*) Ci 420, Ps 279(diu *KiesU*), 301(eme die *A* emediae *B* emediet *D* et me die *C*), *ib.* **die**(*loc.*) Men 1156, Mo 881(*B²* di *P*), Per 260 (*ACD* dies *B*) **dies**(*nom.*) As 311, Tri 402 (*acc.*) Am 168, *fr* VI(*ex Prisc* I. 168, 320, *Non* 225 die *cod G et RglL*), As 602, 753, 801, Au 73, Ba 466(*v. secl AnspachRRg§*), Cas 320, Ci 226, 237(auderem sex dies *SchRgL* auxhiem pies *A*), 276, Cu 241, 448, Ep 54, 298, Men 104, 457, 896(die *LambRsL*), 950, 951, Mer 46, 838, Mi 582, 743, Mo 22, 235, 589, Per 471, Poe 228(*v. secl RU*), 1421, Ps 9, 283, 321, Ru 131, 137, 380, St 5, 153, 165(quot dies *Rg* cotidie *PR* *L*), Tri 166, 287b, Tru 348, 510, 872, 904 **diebus** Cap 168, Men 36, Mo 238, Poe 1207, Tru 643(edibus *C*) *corrupta:* Ba 255, diei *CD¹ pro* dei Cu 168, dies *VE¹ pro* dis Mi 785, dies *C pro* des; 838, diem *P pro* idem (itidem *BergkRg§*) Mi 1151, in die(deno *B*) esset *P pro* inde esse(*A*) Mo 823, diebus *P pro* duobus(*Z*) Poe 78, diebus *B pro* aedibus Ps 585b, hoc die *P pro* hodie(*A*); 626, diem *C pro* dem Tru 661, hoc die(*B* hodie *CD*) efferam *P pro* hoc deferam(*Sp*)

II. **Significatio** *Cf* Leers, p. 9 A. *proprie* 1. *nom.:* **a.** tanto breuior dies ut fiat faciam ut aeque disparet(dispar siet *Rgl* vide *ψ*) et dies e nocte accedat(*vide Rgl*) Am 549-50 hic dies summust(* *L*) apud me †inopiae excusatio As 534(*vide ω*) haec dies* summa hodiest mea amica sitne libera Per 33 tantum gemiti . . hic dies mihi optulit Au 722 se . . credere esse noctem qui nunc est dies Ba 700 it dies: ite intro accubitum Ba 1203 it dies: ego mihi cesso Ps 241 ita malignitate onerauit omnis mortalis mihi (dies) Cap 465 ita hic me amoenitate amoena amoenus onerauit dies* Cap 774 nostro omine it dies Cas 510 uerba facimus: it dies Ru 1001 status condictus cum hoste intercedit dies Cu 5 longa dies meum incertat animum Ep 545 dies quidem iam ad umbilicum est dimidiatus mortuos Men 155(*cf* Graupner, p. 35) hic dies peruorsus atque aduorsus mihi optigit: quae me clam ratus sum facere, ea omnia fecit palam Men 899 hic dies praeterierit Per 402 hic tibi dies inluxit lucrificabilis Per 712 optatus hic mihi dies datus hodiest ab dis Per 773b pessumus hic mihi dies hodie inluxit corruptor Per 780   Aphrodisia hodie Veneris est festus dies Poe 1133   haud sordere uisust festus dies Venus Poe 1180   ei rei dies haec praestitutast Ps 58   haec est praestituta summa ei argento dies Ps 374 argento haec dies praestitutast quoad referret nobis Ps 623   omnia iterum uis memorari . . ut defiat dies Ru 1107   quasi nix tabescit dies St 648   . . ut coram nuptiis dies constituatur Tri 581   nihil fit, non amor, teritur dies Tru 912

mihist natalis dies Cap 174   mihi hodie natalis dies est Ps 165   huic lenoni hodiest natalis dies Ps 775

hic illest dies quom . . Cap 518

b. *de iudicio:* maestum ut quasi dies si dicta sit As 838   eis ubi dicitur dies, simul patronis dicitur Men 585   *Cf infra* 4. b

c. omnes de nobis carnuficum concelebrabuntur dies As 311   minus quindecim dies sunt quom . . Tri 402

2. *gen.:* faciam ut huius diei* locique meique semper meminerit Cap 800

ibi tu ad hoc diei tempus dormitasti in otio As 253   diei tempus non uides? iam dudum ebriust Tri 811   usque ab aurora ad hoc quod diei* est Poe 217

3. *dat.:* neque nox quoquam concedit die* Am 276   te, nox, . . mitto uti cedas(concedas *RglU*) die* Am 546   huic diei* . . oculos effodiam lubens Cap 464(*cf* Goldmann, I p.13; Inowraclawer, p. 12)   huic ego die* nomen Trinummo facio Tri 843

aut nocti aut dii* aut soli aut lunae miserias narrant suas Mer 4

4. *acc.* **a.** *cum verbis: α.* nox diem adimat Cap 417   hunc diem suauem meum natalem agitemus amoenum Per 768   decet eum (diem) omnis uos concelebrare Ps 165   hunc tibi dedo diem St 435(*cf* Graupner, p. 12) mihi a mani ad noctem usque in foro dego diem Mo 534   quam ad redditurum te mihi dicis diem caue demutassis Vi 90   mihi hunc diem dedistis luculentum, ut facilem atque impetrabilem Ep 341   Iuppiter, . . da diem hunc sospitem, quaeso, rebus meis agundis Poe 1188   diem aquam solem lunam noctem, haec argento non emo As 198   neque diem decet me morari(d. remorari *CaRg*) neque nocti nocerier Cu 352   hoc ego modo atque erus minor hunc diem sumpsimus prothyme Ps 1268 exitiabilem ego illi faciam hunc ut fiat diem Ep 606   certumst mihi hunc emortualem facere ex natali die Ps 1237   . . hunc hodie diem luculentum habeamus Ep 157   . . hunc festum diem* habeamus hilare(*Bo* -em *APU*) Poe 1366

natalem scitis mihi esse diem hunc Ps 179 uides iam diem* multum esse? Ps 1158   sepulcrum habeamus atque hunc conburamus diem Men 153(*cf* Egli, I. p. 29; Graupner, p. 6; Inowraclawer, p. 12)   solarium . . mihi comminuit misero articulatim diem Fr I. 23(*ex Gell* III. 3, 5)   diem conficimus, quom iam properatost quom Tri 807   contriui diem, dum asto aduocatus Cas 566   mihi hunc hodie corrumpit diem Men 596   diem cor-

rupi optumum Men 598   (hunc diem) probe excruciauero St 436(*cf* Egli, I. p. 35; Inowraclawer, p. 12)   (haec) loquens lacerat diem As 291   ego hunc lacero diem St 453 diem* lamentando perdo(*SeyRgU* pereo *Pψ*) Mer 218   hunc diem sumpsimus prothyme Ps 1268   diem sermone terere segnities merast Tri 796

item obiit diem* Au 20   ea diem suom obiit Ci 175   ea uxor diem obiit Ci 613 ipse obiit diem Men 62, Poe 77   diem obiit suom Poe 904   suom obiit diem Poe 1070

β. de iudicio: is diem dicam, irrogabo multam Cap 494

b. *exclamationis:* o lepidum diem Au 704 diem pulcrum et celebrem et uenustatis plenum, dignum Venere Poe 255   edepol diem* hunc acerbum Ru 686

c. *temporis*(*cf* Kane, p. 11; Leers, p. 29) *α. sing.:* unum hunc diem perpetere As 847 numquam aegrotaui unum diem Men 959   hunc me diem unum orauit ut apud me praehiberem locum Mer 542   te in pistrinum condam. #Non unum quidem diem modo(*PS*† n. u. in diem *Boψ*) uerum hercle in omnis Ps 534   hunc diem unum . . uolo me eleutheria capere St 421   regi hunc diem* mihi operam decretumst dare Mi 77   umbram audiuit esse . . usque perpetuom diem Mo 765   negotium . . totum procedit diem Per 115   †purus est totum diem Tru 906(*loc dub:* vide ω)

β. plur.: tu aliquot dies perdura Cu 241 me occultabo aliquot dies Mi 582   hic opus est aliquot ut maneas dies Poe 1421   aliquot (aliquos *U*) hos dies manta modo Ps 283 hos dies aliquos sinas eum esse apud me Tru 872   non . . iam hos dies complusculos quemquam istic uidi sacruficare Ru 131   uteri dolores mihi oboriuntur quot dies* St 165(*Rg*; *cf* Goetz, *Ditt.* p. 241)   mihi interuallum iam hos dies multos fuit Men 104, Ru 137(*om* mihi)   tu exanimatus iam hos multos dies gestas tabellas tecum Ps 9   multos me hoc pacto iam dies frustramini Mo 589

pater . . detinuit me hos dies sex ruri continuos Ci 226   ab amica auderem sex dies* (*Rs* auxiremp[i]es *A* potuerim dies *L*) Ci 237 opperiare hos sex aliquos(*A* saltem *P* festos *R*) modo Ps 321   ruri sum ego unos sex dies Tri 166   uino uiginti dies ut careat As 801 potabis faxo aliquos uiginti dies. #At ego te pendentem fodiam stimulis triginta dies Men 950-1   id non decem occupatum tibi erit argentum dies Ep 298   ubi dies decem continuos sit . . Mi 743

domi sedet totos dies Au 73   dies totos apud portum seruos unus adsidet St 153

dies noctesque potent As 602   dies noctesque potet Tru 904   dies noctesque bibite Mo 22   dies noctesque estur Mo 235   adseruaret dies noctesque Ru 380   haec dies noctis canto tibi ut caueas Tri 287   dies atque noctes cum cane aetatem exigis Cas 320 (*cf* Sjögren, p. 2)

noctesque diesque assiduo satis superquest Am 168   noctes diesque omni in aetate semper ornantur Poe 228(*v. secl RU*)   Philaenium ut secum esset noctes et dies hunc annum totum As 753   obiurigare pater haec noctes et dies Mer 46   sollicitae noctes et dies . . sumus semper St 5   ✳✳amoris noctesque et dies Ci 276   *Cf* dius

d. *cum praepp.* **ante:** neque ego istuc nomen umquam audiui ante hunc diem Cap 634 istuc nomen(*Bo* istunc hominem *APRgL*) numquam audiui ante hunc diem Ep 496   neque ego hanc oculis uidi ante hunc diem* Ep 576 ante hunc diem Epidamnum numquam uidi Men 305   non edepol ego te . . umquam ante hunc diem uidi Men 500   neque te uidi ante hunc diem umquam oculis meis Ps 622 neque oculis ante hunc diem umquam uidi Tri 961   eodem die illum uidi quo te ante hunc diem Men 749   numquam iussit me ad se arcessi ante hunc diem St 267   neque Athenas aduenit umquam ante hesternum diem Ps 731

cis: nulla faxim cis dies paucos siet Tru 348 in(*cf* Abraham, p. 230): spes prorogatur militi in alium diem Au 531   neque uiri uitam sinere in diem* crastinum protolli Cas 679 hoc in diem* extollam malum Mi 861   res serias omnis extollo ex hoc die in alium diem Poe 500

in nonum diem solet ire coctum Au 324 amatorem ullum ad forum procedere in eum diem quo quod amet in mundo siet Cas 565 lucro faciundo ego auspicaui in hunc diem Per 689   in hunc diem iam tuos sum mercennarius Poe 503   in hunc diem a me ut caueant Ps 128   condam . . non unum in diem(*Bo* in *om Ly*) uerum hercle in omnis quantumst Ps 534-5(*supra* c. α)   da in hunc diem operam . . mihi Ps 547   . . eum circum ire in hunc diem* ut me . . interuorteret Ps 899   in hunc diem te nihil moror St 424 alium conuiuam quaerito tibi in hunc diem St 478   ille heri me iam uocauerat in hunc diem St 517   numquam edepol me uiuom quisquam in crastinum inspiciet diem St 638 ibi scrobes effodito plus sexagenos in dies* Am *fr* VI(*ex Prisc* I. 168 & 320, *Non* 225 die *RglL; cf* Abraham)   argentum . . sumpsit faenore in dies minasque argenti singulas nummis Ep 54   adfatimst hominum in dies qui singulas escas edint Men 457   suspirabo plus sescenta(†**S**) in dies(die *LambRsL*) Men 896 ego hodie compendi feci binos panes in dies Per 471

malum si promptet in dies faciat minus Ba 466(*v. secl AnspachRg***S**)   mores deteriores increbrescunt in dies Mer 838

inter: inter tot dies . . iam aliquid actum oportuit Tru 510

intra: subegit solus intra uiginti dies Cu 448 **post:** numquam . . mihi diuini creduis post hunc diem Am 672   (pallae) heres numquam erit post hunc diem Men 477   tu huc post hunc diem pedem intro non feres Men 692 numquam . . defraudabis me quidem post hunc diem Ru 1416

si mihi tale post hunc diem faxis . . Men 112   egone si post hunc diem muttiuero . . Mi 565   apage te a me nunciam post hunc

diem Mo 436   di illum infelicent omnes qui post hunc diem . . immolarit Poe 449

praeter: nullum hercle praeter hunc diem illa apud me erit Mer 585

5. *abl.* **a.** *comparationis:* is aegritudine paucis diebus post Tarenti emortuost Men 36 **b.** *temporis* α. *sing.:* illo die inpransus fui Am 254   at die illa✳✳✳ Ci 420(?)   in carcere illo potius cubuissem die Ru 498   eodem die illum uidi quo te Men 749   eodem quo amorem Venus mihi hoc legauit die Mer 38 deiera te mihi argentum daturum eodem die tui uiduli ubi sis potitus Ru 1337   habeas illud quo die illuc ueneris Ba 341   in eum diem quo . . Cas 565(*supra* 4. d)   quando . . ? #Quo die Orcus Acherunte mortuos amiserit Poe 344   . . quaque id promisit die* Ps 279 prius praediuinant quo die* essuri sient Tru 338   quidnam? aut quo die? Mo 1019   quotumo die* . . huc peruenisti? #Altero Ps 1173 numquam ecastor ullo die risi adaeque Cas 857 tum tu igitur die bono, Aphrodisiis, addice tuam mihi meretricem Poe 497   festo die siquid prodegeris profesto egere liceat Au 380 mitte . . die festo celebri nobilique Aphrodisiis Poe 758   erus nequiuit propitiare Venerem suo festo die Poe 848   eme die* caeca hercle oliuom, id uendito oculata die Ps 301

hic est quem ego tibi misi natali die Cu 656   non meministi me auream ad te afferre natali die lunulam? Ep 639   mittam hodie huic suo die natali malam rem Ps 234   pater (bullam) dedit mihi natali die Ru 1171

decies de uno saepe extrudit aedibus Au 70 diu ego hunc cruciabo, non uno absoluam die Cap 731   quoi homini umquam uno die boni dedistis plus? Men 474   geminos una matre natos et patre uno uno die Men 1103   homines quos tu occidisti uno die* Mi 45   diu quod bene erit die uno absoluam Per 264   sexaginta milia hominum uno die . . occidi Poe 472   numquam hoc uno die(unum hodie *Rs*) efficiatur opus Tru 907   una nocte postulauisti et die . . te perdocere? Cap 717   sacruficare . . uolo quinto die quod fieri oportet Tru 424   ✳✳✳die Ci 469(?)

β. *plur.:* neque bibes apud me his decem diebus Mo 238   dixit non fore . . diebus paucis liberas Poe 1207   *Cf* Kane, p. 36

c. *cum praepp.* **de:** ecqua pars orationis de die dabitur mihi? As 516   unam ad amicam de die potare As 825

ex: bonus uolo iam ex hoc die esse Per 479   res serias omnis extollo ex hoc die in alium diem Poe 500   certumst mihi hunc emortualem facere ex natali die Ps 1237

in: ibi scrobes effodito plus sexagenos in die* Am *fr* VI(*ex Prisc, Non: vide supra* 4. d) ego ecfodiebam in die denos scrobes Au *fr* III (*ex Mon* 225)   Men 896, in die *LambRsL* pro in dies: *vide supra* 4. d   aula saepe deciens complebatur in die(*Sca* die *P* uidi eam *L*) Mi 855   eapse deciens in die mutat locum St 501   illum confido domum in his diebus me reconciliassere Cap 168   ego faxo dicat me in diebus* pauculis crudum uirum esse Tru 643   *Cf* Kane, p. 63

6. *loc.:* uis conclamari auctionem? #Fore quidem die septumi Mᴇɴ 1156 (*vide* ω) hoc die* crastini quom erus resciuerit . . Mo 881 ibi mercatum dixit esse die* septumi Pᴇʀ 260
B. *deus:* Volcanus, Luna, Sol, Dies . . scelestiorem nullum inluxere alterum Bᴀ 255 *Cf* Hubrich, p. 114
C. *appellatio blanda:* sine . . ted amari, meus festus dies, meus pullus passer Cᴀs 137
D. *adiectiva:* aduorsus Mᴇɴ 899 amoenus Cᴀᴘ 774, Pᴇʀ 768 breuior Aᴍ 549 celeber Pᴏᴇ 255, 758 caeca Ps 301 condictus Cᴜ 5 dignior Venere Pᴏᴇ 255 dispar Aᴍ 549(*RglU*) dimidiatus Mᴇɴ 155 emortualis Ps 1237 exitiabilis Eᴘ 606 facilis Eᴘ 341 festus Aᴜ 380, Cᴀs 137, Pᴏᴇ 758, 848, 1133, 1180, 1366 hilaris Pᴏᴇ 1366(*APU*) impetrabilis Eᴘ 341 lepidus Aᴜ 704 longa Eᴘ 545 lucrificabilis Pᴇʀ 712 luculentus Eᴘ 157, 341 multus Ps 1158 natalis Cᴀᴘ 174, Cᴜ 656, Eᴘ 639, Pᴇʀ 768, Ps 165, 179, 234, 1237, Rᴜ 1171 nobilis Pᴏᴇ 758 oculata Ps 301 optumus Mᴇɴ 598 optatus Pᴇʀ 774 peruorsus Mᴇɴ 899 pessumus Pᴇʀ 780 uenustatis plenus Pᴏᴇ 255 profestus Aᴜ 381 pulcer Pᴏᴇ 255 sospes Pᴏᴇ 1188 suauis Pᴇʀ 768 status Cᴜ 5 summus As 534 summa Pᴇʀ 33(*CaRLU*), Ps 374 *sim.:* carnificum As 311
continui Cɪ 226, Mɪ 743 perpetuos Mo 765 totus Pᴇʀ 115, Tʀᴜ 906 toti Aᴜ 73, Sᴛ 153 aliquot Cᴜ 241, Mɪ 582, Ps 283 aliqui Mᴇɴ 950, Ps 283(*U†*), 321, Tʀᴜ 872 complusculi Rᴜ 131 multi Mᴇɴ 104, Mo 589, Ps 9, Rᴜ 137 omnis Ps 535 pauci Mᴇɴ 36, Pᴏᴇ 1207, Tʀᴜ 348 pauculi Tʀᴜ 643 quot Sᴛ 165(*Rg*) tot Cɪ 237(*L*), Tʀᴜ 510
unus As 847, Mᴇɴ 959, Mᴇʀ 542, Ps 534 uni Tʀɪ 166 sex Cɪ 226, 237(*Rs*), Ps 321, Tʀɪ 166 decem Eᴘ 298, Mɪ 743, Mo 238 triginta Mᴇɴ 951 uiginti As 801, Cᴜ 448, Mᴇɴ 950 alter Ps 1174 quintus Tʀᴜ 424 septumus Mᴇɴ 1156, Pᴇʀ 260 nonus Aᴜ 324 crastinus Cᴀs 967(*Rs*), Mo 881, Sᴛ 638 hesternus Ps 731

DIESPITER - - Diespiter te deique, Ergasile, perdant Cᴀᴘ 903 Diespiter uos perduit Pᴏᴇ 740 Diespiter me sic amabit — Pᴏᴇ 869 *Cf* Hubrich, p. 26

DIFFATIGO - - Eᴘ 118 diffatigor *BJGul Rg¹* difa. *V* defa. *EU* difflagitor *Skutschψ*

DIFFERO - - I. Forma differt Rᴜ 369, Tʀᴜ 686(differam *Rs*) **differor** Cɪ 209, Eᴘ 118, Pᴏᴇ 156(dife. *D*), Tʀᴜ 701 **differam** Aᴜ 446, Ps 359, Tʀᴜ 686(*Rs* differt *Pψ*) **differant** Cᴜ 576, Tʀɪ 689 **distulissent** Tʀɪ 833(*in tmesi*) **differri** Mɪ 1163(d. tenes *Ca* differre titenis *BC* [dittenis] differet titenis *D*)

II. Significatio A. *proprie:* 1. nos cum scapha tempestas dextrouorsum differt ab illis Rᴜ 369
2. iam ego te faciam ut hic formicae frustillatim differant Cᴜ 576(*cf* Egli, I. p. 35) distraxissent disque tulissent satellites tui me Tʀɪ 833
3. ne mihi hanc famam differant me . . sororem in concubinatum tibi . . dedisse Tʀɪ 689

B. *translate* (*cf* Egli, I. p. 28): 1. uorsor in amoris rota, . . feror, differor, distrahor Cɪ 209 adsimulem me amore istius differri* Mɪ 1163 differor* cupidine eius Pᴏᴇ 156 laetus sum et laetitia differor Tʀᴜ 701
2. hic pipulo te differam ante aedis Aᴜ 446 egomet clamore differor, difflagitor Eᴘ 118 iam ego te differam dictis meis Ps 359 Tʀᴜ 686(*infra* C)
C. = discrepare: pauxillum differt a(differam te *Rs*) cauillibus Tʀᴜ 686

DIFFICILIS - - tu fecisti ut difficilis(*B* -lius *CD*) (uia) foret Tʀɪ 646 nimium difficilest reperiri amicum ita ut nomen cluet Tʀɪ 620

DIFFICULTAS - - ne qua ob eam suspicionem difficultas euenat Eᴘ 290 *Cf* Dousa, p. 176

DIFFIDO - - ualete ut hostes uostri diffidant sibi Rᴜ 82 nihil agit qui diffidentem uerbis solatur suis Eᴘ 112(*cf* Wueseke, p. 45) facis . . ex confidente actutum diffidentem denuo Mᴇʀ 856

DIFFLAGITO - - edepol egomet clamore differor, difflagitor(*Skutsch* diffatigor *BJRg¹* difa. *V* defatigor *EU*) Eᴘ 118

DIFFLO - - illum . . quoius tu legiones difflauisti(difl. *B*) spiritu Mɪ 17(*Non* 97)

DIFFRINGO - - crura hercle diffringentur (def. *AcU*) ni istam inpudicam percies As 474 ni hercle diffregeritis(*Rib* defri. *ABD²RU* defrieset *C* defregret *D¹*) talos posthac . . Mɪ 156(*cf* Egli, I. p. 35) metuerem ne ibi diffregisset(*Rib* def. *ABRU* defrigisset *CD*) crura aut ceruices sibi Mɪ 722 ei hercle ego uerbo lumbos diffractos(*Rib* def. *APRU*) uelim Sᴛ 191(*cf* Graupner, p. 3)

DIFFUNDITO - - quae . . inuenisset . . amoris ui diffunditari(difu. *B* funditari *CD* -are *Gul§*) ac didier(didere *Gul§*)! Mᴇʀ 58

DIGITULUS - - tange utramuis digitulo minumo modo Rᴜ 720 sic hoc digitulis duobus sumebas primoribus Bᴀ 675(*cf* Schneider, p. 13) tenetis rem. #Vix quidem hercle . . digitulis primoribus Pᴏᴇ 566 Eᴘ 640, digitulum *Rg¹U pro* digitum *Cf* Ryhiner, p. 25

DIGITUS - - I. Forma digitum As 57, Bᴀ 423(dignum *D¹*), Cᴀs 711(*MueL* -to *Pψ*), Eᴘ 640(-to *J* -tulum *Rg¹U*), Mᴇʀ 310, Ps 1144 **digito** Cᴀs 711(-tum *MueL*), Mɪ 1017, Pᴇʀ 793, Pᴏᴇ 1308, Rᴜ 810 **digiti** Sᴛ 706 **digitos** Mɪ 1048 *bis*, Pᴇʀ 187, Pᴏᴇ 980, Ps 884(dictos *B*) **digitis** Mɪ 202, 204, 206, Mo 1118(dicitis *B¹* clicitis *D¹*), Rᴜ 902 *corruptum:* Eᴘ 560, digitus *EJ pro* uoltus Mɪ 652, sub digito *B pro* subigito

II. Significatio 1. *nom.:* uide quot cyathos bibimus. #Tot quot digiti tibi sunt in manu Sᴛ 706
2. *acc.* a. *cum verbis:* illa quae digitos despoliat suos et tuos digitos decorat Mɪ 1048 scis tute quot hodie habeas digitos in manu Pᴇʀ 187 digitos in manibus non habent Pᴏᴇ 980 in hunc intende digitum: hic lenost Ps 1144 ipsus sibi faciam ut digitos* praerodat suos Ps 884(*cf* Egli, I. p. 21) cape cultrum ac seca digitum uel aurem Mᴇʀ 310

b. *acc. limitationis:* sí tu ex istoc loco digitum transuorsum aut unguem latum excesseris . . Au 57   digitum* longe a paedagogo pedem ut efferres Ba 423

c. *cum praep.:* dabo et anulum in digitum* aureum Cas 711(*MueL*)   non meministi me . . afferre . . anellum aureolum in digitum*? Ep 640

3. *abl. instrumenti:* **a.** ne sis me uno digito attigeris Per 793   quid tibi hanc digito tactiost? Poe 1308   si hercle illic illas hodie digito tetigerit inuitas . . Ru 810

dextera digitis rationem conputat Mi 204 concrepuit digitis Mi 206(*cf* Egli, II. 62) pectus digitis pultat Mi 202

b. *cum praepp.:* filium reliqui **cum** digitis* auribus oculis labris Mo 1118   non multae **de** digito donum mittunt Mi 1017 dabo et anulum **in** digito* aureum Cas 710 (*vide supra* 2. c)   in digitis hodie percoquam quod ceperit Ru 902(*cf* Egli, I p. 15)

DIGNITAS - - pro **dignitate** opsoni haec concuret cocus Ba 131

DIGNORO - - Men 428, dignorabitur *Rs pro* ignorabitur(*BD* gnorabitur *C*)

DIGNOSCO - - Men 20, dignoscere *Serv ad Aen* VIII. 632 *pro* internosse

DIGNUS - - I. Forma dignus Am 857, As 646(*Pius* -um *P*), 898, 936(*Grut* -um *PU*), Cap 751, 969, Cas 157(-am *A*), 683(*Rs* dig** *AU om PRs*), Ci 239, 248, Cu 235, Men 516, Mer 172, 978, Mi 342(-un *R* -ū *B¹* -us *B²LD*), *ib.*(-ū *B¹*), 1140, 1223, Per 671, 808, 833, Poe 860(*A om P*), 861, 869, Ps 272, 611, 938, Ru 522, 800, Tri 1153, Tru 595   **digna** As 148, Mi 728(pretio d. *RibRg in lac aliter ψ*), 968, Per 206, 207, Ru 1306   **dignum** Am, 185, Mi 723, Per 371(*FZ* -usst *P* -ust *A*), 681, Ps 1013, Tri 830, 1045(-u *AB*)   **dignum**(*acc. masc.*) Am 158, As 80, 149, Au 224, Ba 1056, Poe 256, Ps 1014, Tri 448, 506   **dignam** Au 43, Mer 395, Tri 159   **dignum** Mer 117, 132, Per 681   **digna**(*nom. pl.*) Ba 621, Cap 200, Poe 1270, Ru 640   **dignis**(*masc.*) Cu 514, Poe 1270, Ps 1013   **dignos** As 247   **digna** Poe 1177(digna diua *ACD* dignandiua *B*) **dignis**(*fem.*) Ps 1253(diuis d. *Rs* dignis d. dis d. *ARg* et dis d. *L* digni ah *P*)   **digne** (*adv.*) Cas 772, Mi 872   **dignior** Ba 621, Mi 1043   **digniorem** Ep 26, Ru 406   **dignius** Ba 41(dignus *D¹*)   **dignissumum**(*nom.*) Mo 52 (-sūmus *B¹* -i- *C*)   **dignissumam** St 246(*A* -i- *P*)   **dignissumi** As 314(-imum *J* -i- *B*) *corrupta:* Ba 423, dignum *D¹ pro* digitum Tru 275, dignus dant *P pro* pignus da(*A*)

II. Significatio I. *absolute:* 1. te ego ut digna's perdam As 148   uin erum deludi? #Dignust* sane As 646   miser ecastor est. #Ecastor dignus est As 898   cenabis hodie, ut dignus* es(dignumst *PU*) magnum malum As 936   neque te . . derideo neque dignum arbitror Au 224   miserius nihil est quam mulier. #Quid esse dicis dignius*? Ba 41 illic est abductus . . ut dignus est Cap 751 uti proinde ut est dignus* uitam colat Cas 157   perii hercle ego miser. #Dignu's* tu Cas 683   uiuo. #Nempe ut dignus es? Cu

235   praeturam geris? #Quem dices digniorem esse hominem? Ep 26   non tu abis quo dignus es? Men 516   indignus uideor? #Immo dignus Mer 172   ad tuam formam illa una dignast Mi 968   ut amari uideor. #Dignu's Mi 1223   si ut digna's faciant . . Per 206   quom ut digna's dico, bene . . loquor Per 207   ut dignust perit Per 671b inridere lenonem lubidost quando dignust Per 808   nisi si dignust, non opust Per 833 quem ament igitur? #Aliquem eo(*om GepRgl LU*) dignus qui siet. Nam nostrorum nemo dignust Poe 860-1   Diespiter me sic amabit. #Ut quidem edepol dignus es Poe 869   ego indignus sum, tu dignus qui sies Ru 522 ego te hodie faxo recte acceptum ut dignus es Ru 800   animo hercle homost suo miser. #Dignust mecastor Tru 595

mihi benest et tibi malest. dignissumumst* Mo 52   te si arbitrarem dignum misissem tibi (salutem) Ps 1014   tetigisti acu. #Videtur digna forma Ru 1306   neque te derisum aduenio neque dignum puto Tri 448

2. *cum abl.* **a.** *rei:* adfinitate uostra me arbitramini dignum Tri 506   me esse dicat cruciatu malo dignum Ba 1056   . . quibus est dictis dignus Mer 978   dignu's hercle infortunio Ci 239   . . me malo omnes esse dignum deputent Am 158   omnibus probris, quae improbis uiris digna sunt, dignior uius est homo Ba 621   quae probast et pretio digna* Mi 728(*RibRg in lac*)   non ego sum salute dignus(dignus salutis *Non* 497 *RRsU* s. d. *Ly*)? Tri 1153   dignun* es uerberibus multis? #Dignus* Mi 342

uel si dignu's alio pacto, neque ament Ps 272   quem ament igitur? #Aliquem eo(𝔖 *fortasse cum A* id *Ly*) dignus qui siet(*A post* aliquem omnia om̄ *P*) Poe 860

b. *personae:* quod te dignumst me dignum esse uis? Per 681   ut te dignumst As 936 (*U: vide supra* 1)   . . ut te dignam mala malam aetatem exigas Au 43   te digna ut eueniant precor Ru 640   auctionem praedicabas te quidem dignissumam St 246   . . ut quid se sit dignum sciat Am 185   . . ut eam in se dignam condicionem conlocem Tri 159 magnis munditiis diuis(et dis *L vide ψ*) dignis* . . sumus . . accepti Ps 1253   hoc dis dignumst Tri 830   abin hinc a me dignus domino seruos? Am 857   probris quae improbis uiris digna sunt Ba 621   diem . . dignum Venere pol Poe 256   munera . . digna* diua uenustissuma Venere Poe 1177

similiter: non nostra formam habet dignam domo Mer 395

3. *cum gen.:* Tri 1153, dignus salutis *Non* 497 *RRsULy pro* salute dignus   *Cf* Blomquist, p. 108; Schaaff, p. 28

4. *cum acc.:* non me censes scire quid dignus siem? Cap 969   si exoptem quantum dignu's tantum dent . . Ps 938   uiden ut ne id quidem me dignum esse existumat quem adeat As 149   Poe 860, id *Ly fortasse cum A* eo 𝔖 *om ψ: vide supra* 2. **a.**

5. *cum rel. et subiu.:* is me dignum quoi concrederet habuit As 80   dignum . . quem

adeat As 149(*supra* 4)   .. nos dicamur duo
omnium dignissumi* esse quo cruciatus confluant As 314(*v. secl US*)   dignu's deciens qui
furcam feras Ci 248   deus dignior fuit quisquam homo qui esset? Mi 1043   non uidere
dignus qui liber sies Ps 611   digniorem ..
anum .. quoi deos .. censeam bene facere
magis decere Ru 406
     6. *cum* ut *et subiu.:* non sum dignus prae
te ut figam palum in parietem Mi 1140
     7. *cum infin.:* properanti haud quisquam
dignum habet decedere Mer 117   num quisquam adire ad ostium dignum arbitratur?
Mer 132   huic homini dignumst diuitias esse
et diu uitam dari Mi 723(*cf* Walder, p. 51)
neque me dignumst* dicere Per 371   salutem
scriptam dignumst dignis mittere Ps 1013(*cf*
Walder, p. 29)   istis malam rem magnam
moribus dignumst dari Tri 1045
     B. *substantivum*(Wueseke, p. 33): dignos
indignos adire .. certumst mihi As 247   indigna digna habenda sunt erus quae facit Cap
200   si dignis dicitur bene dictumst Cu 514
eueniunt digna dignis Poe 1270   salutem ..
dignumst dignis mittere Ps 1013   te digna
ut eueniant precor Ru 640
     C. *adverbium:* digne .. coqui nimis lepide ei
rei operam dant Cas 772   quam digne ornata
incedit Mi 872
     DIIUDICO - - uxorem .. quam omnium
Thebis uir unam esse optumam **diiudicat** Am
677   donicum res iudicata erit haec(*Prisc*
I. 224 & 226 res **diiudicata** sit *Prisc* II. 7
haec diiudicata res erit *RRg*) Vi 98
     DIIUNGO - - ego seruos, quando aspicio
hunc, lacrumo quia **diiungimur**(*Ca* qui di-
ungitur *P*) Mi 1328   ne nos **diiunge**(*Fl*
deiunge *P*) amantis As 665   abi diiunge
inimicitias cum inprobo Poe 1406
     ΔΙΚΑΙΟΣ - - ἄδικος es tu non δικαία(*SpLU*
adice testu non dicat ei *PS*† *var em RRg*)
Mi 438
     DILACERO - - Cap 672, dilacerauisti *Non*
95 *pro* delac.
     DILECTUS - - uinariorum habemus nostrae
dilectum domi Poe 838   utrimque tibi nunc
dilectum(delectum *AR*) para Ps 391   perii,
dilectum dimisit Ru 1279
     DILIDO - - colaphis quidem hercle tuom
iam **dilidam**(*A* eli. *P*) caput Poe 494
     DILIGENS - - et memor sum et **diligens**,
ut quae imperes compareant Am 630(*v. secl
USL*)   recte loquere et proinde **diligentem**
ut uxorem decet Am 973   .. ut hoc .. accurate agatur, docte et **diligenter** Cap 226
.. ut absente ero rem eri diligenter tutetur
Men 968   Mi 28, hau diligenter *R pro* indi.
Cf Gimm, p. 18
     DILIGENTIA - - .. uti adseruentur magna
diligentiā Cap 115   curate haec sultis magna
deiligentia Ru 820
     DILIGO - - clupeatus elephantum ubi ma-
chaera **diligit**(*Non* 290 et *Ly* dessicit *BVE*
dissicit *Jψ*) Cu 424   quem di **diligunt** adulescens moritur Ba 816(*cf* Schneider, p. 27)
ita illum **dilexit** qui subruptust alterum Men

41   feminarum nullast quam aeque **diligam**
Am 509
     DILUCULUM - - primulo **diluculo** abiisti
ad legiones Am 737   egone abs te abii hinc
hodie cum diluculo? Am 743   *Cf* Kane,
pp. 46, 75
     DILUO - - eo laserpici libram pondo **di-
luont**(-unt *APU*) Ps 816   apstine maledictis
et mihi quod rogaui **dilue** Ru 1108
     DIMIDIATUS - - dies quidem iam ad um-
bilicum est **dimidiatus** mortuos Men 155
procellunt se et procumbunt **dimidiati** dum
appetunt Mi 762   *Cf* Egli, I. pp. 19, 29
     DIMIDIUS - - I. **Forma dimidium**(*nom.*)
Ba 1185, 1189, Ps 452(-umst *A* -ust *PU*)
dimidiam Au 767, Ci 757(*RsLy in lac: aliter
LU*), Cu 447, Ru 1123   **dimidium** Am 1125,
Au 291, 293 *bis*, Ba 321, Per 69, Ps 1164, 1328,
Ru 958, 960, 1409 *bis*, Tru 748   **dimidio**(*neut.*)
As 441, Ru 1410, Tru 747(*Ly* do *PS*† *var em
ψ; cf Am. Jour. Phil.* XVII. 443)
     II. **Significatio** A. *adiectivum:* dimidiam
tecum potius partem diuidam Au 767   quaesti
partem dimidiam(*RsLy* qua ** iam *P*) quaero
meam Ci 757   dimidiam partem nationum ..
subegit Cu 447   dudum dimidiam petebas
partem Ru 1123
     B. *substantivum* 1. *praedicative:* bonus
animus in mala re dimidiumst* mali Ps 452
     2. *cum verbis vel nom. vel acc.:* quantillum
attulerit? .. etiam dimidium censes? Ba 321
auferres dimidium (obsoni) domum Tru 748
dimidium (talenti) tibi sume, dimidium huc
cedo Ru 1409   licet boni dimidium mihi diuidere cum Ioue Am 1125   *Cf* Au 767(*supra* A)
obsoni hinc dimidium iussit dari(*cf Gell* III.
14, 15 *et L*). #Nempe huc dimidium dicis,
dimidium domum? Au 291-3   dimidium auri
datur Ba 1189   qui damnet, det in publicum
dimidium Per 69   memento ergo dimidium
istinc mihi de praeda dare Ps 1164   mihi si
uis dare dimidium .. Ru 958   quid inde
aequomst dari mihi? dimidium uolo ut dicas
Ru 960   aut dimidium aut plus etiam faxo
hinc feres Ps 1328   dimidium auri redditur?
Ba 1185   sume Ru 1409(*supra sub* cedo)
     3. *abl.:* Dromo mercedem rettulit? #Dimidio
minus As 441   pro illo dimidio ego Gripum
emittam manu Ru 1410   non licet dimidio*
opsoni me participem fieri? Tru 747(*Ly*)
     4. *add. gen.*(*cf* Schaaff, p. 15): auri Au
767, Ba 321, 1189   talenti Ru 1400   boni
Am 1125   mali Ps 452   nationum Cu 447
obsoni Au 291, Tru 747(?), 748   *sim.:* de
praeda Ps 1164
     DIMINUO - - nihil est qui illic homini
dimminuam(*B* dimi. *CDLU*) caput Men 304
nimis uelim lapidem qui ego illi speculo dim-
minuam(*B²* speculum odim minuat *B¹* speculo
imminuat *CD* dimi. *LU*) caput Mo 266   Au
165, dimi. *JE³ pro* demi.
     DIMITTO - - I. **Forma dimittit** Mi *Arg*
II. 15   **dimisit** Ru 1279   **dimisero** Ru 791
(-erio *P*)   **dimissis**(*partic. abl.*) Ep 452(*Lamb
dem. AP*), Ps 841(*A dem. P*), 842(*P dem. A*) -
843(*AD dem. BC*)

II. Significatio 1. *verbum:* sperat nuptias, dimittit concubinam Mɪ *Arg* II. 15 . . si te non ludos pessumos dimissero* Rᴜ 791 perii, dilectum dimisit Rᴜ 1279

2. *partic.:* fugias manibus dimissis* domum Eᴘ 452 is odos dimissis* pedibus(*P* manibus *ARLU*) in caelum uolat. #Odos dimissis* pedibus(*P* manibus *ARLU*)? #Dimissis* mani-bus(*P* pedibus *ARLU*) uolui dicere Ps 841-3

DINACIUM - - Sᴛ 270, 288, 330, 332, *CD pro* Pinacium

DINIA - - *senex. in supersc.:* Vɪ *ante v.* 69 **Diniam** As 866(-an *BD* cli. *E*) *Cf* Schmidt, p. 186

DINIARCHUS - - *adulescens. in supersc.:* Tʀᴜᴄ *act.* I. *sc.* 1(- dima. *B* dina. *CD*), 2(dim. *B* dina. *CD*), II. 3(dima. *BC om D*), 4(dina. *P*) *etiam* Tʀᴜ 122(*A* din. *P*), 588(din. *CD* -cus *B*), 825(-cus *B*) **Diniarchi** Tʀᴜ 857 **Diniarche** Tʀᴜ 157(dina. *P*), 195(*ABC* dina. *D*), 207(dima. *D*), 356(-chi *P*) *Cf* Schmidt, p. 366

DINUMERO - - I. Forma dinumerantur Eᴘ 468(*Rg*[1]*U* den. *vel* din. *A* den. *P*ψ -entur *J*) **dinumeraui** Eᴘ 353(*v. secl RRg*ℱ*U* den. *L*), 367(*JRg*[1]*U* den. *BE*ψ), Rᴜ 1406(*Fl*Rs den. *P*ψ) **dinumerauerit** Eᴘ 71(den. *L*) **dinumerem** Mɪ 74(*B cum Plac et Don* den. *PL* -ent *C* -enm *D*[1])

II. Significatio . . id argentum . . pro illa dinumerauerit* Eᴘ 71 ego resolui, manibus his dinumeraui* Eᴘ 353(*v. secl RRg*ℱ*U*) ego . . meis manibus dinumeraui* Eᴘ 367 pro illa tua amica sexaginta mihi dinumeraturum* minae Eᴘ 468 ibus dinumerem* stipendium Mɪ 74 mille nummum dinumeraui* Rᴜ 1406

DIOBOLARIS - - quasi nunc haec sunt hic limaces, liuidae . . **diobolares**(*A et Ald* dioui *codd*) Cɪ 407(*etiam ex Varr l L* VII. 64, *Fest* 329)

DIOBOLARIUS - - seruolorum sordidulorum scorta **diobolaria**(*Z* duo. *P*) Poᴇ 270

DIODORUS - - *saltator.* Pᴇʀ 826

DIONA - - Mɪ 1414, Dionam *CaR pro* Io-uem(*AD*[2] idam *CD*[1] idum *B*) *Cf* Stude-mund, *Pl. Wortf.* p. 306

DIONYSIA - - I. *nom.:* fuere Sicyoni iam diu **Dionysia**(-isia *P*) Cɪ 156 dies haec praestitutast: proxuma Dionysia(-isia *BD* dionsia *C*) Ps 59

2. *acc.:* per **Dionysia**(dy. *V* -isia *P*) mater pompam me spectatum duxit Cɪ 89 ea me spectatum tulerat per Dionysia (-isia *P*) Cᴜ 644 *Cf* Leers, p. 33

DIONYSUS - - fero conuiuam **Dionysum** (isum *CD*) mihique et tibi Sᴛ 661

DIPHILUS - - *poeta.* Cᴀs 32(*VEJU* dei. *B*ψ), Rᴜ 32 **Diphilo**(*dat.*) Mo 1149(*LU* de. *P* dei. *Bue*ψ Demipho *CaR*)

DIRCA - - Dircam olim . . deuinxere ad taurum Ps 199

DIRECTUS - - Cᴀs 103 *J*, Mᴇʀ 756 *D, pro* dierectus Mo 8, directe *B*[2]*C pro* dierecte Ps 966, mea dierecta *CO pro* me adit recta(*B*)

DIRIBEO - - ego sortis utrimque iam di-**ribeam**(*RsLy duce Pareo: lac* ℱ*L: aliter U*) Cᴀs 374

DIRIMO - - proelium id tandem **diremit** nox interuentu suo Aᴍ 255

DIRIPIO - - 1. feror, differor, distrahor, **diripior**(*J* de. *BVE*) Cɪ 209 pileum quem habuit **diripuit**(de. *BoL*) Cᴀᴘ *fr* = Fʀ III. 3 (*ex Non* 220) Pentheum **diripuisse** aiunt Bacchas Mᴇʀ 469 hunc . . ad te **diripiun-dum**(-e- *PU*) adducimus Poᴇ 646

2. *corrupta:* Aᴜ 748, diripiamus *D pro* der. Rᴜ 649, diripere *D pro* der.

DIRUMPO - - I. Forma dirrumpit Bᴀ 441(*CD* disr. *BRRgLU*) **disrumpar** Cᴜ 222 (dirr. *V* dir. *E*[1]) **dirumpatis** Poᴇ 117 di-**rumpi** Cᴀs 809(*PRsL* dirr. *A*ℱ), 810(*PRsLU* dirr. *A*ℱ) **dirrumptum**(*acc.*) Bᴀ 603(disr. *RgU*) **diruptam** Cᴀs 326(disr. *J* dirr. *Ly*) *corruptum:* Cᴜ 240, dirruptus *J pro* dierectus

II. Significatio 1. *proprie:* puer paeda-gogo tabula dirrumpit* caput Bᴀ 441 nihil metuo nisi ne medius disrumpar* miser Cᴜ 222 *similiter in imprecationibus:* ego edepol illam mediam diruptam uelim Cᴀs 326 sufflatus ille huc ueniet. #Dirrumptum* uelim Bᴀ 603 *de cantando:* dirrumpi* cantando hymenaeum licet. illo morbo quo dirrumpi* cupio, non est copiae Cᴀs 809(*cf* Dousa, p. 192; Egli, I. p. 27)

2. *translate:* iamne hoc tenetis? . . caue dirumpatis Poᴇ 117(*de argumento*)

DIS - - *de assimilatione in compositis ver-bis cf* Dorsch, p. 42

DISCAUEO - - Mᴇɴ 249, et discaueas *CaR pro* edis caueas

DISCEDO - - iam diust factum quom **dis-cesti**(disesti *E*) ab ero As 251 Hercules, qui deus sis, sane **discessisti** non bene(*A* disces-sisses[-cesisses *C*] non male *P*) Sᴛ 395 ne iste bercle ab ista non pedem **discedat** . . As 603

DISCEPTATOR - - utrisque **disceptator** eccum adest Mo 1137

DISCIDIUM - - neque per uinum umquam ex me exoritur **discidium** in conuiuio Mɪ 654 harunc uoluptatum mihi . . distractio discidium uastities uenit Ps 70 *Cf* Koehm, *AF.* p. 76

DISCINDO - - facinde inter terram atque caelum ut sit: **discindite**(*CD*ℱ descendite *B* †ℱ) Mɪ 1395(*vide edd*)

DISCINGO - - quid dedi! ut **discinxi**(*L* distinxi *C* distincxi *D* dixtinxi *B aliter RsU*) hominem Tʀᴜ 957 *Cf* Bugge, *Phil.* XXXI 262

DISCIPLINA - - I. Forma disciplina Bᴀ 135, 421, Cɪ 18, Mᴇʀ 116(-ulina *RgU*), 133 (-ulina *RgU*), Ps 1004 **discipulinae**(*dat.*) Mo 154(-e *P* -plinᴇ *B*[2]) **disciplinam** Cᴀs 652, 657, Mɪ 186, Tʀᴜ 131 **disciplina** As 201 (*P* -ulina *Fl*ψ), Ps 1274(-ulina *RgU*)

II. Significatio 1. *nom.:* tua disciplina nec mihi prodest nec tibi Bᴀ 135 eademne erat haec disciplina tibi quom tu adulescens eras? Bᴀ 421 nec nisi disciplina apud te fuit quicquam ibi quin mihi placeret Cɪ 18 haec disciplina hic pessumast Mᴇʀ 116 nus-quamst disciplina ignauior Mᴇʀ 133 ita mili-taris disciplinast Ps 1004

2. *dat.:* parsimonia et duritia discipulinae aliis eram Mo 154

3. *acc.:* haud Atticam condecet disciplinam
Cas 652   imitatur malarum malam disciplinam
Cas 657   earumque artem et disciplinam
optineat colere Mi 186(*vide R*)   oles eam
unde es disciplinam Tru 131
4. *abl.:* eadem nos disciplina utimur As 201
me . . intuli . . satis facete: nempe ex disciplina Ps 1274
DISCIPULUS - - I. Forma   discipulus
Ba 164(-lis *D¹*), 425(discip. *B¹*), 484(dispulus
B), St 105   **discipulum** As 227, Ba 152, 467
discipulam Au 59   **discipulis**(*dat.*) Ps 865,
886(-pp- *C*)   **discipulos** Au 409, Ba 153(*v.
secl GuySL*)   *corruptum:* As 738, discipulos *DJ pro* dispulsos
 II. Significatio 1. *nom.:* nimio's tu ad
istas res discipulus* docilior Ba 164   et discipulus* et magister perhibebantur inprobi Ba
425   mihi discipulus*, tibi sodalis periit huic
filius Ba 484   discipulus uenio ad magistrum
St 105
2. *dat.:* his discipulis priuos custodes dabo
Ps 865   discipulis* dato Ps 886
3. *acc.:* tua ista culpast, quae discipulum
semidoctum abs te amoues As 227   magistron
quemquam discipulum minitarier? Ba 152
quid sodalem meum castigas . . discipulum
tuom? Ba 467
continuo hercle ego te dedam discipulam
cruci Au 59(*cf* Inowraclawer, p. 42)
ita me miserum et meos discipulos fustibus
male contuderunt Au 409   nihil moror discipulos mihi esse plenos sanguinis Ba 153(*v.
secl GuySL*)
4. *app. adiectiva:* docilior Ba 164   inprobus Ba 425   plenus sanguinis Ba 153   semi-
doctus As 227
DISCO - - I. Forma   discit Am 315(male
d. *P* malacessat *Rgl*)   **discimus** Ps 681(*PR*
scimus *Acψ*)   **discunt** Au 595   **discam** St
400(dicam *A*)   **didici** Am 687, Ep 591, Mer
147, 508, 522, Poe 122(*v. secl U*), 280, Tri 631,
Tru 182(*vide U*), 737(*AcU pro* dedi *in loco perd*),
Fr I. 71(*ex Fest* 170, *Paul* 171)   **didicisti**
As 907(didicisti *D*), Tru 735(dicisti *C*)   **didicit** Am 688, Cas 362(qui d. *Lips* quid dicit *P*)
didicimus Poe 554(*Z* ind. *PLy*)   **didicere**
Ru 291   **discam** St 194   **discant** Tru 736
discito Mi 1175(-tos *B³*)   **discere** Tru 735
(*FZ* dicere *P*)   **discendi**(*nom.*) Mi 1359   *corruptum:* Cas 674, discere *E pro* dicere
 II. Significatio 1. *absolute:* reperiet hic
filias . . ut quidem didici ego Poe 122(*v. secl
U*)   omnes simul didicimus* tecum una Poe
554   discam* de dictis melioribus St 400
quando scis, sine alios discere*.   #Discant,
dum mihi commentari liceat Tru 735-6
2. *cum acc.:* de te quidem haec didici
omnia Poe 280   quae imperabo ea(*A ut vid*
non *P*) discito* Mi 1175   quod didicit id
dediscit Am 688   quae didici dixi omnia Ep
591   . . ni oblitus sum quod didici* Tru
737(*U*)
nec didicere artem ullam Ru 291   non didicisti* fulloniam As 907   litteras didicisti*
Tru 735   muliebres mores discendi Mi 1359
. . ut mores barbaros discam St 194

3. *cum infin.*(*cf* Walder, p. 24): non didici baiiolare Mer 508   uera didici dicere Am
687   nondum didici nupta uerba dicere Fr I. 71
comprime . . istunc qui didicit* dare Cas 362
non didici fabulari Tru 182(*loc dub*)   scis
facere officium. #Pol docta didici Mer 522
neque meumst neque facere didici Tri 631
ferire malam male discit* manus Am 315(*loc
dub*)   pueri . . nare discunt Au 595   philo-
sophari numquam didici neque scio Mer 147
ubi quid discimus* consilium quoi cecidisse
Ps 681(*R solus*)
DISCONDUCO - - nihil **disconducit** huic
rei Tri 930
DISCORDABILIS - - dicito . . inter nos
fuisse ingenio haud **discordabili** Cap 402
DISCORDIA - - inuenio quo modo diuortium et **discordiam**(*FZ* -ia *P*) inter nos parem Tru 420(disc. et diu. *Rs*)
DISCORDO - - neu (caprae) **discordarent**
Mer 231
DISCRUCIOR - - 1. **discrucior**(-tior *E*)
animi, quia ab domo abeundumst mihi Au 105
(*cf* Schaaff, p. 40)   propter me haec nunc
meo sodali dici discrucior(-tior *CD*) miser Ba
435(*cf* Egli, I. p. 26)   ego discrucior(-tior
VE) miser amore Cas 276   discrucior(-tior
CD) miser, nisi ego illum iubeo . . rapi Poe
368   haec quom audio in te dici, is(*Vahlen*
dicis *P*) excrucior(-tior *CD* dici discrucior *R
RsL*) miser Tri 103
2. quid murmurillas tecum et te **discrucias**?
Fr II. 38(*ex Non* 143)
DISCUMBO - discubitum noctu ut imus,
ecce ad me aduenit mulier Mer 100
DISCUPIO - - lubet audire, nisi molestumst.
#Quin **discupio** dicere Tri 932
DISCUS - - palaestra ubi pro **disco** damnum capiam Ba 67   ibi cursu, luctando
hasta, disco . . sese exercebant Ba 428   neque industrior de iuuentute erat (quisquam
nec clarior), disco . . uictitabam uolup(*UL*
disco, *S*) Mo 151(*vide edd*)
DISCUTIO - - Poe 272, discutient *D pro*
ductitent
DISERTUS - - satin hoc plane, satin **di-
serte**, ecce, nunc uideor tibi locutus esse Am 578
id nomen fuit (mihi) **disertim**(*ex Non* 509
-um *AB* desertum *CD*), uerum id usu perdidi
St 241   *corruptum:* Cas 349, disertos *VEJ
pro* dis fretos
DISMARITUS - - quid agis, **dismarite**(*A*
tu marite *P*)? Cas 974
DISPALESCO - - periisse suauiust quam
illud flagitium uolgo **dispalescere** Ba 1046
DISPAR - - tanto breuior dies ut fiat faciam, aeque ut dispar siet(*Rgl* ut aeque disparet *PS†L* ut aeque dispar et *RichterU*) Am
549(*cf* Leo, *Hermes* XVIII. 572)
DISPARO - - faciam ut (dies) aeque **disparet**(† *S* em *RglU*) Am 549(*sc* e proxumo: *cf*
Leo, *Hermes* XVIII. 572)   (Iuppiter) nos per
gentis alium alia **disparat** Ru 10
DISPELLO - - hosce amores nostros **dispulsos**(*BE* discipulos *DJ*) conpulit As 738
(*cf* Inowraclawer, p. 60)   Cf Ba 484, *ubi*
dispulus *B pro* discipulus

DISPENDIUM - - inhaeret etiam (amori) .. contumelia et **dispendium** Mer 30 .. amorem multos inlexe in **dispendium** Mer 53 minore nusquam bene fui **dispendio** Men 485 uin tu illam hodie sine [damno et] dispendio tuo tuam libertam facere? Poe 163 (sine damno tuo *PyU*) *Cf* Langen, *Analecta Pl.*, I. p. 7

DISPENDO - - **dispennite**(*Non* 9 dispendite *A ut vid BU* distendite *CD*) hominem diuorsum et distennite Mi 1407 **dispessis** (*Gell* XV, 15 dispensis *A* dispersis *P*) manibus .. patibulum habebis Mi 360 *corruptum:* Mi 1407, dispendite *P pro* distennite

DISPENSO - - alteris etiam ducentis (minis) usus est, qui **dispensentur**(-etur *CD*) Ilio capto Ba 971

DISPERCUTIO - - tibi istuc cerebrum **dispercutiam**(*A* -cuciam *B* -tiam *VEJ*) Cas 644

DISPERDO - - aliquantum animi causa in deliciis **disperdidit** Tri 334 age ut lubet bibe, es, **disperde** rem(*VEJ* disperdere *B*) Cas 248 di .. uolunt .. hunc **disperditum** lenonem Poe 918 *Cf* Mo 1035, *ubi* disperdidit me *R pro* deludificatust

DISPEREO - - I. Forma **dispereo** St 753 **disperit** Poe 844 **disperibit** Poe 908(-iuit *Non* 199) **disperii** Au 242, Ba 1116, Cas 940 (disputdet *GepU*), Ci 671, 713, Mer 599, 607 (-ri *D*), 681(-rsi *P*), 709, Mo 375(*B²* -ri *P*), 1030(-ri *D* -rgi *C*), Per 853, Tri 1086, 1089 **disperistis** Mi 163(*A ut vid B²* -iistis *L* -isti *P*) *de formis perf.* cf Fleckeisen, *Exerc. Pl.* p. 24

II. **Significatio** 1. *proprie:* male partum male disperit Poe 844

2. *translate* **a.** prius (leno) disperibit* faxo quam unam calcem ciuerit Poe 908

b. *in exclamationibus*(cf Egli, I. p. 25): ita disperii* Cas 940 disperii*: illaec interemit me modo oratio Mer 607 disperii*: perii misera Mer 681 disperii #Equidem .. perii miser Mer 709 num ego disperii? Au 242 ualet ille quidem atque ego disperii* Mo 375 disperii misera Ci 713 nunc hic disperii miser propter eosdem .. Tri 1089 ei mihi disperii Ba 1116, Mo 1030* ei disperii Mer 599(*vide U*) male disperii Per 853, Tri 1086 ei mihi bene dispereo St 753(*vide RgU*) nisi quid mihi opis di dant, disperii Ci 671 disperistis* ni usque ad mortem male mulcassitis Mi 163

DISPERGO - - Mer 681, dispersi *P pro* disperii Mi 360, dispersis *P pro* dispessis Mo 1030, dispgi *C pro* disperii

DISPERTIO - - I. Forma **dispertimini** Cu 189(dip. *VE¹*) **dispertiuisti** Au 331 **dispertirem** Au 282 **dispertisse** Mi 730(*A* -disset *P* -disse *B²*) **dispertirier** Ps 441 **dispertiti** Am 220 *bis* *corruptum:* Cas 644, dispertiam *VEJ pro* dispercutiam(*A*)

II. **Significatio** 1. *proprie:* dispertiti uiri, dispertiti ordines Am 220 edixit mihi ut dispertirem(†*U*) obsonium hic bifariam Au 282 hercle iniuria dispertiuisti Au 331 itidem diuos dispertisse* uitam humanam aequom fuit Mi 730 quod fecisti flagiti populo uiritim potuit dispertirier Ps 441

2. *medial. de amplexando:* etiam dispertimini*? Cu 189

DISPICIO - - uirtust, ubi occasio admonet, **dispicere**(*ACD* dispecere *B*) Per 268 *corruptum:* Ci 693, dispice *J pro* despice

DISPLICEO - - si tibi **displiceo**, patiundum Men 670 quodne uobis placeat, **displiceat** mihi? Mi 614

DISPOLIABULA - - Ba 376, *Non* 75 *pro* desidiabula

DISPOLIO - - uirgis dorsum **dispoliet**(*VE¹* des. *PLRg²*) meum Ep 93(cf Inowraclawer, p. 68) *corruptum:* As 204, dispoliato *J pro* des.

DISPONDEO - - Ci 498, dispondit *E*; 601, dispondit *BVE* Men 35, dispōdit *B² pro* despondit Tri 1133, dispondisse *Non* 306 *pro* des.

DISPONO - - Men 35, disponit *B¹ pro* despondit

DISPUDET - - alia memorare, quae illum facere uidi, **dispudet**(-tet *C*) Ba 481(cf Walder, p. 28) Cas 940(dispudet *GepU pro* dispeii) supplici habeo satis. #Dispudet Mo 1166

DISPUTO - - eam rem uolutaui et diu disputaui Mo 88(*v. secl RRs*) .. ut hanc rem uobis examussim **disputem** Men 50 age **disputa** Mo 1137 cum istoc primum qui te nouit disputa Ru 718 ubi **disputatas**t ratio cum argentario .. Au 529(*v. secl U*) *corruptum:* Ba 481, disputet *C pro* dispudet

DISRUMPO - - *vide* dirumpo

DISSERTO - - dic mihi istuc .. quod uos **dissertatis** Men 809 St 302, qui me disserte *B pro* quin edissertem(*A*) *v. om CD*

DISSICO - - clypeatus elephantum ubi machaera **dissicit**(*J* dess. *BVE* diligit *Non* 290 *et Ly*) Cu 424 *Cf* Ussing *ad loc et* Soltau, *Curc. Pl. .. interpr.* p. 24

DISSIGNATOR - - neu **dissignator**(*BD* des. *C*) praeter os obambulet Poe 19

DISSIGNO - - id uidendumst .. quae **dissignata**(*B¹* -ita *B²CD* des. *ZRL*) sint .. nequiter, tranquilla cuncta ut proueniant Mo 413

DISSIMILIS - - haud est **dissimilis**, meam quom formam noscito Men 1064

DISSIMULABITER - - hominem inuestigando operam huic dissimulabiter dabo(*A* h. dissimulando *P*) Mi 260

DISSIMULO - - I. Forma **dissimulat** Men 608(-la *C*), 641, Mer 974, Poe 112 **dissimulant** Cas 771 **dissimulabam** Ep 238, Ps 422 **dissimulabat** Mi 463 **dissimulabo** Mi 992, Mo 1071 **dissimulando** Mo 1015 *adverbium:* **dissimulanter** Mer *fin*(*ex Gloss* Plaut) *corruptum:* Mi 260, dissimulando *P pro* dissimulabiliter dabo(*A*)

II. **Significatio** A. *verbum* 1. *absolute:* o hominem malum: ut dissimulat Men 641 ut dissimulat malus! Mer 974 quo modo dissimulabat? Mi 463 scit sed dissimulat* malus Men 608 subolebat mihi sed dissimulabam Ps 422 speras te .. potesse dissimulando infectum hoc reddere Mo 1015

2. *seq.* **quasi**: nimium lepide dissimulant quasi nihil sciant Ca 771   dissimulabo, hos quasi non uideam Mi 992

3. *cum infin.*(*cf* Walder, p. 50): dissimulabam earum operam sermoni dare Ep 238 dissimulabo me horum quicquam scire Mo 1071 scit: sed dissimulat sciens se scire Poe 112

B. *adverbium*: 'Gloss. Plaut.(inter v. 444 et 977) excerptum habet* dissimulanter *adverbium*' Mer *fin*

DISSIPO - - **dissipabo**(dissu. *Ly*) te tamquam folia farfari Fr II. 57(*ex Serv ad Aen* VII. 715)

DISSOLVO - - obsecro, **dissolue** iam me: nimis diu animi pendeo Mer 166   ubi **dissolutus** tu sies ego pendeam Poe 148

DISSUADEO - - minus placet quod suadetur: quod **dissuadetur** placet Tri 670   non taces? #Ego **dissuadebam**, mater As 931 modo quod suasit, **dissuadet**(*Py* -sit *BVE om J*), quod **dissuasit**, id ostentat Ci 219-20

DISTAEDET - - quid .. abeas? #Haud quod tui me neque domi **distaedeat**(-te- *BDE* distendeat *J*) Am 503   *Cf* Blomquist, p. 101; Schaaff, p. 44

DISTENDO - - .. ut ipsae solae uentres **distendant** suos Cas 777   dispennite hominem diuorsum et **distennite**(*Meurs* -dite *AU* dispendite *P*) Mi 1407(*cf Don ad Ph* II. 2, 16) *corrupta:* Am 573, distendeat *J pro* distaedeat Mi 1407, distendite *CD pro* dispennite

∗∗**DISTI**∗∗ Ci 427

DISSIMULO - - istaec .. bona distimulant (des. *B*¹) Ba 64

DISTINGUO - - Tru 957, distinxi *C* distincxi *D* dixtinxi *B var em* ω

DISTRACTIO - - harunc uoluptatum mihi omnium .. **distractio**, discidium .. uenit Ps 70

DISTRAHO - - I. Forma **distrahor** Ci 209, Mer 470   **distrahitur** Tri 409, 617 **distrahuntur** Cu 237   **distraxissent** Tri 833 (distrarx. *B*)

II. Significatio A. *proprie* 1. *de personis:* lien enecat, renes dolent, pulmones distrahuntur Cu 237   apsque te foret .. distraxissent∗ disque tulissent satellites tui me Tri 833

2. *de re:* (argentum) non hercle minus diuorse distrahitur cito quam si .. Tri 409 hic tua res distrahitur tibi Tri 617(*A solus*)

B. *translate:* in amoris rota .. feror, differor, distrahor, diripior Ci 209   praeut quo pacto ego diuorsus distrahor Mer 470(*cf* Egli, I. p. 28)

DISTRINGO - - quasi Dircam .. deuinxere ad taurum, item ego te **distringam**(*A* item hodie stringam *P*) ad carnarium Ps 200

DISTRUNCO - - ego te hic agnum faciam et medium **distruncabo** Tru 614

DISTURBO - - at nunc **disturba** quas statuisti machinas Ps 550

DIU - - I. Forma 1. *variae lectt.:* Ba 820, iam diu *ins GertzU* iam *Ly* iam pridem *RRg* †*S*   Cap 882, iam diu *PS*†*U*† *quod ret BriLy* iam credo *L* iam, diui *Rs*   Mer 541, diust *A* diusi *CD* diuisi *B*   Mi 1310, medium *B pro* me diu   Mo 302, dui *D pro*

diu   Per 822, diu *om CD*; 848, dius *P pro* diu(*F*)   Ps 262, dius *P pro* diu(*D ras*); 1323, diutior *C pro* diuitior   Ru 375, diu *U pro* tuo(† *S*)

2. *corrupta:* Am 609, diu *EJ pro* dici   Au 672, diu *EJ* dium *BD pro* duim(*Ca*)   Cap 174, diu *EJ pro* tu; 730, diu *EJ pro* -dius Cas 417, diu uiuere *BVE pro* di iuuere   Mo 293, diu *add P* due *B*²   Ps 1158, diu *CD pro* diem   Ru 210, diu *PS*†*Ly*† dius *Rs* uidi aut hic *L* necdum adhuc hic *SpU*   Tru 726, diu *P pro* tu

II. Significatio A. **diu**: 1. a. nimis diu *abstineo* manum Mo 292   .. ubi diu *afueris* domo St 523   tam diu uidua uiro suo *caruit* St 2 facinora .. quae post mihi clara et diu *clueent* Ps 591   recordatus multum et diu *cogitaui* Mo 85   nimium *consultas* diu Cu 207   haud quicquamst magis quod *cupiam* tam(iam *Gul RgLU*) diu Cu 171   diu me estis *demorati* Ep 376   quid .. me dicam hic demoratum tam diu? Ru 447   meus formidat animus nostrum tam diu ibi *desidere* Ba 238   quid tu intus .. desedisti(? *RsS*) quam(tam *AcU*) diu(?*LU om RsS*) mihi cor retunsumst Ps 1044 quid illic .. tam diu *destitisti?* Mo 787   eam rem uolutaui et diu *disputaui* Mo 88(*v. secl RRsS*)   diu .. domi otiosi *dormierunt* Poe 21 *dubitaui* .. diu Cap 455   .. ut tibi *durem* diu As 176   at iam bibes. #Diu *fit* Cu 120 huic homini dignumst .. diu uitam *dari* Mi 723   ei nomen diu seruitutis *ferunt* Ps 1107 nimis diu et longum *loquor* Ps 687   me amantem *ludificatur* tam diu Poe 548   si proinde amentur mulieres diu quam *lauant* .. Tru 324   minus diu lauare quam .. Tru 323 nimis diu *maceror* Ep 322   .. nisi multa aqua usque et diu macerantur Poe 243   quin etiam diu *morabor* Cas 606   nimis morantur me diu∗ Mi 1310   nimis diu animi *pendeo* Mer 166   quid illaec nunc tam diu intus *remorantur* remeligines? Cas 804(*cf Fest* 377) *retunsumst* Ps 1044(*supra sub* desedisti)   diu∗ .. *sciui* lenonem facere hoc Ru 375(*U*)   ego hau diu apud hunc seruitutem *seruio* Mi 95 non diu apud hunc *seruies* Per 617   quid haec .. tam diu ante aedis *stetit?* Tru 335 qui lubet tam diu *tenere* collum? Poe 1266 diu ego hunc *cruciabo* Cap 731   satis diu uixisse sese homo *arbitrabitur* Cap 792   filii tam diu *uiuont* Mi 1081   tamine tibi diu uideor uitam *uiuere?* Mi 628   proinde ut bene(diu *AcRRsL*) uiuitur, diu(bene *AcRRsL*) uiuitur Tri 65(*v. secl BergkU*)

in ludo .. *fuisti* tam diu As 226   quidnam tam intus fuisse te dicam diu? Mi 1201   diu quo bene erit, die uno absoluam Per 264   dum quidem ne nimis diu tua sim, uolo Per 657 .. diu ut essem incolumis uobis Tru 168

b. *absolute:* id actutum diust Am 530   diust 'iam' id mihi Mo 338

c. = multo ante: quam diu id factumst? Cas 980   huc commigrauit in Carydonem hau diu Poe 94   *Cf* Persson, p. 50

2. **iam diu** a. *cum praes.:* terrae odium iam∗ diu ambulat Ba 820(*U*)   cupiam iam diu Cu 171(*Gul* tam diu *PS*)   iam diu∗

scio qui fuit Ps 262 iam diu ego huic bene et hic mihi uolumus et amicitiast antiqua Ps 233

b. *cum perf.*: iam diu edepol sapientiam tuam haec quidem abusast Poe 1199 emigrauit iam diu(e. pridem ille *RU*) ex hisce aedibus Mo 951(*solus A*) iam diu* saepe sunt expunctae Per 848 scelus . . factumst iam diu antiquom Mo 476 acum inuenisses . . iam diu Men 239 hominem . . inuenissemus iam diu Men 241 ad Menaechmum, . . quo iam diu sum iudicatus Men 96 nec quicquam argenti locaui iam diu usquam aeque bene Mo 302 (noui) ibidem ubi hic me iam diu Men 379 quam quidem te iam diu perdidisse oportuit Ep 11 iam diu — #*Ναὶ τὰν Πραινέστην.* #Venit? Cap 882(*loc dub, de quo vide Ly et Wagner ad* Tri 609) fuere Sicyoni iam diu Dionysia Ci 156

3. *seq. enunt. temp.*: iam diust quom uentri uictum non datis Am 302 iam diust factum quom discesti ab ero As 251 hau sane diust* quom dentes exciderunt Mer 541 iam diu factumst postquam bibimus Per 822

B. **diutius**: eo uos, amici, detinui diutius Ru 93 nolo te iactari diutius Tri 685 *Cf* Weihrich, *Phil.* XXX. p. 625

DIU(*opp.* noctu) **- -** *vide* dius

DIVERTICULUM - - Cap 523, diuerticulum *BJU* (-o-) *pro* deuorticulum(*E sed* -e-)

DIVERTO - - I. Forma diuortunt Ep 403 **diuorti** Men 635(*BC* deu. *DR*) **diuorsus** Mer 470 **diuorsum**(*acc. masc.*) Mi 1407(diuersum *Non* 9) **diuorsi**(*pl.*) Ru 1252(diuersi *B*) **diuorsae** Tru 787(d. state *Ca* -e- *L* diuersa est ete *P*) **diuorse** Tri 409(*A solus*) *corrupta:* Men 264, diuortitur *DU pro* de. Mi 134, diuortitur *U pro* deu.; 240, diuortier *ScuU pro* deu.; 385, diuortisse *U pro* deu.; 741, diuorti *BU pro* deu.; 1110, diuortitur *RU pro* deu. Mo 966, diuorteris *U pro* deu.

II. Significatio A. *verbum:* diuortunt mores uirgini longe ac lupae Ep 403 ut dudum diuorti* abs te . . Men 635

B. *participium* 1. *adiect.:* . . praeut quo pacto ego diuorsus distrahor Mer 470 dispennite hominem diuorsum et distennite Mi 1407 inde suam quisque ibant diuorsi domum Ru 1252 omnium primum diuorsae* state Tru 787

B. *adverbium:* non hercle minus diuorse (res) distrahitur cito . . Tri 409(*A*)

DIVES - - I. Forma diues Am 170(*v. secl Fuhrmann*§), As 330, 499, Au 166, 184, 196, Ba 331, Cap 324(*v. secl* ω), Cu 373, Men 577, Mo 228, Poe 516 **diuitis** Am 167(-tiis *DE v. secl. GuyRgl*§*U*) **diuiti** Ba 338, Poe 73 **diuitem** As 529, Au 226, Ru 55, Poe 517, Tri 428, Tru 220 **diuite** Ci 532(-ti *U*) **diuites** Au 489(*fem.*), Cu 178, Poe 811, Tri 490 **dites**(*nom.*) Cu 475 (*acc.*) Cu 472(-tis), 485(*Ly* ditis ψ *v. secl Ca*ω), Tri 829(*Guy* diuites *P*§*U*) **diuitior** Au 809(-cior *J* ditior *GuyLLy, trisyllaba*), Ps 1323(-cior *B* diutior *C*) *corrupta:* Am 902, diti *B pro* dici Au 701, diuitis *Non* 152 *pro* diuitiis Ci 305, diuitis *Non* 72 *pro* diuitiis Poe 913, ditia *D pro*

dicta *De scansione* diues *vocabuli cf* Langen, *Beitr.* p. 279; Leo, *Plaut. Forsch.* p. 256, adn. 2

II. Significatio A. *adiectivum* 1. *attrib.:* ipse dominus diues, operis et laboris expers Am 170(*v. secl Fuhrmann*§: *cf* Blomquist, p. 17; Langen, *Beitr.* p. 10) uenit hoc mihi . . in mentem ted esse hominem diuitem, factiosum Au 226 diuiti homini id aurum seruandum dedit Ba 338 in foro infumo boni homines atque dites ambulant Cu 475 dites damnosos maritos sub basilica quaerito Cu 472 dites* damnosos maritos apud Leucadiam Oppiam Cu 485(*v. secl Ca*ω) Periphanes Rhodo mercator diues . . adnumerauit As 499 uendit eum domino hic diuiti quoidam seni Poe 73

2. *praed.:* **a.** nec recte dicis nobis diues de summo loco Poe 516(*an subst.*?)

b. tum igitur tu diues es factus? As 330 ego uirtute deum et maiorum nostrum diues sum satis Au 166, Cap 324(*v. secl* ω) istic Theotimus diuesnest? Ba 331 diues sum si non reddo eis quibus debeo Cu 373 ego si bonam famam mihi seruasso, sat ero diues Mo 228 sin (cliens) diues malust, is cliens frugi habetur Men 577 si quis promittat tibi te facturum diuitem . . As 529 potesse ibi eum fieri diuitem Ru 55 . . quem tu esse aibas diuitem Tri 428 ita sunt isti nostri diuites Poe 811(*v. dub*) dei diuites sunt Tri 490

c. *compar.:* hinc numquam eris diuitior* Ps 1323(*de abl. cf* Langen, *Beitr.* p. 10) quis mest diuitior*? Au 809(alter diuitior *LangenRg*)

B. *substantivum* 1. *nom.:* non temerariumst ubi diues blande appellat pauperem Au 184 nemini credo qui large blandust diues pauperi Au 196 quo illae nubent diuites dotatae Au 489 sibi . . habeant . . diuitias diuites Cu 178

2. *gen.:* hoc magis miser est diuitis* seruos Am 167(*v. secl GuyRgl*§*U*)

3. *acc.:* diuitem audacter solemus mactare infortunio Poe 517 . . solitum diuites* damnare atque domare Tri 829 nos diuitem istum meminimus Tru 220

4. *abl.:* aequa lege pauperi cum diuite* non licet Ci 532

DIVEXO - - ita . . meam rem (Toxilus) **diuexauit** Per 781

DIVIDIA - - *una modo forma usurpatur, sc. dativus.* nimio(nimium *L*) illaec res est magnae(*Py* mane *P*§† sane *LangenRg*) diuidiae mihi supter fugisse . . Chrysalum Ba 770(*cf* Langen, *Beitr.* p. 334; Walder, p. 51 caue tibi ducenti nummi diuidiae (*Ca* -tie *B* -tie *D* -ciae *C*) fuant Ba 1033 quod tibist aegre, idem mihist diuidiae(*A* -due *P*) Cas 181 nec tibi istuc magis diuidiae(dię *C* -tia *Varro*) est(diuidiaest *RgL*) quam mihi hodie(diuidiae *Rg*) fuit Mer 619(*cf Varr l L* VII. 60) haec mihi diuidiae(*ABD* -dię *C*) et senio sunt St 19 mihi diuidiaest(*Lamb* -dia est *P*) tonstricem meam sic coniuctam male Tru 856(*L*)

DIVIDO - - I. Forma diuido St 701(-clo *B*) **diuidam** Au 767, Per 757(didam *Haupt*

RsL)   **diuides** Au 283   **diuidetur** Mi 866 (id uidetur *B*)   **diuisit** Mi 466(d. suam *L. Muel LULy* diuit ut[*CDS*]† duit in *B*] tuam *P var em RRg*)   **diuidant** Poe 775   **diuide** Ru 1011   **diuidere** Am 1125, Au 108, 180   **diuidi** Au 286(diuum *J*)   *corruptum:* Mer 541, diuisi *B pro* diust

II. **Significatio** 1. *absolute:* . . ut tu scire possis pacto ego hoc tecum diuido* St 701

2. *cum acc.:* **a.** magister quem diuidere argentum oportuit Au 180   magister curiae diuidere argenti dixit nummos in uiros Au 108 ut utrobique orationem docte diuisit* suam Mi 466(*L. MueLU*) . . (aurum) inter se diuidant Poe 775   infortunium si diuidetur* . . Mi 866 inter participes diuidam* praedam Per 757 quin tu petius praedam diuide Ru 1011

licet boni dimidium mihi diuidere cum Ioue Am 1125   dimidiam tecum potius partem diuidam Au 767

b. *in malam partem:* me quidem hercle dicam palam non diuides Au 283   si quis uellet, te haud non uelles diuidi* Au 286

3. *cum praepp.:* cum Am 1125, Au 767, St 701   in Au 108   inter Per 757, Poe 775   *abl. modi* hoc pacto St 697

DIVIDUUS - - **diuiduom**(-um *PU*) talentum faciam Ru 1408

DIVINO - - quia me amat, propterea Venus fecit eam ut **diuinaret** Mi 1257

DIVINUS - - I. **Forma** **diuina** Poe 499 **diuini**(*neut.*) Am 672(dini *Ly*), As 854, Ba 504, Poe 466   **diuinae**(*dat.*) Cu 532(-nę *BJ* -ne *E*) **diuinam** Am 966, Au 612, Cap 291, 861, Cu 558, Ep 316(*B²EJRg¹ULy* dinam *Ʒ¹Rg²SL*), 415, 418(*v. add B²*), 419(*v. habet B² om* ω), 501, Poe 408, Ps 267, Ru 95, 130, 343, 347, 1206, St 396 **diuine**(*voc.*) Am 976   **diuinā** Am 968, Ba 926, Poe 405, 618(*D¹* diuiua *BD¹* diuuia *C*), 748 **diuina**(*acc. pl.*) Am 258   **diuinis**(*fem.*) Mi 675 (*PRLU* dinis *L sed non in ed RgSLy*)   (*neut.*) Mo 1104, Ps 826, Tri 479   **diuinarum** 307(*U*)   *corruptum:* Am 1121, diuinum *E pro* diuom

II. **Collocatio** 'ante subst. ponitur excepta locutione res diuina* = Opfer.' Gimm, p. 18   Mi 675 *pro spurio habet* Gimm

III. **Significatio** A. *adiect.* 1. **res diuina:** **a.** ita res diuina mihi fuit Poe 499

b. nunc rei diuinae operam dabo Cu 532

c. iube famulos rem diuinam mihi apparent St 396   si lucri quid detur, potius rem diuinam deseram Ps 267

ego rem diuinam intus faciam Am 966   lauabo ut rem diuinam faciam Au 612   rem diuinam feci Cu 558   . . dum rem dinam* faceret Ep 316   facturum dixit rem esse diuinam domi Ep 415, 419*   . . dum rem diuinam faceret Ep 501   paucis uerbis rem diuinam facito Poe 408   rem diuinam se facturum dixerat Ru 95   . . ut rem diuinam faciat Ru 130, 1206(faciam)   rem diuinam facitis hic Ru 343, 347

re diuina facta mecum prandeat Am 968

ad rem diuinam . . Samiis uasis utitur Cap 291   iube uasa tibi pura apparari ad rem

diuinam Cap 861   hic administraret ad rem diuinam tibi Ep 418(*B²*)

d. mox dabo, quom ab re diuina rediero Poe 405   iam ab re diuina* . . apparebunt domi Poe 618   in re diuina dudum dicebant mihi Poe 748

e. quod in diuinis* rebus sumat sumpti, sapienti lucrost Mi 675   Tru 307, diuinarum (*U* duarum *P*) rerum(nucerum *Rs*) creduit

2. *cum aliis vocabulis:* diuinis condimentis utere Ps 826   consilia firmiora sunt de diuinis locis Mo 1104   Pergamum diuina moenitum manu Ba 926   nunc tu diuine huc fac adsis Sosia Am 976

B. *substantive:* 1. numquam edepol tu mihi diuini(*Bo* quicquam *add PRglLy*) creduis Am 672   mihi diuini numquam quisquam creduat Ba 504   quid ei diuini aut humani aequomst credere? Poe 466   neque diuini neque mihi humani posthoc quicquam accreduas As 854   *Cf* Tru 307(*U*) *supra* A. 1. e *Cf* Blomquist, p. 98

2. deduntque se diuina humanaque omnia Am 258

3. ibi(*i. e.* apud mensam) de diuinis atque humanis cernitur Tri 479

DIVINITUS - - si istaec uera sunt, diuinitus non metuo quin meae uxori latae suppetiae sient Am 1105   solus hic homost qui sciat diuinitus Cu 248

DIVITIAE - - I. **Forma** **diuitiae** Cap 281 (-ciae *B*), 320, Ep 329(-tię *B*), Men 59(-liae *P*), 67(-ciae *BC* -tie *B* -tię *D*), St 693(-cie *B* -tię *C*)   **diuitiarum** Mi 980, 1063   **diuitias** Au 821(-cias *B*), Ba 333, Cap 286, 299(-cias *B*), 318(-cias *B*), 412(-cias *B*), 1010(-cias *B*), Ci 559(-cias *BJ* ditias *BriRsLLy*), 601(-cias *BJ*), Cu 178(-cia *B*), Ep 451(*AEJ* -cias *B*), Men 217 (-cias *B*), Mi 679, 1213, 1213, Per 652, Poe 904, Ru 542(*APL* ditias *Parψ*), 1320, St 412, Tri 495, 605, 839   **diuitiis** Au 701(-ciis *B* diuitis *Non* 152), Cap 170(*PU* -ciis *B* ditiis *Boψ*), Ci 305(*ex Non* 72 -tis *Non*), Mi 703, Poe 60(*PU* -ciis *B* ditiis *Rψ*), 65(abd. *PLLy* abditiuos *Gulψ*), St 134, Tri 349(*ACD* -ciis *B*), 509 (*Bergk* stultitiis *ALy* stultitia *P*), 682(*PU* -ciis *C* ditiis *Guyφ*)   *corruptum:* Am 167, diuitiis *DE pro* diuitis: *v. secl GulRglSU De scansione cf* Langen, *Beitr.* p. 279

II. **Significatio** 1. *nom.:* quid diuitiae? suntne opimae? Cap 281   ne tuom animum auariorem faxint diuitiae meae Cap 320   tibi . . diuitiae domi maxumae sunt Ep 329   ei liberorum nisi diuitiae* nihil erat Men 59(*cf* Inowraclawer, p. 19)   illi diuitiae euenerunt maxumae Men 67   quibus diuitiae domi sunt, batiochis bibunt St 693

2. *gen.:* tibi diuitiarum adfatimst? Mi 980 satis habeo diuitiarum Mi 1063

3. *acc.:* **a.** me uidet magnas adportauisse diuitias domum St 412   confessus es et genus et diuitias meas Cap 412   ibi me conruere posse aiebas diuitias* Ru 542   libertatem tibi ego et diuitias dabo Mi 1213   diuitias tu ex istac facies Per 652   mirum quin tu illo tecum diuitias feras Tri 495   tantas diuitias habet Ba 333   habeant . . sibi diuitias* diuites

Cu 178   diuitias tu quidem habuisti luculentas
Ru 1320   memorant . . diuitias magnas indeptum Ep 451   neque . . ut te perdam
meream deorum diuitias mihi Men 217   uolui
. . occultare et genus et diuitias meas Cap 299
. . filio dum diuitias quaero Tri 839   repperi
hodie, ere, diuitias nimias Au 821

ego patri meo esse fateor summas diuitias
domi Cap 318   huic homini dignumst diuitias
esse Mi 723

b. *cum praepp.*: ego te reduco et uoco(P$†
reuoco *PyLULy*) ad diuitias(auitas ditias *Rs*
summas ditias *BriLLy*) Ci 559   nunc liber in
diuitias faxo uenies Cap 1010   filiam suam
despondit in diuitias maxumas Ci 601   is in
diuitias homo adoptauit hunc Poe 904   ille
illam in tantas diuitias dabit? Tri 605   propter diuitias inditum id nomen quasist Cap.286
propter diuitias meas licuit uxorem . . ducere
Mi 679

4. *abl.* a. *modi, originis, separativus:* picis
diuitiis* . . ego solus supero Au 701   adulescentem . . prognatum genere summo et summis
ditiis* Cap 170   prohibet diuitiis* maxumis
Ci 305(*ex Non* 72)   fratres . . fuere summo
genere et summis ditiis* Poe 60   filius unicus
fuerat ab diuitiis* . . Poe 65

b. *cum praepp.*: de magnis diuitiis si quid
demas . . Tri 349   is (ager) de diuitiis* meis
solus superfit Tri 509   in diuitiis maxumis
liberos hominem educare . . Mi 703   idem
animust . . qui olim in diuitiis fuit St 134
non conuenit me . . in diuitiis* esse Tri 682

5. *app. adiect.*: auitae Ci 559(*Rs*)   luculen-
tae Ru 1320   magnae Ep 451, St 412, Tri 349
maxumae Ci 305, 601, Ep 329, Men 67, Mi 703
nimiae Au 821   opimae Cap 281   summae
Cap 170, Ci 559(*BriL*), Poe 60   tantae Ba
333, Tri 605

DIVORTIUM - - 1. *proprie:* habeam stabile stabulum si quid **diuorti**(*F* deuorti *P*)
fuat Au 233   . . quo modo **diuortium** et discordiam inter nos parem Tru 420

2. *de maritis:* . . postquam feceris **diuortium** Mi 1167   . . uxorin sit reddenda dos
diuortio St 204-   Cf Koehm, *A. F.* p. 76

DIURNUS - - inde usque ad **diurnam**(*AD*4
-num *P*) stellam crastinam potabimus(*PRLLy*
poterimus *ARsS†*) Men 175

DIU(S) - - *adverbium*(cf Kane, pp. 42, 43).
nec noctu nec diu quietus umquam eram Au
fr IV(*ex Non* 98)   noctuque et diu(dui *B*) ut
uiro subdola sis Cas 823(*cf Non* 98)   neque
quiescam usquam noctu neque dius(*D*1 dnis *C*
uis *B* diu *D*²) Mer 862   *dubia et corrupta:*
Au 672, dium *BD* diu *EJ pro* duim(*Ca*)   Mo
765, sub diu col *cum lac P* sub diu colere *R*
sub sicco lumine *L* sub diuo columine *Ly*
sub sole columine *U* sub sudo columine *A ut
vid* $(cf Leo, *Archiv* X p. 273, et Funck, *ib.*
p. 344)   Cap 331, dius *DE pro* duis   Per
848, dius *P pro* diu(*F*)   Ps 279, diu *KiesU
pro* die   Ru 7, in terra dius *Rs pro* interdius; 210, dius *Rs* diu *P$†Ly†* var em *LU*;
1368, dius *CD pro* duis(*B*)

DIUS - - *deus.* per **Dium**(*Hermolaus* deum
PU v. secl U) Fidium quaeris As 23   Cf

Hubrich, p. 35   *Vide* Mer 842, *ubi* dium
B(B) pro diuom

DIUTINUS - - mihi supplicium uirgarum
de te datur longum **diutinum**que a mani ad
uesperum Mi 503   **diutine** uti bene licet partum bene Ru 1241

DIVUS - - I. **Forma** **diuos** Am 57(-us *BDE
v. om J*)   **diuom** Cap 865(*Bo* deum *PLLyU*)
diua Poe 1177(digna d. *ACDS†LU* digna
dea *GuyRs* dignaudiua *B*), Ru 666(*in lac Rs
aliter explent LU*)   **diui** Au 50, Mer 436(*Sey*
di *CDRRg* dii *B*), Mo 222(*Bo* di *PRU*), Ru
1316(*Rs duce Leone* di *Pψ*)   **diuom** Am 1121
(-um *BDJ* diuinum *E*) As 716(*Bent* deum
PRglU), Au 300(-um *P*), Mer 842([*D*] -um
C[C]D dium *B[B]*), Ru 9(-um *P*)   **diuis**
Am 635(*L* dis *PRglU*)   **diuos** Mi 730   **diui**
(*voc.*) Cap 882(*Rs* diu *P$†U†Ly* credo *L*), Tru
701(*BoRs* dii *P$†* di *LU*)   **diuis** Cap 777
(*Bo* dis *BELLyU* diis *J*), Ps 1253(*Sch* dis
ARgL om PU)   *corruptum:* Au 286, diuum
J pro diuidi

II. **Significatio** 1. *nom.:* quasi nesciam
uos uelle, qui diuos siem Am 57(*v. om J*)
nulla diua anculast(*Rs* ∗∗∗cuiast *P$* var em
LU) Ru 666

utinam me diui adaxint ad suspendium . .
Au 50   illunc diui* infelicent Mer 436   diui*
me faciant quod uolunt Mo 222   diui* homines respiciunt Ru 1316

2. *gen.:* quem te autem diuom*(deum autem
BoRglU) nominem? As 716   diuom* atque
hominum clamat continuo fidem Au 300
summus imperator diuom* atque hominum
Iuppiter Am 1121, Ru 9(*omisso* summus)   diuom* atque hominum quae superatrix . . es
Mer 842

3. *dat.:* ita diuis* est placitum Am 635

4. *acc.:* proin tu diuom* hunc saturitate
facias tranquillum tibi Cap 865   itidem diuos
dispertisse uitam humanam aequom fuit Mi
730(*cf* Keseberg, p. 18)

5. *voc.:* iam, diui*, . . uenit? Cap 882(*Rs*)
diui* magni, ut ego . . laetus sum Tru 701(*Rs*)

6. *abl.:* munera . . digna diua* uenustissuma
Venere Poe 1177

tantum affero, quantum ipse a diuis* optat
Cap 777   magnis munditiis, diuis* dignis(dis
dignis *A* digni ah *P*) Ps 1253

DO - - 1. **Forma** **do** Ba 74, Cap 426(*P$†*
do laudo *Rs* laudo *Non* 335 *LU*), 618, Ci 236,
355, 463(ego nec do *StuL* tibi me do *Rs* ∗∗∗o
AS), Ep 730, Men 658(*B* de *CD*1 dē *D*³), 812
(*Grut* de *P*), Mer 447, Mi 455, 953, 1022, Mo
261, 804, Per 372(do ne *B* donec *CD*), 614,
770, 854, Poe 854, Ps 83, 113, 514, 1166, Ru
954, 1371, St 681(operam do *L* curam do *Ly*
curando *P$†* var em ψ), Fr II. 86(*ex Paul* 99)
das Am 278(des *B*), As 449, 850, Ba 1001, Cap
1008, Ci 464, Cu 94, 519, Ep 336(*Py* des *J* ades
BES†L†Ly), 724, Mi 453, 1114, Mo 1166(*add R
RsU*), Per 437, 614, 772, Poe 868, Ps 1166,
1314(tamen das *P om SpRgL v. secl U*), Ru
647, 938(*add Rs solus*), 953, 1004, Tru 954, Vi
30   **dan** As 671(*Grut* dant *P*), Tru 373(*Ca
da A* dant *P*), 940(da *ZRs*)   **dat** Au *Arg*
II. 5, Au 25, 699, Ba 795, Cas 44, 63, 278, Ci

70, 166, 171, 185, 218 *bis*, Cu 161, Ep *Arg* 4, Men 101, Mi 120, 920, 940, 1148, 1317(dant *B*), Mo 595, 601, 1089, Poe 108, Ps *Arg* II. 13, Ps 1131(*A* datat *RgLy* dat at *P*), Ru 46, 961, 1072, 1403, Tri 260, 339, 340, 847, 115ᵥ, Tru *Arg* 8, Tru 15, 653, 724 **damus** Men 234, Mer 968, Mi 774(dabimus *R*), Per 393, Poe 545(*v. secl L*), 641, Ru 1182 **datis** Am 302, As 712, 947, Cap 6, Cas 765 *bis*, Cu 328(dabis *PyRg*), Mo 386, Poe 589, 668, Ru 193, St 311, Tru 180(*v. secl Guyω*) **datin** Cu 311, Tru 631(date *D³*) **dant** As 201, 527, 536, Au 88, Ba 1188, Cas 773, Ci 671(dent *B*), Cu 124(danunt *L*), 480(*om J*), Ep 193, 544, Men 558, Mi 711(*AB²* dus *B¹* dent *CD*), Ru 1229 (*B* danunt dant *CD*), Tru 734 *bis* **datur** Am 647, Au 520, Ba 1189, Cap 506, Ci 612, Men 552, 604, 628, Mer 440, Mi 349, 502(bal *B¹*), 711(de te datur *Lamb* dedatur *CD* datur *B*), Mo 605(*A* dale *P*), 614, Per 661, 665(dabitur *BentRRsL*), Poe 925, 1284, Ps 155, 1127(dum datur *A* dum dat *U* dum datat *R om RgL*), 1280, Ru 186b, 1017, St *Arg* II. 7, St 140, 688 (*Ly* dabitur *Pψ*), 766, Tri 251, 679, 713, 1130, Tru 154, 634(*FZ* oatur *P*), 962 **dantur** As 193(*om J*), Cap 1003, Mer 430(dentur *R*), Tru 32(*Bo* dutor *B* tutor *CD*) **dabam** As 205 (dabās *J v. secl FlRglSU*), Cap 705, Ps 1277b **dabas** Tru 733 **dabat** Ba 286, Ci 19, Men 20 **dabant** Ba 297(*om C*) **dabo** Am 564, 931, As 194, 235, 276, 654, 709, Au 271, 284, 806, Ba 84, 103, 357, 366(*v. secl U*), 507b(*v. om AR*), 703, 707, 825, 880, 883, 920, 1036, 1172, Cap 124, 752, 797, 962, 1019, 1020, Cas 436(*om J*), 439, 443(dabo me *Fest* 165 *LyU* cedam *Pψ*), 710, 713, 729, 959, Ci 462(*Stu ex A* dabis *L*), 469, 477, 506, 595, Cu 123, 259, 494, 532, 571, 663, Ep 121, 605, 726, Men 14, 472, 544, 1009, Mer 472, 524(dato *A*), 790, Mi 23, 258, 260(dare *R*), 303, 651, 772, 800(ibo *R*), 931, 1174, 1213, Mo 253, 359, 1024, Per 457, 827, 847, Poe 169, 405, 661, 1302(dato *A*), 1350, 1394, 1417, Ps 79, 118, 258, 525, 538, 554, 594, 664, 734, 847, 865, 881(dobo *D¹*), 926, 928, 939b, 1115, 1245, Ru 429, 576, 765, 1028, 1197, 1326(dabos *B*), 1327, 1344, 1388, St 73, 260, 439, 550, 719, Tri 107, 508, 860(*v. secl U*), 865, 897, Tru 947 (dolū *B*) **dabis** As 165, Ba 60, 824, 1001, Ci 106, 462(*L* dabo *Stud ex A*), Cu 328(*PyRg* datis *Pψ*), Ep 8, Per 855a, Ps 117(*AB* dauis *P*), 508, 510, 518, 535, 885, Ru 1064, Tri 781 **dabin** Ba 883, Ps 536, 1078 **dabit** Au 311, Ba 970, Cap 910, Cu 257, 661, Ep 38, 301, Mi 208(coctum d. *AB* coctu adbabit *D¹* coctu ad abit *C*), Mo 612, 1088, 1095, Per 525, 589, 658, Poe 371, 712(*Py* dabat *P*), Ps 283, 1072, Ru 727, St 224, 263(*R solus pro* dicit), Tri 605 **dabimus** Cas 16, Mo 1161, Per 847 **dabunt** Am 563, As 623, Ba 1142, Cap 934, Mi 353, Per 16, Ps 1130, Ru 107(tabunt *D¹*) **dabitur** As 481(*v. secl ω*), 516, Au 193, 332, Ba 105, Cas 121, Ep 8, 727, Men 856, 1155, Mer 149, 527, 770, 777, Mi 1061, 1422(*v. om CD*), Per 665 (*Bent* datur *PSU*), Poe 174, Ps 215, Ru 121, 443, 793, 1121, 1332, St 572, 688(datur *Ly*), Tri 246, 390, 612, Tru 911 **dabuntur** As 726, Ba 883, Cu 526, Per 394(dabantur *Ps-Asco*

ad Cic Div 39), Ps 1078 **dedi** Am 762, 936, As 137, 141(dedidi *LachRgl*), 171, 196, 444, 847, Ba 245, 1028, 1080(edi *MercerR*), Cap 364, 507 (*B* de *EOJ*), Cas 241, Ci 133, 145, 506, 571, Cu 363, Ep 484, 564, 703(*AE³J* dide *BE¹*), 708, 709, Men 394, 510, 535(*P* dedei *ARsS*), 536 (*B²* dedei *RsLy* dedit *P*), 537(*P* dedei *RsLy*), 600, 653, 657, 663, 672, 678, 681, 684, 1139 (dedei *vel* dedit *A*), Mer 499, 847, Mi 131, 988 (*B* dedit *P*), 1148, 1204(*Rib* dere *RS†* dari *BugU*), 1205, 1208, 1314, 1338, 1350, Mo 242, 300, 699(*GulR pro* edidi), 823, 925, Per 128, 838, Poe 416, 477, 1280, Ps 257, 260, 1117, 1200, Ru 745, St 547, Tri 15, 125(didi *D*), 179, 182, 728, 872, 970, 1061, Tru 544(dedit *B*), 733, 739(dedit *B*), 790(*Z* dedit *P*), 935(dedin *Ca* dedi u *B* dedi *CD*), 946, 957(dedisti *Rs* uidesne *U: loc dub*), *ib.,* 959 **dedisti** Am 797, Ba 687(*PS†LLy†* dedidisti *AcR* tu d. *FlRgU*), Cas 238, *ib.,* 842(*AVEJ* dedesti *B* fecisti *WilmsU*), Cu 345, Men 508, 537, 689, 1038, Mo 1108, 1113(*U pro* desine *loc dub*), Per 673, Ps 257, 1203(*A ut vid* -tis *P*), 1217(*AD* -tis *BC*), Ru 507, St 136, 142, Tri 127, 129, 412, Tru 920, 935(*D¹* dedixisti *BCD²*), 957, 960 **dedit** Am 81, 537, 794, 809, As 524, 638 *bis*, 676, 752, Ba 270, 338, 407, 532, 666, 984, Cap 19, 585(*ScioplLy* ędidit *B* edidit *DEJψ*), 982, 1013, Cas 378(*L pro* est), Ci 636, 716, Cu *Arg* 5, Cu 583, 617, 637, Ep 358, Men 61, 593 b, 733, Mer 96, 643, Mi 123, 140, 144, 576, 960, Mo 211(*v. secl LadewigS*), 265(dedi *B*), 537, 648, 692, 695, 978(*om A ut vid*), 1013, 1026b(*U in lac aliter L*), Per 260, 740, Ps 280, 691, 909a, 1207, Ru 98, 849(dedito *CD*), 1171, Tri 165, 875, 894, 902, 995, Tru 40, 217, 235(dędit *D*), 239, 737(*PS†* var em ψ), 800, 802, Vi 65 **dedimus** Mo 650, 918, Per 847, Poe 519 *bis*, 815 **dedistis** Ci 6, Ep 341, Men 475(*ABD²* -ti *CD¹*), Poe 683, 806, Tru 138 **dederunt** Poe 223 **dederam** As 209, Mer 238, Ps 148, Tri 1056 (deram *C*) **dederas** Ba 264, Men 426 **dederat** Cu 603, Ps 54, 618, St 560 **dedero** As 439, Au 250, Ba 49, Ci 499, Mo 1103, Per 292, Poe 1286, Ps 91(*A* -rim *P*), 510 **dederis** As 524, Ba 1198(?), Cap 122(*v. secl Rs*), Ep 297, Mo 1152, Ps 641, 1229, Tri 60(?) **dederit** Cas 85, Men 54, 55, Per 402, Poe 81, 82, Ru 1084 **dederint** As 719

dem As 234, 631, 725(quas dem *BD* quidem *EJ*), Au 238(quod dem *BD* quidem *VJ*), 662, Ba 607, 743, 769, 1040, Cap 121 *bis*(*v. secl Rs*), 122(*v. secl Rs*), 381, 449, 1028, Ci 523(dem uiuae *L* umquam dem *U* oppingam *RsS om P*[*B cum lac*]), Ep 574, Mi 692(*AB²* det *P*), Per 188 (egon dem *A* eoon dem *B* eodem *CD*), 440, 612, 817(dein *B*), Poe 375, Ps 413, 536, 626, 705a, St 256, Tri 158, 681, 691(*Klotz om P*[*P*]), 761, 968, Tru 842(eam dem *PalmerLy* eundem *P*[eum *D¹*]*S†RsL aliter SeyU*), 924, 941(*Palm* idem *PS†: loc dub*) **des** As 188, 242, Au 793, Ba 219, Cap 340, 354, 437, Cas 257, 677, Ci 250, 368(*RsL* d∗ *AS*), Cu 436, *ib.*(det. *MueRg*), 526, 660, Ep 571, Men 1007(ut des *B²* uides *P* duis *RRs*), Mer 492, 678, Mi 785 (dies *C*), 927, 1030, 1420, Mo 926(mihi des *L* dehis *P* var em ψ), 1036, Per 36(deus *B*),

196, Poe 1015, 1414, Ps 487, 1015, 1148, Tri 762(ut des *A* ut dent *RRs* uides *P*), Tru 356, 569, 571, 841, Vi 25   **det** As 83, 104, 182, 777, 778, 805, 916, Au 310, Ba 744, Cas 42, Ci 562, 738, 739(*U in lac aliter* ψ), Cu 257, 436 (*MueRg* des *P*ψ), Men 53(det unde *P* deinde *B*²), Mer 332(neue det *CD* de uendat *B*), 488, 665, Mi 920, Mo 529, Per 68b, 327, Poe 833, 928, 1242, Ps *Arg* I. 3, Ps 175, 307(det det usque *A* detque *P*), 570(*A et P*), 785, 948, 1100, Ru 728 (*DissaldRsLU* dei *A* ut vid *ℒLy* do *P*), 1084, Tri *Arg* 6, Tri 564(quod det non habet *ACD* nequiquam uolo *ex v. seq B*), 370, 776, Tru 230, 233(*A* dent *P*), 242(*A et P*), 243   **demus** Mi 78(age demus *Ly* agetemus *CD* agetenem' *B*¹ age eamus *B corr et* ψ), Tru 62   **detis** Cap 211b, Cas 22, Men 1155(ut detis *ACD* uidetis *B*¹), Per 93, Vi 97   **dent** Am 209, As 44, Cap 495, Cas 770, Ep 6, Mi 1038, Per 483, Poe 24, 208, 667, 687, 1055(di dent *CD* diderit *B*), Ps 938(tantum dent *om R*), St 262(tibi tibi dent *PU* di tibi dent *RRg* quidem si uis *AℒLLy*), 469, Tri 762(ut dent *RRs* ut des *A* uides *P*), 1152, Tru 76, 146   **detur** As 482(*v. secl* ω), Au 337, Ba 72, 537, Cas 254, 268, 341, Ci 308 (*A et Prisc* II. 42), Cu 211, 433, Ep 115(*Pius* datur *P*), Men 973, Mer 841, Mi 1157(si d. *LuchsL* uidetur *P*ψ), Per 333, Poe 37, Ps 267, Tri 730, Tru 127(cena de *A* centur *P* cenetur *Ly*)   **darem** As 675, Au 384, Men 733, Mer 400, Mi 798, 913, Per 119(darum *B*), Poe 681, Ru 602, Tri 1143, 1144, Tru 843, Vi 84   **dares** As 736, 929, Ba 635(deres *B* dare *D*¹), Ci 484 (*A*), Men 688, Mi 803, Per 118(dare *B*), Ps 1154, St 255(duis *BoR*), Tri 741(deres *BC*)   **daret** Au 27, Ba 676, 939, Cu 347, Per 261, Ps 285, Tru 81, 202   **darent** Ci 403, Mi 731, Poe 1252(daraent *C*)   **daretur** As 335, Cas 365, 366, 431, Tri 1101   **dederim** Ep 258, Mo 922, Ps 93   **dederis** Mer 683, Poe 559, Tri 700, 1051(*A* -rit *P*), Tru 51   **dederit** Ba 45(*FZ* dediderit *P LyL* 'fortasse reddiderit'), 334 (duit *HermR*), Mi 797, Tru 234(diberit *A*)   **dedisses** Ci 484(*A*)   **dedisset** Ci 574

duim Au 672(*Ca* diū *B* dium *D* diu *EJ*)   **duis** Cap 331(dius *EJ*), 947, Men 267(*Beroaldus* dus *P* dias *B*²), 1007(*RRs* ut des *B*² uides *P*), Ru 1368(dius *CD*), Vi 51, 52, 85   **duit** As 460, Au 62(diut *E*)   **duas** Au 238, Mer 401   **duint** Am 72, Au *fr* V(*ex Non* 120 adduint *QuicheratL*), Mo 655, Ps 937(*Pius* diunt *P*), Tri 436(*ACD* dunt *B*)

da Am 924, As 445(dare *U loc dub*), 457, 461, 462, 473, 664, 684, 692, 891 *bis*, 940, Au 135, 143, 199, Ba 87, 998, 1026, 1065, Cas 1000(da uiro *P* uero *A*), Ci 236, 770, Cu 106, 259, 313, Ep 24, 699(*A ut vid* ad *P*), 701, Men 541, 545, Mer 677, Mi 691(dat *CD*¹), 692, *ib.*(condi at da *B*²*CD*²*ℒ*† dan *D*¹ conclamando *B*¹ ∗condiat, da *L* condimenta da *RRgULy*), Mo 63(da tametsi *Rs* data es *Pℒ*† date si *RU* date aes si *ULy*), 344, 347, 1009, Per 48, 128, 186, 422, 801, 818, 821(bibere da *B* biberet *CD*), Poe 404, 1188, 1242(*om A*), Ps 547(da in *BD* dam *C*), Ru 571, 574, St 764, Tri 244, 651(da ne *A* ha da aut *P*), 1062(da magnum *A* dampnū *CD* dānū *B*), Tru 275(*A* dant *P*), 722, 911(dan *Rs*)   **date**

As 14, 649, 906, Au 407, Cap 1036, Cas 3, 831, 879, Ci 154, 787, Cu 280, Men 1081(datis *R* dat *U*), 1110, Mer 850, Mi 98, 1144, 1158, Mo 63(date si *RL* date aes *ULy* da tametsi *Rs* data es *Pℒ*†), 584, 1181, Per 769, Poe 58, 543 (*v. secl L*), 785, 1259, Ps 558, 585, Ru 280(date *C*), 617, 620, 1398, 1423(*v. secl RsℒU*), St 752, 757, Tri 11, Tru 448, 476, 481(date aguam *FZ* data quā *P*)   **dato** Ba 84(da tu *R*), Cas 75, Men 547, Mer 136, 777(da *R*), Mi 567, 1126, Poe 159, 161, 1235, Ps 647, 652, 886, Ru 578, 712(ergo dato *U in lac aliter* ψ), 1398, St 553, Tru 117

dare Am 209, 510, 1006, As 181, 229, 366, 445(*U pro* da *in loco dub*), 488, 735, 871, Au 155, 157(quam dare uis *Pℒ*†*Ly* om *URg* dare uis? *L*), 158, Ba 94(*B* dari *CD*), 98, 99, 273, 920 (dere *B*¹), 970, 985, 1056, 1082, 1083, Cap 54, 362, Cas 30, 58, 195, 262, 288, 362, 479, 656, 888, 1015, Ci 42, 195, 459, 542, 648, Cu 422, 439, 535, 590, 672, Ep 99, 114, 238, 536, 710, Men 249(*Rs in loco corr pro* datum), 311(habes *Rs*), 459, 660, 796(curare *Rs*), 920, 1093, 1099, Mer 288, 551, 620, 987, Mi 71(*ABD*³ adre *D*¹ adse *C*), 77, 485, 1188, Mo 298, 633, 758, 1027, 1073(*A om P*), 1084, 1087, Per 160, 383, 401, 602, 696(*add R in loco dub*), 721, Poe 50, 159, 161, 227, 338, 695, 706(*B* darem *CD*), 710 (darei *RRgl* dari *BentLU*), 999, 1012(dare se *AD*⁴ dares *P*), 1098, 1175, Ps 86, 110, 383, 553, 625, 640, 729, 735, 945, 983, 1058, 1164, 1239, 1313, Ru 634, 958b, 996, 1292(*CaLU* darei *P*ψ), 1322, 1377, 1379, 1421, St 512, 558, 562, 766, Tri 5, 119, 130, 325, 369, 489, 511, 585(haud da *Pius* haddare *B* addere *CD*), 736, 755, 777, 779, 888, 898, 899, Tru 89, 228(*Bo* dari *APLy*), 234, 425, 796(clare *D*¹), Vi 24, 29 (non uis mercedem dare *PalmerL* tu ∗∗ *A*ψ), Fr I. 15(*ex Non* 376)   **dari** Am 723, As 426, 890(*Ac* dare *P*), Au 291, 500, 528(*v. secl U*), 604, Ba 27(*ex Char* 200), Ci 93, 254, 737(dare *E*¹), Men 131, 496(dare *D*¹), Mer 148, 777(dari *ARRgℒ*), 778(darei *ARgℒ om R*), Mi 184(clari *C*), 723(*A* dare *P*), 770(*Pius* dare *P*), 771, Per 804, Poe 259(clari *C*), 710(darei *RRgl* dari *BentLULy* dare *Pℒ*), Ps 683, 1266, Ru 183, 960, 1292(dare *CaLU*), St 444, Tri 246, 1045, 1162, Tru 228(*APLy* dare *Bo*ψ), 279(*A* patri *P*), 537   **dedisse** Am 306, 761, Cap 701, Ci 182, Men 398, 480, 497, 656, 908, 1141(dedisti *C*¹), Mer 63(-set *P*), Mo 1080, Ps 282, 990, Tri 691 (-sem [*CD*]), 951, 960, 982, 986

datus Am 34, Cap 988, Cas 25, Mer 752, Mi *Arg* I. 4, Mo 1126, Per 773b, St 662   **data** Am 534, 638, 790, Ba 168, Cap 117, 889, 1004, Cas 53, Mer 604, 737, Poe 467, 915(*om D*), Ps 138, Tri 742   **datum** Am 418, 538(*J* -us *BDE*), As 172, 433, Ba 335(-un *B*), 758, Ci 194, Men 580, Per 272(-un *B*), St 665, Tri 1131(datur *BoU*), Tru 14, 888   **datum**(*acc. masc.*) Cas 616, Mi 800, 932, Tru 409   **datam** Am 278, Tri 741   **datum** Am 11, As 572, Ci 506, Ep 365, 484, Men 461(datum uoluisse *Pℒ*†*L*†*Ly var em* ψ), Mo 1083, 1085, Poe 642, Ru 363, Tru 235   **datā** Per 243, Fr I. 54(*ex M. Caes ad Front* II. 10)   **datae** Poe 222(*B* -te *C* -te *D*)   **data** Am 138, As 56, Cap 787

(dota J^1), Ru 325　**datas** Ep 703, Poe 1018(*v.*
om C), St 130　**data** Cap 651, 945, Ep 93,
521, 614, Mi 1434, Ps 306　**datis**(*neut.*) As
166, 525, Tru 241, 569(deuorat nec datis *Bue*
deuoratis *P*)　**daturus** Am 662, As 634, Cu
541, Per 590, Ps 879, Ru 1085, 1255, 1419,
Tru 960　**daturum**(*acc. masc.*) As 466, Au
269, Ba 742, 1029, Mo 633, Ps 406, 1314, Ru
1213(-am *D*), 1336　**daturi**(*nom. pl.*) Mo 62,
604, Tru 4　**daturae** Cas 831(-re *EJ*)　**da-**
turos Ru 405　**datum**(*sup.*) Cas 699, Poe 512
dando(*dat.*) As 167(*Ac* dandi *PLULy*)　**dan-**
dum(*nom.*) Ru 1387(defraudares? d. *B corr* de-
fraudatam dares d. *P*)　**dandam** Cas 1004
(*loc dub*)　**danda** Tru 29(supplicia d. *BueL*
sui perclamanda *PS†* var em ψ)

　corrupta: Am 614, dabo *P pro* Dauo(D^2J);
1146, dare *E pro* clare　As 276, dat ergo *E*
pro de tergo; 428, dedi *P pro* dedo(*Bent*); 527,
dederis *P pro* derides(*Ca*)　　Cap 832, dabo
Non 72 *pro* aufero　Cas 246, dem *J pro* di;
1017, dare *E pro* clare　Ci 582, dedisti *P*
pro destiti(*Rs*); 738, quoi dat B^1 *pro* quoidam
Ep 44, da E^1 *pro* de; 167, qui des *P pro*
quid est(*A*)　Men 162, dato *CD pro* aio
(B^2); 741, dederis B^2 *pro* degeris; 1162,
clare dare plaudite *B* clare applaudite *CD*
pro clare plaudite(*A*)　Mer 241, simia dote
dederit *B pro* simiai dotem ambederit; 769,
dabo *CD pro* cedo(*AB*); 879, aspice non ad
sinisteram atque (ut *add CD*) detis *P var*
em ω; 948, metuat mater dati *PS† var em* ψ;
1026, dare *D pro* clare　Mi 318, p̄ tunc dari
B^1 *pro* praetruncari; 419, quid dem B^1 *pro*
quidem; 466, duit B^1 diuit *CDS† var em* ψ;
543, dem CD^1 idem B^1 *pro* demum; 585, dem
A pro de me *v. secl Ribω*; 1130, qui detur *P*
pro uidetur(*A*); 1276, ***dat *A fortasse pro*
deprehendat; 1423, det *B pro* de　Mo 561,
dabunt *D pro* danunt; 588, damus *C pro* clamas; 610, et sortem dabit *CD ex* v. 612
Per 28, fagan datus *B pro* figant latus; 500,
dare *B pro* clare　Poe 534, et das *B pro*
edas; 1253, dant *D* daniant *C pro* danunt; 1255,
det *A pro* dei; 1340, id dem *CD pro* idem;
1366, dem *B pro* diem　Ps 178, datur *Serv*
pro conuenit; 1171, dederam *pro* eram; 1221,
dem et *B* idem *C* idem etiam *D pro* de me
Ru 519, das *P pro* eas(*A*); 900, dat *P pro*
facit(*Prisc*); 1387, defraudandum dares *P pro*
defraudares　St 318, dedisti *P pro* edisti(*A*);
321, tui des *B* tu uides *CD pro* tu edes(*A*)
Tri 243, dabitur *D pro* labitur　Tru 182,
amanti si cui n quod dabo non est *A aliter*
P; 247, datur *P pro* dator; 526, do ut
P pro dolet(*Sp*); 737, qui dedit *PS†* quod
dedici *BoU* quid erit *BueRsLLy*; 747, do *PS†*
var em ψ; 789, datū sit *B* datūst *C* datumst
D pro factumst(*Ca*); 843, dē *B* idem *CD pro*
dum(*Ca*)　Vi 78, **dare possu** *AL*

II. Significatio A. = donare, donum dare
de rebus I. *absolute:* qui modus dando*? As
167　is dare uolt, is se aliquid posci As 181
longe aliam . . praebes nunc (orationem) atque
olim quom dabam* As 205(*v. secl FlRglSU*)
illos qui dant, eos derides As 527　si mihi
sit pollicear. \#Scio dares* noui Ba 635　quam

mox dico 'dabo'? Ba 880　duxi, habui scortum, potaui, dedi*, donaui Ba 1080　quin
datis, si quid datis Cas 765　id duae nos
solae scimus: ego quae illi dedi, et illa quae
a me accepit Ci 145　dedi dum fuit: . . dabo
quando erit Ps 257-8　det* det usque Ps 307
'dabo' inque Ps 538　priusquam quoiquam
conuiuae dabis . . discipulis dato Ps 885-6
lingua quae quidem dicat 'dabo' St 260　ubi
illic biberit, uel seruato meum modum uel ego
($RRgU$ tu $PS†Lt$) dabo St 719　dum fuit
dedit: nunc nihil habet Tru 217　nugae sunt
nisi modo quom dederit* dare iam lubeat
denuo Tru 234　sine uicissim qui dant ob
illud quod dant operis utier Tru 734　Tru
737, qui dedit *P var em* ω　dedi* equidem
hodie Tru 739(*cf* Brix *ad Sp.* p. 12)　ut discinxi hominem. \#Immo ego uero qui dedi Tru
957(*loc dub*)　ego posterior dedi. \#Tu dedisti
iam, hic daturust Tru 959-60　dabitur Au 193

II. *cum acc.* 1 *de argento sim.:* ducuntur,
datur aes Au 520(† S)　miles inpransus astat,
aes censet dari Au 528(*v. secl U*)　date* aes
inhonestis Mo 63(*Ly vide* ψ)　serui ne obsideant . . uel aes pro capite dent Poe 24
cupio esse amicae quod det *argentum* suae
As 83　. . ut habeat filius amicae quod det
(argentum) As 104　argentum quod daretur
Saureae pro asinis As 335　quoi datumst
(argentum) As 433　da (argentum) modo meo
periculo As 457　ne duit, si non uolt As 460
da, inquam: . . da quaeso, ac ne formida As
461-2　da, obsecro, argentum huic As 473
iam dedit argentum? \#Non dedit As 638　da
. . argentum mihi As 664　da istuc argentum
nobis As 692　numquam me orares quin darem As 675　datisne argentum As 712　mihi
libellam pro eo **argenti** ne duis Cap 947　argentum si quis dederit . . Cas 85　dedisti tu
argentum? Cu 345　argentum des lenoni Cu
436　mancipio (argentum) tibi dabo Cu 494
. . ut sibi esse datum argentum dicat Ep 365
dat erili argentum Ep *Arg* 4　equidem hercle
argentum pro hac dedi. \#Stulte datum reor
Ep 484　continuo argentum dedi Ep 564
quid . . argento factumst quod dedi? \#. . dedi*
Stratippocli. \#Quor dare ausu's? Ep 708-10
nisi qui argentum dederit, nugas egerit, qui
dederit, magis maiores nugas egerit Men 54
unde erit argentum quod des? Mer 492　id
. . quod dedit perdiderit tantum argenti Mo
211(*v. secl LadewigS*)　argentum . . quod isti
dedimus arraboni Mo 918　an negauit sibi
datum argentum? \#Qui ius iurandum pollicitust dare . . neque seibi argentum datum Mo
1083-5 dedit argentum Per 260　stultus qui
hoc mihi daret argentum Per 261　. . ipse
ultro det argentum Per 327　mihi iuratust
sese hodie argentum dare. quod si non dederit . . Per 401-2　da mihi argentum Per
422　huic pro te argentum dedi Per 838
argentum nisi qui dederit, nugas egerit, uerum
qui dederit magis maiores egerit Poe 81-2(*cf*
Men 54: *hic* uerum *om* nugas *ins L*)　quom
argentum pro capite dedimus, nostrum dedimus Poe 519　fuit occasio . . iam pridem
argentum ut daret Ps 285　tu mihi hercle

argentum dabis. #Eclidito mihi hercle oculum, si dedero. #Dabis Ps 508-10 em istis mihi tu hodie manibus argentum dabis Ps 518 dabin mihi argentum quod dem lenoni ilico tua uoluntate? Ps 536 si hunc uidebo non dare argentum tibi . . ego dabo Ps 553-4 si non dabis, clamore magno . . flagitabere Ps 556 quid dubitas dare? #Tibi ego dem*? Ps 625 si dare uis mihi, magis erit solutum quasi ipsi dederis Ps 640 argentum des Ps 1015 iam dudum, si des, porrexi manum Ps 1148 hoc argentum ut mihi dares? Ps 1154 ego tibi argentum dedi Ps 1200 tantundem argenti . . dedit huic Ps 1207 si mihi argentum dederis, te suspendito Ps 1229 quid ergo dubitas dare mihi argentum Ps 1313 negabas daturum esse te mihi: tamen das(t. d. *om SpRgL: v. secl U*) Ps 1314 pro te argentum dedit Ru 98 argentum dabit. #Det* tibi argentum Ru 727-8 argentum ego pro istisce ambabus . . domino dedi Ru 745 deiera te mihi argentum daturum Ru 1336 non edepol tibi do Ru 1371 dandum huc argentumst probum: id ego continuo huic dabo Ru 1387-8 argentum dedi*. #Dedistin argentum? Tri 125-7 quid interest dare te in manus argentum amanti adulescenti Tri 130 argentum dedi thensauri causa Tri 179 a me argentum dedi Tri 182 emi atque argentum dedi Tri 1061 dedi ego huic aurum. #At ego argentum Tru 946 mihi quidem aequomst purpuram atque *aurum* dari Au 500 mihi (aurum) dederit* uelim. Sed qui praesente id aurum Theotimo datumst? Ba 334-5 me poscitote aurum: ego dabo Ba 703 id pollicetur se daturum aurum mihi quod dem scortis Ba 742 iam (aurum) dabis. #Dabo? Ba 824 dem potius aurum quam . . Ba 1040 supplicium dabo aurum et pallam Ci 477(a. e. p. *om Rs*) hic emet illam de te et dabit aurum lubens Ep 301 da sodes (aurum) aps ted. #Immo cedo aps ted. #Non habeo. #At tu quando habebis tum dato Men 545-7 Achillem orabo, aurum ut(*A om P*) mihi det Mer 488 dat aurum ducit noctem Poe 108 ei dabitur aurum Poe 174 . . quom huic aurum darem Poe 681 accipere (aurum) tu non mauis quam ego dare* Poe 706 . . ut tute inspectes aurum lenoni dare* Poe 710 tuos seruos aurum ipsi lenoni dabit* Poe 712 dicat patrem . . id iussisse aurum tibi dare Tri 779 tu igitur demum adulescenti aurum dabis Tri 781 quod ego aurum dem tibi? Tri 968 fassu's Charmidem dedisse aurum tibi Tri 982 quando illi (aurum) a me darem . . Tri 1144 dedin* ego aurum? Tru 935 dedi ego huic aurum Tru 946 . . hanc quoi daturu's hanc (*cruminam*) . . As 662 *drachmam* dato*. #Dabitur. #Dari* ergo sis iube: dari* potest interea Mer 777 potes nunc mutuam drachumam dare unam mihi Ps 86 . . si dedero* (drachumam) tibi Ps 91 . . ut me defrudes drachumam si dederim tibi Ps 93 quin uos mihi *faenus* date Mo 584 non dat, non debet Mo 595 nemo dat Mo 601 daturin estis faenus actutum mihi? Mo 604 datur* faenus mihi? Mo 605 is tibi et fae-

nus et sortem dabit Mo 612 faenus, sortem, sumptum . . nos dabimus Mo 1161 faenus mihi nullum duis Vi 85 si *lucri* quid detur . . Ps 267 id modo si *mercedis* datur mihi . . Am 647 uideas mercedis quid tibist aequom dari Ba 27(*ex Char* 200) meritam mercedem dabo Cap 1020 uos aequomst manibus merito meritam mercedem dare Cas 1015 sibi ille quidem uolt dari* mercedem Ci 737 cupio dare mercedem Cu 590 peruelim mercedem dare Ep 536 mercedem cedo. #Cras petito: dabitur Mer 770 si quid postulat sibi mercedis dabitur Ru 1121 si quidem tu non uis mercedem dare Vi 29 (*PalmL* tu *** *A*)

ergo des *minam* auri nobis Mi 1420 dabitur Mi 1422(*om CD*) mina mihi argenti dono postilla datast Poe 467 minam . . quam lenoni dedi Poe 1280 argenti minam . . ut darem tibi faenori Vi 84 tris minas pro istis duobus . . dedi Mo 823 minas quinque acceptas mutas dat subditiuo caculae Ps *Arg* II. 13 quinque . . [minas] . . ego dabo Ps 734 istas minas decem . . des. #Dabuntur Cu 526 quindecim miles minas dederat Ps 54 argenti meo ero lenoni quindecim dederat minas Ps 618 argenti uiginti minae . . quas . . Diabolus daturus dixit As 634 has ego si uis tibi dabo As 654 da mihi istas uiginti minas As 684 uiginti argenti . . minas huius quas dem* matri. #Dabuntur As 725-6 has tibi nos pactis legibus dare iussit As 735 lenae dedit dono argenti uiginti minas As 752 . . ut uiginti minas ei det As 916 uiginti minas mihi des pro illo Cap 354 . . huic ut uiginti minas dem pro te Cap 381 tibi do uiginti minas Ps 113 dabisne* argenti mihi hodie uiginti minas? #Dabo Ps 117-8 tibi minas uiginti pro amica etiam non dedit Ps 280 non dedisse istunc putet . . . #At dabit, parabit Ps 282 ego me iam pridem huic daturum dixeram Ps 406 uiginti minas . . quas dem erili filio Ps 413 uiginti minas . . quas meo gnato des Ps 487 uiginti minas dabin? #Dabuntur Ps 1078 minas uiginti mihi dat Tru 653 iam dantur* septem et uiginti minae Mer 430 nisi tu mihi propere properas dare iam triginta minas . . Cu 535 triginta minas pro capite tuo dedi Mo 300 dedin* tibi minas triginta ob filiam? #Fateor datas Ep 703 minas quadraginta . . quas arraboni tibi dedit Mo 1013 argenti dare quadraginta minas quod danistae detur* Ep 114-5 arraboni has dedit quadraginta minas Mo 648(*cf* 1026 b *et U*) hinc sumpsit quas ei dedimus Mo 650 quadraginta etiam dedit* huic Mo 978 quattuor quadraginta illi . . dic te daturum. #Egon dicam dare? Mo 633 si dederim tibi (octoginta minas)? Mo 922 minas tibi octoginta . . dabo Mo 1024 cedo aurum: ego post *manupretium* dabo Men 544 argenti *nummum* . . me dare iusserit Demaenetus As 488 militi nummis ducentis iam usus est . . . #Ego dabo Ba 707 ducentos nummos aureos Philippos probos dabin? #'Dabuntur' inque: responde. #Dabo Ba 883 is nunc ducentos nummos Philippos militi quos dare se promisit dabit Ba 970 da mihi ducentos nummos Philippos Ba 1026 mihi praeterea unum nummum ne duis* Cap 331 .. nummum illum, quem mihi dudum pollicitu's dare* Men 311 .. nec uos sibi nummum umquam argenti dedisse Mo 1080 .. ut mihi des* nummos sescentos Per 36 .. ut nummos sescentos mihi dares* utendos mutuos Per 118 istacine causa tibi hodie nummum dabo? Ps 847 quid dare uelis? #Nummos trecentos .. quadringentos .. quingentos .. sescentos. #Dabo* septingentos .. . #Mille dabo nummum Ru 1322-7 mille nummum .. .. sibi me dedisse dixit Tri 960 mille nummum tibi dedi Tri 970 mihi tris nummos dedit Tri 995 .. ducentis *Philippis* .. quos dare* promisi militi, quos non dabo temere Ba 920 ducentos Philippos .. Chrysalo da Ba 998 non dabis, si sapies: uerum si das maxume Ba 1001 trecentos Philippos Collabisco .. dedi dudum Poe 416, 559(dederis) *pretium* lenoni dedit Cu *Arg* 5 recordetur id .. quid is preti detur ab suis eris Men 973 dabitur quantum ipsus preti poscet Mi 1061 uerum si pretium das .. Vi 30 dabo aliquid hodie *peculi* tibi Mo 253 nec est *scripturam* unde dent Tru 146 is tibi et faenus et *sortem* dabit Mo 612 faenus sortem .. nos dabimus Mo 1161 si mihi dantur* duo *talenta* argenti .. in manum As 193 talentum magnum .. ut det Au 310 .. unde tibi talenta magna uiginti pater det dotis Ci 562 ego dabo ei talentum Mo 359 dabitur talentum Ru 1332 talentum argenti magnum continuo dabo Ru 1344 talentum .. iuratust mihi dare Ru 1377 iuratust dare mihi talentum magnum argenti Ru 1379 mihi dato ergo Ru 1398 nudius sextus quoi talentum mutuom dedi reposcam Tri 728 ego talentum mutuom quoi dederam* .. Tri 1056 neque *triobolum* ullum amicae das Poe 868 mihi triobolum ob eam ne duis* Ru 1368 .. *uiaticum* dem a trapezita tibi Cap 449

2. *de cena, prandio, sim.:* tu interim da ab Delphio cito *cantharum* circum Mo 347 da illi cantharum Per 801 ob casum datur cantharus: bibo Ps 1280 foribus dat *aquam* quam bibant Cu 161 uin aquam? #Si frustulentast, da Cu 313 date aquam manibus Per 769, Tru 481* extemplo si uerbis suis peterem daturos dixit Ru 405 dabitur tibi aqua Ru 443 noctem huius et *cenam* sibi ut dares As 736 ego sorori meae cenam hodie dare* uolo uiaticam Ba 94 saluos quom peregre aduenis cena detur Ba 537 cenam parasitis dabit Cap 910 tu ut hodie adueniens cenam des sororiam, hic nuptialem cras dabit Cu 660 cena tibi dabitur. #Spondeo. #Quid? #Me accepturum si dabis Ep 8 utrum tu amicis hodie an inimicis tuis daturu's cenam? Ps 879 magis par fuerat me uobis dare cenam aduenientibus St 512 peregre quoniam aduenis, cena detur* Tru 127 ne duis neque cenam Vi 52 .. ut mihi cenas decem meo arbitratu dent Cap 495 cerialis cenas dat Men 101 dedisti* filio *cibaria* Tru 935 tarde *cyathos* mihi das Per 772 erit hodie pretium .. oculis

epulas dare Poe 1175 *malum* Am 723(*infra* 3, t) qui mihi olera cruda ponunt, *hallec* duint* Au *fr* V(*ex Non* 120) ne mihi *incocta* detis Per 93 hinc quidem hodie *polluctura* .. dabitur nemini St 688(*loc dub*) quid cessas dare *potionis* aliquid Men 920 mihi ob iactum cantharo *mulsum* date As 906 nec mihi nisi unum prandium quicquam duis praeter mercedem. #Quid *merendam?* Vi 51 domi daturus nemost prandium aduenientibus Am 665 prandium .. tam credo datum* uoluisse .. Mer 461 prandium uxor mihi perbonum dedit Mo 692 uxor .. melius .. prandium quam solet dedit Mo 695 (prandium) debetur, dabo Poe 1350 primo *pulmentum* datur Mi 349 *scyphos* quos utendos dedi As 444 iam diust quom uentri *uictum* non datis Am 302 iube dari* *uinum.* .. #Da, puere, ab summo As 890-1 tibi .. uinum potantes dant* omnes Cu 124 me decet donari cado uini ueteris: dic dari* Poe 259

3. *cum uariis substantiuis:* a. nec mihi plus adiumenti das* Ep 336(† *SL*) .. atque eum agrum dederis Tri 700 dabitur tibi amphora una et una semita, fons unus, unum ahenum et octo dolia Cas 121 pueris aut monerulae aut anites aut coturnices dantur: itidem mihi .. upupa .. datast Cap 1003 .. ut ne anteparta demus postpartoribus Tru 62 spectandum ne quoi anulum det As 778 dabo et anulum in digito aureum et bona pluruma Cas 710 mater ei (anulum) utendum dederat Cu 603 mihi dedit tamquam suo .. filio Cu 637 ego mihi anulum dari istunc tuom uolo Mi 771 quasi hunc anulum faueae suae dederit, militi ut darem Mi 797 ei dabo* Mi 800(*loc dub*) a tua mihi uxore dicam delatum et datum Mi 800 .. quem ego militi .. darem Mi 913 illi hunc anulum dabo atque praedicabo a tua uxore mihi datum esse Mi 931-2 eius hunc mihi anulum .. dedit Mi 960 anulum istunc .. tibi dedi* Mi 988 nunc argumentum uobis demensum dabo Men 14(*v. secl OsannRs§*) ubi illae armillae sunt, quas una dedi*. #Nunquam dedisti. #Nam pol †hoc una dedi* Men 536-7 dabit haec tibi grandis bolos Per 658 intus bolos quos dat! Tru 724 bulla aureast pater quam dedit mihi Ru 1171 da isti cistellam Ci 770 .. ut istas compedes tibi adimam, huic dem Cap 1028 unum conclaue concubinae .. dedit miles Mi 140 operam celocem hanc mihi, ne corbitam date Poe 543 (*v. secl L*) unguenta atque odores, lemniscos, corollas dari dapsiles Ps 1266 coronas serta unguenta .. Venerine eas det an uiro As 805 dat mihi coronas eius honoris gratia Au 25 do hunc (coronam) tibi florentem florenti Per 770 coturnices Cap 1003(*supra sub* anites) crepundia .. quae mihi dedit Ci 636 cedo tuam mihi dexteram. #Em, dabitur Mer 149 dictum fac cessas dare* Men 249(*Rs pro* datum) ei adeo obsoni hinc dimidium iussit dari Au 291 dimidium auri datur Ba 1189 qui damnet, det in publicum dimidium Per 68 b memento ergo dimidium istinc mihi de praeda dare Ps 1164 .. mihi si uis dare dimidium Ru 958 quid inde aequomst dari mihi? dimidium uolo ut dicas. #Immo .. plus: nam

nisi dat . . Ru 960-1 libertatem tibi ego et
diuitias dabo Mi 1213 (dabuntur) tibi . . octo
dolia Cas 121(*supra sub* amphora) ei promisi
dolium uini dare Ci 542 ea dona quae illic
Amphitruoni sunt data abstulimus Am 138
condignum donum, qualest qui donum dedit.
#Immo sic: condignum donum qualest quoi
dono datumst* Am 537-8 doni uolt tibi dare
hic nescioquid Poe 999 uenire illaec posse
credo dona quae ei dono dedi* Tru 544
quam maxuma possum tibi . . dare dote Au
158 nihil est dotis quod dem*. #Ne duas
Au 238 deblaterauisti . . meae me filiae daturum dotem Au 269 ego dotem dabo. #Quid
dotis? Cu 663 filiae illae dederat dotem St
560 . . ei det dotem Callicles Tri *Arg* 6
habeo dotem unde dem Tri 158 dotem nihil
moror. #Certumst dare Tri 511 eum dabo
dotem sorori Tri 508 dos dabitur uirgini Tri
612 . . quin dos detur uirgini Tri 730 dotem dare te ei dicas Tri 736 . . datam tibi
dotem ei quam dares* eius a patre: . . ita ut
sit data . . Tri 741-2 . . dotem dare si dixerim . . Tri 755 dotem filiae tuae quae daretur Tri 1101 . . ferret abs te quod darem
tuae gnatae dotem Tri 1143 placenda dos
quoquest quam dat tibi Tri 1159 eruom daturin estis, bubus quod feram? date* si non
estis Mo 62-3(*loc dub*) fons Cas 121(*supra sub*
amphoram) uiscum legioni dedi fundasque
Poe 477 dedistine hoc pacto ei gladium?
Tri 129 . . denegarit dare se granum tritici
St 558 tibi (hospitium) possum festiuom dare
Poe 695 par pari datum hostimentumst,
opera pro pecunia As 172 ego dabo ignem
Ru 765 datur ignis tametsi ab inimico petas
Tri 679 date mihi huc stactam atque ignem
in aram Tru 476 inauris da mihi facienda
pondo duom nummum Men 541 ego oues et
lanam et alia multa . . dabo* Tru 947 . . ubi
mihi pro equo lectus detur Ba 72 ibi tibi
adeo lectus dabitur Ps 215 lemniscos Ps 1266
(*supra sub* corollas) is mihi se locum dixit
dare Cas 479 meis uicissim date locum fallaciis Ps 558 locus liber datust mihi et tibi
apud uos St 662 date mihi locum ubi accumbam St 752 daturin estis (locum) an
non? Tru 4 ego ubi bene sit tibi locum lepidum dabo Ba 84 . . nobis detis locum loquendi Cap 211 locum lepidum dabo Poe 661
si . . nequeat, det* locum illi qui queat Ps 570
da mihi aliquid ubi condormiscam loci Ru 571
ipse si nihil habeat, aliis qui habent det* locum Tru 233 opust . . machaera. #Possum
a me dare Ps 735 mater . . quae mammam
dabat Men 20 puero isti date mammam Tru
448 neque quom in lectum inscendat . . det
quoiquam manum As 777 da mihi optuma
femina manum Au 135 manum da et sequere
Ba 87 manus uobis do. #Et post dabis sub
furcis Per 854-5 hic pater est uoster: date
manus Poe 1259 manus mihi date, exurgite
a genibus ambae Ru 280 mihi (marsuppium)
dedisti Men 1038 proba materies datast*
Poe 915 . . nisi mihi matulam datis Mo 386
mea non illorum dedi Mi 1350 si aes habent
dant mercem As 201 mihi meus pater dedit

aestimatas merces Mer 96 palas uendundas
sibi ait et mergas datas Poe 1018 miles . .
nati causa dat propensa munera Tru *Arg* 8
non audes aliquid mihi dare munusculi Tru 425
mures . . in pompam ludis dare* uelle aedilibus
Poe 1012 ego faxo, si non irata's, ninnium
pro te dabit Poe 371 comoediai nomen dare
uobis uolo Cas 30 nomen dare uobis uolo
comoediai Poe 50 quid ego cesso Pseudolum
facere ut det nomen ad Molas coloniam Ps
1100 odores Ps 1266(*supra sub* corollas)
oppidum Mi 1157(*L* d. = praebere) nisi quid
mihi opis di dant* disperii Ci 671 (ornamenta choragus) dare debet Per 160 aduenienti des salutem atque osculum Ep 571
egone osculum huic dem? Ep 574 ouem tibi
eccillam dabo* Mer 524 oues Tru 947(*supra
sub* lanam) palas Poe 1018(*supra sub* mergas)
decumam partem ei dedit Ba 666 dant* inde
partem mihi maiorem quam sibi Mi 711 . . nisi
pars datur Ru 1017 pateram quae dono mihi
illi ob uirtutem datast* Am 534 negabis ie
auream pateram mihi dedisse dono hodie? Am
761 neque edepol dedi neque dixi Am 762
pateram huic dedisti Am 797 quis igitur tibi
dedit? Am 794 mihi dono datast Am 790
dare* una opera pensum postules Men 796
pensum meum quod datumst* confeci Per 272
plausum si clarum datis As 947 plausum date
Cap 1036, Mo 1181, Ru 1423(*v. secl WeisRs§U*)
more maiorum date plausum Ci 787 uerum
si uoletis plausum fabulae huic clarum dare
Ru 1421 date pudori praemium Ru 620 purpuram Au 500(*supra sub* aurum) cedo purpurissum. #Non do Mo 261 redditum . . nec
daturus sum Cu 541 si . . mihi regnum detur . . Cu 211 ibi quidem si regnum detur
Mer 841 tu interibi ab infumo da sauium
As 891 da sauium etiam As 940 dedero . . tibi . . sauium Ba 49(*cf Char* 209)
neque enim dare sibi sauium me siuit Cas
888 quin das sauium? Cu 94 . . ne
ego dem* uiuae uiuos sauium Selenio Ci 523
(*LU*) sauium speculo dedit* Mo 265 sine
dem sauium Poe 375 da ergo . . sauium.
#Mox dabo Poe 404-5 dato mihi pro offa
sauium Poe 1235 da* pignus . . in sauium,
uter utri det Poe 1242 mulier lepida tibi sauia
super sauia quae det Ps 948 da mihi sauium.
#Stantem stanti sauium dare amicum amicae?
St 764-6 . . tuae non des amicae . . Tru 356
dan* sauium? #Immo uel decem Tru 373 da*
nunc sauium Tru 911 uin . . sauium dem?
Tru 924 rogare scalas ut darem utendas tibi
Ru 602 datin isti sellam ubi adsidat cito et
aqualem Cu 311 uirile sexus numquam . . habui.
#At di dabunt* Ru 107 a me erit signum
datum Ba 758 habuit ignem qui signum
daret Ba 939 signum clarum date mihi Cas 3
oculis mihi signum dedit Mi 123 isti (sortem) prius quam mihi dedit* Cas 378(*L*) hoc
est spinter quod illi dedi* Men 535 tibi dedi
. . illud spinter Men 681 mihi tu ut dederis
pallam et spinter? Men 683 date mihi huc
stactam . . Tru 476 tegillum . . id si uis
dabo Ru 576 da sane hanc uirgam lauri Mer
677 uiscum legioni dedi fundasque Poe 477

huic homini dignumst . . diu uitam dari* Mɪ
723   . . uitam ei longinquam darent Mɪ 731
unguenta Ps 1266(*supra sub* corollas)   mihi
haec aduenienti upupa . . datast Cᴀᴘ 1004
  b. *de vestimentis:* tuam nec chlamydem do*
foras nec pallium quoiquam utendum Mᴇɴ 658
opust chlamyde et machaera et petaso. #Pos-
sum a me dare Ps 735   iam subrupuisti pallam quaɪn scorto dares? Aѕ 929   supplicium
dabo aurum et pallam Cɪ 477   tibi pallam
dedi Mᴇɴ 394   . . pallam te hodie mihi dedisse uxoris Mᴇɴ 398   pallam illum quam
dudum dederas Mᴇɴ 426   ait hanc dedisse
me sibi Mᴇɴ 480   pallam istanc hodie . .
dedisti Erotio? #Neque ego Erotio dedi Mᴇɴ
508-10   placabit palla quam dedi Mᴇɴ 600
egon dedi? . . adiuro . . non dedisse. #Ego . .
sic utendam dedi Mᴇɴ 653-7   . . pallam reddat quam dudum dedi Mᴇɴ 672   pallam . .
quam tibi dudum dedi Mᴇɴ 678   tibi dedi
equidem illam Mᴇɴ 681   mihi tu ut dederis
pallam et spinter? Mᴇɴ 683   ego . . illam
dudum tibi dedi Mᴇɴ 684   nec te ultro oraui
ut dares. dedisti eam dono mihi Mᴇɴ 688-9
dedit alia mulier ut concinnandam darem Mᴇɴ
733   mihi se ait dedisse Mᴇɴ 908   eam
dedi* huic Mᴇɴ 1139   me sibi dedisse* aiebat Mᴇɴ 1141   Mᴇɴ 1142(dedit *CaRU pro* abstuli)   soccos tunicam pallium tibi dabo Eᴘ 726
nec . . do* foras . . pallium quoiquam utendum Mᴇɴ 658   petasum Ps 735(*supra sub*
chlamyde)   soccos Eᴘ 726(*supra sub* pallium)
soleas tibi dabo Cᴀѕ 710   datin* soleas Tʀᴜ 631
tunicam Eᴘ 726(*supra sub* pallium)   mulierem
aequomst uestimentum muliebre dare foras
Mᴇɴ 660   da mihi uestimenti aliquid aridi
Rᴜ 574
  c. dat arrabonem et iure iurando alligat Rᴜ
46   . . ne ego cum illo pignus haud ausim
dare Bᴀ 1056   id ni fit mecum pignus . .
dato Cᴀѕ 75   uel da* pignus ni east filia Eᴘ
699   ni . . filiast in meum nummum, in tuom
talentum pignus da Eᴘ 701   da hercle pignus
ni omnia memini Pᴇʀ 186   egon dem* pignus
tecum? Pᴇʀ 188   da* pignus ni nunc perieris
Pᴏᴇ 1242   pignus da* ni ligneae hae sunt
(victoriae) Tʀᴜ 275   quid ille qui praedem
(*A* -dam *P*) dedit Mᴇɴ 593(*loc dub*)
  d. tu epistulam hanc a me accipe atque
illi dato Ps 647   . . lenonem qui hanc dedit
mihi epistulam Ps 691   hanc me tibi iussit
dare Ps 983   scio iam me recte tibi dedisse
epistulam Ps 990   meo tu epistulam dedisti*
seruo? Ps 1203   det alteram (epistulam) illi,
alteram dicat tibi dare sese uelle Tʀɪ 776-7
Calliclem aiebat uocari qui has dedit mihi
epistulas Tʀɪ 875   pater istius adulescentis
dedit has duas mihi epistulas Tʀɪ 894   me
sibi epistulas dedisse dicit Tʀɪ 894   hanc me
iussit Lesbonico . . dare epistulam et item
hanc alteram . . Callicli iussit dare Tʀɪ 898-9
e manibus dedit mihi ipse in manus Tʀɪ 902
quem tibi istas dedisse commemoras epistulas . . Tʀɪ 951   . . quem tibi epistulas dedisse
aiebas Tʀɪ 986   exemplo aduenienti ei tabellas dem in manum Bᴀ 769   tabellas obsignatas mihi has dedit: tibi me iussit dare

Bᴀ 984-5   has tabellas dare me iussit. #Mi-
hin? Cᴜ 422   cepi tabellas . . dedi mercatori
quoidam Mɪ 131   has tabellas . . ipsi Lemniseleni fac des Pᴇʀ 196
  ostendit symbolum, quem tute dederas Bᴀ
264   dato istunc sumbolum ergo illi Ps 652
Syrus, quoi dedi symbolum Ps 1117   dedi . .
sumbolum seruo tuo Ps 1200   . . quoi dedisti*
sumbolum Ps 1217   eadem symbolam dabo
et iubebo . . cenam coqui Sᴛ 439   rogo syngraphum: datur mihi ilico: dedi* Tyndaro
Cᴀᴘ 506-7
  e. is ad hostis exuuias dabit Eᴘ 38   mihi
et bene praecipitis et bonam praedam datis
Pᴏᴇ 668
  beneficium homini proprium quod datur,
prosum perit, quod datum* utendumst id repetundi copiast Tʀɪ 1130-1   quamquam . .
damnum dabis, faciam Cɪ 106   quid metuis?
#Ne mihi damnum in Epidamno duis* Mᴇɴ 267
meretricem . . decet . . aut malum aut damnum dare* Tʀᴜ 228   eam mihi des* gratiam
Mᴏ 926(*L*)
  f. lingua dicta dulcia datis, corde amara
facitis Tʀᴜ 180(*v. secl Guyω*)   dabuntur* dotis
tibi inde sescenti logi Pᴇʀ 394(*cf Pseudo-Asco
ad Cic Div* 39)   nemo meliores (logos) dabit
Sᴛ 224(*loc dub vide ω*)   ecqua pars orationis
de die dabitur mihi? Aѕ 516   alienon prius
quam tuo dabis orationem? Rᴜ 1064
  arbitratu tuo ius iurandum dabo me . . arbitrarier Aᴍ 931   ius iurandum uerum te aduorsum dedi Aᴍ 936   ego ius iurandum uerbis conceptis dedi daturum id me Bᴀ 1028
dabo ius iurandum✱✱ Cɪ 469   conceptis uerbis iam ius iurandum dabo me . . Mᴇʀ 790
ius iurandum pollicitust dare se . . mihi neque . . Mᴏ 1084   ius iurandum dabo me . .
fecisse Pᴏᴇ 1394
  g. 'herbam do' *cum ait Plautus significat*
'uictum me fateor' Fʀ II. 86(*ex Paul* 99)
. . siue adeo aediles perfidiose (palmam) quoi
duint . . Aᴍ 72   . . ne palma detur quoiquam
artifici iniuria Pᴏᴇ 37
  h. rogo . . praeconium mihi ut detis*. #Da-
bitur Mᴇɴ 1155   heri iam edixeram omnibus
dederamque eas prouincias Ps 148   *fortasse*
Mɪ 1157, *ubi* si datur *LuchsL pro* uidetur
  i. dabitur amphora una et una semita Cᴀѕ
121   date uiam qua fugere liceat Aᴜ 407
date uiam mihi, noti ignoti, dum . . Cᴜ 280
ipsi hic quidem mihi dant quo pacto . . argentum auferam Eᴘ 193
  k. hanc tibi noctem . . dono dabo Aѕ 194
. . noctem huius et cenam sibi ut dares Aѕ
736   nox datur Tʀɪ 251   ob eam . . tres
noctis dantur* Tʀᴜ 32   . . quam tuas centum
cenatas noctes mihi dono dari* Tʀᴜ 279
  l. . . ut quid consili dem meo sodali super
amica nesciam Bᴀ 607   nihil ego tibi hodie
consili quicquam dabo Bᴀ 1036   tu . . aliis
solebas dare consilia mutua Eᴘ 99   . . dederim uobis consilium catum Eᴘ 258   is consilium dedit Mɪ 144   . . quod das consilium
mihi Mɪ 1114   ita ego consilium dedi Mɪ 1148
sic tamen hinc consilium dedero Mᴏ 1103   neque tu ut facias consilium dabo Sᴛ 73   erili

filio hanc fabricam dabo super auro Ba 366(*v. secl U*) dari* istanc rationem uolo Mi 770 rationem mearum fabricarum dabo Mi 772 census quom sum iuratori recte rationem dedi Tri 872(*cf* Tartara, p. 75) quicquid est incoctum non expromet, bene coctum dabit* Mi 208(*cf* Graupner, p. 10)

m. se . . pacem atque otium dare illis Am 209 uos mihi dedistis otium Tru 138 Apollo, quaeso te, ut des pacem propitius salutem et sanitatem nostrae familiae Mer 678 quin tu salutem primum reddis quam dedi? Ba 245 aduenienti des salutem atque osculum Ep 571

n. amans ego animum meum isti dedi* As 141 date uociuas auris dum eloquar Tri 11 (*cf A*) Stichus opsonatust; ceterum ego curam do* St 681(*Ly*)

operam dare α. *absolute*(*cf* Boeckel, p. 21): dixit sese operam promiscam dare As 366 auscultate atque o. date As 649 si quo tu totum me ire uis, o. dabo Au 284 cupio. #Dabitur opera Ba 105 id ego hic apud uos proloquar, si o. datis Cap 6 si effexis hoc . . . #O. dabo Cas 713 operam date dum mea facta itero Cas 879 nunc o. date ut ego argumentum . . perputem Ci 154 Ci 739(operam ut det *U falso*) o. ut det. #Dabit Cu 257 o. da: opera reddetur tibi Ep 24 immo et o. dabo et defendam Men 1009 perge operam dare Men 1093 porro o. date Men 1110 em, istucinest o. dare bonum sodalem Mer 620 date o.: nam nunc argumentum exordiar Mi 98 ** datare(dat nunc *R*) ab se(*R* si *P*) mulier o. Mi 940(*loc dub*) uos . . ut occepistis, date o. adiutabilem Mi 1144 date modo o. #Id nos . . uenimus Mi 1158 (dic) uentum operam dare Mi 1188 uentus o. dum dat*, ut uelum explicent Mi 1317 te obsecro ut me bene iuues o.que des Mo 1036 edepol dedisti . . o. adlaudabilem, probam et sapientem et sobriam Per 673 quaeso, o. date Poe 58 si quid tu placide . . agere uis, o. damus Poe 545 (*v. secl L*) date o. modo Ps 585a dabitur o., atque in negotio Ru 121 si das o., eloquar Ru 647 nescioquis senex . . dedit* o. optumam Ru 849 Ru 939(nunc ut das o. bonam *add Rs*) o. promiscam damus Ru 1182 St 681(ego o. do *L in loco dub*) . . si quidem o. dare promittitis Tri 5 dabitur o. Tri 390

β. *cum dat. pers.*: date benigne o. mihi As 14 quam mox mihi o. das? As 449 da mihi o., amabo Au 143 da mihi o. parumper Au 199 si mihi dat o., . . Au 699 id flagitium meum sit, . . te . . o. dare mihi Ba 98 mihi frequentem o. dedistis Ci 6 da mihi igitur o. #Tametsi non noui, dabo Cu 259 inuenire possum, si mihi o. datis* Cu 328 nunc o. potestis ambo mihi dare et uobis simul Men 1099 opsecro te . . o. mihi ut des* Men 1007 aliquam mihi partem hodie operae des Mi 1030 o. mihi da. #Maxume Mo 1009 o. da hanc mihi fidelem Per 48 te sensi sedulo mihi dare bonam o. #Tibine ego? Per 721 bonam dedistis mihi o. Poe 683 mihi . . o. date dum me uideatis seruom . . abducere Poe 785 bonam dedistis . . o. mihi Poe 806 te mihi operam dare uolo Ps 383 da* in hunc diem

o. . . mihi Ps 547 quam mox mihi o. das? #Tibi do equidem Ps 1166 mihi dari o. uolo Ru 183 obsecro da mihi o. Tru 722 tibi do hanc o. Ba 74 tibi nunc o. dabo de Mnesilocho Ba 103 do tibi o. si quid . . me uelis Cap 618 tibi hanc o. dedi Men 663 uobis Men 1099(*supra sub* mihi) tibi ambo o. damus Mer 968 perpurigatis damus tibi ambo o. auribus Mi 774(*vide R*) o. do tibi Mi 953 tibi ego hanc do o. Mi 1022 do tibi ego o. Mo 804 do tibi ego o.(*A* do ego tibi o. *P*). #Tibi ibidem das Per 614 Per 721 (*supra sub* mihi) do tibi o. hanc Poe 854 Ps 1166(*supra sub* mihi) tibi o. hic quidem dat Ru 1403 dabo o. tibi Tri 897

orat o. ut des sibi, ut ea ueneant Poe 1015 hoc mihi aegrest me huic dedisse o. malam Cap 701 sciens ei mater dat o. absenti tamen Cas 63 uera obessent illi quoi o. dabam Cap 705 ille adulescens quoi ego do hanc o. Mer 447

optumo optume optumam o. das*, datam pulcre locas Am 278 ego censeo . . hominem in senatu dare o. aut cluentibus As 871 eadem opera tuo sodali o. dabis Ba 60 ego amico dedi quoidam o. Cas 241 magis armigero dat o. de industria Cas 278 potin o. . . ut ne des* innocenti? Ci 368(*RsL in lac*) non sum occupatus umquam amico o. dare Mer 288 amice amico o. dedi Mer 499 regi hunc diem mihi o. decretumst dare. #Age demus* ergo Mi 77-8 hau possum quin huic o. dem hospiti Per 612 sicine oportet ire amicos homini amanti o. datum Poe 512 ero amanti o. datis Poe 589 in foro o. amicis da*, ne in lecto amicae Tri 651

addito enunt. rel.: uolt te nouos erus o. dare tuo ueteri domino quod is uelit fideliter Cap 362 . . nisi quae uolo tecum loqui das mihi o. Ci 464 . . te ne pigeat dare o. mihi quod te orabo Ru 634 *add. locus quo*: in senatu As 871 in foro, in lecto Tri 651

γ. *cum dat. rei*: ei rei o. dabant* Ba 297 nimis lepide ei rei dant o., ne cenet senex Cas 773 ei rei nunc suam o. usque assiduo seruos dat, si possiet meretricem illam inuenire Ci 185 ei rei o. damus Men 234 quoi rei opera detur scis Per 333 ei rei o. do* ne alii dicant Per 372 . . quoi rei o. damus Per 393 . . quoi rei o. dedimus Poe 815 ei rei o. dabo Ps 1115, Tri 865 ei rei o. dare te fuerat aliquanto aequius, si qui . . posses, non uti . . accederes Tri 119 nunc rei diuinae o. dabo Cu 532 . . istis rebus te sciat o. dare Am 510

expediet fabulae huic o. dare Cap 54 dissimulabam earum o. sermoni dare Ep 238 eos oportet contioni dare o. atque comitiis Men 459 . . ut tuo non liceat dare* o. negotio Mi 71 certumst nunc obseruationi o. dare Mi 485 uxor sensit uirum amori o. dare Cas 58 . . non . . amori neque desidiae in otio o. dedisse* Mer 63 ego scibo . . quae capiti quae uentri o. det Ps 175 dabo* o. somno Ps 664 somnone o. datis St 311 tibi o. ludo et deliciae dabo Ru 429 . . ut abortioni o. daret Tru 202 δ. *cum dat. gerund.*(cf Herkenrath, p. 69; Krause, p. 33): si quidem uos uoltis auscultando o. dare Am 1006(*v. secl MueU*) ego relictis rebus Epidicum o. quaerendo dabo Ep 605 rei tuae quaerundae conuenit o. dare Mer 551 adulescentes rei agendae isti magis solent o. dare Mer 987 hominem inuestigando o. huic dissimulabiter dabo* Mi 260 eae nos lauando eluendo o. dederunt Poe 223

ε. *seq.* pro *cum abl.:* neque des o. pro me ut huius reducem facias filium Cap 437 **ad** *cum acc.:* . . benigne ut o. detis ad nostrum gregem Cas 22

ζ. *variae constr.:* o. . . dat si possiet . . inuenire Ci 185 si possem . . impetrare . . o. dedi Mi 1208 o. dare . . si qui . . posses Tri 119

des o. pro me ut . . facias Cap 437 ut cognoscant dabimus o. sedulo Cas 16 daret o. ut mulierem a lenone . . abduceret Cu 347 Per 696(d. o. *em R falso*) ei rei o. dare . . uti accederes Tri 119 dabo o. ut me esse ipsum plane sycophantam sentiat Tri 860(*v. secl U*)

ei rei dant o. ne cenet senex Cas 773 ei rei o. do* ne alii dicant Per 372 relicuom dat o. ne sit relicuom Tru 15

semel pluralis: ut reuehatur domum ubi ei dederit* operas ne hanc ille habeat pro ancilla sibi Ba 45(*vide L*)

o. *cum adiect. subst.:* . . is datur acerbum Ru 186 amor amara(-ri *RRs*) dat tamen Tri 260 sciam ubi boni quid dederint As 719 quod di dant boni . . Ba 1188, Ru 1229* dabo . . bona pluruma Cas 710 bona multa mihi dedisti Cas 842 quoi homini . . boni dedistis* plus Men 475 . . ut haec quae bona dant di mihi ex me sciat Men 558 ego bonum malum quo accedit mihi dari haud desidero Mer 148 o multa tibi di dent bona Poe 208 di deaeque uobis multa bona dent Poe 667 multa tibi dei dent bona Poe 687 tantum tibi boni di . . duint* quantum tu tibi exoptes. #Si exoptem quantum dignu's, tantum dent Ps 937-8 ego quae tibi bona(*Dou dona PU*) dabo et faciam Ps 939 b Venus mihi haec bona dat* Ps 1131 uobis . . multa bona esse uolt. #Dato Tru 117 si uelis da* commoda homini amico As 445(*loc dub: vide ω*) Amor gustui dat dulce Ci 70 . . ne indigna indignis dei darent* Poe 1252 uin tu illi nequam dare nunc? . . em me dato Poe 159 aurum atque ornamenta . . omnia dat dono Mi 1148 prius quam unum dederis, centum quae poscat parat Tru 51

p. *cum pronominibus:* ecquid das qui bene sit? #Malum Cu 519 quid Amphitruoni dono (*BentRgl* doni *UL in lac*) a Telobois datumst? Am 418 neque ille scit quid det As 182 ubi quid dederam . . As 209 dic quid me aequom censes pro illa tibi dare As 229 quid dedit? As 524 quin datis si quid datis? Cas 765 obseruabo quid dabo Men 472(*vide R*) quin feram si quid datur Mo 614 . . quom quid cupienter dari petimus nobis Ps 683 quid inde aequomst dari mihi? Ru 960 quid dare uelis qui . . ? Ru 1322 quid dare illi

nunc uis? #Nihil quicquam. . . . si quid det mihi Tri 369-70 quid dedi*! ut discinxi hominem! Tru 957(*L in loco dub*) quid** dari iussit pater Ci 254(*loc lac*)

sin . . neque dent quae petat Am 209 inrita esse omnia intellego quae dedi As 137 . . si solus quae poscam dabis As 165 dedi equidem quod mecum egisti As 171 si . . habeas quod des . . As 188 ubi illaec quae dedi ante? As 196 habeo unde istuc tibi quod poscis' dem. sed in leges meas dabo As 234-5 si non est quod des, aedes non patent As 242 creditum quod sit tibi datum esse pernegaris As 572 dabunt di quae uelitis uobis As 623 huic quod dem nusquam quicquamst As 631 dan* quod oro? As 671 quod di dant fero Au 88 quod edit tam duim* quam perduim Au 672 quod des inuentost opus Ba 219 . . nisi quod tute illi dederis Ba 1198 non est quod dem . . : erit exemplo mihi quod dem tibi Cap 121-2(*v. secl Rs*) quod dat, non dat, deludit Ci 218 quod dedi datum non uellem: quod relicuomst non dabo Ci 506 negat esse quod det Ci 738 di dent quae uelis Ep 6 liberto opus est quod pappet. #Dabitur Ep 727 datum denegant quod datumst Men 580 quod dabitur gratum habebo Mer 527 da quod dem* quinquatribus praecantrici Mi 692 materiarius . . quod opust qui det Mi 920 dedi* quae uoluit Mi 1204 omnia isti quae dedi Mi 1314, 1338 pro illius capite quod dedi Mo 242 da illi quod bibit Mo 344 dabunt di quae exoptes Per 16 mihi non esse quod darem* Per 119 di dent quae uelis Per 483, St 469 qui habet quod det Poe 833 di dent* tibi omnes quae uelis Poe 1055 dabo quae placeat Poe 1417 non peto quod dedisti Ps 257 perdidi . . quod dedi Ps 260 nega esse quod dem . . mutuom St 256 . . qui ei dat quod edit Tri 339 quod dat perdit Tri 340 quid quod dedisti scortis? Tri 412 quod det non habet Tri 564(*vide B*) non est quod dem mutuom Tri 761 quod datum*, utendumst . . Tri 1131 di dent tibi . . quae uelis Tri 1152 postulat id quod datumst Tru 14 quod dent habent Tru 76 quod dedit id oblitust datum Tru 235 negat se habere quod det* Tru 242 quod det non habet Tru 243 quod des deuorat Tru 569 ob illud quod dant operis utier Tru 734 hau †mutu apparet quod datumst Tru 888 tuo arbitratu quod iubebis dabitur Tru 911 condidi intro quod dedisti Tru 920 quid id, amabo, est quod dem*? Tru 941(*loc dub: vide ω*) ubist quod tu das? Tru 954 hoc accipiundumst quod datur Tru 962

. . quam quicquam detur Au 337 ego nolo dare te quicquam Ba 99 nec quod edim quicquam datur Poe 1284 neque ego tibi quicquam dabo Ru 1028 ei dari* negatis quicquam Ru 1292 quid dare illi nunc uis? #Nihil quicquam Tri 369 Vi 51(*supra 2*) illis perit quicquid datur Tru 154 dan* tu mihi de tuis deliciis . . quicquid pausillulum? Tru 940(*loc dub*) di tibi dent quaequomque optes As 44, Mi 1038, Tri 436(*sed* duint)

hoc etiam mihi in mandatis dedit ut .. Am
81   ego certe me incerto scio hoc daturum
nemini homini As 466   haec mihi dedisti Cas
238   cap hoc sis. #Quin das? Per 437   non
hercle quoi nunc hoc dem spectandum scio
Per 440   hoc mihi indecore inique inmodeste
datis di Ru 193   hoc mihi dono datumst St
665   da mihi hoc, mel meum Tri 244

aliquid surrupiam patri: id isti dabo* Ba
507 b(v. om A)   ius iurandum .. dedi daturum
id me hodie mulieri ante uesperum Ba 1029
eheu: id quidem ne parsis: dabo Ps 79   do
id quod mihist Ps 83   .. si id dederit
qui .. #Faciam ut det Ru 1084   si id quod
oratur dedit Tru 40   illaec quae dixi, dato
Mi 1126

istuc .. quod poscis dem As 234   ego istuc
aliis dare condidici Ps 945   tu istaec mihi
dato Ru 578   et istuc et si amplius uis dari
dabitur Tri 246

da* .. qui matrem munerem. da qui faciam
condimenta(RRgU: loc dub) Mi 691-2   .. ut
det unde curari id possit sibi Men 53   credo
hercle anancaeo datum quod biberet Ru 363
dato* qui bene sit Ba 84   qui dant quoia
amentur gratia As 536

q. cum adiect. quant.: et istus et si amplius
uis dari dabitur Tri 246   nihil est perpetuom
datum Ci 194   specta quid dedero. #Nihil:
nam nihil habes Per 292   nihil hercle ego
sum isti daturus Ru 1085   ego tibi daturus
nihil sum Ru 1255   .. ni daturus nihil sim
Ru 1419   nihil quicquam Tri 369(supra p. sub
quicquam)   .. ubi nihil det Tru 230   raro
nimium dabat quod biberem Ci 19   ego faxo
.. ninnium(BA ut vid nimium CD aes nimium
RostRglU) pro te dabit Poe 371   de paulo
paululum hic tibi dabo haud lubenter Cu 123
si plus dederis referam Ep 297   duae (mulieres) .. populo quoilubet plus satis (negoti?)
dare potis sunt Poe 227   alium repperit qui
plus daret Tru 81   plus dedi. #Plus enim es
intro missus quom dabas Tru 733   des quantumuis, nusquam apparet Tru 571(v. secl Rs)
ecastor numquam satis dedit suae quisquam
amicae amator Tru 239   hocine mihi ob labores tantos tantillum dari! Tru 537

r. cum vocc. copia, occasio, sim.: mihi ..
lucis das tuendi copiam Cap 1008   huius ..
copiam mihi dedisti* Cas 842   date .. conueniundi mihi eius celerem copiam Mer 850
fugiendi si datast occasio Cap 117   quid ego
cesso dum datur mihi occasio tempusque Men
552   ubi data occasiost rape Ps 138   di eam
potestatem dabunt ut .. Cap 934   tibi potestatem dedi As 847   mihi dixit dare potestatem eius Per 602   spatium ei dabo exquirendi meum factum Au 806   similiter:
nescibas quam eius modi homini raro tempus
se daret Ba 676

s. qua ego hunc amorem mihi esse aui
dicam datum? Cas 616   da uicissim meo
gutturi gaudium Cu 106   quoi .. dem laetitias Ps 705a   uiden egestis quid negoti dat
.. mihi? Tri 847   plus dabo quam praedicabo ex me uenustatis tibi Mi 651   quoi
uoluptas parumper datast dum .. Am 638

duae (mulieres) .. maxumo uni populo ..
plus satis (negoti) dare potis sunt Poe 227

t. malum, malam rem dare, sim.: praegnati
oportet et malum et(o. mulieri LindRgl) malum dari ut quod obrodat sit Am 723   malum quod tibi di dabunt atque ego hodie dabo
Am 563-4   ni abeas .. malum tibi magnum
dabo iam Ba 1172   dabo tibi μέγα κακόν ..
nisi resistis Cas 729   (malum) non minitabor
sed dabo si .. Cu 571   dabitur malum me
quidem si attigeris Men 856   ille oblongis
malis mihi dedit magnum malum Mer 643
tibi hodie ut det .. magnum malum Mo 529
malum quod isti di deaeque omnes duint Mo
655   .. ne tibi hoc scipione malum magnum
dem* Per 817   malum ego uobis dabo, ni
abitis Per 827   malum uobis dabo. #At tibi
nos dedimus dabimusque etiam Per 847   uin
dare malum illi? Poe 161   si quispiam det
(malum) qui manus grauior siet .. Ps 785
malum quod tibi di dabunt Ps 1130   di dabunt tibi .. magnum malum Ru 108   si illas
attigeris dabitur tibi magnum malum Ru 793
malum tibi di dent St 262(PRRg aliter Aψ)
St 263(dabit R pro dicit)   si non dicto
audiens est quid ago? #Da* magnum malum
Tri 1062   Tru 228*(supra e)   haec oues
uobis malam rem magnam quam debent dabunt Ba 1142   an tibi malam rem uis pro
male dictis dari*? #Pol eam .. te dedisse
intellego Men 496-7   qui malam rem mihi
det merito fecerit Poe 928   hic illi malam
rem dare uolt Poe 1098   istis malam rem
magnam moribus dignumst dari Tri 1045

u. supplicium, plagas dare: de tergo ducentas plagas praegnatis dabo As 276   dabitur
pol supplicium mihi de tergo uostro. #Tibi ..
supplicium .. de nobis detur? As 481-2
supplicium illi des Ci 250   supplicium dabo
aurum et pallam Ci 477   .. nisi supplicium
mihi das Ep 724(das mihi J)   .. nisi mihi
supplicium uirgarum de te datur* .. a mane
ad uesperum Mi 502   .. nisi mihi supplicium
stimuleum de te datur* Mi 511   quot illic
iracundiae sunt, quot supplicia danda* Tru
29(BueL)

x. cum subst. abstr.: non datur cessatio Poe
925   iam iam, Paegnium da pausam Per 818
hanc condicionem .. dare atque accipere,
Lesbonice, te uolo Tri 489
ego illis captiuis aliis documentum dabo
ne .. Cap 752
fidem da. #Do non facturum esse me Ci 236
.. nisi das firmatam fidem te huc .. intro
ituram Mi 453   do fidem .. me intro ituram
Mi 455   fide data credamus Per 243   .. si
fidem modo das mihi te non fore infidum. #Do
fidem tibi Ru 953-4   qui data fide firmata fidentem fefellerunt .. Fr I. 54(ex M. Caes ad Front
II. 10)
optumas frustrationes dederis in comoediis
Mo 1152   ego dare me (ludum add PRU om
Bueψ) meo gnato institui Ba 1082   nimis
nolo desidiae ei(loc dub) dare ludum Ba 1083
ludus datus est argentariis Cas 25   suam
quisque retinet ac Sticho ludus datur St Arg
II. 7   verba dare(cf Ramsay ad Most, p. 268):

.. ne mihi ex insidiis uerba inprudenti duit* Au 62   uide ne tibi hodie uerba det Ba 744 ut uerba mihi dat! Ba 795   uerba mihi data esse uideo Cap 651   senex .. quoi uerba data* sunt Cap 787   resciui mihi data esse uerba Cap 945   **uerba dare *ss** Ci 459 si mihi dedisses uerba, deis numquam dares? Ci 484(A)   Curculio hercle uerba mihi dedit Cu 583   ubi senex senserit sibi data esse uerba .. Ep 93   ei sic data esse uerba praesenti palam! Ep 521   sciunt sibi data esse uerba Ep 614   sic hoc decet, dari facete uerba custodi catae Men 131   uerba mihi numquam dabunt Mi 353   dedit hic mihi uerba Mi 576   uerba mihi data esse uideo Mi 1434   tibi umquam quicquam .. uerborum dedi? Mo 925   uerba illi non magis dare* hodie quisquam quam lapidi potest Mo 1073   dedisti uerba Mo 1108   Mo 1113(uerba .. dedisti *U in loco perd*)   dedit uerba mihi hercle ut opinor Ps 909   .. mihi illum uerba per deridiculum dare Ps 1058   data uerba ero sunt Ru 325   dare uerba speras mihi te posse Ru 996   uerba dat Ru 1072   faxo haud tantillum dederis uerborum mihi Tri 60 mihi uerba retur dare se Tru 89

immortalitas mihi datast Mer 604   istactenus tibi .. libertas datast Ba 168   libertatem tibi ego et diuitias dabo Mi 1213

periimus.   #Principium inimicis dato Mer 136 a

di immortales, spem insperatam date mihi* Men 1081

da mihi hanc ueniam Am 924   ueniam mihi quam grauate pater dedit de Chrysalo Ba 532 uxor, da* uiro hanc ueniam Cas 1000   censeo ecastor ueniam hanc dandam Cas 1004(*loc dub*) inuitus do hanc ueniam tibi Ep 730   istam (†**S** das *add Rs* si istam das *R* si huic das *add U aliter L*) ueniam Mo 1166   dare iam ueniam(*A* u. d. i. *BRRs* u. i. d. *CD*) gestio Tri 325

III. *cum gen. part.*: boni(*om RRgl* bonum *U*) de nostro tibi nec ferimus nec damus .. neque adeo uolumus datum Poe 641-2

B. *proprie de personis*: 1. ego dare me meo gnato institui ut animo obsequium sumere possit Ba 1082   at tibi me do* Ci 463(*Rs in loc lac: vide ψ*) ille qui me cepit dat me huic dono militi Mi 120   ei ego me mancupio dabo Mi 23   uin tu illi nequam dare nunc? #Cupio. #Em me dato Poe 159   uin dare malum illi? #Cupio. #Em me eundem dato Poe 161   idem amicae dabam me meae ut me amaret Ps 1277 (*v. secl RgS*)   dehinc iam certumst otio dare me(*A* m. d. *P*) Tri 838   te quoque ei dono dedi Mi 1205   eam meae ego amicae dono .. dedi C: 133   illam emi dono quam darem matri meae Mer 400

aestumatum hunc mihi des quem mittam ad patrem Cap 340   ego te aestumatum huic dedi uiginti minis Cap 364

istam quam quaeris .. ego amicae meae dedi quae educaret eam Ci 571   quoi illam dedisset exquisisse oportuit Ci 574   .. ut illam uendat neue det* matri suae Mer 332 ne duas* neu te aduenisse dixeris Mer 401

dum calet (homo), dum datur* (deuorari) decet Ps 1127(*vide ω*)

hanc mancipio nemo tibi dabit Per 589   iudica, minumo daturus qui sis Per 590

uel da aliquem qui me seruet Ba 1065   ergo dato(*U in lac aliter ψ*) de senatu Cyrenensi quemuis opulentum uirum Ru 712

aduorsitores pol cum uerberibus decet dari, uti .. abducant domum St 444   quis tibi hanc (ancillam) dedit mancipio? Cu 617   non centum (minis) datur Mer 440   qui datur, tanti indica Per 661   tuo periclo sexaginta haec datur* argenti minis Per 665   binae singulis quae datae nobis ancillae Poe 222 nisi das sequestrum aut arbitrum quoius haec res arbitratu fiat Ru 1004   uin cinaedum nouom tibi dari, Paegnium? Per 804(*ad eludendum*)   orabo ut conquistores det mihi in uicis omnibus Mer 665   dat coquos cum obsonio Au *Arg* II. 5(*cf* Au 291)   his discipulis priuos custodes dabo Ps 865   mihi istunc uellem hominem(*A* h. u. *PU*) dari ut ego illum uorsarem Ci 93   quem .. ego hominem irrigatum plagis pistori dabo Ep 121   potin ut hominem mihi des, quiescas cetera Mi 927 posse opinor me dare hominem tibi malum et doctum Ps 729   totum lenonem tibi cum tota familia dabo hodie dono Poe 169   adhinnire equolam(*i. e.* mulierculam) possum ego hanc, si detur sola soli Ci 308(*A et Prisc* II. 42) dum modo eam des* quae sit quaestuosa Mi 785   dare possum opinor satis bonum operarium Vi 24   .. ut Phoenicium ei det leno qui (symbolum) .. adferat Ps *Arg* I. 3   adit .. ad mulierem .. orat ut (puellam) det sibi: .. dat erae suae Cas 42-4   dat eam puellam meretrici Melaenidi Ci 171   (puerum) datum sibi esse dixit Tru 409   istae dedi* Tru 790 qui dare* te huic puerum iussit Tru 796   erae meae exemplo dedit: .. mater .. filiae dono dedit(*Bo*) Tru 800-2   praetor recuperatores dedit Ba 270   Selenium .. quam quaedam meretrix ei dedit Ci 716   sequestrum Ru 1004 (*supra sub* arbitrum) (seruos) eidem illi militi dono datust Mi *Arg* I. 4   seruos pollicitust dare .. quaestori. #Nugas: numquam edepol dabit. #Dat profecto Mo 1087-9   .. quaestioni quos dabit Mo 1095   est tibi mercede seruos quem des quispiam? Vi 25   nunc tibi dabitur pinguior tibicina Au 332   ut ei detur quam istic emi uirginem Cu 433   argentum des lenoni huic des* uirginem Cu 436   mancipio .. (uirginem) neque quisquam dabit Per 525

2. *de matrimonio vel re meretricia*(*cf* Koehm, *A. F.* p. 51 sq.): .. ne ea mihi daretur atque ut illi nubent Cas 431   .. nisi se sciat uilico non datum iri Cas 699   his legibus si quam dare uis, ducam Au 155   his legibus quam dare uis(q. d. u. *om URg* q. *om L†S*) cedo Au 157   .. siue eam tuo gnato .. dabit Ps 1072 haud mansisti dum ego darem illam Tru 843 eam de genere summo adulescenti dabo Ru 1197   sine dote ille illam in tantas diuitias dabit Tri 605

amicam mihi des facito aut auri mihi reddas minam Poe 1414   dabitur homini amica noctu quae in lecto occentet senem St 572   ancillulam . . uilico se suo dare Cas 195   immo duas dabo . . una si parumst St 550   si uis . . quattuor sane dato St 553   . . potius quam illi seruo nequam des armigero Cas 257   qui . . homini scutigerulo dare lubet Cas 262   ut enim frugi seruo detur prius quam seruo improbo Cas 268   tua uxor instat ne mihi detur Cas 341   seni illi concubinam dare dotatam noluit St 562   ego tibi meam filiam bene quicum cubitares dedi St 547   dedi ei meam gnatam quicum aetatem exigat Tri 15   certumst sine dote haud dare* Tri 585   meam sororem tibi dem suades sine dote? Tri 681 . . me . . meam sororem in concubinatum tibi si sine dote dem* dedisse* magis quam in matrimonium Tri 691   uirgo Alcesimarcho quae datur Ci 612   liberorum quaerundorum causa ei credo uxor datast Cap 889(cf Koehm, A. F. p. 51)   date ergo, daturae si umquam estis hodie uxorem Cas 831   is sperat si ea sit (Casina) data . . Cas 53   pater adulescenti dare uolt uxorem Ci 195   ei uxorem dotatam dedit Men 61   dare uolt uxorem filio quantum potest Mo 758   te uelle uxorem aiebat tuo nato dare Mo 1027   olim . . non datas (nos) oportuit St 130   *vide etiam* uxorem dare et nuptum dare *infra*

3. *in malam partem:* comprime istunc. #Immo istunc qui didicit dare Cap 362

C. *additur* 1. *alter acc. vel nom. praed.:* mihi hunc diem dedistis luculentum Ep 341 Iuppiter, . . da diem hunc sospitem Poe 1188 optatus hic mihi dies datus hodiest ab dis Per 773b   eum (agrum) dabo dotem sorori Tri 508   aurum . . quod darem tuae gnatae dotem Tri 1143   Per 118(*infra* 3)   immo ut a uobis mutuom nobis dares*. #Nego esse quod dem . . mutuom St 255-6   non est quod dem mutuom. #Malim . . ut uerum dicas quam ut des* mutuom Tri 761-2   si quoi mutuom quid dederis* Tri 1051   beneficium homini proprium quod datur . . Tri 1130

quin te ergo hilarum das mihi? As 850

haec illi tibi iusserunt ferri quos inter iudex datu's Mer 752   iuste(*PŠ* iusta *Boψ*) ab iustis iustus sum orator datus Am 34   ego de sodalitate solus sum orator datus qui . . Mo 1126 auctorem(*BJ* actorem *E* cautorem *AngelRgLU*) dedit mihi ad hanc rem Apoecidem Ep 358 rem tibi auctorem dabo Tri 107   Iouem supremum testem do*, Hegio, me infidelem non futurum Cap 426   do Iouem testem tibi te . . habiturum Ps 514   summum Iouem deosque do* testis . . me neque isti male fecisse mulieri Men 812   dedit eum huic gnato suo peculiarem Cap 19   tibi quadrimulum tuos pater peculiarem paruolo puero dedit Cap 982   isne istic fuit . . qui mihi peculiaris datus est? Cap 988   is te mihi paruolum peculiarem paruolo puero dedit Cap 1013

uxorem dare(*cf* nuptum dare): . . eamque uxorem mihi des Au 793   Casinam ego uxorem promisi uilico nostro dare Cas 288   . . Casina ut uxor mihi daretur . . #Tibi daretur illa? #Mihi Cas 365-6   ancilla quam tu tuo uilico uis dare uxorem Cas 656   quia se

des uxorem Olympioni Cas 677   . . si umquam tibi uxorem filiam dedero meam Ci 499   quid cessas . . hanc huic uxorem dare? Cu 672 dicito daturum* meam illi filiam uxorem Ru 1213   istac lege filiam tuam sponden mihi uxorem dari? Tri 1162   obsecro ut tuam gnatam des mihi uxorem. #Eam dem*? . . hau mansisti, dum ego darem illam Tru 841-3

2. *dat. praed. vel finali:* arraboni Mo 648, 1013, 1026(*U*)   dono Am 418(dono *add Bent Rgl* doni *UL in lac*), 534, 538, 761, 790, As 194, 752, Ci 133, Men 689, Mer 400, Mi *Arg* I. 4, Mi 120, 1148, 1205, Poe 169, 467, St 665, Tru 279, 544, 802   gustui Ci 70(*Guy* gustu *P cf L in adn. crit.*)   ludis Poe 1012(*an abl.?*) mancipio(*an abl.? cf* Roby, *Gram. lat.* II. *praef.* XLVIII; Peine, p. 97) Cu 494, 617, Mi 23, Per 525, 589   quaestioni Mo 1088, 1095

3. *cum acc. ger. vel gerund.*(*cf* Herkenrath, p. 45): ad me adglutinandam totam (hanc) decretumst dare Ci 648   pallam . . ut concinnandam darem Men 733   si ego te non elinguandam dedero usque ab radicibus Au 250   dat eam puellam ei seruo exponendam ad necem Ci 166   dicit . . eam se seruo ilico dedisse exponendam Ci 182   egone si . . muttiuero . . dato excruciandum me Mi 567   ego illunc excruciandum totum carnufici dabo* Poe 1302   statuam uolt dare auream solidam faciundam ex auro Cu 439   da mihi facienda pondo duom nummum stalagmia Men 541   non potuit reperire, si ipsi Soli quaerundas dares, lepidioris duas Mi 803   illic hanc mihi seruandam dedit As 676   diuiti homini id aurum seruandum dedit Ba 338   capram quam dederam seruandam sibi Mer 238   spectandum ne quoi anulum det As 778   quoi nunc hoc (aurum) dem spectandum scio Per 440   qui lubet spectare turpis, pulcram spectandam dare? Poe 338   palas uendundas sibi ait et mergas datas Poe 1018   scyphos quos utendos dedi Philodamo . . As 444   famem hercle utendam . . nemo dabit Au 311   (anulum) mater ei utendum dederat Cu 603   (pallam) sic utendam dedi. #Equidem . . tuam nec chlamydem do foras nec pallium quoiquam utendum Men 657-8   . . ut nummos sescentos mihi dares utendos mutuos Per 118   filiam utendam mihi da. #Numquam edepol quoiquam etiam utendam dedi Per 128   . . rogare scalas ut darem utendas sibi Ru 602   quod datum* utendumst, id repetundi copia est Tri 1131

4. **nuptum dare:** . . quo illam facilius nuptum si uellet daret* Au 27   hodie (filiam) huic nuptum Megadoro dabo Au 271   . . minumo sumptu filiam ut nuptum darem Au 384   eam ero nunc renuntiatumst nuptum huic Megadoro dari Au 604   ut datur nuptum nostro uilico Cas 254   . . quem dent pro Casina nuptum nostro uilico Cas 770   satius fuerat eam uiro dare nuptum potius Ci 42   uideto me ubi uoles nuptum dare Per 383   non tu me argento dedisti . . nuptum sed uiro St 136   hostis est uxor inuita quae uiro(*A* ad uirum *PRLy*) nuptum datur St 140   quo dedisti

nuptum abire nolumus St 142   si mihi tua
soror . . nuptum datur sine dote . . Tri 713

   5. *cum abl.(vel dat.?* cf Roby, *Gram. lat.* II.
praef. p. LI) **faenore dare**: ibi sunt qui dant*
quique accipiunt faenore Cu 480   danista
adest qui dedit ∗∗∗(argentum faenori *CaR* a.
faenere *UL*) Mo 537   minam quam med orauisti ut darem tibi faenori(*Shi* tae- *A* -re *UL*)
Vi 84

   sequestro dare: immo sic(: *L*) sequestro mihi
datast Mer 737   ego seruabo quasi sequestro
(*Prisc* -tri *Non*) detis, neutri reddibo Vi 97(*ex
Prisc* I. 224 & 226; II. 7; *Non* 508)

   6. *seq. infin.*: bibere da* usque plenis cantharis Per 821(*cf* Brix *ad Sp.*, p. 12   *Vide
etiam* Tru 739(*et* Votsch, p. 28)

   7. *seq. subiunc.*: uos date bibat tibicini St
757   dare = concedere: uos quidem id iam
scitis concessum et datum mihi esse ab dis
aliis, nuntiis praesim et lucro Am 11

   D. = sistere, ponere, locare, *sim.*: 1. . . quam
non ego illi dem hodie insidias seni Au 662
is lembus nostrae naui insidias dabat Ba 286
hinc ex insidiis hisce ego insidias dabo(i. d.
om J) Cas 436   eadem illi insidias dabo
quam mox . . recipiat se Mi 303   huic quam
rem agat hinc dabo insidias Ps 594   mihi
certumst alio pacto Pseudolo insidias dare Ps
1239   Pseudolo insidias dabo Ps 1245   uerbero illic inter∗∗∗ insidias dedit Vi 65   ausculta pugnam quam uoluit dare Ba 273   iam
aliquid pugnae dedit* Ca 585(*SciopLy*)   prius
quam istam pugnam pugnabo, ego . . dabo
aliam pugnam claram et commemorabilem
Ps 525

   quas ego hic turbas dabo Ba 357   scis tu
. . quo pacto et quantas soleam turbelas dare
Ps 110

   2. **sic datur**, *sim.(cf* Langen, *Beitr.* p. 215;
Schneider, p. 35): sic dedero: prius quae
credidi, uiz anno post exegi As 439   sic dedero: aere militari tetigero lenunculum Poe
1286   specta quid dedero Per 292

   sic dabo* Ci 462(*vide L*)   . . ni hanc iniuriam
meque ultus pulcre fuero. obserua quid dabo
Men 472

   ne illam ecastor faenerato abstulisti. #Sic
datur Men 604   sic datur: properato apsente
me comesse prandium Men 628   doletne? em,
sic datur, si quis erum seruos spernit Ps 155
iamne abisti? em sic datur* Tru 634   euge,
euge, sic furi datur St 766

   ut te bonus Mercurius perdat . . qui haec
mihi dedisti Cas 238

   3. *seq. terminus ad quem:* haec me modo
ad mortem dedit Am 809   saepe ad languorem tua duritia dederis octo ualidos lictoris
As 574   ego hunc . . ob furtum ad carnuficem
dabo Cap 1019   ad pistores dabo ut tibi cruciere currens As 709   genu quemque iecero,
ad terram dabo Cap 797(*loc dub*)   recessim
dabo* me(*Fest* 165 *et U* r. cedam *Pψ*) ad parietem Cas 443

   etsi malum merui hac dabo protinam (me
add GepLU) et fugiam Cas 959   exinde me
ilico protinam dedi Cu 363   Mo 699(dedi *GulR*

pro edidi)   dare pedibus protinam sese ab
his regionibus Fr I. 15(*ex Non* 376)

   dat.: quattuor uiros sopori se dedisse hic
autumat Am 306   ibo ad medicum atque ibi
me toxico morti dabo Mer 472   illa nos uolt
. . propter amorem suom omnis crucibus contubernalis dari* Mi 184

   iussin in splendorem dari bullas has foribus
nostris? As 426   istoc dicto dedisti* hodie in
cruciatum Chrysalum Ba 687   mene uis dem
ipse in pedes. #Si dederis, erit extemplo mihi
quod dem tibi Cap 121-2(*v. secl Rs*)   si faxis
te in cauearn dabo Cap 124   in ruborem te
totum dabo Cap 962   in timorem dabo militarem aduenam Ps 928

   pessum dare: pessum dedit tibi filium unice
unicum Ba 407   eorum inuentu res simitu pessumas pessum dedi Mer 847   ei, Persa me
pessum dedi Per 740   pessum dedisti me
blandimentis tuis Ru 507   ferte opem inopiae
atque exemplum pessumum pessum date Ru
617   celata omnia paene ille ignauos funditus pessum dedit Tri 165

   4. *cum partic. perf.:* factum et curatum dabo
Cas 439   perfectum ego hoc dabo negotium
Ci 595   docte tibi illam perdoctam dabo Mi
258   meum opus ita dabo expolitum ut . .
Mi 1174   bene emptum tibi dare hoc uerbum
uolo Mo 298   ego lenonem ita hodie intricatum dabo ut . . Per 457   ego ita conuiuis
cenam conditam dabo* . . ut . . Ps 881
pulcre ego hanc explicatam tibi rem dabo
Ps 926

   similiter: anni multi dubiam dant(*EJ* dubia
AL d. me dant *Rg* de ubi an *B*) Ep 544(*vide*
Langen)

   E. *cum dat. personae(cf* Peine, p. 58): mihi
circiter 192*ies*   sibi *circiter* 19*ies*   tibi *circiter* 123*ies*   nobis 6*ies*   uobis 13*ies*   huic,
his 22*ies*   ei, eis 33*ies*   illi, illis 21*ies*   isti,
istis 9*ies*   ipsi As 634, Ps 641   quoi 16*ies*
quoidam Ci 738   quoiquam As 777, Men 658,
Per 128   utri Poe 1242

   aduenientibus Am 665   adulescenti Ci 195,
Ru 1197, Tri 781   aedilibus Poe 1012   alieno
Ru 1064   aliis Ep 99, Ps 945, Tru 233   amicae 14*ies* Alcesimarcho Ci 612   Amphitruoni
Am 138, 418   argentariis Cas 25   armigero
Cas 278   artifici Poe 37   optumo Am 278
caculae Ps *Arg* II. 13   captiuis Cap 752   carnufici Poe 1302   Chrysalo Ba 998   cluentibus
As 871   concubinae Mi 140   coniectrici Mi
692   conuiuis Ps 881, 885   custodi Men 131
danistae Ep 115   deis Ci 484   discipulis Ps
865, 886   domino Cap 362, Ru 745   erili Ep
Arg 4   erae, ero Cas 44, Poe 589, Ru 325,
Tru 800   Erotio Men 508, 510   faueae Mi 797
familiae Mer 678   filio 8*ies*   furi St 766
gnato Cap 19, Mo 1027, Ps 487, 1072, Tri 898,
1143   hariolae, haruspici Mi 692   homini
12*ies*   hospiti Per 612   indignis Poe 1252
inhonestis Mo 63(*Ly*)   inimicis Men 136, Ps
879   iuratori Tri 872   Lemniseleni Per 196
legioni Poe 477   lenoni 8*ies*   Megadoro Au
271, 604   mercatori Mi 131   matri As 725,
Mer 332, 400   meretrici Ci 133, 171   militi
Ba 920, 970, Mi *Arg* I. 4, Mi 120, 798, 913

mulieri Ba 1029 nemini St 688 Olympioni Cas 677 parasitis Cap 910 pistori Ep 121 praegnati Am 723 praecantrici Mi 692 postpartoribus Tru 62 populo Poe 227 primo Mi 349 Pseudolo Ps 1239, 1245 puero Ps 767 regi Mi 77 Saureae As 335 scortis As 929, Ba 743, Tri 412 Selenio Ci 523 sequestro Vi 97(?) seruo Cas 257, 268 bis, Ci 166, 182, Ps 1201, 1203 sodali Ba 60, 607 soli Ci 308 Soli Mi 803 sorori Ba 94, Tri 509 Sticho St Arg 7 Theotimo Ba 335 tuo Ru 1064 Tyndaro Cap 507 Veneri As 805 uilico 8ies uirgini Tri 612, 730 uiro As 805, Cas 1000, Ci 42(cf St 140) tibicini St 757

de rebus abst. et concr.: abortioni Tru 201 amori Cas 58, Mer 63 comitiis Men 459 contioni Men 459 crucibus Mi 184 deliciae Ru 429 desidiae Ba 1083, Mer 63 fabulae Cap 54, Ru 1421 foribus Cu 161 gutturi Cu 106 lapidi Mo 1073 ludo Ru 429 morti Mer 472 moribus Tri 1045 naui Ba 286 negotio Mi 71 obseruationi Mi 485 oculis Poe 1175 otio Tri 838 pudori Ru 620 ei rei 11ies istis rebus Am 510 rei diuinae Cu 532 rei agendae Mer 987 sermoni Ep 238 somno Ps 664, St 311 sopori Am 306 speculo Mo 265 uentri Am 302, Ps 175

ad cum acc. pro dat.: Am 809, As 574, 709, Cap 797, 1019, Ep 38, 358, Cas 22, 443, Ps 1100 in cum acc.: Ba 687, Cap 121, 122, 124, 962, Per 68, Ps 928, Tri 605, 691

F. 1. cum abl. pretii: minis Mer 440, Per 665 minumo Per 590 qui Per 661 de (originis): de tergo As 276, 481 de te Mi 502, 511 (partitive): de paulo Cu 123 de nostro Poe 641 de praeda Ps 1164 de tuis deliciis Tru 940 a, ab(i. e. sumptu alicuius): a me Ps 735, Tri 1144 ab se Mi 940(dub) a uobis St 255 a trapezita Cap 449 in (finale): in publicum Per 68b in aram Tru 476 in pompam Poe 1012 in splendorem As 426 in manum(-us) As 193, Ba 769, Tri 130, 902(e manibus Tri 902)

2. abl. modi: tua uoluntate Ps 536 tuo (meo) arbitratu Am 931, Cap 495, Tru 911 tuo(meo) periclo As 457, Per 665 tuis uerbis Mi 913 quo pacto Ps 110,1239 pactis(his) legibus As 735, Au 155, 157 lege Tri 1162 qua aui Cas 616 hoc facto Tri 129 istis manibus (meritis) Cas 1015, Ps 518 modis Ps 705 more Ci 787 lingua Tru 180 malis Mer 643 oculis Mi 123 blandimentis Ru 507 dicto Ba 687 scipione Per 817 tua duritia As 574 qui Ba 939 minumo sumptu Au 384

3. app. adverbia: hinc Au 291, Cas 436, Mo 1103, Ps 594 istinc Ps 1164 inde Mi 711, Ru 960 unde As 234, Ci 562, Tri 158, Tru 146 huc Tru 476 quo St 142 foras Men 658, 660 protinam Cas 959, Cu 363, Fr I. 15 ibi Mer 841 palam Ep 521 istactenus Ba 168 optume Am 278 gratiis As 194 uicissim Cu 106 indecore, inique, inmodeste Ru 193 benigne As 14 amice Mer 499 assiduo Ci 185 anancaeo Ru 363 denuo Tru 234 con-

tinuo Ep 564, Ru 1344, 1388 facete Men 131 ilico Cap 506, Ps 536 iniuria Poe 37 iuste Am 34 maxume Ba 1001 porro Men 1110 sedulo Cas 16 stulte Ep 484 temere Ba 920 ultro Per 327 usque Ci 165, Ps 307 extemplo Ru 405 lubens Ep 301 posterior Tru 959 similiter: de industria Cas 278 ex insidiis Au 62, Cas 436

4. aliae praepp.: a, ab Am 11, 34, 418, As 891, Ba 758, Cap 449, Men 545, 973, Mo 347, Mi 800, 932, Per 773, Ps 735, St 255, Tri 182, 741, 1144, Fr I. 15 apud St 662 cum Ba 1056, Cas 75, Per 188, St 444, Tri Arg 6 aduorsum Am 936 causa Cap 889, Tri 179 de As 482, 516, Ba 532, Cas 278 ex Au 62, Cas 436 in(cum abl.) Am 81, As 871, Men 267, Tri 651 ob Am 534, As 906, Cap 947, Ep 703, Ps 1280, Ru 1368, Tru 537 inter Mer 752 per Ps 1058 pro As 229, 335, Ba 72, Cap 354, 381, 437, 947, Ep 484, Men 496, Mo 211, 242, 300, 823, Per 838, Poe 24, 371, 519, 1235, Ps 280, Ru 98, 745 propter Mi 184 sine Cap 211, Tri 605 super Ba 607, Ps 948 sub Per 855

G. participium substantive usurpatum (cf Wueseke, p. 36) 1. nom.: non suppetunt dictis data As 56

2. acc.: non est iustus quisquam amator nisi qui perpetuat data Ps 306

3. abl.: quod des deuorat nec datis* umquam abundat Tru 569 semper tibi promissum habeto hac lege, dum superes datis As 166

sterilis est amator ab datis Tru 241 dicta docta pro datis As 525

H. corrupta vel dubia: Ci 355, 476, **do** Ci 403, **m darent**; 462, dabis L dubitanter Men 249, dictum fac(†SU) cessas(facessas BD RL: cf Herm. XVIII, 576) datum: vide RRs)

DOCEO - - I. Forma doces Poe 880 docet Au 412(Ac docuit PU), Tri 1016 docent Mo 126(v. secl RRsS) docebo Ep 364 docui Ba 165, Poe 604 docuisti Per 184 docuit Au 413(PU docet Acψ), Ba 163, Ps 1194, Tri 854 doceas Au 241 docuisset Tri 632 doce Au 434, Per 677, Ps 866(om A) docere Poe 552 doctus Cap 787(Dou ductus P), Cas 529, Ep 378, Mer 355(ductus D), Per 594(**rtus), Ps 1243 docta Mer 522(docte R), Poe 216, 234, Tru 454(Halm dicta P) docti(masc.) Mo 412 (B ras docte P) docto(dat. masc.) Mer 632 doctum(masc.) Ba 694(ind. HermR), Ep 428, Mi 248, Poe 880, Ps 385(Reifferscheid -to PLU), 725, 729, 907 doctam Mo 186(doctam[-ta B¹] te[docilem te L cordatam Rs] me bene doctam[eductam CaURLy] PSt) doctum Men 249(CaR falso pro datum vide ω) docto Ps 385(LU duce Rit doctum PPψ) docta Mo 279(dota B¹) doctum(gen.) Ps 678 doctos Per 541, Ps 485(v. om Rω), 527 docta As 525, Tri 380(docte A) doctis(masc.) Ba 1095, Mi 147(dolis B), Per 480 doctior Mo 1072 doctius(nom.) Mo 279 doctiores Poe 586 (FZ coctiores PL) adverbia: docte Ba 694, Cap 40, 226, Cas 488(docte. #Astute LLy at tute. docte B² at tute B¹VJ arture E¹

astute E^3 astute. astute *Rs* astute. docte *U*
astu. docte $ duce Bo$), Ep 280, 289, 373(-ta *EJ*),
404, Mı 258, 466(B^2 ductae *P*), 757(-tẹ *C*),
1088, Mo 1069, Per 148, 380, 551, Poe 111,
131, 654, 926(A nocte *P*), Ps 765, 941, 1205,
Ru 928, 1240, St 561, Tri 631, Tru 462($add Rs$
falso) **doctius** Mı 1091   **doctissume** Poe
1149   *corrupta:* Au 158, doce *J* dotem *E*
pro dote   Cu 332, docet *J pro* decet; 109,
doctim *EJ pro* ductim   Mı 355, me docebo
P pro -m edocebo   Mı 1112, doctus *Gloss.*
Verg. ed Barth (XXXVII, 5) *pro* scitus   Mo
186, doctam *P$†* docilem *L* cordatam *Rs*(*vide*
supra sub doctam); 826, docet *A pro* nocet
Ps 369, docta *B pro* dicta   Ru 1243, docte *B*
pro dote   Tru 183, docuit *P pro* decuit(A)
 II. Significatio A. *verbum* 1. *absolute:*
noui: ne doceas Au 241   scio: ne doce, noui
Au 434   simulato quasi eas. #Ne doce Per
677   (teneo) melius quam tu qui docuisti
Per 184   mortales malos! #Ego enim docui
Poe 604   quae uoluit mihi dixit, docuit
Tri 854(*infra* 4)   quaeso, qui possum, doce*
Ps 866
 2. *cum acc.* **a.** *rei:* parentes .. expoliunt,
docent litteras, iura, leges sumptu suo et labore, nituntur Mo 126(*aliter interpungit L*)
 b. *personae:* quid faceres, si quis docuisset
te ut sic odio esses mihi? Tri 632   hos te
satius est docere, ut .. quid agas sciant Poe
552   eum docebo .. ut .. dicat Ep 364
omnem operam perdis .. quia doctum doces
Poe 880
 3. *cum duobus acc.:* hoc ipsus magister me
docet* Au 412   peior magister te istaec docuit, non ego Ba 163   nimio's .. docilior ..
ad illa quae te docui Ba 165   te hanc fallaciam docuit ut .. abduceres Ps 1194   is
hunc hominem cursuram docet Tri 1016   *vide*
Mer 18, *ubi* mea per conata doctus quae sum
U in loco corrupto
 4. *seq. enunt. vel rel. vel fin.:* ut .. dicat Ep
364   ut .. sciant Poe 552   quo modo quidque agerem Tri 854(*an interr. dub.?*)   ut sic
odio esses mihi Tri 632   ut abduceres Ps 1194
Vide supra 2. b *et* 3
 B. *participium* 1. *adiective* **a.** *attributive:*
si adlegassem aliquem ad hoc negotium mi-
nus hominem doctum Ep 428   ego me credidi
homini docto rem mandare Mer 632   ad eam
rem usust hominem astutum doctum(homine
astuto docto *LU duce R*) Ps 385   centum
doctum hominum consilia sola haec deuincit
dea Ps 678   hominem .. malum callidum
doctum Ps 725   posse opinor me dare hominem tibi malum et doctum Ps 729   te adiutorem genuerunt mihi tam doctum hominem
atque astutum Ps 907   ego ille doctus* leno
paene in foueam decidi Per 594   .. ut senem hodie doctum* docte fallas aurumque
auferas Ba 694   hic illest senex doctus* Cap
787   id uiri docti* est opus Mo 412   hodie
iuris doctiores* non sunt .. quam hi sunt qui ..
Poe 586(*cf* Blomquist, p. 107)
 rere dicta docta pro datis As 525   Men 249
(doctum *CaR falso pro* datum)   multa ego
possum docta* dicta quamuis facunde loqui

Tri 380   is me scelus auro usque attondit
dolis doctis indoctum Ba 1095   ei nos facetis fabricis et doctis* dolis glaucumam ob oculos obiciemus Mı 147   nimis doctum dolum!
Mı 248   hunc hominem ego hodie in transennam dŏctis deducam dolis Per 480   per sycophantiam atque per doctos dolos (Ps 485) Ps
527   *Semper* doctus dolus *praeter* Ba 1095
ubi ordo commutatur propter additum indoctum;
cf Gimm, p. 19
 b. *praedicative:* .. nisi sim doctus ac dicaculus Cas 529   nimis doctus illest ad male
faciundum Ep 378   quae tam callida et docta
sis et faceta Poe 234   miror tam catam tam
†doctam* te et bene doctam* Mo 186   te de
aliis quam de te alios suauiust fieri doctos
Per 541 ⅄
 nimis illic mortalis doctus, nimis uorsutus,
nimis malus Ps 1243   alter hoc Athenis nemo
doctior dici potest Mo 1072   nihil hac docta*
doctius Mo 279(*cf* Raebel, p. 17)
 nunc domo(*Bergk* modo *P*) docta dico Poe
216   ego prime de me domo(*Goel* modo *P*)
docta* dico Tru 454   pol docta* didici Mer
522   scio saeuos quam sit domo doctus* Mer
355(*vide StuRgU*)
 c. *add.* **ad** *cum acc.:* Ep 428   **ad** *cum ger.:*
Ep 378
 2. *substantive:* nihil hac docta* doctius Mo
279(*cf* Raebel, p. 17)   doctum doces Poe 880
 3. *adverbium* **a.** *cum verbis:* .. ut hoc ..
accurate agatur docte et diligenter Cap 226
docte calleo Per 380   docte atque astu(*Bo*
-*te AP*) mihi captandumst cum illo Mo 1069
ille qui consulte docte atque astute cauet ..
Ru 1240   ut docte dolum commentust Ps
1205   hoc docte* consulendum Poe 926   docte
et sapienter dicis Ep 404   dicito docte et
cordate Mı 1088   numquid in principio cessauit uerbum docte dicere? Per 551   ut utrobique orationem docte* diuisit suam(*LU post*
L. Mue d. haec instituit suam *SeyRg*) Mı 466
et hic hodie expediet hanc docte fallaciam
Cap 40   .. nisi astute(astu docte *Rs aliter ψ*)
adcurateque exsequare Tru 462   indoctus
quam docte facis Tri 631   .. ut senem hodie
doctum docte fallas Ba 694   nequid titubet
docte ut hanc ferat fallaciam Ps 765   iam
ex sermone hoc gubernabunt doctius porro Mı
1091   ut ingrediuntur docte in sycophantiam
Poe 654   instituit Mı 466(*Rs supra sub* diuisit)   .. quae senes duo docte* ludificetur
Ep 373   meditati sunt mihi doli docte Ps 941
quis illas tibi monstrabit? #Ego doctissume
Poe 1149   praemonstra docte, praecipe astu
filiae Per 148   docte atque astu filias quaerit
suas Poe 111   res tu sapienter docte et cordate et cate mihi reddidisti opiparas Poe 131
ut docte et perspecte sapit Mı 757(*v. secl Rg*)
ad erum ueniam docte atque astu(*Reiz* astute
PL) Ru 928
 b. *cum adiectt.:* docte tibi illam perdoctam
dabo Mı 258   certo adulescens docte uorsutus
fuit St 561
 c. *probantis vel laudantis est:* satin astu?
#Docte* Cas 488($ satin docte? #Astute *L vide*
ψ)   nisi quid tua secus sententiast. #Immo

docte Ep 280(*vide ω*)   ne te censeat fili causa
facere . . . *Docte Ep 289

DOCILIS - - miror tam catam tam **docilem**
(*L* doctam *PŚ†U* sed docta *B*[1] cordatam *Rs*)
te et bene doctam(eductam *CaLULy*) Mo 186
nimio's tu ad istas res discipulus **docilior**
quam ad illa quae te docui Ba 164(*cf* nimio
dociliter *Char* 208)

DOCTRINA - - optumi quique expetebant
a me **doctrinam** sibi Mo 155

DOCUMENTUM - - ego illis captiuis aliis
documentum dabo ne tale quisquam facinus
incipere audeat Cap 752

DOLEO - - I. Forma **doleo** Au 410, Ci
60 *ter,* Ps 1320, St 749(deleo *C*), Tri 287   **do-
les** St 34   **dolet** Am 1059, Au 691, Cap 152,
Ci 67 *bis,* Mer 369, 388, Ep 147, Mo *Arg* 10,
Mo 149, Poe 150, Ps 155, Tru 526(*Sp* do ut *P*),
768, Fr I. 92(*Prisc* II. 231 holim *Fest* 249)
dolent Am 408, Cu 236, 238, Men 882, Mo 891,
Tru 633   **dolebit** Ci 496, Men 439   **dolui**
Cap 928   **doleat** Ba 1173, Ci 67, 110(deleat
VE[1]), 496(dolea *J*), Mi 1325, 1343(*v. om RU*),
Mo 867(tergum doleat *add R in lac*)   **dolerem**
Ps 1320   **doleres** Ps 1320(dolores *C*)   **do-
luerit** Am 922

II. Significatio   A. *de dolore corporali*
1. *absolute:* totus doleo atque oppido perii
Au 410   doleo ab animo, doleo ab oculis,
doleo ab aegritudine Ci 60   ni doleres* tu
ego dolerem Ps 1320   totus doleo* St 749

caput dolet Am 1059   nequeo caput tollere:
ita dolet* Tru 526   uterum dolet Au 691
radices cordis pereunt, hirae omnes dolent Cu
238   lumbi sedendo oculi spectando dolent
Men 882(*cf Auson lud sept sap* 131)   oculi
dolent Mo 891   lien enecat, renes dolent Cu
234   meum(tergum doleat *add R*) Mo 867

2. *seq. dat.:* etiam misero nunc (mi male
add Rgl) malae dolent Am 408   non metuo
ne quid mihi doleat quod ferias Ba 1173
nescio qui animus mihi dolet. *Nausea edepol
factum credo Mer 388   numquid tibi dolet?
#Nescio quid meo animost aegre Mer 369

3. *impers.:* quid nunc doletne? Ps 155(*an
tergum?*)   si feriri uideo te, extemplo dolet
Poe 150   *cum dat.:* mihi dolet quom ego
uapulo Ep 147   mihi dolebit non tibi, si quid
ego stulte fecero Men 439(*errat* Lindskog,
p. 66)   si stimulos pugnis caedis, manibus
plus dolet Tru 768

B. *de dolore mentali* 1. *absolute vel cum
acc. neut.:* doleo ab animo . . doleo ab aegritudine Ci 60   satis iam dolui ex animo et
cura Cap 928   si quid est quod doleat, dolet:
si autem non est tamen hoc hic dolet Ci 67
cor dolet quom scio ut nunc sum Mo 149
doleo. #Ni doleres* tu, ego dolerem Ps 1320
an id doles, soror, quia illi suom officium non
colunt? St 34   haec ego doleo Tri 287

2. *cum dat. personae:* huic illud dolet quia . .
Cap 152   ne quid quod illi doleat* dixeris
Ci 110   tu iam si quid tibi dolebit, scies qua
doleat* gratia Ci 496   scio ego quid doleat
mihi Mi 1325(= 1343[*v. secl RU*])   quid mihi
futurumst quoi duae ancillae dolent Tru 633

similiter: ego illum scio quam doluerit cordi
meo Am 922

b. *impers.:* dolet* huic puello sese uenum
ducier Fr I. 92(*ex Prisc* II. 231; *Fest* 249)

C. 1. *cum infin.:* post se derisum dolet
Mo *Arg* 10   Fr I. 92(*supra* B. 2. b)

2. *seq.* quia: Cap 152(*supra* B. 2. a)   St 34
(*supra* B. 1)

3. *pars corporis affectus, per* ab: Ci 60   ex:
Cap 928   *causa additur per* ab: aegritudine
Ci 60   ex: cura Cap 928

DOLIARIS - - apud anum illam **doliarem**
claudam(*Don ad And* IV. 4, 31 diobolia recludam *P*) Ps 659

DOLIUM - - ei promisi **dolium** uini dare
Ci 542(*cf* Blomquist, p. 26)   in pertussum
ingerimus dicta dolium Ps 369(*cf* Egli, II.
p. 55; Graupner, p. 31; Inowraclawer,
p. 47)   dabitur tibi . . unum ahenum et octo
dolia Cas 122   *corruptum:* Tru 39, dolium
P pro donicum(*Sarac*)

DOLO - - hodie hunc dolum **dolamus** . .
Mi 938   Men 859, dolabo *R pro* dedolabo

DOLOR - - I. Forma **doloris** Tru 519
dolorem As 831, Mo 716, Tru 224, Tru 456
dolore Am 1100, Ps 686   **dolores**(*nom.*) Am
1092, Per 313, St 165   (*acc.*) Tru 460   **doloribus** Am 879, Ci 141, Tru 807(*v. secl Rs*)
corrupta: Men 228, dolor *B*[2] *pro* dolo   Ps
672, dolori *B*[1] *pro* doli; 1320, dolores *C pro*
doleres

II. Significatio A. *dolor corporalis* 1. *nom.:*
utero exorti dolores Am 1092   uteri dolores
mihi oboriuntur cotidie St 165(*loc dub*)   uomi-
cast: pressare parce: nam ubi qui mala tangit
manu, dolores cooriuntur Per 313

2. *gen.:* uimque mihi(*Bue* quiquĕ ibi *PLy†*
quique mihi *FZRsL*) magni doloris(onus *add
Rs*) . . condidisti in corpus Tru 519(*cf L in
adn crit*)

3. *acc.:* pietas, pater, oculis dolorem prohibet As 831   . . quo dolo a me dolorem
procul pellerem Mo 716   *translate:* alienos
dolores(*i. e.* puerum) mihi supposiui Tru 460

4. *abl.:* ita profecto sine dolore peperit Am
1100   faciam . . pariat sine doloribus Am 879
eandem puellam peperit . . sine obstetricis
opera et sine doloribus Ci 141   labore alieno
puerum peperit sine doloribus Tru 807   hoc
euenit in labore atque in dolore ut mors obrepat interim Ps 686

B. *de dolore mentali:* multum in cogitando
dolorem indipiscor Tri 224   quantum corde
capio dolorem Tru 456

DOLOSUS - - pedes captat primum, luctator **dolosust** Ps 1251   quem dolum **doloso**
contra conseruo parem? Mi 198   iam ego
parabo aliquam **dolosam** fidicinam Ep 372
ingredere in uiam **dolose:** ego(*A* dolos ego
et *B* dolos et ego et *CD* dolo egomet *R*) hic
in insidiis ero Ps 959   nullam rem oportet
dolose adgrediri Tru 461   *Cf* Gimm, p. 19

DOLUS - - I. Forma **dolus** Tru 456
doli Ba 950(*AcRRg* dolis *APψ†ULy* in *ins L*),
Mi 773, 783   **dolum** Au *Arg* I. 13, Ba 1070,
Cap 35, 47(*v. secl LorenzRsŚ*), Cas 687, Mi 198,

248, 938, Ps 705, 1205(domum[*B*]), 1244, Tʀᴜ 85, 458(fraudem *CaRs*), Fʀ I. 1(*ex Non* 157) **dolo** Cᴀs 653, Mᴇɴ 228(dolor *B²*), Mo 716, Ps *Arg* II. 9(dolis *RRgU*), 1381, Tʀɪ 90, 480 **doli** Cᴀᴘ 221 *bis*, Ps 672(dolori *B¹*), 941 **dolis** Cᴀᴘ 523(*v. om O*) **dolos** Mɪ 192(*v. secl RsₛU*), 357, Ps 485(*v. secl Rω*), 527, 580, 614 **dolis** Aᴍ *Arg* I. 5, Aᴍ 367, 368, As 312(*v. secl Uₛ*), 546, Bᴀ 643, 950(doli *AcRRg*), 952 *bis*, 965, 1095, Cᴀᴘ 642(*v. secl U*), 755, Cᴀs *Arg* 3, Eᴘ 88, 375, Pᴇʀ 480, Pᴏᴇ 1110, Ps *Arg* II. 9(*vide* dolo), Ps 540, 902, 927, 932, Mɪ 147(factis *A*), 1154, 1157, Rᴜ 1236 *corrupta:* Aᴜ *Arg* I. 7, dolis *add P om Bo* Mɪ 165, dolis *A pro* domi; 147, dolis *B pro* doctis Ps 959, dolos et(*om B*) ego et *P pro* dolose: ego(*R*) Tʀᴜ 947, dolū *B pro* dabo

II. Significatio 1. *nom.*: quantum corde capio dolorem, dolus ne occidat morte pueri Tʀᴜ 456

doli non doli sunt, nisi astu colas Cᴀᴘ 221 hic doli*, hic fallaciae omnes Ps 672 meditati sunt mihi doli docte Ps 941

2. *gen.*: doli* ego deprensus sum Bᴀ 950 (*AcRRg: vide infra* 5) accipe a me rusum rationem doli Mɪ773 quoi facetiarum †corpusque sit plenum et doli Mɪ 783(*vide edd*)

3. *dat.*: nec confidentiae .. hospitiumst nec deuorticulum dolis* Cᴀᴘ 523 *Cf* Graupner, p. 9

4. *acc.*: **a.** tantundem dolum* adgrediar Tʀᴜ 458(*vide edd*) colas Cᴀᴘ 221(*supra* 1) ut docte dolum* commentust Ps 1205 eo nunc commentast dolum Tʀᴜ 85 inter sese hunc confinxerunt dolum Cᴀᴘ 35 ita compararunt et confinxerunt dolum Cᴀᴘ 47(*v. secl Rgₛ*) si hodie hunc dolum dolamus .. Mɪ 938 quem dolum doloso contra conseruo parem Mɪ 198 ita paraui copias, duplicis .. dolos perfidias Ps 580 era atque haec dolum ex proxumo hunc protulerunt Cᴀs 687 superauit dolum Troianum atque Ulixem Pseudolus Ps 1244 domi habet animum falsiloquom . . domi dolos . . Mɪ 192(*v. secl RgₛU*) procudam ego hodie hinc multos dolos Ps 614

b. *cum praepp.:* age nunciam insiste in dolos Mɪ 357 per dolum mox Euclio quom perdidisset aulam Aᴜ *Arg* I. 13 urbe capta per dolum Bᴀ 1070 laetitias . . fraude partas . . per dolum et fallaciam Ps 705 quam ego tanta pauperaui per dolum pecunia Fʀ I. 1 (*ex Non* 158) per sycophantiam atque per doctos dolos Ps 485(*v. om ω*), 527

c. *exclamationis:* nimis doctum dolum! Mɪ 248

5. *abl.* **a.** *modi vel causae vel qualitatis cum verbis:* eum promisisse . . dixit . . sese abducturum a me dolis Phoenicium Ps 902 te . . dolis atque mendaciis . . antidibo Ps 932 is me scelus usque attondit dolis doctis Bᴀ 1095 callidum senem callidis dolis compuli et perpuli Bᴀ 643 hunc hominem ego hodie in transennam doctis deducam(*A* ducam *P* inducam *GrutR*) dolis Pᴇʀ 480 his Alcmena decipitur dolis Aᴍ *Arg* I. 5 senem adiuuat sors, uerum decipitur dolis Cᴀs *Arg* 3 in aetate hominum plurumae fiunt transennae ubi

decipiuntur dolis Rᴜ 1236 dolis(doli *AcRRg* in d. *L†U*) deprensus(prensus *ALU*) sum Bᴀ 950 ego illum dolis atque mendaciis in timorem dabo Ps 927 me ut lubitumst ductauit dolis Cᴀᴘ 642(*v. secl U*) . . usque offrenatum suis me ductarent dolis Cᴀᴘ 755 ego dolis me illo extuli e periclo et decepi senem Bᴀ 965 uinctus sum sed dolis me exemi Bᴀ 952 oppidum quoduis uidetur posse expugnari dolis Mɪ 1157 ei nos facetis fabricis et doctis dolis* glaucumam ob oculos obiciemus Mɪ 147 ego miser perpuli meis dolis senem ut . . Eᴘ 88 item se ille seruauit dolis Bᴀ 952 me quoque dolis iam superat architectonem Pᴏᴇ 1110 *dubium:* nostris sycophantiis dolis astutiisque . . . *cum lac* As 546(*vide edd*)

hunc dolo* adgreditur . . Pseudolus Ps *Arg* II. 9 satin me illi hodie scelesti capti ceperunt dolo? Cᴀs 653 non dicam dolo* Mᴇɴ 228 edepol haud dicam dolo Tʀɪ 90 non tibi dicam dolo Tʀɪ 480 . . ni dolo malo instipulatus sis Rᴜ 1381 . . quo dolo a me dolorem procul pellerem Mo 716

b. *cum* **opus** *vel* **usus:** nunc quom maxume opust dolis Mɪ 1154 nunc audacia usust nobis inuenta et dolis As 312(*v. secl Uₛ*)

c. *cum adiect.:* eam permeditatam meis dolis astutiisque onustam mittam Eᴘ 375

d. *abl. abs.:* compositis mendaciis aduenisti . . consutis dolis. #Immo . . tunicis consutis . . non dolis Aᴍ 367-8 de conpecto faciunt consutis dolis Ps 540 *Cf* Graupner, p. 14

6. *app. adiectt.:* callidus Bᴀ 643 doctus Bᴀ 1095, Mɪ 147, 248, Pᴇʀ 480, Ps 485, 527(*cf* Gimm, p. 19) malus Rᴜ 1381 Troianus Ps 1244 duplex, triplex Ps 580

DOMICILIUM - - hosticum hoc mihi est domicilium, Athenis domus est Mɪ 451

DOMINUS - - I. Forma dominus Aᴍ 170 (*v. secl FuhrmannRglₛ*), Cɪ 599, Mᴇʀ 44, Mɪ *Arg* II. 12, Mɪ 744, Mo 110, 686, Pᴇʀ 322, Rᴜ 965, 969 *bis*, 1021(-ni *B*) **domina** Sᴛ 296 **domini** Mᴇɴ 443(domini animo *Rs* domino me *BoLLy* ero me *RU* drome *CSₛ†* drome *BD*), Mo 661, Tʀᴜ *Arg* 6(domi *C*) **dominae** Cɪ 773(-ne *VE* domne *B* dñe *J*) **domino** As 3(*CaRgl* -nis *Pψ*), Cᴀᴘ 363, Mᴇɴ 443(domino me *BoLLy:* vide domini), Mɪ *Arg* II. 5, Pᴇʀ *Arg* I. 1, Pᴏᴇ 73, 535, Ps 472, 1186, 1187, Rᴜ 745, 959, 961 **dominum** Aᴍ *Arg* II. 5, Aᴍ 587, As 660(dolonum *Non* 79), Cᴀᴘ 18, 308, 822, Cᴀs *Arg* 5, Mɪ *Arg* I. 5(seruos d. *R* Ephesum d. *Rs* erum *PSₛ†LULy*), Mɪ 729(dūm *P*), Mo 1124(*BugRsU* hominem *Pψ*), Ps 1140, Rᴜ *Arg* 3, Rᴜ 956, Tʀɪ 177, 1008 **domino** Aᴍ 857, Cᴀᴘ *Arg* 6, Mo 977, Pᴏᴇ 158(domi *CD*), 1207, Sᴛ 441 **dominis** As 3(-no *CaRgl*) **dominos** Cᴀs 722(*AB²* in margine om *P*) **dominis** Cᴀᴘ 810 *corrupta:* As 469, dominum *J²* pro domum Mᴇʀ 131, domine stant *B* pro domin est an Pᴇʀ 498, domino *CD* dōo *B* pro ero(*A*)

II. Significatio (*cf* Abraham, p. 196; Koehm, *A. F.* p. 162) 1. *nom.:* uix ipsa domina hoc, nisi sciat, exoptare ab deis audeat Sᴛ 296 non ferat si dominus ueniat? Rᴜ 969

quis istic habitat? #Demipho dominus meus
Ci 599   dominus me bouis mercatum Eretriam
misit Per 322   dominus huic . . nisi ego nemo
natust Ru 969   dominus indiligens reddere
alias (tegulas) neuolt Mo 110   dominus non
inuitus patitur Mi 744   aedium dominus foras
Simo progreditur intus Mo 686   dominus eius
mulieris . . quicque . . rapiebat domum Mer
44   ipse dominus diues, operis et laboris
expers . . posse retur Am 170   sciat St
296(supra sub audeat)   mox ei dominus
aedium suam clientam . . subornat Mi Arg
II. 12   domina . . transibit Mi 997(R solus
falso)   ueniat Ru 969(supra sub ferat)   si
ueniat nunc dominus* . . Ru 1021

domi dum dominus sum Men 105(R solus
domi domitus sum PŚ†LRsLy aliter U)   dominus qui nunc est scio Ru 965

2. gen.: . . domini* animo postulem moderarier Men 443(Rs: vide infra 3)   quid est nomen tuae dominae? Ci 773   nomen domini
quaero quid siet Mo 661   . . lupae ni rapiant
domini* parsimoniam Tru Arg 6

3. dat.: a. nisi dat domino dicundum censeo
Ru 961   argentum ego . . domino dedi Ru 745
uolt te nouos erus operam dare tuo ueteri domino quod is uelit Cap 363   indicium domino
non faciam Ru 959   seruos . . ut nuntiaret
domino factum nauigat Mi Arg II. 5   quod
tu inuitus numquam reddas domino Poe 535
uendit eum domino hic diuiti quoidam seni
Poe 73

b. domino suos amores Toxilus emit Per
Arg I. 1   noram dominum id quoi fiebat Ru
956   quae quidem mihi atque uobis res uortat bene . . et dominis* atque . . As 3

c. quid mercedis petasus hodie domino demeret? #Quid, domino? Ps 1186-7

d. ego inscitus qui domino* me postulem
moderarier Men 443(Ly vide supra 2)   mihin
domino seruos tu suscenses? Ps 472

4. acc. a. post verba: domo quem profugiens dominum abstulerat uendidit Cap 18
suom arcessit Ephesum dominum* Athenis Mi
Arg I. 5(RRg)   tu ut decet dominum* ante
me ito inanis As 660(cf Non 79)   is aduenientis seruom ac dominum frustra habet Am Arg
II. 5   si . . familiae habeam dominum Cap
308   nunc uenio etiam ultro inrisum dominum
Am 587   dixit . . quo modo dominum* aduenientem seruos ludificatus sit Mo 1124   seruolus nequam . . dominum mulcat atque uilicum Cas Arg 5   duplici damno dominos*
multant Cas 722   noram dominum id quoi
fiebit Ru 956   pro mercis uitio dominum
pretio pauperet Mi 729   aedium dominum . .
quaerito Ps 1140   et petronem et dominum
reddam mortales miserrumos Cap 822   uendidit Cap 18(supra sub abstulerat)

an ego alium dominum paterer fieri hisce
aedibus? Tri 177

b. cum praep. ad: dominum ad lenonem
quae subrepta uenerat Ru Arg 3   recipe te
ad dominum domum Tri 1008

5. abl.: a. abin hinc a me dignus domino
seruos? Am 857

b. abl. compar.: illius domino* non lutumst
lutulentius Poe 158

c. abl. abs.: dixit . . nos fore inuito domino
nostro . . liberas Poe 1207

d. cum praepp.: is suo cum domino ueste
uersa ac nomine Cap Arg 6   . . perpotasse
assiduo ac simul tuo cum domino Mo 977
Sagarinus scio iam hic aderit cum domino
suo seruos St 441(A)   ex ipsis dominis meis
pugnis exculcabo furfures Cap 810

6. app. adiectt.: diues, expers Am 170   indiligens Mo 110   inuitus Mi 744, Poe 1207
uetus Cap 363   genitiui: aedium Mi Arg
II. 12, Mo 686, Ps 1140   familiae Cap 308(?)
mulieris Mer 44

DOMO - - I. Forma domuisti Cas 252
domes Am 324   domare Tri 829   domitus
Men 105(PRsŚ†LLy dum dominus R dum intus
U)   domitum Tru 319(RsL domitas GoelU
domito PŚ†Ly†)   domitos Mi 564, Per 259,
265(SpLU -tis APψ)   domitas Tru 319(U
vide domitum)   domitis Per 265(vide domitos)
corrupta: Mi 1390, domatum Non 305 pro
adoriatur Mo 705, domitum A pro dormitum
II. Significatio 1. proprie de bestiis: domitos boues ut sibi mercarer Per 259   amico
homini binis domitis(A sed bibus As hominibus[homibus B¹] PLy homini boues
domitos SpLU) mea ex crumina largiar Per
265   uidi equidem elephantum Indum domitum fieri atque aeque(Rs u. equom ex indomito
domitum f. a. WeisL u. e. ex indomitis domitas f. aeque U u. e. exinem intum domito f. a.
PŚ†Ly†) alias beluas Tru 319

2. translate: quaeso in parietem . . (pugnos)
domes Am 324   hominem seruom suos domitos habere oportet oculos et manus orationemque Mi 564   iam domuisti animum Cas 252
domi domitus* sum usque cum caris meis
Men 105   (Neptunum acceperam) diuites
damnare atque domare Tri 829

DOMUS - - I. Forma domus Am 362, Ba
373, Men 363 bis, 1069(ea d. PŚ†Ly eadem urbs
BueL aliter RRsU), Mer 653, Mi 451, Per 323
domi(gen.) Am 187(ex Non 497 -um P), 503,
Ba 278, Tri 841(A et Don ad Ter Eun IV. 7. 45
-um P), 1027   domum Am 188, 195, 207, 262,
409, 410, 450, 584, 602, 643, 644, 654(demum
E), 663, 669, 684(v. secl U duce Mureto), 706,
759, 947, 1015, 1126, As 440, 469(dominum J²),
594, 868, 896, 902, 921, 923, 924, 925, 937,
940, Au 3, 118, 150, 162, 177, 181, 202, 203,
273, 293(Ac domi PU), 480, 613, 712, Ba 43,
44, 146, 278(P domi Rω), 315, 326(demum C),
431, 458, 507a(v. om A), 776, 1048, 1071, Cap
33, 36, 128, 167, 432, 451, 507, 508, 911, Cas
43, 573, 591, 755, 956, Ci 90, 99, 102, 148, 196,
301(solus A), 530, 596, 616, 629, Cu 686, Ep 67,
145, 169, 206, 315, 364, 452(demum B), 660,
Men 37(domum autem Rs pro Syracusas), 117,
247, 256, 343, 635, 660, 662, 663, 704, 847, 850,
954, 963, 965, 1034, 1049, Mer 45, 244, 555a
(v. om RL), 555b(v. om A secl RgŚULy), 559,
659, 746, 804, 980, 1009, Mi 121, 256, 259, 450,
451, 525, 535, 578, 585(v. secl Ribω), 655, 686,
790, 806, 859, 1089, 1101, 1103, 1168(AD³
damnum CD¹ dampnum B), 1278, Mo 335, 362,

432(*ThomasRs*&*LLy* modo *PRU*), 440, 485, 541, 578, 583, *ib.*(*A* modo *PLLy*), 801, 998, Per 147 (donum *B*), 191, 198, 272, 288, 306, 405, 680, 685, Poe 25, 27, 34, 269, 309, 647, 847, 851, 1332, Ps 789, 867, (1172, *Serv ad Aen* I. 149 *domum habet pro* patriam), 1234, Ru 43, 116, 144, 302, 488, 497(domum *MueLy* tuas *CaLU* lutum *Rs lac Sarac*&), 591, 812, 819, 904, 1051, 1252, St 65, 66(*PR* modo *A*ψ), 128, 147, 249 (ad sese d. *P* eo quantum potest *A ex v. seq.*), 264, 402, 412, 422, 444(*A*), 506, 524, 534, 590 (*A*), 672, 676, Tri 382, 600, 710, 853, 1008, 1059, 1078, 1188, Tru 206, 230, 629(abi d. *SpU* adero d. *GepL* ibo[abo *B*] d. *P*&†*Ly*† *aliter Rs*), 716(bonum *B*⋇*gRs*), 748, 838 *bis*, Vi 53, Fr I. 108(*ex Varr l L* VII. 62)   **domo** Am 361, 502, 637, As 161, 884, Au *Arg* I. 9, Au 7♭, 105, 178, 341, Ba 648, Cap 18, 508(*Rs* domum *P*ψ), 699(*add Rs*), 875, Cas 484(dom' *E* domus *J*), 521, 620, 954, Ci 658, 764, Cu 209, 685, Ep 46, 582, 681, Men 564(homo *C*¹*D*¹), 639 b, 645, 648, 664, 740, 803(*Gul* modo *P*), 814(dono *B*¹), 1138, Mer 12, 55(*Ca* -um *P*), 355, 357, 395, 423, 821, 831, Mi *Arg* I. 13, II. 2(naupactum is d. *Py* Naupactis domum *P*), 341(*FZ* domi *P*), 376, *ib.*(modo *A*), 997(domina *R* dum *U* in loco dub), Per 509, Poe 216(*Bergk* modo *P*), 1376, Ps 84, 355, Ru 58, 798(*add ReizLULy in lac*), St 29, 523, Tri 1010, Tru 261(domo *AU*), 454(*Goel* modo *P*)   **domu** Mi 126   **domi**(*loc.*), Am 5, 128, 352(domum *J*), 562, 577, 593, 607, 613, 665. 713, 1010, *fr* X(*ex Non* 331&436), As 237, 356, 393, 430, 452, 559(domx *E*), 815, 827, Au *Arg* I. 2, Au 73, 110, 176, 181, 189, 266(domum *J*), 293(*PU* domum *Ac*ψ), 432, 544, 781, Ba 225, 365, 529, 747, 750, 887, Cap 21(*v. secl Rs*), 29, 68, 136, 178, 190, 197, 318, 457, 473(*v. om O*), 543, 549, 581, 772(quod d. *add Rs*), 804, Cas 168, 176, 186(*A* modis *P*), 207, 224, 356, 440, 497, 530, 540, 547, 662, 769(*Rs de A errans* duae *A om P*), 835, Ci 204, 592, Cu 298, 518, 698, Ep 171(*P* domo *A*), 196, 315(*Rg*¹ domum *P*ψ), 329(om *GepRg*¹), 357, 361, 415, 419(*v. habet B*² *om* ω), 499, 542(*v. om A*), 563, 581, 633, 653, 664, 677, 717, Men *Arg* 3, Men 28, 42, 105(domum *B*¹), 359, 560, 665, 671, 699, 845, Mer *Arg* II. 11, Mer 128(domin an *CD* domi nam *B*), 131(domin est an *CD*[domis *D*] domine stant *B*), 230, 373, 498, 556, 563, 589 *bis*, 796(domo *U*), 803, 814, 845, 935, 946, 949, Mi 158, 165(dolis *A*), 182, 189(*add R falso*), 191, 192 *ter*(*v. secl Rg*&*U*), 194, 251, 301, 319, 323, 324 *bis*, 330(*v. secl LadewigRg*&), 341, 346, 398, 470 *bis*, 484, 579, 593, 739(*B*³*D*³ demi *P* doni *A*), 875, 973(quae domist *D*² quando mist [misit *B*] *P*), 1154, Mo 191(domi illud *Ca* domillum *P*), 281, 690, 699, 707, 874, Per 45, 52, 120(domist *PyRLU* domi idĕ *CD* domideste *B*&† *aliter Rs*), 122, 190, 191, 226, 247, 391, 512, 731, 736, Poe 21, 26, 29, 35, 537, 618, 838, 867(quoi domi sit *A*[cui] *D*⁴ quo id omi sit *BD*¹ q̄omisit *C*), 929, 966, 1049(*A* domum *P v. secl SeyRgl*&), Ps 140, 171, 183(om *WeisR*), 189, 211(domo *A*), 346(*add R solus*), 560, 638, 646, 1118, 1135 b, 1171, Ru 141, 292, 357, 899, 1208, 1335, 1419, St 66, 192(*A* domo *P*), 397, 482, 591(mihi ipsi d. meae *Stu ex A* m. in sinu

tunicae *LoewRg* m. deliciarum *U*), 598, 599, 602, 609, 693, Tri 191, 391, 733, 734, 1120 (*R om P*), 1174, Tru 114, 261(nostrae domi *P* in nostro domo *AU*), 492, 531, 554(domist qui *Ca et Sarac* domis itq; *B* domis idq' *CD*), 558, 588, 879, Fr I. 106(*ex Prisc* II. 489), 114 (*ex Fest* 306)   **domos** Poe 814   *corrupta:* Ci 93, domis *J pro* donis   Mer 333, domo *D*¹ *pro* dono   Mi 484, domo *P pro* modo(*A*); 536, domum *add P om Bo*; 824, domi sitam *CD* domisit a *B var em* ω; 1017, domum *B pro* donum; 1273, iube domum ire *add P om A* Poe 158, domi *CD pro* domino(*B*); 606, domo *CD pro* homo; 926, quo domo q *B pro* quod modo(*A*)   Ps 729, domo *A pro* modo   St 66, domum *PR de A errans pro* modo(*A*); 304, domo *A* modo *P pro* bono(*Gul*); 338, domi *A pro* boni; 623, domo *A pro* modo   Tru *Arg* 6, domi *C pro* domini

II. Significatio 1. *nom.*: haecine tua domust? #Ita inquam Am 362   omnis ad perniciem instructa domus opime atque opiparest Ba 373   te hic stare foris, fores quoi pateant magis quam domus tua, domus quom haec tua sit? Men 363   ea domus et(*P*&†*Ly* eadem urbs et *BueL* eadem pol *RU*) patriast mihi Men 1069(et mihi illi patriast domus *Rs*)   quae patria aut domus tibi stabilis esse poterit? Mer 653   Athenis domus est Mi 451   nunc mihi Eretria erit haec tua domus Per 323

2. *gen.*: non fugitiuost hic homo: commeminit domi Tri 1027   in nauem conscendimus domi* cupientes Ba 278   quamquam domi* cupio, opperiar Tri 841(*cf Brix-N. ad loc et Don ad Eun* IV. 7, 45)   haud . . tui me neque domi distaedeat Am 503   id contigit ut salui poteremur domi* Am 187(*cf Non* 497)

3. *acc.* **a.** *cum verbis*: hanc domum . . possideo et colo Au 3   cupientes Ba 278(*P* domi *R*ω *vide supra* 2)   rem familiarem curat, custodit domum Ba 458   meam domum ne inbitas Ep 145   nisi forte carcerem aliquando effregistis, uestram domum *Serv. ad Aen.* I. 140 ('*Pseudolo Plauti ubi ait*': *cf* Ps 1172)   domum numquam introibis(*duo verba RRs*) Men 662   ad noctem saltem, credo, intromittar domum Men 965   odi hanc domum Tri 600   possideo Au 3(*vide supra*)   ego istam domum neque moror neque . . Mi 451

b. *termini* (*cf* Goerbig, p. 12, 8) **domum:** iudicatum me uxor abducit(*Dou add. P*) domum As 937   . . ut uos hinc abducam domum St 128   . . uti eum uerberabundum abducant(*A add. BugRgL*) domum St 444   ille qui me conduxit . . abduxit domum Tri 853   abi domum Am 1126, Mo 583*, Per 147*, 306, Tru 629*   abi domum ac suspende te Poe 309   abi intro ad uos domum Mi 535   abi quaeso hinc domum Mo 578   immo abi domum Mo 583   abi in malam rem. #At tu domum Per 288   abi ♢ane domum St 264   abite tu domum et tu autem domum Tru 838   ille abiit domum Cap 507   ego abeo domum Ci 148   abeo domum Mi 655   . . uti abeas domum Ci 596   domum abeant Poe 25   . . donec qua domum abeat nesciat Ru 812   adducit domum As 440   . . qui te ad me

adducam domum Ps 867 in aedis me ad te
adduxisti domum* Ru 497(*Ly*) St 444(*supra sub*
abducant) nihilne attulistis inde auri domum?
Ba 315 adfer domum auxilium mihi Ep 660
me uidet magnas . . adportauisse diuitias domum St 412 me . . credo aduenturum domum* Am 654 ad aquam praebendam . . adueni domum Am 669 me hodie aduenientem
domum noluerit salutare Am 706 me aduenire nunc primum aio ad te domum Am 759
Cap 911(*AbrahamRs: vide infra* c) . . miles
. . adueniat domum Mi 578 miles domum
ubi aduenerit . . Mi 806 aduenio(uenio *Quint*
I. 5, 38) domum Mo 440 uolo me eleutheria
capere aduenientem domum St 422 quo agis
te? #Domum Am 450 quo tu te agis? #Quo-
nam nisi domum Tri 1078 . . quo pacto hic
seruos suom erum hinc amittat domum Cap 36
exanimatum amittat domum Cas 573 perditum amittunt domum Men 343 med amisisti abs te uix uiuom domum* Mo 432 ad
hoc exemplum amittit ornatum domum Ru
488 nunc uix uiuos amisit domum Ru 591
iussit accersi eam domum Ci 196 domum
dudum huc accessita sum St 676 aufer te
domum* As 469 hi domum me ad se auferent
Men 847 auferres dimidium domum Tru 748
pergam . . me domum capessere Am 262 ibo
ut hoc condam domum Au 712 me iussit
senex conducere aliquam fidicinam sibi huc
domum(f. quae hodie domi *Rg*) Ep 315 matronae . . domum sermones fabulandi conferant
Poe 34 bene re gesta saluos conuortor domum St 402 ego . . non curro curriculo domum? Mo 362 hic . . in aedis me ad se deduxit domum Mi 121 . . ut ad te eam iam
deducas domum Mi 790 eam . . detulit recta
domum Cas 43 ad matrem eius deuenias domum Ci 301(*A*) deueniam ad lenonem domum
egomet solus Ep 364 quibus concomitata recte
deueniat domum Mi 1103 intro deuortor domum St 534 huc dimidium dicis (dari) dimidium domum* Au 293 uolo te uxorem
domum ducere Au 150 . . qui media (aetate)
ducit uxorem domum Au 162 opulentiores . .
ut indotatas ducant uxores domum Au 480
meam exemplo filiam ducat domum Au 613
ei nunc alia ducendast domum Ci 99 hanc
uxorem Lemniam ducet domum Ci 530 prius
hanc . . compressit quam uxorem duxit domum Ci 616 . . pauperem domum ducere te
uxorem Ep 169 portitorem (*pro uxore*) domum
duxi Men 117 egone eam ducam domum
quae . . Mi 686 quas adeo hau quisquam
umquam liber . . duxit domum Poe 269
. . uxorem cras domum ducam? Tri 1188
. . ni properem ab sese abducere, ad me domum intro ad uxorem ducturum meam Mer
244 nunc domum ibo atque . . Am 1015
nam iam domum ibo atque . . Ba 507a ibo
domum atque . . Ci 629 immo ibo domum
Men 954, Vi 53 tecum ibo domum Men 1034
et quidem ego ibo domum Mi 259 ibo hinc
domum Mi 585(*v. secl Ribω*) ego domum ibo
Per 198 nunc domum ibo Poe 851 ibo
igitur intro. #Quippini? tam audacter quam
domum ad te Tru 206 domum ire iussit As

594 . . hinc ire huic ut liceat domum Cap
451 domum ire cupio Men 963 iube domum
ire Mi 1278 eam uidit ire e ludo fidicinio
domum Ru 43 nullumst periclum te hinc ire
inpransum domum Ru 144 domum ire coepi
tramite dextra uia Fr I. 108(*ex Varr l L* VII. 62)
surge, amator, i domum As 921, 923, 924, 925
i domum As 940 i prorsum(*L* ru[r]sum *RU*
cursim *Rg* iturus sum *PS*† ituru's *BoLy*) domum
Ba 146 quin tu i modo mecum domum Cas 755
i hac mecum domum Tri 710 itote extemplo
domum Ru 819 ite, inquam, domum ambo
nunciam Ru 1051 eo domum Men 663, Mer
659, Tri 1059 nempe domum eo comissatum
Mo 335 quo ergo is nunc? #Domum Per 191
. tempus maxume esse ut eat domum Mi 1101
inde suam quisque ibant diuorsi domum Ru
1252 . . mecum simitu ut ires ad sese domum St 249 . . dum sic faciat domum* ad
te exagogam Tru 716 . . fugias manibus
dimissis domum* Ep 452 fuge domum quantum potest Men 850 a foro incedo domum
Mo 998 cum praeda hic hodie incedit uenator domum Poe 647 interuisam domum Au
202, St 147 namst quod inuisam(*R* uisam
PLU) domum Au 203 ad med huc inuisam
domum Mer 555 a(*v. om RL*) huc intro ad
me inuisam(interuisam *R*) domum Mer 555 b
(*v. om A ut vid U*) ad meam maiorem filiam
inuiso domum* St 66(*PR* modo *Aψ*) hau
maligne uos inuitassem domum ad me St 590
(*A*) cogitato hinc mea fide mitti domum te
Cap 432 pro infrequente eum mittat militia
domum Tru 230 ne cum argento protinam
permittas(perbitas *R*) domum Per 680 me a
portu praemisit domum Am 195 a portu me
praemisisti domum Am 602 domum properare
propero Au 181 nunc domum properare certumst Cu 686 nunc domum propero(*A* n. pro
domum *P*) Per 272 quin tu illum iubes ancillas rapere sublimen domum? As 868 leno
. . quicque ut poterat rapiebat domum Mer 45
rapiam te domum Mi 450 dum modo . .
domum recipiat se Am 644 se domum recipit
suam Am 663 quasi qui nunc primum recipias
te domum huc ex hostibus Am 684(*v. secl U*)
domum me rursum . . recipiam Au 118 sese
homo recipit domum Au 177 me continuo
recipiam rursum domum Cap 128 quidnam
hic sese tam cito recipit domum? Mo 541
iam ego domum me recipiam Per 405 se
recipit domum Poe 1332 erus eccum recipit se
domum Ps 789 recipe te ad dominum domum
Tri 1008 . . reconciliare ut facilius posset
domum Cap 33 illum confido domum . . me
reconciliassere Cap 167 saluos domum si
rediero iam Am 584 . . si domum redissem
saluos Am 947 si domum redierit hodie . .
As 896 . . quom a foro redeam domum Au
273 uiso huc amator si a foro rediit domum
Cas 591 nullast salus scapulis si domum
redeo Cas 956 dum redeo domum . . consecutust Ci 90 . . quia non redierim domum
ad se Ci 102 Men 37(domum autem *RRs pro*
Syracusas) nos hinc domum redimus Men 247
redeo nunc demum domum Men 635 pro-
uisam quam mox uir meus redeat domum Men

704 prius .. quam domum redeam Mer 559
nos confido onustos redituros domum Mer 746
tuos gnatus . . rediit a cena domum Mo 485
. . dum hac domum redeam uia Ps 1234
domum redimus clanculum Ru 302 redeo
domum Ru 904 . ; quom redeam domum St
65 domum ubi redieris . . St 524 domum
redeundi principium placet St 672 . . se
exercitum extemplo domum reducturum Am
207 domum reduco integrum omnem exercitum Ba 1071 quem quidem hercle ego . .
redduxi domum Mer 980 quin refers pallam
domum Men 660 pallam . . referam domum
Men 1049 domum haec . . refero uasa Poe
847 . . cruminam facere ut remigret domum
Per 685 a legione omnes remissi sunt domum Thebis Ep 206 nunc domum renuntio
Mer 804 aurum repetam ab Theotimo domum Ba 776 ut illud reportes aurum ab
Theotimo domum* Ba 326 se reuehat domum
Ba 43 caueas .. ut reuehatur domum Ba 44
uictores . . legiones reueniunt domum Am 188
domum laudis compos reuenit Am 643 re-
uenias(Rgl uenias PL) domum As 902 . . ubi
reuenisses domum Ba 431 . . reuenisset domum Ba 1048 . . quom eri reueniant(Bo
ueniant P) domum Poe 27 inde ilico reuor-
tor(B praeuortor DEJLRs) domum Cap 508
. . nisi domum reuorteris Men 256 lucri
quicquid est id domum trahere oportet Mo 801
transcurrito ad uos rursum curriculo domum
Mi 525 illac per hortum nos domum transibimus Mer 1009 eam iube cito domum
transire Mi 256 dic . . domum ut transeat
Mi 1089 uenias As 902(supra sub reuenias)
ille me uetuit domum uenire Ep 67 excruciabit me erus domum si uenerit Mi 859
uenio Mo 440(supra sub aduenio) uisam Au
203(supra sub inuisam)

domos: domos abeamus nostras Poe 814

c. *cum praepp.* (*cf* Goerbig, p. 15): inpudentem hominem addecet . . aduenire ad
alienam domum Ru 116

cur non intro eo in nostram domum? #Quid,
domum nostram? Am 409-10 intemperies
modo in(ABJ modom E modam V in *om*
AbrahamRs) nostram aduenit domum Cap 911
ne ille mox uereatur intro ire in alienam domum* Mi 1168 uos in patriam domum rediisse uideo St 506 ego . . te et amicitiam
et gratiam in nostram domum uideo adlicere
Tri 382 *Vide infra* 5

4. *abl.* **a.** *cum uerbis:* quid . . tu tam subito domo abeas? Am 502 hinc ad legionem
abiit domo Ep 46 biennium iam factumst,
postquam abii domo Mer 12 Naupactum is
domo* legatus abiit Mi *Arg* II. 2 uiri nostri
domo ut abierunt hic tertiust annus St 29
iam dudum factumst quom abiisti domo Tri
1010 uir aberit faxo domo* Cas 484 num
ab domo apsum? Ep 681 si diu afueris (a *add*
P *om* Aω) domo St 523 si quid uti uoles,
domo abs te adferto Au 341 adfer (huc domo
add ReizU *in lac* celeriter Rs) adferto domo
LLy) duas clauas Ru 798 seruom qui aufugit
domo . . Cap 875 domo si bitat(L ibit ac
PS† *var em* RgULy) Mi 997 quicquid erat

noctu in nauem comportat domo leno Ru 58
facere damni mauolo quam . . flagitium muliebre exferri(inferri *GuyR*) domo Mer 423
defaecato demum animo egredior domo Au 79
uxor uirum . . clam domo egressast foras Mer 821
argentum egurgitem domo prosus? Ep 582
tu med . . eicis domo As 161 ibit Mi 997
(*supra sub* bitat) exibam domo Au 178
facio ut eam exire hinc uideas domo* Mi 341
unde exit haec? #Unde nisi domo? #Domo*?
Mi 376 . . trahere exhaurire me quod quirem ab se domo* Mer 55 hunc hodie postremo extollo mea domo patria pedem Mer 831
hinc olim me inuitum domo extrusit ab se Mer
357 . . improbos famulos imiter ac domo
fugiam Cas 954 seruos ancillas domo certumst omnis mittere ad te Cas 521 palla,
inquam, periit domo Men 648 unde haec
perierunt domo? Poe 1376 domo inde ilico
praeuortor Cap 508(*Rs* domum *Pψ* reuortor
BS *om* U) domo profectast Ci 764 . . domo
quem profugiens dominum abstulerat Cap 18
tun domo prohibere . . me postulas? Am 361
ego . . argentum promere possum domo Ps 355
reddit argentum domo Cu 685 (aulam) domo*
sublatam uariis abstrudit locis Au *Arg* I. 9
egon ut non domo uxori meae subrupiam . .
pallam? As 884 pallam . . tibi quam surrupuit domo* Men 564 palla mihist domo surrupta Men 639 b(*v. secl* AcRsS), 645 . . quando
quid tibi erit surruptum domo Men 664 me
arguit hanc (pallam) domo* ab se surrupuisse
Men 814 quoi pallam surrupui dudum domo
Men 1138 copias . . optuli ut domo sumeret
Ba 648 aurum meum domo suppilas tuae
uxori Men 740 ille suppilat mihi aurum et
pallas ex arcis domo* Men 803

b. *originis:* ego id nunc experior domo atque ipsa de me scio Am 637 haec cistella
numnam hinc ab nobis domost? Ci 658 scio
saeuos quam sit domo doctus (dico *add* StuRgU
igitur PS†L) Mer 355 domo* docta dico Poe
216, Tru 454

c. *cum adiectt.:* non nostra formam habet
dignam domo Mer 395 ea res me domo expertem facit Per 509

d. *cum praepp.* (*cf* Goerbig, p. 15): ab
domo abeundumst mihi Au 105 ait sese Athenas fugere cupere **ex** hac domu Mi 126

in libertatest ad patrem in patria domo*
Cap 699(*Rs*) quid illuc clamoris . . in nostrast
domo(A n. d. est P)? Cas 620 ego te hoc triduom numquam sinam in domo esse istac Cu
209 ipse in domo* senis prehensus poenas . .
luit Mi *Arg* I. 13 is mihi thensaurus iugis
in nostra domost(A n. est d. PLU) Ps 84 quid
debetur hic tibi in nostra domo(AU tibi nostrae
domi *Pψ*)? Tru 261

5. *loc.* **a.** *cum uerbis:* tua te ex uirtute et
mea meae domi* accipiam Mi 739 is adornat
adueniens domi . . ut maritus fias Er 361
usque adero domi Cas 530 domi adesse certumst Ep 664 te uolo domi usque adesse Ps
560 iam ego domi adero St 66 . . domi*
agitent conuiuium Mi 165 quid tibi negotist
meae domi igitur? Ep 499 ego apparebo
domi Cap 457 iam ab re diuina . . appare-

bunt domi Poe 618   apud te uinctum adseruato domi Ba 747   . . uinctum te adseruet
domi Ba 750   cantaret Ep 315(*Rg*¹ domum
Pψ supra 4. b *sub* conducere)   cras apud
te (cenabo), nunc domi Mer 949   . . si cenassit domi* St 192   cenabo domi St 482   solus
cenabo domi? St 599   comedendum Au 293
(*U* domum *sc* dari *Acψ*)   . . domi comprehendar Mi 579   conciuit hostem domi* Mer 796
(*loc dub*)   continete uos domi Cap 804   sese
domi contineant Cu 298   utinam conueniam
domi Periphanem Ep 196   modo me Stasimus . . conuenit domi* Tri 1120   iuben domi
cenam coqui St 598   iube cenam domi(*P
d. c. A*) coqui St 602   iube domi . . celeriter
cenam coqui St 609   neque domi neque apud
amicam mihi iam quicquam creditur Men 699
potius . . quam domi cubem Mo 707   curato
aegrotos domi Cap 190   quid debetur hic tibi
nostrae domi(in nostra domo *AU*)? Tru 261
eas ac decumbas domi Mer 373   istoc me
adsiduo uictu delecto domi Cap 178   . . qui
te delectet domi Fr I. 114(*ex Fest* 306)   rem
omnem tibi . . domi demonstraui ordine Mi 875
eam domi deprehensam coniunx . . insimulat
Mer *Arg* II. 11   pessumis me modis despicatur domi(*A* me habet pessimis despicatam
modis *PU*) Cas 186   adducam qui hunc . .
domi deuinciant Men 845   est quod domi
dicere paene oblitus fui Ps 171   domi daturus nemost prandium aduenientibus Am
665   domi* domitus(† *S̄ var em RU*) sum usque Men 105(*cf* Leo *in adn crit:* 'ambigua
notione ad epuli dominum et ipsum patrem
familias trahitur')   hic uos dormitis interea
domi As 430   diu qui domi otiosi dormierunt . .
Poe 21   magis sapisset si dormiuisset domi
Ru 899   neque . . quicquam me iuuat quod
edo domi Cap 136   bene ego istam eduxi meae
domi et pudice Cu 518   quoi ego . . oculos
effodiam domi Au 189   exornant Cas 769(*Rs
falso pro* duae)   res rationesque . . bene expedire uoltis peregrique et domi Am 5   iam
dudum si arcessatur ornata exspectat domi
Cas 540   uxor me exspectat iam dudum domi
Mer 556   domi* duellique male fecisti As 559
hanc ego de me coniecturam domi facio(magis
quam ex auditis) Cas 224, Ci 204(ni foris
quaeram)   te pro filio facturum dixit rem
esse diuinam domi Ep 415, 419(*v. habet B² solus
secl ω*)   nequis id quaerat ex me domist* qui
facit Tru 554   mihi . . arbitri uicini sunt
meae quid fiat domi Mi 158   omnes ilico me
suspicentur . . habere aurum domi Au 110
hariolum hunc habeo domi Cas 356   bene et
pudice me domi habuit Cu 698   peperit filiam
quam domi nunc habeo(q. d. n. h. *om A*) Ep
542   ego lenocinium facio qui habeam alienas
domi? Ep 581   . . ei ne noceret quam domi
ante habui capram Mer 230   Mi 189 a(domi
habet os *R pro* os habet)   domi habet animum . . falsiiurium(*v. om AR*), domi dolos,
domi delenifica facta, domi fallacias(*vv. secl
RgS̄U*) Mi 191-2   domi habet hortum et condimenta ad omnis mores maleficos Mi 194   is
mihi honores suae domi habuit maxumos Per
512   uinariorum habemus uostrae dilectum

domi Poe 838   est (tessera) par probe quam
habeo domi* Poe 1049(*v. secl SeyRglS̄*)   amatores oliui dynamin domi* habent maxumam
Ps 211   Ps 346(domi *add R*)   sat seruorum
habeo domi St 397   . . eius rem penes me
habeam domi Tri 733   domi quidquid habet
uehitur . . Tru 558   domi uxorem meam impudicitia impediuit Am *fr* X(*ex Non* 331 *& * 456)
istic hastis insectatus est domi matrem et
patrem Cap 549   insectatur omnis domi per
aedis Cas 662   neque domi neque in urbe inuenio quemquam Am 1010   domi suae defossam . . aulam inuenit Au *Arg* I. 2   . . hos
domi linquere custodes Ps 140(*vid edd*)   domi
maneto me Mer 498   ubi domi metues malum
fugito huc ad me Tru 879   me . . apud se
occludet domi Men 671   alterum . . faciam ut
offendas domi Am 613   eo more expertem te
factam . . offendi domi Am 713(*cf Non* 359)
mater . . eam offendit domi Mer 814   egomet
cubantem eam modo offendi domi Mi 484
ego te opperiar domi As 827, Tri 391   uir
tuos si ueniet iube domi opperirier Ci 592
dum erus adueniat a foro, opperiar domi Poe
929   iubere meliust prandium ornari domi
Ru 141   parata dos domist Tri 734   quoi
ego iam linguam praecidam . . domi Au 189
ego . . dixi . . me domi praesto fore As 356
tibi quidem quod ames domi praestost Ep 653
illi quorum lingua gladiorum aciem praestringit
domi Tru 492   nutrices pueros . . domi procurent Poe 29   eos requirunt qui lubenter
quom ederint reddant domi Cap 473(*v. om O*)
illum reliquit alterum apud matrem domi Men
28   domi reliqui exoletam uirginem Fr I. 106
(*ex Prisc* II. 489)   quasi claudus sutor domi
sedet totos dies Au 73   hic nunc domi seruit
suo patri Cap 21(*v. secl Rs*)   neque pol . .
mihi . . opinione melius res structast domi
Au 544   suppiles clam domi uxorem tuam?
As 815   transcidi loris omnis adueniens domi
Per 731   tota turget mihi uxor . . domi Mo
699   quia nos eramus peregri, tutatust domi*
Am 352   . . ne et hic uarientur uirgis et loris
domi Poe 26   . . uorsari crebro hic quom
uiderent me Am 128   quod malum uorsatur meae domi* illud? Mo 191   . . se ut
uideant domi familiaris Mi 182   illam quidem uidi domi(*U: loc perd*). ⚓Quid, domi?
⚓Domi hercle uero Mi 323-4   domi nostrae
tot pessumi uiuont Mo 874   istuc quidem
omen iam ego usurpabo domi Per 736

esse: audes mihi praedicare . . domi te esse
nunc? Am 562   domi ego sum Am 577   . . uti
tu et hic sis et domi Am 593   nunc sum domi
Am 607   si sit domi, dicam tibi As 393   si
domist, Demaenetum uolebam As 452   ego
conueniam Euclionem si domist Au 176   egomet sum hic, animus domist Au 181   ibo . .
huc ad eum si fortest domi Ba 529   hunc
suom esse nescit qui domist Cap 29   domi
sola sum Cas 168   uolui Chalinum si domi
esset mittere Cas 440   uxor domist Cas 497
iamne abscessit uxor? ⚓Domist Cas 835   . . commemores hanc quae domi* est filiam prognatam Ep 171   ea iam domist pro filia Ep 357
inueni (filiam) et domist Ep 717   nomen sur-

rupti illi indit qui domist Men *Arg* 3   illius
nomen indit illi qui domist Men 42   domi*
sum Men 105(*supra sub* domitus)   domin* an
foris dicam esse erum Chalinum? Mer 128
Charinus erus domin* est an foris? Mer 131
est mulier domi? Mer 563   si domi sum, foris
est animus: sin foris sum, animus domist Mer
589   (pater) non est domi Mer 803   (illaec)
est domi Mer 935   iam sum domi Mer 946
non domist: abit ambulatum Mi 251   eho an
non domist? Mi 301   illa quidem certost(*Rg*
nam i. q. * *L* eccillam q. *R* nam illam quidem
uidi *ZU*) domi Mi 323   Mi 324(*supra sub* uideo)
si ea domist . . Mi 341   an illic faciat . . ut ea
sit domi Mi 346   nunc quidem domi certost
Mi 398   Palaestrio domi nunc apud mest Mi
593   quid illa faciemus concubina quae domist*? Mi 973   usque ero domi Per 52   ita
uolo te currere ut domi sis Per 190   . . uti
domi sim quom illi censeas Per 191   erus si
tuos domist, quin prouocas? Ps 638   ego
quando eum esse censebo domi rediero Ps 646
leno ubi esset domi me aibat arcessere Ps 1118
. . ut sciam sitne Ballio domi Ps 1135   ubi
eris paulo post? #Domi Tri 191   Lesboni
cum, si domist, foras uocate Tri 1174(*vide B*)
eumpse . ., si domi erit, mecum adducam Tru
114   ubist Diniarchus? #Domi Tru 588

     domi fuistis credo liberi Cap 197   ego domi
liber fui Cap 543   meret potissumus nostrae
domi ut sit Men 359   . . domi quae fuerint
liberae Poe 966   ego eram domi imperator
summus in patria mea Ps 1171   istae reginae
domi suae fuere ambae Tru 531

     domi serui qui sunt castrabo uiros As 237
. . indaudiuisse mihi esse thensaurum domi* Au
266   uolo scire ego item meae domi mean salua
futura? Au 432   (aurum) domist Ba 225   si
illi sunt uirgae ruri, at mihi tergum domist
Ba 365   si tibist machaera, at nobis ueruinast
domi Ba 887(*cf Fest* 161)   ego patri meo esse
fateor summas diuitias domi Cap 318   nec tibi
qui uiuas domist Cap 581   Cap 772(quod domist
add Rs)   domi et foris aegre quod sit satis
semper est Cas 176   tibi nihil domi delicuomst
Cas 207(*cf Varr l L* VII. 106)   non ergo opus
est adiutrice? #Satis domist Cas 547   tibi
quoi diuitiae domi* maxumae sunt Ep 329
(argentum) domist Ep 633   auxilia mihi et
suppetiae sunt domi Ep 677   uir compilet
clanculum quicquid domist Men 560   nihil
est quod perdam domi Men 665   domi erat
quod quaeritabam Mer 845   domi esse ad
eam rem uideo siluae satis Mi 1154   . . quibus
anus domi sunt uxores Mo 281   melius anno
hoc mihi non fuit domi Mo 690   (argentum)
si id domi esset mihi iam pollicerer Per 45
parasitus est quoi argentum domi* est Per 120
. . tuburcinari de suo si quid domist Per 122
. . quoi dos sit domi Per 391   ne et hic uiris
sint et domi molestiae Poe 35   est domi quod
edimus Poe 537   . . quoi domi* sit quod edis
Poe 867   quid mi domi* nisi malum uostra
operast hodie? Ps 183   montes maxumi frumenti acerui(†*S om L var em RRg*) sunt domi
Ps 189   quicquid est domi id sat est habendum Ru 292   quicquid domi fuit in nauem

inposiuit Ru 357   sunt domi agni et porci
sacres Ru 1208   id quod domist, numquam
ulli supplicabo Ru 1335   . . neque sit quicquam pollucti domi Ru 1419   mihi ipsi domi*
meae nihil est St 591   quibus diuitiae domi
sunt St 693

     b. *post* ecce: eccillam domi Au 781   domi
meae eccam saluam et sanam Ep 563   Philocomasium eccam domi Mi 319   quin domi
Mi 330(*v. secl LadewigRgS*)   domi
eccam erilem concubinam. #Quid, domi? Mi
470   domi eccam(eccillam *MueRs*) Per 226
eccillum domi Per 247

     c. *cum subst. verbali:* ualete iudices iustis-
sumi, domi duellique duellatores optumi Cap 68
Cf Kane, p. 56

     6. *ad* domum *vocem add. terminus alter per*
ad: Am 759, Ci 102, 301, Ep 364, Men 847,
Mer 244, 555, Mi 121, 535, 790, Ps 867, St
249, 590, Tri 1008, Tru 206, 716   in: Mi 121
adverbium huc: Am 684, Ep 315, Mer 555

     domo *voci app.* ab *cum abl.:* Au 347, Ci 658,
Men 814, Mer 55, 357   ex: Men 803   *ad-*
verbia: hinc Ci 658, Ep 46, Mer 357, Mi 341
huc St 676   unde Poe 1376

     domi *voci apponuntur praep.* ad: Mo 707
apud Ba 747, Men 28, 671, Mi 593   in *cum*
abl.: Am 1010, Ps 1171   *adverbia:* hic Am
128, As 430, Poe 26, Tru 261   *opponuntur*
duelli(belli): As 559, Cap 68(*cf* Leers, p. 17)
peregri Am 5, 352(?)   foris: Ba 648, Cas 176,
Mer 128, 131, 589 *bis*, Mi 593

     7. '*Cum* domus *attributione caret, apud Ter.*
praepp. semper om., apud Pl. om. nisi domus
pendet ex verbis abesse *vel* abire, *quae promiscue*
construuntur. Cum domus *cum pron. poss. iungi-*
tur, apud Pl. praepp. saepius om. quam ponun-
tur(18, 6), *apud Ter. tales locutt. praeter unum*
locum (meae domi) *non inveniuntur. Cum* domum *cum pron. demonst. vel adiect. iungitur,*
apud utrumque ubique praepp. ponuntur, eae-
que apud Pl. in, ad, a(ab), ex, *apud Ter.* una
in. *Apud neutrum* domum *cum gen. pers. con-*
iungitur.' Goerbig, p. 17

DONABILIS - - edepol infortunio hominem
praedicas **donabilem** Ru 654

     DONEC, DONICUM - - I. Forma donec
Am *Arg* I. 9, Am 598, Ba 758, Ci 583, Mer 194,
Mi 269(-ęc *D*), Ru 716, 812, Vi 91

     donicum Au 58, Cap 339(*FZ* donec cum *P*),
Mo 116(don, cū *C*), Ps 1168, Tru 39(*Sarac* dolium *PRs*[*v. secl*]), Vi 98(*ex Prisc* I. 224 & II. 7
et Gloss Plaut sub v.), Fr II. 41(*ex Char* 197 *s. v.*)
corrupta: Mi 1409(donec *CD* niliblo *B var*
em ω)   Per 372(donec *CD* pro do ne)

     II. Significatio 1. *cum praes. indic.:* . . in-
stare usque adeo donec se adiurat anus iam
mihi monstrare Ci 583   usque mantant neque
id faciunt donicum* parietes ruont Mo 116
neque quisquam hominem conspicatust donec
in nauim subit Mer 194(*AcRRgLLy* naui super
PS† intra uisus est *U*)

     2. *cum perf. indic.:* hinc iurgium . . donec
. . adulterum se Iuppiter confessus est Am *Arg*
I. 9   impedit piscis usque adeo donicum* eduxit foras Tru 39(*v. secl RRs*)   credebam primo
mihimet Sosiae, donec Sosia me ille egomet

fecit sibi ut crederem Am 598 uisus est Mer
194(*U vide supra* 1)
3. *cum fut. indic.:* . . te usque habitare
donec totum carcerem contriueris Ru 716 . . ne
quoquam exsurgatis donec a me erit signum
datum Ba 758 neutri reddibo donicum res
iudicata erit haec Vi 98(*ex Prisc* I. 224 *& 226,
II. 7, Gloss Plaut*) si respexis donicum ego
te iussero Au 58 ibo odorans . . usque donec
persecutus uolpem ero uestigiis Mi 269 ego
me amitti donicum* ille huc redierit non
postulo Cap 339 inimicus esto donicum ego
reuenero Fr II. 41(*ex Char* 197) exploratorem
hunc faciamus ludos . . adeo donicum ipsus
sese ludos fieri senserit Ps 1168 caue demutassis. #Usque donec soluero** Vi 91
4. *cum subiu. praes.:* ni . . inuitassitis usque adeo donec qua domum abeat nesciat . .
Ru 812
5. *ante partic. inuenitur:* adeo Ps 1168
usque Mi 269, Mo 116, Ru 716 usque adeo
Ci 583, Ru 812, Tru 39
DONO - - I.Forma dono As 43, Tru 531, 533
(*secl UsenerRs*) **donat** Mi *Arg* I. 13, Per 775
(-ant *CD*) **donatur** Au *Arg* II. 9, Mi *Arg* II. 6
donatis Au 808(-tus *D*) **donabo** Mo 174
donaui Ba 1080, Mi 1204, 1304, Tru 634 **donauisti** St 656 **donauit** Am 771, Poe 469, St
666(homo d. *RRg* somniauit *Pψ*) **donem** Am
763 **donari** Poe 258 **donatus** Am 137, 780,
Tru 804 **donata** Am 260 **donatum**(*acc. masc.*)
Am 761, 766 *corruptum:* Mer 226, donant
CD clamant *B pro* danunt(*Py*)
II. Significatio 1. *absolute:* habui scortum, potaui dedi, donaui Ba 1080 impetraui
ut uolui: donaui, dedi Mi 1204
2. *cum acc. personae et abl. doni:* te, Scapha,
donabo ego hodie aliqui Mo 174 is (ancillis)
te dono Tru 531, 533(his *ZL: secl UsenerRs*)
. . quoi duae ancillae dolent quibus de donaui
Tru 634 ab eo donatur auro Au *Arg* II. 9
iam nunc me decet donari cado uini ueteris
Poe 258 . . quo pacto sit donis donatus plurumis Am 137 hoc donauisti dono tuom seruom Stichum St 656 quibus et quantis me
donatis* gaudiis Au 808 pateram . . qua te
illi donatum esse dixeras Am 761 . . ut ea
te patera donem Am 763 . . illic me donatum esse aurea patera sciat Am 766 pateram
. . qua hodie meus uir donauit me(me d. *Bo
Rgl*) Am 771 estne haec patera qua donatu's
illi? Am 780
3. *cum acc. personae et ut cum subiu.:* dono
te ob istuc dictum ut expers sis metus As 43
4. *cum dat. personae et acc. rei:* ob uirtutem
ero Amphitruoni patera donata aureast Am 260
hanc (minam) mihi donauit Poe 469 donatur
illi captus militi Mi *Arg* II. 6 hoc mea manus tuae (manui) poculum donat* Per 775
quid illa quoi donatust fecit? Tru 804
5. *cum dat. duobus:* quid illa quoi dono(*add
KampLy*) donatust fecit? Tru 804
6. *cum acc.:* ultro abeat orat, donat multa
Mi *Arg* I. 13 omnia composita sunt quae
donaui Mi 1304 quis homo donauit uinum
(*SeyRg duce R* q. somniauit aurum *Pψ*)?
St 666

DONUM - - I.Forma donum Am 538, Tru 535
(*om BoLy*) **doni** Am 418(*add UL* dono *Bent
Rgl in lac*), Poe 998, Tru 609 **dono** Am 418
(*BentRgl* doni *UL in lac*), 534(dodo *J*), 538, 761,
790, As 194, 752, Ci 133, Ep 474, Men 689, Mer
333(ei dono *CD³* ei domo *D¹* idoneo *B*), 400,
Mi *Arg* I. 4, Mi 120, 982(donec *D*), 1148(dono
a ω don a *A* dono *P*), 1205, Mo 185(*B* minio dona
PU), Poe 169, 467(dona *B*), Ps 1075(od *C*), St 656,
665(dona *C*), Tru 279, 544, 802, 804(*add Kamp
Ly*) **donum** Am 537 *bis*, Mi 1017(domum *B*)
donum(*voc.*) As 691 **dona**(*acc.*) Am 138, Men
128, Mi 1314(*R solus pro* omnia), Mo 184, 185
(*PU* dono *B* minio *ψ*), Ps 939 b(*PU* bona *Douψ*),
St 291(donam *A*), Tru 544, 580, 589, 617, 703
donis Am 137, Ci 93(domis *J*), Mi 714, Ru 23
(posse d. *B* posset omib; *CD*), Tru 618 *corrupta:*
Am 636, doni *EJ pro* boni Men 814, dono
B¹ pro domo Mi 13, curcus lis donis *P pro*
Curculioniis(*A*); 739, doni *A* demi *P pro* domi
(*B²D³*); 1151, in dono esset *B pro* inde esse(*A*)
Per 147, donum *B pro* domum Ps 1205, donum *B*(1161) *pro* dolum Tru 113, done
adecessi *B* dona concessi *CD pro* bona mea
degessi(*A*)
II. Significatio 1. *nom.:* huc quidem herclest ingratum donum* Tru 535 ea dona quae
illic Amphitruoni sunt data absculimus Am 138
sic condignum donum qualest quoi dono datumst Am 538(*cf v.* 537, *infra* 4 b)
2. *gen.:* quid Amphitruoni doni*(*UL in lac*
dono *BentRgl*) a Telebois datumst? Am 418
donni! #Doni uolt tibi dare hic nescioquid
Poe 998 pertilli(*BS†* pentilli *CD* tantilli *F
RsLULy*) doni causa . . moechum . . amas Tru
609(*cf* Blomquist, p. 158)
3. *dat.:* fides ei quae accessere tibi addam
dono gratiis Ep 474 ei dono* aduexe (illam)
audiui Mer 333 iube sibi aurum atque ornamenta . . dono* habere . . Mi 982 habeto
mulierem dono* tibi Ps 1075 . dona(dono
add SpRsU) quae ad me miseri Tru 589(*cf*
Abraham, p. 240) quod promiseram tibi
dono* perdidisti Mo 185

dono dare: quid Amphitruoni dono* a Telobois datumst? Am 418 pateram quae dono*
mihi illi ob uirtutem datast Am 534 . . qualest
quoi dono (donum) datumst Am 538 negabis
te auream pateram mihi dedisse dono hodie
Am 761 unde haec igitur est . . quae mihi
dono datast? Am 790 hanc tibi noctem honoris causa gratiis dono dabo As 194 lenae
dedit dono argenti uiginti minas As 752 eam
meae ego amicae dono huic meretrici dedi Ci
133 dedisti eam (pallam) dono mihi Men 689
illam emi dono quam darem matri meae Mer
400 seruos . . eidem illi militi dono datust Mi
Arg I. 4 ille qui me cepit dat me huic dono
militi Mi 120 omnia dat dono* a se ut abeat
(*A*[don] dono se ut habeat *P*) Mi 1148 te quoque ei dono dedi Mi 1205 totum lenonem
tibi . . dabo hodie dono Poe 169 mina mihi
argenti dono* postilla datast Poe 467 hoc
mihi dono* datumst St 665 mauelim . . tuas
centum cenatas noctes mihi dono dari Tru 279
uiginti minis uenire illaec posse credo dona
quae ei dono dedi Tru 544 mater (puerum)

filiae dono dedit Tʀᴜ 802   *similiter:* quid illa quoi dono donatust? Tʀᴜ 804(*Ly*)

4. *acc.* **a.** *cum verbis:* mihi dona accepta et grata habeo Tʀᴜ 617   nuntiauit . . mea dona de amata acceptaque habita esse Tʀᴜ 703 ea dona quae illic Amphitruoni sunt data abstulimus Aᴍ 138   ecastor condignum donum qualest qui donum dedit Aᴍ 537   ego . . tibi **dona*** multa dabo et faciam Ps 939 b(*PU*) Tʀᴜ 544(*supra sub* 3)   dona quid cessant mihi conferre omnes? Mᴇɴ 128   Mɪ 1314(dona *R falso pro* omnia)   infecta dona facio Mo 184 ad te ferre me haec iussit tibi dona quae uides illos ferre Tʀᴜ 580(*vide ℰ*)   non multae de digito donum* mittunt Mɪ 1017   aequiust . . oratores mittere ad me dona*que Sᴛ 291   Tʀᴜ 589(*infra* c)   dona* perdidisti Mo 185(*PU*) uenire illaec posse credo dona Tʀᴜ 544

b. *exclamationis:* ecastor condignum donum qualest . . Aᴍ 537(*supra* a)

c. *post praep.* ob: dic ob ea dona quae ad me miserit me illum amare plurumum Tʀᴜ 589

5. *voc.:* mi Libane, ocellus aureus, donum decusque amoris! As 691

6. *abl. cum verbis:* illi inter se certant donis Mɪ 714(*cf* Romeijn, p. 68)   memorat . . quo pacto sit donis donatus plurumis Aᴍ 137   hoc donauisti dono tuom seruom Stichum Sᴛ 656   in amicitiam insinuauit . . blanditiis muneribus donis* Cɪ 93   in animum inducunt suom Iouem se placare posse donis* hostiis Rᴜ 23   ego et donis priuatus sum et perii Tʀᴜ 618

DORDALUS - - *leno; in supersc.* Pᴇʀ *act.* III *sc.* 2, 3; IV 3, 4, 6, 7, 8, 9; V 2   *nom.* Pᴇʀ 790, 845   **Dordalum** Pᴇʀ *Arg* I. 5(*Ca dorpalum P*)   **Dordale** Pᴇʀ 482, 791   *Cf* Koenig, p. 10; Schmidt, p. 366

DORIPPA - - *matrona; in supersc.* Mᴇʀ *act.* IV sc. 1, 3, 4.   *voc.* Mᴇʀ 683 *bis ubi* Rodippa *coniecit L   Cf* Schmidt, p. 186

DORMIO - - I. **Forma   dormio** Cᴜ 183, 184   **dormis** Mᴇɴ 928(obd. *RRs*), Rᴜ 1328   **dormit** Bᴀ 1123, Mɪ 251, 822, 868, Mo 372, 382, Ps 921   **dormimus** Rᴜ 302   **dormitis** As 430   **dormiunt** Cᴜ 153, Mo 829(*B*² -munt *P*), 830, Rᴜ 923   **dormibo** Tʀɪ 726   **dormiam** Aᴍ 298, Aᴜ *fr* IV(*ex Non* 98), Mo 344   **dormierunt** Pᴏᴇ 21   **dormias** Tʀɪ 621   **dormiat** Aᴍ 313, Ps 386   **dormiuisset** Rᴜ 899   **dormiens** Aᴜ 303, 305, Cᴜ 247, Mɪ 272(- es *B*¹), 818(-mes *B*)   **dormientis** Aᴍ 701, Mᴇʀ 160, Rᴜ 595   **dormitum**(*sup.*) Aᴜ 302, Cᴜ 183, Mo 693, 705(*P domitum Ā*), Ps 665   **dormire** Aᴍ 282, Pᴏᴇ 22, Fʀ I. 3(*ex Serv ad Georg* I. 124)

II. **Significatio** A. *proprie* 1. *verbum:* hic pugnis faciet hodie ut dormiam Aᴍ 298 nec noctu nec diu quietus umquam eram: nunc dormiam Aᴜ *fr* IV(*ex Non* 98)   quin tu is dormitum? #Dormio . . at meo more dormio Cᴜ 183-4   dormiam ego iam Mo 344 dormibo placide in tabernaculo Tʀɪ 726   opus facere nimio quam dormire mauolo Fʀ I. 3(*ex Serv ad Georg* I. 124)   dormimus incenati Rᴜ 302 facilin tu dormis* cubans? Mᴇɴ 928   sine omni

cura dormias Tʀɪ 621   hic uos dormitis interea domi As 430   hic deposiuit caput et dormit Mo 382   dum ille dormit, uolo . . Ps 921 ego illum tractim tangam ut dormiat Aᴍ 313 abit ambulatum: dormit: ornatur Mɪ 251   dormire temperent Pᴏᴇ 22   magis sapisset si dormiuisset domi Rᴜ 899   diu . . otiosi dormierunt . . Pᴏᴇ 21   . . non qui uigilans dormiat Ps 386   qui dormiunt lubenter . . Rᴜ 923

quis istic dormit? #Callidamates Mo 372 eho an dormit Sceledrus intus? Mɪ 822   Sceledrus dormit Mɪ 868

pastor harum dormit Bᴀ 1123   credo edepol equidem dormire Solem Aᴍ 282

2. *participium:* . . nequid animae forte amittat dormiens Aᴜ 303, 305   narrem tibi hac nocte quod ego somniaui dormiens Cᴜ 247 ego hodie ambulaui dormiens* in tegulis Mɪ 272   sorbet dormiens* Mɪ 818

e portu nauis huc nos dormientis detulit Aᴍ 701   dormientis spectatores metuis ne ex somno excites? Mᴇʀ 160   ne dormientis quidem sinunt quiescere Rᴜ 595

3. *supinum:* quom it dormitum, follem obstringit ob gulam Aᴜ 302   quin tu is dormitum? Cᴜ 183   nunc dormitum iubet me ire Mo 693   ibi omnibus ire dormitum* odiost Mo 705   numquid uis? #Dormitum ut abeas Ps 665

B. *translate:* 1. hoc uide ut dormiunt pessuli pessumi nec . . commouent se Cᴜ 153(*cf* Graupner, p. 5)   uiden coagmenta in foribus? specta quam arte dormiunt*. #Dormiunt? #Illud quidem, ut coniuent, uolui dicere Mo 829

2. mille dabo nummum. #Somnias. #Vin centum et mille? #Dormis Rᴜ 1328

C. *add. praed. adiect. vel partic.:* otiosi Pᴏᴇ 21 incenati Rᴜ 302 uigilans Ps 386   *adv.:* lubenter Rᴜ 923   *praep.:* sine cura Tʀɪ 621 *adv. modi:* arte Mo 829   facile Mᴇɴ 928 placide Tʀɪ 726   meo more Cᴜ 184   *adv. loci:* hic As 430   istic Mo 372   intus Mɪ 822   domi As 430, Pᴏᴇ 21, Rᴜ 899   in tabernaculo Tʀɪ 726

DORMITATOR - - mira sunt ni illic homost aut **dormitator**(*ACD* -minitator *B*) aut sector zonarius Tʀɪ 862   properas abire actutum ab his regionibus, dormitator Tʀɪ 984

DORMISCO -'- Cᴜ 360, cum dormiscit *VEJ pro* condormiscit

DORMITO - - I. **Forma   dormitas** Tʀɪ 981   **dormitat** Pᴏᴇ 804   **dormitasti** As 253 **dormitet** Aᴜ 591 *bis*   **dormitaret** Tʀɪ 170 (*Lamb* -rent *PLU*)   **dormitare** Aᴍ 807(-asse *E*)   **dormitandum** Bᴀ 240   **dormitandi** Eᴘ 162(*A* -dum *P*)

II. **Significatio** A. *proprie:* quid postquam cenauimus? #Te dormitare* aibas Aᴍ 807   ibi tu ad hoc diei tempus dormitasti in otio As 253   sin dormitet, ita dormitet, seruom se esse ut cogitet Aᴜ 591   obseruauit dum dormitaret* canes Tʀɪ 170   paululum praedae intus feci dum lenonis familia dormitat Pᴏᴇ 804

de segnitie: haud dormitandumst: opust chryso Chrysala Ba 240   non enim nunc tibi dormitandi* neque cunctandi copiast Ep 162
B. *translate:* aurum redde. #Dormitas, senex Tri 981(*cf* Ru 1328)

DORSUS, -UM - - I. Forma dorsus Mi 397(*BC* -um *AD: cf Non* 203)   **dorso** Tru 526(aegrest d. *Rs* ego medulo *PS†L†* aegre moueo *SeyU*)   **dorsum** Ep 93, Tri 719   **dorso** Cas 459
II. Significatio ita dorsus* totus prurit Mi 397(*cf Non* 203; Inowraclawer, p. 22) ita dolet itaque aegrest dorso* Tru 526(*Rs*) uirgis despoliet(*BE²JRg²* dis. *VE¹ψ*) meum Ep 93   . . clipeum ad dorsum accommodem Tri 719   ultro te amator, apage te a dorso meo Cas 459

DOS - - I. Forma   dos Am 839, Au 491, Ep 180, Per 387, 391, St 204, Tri 612, 730, 734, 756, 1159   **dotis** Au 238, 258, Ci 562, Cu 664, Mer 703, Per 394, Poe 1279, Tri 1158, Tru 845(*FZ* dotes *B* detes *CD*)   **dotem** Am 839, Au 269, 498, Ci 563, Cu 663, 675(*Rg pro* unum), Mer 239(-te *C*), 241(-te *B*), St 560, Tri *Arg* 6(-im *D* -um *C*), Tri 158, 509, 511, 736, 741, 755, 778, 1100, 1143, 1158   **dote** As 87, Au 158(*BD* doce *J* dotem *E*), 191, 256, 493, Ci 305(*ex Non* 72), Men 767, Mo 281, Per 396, Ru 1243(docte *B*), Tri 375 *bis,* 499, 569(-tem *B*), 584, 585, 605 *bis,* 681, 691(-tē[*B*]), 693, 714(-tē *B*), 733, 735   **dotes** Au 167   **dotibus** Au 532 *corruptum:* Cas 336, dos *E pro* deos
II. Significatio (*cf* Koehm, *A. F.* p. 71) **1.** *nom.:* non ego illam mihi dotem duco esse quae dos dicitur Am 839   quo lubeant nubant, dum dos ne fiat comes Au 491   pulcra edepol dos pecuniast Ep 180   dum dos sit nullum uitium uitio uortitur Per 387   ne te indotatam dicas quoi dos sit domi Per 391   uxorin sit reddenda dos diuortio St 204   dos dabitur uirgini Tri 612   . . quin dos detur uirgini Tri 730   parata dos domist Tri 734   quo pacto ergo igitur clam dos depromi potest? Tri 756   placenda dos quoquest quam dat tibi Tri 1159
2. *gen.:* nihil est dotis quod dem Au 238 . . ut ne quid dotis mea ad te afferret filia Au 258   ego dotem dabo. Quid dotis? Cu 664   memini. Et dotis quid promiseris Poe 1279   . . unde tibi talenta magna uiginti pater det dotis Ci 562   em, quoi decem talenta dotis detuli Mer 703   sex talenta magna dotis* demam pro istac inscitia Tru 845   spondeo . . mille auri Philippum dotis Tri 1158   dabuntur dotis tibi inde sescenti logei Per 394
3. *acc.:* dicit capram . . suae uxoris dotem* ambedisse oppido: mihi illud uideri mirum ut una illaec capra uxoris simiai dotem* ambederit Mer 239-41   dotem ad te adtuli maiorem multo quam . . Au 498(*cf* Au 258)   deblaterauisti . . meae me filiae daturum dotem? Au 269(*cf* Au 238)   ego dotem dabo Cu 663, 664   filiae illae dederat dotem St 560   et det dotem* Callicles Tri *Arg* 6   illius filiae . . habeo dotem unde dem Tri 158   eum

(agrum) dabo dotem sorori Tri 509   dotem nihil moror. #Certumst dare Tri 511   dotem dare te ei dicas Tri 736   datam tibi dotem ei quam dares eius a patre Tri 741   . . dotem dare si dixerim Tri 755   thensaurum effodiebam intus dotem filiae tuae quae daretur Tri 1100   aurum mihi ferret abs te quod darem tuae gnatae dotem Tri 1143   dos . . quam dat tibi Tri 1159   . . se aurum ferre uirgini dotem a patre dicat Tri 778   . . tute tibi indigne dotem quaeras corpore Ci 563   ego huic dotem* una spondeo Cu 675(*Rg*)   non ego illam mihi dotem duco esse . . sed pudicitiam et . . Am 839
dotem nihil moror Tri 511, 1158   istas magnas factiones, . . dotes dapsiles . . nihil moror Au 167
4. *abl.* **a.** *cum verbis:* anus domi sunt uxores quae uos dote meruerunt Mo 281(*pretii vel modi*)   prohibet diuitiis maxumis dote altili atque opima Ci 305(*modi?: ex Non* 72) argentum accepi, dote imperium uendidi As 87(*pretii*)
b. *cum adiect.:* uirginem habeo grandem dote cassam atque inlocabilem Au 191   uiros subseruire sibi postulant, dote fretae, feroces Men 767
c. *abl. sociativus:* quam(cum *GrutRgL*) maxuma possum tibi, frater, dare dote* Au 158 (*de praep.* cum *omissa dubito*)
d. *cum praepp.* **cum:** Au 158(*GrutRgL vide supra* c)   cum illa dote quam tibi dixi Au 256   cum hac dote poteris uel mendico nubere Per 396   . . ut cum maiore dote* abeat . . Ru 1243
de: de dote* mecum conuenire nihil potest Tri 569   de dote ut uideat quid opus sit facto Tri 584
in: haec sunt atque aliae multae in magnis dotibus incommoditates Au 532
pro: mores meliores sibi parent pro dote Au 493
sine: eam cupio . . ducere uxorem sine dote. #Sine dote uxorem? Tri 375   sine dote posco tuam sororem filio Tri 499   certumst sine dote haud dare Tri 585   despondit Lysiteli . . sine dote. #Sine dote ille illam in tantas diuitias dabit? Tri 605   meam sororem tibi dem suades sine dote? Tri 681   si sine dote* dem . . Tri 691   si sine dote duxeris . . Tri 693   si mihi tua soror . . nuptum datur sine dote* . . Tri 714   . . ut eam perpetiar ire in matrimonium sine dote Tri 733   . . ut eam sine dote frater nuptum conlocet Tri 735
5. *app. adiectiva:* altilis Ci 305   dapsilis Au 167   magna Au 532   maior Au 498, Ru 1243   maxima Au 158   opima Ci 305   placenda Tri 1159   pulcra Ep 180

DOTALIS - - dotalem seruom Sauream uxor tua   adduxit As 85(*i. e.* receptiuom: Dousa, p. 53)   aedis **dotales** huius sunt Mi 1278   . . hasce esse aedis dicas **dotalis** tuas Mi 1166   *Cf* Koehm, *A.F.* p. 73; Romeijn, p. 4

DOTATA - - ei . . uxorem **dotatam** dedit Men 61   licuit uxorem dotatam genere summo ducere Mi 680   si quis dotatam uxorem at-

que anum habet Mo 703　　　seni illi concubinam dare dotatam noluit St 562　　dum modo
morata recte ueniat **dotata**st satis Au 239
quid percli sit **dotatae**(.*D* -t*ę̆ BEJ*) uxori uitium
dicere As 903　　quo illae nubent diuites **dotatae** si(*Ca* -ta es *P*) istud ius pauperibus ponitur? Au 490　　dotatae(-te *Non* 346) mactant
et malo et damno uiros Au 535(*cf* Wueseke,
p. 50)

DRACHUMA - - I. **Forma** **drachmam**
Mer 777(-man *B* dragmam *CD*) **drachumam**
Ps 86(darchmam *AD post ras*), 91, 93(*B* drachmam *A* drachuma *CD¹Rg* drachma *D²*) **drachuma** Ps 93(*vide supra*), 88(-drachma *D post
ras*)　　**drachumarum** Tri 425(*B* drahcum. *CD*
drachmarum *A*) **drachumis** Ps 100(*Ly* drachmis *ACD* dracmis *B* lacrumis *BoRRgLU*
dacrumis *Meuro*⁊), 808(d. sunt *Rg* drachmis
s. *GulRU* drahcmis essent[sent *B*] *P* drach[u]-
missent *Luchs*⁊*LLy*)

II. **Significatio** drachmam* dato Mer 777
potes nunc mutuam drachumam dare unam
mihi? Ps 86　　quis mihi igitur drachumam
reddet, si dedero tibi? Ps 91　. . ut me defrudes, drachumam(*B* -ma *CDRg*) si(si *Rg*)
dederim tibi Ps 93　　sed quid ea drachuma*
facere uis? Ps 88　　trapezitae mille drachumarum* Olympico . . redditae Tri 425　　nisi
tu illi drachumis* fleueris argenteis . . Ps 100
(*Ly*)　　illi drachumis* sunt miseri Ps 808　*Cf*
Geppert, *Pl. Stud.* I. p. 44; Ramsay *Ad
Most. Ex.* XIV. 1.

DRACHUMISSO - - 　illi **drachumissent**
(*Luchs*⁊*Ly* et[*om U*] *L* drach[u]mis sunt *Gulψ*
drahcmis essent[sent *B*] *P*) miseri Ps 808

DRAPETA - - constant, conferunt sermones
inter sese **drapetae**(-te *EJ* trapete *B*) Cu 290

DROMO - - *servus.* As 441, Au 398(promo
J)　*Cf* Schmidt, p. 187

＊**DU**＊ Ci 274

DU - - dum du sternuas(*SalmRgLy* tu sternuas *A*⁊*LU* tu strenuas *P* te stre. *R*) Ps 629

DUBITO - - I. **Forma** **dubito** Am 409,
Poe 789　　**dubitas** Au 164, Ep 260, Mi 1008,
Poe 183, 881, Ps 625, 1313　　**dubitamus** Ba
1117　**dubitatis** Men 995　**dubitaui** Cap 455
dubitem Ps 575　　*corruptum:* Ps 619, dubito
C pro ubi tu

II. **Significatio** 1. *absolute:* quid igitur
ego dubito? Am 409　　quid statis? quid dubitatis? Men 995　　neque quod dubitem . . meo
in pectore conditumst consilium Ps 575

2. *cum infin.*(*cf* Walder, p. 22): quid ergo
hanc dubitas conloqui? Mi 1008　　quid istuc
dubitas dicere? Ep 260　　quid dubitas dare?
Ps 625　　quid ergo dubitas dare mihi argentum? Ps 1313　　quid ego dubito fugere hinc
in malam crucem? Poe 789　　quid dubitamus
pultare atque huc euocare ambos foras? Ba
1117

3. *cum quin:* quid dubitas quin sit paratum nomen puero Postumus? Au 164　　quid
tu dubitas quin extempulo . . fur leno siet?
Poe 183　　quid ergo dubitas quin lubenter . .
faciat male? Poe 881

4. *seq. interr. obl.:* etiam dubitaui hosce
homines emerem an non emerem diu Cap 455

DUBIUS - - I. **Forma** **dubium** Mi 419,
Ep 647, Poe 737　　**dubiam** Ep 544(*E³J* de ubi
[ib *E¹*] an *BE¹* dubia *AL*)　　**dubium** Cap
819(*U* duplam *PL* dupla *Rostψ*), 892　　**dubia**
Ep 113　　**dubias** Poe 130　　**dubia** Ep 544(*AL:
vide* dubiam)　　**dubiis** Cap 406, Mo 1041(*Prisc*
I. 204 dubii is *P*)　　*corruptum:* Per 498,
dubium *CD pro* dudum

II. **Significatio** 1. *adiective:* is est amicus qui in re dubia re iuuat Ep 113　. . neque med umquam deseruisse te . . rebus in
dubiis egenis Cap 406　　qui homo timidus erit
in rebus dubiis*, nauci non erit Mo 1041(*cf
Prisc* I. 204)　　saepe ego res multas tibi mandaui . . dubias egenas inopiosas consili Poe 130
dubiam* agninam danunt Cap 819(*U*)

2. *praedicative:* si quid erit dubium(*de argento dicit*), immutabo Ep 647　　an dubium
tibist eam esse hanc? Mi 419(*cf* Walder, p. 51)
hau dubium id quidemst Poe 737　　dubium
habebis etiam sancte quom ego iurem tibi?
Cap 892

anni multi dubiam* (me) dant Ep 544(dubia
dant *AL: cf* Langen, *Beitr.* p. 214)

DUCENI - - uel **ducenos** annos poterunt
uiuere meas qui essitabunt escas Ps 829

DUCENTI - - I. **Forma** **ducenti** Ba 868,
1033　**ducentae** Ps 302(*A* -te *P*)　　**ducentos**
Ba 230, 272, 590, 873, 882, 969, 997, 1026, 1050,
Tru 341　**ducentas** As 276　　**ducentis** Ba 706,
709, 879, 919, 971, 1010, Poe 732

II. **Significatio** uel ducentae fieri possunt
praesentes minae Ps 302　　ducentos nummos
aureos Philippos probos dabin? Ba 882　　caue
tibi ducenti nummi diuidiae fuant Ba 1033
uis tibi ducentos nummos iam promittier? Ba
873　　is nunc ducentos nummos Philippos
militi quos dare se promisit dabit Ba 969
da mihi ducentos nummos Philippos Ba 1026
militi nummis ducentis iam usus est Ba 706
nunc alteris etiam ducentis usus est Ba 971
de ducentis nummis primum intendam ballistam in senem Ba 709　　cum auri ducentis
nummis Philippis Poe 732　. . nisi ducenti
Philippi redduntur mihi . . Ba 868　　mille et
ducentos Philippum(*Bent* -os *PRL*) attulimus
aureos Epheso Ba 230　　reddidit mille et ducentos Philippum(*PareusRRg* d. e. m. *P*⁊*LLy*
d. p. m. *U*) Ba 272　. . ut ducentos Philippos
reddat aureos Ba 590　　ducentos Philippos . .
Chrysalo da Ba 997　　binos ducentos Philippos
iam intus ecferam Ba 1050　　ducentis Philippis rem pepigi Ba 879　　quasi ducentis Philippis emi filium quos dare promisi militi Ba 919
ducentis aureis Philippis redemi uitam ex flagitio tuam Ba 1010　*Cf* Egli, I. p. 8

quasi abhinc ducentos annos fuerim mortuos
Tru 341　　de tergo ducentas plagas praegnatis
dabo As 276

DUCO - - I. **Forma** **duco** Am 839, Au 708,
Ba 369, Cu 513(*LambRg* dico *Pψ*), Men 892,
Mi 903, Mo 29(duo *B ras*), 814, Per 637(*A* ducto
P), Poe 506, 523, Ps 793, 1040, 1042(*P*⁊† du-
cere *LLy duce U* duxero *RRg* duceris *U*),
Tri 638　**ducis** As 31, Ba 406, Cap 151(*BD*
dicis *VEJ*), Mer 915, Per 397, Ps 699, Tri 1026,
Fr I. 46(*ex Char* 240)　　**ducit** Au 162, 289,

Cas *Arg* 6, Cas 719(*AB²* dicit *P*), Ci *Arg* 6, Men 442, Mi 871, Poe 108, Ps 693, 789(*B* ducet *CD*), Ru 1356, St 571, Tru 49, 50a(crebras d. *Stu* crebrauit *B* increbrauit *D¹SLy* increpauit *CD²*), 549(*Bo* inducit *PS*) **ducitis** Tru 631 (*SeyRs* ducite *Pψ*) **ducunt** Ep 209, 210(dicunt *V*), Men 981, Mo 125 **ducor** Tru 697 (*FZ* dulor *P*) **ducitur** Tri 251 **ducuntur** Au 520(dic. *DJ*) **ducam** Am 648(*BD¹* dicam *D²EJ*), 1042, Au 155, Ci 485(*locus lac*), Men 124, Mi 1008, Poe 1220, Ps 761(*v. secl U*), St 426, Tri 1183 **duces** Cas 485(duees *V*), 487, Tri 1160, Vi 30(*locus lac*) **ducet** Am 493, Cas 1016(*A* ducat *P*), Ci 530, Ep 374 **ducent** Cas 69 **ducere**(*fut.*) Ps 1042(*LLy* duce *U*[*cf Pl. Forsch.* p. 275] duceris *U* duxero *RRg* duco te *PS*†) **duxi** Ba 1080, Men 117(dixit *Non* 24), Ru 90, 857 **duxit** Ci 90, 174, 177(*BE³* dux *J* dixit *VE¹*), 611(ducit *B*), 616, 620, Mer 819, Poe 100(*v. secl Guyω*), 269 **duxistis** Ep 473(intro d. *BE* unum verbum *AJω*) **duxero** Am 930(*PS*†*ULy* aufero *Rgl* adsero? *L*), Ci 498, Ps 1042(*RRg*: vide duco et ducere) **duxerit** Mer 827(*subiu.?*) **ducam** Au 154, Ba 1103, Cas 107, 322(ducas *E*), Ci 450(*LLy in lac: aliter Rs om SU*), Mer 927, Mi 686, Tri 59, 1188(*B* ducat *CD*) **ducas** Cap 436(om *EJ*), Cas 111, 611, 720, Ci 485, Mer 323, Tri 1189 **ducat** Au 33, 613(dicat *J¹*), Cas 305, 420, Mer 1022, Poe 20, Tri 1186, Tru *Arg* 10 **ducant** Au 480 **ducerem** Ba 217(*LipsR* pro dicerem), Mo 715 **duceret** Mi 949(*D³* -re *P*), Ru 315, 320, 1262 **duxeris** Tri 693 **duc**(*cf* Skutsch, p. 56) Am 854, Au 362, Ba 593, Ci 578(*PU* duce *Ly* dic *Beckerψ*), Mi 930, 1303(*A* dum *P*), Mo 324(*HermRsL* duce *Pψ*), 794(*P* duce *WeisRRsLLy*), Poe 720(*Rgl ex AP v.*706a abduc *PLLy* abduce *U*), Ps1329, Ru 851, 1280 **duce** Au 452(intro d. *P* unum verbum *V*), Ep 399(duae *J*), Mo 324(*PSULy* duc *Hermψ*), 794(*WeisRRsL* duc *Pψ*), Poe 1229, Ru 386, Tri 384 **ducite** Ba 1205, Cap 721, Mi 1394 (dicite *D¹*), Poe 116, Tru 631(*P* ducitis *SeyRs*) **ducito** Cap 948(*Lind* aducito *BE* add. *J*), Ps 258(dicito *B¹*), 480(*RRg* dicito *Pψ*) **ducere** Am 1112, As 327(dicere *D*), Au *Arg* I. 6, II. 4, Au 150, 170, Ep 170a, Men 450(dicere *D¹*), 887, Mi 680, 1118, 1239, Mo 36(deducere *B¹*), Poe 529(dixissem d. *P* uocassem *Isidorus, Or.* XV. 3, 2), 531, 546(*v. secl L*), 568(*v. secl Weisω*), Ps 793, 1042(*LLy* duce *U* duco te *PS*† *RRg*), St 139, 730, Tri 375, 444, Tru 678, 771 **duxisse** Poe 526 **ducier** Fr I. 92(*ex Prisc* II. 231; *Fest* 249) **duci** Mo 960, Per 590, Tru 314(is duci se gestit *Rs* istuc insegesti *APψ*) **ducturus** Per 397 **ducturum**(*acc. masc.*) Ci 99, 103, Mer 244 **ducenda** Ci 99 **ducendi** (*gen. neut.*) Tri 745 **ducendam** Tru 866 **ductu**(*sup.*) Mi 685(suaue ductust si *A* sua deductust *CD* s. d. est *B* var em *RU*) **corrupta:** Am 647, ducat *B¹* pro clueat Au 174, ductura *J* pro dictura; 293, ducis *VJ* pro dicis Cap 689, ducas *EJ* pro clueas(*B²*); 737, ducite *E* pro dicite; 787, ductus *P* pro doctus(*Dou*) Cas 23, ducite *J* diicite *E* pro eicite Men 98, aut uerte ducat *Non* 422 pro alit uerum educat; 575, ducat *B* pro clueat Mer 1, ducere nest *B* pro decretumst; 355, ductus *D* pro doctus; 743, ducti *P* pro quoi conducti(*Ca*) Mi 93, ducant *BD* ducunt *C* pro ductant; 121, duxit *P* pro deduxit(*Ca*); 466, ductae *BC* pro docte; 681, ducere *A* pro mittere(*P*) Mo 961, ducere *PS*†*L*†*U*†*Ly*† conduci *Rs* Per 480, ducam *P* inducam *GrutR* pro deducam(*A*) Poe 272, ducti tenet *B* pro ductitent; 631, 632, ducetis *D⁴* pro dicetis; 706a, *vide supra sub* duc(720) Ps 680, ducimus *A* pro dicimus Tri 7, ducam *C* pro dicam; 959, ciuem ducere *P* pro circum ducere(*FZ*) Tru 479, duce *P* pro deduce(*Gep*)

II. **Significatio** A. *proprie* 1. = agere, abducere, adducere *sim.* **a.** *de personis* α. *absolute:* ducite (eum) ubi ponderosas crassas capiat compedes Cap 721 gratiis a me ut sit liber ducito* Cap 948 scin tu rus hinc esse ad uillam longe quo ducat? Cas 420 meae issula sua aedes egent. ad me sine ducam Ci 450(*L in lac*) Ci 578(duc *PU* duce *Ly* dic *Beckerψ*) iamne hoc tenetis? si tenetis*, ducite Poe 116(*de uoc.* teneo *ludit*)

β. *cum acc.:* aurum .. duc* adiutores tecum ad nauim qui ferant Mi 1303 hos duco aduocatos Poe 506 te aduocatos meliust celeris ducere Poe 508(*v. secl Weisω*) Calliclem uideo senem .. ancillas duas constrictas ducere Tru 771 (textores, limbolarii, arcularii) ducuntur* Au 520 ducit* coquom Ps 789 non potui (peiorem coquom) quam hunc quem duco ducere Ps 793 captiuorum quid ducunt* secum Ep 210 .. utrum me dicam ducere medicum an fabrum Men 887 nox datur: ducitur familia tota, uestiplica .. Tri 251 foras educite quam intro duxistis* fidicinam Ep 473 etiam huc intro duce* si uis uel gregem uenalium Au 452 .. qui tres secum homines duceret chlamydatos Ru 315a et amicum et beneuolentem ducis Ps 699(*vide v. pr.*) .. ut latrones quos conduxi hinc ad Seleucum duceret* Mi 949 omnes ordine sub signis ducam legiones meas Ps 761(*v. secl U*) (mercenarium) duces tecum simul Vi 30 duce* istam intro mulierem Ep 399 mulierem nimis lepida forma ducit Mi 871 Mi 897(ornatas ducit *R pro* ornatus incedit) meditatam utramque duco Mi 903 qui duceret mulierculas duas secum Ru 320 portitorem (pro uxore) domum duxi* Men 117(*cf infra* 2, b) eccum exit et ducit senem Ru 1356 huc fuerat ductus* ille surrepticius Men *Arg* 7(*MeursR*) tu rus uxorem duces* Cas 485 hinc tu ante lucem rus cras duces Cas 487

num me illuc ducis, ubi lapis lapidem terit? As 31 quo ducis nunc me? #Ad illam Ba 406 abit ad amicam .. neque me uoluit ducere* Men 450 quin intro ducis me ad eam ut uideam? Mer 915 duce* me amabo Mo 324 age duc(age i duce *WeisRRsLLy*) me Mo 794 quin tu me ducis, si quo ducturu's, pater? Per 397 duc* me intro Poe 720(*vide ω*) antestare me atque duce Poe 1229 duc me quouis Ps 1329 duce me ad illam, ubist Ru 386 duc me ad lenonem recta Ru 851 duc me .. quo lubet Ru 1280 me intro actutum ducite* Tru 631 in tabernam ducor*

deuorsoriam Tru 697   quis tu's qui ducis me?
Fr I. 46(ex Char 240)   ducite nos quo lubet
tamquam quidem addictos Ba 1205   ea te
causa duco ut id dicas mihi Men 892   si eo
ted intro ducam .. Mer 927   non ego te ad
illum duco dentatum uirum Ps 1040   quoiam
esse te uis maxume ad eum †duco* te Ps 1042
si ad prandium me in aedem uos dixissem
ducere* .. Poe 529(cf Isidorus, Or. XV. 3, 2)
neque id processit qua uos duxi gratia Ru 90
duc hos intro Am 854   has nunciam duc intro
Mi 930   indica minumo daturus qui sis qui
duci queat Per 590   respondet .. illam .. ad
me domum intro ad uxorem ducturum meam
Mer 244   duo istos intro Au 362   ducite*
istum: si non sequitur rapite Mi 1394   eam
ducet simul Apoecides ad tuom patrem Ep 374
iube illos in urbem ire .. quos mecum duxi
Ru 857   ducit nescioquem secum simul Ps 693
me, te, ducere: iam ad regem recta me
ducam Am 1042   ego me deorsum duco de
arbore Au 708   duc te ab aedibus Ba 593
addito altero acc.: pridie nos te aduocatos
huc duxisse oportuit Poe 526   uos .. mihi
aduocatos dixi et testis ducere Poe 531   cursores meliust te aduocatos ducere Poe 546(v.
secl L)   comitem mihi Pudicitiam duxero Am
930(vide ω)
b. de rebus, vel animalibus: ego cunas recessim rursum uorsum trahere et ducere Am
1112   ducit lembum dierectum nauis praedatoria Men 442   pompam ducit* Cas 719
quis hic homost qui ducit* pompam tantam?
Tru 549   praeda praedam duceret Ru 1262
(de seruis nequam dicit) uide fur ut sentis
sub signis ducas Cas 720(de coquis dicit)
stultitiast .. uenatum ducere inuitas canes
St 139   arma referunt et iumenta ducunt
Ep 209
c. de spirando: non uides me ex cursura
anhelitum etiam ducere*? As 327
2. de matrimonio, concubinatu sim.(cf Koehm,
A. F. p. 55) a. absolute: ut quidem emoriar
prius quam ducam Au 154   his legibus si
quam dare uis, ducam Au 155   ducas easque
in maxumam malam crucem Cas 611   bona
uxor suaue ductust* si sit usquam gentium ubi
ea posset inueniri Mi 685   tibi permitto,
posce, duce Tri 384   si sine dote duxeris,
tibi sit emolumentum honoris Tri 693   huic
ducendi interea abscesserit lubido Tri 745
tu in perendinum paratus sis ut ducas Tri
1189
duxi, habui scortum, potaui Ba 1080   neque
quicquam cum ea fecit etiamnum stupri neque duxit umquam Poe 100(v. secl Guyω)
dabo quando erit. Ducito* quando habebis
Ps 258
b. cum acc.: ei nunc alia ducendast domum
Ci 99   Tri 1183(infra)   adulescens ducit ciuem Casinam cognitam Cas Arg 6   .. exorauerit ne Casinam ducat Cas 305   quoius
ducit filiam? Au 289   ne affinem morer quin
.. meam extemplo filiam ducat domum Au
613   uolt hanc Megadorus indotatam ducere
Au Arg II. 4   erus hanc duxit postibi Ci 620
tun illam ducas? Cas 111   utque illam ducat

qui uitiarat conuenit Tru Arg 10   .. ille
eam facilius ducat qui compresserat Au 33
egone eam ducam domum quae mihi numquam hoc dicat Mi 686   ego ducam .. et
eam et siquam aliam iubebis Tri 1183   portitorem Men 117(vide supra 1)   amicas ..
quas adeo hau quisquam umquam liber tetigit neque duxit domum Poe 269   Lemno post
rediens ducit quam compresserat Ci Arg 6
quod uis non duces nisi illud quod non uis
feres Tri 1160   tuam (uxorem) ego ducam et
tu meam Tri 59   hanc Iunonem ducerem*
Ba 217(LipsR)
uxorem ducere: Megadorus a sorore suasus
ducere uxorem Au Arg I. 6   uolo te uxorem
ducere Au 150   post mediam aetatem qui media ducit uxorem domum .. Au 162   seruin
uxorem ducent? Cas 69   mihi .. licuit uxorem dotatam genere summo ducere Mi 680
dicas uxorem tibi necessus ducere Mi 1118
si pro peccatis centum ducat uxoris, parumst
Tri 1186   numquid causaest quin uxorem cras
domum ducam ? Tri 1188   addito altero acc.:
quis east quam uis ducere uxorem? Au 170
opulentiores pauperiorum filias ut indotatas
ducant uxores domum Au 480   impetrauero
uxorem ut istam ducam quam tu deperis Cas
107   orat obsecrat ne Casinam uxorem ducam Cas 322   iurauit .. me uxorem ducturum esse Ci 99   .. resciuerim eum uxorem
ducturum esse aliam Ci 103   ille autem
Lemnius propinquam uxorem duxit Ci 174
duxit* uxorem hic sibi eandem quam .. Ci
177   quin equidem illam ducam uxorem.
#Ducas, si *** Ci 485   si illam uxorem
duxero .. quam despondit pater Ci 498   hanc
uxorem Lemniam ducet domum Ci 530   me-
dioxumam quam duxit* uxorem, ex ea natast
haec uirgo Ci 611   prius hanc compressit
quam uxorem duxit domum Ci 616   quid est
quod pudendum siet .. pauperem domum ducere te uxorem Ep 170   ego hanc continuo
uxorem ducam Mi 1008   si pol me uolet ducere uxorem, genua amplectar Mi 1239   iam
hercle ego illam uxorem ducam Poe 1220
eam cupio .. ducere uxorem sine dote Tri
375   tuam uolt sororem ducere uxorem Tri
444   scio equidem sponsam .. tibi uxorem
ducendam Tru 866
ducam hodie amicam. #Vel decem dum de
tuo St 426   clam uxorem ducet* semper scortum quod uolet Cas 1016   hodie ducam scortum Men 124   si uir scortum duxit clam
uxorem suam .. Mer 819   si quis clam
uxorem duxerit scortum suam .. Mer 827(v.
secl OsannRRgU)   quin amet et scortum
ducat Mer 1022   lubet potare, amare, scorta
ducere* Mo 36   triduom unumst haud intermissum .. scorta duci Mo 960   haec facetiast
.. riualis duos .. unum scortum ducere St 730
uel amare possum uel iam scortum ducere
Tru 678
3. additur domum Au 150, 162, 480, 613, Ci
99, 530, 616, Ep 169, Men 117, Mer 244, Mi
686, Poe 269, Tri 1188   rus Cas 485, 487
adverbium: intro Am 854, Au 362, 452, Ep 399,
473, Mer 244, 915, 927, Mi 930, Poe 720, Tru

631 hinc Cas 487, Mi 949 huc Au 452(*Ca*),
Poe 526 illuc As 31 eo Mer 927 quo Ba
406, 1205, Ps 1328, Ru 1280 recessim Am
1112 rursum uorsum Am 1112 deorsum Au
708 *praepositiones:* ad Am 1042, Ba 406, Cas
420, Ci 450(*L*), Ep 374, Mer 244, 915, Mi 949,
Poe 529, Ps 1040, 1042, Ru 386, 851 ab Ba
593, Cap 948 de Au 708 in Poe 529 sub
Cas 720, Ps 761 *abl. modi:* gratiis Cap 948
ordine Ps 761 recta Am 1042, Ru 851 *abl.
pretii:* qui Per 590

4. *seq. supinum:* neu dissignator . . sessum
ducat, dum histrio in scena siet Poe 20 mater
pompam me spectatum duxit Ci 90 stultitiast
. . uenatum ducere inuitas canes St 139 dolet
huic puello sese uenum ducier Fr I. 92(*ex Prisc*
II. 231; *Fest* 249)

B. *translate:* 1. = habere, putare, existimare a. *cum dat. duobus:* nemo id probro
profecto ducet Alcumenae Am 493 minus id
mihi damno ducam Ba 1103 *similiter:* nec
sumptus sibi sumptui esse ducunt Mo 125

2. *cum acc. duobus:* laudo malum quom
amici tuom ducis* malum Cap 151 ne deteriorem tamen hoc facto ducas. #Egon te?
Mer 323 ego illum corruptum duco* quom
his factis studet Mo 29 *similiter:* scelestus
sese ducit pro adulescentulo St 571(*cf* Dousa,
p. 528) *etiam* Cap 436(*infra* 3)

3. *cum infin.*(*cf* Walder, pp. 37, 47): id
modo si mercedis datur mihi ut . ., satis mihi
esse ducam* Am 648 non ego illam mihi dotem duco esse . . Am 839 haud aliter esse
duco Ba 369 tu . . te pro libero esse ducas*
Cap 436(*vide supra* 2) indignis si male dicitur, male dictum id esse duco* Cu 513(*Lamb
Rg*) alii ita ero ut in rem esse ducunt Men 981
(*loc dub*) nec sumptus sibi sumptui esse ducunt
Mo 125(*supra* 1) et bene monitum duco (esse)
atque esse existumo humani ingeni Mo 814
omne ego pro nihilo esse duco* quod fuit,
quando fuit Per 637 seruile esse duco festinantem currere Poe 523 quod scibo Delphis
tibi responsum ducito* Ps 480(*RRg*) nullum
beneficium esse duco id quod quoi facias non
placet Tri 638 quin tu quod periit periisse
ducis? Tri 1026

4. = decipere(*cf* Knapp, *Cl. Rev.,* XX. 395;
Ramsay *ad Most* p. 270): repperi qui senem
ducerem Mo 715 neque is se duci gestit
Tru 314(*Rg* neque istuc insegesti *APψ*)

5. *fortasse* = conducere: dat aurum, ducit
noctem Poe 108 si raras noctes ducit, ab
animo perit, sin crebras ducit* ipsus gaudet
res perit Tru 49-50

DUCTIM - - ipsum expeto tangere, inuergere
in me liquores tuos, sine, ductim(doctim *VEJ*)
Cu 109(*cf Prisc* II. p. 75; *Osberne* p. 168)

DUCTITO - - nihil moror uetera et uolgata
uerba 'peratum ductare(*P* -ent *L* ductitare
Rg²)' †at ego follitum(-tim *CamRg¹*) **ductitabo**
Ep 351(*cf* Leo, *Vind. Pl.* p. 3; *Rg²* in *appendice erit ubi alia opera cituntur*) uenalis illic
ductitauit Ru 584(*proprie*) quasi eampse
reges **ductitent**[*C* ducti denat *B* discutient
D] Poe 272(*sc* in *matrimonio*) **ductitare**

Ep 351(*Rg²* vide supra) *corruptum:* As 863,
ductitet *Non* 13 *pro* ductet

DUCTARE - - I. Forma ductas Poe 868
ductat Tru 508(*U* in *loco desp* ne letat[*B* lectat
CD] *P*) **ductant** Mi 93(*Beroald duce Char*
103[ductantem] ducant *BD* ducunt *C* nictant
Ly ex Fulg serm. ant. 46) **ductauit** Cap 642
ductem As 164 **ductet** As 683(ductitet *Non*
13) **ductarem** Mo 844 **ductarent** Cap 755,
Ep 351(*L* ductare *PS†Rg¹Ly* ductitare *Rg²*
ductares *U*) **ductato** As 165 **ductando**
(*dat.*) As 169 **ductare** Am 670(*LambS* dictare
PLy putare *Uψ*), As 189, Ep 351(*PS†Rg¹Ly*
-rent *L* -res *U* ductitare *Rg²*), Men 694
ductarier Mo 845, Fr I. 83(*ex Fest* 169)

II. Significatio 1. *proprie* = ducem esse:
egomet ductarem, nisi mihi esset apud forum
negotium. #Apage istum a me perductorem:
nihil moror ductarier Mo 844-5(*cum lusu significationis: infra* 2) iam ductat* legionem
Tru 508(*U solus*) nihil moror uetera . .
uerba 'peratum ductare*' at ego follitum
ductitabo Ep 351(*sc in supplicium: cf* Leo,
Vind. Pl. p. 4)

2. *de scortando:* quid modist ductando, amando? As 169 . . qui quidem cum filio potet
atque una amicam ductet*, decrepitus senex
As 863(*cf Non* 13) neque triobolum ullum
amicae das et ductas gratiis Poe 868 solus
si ducam (te) referre gratiam numquam potes.
#Solus ductato si . . As 164-5 quia nihil
habes, male dictis te eam ductare postulas As
189 *de uiro dictum:* hic meretrices labiis
dum ductant* eum . . Mi 93 Mo 845(*supra* 1)

3. *translate* = decipere(*cf* Ramsay *ad Most.*
p. 271): me ut lubitumst ductauit dolis Cap
642(*v. secl U*) . . usque offrenatum suis me
ductarent dolis Cap 755 nisi feres argentum,
frustra's: me auctare non potes Men 694(frustra
me a. *L; an hic etiam in malam partem?*)
naue agere oportet quod agas, non ductarier
Fr I. 83(*ex Fest* 169)

4. = putare: decumo post mense ut rationem te ductare* intellego Am 670

DUCTUS - - . . ut gesserit rem publicam
ductu, imperio, auspicio suo Am 196 eos
auspicio meo atque ductu(*FZ* inductu *PU*)
primo coetu uicimus Am 657

DUDUM - - *cf* Langen, *Beitr.* p. 33;
Richardson, p. 23

I. Forma Am 384, dudum me *Rgl* nunc
me *U* neme *PS†Lt Ly*; 479, *v. secl RglSU*; 620,
dudu *D*; 683, *v. secl U duce Mur* Ci 192,
dum *BVE¹ pro* dudum(*E³J*) Ep 389, dum *P
corr Guy* Mi 406, dudum *om A*; 1025, dudum
CaR pro cilium *quod var em Rgψ †S* Per
498, dubium *CD¹*; 576, dudum *om B* Poe
416, dum *A* St 528, dudu *B* Vi 63, et
scelestus dudum atque *L* est****que *Rg ex A
corruptum:* Tru 887, dudum *CD pro* dum

II. Significatio 1. *de tempore statim praecedente* = modo a. *cum indic. perf.:* illam
deperit quae dudum* flens hinc abiit Ci 192
quo pacto hoc dudum* accepi calidum refero
Mi 1025(*R vide ω*) domum dudum huc accessita sum St 676 nempe eandem quae dudum
constitutast Mi 808 nisi tu dudum hanc con-

uenisti et narrauisti haec omnia Am 767 tibi
uti dudum iam demonstraui Mi 1028 nunc de
Alcumena dudum quod dixi minus Am 479(*v. secl*
URgl$) haec illaec est ab illa quam dudum
dixi Mi 1046 dixi esse uobis dudum hunc
moechum militem Mi 1131 mihi quae uobis
dudum dixi dicite Poe 556 hasce ambas,
ut dudum dixi, ita esse oportet liberas Ru
1104 cur igitur me tibi iussisti coquere dudum prandium? Men 388 narrauisti Am 767
(*supra sub* conuenisti) num obdormiuisti dudum* Am 620 oblitus sum intus dudum edicere Per 722 uno Gelasimo minus est quam
dudum fuit St 498 ne ego homo miser et
scelestus dudum* atque infelix fui Vi 63(*L in*
lac) hoc non in mentem uenit dudum ut . .
Mer 900

b. *cum indic. plqpf.*: Epidamniensis ille
quem dudum dixeram . . Men 57 is se ad
portum dixerat ire dudum Mer 468 adduco
hanc ad te ut dudum(*A* hanc ut dudum *CDU*
hanc ut *B*) dixeram Per 576

c. *variae locutiones* dudum ut: dudum ut
huc accurrimus(accucur. *L*) ad Alcesimarchum
. . Ci 710 dudum primo ut dixeram nostro
seni mendacium . . Ba 957

ut dudum: ut dudum hinc abii multo illo
adueni prior Au 705 ego ut dudum hinc
abii accessi ad adulescentes Cap 478(*v. om O*)
ut surrupuisti te mihi dudum de foro Men 491

dudum quom: scilicet qui dudum tecum
uenit quom pallam mihi detulisti Men 392
nimis stulte dudum feci, quom marsuppium . .
concredidi Men 701 *Cf* As 890

quom dudum: quom censuit Mnesilochum
cum uxore esse dudum militis . . Ba 961

2. = *paulo ante* **a.** *opposita sunt* nunc, nunc
demum *α. cum indic. imperf.*: Nestor nunc
quidemst de uerbis praeut dudum fuit: nam
dudum . . aiebat Men 935-6 mihi negabas
dudum surrupuisse te, nunc eandem ante oculos attines Men 729 nunc demum istuc dicis:
dudum dimidiam petebas partem Ru 1123
nunc adsentatrix scelestast, dudum aduorsatrix
erat Mo 257

β. cum indic. perf.: dixi hoc tibi dudum et
nunc dico Mi 1059 hi qui illum dudum
conciliauerunt mihi . . id nunc is cerebrum
uritur Poe 769 illi dudum meus amor negotium insonti exhibuit: nunc autem . . Am
894 nunc demum scio ego hunc qui sit: quem
dudum Epidicus mihi praedicauit militem Ep
458 dudum haud placuit potio: nunc minus
grauate iam accipit St 762 fuit Men 935(*vide*
supra **a**)

γ. cum indic. plqpf.: nunc te obsecro . .
quod dudum obsecraueram Au 684

b. *non opposito* nunc, nunc demum *α. cum*
indic. imperf.: ego sum Sosia ille, quem tu
dudum esse aiebas mihi Am 387 nam quid
ille reuortitur qui dudum properare se aibat?
Am 661 nempe tu hanc dicis quam esse aiebas dudum popularem meam? Ru 1080 in re
diuina dudum dicebant mihi malum . . portendier Poe 748 mirabar quod dudum scapulae
gestibant mihi As 315

β. cum indic. perf.: omnia infitiare iam quae
dudum confessast mihi Ci 661 coctum ego
non uapulatum dudum conductus fui Au 457
non ego sum qui te dudum conduxi Mer 758
dixin, Callipho, dudum tibi? Ps 489 meministin tibi me dudum dicere . .? Ps 1089 cistellula huius mulieris quam dudum dixi fuisse
liberam Ru 1079 . . ut mihi pallam reddat
quam dudum dedi Men 672 pallam illam . .
quam tibi dudum dedi mihi eam redde Men 678
trecentos Philippos Collabisco uilico dedi dudum* Poe 416 qua facie fuit dudum quoi
dedisti symbolum? Ps 1217 illum quem dudum **** lenonem extrusisti . . Ru 1065 minoris multo facio quam dudum senes Ep 661
quae dudum fassast mihi, quaene infitias eat?
Ci 654 plus quam dudum (locuta es) loquere
Tru 803 oblitus intus dudum tibi sum dicere
Tri 1137 argentum hic inest quod mecum
dudum orasti(*A* me dudum rogasti *P*) Per 321
Philippos . . militi quos dudum promisi miser
Ba 1051 . . uxorem quoi pallam surrupui
dudum domo Men 1138 nummum illum
quem mihi dudum pollicitu's dare Men 311
'Amphitruonem socium' dudum* me esse uolui dicere Am 384(*Rgl*)

γ. cum indic. plqpf.: dudum* fili causa
coeperam ego me excruciare animi Ep 389
ioco illa dixeram dudum tibi ridiculi causa
Am 916 testem quem dudum te adducturum
dixeras Am 919 derides qui scis haec dudum me dixisse per iocum Am 963 uxor
. . quam dudum dixeras te odisse Mer 760
. . pallam quam dudum dederas ad phrygionem ut deferas Men 426

δ. dudum quom: amica quam dudum mihi
te amare dixti quom obsonabas Mer 753 ut
dudum: quin ut dudum diuorti abs te, redeo
nunc demum domum Men 635 postquam dudum: ego quidem postquam illam dudum tibi
dedi . ., nunc redeo Men 684

3. *ubi significatio temporis exacti plus eminet*
a. dudum *α. cum indic. praes.*: dudum* edepol planumst id quidem Mi 406

β. cum indic. perf.: eadem ista uerba dudum illi dixi omnia Ba 1018 ego tibi argentum dedi et dudum adueniens extemplo sumbolum seruo tuo Ps 1201 tu dudum, puere,
cum illac usque isti semul Ba 577

γ. cum subiu. perf. vi conditionali: sic salutas . . quasi dudum non uideris Am 683(*v.*
secl U)

δ. ubi dudum *ad nomen aliquod vel adverbium*
spectat temporis: ut dudum ante lucem . . me
praemisisti domum . . Am 602 dudum ante
lucem et istunc et te uidi Am 699 quem dudum dixi a principio tibi Cap 624 dudum
mane . . ad portum processimus Poe 650
rus mane dudum hinc ire me iussit pater
Tru 645

b. quam dudum *α. cum indic. praes.*: uide
quam dudum hic asto et pulto St 310 quam
dudum* in portum uenis? #Hau longissume
St 528(*vide edd*)

β. cum indic. perf.: quam dudum istuc actumst? #Ilico, hic ante ostium Tri 608
quam dudum tu aduenisti? As 449

c. haud dudum: ex Persia sunt istaec(tabellae) allatae mihi. . . #Quando? #Haud dudum* Per 498(cf St 528, supra b. α)

d. iam dudum idem fere ac iam diu α. cum indic. praes.: iam dudum equidem cupio et te sequor Poe 1161 Sosia ille quem iam dudum dico . . Am 618 iam dudum ebriust Tri 812 iam dudum hercle fabulor Cas 368 ecquid condicionis audes ferre? #Iam dudum fero Ru 1030 quin iam dudum gestit moecho hoc abdomen adimere Mi 1398 iam dudum si arcessatur ornata exspectat domi Cas 540 uxor me exspectat iam dudum esuriens domi Mer 556 iam dudum exspecto, si . . Poe 12 montis tu quidem mali in me ardentis iam dudum iacis Mer 617 iam dudumst intus As 741 mihi ieiunitate iam dudum intestina murmurant Cas 803 iam dudum ego istum (†ℬ) patior dicere iniuste mihi St 344 mihi quoque edepol iam dudum ille Surus cor perfrigefacit Ps 1215 iam dudum meum ille pectus pungit aculeus Tri 1000 cor lienosum, opinor, habeo: iam dudum salit Cas 414 scis iam dudum omnem meam sententiam Ci 508 sensi et iam dudum scio Mi 580 iam dudum hercle equidem sentio Ba 890 iam dudum . . tacitus te sequor Ba 109 iam dudum sputo sanguinem Mer 138

β. cum indic. imperf.: iam dudum . . tibi non imprudens aduorsabar Men 419 ei nunciam . . iam dudum quo uolebas As 486

γ. cum indic. perf.: audin tu? #Iam dudum audiui Mer 953 ut iam dudum dixi Am 491 dixit mihi iam dudum se alius tuom uidisse hic filium Ep 408 dixi ego iam dudum tibi Tri 923 uigilantem ille me iam dudum uigilans pugnis contudit Am 624 sciui ego iam dudum fore me exitium Pergamo Ba 1054 iam dudum si des porrexi manum Ps 1148 iam dudum ante lucem ad aedem . . uenimus Poe 318

iam dudum res paratast Mi 1301 Philocomasium iam profectast? dic mihi: #Iam dudum Mi 1429

δ. cum plqpf. subiu. in cond. irreali: ego huc iam dudum simitu exissem . . nisi me uobis exornarem St 743

ε. dudum . . . quom cum indic. perf.: iam dudum factumst quom primum bibi As 890 iam dudum factumst quom abisti domo Tri 1010

4. lusus de variis significationibus: non abisti ad legiones ita uti dudum dixeras? #Dudum? quam dudum istuc factumst? #Temptas, iam dudum(Brunck pridem add P), modo. #Qui istuc potis est fieri, quaeso, ut dicis 'iam dudum, modo'? #Quid enim censes? te ut deludam contra, lusorem meum, qui nunc primum te aduenisse dicas, modo qui hinc abieris Am 691-5

DULCACERBA - - Ci 240, et mihi dulcacerba Rs ***acerba Aℬ ei me tot tam a. LLy

DULCICULUS - - huius colustra, huius dulciculus caseus Poe 390 a(v. secl L om A; in v. seq. dulciculus caseus habet A super sauium mastigia: v. seq. secl Guyψ) Cf Ryhiner, p. 47

DULCIFER - - manu candida cantharum dulciferum propinare Ps 1262(loc dub)

DULCIS - - I. Forma dulcis(fem.) Ru 364 dulce Per 764, Tri 259, Tru 346 dulci(dat. neut.) Cu 11 dulcem(fem.) Poe 968(AB -ces CD) dulce Ci 70, Ps 63, 740 dulci(neut.) As 614(B² -ce P), Cu 11, Tru 371 dulcia (acc.) Ps 694, Tru 180(-ci B: v. secl Guyω), Fr II. 36(ex Ser Sam de med 425) dulcior(fem.) As 614(-tior E) dulcius St 704, Tru 371 corruptum: Mi 213, dulce P et Paul pro dulice(Gul)

II. Significatio et proprie et translate de personis rebusque 1. de personis: o melle dulci dulcior mihi tu's As 614 mea Ampelisca, ut dulcis es Ru 364 oh nihil hoc (de amplexando dicit) magis dulcest Per 764 hic(i. e. in subsellio) magis est(nimium hic est ARgL) dulcius St 704 illud est dulce(dulcest HermRRs) esse et bibere Tri 259(cf Walder, p. 29) hoc est melle dulci dulcius Tru 371 egon apicularum opera congestum non feram ex dulci oriundum melculo dulci meo? Cu 11

2. de rebus: mel dulce* As 614(supra 1), Tru 371(supra 1) orationem hanc aures dulcem* deuorant Poe 968 scio dulce atque amarum quid sit ex pecunia Tru 346

3. substantive: amor . . gustui dat dulce Ci 70 dulce amarumque iam nunc misces mihi Ps 63(per orationem; cf Schneider, p. 21) si opus sit ut dulce promat indidem, ecquid habet? #Murrinam, passum . . Ps 740 ex dulci oriundum Cu 11(supra 1)

lingua dulcia* datis, corde amara facitis Tru 180(v. secl Guyω) dulcia atque amara apud te sum elocutus omnia Ps 694 dulcia Plautus ait grandi minus apta lieni Fr II. 36(ex Ser Sam de med 425)

DULICE - - euscheme hercle astitit et dulice(Gul dulce P et Paul 61) et comoedice Mi 213

DUM - - cf Elste, De dum particulae usu Plautino, Diss. Halis 1882; Richardson, De dum particulae apud pr. scr. Lat. usu., Diss. Lipsiae 1886

I. Forma 1. variae lectiones: Am 980, edum BDE corr J As 531, demetrius E¹ demeneti si E³J pro dum eius Cap 458, ibo dum U pro modo; 983, memorandum J pro memora dum Cas 882, dum A(cum A teste Rs) om P quom RsU Ci 726, quod dum erit afferet U ***et Aψ Ep 204, manedum BriRgL mane sis Mue U mane Pℬ† mane mane Ly Men 85, dum RRs cum LorenzU tum Pℬ†LLy; 93, du C; 105, dum dominus R dum intus U domitus Pℬ†LLy; 348, tum B¹; 449, dumhi & omen aechm' B du mihi & omen aechmus C du mi & omenechm' D ego dum hieto Menaechmus A ut vid Mer 112, 149, agendum P pro age dum Mi 226, cedo dum R cedo Pψ; 361, respice& dum al B¹ pro respicedum ad; 431, dum PLLy clam Boψ; 762, petunt (P) pro dum appetunt; 784, faciomdum CD faciundū B pro facio dum(Lamb); 824, dum misit nardum U dormisit a arclimin B domi sitam ardiminnam CD var em ψ; 869, adum B;

955, cum *P corr Guy*; 1022, properadum: stando
ColuiusRg propera: exspectando *RLU* properando *P₷†Ly*; 1030, ilico adesdum *RRg* ades
ilico *P₷†Ly†* *aliter LU*; 1216, uidedum *R pro*
uideo; 1409, dum non nihili factu's *RRg* non
dum nihiblo(donec *CD*) factum(factus *B*) est
(*om B*) *P₷† var em LULy*　PER 137, *om Weis*
LU; 174, non *P pro* nondum etiam(*A*); 265,
dum *Rs* nam *BoR* nunc *P₷†LULy*　POE
41, du *C*; 866, memora dum num *GepRglLy*
memorandum *P pro* memora num(*A*); 1063,
memorandum *P corr A*　Ps 572, cui *Non* 11;
843, quidem *P pro* qui dum(*A*); 1127, dum datur *om Rg(loc dub)*; 1161, quid iam *PR pro* qui
dum(*A*)　RU 210, necdum adhuc hic *SpU* nec
diu hic fui *P₷†Ly†* *aliter RsL*; 720, agendum *P*
pro age dum(*F*); 779, dum *** abo recte *P₷*
var supp ψ eum . . *U*; 947, eho mane dum *L*
eho modo *P₷†* homo *Rs* uel *U*　ST 366, cum
Non 533; 701, se atque *R pro* dumque se
TRI 309, dum *om HermRRs*　TRU 11, tantis
perdunt *B pro* tantisper dum; 23, nam anti-
dum *P pro* amanti dum(*Prisc* I. 421: *v. secl Rs*);
30, perierant dum eliciant pretia *Rs* perierandum est etiam praeter *P₷†LLy aliter U*; 232,
tum *APLy* quod *Non* 89 dum *Lambψ*; 321,
bum *P corr FZ*; 380, memini quondam *P* quondam dum uixi *A(uiuixi)* ₷ *var em ψ*; 440, ne
uiuat *P* dum uiuam *Non* 139 *pro* dum uiuat
(*FZ*); 629, adero dum *L* ibo(abo *B*) domum
P₷†Ly† *var em ψ*; 726, tacedum *Rs pro* tu
(*Ca diu P*) taceto; 732, quidum *PLLy* qui
tu *Kiesψ*; 843, dem *B* idem *CD corr Ca*; 887,
qua me dudum *CD pro* quam me dum(*B*)

2. *corrupta:* As 828, dum cumbamus *E¹*
dum cubamus *J pro* decumbamus　CAS 417,
dum uĭuere *J pro* di iuuere　CI 192, dum
BVE pro dudum　EP 389, dum *P pro* dudum;
496, ehodum *B²* pro fando(*Guy*); 505, dum *P*
pro dicere admodum(*A*)　MEN 547, dum *D*
pro tum; 860, adcura tum *P pro* adcurandum;
1001, dum mortales *CD¹ pro* di immortales;
1045, nec dum *B* nedum *CD pro* ne tum(*Lamb*)
MER *Arg* II. 1, ase dum *CD pro* asotum　MI
361, dum mortales *CD¹ pro* di immortales;
997, domo si ibit ac dum *P₷† var em ψ*; 1303,
dum *P pro* duc(*A*)　POE 416, dum *A pro* dudum; 588, dum *A pro* cum　Ps 137, dum *P*
quum *A pro* quom; 937, dum mortales *CD*
pro di imm.　TRI 770, dum *C pro* tum　TRU
203, dum *C pro* tum

II. Significatio A. *adverbium* 1. *cum vi*
demonstrativa: dum serui mei perplacet mihi
consilium dum rursum haud placet MER 348-9
(= interdum)　dum habeat, dum* amet TRU
232(= quam diu *vel* dummodo . . tam diu;
cf Knapp, *Cl. Rev.*, X. 368)　ne dum* quispiam nos . . inmutauerit MI 431(*LLy* = interim)
ego dum* hoc curabo recte RU 779(*LLy: similiter*
Rs: = interim)

2. *adverbiis apponitur:* etiamdum (*semper in*
enuntt. neg.): dissimulabo hos quasi non uideam neque esse hic etiamdum sciam MI 992
nihil etiamdum harpagauit praeter cyathum
Ps 957　metuo . . ne erus redeat etiamdum a
foro Ps 1028　. . ni dolo malo instipulatus
sis niue(*PRsLU* siue ₷*Ly* si uel *Prisc* I. 388)

etiamdum(etiam haud dum *U* etiamdum haud
AcL) siem quinque et uiginti annos natus RU
1381　　haud conuenit etiam hic dum* Phronesium TRU 321

interdum: *vide sub titulo* interdum

nondum, *sim.:* lautam uis an quae nondum
sit lauta? MI 787　　nondum nihili factus MI
1409(*CaU in loco perd*)　nondum* etiam edidicisti PER 174　nondum egressum esse eum,
id miror tamen RU 1201　nondum aduenisse
miror TRU 205　eum hietare nondum in mentem uenit FR II. 42(*ex Diom* 345)　uirgo sum:
nondum didici nupta uerba dicere FR I. 71(*ex*
Fest 170; *Paul* 171)　necdum exit ex aedibus
Ps 730　nec loci gnara sum necdum* adhuc
hic fui RU 210(*SpU*)　illast pudica nequedum cubitat cum uiris CU 57　nequedum
exarui ex amoenis rebus MI 641　nequedum
rettulit Ps 624　**haudum:** istic leno hau(*R*
non *PL*) dum(*om WeisLU*) sex menses Megaribus huc est quom commigrauit PER 137　RU
1381(*supra sub* etiamdum)

nuncdum: nunc dum saltura sat bonast CU
243

primumdum: primumdum infitias ire coepit
filio BA 259　primumdum opus est Pistorensibus
CAP 160　primumdum, si falso insimulas Philocomasium, hoc perieris MI 297　primumdum
parentes fabri liberum sunt MO 120　omnium
primumdum aedes iam fac occlusae sient MO
400　primumdum huic esse nomen urbi Diphilus Cyrenas uoluit RU 32　primumdum
omnium male dictitatur tibi TRI 98　primumdum merces annua TRU 31　primumdum, quom
tu's aucta liberis gaudeo TRU 384

quidum (*responderi per quia solet*): quidum?
\#Quia senecta aetate a me mendicas malum
AM 1032　quidum? \#Quia oculi sunt tibi
lacrumantes As 620　quidum? \#Quia . . in
dies faciat minus BA 466　quidum? \#Quia
enim mulierem alius deperit EP 299　quidum?
\#Quia ludo luto MI 325　quidum? \#Sic: quia
foris ambulatis MO 450　quidum? \#Quia negat
nouisse uos MO 1079　quidum? \#Quia nihil
quaesti sit ei MO 1107　quidum? \#Ego dicam tibi: quia . . numquam eris frugi bonae
Ps 336　quidum? \#Sic: quia . . Athenis te sit
nemo nequior Ps 338　quidum? \#Quia praeda
haec meast Ps 1124　quidum? \#Quia . . dicent scilicet RU 1097　quidum? \#Quia enim
neque loquens es . . bonus RU 1116　quidum?
\#Quia . . aedis uenalis hasce inscribit litteris
TRI 166　quidum* quam miles magis? \#Quia
enim plus dedi TRU 732(*PL*)　quidum? \#Ne
te uxor sequatur respectas identidem MEN 161
quidum? \#Ita oppido occidimus omnes MO 733
quidum*? \#'Dimissis manibus' uolui dicere
Ps 843　quidum*? \#Meministin . .? Ps 1089
(*FlRgU*)　quidum*? \#An nescis quae sit
haec res? Ps 1161

ehodum huc, uirgo, uide sis quid agas PER
610

3. *imperatıvo* (*primo nisi* CAS 523 *cf* Loch,
p. 18) *apponitur:* accededum huc RU 1332
accipedum hoc MEN 386　tandem ilico ades-
dum* MI 1030(*RRg†₷ aliter ψ*)　agedum exsolue cistulam AM 783　agedum ęxpedi AM

1081 agedum istum ostende . . syngraphum
As 746 agedum, excutedum pallium Au 646
agedum tu . . forem hanc . . aperi Ba 832
agedum aspice ad me Cap 570 agedum tu
adi hunc Cas 894 agedum pulta illas fores
Ci 638 agedum odorare hanc . . pallam Men
166 agedum* . . abige abs te lassitudinem
Mer 112 cedo tuam mihi dexteram: agedum*,
Acanthio Mer 149 agedum ergo face Mi 345
agedum contempla aurum et pallam Mo 282
agedum uide Mo 849 agedum ergo accede
ad me Per 763 agedum huc ostende Poe
1049 agedum: nam satis lubenter te ausculto
loqui Ps 523b agedum* ergo tange utramuis Ru 720 agedum ergo accede huc modo
Ru 785 agedum . .: uter demutassit poculo
multabitur St 725 agedum eloquere Tri 369
agedum, nomen tuom primum memora mihi
Tri 883 ascribedum etiam Ba 745(vide U)
aspicedum contra me Mo 1105 hic, mea
soror, adsidedum St 7b capedum, hunc si
potes fer intro uidulum Ru 1177 cedodum
huc mihi marsuppium Men 265 Mi 226(cedodum R pro cedo) cedodum istuc aurum mihi
Tri 968 circumspicedum(Guy -spicitocum P)
ne quis . . siet Mi 955 circumspicedum, num
quis est . . Mo 472 circumspicedum te ne
quis . . adsit arbiter nobis Tri 146 dicedum
in eo ensiculo litterarum quid sit Ru 1157
euocadum aliquem ocius Mo 679 excutedum
pallium Au 646 facdum ex te sciam Ru 1023
facitodum merula †per uersus quod cantat
colas Cas 523(vide ω) idum, Turbalio, curriculo, adfer . . Ru 798 iubedum ea hoc accedat ad me Per 605 iubedum recedere istos
ambo illuc modo Ru 786 manedum. #Quid
est? As 585, 877 manedum parumper Ba
794 manedum: num ista populna sors? Cas
384 manedum*, sine respirem Ep 204 eho
manedum* Ru 947(L) heus manedum . .
priusquam abis Tru 115 quid erat ei nomen?
. . memoradum* mihi Cap 983 memoradum*
num esse aliter decet Poe 866 memoradum*
mihi si noui forte Poe 1063 properadum*:
stando excrucior Mi 1022(Rg) pultadum fores
Mo 674 respicedum* ad laeuam Mi 361 sine
me dum hanc compellare Men 378 sine me
dum istuc iudicare Mo 1143 uerum (me add
GoelL) sine (me add SpRs) petere Tru 628
surgedum huc igitur Mo 1102 tacedum*
parumper Men 348 Tru 726(tacedum Rs pro
tu taceto) tangedum Ru 784, 796 Mi 1216
(uidedum R pro uideo)

B. coniunctio 1. de tempore intra quod aliquid accidit = ἐν ᾧ a. cum indic. praes. seq.
omni tempore: dum haec aguntur, interea
uxorem tuam neque gementem neque . . audiuimus Am 1098 dum haec aguntur, uoce clara
exclamat uxorem tuam Am 1120 dum haec
aguntur lembo aduehitur ipse Mer 193
dum* senex abest, decumbe Cas 882(loc perdub)
mater iratast patri . . quia scortum . . adduxerit
in aedes dum ruri ipsa abest Mer 924 ibo
intro ne dum absum †multae sortitae fiat(A
multi sortito[fortita D] fuā[fu B²] P var em
RRgL) Mi 595 me absente hic tecum filius
negoti gessit. *Mecum ut ille hic gesserit, dum

tu hinc abes, negoti? Mo 1018 delude ut
lubet erus dum hinc abest Per 811 ego dum
abes curabo(FlStu dum ∗∗∗abo A var RsLULy)
Ru 779 dum illi (mores boni) aegrotant, interim
mores mali . . succreuere Tri 30 nunc dum
scribilitae aestuant, occurrite Poe 43 dum
in portu illi ambulo hospes me quidam adgnouit Mer 97 ecquem adulescentem huc dum
hic astatis . . uidistis? Ru 314 mendicitatem
mihi optulisti . . dum tuis ausculto . . mendaciis Ru 515 interim . . da mihi suauium dum
illic bibit St 764 amica mea et tua dum
cessat(S̄ cenat PLLy† comit CaRRg cunctat U)
dumque se(se atque R) exornat nos uolo ludere inter nos St 701 dum circumspecto atque ego lembum conspicor Ba 279 fit ipse
dum illis comis est inops amator Tri 255
Iuppiter mutauit sese . . Amphitruo dum decernit cum hostibus Am Arg II. 3 orant . .
uentus operam dum dat ut uelum explicent
Mi 1317 dum ille dormit uolo tu prior ut
occupes adire Ps 921 paululum praedae
intus feci dum lenonis familia dormitat Poe
803 meretricis labiis dum ductant eum . .
uideas ualgis sauiis Mi 93 ego amico dedi
quoidam operam dum emit unguenta Cas 241
dum enitor, prox, iam paene inquinaui pallium
Ps 1279 ego modo . . huic frater factus dum
intro eo atque exeo Ep 650 exornat St 701
(supra sub cessat) ille . . paene . . interit
dum ibi exquirit facta Iliorum Ba 951 dum
te exspecto, neque ego usquam aliam mihi
paraui copiam Poe 362(etiam vi causali) dum*
ludi fiunt in popinam . . inruptionem facite
Poe 41 ego dum* hieto Menaechmus se subterduxit mihi Men 449 homo quod amat . .
nec potitur dum licet Cu 170 quid cesso
abire ad nauem dum saluo licet Men 878
nunc dum tibi lubet licetque pota, perde rem
Mo 20 utrumuis opta dum licet Ru 854
ego cesso hinc me amoliri uentre dum saluo
licet? Tru 630 cur non adhibuisti dum istaec
loquere tympanum? Poe 1317(cf Egli, II. 61)
interea ut decumbamus suadebo hi dum litigant As 914 non utibilest hic locus, factis
tuis dum memoramus arbitri ut sint Mer 1006
in adulterio dum moechissat Casinam credo
perdidit Cas 976 dum te obtuetur interim
linguam oculi praeciderunt Mi 1271 quid
ego cesso dum datur mihi occasio tempusque
abire ab his locis? Men 552 nunc dum occasiost . . occurrite Poe 42 perscrutabor fanum . . dum hic est occupatus Au 621 dum*
percontor portitores . . . conspicatus sum interim
cercurum St 366(Non 533) certa mittimus
dum incerta petimus Ps 685 dari potest interea
dum illi ponunt Mer 778 dum potes ames:
id iam lucrumst quod uiuis Mer 553 dum
gladium quaero . . arripio ∗∗ capulum Cas 909
ubi nihil habebis geminum dum quaeris gemes Men 257 dum exta referuntur uolo narrare tibi etiam unam pugnam Poe 491 ruri
dum sum ego . . aedis uenalis hasce inscribit
litteris Tri 166(cf Non 525) dum scribo expleui totas ceras quattuor Cu 410 dum te
sequor lassitudine inuaserunt misero in genua
flemina Ep 669 dum alios seruat se inpediuit

interim Ru 37   decem minas dum soluit(† $\mathcal{S}$)
omnis mensas transiit Cu 682   pertegamus
uillam dum sudumst Ru 123   dum ego in tegulis sum, illaec se ex hospitio edit foras Mi
308(loc dub)   properans exsolui restim dum illi
timent Ru 368

b. *in narratione liberiore nexu, aliquando
fere idem ac* quom: contriui diem dum astto
aduocatus quoidam cognato meo Cas 567   nox
est facta longior dum cum illa . . uoluptatem
capit Am 114(v. om J)   dum huc dum illuc
rete circumuortit(BueL uortit SpU v. secl RRs
or P$\mathcal{S}$†Ly†) impedit piscis Tru 38   dum 'mihi'
uolui, 'huic' dixi atque adeo mihi dum cu-
pio . . . Cas 367   mihi interuallum iam hos
dies multos fuit domi dum* dominus(R dum
intus U domitus P$\mathcal{S}$†Rs) sum usque cum caris
meis Men 105   dum tunicas ponit quanta adficitur miseria Per 363   se ex catenis eximunt
. . dum* compediti anum lima praeterunt Men
85(RRs cum LorenzU)   quibus aerumnis
deluctaui filio dum diuitias quaero Tri 839
dum redeo domum conspicillo consecutast clanculum me Ci 90   meas confregisti imbricis et
tegulas ibi dum . . sectaris simiam Mi 505
dum stas reditum oportuit Per 448(cf Egli,
II. p. 66)   id dum ero . . seruos nuntiare uolt
. . ipsus captust Mi Arg I. 2   quid ego ineptus dum sermonem uereor interrumpere solus
sto? Tri 1149

c. *similiter cum indic. perf.*: Mi 824(dum
misit UL dormisita B domi sitam CD var em
ψ)   dum parasitus mihi atque fratri fuisti,
rem lonfregimus St 630   dum te fidelem facere ero uoluisti absumptu's paene Mi 409
tempestas quondam dum uixi(uiuixi A memini
quondam P var em ψ) fuit Tru 380($\mathcal{S}$)

d. *cum subiu. in narratione:* dum tu sternuas
(A strenuas P) res erit soluta Ps 629(cf Egli,
II. p. 61)   dum praedam habere se censeret,
interim praeda ipsus esset Ru 1261(vi condicionali ideali)   Iuppiter dum (Amphitruo) bellum
gereret Alcmenam uxorem cepit usurariam Am
Arg I. 2

e. *notio augetur per* atque Ba 279   interea
Am 1098, As 914, Mer 778   interim Mi 1271,
Ru 37, 1261, St 366, 764, Tri 30   nunc Poe
42, 43, Mo 20   usque Men 105

2. = *ἐν ᾧ, sed vergit ad significationem* 'quam
diu': procellunt se et procumbunt dimidiati
dum* appetunt(petunt pro d. a.[P]) Mi 762(loc
dub)   da mihi uestimenti aliquid aridi dum
arescunt mea Ru 574   nihil est nisi dum calet hoc agitur Poe 914   dum recens est dum
calet dum* datur deuorari decet Ps 1126   dum
illam educunt . . suaui cantu concelebra omnem
hanc plateam Cas 798   nobis periclum . .
dum* eius exspectamus mortem ne nos moriamur fame As 531   oenus eorum aliquis oculum amicae usque oggerit dum illi agant(P$\mathcal{S}$†U
harpagant Rs agant ceteri cleptae LLy) Tru 103
(loc dub)   dum id impetrant, boni sunt Cap
234   nunc dum instat(RsU iusti iubet P$\mathcal{S}$†
isti lubet FZLLy) dum habet tempus ei rei secundumst Tru 713   dum manest, omnis esse
mortalis decet Per 113   uolo deludi illum
dum* cum hac usuraria uxore nunc mihi mori-

gero Am 980   adulescens moritur dum ualet,
sentit, sapit Ba 817   dum uiuit, hominem
noueris: ubi mortuost quiescat Tru 163(cf Tru
232 et Rodenbusch, p. 48)   neu sessum
ducat dum histrio in scaena siet Poe 20(subiu.
per attractionem)   neue obstent uspiam . .
dum huc transbitat(L transiuit P$\mathcal{S}$† var em ψ)
Mi 997(cf U)   (metuo) dum ero insidias paritem ne me perduim Poe 884

notio augetur per nunc Am 980, Tru 713
usque Men 105

3. = *ἐν ᾧ, sed vergit ad significationem* 'donec':
mane dum scribit Ba 737   ades dum ego has
(tabellas) perlego Ba 988   ausculta porro dum
hoc quod scriptumst perlego Ba 1005   tace
dum pellego (tabellas) Per 500   tace dum
tabellas pellego Ps 40   ibo dum* . . inuiso
Cap 458(U solus)   operam date dum mea
facta itero Cas 879   mane sis dum huic
conicio somnium Cu 253   date uiam mihi . .
dum ego hic officium meum facio Cu 280
opperire dum effero ad te argentum Ep 633
paulisper tace dum ego mihi consilia in animum conuoco et dum consulo Mi 197   tace
dum in regionem astutiarum mearum te induco
Mi 233   mane dum narro Mi 1404   auscultate argumenta dum dico ad hanc rem Mo 99
huc concessero dum mihi senatum consili in
cor conuoco Mo 688   dum auctionem facio
hic opus est aliquot ut maneas dies Poe 1421
concedere aliquantisper hinc mihi intro lubet
dum* concenturio in corde sycophantias Ps 572
(cf Non 11)   ne interueneris, quaeso, dum resipiscit Mi 1334   ire hercle meliust te interim
atque accumbere dum ego haec appono ad
Volcani uiolentiam Men 330   oro . . ut illas
serues . . dum ego erum adduco meum Ru 774
mane dum refero condicionem Ru 1032   paulisper remitte restem dum concedo et consulo
Ru 1036   accipite et date uociuas auris dum
eloquor Tri 11   *similiter cum perf.:* loquere
dum non nihili factu's Mi 1409(RRs l. non
dum nihiblo[B donec CD] factum est P$\mathcal{S}$†
var em ψ)

notio augetur per aliquantisper Ps 572   interim Men 330   trantisper Mi 197

4. = quamdiu a. *cum indic. praes.:* si illum inseruibis solum dum tibi nunc haec aeta-
tulast . . Mo 217(v. secl Ladewig$\mathcal{S}$)   haec urbs
Epidamnus est dum haec agitur fabula Men
72   credam fore (saluom) dum quidem ipse
in manu habeo(PRglU habebo Bψ) As 463
uictitabis suco suo dum ruri rurant homines
quos ligurriant Cap 84   Athenis †tracto . .
proscaenium tantisper dum* transigimus hanc
comoediam Tru 11   meretrix tantisper blanditur dum illud quod rapiat uidet Men 193   si
ipse animum pepulit dum* uiuit, uictor uicto-
rum cluet Tri 309   pisces . . usque dum
uiuont lauant Tru 322(cf Varr l L IX. 105)

b. *cum subiu. praes. vel potent. vel per attract.:*
dum habeat, dum* amet: ubi nihil habeat
(habet A) alium quaestum coepiat Tru 232
. . uos suspicarier me . . promittere quo uos
oblectem hanc fabulam dum transigam Ps 564
si dum uiuas tibi bene facias . . Ba 1194   ut
tibi dum uiuam bene uelim Cas 464   faciam

ut mei memineris dum uitam uiuas Per 494
deos immortalis quaeso dum uiuas uti . .
habeas Ru 499   quid dotis? #Ut semper
dum uiuat me alat Cu 664   ostendit sese . .
mihi infidelem numquam dum* uiuat fore Tru
440(cf Non 139)

c. *cum indic. imperf.:* te dum uiuebas noueram Tru 164

d. *cum subiu. imperf. per attract.:* mane me
iussit senex conducere aliquam fidicinam . . ut
dum rem diuinam faceret cantaret sibi Ep 316
conducta ueni ut fidibus cantarem seni dum
rem diuinam faceret Ep 501   misi parasitum
meum ut latrones . . duceret qui tutarentur,
mihi dum fieret otium Mi 950

e. *cum indic. perf.:* (miserias) quas dum
te carendum hic fuit(*AcRsU* quae[†*L*] adhuc
[†*S*] te carens dum hic fui *PLy*) sustentabam
Cap925   dum 'mihi' uolui 'huic' dixi Cas 367
ordine omne uti quicque actumst dum apud
hostis sedimus edissertauit Am 599   dedi dum
fuit Ps 256   dum fuit dedit Tru 217   (ualui)
perpetuo recte dum quidem illic fui Mer 387
quasi uxorem sibi me habebat anno dum hic
fuit Tru 393   (mihi) uoluptas parumper datast
dum uiri mei fuit mihi potestas uidendi Am
638   Hercules ego fui dum illa mecum fuit
Ep 178   cum ipso pol sum locuta placide
ipsae dum lubitumst mihi Mi 1221   ego ad
illud frugi usque . . fui in fabrorum potestate
dum fui Mo 134

f. *cum indic. fut.:* interea magister dum tu
commentabere uolt illa itidem commentari Tru
737   dum coquetur interim potabimus Men
214   alienum quod dum erit afferet(*U* a. ***
et *Pψ*) maerorem Ci 726   hic ministrabit
dum* ego edam Cu 369(*FlRgl*)   id rus hic
erit tantisper dum ero ego cum Casina faciam
nuptias Cas 486(= 'quoad'?)   dum tale facies
quale adhuc adsiduo edes Mi 50   habebo As
463(*supra* a)   ego istuc scio ita fore illi dum
quidem cum illo nupta eris As 870   uidua
uiuito uel usque dum regnum optinebit Iuppiter Men 728   noster esto dum te poteris
defensare iniuria Ba 443   non metuo . . dum
quidem hoc ualebit pectus perfidia meum Ba
226   ueniet St 687*(vide infra* 6. b)   facile
adseruabis dum* eo uinclo uincies Men 93
dum ego uiuos uiuam, numquam eris frugi
bonae Ps 337   numquam edepol quoiquam
supplicabo dum quidem tu uiues Ps 507   tibi
quidem edepol copiast dum lingua uiuet Ru
558

g. *notio augetur per* adsiduo Mi 50   interea
Tru 737   interim Men 214   parumper Am 638
tantisper Cas 486, Men 193, Tru 11   dum Tru
232   nunc Mo 217   numquam Tru 440
semper Cu 664   usque Men 728, Tru 322
ad illud usque Mo 134   quidem As 463, 870,
Mer 387, Ps 507

5. = quoad, donec a. *cum indic. praes.:*
quem ego ecastor mage amo quam me dum*
id quod cupio inde aufero Tru 887   . . triduom hoc saltem dum aliquo miles circumducitur Tru 874   quid maneam? #Dum hanc
tibi . . rudentem complico Ru 938   me occultabo aliquot dies dum haec consilescunt

turbae atque irae leniunt Mi 583   dum hic
egreditur foras commonstrabo . . Cu 466   ego
hic tantisper dum exis te opperiar foris Mo
683   aliquot dies perdura dum intestina exputescunt tibi Cu 242   te satiust . . ibi uiuere
adeo dum illius te cupiditas . . missum facit
Mer 657   mansero tuo arbitratu uel adeo
usque dum peris As 328   manete dum ego
huc redeo. #Equidem suadeo ut ad nos abeant
potius dum recipis Ru 879-80

b. *cum indic. fut.:* erroris ambo ego illos
. . complebo . . adeo usque satietatem dum
capiet pater Am 472   *fut. perf.:* usque ero
domi dum excoxero lenoni malam rem magnam
Per 52

c. *cum subiu. praes.:* me suspendam clanculum saltem tantisper dum abscedat haec a
me aegrimonia Ru 1190   dum erus adueniat
a foro opperiar domi Poe 929   te . . futurum
. . Sauream dum argentum afferat mercator As
369   non licet manere — cena coquitur —
dum cenem modo As 935   paulisper mane
dum edormiscat unum somnum Am 697   animum aduortite dum huius argumentum eloquar
comoediae Am 96   lubet lamentari dum exeat
Ba 932   ne exspectetis, spectatores, dum illi
huc ad uos exeant Ci 782   opperiamur dum
exeat aliquis Mi 1249   Tru 30(perierant dum
eliciant pretia *Rs in loco dub*)   ego interim
. . praesidebo iste dum sic faciat domum ad
te exagogam Tru 716(*loc perdub*)   non omnis
aetas ad perdiscendum sat est amanti dum*
id perdiscat quot pereat modis Tru 23   ne
exspectetis . . meas pugnas dum praedicem
Tru 482   . . manendo medicum dum se ex
opere recipiat Men 883   ne exspectetis dum
hac domum redeam uia Ps 1234   triduom . .
operam . . dedo dum reperiam As 429   dum
occasio ei rei reperiatur interim . . rogem Tri
757   is dum ueniat sedens ibi opperibere Ba
48   hic opperiar erum dum ueniat Ru 328
mihi . . operam date dum me uideatis seruom
. . abducere Poe 786   illum exspectare oportet
dum erus se ad suom suscitet officium Ru 922
istas minas decem qui me procurem dum melius sit mihi, des Cu 526

d. *cum subiu. imperf.:* inde huc exii crapulam dum amouerem Ps 1282   haud mansisti dum* ego darem illam Tru 843   obseruauit dum dormitaret canes Tri 170   hunc
subcustodem . . ablegauit dum* ab se huc
transiret Mi 869

e. *cum subiu. perf.:* adero dum* ego tecum
. . arbitrum aequom ceperim Tru 629(*L*)

f. *cum subiu. plqpf. per attract.:* parasse . .
adeo dum quae tum haberet peperisset bona
Mer 78

g. *notio augetur per* adeo Mer 78, 657
adeo usque Am 472, As 328   modo As 935
aliquot dies Cu 242, Mi 583   triduom As
429, Tru 874   interim Tri 757, Tru 716
paulisper Am 697   tantisper Mo 683, Ru 1190
usque Per 52

6. *vi condicionali* = ἐφ' ᾦτε a. *verbo omisso:*
ducam hodie amicam. #Vel decem dum de
tuo St 426

b. *cum subiu. praes.:* **dum:** dum ted abstineas nupta, uidua, uirgine . . ama quidlubet Cu 37 dum mihi abstineant inuidere sibi quisque habeant quod suomst Cu 180   quid id refert tua dum argentum accipias Cu 460   tuo arbitratu dum auferam abs te id quod peto Cu 428   dum caueatur praeter aequom ne quid delinquat sine Ba 418   dum dos sit nullum uitium uitio uortitur Per 387   omnis homines facere oportet dum id modo fiat bono Am 996   pignus . . dato in urnam mulsi Poenus dum iudex siet Cas 76   quid tua refert quicum istuc uenerit dum istic siet Mer 906   non curo dum* . . largiar Per 265(*Rs*)   discant dum mihi commentari liceat Tru 736   dico . . amorem missum facere me dum illi obsequar Mer 84   dum tibi ego placeam atque obsequar meum tergum flocci facio Ep 348   dum pereas nihil interdico aiant uiuere Cap 694 dum tu illi quod edit . . praebeas . . numquam hercle effugiet Men 90   dum propitius sit Iuppiter tu istos minutos caue deos flocci feceris Cas 331   dum (modo *add Rg*[1]) sine me quaeras, quaeras . . uel medio in mari Ep 679   non flocci faciunt dum illud quod lubeat sciant Tri 211 omnia ego istaec facile patior dum hic hinc a me sentiat Ru 1100   quid mea refert . . dum mihi recte seruitutem seruiant Ru 747 dum interea sic sit istuc 'actutum' sino Mo 71   semper tibi promissum habeto hac lege dum superes datis As 166   me . . uende si lubet dum saturum uendas Per 146   uolo (uinciri) dum istic itidem uinciatur Cap 608

dum modo: aequi istuc facio dum* modo eam des quae sit quaestuosa Mi 784   facere cupio quiduis dum id fiat modo Ep 270(*v. om EJ*)   quantum uis prolationis: dum modo hunc . . inducamus . . Mi 253   absit dum modo laude parta domum recipiat se Am 645 dum modo morata recte ueniat dotatast satis Au 239

dum quidem: quattuor sane dato dum equidem(quidem *FRU*) hercle quod edant addas St 554   tibi permittimus. #Dum quidem hercle ita iudices ne . . Cu 704   dum quidem hercle tecum nupta sit sane uelim Tri 58 conuenit, dum quidem hercle quisque ueniat(*L duce A om P A n. l.* ueniet *Goelψ*) ueniat cum uino suo St 687

dum ne: pacisce . . quid tibi lubet dum ne manufesto hominem opprimat neue enicet Ba 867   dum ne per fundum saeptum facias semitam . . ama quid lubet Cu 36   dum ne scientis(nescientes *PLU*) quid bonum faciamus ne formida Mi 893   quo lubeant nubant dum dos ne fiat comes Au 491   opprimat Ba 867 (*supra*)   quiduis dum ab re ne quid ores faciam Cap 338   dum ne ob male facta peream parui existumo Cap 682   dum ille ne sis quem ego esse nolo sis . . qui lubet Tri 979

dum ne quidem: ne pigeat proloqui. #Dum quidem ne quid perconteris Au 211   me . . posse opinor . . uendere. #Dum quidem hercle ne minoris uendas Mer 425   uin mea esse? #Dum quidem ne nimis diu tua sim uolo Per 657

c. *cum subiu. imperf.:* ne ille edepol Ephesi multo mauellem foret dum saluos esset quam . . Ba 1048   nihil pretio parsit filio dum parceret Cap 32

DUMTAXAT - - iubebo ad istam quinque perferri minas praeterea obsonari dumtaxat mina Tru 445   *Cf* Richardson, p. 92

DUO - - I. Forma duo Am 974(*v. secl U*), 1108, As 313(*v. secl US*), Ba 717, 925, Cap 7, Cas *Arg* 1, Ci 758(*U in lac*), Ep 28 *bis*, 616, 626, Men 18, 1082, 1118, Mi 1384 *bis*, Poe 59, 224, Ps 199, St *Arg* I. 2(*A solus*) **duae** Ba 39(due *D*), 51(-ę *D*), 1041(-e *CD*), 1154(-ę *C*), Cas 769(exornant duae *A* e. domi *Rs* ornant *cum lac P*), Ci 145, Ep 237(*B* quae *A* due *E* duę *VJ*), Poe *Arg* 3(-ę *C*), Poe 84(-ę *C*), 212(-ę *C*), 214(-e *BD* -ę *C*), 226(-ę *C*), 1094 (-ę *C*), 1104(-ę *B* tuę *CD*), Ru 559, 642, 1169, St 540(-ę *C*), 551(-ę *C*), Tru 633(-ę *D* -e *B*), 801 (-e *B* -ę *CD*)   **duo**(*neut.*) As 193, Ba 959 **duorum** Ps 5, Tri 626   **duarum** Mi 150, St 551, Tri 1053(*v. secl BergkRsS*), Tru 307(diuinarum *Rs duce Leone*)   **duom**(*masc.*) Men 542 (-um *PU*)   **duobus** Cas 1011, Mi 1246, St 540 **duos** Am 480, 957(*v. secl U*), 1138(duo *BDRgl*), Ba 1145, Cap 1, 110, Cas 476, 561, 692 *bis*, Ci 701, Ep 666, Men 778(duo *Non* 3 *om Paul* 369), 1102, Mo 832(*AD³* duo *P*), 833(*solus A*), 834 (*AD³RU* duo *Pψ*), St 729   **duo** Am 1138(*BD Rgl* duos *Cψ*), Ep 187(dum *V¹*), 344(duo *EU*), 373, Mo 776, 834(duo *P* duos *AD³RU*), Ps 332 (*A* duos *P*), 333, St 443(*RsU de A* errantes pol *Aψ*) **duas** Am 488, Ba 568, 569(*Py* duae *BCR* due *D*), 650, Cu 592, Mer 1, Mi 804, Poe 898, 1181, Ru 129, 163, 320, 799, St *Arg* I. 1(*solus A*), St 550, Tri 775, 816(*v. secl Rω*), 894, Tru 530, 540(*U* tuas *PS*† tus *Bueψ*), 771, 808(matres duas *F* mater duas *P*), *ib.*   **duo** Poe 211, Ru 823 **duobus** Am 568, Ba 675, 975, Mi 290(*om GuyR*), Mo 823(*Z* diebus *P*), Mo 1026 d(*L in lac*), Per 684, Poe 872   *corrupta:* Ci 151, due *E pro* de Ep 399, duae *J pro* duce; 560, duo itus *B pro* uoltus(*Ca*)   Men 988, ute duo anfora *P pro* ut educam foras(*Par*)   Mo 293, due add *B²* diu *P falso*   Poe 1334, habuit duas filias *D pro* filias habuit tuas   Tru 311, duo sciam *P pro* ad uos clam(*A*); 337, heri duo *CD* ceri duo *B pro* triduo; 355, due *P pro* tuae(*A*)

II. Significatio A. *adiective:* est lubido orationem audire duorum adfinium Tri 626 uno labore absoluet aerumnas duas Am 488 nostros agnos conclusos istic esse aiunt duos Ba 1145   adduxi ancillas tibi eccas ex Suria duas Tru 530   mihi . . duae ancillae dolent Tru 633   Calliclem uideo . . ancillas duas constrictas ducere Tru 771   deuolant angues . . in inpluuium duo maxumi Am 1108   iam ego uno in saltu lepide apros capiam duos Cas 476   matres duas habet et auias duas Tru 808   aduorsitores St 443(duo *RsU falso pro* pol)   duas ergo hic intus eccas Bacchides. #Quid, duas*? Ba 568   hos quos uidetis stare hic captiuos duos . . Cap 1   istos captiuos duos . . is indito catenas Cap 110   eius cognatae duae nutrixque earum raptae Poe *Arg* 3 Tru 540(duas Ponto chlaenas *U solus in loco* *dub*) adfer ∗∗ duas clauas Ru 799 duae condiciones sunt Ba 1041 conseruam uxorem duo conserui expetunt Cas *Arg* 1 uir lepidissume, . . duo di quem curant. Qui duo? Mi 1384 sic hoc digitulis duobus sumebas primoribus Ba 675 ferat epistulas duas Tri 775 epistulasque iam consignabo duas Tri 816(*v. secl Rω*) pater istius adulescentis dedit has duas mihi epistulas Tri 894 quoi malum erae? #Duae sunt istae Tru 801 iam duo restabant fata Ba 959 illi . . duae fuere filiae Poe 84 ei filiae duae erant St 540 hodie illa pariet filios geminos duos Am 480(*v. secl URglS̄*) seni huic fuerint filii nati duo Cap 7 ei sunt nati filii gemini duo Men 18 filii quot eratis? #Ut nunc maxume memini, duo Men 1118 lictores duo, duo ulmei fasces uirgarum Ep 28 Atridae duo fratres cluent fecisse facinus maxumum Ba 925 spes mihist uos inuenturum fratres germanos duos geminos Men 1102 Carthaginienses fratres patrueles duo fuere summo genere Poe 59 duo fratres ∗∗ St *Arg* I. 2(*A solus*) eae erant duobus nuptae fratribus St 540 hi sunt gemini germani duo Men 1082 (gladium) habet sed duos. #Quid, duos? Cas 692 duo greges uirgarum inde ulmearum adegero Ps 333 eos ego hodie omnis contruncabo duobus solis ictibus Ba 975 lanios inde accersam duo cum tintinnabulis Ps 332 lictores duo Ep 28 nec potest fieri tempore uno homo idem duobus locis ut simul sit Am 568 duorum labori ego hominum parsissem lubens Ps 5 ensicula argenteola et duae conexae maniculae Ru 1169 matres duas∗ habet et auias duas Tru 808 iam his duobus mensibus uolucres tibi erunt tuae hirquinae Poe 872 quid agunt duae germanae meretrices cognomines? Ba 39 duas aut tris minas auferunt eris Ba 650 nulli mortali scio obtigisse hoc nisi duobus tibi et Phaoni Mi 1246 . . mulieres duas peiores esse quam unam Cu 592 occepere aliae mulieres duae∗ . . fabulari Ep 237 duae (mulieres) . . maxumo uni populo . . plus satis (negoti) dare potis sunt Poe 226 mulieres duae innocentes intus hic sunt Ru 642 mulierculas duas secum adduxit Ru 129 mulierculas uideo sedentis in scapha solas duas Ru 163 . . qui duceret mulierculas duas secum Ru 320 duae mulierculae . . Veneris signum . . tenent Ru 559 mihi item gnatae duae . . sunt surruptae paruolae Poe 1104 Dircam . . duo gnati Iouis deuinxere ad taurum Ps 199 inauris da mihi facienda pondo duom nummum stalagmia Men 542 probae hic argenti sunt sexaginta minae, duobus nummis minus Per 684 egomet (uidi) duobus∗ hisce oculis meis Mi 290 ei duae puellae sunt meretrices seruolae sorores Poe 1094 duas res simul nunc agere decretumst mihi Mer 1 nullae magis res duae plus negoti habent Poe 212 neque umquam satis hae duae res ornantur Poe 214(*v. secl RLU*) duarum rerum exoritur optio Tri 1053(*v. secl BergkRsS̄*) neque . . mihi quisquam homo mortalis posthac duarum∗ rerum creduit Tru 307 haec facetiast amare inter se riualis duos St 729 (fidicina) senes duo docte ludificetur

Ep 373 per urbem duo defloccati senes quaeritant me Ep 616 duo destituit signa hic cum clauis senex Ru 823 ante aedes duo∗ sodales erum et Chaeribulum conspicor Ep 344 duas sorores ∗∗∗ St *Arg* I. 1(*A solus*) si mihi dantur duo talenta argenti . . As 193 talentis duobus . . de te aedis emit Mo 1026 d(*L tantu* ∗∗∗ d. t. a. Itane *A ut vid*) ∗∗∗ qualis uolo uetulos duo∗ Ep 187 satine illic homo ludibrio nos uetulos decrepitos duos habet? Ep 666 aggerunda . . aqua sunt uiri duo defessi Poe 224 ludificat una cornix uolturios duos∗ : . . inter uolturios duos cornix astat: ea uolturios duo∗ uicissim uellicat Mo 832-4
    B. *substantive, saepe addito pronomine* nos, uos, haec, illaec, istis, eos 1. *nom. vel acc. subiectum:* quom duo∗(*U in lac*) adsunt quaero tertiam Ci 758(*U*) si duarum paenitebit . . addentur duae St 551 quid illaec illic in consilio duae secreto consultant? Ba 1154 ..ut nos dicamur duo omnium dignissumi esse quo . . As 313(*v. secl US̄*) illae autem in cubiculo armigerum exornant duae∗ Cas 769 duae unum expetitis palumbem Ba 51(*videRRg* †*S̄*) iam hisce ambo, et seruos et era, frustra sunt duo Am 974(*v. secl U*) Alexandrum . . atque Agathoclem aiunt maxumas duo res gessisse Mo 776 . . quem Apella atque Zeuxis duo pingent pigmentis ulmeis Ep 626 id duae nos solae scimus Ci 145 uos duo eritis atque amica tua erit tecum tertia Ba 717
    2. *gen.:* haec duarum hodie uicem . . mulier feret imaginem Mi 150 si duarum paenitet . . addentur duae St 551
    3. *dat.:* duobus nupsi, neuter fecit quod nouae nuptae solet Cas 1011
    4. *acc.:* a. negoti sibi qui uolet uim parare nauem et mulierem haec duo comparato Poe 211 immo duas dabo . . una si parumst St 550 (emit) duas illas et Giddeninem nutricem earum tertiam Poe 898 uno partu duos∗ peperit simul Am 1138 non potuit reperire . . lepidioris duas ad hanc rem quam ego Mi 804
    b. ad duos attinet Ci 701 certo enim quod quidem ad nos duas attinuit . . Poe 1181 iam pax est inter uos duos? Am 957(*v. secl U*) ego aliquid contrahere cupio litigi inter eos duos Cas 561 nescio quid uos uelitati estis inter uos duos∗ Men 778(*cf Non 3, Paul* 369) epistulam . . mittit . . imagine obsignatam quae inter nos duo conuenit olim Ps 1000
    5. *abl.:* tris minas pro istis duobus∗ praeter uecturam dedi Mo 823
DUODECIM - - duodecim deis plus quam in caelo deorumst immortalium mihi nunc auxilio . . sunt Ep 675
DUODEVIGINTI - - (emit) duodeuiginti minis duas illas et Giddeninem Poe 897(*v. iterat P*) periere . . duodeuiginti minae qui hasce emi Poe 1380
DUPLEX - - I. **Forma** **duplicem** As 695 (me d. *J* eduplicem *BDE*), Poe 15 **duplex** Ba 641(-um *BriR*), Men 546(dupelex *B*) **duplici(***abl.*) Cas 722 **duplicis(***acc.*) Ps 580, Tru 781 **duplicibus(***abl.*) Ba 641 **dupliciter** Mi 295, 296 *corruptum:* Poe 184, dupli *P pro* dupli(*Ca*)

II. Significatio A. *adiective* 1. *attributive:* duplici damno dominos multant Cas 722 duplex* hodie facinus feci Ba 641(*cf* Tartara, p. 80) fac proserpentem bestiam me duplicem* ut habeam linguam As 695 edico prius ne duplicis habeatis linguas Tru 781 nunc reside duplicem ut mercedem feras Poe 15 ita paraui copias duplicis triplicis dolos perfidias Ps 580 duplicibus spoliis sum affectus Ba 641

2. *substantive:* cedo abs ted: ego post tibi reddam duplex* Men 546

B. *adverbium:* tibi iam ut pereas paratumst dupliciter. #Qui uero dupliciter? Mi 295-6

DUPLICO - - id **duplicabit**(dubl. *B*) omne (homini *BoRgl*) furtum(inplicabit hominem furto *U*) Poe 564

DUPLUS - - **duplum** pro furto mihi opus est Poe 1351(*cf* Wueseke, p. 19) .. quin .. **dupli**(*Ca* duplici *P*) tibi, auri et hominis, fur leno siet Poe 184 locant caedundos agnos et **dupla**(*Rost* -am *PL* dubiam *U*) agninam danunt Cap 819(*cf L in adn crit*) *Vide* Ba 641, *ubi* duplum *BriR* pro duplex

DURITIA - - *unus modo casus usurpatur:* .. ubi saepe ad languorem tua **duritiă**(-ciă *B*) dederis octo ualidos lictoris As 574 parsimonia et duritia(-cia *C*) discipulinae aliis eram Mo 154(*cf* Dousa, p. 297) uincitis duritia(-cia *B*) (tergi *add RRg*) hoc atque me Ps 151(*v. secl U: cf* Langen, *Stud Pl.* p. 357) rem coegit .. parsimonia(*A* -nie *B* -nię *CD* -niae *U*) duritiaque(*A* -aeque *U* durieque *BC* durięque *D*) Tru 311

DURO - - I. **Forma duraui** Tri 290 **durem** As 176 **durarent** As 196 **dura** Ps 235 **durare** Am 882(dumre *B*), As 907, Cu 175, Men 781, Mer 644, Mi 1249, Tru 326(parumper d. *Ca* parum perdurari *P*) **durando**(*abl.*) Tru 327

II. **Significatio** 1. *absolute, addito aliquando dat. ethico:* durare* nequeo in aedibus Am 882 mihi quidem te parcere aequomst tandem ut tibi durem diu As 176 si ea (quae dedisti) durarent mihi .. numquam quicquam poscerem As 196 non queo durare As 907 nequeo durare quin ego erum accusem meum Cu 175 uiuere hic non possum neque durare ullo modo Men 781 non possum durare: certumst exula-

tum hinc ire me Mer 644 durare nequeo quin eam intro Mi 1249 ego ad hoc genus hominum duraui Tri 290 lassus iam sum durando miser Tru 327

2. *seq. infin.:* non quis parumper durare* opperirier? Tru 326 *Cf* Walder, p. 24

3. *transitive:* crucior. #Cor dura Ps 235 *Cf* Draeger, *Synt.* I. p. 141 (§ 88)

DURUS - - I. **Forma durus** Au *Arg* I. 8, Vi 37(satis d. cibus *L in lac*) **dura** Am 166 **durum** Men 975 **durum**(*acc. masc.*) Men 872 (*om U*) **dura** Cas 850(d. manu *A ut vid lac P*), Mer 817 **duro** As 944 **duri**(*nom. pl.*) Men 923 **duris**(*dat. masc.*) Per 60 **durius** (*nom.*) Ps 154(durum *Non* 227) corrupta: Am 306, duros *BDE pro* uiros(*J*) Cas 110, dure *E¹ pro* rure Cu 379, durius *EJ pro* clarius(*B*) Men 761, dura *CD pro* cura Mi 954, duris *C pro* auris

II. **Significatio** 1. *proprie:* numquam edepol uostrum durius* tergum erit quam terginum hoc meum Ps 154(*cf Non* 227) solent tibi umquam oculi duri fieri? Men 923

similiter: quid tu ergo hanc .. tractas tam dura* manu? Cas 850 heus tu, a meis illic estur satis durus* cibus Vi 37(*L in lac*)

2. *translate de uariis:* neque eis cognomentum erat duris capitonibus Per 60(*cf* Dousa, p. 457) durus senex uix promittit Au *Arg* I. 8 nec quisquamst tam ingenio duro nec tam firmo pectore quin .. Am 94 †

opulento homini hoc seruitus durast(dura hoc magis s. est *HermRgl*) Am 166 ecastor lege dura uiuont mulieres Mer 817

eu hercle morbum acrem ac durum(acutum *SpU*) ✳✳✳ Men 872

lassitudo, fames, frigus durum Men 975

DUTOR - - Tru 32, dutor *B* tutor *CD pro* dantur(*Bo*)

DUX - - hic **dux**, hic illist paedagogus: hunc ego cupio excruciari Ps 447 corruptum: Cas 949, ea dux uxorem meam *P* intro ad uxorem eam *Sey ex Non* 397 *aliter Rs*

DYNAMIS - - amatores oliui **dynamin**(*A* dina in *D* dynam in *BC* δύναμιν *L*) domi habent maxumam Ps 211 *Cf* Blomquist, p. 26

DYSCOLUS - - *comoediae titulus apud Fest.* 170 *citatus. Cf* Schmidt, p. 187

E.

E - - muttit e✳✳✳ Cas 924

H - - cantio graecast: ἢ πέντ' ἢ τρία πῖν' ἢ μὴ τέτταρα(*R* cępente[ce. *CD*] pinę[-ne *CD*] et trispine einet[emet *CD*] et tara *P*) St 707

EATENUS - - eatenus('*sc.* parantur a fabris.' *L*) Mo 131(†*ŞU* protenus *R lac add RRs: loc dub*)

EBIBO - - I. **Forma ebibit** Cu 152, 359, Tri 250(quod e. *A et Non* 484 quo debebit *P* quod bibit *FZRRs* quod et bibit *Non* 81 quod ecbibit *Mercerψ*) **ebibitis** Tru 155(*Ca* exb. *Ly*

ecb. ψ et bibitis *P*), 312(estis exunguimini e. *A* exb. *Rs* exungula male uiuitis *P*) **ebibi** Am 631(*v. secl UŞL*) **exbibit** Mi 832(*Ca* exuiuit *BD* exiuit *C* expromptum bibit *R*) **ebiberim** Am 431(-am *J*) **ebibere** Ps 1304, St 720(prosum hoc e. *MueRgU* hoc prosum e. *R* prosumo[pro summo *CD*] bibere *PŞ*†*L*†*Ly*†)

II. **Significatio** *proprie et translate:* factumst illud ut ego illic uini hirneam ebiberim* uini Am 431 non ego cum uino simitu ebibi imperium tuom Am 631(*v. secl UŞL*) mittite istanc foras quae mihi misero .. ebibit sanguinem Cu 152　　propino magnum poclum: ille ebibit Cu 359　　neque ille hic calidum exbibit* in prandium Mi 832　　credo .. potis esse te .. Massici montis uberrumos quattuor fructus ebibere in hora una Ps 1304(cf Egli, I. p. 17)　　nolo ego nos prosum hoc ebibere* St 720　　non satis id est mali ni amplius etiam quod ecbibit* Tri 250(cf Non 81 & 484)　　uos saltem si quid quaeritis ecbibitis* et comestis Tru 155　　eam uos estis exunguimini ebibitis* Tru 312

EBITO - - tanto opere suades ne **ebitat** (*PLULy* nenebitat *A* ne bitat *Caψ*) St 608

EBRIOLUS - - tun .. 'odium' me uocas, (? *Rs*) **ebriola**(-a's *Rs*), persolla, nugae? Cu 192 tristes atque **ebrioli**(-orli *J*) incedunt(absc. *BoRg*) Cu 294　　*Cf* Ryhiner, p. 47

EBRIUS - - I. Forma **ebrius** Am 574, Cap 109(-os *J*), Cu 415, Men 563, 629, Mi 721, Mo 342, Ps 1295, Tri 812　　**ebria** Cas 747 (he. *E*), Men 373　　**ebrio**(dat. masc.) Au 751 **ebrium** Am 272, 999, Mo 378, Ps 1299, 1287 **ebriam** Ci 667　　**ebrii** Mi 836(*B* ebri *ACD*) **ebrios** Au 749　　corruptum: Am 1001, ebrius *D pro* sobrius

II. **Significatio** A. *proprie* 1. *attributive vel praedicative:* unde agis te? #Unde homo ebrius probe Mo 342

cecidissetue ebrius aut de equo usquam Mi 721　　ante aedis cum corona me derideto ebrius Men 629　　te sic interdius cum corona ebrium ingrediri(*A§* incedere *Pψ*) Ps 1299 aperitur ostium unde saturitate saepe ego exii ebrius* Cap 109(cf Egli, I. p. 19)　　excusemus ebrios nos fecisse amoris causa Au 749　　pallam ad Phrygionem cum corona ebrius ferebat Men 563　　quid tu .. in os .. mihi ebrius inructas? Ps 1295　　credo ego hac noctu Nocturnum obdormiuisse ebrium Am 272　　uestimenta ubi obdormiui ebrius summano Cu 415

hic homo ebrius est, ut opinor Am 574　　adsimulabo me esse ebrium Am 999　　si mihi alia mulier istoc pacto dicat dicam esse ebriam Ci 667　　haec mulier aut insana aut ebriast Men 373　　alii ebrii* sunt, alii poscam potitant Mi 836　　iam dudum ebriust Tri 812

pater iam hic me offendet miserum adueniens ebrium Mo 378　　quid uideo ego***? #Cum corona ebrium Pseudolum tuom Ps 1287

2. *substantive:* ebrio atque amanti inpune facere .. licet Au 751

B. *translate:* facite cenam mihi ut ebria* sit Cas 747(cf Dousa, p. 214)

EBUR - - una opera **ebur** atramento candefacere postules. #Lepide dictum de atramento atque **ebure**(*B* ebore *CDLLy*) Mo 259-60　　nec quicquam positum sine loco auro ebore argento purpura Fr I. 33(ex *Char* 199)

EBURATUS - - aduexit lectos **eburatos**, auratos St 377　　clamores. imperia, **eburata** (eburna *GuyRg*) uehicla, pallas Au 168

EBURNUS - - Au 168, eburna *GuyRg pro* eburata

ECASTOR - - I. Forma 1. *var. lectt.:* Am 537, edepol *Non* 198　　Ba 86, castor *C*; 1131, haec castor *B*　　Cas 259, mecastor *CaRs*; 994,

ecastor Ilius *A* hectore illius *P* e. prius *U* **e. filius *Rs* Hector Ilius *Palm§LLy* e *Serv Dan ad Aen* I. 268　　Ci 514, ecastor *VEJLULy* et castor *BPrisc* I. 62 et summus *Aψ*; 668, e. falsa memoro *Ca* ecastore ais ame moro *P* ecastor ais? hā memoro *B²* Men 424, ecasto *D* etasto *C*; 604, mecastor *P corr F*; 619, egastor *CD*; 658, etastor *C* Mi 1066, castor *B* Mo 157, mecastor *CD*; 188, tuae castor *C pro* tu e.; 208, castor *CD* Poe 1176, ciastor *B* St 235, eç maior *A*; 243, au *R pro* eu e. Tru 111, eccastor *A om P*; 481, ecastorum ueniret *P* ecastor †um ueniat *§ duce Guy var em ψ*; 503, ecastror *CD*; 542, castor *P corr F*; 879, ecastor *BoRs* mecastor *Pψ*; 949, ecastor *PL ULy* mecastor *A ut vid ψ* et castor *pro* ecastor: Am 682 *E*, As 888 *DE*, Men 658 *D*, Mi 443 *B¹*

2. *corrupta:* Mer 689, me ecastor *D pro* mecastor Tru 368, ecastor *P pro* me.(*A*)

II. **Collocatio** *si vis particulae ad totum enuntiatum pertinet a principio stare solet; sin ad vocabulum certum postponitur. Sed coniunctionem et relativum sequitur et in locutionibus quibusdam certum locum habere uidetur ut* ne ille ecastor, obsecro ecastor, non ecastor *etc. Cf* Kaempf, p. 40; Kellerhoff, pp. 63, 68; Kienitz, p. 561; Kuklinski, pp. 27, 53. *tertium locum habet:* As 533, 869(*PU*), 896, Ci 16, 43, Men 604, 619, St 89, 151, Tru 887, 892, 918　　*quartum locum:* As 869(*Fl*), Tru 583(vide edd)　　*ad finem enuntiati:* Tru 879 (*BoRs falso pro* mecastor)

III. **Significatio** *mulieris exclamatio*(cf *Gell.* XI. 6, 1; *Char.* 198) *apud Plautum numquam a viris usurpatur:* 1. ecastor te experior quanti facias uxorem tuam Am 508　　ecastor med haud inuita se domum recipit suam Am 663　　ecastor nobis periclum et familiae portenditur As 530　　ecastor ambae sunt bonae As 719　　miser ecastor es. #Ecastor dignus est As 898　　ecastor cenabis hodie .. magnum malum As 936　　ecastor* sine omni arbitror malitia esse Ba 1131　　ecastor haud me paenitet si ut dicis ita futura's Ci 47　　ecastor mihi uisa amare Ci 117　　itaque me Saturnus eius patruos. #Ecastor* pater Ci 514(*VEJLLyU*) ecastor ita uidetur Ci 727　　ecastor* haud inuita fecero Men 424　　ecastor pariter hoc atque alias res soles Men 752　　ecastor iam bienniumst Mer 533　　numquid delinquont rustici? #Ecastor minus quam urbani Mer 716 ecastor lege dura uiuont mulieres Mer 817 ecastor faxim .. plures uiri sint uidui Mer 826 ecastor haud mirum si te habes carum Mi 1041　　ecastor minus te curaturum scio Tru 430

ecastor* condignum donum qualest qui donum dedit Am 537(cf *Non* 198)　　ecastor* auctionem haud magni preti St 235

2. *postponitur particula:* amabo, ecastor, mi senex, eloquere Mer 503　　censeo ecastor ueniam hanc dandam Cas 1004　　credo ecastor Cas 182　　credo ecastor uelle Cas 355　　credo ecastor Venerem ipsam e fano fugent Poe 323 credibile ecastor dicit Poe 1329　　audiui ecastor cum malo magno tuo Cas 576　　deamaui

ecastor* . . hodie lepidissuma munera meretricum Poe 1176   licet ecastor Men 213   obsecro ecastor* quid tu me . . salutas? Am 682   obsecro ecastor cur istuc . . ex te audio? Am 812   possum ecastor As 880   salue ecastor*, Stratophanes Tru 503   times ecastor Cas 982   uentum gaudeo ecastor ad te Ci 16

ille ecastor* suppilabat me As 888   hoc ecastor est quod ille it ad cenam cottidie As 864   is est ecastor St 89   hoc erat ecastor quod me uir . . orabat meus Cas 531   haec quidem ecastor cottitie uiro nubit Ci 43   tu ecastor tibi . . malam rem quaeris Cas 266   tu ecastor* erras quae . . Mo 188   te ecastor praestolabar Cas 578   quem ego ecastor mage amo quam me Tru 887   quem ego ecastor corde mage amo quam me Tru 918(*loc dub*)

miser ecastor es. #Ecastor dignus est As 898   inscita ecastor* tu quidem es Mo 208(*v. secl LadewigS*)   mirum ecastor* te senecta aetate officium tuom non meminisse Cas 259   permirum ecastor praedicas Mi 1224   lepidus ecastor* mortali's Tru 949   nimis ecastor facinus mirumst qui . . Am 858   grata acceptaque ecastor habeo Tru 583(*loc dub*)   multum amo te ob istam rem ecastor* Tru 879(*BoRs falso*)   multo ecastor magis oppletis opus est tritici granariis Tru 523(*loc dub*)

lepide ecastor* aucupaui Tru 964   merito ecastor tibi succenset Tru 898   stulte ecastor fecit Ci 86

actutum(iam a. *P corr Guy*) ecastor meus pater ubi me sciet . . Per 653   iam ecastor uapulabis Mo 240   iam pridem ecastor* frigida non laui magis lubenter . . Mo 157   nunc ecastor* adueniat uelim Tru 481(*loc dub*)

non ecastor uilis emptu'st modius qui uenit salis Cas 538   non ecastor* falsa memoro Ci 668   non ecastor . . satis erae morem geris St 361   nihil ecastor est quod facere mauelim As 877   ecquid amas me? #Nihil ecastor Tru 542   numquam ecastor ullo die risi adaeque Cas 856   numquam ecastor hodie scibis Per 219

3. *cum particulis:* ne ille ecastor hinc trudetur largus lacrumarum foras As 533   ne ego(*Fl om PULy*) illum ecastor miserum habebo As 869   ne illa ecastor faenerato funditat As 896   ne illam ecastor* faenerato abstulisti Men 604   ne ego ecastor* mulier misera Men 619   ne istum ecastor hodie astutis conficiam fallaciis Tru 892(*loc dub*)

equidem ecastor uigilo Am 698   equidem ecastor sana et salua sum Am 730   equidem ecastor* tuam nec chlamydem do foras Men 658   **ecastor equidem** te . . et salutaui et . . exquisiui Am 714

nam ecastor malum maerorem metuo ne inmixtum bibam Au 279   nam ecastor nunc Bacchae nullae ludunt Cas 980   nam ecastor solus bene factis tuis me florentem facis Men 372   nam illum ecastor mittere ad portum uolo St 151   nam ecastor neminem hodie mage amat corde Tru 176   nam ecastor numquam satis dedit suae quisquam amicae amator Tru 239   **namque ecastor** amor et melle et fellest fecundissumus Ci 69

quia ecastor mulier recte olet Mo 273

si ecastor nunc habeas quod des . . As 188   si ecastor hic homo senapi uictitet . . Tru 315

uerum ecastor non potest Au 272   uerum ecastor ut multi fecit ita probe curauit Plesidippus Ru 380   ecastor uero istuc eo quantum potest Mer 691

at ecastor* nos rusum lepide referimus gratiam furibus nostris Tru 111

atque ecastor* . . aliquid perdundumst tibi Ba 86

immo ecastor* prius te quidem oppressi Cas 994(*U: loc dub*)   immo ecastor stulta multum Mi 443

ecastor ergo mihi hau falsum euenit somnium Mi 380

ecastor qui subrupturum pallam promisit tibi As 930

eu ecastor nimis uilest tandem Mi 1062   eu ecastor* hominem periurum Mi 1066   eu ecastor, quom ornatum aspicio nostrum ambarum, paenitet Poe 283   eu ecastor risi te hodie multum St 243(*loc dub: vide edd*)

ECCE - - *Cf* Langen, *Beitr.* p. 3; Koehler, *Archiv* V. 16; Sonnenschein, *Excurs. ad Rudentem* p. 187

I. Forma   **ecce** As 109(recte *U*), Ba 667 (*PRU* eccum *Langen*ψ), Cas 305, 969, Ci 283, Cu 131, Ep 680, Men 784, 841, 868(*B* acce *CD*[1] aecce *D*[2]), Mer 100, 132, 748, 792, Mi 203, 209, 456, 611, 663, 1198, Mo 382(eccere *RLy*), 496(hecce *D*), 660, 676, Per 726, Poe 352(*v. om C*), 1124, Ru 241, 1178, St 365(ecce *GrutU* esse *AP* sese *Lips*ψ), Tri 389, 1013, Fr I. 62 (*Varr l L* V. 153 eccum *LangenL*), 81(*ex Varr l L* VII. 58)   *corrupta:* Mer 524, ecce illam *CD* ancillā *B A n. l.* millam *BugS* eccillam *Bo*ψ   Per 392, ecce illum *CD* eccillum *B* ecillum *A*   Poe 576, ecce *P* euçe *A pro* euge Tru 952, Philippeum ecce *U falso in loc dub*

eccum Am 120, 335, 497, 897, 1005, Au 177, 411(*add U solus*), 473, 536, 665, 712, Ba 393 *v. secl Langen*ω: em *BoR*), 611, 667(*Langen* ecce *PRU*), 978(adstantem e. *B* -te mecum *CD*), Cap 169, 997, 1005 *bis*, 1015, Cas 213, 308, 350(ectum *E* exto *J*), 536, 562, 593, 719, 796, Cu 455, 610(eguum *J*), 676, Ep 186 (haec cum *E*[1]), 608, Men 109, 275, 286, 357, 567, 705(et cum *C*), 888, 898, Mer 271, 330(hic *RRg*), 561, 747, Mi 25, 540(heecum *D*[1]), 1216(et cum *B*), 1281(ecum *BC*[1]), 1290, Mo 83(equum *B*[1] ecquum *B*[2]), 311(*FZ* cum *B* eccum *altero loco B*[1]), 363, 560(ecum *P*), 611(et cum *D*), 686, 795(illud *A*), 997, 1120(*FZ* haec cum *B* hic cum *C* hęc cum *D*), 1127, 1137(et cum *D*), Per 83, 271(ecccum *B*), 543, 739, Poe 279, 470, 1330, 1332, Ps 410, 693, 789(ecum *B*), 911(heccum *B* eccum *U*), 965(heccum *D*), Ru 492, 705, 805, 844, 1209, 1356, St 270, 527, 577(ectum *B*[1]), Tru 320(sed e. *FZ* et cum *P*), 539(e. ex Arabia *Rs* exarat *PS*† *var em* ψ), 822(eccum *RsU* ego te *P*), 859, Fr I. 62(*ex Varr l L* V. 153: eccum *LangenL* ecce *VarrRgS*)

eccam Am 778, As 151, Ba 639(-um *B*[2]*RU*), Cas 163(eapse e. *Bo* ipsa ecca *A* ea ipsa eccam *P*), 541, 574, Ci 655(haeccam *E*), 697(eccum *BVJS*† heccum *E* eccam *PyRsULy* est *L*), 743,

Ep 563(heccam *E*), Men 180(*Bo* ecca *P*), 565, 772, Mer 671, Mi 319, 330(*v. secl LadewigRgᵋ*), 470(e. erilem *P* sed hec camerile *B*¹), 545, 1215, Mo 833(*U solus pro* nam), Per 226(eccillam *MueRs*), Poe 203(ecam *B*), 1048, Ps 36, Ru 1174(*Fl* ecca *P*), St 261(*vide* eccillam), Tru 503 (euge Astaphium e. *FZ* eugastha phin[*B* euge staphin *CD*] maccam *P*), 536, 575(ecam *BC*), 772(*add Rs*), 852(eapse e. *Bo* eccam eapse *Ly* ecce ab se *P*), 917(ecam *BR*) *corruptum:* Mo 383, eccam *D*¹ *pro* etiam **eccos** Ba 403 (equos *B*¹), Men 219(eccos tris *AB*² hec costris *P* treis *ARᵋ*), Mi 1310, 1428, Mo 312, Ru 309 (eccon si *B* eccons *C* eo cons *D*) **eccas** Au 641, Ba 568, 1166, Poe 1166, Ru 663(*Bent* ecce *P*), Tru 530(*CD* cecas *B* ecas *FlRs*) **ecca** (= ecce ea) Ru 1154

eccillum Cu 278(*MueRg* ellum *Pψ*), Mer 435(ecce illum *B*), Mi 1312(inde abeo. #Eccillum hominem *Rg* uideo abeo homine *B* habeo mum hominem *D*¹ᵋ† abeo muni⸱ hominem *C aliter ψ*), Per 247(ecillum *P*), 392(ecillam *A* ecce illum *CD* icillum *Fest* 297), Ps 911(*R solus pro* eccum), Ru 1066(ecillum *P*), Tri 622(ecillum *P*) **eccillam** Au 781(ecillam *P*), Mer 524(*Bo* ecce illam *CD* ancillam *B* millam *Bugᵋ*), Mi 323 (e. quidem *R* illam quidem illa[*om D*] *P aliter ψ*), 789(*A* hec illā *BD* haec illam *C*), Per 226 (*MueRs* eccam *Pψ*), St 261(*Bo* eccam illam *P* eccam *ALy* eccam aliam *L*), 536(*Bent* siccillam *A* ex illa *B* hec[hic *D*] illa *CD*) **eccillud** Ru 576(ecillum *A* ec illud *B* eo illud *CD om Paul* 366)

ellum Ba 938(*B* illum *CD*), Cu 278(eccillum *MueRg*)

eccistam Cu 615

II. Significatio A. ecce '*is used in two ways in P.:* (1) = 'here is', *with an acc. as object, generally a pronomen of the 1ˢᵗ person;* (2) = 'lo', *in a sentence which is grammatically complete without the interiection.*' Sonnenschein (*de prosodia cf* Enger, p. 12; Schenkl, pp. 12, 21, 87) 1. *absolute:* atque audin etiam? #Ecce* As 109 Fr I. 81(*infra* 2)

2. 'here is' **a.** *cum acc. pron.:* ecce me Ci 283, Ep 680, Mer 132, Mi 663, Per 726, Ru 241 ecce nos(*add BoL*) Fr I. 81(*ex Varr l L* VII. 58) **b.** *add. praed.:* si id factumst, ecce me nullum senem Cas 305 ecce nos tibi oboedientes Mi 611 ecce hominem te, Stasime, nihili Tri 1013

c. *cum acc. subst.:* ecce odium meum Poe 352(*v. om C*) ecce Gripi scelera Ru 1178 *post* autem: ecce autem litigium Men 784 ecce autem mala Poe 1124

d. *cum relativo:* sed ecce* quae illi in∗∗∗∗ Mo 496

3. 'lo' **a.** *sola:* Ba 667(*PRU* eccum *Langenψ: infra* B. 1. a) ecce, Apollo mihi ex oraclo imperat Men 841 ecce*, Apollo, denuo me iubes facere inpetum in eum Men 868 ecce ad me aduenit mulier Mer 100 ecce omitto Mi 456 Fr I. 62(*Varr* eccum *Langen L*) St 365(*GrutU*)

b. *add. particula* autem: ecce autem uxor obuiamst Cas 969(*A solus*) ecce autem bibit

arcus Cu 131 ecce autem perii Mer 748, Mo 660, 676 ecce autem haec abiit Mer 792 ecce autem(*P om Aω*) auortit Mi 203 ecce autem aedificat Mi 209 ecce autem commodum aperitur foris Mi 1198 ecce* autem (iterum *add RsLU*) hic deposiuit caput et dormit Mo 382 ecce autem in benignitate repperi negotium Tri 389

B. eccum, eccam, eccillum, eccillam, eccillud eccum, eccos, eccas, eccistam '*werden regelmäßig gebraucht, wenn auf das Vorhandensein oder auf das Erscheinen einer oder mehrerer Personen auf der Bühne aufmerksam gemacht, wenn irgend ein Gegenstand dargereicht oder gezeigt wird.*' Langen. *Cf* Martins, p. 31; Schenkl, p. 87 1. *absolute:* **a.** em tibi pateram: eccam Am 778 sed eccum (uideo *add KletteRgLULy* ∗ᵋ) Au 177 em tibi, ostendi: eccas Au 641 immo eccillam domi Au 781 sed eccam: opino arcessit Cas 541 sed eccum ante aedis Cas 593 sed optume gnatum meum uideo eccum* Mer 330 ubi tu's? #Eccum Mi 25 nam eccillam* quidem domi Mi 323(*R*) quin domi eccam Mi 330(*v. secl LadewigRgᵋ*) atque eccum optume Mo 1127 ubi illa altrast furtifica laeua? #Domi eccam* Per 226 abi: eccillum domi Per 247

ellum*: non in busto Achilli sed in lecto accubat Ba 938

b. *add. acc. vel adiectivi vel subst.:* saluam eccam Ci 743 domi meae eccam saluam et sanam Ep 563 eccam (amicam) in tabellis porrectam Ps 36

attat, eccum ipsum Au 712 atque optume eccum ipsum ante aedis Per 739 eccam* aliam quae dicat 'cedo' St 261(*L*)

sed eccum adfinem ante aedes Au 536 duas ergo hic intus eccas Bacchides Ba 568 nam eccum hic captiuom adulescentem intus Aleum Cap 169 domi eccam* erilem concubinam Mi 470 intus eccum fratrem germanum tuom Cap 1015 eccillum* hominem tibi qui . . Mi 1312(*Rgᵋ*) sed eccum lenonem optume(*A* Lycum *PL*) Poe 1330 era, eccum* praesto militem Mi 1216 sed eccum parasitum quoius mihi auxiliost opus Per 83 Philocomasium eccam domi Mi 319 nam Philocomasium eccam intus Mi 545 sed Toxili puerum Paegnium eccum* Per 271(*loc dub*) sed eccum Pinacium eius puerum St 270 sed Philolachetis seruom eccum* Tranium Mo 560 sed uxorem ante aedis eccam Cas 574

sed eccam coronam quam habuit Men 565 atque eccum* tibi lupum in sermone St 577

c. *add. relativo:* sed eccum qui nos conduxit senex Mer 747 sed eccum qui ex incerto faciet mihi . . certius Ps 965 eccum* quem quaerebam Cu 610 nam eccum unde aedis filius meus emit Mo 997

d. *addito verbo personae tertiae(cf* Sonnenschein): sed eccum Amphitruonem aduenit Am 1005 sed eccum lenonem incedit, thensaurum meum Cu 676 sed eccum Palaestrionem stat cum milite Mi 1290 tegillum eccillud* mihi unum id aret Ru 576(*fortasse sub* b. *referendum?*) eccum* adest Au 411(*U solus*) attat, eccam* adest propinque Tru 575

e. *cum verbis parenthetice:* eccam*.. cornix astat Mo 833(*U*) assum apud te eccum Poe 279 utrisque disceptator eccum* adest Mo 1137 Plesidippus eccum adest Ru 844 circus noster eccum* adest Fr I. 62(*ex Varr l L* V. 153) pater eccum aduenit peregre Mo 611 sed optume eccum ipse aduenit Per 543 ehem, optume edepol eccum clauator aduenit Ru 805 eapse eccam* egreditur foras Cas 163 sed eccum egreditur senati columen Cas 536 sed eccum egreditur Mi 540 sed eccam ipsam(-sa *BriU*) egreditur foras Mi 1215 sed eccas* ipsae huc egrediuntur Ru 663 sed nimium pol opportune eapse eccam* egreditur foras Tru 852 eunt eccas tandem probri perlecebrae Ba 1166 uir eccum it Cas 213 nam eccum it uicinus(*A* uicinum eccum exit *P*) foras Mer 271 atque eccum it foras Mer 561 euge, Astaphium eccam* it mihi aduorsum Tru 503 Amphitruo subditiuos eccum exit foras Am 497 atque eccam inlecebra exit tandem As 151 eccum* exit foras Chalinus intus Cas 350 eapse eccam* exit Men 180 eccos exeunt Mi 1310 sed Adelphasium eccam* exit atque Anterastylis Poe 203 sed optume eccum exit senex Ru 705 atque optume eccum exit foras Ru 1209 eccum exit et ducit senem Ru 1356 conueniunt manuplares eccos Mo 312 apud nos eccillam* festinat cum sorore uxor tua St 536 optume eccum incedit ad me Am 335 sed Megadorus .. eccum incedit a foro Au 473 sed eccum incedit huc ornatus .. Cap 997 sed eccum incedit Cas 562 sed eccum incedit Epidicus Ep 608 atque eccum incedit Men 888 atque eccam incedit tandem Mer 671 nescioquis eccum* incedit Mi 1281 Callidamates cum amica eccum* incedit Mo 311(*loc dub*) sed eccum incedit Poe 470 atque eccum incedit Ru 492 sed eccum fratrem Pamphilippum(: ω) incedit St 527 Mnesilochus eccum maestus progreditur foras Ba 611 sed progreditur optume eccum Olympio Cas 308 sed eccum progreditur .. meus socius Cas 796 euge optume eccum .. foras Simo progreditur intus Mo 686 sed eccum* odium progreditur meum Tru 320 atque edepol eccum optume reuortitur Men 567 erus alter eccum ex Alide rediit Cap 1005 redit eccum tandem opsonatu meus adiutor Cas 719 eccum Tranio a portu redit Mo 363 uenit eccum Calidorus Ps 693 sed erus eccum ante ostiumst Cap 1005 nam meus pater intus nunc est eccum Iuppiter Am 120 mater tua eccam* hic intus (-ust *Langen Rs*) Daedalis Ru 1174 sed quem quaero optume eccum* obuiam mihist Ba 667

senex eccum aurum ecfert foras Au 665 senex ipsus te ante ostium eccum* opperitur Mo 795 erus eccum* recipit se domum Ps 789 certe eccam* locum signat ubi ea excidit Ci 697(*loc dub*)

f. *parenthetice cum verbis trans., sed ubi ad subst. particula referri potest:* adduxi ancillas tibi eccas* ex Syria duas Tru 530 tesseram conferre si uis hospitalem eccam attuli Poe 1048 attuli eccam pallulam ex Phrygia tibi Tru 536 eccum ex Arabia tibi adtuli

tus Tru 539(*Rs duce Bue: loc perdub*) ouem tibi eccillam* dabo Mer 524(*BoRRgL*) (peniculum) eccum in uidulo saluom fero Men 286 eccos* tris nummos habes Men 219 habeo eccillam* meam clientam Mi 789 librorum eccillum* habeo plenum soracum Per 392(*cf Fest* 297) hic eius uidulum eccillum sublectum habet(*Rs duce Reizio* e. tenet *GuyLULy* e. *** *PS*) Ru 1066 uentri reliqui eccillam(ecce aliam *L*) quae dicat 'cedo' St 261

sed eccum* ipsum ante aedis conspicor Apoecidae Ep 186 atque eccum ipsum hominem opseruemus(: o. ω) quam rem agat Men 898 sed eccum uideo qui me miseram arguit stupri Am 897 sed eccum uideo(*add KletteRgLU*) Au 177 sed eccum uideo incedere Ba 393(*v. secl Langen*ω) sed eccos* uideo incedere Ba 403 tuam copiam eccam* Chrysalum uideo Ba 639 sed Priamum adstantem eccam* ante portam uideo Ba 978 sed eccam* eram uideo Ci 655 atque eccum uideo. leno, salue Cu 455 nullam abduxi. #Certe eccistam uideo Cu 615 Menaechmum eccum ipsum uideo Men 109 sed eccum Menaechmum uideo Men 275 atque eccum uideo Men 357 sed eccum* uideo Men 705 atque eccam eampse ante aedis et eius tristem uirum uideo Men 772 sed optume gnatum meum uideo(,ω) eccum Mer 330 eccillum* uideo Mer 435 seruos meos eccos uideo Mi 1428 nam eccum* erilem filium uideo corruptum ex adulescente optumo Mo 83 sed eccum* tui gnati sodalem uideo huc incedere Mo 1120 sed eccas uideo ipsas Poe 1166 bonum uirum eccum uideo Poe 1332 erum eccum uideo huc Simonem .. incedere Ps 410 sed eccum* uideo uerberam statuam Ps 911 sed quos perconter commode eccos* uideo astare Ru 309 sunt crepundia. #Ecca uideo Ru 1154 sed generum nostrum ire eccillum uideo Tri 622 Tri 822(eccum *RsU falso pro* ego te) uideo eccum qui amans tutorem med optauit suis bonis Tru 859 sed eccam* uideo Tru 917

parasitum tuom uideo currentem ellum*Cu 278

2. *cum particulis:* atque eccum(*cf* Ballas, I. p. 30): As 151, Cu 455, Men 357, 772, 888, 898, Mer 561, 671, Mo 1127, Per 739, Ru 492, 1209, St 577 **nam:** Am 120, Cap 169, Mer 271, Mi 323(*R*), 545, Mo 83, 997 **sed:** Am 897, 1005, Au 177, 473, 536, Ba 393, 403, 667, 978, Cap 997, 1005, Cas 308, 536, 541, 574, 796, Ci 655, Cu 676, Ep 186, 608, Men 275, 565, 705, Mer 330, 747, Mi 540, 1215, 1290, Mo 560, 1120, Per 83, 271, 543, Poe 203, 470, 1166, 1330, Ps 911, 965, Ru 309, 705, St 270, 527, Tri 622, Tru 320, 852, 917

ECCERE - - eccere, iam tuatim facis ut tuis nulla apud te fides sit Am 554 eccere, uxor, aequa Cas 386 eccere(*CD* eccerĕ *B*), perii misera Men 401 eccere autem capite nutat Mi 207 eccere(*RLy* ecce *P*ψ) autem (iterum *add RsLU*) hic deposiuit caput Mo 382 eccere(cccere *C*) autem, quem conuenire maxume cupiebam, egreditur intus Per 300 tute ad eum adeas, .. tute poscas. #Eccere Tri 386 *Cf* Ribbeck, *Partik.* p. 43; Brix-Niemeyer, *ad Trin.* 386

ECHINUS · · echinos, lopadas, ostrias, balanos captamus Ru 297 addite lopadas, ecinos(echinos *L*), ostreas Fr I. 105(*ex Non* 551)

ECLIDO · · *vide* elido

ECQUIS, ECQUI · · I. Forma ecquis (*subst.*) Am 1020 *bis*, As 432(Coriscus *FlRgl*†ℊ), 910(et quis *PNon* 157), Ba 11(*ex Fest* 169 haec quis *Fest*), 581(hecq. *D*), 582(hecq. *D*), ib., 583 (hecq. *D* ecqui *RU*), Cap 459(equis *Rs* ecqui *FlU*), 511, 830, ib.(equis *Rs om P add Bo*), Cas 166(equis *ERs*), 951(equis *Rs*), Cu 301, Men 1003, Mi1297(*C* hecquis *D* et quis *B*), Mo 339(hecquis *CD* eecquis *B*), 445(hecquis *P*), 899, 900(hecquis *BD* haecquis *C*), 988, Poe 1118(equid *A*), Ps 1139, Ru 413(equis *Rs* ecqui *FlU*), ib., ib. (equis *B*), 762(ecqs *B*), St 352(ecqui *GuyR*), Tri 870(hecquis *B*), Tru 255 *bis*(ecqui *FlRs*), 663 (quasi *Rs*), 664(equis *Rs* et quis *P*) (*adiect.*) Am 856, Men 673(*B²* et quis *CD* hecquis *B¹*), Mo 354 **ecqui**(*subst.*) St 222(eoqui *C*) *aliquando Fl et Rs pro* ecquis (*vide supra*) **ecquae**(*adiect.*) Ba 235(-ę *B* -e *D*), St 366(-ę *C* et quae *Non* 533) **ecqua**(*adiect.*) As 516 (*Kamp* egona *BDE* ego una *J*), Men 135(*B* et qua *P*), Mi 794(*Rg duce A* hecque *CD*[-ę *C*] haec que *B* haecqua *A* ecquae *ZRL*), Mo 770 (ecquast *RRs*ℊ ecquaest *A* ec quam est *B* et quä est *CD* ecqua est *LULy*) **ecquid**(*subst.*) As 648(e. est *BD* ec[ec *E*] quidem *EJ*), Cas 242, 404, Cu 130(-ę *É*), Mer 282(*BriRg* numquid *Pψ*), Per 107, 310, Poe 257, 1305(*A* -it *B* et quid *CD*), Ps 370(haec quid *A* ecqui *P*), Ru 949, 950(eo quid *D* sei quid *Rs*), Tru 93 (ecquid *Rs pro* haec quibus *in loco perd*), 897 (*L* equid *BueRs* quid *Pψ*) **ecquem**(*subst.*) Ci 708(-aē *V* ħ quem *E*), Ru 1033, St 342 (*adiect.*) As 344, Cu 341, Poe 1044(*A* hecq. *B* hęcq. *CD*), Ps 971, Ru 125, 313, 316, 971 **ecquam**(*adiect.*) Ep 441, Mer 390, Mi 782(*FZ* et quam *BC* et quan *D*), Ps 482 **ecquid** (*subst.*) Am 578(*FZ* et quid *P*), As 899, Au 270, 636(*E³J* haec q. *E¹* hęcquid *BD*), Ba 161, 980 (*B* hęcqd *CD*), 1085, Cas 456(*B²* ecquis *P*), Ci 643(eo quid *É*), Cu 519(ęc. *E*), Ep 688(eo quid *E*), Men 146(equid *B¹*), 149(*B* et qd *C* et qiđ *D*), 163(*A* hec quid *CD* haec quid *B*), 912, Mi 42(ec quide *B¹* et quidem *C* equide *D¹*), 708 (ecquid *FRLy* hec quid *P* quid *ψ*), 902(*D* haec quid *B* hęc quid *CD¹*), 993(*Ca* hec quid *B* ecqui *CDRŬ*), 1106(et quid *B et Non* 306 ecqui *RU*), 1111(*AcRgLLy* ecqui *CD*ψ aecqui *B*), Mo 319(*FZ* hęcq. *B* hecq. *CD*), 906(aecq. *B* hęcq. *D* hoecq. *C*), 907(eoquid *C*), Per 108 (*FZ* hecq. *B* haecq. *C* hęcq. *D*), 225, ib.(et quid *P*), 488, 534(*R pro* quid), Poe 327, 364(eo quid *CD*), 385(eo quid *CD*), 985(et quid *C*), 1062, Ps 383(quid *B*), 737(qui hic adest e. *A* hic qui aduenit quid[qui *B*] *P*, ecquid is *Lorenz* equidem *A* ecquid *P*), 739, 740(et quid *C et Plin. N. H.* XIV. 13, 15), 746(hecq. *D*), 748(-t *P* hecq. *D*), Ru 1030(eo quid *D*), 1310(eo quid *CD*), St 32 (ecqui *Rg*), 338, Tri 717, Tru 505(ehem e. *Mue* ehecquid *B* haec quid *C* ecquid *D*), 542(e. amas me *Ca* ec quidē asme *B* et quidem has me *CD*), 584(*FZ* hecq. *B* hęcq. *D* haecq. *C* ecqui *Rs*) **ecqui**(*abl.: cf* ecquid) Au 16(*Gul* et qui *P* et

quidem *Non* 320), Mi 1111(*CD* aecqui *B* ecquid *AcRgLLy*) **ecquas**(*adiect.*) Ps 484(*FZ* equas *P*) **ecquae**(*adiect.*) Tru 508(e. spolia *Kies* q̄s poliaret *P*) *corrupta:* Ba 664, ecquid *B* ut quid *D¹ pro* et quid Mi 178, ecquid *B²* aquid *CD pro* quid St 342, ecquem *P* ecquidem *A pro* equidem(*Bue* equem *ret RU*)

II. Significatio A. *substantive* **1.** *nom.* **a.** *in interrogationibus rectis:* heus ecquis hic est? ecquis hoc aperit ostium? Am 1020, Ba 582(*om* heus), Cap 830*(om* heus) tat, ecquis intust?(inulla est *P*ℊ† *aliter Rs*) ecquis* hoc aperit ostium? Tru 664(*cf* Ru 413: *an* heus ecquis in uillast? *cf Stud. stud.* I. p. 627) ecquis* hic est Mo 339 heus ecquis hic est(intust *L*)? aperitin(*Sch duce Leone* hec quis ista perit in *P* ecquis istas[*B²D³*] aperit mihi *Ca RU*) foris? Mo 445 heus ecquis hic est? Mi 1297*, Mo 899, Poe 1118*, Ru 762(*addito altero* heus) ecquis* has aperit foris(*A ut vid* hec [*vel* haec] quis ec[*vel* hec, haec] quis huc exit atq' aperit f. *P*)? Mo 900 heus uos, ecquis hasce aperit? Mo 988 ecquis hoc aperit? Ps 1139 (*cf* Men 673 *infra* B) heus uos, ecquis* haec quae loquor audit? Cas 166 ecquis suppetias mihi audet ferre? Men 1003 ecquis* currit pollinctorem accersere As 910(*cf Non* 157) ecquis* huc effert nassiternam cum aqua? St 352 ecquis* euocat . . istum inpurissumum? Ba 11(*ex Fest* 169) ecquis* exit? Ba 583 heus, ecquis* his foribus tutelam gerit? Tri 870 ecquis* huic tutelam ianuae gerit? ecquis intus exit? Tru 255 ecqui* poscit prandio? St 222 heus, ecquis* in uillast? ecquis hoc recludit? ecquis* prodit? Ru 413 eho, ecquis* pro uectura oliui resoluit? As 432(*loc dub*)

ecquis intust? Mo 445(*L vide supra ab initio*) tat, ecquis intust? Tru 663(*LU fortasse* heus [*vel* attat], ecquis in uillast) ecquis in aedibust? Ba 581 in uillast Ru 413(*supra*) *fortasse etiam* Tru 663(*supra*)

sed ecquis* est qui homo munus uelit fungier pro me? Cas 951 ecquis est qui mihi commonstret Phaedromum? Cu 301 *Cf* Mo 354 (*infra* B), 899(*supra*), Ru 949(*infra*)

ecquid* est salutis? As 648 ecquid te pudet? Cas 242, Poe 1305*, Ps 370* age, ecquid fit? Cas 404 quid est? ecquid lubet? Cu 130 ecquid* amplius? Mer 282(*BriRg*) ecquid hallecis? Per 107(*acc.?*) ecquid quod mandaui tibi in te speculaest? Per 310(*loc dub*) ecquid gratiae(*sc.* est), quom huc foras te euocaui? Poe 257(*acc. U*) ecquid est quod mea referat? Ru 949 sed boni consili ecquid* in te mihist? Ru 950 sed ecquid melius est Tru 93(*Rs solus*) ecquid* . . litiumst? Tru 897

b. *in interr. obliquis:* eadem percontabor ecquis* hunc adulescentem nouerit Cap 459 rogo Philocratem ex Alide ecquis hominum nouerit Cap 511(*cf* Blomquist, p. 64)

2. *acc.:* ecquem* uidisti quaerere(†ℊ*L tollere *RsU*) hic? Ci 708 ecquem in his locis nouisti? Ru 1033 ecquem conuenisti? #Multos. #At uirum. #Equidem(at uirum ecquem *RU*) plurumos St 342 ecquid* audes de tuo istuc addere? Men 149 perii. ecquid* ais, Milphio? Poe 364 quod te misi ecquid egisti? Ba 980 quid agant, ec-. quid(ecqui bene *Rg*) agant neque participant . . St 32 ecquid amare uideor? #Damnum Poe 327(*lusus verborum: vide infra* 3) ecquid adportas boni? St 338 ecquid das qui bene sit? #Malum Cu 519 ecquid* facies modi? Poe 385 ecquid* condicionis audes ferre? Ru 1030 ecquid habes? #Ecquid* tu? #Nihil equidem Per 225 ecquid* is homo habet aceti in pectore? Ps 739 si opus sit ut dulce promat indidem, ecquid* habet? Ps 740 ecquid* imperas? Ps 383 *Cf* Blomquist, p. 51 uisent quid agam, ecquid* uelim Mi 708

3. *adverbia* **ecquid**(*nonnulla exempla ad* 2 *etiam referri possunt*): ecquid agis? Au 636*, Ci 643*, Ep 688* ecquid matrem amas? As 899 ecquid* amas nunc me? Cas 456 ecquid* amas me? Tru 542 ecquid* adsimulo similiter? Men 146 ecquid audis? Am 578*, Au 270, Per 488, Tri 717 ecquid* auditis Tru 584 ecquid* commeministi Punice? Poe 985 ecquid* meministi? Mi 42 sed ecquid* meministi, here qua de re . .? Per 108 ecquid meministi tuom parentum nomina? Poe 1062 ecquid* meministi in uidulo . . quid ibi infuerit? Ru 1310 ecquid* hic te onerauit praeceptis? Mi 902 ecquid* placent? #Ecquid* placeant? me rogas? Mo 906-7 ecquid* tu de odore possis . . facere coniecturam? Men 163 qui hic adest ecquid* sapit? Ps 737 ecquid sentis? #Quidni sentiam? Men 912 ecquid* fortis uisast? Mi 1106 ecquid* tibi uideor ma-m-ma-madere? Mo 319 ecquid amare uideor? Poe 327(*supra* 2) ecquid argutust? Ps 746 ecquid in mentemst tibi patrem tibi esse? Ba 161 ecquid* is homo scitust? Ps 748 ehem, ecquid* mei similest? Tru 505 *in interr. obliquis:* uiso ecquid eum ad uirtutem . compulerit Ba 1085 subauscultemus, ecquid* de me fiat mentio Mi 993 ecquid* placeant me rogas? Mo 907(*supra*)

ecqui(*cf* Kienitz, p. 559): quid is? ecqui* fortis? Mi 1111 coepi obseruare ecqui* maiorem filius mihi honorem haberet quam . . Au 16

B. *adiective* 1. *in interr. rectis:* ecquam tu aduexti tuae matri ancillam Rhodo? Mer 390 sed ecqua* ancillast tibi? Mi 794 sed ecquem* adulescentem tu hic nouisti Agorastoclem? Poe 1044(*v. secl OsannRgl*SL) ecquem adulescentem . . uidistis? Ru 313 ecquis homost qui facere argenti cupiat aliquantum lucri? Mo 354 si istunc hominem . . tibi commonstrasso, ecquam abs te inibo gratiam? Ep 441 ecquem in angiporto hoc hominem tu nouisti? Ps 971 heus, ecquis* hic est ianitor? Men 673 ecquas* uiginti minas . . paritas ut a med auferas? Ps 484 ecquam* tu potis reperire forma lepida mulierem? Mi 782 ecqua* pars orationis de die dabitur mihi? As 516 heus, adulescens, ecqua* in istac pars inest praeda mihi? Men 135 ecquem esse dices in mari piscem meum? Ru 971 Sarsinatis ecqua* est? Mo 770 ecquem recaluom ad Silenum senem . . Ru 316 ecquis alius

Sosia intust? Am 856 ecquae* spolia rettulit? Tru 508 ecquam scis filium tibicinam meum amare? Ps 482

2. *in interr. obliquis:* me infit percontarier ecquem filium Stratonis nouerim Demaenetum As 344 dic . . ecquem tu hic hominem crispum incanum uideris Ru 125 me interrogat ecquem . . Lyconem tarpezitam nouerim Cu 341 uisam ecquae aduenerit . . nauis mercatoria Ba 235 percontor portitores ecquae* nauis uenerit St 366

C. *praecedunt particulae:* **age** Cas 404 **eho** As 432 **heus** Am 1020, Ba 582, Cas 166, Men 673, Mi 1297, Mo 445, 899, 988, Poe 1118, Ru 762, Tri 870 **sed** Cas 951, Mi 794, Per 108, Poe 1044, Ru 950, Tru 93(*Rs*) **tat** *vel* **attat** Tru 664(heus?)

ECQUISNAM - - ecquisnam(eo quis n. *C*) deus est qui mea nunc laetus laetitia fuat? Mer 844 **ecquidnam**(*Pius* et q. *P*) meminit Mnesilochi? Ba 206 ecquidnam(et q. *B*) adferunt? Poe 619 Ba 235, nam *post* ecquae *ins HermR*

ECULA - - *vide* equola

EDACITAS - - neque **edacitate**(edat. *B*) eos quisquam poterat uincere Per 59

EDAX - - perenniserue lurco **edax** furax fugax Per 421(*cf Non* 11)

EDENTO - - nimis uelim improbissumo homini malas **edentauerint** Ru 662 *Cf* Egli, I. p. 31

EDENTULUS - - flagitium . . feci . . propter operam illius hirqui improbi **edentuli** Cas 550 (*loc dub*) . . ut ego hunc proteram leonem uetulum olentem **edentulum**(*Pius* -tuis *D* -tius *BC*) Men 864 uetustate uino **edentulo** (*i. e.* sine dentibus *vel* acerbitate) aetatem inriges Poe 700(*cf* Goldmann, I. p. 18; Graupner, p. 4) istae . . uetulae **edentulae**(-e *B* edon. *D*) quae uitia corporis fuco occulunt Mo 275 *Cf* Ryhiner, p. 25

EDEPOL - - I. Forma 1. *variae lectiones:* Am 672, edepol tu *om WeisRgl*; 1045, me in ultus *E pro* intro e. As 833, ẹdepol *B* Au 254, ẹdepol *B*; 262, ẹdepol *B* hercle *BriRg* Ba 159, *v. secl LangenRg*S; 545, *v. om A*; 1100, *v. secl RRg*SL Cap 452, ẹdepol *D*; 948, hẹdepol *E*; 1020, ẹdepol *C*; 1023, ẹedepol *B* Cas 93, ẹdepol *B*; 128, ẹdepol *B*; 309, edelpol *E*; 329, e. om *J*; 521, ẹdepol *B* Ci 510, *v. om A secl Rs*S Ep 11, edepol *add MueRg post* diu; 61, pol *LuchsRg*S Men 92, edepol fugiet tam etsi *PyLLy* e. te fugiet iam [*CD* tiam *B¹* etiam *B²*] *P* hercle effugiet tam *Non* 38 *et* ψ; 497, aedepoc *C* modo *Rs* †*L em RULy*; 500, eddepoc *C*; 518, ae. *C*; 567, ae. *C*; 1023, he. *D*; 1067, med. *B¹* me e. *CD corr B²*; 1144, ẹd. *D* Mer 6, *RRg pro* pol; 393, quoque ita pol *R pro* quidem e.(*AP*); 422, ẹd. *CD*; 438, ẹd. *C*; 508, ẹd. *C* Mi 19, aed. *D*; 49, et depol *C*; 462, ẹd. *C*; 586, ẹd. *CD*; 988, ẹd. *C*; 1074, ẹd. *C*; 1255, aed. *C* pol ego *L*; 1270, hercle *CD* Per 484, epol *CD*; 617, edepol *add R solus* Poe 328, lucrum quidem pol *RRgl* edepol lucrum *P*S†*LU*; 571, aedepol *B pro* at e.; 1331, *v. secl* ω *om A* Ps 992, depol *C*; 1199, edepol *om A* St 272, neste de

pol *Plac.* 38. 25 *pro* ne iste e.   Tri 65, *v. secl*
Bergk U †*S*; 906, dede pol *B* edepol *CD*   Tru
656, hodie pol *Rs*   Fr II. 17(*ex Fest* 165),
eoepol *Fest*
2. *corrupta:* Am 371, edepol *J pro* at pol;
537, edepol *Non* 198 *pro* ecastor   Au 630,
edepol *P pro* pol(*FZ*)   Cas 178, edepol *VEJ*
pro et pol(*AB*); 727, edepol *A ut vid* ey ey *P*
fufae *Rs* fy fy *SpSU* fu fu *L* fui fui *Ly*   Mer
460, edepol *iterat A*
II. Collocatio *si ad totius enuntiati sen-*
sum particula pertinet, ab initio stare solet, nisi
quod coniunctionem scilicet atque, neque, at,
sed, et *sequitur. Si ad vocabulum unum per-*
tinet, sequi solet. Cum particulis aliis coniuncta
particula aliquando antecedit aliquando sequitur:
ut immo edepol(Kellerhoff, p. 63), ergo e.,
quin e., eu e., quoque e., *semper, sed item sem-*
per edepol qui(*cf* Kienitz, p. 561), edepol
uero, e. equidem, edepol quidem(*cf* Kuklinski,
p. 27, 53); *nonnumquam variat,* ut e. quidem
ter quidem e. 27*ies,* edepol profecto *bis* profecto e. *semel. Etiam* edepol ne, *sed* ne *cum*
pronomine coniunctum semper antecedit. Parti-
cula pronomen antecedit, nullo interposito voca-
bulo(Kellerhoff, p. 60); *sequitur autem ne-*
gationes(Kellerhoff, p. 68) *nisi* Mer 958. *Si*
atque *antecedit, addita particula uim con-*
iunctionis auget(Ballas, I. p. 32). *Cf etiam*
Kaempff, p. 40; Wichmann, p. 28
III. Significatio A. *ad enunt. totum per-*
tinens 1. *in initio enuntiati:* quid istuc est
.. quod .. abeas? #Edepol haud quod tui me ..
distaedeat Am 503   edepol me uxori exoptatum credo aduenturum domum Am 654   edepol me lubente facies Am 848   edepol, pater,
merito tuo facere possum As 833   edepol
mortalem parce parcum praedicas Au 314
edepol fecisti furtum in aetatem malum Ba 166
(*v. iterat B*)   edepol fecisti prodigum promum
tibi Poe 716   edepol, Mnesiloche, .. quod
ames paratumst Ba 218   edepol tibi .. cautum intellego Cap 253   edepol rem meam
constabiliui Cap 452   edepol minume miror
si te fugitat Cap 545   edepol, Hegio, facis
benigne Cap 948   edepol qui amat si eget
misera adficitur aerumna Cu 142   edepol
nugatorem lepidum lepide hunc nactust Phaedromus Cu 462   edepol lenones meo animo
nouisti .. lepide Cu 505   edepol haud mendacia tua uerba experior esse Men 333   edepol uenio aduorsum temperi Men 464   edepol
uel Elephanto in India .. praefregisti bracchium Mi 25   edepol* memoria's optuma Mi
49   edepol, Sceledre, homo sectatu's nihili
nequam bestiam Mi 285   edepol facinus fecit
audax Mi 309   edepol nunc nos tempus est
malas peioris fieri Mi 1218   edepol si summo
Ioui .. sacruficassem .. numquam aeque id
bene locassem Mo 241   edepol, Neptune,
peccauisti largiter Mo 438   edepol dedisti,
uirgo, operam adlaudabilem Per 673   edepol
merito esse iratum arbitror Ps 476   edepol,
Libertas, lepida's Ru 489   edepol, Neptune,
es balineator frigidus Ru 527   edepol infortunio hominem praedicas donabilem Ru 654
edepol proueni nequiter Ru 837   edepol haud

te orat Ru 1152   edepol, pater, scio ut oportet esse St 111   edepol essuries male St 345
edepol gaudeo St 586   edepol conuiui sat est
St 710(*v. secl L transp RRg*)   edepol(†*S*)
proinde ut bene uiuitur diu uiuitur Tri 65
edepol haud dicam dolo Tri 90   edepol
deum uirtute dicam, pater, .. Tri 346   edepol mutuom mecum facit Tri 438
quid agam edepol nescio Au 730
me lubente facies. #Edepol me magis Tru
361   edepol tu quidem caecus, non luscitiosu's
Mi 322   edepol uos lepide temptaui St 126
edepol te uocem lubenter St 592   edepol mihi
opportune aduenerit Mo 1077   edepol haec
quidem bellulast Mi 988   edepol huius sermo
haud cinerem quaeritat Mi 1000   edepol hic
uenit commodus Poe 1331(*v. habet A om ω*)
edepol te hodie lapide percussum uelim St 613
2. *cum acc. exclamationis:* edepol hominem
miserum Am *fr* VII(*ex Non* 44)   edepol (heu
praef CaRgl) hominem infelicem As 292   edepol senem Demaenetum lepidum fuisse nobis
As 580   edepol animam suauiorem .. quam ..
As 893   edepol mortalis malos Ba 293   edepol papillam bellulam Cas 848   edepol facinus inprobum Ep 32   edepol mancupium scelestum Ep 686   edepol factum nequiter Men
650   edepol cor miserum meum Mer 204
edepol Milphionem miserum Poe 324   edepol
mortalem graphicum Ps 519   edepol hominem
uerberonem Pseudolum Ps 1205   edepol *
hunc .acerbum Ru 686(*loc dub: var suppl edd*)
edepol rem negotiosam St 356   edepol fide
adulescentem mandatum malae Tri 128   edepol mandatum pulcre et curatum probe Tri
138   edepol hominem praemandatum familiariter Tri 335   edepol re gesta pessume
gestam probe Tri 592   edepol nomen nuga-
torium Tri 890   edepol conmentum male
Tru 451
B. *postponitur* 1. *post verba:* audire edepol lubet Tri 522   credo edepol equidem
dormire solem Am 282   credo edepol: nam ..
Am 1074   credo edepol, .. sese a me derideri rebitur Au 204   credo edepol ego(ego e.
J) illi mercedem gallo pollicitos coquos Au
470   credo edepol* esse .. Cas 327   credo
edepol*, credo inquam tibi Per 484   credo
edepol* Per 617(*R*)   credo edepol ego illic
inesse argenti .. largiter Ru 1188   credebam
edepol turbulentam praedam euenturam mihi
Ru 1186   credo edepol .. speculatur loca
Tri 864   fecisti edepol et recte et bene Cap
1017   fecisset edepol ni haec praesensisset
canes Tri 172   factum edepol uolo Mo 816a
faciundum edepol censeo Mo 1092   factum
edepol uelim Tru 377   gaudeo edepol si quid
propter me tibi euenit boni Men 1144   rem
mihi narrauit edepol Vi 79   nescio edepol*
quid tu timidu's Ep 61   nolito edepol deuellisse Poe 872   noui edepol nomen Cu 409
mentire edepol, gnate Tri 362   posse edepol
tibi opinor .. St 617   haud postulo edepol
Mo 1006   quaeso edepol num tu quoque
etiam insanis? Am 753   quaeso edepol exsurge
Mo 376   quaeso edepol huc me aspecta Mo
1026a   scio edepol †facio(*CD* scio *B* facile

BoRRgU s. pol ego, olfacio LLy) Mɪ 1255 fuit edepol* Mars meo periratus patri Tʀu 656 uidi edepol hominem haud perdudum Sᴛ 575

2. *cum substantivis:* per comitatem edepol, pater, (perdidit) Tʀɪ 333 compendium edepol haud aetati optabile fecisti Bᴀ 159(*v. secl LangenRgS*) deos quoque edepol et amo et metuo Poᴇ 282 urbana egestas edepol aliquanto magis (laboriosa) Vɪ 32 exempla edepol faciam ego in te Mo 1116 facies quidem edepol Punicast Poᴇ 977 quid agit is? #Quod homo edepol* fortis Ps 992 mendacium edepol dicis Pᴇʀ 102 nausea edepol factum credo Mᴇʀ 389 negotium edepol (fuit) Pᴇʀ 21 oratio edepol pluris est huius quam quanti haec emptast Mᴇʀ 514 seruos quidem edepol ueteres antiquosque habet Poᴇ 978 soror quidem edepol (sum) Eᴘ 648 nisi quia specie quidem edepol liberalist Pᴇʀ 546 uerbum edepol* facere non potis Mɪ 1270 nimiae tum uoluptati edepol fui Ps 1280

multo edepol . . facere damni mauolo quam . . Mᴇʀ 422 nimio edepol ille potuit exspectatior uenire Mo 442 sat edepol certo scio . . Mɪ 586 sat edepol concinnast facie Pᴇʀ 547

3. *cum adiectivis:* lubenti edepol animo factum et fiet a me Cɪ 12 uiden uestibulum . . quoiusmodi? #Luculentum edepol profecto Mo 818 mira edepol sunt ni hic in uentrem sumpsit confidentiam Cᴀᴘ 805 omnia edepol mira sunt nisi erus hunc heredem facit Poᴇ 839 pulcra edepol dos pecuniast Eᴘ 180 pulmoneum edepol nimis uelim uomitum uomas Ru 511 una edepol* opera in furnum calidum condito Cᴀs 309

4. *cum pronominibus:* ego edepol te faciam ut . . As 140 ego edepol(*J ede. e. BVE*) illam mediam diruptam uelim Cᴀs 326 ego edepol iam tua probra aperibo omnia Tʀu 763 (*loc dub*) proinde istud facias ipse. #Ego uero et quidem edepol lubens As 645 mihi quidem edepol insignite factast magna iniuria Cᴀs 1010 mihi quidem edepol uisast, quom illam uidi . . Mᴇʀ 393 mihi quoque edepol iam dudum ille Surus cor perfrigefacit Ps 1215 mihi quoque edepol . . contra nugari lubet Tʀɪ 900 at tu edepol sume laciniam Mᴇʀ 126 (*cf v.* 140) salue. #Et tu edepol quisquis es Poᴇ 1039 o amice, salue. . . #Et tu edepol salue Tʀɪ 49 non credibile dices. #At tu edepol nullus(n. e. *ReizRRs*) creduas Tʀɪ 606 intro abi: nam te quidem edepol nihil est inpudentius As 543 tibi quidem edepol ita uidetur Cᴀs 360 tibi quidem edepol, credo, eueniet Cᴀs 383 tui(*Ca* tu *PL†S† em U*) quidem edepol omnes mores ad uenustatem ualent Mɪ 657 tibi quidem edepol copiast Ru 557 nam tu quidem edepol noster es Tʀu 207 nam haec quidem edepol laruarum plenast Aᴍ 777 nam hoc quidem edepol haud multo post luce lucebit Cu 182 haec quidem edepol recte appellat Mᴇɴ 383 hoc quidem edepol hau pro insano uerbum respondit mihi Mᴇɴ 927 hanc edepol rem apparabat Eᴘ 409 haec edepol remorata med est Eᴘ 629 ille edepol uidere ardentem te (uolt) Cᴀs 354

illa — illa edepol — uae mihi — Mᴇʀ 721 illi edepol — illi — illi — uae misero mihi Tʀɪ 907 illud quidem edepol tinnimentumst auribus Ru 806 eam quoque edepol etiam multo haec uicit longitudine Aᴍ 281 id quidem edepol numquam erit Mᴇɴ 665 is quidem edepol* Harpax ego sum Ps 1199 istic quidem edepol mei uiri habitat gener Cɪ 753 istam(*VahlenU* pol eam *A post* eam *P: loc dub*) eam quidem edepol* te dedisse intellego Mᴇɴ 497 istuc quidem edepol nihil est Mɪ 19 idem edepol* Venerem credo facturam tibi Poᴇ 409 facile id quidem edepol possum si tu uis Cɪ 234 nec meum quidem edepol ad te ut mittam gratiis As 190 tui Mɪ 657(*supra sub* tu)

5. *cum adverbiis:* benigne edepol facis Ru 1368 ehem, optume edepol eccum clauator aduenit Ru 805 iam diu edepol Eᴘ 11(*Mue Rg*¹) iam diu(†S) edepol sapientiam tuam (s. t. e. *SpRgl*) haec quidem abusast Poᴇ 1199 dudum edepol planumst id quidem Mɪ 406 intro edepol* abiit, credo, ad uxorem meam Aᴍ 1045 ita edepol deperit Mᴇʀ 532 ita ego illam edepol seruem . . ut . . Tʀu 347 nunc edepol demum in memoriam regredior Cᴀᴘ 1023 perfidiose captus edepol* neruo ceruices probat Fʀ II. 17(*ex Fest* 165) planissume edepol perii Tʀu 548 postremo edepol ego istam rem ad me attinere intellego Tʀɪ 613 recte edepol mones Mo 842 scite edepol Tʀɪ 1147 serio edepol . . metuo propter uos Ru 1045 tandem edepol mihi morigeri pessuli fiunt Cu 157 tempere edepol Mᴇʀ 990 diespiter me sic amabit — #Ut quidem edepol dignus es Poᴇ 869

certe edepol si . ., credo ego . . Nocturnum obdormiuisse ebrium Aᴍ 271 certe edepol tu me alienabis Aᴍ 399 certe edepol . . nimis similest mei Aᴍ 441 certe edepol equidem te ciuem . . sum arbitratus Au 215 certe edepol adulescens ille . . efflictim perit eius amore Mᴇʀ 444 certo edepol scio me uidisse . . Mɪ 273 certe edepol scio Ps 511

C. *cum coniunctionibus*(*cf* Kuklinski, p. 37 *adn.* 2) *et pron. relativis;* atque: atque edepol mirum ni subolet Cᴀs 554 atque edepol non minitabor sed dabo Cu 571 atque edepol tu me monuisti probe Mᴇɴ 385 atque edepol eccum optume reuortitur Mᴇɴ 567 atque edepol ita haec tigna . . putent Mo 146(*loc dub*) atque edepol . . sic ei procedit Pᴇʀ 451 atque edepol tu me commonuisti hau male Pᴇʀ 697 atque edepol . . comprimere dentes uideor posse Ps 784 atque edepol equidem nolo Ps 1023 atque edepol . . recte mones Ps 1050 atque edepol in eas plerumque esca inponitur Ru 1237 atque edepol sunt res . . Tʀɪ 1164 *Cf* Ballas, I. p. 32

et: potare tecum conlubitumst mihi. #Et edepol mihi tecum Mo 296 et tu edepol Poᴇ 1039, Tʀɪ 49(*supra* B. 4)

at: at tu edepol Mᴇʀ 126, Tʀɪ 606(*supra* B. 4) at edepol tu(tu e. *Ca*) calidam picem bibito Mᴇʀ 140 at edepol* nos tibi in lumbos linguam (deciderint uelimus) Poᴇ 571 gaudio ero uobis . . #At edepol nos uoluptati tibi Poᴇ 1217 uerum: fateor .. esse uera: uerum edepol ne etiam tua quoque male facta iterari multa .. possunt As 567   uerum edepol tua mihi odiosast amatio Cas 328

nam: nam haec quidem edepol Am 777, Cu 182(hoc *supra* B, 4)   nam te quidem edepol As 543, Tru 207(tu *supra* B. 4)

namque: namque edepol .. os denasabit tibi Cap 604   namque edepol hic mihi hodie iussi prandium adpararier Men 1137   namque edepol equidem .. non didici baiiolare Mer 508 namque edepol uix fuit copia adeundi Mi 1226   namque edepol* lucrum amare nullum amatorem addecet Poe 328   namque edepol .. flagitabere Ps 555   namque edepol .. quid amica opus sit nescio St 573   namque edepol cena coctast St 662   namque edepol .. cadus uorti potest St 721

quia: quia edepol certo scio Ba 254   quia edepol ambo ab infumo tarmes secat Mo 825 quia edepol .. numquam eris frugi bonae Ps 337   quia edepol ipsum lenonem euomunt Ps 953

relativa: quos edepol* ego credo .. Mer 6 (*RRg*)   quid est ei nomen? #Quod edepol* homini probo Tri 906

D. *cum particulis* ne .. edepol: ne ego edepol ueni huc auspicio malo Au 447   ne tu edepol stultitia tua nos paene perdidisti Mi 408   ne tu edepol hodie miserias multas tuas mihi narrauisti Vi 69   ne tu me edepol (e. m. *HermRRs*) arbitrare beluam Tri 952   ne illi edepol .. aliquem hominem allegent Am 182 ne ille edepol tergo et cruribus consuluit haud decore As 409   ne illa edepol .. memorari multa possunt As 560   ne ille edepol Ephesi multo mauellem foret Ba 1047   ne illum edepol(*A* e. i. *P*) multa in pectore suo conlocare oportet Per 8   ne ista edepol .. examussimst optuma Am 843   ne iste edepol* uinum .. saepe exanclauit St 272(*cf Non* 292)

edepol ne: edepol ne illa si istis rebus te sciat operam dare .. Am 510   As 567(*supra* C *sub* uerum)   edepol ne tu istuc .. dixisti in me As 901   edepol ne tu, aula, multos inimicos habes Au 580   edepol ne illic pulcram praedam agat, si .. Au 610   edepol ne tu illorum mores perquam meditate tenes Ba 545(*v. om A*)   edepol ne tu si equos esses, esses indomabilis Cas 811   edepol ne ego hic med intus expleui probe Cu 386   edepol ne istam tempore .. sumus praemercati Ep 406   edepol ne illi melius (seruent) Ep 619   Men 160 (*infra sub* eu)   edepol ne hic dies peruorsus .. mihi optigit Men 899   Men 908(*infra sub* eu)   edepol, ere, ne tibi suppetias tempore adueni modo Men 1020   edepol ne ille .. mihi dedit magnum malum Mer 643   edepol ne tu tibi malam rem repperisti Mi 471   edepol ne eius patris me misere miseret Mo 985 edepol ne tibi illud possum festiuom dare Poe 695   edepol ne istuc magis magisque metuo Ps 1214   edepol ne ego nunc mihi medimnum mille esse argenti uelim St 587   edepol ne ego istum uelim meum fieri seruom Tri 433

edepol qui(*cf* Kienitz, p. 561): edepol qui factost opus Am 776   edepol uirtutes qui tuas nunc possis conlaudare As 558   edepol qui me esse dicat cruciatu malo dignum Ba 1055 edepol qui(quin *CaR*) te de isto multi cupiunt non mentirier Mi 779(*loc dub*)   edepol qui quom hanc magis contemplo, magis placet Per 564

immo edepol: numquae causast ..? #Immo edepol* optuma Au 262   me hoc aetatis ludificari: immo edepol sic ludos factum Ba 1100 (*v. secl RRgSL*)   haud nos id deceat .. #Immo edepol .. haud dehortor Cap 209 propter diuitias inditum id nomen quasist. #Immo edepol propter auaritiam Cap 287 tenaxne pater est eius? #Immo edepol pertinax Cap 289   ecquid amas nunc me? #Immo edepol me quam te minus Cas 456 illic homo ludibrio nos .. habet. #Immo edepol tu quidem miserum me habes Ep 667 ut tibi ex me sit uolup. #Immo edepol pallam illam .. mihi eam redde Men 678   mihist Menaechmo nomen. #Immo edepol mihi Men 1068   tecum loquor. #Immo edepol tute tecum Mi 422   uisanest ea esse? #Immo edepol plane east Mi 462   isti umbram audiuit esse aestate perbonam. #Immo edepol uero .. sol semper hic est Mo 766   ille quidem haud negat. #Immo edepol negat profecto Mo 1082   an etiam es ueneficus? #Immo edepol uero hominum seruator Ps 873   Harpax ego sum. #Immo edepol esse uis Ps 1199   ubi loci sunt spes meae? #Immo edepol meae? Ru 1161   num mendicu's quaeso's? #Immo edepol una littera plus sum Ru 1305   ualetne? #Immo edepol melius iam fore spero Tru 190

ergo edepol: meritus est. #Ergo edepol meritam mercedem dabo Cap 1020   absque te esset, hodie numquam .. uiuerem. #Ergo edepol .. med emittas manu Men 1023   per mare ut uectu's: .. ergo edepol palles Mer 373   hau probe (ualui). #Ergo edepol palles Per 24

quin edepol: quin edepol .. sequi decretumst Cas 93   quin edepol seruos .. certumst omnis mittere ad te Cas 521   quin edepol egomet clamore differor Ep 118   quin edepol condoctior sum quam .. Poe 581

eu(heu) edepol: eu(heu B²*Rg*) res turbulentas Ep 72   eu edepol ne tu .. esses agitator probus Men 160   eu(heu *BRRs*) edepol ne ego homo uiuo miser Men 908   heu(*A* eu *PU*) edepol patrem eius miserum praedicas Mo 981   eu(*om A*) edepol mortales malos Poe 603   eu(heu *D*) edepol specie lepida mulierem Ru 415   eu(heu *FZRs*) edepol hominem nihili Tru 695

edepol quidem(*vide supra*): Ep 667, Mi 322, 988

edepol equidem(*vide supra*): Am 282, Au 215, Mer 508, Ps 1023, Vi 44(*infra* E *sub* non)

edepol profecto: Mo 818(*supra* B *sub* luculentum)   Mo 1082(*vide supra sub* immo)   profecto edepol ego nunc probe abeo madulsa Ps 1252

edepol uero(*supra sub* immo): Mo 766, Ps 873

quidem edepol(*vide supra*): Am 777, As 190, 543, 645, Cas 360, 383, 1010, Ci 234, 753, Cu 182, Ep 648, Men 383, 497(?), 665, 927, Mer 393, Mi 19, 657, Mo 1008(*infra* E), Per 546.

Poe 869, 977, 978, Ps 1199, Ru 557, 806, Tru 207

quoque edepol(*vide supra*): Am 281, Poe 282, Ps 1215, Tri 900

E. *cum negationibus* **non edepol**: non edepol nunc . . scio Am 336   non edepol uolo profecto (uapulare) Am 371   non edepol faciam Am 887   non edepol quo te esse inpudicam crederem Am 913   non edepol scio As 299, 465, Ba 321, Ep 461, Men 824, Ps 1101   non edepol (rediit) As 395   non edepol conduci possum uita uxoris annua As 886   non edepol ego istaec tua dicta . . recipio Ci 510 (*v. om A secl Rg*$) non edepol praeda magna (est) Ci 732   non edepol nunc ego te mediocri macto infortunio Cu 537   non edepol faciemus Ep 263   non edepol tu homo sanus es, certo scio Men 325   non edepol ego te . . uidi Men 500   non edepol deliqui quicquam Men 625   non edepol* ita promeruisti de me ut . . Men 1067   non edepol mala (uidetur) Mer 391   non edepol possum (ualere) Mer 496   non edepol faciam Mi 847   non edepol tu scis? Mi 1074   non edepol tu illum magis amas quam ego Mi 1263   non edepol tu nunc me . . territas Mo 609   non edepol uideo Mo 833(*solus A*)   non edepol scis Per 186   non edepol minis trecentis carast Per 668   non edepol habeo profecto Ps 342   non edepol piscis expeto Ru 943   non edepol possum St 476   non edepol tibi pernegare possum Tri 357   non edepol bibere possum iam Tru 365   non edepol equidem credo mercenarium te esse Vi 44

ne . . quidem: ne istuc quidem edopol postulo Mo 1008

numquam edepol: numquam edepol . . credo Am 516   numquam edepol* tu mihi diuini creduis Am 672   numquam edepol me . . ludificabit Am 1041   numquam edepol . . indipiscet As 279   numquam edepol uiua me inridebit Ba 515   numquam edepol . . credam Ba 922   numquam edepol ieiuniuṁ ieiunumst aeque atque . . Cas 128   numquam edepol faciam Ci 236   numquam edepol* fugiet Men 92(*PyL ex P*)   numquam edepol quisquam me exorabit Men 518   numquam edepol . . eximent Mer 127   numquam edepol me uincet hodie Mer 438   numquam edepol fuit neque fiet Mer 446   numquam edepol quisquam illam habebit Mer 460   numquam edepol . . uidi Mi 538   numquam edepol uidi promere Mi 848   numquam edepol ego me scio uidisse Mo 905   numquam edepol dabit Mo 1088   numquam edepol hodie . . desistam tibi Mo 1113(*L in loco dub*)   numquam edepol quoiquam etiam utendam dedi Per 128   numquam edepol mortalis . . fiet . . certior Poe 887   numquam edepol uostrum durius tergum erit Ps 154   numquam edepol quoiquam supplicabo Ps 507   numquam edepol erit ille potior Harpax Ps 925   peiorem . . numquam edepol quemquam uidi Ps 1018   numquam edepol . . inspicietis Ru 1288   numquam edepol me uiuom quisquam . . inspiciet St 638   numquam edepol med istoc uinces St 756   numquam edepol quoiquam . . filius natus Tri 574   num-

quam edepol temere tinnit tintinnabulum Tri 1004   numquam edepol mihi quisquam . . creduit Tru 306

edepol numquam: edepol numquam . . quasi tu numquam quicquam adsimile huius facti feceris. #Edepol numquam Mer 958

neque edepol: neque edepol dedi neque dixi Am 762   neque edepol ego dixi neque istam uidi Am 768   neque edepol te accuso neque . . existuno As 514   neque edepol ego te derisum uenio neque derideo Au 223   neque edepol, Megadore, facio neque . . copiast Au 254   neque edepol ego dixi neque feci Au 764   neque edepol ego prandi neque . . tetuli Men 630   neque edepol te defrudandi causa posco Men 687   neque edepol uolo(*B u. e. CDRgU*) Mer 929   neque edepol tibi do neque quicquam debeo Ru 1371   neque adeo edepol flocci facio Tri 918   neque edepol tu is es neque hodie is umquam eris Tri 971

nihil edepol: ecquid commeministi Punice? #Nihil edepol Poe 986

nullum edepol: nullum edepol hodie genus est hominum taetrius Mo 658

EDICO - - I. **Forma**   **edico** Cap 803, Mi 159, 842(*CaRU* dico *P* * dico $ ego dico *Pyψ*), Ps 127, 855, Tru 780   **edicam** Ps 506, 903   **edixi** Men 784   **edixit** Au 281, Ps 897(*A ut vid* fecit *P* suasit *U* petiit *R*)   **edixeram** Ps 148   **edicerem** Per 240(*PRL* dicerem *Lambψ v. secl L om U*)   **edicere** Per 722(dicere *A*)   **edictum**(*nom. neut. partic.*) Per 241(editum *B*) (*acc. subst.*) Men 871(*FZ* dictum *PU*)   **edicta** (*acc.*) Per 723, Poe 16   *corrupta:* Mer 914, quia edicis *P pro* quae dicis(*Z*)   Per 278, edicis *P pro* dicis(*A*)   Ru 264, uest edicam *P pro* ueste dicam(*Non* 597)   *vide etiam* Mer 1024, *ubi* edico *R falso pro* ut   Tru 857, *ubi* edixe et *U falso* ea dixit *P$†L aliter Rs*

II. **Significatio** *apud Plautum* = imperare (*cf* Langen, *Beitr.* p. 191 *et opera ibi citata*) *excepto uno loco,* Per 240 A. *verbum* 1. *absolute:* atque heri iam edixeram omnibus dederamque eas prouincias Ps 148

2. *fig. etym.:* oblitus sum intus dudum edicere* quae uolui edicta Per 722

3. *paratactice:* nunc adeo edico omnibus: quemque . . uideritis . . deturbatote Mi 159 *Vide* Mer 1024, *ubi* edico *R falso pro* ut; Mi 842, *ubi* edico *CaRU* dico *P$†* ego dico *Py ψ*

4. *cum acc. pron.:* ne hoc quoiquam homini edicerem* Per 240(*v. secl L om U: cf* Goetz, *Dittogr.* p. 237)

5. *seq. ut:* edixit mihi ut dispertirem obsonium hic bifariam Au 281   edictumst* magnopere mihi ne quoiquam . . crederem, omnes muti ut eloquerentur prius huc quam ego Per 241   quotiens tandem edixi tibi ut caueres neuter ad me iretis cum querimonia? Men 784   omnibus amicis notisque edico meis . . a me ut caueant ne credant mihi Ps 127   iam edico tibi ut nostra properes amoliri Ps 855   pater Calidori opere edixit* maxumo ut mihi cauerem a Pseudolo . . ne fidem ei haberem Ps 897(*cf* Schenkl, p. 61)

6. *seq. ne:* prius edico ne quis propter culpam capiatur suam Cap 803   Per 241(*supra* 5)

ne quisquam credat nummum iam edicam omnibus Ps 506 . . ne fidem ei haberem Ps 899(*supra* 5) edicam familiaribus ne quis quicquam credat Pseudolo Ps 903 edico prius ne duplicis habeatis linguas Tru 780

7. *add. dat. personae:* mihi Au 281, Per 241 tibi Men 784, Mi 842(*CaRU falso*), Ps 855 amicis, notis Ps 127 familiaribus Ps 903 omnibus Mi 159, Ps 506

B. *participium substantive usurpatum*(*cf* Wue-seke, p. 12): imperium tuom demutat atque edictum* Apollinis Men 871 oblitus sum in-tus dudum edicere* quae uolui edicta Per 723 . . bonum factum esse edicta ut seruetis mea Poe 16

EDICTIO - - hanc **edictionem**(*ACD* edi-cionem *B*) nisi animum aduortetis . . Ps 143 uobis, mulieres, hanc habeo edictionem(*ACD* ediccionem *B*) Ps 172 basilicas **edictiones** (*Z* editiones *P*) atque imperiosas habet Cap 811 edictiones(*B* editiones *VEJ*) aedilicias hic quidem habet Cap 823

EDICTO - - tute **edictas** facta tua Am 816 meorum maerorum atque amorum summam **edictaui**(edec. *E¹*† tau *J*) tibi Ep 105 omnia hercle ego edictaui Men 642

EDISCO - - tu meum ingenium . . nondum etiam **edidicisti**(*A* dum etiam *om P*) Per 174 (*vide app. crit.*) eri ita imperium **ediscat** ut quod frons uelit oculi sciant Au 599

EDISSERO - - quin rem actutum **edisseris** (mi edissertas *Rgl*)? As 325 mihi quae di-cam **edissere** Cap 967

EDISSERTO - - ordine omne uti quicque actumst . . **edissertauit** Am 600 non enim possum quin . . loquar, quin **edissertem**(*A* qui me disserte *B om CD*) St 302 quid fit deni-que **edisserta** Cas 915 quid ego usquam male feci tibi . . id edisserta Ci 364 *Vide* As 325, *ubi* mi edissertas *Rgl pro* edisseris

EDITIO - - Cap 811(*P*), 823(*VEJ*), editiones *pro* edictiones Ps 143, edicionem *B pro* edict., 172, ediccionem *B pro* edict.

EDO(*ἐσθίω*) **- - I. Forma edo** Ba 646, Cap 136(edo *BD*), Men 78, 106, 979 **edimus** Cap 77(*v. secl* SpRsℱ) **estis** Mo 63(date si non e. *RL* data es in[h]onestis *Pℱ*† *aliter em ψ*), Tru 312(estis exunguimini ebibitis *A* exungula male uiuitis *P* exestis *KochRsU*) **edunt** As 219, Ps 825 *bis*, 1133, Tru 106(*FZ* aedunt *Pℱ*†*U*† ēdunt *Rs*) **estur** Mi 24(e. insanum *A* esturiens ane[ame *C*] *P*), Mo 235, Poe 835(estu *C* ęstu *D*), Vi 37(*A dub*), Fr I. 27(*ex Gell* III. 3, 5 est *Gell*) **edam** Cu 369 **edes** Cap 854, Cu 320, Mi 50(*A* edis *B²CD* aedis *B¹*), Mo 238(ędes *D*), Per 104(*D³* edis *P* aedes *Non* 10), 140(*Bo* edis *FZU* sedis *P*), St 321(quas tu e. *A* qua tui des *B* quas tu uides *CD*) **edet** Am 309(*BD* edat *E* aedat *J*) **edemus** Tri 514 **edi** Au 537(*Non* 454 di *D* di audiui *B¹V¹* audiui *V²J*), Ba 1080(*MercerR* dedi *Pψ*) **edisti** St 318(*A* de-disti *P*) **edistis** Poe 7(-ti *B*), 8 **edere** Per 58 **edim** Au 430, Poe 1284, Tri 474(*A* edit *P*), 475 **edas** Poe 534(edas *CD* et das *B*) **edis** Men 249(*tdis *A* †ℱ*U em CaR*), Poe 867, Tri 473(*A* aedis *P*) **edit** Au 672, Cap 461, 463(*BDE* edat *OJ*), Men 90(*B¹* edat *B²CD*), Poe

9, Tri 339(edat *Lact* VI. 11, 8), Vi 49(*A ut vid*) **edimus** Poe 537 **edant** St 554(edint *L quem vide et Ly*) **edint** Men 457(*AP* edant *D³*) **ederis** Poe 535(ed. *D*) **ederint** Cap 473(quom e. *FZ* cum e. *J* comederint *BE* comederunt *D v. om O*) **esses** Fr I. 26(*L pro* esse *quod vide*) **es** Cas 248, Mi 677(*B* est *CD*), Ps 139 (*AD²* est *P*) **este** Mo 65 **esse** Am 310, Cap 463(esse cupit *PLLyUℱ*† se rupit *Rs: v. secl BugU*), Cu 55, 316, Men 918, 919, Mo 959(essi *U*), Per 113, Poe 313, Tri 259, Fr I. 26(*ex Gell* III. 3, 5 esses *L*) **edentem** Cu 186 **essurus** Ru 183 **essuri**(*pl.*) Men 147(*P* esu. *B²D³*), Tru 338(euri *P* esuri *ZLU*) **edendi**(*gerundivi gen.*) Cap 153(edundi *FZRsU*), 852(edundi *Pω*) **essum** Cu 228(*Ly* esum *Pψ* cessum *Non* 218), Men 458(escunt *A*), St 182 **essu** Ps 824(*A* esu *DU* esum *BC*) *corrupta:* Mo 958, esse (ĕ esse *B*) et bibi *P pro* est potarier(*A*) edis, *saepius pro* aedis Mi 708, ederunt *P pro* aderunt(*A*)

II. **Significatio** A. *proprie* 1. *absolute:* non placet me hoc noctis esse Am 310 (aues) saepe edunt As 219 . . quicum ego bibo, quicum edo et amo Ba 646 duxi, habui scor-tum, potaui edi* donaui Ba 1080(*R*) nunc re-missus est edendi* exercitus Cap 153(*cf* Graup-ner, p. 19) ille miserrumust qui quom esse* cupit . . Cap 463 . . qui lubenter quom ederint* reddant domi Cap 473(*v. om O*) age ut lubet bibe es disperde rem Cas 248 ira-scere si te edentem hic a cibo abigat Cu 186 . . quin reciperet se huc esum* ad praesepem suam Cu 228(*cf Non* 218 *et* Dousa, p. 164) (uolo) esse ut uentum gaudeam Cu 316(*cum lusu verborum*) hic ministrabit ego edam Cu 369 mensam quando edo detergeo Men 78 (*cf Fest* 258) ubi essuri* sumus? Men 147 . . qui essum* neque uocantur neque uocant Men 458 dum tale facies quale adhuc ad-siduo edes* Mi 50 es* bibe animo obsequere mecum Mi 677 bibite pergraecamini este ec-fercite uos saginam caedite Mo 65(*cf* Egli, I. p. 20) dies noctesque estur bibitur: . . sa-gina planest Mo 235 omnis esse mortalis decet Per 113 triduom unumst haud inter-missum hic esse* et bibi, scorta duci pergrae-cari Mo 959 essurio uenio. #At edes* Per 104 numquam . . hic prius edes* Per 140 qui edistis* multo fecistis sapientius, qui non edi-stis saturi fite fabulis Poe 7-8 ego amo hanc. #At ego esse et bibere Poe 313 bibitur, estur* quasi in popina, hau secus Poe 835 rape, clepe, tene, harpaga, bibe, es*, fuge Ps 139 herbas . . formidulosas dictu, non essu* modo Ps 824 edunt bibunt scortantur Ps 1133 si apud me essuru's, mihi dari operam uolo Ru 183 nulli negare soleo si quis me essum(*A* essum me *PU*) uocat St 182 quam pridem non edisti*? St 318 illud est dulce, esse et bibere Tri 259 edis*ne an incena-tus cum opulento accubes? #Edim*, nisi si ille uotet. #At pol ego, etsi uotet, edim at-que . . uorem Tri 473-5 praediuinant quo die(de quoio *BergkU*) essuri* sient Tru 338 ubi is te monebat, esses(*L* ubi iste monebat esse *Gell et* ψ†ℱ neque is m. e. *Rg*), nisi quom

nihil erat: nunc etiam quom est non estur*
nisi soli lubet Fʀ I. 26-27(*ex Gell* III. 3, 5)

 2. *cum acc.*: . . soleamne esse auis squamosas, piscis pennatos Mᴇɴ 919 quasi mures
semper edimus alienum cibum Cᴀᴘ 77(*v. secl*
SpRsS), Pᴇʀ 58(*sed* edere) a meis illic estur
satis durus cibus Vɪ 37(*L* ** illịc ẹṣṭụṛ *** *ALy*)
quas tu edes* colubras? Sᴛ 321 quid tu . .
curas utrum crudum an coctum ego edim? Aᴜ
430 dictum facessas datum edis* caueas malo
Mᴇɴ 249(*loc dub: cf* Leo, *Herm.* XVI. 576)
date (eruom) si non estis* Mo 63(*RL*) adfatimst hominum in dies qui singulas escas
edint* Mᴇɴ 457 epityrum estur* insanum
bene Mɪ 24 quas herbas pecudes non edunt,
homines edunt Ps 825 nimio . . edo lubenᵗ-
tius molitum quam molitum praehibeo Mᴇɴ
979 qui e nuce nuculeum esse uolt frangit
nucem Cᴜ 55 quin tu me interrogas purpureum panem an puniceum soleam ego esse
an luteum? Mᴇɴ 918 piscis Mᴇɴ 919 (*supra*
sub auis)

 iam edes aliquid: #Nolo hercle aliquid Cᴜ
320 quid edemus nosmet postea? Tʀɪ 514
neque edes quicquam neque bibes apud me
his decem diebus Mo 238 ubi bibas edas*
de alieno quantum uelis usque adfatim Pᴏᴇ
534 quod edit tam duim quam perduim Aᴜ
672 neque umquam quicquam me iuuat quod
edo domi Cᴀᴘ 136 miser homost qui ipsus
sibi quod edit quaerit: . . ille miserrumust qui
quom esse cupit quod edit* non habet Cᴀᴘ
461-3 dum tu illi quod edit* et quod potet
praebeas . . Mᴇɴ 90 neque edo neque emo
nisi quod est carissumum Mᴇɴ 106 quoi
paratumst quod edit . . Pᴏᴇ 9 est domi quod
edimus Pᴏᴇ 537 . . quoi domi sit quod edis
quod ames adfatim Pᴏᴇ 867 nec quod edim
quicquam datur Pᴏᴇ 1284 . . dum equidem
hercle quod edant* addas Sᴛ 554 . . qui ei
dat quod edit* aut bibat Tʀɪ 339(*cf Lact* VI.
11, 8) nec nihil hodie nec multo plus tu hic
edes Cᴀᴘ 854 multum laboret paullum mereat
paullum edit Vɪ 49 nominandi istorum tibi
erit magis quam edundi copia Cᴀᴘ 852

 3. *cum de:* . . ubi bibas edas* de alieno
quantum uelis Pᴏᴇ 534 . . numquam reddas
domino de quoio ederis Pᴏᴇ 535 de nostro
saepe edunt(*FZLLy* sepe aedunt *PS*†*U*† specimen edunt *Rs*) Tʀᴜ 106 praediuinant de
quoio(*BergkU* quo die *PSL aliter Rs*) essuri*
sient Tʀᴜ 338

 B. *translate:* quisquis homo huc profecto
uenerit pugnos edet* Aᴍ 309 nimium lubenᵗ-
ter edi* sermonem tuom Aᴜ 537(*cf* Egli, I.
p. 19; Dousa, p. 118) rem uos estis*, exunguimini, ebibitis Tʀᴜ 312

Ḗ-DO - - I. Forma edit Aᴍ 232, Mɪ 308
(eduxit *LambR*) **edimus** Cᴀs 13(edidimus *SU*)
edunt Tʀᴜ 106(*Rs* ĕdunt *FZ* ψ aedunt *P* [e-
D]: *vide titulum priorem*) **edidi** Aᴜ 382, Mo
698(dedi *GulR*) **edidit** Cᴀᴘ 585 (ed. *B* dedit
SciopLy), Mɪ 466(*R in loco dub: vide infra* II)
ederis(*fut. pf.*) Cᴀs 126 **ede** Tʀᴜ 790(*add L*)
editum(*acc. masc.*) Tʀᴜ *Arg* 4 *corrupta:*
Mᴇɴ 629, coronam ederi(deri *B*) deto *P pro*
corona me derideto; 698, ocius ita edis *D²*

pro occlusit aedis(*B²*) Pᴇʀ 241, editum *B pro*
edictum Pᴏᴇ 508, haec edita *B pro* hercle
dedita Tʀᴜ *Arg* 7, edis *B pro* et is

 II. Significatio 1. *de partu:* clam sibi
supposiuit clandestino editum Tʀᴜ *Arg* 4

 2. *proprie:* illaec sese ex hospitio edit* foras
Mɪ 306 clanculum ex aedibus me edidi* foras
Mo 698

 3. *de agendo:* pro se quisque id quod quisque et potest et ualet edit, ferro ferit Aᴍ 232
profecto iam aliquid pugnae edidit* Cᴀᴘ 585
(*i. e.* decepit) nisi tu aceruom ederis . . Cᴀs
126 de nostro specimen edunt(*Rs* sepe aedunt
PS†*U*† saepe edunt *FZL*) Tʀᴜ 106(*vide prio-*
rem titulum)

 4. *de comoedia:* antiquam eius edimus*
comoediam Cᴀs 13

 5. *de dicendo vel cogitando:* ut utrobique
orationem docte et astute edidit(*R* docte[*B²*
ductae *P*] diuit[*CD* du it *B*] ut[*CD* in *B*]
tuam *PS*† *var em* ψ) Mɪ 466 hanc rationem
uentri cordique edidi Aᴜ 382

 6. *de narratione:* capita rerum ede* expedite Tʀᴜ 790(*L*)

EDOCEO - - eadem haec intus **edocebo**
quae ego scio Stratippoclem Eᴘ 663 cedo
uel decem (mulieres): edocebo(*A* dice[*CD* dece
B¹ doce *B²*] me docebo *P*) minume malas ut
sint malae Mɪ 355 pol ego istam uolo me
rationem **edoceas** Tʀɪ 372 ipsum adeam(†*S*
adeas *BoRRs* ipsum ut adeam *LU ex A et P*)
Lesbonicum **edoceam**(*AP* edoctum *BoRRs*) ut
res se habet Tʀɪ 749 *corruptum:* Tʀᴜ 24,
edocuit *Prisc* II. 421 *pro* educet

EDORMISCO - - somnum sepeliui omnem
atque **edormiui**(*Ca* obd. *PLy*) crapulam Mo
1122 abeo hinc in Veneris fanum ut **edor-**
miscam hanc crapulam Rᴜ 586 paulisper mane
dum **edormiscat** unum somnum Aᴍ 697

EDUCO - - I. Forma educat Mᴇɴ 98(ducit *Non* 422), Tʀɪ 512 **educaui** Cɪ 39 **edu-**
cauit Cᴀs 45, Cɪ 172 **educet** Cᴀs 44 **edu-**
caret Cɪ 571 **educare** Mɪ 704(*AB²* -ret *P*
-re et *D²*) **educatus** Cᴀᴘ 992, Mᴇɴ 905, Rᴜ
741(-tis *A*) **educatum**(*acc. masc.*) Mɪ 650
(*Bent* eductum *P*[aed. *BC*] *R*) *corrupta:*
Cᴀs 194, educata *P pro* educta(*cod Lang*);
256, educet *J pro* educat Eᴘ 561, educatam
J pro eductam Tʀɪ 512, educat *add A falso*

 II. Significatio nostramne ere uis nutricem
quae nos educat abalienare a nobis? Tʀɪ 512
(*de agro dicit*) illa te, ego hanc mihi educaui ex patribus conuenticiis Cɪ 39 (ego)
Athenis natus altusque educatus*que Atticis
Rᴜ 741

 illic homo homines non alit uerum educat*
Mᴇɴ 98(*cf Non* 422) (homo) meo cibo et
sumptu educatust Mᴇɴ 905

 illa laus est . . liberos hominem educare*
generi monimentum et sibi Mɪ 704 is mecum a puero puer bene pudiceque educatust
Cᴀᴘ 992 (puellam) dat erae suae: orat ut
eam educet. era fecit educauit magna industria Cᴀs 44-5 eaque educauit eam sibi
pro filia bene ac pudice Cɪ 172 ego amicae
meae dedi quae educaret eam pro filiola sua
Cɪ 571

o lepidum semine(*B$*† senicem, omnis *BugU* senem, in se *L* lepidissumum senem *L* l. hominem *BriRg*) . . atque . . educatum* in nutricatu Venerio Mɪ 650
EDUCO - - **I. Forma educit** Poe 356(*A Prisc et Isid* seducit *P*) **educunt** Am 218 (*DEJ* reducunt *B*¹ sed. *B*²), Cas 798 **educam** Ru 725 **educet** Tru 24(edocuit *Prisc* II. 421) **eduxi** Am 430(edueri *D*), Cu 518, Mɪ 1268(-xit *B*), Mo 1047, 1048 **eduxit** Mɪ 308(*LambR* edit *Pψ*), Tru 39(*v. secl RRs*) **eduxerunt** Ru 219 **eduxeris** St 759(*Ca* -it *P*) **educam** Men 988(ut e. foras *Par* ute duo anfora *P*) **educat** Cas 256(-et *J*), Ps 1034 **educe** Per 459(*B* educ *CD*), St 762 **educite** Ep 472 **educi** Tru 782 **exducier** Tru 908(ecd. *Ro* ed. *U*) **educta** Cas 194(*cod Lang* -cata *P*) **eductum**(*acc. masc.*) Mɪ 650(*P*[aed. *BC*] *R* educatum *Bentψ*) **eductam** Ep 561(-atam *J*), Mo 186(*CaRULy* doctam *Pψ*: *loc dub*) *corruptum:* Cap 149, eduxi *D*¹ pro induxis
II. Significatio 1. *proprie*(*saepe addito* foras) **a.** *de personis:* Teleboae ex oppido legiones educunt* suas Am 218 eaque eduxi omnem legionem, et maris et feminas: . . ex opsidione in tutum eduxi maniplaris meos Mo 1047-8
si non educat mulierem secum simul . . Ps 1034 equidem istas iam ambas (ancillas) educam foras Ru 725 heus foras educite quam introduxistis fidicinam Ep 472 heus exi atque educe* uirginem et istas tabellas Per 459 eram meam eduxi* foras Mɪ 1268 illam educunt huc nouam nuptam foras Cas 798 uirum ex hoc saltu damni saluom ut educam* foras Men 988
illeae sese ex hospitio eduxit* foras Mɪ 308(*R*)
ad supplicium: . . nisi si ad tintinnaculos uoltis uos educi uiros Tru 782
b. *de rebus, sim.:* piscis usque adeo donicum eduxit foras Tru 39(*v. secl RRs*)
eam (hirneam) ego ut matre fuerat natum uini(*i. e.* uini plenam: *falso interpretatur Palmer ad loc*) eduxi* meri Am 430(*cum lusu significationum: vide infra* 2)
= ebibere: si hoc eduxeris* proinde ut consuetu's antehac . . St 759 tene tu hoc: educe. dudum haud placuit potio St 762
2. *idem fere quod* educare: ancillula quae meo educta* sumptu siet Cas 194 filiam quam ex te suscepi eductam* perdidi Ep 561 . . ubique educat* pueros quos pariat Cas 256 non enim possunt militares pueri ut auis exducier Tru 908 neque quicquam umquam illis profuit qui me sibi eduxerunt Ru 219 miror . . tam doctam te et bene eductam* Mo 186(*CaRU aliter ψ*) bene ego istam eduxi meae domi et pudice Cu 518 *similiter:* mare . . quom ibi alcedo pullos educit* suos Poe 356
o lepidum senem, . . plane eductum* in nutricatu Venerio Mɪ 650(*vide supra sub* educare)
3. = subducere: neque eam rationem eapse amquam educet* Venus Tru 24(*cf Prisc* II. 421)
EDUPLICO - - As 695, bestiam eduplicem *BDE pro* bestiam me duplicem(*J*)
EFFERCIO - - nihil est qui te inanem **ecferciam**(*Rs* inanem *cum lac B* manem *CDL*†

aliter *ψ*) Ru 418 este **ecfercite**(*Ca* ecferite *B* -ute *CD*¹ efferite *D*³*V*) uos, saginam caedite Mo 65 neque ieiuniosiorem (diem) nec magis **ecfertum**(*BD* ecfr tū *E* effractum *OJ*) fame uidi Cap 466(*cf* Egli, I. p. 5) sine sacris hereditatem sum aptus **effertissumam** (*F* ecf. Ly -imam *PL*) Cap 775 maxumas opimitatis gaudio **effertissumas**(*J* -imas *BD EL et Gell* VI. 17,12; *Non* 146 ecf. *Non U LLy*) . . pariet As 282
EFFERO - - **I. Forma effero** Ep 633 **ecfers** Fr III. 8(*Ly ex Fulg* XXII, XXIII L offers *vel* affers *cod* offers *ψ*) **ecfert** Au 665(*B* et fert *E* effert *J* ec feri *D*), St 352(*U* effert *Pψ*) **efferunt** Am 229(ecf.*RglU*) **ecfertur** Ba 1058 (*P* ecf. *B*²*D*³) **ecferam** Ba 1050(*P* eff. *B*²*D*³) **ecferet** Au 664(*Pius* hec feret *B* hẹc seret *E* hec secret *D* hoc ferret *J*) **extuli** Ba 965 (*Dissald*ʼexpuli *P*) **extulisti** Cɪ 665, Ep 174 **ecferat** Cap 457(*BDE* ẹff. *OJ*) **efferamur** As 615(ecf. *ULy* off. *J*¹) **efferantur** Am 629(ecf. *U* efe. *J v. secl U$L*), Tri 1106(ecf. *U*) **efferres** Ba 423(ecf. *U*) **ecfer** Ba 714(effer *B*²*C* affer *D*³), Cas 415(effer *V*), Mɪ 459(*CD*¹ effer *D*³ hec fer *B*¹ affer *B*²), 463(*CD*¹ etfaer *B*¹ ecfaer *B*² effer *D*³), Per 667(*D*³ effer *B* et fer *CD*¹) **ecferte** Cap 658(*BVE* haec ferte *J*), Mer 911 (*Sciop* haec[hec *CD*] ferte *P*), Mɪ 1338(*Ca* haec [hec *BD*] ferte *P*), Poe 1320(*AP*), St 347(*Bo* efferte *A* hec ferte *P*) **efferto** Cas 296(off. *J* ecf.*Ly*), Mɪ 1332(*Sciop* ecf.*Sey* certo *BCD*² cereo *D*¹ adferte *R*) ferte *FZU*) **efferre** Ru 444 (ecf. *RsU*) **ecferri** Ba 95(etf. *C*), Mer 423 (*CDU* exferri *BRg$L* inf. *GuyR*), Mɪ 1153(*A* hac ferre *P* ecfieri *BugU*), 1314(*RRsLU* et fori *B* eff. *CD$*), Mo 405(*U* eff. *Pψ*), 1000(eff. *Pω*), 1001(eff. *PZ*), Tru 556(*U pro* ferri[*FZ*] fieri *C* feri *BD*) **efferundum** Au 568(off. *D* ecf. *RgU* -endum *PRgL*) *corrupta:* As 593, effers *J pro* offers Mo 221, extuli *C pro* extudi; 677, efferunt *D pro* ferunt Ru 1300, effero *B pro* e ferro Tru 661, hoc die [*B* hodie *CD*] efferam *P pro* hoc deferam
II. Significatio A. *proprie:* **1.** curre intro atque ecferto*(*Sciop* currit et intrẽ[introm *C* intro *D*] atque certo[cereo *D*] *P*) aquam Mɪ 1332 propera . . efferre* (aquam) Ru 444 eo tibi argentum íubebo iam intus ecferri* foras Ba 95 opperire dum effero ad te argentum Ep 633 abi argentum ecfer* huc Per 667b credo ecferet* (aurum) iam secum Au 664 senex eccum aurum ecfert* foras Au 665 bona Tru 556(*U*) cistellam mihi ecfers* Fr III. 8(*ex Fulg* XXII, XXIII L) clauem mihi harunc aedium Laconicam iam iube efferri intus Mo 405 ite istinc, serui, foras, ecferte fustis Poe 1320 ite istinc, ecferte* lora Cap 658 ecfer* mihi machaeram huc intus Mɪ 459 abi machaeram huc ecfer* Mɪ 463 ecquis huc effert nassiternam cum aqua? St 352 si prosᵽnserit miles, nihil ecferri* poterit huius Mɪ 1153(*cf* Bugge, *Phil.* XXX. p. 651) exite illinc pallium mihi ecferte* Mer 911 . . digitum longe a paedagogo pedem ut efferres aedibus Ba 423 . . ne quoquam pedem ecferat sine custode Cap 457 binos ducentos Philippos iam intus ecferam Ba 1050 ecfer-

tur praeda ex Troia Ba 1058   ecferte* huc
scopas simulque harundinem St 347   et sitellam huc tecum efferto* cum aqua et sortis
Cas 296   teneo sortem. #Ecfer foras Cas 415
ecfer* cito . . stilum ceram et tabellas linum
Ba 714

uide ex naui efferantur* quae imperaui iam
omnia Am 629(*v. secl USL*)   iubeto Sagarionem quae imperaueram curare ut efferantur
Tri 1106   quin tu iubes efferri* omnia isti
quae dedi? Mi 1314   exite atque ecferte*
huc intus omnia isti quae dedi Mi 1338

item ego dolis me illo extuli* e periclo et
decepi senem Ba 965

2. *ad sepulturam:* complectere. #Facio lubens. #Utinam sic efferamur As 615   tum
tu idem optumumst loces (agnum) efferundum:
nam iam, credo, mortuost Au 568   ego te
credidi uxorem quam tu extulisti pudore exsequi Ep 174   uidi efferri mortuom. #Hem,
nouom? #Unum uidi mortuom efferri foras
Mo 1000-1

3. = *exponere:* crepundia haec sunt quibuscum tum extulisti nostram filiolam ad necem Ci 665

4. *cum adverbiis, sim.:* foras Au 665, Ba
95, Cas 415, Mo 1001   huc Cas 296, Mi 459,
463, 1338, Per 667, St 357, Mi 1338   intus Ba
1050, Mi 459, 1338, Mo 405   quoquam Cap
457   utrimque Am 228   ad te Ep 633 ad
necem Ci 665   domo Mer 423   aedibus Ba
423   illo e periclo Ba 965   ex naui Am 629
ex Troia Ba 1058

B. *translate* 1. = *edere:* clamorem utrimque efferunt Am 228

2. = *nuntiare:* facere damni mauolo quam
. . flagitium muliebre exferri* domo Mer 423

EFFICIO - - I. Forma   efficio Ps 112(ecf.
U)   **efficit** Tri 669(ecf. *U*)   **efficimus** St 695
(ecf. *U*)   **efficiunt** Tru 469(ecf. *RsU v. secl*
RsS)   **efficiam** Ba 233(ecf. *RgULy*), 760(ecf.
RgULy), 1153(*R falso pro* haud mutabo), Cap
587(*BJL* efi. *E* ecf. *Dψ*), Mi 936(ecf. *U*), Mo
416(effit. *C*), Ps 910(ecf. *U*), Tru 911   **efficies**
Ps 949(*Herm* ecf. *U* efficis *CD* effici *B*)   **ef-**
fecit Per 841(*BrugRsLLy* efficit *PS*† off. *Reiz*
RU)   **effecero** Cu 364(ecf. *U*), Ps 535(ecf. *U*),
950(ecf. *U*), St 351(*R falso pro* ego fecero[*A*]
fecero *P*)   **effeceris** As 98(ecf. *U*), Ba 695(ecf.
ω haec[hec *B* hec *D*] feceris *P*), Ps 946(ecf. *U*)
effexis Cas 708(ecf. *Ly*), Poe 428(*A* et fexis *P*
ecf. *Boω*)   **efficias** Tru 711, 909(*FL* ecf. *RsU*
Ly exefficias *PS*)   **efficiat** Poe 185(ecf. *U*)
efficiamus Mi 769(*BD*² ecf. *D*¹ω et f. *C*)   **ef-**
ficiatur Tru 907(ecf. *Rs*)   **efficeret** As 443
(ecf. *U*)   **effecissem** Ps 1324(*ARg* et f. *P* ecf.
ψ)   **effecisset** Ps 1242(ecf. *U*)   **efficere** As
613(ecf. *ULy* facere *L*), Ba 1068(ecf. *RgU*), Men
1104, Ps 590(ecf. *U*), Tru 465(ecf. *RsU*)   **ec-**
fleri Mi 1153(*BugU* ecferri *Aψ* hac ferre *P*),
Per 761(*RRsU* eff. *Pψ*)   **effecturum**(*masc.*)
Per 167, Ps 115(*ACD* aff. *B* ecf. *U*), 701(*PRRg*
et f. *A* ecf. *ψ*)   **effectum**(*acc. neut.*) Cu 385
(ecf. *U*), Ps 530(ecf. *U*)   **effecta**(*acc. pl.*) Ps
224(*A* scelesta *B* scelestia *D* celestia *C*), 386
(*A* ecf. *Bω* haec[hec *D*] facta *CD*), 1309(ecf.
U)   *corrupta:* Au 695, efficiam *ins B* ef-

fitiam *BEJ om Guyω*   Cap 971, efficiam *VJ*
effitiam *E pro* effugiam(*B*)   Per 734, effeci
A pro feci (*P*)

II. **Significatio** 1. *absolute:* perge ac facile ecfeceris* Ba 695   minas quas promisi
si effecisset Ps 1242   St 351(*R solus*)   nimis
paucae efficiunt si quid facere occeperunt bene
Tru 469(*v. secl RsS*)

2. *cum acc.:* si effexis hoc, soleas tibi dabo
Cas 708   egone hoc si efficiam plane, ut concubinam militis meus hospes habeat hodie Mi
936   . . me (aes *add Rs*) esse effecturum
hoc(*add GuyRLU om PSRs*) hodie Per 167
is mihi haec sese ecfecturum* dixit quae dixi
tibi Ps 701   neque te mei tergi misereret hoc
si non hodie ecfecissem* Ps 1324   promitto
tibi non obfuturum si id hodie effeceris As 98
ecficiam . . ego id si di adiuuant Cap 587   ni
id effecit* . . Per 841(*loc dub* nil effecit *Rs*)
neque id unde efficiat habet Poe 185   . . nisi
id(*add CaRsLU om PS*) efficere perpetrat Tru
465   laudato quando illud quod cupis effecero Cu 364   egone, si istuc lepide ec-
fexis* . . Poe 428   ego quod dixi ecficiam*
Ba 1153(*R solus*)   utinam efficere quod pollicitu's possies Men 1104   . . ut me effectu-
rum* tibi quod promisi scias Ps 115   (aibat
relicuom) retineri ut quod sit sibi operis locatum efficeret As 443

certumst efficere* in me omnia eadem quae
tu in te facis As 613   si prosenserit miles,
nihil ecfieri* poterit huius Mi 1153(*U*)   Per
841(*Rs: vide supra*)

haec mihi facilia factu facta sunt quae uolui
effieri Per 761   hoc est incepta efficere pulcre
Ba 1068

magna me facinora decet efficere Ps 590
si (istaec opera) effecero, dabin mihi argentum?
Ps 535   neque hoc opus quod uolui hodie efficiam Ps 910   ut ego accipiam te hodie lepide ubi effeceris hoc opus Ps 946   . . immo
si efficies*, tum faxo magis id dicas. #Nisi
effecero, cruciabiliter . . me accipito Ps 949-50
numquam hoc uno die efficiatur opus, quin
opus semper siet Tru 907   accipe hoc qui
istuc efficias* opus Tru 909

efficimus pro opibus nostra moenia St 695
ego efficiam meum (officium) Ba 760   lepide
efficiam meum ego officium: uide intus modo
ut tu tuom item efficias Tru 711

huic . . hanc ecficiamus* copiam ut hic eam
abducat Mi 769

machinabor machinam unde aurum efficiam
amanti erili filio Ba 233

3. *add. acc. praed.:* mores hominum moros
et morosos efficit Tri 669

4. *seq.* ut: Mi 936(*supra* 2 *sub* hoc)   ego
efficiam quae facta hic turbauimus profecto
ut liqueant omnia Mo 416   satin est si hanc
hodie mulierem(*per prolepsin*) efficio tibi tua
ut sit? Ps 112

5. *add. adverbia:* facile Ba 695   lepide Cu
385, Poe 428, Tru 711   pulcre Ba 1068

6. *participium post verba efficiendi:* . . nisi
quidem tu hodie omnia facis effecta* haec ut
loquor Ps 224   . . qui imperata ecfecta* reddat Ps 386   effectum hoc hodie reddam

utrumque ad uesperum Ps 530   quae tibi dixi
ut effecta reddidi Ps 1309   ego hoc effectum
lepide tibi tradam Cu 385

EFFIGIA - - Veneris **effīgia**(ecf. *Rs*) haec
quidemst Ru 421

EFFLICTO - - non tu scis quam **efflictentur**(*AB* afl. *FRg* adf. *U*) homines noctu hic
in uia? St 606

EFFLIGO - - 1. *verbum:* ad illam hinc
ibo quam tu prope diem . . **effliges**(aefl. *D*
efl. *E* ecf. *ULy*) scio As 818   omnis **efflixero**
nisi tu illam remittis ad me Ci 526(*loc dub*)
2. *participium adverb.:* eam puellam hic
senex amat **efflictim**(effitim *B*[1]) Cas 49   numquam . . quemquam . . credo ego uxorem suam
sic ecflictim(*B*[2] aff. *B*[1] et fl. *D* eff. *E*[3] et fictum
J) amare proinde ut hic te ecflictim(eff. *BDE*
-tum *J*) deperit Am 517   Calidorus iuuenis ***
(*var supp RRgLU*) ecflictim(et f. *A* eff. *RU*) deperibat Ps *Arg* II. 2   adulescens ille quoi
ego emo efflictim(effle. *B*) perit eius amore Mer
444   earum hic adulescens alteram efflictim
(ecf. *U* -tum *C*) perit Poe 96   earum hic
alteram efflictim(ecf. *U*) perit Poe 1095

EFFLO - - hominem quando animam **ecflauit**(*A* et fl. *C* &f. *BD*), quid eum quaeras
qui fuit? Per 638   si auferes puerum, a milite
omnis tum mihi spes animam **efflauerit** Tru
876

EFFODIO - - I. **Forma** **exfodio** Au 709
(ecf. *ULy*)   **ecfodiebam** Au *fr* III(*ex Non* 225),
Tri 1100(*U* eff. *Pψ*)   **effodiunt** Cap 724(ecf.
RsULy om *J*)   **ecfodiam** Au 53(*Non* 360 eff.
P), 189(*U* eff. *Pψ*), Ps 413(*U* eff. *Pψ*), Tri 463
(*A* eff. *P*)   **effoderis** Tri 783   **effodiam**
(*subiu.*) Cap 464(ecf. *BoRsULy*)   **ecfodere**
Cas 458(† *S* *L em Rs*)   **ecfodito** Men 156(eff.
B[2] hec fod. *B*[1]), Am *fr* VI(*RglLU ex Prisc* I.
168 & 320; *Non* 225 eff. *PriscC* fodito *Non*)
exfodiri Mi 315(ecf. *Ly*), 374(*A* fodiri *P*)   **effossus** Cu 396(ecf. *U*)   **effosse**(*voc.*) Cas 114
(-ę *V* ecf. *Ly*)
II. **Significatio** 1. exfodio aulam auri plenam Au 709   ex hoc sepulcro ueteri uiginti
minas effodiam ego hodie Ps 413   hoc ubi
thensaurum effoderis suspicionem ab adulescente amoueris Tri 783   thensaurum effodiebam intus dotem filiae tuae quae daretur Tri 1100
alii octonos lapides effodiunt Cap 724   ibi
scrobes effodito* plus sexagenos in dies Am *fr*
VI(*ex Prisc* I. 168 & 320; *Non* 225)   ego ecfodiebam in die denos scrobes Au *fr* III.(*ex
Non* 225)
2. *add. dat. ethico:* oculos hercle ego istos,
improba, ecfodiam tibi Au 53(*cf Non* 360)
quoi (anu) ego iam . . oculos effodiam domi
Au 189   ego huic diei, si liceat, oculos effodiam lubens Cap 464   oculum ecfodito* per
solum mihi . . si . . Men 156   iuben tibi oculos exfodiri quibus . . uides? Mi 315   non
possunt mihi minaciis tuis hisce oculi exfodiri*
Mi 374   oculum ego ecfodiam tibi(*AB* t. e.
CD) si uerbum addideris Tri 463   *omisso
dat.:* . . an aula quassa cum cinere (oculus)
effossus siet Cu 396
ecfodere hercle hic uolt, credo(c. h. e. hic u.
BoRs) uesicam uilico Cas 455(*vide edd*)

3. *contumeliose:* ex sterculino effosse tua
illaec praeda sit? Cas 114(*cf* Wueseke, p. 45)

EFFRINGO - - I. **Forma** **effringis** St 328
(ecf. *ULy*)   **exfringam** Mi 1250(*B* eff. *CD*)
effregisti Am 1026(ecf. *RglU* -tis *B*), Ba 586
(*CD* ecf. *BoULy* exf. *Bψ*)   (**effregistis** *Serv
ad Aen* I. 140: *cf* Ps 1172)   **effringam** Tru
638(*SchmidtRs* suff. *Pψ*†*S*)   **effrangantur**
As 388(ecfri. *EJL* efr. *B*[1] ecfri. *U* efri. *B*[2]*D*)
corruptum: Cap 466, effractum *OJ pro* ecfertum
II. **Significatio**   paene effregisti*, fatue,
foribus cardines Am 1026   haud periclumst
cardines ne foribus effrangantur* As 388
fores paene exfregisti Ba 586   occlusae sunt
foris. #Exfringam Mi 1250   ean gratia fores
effringis? St 328 . . ut ego hisce effringam*
talos totis aedibus Tru 638   *de Pseudolo
Plauti tractum est ubi ait:* nisi forte carcerem
aliquando effregistis *Serv ad Aen* I. 140

EFFUGIO - - I. **Forma** **effugiam** Cap 971
(*B* efficiam *VJ* effitiam *E* ecf. *RsU*), Mer 660
effugies As 415(ecf. *U*)   **effugiet** Men 92
(hercle ef. tam *Non* 38 edepol te fugiet iam
[tiam *B*[1] etiam *B*[2]] Pe f. tam *PyLLy*), Tri 597
(ecf. *U*)   **effugi** Cap 972(*Rs* [ecf.] et fugi *Pψ*),
Cu 598(ecf. *ULy*), Mo 315   **effugias** Tri 701
(ecf. *U*)   **effugiat** Tru 37   **effugerit** Cas 396
effugere Am 451(ecf. *U*)   **effugisse** Ba 342
(ecf. *U*)   (**ecfugio** *semper Ly*)   *corruptum:*
Ba 36, effugiet *CD pro* fugiet(*B*)
II. **Significatio**   *et proprie et translate*
1. *absolute:* ecfugi* et tibi surripui filium
Cap 972(*Rs*)   uix foras me abripui atque effugi Cu 598   dum tu illi quod edit . . praebeas . . numquam hercle effugiet* Men 92
si inierit rete piscis ne effugiat cauet Tru 37
2. *cum acc.:* uix poteris effugere infortunium
Am 451   malam rem effugies numquam As
415   ea subterfugere potis es pauca si non
omnia. #Pauca effugiam*, scio Cap 971
3. *cum abl.:* clam patrem patria hac effugiam Mer 660
4. *cum adv.:* illi ubi fui, inde effugi foras
Mo 315
5. *cum praepp.:* censebam me effugisse a
uita marituma Ba 342   effugiet ex urbe Tri
597   effugias ex urbe inanis Tri 701
deos quaeso ut tua sors ex sitella effugerit
Cas 396

EFFUNDO - - age **effunde**(ecf. *RgU*) hoc
(uinum) cito in barathrum Cu 121 b

EG ** - - Ci 478

EGENUS - - saepe ego res multas tibi mandaui . . dubias **egenas** inopiosas consili Poe
130 . . neque med umquam deseruisse te . .
rebus in dubiis **egenis** Cap 406   *Cf* Gimm,
p. 19

EGEO - - I. **Forma** **egeo** As 591(ego *J*[1])
eges Cap 581, Men 121   **eget** Cu 142, Tri
257, 330 *bis*, 336, Tru 222   **egent** Ci 450(*L
in lac* egens *Rs*), Tru 745   **egetur** Ps 273
egebit Mer 1020   **egeas** Am 819(egens *J*[1])
egeat Mi 1033   **egere** As 684(amantem e.
Sarac ante megere[mergere *EJ*] *P*), Au 381,
Mo 230, Tri 683   **egens** Ba 651, Ci 450(*Rs in
lac* egent *L*), Per 1   **egenti** Per 256(ut ei e.

Weis ut legenti *P* uti egenti *A ut vid var em RRs*), Sᴛ 282(*Z* genti *AP*) **egentem** Pᴇʀ 123 (*FZ* gentem *P*), Sᴛ 331, Vɪ 89 **egentes**(*nom.*) Rᴜ 274 **egentis**(*acc.*) Rᴜ 409(*Z* -tes *L* -teis *PS̷*) **egentiorem** Vɪ 81

II. Significatio A. *verbum* 1. *absolute:* uides me amantem egere* As 684 profesto (die) egere liceat nisi peperceris Aᴜ 381 tute ipse egês in patria Cᴀᴘ 581 qui amat si eget misera adficitur aerumna Cᴜ 142 per nos quidem hercle egebit qui suom prodegerit Mᴇʀ 1020 te me uiuo numquam sinam egere aut mendicare Mᴏ 230 amatur atque egetur acriter Ps 273 .. qui eget quam preti sit parui Tʀɪ 257 quid is? egetne? #Eget Tʀɪ 330 nusquam per uirtutem rem confregit atque eget Tʀɪ 336 non conuenit me .. esse agrumque habere, egere illam autem Tʀɪ 683 si eget necessest nos pati Tʀᴜ 222 qui inuident, egent Tʀᴜ 745

2. *cum gen.*(*cf* Blomquist, p. 18; Schaaff, p. 40): saltem tute si pudoris egeas*, sumas mutuom Aᴍ 819 tui amans abeuntis egeo* As 591 .. se adflictare quia tis egeat Mɪ 1033

3. *cum acc.:* nec quicquam eges Mᴇɴ 121

4. *cum abl.:* meae issula sua aedes egent* Cɪ 450(*L in lac*)

B. *participium semper de hominibus*(*cf* Gimm, p. 19) 1. *adiective vel praed.:* qui amans egens ingressus est .. in Amoris uias Pᴇʀ 1 defaenerare hominem egentem hau decet Vɪ 89 eraeque egenti* subueni Sᴛ 282 cynicum esse egentem* oportet parasitum probe Pᴇʀ 123 relinque egentem parasitum Sᴛ 331 .. argenti mutui ut ei egenti* opem adferam Pᴇʀ 256 **egentiorem** **** neminem neque esse credo .. Vɪ 81 .. ut lepide .. timidas egentis* uuidas .. accepit ad sese Rᴜ 409

2. *cum gen.:* nequius nihil est quam egens consili seruos Bᴀ 651 ut issula sciat mis egens ad me recipere Cɪ 450(*Rs in lac*) tibi amplectimur genua egentes opum Rᴜ 274 *Cf* Schaaff, p. 32

EGERRO - - ite ite hac simul muli erei damnigeruli †foras gerronis(*P* foras *om Rs* f. **egerrones** *KiesLLy*[-ero-] foraseuerrones *U*) Tʀᴜ 551

EGESTAS - - I. Forma egestas As 671, Tʀɪ 847, Vɪ 32 **egestatis** As 139 **egestatem** Ps 695, Tʀɪ 338, 358(eg. *D*), 371, 686(aeg. *C: v. iteratur post* 705), 688(aeg. *C*[*D*]: *v. iteratur post* 705) **egestate** As 163

II. Significatio 1. *nom.:* quiduis egestas imperat As 671 uiden egestas quid negoti dat homini misero mali? Tʀɪ 847 laboriosa .. uitast rustica. #Urbana egestas edepol aliquanto magis Vɪ 32

2. *gen.:* ego pol te redigam .. ad egestatis terminos As 139

3. *acc.:* tanto meliust te sororis causa egestatem exsequi Tʀɪ 686(*v. iteratus post* 705) nolo ego mihi te tam prospicere qui meam egestatem leues Tʀɪ 688(*v. iteratus post* 705) tolerare ei egestatem(*R* eius e. *DL* e. eius *BCU*) uolo Tʀɪ 338 quoi(*S̷U* cuius *AP* quoii *RRs* cui *MuretL*) egestatem tolerare uis? Tʀɪ

358 an eo egestatem ei tolerabis si quid ab illo acceperis? Tʀɪ 371 scis amorem .. scis egestatem meam Ps 695

4. *abl.:* solus solitudine ego ted atque ab egestate abstuli As 163

EGESTO - - Mɪ 668, egestant *B* equestrant *CD pro* aequest at-

EΓΩ - - πράγματά μοι(*A* moe *P*) παρέχεις Cᴀs 728

EGO - - I. Forma ego *exempla* 2180 *sine var. lectt.:* addantur Aᴍ 54, *add HermRglU v. om J*; 117, ergo *Char* 53; 321, *om E*; 516, *om D*; 520, quoi pol ego *Fl duce Ca* quo lego *B²DEJ* quoid ego *B¹* quoii ego *RglL*; 575, ergo *E* As 37, ergo *B¹J*; 609, *add FlRgl*; 654, ergo *D*; 658, ergo *D*; 688, ergo *DLLy*; 846, at ego nunc *Rgl pro* ergo sunt; 869, *add Fl om PU* Aᴜ 45, enim *D*; 203, *Mue* huc *WagnerRg om PLU*; 251, *GuyLS̷ om Pψ*; 274, *om D*; 287, *om D*; 392, *add SeyRg*; 413, eo *B¹*; 430, *om BriRg*; 449, *add WagnerRg*; 471, *add KampRg*; 639, ergo *PS̷U*; 702, eos *Non* 152; 712, *add Rg solus*; 730, *add BriRg*; 759, ergo *J*; 764, *om E*; 792, *om B¹* Bᴀ 35, ego loquar *B²CD* eloquar *B¹*; 38, *om Ly*; 78, *add RRg*; 95, ego *PU* eo *Hermψ*; 129, *om HermR*; 134, ego *B et Char* 201 *om CD*; 225, *add BoS̷L om Pψ*; 364, *om GuyR*; 499, ego *A* ergo *P*; 530, *om A*; 558, ergo *BriRg* pol *add R†S̷*; 599, ergo *D¹*; 615, *om HermRRg*; 697, *add HermR*; 856, ego illum *om HermR*; 960, *add HermR*; 989a, *add Rg solus*; 990, *add RRg*; 1049, ergo *CU*; 1056, *om HermR*; 1062, *om B¹RU*; 1066, *om HermR*; 1184, ergo *C*; 1190, ergo *C* Cᴀᴘ 6, aego *D*; 478, *add Bo om PLLy*; 510, ego *SkutschLy* eo *Pψ*; 556, *om J¹*; 558, ego *PRsL om Boψ*; 617, ergo *VEJ*; 731, ergo *J*; 809, *add Rs solus*; 816, ergo *EJ*; 972, *add FlU* Cᴀs 427, ego *Rs pro* tamen; 436, egi *J*; 549, ergo *J*; 590, *om B transf VEJ*; 598, aego *J*; 746, ego *A om P*; 778, *om U*; 787, *om J* Cɪ 1, *om J*; 463, *add StuL in lac*; 509, quin ego *PLU* quine *A* quin ne *Seyψ*; 510, *add Rs S̷*; 671, *add RRs*; 757, *U in lac*; 758, *RsLLyU in lac* Cᴜ 80, *Guy om P* ubi *Ly*; 102, *om JRgl*; 136, *add FlRgU*; 229, *B om VEJ*; 680, *om B*; 701, *add FlLU* huc *MueRg* hoc *LangenLy* Eᴘ 150, ego istuc *P* istut *A*; 348, *om B¹*; 364, *PLy om Pyψ*; 390, *om Rg¹*; 435, *add L solus*; 496, *om J*; 539, *Rg¹ in lac*; 621, *add ARg om Pψ*; 650, *JBriRg om Bψ*; 684, ea *A ut vid* Mᴇɴ 114, *add R solus*; 119, *om R*; 207, *om A*; 326, *AcR* ergo *Pψ*; 330, ergo *BC*; 446, *add R solus*; 449, *A ut vid om P*; 466, *A sed P*; 471, *R om PLU*; 519, *add R solus*; 545, *R om P Ly*; 611, *add R solus*; 617, ego redeam *B²D³* egrediam *P*; 784, *add RRsU*; 786, *om C*; 894, *D³* eco *BD¹* co *C*; 897, *om R †S̷*; 960, *om D*; 961, *add RLy*; 978, ego odi *CD* egodi *B* ego *om RRs*; 985b, eo ego *add SpS̷LLy om P* eoque *R* nam eo *Rs* eo *U*; 1072, *om R*; 1088, *transf BoR*; 1133, *om D* Mᴇʀ 141, *om CD*; 164, *S̷ B †S̷*; 260, ibi ego *A* ego illam(illic *CD*) *P* ego illi *LLy*; 418, *R in versu ficto*; 471, *P* ergo *A*; 536a, †S̷; 547, *A aliter P*; 723, *add MueRg*; 857, *om CD*; 886, *add RRg*; 895,

$P\mathcal{S}$†LLy me $URRg$; 960, ergo CD $\overset{\circ}{\text{g}}$ B Mɪ 231, *Guy* egom P; 236, ego istuc *FZ* aego mistae CD egomi////stuc B^1 egom et istuc B^2 egomet RU; 345, egon A ego PU *sed* $\overset{\circ}{\text{g}}$ B; 382, *om* $RRgU$; 434, *om* CD; 451 atque erus: ego Ly ac erus ego B^2CD ac herusa ego B^1 atticis ego L at erus hic ego $RRg\mathcal{S}U$; 554, ergo A *ut vid*; 567, egomet me A egomet B^2 ego me P; 643, *om* B; 662, ego ad *DouRRg pro* apud; 678, ego me CD egomet B^2RU ego mei L; 746, aego CD^1; 842, *add* $RRgL$; 860, *add* Rs *solus*; 963, aego C; 1012, $\overset{\circ}{\text{g}}$ D; 1021, $\overset{\circ}{\text{g}}$ B; 1049, *add* U *solus*; 1155, A sego P; 1207, quidem ego te *BriRg* illē ago telli et B idem ago tel CD^1 idem ego te $\mathcal{S}$† *var em* ψ; 1213, $\overset{\circ}{\text{g}}$ B^1; 1255, pol ego olfacio L edepol facio $CD\mathcal{S}$† edepol scio B edepol facile *BoRRgU*; 1308, *F* ago CD *om* BU; 1314, *add* R *solus*; 1343, *om* RU; 1399, *add* FlR; 1415, $\overset{\circ}{\text{g}}$ D; 1426, ego te hic *om* CD Mo 94, at ego BD atq' C; 118, *om* Rs; 119, *add* R *solus*; 337, illi ego Ca ilico P; 375, *Py om* P; 528, *add* R *solus*; 742, *add* R *solus*; 804, senex B^1; 870, *add* R *solus*; 880, *add* R *solus*; 893, *add* R *solus*; 905, *om* A; 1039, *add* R *solus*; 1096, ergo R; 1174, ergo B^1 Pᴇʀ 26, A ergo P; 188, egon dem A eoondem B eodem CD; 195, D^3 ergo P; 213, Ca ergo P; 219, *Kamp om* PLU; 274, *add* RRs; 531, A *ut vid om* PU; 588, ecor *Non* 150; 594, P *de* A *dub*; 721, tibine ego A tibi nego P Pᴏᴇ 152, ergo B; 282, *add* $PRRglU$ *om Reiz*ψ *fortasse cum* A; 340, P *om* A; 366, A *om* P; 398, U *solus pro* que; 480, *add MueRgl*; 615, *om* U; 701, A *om* P; 853, *add* Rgl *soli*; 893, A *om* P; 980, ego opino *WeisRgl pro* opinor; 1005, ergo D; 1067, *Lamb om* PL; 1169, *om* A *ut vid*; 1396, *vide sub* me *abl.*; 1408, *om* D Ps 136, *om* $RRgU$; 156, *add* R *solus*; 163, A eo P; 200, ego te distringam A hodie stringam P; 205, *add* R; 220, *om* U; 327, lanios ut ego AD^2 laniosus tego(te ego C) P; 339, AB ergo CD; 377, ego operae(-e) P mihi opera A *magis operae* R; 486, *om* R; 566, ego iam R *solus pro* etiam; 587, *add* R *solus*; 592, *add* R *solus*; 596, *om* $HermR$; 605, *om* A; 626, hercle A; 703, *add* A *ut vid et* L *om* P; 719, *add* R *solus*; 761, *add KampR*; 783, rei ego Gru relego P; 916, *om* R; 978, *om* Rg *de* A *errans*; 1114, *om* R; 1138, go B; 1199, *om* A *iterat* C; 1275, *add* R; 1295, A *ut vid* ergo P Rᴜ 106, eo B; 189, *om* U; 217, *om* A; 286, ergo D^1; 376, *add* $PyLy$; 702, U *pro* ut; 745, B *om* CD; 769, *om* D; 934b, ei ego Z elego P; 947, *iterat* D; 1049, B ergo CD; 1197, *Rs solus pro* et; 1199, *om BrauniusRs*; 1316, *CDLU* ergo B; 1342, tum ego huic *add* $Rs\mathcal{S}$; 1389, *add* Rs *alio loco, alio loco GuyLU*; 1404, *F et Non* 142 *om* P Sᴛ 73, ego id sum factura *RRgU* ego factum sum P equidem id *Bri\mathcal{S}L* equidem is A; 76, AB ergo CD; 77, *add* Rg *solus*; 155, A *om* P; 373, ipse ego U ita ego libens P lubens $A\psi$; 384, *add* RRg; 407, *add* R; 429, ego abeo Rg roga*** $A\mathcal{S}$ rogare U rogatu *StuLLy*; 459, *add* RRg; 502, *transp Ac RRg*; 517, *om* R; 590, Rg *de* A *errans*; 667, *add* R *solus*; 681, id R me Rg †$\mathcal{S}$; 753, *add* L

Tʀɪ 258, *add* RRs *duce Bergk*; 328, P *om* A; 826, *Herm om* PL; 843, ergo C; 946, *add* R RsU *in lac*; 1123, *add* RRs *in lac*   Tʀᴜ 138, AB *om* CDU; 174, ego omnino *add BriRsU lac* $\mathcal{S}$; 257, P *om* A; 266, *om* U; 276, A *om* P; 374, ego a te PL(abs) abs te posco aut $A\psi$; 483, *add* R *solus*; 538, *add BoRsL*; 554, *add MueRs*; 559, *SpRsU pro* equidem; 586, *Bo* egori P; 614, *om* U; 629, seco Rs; 674, *add* L; 711, L ero P; 740, *add MueRs*; 786, certo Rs †$\mathcal{S}$; 822, eccum RsU; 858, *add* L *in v. ficto*; 887, B *om* CD; 893, ego minam auri *SeyRsLLy* eo mihi amare $P\mathcal{S}$† *aliter* U; 924, ego ut *add Rs solus*; 946, *add CaRsU*; 955, *Angel om* P; 963, *add GepRs*   Vɪ 8, L *in lac*; 26, Rg *in lac*   Fʀ I. 73, *Scal eo Fest* 372

mei: Aᴍ 442, 601, 856(D^2J meis BD^1E), Bᴀ 379(me D^1 et *Prisc* II. 421), Cᴀᴘ 765(om B^1 me *Non* 143), Pᴇʀ 494, Ps 6. Rᴜ 197(*SpU pro* me), Sᴛ 334(*Sciop* mihin A mihi in P), Tʀɪ 822(*Ca* me $P\mathcal{S}$†), Tʀᴜ 505(R mihi PU), Vɪ 67

mis Cɪ 450(Rs *in lac*)

mihi: *1798 exempla sine var. lectt.: adde* Aᴍ 157, *om PyRgl* †$\mathcal{S}$; 293, mi *BoRglL* quem $P\mathcal{S}$† *aliter MueU*; 321, *add PyRgl*; 325, *add Rgl*; 408, mi *add PyRglULy* mihi L; 791, tibi E; 945, *om RRgl*   Aꜱ 325, mi edissertas Rgl edisseris $P\psi$; 412, tuo mi *FlRgl pro* mihi; 501, *PLU om* $\mathcal{S}$ *transp FlRgl*; 611, *Loman* tibi P; 613, *om LachRgl\mathcal{S}*; 614, *om FlRgl*   Aᴜ 143, *om HermRg*; 211, *om Guy\mathcal{S}LU* mi *SeyRg deficit* E; 377, *add WagnerRg*; 383, eam mihi U *solus pro* meam; 551, modo Rgl; 553, *om MeursRg*; 572, *om* D; 623, nichil E; 643, *om WeisU*; 722, *om* Rg *duce Prisc* I. 258; 811, mi *Wagner*ω me P Bᴀ 224, *om HermRRg*; 251, mi *HermRU pro* meum; 495, mi autem *Herm RRg pro* mihi; 518, *APLy om* $R\psi$; 565, me P *corr* R; 622, L *in lac* modo Rg; 633, *add* Rg *om* P *aliter em* L; 684, mi *Bent* me CD *om* B; 751, *om* R *solus*; 765, mi *add HermLy*; 942, mihi usque *Bo* meliusque P; 1159, pol mihi *add* R *solus*   Cᴀᴘ 215a, *om* E; 361, B^2J *om* B^1DE; 403, *Bri* tibi PL Ly; 536, *add* L; 564, *om* B^2; 621, mi J; 796, Rs *ex Gram* V. 587K meus $P\psi$ *et Non* 552; *ib.*, *om* J; 929, *om* J; 1021, *add Rs solus* Cᴀꜱ 102, A *om* P; 141, tute mihi $ABVE$ tu me tibi J; 329, i tuus E *pro* mihi; 435, *PU* mei *Mue*ψ; 831, mi *add Rs* mihi AU *ad finem versus*; 849, mihic J; 930, *om BoRs*; 1000, mi *add* L *solus*   Cɪ 39, *om* J; 109, *Ca* in *PL* LyU; 240, Rs *in lac aliter* ψ; 471, *LLy* in *lac*; 711, *UL* in *lac*   Cᴜ 369, *add PyRgl*; 382, mi *add FlRgLy*; 523, mi *add PyRgU*; 572, *PL om Mue*ψ; 612, mihi iam *PyRglL* etiam *PLy\mathcal{S}*†; 684, ne mihi B^2 nemini B^1E ne memini J Eᴘ 19, mi *add* U *solus in lac*; 163, A *om* P *cum lac*; 471, tibi B; 531, A *om PRgLU*; 537, *Lind* me $P\mathcal{S}$† eam U; 541, AP *om BoRg^1*; 546, *om* U; 567, L: *vide* me; 721, *add BriRg^1* me *GepLy aliter* ψ Mᴇɴ 389, mi *add Rs*; 544, mi *add* R *solus*; 639 b, *LambR pro* tibi; 645, *Lamb* tibi P; 798, mihi te B^2 mittit P; 882, mi *add* R; 925, B^2 mehi P; 1068, mi C; 1116, *om* D; 1142, mihi dedit *CaRU* in *lac aliter* ψ Mᴇʀ

163, *om D*; 269, mihi malum *R ex A* m***um *A* timeo quid uelint *P*; 340, *add HermR*; 385, mihi sunt administrem *RRg pro* amicus amicis tradam † §; 437, minis *U*; 741, iam *R*; 796, mi *add RRgU*; 881, mi *RRg* ilic *B§*† illi *CD* illic mi *LLyU*; 890, si mihi animus *Bue* sint antimus *BC* sint//////imus *D* si autem animus *R*; 914, tibi *B*; 950, eia(*vel* heia) quae mihi *URgLy* eloqueni *P§*†*L*† eho tu quin tu *R*; 951, *R om P*   Mɪ 5, meam *Don ad Ad* 15; 34, *add R solus*; 61, *A* tibi *P*; 331, *Py om P*; 405, *A* prius *P*; 445, *B om CD*; 450, homhist *B*¹ *pro* hoc mihi; 459, *om B*¹; 497, *A P RU om* ψ; 511, *Lamb* tibi *CD* te *B*¹ i//// *B*²; 678, mei *L* met *B²RU* me *CD*ψ; 710, qui mihi *A* quam *P*; 764, mihi si sit *BriRRg* resistat *B* resistit *CD* rei si sit *Py§*; 805, mi *B§ om CD*ψ; *an voc.?* 1261, meus mihi *R solus pro* meos; 1341, mi med *L* mihi *CaR* me(*abl.*) *P§*† var em ψ; 1358, ei(*vel* hei) mihi *BoRRg* heu me *HauptU* eheu *L* haeum *P§*†   Mo 194, *Z* mei *PRs* mi *R* ei *B*²; 445, istas aperit mihi *CaRU* ista perit in *P* var em ψ; 575, *add RRs LU in lac*; 625, *om C* mi actutum *R*; 688, *A* mi *P*; 714, adloqui mihi *A* adloquimini *P*; 889, *FZ* milis *P* miles *B*²; *ib., add R solus*; 891, *add R solus*; 895, *add R solus*; 896, abigi *Rs* †§ *aliter U*; 962, *add CaRRsL* †§; 1026 b, *L in lac aliter U*; 1032, mi *add BoRRs*; 1110, omne mi *BugRs pro* omne(omnem *P*); 1113, *U in loco dubio*; 1145, mihi atque *R solus in lac*   Pᴇʀ 83, quoius mihi *B* quo mihi uis *CD*; 128, nihil *B*; 203, iam mihi ad *R* est mihi *U in loco dubio* †§ *var em* ψ; 239, *R solus in lac*; 274, mi *add MueU*; 498, *A* ad me *PU*; 500, *om MueL*; 536, *A om P*; 709, *A* meus *PLU*   Pᴏᴇ 151, *B om CD*; 160, nunc *C*; 252, mihi *add P om ReizRgl§*; 552, *GepU pro* meis; 547, opera mihi *FZ* operamini *P*; 1050, mihi tuos *P* mi *A*; 1164, *om BrachmannRgl*; 1191 a, *om WeisRglU*; 1268, te mihi *P* ti*** *A*; 1351, *Rgl§L om A*; 1408, me *C*; 1420, *B om CD* Ps 178, *A et Prisc Serv Cled om P*; 181, *om U*; 183, quid mihi *WeisRU* domi *P*ψ; 246, *B om CD*; 372, *P* tamen *A* impia *GepU*; 518, *om R*; 637, meñ *A*; 663, *AB* tibi *CD*; 669, *A om P*; 715, *PRRgL* nihil *A*ψ; *ib., A om P* id *U*; 896, meus *R*; 939 a, me *R*; 941, *A om PRU*; 1022, *add UL*; 1277, mi *L* me *P om Rg*   Rᴜ 215, membri mihi *U* post *Ca et Reiz pro* me; 867, mi(*dat.*) *RsL* mi(*poss*) *ZU* mei (*poss.*) *P§*; 1293, *om CD*; 1307, mi *add Ly* †§ *var em* ψ; 1313, *add Rs solus*   Sᴛ 237, *om FlRg* mihi *AP*; 256, *om U*; 391, mi *add Rg*; 509, amicum mihi *P§L* m. a. *RRg* extemihicum *A*; 587, *om B*; 591, mihi ipsi domi meae *Stu§ ex A aliter RgU*; 620, mi *vel* hi *A*; 681, *add U solus*; 738, *add Ac om PL*; 753, *om RRg*   Tʀɪ 53, me *A*; 115, *B om CD*; 186, hasce mihi *A* hascine me *P* hascine *ParRRsL*; 528, mih *C*; 662, mi *Freund* me *PU*; 761, iterat *D*; 894, *om C*; 902, *om ReizRRs*; 963, mi astu heus *B* masticheus *CD*   Tʀᴜ 77, mi hercle *Rs pro* mihi; 188, *P om A§LU*; 273, mihi inclementer *A* me illi vel in(*B* uelim *CD*) mentiri *P*; 363, *P* puer *A*; 425, mi anime *Rs pro* mihi; 437, quae mihi credidit *F* quem

hinc reddidit(redidit *B*) *P*; 440, se mihi *P* sensi *Rs* scio mi *BueL*; 475, *U in loco dubio*; 480, mihi tus *BU* mihi thus *CD* huc intus *BueRs* intus § mi intus *L*; 503, me *U solus*; 519, quique mihi *FZRsL* quiquē ibi *P*; 538, mi *add CaRsL* mihi *U*; 616, hau tu mihi *add RsU*; 653, mi *CD§* mid *B* mihi *Ca*ψ; 710, *om Rs in loco dubio*; 741, mihine *Rs* ime *CD §*† ime me *B aliter em* ψ; 786, ego mihi *U* ego nec *P* egomet *KiesL var em* ψ; 790, mi *add CaRs* ede *L*; 794, *FZ* nisi *P*; 801, mi *add Rs*; 821, *add Rs solus*; 841, *B om CD*; 874, mi *add Rs*; 876, mihi *PLy om Sp*ψ; 888, mi *Rs pro* -mus; 934, *Sp* hi *P§*†; 949, mi(*dat.*) *Rs* mi(*poss.*) ψ   Fʀ I. 66, mihi Lauerna *Sca* militaueram *Non* 134; II. 67(*ex Isid Or* XX. 88 mi *Rg Ly*)   *Forma* mi *in editionibus metri causa saepe invenitur; sed editores nulli duo inter se ita scribentes consentiunt; in codicibus invenitur his in locis:* Aᴍ 1037, *D* As 750, *DEJ*(?)   Aᴜ 6, *DEJ*; 430, *D*   Bᴀ 125, *D*   Cᴀᴘ 621, *BE* nu *J*; 857, *P*; 868, *P* Cɪ 6, *Varr* VII. 99   Mᴇɴ 157, *B*; 1068, mi- *C* Mɪ 365, *CD*; 805, *B*(*an voc.?*)   Mᴏ 688, *P* mihi *A*ω   Pᴏᴇ 1050, *A*   Ps 788, *C*   Rᴜ 206 b, *D*; 430, *CD*; 539, *A*; 802, *CD*; 1268, *C* Sᴛ 19, *P* mihi *A*ω; 438, *CD* mihi *AB*; 620, *A*(?)   Tʀɪ 8, *CD* mihi *AB*; 54, *D* mihi *ABC*; 963, *B*   Tʀᴜ 280, *P* mihi *A*; 637, *P*(?); 653, *CD*   Vɪ 39, *A*   m *saepissume exhibet E raro D perraro BCJ*   michi *perraro BD saepe EJ*   miki *semel A quinquies B*

   me: 1920 *exempla sine var. lectt.: adde* Aᴍ 5, *add LomanLU*; 164, med *add HermRgl*; 384, dudum me *Rgl* nunc me *U* ne me *P§*†*L*† *Ly*; 434, med *E*³ mede *BDE*¹ me *J*; 435, med *BE*³ mede *E*¹ medem *D* me *J*; 542, me tuam absentem *Ca* metuam te ab. *P§*† me tuam te absente *L*; 546, *om EJ*; 571, *J¹Rgl* -ne *P*ψ; 598, me ille § ille *PU* illic *LindRglLLy*; 674, †e *D*¹; 675, *add Lind om P*; 832, *om J*; 873, memet *P* med *Rgl*; 1038, qui *Ca* quin *P* qui me *HermRgl*; 1068, *om EJ*   As 68, mei *E*; 72, me emere *B²CD*³ me ēmare *D*¹ nee mea re *B*¹; 77, me̦ *D*; 161, quae me *FlU* quae *vel* que̦ *P* atque *Lach*ψ; 343, *Py* meme *P*; 485, *URgl* nosmet *P* nos *Osberne*; 503, *om U*; 613, *an abl.?* 632, med amantem *BDE* me clamantem *J*; 675, me orares *BDE* morarem *J*; 684, me amantem egere *Sarac* meam(me *D*) ante megere(mergere *EJ*) *P*; 693, me tuam *BoU* me *P* med *Guy*ψ; 695, me duplicem *J* eduplicem *BDE*; 696, circumdato me *PyRglU* circumdatorque me *P* circumda torquem *Havet§L*; 826, clam. #Ne me mone *Rgl* ducibus *Gul et Ca* narra. #Ne m. *L* iam pridem m. *U* iam iam m. *Ly* iam emone *P§*†; 873, ad me *add FlRglL*; 941, me mi *BD* memini *EJ*   Aᴜ 128, *om J*; 130, *E³J om BDE*¹; 235, me *PU om Ca*ψ; 252, *om D*; 372, *B*² *om P*; 424, aequom me erat *Sey* aequo mereat *B¹DV* aequum erat *J*; 646, me *add MueRg*; 686, uelle me quae *Hermolaus* uellem aeque(*B* eque *DJ* eque *E*) *P*; 738, *add BentU*; 816, illi me *Py* illim *P*; 831, *add ReizRg*   Bᴀ 66, penetrem me *Bo* penetrare *PR*; 77, mea *C*; 279, *add RRg*; 357, med et *BCD*² mede *D*; 515,

om B; 952, A om P; 1094, om $HermR$; 1170, add
R om PU; 1182, om $HermRU$ Cap 230, add
Bent om P; 403, Bri te $PLLy$; 685, add Bent
om P; 878, om J; 924, me exemerunt ABJ
met(mei E) emerant BVE; 995, add Bent om
P Cas 189, om A; 271, add Bo om $PSLLy$;
287, me scire Z miscere P; 353, me quid J equide
B^1V equidē B^2E; 364, $Lamb$ mecum P; 443,
dabo me $Fest$ 165 et ULy cedam $P\psi$; 452, i
ne E; 517, cur amem me Bue cura meme
curam exime VEJ curam exime B; 569, ne
me BVJ neq. E; 646, Ly fortasse cum A om
P tu ψ ex A; 672, men $ABVE^1U$ mae E^2J;
732, me uis P meus A; 809, dirupi me U de
A errans pro dirrumpi; 897, add FZ om PRs
LLy; 936, ille me nunc P illa senem E^2;
959, me add $CaRsLU$ Ci 46, om J; 59, med
L mea PSt media Rs om U misere $MueLy$;
95, om U; 138, me orauit BVJ memorauit E;
215, om J; 240, LLy in lac aliter Rs; 463, Rs
in lac; 499, me si BE mensi V; 501, AB^2E^3
om P; 524, meque P aeque $RsLy$; 526, Rs
omnis $P\psi$; 573, $BVEU$ mei// J med $Klotz\psi$;
631, Sey mea $BJLyU$ meam VE; 674, add
Mue om PLy; 706, Ly in lac   Cu 87, om J;
165, add $BoRgL$ a me $MueLy$; 215, om B;
305, add Fl om PS; 335, om J; 340, ille Rg;
352, me morari P remorari $CaRg$ demorari Ly;
390, om U; 420, om E^1; 577, meae $BoRg$; 595,
med B met E me J; 628, me et B met EJ;
695, om Rg; 724, $PRgl$ om $Guy\psi$ Ep 29,
add U solus; 67, add $CaRg^1U$; 378, me quidem FZ met q. B^1 me equidem B^2RgLLy
me aequidem J; 522, me minoris A memineris
P; 529, aerumna me Gul aerumna Ly ae. med
$GepRgU$ erumnam EJ; 540b, Rg in lac; 544,
add Rg; 553, add AcU; 557, Ca mea P an
abl.? 567, me esse saluam Sey mea sei saluam
A mea sei saluam me Ly me uis BE mea si
salua mihi R mea si salua mea Rg^1 aliter U;
580, A eam BJL om E; 617, te A; 627, ad
me ires(vel ire) $LLyU$ admirer $PSt Rg^2$ aliter
Rg^1; 629, med est B me est E^3J inedem E^1;
631, add Ca om PS; 721, add $GepLy$ aliter P
tS Men 216, add $LambRRsU$; 366, apud
mest add Rs; 386, om D^1; 433, ad me add
R solus; 434, ne Ly; 443, domino me $BoLLy$
drome PSt pro me B^2 era me $FZRU$ domini
animo Rs; 461, AD^3 ne P; 480, add $BoRRs$;
593, add Rs; 611, om R; 616, me iste Py mei
si BD mei su C; 629, corona me derideto B^2
coronam ederi(deri B^1) deto P; 720, med aetatem $Grut$ meda & tate P; 744, esse me add
$PyLU$ med RLy esse R; 820, med in D^1 metd
C me BD^3; 881, ei iam R; 900, quae me clam
B^2D^2 quem eclam B^1D^1 quae me dam C; 917,
me interrogas P rogas $BoRU$; 987, me sciat
CD misceat B^1; 1031, me serio $BalbachR$ pro
Messenio; 1035, mane me AcR pro minume;
1038, me mane (CD) mane (B) om P; 1042b,
med add Ly; 1145, $PStU$ memet $RRsLLy$
Mer 56, esse CaR a me $ULLy$; 80, om RRg;
129, $PULy$ om $Ac\psi$; 134, non me uides add
Rg duce R; 166, ne B; 197, meo B; 208, add
Ac om PU; 244, ad me om R; 321, AB ne
CD; 342, Bent om P; 357, R om $PLLy$; 435,
om R; 464, me incusato A tu excusato CD tu

excusatio B; 485, AB om CD; 533, med amare
RgU mecum rem $AP\psi$; 543, om B; 631, R
met $PLLy$; 775, me eradicas A(erra.) mera-
dicas P; 788, AB te CD; 878, B ne $CDRLU$;
895, me ut uideam $URRg$ ego uideo PSt ego
uideam $FZLLy$; 996, PS om $Guy\psi$; 998, in
me U hia $CDSt$ huc B var em ψ; 1013, PU
var em ψ tS Mi 217, RU in loco dubio; 231,
ad me om $LindR$; 260, -abo dare me R solus
pro -abiliter dabo; 338, me uidisse Ca ne uidisset B^1 nidesse B^2 v. om CD; 366, te U ne
A; 368, ne A; 376, me uiden? #Te $Grut$ ui-
dente P nisi uiden//// B^1; 403, me id iam A
me eam B^2CD meam B^1; 430, meme CD ante
ras; 449, add $FlRgLU$; 501, me di deae CD
madida eae B; 517, ma B^1; 542, meae B;
547, equidem me AD^3 te quidem et(vel e) P;
553, meo A; 567, egomet me A egomet B^2
ego me P; 616, om B^1; 626, PS mei me $Lind\psi$;
678, ego me CD egomet B^2RU ego mei L;
715, A om P; 799a, mi R; 830, me uetuit CD
metuit B; 879, me ire CD mei rei B; 899, ne
CD^1; 901, nota nominat me Guy duce Py no-
tam minat(mittat B) notā P; 1006, me ut CD
metuit B; 1044, om B; 1070, FZ mihi CD m̊
B; 1072, om $BoRRgU$; 1135, om A; 1202, me
tam Ca mittam B quid tam C quid tuam D^1;
1276, me deprehendat $LoeweLULy$ metuendus
est B metuere hendast $CDSt$ med ut prehendat
Rg; 1310, me diu CD medium B; 1321, me tali
D tali me C et alia B; 1358, heu me $HauptU$
eheu U ei(vel hei) mihi $BoRRg$ haeum $CDSt$ v.
om B; 1363, ne B; 1367, me tuom L morum
U uerum $CaRgSt$ eorum B meorum CD Mo
34, me aut $Muret$ mea ut P; 53, om C; 141,
$LambL$ eam PU ea $Sey\psi$; 167, Bo meo P;
192, om B^1; 205, Ca meo P; 222, an abl.?
232, $Grut$ om P; 282, Ca om P; 305, me amas
ego te amo CD amas ego "amo" te B^1; 331,
me ais Sca mea his CD meā uis B; 336, om
R; 423, add $PyRsLU$; 499, ine CD; 501, om
Rs; 545, me male habet $NiemeyerRgS$ male
om $PLt Lyt$ aliter RU; 566, me it FZ meis P;
691, me iuuerit A meruerit P; 693, me ire
AB^2D^3 mieire P; 696, abducere me anus B
-rem eamus CD; 709, CD om BRs tS; 720,
me laudas B mel audis CD; 747, memet P;
869, erum me add SpU; 941, solus A; 967,
quod me rides add U; 1033, mi CD et me B
pro me; 1035, mi C^1 et me B^2; 1040, meę D^1;
1051, met ZR Per 32b, me unum CD meum
am B me om R; 46, mae B; 48, mo B; 119, meo
B; 169, me quidem P equidem Non 10; 171,
me quidem A unam quidem P; 200, me aduorsum CDU maeduorsum B med aduorsum
$Guy\psi$; 280, med P meę A; 321, P abl. $A\omega$; 349,
om A; 417, -are me ut tibi A -arem et ibi ut
P; 496, me scias CD messias B; 498, ad me
PU mihi $A\psi$; 639, R equidem $P\psi$; 846, colapho me icit Ac duce $Lamb$ colaphum icit P
Poe 159, FZ men P; 278, B om CD; 343,
apud me om BoS; 448, meo B; 671, ad me
P om A ad med $R\omega$; 762, om B; 859, om
CD; 865, Rgl meum $AP\psi$; 884, A a te P;
924, me commoror A memoror BU memorer
CD; 1191a, v. om $RglU$; 1219, me di P dei A;
1234, om A; 1355, contra me P contram A;

1396, cum me egomet *Ly* cum egomet *P₷†*
var em ψ; 1402, me *PU* me in *GepRglL* med
Bo₷   Ps 16, meo *A*; 24, *P* iam *ALU*; 239,
mitte me *P* sine *RRg*; 349, enicem *U*; 370,
add GruR; 375, *A om P*; 541, *om LambR*
†*₷*; 598, mei *B om R*; 642, *A om P*; 763,
mea *Non* 334; 808, miseri me *CD* miserrime
B; 906, tum me et *AP* iam mihi *R*; 966, me
adit recta *AB* mea directa *CD*; 1116, *add*
BoRU; 1128, *add R solus*; 1273, med *Ca* me
id *P*; 1276, *om Rg* mi *L*; 1285, *A ut vid* ne
P; 1319, mi *R*   Ru 167, *om Non* 519; 188,
me *add CaULy* esse me *SonnenscheinL*; 196,
Ca mei *P*; 197, mei(*gen.*) *SpU*; 215, ne omnia
P membra mihi omnia *U post Ca et Reiz*; 219,
ACD om B; 232, *add RsU*; 443, me ames
cedo *CD* meam scedo *B*; 447, *B* meo *CD*;
476, *Ca om P*; 743, mearum me *B* mearum
CD memet *A*; 864, ume *B*; 875, obsecro me
Ca obsecrom *B* obsecro *CD*; 876, *om MueRs*;
944, *om Rs*; 1043, me appellis *FZ* mea pellis
CD mea pillis *B*; 1126, *B* mea *CD*; 1218,
om B; 1367, *B* mei *CD*   St 149, *om D¹*;
182, *om BoRRg*; 329, me quidem *A* equidem
P me(d) equidem *RibRgU*; 364, me misisti
ABC meministi *D*; 453, uos me *PL* uosmet
A₷ uos ne *F*ψ; 483, tu ad me *A* tuam *P*;
628, *R* te *P*ψ; 681, *Rg in loco dubio*; 756,
CDU mé *B* med *Guy*ψ   Tri 61, *A* mihi *P*;
184, *A* met *P*; 287 a, quae me *A* quam *P*
quae *ZRRsU*; 505, *A* mea *P*; 662, *PU* mi
*Freund*ψ; 787, *Z* mea *P* sed meę *D¹*; 822,
P₷ mei *Ca*; 833, *om GuyRRg*; 974, *add R*
RsU; 1060, *A* met *PRRsU*; 1171, te *HermR*
Rs   Tru 194, tu eam me amare *A* tume(*B*
tute *CD*) amaret *P*; 349, ine *B*; 390, adsimulasse me esse *A* -aui(*ita L*) meis se *P*; 463,
add MueRs; 479, in me *BD om C*; 501, *om*
RsU; 527, *add LuchsRsL*; 542, ecquid amas
me *Ca* ǝt(ec *B*) quidem has(as *B*) me *P*; 546,
C mea *B om D*; 583, ad me *add Rs*; 587, tun
me ais *Sp₷RsU* tune as(*B* ans *CD*) *P* tune
ais me *LLy*; 589, *om CD*; 591, *Bo* meum *P*;
592, ad me *add RsUL*; 597, adiecit oculos ad
me *Rs* adientaculem *P₷†* var em ψ; 628, *add*
GoelRsLU; 630, hinc me amoliri *Ca* et *Bo* mi
hinc amo sire *P*; 751, me ire *U* amitto *P*ψ;
754, dic me *Sp* decem *P*; 758, me lusit *U* induit *CD* incluit *B₷†* var em ψ; 797, era me
rogitauit *Bo₷U* erã ero uit *P var em* ψ; 859,
med *Lamb* me ad *P*; 863, *abl. L*; 867, *add*
CaRsL; 875, sine me habere *RsL* in eam rem
P₷† var em ψ; 881, *add CaRs₷U*; 883, fac
uisas me *Rs* facultas *P₷† var em* ψ; 891, *loc*
dub em Rs; 926, me adeo *BueRs* me hodie
BriLU medio *P₷†*; 929, *add U solus*; 939, *add*
U solus   Vi 26, *Rg in lac*   *Forma* med
saepe metri causa ab editoribus legitur; in co-
dicibus haec modo exempla inueniuntur: Am
434, *E³*; 435, *BE³*   As 406, *DE*; 632, *BDE*
Ba 61, *CD* me *B*; 357, *BCD²*   Cap 405, *BD*
me *VEJ*   Cu 595, *B* met *E*; 664, *P* me
*FZ*ω   Ep 391, *P* me *CaLU*; 629, *B*   Men
720, *P*; 820, *D¹*

me(*abl.*) 323 *exempla sine var. lectt.: adde*
Am 639, me *P* med hodie *Rgl* †*₷*; 710, ex me
add Non 44; 1038, *om J*; 1060, *om D*   As

332, mecum *BDE* metum *J*   Au 98, meas
me *BE* mae *D* meis me *J*   Ba 73, me (*P*)
mea *P*   Cas 143, med *AJ* met *BV¹* me *E*;
641, a me *A om P*; 952, meriã *V*   Cu 165,
a me *add MueLy* me(*acc.*) *BoRgL*   Ep 78,
a me *om GuyRg*; 332, mecum *P* aliam *U* meliorem *L*; 359, a me recte *Rg²U* amaret *P*ψ;
673, neen *E¹*   Men 492, med *Salm* meo *P*;
853, a me *add BoR*; 982, a me *add Rs*   Mer
56, *pro acc. habent RRg ₷*; 379, ille a me
Angel illa me *CD* mea me *B*; 533, mecum rem
AP med amare *Rg U*   Mi 299, meat *CD*; 585,
de me *P* dem *A*; 654, me *D³* mea *P*; 714, mecum *A*; mucum *P*; 1096, a me *R pro* haec; 1201,
a me ut abeat *R solus pro* a Philocomasio;
1318, mecum *D³* moechum *CD¹* haec nunc *B*;
1341, me absenti *P₷†Ly†* mihi abs. *CaR* amice
abs. *RRg* mi med abs. *L* recte *U*   Mo 155,
a me *B²* tã e *CD* tañ *B¹*; 222, *acc.?* 845, a
me perductorem *A lac P* circumductorem *R*
Per 30, mecum *ACD* meum *B*; 39, tu a med
Sey tua me *B* tu a me *D³* tuiame *CD* me *U*;
321, *A acc. P*; 398, *add R om APL*; 597, *A*
aliter PL; 681, *acc.?*   Poe 1396, ego mecum
MahlerRglL mecum egomet *GepU* cum(qùom
BRgl) egomet *P₷†* cum me egomet *Ly*   Ps
128, a me *P* aime *B¹*; 549, *add LorenzRgLU*;
1088, a me *P om Bent* ω; 1151, mecum *B* meum
CD; 1194, mulierem a me *B* me mulierem *CD*;
1221, de me *Ca* dem et *B* idem et *CD*   Ru 712,
om CD   St 249, mecum *BC* metum *D*   Tri
438, mecum *ACD* meum *B*; 838, me sis *ABD*
messis *C*   Tru 688, mecum *B* meum *CD*;
863, *L acc.* ψ; 958, *om U*   Fr II. 60, mecum
ex Macr V. 19, 11   medicum *BueL*   *Forma*
med *nonnumquam in editionibus inuenitur; in*
codicibus Am 1038, *DE* me *D om J*   Cas 143,
AJ met *BV¹* me *E*

nos: Am 221, 352, As 61, 201, 313, 361, 367,
531, 904, Au 482, 484, Ba 360, 1151(*om R*), Cap
25, 206 a, 208, 213(uos *J*), 216, 262, 313, Cas 11,
197, 362, 422, Ci 27, 38, 57, 145, 493, 724, Cu
353, Men 147(*add R*), 213, 214, 247, 654, Mer
191, 1009, 1019, Mi 84(quam nos *Py* quandos
CD¹ quando *B* quam *D²*), 87, 147, 429, 431
(*om D¹*), 943, 1158, 1257, Mo 327(*add HermR*),
393, 477, 736, 1159(*Ca* non *P*), 1161 *bis*, Per
847, Poe 217, 244(*om Sp₷U*, 251, 515, 518(*om*
RRgl), 520, 539, 542, 569, 571, 593, 599, 611,
63ᕁ, 649, 658, 676, 682, 780, 1173, 1193, 1217,
1237, 1238, Ps 197, 275, 276, 463, Ru 159, 293,
369, 1258, St 2 b, 4(*om DR*), 129, 532, 689,
694, 695, Tri 355, 491, 514, 775(nos consignemus *BD* noston sequemini *C*), Tru 58, 111,
150 b, 160, 217, 218, 220, 238(quid male nos *L*
quam alienos[alenos *B*] *P* quid est quod male
*A*ψ), 240(*A om P*), 577(et nos te *SeyLy* noster
*P*ψ†*₷*), 950, Fr I. 96

nostrum: Poe 527, Ru 289   (**nostrorum**
Am *fr* XIV[*ex Non* 285], Poe 540, 861   **no-**
strarum Tru 252[*P* nostrum *Rs*])

nobis: As 312, Ci 56, Cu 84, 85, 659, 666, Ep
25, Men 208, 345, 356, 441, 1151(*CaRRs* nostra
*P*ψ), 1162, Mer 273(*RRgU* uobeis *A₷Ly* uobis
L), 396, 743, Mi 1420, Mo 351, 418, 732(uɔbis
D), 800, Per 770, 775, Poe 222(sunt *ReizRgl*),
251, 402(*PLU* nobeis *ARgl₷*), 516, 616, 664

(*PLU* nobeis *ARglS̄*), 669, 1137(?), 1259, 1277
(*PL* nobeis *Aψ*), Ps 624, 684, Ru 84, 153(nouis
P), 279, 294, 303, 354, 453, 588, 589, 668(*SpU
in lac*), 689, 700, 709, 831(uobis *C*), 1264, St
44(*GuyL* nos *PS̄*† in nos *PiusRgU*), 54, 57,
255, 448, 758, 773, Tri 40(*P* uobis *A*), 147(non
est *RRs*), 508, 593, Tru 191, 721 *bis*(*alterum
om GepRsU*), 836(*UsenerU* mnem *PS̄*† *aliter
em RsL*), Fr I. 65

nos: Am 255(ad nos *B²DJ* annos *B¹E*), 664,
701, 789, 799, 855, 1079, 1102(hos *Non* 503,
As 155, 156, 220, 238, 365 *bis,* 485(*Osberne*
nosmet *P* me *URgl*), 524, 650, 652, 665, 711,
732, 735, Au 83, 123, 329, 334, 342, 357, 361, 423,
431, 435, 750, Ba 82, 304, 360, 638(*om R*), 702,
904(*add RRgU*), 1122, 1126, 1141, 1205, Cap
22, 62, 203, 208, 210, 217, 259 *bis,* 312, 402,
493, 593, Cas 363, 417, 579, 597, 650, Ci 8, 10,
29, 30, 31, 36, 503, 664(*J* uos *BVE*), Cu 205,
631(*iterat J*), Ep 261, 266, 327, 666, Men 303,
543, 656, 1091, 1127, Mer 536a, 746, 747, 1008,
1020, Mi 175, 183, 230, 283, 378, 408(*B²* nostra
P), 428, 429(*Reiz om P*), 432, 523, 590, 611,
920, 933, 1069, 1156, 1177(*A* ad nos *om P*),
1197, 1217, 1282(it ad nos *Bri* iam non *PS̄*†),
fr, Mo 304, 318, 330, 613, 651, 944(*A solus*),
1120(ad nos *ins R solus*), 1129, Per 755, 765,
819, Poe 223, 235, 240, 264, 317, 402, 440, 520,
521, 526, 528, 537(nos tam *CD* nostram *B*),
539, 553, 557(nos ratus *Ca* nostratus *B* nostra
CD), 565, 595, 611, 652, 674, 743(*add RRglU*),
744, 800, 810, 843, 1004, 1033, 1181, 1186,
1202, 1219, 1233, 1241, 1254, 1258, 1260(nos
sine *A* nosse ne *P*), 1324, 1422, Ps 202(*add
HermR*), 244, 544, 650, 714, 1000, Ru 10, 249,
256, 273, 276, 305, 356, 368, 372, 456, 590(*B*
nobis *CD*), 665, 670, 673, 675a(par nos *RsS̄*
pars *P* par *ZLU*), 696, 698, 725, 890, 936,
1002, 1075, St 6, 7a, 17, 33, 44(nobis *GuyL*
†S̄*), 46(*add RU*), 68, 69, 97(*om Rg*), 98, 101
(eos nos *AD⁴* enos *P*), *ib.,* 103, 330, 496, 532,
536, 663, 688, 689, 701, 702, 709(uos *B*), 720,
739, Tru 498, 513, 601, 699, 1079, 1084, 1151,
Tru 57, 58, 97, 100(*Rs pro* scorta), 112, 113c
(ad nos *A om P*), 157(*PLy* non *Rs†S̄*), 209, 220,
222(*om BergkRs*), 224, 237, 238, 249, 300, 381,
420, 524, 693, 718(*FRs* uos *Pψ*), 727, 749(*add
RsLU*)

nobis: Am 400(*Ly*), 951, As 311, 482, Cap
206a, Cas 830, 861, Ci 658, Mer 699, 894(a
nobis *om CaU*), Mi 339, 524, Mo 1159, Poe
601, 655, Ps 617, Tri 513, Tru 160

corrupta: Am 575, ego me *J pro* egone ;
758, me *J pro* te ; 812, me *E pro* mi ; 866,
mecum *J pro* meum ; 979, cū me *BE pro* com-;
1045, me in ultro *E pro* intro edepol ; 1069,
me otius *J pro* metus   As 68, me *J pro* mei ;
343, me *add P om Py* ; 373, me *add P om B²* ;
456, ego *BDE¹ pro* ero ; 516, ego una *J* egona
BDE pro ecqua(*Kamp*) ; 539, mecum *Gell*
XVIII. 12, 1 *pro* meum ; 591, ego *J¹ pro* egeo ;
620, ego *EJ pro* eo ; 689, mihi *BD* m *E michi
J pro* mi(*Ca*) ; 696, circumda torque me *P pro*
c. torquem(*Havet* circumdato me *PyRglU*) ;
850, ego *J pro* ergo ; 851, mecum *B¹EJ¹ pro*
meum ; 925, ego *E pro* ergo   Au 323, ego
P pro ergo(*Ac*) ; 613, me *add P om Hariusψ* ;

640, ego *add Non* 396   Ba 278, ego ut istega
consedi *Fulg*(*ext. serm.* XVII. *ed L*) *pro* ut adsedi ; 561, me sine *C pro* misine ; 1038, me ea
P pro mea(*Z*)   Cap 139, ego me *VEJ* egone
BD pro egon ; 383, ego *E pro* ergo ; 443, me
J pro ne ; 516, me *P pro* se(*Dou*) ; 518, mecum *add VE ad fin* ; 564, mihi *add B* ; 765,
me miseret *ins Non* 143 ; 772, me *add J* ;
835, ego *add J* ; 845, me *add P om Grut*
Cas 12, nos *E pro* uos ; 143, mihi *V pro*
nihil ; 146, me *add P om A* ; 304, ego *ins J* ;
322, me *J pro* ne ; 435, a me *P pro* amici
(*Gul*) ; 484, si me *J pro* uir ; 546, nos *BVE
pro* uos(*AJ*) ; 729, me cacacon(cacaon *V*) *VE
pro* μέγα κακόν ; 917, me *BVE pro* mea(*J*)
Ci 243, mecum *iterat A* ; 608, ego *VEJ om B
pro* ergo ; 643, ne me morare *J pro* remorare ;
715, me *add B* meae *VEJU* ; 720, ego *B¹
pro* ago   Cu 150, me alidi *P pro* mea ludii
(*Sarac*) ; 165, me *J pro* mi ; 362, *add J* ; 516, me
add J ; 621, ego *E¹ pro* eo ; 648, me *add E* ;
664, ego me *J pro* egone   Ep 22, egost *BVE¹*
g̊ est *J pro* ergo est ; 238, me harum *P pro*
earum(*A*) ; 328, ego *add E¹* ; 704, ego *AB¹EJ
pro* eo(*B²*)   Men 10, ego *C pro* ubi ; 156, me
B² pro te ; 320, nobis *B om R pro* uobis ; 388,
me *add CD¹* ; 434, ego *P pro* eo(*Py*) ; 449,
mihi *C in loco dubio* ; 462, me *P pro* meum(*A*) ;
589, me *add CD* ; 609, ego tusit *D¹ pro* negotist ; 663, ego *P pro* eo(*Bent*) ; 804, tiam me
C iam me *D* iam *B pro* clam ; 843, mihi *B¹C*
m̊ *D pro* mi(*B²*) ; 958, me *add BD* ; 1064, nos
scito *B¹ pro* noscito ; 1067, me edepol *CD*
medepol *B¹ pro* edepol(*B²*) ; 1070, mihi *B¹ pro*
meus ; 1125, mihi *P pro* mi ; 1155, ego *A pro*
ergo (*P*)   Mer 17, me *CD pro* mea ; 106, mi *B*
m̊ *D* mihi *C pro* emi(*Pius*) ; 370, me *P pro*
mea(*D³*) ; 454, de me *B pro* id mea ; 457, me
B pro ne ; 689, me ecastor *D pro* mecastor ;
898, me *add P om Guy* ; 1013, me fide satis
PS̄† *var em ψ*   Mi 131, me pecatori *C pro*
mercatori ; 231, me *add B²* ; 270, me *P pro*
meae(*A ut vid*) ; 355, dice(doce *B²* dece *B¹*)
me docebo *P pro* decem : edocebo ; 380, ego
P pro ergo(*A*) ; 461, me *add B¹* ; 566, ego me
CD pro egomet ; 578, mihi *CD pro* miles ; 601,
mihi *P pro* tibi(*Ac*) ; 636, nos tā scire *B¹
pro* nota noscere ; 640, me *add P om FZ* ;
671, esset experiosum me *P pro* esse experior
summae(*B²D³*) ; 688, mihi berne *C* ////ibernae
B pro hibernae ; 691, mihi *P pro* mi(*A ut vid*) ;
747, me *P pro* meo(*A ut vid*) ; 801, mecum *B
pro* eum ; 812, ego *P pro* eo(*R*) ; 1131, mecum
P pro moechum ; 1221, me arbitrii *B pro* meo
arbitratu ; 1263, me *CD pro* mea ; 1330, mihi
P pro mi ; 1406, ego *P pro* seco(*A*) ; 1409, a
me *A ut videtur in loco perdito* ; 1422, a nobis
B pro non eibis(*A v. om CD*)   Mo 1119, ego
B pro ergo ; 1172, quesisse me *D³ pro* quaeso
istum ; *loc dub*   Per 4, me *add Serv ad Buc*
X. 69 ; 217, ego *B pro* ergo ; 615, ego *B pro*
est ; 652, te me *P pro* eme(*Z*) ; 739, mihi *A
pro* mi (*P*) ; 759b, aquila mihi *CD* aliquam *B²*
aliqua mi *B¹L* (mihi) *var em ψ* ; 773, me *add
P om Guy*   Poe 482, ego *P* eos *A pro* eo
(*Ca*) ; 660, me east *B pro* meast ; 726, ego *Char*
240 *pro* ergo ; 797, me *add P om Weis* ; 879,

me *CD pro* meo; 1039, mihi *P pro* mi(*A*);
1079, me uis *C pro* neuis; 1158, mihi *P pro*
mi(*A*); 1176, illic ego *P§†* illic eo *A* illi *Mue
RglLLy* illic *WeisU*; 1391, me quidem *B pro*
equidem   Ps 168, mihi *add P om Rω*; 234,
ego *add A*; 304, et me *C pro* eme; 372, in me
add AP om FZ; 391, ego *A pro* ergo; 487, a
me cognato *P pro* meo gnato(*FZ*); 559, nos
C pro mos; 582, me *P pro* mea(*A*); 586, ego
add P om A; 587, mecum *P pro* meum(*A*);
704, me *add P om A*; 723, tute ego *P pro* tu
istic(*A*); 869, me de apellem me(apellime *B*)
P meoeappellam *A pro* Medea Peliam(*Merula*);
877, nos *P pro* non(*A*); 910, ego *add P om A*;
913, me eum *B pro* meum; 914, ego *P pro*
ergo(*A*); 917, me *A pro* ni; 994, mihi *P pro*
emittere(*Guy*); 1084, ego *CD pro* ergo(*AB*);
1175, me hercule(hercle *B*) *P* mehercle *RL*
mehercule *U* hercle *BergkRg†§*; 1222, sin a
me(*om B*) moriri *P pro* sinam emoriri(*A ut
vid*); 1295, me *add P*; 1321, mihi *A pro* mi
ut vid   Ru 436, nos pro *P pro* nostro(*FZ*);
568, me *P pro* mi(*A*); 598, mihi *add Prisc* II.
79; 743, ego *add P om A*; ib., memet *A pro*
mearum me; 787, egomet *P pro* equidem(*A*); 938,
ego *add liber gl*; 1139, in me *P§†* anne *Vahlenψ*;
1248, mihi *P§†L†* nisi *BoRsU*   St 90, me *B
pro* mi(*ACD*); 195, me ueni item *P pro* uendi-
tem(*A*); 292, ego *C pro* ergo; 302, qui me disserte *B pro* quin edissertem(*A*) *om CD*; 306,
me *add AP om R*; 373, ita ego *P om A* ipse
U; 497, *add Gell* Vl. 17, 4; 775, nos *P pro* uos
(*Palm*)   Tri 167, me *Non* 525 *pro* meo; 341,
ego *C pro* eo; 372, ego *C pro* eo; 725, mihi
add P om Mue   Tru 5, melior me quidem
P§† var em *ψ*; 24, ea ratione me ab se *P pro*
eam rationem eapse; 63b, dã nos horum *B pro*
damnosorum; 175, ego *P pro* ergo(*FZ*); 215,
me *CD pro* mea; 222, aequom(eqûo *B*) me *P
pro* aequom ei(*A*); 266, me *P pro* male(*A*);
286, mi *CD pro* ni; 371, me illi *P pro* melle
(*A*); 390, ego *P pro* nego(*A*); 526, ego medulo *P* var em *RsU †§L*; 528, me *add P om
Bo*; ib., in me *CD* im me *B pro* mel(*Ca*); 534,
men *P§†* var em *ψ*; 570, mecum *P§†U†* var
em *ψ*; 587, me *add P om Spω*; 655, urbe me
P pro urbem; 687, me *add P om Bo*; 741,
ime *CD§†* ime me *B* var em *ψ*; 761, nos omnes
P pro nouos(*Bergk*); 774, me *add P om Ca*;
784, exsolue mihi *P pro* exsoluemini(*Ca*) 900,
mihi rides pice *P§†* var em *ψ*; 914, me *P
pro* mea(*FZ*); 921, ad me *add P om Sp duce
Ac*; 925, me eos *P pro* meas(*FZ*); 942, mihi
homo *P in loco desperato*; 955, non ego *CD
pro* nego(*B*) subigam *Rs*

II. Collocatio, scansio, forma. *Nom. pronominis primae et secundae personae ponitur
ante casum obliquum eorundem pronominum.*
Kellerhoff, p. 51. *Nom. pron. pers. antecedit
demonstrativum nisi ab initio sententiae vel versus ubi dem. antecedere solet.* Kaempf, p. 22.
De collocatione vide etiam Kellerhoff, pp. 54,
56 *et* Kaempf *passim. De scansione formae
nobis cf* Leo, *Lect. Pl.* p. 585. *De forma acc.
med cf* Umpfenbach, *Mel. Pl.* p. 1

III. Significatio 1. **ego** *alii personae oppositum vel emphasis causa vel praecipue in*
*initio narrationis ut statim qui'esset .. audien-
tes scirent*(Appuhn, p. 41) *vel in interrogationibus*(Kaempf, p. 10); *saepe etiam videtur usurpatum fuisse nulla causa nisi ut pronominum
coniunctio*(ego te, eum ego, hunc ego, *sim.*) *fieret*
a. *in narratione:* ego sum non tu Sosia Am 379
tu alium peperisti Amphitruonem, ego alium peperi Sosiam Am 785   ne sic fueris: ilico ego
non dixero As 839   tu me et ego te qualis
sis scio Au 217   sanus hercle non es. #Egone
an tu magis? Men 198   tu me amas ego te
amo Mo 305   curate istis intus: iam ego domum
me recipiam Per 405   *Similiter:* Am 124,
374, 380, 387, 394, 438, 440, 622, 743, 804, 1034,
1035, As 375, 490, 513, 660, 909, Au 132, 230, 363,
400, 428, 430, 579, 584, 623, 734, 792, Ba 35*,
134*, 162, 184, 186, 412, 473, 703, 760, 1043,
1062*, 1153, Cap 14, 223, 349, 414, 416, 443,
544, 575, 632, 637, 691, 739, 856, 892, 934,
943, 951, 961, Cas 273, 360 *bis*, 587, 613, 725,
746(*Ly*), 781, 994(*Rs§*), Ci 39, 311 *bis*, 570,
645, 719, Cu 102*, 138, 163, 305, 369, 627, 640,
663, 701*, Ep 87, 149, 158, 304, 305, 684*, 691,
712, 720(*v. om E*), Men 269, 271, 296, 302, 330*,
439, 544, 545, 546, 745, Mer 141*, 165(*aliter
BeckerLLy*), 186, 425, 448, 505, 628, 930, 977,
998, Mi 280, 302, 357, 521*, 799(*SeyRgU*), 930,
935, 936, 1008, 1022, 1155, 1263, 1378, 1429,
Mo 49, 66, 97, 200, 322, 387, 388, 389, 426,
516, 526, 635, 683, 914, 1131, 1143, 1145, 1174,
Per 47, 162, 165, 190, 219*, 237, 320, 503, 517,
538, 659, 763, Poe 148, 276, 423, 424, 629,
706, 1037, 1046, 1226, Ps 12, 33, 72, 99, 184,
232, 336, 337, 338, 339*, 355, 475, 496, 635,
1320, Ru 403, 464, 521, 522, 564, 731, 735,
755, 774, 779, 782, 967, 994, 1014, 1021, 1029,
1230, 1389(*Rs solus*), 1411, St 37, 73*, 93, 149,
419, 453, 547, 548, 697, 731 *bis,* 755, 756, Tri
46, 59, 173, 341, 391, 413, 447, 607, 634, 635,
636, 655, 716, 717, 975, 979, 984, 985, 993,
Tru 296, 302, 374*, 615, 776, 780, 788, 843, 922,
923, 924(*Rs*), 955, *ib.** Vi 97

internosse ut uos possitis facilius, ego has
habebo .. pinnulas Am 143   quom pugnabant
maxume, ego tum fugiebam maxume Am 199
aedis nobis areast: auceps sum ego As 220
ego ted .. ab egestate apstuli As 163   interii si non inuenio ego illas uiginti minas As
243   ego hanc amo et haec me amat As 631
quod ad me attinuit, ego curaui Ep 130   ego
illum scio quam cordi sit carus meo Men
246   tibi ego dico Mi 217   *Similiter:* Am
614, 615, 893, 989, 992*, 1003, 1103, 1112, As
76, 79, 141, 313, 356, 387, 464, 497, 519, 637,
648, 820, 931, Au 58, 61, 134, 166, 181, 198,
204, 231*, 271, 449*, 457, 523, 567, 587, 662,
702, 708, 722, 769, 779, 794, 800, *fr* III, Ba
93, 163, 287, 319, 364*, 410, 558*, 564, 573,
615*, 630, 689, 719, 783, 784, 829, 945, 946, 949,
950, 965, 988, 1015, 1028, 1039, 1079, 1082,
1089, 1160, 1162, 1180, Cap 144, 310, 312, 324,
328, 339, 498, 558*, 623, 640, 641, 683, 869,
998, Cas 217, 224, 264, 276, 281, 288, 349, 483,
486, 512, 520, 654, 685, 754, 805, 933, 937,
1008, Ci 7, 66, 95, 145, 148, 153, 204, 298, 308,
364, 559, 577, 619, 620, 686, 707, 757(*U*), 765,
766, Cu 80*, 212, 256, 360, 419, 515, 516, 518,

520, 530, 560, 568, 581, 648, 680*, 692, 725, Ep 87, 137, 147, 178, 237, 340, 352, 367, 390, 420, 449, 465, 527, 618, 668, 677, Men 23, 115, 119*, 140, 185, 199, 205, 207*, 277, 279, 324, 449, 460, 784, 786*, 833, 894*, 918, 977, 978, 985*, 1014, 1154, Mer 80, 128, 148, 227, 251, 290, 358, 439, 459, 460, 470, 477, 530, 536, 569, 586, 668, 723(MueRg), 771, 857*, 895, 919, 920, 1000, Mi 115, 129, 138, 143, 185 a, 270, 331 ter, 345, 387, 427, 451, 627, 745, 746, 809, 849, 913, 1056, 1075, 1082, 1148, 1159, 1192, 1308*, 1351, 1352, Mo 34, 86, 91, 118*, 145, 228, 375*, 392, 621, 792, 804*, 884, 1051, 1078, Per 10, 242, 257, 284, 335, 364, 373, 403, 428, 455, 534, 594, 614, 688, 779, 820, 832, Poe 48, 129, 282*, 334, 337, 340*, 459, 476, 506, 693, 747, 893*, 1262, 1292, 1294, 1300, Ps 5, 220*, 227, 233, 241, 377*, 554, 633, 658, 703*, 769, 802, 807, 810, 890, 916*, 925, 927, 945, 974, 1019, 1057, 1113, 1114*, 1200, 1211, 1238, 1274, 1332, Ru 67, 106*, 201b, 218, 603, 608, 718, 745*, 795, 850, 920, 925, 926, 947, 957, 1050, 1100, 1126, 1195, 1248, 1249, 1291, 1396, 1413, St 41, 75, 76*, 77*, 112, 155*, 158 a*, 158 b*, 163, 172, 275, 328, 344, 368, 384*, 391, 401, 431, 484(?), 493, 510, 533, 644, 681(?), Tri 6, 81, 166, 184, 189, 215, 258, 287, 293, 301, 303, 313, 380, 518, 815, 826*, 843*, 937, 946*, 957, 1087, 1114, Tru 143, 172, 322, 349, 454, 464, 471, 501, 532, 568, 629, 654*, 688, 728, 777, 822*, 835, 893*, 956, 959(?), Fr I. 18, 94, 116

respondentis vel affirmantis est: hic, inquam, habito ego Am 536   quis ad foris est? #Ego sum Am 1021   quis ego sim me rogitas? #Ego 1029   ego sum ille Amphitruo Am 861   ego sum Ulixes Ba 940   *Similiter:* Am 403, 577, As 688*, 870, Au 2, 704, Cap 317, 318, 863 bis, 956, 972*, 1025, Cas 280, Cu 420, Ep 201, 202, 207, 558, 641, Men 137, 294, 1071, 1072, 1125, Mi 798, 925, Mo 213*, 497, Per 838, Poe 600, Ps 607, 609, 978, 1010, 1199*, 1210 bis, Ru 237, 286*, 415, 1056, 1173, St 373(U), Tri 970, 973, 978, 1068, 1179, Tru 257   *Etiam* Poe 604, 1149, Tru 393

in colloquio, vi adversativa, saepe addito immo *vel* et: dedi equidem. #Et tibi ego misi mulierem As 171   ego caput . . fui. #Ego pes fui As 728-9   uter . . celerior? #Ego et multo melior. #Cocum ego . . rogo Au 322   potare ego hodie tecum uolo. #Non potem ego quidem hercle. #At ego iussero . . Au 569-70   quis hic loquitur? #Ego sum, miser. #Immo ego sum . . Au 731   at tu cita. #Immo ego tacebo Ps 33   dedi ego huic aurum. #At ego argentum Tru 946   *Similiter:* Am 668, fr X, Ba 1177, Cap 839 bis, Cas 268, 269, 707, 745*, 840, Cu 84, 215, 493*, 607, Men 182, 516, 1077, 1085, Mer 141*, 142, 165(BeckerLLy), 450, 453, 889, Mi 433, Mo 181, 514, Per 637, 767, Poe 142, 1377, Ps 239, Ru 788, 1061, 1077, 1312(?), St 341 bis, 753, Tri 51, 1060, Tru 577(Ly), 957

concedentis vel approbantis est: alia alia peior, frater, est. #Idem ego arbitror Au 141   di bene uortant. #Idem ego spero Au 175   *Etiam* Ci 596, Cu 27, 541, 659, Men 1094, St 474, Tru 740*, 811

se obiurgantis vel excusantis est: ego stulta et mora multum quae cum hoc insano fabuler Mi 371   ego . . si quid peccaui prius, supplicium hanc minam auri fero Tru 899   *Similiter:* Am 922, 925

admirantis vel exprobrantis interrogationes repetitivae: quis is Menaechmust? #Tu istic. #Egone? Men 651   quid ego dixi(quid ego? #Dixti LLy)? #Insanus, inquam. . . #Egone? Men 937   ex te audiui. . . #Egone istuc dixi? Am 747   mi uir! #Vir ego tuos sim? Am 813   me defraudem. #Defrudem te ego(v. secl FlRgl SU)?.. ten ego defrudem? As 93-4   uehes pol hodie me. . . #Ten ego ueham? As 700   an tu me tristem putas? #Putem ego . .? As 838   ecquid matrem amas? #Egone illam? As 899   *Similiter:* Au 45*, 82, 652, 761, 824, 829, Ba 806, 1190, Cap 139 bis, 148, 611, 857, Cas 117, 243, 735, 736, 982, Ci 295, Cu 119, 494, 664, Ep 574, 575, Men 162, 198, 299, 389, 653, 1024, 1058, Mer 317, 323, 504, 761, Mi 439, 496, 1139, 1276, Mo 301, 356, 556, 633, 634, 955, 1014, Per 188*, 721*, 747, Poe 333, Ps 318, 486*, 516, 626*, 723, 1226, 1315, Ru 842, 1272, St 634, Tri 634, Tru 276, 586, 898*   pone. #Quid ego* ponam? Au 639   gaude. #Quid ego gaudeam? Cap 839   redi. #Quid ego redeam? Men 617   tu negas med esse? #Quid ego ni negem? Am 434   itane tu censes? #Quid ego ni ita censeam? Mo 1120   *Similiter:* Cap 556, Ps 96, 652, 917, Mo 578, Mi 1311   quid ego aliud exoptem? As 724   ubinam ego alibi censeam? Tri 1079   sed quid ego cesso ire? As 125   *Similiter:* Men 552, Ru 454   sed ego cesso . . onerari? Cap 827   cesso ego illis obuiam ire? Mi 896   cesso ire ego quo missa sum? Per 197   *Similiter:* Ru 677, Tri 1135   quid ego hic properans concesso pedibus? As 290

in interrogationibus dubitativis: ubi ego nunc Libanum requiram? As 268   quid ego nunc agam? Au 274, 447, Ci 528, Men 568, Mo 662, Tri 718   quid ego ago nam? Mo 368   quid ego agam Au 730*, Mo 378, Tri 981   quid ego hoc faciam postea? Mo 346   quid ego faciam? Am 1040*, Cu 589, Per 27*   quid ego facerem? Mer 633   quid nunc ego faciam? Ba 857, Mer 712   quid ego nunc faciam? Cas 549*, Cu 555, Men 963, Mi 305, Mo 371, 1150   quid ego faciam nunc? Ep 255*   quid tibi ego dicam? Au 67, Mi 55   quo ego eam? Mo 334   utrum ego istoc iocon adsimulem an serio? Ba 75   *Similiter:* Am 409, As 267, Ba 65, 722, Cas 616, 617, Cu 12, 641, Ep 281, Mer 301, 602, 903, Mi 1206, Per 531*, Ps 744, 966, 1316, St 675, Tri 1024, Fr I. 95

animum indicantis est quid facturus sit: abigam iam ego illunc aduenientem ab aedibus Am 150   ibo ego illic obuiam, neque ego hunc hominem . . sinam umquam accedere Am 264   iam ego hunc decipiam probe Am 424   ego istuc curabo Am 949, As 827   iam ego hic ero Men 225   *Similiter:* Am 54*, 295, 470, 674, 854, 930, 953, 966, 1128, As 370, 457, 654*, 705, 827, Au 37, 165, 176, 570, 573, 577, 607, 666, 678, Ba 95*, 97, 227, 232, 239, 241, 599*, 703, 707, 785, 929, 977(?), 1036, 1037, 1151,

1152, Cap 293, 370, 587, 841, Cas 106, 297, 299, 341, 374, 436*, 437*, 476, 613, 787*, 807, 966, Ci 311, 367, 595, 628, 633, 650, Cu 385, 627, 663, 723, Ep 150*, 158, 293, 294, 295, 364*, 371, 492, 602, 605, 619, 657, 712, Men 216, 265, 326*, 466*, 544, 545*, 546, 661, 680, 738, 808, 897*, 956, 981, 1012, 1121, Mer 413, 448, 497, 562, 836, 885, 891, Mi 23*, 195, 270, 328*, 395, 537, 567, 581, 814, 845, 858, 930, 935, 1191, 1207*, 1213, 1379, Mo 94, 174, 344, 359, 384, 386, 387, 388, 405, 427, 586, 921, 931, 1066, 1067, 1094, 1096*, 1131, Per 178, 185, 195*, 198, 306, 320, 324, 405, 575, 609, 736, 786, 843, Poe 165, 173, 202, 371, 379, 424, 460, 614, 701*, 853*, 1154, 1159, 1396*, Ps 33, 73, 103, 174, 232, 316, 387, 404, 413, 478, 525, 554, 561, 584, 614, 644, 646, 690, 734, 761*, 766, 868, 872, 881, 926, 1138, 1241, Ru 471, 581, 691, 692, 754, 765, 800, 943*, 1013, 1049*, 1088, 1126, 1132, 1134, 1255, 1316*, 1351, 1388, 1410, St 208 b, 351*, 355, 407(R), 440, 640, 646, 755, Tri 391, 481, 859, 882, 1183, Tru 643, 711*, 715, 963*, Vi 8(L), 85, 97, Fr II. 44

minantis est: ego pol te istis tuis pro dictis .. accipiam Am 285   ego tibi istam .. comprimam linguam Am 348   *Similiter:* Am 357, 520, 556, 582, 589, 673, 1030, 1043, 1085, *fr* I, As 131, 133, 139, 140, 145, 148 *bis*, 159, 160, 897, Au 49, 59, 189, 416, 443, 494, 578, 630, Ba 506, 507, 508, 571, 766, 767, 869, 975, Cap 65, 609, 731*, 752, 816*, 821, 962, 1019, Cas 123, 153, 154, 156, 589, 590*, Cu 294, 576, 689, 726, Ep 121, 188, 594, 606, Men 903, Mi 157, 334, 344, 371, 461, Mo 4, 1116, 1133, 1168, 1174*, Per 143, 192, 457, 480, 743, 794, 819, 827, 828, Poe 123, 1152, 1220, 1228, 1230, 1302, Ps 145, 200, 214, 223, 359, 382, 603, Ru 721, 730, 732, 769*, 859, 879, 1008, 1118, Tri 463, Tru 268, 287, 603, 613, 614, 621, 626, 658, 759, 762, 844, Fr I. 20*, 75, II. 49   *Etiam* Mi 1426*

iurantis, asseverantis est: ita me di amabaunt ut ego .. ausculto Au 496   di me perdant si ego tui quicquam abstuli Au 645   mihi diuini numquam quisquam creduat ni ego .. amo Ba 505   *Similiter:* Cap 875, Cas 247, 452, Cu 208, 326, 579, Mer 763, Mo 193, 212, Poe 1219, St 743, Tru 277, 347

si ego umquam .. nihil causaest quin .. Cas 1002   egone si post hunc diem muttiuero .. dato me .. Mi 565   ita Philolaches tuos te amet... #Quo modo adiurasti? ita ego istam amarem? Mo 183   id ego si fallo tum te... Am 933   Venus Cyrenensis testem te testor mihi si .. ⟨tum ego huic⟩ #'Tum ego huic Gripo' inquito .. #Tum ego huic .. Ru 1342-3

obsecro uos ego Au 715   per deos .. ego te obtestor Cap 727   per ego uobis deos .. dico Men 991   per ego te .. obsecro Poe 1387   per ego haec genua te optestor Ru 627   uostram ego imploro fidem .. Ru 615

b. *cum particulis adversativis coniunctum:* at ego ..: Am 536, 582, 612, 1085, *fr* I, As 232, 827, 846*, 856, Au 570, 743, Ba 99, 348, Cap 72, 631, 710, 899, 962, 1019, Cas 71, 341, 802, Ci 371, 463*, 471, 623, Cu 692, Ep 351(?),

Men 941, 951, 1077, 1085, Mer 142, 430, 431, 960*, Mi 328*, 458, 771, Mo 94*, 781, 833, Per 233(*BoRRs* atque *Pψ*), 248, 568, 635, 636, Poe 154, 173, 279, 313 *bis*, 853*, 883, 1332*, 1377, Ps 561, 646, 1241, Ru 401, 435, 635, 964, 1006, 1013, 1019, 1256, 1413, St 111, 161, 340, Tru 427, 615, 642, 850, 921, 946, *ib.**, *ib.* Vi 59, 104, Fr II. 49   at pol ego .. As 300, 1107*, Cas 231, 255, 373, Ci 758*, Cu 134, Ep 173, Mer 453, Per 50, Poe 592, Ru 939, Tri 474
at ego hercle Cas 802, Mo 720(U)   at tibi ego .. Per 794   at uos ego .. Ps 251

sed ego .. Am 56*, Au 471*, 627, Ba 58, Cap 827, Cas 878, Ci 76, 237, 614, 743, Ep 100, 293, 342, Men 443, 657, 904, Mi 352, 780, Mo 362, Per 161, 234, 602, 746, Poe 924, Ps 205*, 939 b, St 567, Tri 342, 936*, 1057, 1132, Tru 630
sed satine ego .. Ba 509   sed quid ego ..
Men 552, Mer 218, Ru 454, 585   sed qui ego Mer 903

uerum ego .. Ps 193   *Similiter:* As 575, Poe 476, 1042, Tru 317, 382   uerum hoc ego .. Tri 738, Tru 844

ego autem Ba 185, Cas 270, 273, Cu 47, Men 269, Mi 678(PL), Ps 635   ego ad forum autem hinc ibo Ba 1060   cras habuero ..
ego* tamen conuiuium Cas 787

quin ego Mer 223, 431, Tri 848
atqui(*Pius* atque *PL*) ego censui aps te posse impetrare Cas 364   *Etiam* Tru 617(*Rs*)
c. *cum particulis copulativis coniunctum:* Iuppiter .. et ego una cum illo Am 95   me salutauisti et ego te Am 800   et tu orato. #Et ego orabo Cas 707   te uolo. #Et ego te uolo Cas 687   *Similiter:* Ba 552(et *add Sey om PRL*), Cas 807, Cu 659, 675, Ep 202 *bis*, Men 652, 1094, Mer 1000, Mi 231, 640, 1138, Mo 426, 529, Per 250, Poe 1330, Ru 1025, 1055, Tri 565, 1163   et pol ego Ba 78, Cas 178, Mi 433, Per 224, Poe 1185   et hercle ego Cas 594, Mi 259, 1207*   et nunc ego Poe 142   et iam ego Vi 74
et quidem ego Ba 199(R), 222, Cap 88, 307, 562, 574, Ep 202, Mer 1000, Mi 259, 475, 1207, Per 217, Poe 601, St 758   et profecto ego As 244, Ba 741
et etiam ego Ci 522, Poe 40, Ru 401   et quoque ego As 184, Men 768
in serie: ego et tu Mo 647, Ru 564   et ego et tu Mo 364 *bis*   ego ipse et Philolaches Mo 910   et ego et pater Am 40   et ego te et ille mactamus Ba 886   et ego et tua mater ambae Ci 38   ego et Menaechmus et .. Men 222   aut ego aut tu Cap 981
atque ego quoque etiam Am 30   di dabunt atque ego hodie dabo Am 563   uterque .. ego atque hic oramus Ca 371   uos inquam. #Atque ego scio Poe 1238   *Similiter:* As 67, 843, Au 287, Ba 1102, Cas 598, 876, Ep 217, Mer 256, 260, Mi 288, Per 233, 324, Ps 309, 406, 674, 1268 a, Tru 652, 824   *Etiam* Cas 364, *ubi pro* atque(*PL*) atqui *habet Pius*ψ
ego quoque hercle .. sum frugi ratus As 861
ego quoque uolo esse liber Tri 440
d. *cum particulis disiunctivis:* neque ego umquam nisi hodie ad Bacchas ueni Au 408
nec magis manufestum ego hominem umquam

. . uidi Men 594 *Similiter:* Au 413*, 765, Mi 643*, Mo 607, Ps 136*, 939a, Ru 1024, Tri 392 neque ego hac nocte longiorem me uidisse censeo Am 279 *Etiam* Am 1036 *in serie:* quae neque sunt facta neque ego in me admisi arguit Am 885 neque hercle ego* istuc dico neque dictum uolo As 37 *Similiter:* Men 296, 301*, 423, 509, 613, 630, 960, Poe 362, Ps 942, Ru 1028, 1195, St 73, Fr II. 48

e. *cum particulis asseverativis:* ne ego homo infelix fui Am 325 ne ego* illum ecastor miserum habebo As 869 *Similiter:* Au 447, Ba 1056*, Cu 139, 386, Ep 580(?), Men 619, 908, Mi 936, Mo 562, 564, Per 733, St 453* edepol ne ego . . uelim St 587, Tri 433 ego ne hoc si ecficiam Mi 936 ego ne si post hunc diem muttiuero Mi 566 *Etiam* Poe 428

ne ego ecastor mulier misera Men 619 quem ego* ecastor mage amo quam me Tru 887, 919 neque edepol ego dixi neque . . Am 768 *Similiter:* Au 223, 764* credo edepol ego . . pollicitos Au 470 *Similiter:* Ci 510*, Men 500, 630, Mo 905*, Ps 1252, Ru 1188, Tru 613 ego edepol te faciam As 148 *Similiter:* Cas 326, Tru 763 ne ego edepol ueni huc Au 447 edepol ne ego Am 511, Cu 386, St 587, Tri 433 non edepol nunc ego(ego nunc *LomanRg*) te macto Cu 537 quin edepol egomet clamore differor Ep 118

ego pol te . . accipiam Am 285 *Similiter:* Am 1043, As 139, 159, 353, 909, Au 630*, Cas 156, 297, Mo 4, Per 743, 819, Tru 658(pol *add JordanRsU*) pol ego utrumque facio Au 836 *Similiter:* Au 186, 426, 550, Ba 38, Cap 238, 560, Cas 241, Ep 453, Ps 276, 879, Ru 238, St 108, Tri 372, 1061 at pol ego . . scio As 300, Ba 1107*, Cas 241, 255, 373, Cu 134, Ep 173, Mer 453, Per 50, Poe 592, Ru 939, Tru 474 et pol ego scio Ba 78 *Similiter:* Cas 178, Mi 433, Per 224, 235, Poe 1185 quem pol ego . . faciam Am 1030 *Similiter:* Ep 310, Mer 6, Mi 371, Per 786 nunc pol ego demum . . redii Cas 467 *Similiter:* Cas 759, Mi 526, Mo 536, Poe 787, 1228, Ru 844 nunc ego pol Tru 658* tum pol ego Mer 510, Mi 1010, Poe 332, Ps 910, Tru 618 iam pol ego Cas 589, Mo 384, Ps 603, Tru 114(ego *om BoRs§U Ly*) neque pol ego Cas 759, Mer 785 scio pol ego Mi 1255(ego *add L om Pψ*) pol istuc quidem omen iam ego usurpabo Per 736 quis dixit? #Ego equidem(eq. ego *FlRgl*) ex te audiui Am 764 Cas 427(*Rs*) id equidem ego certo scio Ba 437 equidem ego neque partem posco . . Ru 1077 si is est, eum esse oportet: ego certe me incerto scio hoc daturum nemini homini As 466 nam certe ego te hic intus uidi Mi 379 certe ego . . operam nusquam melius potui ponere Mo 303 certe enim ego . . audire uisus sum Au 811 tun es Ballio? #Ego enim uero is sum Ps 979 *Etiam* Au 811 *supra* iam quidem hergle ego . . abscedam Am 556 neque hercle ego* As 37 certe hercle ego quantum . . intellego As 263 nimis hercle ego . . uelim Au 670 ad te . . ibam. #Et

hercle ego* ad te Cas 594 hercle, opinor, permutaui ego . . uerbum uetus Cas 872 *Similiter:* As 376, Au 53, 59, 250, 252, 411, 456, 830, Cap 464, 913, Cas 568, 683, 809, 895, 957, Ci 662, Ep 325, 326, Men 301, 471, 509, 613, 642, Mer 264, 980, Mi 581, 858, Mo 386, 586, 1168, Per 143, Poe 379, 1220, 1302, Ps 912, Ru 471, 721, 769*, 1085, 1131, St 191*, 437, 646, Tru 174*, 268, 287, 357, 538*, 559*, 613, 759 ego quoque hercle . . sum frugi ratus As 861 non potem ego quidem hercle Au 574 at ego hercle nihili facio Cas 802 ego hercle uero te et seruabo et . . Men 216 tun praedices? #Ego hercle uero Men 516 ego hercle uero clamo Mo 577

ego illo mehercle uero eo St 250 profecto ego illunc . . castrari uolo Mer 272 non potem ego quidem hercle Au 570 ego quidem ab hoc certe exorabo Ba 1177 *Similiter:* Cu 215, 618, Ep 202, Men 399, 613, 684, 1071, Mi 347, Poe 1165 et quidem ego dehinc iam . . Mer 1000 *Similiter:* Mi 259, 347, 1207, Per 217 quem quidem ego* ut non excruciem Ba 1184 quod quidem ego nimis quam cupio Cap 102

uel ego pro illa spondeo Poe 334 uel ego amare utramuis possum Ru 566 complectere sis. #Ego uero Per 764 sequere ergo me. #Ego uero sequor St 669 sane ego illum metuo Men 861

f. *cum particulis causalibus:* nam ego uos nouisse credo Am 104 *Similiter:* Am 637, As 123, 713, Au 711, Ba 485, 935, 1003, Cap 295, 364, 478*, 863, Cas 178, 561, Ci 123, Ep 191, Men 96, 685, 1088*, Mi 5, 95, 280, 302, 347, 767, 885, 948, 1296, Mo 29, 133, Per 286, 370, 471, 832, Poe 452, Ps 578, 606, 792, 831, 881, 1171, Ru 127, 924a, St 104, Tri 25, 64, 67, 843, 1055, Tru 91, 113b, 554*, Vi 116 nam egomet ductarem Mo 844 nam certe ego te hic intus uidi Mi 379 nam nunc ego si . . suspicer Tri 83 nam quod egomet solus feci Am 425

namque ego fui illi . . et meus . . pater Am 249

coepit inridere me: ego enim lugere atque abductam illam aegre pati Mer 251 *Similiter:* Mo 296, Poe 604, Tri 958

nam *asseverativum:* nam quid ego memorem? Am 41 nam cur non ego id perpetrem? Cas 701 nam quo te dicam ego ire? Cu 12 nam quid ego apud te parcam? Ep 464

g. *cum particulis comparativis:* qui amanti ero seruitutem seruit, quasi ego seruio Au 592 fuit olim quasi ego nunc sum St 544 *Etiam* St 546, 549, 552, 553 uirtutes qui tuas non possis conlaudare sicut ego possim As 559 *Etiam* Cas 566, Mo 381, 416 ut ego* oculis rationem capio Ps 596 ut ego aequom censeo Tri 713 consimilis uelut ego habeo hunc Poe 824 uelut ego hac nocte . . somniaui Ru 596 aeque atque ego te ruri reddibo Cas 129

h. *cum negativis:* non ego illi optempero Am 449 non ego cum uino . . ebibi imperium tuom Am 631 non ego illam dotem duco esse Am 839 *Similiter:* Am 531, Au

638, Ba 52, Cap 241, 301, 325, 564, 825, Cas 347(pol ego *Rs*), Cu 533, 713, Men 408, 512, 632, 719, Mer 3, 449, 758, Mi 312, 316, Mo 624, 1070, 1171, Per 353, Poe 381, Ps 810, 1040, Ru 425, 1125, 1354, St 628*, Tri 133, 1153, Tru 606, 674*, 732   non edepol nunc ego(ego nunc *LomanRg*) te macto Cu 537 non hercle ego* is sum qui sum Men 471 non hercle ego quidem . . nuto Men 613 non edepol ego te . . umquam uidi Men 500   numquam ego hanc uiduam cubare siui Ci 44   *Similiter:* Ci 53, Mi 1202, Mo 214, Per 533   numquam hercle . . ego . . petam Mi 581   numquam edepol ego* me scio uidisse Mo 905   fando ego* istuc nomen numquam audiui Ep 496   peiorem ego hominem . . numquam edepol . . uidi Ps 1017   hoc ego numquam ratus sum fore Ps 1318   quas ego neque . . umquam usurpaui Tri 846   nullam ego me uidisse credo Ci 653   nullam esse opinor ego esse agrum . . Ep 306 nullam ego rem . . reor Fr II. 7   nihil ego istos moror . . mores Tri 297 nihil ego in occulto agere soleo Tri 712 nihil ego nunc de istac re ago Tru 861   neque ego . .: Am 908, Ba 225*, Cap 634, Ci 40, 671*, Ep 85, 192, 335, 576, Mi 652, Ps 773, 780

i. *cum particulis condic.:* rex sum si ego illam adlexero Poe 671   auferere . . si ego fustem sumpsero Am 358   si ego minam non ultus fuero . . Poe 1280   si quid ego addidero . . Tri 855   ego si potero . . Tri 860 si ego te noui . . Ep 550   *Etiam* Ep 427, Men 816, Mi 559, Tri 904   discrucior . . nisi ego illum . . Poe 369 occidor nisi ego intro . . propero Au 393 *Etiam* Ci 524, Mi 272, Per 738, Poe 381, Tri 516, Vi 67   ni ego exsoluor . . Ba 858   ni ego . . Am 673, Tru 308   quid si ego illum tractim tangam? Am 313 *Etiam* Men 844, Mo 1093

k. *in interrogationibus mirantium, indignantium, exclamantium, dubitantium:* nequeon ego ted . . facere mansuetem? As 504   egone haec patior? As 810   egon ut non . . subrupiam? As 884   *Similiter:* Au 690, Ba 375, 196, 489, 637, 1192a, Cu 10, Men 559, Mer 154, Mi 962, Mo 923, 924, Poe 149, 428, 429, Ps 290, Ru 1244, Tri 378, Tru 312, 441 *bis*, 758, 775 *alia exempla per* -ne *incipientia:* nonne ego nunc sto? Am 406   nonne ego possum . . te perdere? Am 539   cenauin ego heri in naui? Am 823   satine ego animum . . gero? Ba 509   misine ego ad te . . epistulam? Ba 561   sumne ego homo miser? Ba 623, Cas 303, Mer 588   dixin tibi ego illum inuenturum te? Ba 856   iamne ego* in hominem inuolo? Mi 1400   *Similiter:* Am 321*, Ba 1202, Cu 132, 214, Ep 518, Men 375, 852 quemne ego seruaui? Mi 13, 1345, Mo 362, Per 75, 371, Poe 368, 386, 1299, Ps 908, Ru 188-9, 1019, 1184, 1231, St 132, 517, Tri 1071, Tru 925   dedin ego aurum . . . Tru 935   quid ego istam exsoluam? Am 784   quid tibi ego dicam? Tri 163   quod ego aurum dem tibi? Tri 968   *Similiter:* Ci 713, Mo 581

quid ego feci? Am 815, Mer 625, Tri 1165 quid ego tibi deliqui? Am 817   quid ego apertas aedis nostras conspicor? Au 388   quid ego erga te commerui? Au 735   *Similiter:* Cap 660, Ep 650*, Mer 218, Per 742, 787, Poe 789, Ps 1099, Ru 585, 860, Tru 266, 766 quid? ego lenocinium facio? Ep 581   quid? ego non te curem? Poe 352   quid ego? Ep 600, 650(?), Mi 1021, 1066, Ps 1231   quid ego* istic? Ba 1049   quid ego ineptus . . solus sto? Tri 1149

cur ego te non noui? Cap 985   cur ego hic mirer? Per 620   cur ego sine te sum? Per 763   cur ego* apud te mentiar? Poe 152 cur ego uestem . . praebeo? Ps 182   cur ego* adflicter? Ps 1295   *Etiam* As 45, Mer 471 *bis*

qui, malum, ego nugor? Mer 184   qui ego istuc credam tibi? Mer 627   quo ego id curem? Poe 354   quippe ego te ni contemnam? Ps 917   an ego alium dominum paterer fieri? Tri 177   ubi ego audiuerim? Am 748   ubi ego perii? ubi ego formam perdidi? Am 456   *Etiam:* Ba 81, Per 716

numnam ego compilor miser? Au 389   num ego disperii? Au 242   num quid ego ibi . . peccaui? Ep 593

quin ego hanc iubeo tacere? As 291   quin ego hunc adgredior? #Quin ego hinc me amolior? Mer 384

in te ego* hoc onus omne inpono? Ba 499 feci ego istaec? Cas 996   ego istuc feci? Cas 994(*LLy*)   sacrufico ego tibi? Am 1034   tibi ego rationem reddam? Tri 515   *Similiter:* Ep 539(*Rg*[1])   ego isti non munus mittam? Tru 443   non ego te noui? Am 518, *fr* XX, Cap 564, Fr II. 21   non patrem ego te nominem? Ep 588

praecipue cum verbis videndi, audiendi, sim.: quid ego uideo? Am 781, Men 463, 1062, Mi 1281, Poe 1296   quid ego misera uideo? Ru 450   quid uideo ego? Ps 1286(*metri causa*) quem ego uideo? Ru 333   quid ego oculis adspicio meis? Men 1001   nam quem ego adspicio? Poe 1122   uideon ego hunc seruom meum? Am 813   uideon ego Telestidem? Ep 635   sed uideone ego Pamphilippum? St 333 erumne ego adspicio meum? Au 812   Epidicumne ego conspicor? Ep 4   satin ego oculis utilitatem optineo? Ep 634

quid ego audio? Am 792, Poe 1046   quid ego ex te audio? Au 734, Ep 44, 246, Men 1070, Mo 365, Ps 347, Ru 739   quod (ego *ins Guy RgL*) facinus ex te ego(ex te *vel* ted *GuyRgL*) audio? Au 796   quod ego facinus audio ex te? Au 822   quod ego facinus audiui adueniens tuom? Au 382   quod ego . . scelus ex te audio? Mi 289   quoiam uocem ego(*B om VEJ*) audio? Cu 229   quem ego hic audiui? Mi 1012   quod ego hunc hominem facinus audio eloqui? Au 616

l. *in enuntiatis optativis:* nimis hercle ego illum coruom ad me ueniat uelim Au 670 nunc ego* illam me uelim conuenire Ba 530 ego edepol illam mediam diruptam uelim Cas 326   ego . . uelim *etiam* Cas 559, Mo 218, 1074, Ps 1061, St 587   ego illas seruari uolo

Au 87   uolo ego ex te scire Au 563   gustare ego eius sermonem uolo Mo 1063   uolo ego *etiam* Au 432, Ba 93, 84, 189, Ci 112, Men 895, Mo 377*, Per 510, 604, 696, Poe 340*, 1410, Ps 384, 585b, 605*, 752, Ru 121, 947, 1059, 1199*, Tri 325, 328*, 958

nolo ego foris conseruas .. uerberarier As 386   nolo ego *etiam* As 658*, 835, Ci 232, Mer 421, Mo 176, 194, Per 619, Poe 1005*, 1267, Ru 1404*, St 48, 631, 720, Tri 281, 688 bonam ego .. me esse .. dici mauolo Poe 303 emortuom ego me mauelim Au 661   id ego euenire uellem Poe 1252   hunc ego cupio excruciari Ps 447   cupio *etiam* Cu 724 speraui ego .. Am 718

m. *post varias particulas, praecipue rel.:* quamquam ego .. As 831, Per 170, 615, Poe 1407   quando ego .. Cas 109, Cu 146, Men 120   quia ego .. Ci 83, Ep 208, 349, 575, Tri 290

quom ego .. Ba 597, Cap 995, Cas 133, Ci 1*, 77, Men 1054, Mi 1328, Poe 791, Ps 163*, St 63, Tri 256

dum ego .. Cu 280, Ep 348*, Mi 197, 308

ut ego .. Am 431, 462, 948, Au 364, 671, Cap 375, 649, Cas 339, Ci 94, 155, Cu 355, Ep 148, Men 841, 855, 864, 1061, Mo 234, Ps 327*, Tru 638   ne ego .. Am 305, Ci 523

quin ego .. Am 888, Au 756, 816, Ba 469, 1012, Cas 505, Ci 126*, 509*, Cu 175, 209, Men 1146, Mer 547, Mi 426, Per 433

ubi ego .. Ba 279, Per 86, Poe 693, Ps 771, Ru 1220

n. *post demonstrativa:* eam, eos ego .. Am 430, Au 133, Ba 632, 968, Cas 478, Ci 133, St 502

o. *in exclamationibus:* quas ego hic turbas dabo! Ba 357   quid tibi mittam! Mi 939 quod ego hodie negoti confeci mali! Mo 531 quod ego uoluptates fero! St 657   quam ego .. perdidi quod .. dedi! Ps 259   ut ego te usurpem lubens! Ba 149   erum .. ut ego hodie lusi lepide! Ba 642   ut ego *etiam* Cap 902, Cas 449, 467, Ep 44, 56, Men 189, Poe 870, Ps 674, 944, 946, Ru 363, St 465, Tru 701, Per 476 *bis*   quam illae rei ego* .. sum paruolus! Ps 788

perii ego oppido nisi As 287   perii hercle ego* Au 392   oppido ego interii Au 728 nunc enim uero ego occidi Cap 534   nunc ego omnino occidi Cap 616   certo ego occidi Ep 253   interii hercle ego Ep 325   bene(ego *add* L) dispereo St 753

p. *persaepe pronomen invenitur cum relativo coniunctum:* seruos quoius ego hanc fero imaginem Am 141   ille .. quem ego amo praeter omnes Am 640   *Similiter:* Am 442, 520, 535, 589, 779, 824, 1003, 1103, As 211, 354, 521, 846, Au 189, 420, 697, 771, 797, Ba 122*, 170, 214, 241, 646, 983, 1098, 1184*, Cap 102, 109, 886, 943, 961, 1000, Cas 183, 277, 880, 933, Ci 85, 370, 489, 709, Cu 202, 247, 326, 536, 570, 616, 619, 656, Ep 115, 121, 435*, 456, 663, Men 148, 166, 493, 677, 903, 1042, 1133*, 1134, 1139, Mer 262, 444, 447, 460, 513, Mi 1160, 1212, 1255, 1415, 1429, Mo 266, 748, Per 61, 109, 202, 760, Poe 202, 274, 441, 469,

704, 1067*, 1152, 1169, Ps 12, 153, 156*, Ru 158, 773, 947, 1339, St 294, Tri 296, 488, 846, 849, 877, 949, 960, 1141, Tru 641, 700, 887*, 919, Fr I. 1, 20, 75   quem pol ego capitis perdam Mi 371   *Fortasse:* quod ego* huc processi Am 117

q. *pronomen usurpari solet cum quibusdam verbis; verbis eundi et motionis:* ego abeo Am 1035, As 378, Ci 148, Cu 553, 588, Mi 456, 478, Per 250, St 429(*Rg solus in lac*), Tri 996, Tru 848   abeo ego hinc Ru 1013   ego eo (ad forum) As 108(eo ego *B*), Au 579, Cas 790, Mi 812(*FZL* ego ego *P* eo ego ψ), Per 217, Ps 169, Ru 403   ego in aedem Veneris eo Poe 190   ego illo mehercle uero eo St 250   eo ego (ut) Mer 385, Mi 812(*vide supra*), Mo 853, Per 198, 217, Tri 818, 1123*   ibo ego (illic obuiam) Am 263, As 131   intro ego hinc eo Am 1039   ego ibo Au 712(*Rg solus*), Cap 126, 919, Men 996, Mi 259, Poe 123, St 567   ego ad forum autem huc ibo Ba 1060   ego ad forum modo ibo Cas 526   ego domum ibo Per 198   ego ad forum ibo Ps 561   sine modo ego abeam Ps 239   iam ego (te) sequar Am 544, Ci 773   ego uero sequor As 941, Poe 1418   ego in caelum migro Am 1143 iam ego recurro huc As 379   iam ego* reuortar Au 203   iam ego* huc reuenero Ba 1066   iam ego reuortar intro Cap 251   iam (*add BoLU*) ego apparebo domi Cap 457 ego huc transeo in proxumum Cas 145   ego ad anum recurro rursum Ci 594   ego uisam ad forum Ep 303   ego hinc abscessero Mi 200 iam ego ad te exibo foras Mi 537   iam ego adsequor uos Mi 1353   iam istoc ego(ego istuc *BoRglL*) reuortar Poe 615   iam ego reuenero Ru 779   inimicus esto donicum ego reuenero Fr II. 41

esse: iam ego hic ero Au 89, 104   ego iam hic ero Tri 582   ego hic ero, si .. Cas 167   ego hic ero Ps 959   iam ego illi ero Mi 1279 iam egomet hic ero St 67   ego cras hic ero Cas 786   apud Archibulum ego ero As 116 ego* iam intus ero Cas 746   iam ego apud te ero St 537   postid ego tecum .. usque ero Tru 421

similiter: iam ego* hic adero Au 274   iam ego domi adero St 66   redi: ego, .. opperibo Tru 209

verbis sciendi, sim.: scio ego Ba 78(ego *add RRg*), Cap 326, Mi 1325, Per 276, 616, Ps 221 (ego *add RRg*), Tri 639, Tru 296, 484   sciui ego Ba 1054, Ru 376(*Ly*)   scibam ego As 300 sciuin ego? Ps 977   ego scio istuc Ps 391 idem ego istuc scio St 474, Tru 811   ego istuc scio As 869, Mi 236   nunc demum scio ego hunc qui sit Ep 458   scio pol ego Mi 1255(*L*)   ego scio uelle Mer 453   haec me uidisse ego certo scio Mi 299   id ego admodum incerto scio Ps 962   ego scio hercle utrumque uelle Per 588   istuc ego satis scio Ps 904   ego istuc furtum scio Ru 958   nescio ego istaec Mer 147   quod ego nescio Ps 12 id ego .. hauscio Poe 1208   noui ego Cas 778(ego *om U*), Ep 147*, 153, Men 636, Poe 379, Ps 1196, St 23, 74, 628(*RRg*), Tri 283, Tru 98   noui morem egomet* Mi 265   quoius

est noui ego hominem Rᴜ 963   nouin ego te?
Eᴘ 550   ego meas noui Sᴛ 79   ego illum
noui quoius nunc est Rᴜ 967   ego istuc non
noui Tʀᴜ 302   noscito ego hanc Eᴘ 537

verbis dicendi, sim.: ego dicam tibi Cɪ 603,
Cᴜ 437, Mᴇʀ 638, 899, Mᴏ 757, 1026c, Ps 336,
801, Rᴜ 388, Tʀɪ 1099   ego dicam Cɪ 635,
Mᴏ 484, Pᴏᴇ 294   ego dicam quo argumento
As 302   ego dicam omnia Cᴜ 633   ego enim
dicam Mɪ 810, Mᴏ 888   tibi ego* dico Mɪ 434
ego(*PyRgL om Pψ*) dico(edico *CaRU*) tibi Mɪ
842   tibi ego dico Ps 244   ego illi dicam
ut Mɪ 1191   ego istuc illi dicam Bᴀ 600
id ego dico tibi Fʀ I. 73   idem ego dicam
Mɪ 246   ego nusquam dicam nisi .. Mᴇɴ 10
dixi ego istuc idem illi Mᴏ 1087   dixi ego
iam dudum tibi Tʀɪ 923   (*in his formulis
omittitur* ego *his in locis:* Cᴜ 442, Mɪ 296,
Mᴏ 66, Eᴘ 708, Ps 751)

ego expediam tibi Aᴍ 912   ego expedibo
Tʀᴜ 138(ego *om CD*)   ego apud uos pro-
loquar Cᴀᴘ 6   ego eloquar Mɪ 382(ego *om
RRgU:* cf Kaempf, p. 5), Cᴀs 287

similiter: moneo ego te Mᴏ 196

aliis verbis: credo ego .. nocturnum obdormiuisse Aᴍ 272   credo ego *etiam* Aᴍ 516,
Aᴜ 266, 815, Cᴀᴘ 963, Cᴀs 234, Cɪ 203, Eᴘ
535, Mɪ 359, 776, Rᴜ 246, Sᴛ 1, Tʀɪ 545
credo edepol ego Aᴜ 470, Rᴜ 1188   nam
ego .. credo Aᴍ 104   egomet mihi non
credo Aᴍ 416   deos credo .. #At ego deos
credo .. Aᴜ 743   omnibus rebus ego amorem
credo .. anteuenire Cᴀs 217   credo ecastor
uelle. #At pol ego hau credo Cᴀs 355   *numquam* ego credo *arte coniuncta nisi* Mᴇʀ 6,
quos pol ego credo .. Mɪ 331, mihi ego
uideo, mihi ego credo Pᴏᴇ 1330, 1331,
credo. #At ego credo   Tʀᴜ 322, piscis ego
credo .. lauare

ut ego opinor Aᴜ 619, 729, Bᴀ 155, 1039,
Cᴀs 729, Cɪ 307, 316, Eᴘ 259, Mᴇɴ 160, Mᴏ
480, Pᴇʀ 274*, Pᴏᴇ 248, 260, 980*, Rᴜ 466,
1297, Sᴛ 361, Tʀɪ 764, Tʀᴜ 502   *Similiter:*
ut ego suspicor Cᴀs 85, Tʀɪ 1113   ut ego
dico Rᴜ 1072   ut ego dixi Cɪ 366   ut quidem didici ego Pᴏᴇ 122   ut ego aequom
censeo Sᴛ 112

r. *verbum omissum:* tam consimilest atque
ego Aᴍ 443   istic Philocrates non magis est
quam ego aut tu Cᴀᴘ 623   non cinaedus
malacus aequest atque ego Mɪ 668   lepidiores tuas .. quam ego Mɪ 804   non .. tu
illum magis amas quam ego Mɪ 1263   prius
.. quam ego Pᴇʀ 242   potius .. quam ego
Ps 925, Rᴜ 1048   quis istic Sosiast? #Ego,
inquam Aᴍ 619   audin illum? #Ego uero
Aᴍ 755   ecquis suppetias mihi audet ferre?
#Ego Mᴇɴ 1003   optas quae facta. #Egone?
Aᴍ 575   quid ego*? Aᴍ 1040   cur tu ..
me morti dedere optas? #Ego te? As 609
quid ego istic? Bᴀ 1049   quis .. pultat
aedis? #Ego atque hic Bᴀ 1121   *Similiter:*
Aᴍ 725, As 646, 900, Aᴜ 186, Bᴀ 163, Cᴀᴘ
133, 572, Cᴀs 267, 982, Cᴜ 215, 606, 623, 664,
687, Eᴘ 281, 575, Mᴇɴ 162, 182, 198, 222, 516,
651, 937, 1085, Mᴇʀ 62, 317, 323, 504, 920,
Mɪ 371, 1021, 1066, 1138, 1139, Mᴏ 362, 955,

1014, Pᴇʀ 224, 235, 721, 764, 820, Pᴏᴇ 333,
428, 1149, 1185, 1408, Ps 276, 625, 723, 879,
942, 972, 1231, Rᴜ 401, 970, Sᴛ 341, 635, 753,
Tʀɪ 1179, Tʀᴜ 427, 586

s. *oppositio augetur α. per* -met: Aᴍ 416,
425, 434, 457, 598, 607, 871, 930, Aᴜ 181, 379,
548, 724, Bᴀ 57, 385, 811, Cᴀs 359, Cɪ 115,
249, 628, Eᴘ 118, 247, 364*, 389*, 432, Mᴇɴ
652, 940, Mᴇʀ 544, 697, 852, 853, 854, 904,
930(ego *PS*), Mɪ 265*, 290, 402, 484, 566, 567,
678*, 714, 882*, 1375*, Mᴏ 367, 369, 844, Pᴇʀ
40, Pᴏᴇ 442, 1361, 1402, Ps 625, 908, 972, Rᴜ
283, 771, 957, Sᴛ 67, 190, 208b*, 293, 351, 440,
445, 581, Tʀɪ 179, 203, 225, 635, 725, 918, 929,
937, 1060*, Tʀᴜ 786*

β. *per adverbia:* iam ego: Aᴍ 150, 424, Aᴜ
416, 678, Bᴀ 869, Cᴀᴘ 841, Cᴀs 476, Cᴜ 576,
Eᴘ 188, 371, Mᴇɴ 225, 738, 808, 956, Mᴇʀ 885,
Mɪ 334, 537, Pᴇʀ 405, 736, 828, Ps 359, 766,
Rᴜ 471, 1008, 1351, Sᴛ 67, Tʀᴜ 614, 626, Vɪ
85   iam quidem hercle ego Aᴍ 556   iam
hercle ego: Mɪ 858, Mᴏ 386, 586, Pᴏᴇ 379,
1220, 1302, Rᴜ 769, Sᴛ 646, Tʀᴜ 268, 287, 613,
759   ego iam: Aᴍ 520, Mɪ 344, 1379, Pᴏᴇ
1152, Ps 1241, Tʀᴜ 621   iam nunc ego Pᴏᴇ
614

nunc ego Cᴀᴘ 616, 617*, 697, Cᴀs 970, Eᴘ
150, 363, Mᴇɴ 698, 771, 1026, Pᴏᴇ 1262, Ps
73, 174, 404, 584, 690, Tʀɪ 859, Tʀᴜ 603, 658
nunc demum ego Pᴏᴇ 1159   nunc pol ego
Pᴏᴇ 1228   nunc enim uero ego Cᴀᴘ 534

t. *vocabulum solum:* illic egomet fecit Aᴍ
598   ille ego similest mei Aᴍ 601   quis homo?
#Sosia inquam ego ille Aᴍ 625   quis ad fores
est? #Ego sum. #Quis ego sum Aᴍ 1021
ego sum, respice ad me. #Quid ego? #Nonne
ego uideor tibi? Tʀᴜ 257

u. *additur* ipse: ipse ego is sum Ps 978
ipse tibi ego me loco Vɪ 26 (*Rg*)

x. *loci lacunosi:* Cɪ 362, Fʀ I. 49; II. 27

2. **nos. a.** *ubi oppositio indicatur per pronomen:* nos nostros instruximus Aᴍ 221
quia nos eramus peregri, tutatust domi Aᴍ
352   tu primus sentis: nos tamen in pretio
sumus As 61   dant mercem: eadem nos dis-
cipulina utimur As 201   dum eius exspectamus mortem ne nos moriamur fame As 531
iace pater, ut porro nos iaciamus As 904
similiter: As 313, 361, 367, Aᴜ 482-4, Cᴀᴘ
213, 262, Cɪ 11, 28, 38, 57, 145, 493, 724,
Cᴜ 353, Mᴇɴ 213, 654, Mᴇʀ 191, Mɪ 87, 431,
943, 1158, 1267, Mᴏ 393, 1159, 1161, Pᴇʀ 619,
Pᴏᴇ 244, 518*, 520, 539, 569, 638, 658, 676,
780, Ps 197, 276, Rᴜ 293, 1258, Tʀɪ 775, Tʀᴜ
151, 160, 217, 218, 220, 950

b. *animum indicantis est:* nunc nos conlatis signis depugnabimus Cᴀs 352   *Similiter:*
Mᴇʀ 1009, 1019, Mɪ 84*, Mᴏ 1161, Pᴏᴇ 593,
599, 611, 682, 1173

c. *cum particulis, sim.:* at tibi nos Pᴇʀ 847
at edepol nos Pᴏᴇ 571, 1217   at enim nos
Sᴛ 129   at nos Sᴛ 694(*cf* 695)   at ecastor
nos Tʀᴜ 111   et nos te Cɪ 724, Mɪ 1267   et
inuidia nos .. et nos minore sumptu Aᴜ 482-4
uerum hercle uero nos Cᴀᴘ 75   uerum nos
Tʀɪ 491   eamus nos quoque Cᴀs 422   neque
pol nos* Tʀᴜ 240   nos profecto Mᴏ 736

nescimus nos quidem Poe 649 nam nos . . Men 654, Poe 217, St 3 nos tamen As 61 eadem nos . . As 201 idem istud nos Ci 28 non igitur nos soli Cap 262 id duae nos solae Ci 145 item nos Poe 244 item ut nos Ps 197 sicut nos hodie . . Poe 1193 ita nos adsimulabimus Poe 599 *cum relativis:* quae nos Poe 542 quorum nos* St 4
d. *in interr. exclam.:* nos fugiamus? Cap 208 fures este. #Nosne tibi? Poe 1238
e. *cum verbis:* nos prodimus ad forum Men 213 iam hic nos erimus Men 214 quin nos hinc domum redimus? Mer 247 illac per hortum nos transibimus Mer 1009 scimus nos Cap 206a scimus nos quidem Ps 275
f. *addito* -met: Mi 429, Poe 251, Ps 463, Ru 159, St 532*, 689, Tri 355, Tru 58
3. *gen.:* quom illum contemplo . . nimis similest mei Am 442 ille ego similest mei Am 601 mei* similis siet Am 856 ecquid mei* similest? Tru 505 mei simile consilium Vi 67
mis* egens Ci 450 mein* fastidis? St 334 mei memineris Per 494 mei* miserear Ru 197 mei* miseret neminem Cap 765(*cf Prisc* I. 207; *Non* 143) mei* te puditumst Ba 379
duorum labori ego hominum parsissem lubens, mei te rogandi et tis respondendi mihi Ps 5 quos penes mei* fuit potestas Tri 822 hau quisquam hodie nostrum curret per uias Poe 527 honorem nostrum habes Ru 289 qui nequeas nostrorum uter sit Amphitruo decernere Am *fr* XIV tua causa nemo nostrorumst suos rupturus ramites Poe 540 nostrorum nemo dignust Poe 861 qui ubi quamque nostrarum* uidet . . Tru 252
4. mihi *cum verbis dandi, sim.:* a. dare 209*ies* (16*ies ex emend.: dub.* Ep 336) te hilarum das As 850(*cf* te facias ferocem Cu 589) cedo 24*ies(ter ex emend.)* commendare Ci 242b (= 245), Tri 113 concedere Am 12, Cas 265 dedere Mo 449, Ps 1226 depromere Cu 251 donare Poe 469 exhibere Mo 2, 565, Per 274(*U*), Ru 473, 556 grauari Ru 440 impertire Vi 39 largiri Cap 829 legare Mer 38 mandare 9*ies* numerare Ps 229 pendere As 483 reddere 32*ies(ter ex emend.)* soluere Cu 684* tradere As 689 sistere Cu 163 referre Tri 619 restituere Poe 1164 uendere Cu 529, Mer 104, Per 715, Ps 352 *Similiter:* indere Cap 69, St 174, 332, Tri 8 *dicendi, sim.:* aio Am 157*, As 208, Mo 806, Ru 430, St 391(*Rg*) dicere 96*ies(8ies ex emend.)* male, bene, inclementer dicere Am 572, Men 495, Mi 1341*, Ru 734, Tri 71, Tru 273*, 604 loqui Ba 735, Men 125, Tru 821 (*Rs*) male loqui Cap 564, Cu 569, Ep 333, Tru 265 male precari Mer 235 inquit Cu 338, Mi 61*, 63 addicere Poe 498 adiurare Ci 569 adfirmare Per 141 adloqui Mo 714* blatire Ep 334 cantare Au 624 clamitare Ps 1265 (*L*) clamare Ba 284 diluere Ru 1108 edicere Au 281, Ps 896 edisserere Cap 967 edissertare As 325(*Rgl*) eloqui Cas 635, Men 1066, Mi 847 expedire Men 619, Per 215,

640, Poe 1111, Ru 628, Tru 790(*Rs*) fabulari Ci 295 fateri Cap 295, 317, Ci 654, Tru 784 confiteri Au 763, Ci 661 incusare Tru 617 (*Rs U*) indicare Au 774 infitias ire Men 396 interdicere Per 621 iterare Ru 1265 iurare Au 23, Ru 1372 memorare 10*ies(semel ex emend.)* mentiri Cap 704 narrare 11*ies (semel ex emend.)* negare Cas 602, Men 729, Ps 186 nugari Ep 478 nuntiare Ba 391, Men 2 obloqui Men 156 praedicare Am 402, 554, 561, As 204, Ep 459, Mer 249, 289, Ps 1195 probare Ru 1017 proloqui Cap 703 renuntiare Poe 764, Ps 420
cum aliis verbis locutionibusque: credere 44*ies* accredere As 854 concredere Au 6, Ba 1064, Tri 957 fidem habere As 583 fidem esse Ps 467
minitare 10*ies(semel ex emend.)* comminari Au 418 interminari As 363
irasci Am 522, Mer 37 suscensere Cap 669, 680, Men 1048, Mer 317, 1012, Ps 472, Tri 1166 *similiter:* saeuire Ru 825 turgere Cas 325, Mo 699
ignoscere Au 739, 793, Ep 729, Mi 568, Poe 141, 144, Tru 828 parcere As 176, Ba 751 inuidere Cu 180, Mo 51, Per 777, Tru 743 imperare 19*ies* auscultare 12*ies(semel ex emend.)*
placere 28*ies* perplacere Mer 348 displicere Mi 614
ministrare Am 983, Cu 369(*PyRgl*) ire opitulatum Mi 621 seruire As 235, Cap 247, Mer 546, Ru 747
suadere As 644, Mo 215 persuadere Tru 637 subblandiri Ba 517
consulere Au 130, Ba 565*, 684*, Per 844
aperire Ci 2, Mo 455* monstrare Ci 584, Ep 536, Ps 591, Ru 211, 991, Tri 948 demonstrare As 381, Ci 578, Poe 593, Ps 595, Tri 150, 866 commonstrare Cu 301, 590 praemonstrare Mer 577 ostendere As 113, Ru 1134, Tru 439 portendere As 530*, Poe 464, Ru 1134 praesagire Au 178 praebere Cu 523*
apparere Tru 888* uideri 32*ies (quater ex emend.)*
accidere St 88 euenire 23*ies (bis ex emend.)* exordiri Ba 350 exoriri Men 1039 fieri Ba 360, Ci 778, Cu 125, 315, Mo 776, Tru 758 optigere Ba 951, Cap 746, Cas 300, Men 899, Mo 533, Ru 496, 1075, St 384, Tru 344 procedere Am 463 succedere Ba 942* uenire Cu 125(*Ly*), Ps 69 uortere Am 218, As 2, Cap 361*, Cu 729, Per 329, Tru 147 futurumst Men 663, Tri 633
adnumerare As 500, Mer 88 denumerare As 433, Ep 468, Mo 921
despondere 14*ies (bis ex emend.)* nubere Cas 702, Cu 717, Ru 1220, 1268
oboedire Cu 556, Mer 853 obtemperare Mo 996*
sacruficare Am 983, As 682, Au 23, Cap 863, St 923 immolare As 713 statuere As 712, 715
dolere Am 408, Ba 1173, Ep 147, Men 439, Mer 388, Mi 1325(= 1343*), Poe 151, *ib.**
licet 15*ies (semel ex emend.)* lubet 20*ies*

(*bis ex emend.*) conlubitumst Ci 128, Mer 258, Mo 295, 296

respondere 24*ies*(*bis dub., semel ex emend.*) responses Ep 19(*U*) somnias Cu 546, Mer 950* similes sermones serat Mi 700 sermonem serat Cu 193

morigerare Am 981 morem gerere Ci 84, Cu 149, Mo 577

abiurare Per 478 abnutare Cap 911 accipere Ep 548 addere Mer 156 adducere Men 798* adferre 11*ies*(*semel ex emend.*) adnutare Mer 436, 437* adlegare St 681(*U*) adhibere Men 982 adportare Ep 21, Mer 163*, 269*, Mo 466 adponere Per 354 adridere As 217 adesse Am 824, 1037, As 512, Au 275, Ep 336(*dub*) adsentari Am 751, Mo 176 aduenire Ep 628, Mer 139, Mo 573, Per 101(?), Ps 669* aduorsari Cap 403*, Cas 150, 277 arbitrarier Ba 510 conciliare Poe 769 conferre Men 128 conuenire Cap 395, Ps 177, 178*, 1111 debere Mo 1022, 1026b(*L*), Ps 733 deferre Men 392, Mi 800, Ps 90 deesse Ba 37 defieri Mi 1261(*R*) ecferre Mer 911, Mi 459*, Mo 404 emittere Ps 1183 ferre Ba 638, Cas 170, Ep 573, 659, Men 1003, St 661, Tri 1142, Tru 480* euocare Men 242 innasci Mi 1063 inicere Mo 570 inpluere Mo 871 inponere As 239 inructare Ps 1295 liquet Mi 233 medicari Mer 951* mittere Mi 681, 710*, 713, Tru 431 obicere Cu 283, Ep 179, 664, Mer 339, 881*, Mi 1124, Ps 601 obiectare Mer 411, Mo 16, Tri 694 offerre Au 722, Cap 769, Cas 690 *bis*, Mer 843, Per 270, Poe 209, Ps 246*, Ru 514, Fr III. 8 occedere St 673, Tri 1138 obsistere Am 985, Cap 791, 801, Cu 284, Mer 859, Mi 405* obesse Mi 996a, Tri 589 obtrudere Ps 945 opprobrare Mo 301, Tru 280* ponere Au *fr* V praecipere As 507, Mo 194*, Poe 667 praehibere Per 429 praemittere Tru 412 proferre Ps 811 promittere Ba 746, Cas 289, Poe 422, Ru 540 repromittere Cu 667 prouenire Per 456 purgare Am 945* expurgare Mi 497* prodesse Ba 135, 633, Men 981, Mi 892 referre Ps 320, Ru 1391 remigrare Ep 569 remittere Ci 507 subblandiri Ba 518* subuenire As 476, Au 394, Cas 337, Ci 670, Ru 867*, 870, Tri 188 subuentare Ru 231 suggerere Men 212 supponere Ci 553, Tru 404, 460 tramittere Ep 463 translegere As 750 trudere Ep 476

praeolere Mi 41 subolere Ps 421, Tri 615 sapere Ci 454, Mi 331

aduorsum ire Men 487, St 237, Tru 503* aduorsum uenire Men 437, 1051, Mo 313 ire obuiam Ru 856 obuiam uenire Poe 1288, Ps 1061, Ru 206b

certius facere Men 763, Ps 965 certum facere Men 242, Ps 598 facere palam Cap 754, Mer 179 facere planum Mi 1018 peruiam facere Am 438(?)

honorem habere Am 17, Ci 4 honores habere Per 512, St 49*

gratias agere Cap 868, Ep 442, Mer 85 gratiam facere Ps 1322 gratiam habere Ru 516

facere Am 459, Au 789, Cas 117, 920, Men 143, 1027, Mo 435, Per 42, 268, 433, Poe 143, Ru 932*, Tri 318 secunda facere As 496 bona facere Cas 467 bene facere Tri 633 male facere Men 668, 861, Ps 208(*U*) mala facere Tru 447 facere iniuriam Au 463, Ba 59, Cas 1010 satis facere Am 889 bene uelle Ps 233, Tru 446 male uelle As 841

cum verbis adimendi, sim.: adimere Tri 1091, Ep 363, Mer 473 amouere Tru 710(*Ly*) auferre Men 604 decedere Am 987, 990 deducere Tru 479 detrahere Tru 562 eripere Cap 311, Mer 176, Ru 711 excidere Ci 677, 711(*U*) euolare Ci 731 excoquere Fr II. 67 eximere Cap 674, Mer 127 harpagare Au 201 prohibere Cu 605 praeripere Cas 102* suppilare Men 803 surrupere 12*ies*(*bis ex emend.*) subterfugere Ba 771 subterducere Men 449 *Similiter:* occultare Tri 627 postulare Cas 193(?)

b. *dat. commodi et incommodi:* adornare Am 946, 1126, Ep 615 agglutinare Au 801 apparare Men 174, 184, 1137, St 396 anteuortere Cap 840 apstergere Poe 970 bibere Au 623* nequid captionis sit Mo 922 celebrare Fr I. 66 cenam coquere St 609 comparare Cas 624, Ep 122 creare Poe 916 cauere Ci 471(*LLy*), Mo 1142, Ps 898, Tru 801 (*Rs*) cluere Ps 591 commutare Ps 192 conciere Mer 796(*RRglU*), Per 784 conducere Mer 560, Vi 48 capere Poe 2 contrahere Cas 551 conuocare Mi 197, Mo 688 constat Tru 538* cyathissare Men 304 dare ueniam Cas 1000(*L*) deprecari Ep 687 durare As 196 famam differre Tri 689 educare Ci 39* elegere Poe 510 emere Tri 181, 1056 oleum deportatum erit Ps 212 essurire Cap 867 expetere Am 896, Cas 920, Mer 489, Tri 228 exsuscitare custodem Cu 91 copiam facere Cap 374, 748, Vi 87 nomen facere Men 77, 1129 cenam ut ebria sit Cas 747 rem imparatam Cas 827 moram facere Mo 75 officium facere Tru 436 uadimonium facere Ep 685 uallum facere Cas 851 malas famas ferre Tri 186* foetet .. sermo Cas 727 habere Ep 531*, Ps 1232, Tri 313, Tru 495 gignere Ps 907 hoc ictumst Cu 394 insidias fieri locare Poe 788, Ru 474 inlucere Per 780 interbibere Au 558 intromittere Au 553* inuenire Ba 390, 562, Ci 775, Ps 724, 773, Ru 687 interuallum esse Men 104 merere Mer 217 metere Ep 265 metuere As 111, Ba 1174, Mo 1148*, Per 536, Poe 865 formidare Am 1113 miscere Ps 63 moliri Per 785 nasci Cu 706, Tri 575 mouere Ru 539 occupare Men 847, St 438 opsonare Poe 1295 obscaeuare St 471(*RRg*) onerare Cap 465 parare Cas 477, Mer 341, 933, Mi 115, Mo 67, Poe 362, Ru 136 parere Tru 517, Fr I. 118 partem inesse Men 135 perire Ba 484, Ru 744 persequi Mer 836 procurare St 94(*RglU*) prospicere Tri 688 prouidere Mo 526, Tru 475(*U*) instruere Mi 745, Mo 719 poscere Au 219, Cas 993, Ru 1077 quaerere Cu 383, Poe 692 reddere Poe 13 nihil relicuist Mer 666 reperire Cap 539, Per 133, Ru 924a seruare Cap 976, Au 87, Ba 495, Cas 324, Ps 121, 934 *bis*, St

505, Tʀɪ 384   te testor Rᴜ 1334   timeo
Tʀᴜ 786(*U*)   uidere Mɪ 331, 678*   uituperare
Cᴀs 410

cupere Cᴀs 369 *bis*   exoptare As 905, Cɪ 77
optare As 627, 721   uelle As 6*, Bᴀ 344, Cᴀs
183, 464

c. *dat. ethicus:* sumpsi . . imaginem Aᴍ 124
in mentem esse Aᴍ 180, Bᴀ 130   gestiunt
pugni Aᴍ 323   ad auris aduolauit Aᴍ 325,
Mᴇʀ 864, Rᴜ 333   auris uerberet Aᴍ 333   os
occillet Aᴍ 183   corpus contigit Aᴍ 833   in
caput capiam Aᴍ 999   animus abest Aᴍ 1181
abest permities Cɪ 224   horror membra percipit Aᴍ 1118   in mundo esse As 264, Ps 499
scapulae gestibant As 315   in manu esse As
418, Mo 328, Tʀɪ 104   uenire in mentem Aᴍ
293*, Aᴜ 226, Cᴜ 558, Eᴘ 638, Mɪ 1358*, Poᴇ 1086,
Ps 538, Rᴜ 686, Tʀɪ 747, 1050   meam mihi
sententiam Aᴜ 383   mea mihi auferam Aᴜ 433
pudicitiam . . meam mihi Cɪ 88   mea mihi pecunia Tʀᴜ 698   pectus peracuit Aᴜ 468   res
structast domi Aᴜ 543   angulos impleuisti
Aᴜ 551*, 552   sublinere os Aᴜ 668, Cᴀᴘ 656,
783   inponat in manum mihi Bᴀ 69*   excessit aetas Bᴀ 148   cor odio sauciat Bᴀ 213
cor . . finditur Bᴀ 251*   ubist filius? Bᴀ 244
laedit latus Bᴀ 281   nomen mutabit Bᴀ 361
prae manu fuit Bᴀ 622*   perdidit filium Bᴀ
1112   morbus in pectorest Bᴀ 1111   cor stimulo foditur Bᴀ 1159*   aedes lamentariae
sunt Cᴀᴘ 97   apud trapezitum siet Cᴀᴘ 193
lacrimas excutere Cᴀᴘ 419   res in incerto
sitast Cᴀᴘ 536   aspellere metum Cᴀᴘ 519
aegritudo . . est in animo Cᴀᴘ 782   est balista pugnus, cubitus catapultast Cᴀᴘ 796*
specula in sortitust Cᴀs 306   protollo mortem
Cᴀs 447   mihi sciam Cᴀs 516   uociuas aedis
fecisti Cᴀs 596   intestina murmurant Cᴀs 803
pectus icit Cᴀs 849   reppulit manum Cᴀs 889
labra compungit barba Cᴀs 929   pectus percutit Cᴀs 930*   optundit os Cᴀs 931   exciuisti lacrumas Cɪ 112   in quaestione esse
Cᴀs 530, Cɪ 593, Pᴇʀ 51, Ps 663*   ebibit sanguinem Cᴜ 151   istoc nomine expleui ceras Cᴜ
409   os oblinere Cᴜ 589   pudicitiam pepulit
Eᴘ 541*   pectus aspersisti Eᴘ 555   oculum
ecfodito Mᴇɴ 157   corrumpit diem Mᴇɴ 596
corrumpit filium Ps 446   oculos exurere Mᴇɴ
843   lumbi . . dolent Mᴇɴ 882(*R*)   dentes
cadebant Mᴇɴ 1116*   in corde facit incendium Mᴇʀ 590   in manust Mᴇʀ 628   cultus
. . interemptust Mᴇʀ 832   animus fluctuat
Mᴇʀ 890*   machaeram consolari uolo Mɪ 5*
sunt manus inquinitae Mɪ 325   crucem futuram sepulcrum Mɪ 372   oculos ecfodiri Mɪ
374   nihil moror negotiosum mihi esse tergum Mɪ 447   crepabunt manus Mɪ 445
uerecundiam deturbauit Mo 139   modestiam
detexit Mo 162   amor in pectus perpluit Mo
163   corium esse oportet sincerum Mo 868
in pectore consiliumst Mo 866   exturbauit
omnia Mo 1032*   Mo 1110(omne mi *BugRs*
pro omne)   animus in nauist Pᴇʀ 709*   supellex squalet Pᴇʀ 732   cor uritur Pᴇʀ 800
oculi splendent Poᴇ 314   in domost Ps 84
libertam fore Ps 176   eclidito oculum Ps 511
defaecatumst cor Ps 760   in animo fuit Ps

759   cor retunsumst Ps 1045   animus in
tuto locost Ps 1052   cor perfrigefacit Ps 1215
in hoc spes sitast Ps 1292   ructare in os Ps
1300   si foret salua . . labor leuior esset hic
Rᴜ 202   ad auris uenit Rᴜ 234   membra
omnia tenent Rᴜ 215*   in pectore sunt curae
Rᴜ 221   mulierculae sunt saluae Rᴜ 552
tegillum . . unum aret Rᴜ 576   arrexit auris
Rᴜ 1293*   mi* et alii confractast nauis Rᴜ 1307
(*Ly*)   dolores oboriuntur Sᴛ 165   quicque . .
erit . . situm supellectilis Sᴛ 62   ripis superat
pectus Sᴛ 279   in marsuppio infuerunt Rᴜ
1313*   membra lassitudo tenet Sᴛ 336   la-
crimae prosiliunt Sᴛ 466   ex Gelasimo . .
fieri te Catagelasimum Sᴛ 631   onerabo gulam Sᴛ 639   lacrimas eliciunt Tʀɪ 290   aetas
actast Tʀɪ 319   ager saluos est Tʀɪ 593
uorsabatur in labris Tʀɪ 910   egomet memini
Tʀɪ 918   ille . . latitabat Tʀɪ 927   concenturiat in corde Tʀɪ 1002   cruciatur cor
Tʀɪ 1169   ex pectore exmouit Tʀᴜ 77   condidisti in corpus Tʀᴜ 519*   comedint cibum
Tʀᴜ 534   condoluit caput Tʀᴜ 634   bona
caedent Tʀᴜ 741*   spes animam efflauerit Tʀᴜ
876*   in naui latuit Fʀ I. 19   comminuit
diem Fʀ I. 23   oculi caecultant Fʀ II. 10

d. *dat. possessoris:* esse Aᴍ 19, 32, 406, 610,
638, 839, As 434, 511, Aᴍ 266, Bᴀ 153, 365, 615,
635, 704, 1109, Cᴀᴘ 122, 496, 553, 621, 700,
Cᴀs 215, 264, 356, 378(?), Cɪ 213, Cᴜ 372, 547,
Eᴘ 466, 677, Mᴇɴ 633, 636, 1030, 1069, 1102,
1122, Mᴇʀ 280, 326, 328, 363, 471, 768, Mɪ 79,
99, 516, 764*, 950, 1064, 1086, Mo 87, 207,
220(?), 370, 992, Pᴇʀ 45, 119, 258, 415, 585,
636, Poᴇ 345, 1002, Ps 61, 67, 167, 199, 637*,
655, 969, Rᴜ 5, 209, 504, 941, 950, Sᴛ 91, 239,
256*, 587, 591*, Tʀɪ 53*, 54*, 414, 761*, 889,
895, Tʀᴜ 174, 259, 765, Fʀ I. 79   superesse
Mɪ 356   fieri Pᴇʀ 331

negotium est Aᴍ 1035, Mo 844   negoti nihil est Cᴜ 465   controuersia est Aᴜ 261   res
esset cum . . Mᴇɴ 482   fuit commercium Tʀᴜ
94   nihil commerci Rᴜ 724   nihil tecum est
Mᴇɴ 648   quid tecumst Mᴇɴ 826   hospitalis
tessera cum illo fuit Poᴇ 1252

cautio est Bᴀ 597, Poᴇ 445   suspicio est
Ps 562   copia est Bᴀ 393, 487*, Mɪ 1229
cordium est Cɪ 65   mora est Cᴜ 461   optio
est Cᴀs 190   tempus est Bᴀ 772   tempestas
fuit Mo 137   bona scaeuast Ps 1138   natalis
dies est Cᴀᴘ 174, Ps 165, 179   mantellumst
Cᴀᴘ 520*   deliquio siet Cᴀᴘ 625   eademst
lex Ps 304   ita res diuina fuit Poᴇ 499

opus est Aᴍ 628, 791, As 302, 596, Aᴜ 723,
Bᴀ 77(?), Cᴀs 502, 741, Cɪ 341, Mᴇʀ 330, Mɪ
705(*dub*), 760 *bis*, Pᴇʀ 83, 530, 532, 585, Poᴇ
547*, 1351*, 1352, 1353*, Ps 60, Sᴛ 81, 635,
Tʀᴜ 328   usus est Bᴀ 763, Pᴇʀ 328, Ps 50
necesse(-us) est Aᴍ 501, Cɪ 626, Mᴇɴ 117, Poᴇ
1244, Tʀɪ 144   uoluptas est Aᴍ 994   uolup
est Aᴍ 958, Mɪ 747, Poᴇ 1326, 1413, Sᴛ 506

e. *dat. iudicantis:* amnes estis Poᴇ 630
cibus est Cɪ 720   incus est Ps 614   lepos
es Cᴀs 235   uita es As 614   umbra est Mo
769   *fortasse* fur es, est Aᴜ 768, Poᴇ 785(*L*),
1335*, 1413, Rᴜ 881   hic somnust Cᴜ 184
hic est . . potior Iuppiter Ps 328   istic Pseu-

dolus nouos . . est Ps 700   non Charinus . .
sed Copiast Ps 736   nec uir nec mulier es
Ru 1115   sunt gerrae Poe 136   tu . . stacte,
tu rosa Cu 100   Eretria est haec domus Per
323

extra numerum es Men 182   quid tu . .
tristis es? Men 607   diust 'iam' id Mo 338
mihi quidem mortuost Per 20, Ps 310   istuc
'temperi' serost Per 768   nihil tam paruist
quin . . Per 690   pulcra's St 378 *bis*   ferus
sum Ba 73   lauta sum Tru 378

f. *duo dativi:* dono dari Am 534, 790, St
665, Tru 279   auxilio esse Au 715   morae
esse Ba 224*, Per 86   cordi esse Ci 109*
curae esse Men 761   damno esse Ci 371*
damno ducere Ba 1103   diuidiae esse Ba 770,
Cas 181, Mer 619, Tru 856, St 19*   exitio
esse Ci 691*   labori esse Ru 190   malo
magno esse Mi 492   mellinae esse Tru 704
odio esse Tru 632   operae esse Tru 883
senio esse St 19*   uoluptati esse Ru 1183,
1373   usui esse Ci 691*, Men 358, Ps 1129
Auxilio est nomen Ci 154   Menaechmo est
nomen Men 1068 *bis*

g. *cum nominibus, sim.:* adiutores Ep 676
auonculus Au 778   auctor Ci 249, Mi 1094,
Poe 410, Ps 231, 1166, St 128   auctores Poe
721, St 581   arbitri Mi 158   comes Am 929,
930, Mer 852   custos Mer 91   erus As 658,
Cap 223, 444, 857(*Rs*)   εὑρετής Ps 700   hospes
Poe 955, 1050*   hostis St 326 b   imperator
Mer 853   impulsor Au 737   magister Ep
592, Ps 733(*U*), Tru 226   mater Poe 1065,
St 155   gnata Tri 9   parasitus Mo 889*,
St 630   pater Men 1108   paedagogus Mer
91   patronus Ru 705   praetor Tru 840
seruos Ba 162   sobrina Poe 1068   testis
Cap 3   tutor Au 430, Vi 23

acerbum Mi 1216   aduocatus Mi 1419, Poe
531   accepta Tru 617   aduorsus Cas 303
aegre Cap 129, 701, Cu 169   aequos Cas 4
aemulus Ru 240   amicus Ba 539, 549, Cap
645, Cas 615, Ci 1, Ep 119, Mer 897, Mo 341,
St 508*, 519, Tri 267, Tru 880, Fr I. 89
audiens Per 836   benignus Tri 459   blandi-
dicus Poe 138   bonus (bene, melius, optumum) Au 76, 225, 582, Cap 939, Cas 695, 948,
Cu 526, Men 603, 832, Mo 52, 691, Per 773,
851, Ru 220, 328, St 83, Tri 635 *bis*, Tru 447
carus Ba 310, Cap 400, Cas 757   certus As
247, 613*, Cap 215 a, 772, Cas 91, Ep 163*,
Mer 658, Poe 1420*, Ps 90, 1237, 1241, Tri 94
cognatus Poe 1064, Ru 1214   communis Mer
451, 455, Ru 976   conducibile Ba 52   conscius Ru 926   contra (astare) Cap 664   dulc-
acerbus Ci 240(*Rs*)   dulcis As 614*   facilis
Men 755, Per 761   falsilocus Cap 264   fidelis
Au 678, Cap 726, Mi 1375   fortunatus Cas
382, 402 *bis*, 403   gratus Cap 414, Ru 1221,
St 50, Tru 617   idem Ci 120   incertum Au
729   iratus Am 911, Cap 431, 715, Ci 101, 652,
Men 603, 624, Mer 800, 992, Poe 353, 452*,
465, Ps 1330, Tru 545   hosticus Mi 450*
inimicus Cas 329, Ep 109, Per 581, Poe 772,
Tri 115*   insperatus Poe 1178   lucridis Per
627   malus(male) Ci 59, Cu 164, Mo 710, Poe
866, Ps 276, 1022*   memorabilis Cap 684

molestus Ci 106, 465, Cu 572*, Men 293, 627,
827, Mer 767, Mi 672, Mo 886, Poe 335, Ps
118, 715*, Ru 387, 832, 1031, Tru 897   morigerus Cu 157, 169, Ep 607, Ps 208   odiosus
Ba 136, Cas 328, Ci 7, Men 316, 502, Mi 427,
Ps 30   obnoxius Poe 1191 a*   obsequens Cu
87, Mer 150, 157   obsequiosus Cap 410   offirmatum Ba 1200   opportunus Mo 1077, Ps
734, Ru 802   par Poe 1396   prope(proximum)
Au 128, Mi 385, Ru 229   propitius Ba 452,
Cu 89, Poe 454   satis Am 647, As 329, Ci
662, Mi 750, Ps 191, St 94 (*U*), 620, Tri 636(?)
secus Cap 273(?)   sodalis Cap 563   socius
Ci 744   spectatus St 461, 628   superior Men
192   supplex St 290   tranquillus Ba 765*,
Poe 355   uicinus Vi 55   unicus Cap 150
similiter per tempus Ba 844, Cas 164, Tru 188*
ut mihi te uolo esse autumo Cap 236

h. *dat. agentis:* circumducitur Tru 874(*Rs*)
decretumst Au 572*, Ba 515. Mer 1, Mi 77,
Poe 501, St 218, Vi 61   edictumst Per 241
est empta Ep 471*   empti fuerant Mo 820
emptast Ep 721(*L*)   exquisitumst Cap 638
meditati sunt Ps 941*

abeundumst Au 105   adeundust Ru 1298,
Tru 895 (-da)   adcurandumst Mer 860   ad-
gerundast Ru 484   adgrediundumst Tri 963*
adhibendae Cas 475, Ep 646* (-da)   agitandumst Tri 869   appellandast Cas 228   au-
dienda Tru 834   captandum Cas 444, Mo
1069   cauendum Ps 474   commorandust Per
203*   comprimenda Ps 409, 788   consolandus
Ba 625   conueniundus Tri 1122   coquenda
Mer 741   currendum Ps 331   demutanda
Mi 1291   faciundum Am 891, Mi 991 (-di)
indicandas Mer 280   integundam Ru 101
moderandum Cu 486   orandum Ep 721(*L*)
pereundum As 244   potandus Ps 782   quaerundum Am 423   redeundum Am 527, Men 49
saltandum St 757   seruiendum Ps 1249*   sistendae Tri 867   supplicandum Mer 171   uapulandum Poe 855   uictitandum Poe 397

i. *cum interiect.:* ei Am 321*, 798, 1109, Au
200, 391, 796, Ba 411 *bis*, 1116, 1174, Cas 574,
661, 848, Men 303, 831, Mi 1358*, 1429, Mo 265,
395, 549 a, 962*, 1030, St 753*   heu Mer 661,
701, 770   oh Cap 835   uae Am 726, 1057,
1080, As 410, 924, Cap 945, Ep 50, Mer 181,
217, 616, 681, 708 *bis*, 759, 792, Mi 180, 1433,
Mo 367, Poe 1379, Tri 907, Tru 342, 794*

k. *per aposiopesin:* Ps 939 a*

l. *verbo omisso:* Poe 972

m. *in lacuna:* Cas 984, Ci 255, 278, 361, 460,
474

n. *additur* -met: Am 579, Mo 301

5. nobis *cum verbis:* dare Cap 212, Men 1420,
Poe 222*, Ps 684, St 255, 773   reddere Ba
1167   redhibere Mo 800   exhibere Mer 273
(*RRgU*)   praebere Am 1027   prodere Ru 589
referre Ps 624   debere Cu 666   ferri Cu 84
mittere Ru 84

dicere Poe 251, 516, 664(*PLU*), 669   eloqui Ci 56

euenire Men 1151(*CaRRs*), Tri 40*, Fr I. 65
excidere Mo 732*   bene uortere Au 659

accurare Men 208   coquere Mer 743, Ru
1263   parere Mo 418   producere Ba 1147

suffundere Ru 588 postulare Ru 709 plaudere Men 1162

minitari Ba 1144 prodesse Ru 689

licet St 448

res agetur Cap 52 inest spes Cap 250 praeturam geris Ep 25 confracta nauis Ru 354 plus mali uiuit Ru 453 aliter faciant St 44(GuyL) facere iniuriam Tru 836(U) arbiter adsit Tri 147

usus est As 312, St 57, Tru 721 opus est Ba 707, Mer 396

est hic praeda Men 441 area est As 220 eris dictatrix Per 770

agentis: cauendum Men 345 faciendum St 54

possessionis: ea lingulaca est Cas 498 uilla est Ru 153* quicquamst Ru 279 spes est Ru 303 molestiast Ru 831* uitium maxumumst Tru 191 est ager Tri 508 saluos est ager Tri 593

duo datiui: lucro esse As 192, Men 356 uitio uortere Cap 260, Ru 700 saluti esse Mo 351 quaestu et cultu esse Ru 294 auxilio esse Poe 1137, 1277

cum adiectiuis, sim.: commodus Poe 616 incommodus Poe 402 lepidus As 580 insperatus Poe 1259 molestus Tru 721* obnoxius As 284 sat Cu 85

verbo omisso: Per 775

6. *acc.* me a. *obiectum verbi actiui:* abalienarier Mi 1321* abducere As 937, Ba 357*, 1031, 1117, 1178, Men 782, 1141, Mo 696, Poe 720(PLU), 1282, Ps 520 abigere As 446 abiudicare As 607 abripere Cu 598, 695* absoluere Am 1097, Ep 631* abstinere Am 926 accipere Am 296, Ba 101*, Ps 949, 950 accusare As 173, 491, Ba 678, Tri 96 accersere, arcessere Men 764, Mi 480, Mo 509, Ps 660, 1118 addecet Per 220(BoRL) addicere Cap 181, Poe 1361 addere Mi 305, 550 adducere Ru 477 adire Mo 1155 adigere Au 50 adiuuare Ep 192, Men 551, Mer 402, Mi 1134, Per 304, Ps 78, 83 admittere As 236 admonere Men 1092 admutilare Per 829 adoptare Poe 1059 aduehere Am 405 aduocare Cas 569* adferre Am 989 adficere Am 2, 1068*, Poe 1275, St 210 adfectare Ba 377 adflictare Au 632, Ba 114, Mer 648 adgredi As 25, 714* adgnouisse Mer 98 agitare Ci 688, Mer 134 alienare Am 399 adlegare Cas 604, St 681(Rg) alere Cu 664*, Tri 14 amare Am 542, *ib.**, 597, 655, As 77*, 208, 631, 836, Au 445, 496, Ba 75, 111, 214, 892, Cap 877, Cas 452*, 456 *bis*, 978, Ci 95*, 99, 512(?), 513(?), 515(?), 520(?), Cu 208, 326, 577*, 578, Men 386*, Mer 533(RgU), 762, 919, Mi 501*, 725, 985, 1202*, 1257, 1403, Mo 170, 182, 305*, 520, Per 205, 492, 639, Poe 278*, 289, 439, 504, 827, 859*, 869, 1219*, 1325, 1413, Ps 774, 943, 1278*, Ru 443*, 466, St 505, 685, 704, 742, Tri 244, 447, 1024, Tru 194*, 276, 442, 542, 863*, 887, 918, 939(U) amittere Cap 339, Men 1055, Mer 869, Mo 432* amoliri Mer 384, Tru 630* amplexari Ba 77* amplecti Mo 322, Poe 1262 antestari Poe 1229 anteponere Cu 74 appellare Am 685*, 810, 813, Ba 1141, Ep 588, 589, Men 298, 383,

Mi 435, Mo 515, St 323, Tri 161, Tru 896 appellere As 633*, Ru 1043 arbitrari Au 252*, Ps 798, Tri 952, Tru 164 arguere Am 882, 897, Mi 389 arripere Cu 648 aspectare Am 1028, Mo 1026 aspernari Cap 542 aspicere Am 3, 320, 750, Ba 204, 688, 765, Men 145, Mi 123, Mo 172, 1105 adseruare Men 838 adsimulare Ep 420 attigere Men 857, Per 793, 816, Tru 276 attinere Men 589* attingere As 373 attondere Ba 1095 attrectare Per 227, Poe 350 audire Ru 236 auehere Men 1113 auferre Cu 650, Men 847, Poe 1293 auscultare Tri 662(U)

beare Am 642

caedere Am 159 capessere Am 262 capere Cap 653, Mi 120 captare Am 422, 795, 821, Poe 765 castigare Cas 517*, Mer 316 castrare Mer 275 celare Ba 167, Per 799, Ps 491, St 149*, Tru 89 circumdare As 696* circumducere As 96, Ba 311, 1182 circumsistere Men 998 circumspectare Ba 279* circumspicere Ru 1168, Vi 64 circumuortere Ps 541(Rg) cognoscere Am 822, Poe 1265 cogere Am 163(cf L), Men 877, Mi 454 conlaudare Mi 1045 conlocare Au 706, Cu 646 conlutulare Tri 693 colere Ci 22 commonere Per 697, Ru 743* commorari Mer 873, Poe 924*, Ps 1135 a commouere Am 337, Tru 818 compellare Men 374 compingere Am 155 complere Ci 127*, Men 901 compotire Ru 911 condecet Ps 935 condecorare Cap 878* condonare Ru 1070 conducere Tri 853, Vi 43 conferre Ba 374, Mo 931 conicere Per 796 conscribere Ps 545 consectari Ba 1093 consequi Am 880, Ci 91, Ps 1315 conseruare Ps 667 consulere Men 310 consultare Mi 1097 consolari Ru 682, Tri 394 conspicari Ps 981 contabefacere Ps 21 contemplari Poe 1129 conterere Ci 610 contundere Am 407, 618, 624, Au 409 conuadari Cu 162 conuenire Tri 583, 1120 conuorrere Ru 845 conuortere Ep 138 coquere Tri 225 corrumpere As 883, Mer 544 credere As 842, St 48* criminari Ba 783 cruciare Cas 445 culpare Tru 349* cupere Cas 814, Cu 305 (FlRgLU), Ep 644, Ru 1164 *bis* curare Cu 532, Mi 708, Mo 526, Ps 662

decet Ep 25(?), Mer 79 *bis*, Mo 166, 172, 282*, Per 220 *bis*, Poe 459, 861, Fr. I 45 decipere Mer 928 declinare Au 712 dedecet Per 220(RostU) dedecorare Ba 498 dedere As 608, Mi 567* deficare Mo 158 deducere Mi 121 defatigare Tri 225 defigere Per 295 defodere Mo 501 defraudare As 91, Au 724, Men 686, Ps 93, Ru 1416 deicere As 632(U) delacerare Cap 670 delectare Cap 178, 1004 defendere Ba 846, Per 430 delenire Ci 517 deligere As 632(PS) deludere As 677 deludificare Mo 1033*, 1035*, Ru 147 demorari Ep 376 deperire Cu 46, Mi 999 deponere Au 575 deprehendere Mi 1276* deridere Cu 18, 392, 586, Ep 429, Men 629*, 746 deripere Men 870 deserere Ba 1014, Mi 1363*, Mo 202, Ps 381, 600*, 1027* desiderare Cap 316 despicari Cas 186 despoliare Men 804 deterrere Am 560, Mi 332, Tru 929(U) detinere Ci 226, Per 505 detrudere Au 335   deuincire As 850   dicere Ci 83, Men 434, Mer 563, Mi 1039, Per 90 differre Mi 1163, Tri 833*   dissoluere Mer 166*   distaedet Am 503   diuidere Au 283 dare Am 809, Ba 1082(?), Cap 494, Cas 943, 959*, Ci 463(Rs), Cu 363, Ep 544(Rg), Mer 472, Mi 23, 120, 183, 567, 1206(?), Per 383, 740, Poe 159*, 161, Ps 406, 1277, Ru 507, St 136, Tri 838   donare Am 766, 771, Au 808, Poe 258   ducere Am 1042, As 31, Au 708, Ba 406, Ci 90, Mer 450, 915, Mo 324, 794, Per 397, Poe 720(ARglS), Ps 1329, Ru 386, 851, 1280, Fr. I. 46, Tru 631   ductare Cap 642, 755, Men 694

edere Mo 698   educere Ru 217*   efferre Ba 965   effligere Ci 526(Rs)   eicere As 127, 632(FlRgL), 162(FlU), Ru 187   eludificari Mo 1040   emittere Au 812, 823, Cas 285, Men 1023*, Ru 1218*, 1388   emere Poe 1058, Ep 497, Men 1101, Mer 504   emungere Ep 494, Ba 1101, Mo 1109*   enicare as 920, Au 831 (ReizRg), Mer 312, 893, Mo 652, Per 48, Poe 1267, Ru 476*, 944*   eradicare Mer 775 euocare Poe 416   exaedificare Tri 1127   excipere Mi 168   exciere Ep 570, Ps 1285*, Tri 1176   excitare Am 163(L), 164*, Ru 259   excludere Men 671   excruciare Cas 227, Ci 59(L), Cu 62, Ep 390*, Mi 567, 859, Per 32b, Tri 287* exercere Ru 525   exigere Au 414   eximere Ba 952*, Cap 924*, Ru 232(RsU)   existimare Mer 352   exornare Mo 293, St 744, Tri 857 exorare Ba 1176, Men 518   exossare Au 319 expedire Ru 908   experiri Cas 812, Mer 769 expetere Men 763   explere Cu 386*   expurigare Ci 453, Mi 497   exsoluere Ba 857, 861, 962   exspectare Cap 382, Men 598, Mer 280, 556   extrudere Au 44, 69, Mer 357*, Ru 1046, Tru 86

facere Cu 218, Ep 522*, Mi 1367(L)   fallere Ba 290, Men 1082   ferire Ci 641   ferre Cu 644, Men 999, Mer 198*, Mo 677   flagitare Mer 178   frustrari Mo 589   fugere Ba 36, Mer 669

gestare St 159*, 161

habere As 844, Au 372*, Cap 314, Cas 645, Ci 365, Cu 698, Men 396, Mer 693, Mi 23, Mo 545*, 709*, Per 169*, 341, Poe 1281, Ru 198, Tru 393, 867*   honestare Cap 247, 356   hortari Per 842

icere Per 846*   ignorare Am 461, As 144, Cap 434   inlicere As 206, Au 737, Mi 1435 immergere Mer 448   impellere Mer 321   impertire Au 19   implere Mer 795   incendere As 420   inclamare Am 1068, Mi 1035, Tru 672 inclinare Per 737   incomitiare Cu 400   increpare Am 1077   incusare Mer 464*   indicare Ci 588, 629, Men 881*, Ru 1028   inducere As 493   induere Men 515*   infelicare Cas 246   inferre Per 307, Ps 1273   inforare Cu 402   insimulare Am 859, 887, Mi 364, 392, 396, 509   inspicere St 638   insputarier Cap 553*   instare Cu 396   intercipere As 106 interficere Mo 102*, Tru 578   interimere Ep 148, Mer 607   interpolare Am 317   interrogare Am 753, Cu 340*, Men 786, 917*   interuortere Ps 541*, 900, Ru 1402   intueri Tru 599   inridere Au 232*, Ba 515*, Cap 657, Ci

662, Ep 520*, Mer 250, Per 850   inritare Am 454, Ba 888, Cu 726, Per 828, St 345, Fr I. 57 inuitare Tri 27   iubere Mer 435*, Ru 433 iugulare St 581   iuuare Cap 136, Mo 691, 1036, St 404, Tri 189

lacerare Ba 1094*   lacessere Poe 296   lamberare Ps 743   latrare Poe 1234*   laudare Cap 421, Mi 730*   leuare Ru 247   liberare Mo 204, Poe 361   locare Ru 535, Vi 26(Rg) ludificare Am 565, 1041, Ba 1100*, Cap 487, 490*, Cas 592, Ci 215*, Ep 671, Men 523, Mer 307, Mi 488, Mo 1040(L), 1147, Poe 548, Ps 1120   ludere As 730, Cap 877, Cu 326, Mi 324, Mo 1080, Ps 24*, Tru 758(U)

macerare Cap 928, Cas 445, Ci 71, Mi 616*, 1233   mactare Ru 96   magnificare Men 371 mandare Men 783   manere Am 546*, Ep 358, Men 1038*, Mer 498, Mo 50   metuere Cap 301, Poe 1191a*   miserere Ba 1044, Ci 769, Mo 985, Ru 197*, St 329*, Tri 430, Vi 71 mittere Am 20, 165, 405*, Au 605, Cas 23, 790, Ep 67*, 72, Men 1000, Mer 11, 803, Mi 76, 449*, 1067, Mo 747, 786, 1044, Per 259, 322, Ps 58, 239*, 642*, St 364*, Tri 442, Tru 756, 766, 912   monere as 826, Ba 910, Men 385, Mi 573, 1378, Per 518, 593, Ps 915   morari As 413, Ci 692, Men 1146, Mer 468, 930, Mi 1310*, Mo 1060, Poe 924(BU), 911, 1294, St 440   mouere Mer 311   multare Ps 1228 (g)natum esse Cap 319, Men 50, Poe 1046, Ps 589*, Ru 188*, St 179   necare Mo 501* nescire Cu 724*   nominare Ba 1120, Cu 304, Ep 535, Mi 901*, Mo 784, Per 647, Ru 98, 868, Tri 1134   noscere Au 584, 777, Cap 528, 542, Cu 657, Ep 504, 638, Men 299, 379, 504, 602, 634, 750, Mer 767, Mi 430, 575, 925, Mo 894, Per 132, Poe 1117, Ps 619, 972, Tri 913, 957 nutricare Mi 715*

obiurgare Ba 1020, Mer 321*, Tri 68   oblectare Ru 222   obrepere Tri 61*, 974(RRsU) obsecrare Cas 993, Mi 66, 542, Ru 876*, Tri 154, 176   obseruare Au 54   obtigere Mo 141* obtruncare Ci 524*   occidere Ba 313, Cas 672*, Ps 349*, 931   occultare Mi 582, Tri 278 occursare Mi 1047   odisse Mer 764, Tri 683 offendere Mo 378*   omittere Mi 446   onerare Cap 774, Ps 588   opponam Ps 87   opprimere Cas 893, Mo 511   optueri Mo 69   ornare Poe 301*   orare As 74, 675, Ba 82, 825, Cas 543, Ep 728, Mer 180, Mi 75, Per 119*, Ps 1273*, Tri 449, 1171, Tru 797(L)   ostendere Poe 340 paenitet Am 1124, Au 434, Ba 1182*, Ci 47, Mi 740, St 51, 307, Tru 431   participare Mi 232(loc dub)   pascere Mer 59   pauperare Ps 1128   pendere Cu 262, Poe 1300   penetrare Ba 66*, Tri 291, 313   percontari As 343, 503*, Ps 1047   perdere Am 736, Au 465*, 645, Ba 132, 489, 560, 567, 624(loc dub), 1113, Cap 527, Cas 395, 605, Ci 497, 499*, 573, 686, Cu 328, 335*, Ep 50, 57, 562, Men 490, 597, 833, Mer 188, 324, 625, Per 292, Poe 864, 865(Rgl), 884, Ps 303, 322, 1228, Ru 491, 1167, Tru 331   perdocere Ps 875   percellere Per 810   perfabricare Per 781   perhibere Ci 232(ex Gell VI. 7)   perterrere Mo 1136   piget Per 690, Ps 282, Tri 661   placare Ps 329   ponere Cu 74(L)   praefulcire Per 12   praemittere Am

195, 602 priuare Poe 775, 1071 procurare Cu 525, Poe 715 prohibere Am 361, 1051, Mi 700, Poe 399, Tri 87, Tru 764(*L*) prolectare Ba 567 prolicere Cu 97 prosternere Men 938 prouocare Cu 355, Mi 1122, St 770 pudet As 933, Ba 1016, Tri 912, Tru 764(*RSU*) purgare Am 909, Cas 944, Poe 1410

quadruplare Mer 62 quaerere Ba 178, Ci 775, Ep 680, Men 675, Mer 175, Mi 480, 1381, Mo 1075, Poe 182, St 67 quaeritare Ep 613, 617*, Men 407, Ps 975

rapere Ci 61, Men 999, Tri 680 raptare Au 632 recipere Am 892(?), Au 119, Cap 103, 128, Ci 640, Mer 881, Mo 499*, Per 405, Ru 350, 574 recreare Cas 742 redimere As 106, Per 654 reducere Ps 668 relinquere Am 457, Ba 496, Cap 435, Mo 201, Poe 1283, Ps 668, Tru 512 remorari Cas 717, Ep 629 reperire Ep 652 reprehendere Ep 1, Mi 60 respicere Au 231, Tru 340 restituere Cap 588 retentare As 591 retinere Cu 310, Ep 64, Men 114 retrahere Ru 945 retrudere Ep 249 reuocare Ci 705, Cu 349, Mer 474, 866, Ru 1299 ridere Cap 481, Mo 967(*U*) rogitare Am 1029, Au 117, 551, Mo 368, Tru 797* rogare Am 571, 794, 1025, Ba 188, Cas 983, Cu 12, 362, Ep 98, Men 606, 640, 713, Mer 184, 633, Mi 426, Mo 643, 907, Per 41, 43, 321(*P*), Ps 914, 1070, 1267, Tri 198 rumpere Cap 14, Mer 151

salutare Am 682, 706, 711, 800, Au 114, 185 saturare St 18 scindere Au 234 sectari Ba 28 seducere As 362 segregare Mo 1050 sequi Am 628, 660, 674*, As 876, 941*, Au 264, 349, Ba 525, Cap 293, 449, 514, 953, Cas 91, 165, 936*, Ci 631*, Cu 87, 370, 390*, 721, Ep 657, Men 216(*LambRRsU*), 556, Mer 587, 816, 961, Mi 1009, Mo 857, 990, Per 328, 332, 611, 752, 835, Poe 406, 502, 720, 808, 1161, 1418, Ps 1230, Ru 184, 875*, 1183, St 669*, 671, Tri 1, 1109, Tru 644, 687, Fr i. 80 seruare Am 1089, Au 207, Ba 880, 898, 1065, Cap 441, 529, 768, 976, Ci 573*, Cu 628, *ib.**, 640, Ep 378*, Men 123, 1065, 1114, Mer 497, 966, Mi 413, Poe 562, 1258, Ps 613, Ru 895, Tri 1089 sinere Cu 27, Ps 1116(*BoU*) sistere Cu 163 sollicitare Au 66, Ru 198 soluere Ep 724 spectare As 145, 680, Per 171*, Poe 337 spernere Cas 918, Mi 1072*, Ps 466, 884 spoliare Ba 1094* subducere As 912 subigitare Cas 964, Mer 204 subigere Cu 540, Mi 1006*, Ps 808*, St 193*, Tri 140 subsequi Ba 723 subesse Fr II. 12 suppilare As 888 superare Poe 1110 suspendere As 816, Cas 424, Poe 794, 1341, 1343, Ru 1189, 1415

taesumst Mo 315 tangere As 406, Ru 1242 temptare Am 661, Au 462, Mer 722 tenere Am 532, 1076, Cas 634, Cu 172, Mi 1260, Poe 1293, Ps 1296, Ru 215*, Tri 1092 territare Cas 313, Cu 568, 713, Mo 609 tollere Ps 1247 torrere Cas 310 tractare As 161 tradere Mo 406 trahere Tri 203 turbare Ep 312 tutari Mer 865

uadari Per 289 uehere As 699 uendere Ba 816, Per 145, 398, Ps 51 uenerare Au 8 uerberare Am 607, Au 42, 632, Cas 1003, Mi 799 a(*loc dub*), Mo 10, 869(*SpU*), Poe 410, 819,

Tri 113, Ps 475 uereri Mi 1266 uidere Am 128, 331, 725, 731, Au 710, Cas 302, Mer 186, 878*, 1013(*U*), Mi 366*, 368*, 376*, 1234, Ru 554, 680, 1166, Tri 808, Tru 863(†*Š*) uincire Ba 796, 855, Cap 607, Men 97, Ps 151 uincere Cap 186, Mer 438, St 756*, 770, Tri 483, Tru 510(*loc dub*) uisere Tru 883(*Rs*) uituperare Au 326 ulcisci Men 126, 472 uocare Am 991, Ci 310, 597, Cu 350, 683, Men 836, Mer 808, Mi 712, Mo 1007, Per 745, Ps 1316, Ru 608, 904, 1038, St 182*, 511, 516, 600, Tru 755 uelle Ci 706(*Ly*), Tri 1060* uorsare Per 795 uortere Cu 69, Mo 218 uti Cap 369

b. *duo accus.*: arbitrari prognatum Au 202 hominem arbitrari Au 252* militem arbitratur Ba 845 mortuom arbitrare Tru 164 custodem addiderat Cap 708, Mi 305, 550(addidit) appelles filiam Ep 588, 589 uadatum adtines Ba 180

flagitia celauisti Ba 167 celassis quod scias St 149* insanum concinnat Cap 601 tristem credas As 842 cupiunt seruatum Cas 814, Ep 644(s. c.), Ru 1164(s. c.) perditum cupiunt Ru 1164

dic passerculum As 666(*cf* 667) dic aniticulam As 693* lenonem dixerit Ru 790 praedem dedit Men 593(*Rs*) hoc docet Au 412 uxorem ducturum esse Ci 99

rationem edoceas Tri 372 emit audientem Men 444 id exorat Ba 1200

ludos facias Am 571, Ba 1090(factum esse), Ep 706(fecisti), Per 803(facitis), Ru 470*(facit) alium fecisti Tri 161 facere amicum Per 35 atriensem Cas 461 bestiam As 695* certiorem Au 245, Cas 353*, Cu 634, Ru 330, Tri 878 face certum Ps 18, 1097(facit) Bellerophontem fecit Ba 810 meliorem fecit Ba 1021 consimilem Cap 123 Crucisalum Ba 362 Crurifragium Poe 886 compotem Cap 622 exheredem Mo 234 exilem St 526 expertem Per 309 expeditum Ep 86 facetum As 351 famosum Cas 991 florentem Men 372 gerulifigulos Ba 380 gloriosum Ps 674 heredem Cu 639, Poe 1070 honestiorem Cap 392 impudicum Am 834 insanum Am 1084 participem Au 132 pensilem Ps 89 magnum Mi 1044* reducem Tri 823 regem Au 85 non scientem As 48 seruom Cap 305 stolidum Ep 421 uerberetillum Poe 378

dignum habuit As 80 habere gymnasium Au 410 suspectum Ba 572 exercitos Ba *fr* XII, Ep 529, Per 856(-um) despicatam Cas 186 (*PU*=) 189 miseram Ci 672, Ep 667* sollicitum Men 588, Mi 1087(h. s.) uenalem Mi 580 fidelem Mi 1355 comitem Ps 17*

locare castrandum Au 251

nihil monueris Cu 384 truculentum nominas Tru 266

latiorem optauit Tru 859* quod orauisti Cap 615, 942(orabis), Cas 531(orabat), Ci 138* (oraui) quid oras Au 695 diem orauit Mer 542

para clientem Mer 996 nuptam patiar Mer 785 peruelim sepultam Cu 102 tristem putas As 837 leniorem putes Tri 1171(*HermRRs*) poscitote aurum Ba 703 poscit minas Cu 63 quippiam poscis Tru 427

miserum reddiderunt Cap 502   uirginem reposcis Cu 614   id rogas Ba 258   quid rogas
Ba 801, Ep 29(U)   adiutorem roget Mi 1191
roga minas Ps 114

Sauream uocabat As 584*   uocare furem
Au 769   mellillam Ci 247   odium Cu 191
paedagogum Ba 138   patrem Ep 583, 587, 594
Summanum Cu 416   uoluptatem Ru 441   seruatum uelle Au 677, Men 1120, Ps 906*   saluom uolunt Tri 1076   numquid, quid, id, quod,
me uis (uolt) Au 175(?), 209, 217, 263, 579, Ba
1155a, Cap 618, 978, Cas 146, 353, 646(Ly),
Ci 117, 119, Cu 522, Ep 512, Mer 867, Mi 575,
1025, Per 693, 735, Poe 353, St 253, 328, Tri
458, Tru 432   (num) quid me .. ? Au 175(L),
Poe 801

c. acc. subiectum infin.: abducere Poe 786
abire Mer 776, Ru 817, 1027   abstinere Mi
644   abesse Cu 165*   accipere Ba 686, Ep 8,
Ps 167, Tri 370, 849   accumbere St 448*
adducere As 356, Mi 899*, Ru 1047   adire As
82, Ru 831   adiecisse Mer 334   adepturum
Cap 680   adesse Ba 799a, Cu 81, Men 987*,
Per 613, Ps 1284, Tru 330, 754*   aduexisse
Mer 107   aduenire Am 654, 758, 759, Cu 337,
340, Mo 929   aduersatum Cap 403(loc dub)
adferre Ci 292, Ep 639, Tru 5   adficere Am 9*
agere Cas 401, Mi 352, Ps 919, 1255   adloqui
Mi 217(RU)   amare As 542, Cas 529, Mer
309, 380, Mo 53*, 243, Per 303, Poe 1210, Tru
530, 590   amplecti Per 774b*   amplexari
Tru 297   apisci Ep 668   approbare Am 13
arbitrari Am 932   arcessi St 266, 267   audisse
Cap 1023   auferre Au 646*, Ep 143

cadere Mo 328   capere Men 863, St 422
carere As 535   conlocare As 663   conloqui
Per 468, 728   commeritum Au 738   commissurum Tri 704   compellare Men 378   comprimere Ep 540(add Rg¹)   concedere Cas 265,
323   conducere Ep 314   consulere Au 130*,
Ba 524   contui As 124   conuenire Ba 174,
530, Men 1050   coquere Ep 586*, Men 388
credere Au 306*, Per 486   cupere Cas 286
curare Cas 261, Men 529, 548, Mo 283

deerrare Men 1113   deferre Tri 945, 955
demoratum esse Ru 447*   deserere Cap 405*
despexe Mi 353*   detrahere As 92   deuorti
Ps 961   dicere Am 435, 752, 963, 1089, Ba
807, 1155b, Cap 853, Cas 897*, Cu 420, 497*,
Ep 25(?), Mer 484, Mi 830, 844, 1316, Per 371,
Ps 370(GrutR), 982, 1089, Tri 71, 556   diffunditari Mer 56   dare As 229, 466, 487, Au
269, Ba 985, 1029, 1082(loc dub), Cap 701, Cas
869, Cu 422, Men 480, 1141, Mi 260(R), Ps
729, 983, 990, St 512, Tri 690, 896, 898, 960
ducere Cas 327, Men 887, Mi 1239, Poe 529

esse Am 310, Cap 249   efficere Ps 590, Per
167, Ps 115   effugisse Ba 342   egere As
684*   emere As 82*, Ep 120, 704*, Mer 208*,
211, 351   emori As 811, Au 661   elauisse
Ru 537(FlLU)   eloqui Poe 885   ire Au 284,
Ba 575, 905, Cu 362, Mer 83, 644, Mi 445, 879*,
1192, Mo 336, 693*, 969, 1132, Per 181, 189,
Tri 628*, Tru 129, 546*, 645, 751(U), 840   excidisse Men 667   essurire St 504*   exercere
Mi 626*   exhaurire Mer 55   eximere Cap 758
exorare Ba 1170*, Tri 325   expedire Am 5*(LU)

experiri Am 512   expostulare Mi 515   expurigare Cap 620, Mi 517*   exsequi Mer 929
fabularier Am 201   facere Am 60, 675*, As
67, 514, 612, 820, Au 120*, 424*, 794, Ba 859,
Cap 147, 685, 834, 955, 995*, Ci 236, 240(LLy),
591, Cu 555, Ep 114, 337, Men 813, 869, 900*,
Mer 84*, 621*, Mi 548, 1070*, Mo 423*, Per
496, Poe 771, 1395, 1402*, Ps 375, 696a, 696c,
1291, Ru 196*, St 463, Tri 95, 174, 184*, Tru
761   ferre Ba 787, Ps 598*, 1150, Ru 892,
1407, Tri 975, Tru 579   fieri Men 1059, Tru
747   fungi Mo 48
gaudere Ru 1367*, Tru 922
habere Am 267, 886, As 81, Au 110, 185,
548, Ba 619*, 629, Cap 600, Ci 275, Cu 595*,
Per 280*, Ru 477, 1413, Tri 687, Tru 401*
habitare Men 820*
impetrare Tri 1167   impetrassere Au 687,
Cas 271*   imponere Mo 433   incedere Mi
1256   incendere Cap 844   inire St 514   inferre Ci 72   insanire Men 831, 832, 833*, 958*,
962, 1046   interpretari Ep 552   inuenire Au
816*, Mer 254, Ps 104   interrogare Au 161
inuidere Tru 743   irasci Au 699   iudicare
Mo 1143, Tri 175   iuuare Ba 619(?)
lauare Ru 537   leuare Ep 556   loqui Cap 3,
Cas 89, Mo 955, 1153, Ps 839, Ru 1093, 1126*,
Tru 575   ludificare Per 834
madere Mo 331*   mandare Men 443*   manere Au 680   mentiri Mi 1080, Tru 109   merere Ep 721(Ly), Mi 547*   metuere Am 832*
misereri Ps 378   moderarier Men 443*   morari Cu 352*, Tru 668   mori Am 1017, Ba 519c,
Cas 111, St 640, Tru 742, 926*
narrare Am 748, Mer 842   nocere Mi 1414
nouisse As 345, Cu 342, Ep 580*, Mi 40, Ru
1214, Tri 451   nutare Men 616*
obicere Mi 618, 623   obliuisci Am 1024   obloqui Cu 42   obsecrare Ba 1025   obsequi Tri
230   obtinere St 455   offerre Cap 230*   omittere St 335   opperiri Au 697   orare Am 64,
Ci 639   osculari Mi 390
parcere Men 848   pendere Tri 607   pec-
care Au 738(BentU)   perdere As 420   perire
Ba 490, Ci 501*, Cu 132, Men 1010, Mer 266,
Mi 178, Mo 349, Ru 138   periurare Ci 500,
Ps 1057   persequi As 73   perspicere St 604
pertractare Mer 798   petere Am 24, Men 1056,
Tru 527*, 628*   piscari As 99   placere Mo
167*   poscere Au 160   posse Cas 364*, Ep
480, Mer 342*, 429, Mi 1241, Ps 763*, Ru 542
pote Cap 171   praecipere As 421   praeoptare
Cap 687   praeuortere Au 528   prodire Ba 1007
proloqui Mer 209   promittere Ps 563, St 573
prospectare Mi 597
quaerere Mer 858   queri Am 176
reconciliassere Cap 168   reddere Ba 520,
Per 825   redire Cas 706, St 411   referre Mo
232, Ru 942   renuntiare Au 783   reperire
Au 240, Poe 953   respirare Per 417*   respondere Ci 374
saluere As 593   sapere Ep 258   scire Ba
790, 1160, Cap 297, 969, Cas 243, 287*, Ep 286,
Mer 129, Mo 625, Per 1071, Ps 16, Tru 296
seruare Ci 713   seruire Cap 322   stipulari
Ci 375   stare Vi 66   suasisse As 461   sublinere Mer 631*   sycophantari Tri 787*   sup-

ponere Ci 553   surrupuisse Men 480(*BoRRs*), 813   esse Am 158, 268, 359, 384*, 385, 434, 435, 873, 975*, 999, 1004, 1082, As 68*, 149, 345, 352, 356, 581*, 667, 855, 926, Au 128*, 227, 229, Ba 61*, 283, 398, 556, 791, 822, 998, 1054, 1055, Cap 224, 228, 243, 249, 350, 427, 428, 516, 552, 575, 578, 591, 605*, 627, 957, 1007, Cas 381, 705, Ci 46*, 674*, Cu 625, Ep 501, 567*, 590, Men 147, 251, 559, 720*, 744*, 924, 981, 1026*, 1028, 1040, 1071*, 1077, 1078, 1145*, Mer 80*, 81, 105, 197*, 889, Mi 486, 544, 558, 661, 671, Mo 205*, 1154, Per 213, 270, 286, 349*, 389, 807, Poe 303*, 448*, 687, Ps 240*, 468, 637, 690, 848, 930, 995, 1083, 1319, 1323, Ru 99, 216, 864*, St 489*, Tri 303, 505*, 657, 682, 721, 860, Tru 390*, 464, 472, 587*, 643, 835

tenere Cap 620   transcendere Au 235(*PU*)   ualere Cap 401   uenire Am 658*, 659, Ba 184, Ep 67, Mo 1051*, Per 653, Ru 308, St 654   uendere Per 134   uereri Am 832*   uictitare Mo 54   uidere Am 279, 1036, Au 60, Ba 452, 488*, Ci 653, Mi 273, 299, 338*, 403*, 557, 1135, Mo 608, 905, Ru 167*, 406, St 368   uiuere Ci 85*, Men 461*, Mi 678*, Ru 209   uocare Cas 280, Mo 1005   uelle Am 982*, As 9, Au 246, 686*, Cap 737, Mer 898, Ps 634   uomere Cas 732*   uortere Ep 431

d. *acc. per prolepsin usurpatum:* me *fecit* ut uigilarem Am 297   tu me .. numquam facies quin sim Sosia Am 398(*cf* 399)   Sosia me* ille egomet fecit sibi uti crederem Am 598   di me omnes .. faxint ne ego dem .. sauium Ci 522   sola me ut uiuam facis Ci 645   quin me* ut uideam facis? Mer 895   me mala ut fiam facis Per 382   me Iuppiter faciat ut semper sacruficem nec umquam litem Poe 488   tu facis me quidem ut uiuere nunc uelim Ru 244   me qui sim *nesciam* Am 844   me utri sim (*aduocatus*) nescio Am 1038(*Rgl*)   tu me qualis sim *scis* Au 217   si me *nouisti* minus, genere quo sim gnatus Au 777   ne me *opseruare* possis quid rerum geram Au 54   me nihil *paenitet* ut sim acceptus Ba 1182   me quid rerum hic agitem .. *perferat* Cap 376   tu me *curato* ne sitiam Cu 138   quid tu me curas quid rerum geram? Ru 1068   quo leto *censes* me ut peream potissumum? Mer 483   .. qui *aucupet* me quid agam Mi 995   me ui *cogunt* ut ualidus insaniam Men 877   non potes tu cogere me ut tibi male dicam Mo 892   necessitas me *subigit* ut te rogitem Ps 8   me nemo potest .. ut surgam subigere Ps 808   'parum' *clamitant* me* ut reuortar Ps 1276   non *uides* me ut madide madeam? Ps 1297   uides me ornatus ut sim Ru 573   uiden me* ut ornata incedo Tru 463(*Rs*)   *Cf* Redslob, p. 7 adn.

e. *acc. exclam.:* me miserum, -am Am 1056, Mo 739   heu me miserum, -am Au 721, Mer 624, Mi 1358(*HauptU*)   me infelicem et scelestam Ci 685(*RsS*)   mene, ut ab se petam? St 254

ecce me Ci 283, Ep 680, Mer 132, Mi 663, Per 726, Ru 241   ecce me nullum senem! Cas 305   bene uos, bene nos, bene te, bene me! St 709

f. *acc. post praepp.* **ad:** Am 335, 532, As 231, 714*, 722, 873*, Au 670, Ba 229, Cap 570, 652*, 831, 835, 855, Cas 144, 532, 610, 632, Ci 82, 450*, 527, 566, 635, 648, Cu 22*, 60, 113a, 119, 141, 144, 254, 262, 398, 550, 608, 632, Ep 58, 75, 130, 131, 134, 379, 424, 439, 627*, Men 145, 689, 722, 737, 785, 857, 948, 952, 956, 997, Mer 100, 234, 244*, 248, 496, 555a*, 555b*, 667, 788*, Mi 231*, 491, 520, 912, 1132, 1403, 1437, Mo 233, 461, 566*, 835, 941, 1134, 1162, Per 46, 445, 497, 498*, 513, 605, 678, 764, Poe 346, 637, 671*, 673, 683, 757, 857, 1021, 1276, Poe 346, 637, 671*, 673, 683, 757, 857, 1021, 1276, Ps 312, 757, 867, 966*, 985, 1091, 1136, 1153, 1209, 1233, Ru 242, 482, 601, 847, 1199, 1244, 1422, St 291, 293, 331, 483*, 510, 533, 591, Tri 613, 978, 1065, 1068, Tru 257, 396, 397, 408, 433, 583*, 589*, 593*, 597*, 702, 880, 891*   **aduorsus, -um:** Ba 127, 698, Per 200*, Poe 400   **ante:** As 660   **apud:** As 534, Au 244, 743, 823, Ba 54, 57, 58, 81, Cap 513, 853*, Ci 105, Cu 418, 562, 564, 728, Men 366(*Rs*), Mer 543*, 585, Mi 506, 560, 593, 676, 708, 1345, Mo 238, Per 491, Poe 343*, 762*, 766, 774, 1053, 1365, 1394, Ru 183, 1358, St 415, 487, 515, 516, 628(*R*), 710, Tri 1067, Tru 162, 596, 873   **erga:** Am 1101, As 20, Cap 416, Ci 109*, Ep 391*, Mi 1230, Ps 1020, Tri 1171*   **clam:** Cas 95, Men 611, Poe 1239, Ru 133   **contra:** Per 13 *bis*, Poe 1355*, Ps 156   **in:** Am 184, 324, 742, 788, 885, 890, As 613, 698, 902, 927, Ba 551, Cap 912, Ci 72(?), Cu 108(?), Ep 557*, Men 712, 1008, Mer 617, 998(*U*), Mi 928, Per 343(?), Poe 359, Ru 684, Tru 479, 755   **inter:** As 747, Cap 367, 378, Ps 1093   **per:** Cu 554, Mer 989, Mi 910, 952, Per 376, Ru 1165   **penes:** Au 654, Tri 733, 822(*dub*), 1146   **pone:** Cas 872(?), Cu 487   **post:** Ep 237   **praeter:** Am 400*, 613, Mi 1370, Tri 69   **prope:** Ba 979, 1104, Cu 97b, Per 99, Ru 97, Tri 45   **propter:** Au 225, Ba 435, Cap 702, Men 1144   **secundum:** St 453(*PL*)

g. *post substantiva:* curatiost Mo 34*   tactiost Men 1016

h. *per aposiopesin:* Cu 574, Mer 791, Mo 184, Per 205, Poe 440

i. *vis pronominis augetur per* -met: Am 607, 873, Cap 428, Ci 692

k. *in lacuna:* Cas 983, Ci 422, 476, Fr II. 27

7. *acc.* **nos** a. *post verba:* abducere St 17   accipere Ci 10, Mo 318   addicere Poe 521   adiuuare Ru 305   auferre Ru 356   captare Poe 1033   cognoscere Poe 1324   commendare Per 765   comprimere Ru 1075   conducere Mer 747   conterere Poe 537*   curare Poe 553, 1422   decere Cap 208   deferre Am 701   defrustrari Mo 944   deludere As 711   deridere Ba 1126   deripere Ru 673   detinere Poe 402   differre Ru 368   diiungere As 665   disparare Ru 10   ducere Ba 1205, Poe 526   educare Tri 512   eximere Ru 256   exstinguere Tru 524   exturbare Tri 601, 1084   flagitare Poe 539   habere Cap 22(quasi pilas), Ep 666(ludibrio), Poe 235   immutare Mi 432   impellere Am 1079   inconciliare Ms 613   insectare Cap 593, Poe 528   inuitare Ru 590*   irridere Ep 327   iuuare Cas 417, Per 755 lauare Poe 223 mantare Poe 264 meminisse Tru 220 monere St 7 a nouisse Mi 428, Poe 744 participare St 33 oblectare Poe 1258 opprimere Ru 456 perdere Mi 408*, 429*, Tru 58 perferre Ru 372 perhibere Poe 240 prohibere Cap 493 pudet Cap 203 recipere Ru 696 remorari Mi 920 respicere Ba 638* seruare Cap 259, Ci 664*, Ru 276 tenere Poe 317, Ru 665 tollere Mo 330 uelle Poe 743 (*RRg*), St 496 uocare Poe 1233

b. *duo accus.:* facere delirantis Am 789 compotes Cap 217 certiores Cu 631* participes Ep 266 hilaros St 739 tuas Poe 1218 socias sumere St 101 patronos uocare As 652 ouis uocare Ba 1122 odiosas haberi Au 123 habere exercitos Mi Fr (*ex Fulg de abst serm XX*)

c. *subiectum infin.:* abire Ru 249 abuti Ba 360 aduenire Am 799 agere Poe 1254, Ru 273, Tru 237 bibere St 720(*loc dub*) comburere Au 361 complecti Poe 1260* conari Cap 62 coquere Au 431, 435 defraudare As 365 *bis* dicere Ep 261, Men 656 dare As 735 ebibere St 720(*RRgU*) exorare Cap 210 facere Ba 702, Poe 1202, Ru 1002, St 6 ferre As 732 frequentare Ci 8 (?) fugitare As 485 habere St 97* habitare Tri 1079 hortari Poe 674 indigere Ci 31 inire Ci 8(*Ly*) inspicere Poe 595 lauare Am 1102* ludere St 701 magnificare St 101* meminisse Poe 557*, St 46 (*RU*) miserere Tru 223 moriri Ru 675* neglegere Tri 498 obsidere Ru 698 opitulari Cas 263 pati Ps 202(*HermR*), St 69, Tru 222* posse Mi 230 potesse Ci 30 redire Am 664, Mer 746 seruire Poe 810 solere Ci 36 esse As 238, 363, 650, Ci 29*, Poe 520, 1004, 1186, 1207, Ps 714, St 98, Tru 238 supplicari Ba 904* uelle Poe 800 uidere Mi 1217 uortere Cap 259

d. *per prolepsin:* Ru 293(?)

e. *acc. exclamationis:* bene nos St 709* ecce nos Mi 611

f. *post praepp.* **ad:** Am 256*, As 524, Au 330, 334, Cas 579, 597, Men 543, 1127, Mi 523, 590, 933, 1069, 1177*, 1267, 1282*, Poe 652, 1181, Ps 244, 650, Ru 880, Tri 1151, Tru 97, 100 (*Rs*), 112, 113 c*, 249, 718(*Rs*) **aduorsum:** St 68 **apud:** As 156, 220, Au 83, 342, 357, Ba 82, Cap 312, Cas 650, Ci 503, Men 303, Mer 1008, Mi 175, 281, 378, 1156, 1197, Mo 1129, Poe 843, St 536, 663, Ru 724, Tru 300, 693, 727, 749* **clam:** Tru 57 **in:** As 155, Ru 670, St 44*, Tru 157* **inter:** Cap 402, Cu 205, Mer 536 a, Mo 304, Poe 440, Ps 544, 1000, St 689, 702, Tri 699, Tru 381, 420 **per:** Mer 1020 **penes:** Poe 1241 **pone:** Poe 611 **praeter:** Am 855, St 103, 688 **prope:** St 330 **supra:** Per 819

g. *post subst.:* tactiost Au 423

h. *vis pronominis augetur per* -met: As 485 (?)

8. *abl.* **me a.** *sep. vel originis:* manum abstinere Per 11, Ru 425 grauida est Am 879 dignum est Per 681 opust aduocato Am 1038*

b. quid fuat me Mi 299*, Poe 1085 quid me fiet? Mo 1166 quid me futurumst Tru 417 quid uolt me facere* Mi 1274 diui me

faciant quod uolunt Mo 222 (*acc.*?) me face quid tibi lubet Per 399* me faciat quod uolt Au 776*

c. *comparativus:* alter As 492(aeque?) audacior Am 153, Ps 541 diuitior Au 809 fortunatior Ru 1191 fortior As 557 improbior Tri 692 insipientior Tri 929 magis Au 810 miserior Am 1046, 1060*, Cap 540, Mer 335, 700, Ru 520, 1281 misericordior Ru 281 Poenior Poe 991

adaeque miser Cas 684 aeque fortunatus Cu 141

d. *abl. abs.:* absente Am 811, Fr XVI(*ex Non* 182), Au 98*, 428, Ci 108, Ep 62, Men 492, 628 (abs. me), Mi 866(*L*), Mo 1016, St 525, Tri 167, Tru 383(*A* abs. me *P*) adiutrice Tri 13 auctore St 602 insciente Tri 167 inuito, -ta Am 663, Au 744, 756, Cap 739, Ru 712*(in. me) lubente Am 848, Cu 665, Men 272, St 474(lu. me), Tru 361 *bis* praesente Am 749, Ba 483, Cu 712, 714, Mo 1164, Poe 368 puero Fr I. 24 sciente Mi 559 uiuo Ba 419, Cas 409, Mo 230, St 132 suasore atque impulsore Mo 916 impulsore aut inlice Per 597(*A* suasu atque impulsu meo *PL*)

e. *post praepp.* **a (ab):** Am 327, 340, 580, 606, 639*, 857, 1032, As 59, 154, 700, Au 20, 193, 205, 571, 832, Ba 73*, 372, 758, 1030, 1176, Cap 415, 517, 551, 607, 872, 898, 948, Cas 311, 394, 641, Ci 7, 12, 139, 140, 146, Cu 51, 165(*Ly*), 201, 249, 261, 405, 542, 704, Ep 78, 359*, 607, 673*, Men 290, 833, 982*, 1044*, 1045, Mer 379*, Mi 561, 773, 957, Mo 140*, 155*, 361, 436, 716, 845*, 1170, Per 39*, 492, 766, Poe 364, 689, Ps 95, 128*, 486*, 500, 504, 509, 511, 647, 735, 902, 983, 1055, 1088*, 1123, 1155, 1194*, 1224, Ru 286, 437, 518, 861, 968, 1100, 1190, 1283, St 647, Tri 182, 537, 538*, 838*, 969, 1144, 1146, Tru 863*, 958*, Fr I. 35 **a** me nuntius Ba 528 **absque:** Per 836 **cum:** Am 202, 735 *bis*, 804, 818, 850, 854, 968, As 171, 173, 270, 281, 283, 332*, 662, 686, 830, Au 202, 379, 449 *bis*, 458, 631, 682, 694, 698, Ba 385, 527, 1175, 1178, 1181, 1185, Cap 991, 1022*, Cas 75, 97, 109, 251, 281, 324, 555, 556, 755, Ci 92, 134, 221, 241, 243, 646, Cu 139, 688, Ep 41, 77, 178, 332*, 362, 676, Men 323, 369, 405, 494, 711, 1075, 1085, Mer 102, 530, 531, 533*, 536a, 536 b*, 625, 689, 872, 942, Mi 125, 234, 425, 677, 697, 714, 1318, 1320, 1375, Mo 100, 653, 897, 1017, 1037, 1121, Per 30*, 321(*A*), Poe 47, 312, 343, 605, 958, 1165, 1243, 1344, 1359, 1396*, 1402, Ps 549*, 908, 1123, 1147, 1151*, 1327, Ru 201a, 288, 719, 733, 760, 771, 857, 1210, St 64, 249*, 333, 418, 519, 732, 733, Tri 190, 438*, 569, 580, 710, 834, Tru 114, 362, 688*, 706, 846, 948, 958(*cf L*), Fr II. 60* **cum me** Poe 1396(*Ly*) **de:** Am 637, As 148, 160, Ba 383, Cap 745, 933, Cas 224, Ci 204, Men 479*, 1067, Mi 585, 993, Mo 214, 1026, Poe 1206, Ps 85, 1221*, Tri 856, Tru 454 **ex:** Am 524, 710*, 816 Au 77, Ba 841, 911, Cap 619, 779*, Ci 651, Ep 696, Men 558, 677, Mi 246, 651, 654*, 1265, Mo 745, Per 218, Poe 887, Ps 492, Tri 538*, Tru 554 **in:** Am 265(*acc.*?), 266(*acc.*?), As 659(*acc.*?), Poe 300, Ps 71 **pro:** Cap 437,

939, Cas 952*, Ci 507, Mo 244, Ps 232 **sine:** Cas 143*, Ep 679, Per 763

9. abl. nobis a. *abl. abs.:* nec nobis praesente(*Non* 76 *et Ly* praeter me *Pψ*[med]) alius quisquamst seruos Sosia Am 400

b. *cum praepp.* **a** (ab): Cap 206 a, Cas 830, 861, Ci 658, Mer 699, 894*, Mi 339, 524, Ps 617, Tri 513, Tru 160 **cum:** Am 951, Mo 1159, Poe 601, 655 **de:** As 311, 482

EGREDIOR - - I. **Forma egredior** Au 79(-iar *D*) **egredere** Mo 419 **egreditur** Cas 163, 536(*om J*), Cu 466, Men 349(*B min D*³ creditur *P*), Mi 540, 986(-ietur *B*), 987, 1215, Per 301, 404, Poe 613, Ps 132, Ru 79, 334, Tru 852(greg t *B*), Vi 117(*e Non* 332) **egrediuntur** Poe 576, 960, Ps 1032, Ru 663 **egredere**(*imperat.*) Cu 158, Mo 3, Poe 709, St 738 **egredier** Poe 742(*B* -ietur *CD* -iri *BriL*) **egredienti** Poe 614 **egressus** Ep 380, Men 401 **egressa** Am 1079(egessa *BD*), Mer 821, Mi 1010, Tru 858 a(*v. add L solus*) **egressum** (*acc. masc.*) Ru 1201 *corrupta:* Cas 796, egreditur *E pro* progreditur Men 617, egredeam *P pro* ego redeam Mi 747, egressi *P pro* aegrest(*A*)

II. **Significatio** 1. *absolute:* quid tu egredere? Mo 419 eccum egreditur* senati columen Cas 536 eccum egreditur Mi 540 illic homost qui egreditur lenost Poe 613 euge opportune egrediuntur Milphio una et uilicus Poe 576 placide egredere Cu 158 heus tu, . . egredere ocius Poe 709 nondum egressum esse eum id miror tamen Ru 1201 iam nunc ego illic egredienti sanguinem exsugam procul Poe 614

2. *cum abl. sep.:* nunc defaecato demum animo egredior* domo Au 79 uxor uirum si clam domo egressast foras . . Mer 821

3. *cum praepp.* **abs, e** (ex): abs te Ep 380 (*infra* 4 *sub* intus) egredere . . ex aedibus Mo 3 foras e fano egreditur Ru 334 **ad:** ad amores tuos foras egredere St 738 **clam:** Mer 821(*supra* 2)

4. *cum adverbiis loci* **hinc:** uideamus qui hinc egreditur* Men 349 haec celox . . quae hinc egreditur* Mi 986 ancillula . . quae hinc egreditur foras Mi 987 hos percontabor qui hinc egrediuntur foras Poe 960 **huc:** Cas 536 (*add Rs*) inde huc sum egressus Men 401 ipsae huc egrediuntur timidae e fano(*ZLU Ly* aefandae *PS̄†* aliter Rs*) Ru 663 egressa huc sum foras Tru 858(*L solus*) **inde:** Men 401(*sub* huc)

foras: quid tu foras egressa*'s ? Am 1079 eapse eccam εgreditur foras Cas 163 hic egreditur foras Cu 466 Mer 821(*supra* 2), Mi 987(*supra* 4) foras sum egressa Mi 1010 eccam ipsam egreditur foras Mi 1215 quisnam egreditur foras? Per 404 foras egredier* uideo lenonem Lycum Poe 742 Poe 960(*supra sub* hinc) nimium tarde egrediuntur foras Ps 1032 seruos illic . . egreditur foras Ru 79 Ru 334(*supra* 3), St 738(*supra* 3) nimium pol opportune eapse eccam egreditur* foras Tru 852 sed leno egreditur foras Vi 117(*ex Non* 332)

intus: abs te sum egressus intus Ep 380 eccere autem . . egreditur intus Per 301 atque ipse egreditur intus Ps 132

5. *app. adverbia modi:* clam Mer 821 ocius Poe 709 opportune Poe 576, Tru 852 placide Cu 158 tarde Ps 1032

EGREGIUS - - As 856, egregium *U* frugi *PS̄† Ly* var em ψ

EGURGITO - - ego . . qui argentum **egurgitem** (*P . . .* te *A*) domo prosus? Ep 582

EHEM - - *cf* Richter, p. 425; ehem *nunquam apud Plautum ante vocativos apparet ut saepe apud Terentium, sed semper enuntiatis praecedit excepto* As 449. *De prosodia cf etiam* Richter, p. 432

1. ῾ehem *eius est qui alterum salutat vel gaudere se significat quod alter sibi de improviso occurrat':* ehem(*C* ehm *B* echem *D*) te quaero: salue, uir lepidissume Mi 1382 ehem (hem *FZRU*) te hercle ego circumspectabam Ps 912 ehem optume edepol eccum clauator aduenit Ru 804 ehem optume: quam dudum tu aduenisti? As 449 *similiter:* ehem(ehen *D*) adnuistin? nemo meliores dabit St 224

2. ehem *eorum est* ῾quibus cogitantibus redit res; accipiunt eam cum laeta exclamatione':* ehem paene oblitus sum relicuom dicere Poe 118(*v. secl Weis Rgl§*) ehem(*A* hem *CDR* em *B U*) scio iam quid uis dicere Mi 36 ehem uix tandem percepi Mo 727 *similiter:* ehem quanti istuc unum me coquinare perdoces? Ps 874

3. ῾eius est qui aliquid ita ut voluit evenire videt simulque gaudet':* peperit puerum nimium lepidum. #Ehem ecquid(*Mue* ehecquit *B* haec quid *C* ecquid *D*) mei similest? Tru 505

EHEU - - *dolentis et querentis est. De structura et prosodia cf* Richter, p. 438

1. *absolute:* nunc habe bonum animum. #Eheu! Cap 152 eheu! #Eheu!(*R* heu *P*)? id quidem hercle ne parsis. dabo. #Miser sum . . . #Eheu! #Neque intus nummus ullus est. #Eheu! #Ille abducturus est . . . #Eheu Ps 79-82

2. *praecedit enuntiatis vel interrogationibus exclamativis:* eheu(*Grut* heu *P* heu heu *AcR*), nequeo quin fleam Mi 1342 eheu(*LLy* haeum *PS̄†* var em ψ) quom uenit mihi in mentem Mi 1358 eheu(*Bo* he heu *P* heu heu *FZR*) quam ego malis perdidi modis . . Ps 259 eheu, quam (quom *LuchsRg*) illae rei ego etiam nunc sum paruolus Ps 183 eheu, redactus sum usque ad unam hanc tuniculam Ru 549 eheu, scelestus galeam in naui perdidi Ru 801 eheu, ubi usus nihil erat dicto . . dicebat Tri 503 eheu, quom ego plus minusue feci Cap 995 eheu(*BC* dedeu *D*), quom ego habui hariolos Poe 791 eheu, Palaestra atque Ampelisca, ubi estis nunc? Ru 512 eheu, quis uiuit me mortalis miserior? Ru 520

3. *corruptum:* Ru 821, eheu *P* eu *FlU et* Richter heu *Zψ*

EHO - - *de forma, structura, prosodia cf* Richter, p. 440; Hirth, p. 15

I. **Forma** *pro* eho *invenimus* eo *in A* Ep 567 *in P* As 432 *B*¹, Ci 602 *B*¹*VE*, Ep 506 *E*,

Mer 393 *B*, Mi 301 *B¹*, 821 *B*, 976 *BC*, Mo 454 *B¹CD*, Per 406 *P*(eho *AcRU* oh *Aψ*), Poe 313 *D¹*, Tri 934 *P*, 942 *B*, 943 *P*, Tru 477 *B*(o *CD*); ehc Ci 68 *E¹*; ehe Ep 506 *J*; eoh Mi 825 *B*, Ps 305 *CD*   Mer 189, hoc *B pro* eho tu quin

Cas 936, eho *add Rs*   Mer 950, eho tu quin tu *R* eloqueni *PS† var em ψ*   Mi 415, eho *BoRRgU² pro* o; *ib.*, eho *BoRRgU pro* o (os *B¹*)   Per 610, fac *R pro* eho   Poe 1128, auo *U pro* eho   Ps 314, eho *om R*   Ru 946 eho modo *PS† secl U* homo *Rs* eho mane dum *L corruptum:* Ep 496, ehodum *B² pro* fando

II. Significatio 1. *ante vocativos* (*cf* Ferger, p. 33) **a.** *pronominis α. sequente enuntiato interrogativo vel pronuntiativo:* eho* tu, quam uos igitur filiam nunc quaeritatis alteram? Ci 602   eho tu(*R* eon *BC* eonti *D*) aduenit (an uenit *RgL*) Ephesum mater eius? Mi 976 eho tu, uin tu facinus facere? Poe 308   eho* tu, quid ais? Poe 313   eho tu, qua facie fuit? Ps 1217   eho tu, tua uxor quid agit? Tri 55 *iteratum:* eho tu, eho* tu, quin cauisti? Mer 189   eho* tu, quin tu somnias? Mer 950(*R*) Ru 947, tu *ins Richter: vide infra* 2. b

secundum Richterum, p. 446, eho *indicat varios animi affectus: mirantis est, irati et aliquid obiectantis, deridentis, interrogantis modo, mirantis, desperantis, monentis, aeque etiam expergefacientis*

β. sequente altero vocativo: eho **tu**, scelus (*add RRg in lac*) loquitatusne es? Ba 803 eho(oh *add E*) tu, nihili, cana culex, uix teneor . . Cas 239   eho* tu, sceleste, qui illi suppromu's: eho Mi 825

b. *nominis proprii:* eho Messenio, accede huc Men 432   Palaestrio, eho* Palaestrio! #Eho* Sceledre Mi 415(*RRgU*)   eho Pseudole, ei gladium adfer Ps 348   eho Crocotium, i . . arcessito St 150   eho* Pithecium(*Gronov duce Ca* eopi hecum *B* opihetium *C* optetium *D*), face Tru 477   Ep 567(*vide infra* 2. b)

c. *ante alios vocativos:* eho senex minumi preti, ne adtigas Ba 444   eho* lutum lenonium . . . Per 406(*AldRU*)   *De* Mer 393, Mo 843, Per 610 *vide infra* 2 *et* 3

2. *ante enuntiata* **a.** *interrogativa α. nulla addita particula:* eho (an *add RU*) mauis uituperarier falso quam uero extolli? Mo 177

β. addita part. interr. **an:** eho an inuenisti Bacchidem? Ba 199   eho* an amare occipere amarumst? Ci 68   eho an libera illast (*A* eho [*B* ehe *J* eo *E*] ani *cum lac P*)? Ep 506   eho* an uidisti, pater? Mer 393   eho* an non domist? Mi 301   eho* an dormit Sceledrus intus? Mi 821   eho an umquam prompsit antehac? Mi 840 Mo 177(*RU: supra α*)   eho* an tu tetigisti has aedis? Mo 454   eho* an negauit sibi datum argentum? Mo 1083   eho an iam manu emisisti mulierem? Per 483 eho an(ehon *CD*) iratast? Poe 334   eho an huius sunt illaec filiae Poe 1136   eho* an paenitet te? Ps 305   eho an iam mortuost? Ps 309   eho* an umquam tu huius nupsisti patri? Ps 314 eho an etiam es ueneficus? Ps 872   eho an (*om A*) non prius salutas? Ps 968   eho an te paenitet? Ru 578   eho an(ehon *P*) audiuisti?

St 245   eho* an etiam Arabiast in Ponto? Tri 934   eho* an etiam in caelum escendisti? Tri 942   eho* an tu etiam uidisti Iouem? Tri 943   eho, quaeso, an tu is es? Tri 986 **ne:** eho nouistin tu illunc? Poe 1120 **num:** Cas 936, eho *add Rs*

γ. sequitur pron. interr.: eho ecquis(*Coriscus FlRgl †S*) pro uectura oliui resoluit? As 432 eho quis igitur uocare? Mi 435   eho amabo quid illo nunc properas? Poe 263   eho . . . quid mercedis petasus . . demeret? Ps 1185 *De* Ba 1149, Cap 623 *vide infra*

b. *imperativa:* eho amabo dic(*SeyRg om Pψ †S*). #Quo illaec abeunt? Ba 1149   eho dic mihi, quis illic igitur est? Cap 623   eho* istinc, Canthara, iube Telestidem huc prodire Ep 567   eho istum, puere, circumduce hasce aedis Mo 843   eho* mirari noli . . Poe 1128 eho mane dum(*L* eho modo *PS† secl U* homo *Rg*) Ru 947

3. *add.* **dum:** eho* dum huc, uirgo Per 610 (*vide R*)   *Vide* Mi 825(*supra* 1. a. *β*), *ubi* uigila *vel simile quid subauditur*

EI - - *de forma, structura grammaticali et metrica cf* Richter, p. 460

I. Forma *pro* ei *invenimus* hei Ep 714 *B sed pro imperativo habent Richter LLyRg²S* i *Ly* Ba 411, 1116, 1174   Men 303, 832, St 388 *FZR*   Cas 848 *V*

variae lectiones: Am 1109, uae *LachRgl*   Ci 240, ei *A ut vid LLy* et *Rs*   Ep 57, ei *add Rg¹ male Rg²*   Mer 661, ei *RgU* hei *R pro* heu Mi 1358, ei mihi *Rg duce Bo* haeum *PS† var em ψ*; 1429, ei *AB* et *CD* hei *R*   Mo 543, ei *Taubmann* et *P*; 549 a, ei *D³* det *B¹* et *CD¹* ue *B²*; 962, et *P* oiei *U*   Per 740, ei *A* et *P*; 846, ei *om D¹*   Tru 741, ei, meane *L duce Bri* ime me *B* imę *C* ime *DS†* mihi mihine *Rs* meane *BriU*

corrupta: Au 220, ei *J pro* heia   Ci 623, hei *B² pro* i   Mo 981, ei *B² pro* heu

II. Significatio *perterriti ac metuentis vel dolentis querentisque vel indignantis est: aliquando corporis dolorem significat; usurpatur* 1. *absolute:* ei! #Quid est? #Me miserum: occidi Mo 739

2. *ante enuntiata vel exclam. vel pronuntia. vel interr.:* ei! perii miser Am 668, Mer 986, St 388* ei! disperii Mer 599   ei! occidi(-dis *WeisRg¹*) Au 150   ei (*PRS†* ei ei *GrutLy* ei mihi *Caψ*)! occidi Mo 962   ei! perdis Mo 979   ei*! me perdidit Ep 57(*Rg¹*)   ei*! Persa me pessum dedit Per 740   ei! colapho me icit Per 846   ei! natis peruellit Per 847 ei*! quam timeo miser Mo 543

cum infin.: ei! me totam acerba facere in corde! Ci 240(*LLy*)

ei! non placet conuiuium Am 805   ei*! non illuc temerest Ep 714(?)

ei (mihi *add PyRgl*)! numnam ego obolui? Am 321   ei*! meane ut inimici mei bona istic caedent? Tru 741(*L*)

3. *seq. pron.* **mihi a.** *absolute:* Am 321 (*PyRgl: vide supra* 2)   ei* mihi Am 1109, Mi 1429*

b. *seq. enuntiata exclamativa vel interrogativa causalia:* ei mihi! perii hercle Au 391   **ei**

mihi! quod facinus ex te ego audio! Au 796
ei* mihi! disperii Ba 1116, Mo 1030 ei*
mihi! metuo Ba 1174 ei* mihi! insanire me
aiunt Men 831 ei mihi! quom(quam *CaLU*)
. . madeo metu Mo 395 ei* mihi(*add Ca
RRsL*)! occidi Mo 962 ei mihi! bene disperii
St 753(*aliter Rg*)

ei mihi! iam tu quoque huius adiuuas insaniam? Au 798 Au 796(? *vide supra*) ei*
mihi! quom nihil est . . Men 303 ei* mihi
(*Rg duce Bo*)! quom uenit in mentem . . Mi
1358 Mo 305(*vide supra*)

c. *iteratum:* ei* mihi, ei* mihi! istaec illum
perdit assentatio Ba 411

d. *add.* misero (*de collocatione cf* Kellerhoff, p. 76) α. Am 726(ei *FlL pro* uae) uxorem ante aedis eccam: ei misero mihi! Cas
574 ei misero mihi! aurum mihi intus harpagatumst Au 200 ei misero mihi: cur eum
habet Cas 661 ei* misero mihi! pectus mihi
icit Cas 849 ei* misero mihi! si ille abierit
. . Men 661 ei* misero mihi! etiam fatetur . . ?
Mo 549 a

β. ei mihi misero! sauium speculo dedit Mo 265

EIA - - *de forma, structura grammaticali et
metrica cf* Richter, p. 538

I. **Forma** *Richter* heia *semper scribi vult,
editores et codices inter se differunt*

eia: Cap 963(heia *Ly*), Ep 262, Mer 950
(eloqueni *P𝕊† L†* eho tu quin tu *R* eia quae
mihi *URgLy*[heia]), Ru 169(eia *add Rs* unda
GuyL in lac), Tru 509(*Rs* ere *P𝕊†* heia *L* loquere *SeyU*) 521(eia *CaRsU* heia *L* cela *P𝕊†*)

heia: Am 901(eia *J*), As 744(eia *J*), Au
153(eia *J*), 220(ei *J*), Ba 76(*Pω*), 408(*𝕊LLy*
eia *Pψ*), 620(*𝕊LLy* eiia *B¹* heiia *Ly* eia
B²CD), Cap 963(*Ly* eia *Pψ*), Cas 230(*BV* eia
EJ), Ci 42(*BV* eia *EJ*), Men 381(*𝕊RsLLy* hia
P eia *ZU*), Mer 998(*Z* hia *CD* huc *B* in me
U), Mi 1141(*APω*), Mo 741(*A* eia *BD* etia *C*
etiam *U* v. secl *Rs trans* ψ), Per 212(*Pω*), *ib.*
(*LachR pro* beia), 360(*Rs* fiat *B𝕊† LULy* ne fiat
R), Poe 572(*P* eia *A ut vid et U*), Ps 275(*APω*),
Ru 339(*Dω* hela *BC*), 422(*BC* eia *D*), Tru 194
(*APω*), 371(*A ad P*)

II. **Collocatio** *in capite enuntiati ponitur*

III. **Significatio** 1. *improbantis atque monentis est* a. *absolute:* heia! #Attat, cesso . .
Cas 723 non sum dignu3 . . . #Heia uero
Mi 1141 heia! #Beia! Per 212 meo modo
istuc potius fiet. #Heia*! Per 360

b. *praecedit imperativis:* heia! bene dicite
As 744 heia! hoc face Au 153 heia! bonum
habe animum Ba 630 eia uero! age dic Ep
262 heia*, mastigia! ad me redi Mo 741
(*v. secl Rs trans* ψ)

c. *praecedit enun. pronunt.:* heia*, Megadore!
haud decorum facinus . . facis Au 220 heia!
hoc agere meliust Ba 76 heia, Lyde! leniter
qui saeuiunt sapiunt magis Ba 408 eia!
credo ego imperito . . minitaris Cap 963 heia,
mea Iuno! non decet . . . Cas 230 heia! haec
quidem ecastor cottidie uiro nubit Ci 42 heia*!
delicias facis Men 381 heia*! superbe inuehere Mer 998 heia! hau uostrumst iracundos
esse Poe 572 heia! scimus nos quidem te
qualis sis Ps 275 eia*! eiecit alteram Ru 169

(*Rs improbante Richtero*) heia* uero! quasi
non sit intus Ru 339 heia! haud itast res
Tru 194 heia*! nudius quintus natus ille
quidemst Tru 509(*RsL*) heia*! haud ab re
. . tibi obuenit istic labos Tru 521

d. *praecedit enunt. exclam.:* eia*! quae mihi
somnias! Mer 950(*URgLy*)

2. *gaudentis est:* heia! corpus quoius modi!
Ru 422 heia*! hoc est melle dulci dulcius Tru
371 heia autem inimicos? Am 901

3. *vis particulae augetur per:* autem Am 901
uero Ep 262, Mi 1141, Ru 339

EICIO - - I. **Forma** eicis As 161 eicitur
Tru 558(*LLy* neititur *P𝕊†* uehitur *RsU*) ei-
ciam Tru 659(*D* iecia *B* ieciam *C*) eiciar
Mi 845(*FZ* -ia *P*) eieci Per 782 *bis* eiecit
As 632(*FlRglL* delegit *P𝕊* deiecit *U*), Ru 169
(v. om *U*), 171(*v. secl SonnenscheinL*) eicite
Cas 23(*B* dicite *V* diicite *E* ducite *J*) eici
As 127 eiecta(*nom. fem.*) Ru *Arg* 5 eiectam
Ru 187 b eiecti Ru 73(*Z* lecti *P*), 155(*ex
Prisc* II. 109 electi *P*) eiectae Ru 272(eieo-
tae *C*) eiectas Ru 409, 562(*A* iectas *P*)
corrupta: Cu 295, eiciam *J* extiam *BV* exciam
E𝕊† L var em ψ Mi 910, eieceretur *B* ceretur
CD eiceretur 𝕊† *var em* ψ Tru 476, eiectam
P pro stactam(*Ca*)

II. **Significatio** 1. *proprie:* a. sicine hoc
fit? foras aedibus me eici? As 127 med ut
meritus sum non tractas atque eicis domo As
161 hinc med amantem ex aedibus eiecit*
huius mater As 632 post e(*add R om P
A n. l.*) sagina ego eiciar* cellaria Mi 845
domi quidquid habet eicitur* ἔξω Tru 558
istos mundulos amasios . . omnis eiciam* foras
Tru 659 uehiclum argenti miser eieci . .
neque quam ob rem eieci habeo Per 782(*cf*
Graupner, p. 22)

b. *de naufragio:* ea in clientelam . . naufragio eiecta deuenit Ru *Arg* 5 ambo in
saxo . . simul sedent eiecti* Ru 73 eiecti*
ut natant! Ru 155(*Prisc* II. 109) *(eia *add
Rs* unda *GuyL*) eiecit alternm Ru 169(*v. secl U*)
uiden alterum illam ut fluctus eiecit foras?
Ru 171(*v. secl SonnenscheinL*) me hoc ornatu
ornatam in incertas regiones timidam eiectam?
Ru 187 b quaene eiectae* e mari simus ambae . .
Ru 272 timidas egentis uuidas eiectas exanimatas accepit ad se Ru 409 se iactatas atque
eiectas* hodie esse aiunt e mari Ru 562

2. *translate:* eicite* ex animo curam atque
alienum aes Cas 23

3. *additur abl. sep.:* aedibus As 127 domo
As 161 *praep.:* ex aedibus As 632* ex animo
Cas 23 e sagina Mi 845* e mari Ru 272,
562 in incertas regiones Ru 187 b *adv.:*
foras As 127, Ru 171, Tru 659 ἔξω Tru 558*

EIECTO - - Mer 224, eiectaret *CD pro*
electaret

EIULATIO - - eiulatione haud opus est
Cap 201

EIULO - - cur eiulas(*B²* ei uias *B¹DE* curre
i uias *J*)? Au 796 quid eiulas(*CD* quod
uolebas *B*)? Mer 682 infit ibi postulare,
plorans, eiulans Au 318 homo hic ante aedis
nostras eiulans conqueritur maerens Au 727

EIURO - - exiurauisti te mihi dixe per

iocum A<small>M</small> *fr* XI(*ex Non* 105)   **eiurauit** militiam F<small>R</small> II. 11(*ex Paulo* 77 eierauit *Ly*)

ELABOR - - quid quom manufesto tenetur?
#Anguillast: **elabitur** Ps 747 sperauimiser..:
ea spes **elapsast**(eabsa est B) C<small>AP</small> 759

ELATIA - - uel ut hinc in **Elatiam** hodie
eat secum semul B<small>A</small> 591   *Cf* Goerbig, p. 34;
Koenig, p. 3

ELAVO - - I. **Forma elaui** As 135(celaui *J*),
R<small>U</small> 579(delaui *CD*), 1307(*PiusLU* et alii *P* pecu
alui *Rs*)   **elauisse** R<small>U</small> 537(*FlLU* lauisse *Pψ*)
elauta P<small>OE</small> 232(quae e . . *CaRgl* qua clauata
est *P* quae lauata *D⁴U* quae lauta *Pyψ*)
elotum T<small>RI</small> 406(*PSL* elutum *Aψ*)   **elautae**
(*nom. pl.*) R<small>U</small> 699(*Ca* lautae *A ut vid S* . . . aut
hae [ae *CD*] *P*)
   II. **Significatio** 1. *proprie:* quae elautast*
nisi percultast . . quasi inluta est P<small>OE</small> 232
iure optumo me elauisse* arbitror R<small>U</small> 537
elautae* ambae sumus opera Neptuni noctu
R<small>U</small> 699
   2. *translate de bonorum amissione:* uos mare
acerrumum: nam in mari repperi, hic elaui*
bonis As 135(*cf* Egli, I. p. 24)   eho an te
paenitet in mari quod elaui* ni hic in terra
iterum eluam? R<small>U</small> 579(*cf* Kampmann, *In
Rudentem*, p. 35)   hac proxuma nocte in
mari elaui* R<small>U</small> 1307   *similiter:* (argentum)
comessum, expotum, exunctum, elotum* in balineis Tri 406

ELECEBRA - - ita sunt hic meretrices:
omnes **elecebrae**(-re *B¹D* -rę *C*) argentariae
M<small>EN</small> 377

ELECTILIS - - uino et uictu piscatu probo
electili uitam ✶ colitis Mo 730

ELECTO - - ibo aduorsum atque **electabo**
quidquid est As 295 . . ne te opprimeret inprudentem atque **electaret**(*B* eiectaret *CD*)
M<small>ER</small> 224   *Cf* Dousa, p. 369

ELECTRUS - - Alcumena . . **Electri** filia
A<small>M</small> 99(*v. om J*)   *Cf* König, p. 12

ELEGANS - - amor . . cuppes, auarus (*om U*),
elegans(*ACD* eligans *B* au. el. *om Herm RRs*),
despoliator T<small>RI</small> 239 b   *Vide* Cu 424, *ubi* eligantum *Non* 290 *pro* elephantum

ELEGANTIA - - 1. amorem haec cuncta
uitia sectari solent: cura aegritudo nimiaque
elegantia(ael. *B*) M<small>ER</small> 19   eius elegantia
(flagrantia B) meam . . speciem spernat M<small>I</small> 1235
   2. neque pol . . . quisquam sine grandi
malo . . studuit **elegantiae**(ael. *B*) M<small>ER</small> 23

ELEGIUM - - impleantur **elegeorum**(*PSLLy*
-gi- *D³ψ*) meae fores carbonibus M<small>ER</small> 409(*Bo*
m. f. c. e. *P*)

ELEPHANTUS - - 1. perque os **elephanti**
(*B²* -te *P*) transmineret bracchium M<small>I</small> 30
erus meus elephanti corio circumtentust non
suo M<small>I</small> 235(*cf* Egli, II. p. 70)
   2. uel **elephanto** (*AB²D³* uellep. *P*) in
India . . pugno praefregisti bracchium M<small>I</small> 25
   3. clypeatus **elephantum**(eligantum *Non* 290)
. . machaera dissicit Cu 424   . . solere elephantum grauidam perpetuos decem esse annos
S<small>T</small> 168(*cf* Egli, I. p. 23; Wortmann, p. 34)
uidi equidem elephantum Indum domitum(*Rs*
exinem intum domito *P var em* ψ) fieri T<small>RU</small>
319

ELEUSIUM - - *tibicina.* A<small>U</small> 333(*DEJ* -sum *B*)
Cf Schmidt, p. 187

ELEUTHERIA - - basilice agito **eleutheria**
P<small>ER</small> 29 a   hunc diem unum ex his multis
miseriis uolo me eleutheria(*A* -am *P*) capere
aduenientem domum S<small>T</small> 422

ELICIO - - lacrimas haec mihi quom uideo
eliciunt T<small>RI</small> 290   . . ut eum ex lutulento
caeno propere hinc **eliciat** foras B<small>A</small> 384   quid
perierant dum **eliciant** pretia(*Rs* perierandum
est etiam praeter *PS†L aliter* ψ) T<small>RU</small> 30

ELIDO - - **eclidito** (*S* exl. *RRg* sex cliidito
B excludito *CDLLy* exsculpito *LambU*) mihi
hercle oculum si dedero Ps 510   iube oculos
elidere itidem ut sepiis faciunt coqui R<small>U</small> 659
hic senex talos **elidi** iussit conseruis meis
M<small>I</small> 167   *corruptum:* P<small>OE</small> 494, elidam *P pro*
dilidam(*A*)

ELIGO - - nequiquam hos procos mihi **elegi**
loripedes, tardissumos P<small>OE</small> 510   quin si unum
odium obsidiator aliud perfugium **elegerit**(*L*
gerit *PS* tegit *Rs* paret *MueU*) T<small>RU</small> 870   optuma nulla potest **eligi** A<small>U</small> 139   *corrupta:* R<small>U</small>
73, electi *B pro* eiecti; 155, electi *P pro* eiecti;
934, elego *P pro* ei ego(*Z*)   T<small>RU</small> 54, aut
electus(*B* lectus *CD*) laptiles *P var em* ω

ELINGUO - - ego te . . **elinguandam** dedero
usque ab radicibus A<small>U</small> 250   *Cf* Inowraclawer,
p. 57

ELIXUS - - **elixus** esse quam assus soleo
suauior Mo 1115   assum apud te eccum.
#At ego elixus sis uolo P<small>OE</small> 279

ELLEBOROSUS - - senex hic **elleborosus**
(*A* cerebrosus *P*) est certe Mo 952   elleborosus sum. #At ego cerritus(cer. ell. *Rs*)
R<small>U</small> 1006 (*cf* Kampmann, *In Rud.*, p. 48)

ELLEBORUM - - **elleborum**(*A* he. *ZR* ellebrorum *B* ellebrorum *C* eelebrorum *D*) hisce
hominibus opus est Ps 1185   elleborum(he.
D³R hellesborum[-forum *B²*] *P*) potabis faxo
aliquos uiginti dies M<small>EN</small> 950   non potest
haec res **ellebori** †iungere optinerier M<small>EN</small> 913
Cf Egli II. p. 45

ELLUM - - *vide* ecce

ELOQUOR - - I. **Forma eloquor** A<small>U</small> 816
(atque e. *PyRgLy* -ar *P* a. e. *om USL*), T<small>RI</small> 11ˀ
eloquitur T<small>RU</small> 215(summa e. *AB* summę l.
CD)   **eloquar**(*fut.*) A<small>M</small> 18(*v. om J*), 51, 200,
1042, 1087, 1129, 1133, A<small>U</small> 1, 170, 816 (-or
PyRg om Uψ), 817, 820, C<small>AS</small> 287(*Mue* loquar
BVE loquor *J*), C<small>I</small> 82, 565, C<small>U</small> 407, M<small>ER</small> 2, 180,
797, 967, M<small>I</small> 85, 382, 1307, Mo 283, 469(quin
dice. #Eloquar *Rs* quin eloquere *PS†L†U†*
aliter R), 742(-quere *B¹*), 945, Ps 491, 803,
R<small>U</small> 31, 647, 1060, 1061, S<small>T</small> 143, T<small>RI</small> 236, 385,
712(*CD* animus ēē loquar *B*), 939, T<small>RU</small> 726
(*FZ* te loquar *P*)   **eloquar**(*subi.*) A<small>M</small> 96,
B<small>A</small> 559, M<small>EN</small> 519, M<small>ER</small> 39(*R fut PLLy*), 178,
P<small>ER</small> 616   **eloquamur** As 731, P<small>OE</small> 251(*Herm*
loquamur *PLULy*), 1249(*A* -quar *P*)   **eloquerentur** P<small>ER</small> 242(*Mue* loq. *PR*)   **eloquere** As 28,
317, 791(*BoRgl* loquere *Pψ*), A<small>U</small> 639, B<small>A</small> 553
(*FlU* loquere *Pψ*), C<small>AS</small> 280, 635(*P* loquere *R*),
648(*A* loquere *P*), 911, C<small>I</small> 56, 748, C<small>U</small> 166
(-ęre *E*), 308 *bis*, 517, E<small>P</small> 274, M<small>EN</small> 621(responsant e. *Ca* respons[responde *B¹*] anti loquere
P), 1066(*Fl* loquere *P*), M<small>ER</small> 503,. 602, 892

(*Becker* loquere *PS†LU*), Mɪ 847(age eloquere *Par* age te[tẹ *CD*] loquere *P*), Mo 472, 1136 (*Langen* loquere *PLU*), Pᴇʀ 664, Ps 12, Rᴜ 948, 1211(ele. *D¹*), 1323, 1329, Sᴛ 334, Tʀɪ 358(*AL* loquere *Pψ*), 369, 893, Tʀᴜ 135(*A* loquere *P*), 756, 839 **eloqui** As 24(loqui *J*), Aᴜ 616(*Sch* loqui *PRgLLyU*), Cɪ 518, Mᴇɴ 118(*Dou et Non* 24 loqui *P*), 1068(*add FlR in lac* quae uelis *Rs* obsequi *Vahlen ψ*), Mᴇʀ 301, Mɪ 286, Mo 505, Pᴇʀ 642(*Ca* loqui *P*) **elocutus** Aᴍ 420(-quutus *E*), As 350(*J* -quutus *BDE*), Cɪ 1, 576, Eᴘ 104, 123, Mᴇɴ 172, Mᴇʀ 155 (-quius *B*), Mɪ 476(*A* lócutus *PR*), Ps 694(eloctus *C*), 696 b(*v. om A ω*)́, 991, Sᴛ 372(*P* exl. *R* del *A*) **elocuta** Cɪ 577(-quuta *J*), 631, Mᴇɴ 224, Mɪ 906(exl. P*ω* -cúta *B*)́ **elocutum**(*acc. masc.*) Poᴇ 885(*A* locutum *P*), Sᴛ 346 *corrupta:* Aᴍ 377, eloquere *P pro* loquere(*Ald*) Bᴀ 35, eloquar *B¹ pro* loquar Cᴜ 570, eloqui *P pro* loqui(*F*) Mᴇʀ 950, eloqueni *PS†* var em *ψ* Mɪ 86, eloquar *P pro* est(*Py*); 1006, elocutam *CD var* em *ω*; 1353, eloqui *P pro* loqui(*R*) Poᴇ 861, eloquere *CD pro* lepide loquere(*AB*)

II. Significatio(*cf* Lɑɴɢᴇɴ, *Beitr.* p. 183) A. = indicare 1. *absolute:* #Eloquar (*in responsis, numquam addito* ego: *cf* Kᴀᴇᴍᴘf, p. 5) Aᴜ 170, Cᴜ 407, Mᴇʀ 180, 967, Mɪ 1307, Mo 469(*Rs*), 742*, 945, Ps 491, 803, Rᴜ 1060, Tʀɪ 385   eloquar*, sed tu taceto Tʀᴜ 726 quid somniasti? #Ego(*om RRgU approbante Kaempfio*) eloquar Mɪ 382   eloquar. #Immo ego eloquar Rᴜ 1061   ere, mane: eloquar(:*add U*) iam(*om U*) Aᴜ 820   ausculta, ego eloquar* Cᴀs 287

nequis miretur qui sim, paucis eloquar Aᴜ 1 si das operam, eloquar Rᴜ 647 si animum aduortes eloquar Tʀɪ 939   dico . . [atque eloquar*] Aᴜ 816 ibo atque eloquar Aᴜ 817 quom malum audiendumst flagitas me ut eloquar Mᴇʀ 178   eloquere*: audio As 791 eloquere. #At pudet Cᴀs 911   eloquere ut quod ego nescio ut tecum sciam Ps 12 eloquere propere celeriter Rᴜ 1323   eloquere propere Sᴛ 334   uno uerbo — #Eloquere. #Mittin me intro? Tʀᴜ 756   quid si eloquamur*? Poᴇ 1249   non uides nolle eloqui*? Pᴇʀ 642 *****elocutus Mᴇɴ 172(*post lacunam*)   perge eloqui Cɪ 518(*cf* Lɑɴɢᴇɴ, p. 190)

2. *cum acc.* a. *nominis:* et argumentum et meos amores eloquar Mᴇʀ 2   argumentum huius tragoediae Aᴍ 51(*cf* Ullrich, *Ueber die Comp.* p. 18) . . dum huius argumentum eloquar comoediae Aᴍ 96   de ea re signa atque argumenta paucis uerbis eloquar Aᴍ 1087 Mᴇʀ 2(*supra*)   et argumentum et nomen uobis eloquar Mɪ 85   nunc huc qua causa ueni argumentum eloquar Rᴜ 31   omnium primum amoris artis eloquar Tʀɪ 236   amicis uostra consilia eloquar Sᴛ 143   apud hunc mea era sua consilia summa eloquitur* libere Tʀᴜ 215   quod ego hunc hominem facinus audio eloqui*! Aᴜ 616   simul . . ipse eloquar nomen meum Aᴍ 18(*v. om J*)   uideo non potesse quin tibi eius nomen eloquar Bᴀ 559 eloquere* tuom mihi nomen Mᴇɴ 1066   Mɪ 85 (*supra*)   rem elocuta sum tibi omnem Cɪ 631

rem tibi sum elocutus omnem Eᴘ 104   omnem mihi rem necesse eloqui*st quicquid egi atque ago Mᴇɴ 118   signa Aᴍ 1087(*supra*)   ne nosmet nostra etiam uitia eloquamur*Poᴇ 251

audita eloquar Aᴍ 200   dulcia atque amara apud te sum elocutus omnia Ps 694   . . ut quae rogiter uera ut accepi eloquar Pᴇʀ 616

b. *pronominis:* quoniam ille elocutus haec sic . . As 350   haec Demiphoni eloquar, me istanc capillo protracturum esse Mᴇʀ 797   haec tibi alia sum elocutus . . Ps 696 b(*v. om Aω*) eloquere haec erae tu Tʀᴜ 839   istuc As 28 (*infra* 3.)   eloquere utrumque nobis et quid tibist et quid . . Cɪ 56   omnes muti ut eloquerentur* prius hoc quam ego Pᴇʀ 242

c. *per prolepsin*(*cf* Redslob, p. 8, *adn.*): Aᴍ 1129(rem), As 28(istuc), 731(rem), Mᴇɴ 519 (rem), Cᴀs 648(hoc), Mᴇʀ 892(eam *RRg*), Tʀɪ 236(artis)   *Vide infra* 3

3. *seq. interr. obl.* a. *cum indic.:* res ut factast eloquar Aᴍ 1042   hanc rem ut factast eloquar Aᴍ 1129   nunc rem ut est eloquamur As 731   eloquere* ut haec res optigit de filia Rᴜ 1211   meus ut animust eloquar* Tʀɪ 712   ubi sunt spes meae? eloquere . . . #Eloquere . . ubi sunt meae? Cᴜ 308 uno uerbo eloquere: ubi ego sum? Mᴇʀ 602 eloquere unde haec sunt tibi cito crepundia Cɪ 748   num ancillae aut serui tibi responsant? eloquere* Mᴇɴ 621

eloquere* quis is est Bᴀ 553   eloquere* quis is homost Tʀᴜ 135   quae futura et quae facta eloquar Aᴍ 1133   eloquere utrumque nobis et quid tibist et quid uelis Cɪ 56   eloquere quid est quod Palinurum uoces? Cᴜ 166 eloquere quid uis Cᴜ 517   quin tu eloquere quid faciemus? Eᴘ 274   eloquere quid ita? Mo 472   quae hic monstra fiunt anno uix possum eloqui Mo 505   quid id est ergo? eloquere audacter atque indica Pᴇʀ 664   eloquere quid id est? Rᴜ 948   quoi egestatem tolerare uis? eloquere* audacter patri Tʀɪ 358 agedum eloquere quid dare illi nunc uis Tʀɪ 369 eloquere isti tibi quid homines debent? Tʀɪ 893

qua accersitae causa ad me estis eloquar Cɪ 82   nunc huc qua causa ueni, argumentum eloquar Rᴜ 31

quidquid est eloquere As 317   Aᴜ 639 (*infra B*)   quicquid est eloquere* mihi cito Cᴀs 635   hoc quicquid est eloquere*Cᴀs 648 omnem mihi rem necesse eloquist* quicquid egi atque ago Mᴇɴ 118

b. *cum subiu.:* uideo necesse esse eloqui* quicquid roges As 24   istuc quid sit . . eloquere As 28   eloquere quid uelis Cᴀs 280 eloquere . . et quid tibist et quid uelis Cɪ 56 . . ut pigeat quae uelis eloqui* Mᴇɴ 1068(*FlR*) eloquere* nunc quid fecerim Mo 1136   . . ut quae rogiter uera ut accepi eloquar Pᴇʀ 616 amoris artis eloquar quem ad modum expediant Tʀɪ 236   eloquere quantum postules Rᴜ 1329 ea huc quid intro ierit . . eloquor Tʀɪ 11 eloquere . . qur emeris me Mᴇʀ 503

ut sit de ea re eloquar Cɪ 565   rem omnem iam ut sit gesta eloquar Mᴇɴ 519   eloquere* propere ubi sit, ubi eam uideris Mᴇʀ 892

4. *cum acc. et infin.:* haec Demiphoni eloquar,

me istanc capillo protracturum esse MER 797
Cf AU 816

5. seq. imperat.: eloquere haec erae tu: puerum reddat.. TRU 839

6. cum dat.: mihi CAS 635, MEN 1066   age eloquere* audacter mihi MI 847   tibi BA 559, CI 631, EP 104, Ps 696 b($v.$ om $A\omega$)   ausimne ego tibi eloqui fideliter(A si quid uelim PRU)? MER 301   nobis CI 56   uobis MI 85   ei EP 123   amicis ST 143   Demiphoni MER 797 .. si elocutus* essem ero MI 476   erae TRU 839 patri TRI 358   si erus meus me esse elocutum* quoiquam mortali sciat POE 885

apud te Ps 694   apud hunc TRU 815

B. = pronuntiare, nominare: illuc reuorti certumst ut coepta(R conata PS†LU) eloquar MER 39   elocuta sum conuiuas MEN 224 animum inducam ut istuc uerum (*i. e.* essuries) te elocutum esse arbitrer ST 346   prius quam sum elocutus* (facinus) MER 155   meum elocutust nomen ... #Ubi elocuta* est ... CI 576-7 Polymachaeroplagidae elocutus nomen es Ps 991 elocutus* est (*i. e.* pateram) AM 420 .. argenti fuero elocutus ei postremam syllabam EP 123

quin tu eloquere quidquid est suo nomine AU 639   te .. istuc aequomst .. eloqui MI 286

quem obsecro igitur? #Eloquar. Philolachem MO 283   Epignomum elocutus* ST 372

nempe ludificari militem tuom erum uis? #Exlocuta's MI 906

C. a. additur adverbium: actutum AS 27, PER 664   audacter MI 847, TRI 358   celeriter RU 1323   cito CAS 635, CI 748   fideliter MER 301   libere TRU 215   iam AU 820   propere Mer 892(Rg), RU 1323, ST 334   melius AM 1134

b. varia: paucis AU 1   paucis uerbis AM 1087 uno uerbo MER 602   suo nomine AU 639 anno MO 505   de ea re AM 1087, CI 565

ELUDIFICOR - - narrauero quis med exemplis hodie eludificatus(lud. FZL ille lud. RU) est MO 1040   Cf Langen, Beitr. p. 17

ELUDO - - I. Forma eludit CU Arg 2 elusi CU 609   elusit CU 630   elude PER 805($PRLLy$ lude $Z\psi$)   eludere AM 265 corrupta: MEN 821, eludere PS† var em ψ MO 250, elusa P pro ei usus(Ca)

II. Significatio(cf Langen, Beitr. p. 17)
1. **= ludere, deludere:** quando imagost huius in me certumst hominem eludere AM 265(ludere Langen)   quin elude* ut soles quando liber locust hic PER 805(delude Langen)
2. **= in alea lucrari:** ibi eludit anulo riualem CU Arg 2   elusi militem .. in alea CU 609 .. anulum quem parsasitus hic te elusit CU 630

ELUO - - I. Forma eluam RU 579   eluas RU 580   eluamus ST 670   elue AU 270 (alue D)   eluito Ps 162   elui CAP 846 (eliu E), POE 199   eluendo(neut. dat.) POE 223 elutum TRI 406($ARRsU$ elotum $P\psi$)

II. Significatio 1. proprie: a. uascula intus pure propera atque elue* AU 270   iuben .. patinas elui*? CAP 846   tu argentum eluito, idem exstruito Ps 162   eae nos lauando eluendo operam dederunt POE 223   uolo eluamus hodie St. 670 (med.)

b. de naufragis(cf Graupner, p. 22): eho an te paenitet in mari quod elaui ni hic in terra iterum eluam? #Eluas tu an exungare ciccum non interduim RU 579-80

c. de prodigis: (argentum) expotum, exunctum, elutum* in balineis TRI 406

2. **translate:** inest amoris macula huic homini in pectore sine damno magno quae elui ne utiquam potest POE 199

EM - - cf Richter, p. 474; Ribbeck, Partic. p. 29; Hirth, p. 9

I. Forma in A em semper (26 locis) inuenimus, in P nunc em nunc habet aliquando etiam en, ut sequitur   **1. em habet B:** As 335(hem DEJ), BA 274(hem CDR); 686 (hem CDR); 809(hem CD en BoR); 1023(hem CD en R), EP 701(BRg^1 enim $EJ\psi$) MEN 556 (heen CD hem R), MER 149(hem CD en FZR); 206(hem CDR); 313(hem CD om U); 523(hem CD), MI 36(BU hem CDR ehem $A\psi$); 365(hem CD en R), MO 1180(hem CD en R), PER 810(hem CDR), POE 383 quinquies(hem CD); 420(hem CD); 726(hem CD), Ps 526 (eme CD hem R), RU 463 bis (hem CD); 1357(hem CD), ST 376 (et L hem CDR est $A\psi$), TRI 185(hem CD); 413(hem CD); 531(hem CD); 536(hem CD); 538(hem CD haec A); 923(hem CD); TRU 952 (hem CD)

em habent BC: BA 870(hem D cum R), TRU 787(em D)

em habent BD(V)E: AM 307, 778, AU 641, 650, 692, 720(hem etiam L), CAP 215, 249, 373, 570, CAS 525, 739, CU 625 ubique hem J

em habent CD: MO 814(hem B en R): POE 161(e B)

em habet E: CU 120(hem BJ), 128(hem BJ), 195(hem BJ)

em habet P: CAP 183, 540, 859, EP 683, MEN 250($APLLy$ hem $FZ\psi$), 625(hem D^2R), MER 580, 621(hem D^2Ly), 702, 703, MI 898(en R), 1405(en R), MO 314(hem CaR), 333, POE 207, 382, 1023(PU hem $A\psi$), Ps 155(hem FZR), 443 (en R), 518(en R), 754(en R), RU 833, TRU 151, 373, 634

2. **variae lectiones:** AM 293, em $MueU$ mi $BoRglL$ quem PS†   As 323, em Rib hem RU; 358, em Rib hem PU; 431, em Bri hem P; 445, em Rgl hem ψ; 538, hem PU em ψ; 704, hem PU em ψ; 840, hem PU em ψ; 843, em PU em ψ; 880, hem PU em ψ BA 209 em Bri hem $PCaR$ om U CAP 532, incipisco: em Rs incidisse $P\psi$; 631, em Bri hem P CAS 213, em Mue hem P; 405, em Bri rem BVE^1 hem E^2J; 758, em ibitur A inibitur PU; 872, em Rs et $P\psi$ CU 212, em Rib hem PU†; 624, em Rib hem PU EP 270, em Bri hem B om EJ; 422, em istuc L immo stat(B^1 sta B^2EJ) P var em ψ; 488, em A hem P; 553, em A hem P MEN 433, em ins Rs om $P\psi$; 1018, Rib en PR MER 677, em #Intro abite Rg aliter R abi tu intro $P\psi$; 904, em ins R falso; 911, em R hem P MI 1312, em hominem $LULy$ homine B mum hominem D^1S† mum hominem C eccillum hominem Rg en iam hominem R)   MO 10, em Bri en BDR in C; 297, em B ras eam P hem R PER 705, em A om P POE 142, em UL et $P\psi$;

159, em *F* en *P*; 1075, em(*Rgl*) ostendo *ins L* †*SU*; 1375, em *GepU* hem *Pψ* Ps 245, em *Usener* est *PR* Ru 199b, em *ins Rs*; 237, em tibi *ins Rs in lac*; 1054, em *Rib* hem *CD om B* St 728, em *R* hem *P* Tri 3, em *A* hem *P*; 603, despondisse: em *R* -issem *BCD²* -isset *D¹*; 1102, em *RRs* hem *Pψ* Tru 478, em *Par et Sey* re *P*; 579, em *add Rs*; 899, em *add Rs* Fr I. 68 *ex Non* 220, em *add RglLLy* en *R*

3. *corrupta:* Cap 1006, em *VE* hem *BJ* Mi 560, em *P pro* eam(*A*) Ru 177, em *BU* hem *CDψ* Tri 1061, em *C pro* emi Tru 312, em *B* hem *CD pro* ea(*A*)

II. Collocatio *enuntiatis apud Plautum semper praecedit, etiam* Tri 541, *de quo cf* Richter, p. 493; Ribbeck, *Part.* p. 31 *Pronominibus proxime praecedere solet nullo intercedente vocabulo, exceptis tamen locis his: intercedunt adv.* ergo, As 335, 431; *non* Ba 209; *nunc* Tri 536; *quam* Tri 541; *rusum* Men 613; *uel* Cap 183; *pronomen eundem* Poe 161; *praep.* ab Ps 526; *nomen accipitrina* Ba 274; *verbum* Ps 245; *nomen et verbum* Au 720

III. Significatio em *particula pertinet ad res quae sensibus percipiuntur atque eius est qui alicui aliquid porrigit vel ostendit, qui alterum verberat, qui vel se ipsum vel alterum alicui monstrat. Demonstrat nonnumquam etiam res quae sensibus percipi non possunt, atque cum notione adhortativa, commonitoria, iussiva, vituperationis, rogationis; eius etiam est qui alterius animum ad aliquid attendere studet, qui approbat et consentit, qui nuntiat, qui propinat. Raro in apodosi usurpatur.*

A. *absolute:* Am 293(em *MueU* mi *BoRglL* quem *PS*†) As 445(em *Rgl pro* hem); 705(em *Rgl pro* hem) ostende huc manum dexteram. #Em Au 650 em, mater mea, .. clamat Au 692 Cap 532(incipisso: em *Rs pro* incipisse) aspice ad me. #Em Cap 570 quid est? #Em* Cas 213 mi pater,mi patrone. #Em sapis sane Cas 739 Cas 872(em *Rs pro* et) em,omnia patior Ci 456 em*,ut scias me liberum esse .. Cu 625(*vide Ly*) Men 433(em *ins Rs*) Mer 677(em *ins Rg*) Mi 36(em *BU pro* ehem [*A*]) perculit me prope. #Em serua rusum Per 810 Poe 1023(em *PU pro* hem [*A*]) Poe 1075(em, ostendo *ins L vide Rgl*) Poe 1375(em *GepU pro* hem) uorte ergo umerum. #Em Ps 1318 quid est quod caueam? #Em a crasso infortunio Ru 833 Tri 1102(em *RRs pro* hem) B. *cum dat.* tibi, *vel cum acc. subst. vel cum ambobus* 1. em tibi: ostende huc manus. #Em tibi, ostendi: eccas Au 641 at ego te uideo maior maiorem: em rursum tibi Cap 631 age ut uis. #Em* tibi Cas 405 at iam bibes. #Diu fit. #Em tibi Cu 120 em tibi male dictis pro istis Cu 195 em tibi. #O ciues, ciues! Cu 625 em tibi etiam: quia postremus cedis hoc praemi feres Men 1018 em tibi, hic mihi dixit Mi 365 Mi 898(?: *vide infra* C. 4) quor ire ausu's? em tibi Mi 1405 Mo 804(? *vide infra* C. 4) Numquam eripides: em* tibi(*A om B*) Per 705 ego Palaestra: em tibi(*Rs in lac*) Ru 237 heus tu: em tibi hic habet uidulum Ru 1357

2. *addito subst.* a. *praecedit dat.:* em tibi

hominem As 880, Cap 373, 540 em tibi pateram: eccam Am 778 em tibi aquam Ru 463 em tibi omnem fabulam Ps 754 em tibi talentum argenti Tru 952(*loc dub*) em tibi hoc primum omnium St 728

b. *dat. intercedit:* em* hominem tibi qui a matre et sorore uenit Mi 1312 em mea malefacta, em meam auaritiam tibi Tri 185 em uoluptatem tibi: em mel: em cor: em labellum: em salutem: em sauium Poe 382-3 em ergo hoc tibi As 431

3. *cum acc.:* vide Poe 383,Tri 185 *supra* 2.b cedo manum. #Em manum Cap 859 em amores tuos, si uis spectare Poe 207

C. 1. *praecedit pronominibus:* em **istic** homo te articulatim concidit Ep 488 em istic erit Tri 923 em ista(istaec *LuchsRgl*) uirtus est As 323 em* istaec captiost Ep 701 em istaec hercle res est Mer 523 em istaec ratio maxumast Tri 413 em istuc mihi certum erat Cap 215 em* istuc decet Ep 421(*L*) em istucinest operam dare bonum sodalem? Mer 620 em* istuc uerbum uilest uiginti minis Mo 297 em* istuc optume quando tuost Ru 1054 em istuc ago As 358 em istuc si potes memoriter meminisse Cap 249 em istuc quod mihi dixti Cu 128 em istuc rectius Ep 553 em istuc unum uerbum dixisti uerissumum Mer 206 em istuc censeo Mer 580 em istoc me facto tibi deuinxti As 849 em istoc dicto dedisti .. in cruciatum Chrysalum Ba 686 em istoc uerbo uindictam para Cu 212 em istoc pol tu otiosu's Tru 151 em istoc pauper es Tru 373 em istaec uolo ergo uos commeminisse omnia Poe 726 em istis mihi tu hodie manibus argentum dabis Ps 518

em* **illic** est pater Ps 443 si umquam uidistis pictum amatorem em* illic est Mer 313 em illae sunt aedes Tri 3 em* illoc pacisce si potes Ba 870 em* illoc enim uerbo esse me seruom scio Men 250

em illius seruos huc ad me argentum attulit Ps 1091

em tibi **hic** mihi dixit tibi quae dixi Mi 365 em tibi hic habet uidulum Ru 1357 em nunc hic . . ut ad incitas redactust! Tri 536 em huic habeto gratiam Mo 1180 em* ab hoc lenone . . . circumducam Ps 526 . . Lesbonicum suam sororem despondisse: em* hoc modo Tri 803 em nemo habet horum? Au 720 em accipitrina haec nunc erit Ba 274 oues .. tam glabrae em* quam haec est manus Tri 541 em hae te uinciri iubent Ba 809 em* .. supplicium hanc minam fero Tru 899(*Rs*) em ergo hoc tibi As 431 em hocine uolebas? Mo 9 em tibi hoc primum omnium St 728 em*haec eius sunt bonum relliquiae Ru 199b(*Rs*) em* erus meus .. ad te ferre haec iussit Tru 579(*Rs*)

em ergo **is** argentum huc remisit As 335 em **me** dato Poe 159 em* eundem me dato Poe 161 em me licet conducere Vi 43(*A solus*) em tibi imperatumst Mo 314 em* te obsecro Fr I. 68(*ex Non* 220)

em non **tantulum** umquam intermittit tempus Ba 209

2. *praecedit adverbiis:* em sic: abi, laudo
As 704   em sic datur Ps 155, Tru 634   em
sic uolo Ru 463   em* sic decet puerperam
Tru 478   em sic istuc uolo Tru 787
    em nunciam ergo: sic uolo Am 307   em nunc
enim tu demum nullum scitum scitust Cas 525
    em nunc occasiost faciundi Ep 270   em rur-
sum nunc nugas agis Men 625 em nunc tu
mihi places Mer 911   em* nunc ego amore
pereo Poe 142   em nunc nihil opsecras Poe 420
Ba 274(*supra* 1, *sub* hic) Tri 536(*supra* 1, *sub* hic)
    em uel iam otiumst Cap 183   immo em
tantisper numquam te morabitur Ba 340
    em hac abiit Men 566   em istic oportet
opseri mores malos Tri 531   em* illic ego
habito Ps 890
3. *praecedit pron. rel.:* em quoi te et tua . .
commendes uiro; em quoi decem talenta dotis
detuli Mer 702-3   em* conloqui qui uolunt
te Ps 245   em* qui uentrem uestiam St 376
4. *sequitur enunt. demonstrativum:* em tibi
adsunt quas me iussisti adducere Mi 898   em,
tibi adduxi hominem Mo 804   em aspecta,
rideo As 840   em meum caput contemples
As 538   em dabitur, tene Mer 149   si tu
iubes, em* ibitur tecum Cas 758   em ostendo
manus Ep 683   em specta, tum scies Ba 1023
em tene Mo 333(*cf* Tru 952 *Rg*)   em subolem
sis uide Ps 892
EMANCIPO - - quid est quod metuas? #Nihil
est: nugae: mulier tibi me **emancupo**(-cupio *C*)
Ba 92
EMENTIOR - - quae dixisti modo omnia
ementitu's Am 411   illum quem ementitus
es, ego sum ipsus Charmides Tri 985
EMEREO - - . . ut ubi **emeritum** sibi sit, se
reuehat domum Ba 43 unum ubi emeritumst
stipendium, igitur tum specimen cernitur Mo
131 b(*dub.*)   *corruptum:* Au 735, emerui *P* erga
te commerui *Redslobỗ aliter ψ*
EMICO - - continuo meum cor coepit artem
facere ludicram atque in pectus **emicare** Au
627(*cf* G r a u p n e r, p. 20)   *corrupta:* Am 1119,
emicat *E pro* enicat   Au 831, emicat *E pro*
enicat   Mer 114, emicat *B pro* en.
EMIGRO - - I. Forma **exmigrasti** Men
822(*R* em. *CaU* mig. *P*)   **emigrauit** Mo 951,
953   **emigrauimus** Mo 471   **exmigrastis** Men
823(*Ac* -sti *B* exaigrasti *CD* em. *U*)   **emigra**
Mo 503   **emigratum** Mo *Arg* 5   *corrupta:*
Mo 135, emigraui *B*² *pro* immigraui
II. Significatio pedem nemo intro tetulit
semel ut emigrauimus Mo 471   et inde . .
emigratum Mo *Arg* 5   nunc tu hinc emigra
Mo 503   num hinc exmigrastis*? #Quem in
locum? Men 823   . . nisi quo nocte hac exmigrasti* Men 822   emigrauit iam diu ex hisce
aedibus Mo 951(*solus A*)   hinc hodie emigrauit Mo 953
EMINATIO - - quae illaec **eminatio's**t(ille
cominatio est *E* est minatio *FlU*) nam? Cap 799
EMINEO - - uix ex gratulando miser iam
eminebam Cap 504
EMINOR - - **eminor** interminorque nequis
mihi obstiterit obuiam Cap 791
EMISSICIUS - - circumspectatrix cum oculis
emissiciis Au 41

EMISSARIUS - - Mi 1112, emissarius *CD*
atm. *B pro* adm.(*Gloss*)
EMITTO - - I. Forma **emittis** Cas 285,Ps
1183(*P* emitte *R* emistis *A*)   **emittit** Ep
Arg 8   **emittitis** Cu 497(*Kamp* mittitis *PU*)
emittuntur Ba 1147   **emittam** Ru 1410   **emisi**
Cu 616, Men 1042   **emisisti** Cap 413(exemisti
LambRs), Per 483   **emisimus** Tri 492(*A* am. *P*)
emittam Au 824(-team *D*),Men 1059(-ta *B*¹),
Poe 429   **emittar** Ps 358(ut em. manu *A*
lite mittar manus *P*)   **emittas** Men 1023
(mittas *B*)   **emittat** Au 817(*B* mittat *EJ*),
Cap 408, Per *Arg* 2, Ru 1218, 1388   **emitteres**
Cap 713   **emitte** Per 318   **emittere** Cas
785(mittere *ARs*), Ps 994(*A* mihi *P*)   **emitti**
Au 823, Cas 474(emitti manu Ca mitti m. *VEJ*
manumitti *B*)   **emisisse** Mo 975(emisse *B*¹
misisse *D*¹)   **emissus** As 411, Men 943, Per 436,
Poe 1409(emisus *B*)   *corrupta:* Au 303, emittat
Non 234 *pro* amittat   Cas 347, emissum *BE*
emissim *VJ pro* empsim(*AC*); 493, emitto *BV*
pro emito(*EJ*)   Ep 134, emittere *J pro* mittere
Mer *Arg* I. 2, Per *Arg* I. 2, emittat que *B pro*
emit atque   Poe 1059, emittetis *B pro* emit et is
II. Significatio 1. =abire sinere, dimittere:
. . nisi nobis producuntur iam atque emittuntur
foras Ba 1147   emisisti* e uinclis tuom erum
tua sapientia Cap 413   properate istum atque
istam actutum emittere* Cas 785   postquam
es emissus (*i. e.* e carcere) caesum uirgis . . scio
Men 943   emitte sodes (boues) Per 318   citius . . a
foro fugiunt quam ex porta ludis quom emissust lepus Per 436   leno,quando ex neruo
emissu's*,conpingare in carcerem Poe 1409
propera . . accipere argentum actutum mulieremque emittere(*Guy* mulierem emit. *A* mulieremque mihi *P*) Ps 994   quin tu mulierem
mihi emittis*? aut redde argentum Ps 1183
satillum animai . . quom extemplo emisimus*
Tri 492
2. **manu emittere:** saluere iussi Libanum libertum? iam manu emissu's? As 411   orabo
ut manu me emittat* Au 817 nunc uolo me
emitti manu. #Egone te emittam* manu? Au
823-4   numquam erit iam auarus quin te gratus
emittat manu Cap 408   emitteresne necne
eum seruom manu? Cap 713   quin . . emittis
me manu? Cas 285   . . si quidem cras censes
te posse emitti* manu Cas 474   alienos manu
emittitis* alienisque imperatis Cu 497   mean
ancilla libera ut sit quam ego numquam emisi
manu? Cu 616   seruolum emittit manu Ep
Arg 8   med emittas* manu Men 1023 seruom
. . quem ego emisi manu Men 1042(*vide R*)
certissumumst mepte potius fieri seruom quam
te umquam emittam* manu Men 1059 ain . . eam
manu emississe*? Mo 975   curat leno ut
emittat manu Per *Arg* I. 2   eho an iam
manu emisisti mulierem? Per 483   . . ut non
ego te hodie emittam manu Poe 429   numquam ad praetorem aeque cursim curram ut
emittar* manu Ps 358   . . ut me manu (*add*
Fl duce Ca om P) emittat Ru 1218   . . me
ut hoc emittat manu Ru 1388   pro illo dimidio
ego Gripum emittam manu Ru 1410
EMO - - I. Forma **emo** As 198(ẹmo *D*),
Men 106, Mer 444, 459, Per 834   **emis** Mer

456, Per 625   **emit** Cas 241, Mer *Arg* I. 2
(emit atque *CD* emittatque *B*),87(sue *B*), Mo
285(*v. secl RsŞL*), Per *Arg* I. 2(emit atque *CD*
emittatque *B*), Poe 75   **emunt** Poe 587(*A*
semunt *P*)   **emitur** Mer 442(cui e. *CD* qm̄
mentitur *B*)   **emam** Mer 466, Per 651   **emet**
Ep 301   **emetur** Mer 458   **emi** Au 385,
Ba 919(eini *C*), Cap 111, 453, 500(enim *J*), Cu
343, 433, 528, Ep 460, 608(emi ex *Rg²Ly* ex *J*
est *B* empta ex *CaLURg¹* ∗∗Ş), 621, Men 205
(*AB* mi *P*), Mer 106(*Pius* mi *BD* mihi *C*), 400
(mi *B*), 425, 500(*PRLU* emei *Aψ*), Poe 1381, Tri
125, 179, 181, 1056(em *C*), 1061(em *C*)   **emisti**
Cu 617, Ep 596, Per 713, Ru 1405, Tri 124(*B* hem.
CD)   **emit** Ba 140(qui emit *L* intus *CD* om
BRg),Cap *Arg* 5, Cap 19, 26, 34,Ep *Arg* 1,
Ep 45(*BE*³ emet *VE¹J*), 51, *ib.*, 52(eam emit *ins
U solus*), 64, 90, 602, Men 444, Mer 434, 604, 620,
Mo 638, 659, 670, 672, 673, 977, 998, Poe 896,
1059(emit et is *ACD* emittetis *B*), Ps 1170, Tri
1083   **emeram** Mo 547   **emeras** Mo 822   **emerat** Ru 59   **emero** Mer 413   **emeris** Per 564,
627   **emam** Au 377, Cap 274, Cas 500, Per 626,
Poe 274   **emas** Cu 34, Per 662(eam *U*)   **emat**
Mo 284, Per *Arg* I. 3(*RRgl duce Pio* emeret *P*
emere *Rgψ*), Per 524, Ru 980(eat *CD¹*)   **emerem** Cap 455, *ib.* (-re *E*), Mer 427, 428, Per 262
emeres Tri 134   **emeret** Per *Arg* I. 3(*PLULy*
-re *RgŞ* emat *Pius R*)   **emeretur** Ep 48,
565   **emeris** Men 1101(-as *D*), Mer 221(eneris
B¹), *ib.*, 504(qur e. *A* cur empris *CD¹* curē
prius *B*)   **emerit** Cap 205, Mo 1026 e (*A solus*)
empsim Cas 347(*Ac* emissum *BE* emisim
VJ empsi culem *Paulus* 366 emi *Fulg de abstr
serm* XIV), Mi 316(e. uitam *Lind* ea ipsitui
tam *P*)   **emisset** Mer 623, Tri 178   **eme**
As 673, Cu 213, Mi 687(eme mi uir *A* e memini
B¹ e memi *CD*), Per 563, 574, 652 (*Z* te me
P), Ps 301(eme die *A* emediae *B* emediet *D*
et me die *C* emito die *MueRU*)   **emite**
Mo 23   **emito** Cas 493(*EJ* emitto *BV variant
lib Prisc* I. 108)   **emere** As 72(me e. *C* me
emare *D¹* mee mea re *B¹*), Cu 382, Ep 88, 120,
278, 497, 612, 684, Per *Arg* I. 3(*RgŞ* -ret *PLU*), 35
TLy lac P facere amicum *Ca duce Pio ψ*),
273, 587, 685, Poe 103, Ps 89, Tri 1061(*AB* et
mere *CD*)   **emi** Ep 295, 296,Mer 490   **emisse**
Ep 603, 704, Mer 202, 208, 211, 352, 975, Mo 664,
811, 813, Per 597   **emundum** Ep 90a(*U* amat
quam *P* amabat quam *GuyRg*)   **emundis**
Am 2   **emptum**(*sup.*) Cap 179(*E* eptum *J* emtum *BD*)   **emptu** Cas 538(emptu'st *Lamb*
emptus *A* emptus est *P*)   **empta**(*nom. fem.*)
Ep 131(emta *J*), 279, 467, 471, 608 (*Ca* emi
Rg²Ly ∗∗Ş), 697, Mer 419, 514, 545, 615, Mo 538,
1160(emptast *R* est *P*), Tru 53(tempta *B*)   **emptum** Poe *Arg* 2(emtum *D*)   **emptam** Ep 154,
373, 412, Mer *Arg* I. 4, II. 6, Mer 350, 973, Ps
Arg II. 7   **emptum** Mo 298   **emptā** Per
584, 585(ẽpta *P*)   **empti** Mo 821   **emptae**
Mo 799, 905(*B²* -te *P*)   **emptos** Mo *Arg* 1
(eptos *C*), Poe 842   **empta** Ps 1189(emta *C*)
emptis(*abl. fem.*) Mo *Arg* 8(eptis *C*) *corrupta:*
Cap 674,et emisti *P pro* exemisti(*B²*); 924, met
emerunt *B¹VE*(mei) *pro* me exemerunt(*AB²J*)
Cu 142, emat *BE¹ pro* amat Ep 487, fidicinam emit (fidicinam *add B¹*) *B pro* destinauit

fidicinam (*A*)   Mi 293, emere *B¹ pro* temere
Mo 975, emisse *B¹ pro* emisisse   Ps 526, eme
ab *CD* emabe *B* pro em ab(*F*)   St 707, emet
(einet *B*) et tara *P pro* η̄ μὴ τέτταρα

II. **Significatio** 1. *absolute:* abeo . . quando
nihil est qui emam Au 377   si amas, eme
Cu 213   itast ut dicis: emi Ep 460   emi*
atque aduexi heri Mer 106   ne minoris uendas
quam ego emi Mer 425 quo uortisti? ♯Ad illum
qui emit Mer 434   illest quoi emitur* senex
Mer 442   ille quoi ego emo efflictim perit
Mer 444   prius tu emis quam uendo Mer 456
illi quoidam qui mandauit tibi si emetur tum
uolet ♯Si ego emo illi qui mandauit tum ille nolet
Mer 459   non ipse emam sed Lysamacho amico
mandabo Mer 466   dic quis emit? Mer 620   uin
bene emere? Per 587   emam opinor Per 651
eme* modo! Per 652   ut emas (eam *U* bene
add Rs), habe centum minis Per 662(*vide L*)
qui emisset, eius essetne ea pecunia? Tri 178
non ecastor uilis emptu*st modius(modio *Dousa
LŞ*) qui uenit salis Cas 538

age sis roga emptum Cap 179(*term. tech.*)

2. *cum acc. rei:* ex copia piscaria consulere
quid emam potero Cas 500   is ne quid emat
nisi quod . . Mo 284   quin quod palamst
uenale si argentumst emas Cu 34   neque edo
neque emo nisi quod est carissimum Men 106
neque de illo quicquam neque emeres neque
uenderes Tri 134   . . quam haec qui emit*
intus sit Ba 140(*L*) mea quidem haec habeo
omnia meo peculio empta Ps 1189

mutuom acceptum dicit pignus emptis aedibus Mo *Arg* 8   conueni illum unde hasce
aedis emeram Mo 547   aedis filius tuos
emit Mo 638   qua in regione istas aedis
emit filius? Mo 659   eas emisse aedis huius
dicam filium Mo 664   de uicino hoc pro-
ximo tuos emit aedis filius. ♯Bonan fide?
♯Si . . redditurus non es non emit bona. Non
in loco emit perbono? Mo 670-3   . . si male
emptae forent . . Mo 799   caue tu illi obiectes . . te has (aedis) emisse Mo 811   noli
facere mentionem te emisse Mo 813   num
nimio emptae tibi uidentur? Mo 905   quid?
is aedis emit has hinc proxumas? Mo 977
eccum unde aedis filius meus emit Mo 998
de me ille aedis emerit? Mo 1026 e   emistin
de adulescente has aedis? ♯Emi atque argentum dedi Tri 124-125 emi egomet potius aedis
Tri 179   neque adeo hasce emi mihi nec
usurae meae Tri 181   quis eas emit? Tri
1083   mihi eo pretio empti (postes) fuerant
olim. ♯Quanti hosce emeras? Mo 821-2

sciunt cruminam hanc emere Per 685 coronas
Au 385(*infra sub* tusculum)   eme* mi uir lanam
Mi 687   Periphanem emere lora uidi Ep 612
tu habes lora: ego te emere uidi Ep 684   lopadas,
loligunculas Cas 493(*infra sub* sepiolas)   ut uos
in uostris uoltis mercimoniis emundis uendundisque . . Am 2   hoc emi mercimonium Mer
500(*de amica dicit*)   aedificat nauem cercyrum
et mercis emit* Mer 87   boues quos emerem
non erant Per 262   hordeias Cas 493(*infra
sub* sepiolas)   eme* die caeca hercle oliuom
Ps 301   pisces prolati sient,nemo emat* Ru
980   restim uolo mihi emere Ps 89   emito*

sepiolas, lopadas, loligunculas, hordeias . .
#Immo triticeias,si sapis. #Soleas. #Qui quaeso
potius quam sculponeas? Cas 493-5 tusculum
emi hoc et coronas floreas Au 385 emit
unguenta Cas 241

similiter: diem aquam solem lunam noctem
haec argento non emo As 198 quoius ego
nebulai cyatho septem noctes non emam Poe
274 si nihil est quicum litigent lites emunt
(*A* est litium lites semunt *P*) Poe 587 amator
meretricis mores sibi emit auro et purpura Mo
285(*v. secl RsSL*) operam Epidici nunc me
emere pretio pretioso uelim Ep 120 non
ego istuc uerbum empsim* titiuillicio Cas 347
(*cf Paul* 366, *Fulg de abst serm* XIV) bene
emptum tibi dare hoc uerbum uolo Mo 298
non ego tuam empsim* uitam uitiosa nuce
Mi 316

3. *cum. acc. personae:* neque me quidem emere
quisquam ulla pecunia potuit Ep 497 dicto
me emit audientem Men 444 tam quasi me
emeris* argento liber seruibo tibi Men 1101
eloquere qur emeris* me Mer 504 emere* amicum tibi me potis es sempiternum Per 35 hic
me Antidama hospes tuos emit* Poe 1059
si te emam . . Per 626 non inconciliat
quom te emo Per 834 quanti te emit?
Ps 1170 nummo conducta quae sit, quae
se emptam simulet Ep 373 ut ille fidicinam fecit sese ut nesciret esse emptam tibi
Ep 412 is postquam hunc emit . . Cap 19
emit hosce e(*Stu* de *PLy*) praeda ambos de
quaestoribus Cap 34 quis tibi hanc dedit
mancipio aut unde emisti? Cu 617 ob
eam rem hanc(istanc *BriRg*[1]) emisti Ep 596
. . quanti haec emptast Mer 514 eme hanc
Per 563 si hanc emeris . . Per 564 i sane
tu . . hanc(*om L*) eme(*A ut vid* i s. hanc eme
atque *PRU*) Per 574 opusnest hac tibi empta?
#Si tibi uenissest opus mihi quoque emptast
Per 584-5 ne temere hanc te emisse dicas
Per 597 quin tu hanc emis? Per 625 tu si
hanc emeris . . Per 627 non emisti hanc
uerum fecisti lucri Per 713 periere . . duodeuiginti minae qui hasce emi Poe 1381 illos
emi de praeda a quaestoribus Cap 453 quanti
emi potest minumo? #Illane? Ep 295 hic
emet illam de te Ep 301 argenti quinquaginta mihi illa emptast minis Ep 467 argentum dedi ut (illa) emeretur Ep 565 matri te
ancillam tuae emisse illam Mer 202 . . si illam
matri meae me emisse dicam Mer 208 rogitabit
unde illam emeris*, quanti emeris Mer 221
. . ut putet matri ancillam emptam esse illam
Mer 350 nunc si . . illam mihi me emisse
indico . . Mer 352 illam emi* dono quam
darem matri meae Mer 400 illam mandauit
mihi ut emerem . . ad istanc faciem. #At mihi
quidem adulescens . . mandauit ad illam faciem
ita ut illast emerem sibi Mer 427-8 tanti
quanti poscit uin tanti illam emi? Mer 490
hic emit illam Mer 604 hominis quae facies
foret qui illam emisset Mer 623 ille quidem
illam sese ancillam matri emisse dixerat Mer 975
illam minorem in concubinatum sibi uolt emere
miles Poe 103 illas emit . . paruolas de praedone Siculo. #Quanti? #Duodeuiginti minis

Poe 896 cur eam emit*? Ep 45 quanti
eam emit? #Vili Ep 51 Ep 52(eam emit *ins U*)
. . ut eam te in libertatem dicas emere Ep 278
ubi erit empta . . Ep 279 ad quadraginta
fortasse eam posse emi minumo minis Ep 296
estne empta mihi istis legibus? Ep 471 hinc
Athenis ciuis eam emit Atticus: adulescentem
equidem dicebant emisse Ep 602-3 confingit
seruos emptam matri pedisequam Mer *Arg* I. 4
. . pedisequam ab adulescente matri emptam
ipsius Mer *Arg* II. 6 quid si igitur reddatur illi unde emptast? Mer 419 quoiist
empta? Mer 615 ubi tibi istam emptam esse
scibit . . Ep 154 quattuor minis ego emi*
istam anno uxori meae Men 205 solutos
sinat quos argento emerit Cap 205 quid
istanc quam emit? Ep 51 amatne istam quam
emit de praeda? Ep 64 illam adducit quae
empta* ex praedast Ep 608 haec illast autem
quam emi de(*A ex PRg*) praeda Ep 621 ausu's
primum quae emptast nudiustertius filiam meam
dicere esse Ep 697 emere oportet quem tibi
oboedire uelis Per 273 emere meliust quoi
imperes. #Pol ego emi Tri 1061
suos amores Toxilus emit* Per *Arg* I. 2
manu misit emptos suos amores Philolaches
Mo *Arg* 1 empta ancillast Ep 131 ego emero
matri tuae ancillam Mer 413 aut empta*
ancilla aut aliquod uasum argenteum aut uasum
ahenum aut . . Tru 53 emptast amica clam
uxorem Mer 545 amicam eripere emptam
argento suo Mer 973 amicas emite liberate
Mo 23 (argentum) qui amicast empta Mo 538
faenus sortem sumptumque omnem qui amica
emptast* Mo 1160 istos captiuos duos heri
quos emi de(e *U post Stu*) praeda a(*Fl* de *PU*)
quaestoribus Cap 111 emit fidicinam filiam
credens senex Ep *Arg* 1 . . ut fidicina quam
amabat emeretur sibi Ep 48 is suo filio
fidicinam emit quam ipse amat (ipse emundam*
. . mandauit *U*) Ep 90 a fateor . . eo argento
illam me emisse amicam fili fidicinam Ep 704
quasi ducentis Philippis emi* filium Ba 919
in ibus emit olim amissum filium Cap *Arg* 5
capitur alter filius: medicus Menarchus emit
ibidem in Alide Cap 26 . . ut censeret suam
sese amere filiam Ep 88 emit hospitalem
is filium inprudens senex Poe 75 dubitaui
hosce homines emerem an non emerem* diu
Cap 455 emi* hosce homines Cap 500 emit*
atque adportat scita forma mulierem Mer *Arg* I. 2
neque credibilest forma eximia mulierem eam
me emisse ancillam matri Mer 211 . . secum aueheret emptam mulierem Ps *Arg* II. 7
quanti illam emisti tuam alteram mulierculam
Ru 1405 illam minis olim decem puellam
paruolam emi Cu 528 puellam ab eo emerat
Ru 59 cupio aliquem emere puerum Cu 382
(puerum) emptum adoptat hunc senex Poe
Arg 2 pretiis emptos maximis . . seruos Poe
842 Thalem talento non emam Milesium
Cap 274 meus uicinus . . non . . uilis emptu'st
modius qui uenit salis Cas 538 de illo emi
uirginem triginta minis Cu 343 . . ut ei
detur quam istic emi uirginem Cu 433 raptamque ui emere* de praedone uirginem Per
Arg I. 3 suo periclo is emat Per 524

translate: neque puduit eum . . beneficiis me emere* gnatum suom sibi As 72　redime istoc beneficio te ab hoc et tibi eme hunc isto argento As 673　talento inimicum mihi emi* amicum uendidi Tri 1056

seq. acc. partic. praed.: dicto me emit audientem, haud imperatorem sibi Men 444

4. *pretium indicatur per gen.:* ·quanti Ep 51, 295, Mer 221, 514, Mo 822, Poe 897, Ps 1170, Ru 1405　tanti Mer 490　minoris Mer 425 *Cf* Schaaff, p. 37; Blomquist, p. 93

abl.: argento As 198, 673, Cap 205, Ep 704, Men 1101, Mer 973　auro Mo 286 beneficiis As 72　cyatho Poe 274　minis Cu 343, 528, Ep 52, 467, Men 205, Poe 896　talento Cap 274, Tri 1056　nuce Mi 316　pecunia Ep 497 peculio Ps 1188　Philippis Ba 919　pretio Ep 120, Mo 821, Poe 842　purpura Mo 286 titiuillicio Cas 347　uictoria Ps 1170

qui Au 377, Mo 1160, Poe 1381　minumo Ep 295, 296　nimio Mo 905　uili Ep 51

alio modo: bene Mo 298, Per 587, 662(*Rs*) male Mo 799　ad . . minas(-is) Ep 296

5. *is cui emitur:* mihi Cu 382(*FlRgLy*),Ep 467, 471, Mer 352, Mo 821, Per 585, Ps 89, Tri 181, 1056　tibi As 673, Ep 154, 412, Mer 458, Per 584　sibi As 72, Ep 48, Mer 428, Poe 103 illi Mer 459　quoi Mer 442, 444, 468, 615 filio Ep 90　matri Mer *Arg* I. 4, II. 6, Mer 202, 208, 211, 350, 413, 975

6. *is vel id a quo emitur:* unde Cu 617, Mer 221, 419, Mo 998　hinc Ep 602　ab eo Ru 59 (*cf* Kampmann, *In Rud.* p. 14)　ab adulescente Mer *Arg* II. 6　de illo Cu 343, Tri 134 de te Ep 301　de me Mo 1026 e(?)　de adulescente Tri 124　de praedone Per *Arg* I. 3, Poe 896　de uicino Mo 669　a quaestoribus Cap 111, 453　de quaestoribus Cap 34 de praeda Cap 34 (*PLy* e *Stuψ*), 111, 453, Ep 64　e(x) praeda Cap 34(*Stu* de *P*), Ep 608(*Ca in lac*)

7. *varia:* bona fide Mo 670, 672　istis legibus Ep 471　suo periclo Per 524　in concubinatum Poe 103　in libertatem Ep 278

EMOLUMENTUM - - si sine dote duxeris tibi sit **emolumentum**(ermolumenium *B*) honoris Tri 694

EMOLIOR - - insanum magnum molior negotium metuoque ut hodie possiem **emolirier** Ba 762

EMONEO - - As 826,iam emone *PS*† var *em* ψ　Tru 501, emonet *PS*† var em ψ

EMORIOR - - I. Forma emoriere Tru 624 **emoriar**(*subiu.*)　Au 154, Ps 336, 338　**emoriamur** Ba 1204　**emoriantur** Cas 334　**emori** As 810, Mi 721, Tru 927(*AcU pro* mori)　**emoriri** Ps 1222 (sinam e., *A ut vid* sin a me [*om B*] moriri *P* sinam moriri *RRgU*)　**emortuos** Cas 335(*P*[-us]*RsU* mortuos *Acψ v. secl U*), Ci 277, Men 36(-us *PU*), Mo 233(*RsL* mortuus *Pψ*), Poe 61(-us *PU*), Ps 339(*CD*[-us] -tus *B* mortuus *AU*), St 216(dem. *RRg* -us *PU*)　**emortuom**(*nom. neut.*) Ep 117(-um *PU*)　**emortuo** (*dat. masc.*) Poe 840(*BDS* -a *C* mortuo *URglL*)　**emortuom**(*acc. masc.*) Au 661(-um *PU*), Men 39(-nm *PU*), 243(-um *ACDU* mortuum *B*)　**emortuam** Tri 42　**emortui** Tri 535

II. **Significatio** 1. *proprie de personis* a. *verbum:* emori me malim quam . .　As 810　. . ut quidem emoriar prius quam ducam Au 154　emortuom ego me mauelim leto malo quam . . Au 661　ni emortuos era*** Ci 277　ex tua rest ut emoriar. #Ex tua re non est ut ego emoriar: quia si ego emortuos* sim Athenis te sit nemo nequior Ps 336-9 hercle te hanc sinam emoriri* Ps 1222　paene sum fame emortuos* St 216　quam quidem actutum emoriamur! Ba 1204　si tu . . sis emortuos* . . Cas 335(*v. secl U*)　teque ut quam primum possim uideam emortuam Tri 42 emoriere ocius nisi manu uiceris Tru 624　is . . Tarenti emortuost Men 36　. . dicat scire eum esse emortuom* Men 243　si ei forte fuisset febris censerem emori Mi 721　eorum alter uiuit alter est emortuos Poe 61　alii exulatum abierunt alii emortui Tri 535　. . patremque pueri Tarenti esse emortuom Men 39 utinam meus nunc emortuos* pater ad me nuntietur Mo 233　. . repente ut emoriantur humani Ioues Cas 334　. . hunc uis emori* Tru 927(*U*)

b. *subst.:* uerba facit emortuo* Poe 840

2. *translate:* . . si ad rem auxilium emortuomst Ep 117

EMORTUALIS - - certumst mihi hunc **emortualem** facere ex natali die Ps 1237

EMOVEO - - suom nomen omne ex pectore **exmouit**(emouit *D*) meo Tru 78 a　nisi somnum socordiamque ex pectore oculisque **ex-mouetis**(*A* amo. *PRU*) . . Ps 144

EMPORIUM - - omnis plateas perreptaui gymnasia et myropolia, apud **emporium**(-onum *EJ*) atque in macello Am 1012　*Cf* Siewert, p. 77; Vissering, I. p. 68

EMPOROS - - Graece haec uocatur **Emporos** (*Angel* -us *P*) Philemonis Mer 9(*v. secl OsannSRg*)

EMPTOR - - 1. unum quodque istorum uerbum . . non potest auferre hinc a me si qui **emptor** uenerit As 154　Priamo nostro sist quis emptor comptionalem senem ueniam ego Ba 976　uenibit uxor quoque etiam si quis emptor uenerit Men 1160

2. inuendibilli merci oportet ultro **emptorem** adducere: proba mers facile emptorem reperit Poe 341-2

3. aut hoc **emptore** uendes pulcre aut alio non potis Per 580

EMUNGO - - emungam(emugam *B*) hercle hominem probe hodie Ba 701　me **emunxisti** (hem unxisti *E*) mucidum minumi preti Ep 494(*cf* Inowraclawer, p. 26)　probe med **emunxti**(*Pius* -xit *B¹C* -cxit *D* -xisti *B²*). #Vide sis, satine recte? num mucci fluont? #Immo etiam cerebrum quoque omne e capite emunxti(munxit *A* -tē unxti *C* -tem uncxi *D*) meo Mo 1109-10(*cf* Egli, I. p. 33)　. . tu ut oculos **emungare**(enūgare *E*) ex capite per nasum tuos Cas 391　cano capite atque alba barba miserum me auro esse **emunctum**! Ba 1101(*cf* Graupner, p. 7; Ramsay, *Ad Most.* p. 271)

EMUSSITO - - inest in hoc **emussitata**(-usi-*P corr ex Non* 9 amus. *AldRU*) sua sibi ingenua indoles Mi 632

EN - - *hanc particulam a Plauto abiudicat* Richter, p. 477: *in R aliquando invenitur(ut* Ba 209, 340 *al.) per emend.; in codd. his locis:* Men 1018 *P pro* em; Mo 9 *BD* in *C pro* em; 482 *CD¹ pro* in; Poe 159 *P pro* em; Per 399 *A ins falso;* Ps 218 *P pro* ain; *vide* enumquam

ENARRO - - ea tibi omnia **enarraui**(-araui *J*) Am 525   mihi ad **enarrandum** hoc argumentumst comitas Mi 79   *corrupta:* Men 735, enarrabo *CD* inarrabo *B¹ pro* ei narrabo(*B²*) Mi 32, enarrare *C* anarrane *D¹ pro* narrare

ENICO - - I. Forma **enicas** Cas 233(*RsLy* enegas *BVF* enecas *Jψ*), Mer 157, 493, 612 (*P* enecas *A*), 893, 916, Per 48(enecas *D³*), 484(enecas *D³*), Poe 1267(*A ut vid* -am *P* enicari *TLy*), Ru 944(enecas *B*), Tru 119(*infra* II. 2)   **enicat** Am 1119(enecat *J* emicat *E*), Cu 236(*Ly ex Varr l L* VII. 60 necat *PU* enecat *ψ*), Mer 114(emicat *B*), Mo 652(enecat *ω*) **enicabit** Mer 557   **enicauit** As 921(*FZ* -bit *P* ene. *J*)   **enicasso** Mo 212(ene. *B v. secl Ladewig*𝕊), 223(ini. *B v. secl Ladewig*𝕊) **enicem** Au 743(enecem *B ante corr*), Mo 219(*B¹* enecem *B²CD v. secl Ladewig*𝕊), Ps 349(*U pro* me)   **enicer** Am 1056(*D* inicer *E* inicier *B* enecer *J*)   **enices** Mer 312(*ACD* hic ē *B*), Per 318   **enicet** Ba 867(enecet *B²* eniceat *D*), Mo 652(*Ly* enecet *Pψ*), Ru 476   **enicaret** Tru 202(ut en. *A* litenecaret *P*)   **enica** Au 831(emica *J*), Ru 1401   **enicari** Poe 1267 (istunc en. *TLy* istuc enicem *P* istuc enicas me *A ut vid et ψ*)

II. Significatio 1. *proprie* a. puer ambos anguis **enicat*** Am 1119 . . ut abortioni operam daret puerumque ut **enicaret*** Tru 202

b. mihi uidentur omnia mare terra caelum consequi iam ut opprimar ut **enicer*** Am 1056 . . dum ne manufesto hominem opprimat neue **enicet*** Ba 867   uel hercle **enica*** (me *add Reiz Rg*), numquam hinc feres a me Au 831   uel hercle **enica**, non tacebo umquam alio pacto Ru 1401   optumo me iure in uinclis **enicet** magistratus si quis me hanc habere uiderit Ru 476 . . ut apud me te in neruo **enicem** Au 743   perii hercle ni ego illam pessumis exemplis **enicasso** Mo 212   diui me faciant quod uolunt . . ni Scapham **enicasso*** Mo 223   . . ut ueneficae illi fauces prehendam atque **enicem** scelestam stimulatricem Mo 219   capital facis, . . quia aequalem . . **enicas** Mér 612   uomitu ne hic nos **enecet** Mo 652   emitte sodes (boues e crumina) ne **enices** fame Per 318

similiter: auctor sum ut me amando **enices*** Mer 312

c. *de dolore corporis:* lien **enecat***, renes dolent Cu 236(*cf Varr l L* VII. 60)   simul **enicat*** suspiritus Mer 114

2. *translate:* nolo ames. #Non potes impetrare. #**Enicas*** Cas 233   *similiter:* **enicas** *etiam* Mer 157, 493, 916, Per 484   nolo ego istuc . . #**Enicas*** me Poe 1267(istunc **enicari** *TLy*) dic: **enicas** me miserum tua reticentia Mer 893   pol me quidem miseram odio **enicauit*** As 921   ah! odio me **enicas** Per 48 **enicas** iam me odio quisquis es Ru 944(*cf* Egli, I. p. 28)   oh! **enicas**(*A* io tenicas *P*

odio med **enicas** *FlRsU*[en. me]) me miseram quisquis es Tru 119   iam iurgio **enicabit** si intro rediero Mer 557(*cf* Egli, I. p. 26)

ENIM - - *Cf* Clement, *The use of enim in Pl. and Ter.,* Diss. Baltimore, 1897; Langen, *Beitr.,* 261; Ramsay, *Ad Most.,* Exc. VI.

I. **Forma** Am 333, *om LindU*; 338, enim *LachRgl* id tu *U* in *P*𝕊†*L*†*Ly*† As 688, in numero *EJ pro* enim uero Au 594, ꞟon enim(*B* eni *D* eum *J*) *P* noenum *WagnerRgU* Cap 22, enim *Py* est *P* Cas 262, enim *om WeisU*; 889 neq. ecum *V* nec quietum *J pro* neque enim Ci 777, enim *Bo* etenim *P* Cu 438, enim *U pro* in; 442, enim *om J*; 667, enim *add Rgl* Ep 95, *enunt. om P*; 162, noenum *U pro* non enim; 701, em *MueRg¹* Men 846, hem *R* †𝕊; 1075, enim uero *om CD* Mer 395, enim *add RRgL*; 904, enim *add BoU* Mi 648, non enim *P*𝕊†*L* non sum *R* noenum *RibRgU* Poe 1344, enim *add BoRgl* Ru 1003, enim *om KampU* St 616, enim *om R* Tri 705, noenum *RRs* non enim *Pψ* Tru 733, olim *MueRs pro* enim †𝕊   *corrupta:* Cap 499, enim *J pro* emi Cas 720, enim uero *B pro* ero Ci 342, eni *** A* Men 94, ea enim fere *Non* 338 *pro* ita istaec nimis Mo 245, enim te *Varr l L* IX. 54 *et Ly pro* te nihili; 1002, enĭ *C pro* eum Per 116, enim *add CDU* Tri 263, enim *add CD* Ru 313, enim *add Rs in lac* St 562, quis enim *CD pro* qui seni Tru 313, enim exercere *P pro* quidem hercle(*A*); 467, enim scito(cito *CD*) *P pro* re nimis cito(*Sp*)

II. **Collocatio** enim *locum primum in enuntiato occupare solet; secundum autem 21-ies, tertium semel modo,* Cas 525. *Si cum pronominibus coniuncta est, antecedit nisi quod* is enim Tri 981, ego enim Cas 280, Mer 251, Mi 810, Mo 888, 926, Poe 604, Ps 979, quid enim Am 694 *inveniuntur. Semper* enim *uero* sed *uerum* enim *et* enim iam. Enim non *6ies, aliter* non enim; haud enim Cap 592, enim ne *ter. Cf* Clement, p. 4; Kaempf, p. 36, 40

III. **Significatio** 'In both Pl. and Ter. enim has in the majority of cases an affirmative or corroborative force, corresponding to our «indeed, certainly, to be sure», and the German «fürwahr, wahrhaftig». In the remaining examples a causal force is possible, though a corroborative force can be given.' Clement, p. 8.

A. enim *confirmativum* 1. enim *per se* a. *praepos.:* enim mihi quidem aequomst purpuram . . dari Au 500 Cap 592(*Rs*)   enim iam magis adpropero Cas 890   enim* non placet Ci 777   enim* istaec captiost Ep 701 enim̦ istic captiost Mo 1144   enim* haereo Men 846(*vide* ω) Mer 904(*BoU*)   enim cognoui nunc Mi 1018   enim non ibis Per 236 enim metuo ut possim Per 319   enim uolo te adesse Per 612   enim* . . opera utere St 616 Tri 806(*RRs*)   enim me nominat Tri 1134

postpos.: hinc enim* mihi dextra uox auris . . uerberat Am 333   nunc enim esse negotiosum . . uidelicet Solonem As 598   hic enim rite productust patri Ba 457   em, nunc enim

tu . . scitus es Cas 525   nunc enim tu mea's
Ep 648   illoc enim uerbo esse me seruom
scio Men 251   ego enim lugere ... Mer 251
   b. *in responsis:* te uxor aiebat tua me uocare. #Ego enim uocare iussi Cas 280   quid
tu postea? #Negaui enim ipsi me concessurum
Ioui Cas 323   tibi daretur illa? #Mihi enim
— ah — non id uolui dicere Cas 366   quid
est? #Dicam enim Cas 372   quid ais? #Ego-
ne? id enim quod tu uis Men 162   quid
metuis? #Enim ne nos nosmet perdiderimus
uspiam Mi 429   quid meminisse id refert?
#Ego enim dicam Mi 810   qui parasitus sum?
#Ego enim dicam Mo 888   huc decem ac-
cedent minae. #Abscedent enim non accedent
Per 670   quo modo ergo orem? #Sic enim
diceres Poe 387   quid nos uis facere? #Enim
nihil(n. e. *MueRgU*) Ba 702   quid tute tecum? #Nihil enim Mo 551
   c. *ironice:* satis audacter! #Ut pudicam decet. #Enim* uerbis probas Am 838   tu enim
repertu's Philocratem qui superes ueriuerbio
Cap 568   uideo enim* te nihili pendere ...
Mo 245(*Ly*)
   d. qui istuc potis est fieri? #Quid enim
censes? Am 694(*damnat Langen*)
   2. *cum particulis* **a.** **enim uero:** et enim uero
quoniam formam cepi .., decet et facta . .
habere Am 266   enim uero praegnati oportet . . dari Am 723   enim uero illud praeter
alia mira miror Am 772   enim* uero di nos
quasi pilas homines habent Cap 22   enim
uero(*om BoLULy*) iam(†☙ *om Rs*) nequeo(hau
queo *Rs*) contineri Cap 592   enim uero huc
aures magis sunt adhibendae mihi Cas 475
enim uero ita me Iuppiter ... Ci 519   enim
uero illud praecauendumst Men 860   enim
uero . . prouenisti futtile St 398   enim uero
ego nunc . . uolo Tri 958
   nunc enim uero ego occidi Cap 534   enim
uero nequeo durare . . Cu 175   enim uero
irascor Cu 608   nimium negoti repperi. enim
uero haereo Mer 739
   fuistin liber? #Fui. #Enim uero non fuit
Cap 628   hodie accipiat. #Ita enim uero
Mo 920   grauior paupertas fit. #Enim uero
odiosa's Per 349   ego elixus sis uolo. #Enim
uero(*B om CD*), ere, facis delicias Poe 280
perpetue uolo. #Enim uero, ere, . . delicias
facis Poe 296   neque hoc neque illuc neque—
enim uero serio . . Poe 435   uiduli arbitratu.
#Ita enim uero(†☙*L var em ψ*) stultus es Ru
1003   St 616(*A* uero *om P*)   abin hinc ab
oculis? #Enim uero serio Tri 989
   ain uero? #Aio enim uero Am 344   quid,
domum uostram? #Ita enim uero Am 410
negas? #Nego enim uero Am 759   iam deuorandum censes? #Ita enim uero As 339
an osculando? #Enim* uero utrumque As 688
etiamne adstas? #Enim uero πράγματά μοι
παρέχεις Cas 728   non commeministi? #Enim*
uero aequom postulas Men 1075   ain uero?
#Aio enim uero Per 185   tun es Ballio. #Ego
enim uero is sum Ps 979   an tu is es? #Is
enim uero sum Tri 987
   b. **certe, certo enim:** certe enim hic nescio
quis loquitur Am 331   certe enim me . . uen-

turum scio Am 658   certe enim tu uita's mihi
As 614(*vide edd*)   certo enim ego uocem . .
audire uisus sum Au 811   certo enim . .
praepotentes . . fuimus Poe 1181   certo enim
mihi paternae uocis sonitus auris accidit St 88
   c. **namque, nempe enim:** namque(*AP* nempe
RRs) enim tu . . obrepseris Tri 61
   d. **at enim:** quid opust? #At enim id quod
te iubeo facias Ba 993   potaui, dedi, donaui: at(*Par* et *PU* sed *AcLy v. secl UL*)
enim id raro Ba 1080   uolo. #At enim ne
tu exponas pugnos . . Ci 235   negat esse
quod det. #At enim ille . . Ci 739   uirgis
dorsum dispoliet meum: at enim tu praecaue
Ep 94   quid ille faciat ne id obserues. #At
enim ille hinc amat Men 790   dice. #At enim
placide uolo Mer 159   i intro atque inspice.
#At enim mulieres . . Mo 808   ego illi porro
denumerauero. #At enim nequid captionis mihi
sit Mo 922   at ego intromitti uotuero. #At
enim illi noctu occentabunt ostium Per 569
ego nihil merui. #At enim quod ille meruit tibi
id obsit uolo Per 832   locum lepidum dabo.
#At enim hic clam furtim . . Poe 662   uale.
#At enim nihil est . . Poe 914   expedi. #At
enim hoc agas uolo. #At enim ago istuc Poe
1197   uetus nolo faciat. #At enim nequi-
quam(*P* nequi at enim quam *A*) neuis Ps 436
mihi auctores ita sunt amici . . #At enim . . nos
aliter auctores sumus St 129   satis mihi pulcra's. #At enim mihi pulcerruma St 738   ita
faciam. #At(*om RRs*) enim nimis longo sermone utimur Tri 806   neque adeo edepol
flocci facio. #At enim multi Lesbonici sunt
hic Tri 919
   'dabo' inque. #At enim scin quid mihi in
mentem uenit? Ps 538   uerum si dare uis
mihi . . . #At enim scin quid est? Ps 641
   at enim tu praecaue. At enim — bat enim
(*A omnia post* praecaue *om P*) Ep 95
   e. **uerum enim:** matronae magis conducibi-
best istuc: uerum enim meretrix . . Ci 80   medicum istuc tibi meliust percontarier: uerum
enim tu istam . . Mi 293   i tu atque erus
#Verum(. *L*) enim qui homo eum norit . . Poe
874(*loc dub*)
   uidi ego multa picta cruciamenta: uerum
enim uero nulla adaequest Acheruns atque ubi
ego fui Cap 999
   f. **sed enim:** Ba 1080(*AcLy vide supra sub* **d**)
   g. **immo enim:** lege uel tabellas redde.
#Immo enim pellegam Ps 31   cynice hic
accipimur . . #Immo enim hic magis est dulcius St 704
   uolo (uinciri) dum istic itidem uinciatur.
#Immo enim uero . . istic qui uolt uinciatur
Cap 608
   h. **quia enim:** qui tibi . . in mentem uenit?
#Quia enim sero aduenimus Am 666   qui?
#Quia enim te macto infortunio Am 1034
qui . . .? #Quia enim(*om WeisU* †☙) filio nos
oportet opitulari unico Cas 262   qui? #Quia
enim nihil amas Per 228   qui tu quam miles magis? #Quia enim plus dedi Tru 733
quidum? #Quia enim mulierem alius illam
adulescens deperit Ep 299   quidum? #Quia
enim neque loquens es . . bonus Ru 1116   qui

uero? #Quia enim* non nostra formam habet
dignam domo Mer 395   quid tu . . iuras?
#Quia enim item asperae sunt . . Cap 884
quid tu id curas? #Quia enim metuo Cas 385
quid mirare? . #Quia enim in cauea si forent
conclusi . . Cu 449   quid est? #Quia enim
non sum dignus prae te Mi 1140   quid tibi
mecum autem? #Quia enim* hasce aio . . Poe
1344   quid tibi ego male dico? #Quia enim
me truculentum nominas Tru 266   quid
ita? #Quia enim te ex puella prius percontari uolo Per 592   quid iam? #Quia enim
intellego Ba 50   quid iam? #Quia enim ob-
sorbui Mi 834   quid iam? #Quia enim non
uenalem iam habeo Phoenicium Ps 325   quo argumento? #Quia enim loquitur laute Mi 1001
qua istuc ratione? #Eloquar: quia enim . .
nemo illum quaerit Ps 804   quam ob rem
istuc? #Dicam: quia enim* Persas . . subegit
solus Cu 442   quam ob rem istuc? #Quia
enim* ille ita repromisit mihi Cu 667(*Rgl*)
cur istuc coeptas consilium? #Quia enim me
adflictat amor Mer 648   cur? #Scies: quia
enim id maxume uolo Mo 1098   *Cf* Cu 438,
ubi enim *U falso pro* in

i. ut enim: quid istuc tam cupide cupis?
#Ut enim frugi seruo detur Cas 268   quam
ad rem istuc refert? #Rogas? ut enim* praestines argento Ep 277   quo modo? #Ut enim
. . tu corium sufferas Poe 855

k. ne enim: quid ita? #Nullam rem sapis:
ne enim illi . . possint Mo 1095

l. non enim: . . retinere ad salutem, non
enim* . . inpellere Au 594   . . det dotis: non
enim hic, ubi . . Ci 562   uide quid agas:
non enim* nunc tibi dormitandi . . copiast Ep
162   Ephesi sum natus, non enim* in Apulis
Mi 648   me pro te ire ad cenam autumo.
#Non enim ibis Mo 1133   corollas dari dap-
siles: non enim parce promi Ps 1266   tu
enumquam piscatorem uidisti . .? Non enim
tu hic quidem occupabis omnis quaestus Ru
989   solus cenabo domi? #Non enim solus
St 600   estne item uiolentus ut tu? #Non
enim ille . . rem coegit Tru 309   *similiter:*
scire nolo. #Non enim faciam quin scias Mi
283   qui potuit scire haec scire me? non
enim possum quin reuortar St 302   ne animum induxeris. #Non enim* possum quin exclamem Tri 705

m. neque enim: reppulit mihi manum: neque
enim* dare sibi sauium me siuit Cas 888

n. numquam enim: numquam enim posthac
. . uolam Per 489   numquam enim nimis
curare possunt suom parentem filiae St 96
numquam enim fiet St 754

B. enim *causale:* **1.** ego enim caui recte Mo
926   ego enim docui Poe 604   eo enim
ingenio hi sunt flagritribae Ps 137   plus dedi.
#Plus enim* es intro missus Tru 733(*loc dub*)

2. *cum particulis* **a. non enim:** non enim es
in senticeto, eo non sentis Cap 860   non
enim haec . . fecit barbarus Mo 828   non
enim potis est quaestus fieri Poe 286   non
enim illum exspectare oportet Ru 922   non
enim possunt ⸗militares pueri ut auis exducier

Tru 908   haec sunt non nugae: non enim
sunt mortualia As 808

b. neque enim: neque enim decet Per 62
neque enim illi damno umquam esse patiar
Tri 586

ENITEO - - qui alterum incusat probri,
sumpse **enitere**(*BergkRsLLy* sumpsit seniteri
PS† se eumpse intueri *BoU duce FZ* [se ipsum])
oportet Tru 159

ENITOR - - 1. *verbum:* dum **enitor**(emitor *B*),
prox iam paene inquinaui pallium Ps 1279   geminos Alcumena **enititur**(en- *BD*) Am *Arg*
II. 9

2. *adv. ex partic.:* ego istum agrum tibi relinqui ob eam rem **enixe**(*AD* enxie *C* menixe
B denixe *BergkRRs*) expeto Tri 652

ENO - - in uadost: iam facile **enabit** Ru
170(*v. om U*)

ENSICULUS - - 1. ensiculust(ins. *C*) aureolus primum litteratus Ru 1156   Ru 1169
(ensicula *Rs* in sicula *CDS*† in sicilicula *B*
sicilicula *LU*)

2. in eo **ensiculo** litterarum quid sit? #Mei
nomen patris Ru 1157   in ensiculo quid nomen est paternum? Ru 1160   *Cf* Ryhiner,
pp. 29, 30

ENUMERO - - quam ob rem ego argentum
enumerem(*A* numerum *P* numerem *FZRU*)
foras? Per 531   nec potest peculium **enume-
rari** As 498

ENUMQUAM - - *particula interr. cum per-
motione aliqua animi (cf* Ribbeck, *Lat. Part.*
p. 34): sed tu, enumquam(en. *V* ////numquam
B duo voc. U) cum quiquam uiro consueuisti? Ci 86   dic mihi enumquam(*ex Aus
idyll.* VI numquam *CD* numqua *B* an umquā
R) tu uidisti tabulam pictam in pariete? Men
143   dic mihi, enumquam(*CD*[1] an umquā *B*[2]
numquā *B*[1] numquid *D*[3] *duo voc. RLU*) intestina tibi crepant? Men 925   sed tu enum-
quam(tue [-ẹ *CD*] numquam *P duo voc. U*)
piscatorem uidisti? Ru 987   quaeso, enum-
quam(*duo voc. CDU*) hodie licebit mihi loqui?
Ru 1117   o pater, enumquam(*BC duo voc.
DRRsU*) aspiciam te? Tri 590   *corruptum:*
Per 286, ut enumquam *P pro* tu te numquam

ENUNTIO - - . . ut ne **enuntiet**(-ciet *C*) id
esse facinus ex ted ortum Poe 888   . . ne
enuntiarem(*CD* -ciarē *B*) quoiquam Tri 143

EO - - I. Forma eo Am 347, 409, 1039, As
108, 480(*v. secl. URglSL*), Au 579, 714, 721, Ba
348(*R om PLLy* abeo *FlU*), Cap 458(*add Rs*),
510(ego *SkutschLy*), Ci 86(ed *VE* sed *J*),
790, 792, 932(*Rs* exeo *Pψ*), Ci 223(non eo pessum *B* ne oppessum *VE*[1]*J* ne eo p. *E*[3]) Cu 621
(ego *E*[1]), Ep 650, Men 96, 97, 663(*Bent* ego *P*), Men
218, 385, 461, 659, 677, 691, 788(*om B*), 927, Mi
812(*R* ego *P*), 1248, 1305, 1339(*D*[3] ero *P*), 1387,
Mo 335, 774, 847, 853(*P* abeo *ARs*), 877, 880,
Per 198, 217, *ib.*(*add RRs om Pψ* †*S*), Poe 190,
Ps 169, 1329, Ru 403, St 250, 625, Tri 582(*add
Rs*), 818, 1059, 1123, 1172, Tru 642, 792   **is**
As 480(*JLLy* iis *BDE v. secl URglSL*), Cas
245(*E*[2]*J* his *BVE*[1] es *Non* 135), Ci 378(quin
is si *Gul ex Fest* 372 qui nisi *Fest*), *ib.*, 776,
Cu 183, 611(es *B*), Ep 303, Men 382, 915, Mer
671, Mi 1387, Mo 547(*B*[2] his *P*), 785(*A om P*),

815(i *R*), Per 191, 217(tu is *add RRsULy* is *L om P* ✱✱**S**), 672, Poe 495, 698(inis *U*), Ps 242, 845(coctum is *A* is coctis *P* is coctum *D²L*), 891(quin tu is *Par* quittuis *A* quin uis *P*), 1328, Ru 122, 518(*PLU* eis *Aψ*), St 247, 319, Tru 937(i *U*) **in** (in' *Ly*) Ba 1185(*CD* isne in *B* isne *RU*), Cas 641(*A ut vid* et *VEURs* i in *Bψ*), Men 849(*Rs pro praep. habent* ψ), Mer 183(*B* i *CD* abi *RRg*), Mo 1134(in tu *Rs* acto *PS*† *aliter* ψ), Poe 1309(*BC* i *A* i in *DRgl* *LU*), Ps 1182(*Ly* in *C* ein *A* i in *BDψ*) **it** As 864, Au 247(opulentus it *BDV* opulento sit *J*), 302, Ba 107(qui huc it *P sed* it *om D* coepit *R v. secl RRgS*LU), 347(BoR iit *Pψ*), 446(*FZS*† *v. secl L* et *C* id *B* fit *DR* ita *Leidolph* *Rg* sit *U*), 458(*FZ* ut *P*), 592, 1203(id *D*), Cas 213, 510, Cu *Arg* 1, Cu 116, 489(idem *E¹*), Ep 394, Men 487(aduersus it *Grut* et *Bo* aduernum sit *P*), Mer 271(*A* exit *P*), 561(*BC* ut *D*), Mi 271(id *D*), 1282(it ad nos *BriRgLULy* iam non *PS*†), Mo 25(*Bo* ut *P* iit *D³*), 566(me it *FZ* meis *P*), Poe 683, Ps 241a, 846(*AD³* id *P*), 911(ut it ut *A* uti ut *P*), 1293, Ru 176(est *Prisc* II. 75), 382, 762, 1001, St 237(it mihi *P* uenit *ARg*), 608 *bis*, Tru 503 (*D²* id *P*), 559(se it *Ca* sit *BD* fit *C*) **imus** Cap 479, Cas 854 (quin imus *AJ* qui nimis *BVE*), 977, Mer 100, 582, Mo 327(quo imus *U* coimus *PS*† *var em* ψ), Ru 266 **itis** Poe 569(*v. secl Weisω*), 678, 1237(si itis *A* sit tis *P* ite *Rgl*) **eunt** Ba 1123, 1166, Cap 78(*v. secl Rs*), 475(om *B*), 501, 534, Ci 37(*B* eŭ *VE* eum *J*), Mer 115, Poe 330, Tri 624 **itur** Au 527, Ba 447(agitur *LeidolphRg*), Mo 129(quom itur *FR* comita *PS*† *var em* ψ), Ps 453 **ibam** Cas 178(ibo *E*), 593, Tri 400, Tru 921(*Angel* ibo *P*) **ibas** Mer 884, Ps 1180 **ibat** Ep 241, Men 63, Mer 980 (*Rg* iret *Pψ*), 981(exibat *B*), Ps 1180 **ibant** Ep 218, Ru 1252 **ibo** Am 263, 291, 460, 550, 930(iubeo *Rgl*), 1007, 1015, 1075, 1145, As 126 (*add CaRglLy* in lac: *v. secl U*), 132, 295, 817, 913, Au 65, 118, 263, 278, 449, 586, 620, 659, 700, 712, 802, 817, Ba 235, 366, 507a(*v. om A secl ω*), 529, 571, 625(adibo *R*), 871, 1060, Cap 126, 192, 458(ibo dum *U* modo *PS*LLy eo *add Rs*), 496, 907, 919, Cas 511, 526, 557, 973, Ci 335, 531a, 629, 650(*PLy* ilico *UL* quom extemplo *MueRgψ*), 651, Cu 273, Ep 164(*R.MueRg* ibo intro *AS*†*Ly* ii abi *BJ* i abi *L*), 319, Men 331, 462, 557, 672, 700, 775, 808(*Ca* adibo *RRs om P*), 845, 875(*BRLU* eibo *CDψ*), 954(abibo *SchwabeU*), 996, 1034, 1035, 1048, Mer 222(ibi *B*), 329, 366(om *B*), 466, 468, 472, 558, 598, 665(om *CD*), 797, 963, Mi 259, 268(ibi *B¹*), 479 (*BoR falso pro* ero), 585(*v. secl Ribω*), 595(ibi *D*), 800(*R pro* dabo), 1085, 1121, 1319, 1376, 1381(om *B*), 1393, Mo 317, 540(ibi *C*), 848, 1131, Per 77, 198, Poe 123(*B ante corr* ibi *P*), 127 (*v. secl GuyRglS*), 447, 496, 739, 794, 851, 920, 929, Ps 561, 764, 903, 1138(ibo: noui *A ut vid* si bono ui *P*), 1245(*A* ibi *BC* tibi *D*), Ru 766, 890, 1040(cibo *Rs* †**S**), 1263, 1316, St 87, 143, 308, 315, 400, 428, 440, 451, 464, 567, 568, 625, 682, Tri 600, 614, 727, 995(*FZ* ibi *P*), Tru 206, 313(ibo ad *A* ibi *P*), 443(*Rs* modo *CDS*L† immo *U*), Vi 53, 56 **ibis** Ba 907, Cap 723, Cas 92(ibeis *ARs*), Ci 114, Men 662

(intro ibis *RRs unum voc.* ψ), 1034, Mer 219, Mi 450(*Ca* ibi *E*), 1422(non ibis *RLU* non eibis *ARsS* a nobis *B v. om CD*), Mo 1133(ibi *B¹*), Per 236, Ps 654(haud ibis *CD* haud ibi //// *B* audibis *A*), St 612 **ibit** As 195, Ba 354, Cas 86, Cu 694, Mi 997(*PRgS*† bitat *L var em* ψ), Ps 335, 863, Tri 598 **ibimus** Poe 611, Ru 249 **ibitur** Cas 758(em i. *A* inibitur *PU*), Tri 578, Tru 667 **isti**(*de formis perf. cf* Fleckeisen, *Exerc. Pl.* p. 8), Ba 577, Ps 1175 (iisti *LLy* iuisti *BergkRg*), Tri 939 **iit** Ba 347(it *BoR*), Ci 698(*B* ut *VE* aut *J*), 700(iniit *VEJ*), 702(lit *VE*) **ierunt** Poe 1134 **iere** Cap 493(*Rs* iniere *Pψ*) **ieram** Am 401(*BD* geram **S** iueram *JLy v. secl FlRglL*) **iero** St 484(*A solus: v. om P* adiero *RRg* iuero *LLy* duce *Rg*) **iuero** Cap 194(*Py* iero *P*) **ieris** Mer 570(intro i. *B* iris *CD unum voc.* **S***Ly*) **eam** Am 675, Au 714(*B in ras V²J* queam *DV¹* queam *E*), Cas 949(*RsS* duce *Sey ex Non* 397 ea *P post lac*), Ci 117, Cu 362, Ep 72(om *J*), Men 115, Mer 486, 567, Mi 1250(*Sarac* etiam *P*), 1276, Mo 334(iam *B*), Ps 1327, Ru 213, 225, 399, Tru 751(*Rs: vide* ire) **eas** Ba 104, Cas 611, 721, Men 328, 502(*add Rs* solus), 1057, Mer 373, 567, Mi 1275, 1317(*FZ* eant *CD* ad *B*), 1385(ea *B*), Per 677, Poe 1349(in ius eas *AD⁴* inluseas *P*), Ru 403, 519(*A* das *P*), St 187, Tru 129 **eat** Ba 576, 591, Cap 352(iter eat *Rs* cedere *Pψ*), Ci 654, Men 789, Mi 188 (*AB* aeat *D* eas *C*), 1101(sedeat *B*), 1186(sit Athenas eat *A*[siet] est & thena se *B* esiaethena se *CD*), 1188(ea *P*), 1190, 1299(*vide* itura), Mo 390(*B²* at *P*), Per 98, 447, Ps 1086, 1102, Ru 54, Tru 708, 850(*FZ* et *P*) **eamus** Am 543, As 941(*Rgl* immo *Pψ*), Ba 105, 760(*Lind RgU* fugiamus *PS*† fugimus *FritzscheLLy*), Cap 1027, Cas 357(*B²* famus *B¹V* fam' *V* fiamus *J*), 422, Cu 365, 670, Ep 157, Men 387, 422, 431, 1154, Mer 1005, 1008, 1015, Mi 72 (eatmus *CD*), 78(age eamus *B corr* agetemus *CD* agetenum' *B¹* age demus *Ly*), 1427, 1437, Poe 263, 329, 491, 502, 717, 1162(camus *C: v. om BrachmannRglS*), 1342, 1422, 1427, Ru 1179, 1182, St 622, Tri 1078, Tru 840 **eatis** Ba 755 (statis *D¹*) **eant** Am 66, Cas 524, Mo 876, Per 352 **irem** Men 762(eam *Rs*), Mi 1405 (ad eam ut irem *Rib* et *Sey* ad te uenirē *B* ad te amuttire *CD*), Poe 692, Ps 549, Tri 315 **ires** Au 736(iri *B²*), Ba 565, Ep 627(ad me ires *LLyRg²* ad me ire *BriU* admirer *PS*†), Per 710 (ire *CD*), St 249, 624 **iret** Mer 980(ibat *Rg*), Mo 422(intro iret *P* intraret *LangenU*) Per 173, Ru 1201 **iretis** Men 785 **irent** Am 215 (propere i. *L* propere *PULy* properiter *RglS*) **ieris** Tru 666(intro ieris *Bri* ire sis *P*) **ierit** Tri 10(introierit *LLy* introd i. *R*) **i**(*semper Ly*) Am 551, 770(*FZ om P* heus *AcRglL*), 971 (i sane *BDJ* insane *E*), As 108(ei bene *FlRgS*L [i] fietne *PLy*), 382(hi *E*), 486(*JUL*y li *DE* ei *Bψ*), 676(*B²U* et *P* ei *Parx*), 921, 923, 924, 925, 940 *bis*, Au 263(istuc: ei et *MueLL*y[i] istuc fiet *BDS*†*U* istuc siet *J* festina et *Rg*), 333, 458(*GuyLy* i et *BLU* et *DJ* ei *BriRglS*), 628(*add LambLLyU* in lac), 694(*B²V²UL*y ei *B¹DEψ* hiat *J*), 696(*B²* om *P*), 767, 768(i uero *B²* fuero *BDU* furo *VE* furi *J*), 800(*B² Prisc*

I. 38 *om P*), 829(i redde *BEJ* ire deaurum *D*), Bᴀ 123(*B ras RRgU* is *CDψ*), 146(*RRgLU vide* iturus), 497(cura et *PRgS* curat *A ut vid* cura-est *R* est curae *U* cura, ei *LLy*), 901, 1059, 1175(*CD* ii *B*), 1181(*D* ii *B* e *C*), Cᴀᴘ 184, 636, (*add RLU om PS†Ly*), Cᴀs 211(*U om P* ei *B²E³RsSL*), 587, 641(i in *B* in *A ut vidVEJ*), 749(is *EJ*), 754(*add Rs*), 755, 756, 758(*A om P*), 854(*A om P*), 977(i in *A* in *P*), Cɪ 284, 286, 623(*ULy* ei *Pψ* hei *B²*), 773(ii *VE*), Cᴜ 487 (*JLULy* ei *BEψ*), Eᴘ 79, 164(*L vide* ibo), 305, 714(*Ly* ei *Pψ* hei *B²*), Mᴇɴ 292(*add Rs*), 405, 435(*U* ei *GrutRsSL* i et *RLy* et *P*), 617(*RU* ei *GrutRsSL* et *PLy*), 736(*RLy* et *Pψ*), 952 (i arcesse *Par* larcesse *B¹C* arcesse *B²D*), Mᴇʀ 277, 282(i et *ULy* ei et *ABDψ* fiet *C*), 615 (aut i in *U pro* aliam), 689(*CDULy* ei *Bψ*), 787(*CDLULy* ei *ABψ*), 954, 955 *bis*, Mɪ 182 (i sis *Gep* istis *A* sis *P* si est *R* si istist *Lorenz Rg*), 521(*Rg* ei *BriS* i et *R* et *PLU*), 812(i et *BoR* ei *GulRgS* et *PLU*), 1301(paratast i *Sey* -tasse *B* -tast *CD*), 1361, Mo 74, 333(*Ca* ii *P* i i *R*), 377(*add Rs solus*), 682(*A om PU*), 774(*A om PU*), 794(*Weis om PSU*), 807, 847(i licet *RU* ilicet *ψ*), 1037, 1089(i cum illo *L duce Bug* et illum *PS† var em ψ*), Pᴇʀ 198, 487(*A* ii *P* i i *L*), 574(isis *A* i sis *L*), *ib.*, 605, 613, 850(patrone mi, i intro *Grut* patronē intro *P*), Poᴇ 205, 271(*D* ii *BC*), 295(i in *P* in *A*), 347(*PL* ei *Aψ*), 364, 405, 424, 428, 430, 873(*A* i in *FRglLU* in *P*), *ib.*, 1116, 1309(*vide* in), Ps 170, 241 b, 249, 326 (ei *A om PU*), 330(ei *ARgLS om PRU*), 335(*A om P*), 349(*BDRU* et *C* ei *Aψ*), 839(i in *A om P*), 846(*om C*), 1182(i in *BD* in *C* ein *A* in' *Ly*), 1294 (i in *A ut vid* in *P*), 1327(*F om AP*), 1331, Rᴜ 386, 567(es: i ueisse *A* est uise *P* es: uise intro *CaU*), 657, 709(i huc *Rs pro* tun), 798, 1162(*Bent* ite *PS*), 1170(*om Prisc* I. 108), Sᴛ 150(*B om ACD*), 396(*A* ii *P*), 477, Tʀɪ 3(i intro *A* lintro *P*), 195, 580, 583, 584(i modo *BD* lmodo *C*), 585, 587, 588, 589, 590 *ter*, 710, 1108 (morae i i *TaubLLy* moracii *BC* moratii *D* morae cito *Rψ*), Tʀᴜ 176(*FZ om P*), 197(*A om P*), 329(*F om P*), 332, 583 (*om U* ad me *Rs*), 696(i intro *FZ* lintro *P*), 958(*Z* in *P*), *ib.* (*L* et *Pψ*) **ite** As 745, Aᴜ 330(ite huc *Koch* illuc *P*), 451(*FZ* ita *P*), Bᴀ 1203(inte *D¹*), 1205, (*add HermR*), Cᴀᴘ 215(*Ly pro* abite), 658(iste *VE*), 950, 951, Cᴀs 744, 834, *ib.* (*om BU*), Eᴘ 158, Mᴇʀ 741, 747(*FZSL* eite *BDψ* fite *C*), Mɪ 1351(te *B*), 1353, Pᴇʀ 469(agite ite *Ca* agerite *BCS* agite *D*), 758, Poᴇ 511, *ib.* (aut ite *FZ* audite *P*), 1229, 1237, 1319(iste *C*), 1356, Ps 1051, Rᴜ 288, 656, 1051, 1162(i *BentRsLU*), Sᴛ 453 (*A* ita *P*) 683, 775, Tʀᴜ 551 *bis* **ito** As 660, Cᴜ 470(*Grut* mitto *P*), Mᴇɴ 1029(at quito *B¹ pro* atque ito), Mo 897(*Grut* tu *P*), Poᴇ 739 (*AcRgl* ita *P*), Ps 863, Tʀɪ 1106 **itote** Rᴜ 819 **ire** Aᴍ 330, 501, 617, 929, As 125, 391, 394, 594, 743, 865, 887, Aᴜ 118, 284, 325, Bᴀ 259, 304, 575, 906, 1171, Cᴀᴘ 90(ire extra *B² DEJLULy* ire tra *B¹* extra *Boψ*), 194, 451, Cᴀs 724, 853, 922(sinat ire *JLULy* sin adire *PS† aliter Rs*), Cɪ 4, 112, 779, Cᴜ 12(irae *J*), 35, 362, Eᴘ 41, 88(*add U*), 100, 208, 423, 627 (sic te iussi ad me ire *U: vide* ires), Mᴇɴ 114, 225(iube ire *AB²D³* iubere *P*), 329, 368,

396, 963, Mᴇʀ 303(*PLU* eire *A*), 358, 462, 468, 644, 649, 711, 868, 917, Mɪ 119(*B²D²* iret *P*), 621(iret *B¹*), 879(me ire *CD* mei rei *B*), 896, 1168(irē *B*), 1192, 1278, 1373, 1405(quor ire *Sey* quirere *CD* quare *BR aliter BergkU*), Mo 66, 321(ire huc *L pro* uitae: *loc dub*), 336(*FZ* eire *PS*), 693(me ire *AB²D³* mieire *P*), 705, 852(*A* eire *PSLy*), 878(ire uis *P* ibis *Rs*), 969 (me ire *B²* me eire *Ly* me&ire *P*), 1023, 1101, 1132(*om B*), Pᴇʀ 63(irę *D*), 181, 189, 190(*L* curare *PR* curre *Ly* currere *Aψ*), 197, 318, 562, 578(*PRU* iri *Aψ*), Poᴇ 320, 512, 523, 796(*om C*), 1419, 1420, Ps 853(te ire *AB²* uere *P*), 899 (*A* iret *P*), 1182(ire licebit *P* ilicebit *StuRg* id licebit *U*), Rᴜ 43, 144, 264 a(uos ire *P* uorsire *Non* 597), 307, 847, 856, 1223, Sᴛ 292, 607, Tʀɪ 457, 622, 628, 732, 885, 983(*GuyRRsL* abire *Pψ*), Tʀᴜ 129, 150 a, 353, 403, 511, 547, 642, 645, 751(me ire *U* amitto *PS†* eam *Rs* mitte *L*), 752(uolo ire *Bue* irem *P*), 840, 863 (a me ire *L* me te amare *PS† aliter RsU*), 891(ire *GepRs pro* adire *in loc perdito*), Fʀ I. 108(*ex Varr l L* VII. 62) **iuisse** Mo 842 (uusse *D*) **isse** Mᴇʀ 76(isse mercis *Forchhammer U* eā semper scis[sis *CD*] *P var em ψ*), Tʀɪ 944(alii di isse *Ac* calliclise *B* calliclis *CD*) **iri** Cᴀs 699, Cᴜ 491(*LU in ed* firi *P* eiri *Uψ*), Pᴇʀ 578(*A* ire *PRU*), Tʀᴜ 886(tactum iri militem *Petit* tantum ri militem *P* †tantum iri militem *L*) **irier** Rᴜ 1242 **iturus** Aᴍ 263, As 357, Bᴀ 146(iturus sum *PS†* -u's sim *BoLy* i cursim *Rg* i rusum *RU* i prorsum *L*), Sᴛ 264, Tʀɪ 112(*FZ* -um *P*) **itura** Cɪ 378(*Fest* 372), Mɪ 1186(si itura *ABD* siit ūpsia *C*), 1299(iturast eat *CD* itura sedeat *B*) **iturum** Mᴇʀ 83, 668 **ituram** Bᴀ 592, Mɪ 454, 455(-ra *B¹*) **ituri** Poᴇ 511 **eundum**(*nom.*) Cᴜ 6, Mɪ 359 (*CDL* eundem *B* perfundum *A* pereundum *ψ ex Gell* XV. 15) **eundi** Mᴇʀ 916 *corrupta:* Aᴍ 970, ituro *J pro* intro; Aᴜ 3, ad euntem *EJ pro* exeuntem; 796, cur ei uias *BDE* curre i uias *J pro* cur eiulas(*B*) Cᴀᴘ 951, inter ibo *P pro* interibi(*FZ*) Eᴘ 226, eundis *A pro* fundis(*P*) Mᴇɴ 234, ire hi *P* ire hinc *B²* hinc rei *D³ pro* ei rei(*Grut*); 584, in quo ire *CD* in quoi rē *B var em ω* Mᴇʀ 92, isset *P pro* his sic(*Bo*); 536, it *A pro* et Mɪ 420, at eamus *P pro* adeamus(*Py*); 997, ibit *PRgS†* bitat *L var em RU*; 1273, iube domum ire *add P om Aω* Mo 696, abducerem eamus *CD pro* abducere me anus(*B*); 929, i *add P post* abi Pᴇʀ 129, eamus *P pro* eam uis(*FZ*); 224, ire *CD* ite *B pro* item(*Ca*) Poᴇ 47, ignari ires *D pro* gnarures; 745, malae(-e *B* -ę *C*) ire (irę *D*) it ante(*om C*) *P pro* malae rei tantae(*Ca*) Ps 133, ite *P pro* exite(A); 281, hic it *P pro* id hic(*A*); 501, eamus scitabas *P pro* ea mussitabas(*FZ*) Rᴜ 192, it *pro* id; 980, eat *CD¹ pro* emat; 1069, it *B pro* id Sᴛ 293, iri *P* adire *A pro* adiri(*R*); 516, eat *P pro* at(*A*) Tʀᴜ 547, iuero *P* uenero *Bugω*; 554, it *B pro* id; 629, ibo *CD* abo *B var em ω*; 659, itu *P pro* ictu(*Z*); 763, i *PS†* om *FZRs* iam *CaLU*; 946, eat *PS† var em ψ*

II. Significatio A. *simplex:* 1. = pedibus ire, incedere: sic te iussi ad me ire* pedibus Eᴘ 627(*U*) pedibus ire non queo Sᴛ 292 ut it*,

ut magnifice infert sese Ps 911   uix incedo
inanis, ne ire posse cum onere existumes Am
330   ego baiulabo tu ut decet dominum ante
me ito inanis As 660   ei* sane bella belle
As 676   tam placide is, puere Ps 242   ire
meliust strenue Mi 1373   strenue mehercle
isti* Ps 1175(loc dub)   optume itis, pessume
hercle dicitis Poe 569(v. secl Weisω)   eccam
incedit tandem: quin is ocius? Mer 671   liberos homines per urbem modico magis par
est gradu ire Poe 523   celeri gradu eunt
uterque Tri 624   nimium is uegrandi gradu
Ci 378(ex Fest 373)
    nihil uideo caecus eo Au 714   pessume
ornatus eo Au 721   eunt sic a pecu palitantes Ba 1123   eunt eccas tandem probri
perlecebrae Ba 1166   sicine inmunda .. ibis?
Ci 114   si ita non reperio, ibo* odorans
Mi 268   nos priores ibimus Poe 611   bene
ego ab hoc praedatus ibo* Ps 1138
    unde uos ire cum uuida ueste dicam? Ru
264   it* magister quasi lucerna Ba 446
    2. absolute: eo* nunciam. #Abi Cas 715   eo.
#Abi hinc sis Cas 792   abi tu intro. #Eo
Mer 677   Syra, ei, rogato ... #Eo* Mer 788
i*, Palaestrio .. duc .. #Eo Mi 1305   saluto
te .. priusquam eo* Mi 1339   cesso ire ego
..? #Eo ego. #I sane Per 198   eo*: tu istuc
cura Tri 582(RRs)   eo **** Tri 1123   quin
is si itura's(Gul qui nisi itures Fest): nimium
is uegrandi gradu Ci 378(ex Fest 372)   iamne
itis? Poe 678   uir eccum it: intro abi Ci
213   meus sodalis it cum praeda Apoecides Ep 394   eunt hae. #Quid si adeamus?
Poe 330   cum ea tibicinae ibant quattuor
Ep 218   dixit illi quicum ipsa ibat Ep
241   si non iubes ibo* egomet Am 930   auferam. #Immo ibo: mane Ba 571   ibo a***
Ci 335   ibo: etiamnunc .. spes animum oblectat meum Men 462   utut est, non ibo tamen Mer 558   ibo quamquam inuita facio
Mi 1319   ualete, adeste: ibo Poe 127(v. secl
GuyRglS)   nisi uoluntate ibis*, rapiam te domum Mi 450   enim non ibis nunc, uicissim
nisi scio Per 236   si iste ibit, ito: stabit,
astato simul Ps 863   em, ibitur* tecum Cas
758   dic hoc negoti quo modo actumst.
#Ibitur Tri 578   ibitur, ne me morari cen-
seas Tru 667   tu .. cum illac usque isti simul Ba 577   mitte me ut eam* nunciam
Ep 72   eas Men 502(add Rs solus)   orant
te ut eas* Mi 1317   non amittam quin eas
St 187   .. anne eat secum semul Ba 576
si iturast eat* Mi 1299   eamus: lucescit hoc
iam Am 543   eamus* Ba 760(LindRgU)   breuior fabula erit: eamus Mer 1008   age eamus* ergo Mi 78   eamus, mea soror Poe 263
eamus, mea germana Poe 329   age sis, eamus: nos curemus Poe 1422   eamus, tu St
622   cras ires* potius, hodie hic cenares
Per 710   propere irent*, de suis finibus exercitus deducerent Am 215(L)
    age i tu secundum Am 551   i sane cum
illo Au 333   i* iam sequor te Au 696   i sane,
si quidem festinas magis Ep 79   i sane nunciam Tri 195   i*, stultior es barbaro poticio
Ba 123   stasne etiam? i* sis Cas 749   Cas 754

(i add Rs)   i tu modo Cas 756   uerum i* modo
Cas 758   i modo Mer 954, 955, Poe 428, 430,
St 477(v. secl U), Tri 584*, 587, 588, 589, 590
ter, Tru 332(ubi pro dicebam: i modo legit L
dicebam 'i' modo)   quin tu ergo i modo
Mer 955   quin tu i modo Tri 583, 585
immo i modo Per 613   i*, belle belliatula
Cas 854   i*, non illuc temerest Ep 714   Men
292(i ins Rs)   age i* simul Mo 333   i hac
mecum semul Men 405   i mecum .. una
simul Mo 1037(vide ω)   i ergo strenue Poe
405   i, puere, prae Ps 170   i prae, puere
Ps 241   i, puere Ps 249   quin tu i* dierecta
cum sucula Ru 1170(cf Prisc I. 108)   iube
auferri intro, i, Cuame Tru 583(loc dub)   ite
iam, ite* iam Cas 834   agite ite actutum Mer
741   age, ite* cum dis beneuolentibus Mi 1351
ite cito Mi 1353   nunc agite ite* uos Per 469
si ituri hodie estis ite Poe 511   ite si itis
Poe 1237   et tu ito simul Tri 1106
    iuben mihi ire comites? Am 929   praesagi-
bat mihi animus frustra me ire Au 178   ego
uolo ire Ci 112   nemo ire quemquam publica
prohibet uia Cu 35   simul mecum ire ueritust
Ep 41   ire pro uiui militis plenis uiis Ep 208
ei uolo ire aduocatus Ep 423   quid me uoltis?
#Ire tecum Mer 868   tum tu igitur sine me
ire Per 189   ita uolo te ire* ut domi sis Per
190(L)   tecum mihi una ire certumst Poe
1420   si hercle ire occipiam, uotes Tri 457
generum nostrum ire eccillum uideo cum adfini suo Tri 622   ire ut coepit .. Tru 891(Rs
in loc perdub)   latius demumst operae pretium iuisse* Mo 842   quin is, si itura's Ci 378
si iturast eat Mi 1299   si ituri hodie estis
ite Poe 511   quid nunc? ituru's an non?
St 264
    3. additur terminus ad quem a. per praep.
ad: sicin iussi ad me ires? Ep 627(socio[scio
B] iussi admirer P var em Rg¹U) .. neuter
ad me iretis cum querimonia Men 785   eamus ad me Mi 1427   hic ad me it* Mo 566
in* tu ad me ad cenam? Mo 1134(Rs)   ad
legionem quom itur* .. Mo 129(R)   it ad me
lucrum Poe 683   ad me profectu's ire Ru 847
ibo ad te fretus tua .. fiducia Au 586   eunt
ad te hostes Cap 534   ego ibam* ad te. #Et
pol ego istuc ad te Cas 178   ad te hercle
ibam commodum. #Et hercle ego ad te Cas 593
eamus intro huc ad te ut .. Ep 157   itur ad
te Ps 453(cf Don ad Ter And I. 5, 16)   quo
nunc is? #Ad te St 247   uin eam intro(Rs
sine me ire intro U inea amitto intro P aliter
SL)? #Ad te quidem Tru 751   ego ad te ibam*
Tru 921   .. si quem uidet ire ad se calcitronem As 391   expetit me ut ad sese irem*
Men 762   uolt .. ad se ut eas Mi 1275   .. ne
intro iret* ad se Mo 422   .. mecum simitu
ut ires ad sese domum(P ires eo quantum potest A) St 249   uos ceteri ite* huc ad nos
Au 330   it* ad nos Mi 1282   ite ad uos comissatum St 775   istuc ad uos uolo ire(Bue irem
P om uolo) Tru 752   hercle ad illam hinc ibo
As 817   ego hinc eo* ad illum ut .. Ba 348
egon ad illam eam quae nupta sit Mi 1276
ibo* ad illum, renuntiabo(S ibo, ad i. r. Rψ)
.. ut .. Tri 995   ibo ut uisam huc ad eum

Ba 529 me ire iussit ad eam et .. Ba 575 ibo* ad eum Ba 625 oratus sum ad eam ut irem*. #Quor ire* ausu's? Mi 1405

ait sese ire ad Archidemum, Chaeream ... As 865 ire* ad Chaeribulum iussit Ep 68(*U*) ibo ad Diabolum As 913 ego ad Menaechmum hunc eo Men 96 nunc comissatum ibo ad Philolachetem Mo 317

propera ire intro huc ad adfinem tuom Ci 779 ibo hinc intro nunciam ad amores meos Mi 1376 ibo* ad arbitrum Ru 1040 ibo ad meum castigatorem atque .. Tri 614 ei* nunciam ad erum As 486 sine me .. ire huc intro ad filium Ba 906 ei* hac intro mecum .. ad fratrem meum ut .. Au 694 ego ibo ad fratrem ad alios captiuos meos Cap 126 ad fratrem quo ire dixeram mox iuero* Cap 194 Cap 458(*U*) eo* protinus ad fratrem inde Cap 510 ibo* ad hominem atque .. Men 808 nescis quam metuculosa res sit ire ad iudicem Mo 1101(*cf Prisc* I. 138) de foro .. ad lenones eunt Cap 475 eamus ad lenonem Cu 670 age eamus .. ad matrem tuam Ru 1179 ego ibo ad medicum Men 996 ibo ad medicum atque .. Mer 472 ibo intro ad hanc meretricem Men 1048 ad patrem ibo ut .. Mer 962 ad praetorem ilico ibo* Mer 665 ad pueros ire meliust Tru 150 ad tonsorem ire dixit As 394 ex hoc loco ibo ad tresuiros uostraque .. As 132 ibo ad uxorem intro Am 1145 intro eam ad uxorem meam Cas 949(*Rs in loco lacunoso: vide ψ*) eo questum ad uicinam Cas 162

ite hinc .. ad cantharum recta via Ps 1051 quo inde isti porro? #. . ad caput amnis .. Tri 939 ille it ad cenam cottidie As 864 ego ibo pro te Mo 1131 me pro te ire* ad cenam autumo. #Non enim ibis* Mo 1132 Mo 1134(*Rs: supra sub* ad me) i* intro amabo ad cenam Per 850 non amittam quin eas (ad cenam) St 187 ad cenam ibone? St 428 ibisne ad cenam foras? St 612 . . quo uocatus sum ire ad cenam Tru 547 ego eo ad forum. #Ei* bene ambula As 108 quid ego cesso ire ad forum quo inceperam? As 125 iit* salutatum ad forum Ba 347 ego ad forum hinc ibo Ba 1060 cura, ego ad forum modo ibo Cas 526 eo* ego hinc ad forum Mo 853 i* ad forum Per 487 . . ut eamus* ad forum Mi 72 ibo ad forum atque . . Mer 797 ego ad forum ibo Ps 561 ibo ad forum atque . . Ps 764 . . ut ad forum iret Ru 1201 ad forum ibo Tri 727 ibo* ad forum atque . . Tru 313 quid ego . . ad nauem non eo? Mer 218 quin ad nauem iam hinc eo Mer 461 ibo ad portum atque . . Am 460 ibo ad portum hinc Cap 496 ibo ad portum Mer 466 is se ad portum dixerat ire dudum Mer 468 uisne eam ad portum? Mer 486 . . eat* tecum ad portum cito Mi 1186 . . nisi eat* (ad portum) Mi 1188 hortabitur ut eat Mi 1190 ille iubebit me ire cum illa ad portum Mi 1192 ad portum se aibat ire Ru 307 iube illos in urbem ire obuiam ad portum mihi Ru 856 quo imus . . ad prandium? Cap 479 i tu hinc ad uillam atque . . Mer 277 aii di isse* ad uillam . . Tri 944

eo ego igitur intro ad officium meum Tri 818

ibo intro ad libros et . . St 400

extra(ire extra *LLyU*) portam . . ad saccum licet(ilicet *BoRsŚ*) Cap 90

in: ego in aedem Veneris eo Poe 190 intro ire in aedis numquam licitumst Am 617 'neque te iubeo neque uoto intro ire in aedis': at ego nolo, non eo Tru 642 ille in balineas iturust As 357(*cf Non* 194) it lauatum in balineas Ru 382 . . irem in carcerem recta uia Poe 692 dixi equidem in carcerem ires St 624 cur non intro eo in nostram domum? Am 409 ne ille mox uereatur intro ire* in alienam domum Mi 1168 cum Amphitruone hinc una ieram* in exercitum Am 401 i sane in Veneris fanum huc intro Ru 386 censen tu illunc hodie primum ire adsuetum esse in ganeum? As 887 ito* in comitium Cu 470 inde ibis porro in latomias lapidarias Cap 723 hodie ire occepi in ludum litterarium Mer 303 ouis si in ludum iret . . Per 173 ego eo in macellum ut . . Ps 169 in mare it* Ba 458 simulato quasi eas prorsum in nauem Per 677 . . poterat ire in proelium Tru 511 nunc ibo in tabernam Men 1035 conquistores singula in subsellia eant per totam caueam spectatoribus Am 66 quin tu in paludem is . . Ru 122 nolo in uesicam quod eat in uentrem uolo Per 98 in urbem Ru 856(*supra sub* ad portum) propera ire in urbem actutum Ru 1223

ibit . . latrocinatum aut in Asiam aut in Ciliciam Tri 598 . . ut hinc in Elateam hodie eat secum semul. #Non it: negat se ituram Ba 591-2 ibo in Piraeum Ba 235 ego ire in Piraeum uolo Mo 66 senex in Ephesum (huc *add CaRRgLy*) ibit aurum arcessere Ba 354 . . ut secum simul eat in Siciliam Ru 54 hinc iturust* ipsus in Seleuciam Tri 112

qui in concilium iere Cap 493(*Rs vide ψ*) in exilium(*PŚ†LU* exulatum *Rg*) quem iret Mer 980 te in exilium hinc ire oportet Per 562 . . ut eam perpetiar ire in matrimonium sine dote Tri 732 nunc in tumultum ibo Mi 1393 noctu in uigiliam quando ibat miles, quom tu ibas simul . . Ps 1180 stultitia . . sit me ire* in opus alienum Mi 879

in ius uoco te. #Non eo. #Non is*? As 480 (*v. secl URglŚL*) ambula in ius. #Non eo* Cu 621 i cum illo in ius Mo 1089(*L duce Buggio* cita illum in ius. ibo *R var em ψ*) ite in ius Poe 1229 eamus in ius Poe 1342 in ius eas* Poe 1349 eamus tu in ius. #Quid uis in ius me ire? Tru 840

i in crucem As 940 i in(*B* in *AVEJR*) malam (a me *add A om PU*) crucem Cas 641 i in malam crucem Cas 977(i in *A* in *P*), Poe 271*, 1309(i in *DRglLU* i *A* in *BCŚ*), Ps 335 (*A* i *om P*), 839(*A* i *om P*), 846(*ABD* i *om C*), 1182(*BD* ein *A* in *C* in' *Ly*), 1294(*A ut vid* in *CD*) quin tu is* in malam crucem cum bolis cum bulbis? Cu 611 Men 915(*om post* crucem) abduce istuc in malam crucem. #Ipse ibit potius Cu 694 is in malam crucem Poe 495 in(*add GoelRgl om Pψ*) malam crucem ibo potius Poe 496 ite aut ite* hinc in malam crucem Poe 511 ire* (in m. c.) licebit

tamen tibi hodie temperi Ps 1182   dextrouorsum auorsa it in malam crucem Ru 176(*cf
Prisc* II. 75) Men 849(in, mala, in magnam *Rs
pro* in malam magnam)   placide aut ite* in
malam crucem Ru 1162

ducas easque in maxumam malam crucem
cum hac . . Cas 611   . . ut eas (in *add B*) maxumam (in *add FZR*) malam crucem Men 328
ferant eantque (in *add PRU om Aψ*) maxumam
malam crucem Per 352   ei* dierecte in maxumam malam crucem Poe 347   quin tu hinc
is a me in maxumam malam crucem? #Eas*
Ru 518-9   ibit istac(† 𝕾 statim *BriRRs*) aliquo in maxumam malam crucem latrocinatum . . Tri 598   i* in malum cruciatum. #I
sane tu . . Per 574

loquere porro aut i* in malam rem Mer 615
(*U*)   i(*P om A*) in malam rem Poe 295   i in
(*FRglLU* in *P i A*) malam rem. #I tu atque
erus Poe 873   malam (in *praem AcRsU*[isne])
rem is(, i *U*) Tru 937

extra: credo . . tibi esse eundum* actutum
extra portam Mi 359(*L: cf Gell* XV, 15)   ire*
extra portam . . licet Cap 90(*supra sub* ad saccum)

b. per acc.: si itura* sit Athenas, eat tecum . . Mi 1186   Curculio missu Phaedromi
it (in *add PyRg*) Cariam ut . . Cu *Arg* 1(*cf*
Knapp, *Clas. Phil.*, II. p. 6, *adn.*)   quando
hinc ire cogitas Carthaginem? Poe 1419   . . quasi
eant Sutrium Cas 524

domum ibo atque . . Am 1015   domum ire
iussit As 594   surge, amator, i domum As
921, 923, 924, 925   i domum As 940   iturus
(† 𝕾) sum(i cursim *Rg* i rusum *RU* i prorsum *L*)
domum Ba 146   iam domum ibo atque . . Ba
507   . . hinc ire huic ut liceat domum Cap
451   quin tu i modo mecum domum Cas 755
ibo domum atque . . Ci 629   eo* domum Men
663   domum numquam intro ibis Men 662
immo ibo* domum ut Men 954   domum ire
cupio Men 963   quando ibis una tecum ibo
domum Men 1034   eo domum . . ut . . Mer
659   et quidem ego ibo domum atque hominem . . Mi 259   ibo hinc domum Mi 585(*v.
secl RibRg𝕾LU*)   tempus maxume esse ut
eat* domum Mi 1101   iube domum ire Mi
1278   domum eo comissatum Mo 335   quo
ergo is nunc? #Domum Per 191   i sane: ego
domum ibo Per 198   nunc domum ibo Poe
851   eam uidit ire e ludo fidicinio domum
Ru 43   nullumst periculum te ire hinc inpransum domum Ru 144   itote extemplo domum
Ru 819   ite . . domum ambo nunciam ex
praesidio praesides Ru 1051   inde suam quisque ibant diuorsi domum Ru 1252   . . mecum
simitu ut ires* ad sese domum St 249   i hac
mecum domum Tri 710   eo domum Tri 1059
immo ibo domum Vi 53   domum ire coepi tramite dextra uia Fr I 108(*ex Varr l L* VII. 62)

rus homines eunt Cap 78(*v. secl Rs𝕾*)   rus
ut ibat forte . . Men 63   aduenit nuntius rus
non iturum Mer 668   hoc est ire quod rus
meus uir noluit Mer 711   quin rus ut irem . .
Ps 549   rus mane dudum hinc ire me iussit
pater ut . . Tru 645

. . eas maxumam malam crucem Men 328

(*supra* a *sub* in)   malam crucem ibo potius
Poe 496(*supra* a *sub* in)   i malam rem Poe
873(*supra* a *sub* in)   malam rem is Tru 937
(*supra* a *sub* in)

4. *terminus a quo additur* **a.** *per abl.*: domo
si ibit* . . Mi 997(*loc perdub*)

b. *per praep.* ab: a me Cas 641(*supra* 3, a,
sub in), Ru 518(*supra* 3. **a** *sub* in)   te a me
ire(*L* et me te amare *P var em* ψ)   postulas
Tru 863   bene ab hoc praedatus ibo Ps 1138
ite* ab istis Cap 215 b(*Ly*)   si ante lucem ire
occipias a meo primo nomine . . Tri 885   a
portu ire uos cum auro uident Ba 304   properas ire* ab his regionibus Tri 983

de, ex: de foro Cap 475(*supra* 3. **a** *sub* ad)
iam ex hoc loco ibo . . As 132   ilico hinc
imus haud longule ex hoc loco Ru 266   Tru
443(ibo *Rs pro* modo)   unde is? #Ex senatu
Ci 776

5 *cum acc. cogn.*: quam citissume potest
tam hoc iter eat(*Rs* cedere *P𝕾†LULy*) Cap
352   is* leno uiam Poe 698

6. **infitias ire**: infitias ire coepit filio Ba 259
quae dudum fassast mihi quaene infitias eat?
Ci 654   nemo it* infitias Cu 489   lubet . .
ire infitias mihi facta quae sunt Men 396
. . ut quae fecisti infitias eas Men 1057   si
quidem centiens hic uisa sit, tamen infitias
eat* Mi 188   fides seruandast: ne ire infitias
postules Mo 1023   quanti refert ei nec recte
dicere . . qui . . infitias non eat Ps 1086   infitias non eo Tru 792   ego ab hac puerum
reposcam ne mox infitias eat* Tru 850

7. **ire** = praeterire: it* dies: ite intro accubitum Ba 1203   nostro omine it dies: iam
uicti uicimus Cas 510   it dies: ego mihi cesso
Ps 241   uerba facimus: it dies Ru 1001

8. *cum aliis praepp.* **per**: eant per totam
caueam Am 66

cum: mecum Ba 1175, 1181, 1185, Cas 755,
Ep 41, Men 405, Mer 689, Mo 1037, Ps 1327,
Ru 288, St 249, Tri 580, 710   tecum Cas 758,
Men 1034, Mer 462, 868, Mi 1186, Poe 1420
secum Ba 576, 591, Ru 54   cum hac cum istac
Cas 611   cum ea Ep 218   cum illo, illac Au
333, Ba 577, Mi 1192, Mo 1089*   quicum Ep
218, 241   cum adfini Tri 622   cum Amphitruone Am 401   cum dis beneuolentibus Mi
1351   cum milite Ba 104

cum auro Ba 304

cum bolis, cum bulbis Cu 611   cum onere
Am 330   cum praeda Ep 394   cum querimonia Men 785   cum sucula Ru 1170   cum
uuida ueste Ru 264

9. *app. adverbia* **foras**: i* foras Au 628*,
Cas 211*, Poe 205   ite foras Per 758   ite
istinc foras Poe 1319*, Ru 656   agite ite foras
St 683   inde foras . . eo Cas 932(*Rs*)   foras
ire uolo Men 114   eccum it* uicinus foras
Mer 271   eccum it* foras Mer 551   meus
conseruos qui it* foras Mi 271   Mo 878(*infra
C, 1*) . . uideant te ire* istinc foras Poe 796
ibisne ad cenam foras? St 612

intro: intro ego hinc eo Am 1039   ite intro
cito As 745   ite* sane nunc intro omnes Au
451   ibo (hinc *add BriRg*) intro Au 700   quid
eo intro ibis(*unum v. Ly*)? Ba 907   i* hac me-

cum intro Ba 1181   uos ite intro Cap 951
.. intro quin eam? Ci 117   ite intro Ep 158
dum intro eo* atque exeo Ep 650   quin
amabo is intro? Men 382   eamus intro Men
422, 431, 1154, Mer 1005, 1015, Mi 1427, Tri
1078   .. ut illo intro eam. #Itane uero?
intro eas? Mer 567   nunc si illo intro ieris* ..
Mer 570   tempus non est intro eundi Mer
916   non opus est .. intro te ire Mer 917
.. te huc .. intro ituram Mi 454   do fidem
.. isto me intro ituram* Mi 455   eo* ego
intro igitur Mi 812   ibo igitur intro Mi 1121
eo intro .. Mi 1248   quin eam* intro Mi 1250
intro te ut eas* obsecrat Mi 1385   quin intro
is? #Eo Mi 1387   non modo ne intro eat*
uerum .. Mo 390   intro eo sine perductore.
#Ilicet(i, licet *R U*). #Ibo intro igitur Mo 847-9
ire* intro audacter licet Mo 852   huc intro
ibo Per 77   quin tu intro is? Per 672   age
eamus intro Poe 491, 717   hinc eamus intro
Poe 502   nunc intro ibo Poe 929   ite igitur
intro Poe 1356   huc quidem hercle haud ibis*
intro Ps 654   ego eo intro nisi quid uis. #Eas
Ru 403   eamus intro omnes Ru 1182   ibo
intro St 87   i* intro nunciam Tri 3   quid
intro ierit* .. accipite Tri 10   i* intro Tru 176
ibo igitur intro Tru 206   .. quo intro ire
metuas Tru 353   .. qui non extemplo intro
ieris* Tru 666   speculabor .. quis eat intro
Tru 708

haec exempla alibi citata sunt: Am 409, 617,
1007, 1145, Au 278, 620, 659, 694, 800*, 802,
Ba 105, 1175, 1185*, 1203, Cap 192, 1027, Cas
422, 557, 744, 949(*Rs*), Ci 779, Cu 365, Ep
157, 164*, 303, 319, Men 331, 387, 662(*RRs*),
1048, Mi 595, 1168, 1376, Mo 422*, 807, 815*,
Per 849*, Poe 920, Ps 903, 1245*, Ru 386, 399,
657, 1263, St 396, 567, Tri 818, Tru 197*, 329*,
642, 696*, 751(*RsU*), 958*

intus: i* tu .. intus pateram proferto foras
Am 770   i in crucem. #Immo intus potius(intro *FlL* intro eamus *Rgl*) As 941(*cf Quint* I. 5,
50 *et Ly*)

hinc: mihi necessest ire hinc Am 501   .. quam
hinc eas cum milite Ba 104   hinc huc iit*
Ci 702   in* hinc dierectus? Mer 183   tollo
ampullam atque hinc eo Mer 927   ilico hinc
ibo* huic puero obuiam Mi 1381   aliter hinc
non ibis* Mi 1422   peregre hinc it* Mo 25
eo ego hinc haud longe. #Et quidem ego eo*
haud longe Per 217   iri* hinc uolo quantum
potest Per 578   bene ergo hinc praedatus ibo
Ru 1316   *adde:* Am 401, 1039, As 817, Au
620, Ba 105, 348, 354(hinc *add CaRRgLy*), 591,
1060, Cap 451, 496, Mer 277, 461, 644, Mi 585*,
Mo 853*, Per 562, Poe 502, 511*, 1419, Ru 144,
266, 518, 1263, St 682, Tru 645

huc: illic huc iturust Am 263   huc eo Am
347   .. ne quis se uideret huc ire familiarium As 743   ire* huc debebas Mo 321(*L*)   i
huc Ru 709(*Rs pro tunc*)   ibo huc quo mihi
imperatumst Tri 600   *adde etiam haec:* Au
330*, Ba 107*, 529, 906, Cas 161, Ci 702*, 779,
Ep 157, Mi 454, Per 77, Ps 654*, Ru 386

hac: hac ibo Cas 973   sed is hac iit* Ci 698
neque prorsus iit* hac Ci 700   hac ibo* potius Mer 222   ite* hac Mer 747   i hac: te

sequor Ps 1331   hac an illac eam incerta sum
Ru 213   ite hac mecum Ru 288   ite* hac
secundum uosmet St 453   ite, ite hac simul
Tru 551   *adde haec:* Au 694, Ba 1175, 1181,
1185*, Men 405, Mer 689, Ps 1051, Tri 580, 710

illinc: itur* illinc iure dicto Ba 447   **illuc:**
nunc adeo ibo illuc Mer 329   illo: uin me
tecum illo ire? Mer 462   ego illo(*P* illuc *AR
RgU*) .. eo St 250   *adde* Mer 567(*R pro*
illuc), 570(*CD pro* illuc)   **illac:** Ru 213

istinc: Cap 658*, Poe 796*, 1319*, Ru 656
istuc: Cas 178   i* nunc istuc quo properabas
Ci 623   istuc eo quantum potest Mer 691
istuc ibit Iuppiter Ps 335   **isto:** Mi 455   **istac:**
istac ibis Mer 219   Tri 598(*supra* 3, d)

eo: Ba 907   eo quoque ibo St 625   **ea:**
St 451

alio: illa alio ibit As 195   **altero:** ut altero
sinat ire* Cas 922   **aliquo:** Ru 766, Tri 598
aliouorsum: Tru 403

quo: nunc quo profectus sum ibo Au 118
si quo tu totum me ire uis .. Au 284   quo
eam* .. nequeo .. inuestigare Au 714   ad
fratrem quo ire dixeram .. Cap 194   quo imus?
Cap 479   ego eo quo me ipsa misit Cas 790
est eundum quo imperauit Cu 6   quo te dicam ego ire*? Cu 12   rogant me serui quo
eam: dico me ire quo saturi solent Cu 362
rogitas quo ego eam Men 115   ne id obserues
quo eat Men 789   ito* quo uoles Men 1029
illuc quo nunc ire paritas Mer 649   ad erum
ueni quo ire* inceperam Mi 119 Mo 327(quo
imus *U var ψ*)   quo ego eam* an scis? Mo
334   cesso ire ego quo missa sum? Per 197
quo ergo tu is*? Per 217   .. obseruamus quo
eat Ps 1102   neque quo eam .. consultumst
Ru 225   quo amabo ibimus? Ru 249   quo
illic it? Ru 762   aperiuntur aedes quo ibam
Tri 400   me ire quo profectus sum sinas?
Tri 628   sine me ire era quo iussit. #Eas
Tru 129   *adde:* As 125, Ci 623, Men 115,
Mer 884, Mi 455, Per 191, 217, St 247, Tri
600, 939, Tru 547   **qua:** qua me ire* oportet
.. scio Mo 969   **quoquo:** quoquo ibo mecum
erit Au 449   quoquo tu ibis* te semper sequi Cas 92   **quoquam:** Ps 853

unde: unde is*? Cas 245, Ci 776, Mo 547,
785, Ru 263, St 319   **inde:** Cap 510, 723,
Cas 932(*Rs*), Ru 1252, Tri 939

peregre: Mo 25

aduorsum: ibo aduorsum As 295, Men 775
qui aduorsum eunt aspellito Mer 115   qui defendant ire aduorsum iussero. #Non it, non
it St 607-8   ito* aduorsus Mo 897   si huic
eam aduorsum Am 675   ero meo ire* aduorsum Cas 724   aduorsum ut eant uocitantur
ero: 'Non eo, molestus ne sis' Mo 876-7   eo
aduorsum ero Mo 880   quis haec est quae
aduorsum it* mihi? St 237   eccam it* mihi
aduorsum Tru 503   quis hic est qui aduorsus
it* mihi? Men 487

obuiam: ibo ego illic obuiam Am 263   ego
cesso ire obuiam adulescenti Ep 100   cesso
ego illis obuiam ire? Mi 896   ilico hinc ibo*
huic puero obuiam Mi 1381   num non uis
me obuiam his ire* Mo 336   ibo* huic obuiam Mo 540   quid si eamus* illis obuiam?

Poe 1162   uir malus uiro optumo obuiam it
Ps 1293   iube illos . . ire . obuiam . . mihi
Ru 856   ubi quisque uident eunt obuiam
Cap 501   quid si . . eamus* . . obuiam Cas
357   ibo obuiam Mer 598

prae: i* prae Ci 773   i* tu prae Cu 487
i puere prae Ps 170   i prae puere Ps 241
secundum: age i tu secundum Am 551   ite*
hac secundum uosmet St 453

10. *app. adverbia modi et sim.:* audacter
Mo 852   belle Cas 854   cito As 745, Mi
1353   curriculo Ru 798   latius Mo 842
ocius Mer 671   optume Poe 569   placide
Ps 242   propere Cas 744   strenue Mi 1373,
Poe 405, Ps 1175

11. *add. abl. modi vel viae:* celeri gradu
Tri 624   modico gradu Poe 523   uegrandi
gradu Ci 378   iero* apertiore magis uia St
484(*ex A solo*)   dextra uia Fr I. 108   publica uia Cu 35   recta uia Poe 692, Ps 1051
plenis uiis Ep 208   plenis semitis Mer 115
tramite Fr I. 108

12. *add. praed. adv. vel adiect. vel partic.:*
aduocatus Ep 423   caecus Au 714   comites
Am 929   dierectus, -ta, -tum, -te Cap 636,
Mer 183, Poe 347, Ru 1170   diuorsi Ru 1252
inanis As 660   incenatus Ps 846   impran-
sum Ru 144   odorans Mi 268   ornatus Au
721   palitantes Ba 1123   praeditus Ps 1138,
Ru 1316   praesides Ru 1051   priores Poe
611   tacitus Cas 932(*Rs*)

13. *add. dat. personae:* spectatoribus Am 66
B. ire *cum altero verbo coniunctum* 1. *asyn-
detice(cf* Ballas, *De part. cop.* 15; Weißenhorn, p. 13)   a. *praes. indic.:* itur, putatur
ratio cum argentario Au 527   eon uoco huc
hominem? Mo 774

b. *indic. fut.(cf* Sjögren, p. 76): ibo intro
ornatum capiam Am 1007   ibo ad Diabolum
mandata dicam facta As 913   ibo intro argentum accipiam Ep 319   ibo adducam(abd.
Ly) . . Men 845   ego ad forum . . hinc ibo
absoluam militem Ba 1060   ibo* adloquar
Mer 366   nunc ibo amicos consulam Poe 794
nunc ibo erili filio hanc fabricam dabo Ba 366
nunc ibo orabo . . Men 672   ad praetorem
ilico ibo* orabo . . Mer 665   ego ibo* orna-
bor Poe 123   ibo igitur parabo Au 263   ibo
hinc intro perscrutabor fanum Au 620   ibo
persequar iam illum intro Ci 651   nunc ibo*
intro argentum promam Ps 1245   ibo in tabernam, uasa . . referam mea Men 1035   ibo*
ad illum renuntiabo Tri 995   ad forum ibo . .
reposcam Tri 727   ibo* ex hoc loco iubebo . .
Tru 443(*Rs*)   ibo in Piraeum uisam . . Ba 235
huc intro ibo, uisam . . Per 77   ibo* hanc
ego tetulero intra limen Ci 650

c. *subiu.:* eamus nos quoque intro hortemur . . Cas 422

d. *imperat.(cf* Sjögren, p. 82): i* quantum
potes abduc istos in tabernam Men 435   i
soror abscede tu a me Poe 364   i adduce
testis tecum Poe 424   i adfer mihi arma Ci
284   i* gladium adfer Ps 349   idum Turbalio curriculo adfer*** Ru 798   nunciam i
rus(, *LU*) te amoue Mo 74   i* bene ambula
As 108   i i* ambula Tri 1108(*L; cf* Sjögren,

p. 150)   i* arcesse homines Men 952   ei*
arcesse hostias Ps 326   ei* accerse agnos
Ps 330   ite actutum Tyndarum huc arcessite Cap 950   i* parasitum Gelasimum huc
arcessito St 150   i* intro amabo cedo manum Tru 696   i* (et *add BLU*) cenam coque
Au 458   i curre equom adfer Ci 286   i* Palaestrio aurum . . duc Mi 1301   age i* duce
me Mo 794(*WeisRRsL*)   ite* istinc ecferte
lora Cap 658   sed i (atque *add APL*) euoca
illam Poe 1116   i* intro exquaere Au 800
i* ad forum e praetore exquire Per 487   i*
praecepta sobrie adcures face Mi 812   i fer
filio Ba 1059   i* sis iube transire . . Mi 182
i* intro Pinacium iube . . St 396   i* iube
abire rursum Mo 377(*Rs; cf* Sjögren, p. 85)
i* placide noscita Mi 521   i numera Ep 305
i* percontare Mo 682   i* tu Thessala intus
pateram proferto foras Am 770   i* puere pulta
As 382   i* redde aurum Au 829   ei* pallam
refer Men 617   Syra ei* rogato meum patrem
Mer 787   ei* Decio quaere meum patrem
Men 736   i refer Au 767   i* uero refer Au
768   ite* sequimini Ba 1205(*R*)   i sequere
illos Mi 1361   i obsecro intro subueni illis
Ru 657   i modo uenare leporem Cap 184   i
uise estne ibi Ba 901   i* uise si lubet Ru 567
i* intro amabo uisse illam Tru 197   i* uoca
Mo 774   *Cf etiam* Lease, *Am.Jour.Phil.* XIX. 59

e. *infin.:* . . aliam aliorsum ire praemandare et quaerere Tru 403

2. *per et:* a. *indic. fut.(cf* Sjögren, p. 79):
ibo et(ut *AcRglS*) cognoscam Am 1075   ibo et
consulam hanc rem amicos Men 700   ibo et
conueniam seruom Men 557   nunc ibo hinc
et amicos meos curabo St 682   ibo intro et
dicam Men 331   ibo intro ad libros et discam St 400   ibo et faciam sedulo Ba 871
ego ibo intro et gratulabor St 567   ibo et
persequar*** Ci 531a   ibo et pultabo ianuam
Poe 739   ibo et pultabo fores St 308   ibo
et quaeram si . . Vi 56   ibo et Mercurium
subsequar Am 550

b. *imperat.(cf* Sjögren, p. 89): i et(*RLy* i
Grut ψ et *P*) . . abduc Men 435   i et(*BLU*
et *DJ* i *Guyψ*) cenam coque Au 458   intro
ite et cito deproperate Cas 744   i* sane et
quantum potes parata fac . . Am 971   i* et
memento dicere Mer 282   i* et uale Au 263
fortasse: i* intro, amabo, et . . Tru 958(*vide
edd*)

c. *infin.:* me ire iussit ad eam et percontarier Ba 575

d. *varia:* quin tu is* accubitum et(i *GulU*)
conuiuas cedo Ps 891 *vide* Tru 958

3. *per atque* a. *indic. praes.:* quin tu is
intro atque huic argentum promis? Ep 303
quin ergo imus atque obsonium curamus? Mer
582

b. *indic. fut.:* ibo* ad hominem atque adloquar Men 808   ibo atque adloquar St 464
ibo atque accersam medicum Men 875   ibo
atque arcessam testis Poe 447   ibo atque illam huc adducam Mi 1085   ibo atque hunc
compellabo St 315   ibo ad portum atque haec
. . ero dicam meo Am 460   ibo* atque(*R. Mue
intro add PSȚLLy*) adulescenti dicam Ep 164

(i et dic *L* atque *om U*) ibo ad medicum atque ibi me toxico morti dabo Mer 472 ibo domum atque .. dabo Mi 259 nunc ibo intro atque edicam familiaribus Ps 903 ibo aduorsum atque electabo As 295 ibo atque eloquar Au 817 ibo ad forum atque haec Demiphoni eloquar Mer 797 ibo atque amicis .. eloquar St 143 ibo intro atque .. interstringam Au 659 ibo* ad forum atque haec facta narrabo seni Tru 313 ibo* atque ibi manebo As 126 ibo ad forum atque onerabo .. Simiam Ps 764 egomet ibo atque opsonabo opsonium St 440 ibo atque orabo Cu 273 domum ibo atque .. pergam exquirere Am 1015 ea ibo obsonatum atque eadem referam obsonium St 451(*v. secl* ω) ibo ad meum castigatorem atque .. petam Tri 614 ibo domum atque .. redducam Selenium Ci 629 hinc intro ibo et sacruficabo Ru 1263 ibo intro atque intus subducam ratiunculam Cap 192 domum ibo atque aliquid surrupiam patri Ba 507

c. *subiu.:* eas ac decumbas domi Mer 373

d. *imperat.:* i tu atque arcesse illam Cas 587 i hac mecum intro atque ibi .. concastigato Ba 1175 i atque(*APL om Par*ψ) euoca illam Poe 1116 i tu hinc ad uillam atque .. facito Mer 277 i sane ac morem illi gere Per 605 i intro atque inspice Mo 807 i* intro ac nuntia me adesse Tru 329 i* dierectum, cor meum ac suspende te Cap 636

e. *infin.:* ire hercle meliust te interim atque accumbere Men 329 .. mihique ire* opitulatum atque ea te facere facinora Mi 621

f. *varia:* in hac mecum intro atque induces .. Ba 1185 quin tu is* intro atque otiose perspecta Mo 815

4. *per que:* ibo ego ad tres uiros uostraque ibi nomina faxo erunt As 132 eunt obuiam gratulanturque eam rem Cap 501 quin tu in paludem is exicasque harundinem Ru 122 .. ut eam intro consolerque eam Ru 399

C. *sequontur uariae const.* 1. *supini acc.:* cum amica sua uterque accubitum eatis* Ba 755 ite* intro accubitum Ba 1203 iube ire* accubitum Men 225 ubi lubet ire licet accubitum Men 368 quin tu is* accubitum Ps 891 in nonum diem solet ire coctum Au 325 si nusquam coctum is* quidnam cenat Iuppiter? Ps 845 domum eo comissatum Mo 335 ite ad uos comissatum St 775 mihi ires consultum male? Ba 565 an tu coquinatum te ire* quoquam postulas? Ps 853 cubitum ergo ire uolt. #Quin imus* ergo? Cas 853 etiamne imus cubitum? Cas 977 it* incenatus cubitum Ps 846 alii di isse* ad uillam aiebant seruis depromptum cibum Tri 944 eunt* depressum Ci 37 discubitum noctu ut imus Mer 100 sicine oportet ire amicos .. operam datum? Poe 512 it dormitum Au 302 quin tu is dormitum? Cu 183 dormitum iubet me ire* Mo 693 ibi omnibus ire dormitum odiost Mo 705 si eas ereptum ilico scindant Cas 721 sine meo periclo ire aliena ereptum bona Per 63 certumst exulatum hinc ire me Mer 644 quo nunc ibas? #Exulatum Mer 884 (exulatum *Rg* in exilium *PS†LULy*) quom

iret*, redduxi domum: nam ibat* exulatum Mer 981 potueritis mihi honorem ire habitum Ci 4 eo* captiuos alios inuisum meos Cap 458(*Rs*) eo lauatum Au 579 it lauatum in balineas Ru 382 poste ibo* lautum St 568 ibit istac aliquo .. latrocinatum Tri 598 dico esse iturum me mercatum Mer 83 mercatum ire iussit Mer 358 ultro ibit nuptum Cas 86 .. ne noctu irem obambulatum Tri 315 ea ibo obsonatum St 451 amanti ire* opitulatum Mi 621 istuc delictum desistas tanto opere ire oppugnatum Ba 1171 oratum ierunt deam Poe 1134 iam hercle ire* uis .. foras pastum Mo 878 sine ire* pastum Per 318 meosque perditum ires* liberos? Au 736 ipsus perditum se it* Tru 559 non eo* pessum Ci 223 opulentus iri* petitum pauperioris gratiam Au 247 simul mecum i* potatum. #Egone eam? #Si is .. #Eo Ps. 1327-8 ibo hercle aliquo quaeritatum ignem Ru 766 huc meas fortunas eo questum ad uicinam Cas 162 noctu sacruficatum ire occupant Poe 320 amicos iit* salutatum ad forum Ba 347 sitim sedatum it Cu 116 supplicatum cras eat Per 447 .. isse* mercis uectatum undique Mer 76(*U*)

fut. pass. infin.: .. nisi se sciat uilico non datum iri Cas 699 mihi istaec uidetur praeda praedatum irier Ru 1242 .. mihi omne argentum redditum iri* Cu 491 spes etiamst hodie tactum iri militem Tru 886(*loc dub*)

2. *seq. infin.*(*cf* Votsch, p. 31; Walder, p. 15): senex in Ephesum ibit aurum arcessere Ba 354 ego ire in Piraeum uolo in uesperum parare piscatum mihi Mo 66 turbare qui huc it Ba 107(*v. secl* ω)

3. *seq. ut*(*cf* Abraham, p. 208; Sjögren, p. 145): ibo ut .. Alcumenae nuntiem Am 291 ibo ut(*Ac et PLULy*) cognoscam Am 1075 nunc ibo ut uisam Au 65 ibo intro ut .. facta .. sient Au 278 ibo ut hoc condam domum Au 712 ibo intro ut .. sciam Am 802 eamus hinc intro ut laues Ba 105 ego hinc eo ad illum ut conueniam Ba 348 ibo ut uisam huc ad eum Ba 529 nunc ibo ut .. ius dicam Cap 907 ego ibo ut conueniam senem Cap 919 eamus intro ut arcessatur faber Cap 1027 ibo intro ut .. condiam Cas 511 ibo intro, ut subducam Cas 557 Curculio .. it Cariam ut petat argentum Cu Arg 1 eamus nunc intro ut tabellas consignemus Cu 365 ego cesso ire obuiam adulescenti ut .. sciam Ep 100 eamus intro huc ad te ut hunc .. diem luculentum habeamus Ep 157 ultro eo ut me uinciat Men 97 eamus intro ut prandeamus Men 387 ibo* domum ut parentur Men 954 eo ego ut .. tradam Mer 385 eo domum patrem .. ut .. salutem Mer 659 i* hac mecum ut uideas Mer 689 ad patrem ibo ut .. sciat Mer 962 ire decet me ut .. fiam Per 181 ibo intro haec ut .. memorem Poe 920 .. eum circum ire* in hunc diem ut me .. interuorteret Ps 899 ibo ei aduocatus ut siem Ru 890 i hac .. mecum ut .. dies constituatur Tri 580 eo ut illum euocem Tri 1172 rus .. ire me iussit pater ut bubus glandem .. depromerem Tru 645

4. *verbum* ire *in secundo loco stat:* a. cura, i*, concastiga hominem probe Ba 497   iube auferri intro i, Cuame Tru 583(*vide* ω)

b. liber esto atque ito* quo uoles Men 1029 desiste ludos facere atque i hac mecum semul Men 405   loquere atque i* in malam crucem Ps 839   plaudite atque ite ad uos comissatum St 775

c. ducas easque in maxumam malam crucem Cas 611   ferant eantque maxumam malam crucem Per 352

d. loquere porro aut i* in malam rem Mer 615(*U*)   nisi aut auscultas aut is in malam crucem Poe 495   ite aut ite hinc in malam crucem Poe 511   placide aut ite in malam crucem Ru 1162

5. *seq.* ne: ibo* intro ne . . fiat Mi 595

6. *seq.* si: nunc ibo intro ad hanc meretricem . . si possum exorare Men 1048

EPEUS - - Epeum fumificum Fr II. 1(*ex Varr l L* VII. 38)

EPHEBUS - - ut aetas ex **ephebis**(*R* atque animus phoebus aetate *P* ut ex ephebis aetate exii *MuretLULy*) exiit Mer 40   ex ephebis (phebis *B*) postquam excesserit . . Mer 61

EPHESIUS - - illic sacerdos est Dianae **Ephesiae**(ephoesie *D*) Ba 307   Ba 312(Ephesiae *add U*)   . . ut **Ephesiae**(-he . *D* -ie *BD*) Dianae laeta laudes gratesque agam Mi 411   in Ephesost **Ephesiis** carissumus Ba 309

EPHESUS - - 1. *nom.:* hoc oppidum Ephesust(*Ca* epesum est *P* eph. *B²D²*) Mi 88

2. *acc.* a. *termini: post* arcessit Mi *Arg* I. 5 [*Rg pro* erum] auehit Mi *Arg* I. 1   deportat Mi *Arg* II. 4(pessu B¹)   ueniret Mi *Arg* II. 7 (epesum *B*)   heri Athenis Ephesum adueni uesperi Mi 439   eius huc gemina uenit Ephesum Mi 975   aduenit(an uenit *RgL*) Ephesum mater eius? Mi 976   *Cf* Koenig, p. 2

b. *post praep.* in: Ba 171(efe. *CD* effe. *B*), 249, 354, 388, 776, Mi 113, 384

3. *abl. loc.:* a. mille . . attulimus aureos Epheso Ba 231

b. *post praepp.* ex: Ba 236, 389, 561 in: Ba 309, Mi 441, 778

4. *loc.:* nullust Ephesi(effesi *P*) quin sciat Ba 336   ille . . Ephesi multo mauellem foret Ba 1047   Ephesi sum natus Mi 648   *Cf* Goerbig, p. 28; Koenig, p. 2

EPICHYSIS - - sinus cantharus **epichysis** (*Bo* -isis *BCD²* epichis *D¹*) Ru 1319

EPICROCUM - - nihilist macrum illud **epicrocum**(-grocum *P*) pellucidum Per 96

EPIDAMNIENSIS - - *mercator.* **Epidamniensis** quidam ibi mercator fuit Men 32   Epidamniensis(-dänn. *B*) ille quem dudum dixeram Men 57   **Epidamnienses**(-dämenses *B*) subuenite ciues Men 1000

EPIDAMNIUS - - Epidamnium Men 33(*PL Ly* -num enum *Seyψ*)   **Epidamnii**(-nu *CD*) ciues Men 1005   itast haec hominum natio: in **Epidamnieis**(*A* -niis *R* -nia *P*) uoluptarii Men 258   *Cf* Koenig, p. 7; Vissering I, p. 86

EPIDAMNUS - - 1. *nom.:* haec urbs **Epidamnus**(-äpnus *D*) est Men 72

2. *dat.:* huic urbi nomen **Epidamno** inditumst Men 263

3. *acc.:* a. **Epidamnum** nunquam uidi neque ueni Men 306   deuenit Men *Arg* 6   auehitque Epidamnum eum(*Sey* -damnium *PLLy*) Men 33   uenimus Men 230(-dänü *B*)   *Cf* Men 51(*infra* 5)   *Cf* Koenig, p. 2

b. *post praep.* in: Men 49, 70(-dänü *BC*)

4. *abl. post praep.* in: Men 267, 380 *bis.*

5. *loc.:* si quis quid uostrum Epidamni(*Py* -num *PLULy*) curari sibi uelit Men 51

EPIDAURUS - - 1. *acc.:* aduenis in Epidaurum Cu 562

2. *abl. post praep.* in: Cu 341, 429(Eph. *B*), Ep 540b, 541, 554

3. *loc.:* filiam . . natam Thebis, Epidauri satam Ep 636   *Cf* Koenig, p. 2; Goerbig, pp. 28, 34

EPIDICUS - - 1. *fabulae nomen:* etiam **Epidicum** quam ego fabulam aeque ac me ipsum amo, nullam aeque inuitus specto si agit Pellio Ba 214   *Cf* Schmidt, p. 187

2. *servus. In supersc.* Ep act. I sc. 1, 2; act. II sc. 2, 3; act. III sc. 2; act. V sc. 1   *Etiam* Ep 127, 202, 458, 511(epidicus *add A ad finem versus*), 592, 598, 608(epy. *B*)   **Epidici** Ep 120(-ce *J*), 321, 381   **Epidico** Ep 291(*ULLy* -ce *Pψ*)   **Epidicum** Ep 4, 201(*B²J* -dictum *B¹VE*), 605(epy. *B*), 611(epy. *B*)   **Epidice** Ep 27, 49, 57 († **S**), 61, 82, 96, 161, 194(epy. *B*), 201, 218, 259, 293(-co *ULLy*), 304, 493, 622 (epy. *B*), 655(epy. *B*), 687, 715(epy. *B*), 728

EPIGNOMUS - - *adulescens. In superscr.* St *act.* III sc. 1, 2; act. IV sc. 1, 2. *Etiam* St 464   **Epignomi** St 238, 283   **Epignomum** St 371, 372   **Epignome** St 465, 528   **Epignomo** St 582(pignomo *P*)   *Cf* Schmidt, p. 367

EPISTULA - - I. Forma   epistula As 762(*BD* -ola *EJ*), Ba 1006(-ola *P*), Ps 670, 1008, 1097, Tri 1002(*B* -ola *CD* -ae *MercerRRs*)   epistulam As 761(*B* -ola *DEJ*), Ba 176(-ola *P*), 561(-ola *CD* epˉtam *B*), Mi 1225(-ola *B* epˉtam *CD*), Ps 647(-ola *C¹*), 691, 716(-a *B*), 983(epˉtam *CD*), 987(epˉtam *C*), 990(epˉtam *C*), 993, 997 (epˉtam *C*), 998(*om CD*), 1011(epˉtam *C*), 1202, 1203, 1209(epe. *D*), Tri 398(-olam *BC*), Tru 397   epistula Ep 254(-ola *BJ*), Ps 690, 1001, 1002   epistulae Tri 1002(*MercerRRs* -a *Pψ*)   epistulas Ep 58(-olas *BJ*), 134(-olas *E* epˉtas *BJ*), Per 694(-olas *BD*), Poe 836, Tri 774(*A* -olas *P*), 788(-olas *CD*), 788 b(-olas *CD v. secl* Rω), 816 (-olas *CD v. secl* Rω), 848(-olas *CD*), 875, 894, 896(-olas *C*), 949, 951(-olas *C*), 986(-olas *CD*)

II. Significatio 1. *nom.:* ne epistula quidem ulla sit in aedibus As 762   inde a principio iam inpudens epistulast Ba 1006   *passive:* haec allatast mihi opportune epistula Ps 670

epistula*illa mihi concenturiat metum in corde Tri 1002(*cf* Goldmann, I. p. 19; Graupner, p. 16)   epistula atque imago me certum facit Ps 1097   . . quid epistula ista narret Ps 1008

2. *acc.* a. *sing.:* tu epistulam hanc a me accipe atque illi dato Ps 647   hanc epistulam accipe a me: hanc me tibi iussit dare Ps 983 . . dicat peregre allatam epistulam As 761 illam epistulam . . Harpax huc ad me attulit

Ps 1209 cedo mihi epistulam Ps 987 dato Ps 647(*supra*) hanc dedit mihi epistulam Ps 691 dare Ps 983(*supra*) scio iam me recte tibi dedisse epistulam Ps 990 dedi .. eri imagine obsignatam epistulam. #Meo tu epistulam dedisti seruo? Ps 1202-3 hanc me iussit Lesbonico .. dare epistulam et item hanc alteram .. Callicli iussit dare Tri 898-9 epistulam istam fert Ps 1011 .. quem ad epistulam Mnesilochus misit super amica Bacchide Ba 176 misine ego ad te ex Epheso epistulam super amica Ba 561 epistulam* modo hanc intercepi Ps 716 miles lenoni Ballioni epistulam* conscriptam mittit .. imagine obsignatam Ps 998 propera hanc pellegere .. epistulam Ps 993 propera pellegere ergo epistulam Ps 997 remisit nuper ad me epistulam Tru 397

b. *plur.:* hasce epistulas dicam ab eo homine accepisse Tri 848 epistulas quando obsignatas adferet [sed quom obsignatas attulerit epistulas] .. Tri 788-9 eas (epistulas) nos consignemus quasi sint a patre Tri 775 epistulasque iam consignabo duas Tri 816(*v. secl RRgU*) mandatae quae sunt uolo deferre epistulas Per 694 .. quibus me oportet has deferre epistulas Tri 949 has dedit mihi epistulas Tri 875 pater istius adulescentis dedit has duas mihi epistulas Tri 894 me sibi epistulas dedisse dicit Tri 896 illum .. tibi istas dedisse commemoras epistulas Tri 951 .. quem tibi epistulas dedisse aiebas Tri 986 ferat epistulas duas Tri 774 cottidie ipse ad me ab legione epistulas mittebat Ep 58 quid retulit mihi tantopere te mandare et mittere ad me epistulas? Ep 134 ibi tu uideas litteratas fictiles epistulas pice signatas Poe 836

c. *post praep.:* per epistulam aut per nuntium quasi regem adiri eum aiunt Mi 1225

3. *abl.* a. *instrumenti:* ego hac epistula tris deludam Ps 690

b. *post praep.:* haec sic aiebat audiuisse ex eapse atque epistula Ep 254 sumbulust in epistula. #Video . . . sed in epistula nullam salutem mittere scriptam solet? Ps 1001-2

4. *adiectiva, sim.:* impudens Ba 106 litteratae fictiles Poe 836 obsignata Ps 998, 1202, Tri 774, 788, 788 b* pice signatae Poe 836

EPITHECA - - laborem ad damnum apponam **epithecam**(*Lach* apothecam P ἐπιϑήκην RRs) insuper Tri 1025 *Cf* Graupner, p. 13

EPITYRUM - - **epityrum**(-ra *Varr* VII. 86 et *Ly*) estur insanum(*A* epytir aut apud illa esturiens ane[ame *C*] *P*) bene Mi 24

EPIUS - - **Epiust** Pistoclerus Ba 937

EPULAE - - 1. si illi congestae sint **epulae** (ae. *BC* -e *B* -ę *C*) a cluentibus Tri 471

2. solebam menstrualis **epulas** ante adipiscier Cap 483 iuben .. laridum(† *L*) atque (— *ins Ly*) epulas(pernas *Rs* †ℊ) foueri foculis feruentibus? Cap 847 fuit hodie operae pretium .. oculis epulas dare Poe 1175

EQUES - - 1. neque **eques** neque pedes profectost quisquam tanta audacia qui aeque faciat confidenter Mi 464

2. indaudiuit .. summo .. genere captum esse

equitem Aleum Cap 31 Philocratem(equitem *add Rs*) ex Alide Cap 511 quoduis genus ibi hominum uideas .. equitem(-aem *B*), peditem Poe 832

3. **equites** parent citi, ab dextera .. inuolant, .. foedant et proterunt hostium copias Am 244-6

4. ilico **equites** iubet dextera inducere Am 243

EQUIDEM - - I. Forma 1. *variae lectiones:* Am 328, ne quidem *E pro* non equidem(aeq. *J*); 714, quidem *P corr B²*; 916, et quidem *EJ* Au 138, quidem *BoLy* Ba 33, equidem *Abraham Rg pro* quidem: *om LULy: ex Non* 102; 996, equidem *FRgU* quidem *P(om R)* Cap 249, equidem *LuchsRsLy* quidem *Pψ*; 394, quidem *P corr Lamb* Cas 208, equidem *U solus pro* quidem; 866, equidem *ZRs pro* quidem Ci 52, hequidem *E*; 526, equidem *PLULy* quidem *DousaRsℊ* Cu 156, equidem *FlRg pro* quidem; 211, equidem *Rg solus pro* quidem Ep 16, equidem *A* quidem *P*; 30, equidem *Luchs* quidem *PRg²Ly*; 99, equidem *SeyRg¹* quidem *Pψ*; 324, eq. *J*; 378, equidem *B²RgLLy* aeq. *J* -t quidem *B¹* quidem *FZψ* Men 798, quidem *CD*; 1024, equidem *MueRs* quidem *Pψ*; 1156, equidem *BergkRsLU* quidem *ABDℊLy* quid est *C* quo die *LambR* Mer 16, equidem *U* esse *Pℊ†* hercle *Rψ*; 161, equidem *C*; 412, equidem *ins RRgU*; 914, eq. *B* Mi 158, equidem *ARgL* quidem *Pψ*; 433, aeq. *B¹*; 547, equidem me *AD³* te quidem et(*B¹* e *CD¹ om B²*) *P*; 633, equidem *R solus*; 650, quidem *BentR*; 1073, equidem *Bo* quidem *P* Per 187, equidem *PR* quidem *Aψ*; 639, atque e. *P* atque eo *ALy* atque me *R*, 641, quidem *U* Poe 280, equidem *KampℊU pro* quidem; 291, equidem *ARglU* it(*corr D⁴*) quidem *Pψ*; 1347, *om B*; 1391, me quidem *B* Ps 620, quidem *C idem A*; 848, quidem *R solus* Ru 470, *om CD*; 787, egomet *P corr A*, 1273, adsum e. *Turn* at sume quidem *P* St 73, equidem *AℊLLy* ego *Pψ*; 329, me quidem *A* equidem *P* med eq. *RibRg* me eq. *U*; 342, ecquidem *A* ecquem *PRU* equidem *Bueψ*; 488, quidem *A*; 554, equem *B* quidem *FRU* Tri 352, equidem *ARRsU* quidem *Rψ*; 611, equidem *PRRsLU* quidem *ℊLy*; 991, equidem *RRs* quidem *Pψ* Tru 5, equidem *SpRsU* quidem *Pψ*; 70, equidem *PLULy* quidem *Bentψ*; 113, equidem *Rs solus* quidem *Pψ*; 319, quidem *L*; 559, equidem *RsU pro* quidem; *ib.*, ego *SpRsU* equidem *P*(aeq. *B*)*ψ*; 884, equidem *Rs* quidem *Pψ* Fr I. 10, hercle equidem *L. Sp* herclem(*vel* erclem) quidem *Varr*

2. *corrupta:* Ba 485, equidem *A ut vid pro* quidem Cas 353, equidē(-e *B¹V*) *BVE pro* me quid(*J*) Cu 387, equidem *P* quidem *Ca* Ep 497, equidem *A* quidem *P* Men 309, equidem *P* quidem *Bent*; 551, equidem *P* quidem *Bo* Mi 42, equide *D¹ pro* ecquid; 988, equidem *D pro* haec quidem; 1401, equidem *D pro* quidem Per 169, equidem *Non* 10 *pro* me quidem; 171, unam equidem *P* me quidem *A*; 546, aspexi(aspeci *B*) equidem *P pro* specie quidem Ps 739, equidem *A* ecquid *P*; 1187, equidem *CD* quidem *B* Ru 827, equidem *P* quidem *Ac* St 9, equidem *A pro* quidem(*P*)

II. Collocatio edepol equidem *quinquies* equidem pol *ter* ecastor equidem A͟м 714 equidem ecastor *ter* pol equidem Poᴇ 291 (*ARglU*) equidem hercle *noviens: adde* A͟м 764(*Rgl*), Cɪ 526(*PLULy*) hercle equidem *septies* immo equidem *sexies* immo equidem hercle Mᴇʀ 709(*Rg*) immo equidem pol Bᴀ 1192 nam equidem *undecies*(cf Mo 1054) namque edepol equidem Mᴇʀ 508 certe equidem *bis* certe edepol equidem Aᴜ 215 equidem certo A͟м 447 ecastor equidem . . certo A͟м 714 quin equidem *bis* iam pridem equidem *bis* iam dudum equidem Poᴇ 1161 non equidem *septies* non edepol equidem Vɪ 44 non hercle equidem *bis* neque equidem *quater: adde* Cɪ 368(non *LLy*) equidem neque . . neque Tʀᴜ 389 nihil equidem *quater* nullam equidem Mo 866 nusquam equidem *bis* nusquam hercle equidem Rᴜ 470 haud equidem Mᴇʀ 512 equidem haud *bis(cf* Sᴛ 488) profecto nullam equidem Mo 836 et equidem Sᴛ 590 atque equidem *septies* ego equidem A͟м 764, Bᴀ 439, Cᴀѕ 427(*Rs*), Rᴜ 1077 ipsus equidem A͟м 754 *Cf* K a e m p f, p. 40

III. Significatio(*cf* J o r d a n, *Beitr.* p. 314 —336 *et opera ibi citata; adde etiam* S k u t s c h, *Hermes,* XXXII., p. 95) 1. *cum persona prima:* nam equidem me . . a uita abiudicabo Aѕ 607 sequere hac me igitur. #Equidem haud usquam a pedibus apscedam tuis Mo 857 i, fer filio. #Non equidem accipiam Bᴀ 1061 egon . . inspectem? #Immo equidem pol tecum accumbam Bᴀ 1192 sine opera tua di . . possunt. #Equidem* hercle addam operam Cɪ 52 non equidem* mihi te aduocatum . . adduxi Mᴇɴ 798 secreto hercle equidem* illum adiutabo Tʀᴜ 559 censeo. #Adsum equidem*, ne censionem facias Rᴜ 1273 non audis? #Audio . . equidem Pѕ 230 quis istuc tibi dixit? #Ego equidem(eq. ego *FlRgl*) ex te audiui A͟м 764 at ego hanc uicinam dico. #Iam pridem equidem istuc ex te audiui Poᴇ 156 ne tu . . aduenisti. #Immo equidem . . aduenio A͟м 368 ubi tu me nouisti gentium? . . nam equidem* Athenas antidhac numquam adueni Pѕ 620 nam equidem postquam natus sum, numquam aegrotaui Mᴇɴ 959(*solus B*) equidem dotem ad te adtuli Aᴜ 498 non equidem me Liberum . . esse aio Cᴀᴘ 578 meo ore aio equidem* me adlaturum Tʀᴜ 5(*Rs*) amaui equidem hercle(*A* h. e. *PLLy*) ego olim in adulescentia Mᴇʀ 264 uae tibi. #Tibi equidem a portu adporto hoc Mᴇʀ 161 nam equidem* . . liberum me esse arbitror Cᴀᴘ 394 nam equidem arbitror Vɪ 28 certe edepol equidem te ciuem . . semper sum arbitratus Aᴜ 215 tu recte dicis et tibi equidem* adsentior Mᴇʀ 412(*RRgU*) nihil equidem tibi abstuli Aᴜ 635 ubi bibisti? #Nusquam equidem bibi A͟м 576 cape uero. #Non equidem capiam Bᴀ 1063 quo ego redeam? #Equidem ad phrygionem(ad p. e. *MueRs*) censeo Mᴇɴ 617 ad te accedent. #Non hercle equidem* censeo Rᴜ 787 equidem me iam censebam esse in terra Mᴇʀ 197 tu . . id me interrogas, qui ipsus equidem nunc primum istanc tecum conspicio simul? A͟м 754 ecquem conuenisti?

#Multos. #At uirum. #Equidem* plurumos Sᴛ 342 credo edepol equidem dormire solem A͟м 282 sic mihi te . . aequomst . . credere. #Immo equidem credo Aᴜ 307 tu equidem* credo excantare . . potes Bᴀ 33(*Rg ex Non* 102) non mihi credis? #Omnia equidem credo Mᴇʀ 914 sic sine, Simo. #Credo equidem potis esse te . . ebibere Pѕ 1302 Tʀᴜ 5(*SpU*) me licet conducere. #Non edepol equidem credo mercennarium te esse Vɪ 44 tandem indignus uideor? #Immo dignus. #Equidem credidi Mᴇʀ 172 sibi potestatem . . facias. #Cupio hercle equidem Mɪ 972 me sequere. #Iam dudum equidem cupio Poᴇ 1161 nihil apud me quidem neque equidem debeo quicquam Cᴜ 565 nusquam equidem quicquam deliqui Mᴇɴ 780 cocos equidem nimis demiror Cᴀѕ 219 quasi dicas . . . #Haud equidem dico Mᴇʀ 512 quid taces? #Dico equidem* Pᴇʀ 641 qui lubet male dicere? #Bene equidem tibi dico Rᴜ 640 quid hoc sit hominis? #Equidem deciens dixi A͟м 577 irascor. #Dixi equidem tibi Cᴜ 608 mentitust. #Vera dixi equidem tibi Mᴇʀ 936 quid me consultas? dixi equidem tibi Mɪ 1097 nimis iracundi estis: equidem haec uobis dixi per iocum Poᴇ 541 tu paucis expedi. #Dixi equidem Rᴜ 1103 quid igitur? #Dixi equidem in carcerem ires Sᴛ 624 equidem* ioca illa dixeram tibi A͟м 916 equidem tibi me dixeram praesto fore Rᴜ 864 namque edepol equidem . . non didici baiiolare Mᴇʀ 508 de te equidem* haec didici omnia Poᴇ 280(*SU*) apage a me. #Equidem tibi do hanc operam Bᴀ 74 sic utendam dedi. #Equidem ecastor tuam nec chlamydem do foras . . utendam Mᴇɴ 658 quam mox mihi operam das? #Tibi do equidem Pѕ 1166 dedi equidem quod mecum egisti Aѕ 171 equidem hercle argentum pro hac dedi Eᴘ 484 tibi dedi equidem illam Mᴇɴ 681 dedi equidem hodie Tʀᴜ 739 nam equidem haud aliter esse duco Bᴀ 369 quin equidem illam ducam uxorem Cɪ 485 non licet. #Equidem istas iam ambas educam foras Rᴜ 725 et equidem* hercle nisi pedatu tertio †omnis efflixero . . Cɪ 526 ea causa equidem illam emi Mᴇʀ 400 mihi equidem* esurio non tibi Cᴀѕ 866 equidem me ad uelitationem exerceo Rᴜ 525 quod opust facto . . cogites. #Equidem hercle opus hoc facto existumo Mᴇʀ 566 non equidem ullam . . esse maiorem hac existumo Mo 909 pol id equidem* experior Mɪ 633(*R*) neque equidem heminas octo exprompsi in urceum Mɪ 831 equidem pol nihili facio nisi causa tua Bᴀ 89 faciam equidem quae uis Pᴇʀ 147 neque equidem id factura(*Bri* eq. is f. *A* eq f. sum *P* ego id f. sum *RRgU*) Sᴛ 73 meruisse equidem* me maxumum fateor malum Mɪ 547 fateor equidem* esse me coquom carissumum Pѕ 848 atque equidem hercle . . amicos fugitaui senes Poᴇ 508 equidem illam moueri gestio Aѕ 788 non equidem* ullum habeo iumentum A͟м 328 habeo equidem hercle oculum Mɪ 1307 ecquid habes? #Ecquid tu? #Nihil equidem Pᴇʀ 225 credidi gratum fore. #Immo equidem gratiam tibi . . habeo Pᴇʀ 719 et hoc parum equidem* more maiorem institi Mᴇʀ

16(*U*) profecto nullam equidem illic cornicem intuor Mo 836 et equidem simitu(sim.
eq. *Ly*†*S*) . . uos inuitassem domum St 590
quicum haec mulier loquitur? #Equidem tecum Men 369 equidem pol uel falso tamen
laudari multo malo quam . . Mo 179 redde
. . si non meministi. #Mane: immo equidem
memini Men 535 equidem pol miror tam
catam . . stulte facere Mo 186 miror equidem
. . te istaec sic fabulari Poe 233 mittam
equidem istunc aestumatum tua fide si uis
Cap 351 nam equidem haud sum natus annos
. . Mi 629 caecus eo atque equidem quo eam
. . nequeo . . . inuestigare Au 714 ut ludo?
#Nequeo hercle equidem* risu admoderarier
Mi 1073 nam equidem te nequeo consequi
tam strenue Ru 493 nauci non erit: atque
equidem quid id esse dicam uerbum nauci nescio Mo 1042 quos equidem* quam ad rem
dicam . . referre . . nescio Tru 70 quid facitis? #Ventum. #Nolo equidem mihi fieri uentulum Cu 315 cedo manum: nolo equidem te
adfligi Mo 332 atque edepol equidem nolo Ps
1024 noui equidem hunc: erus est meus Men
1070 certe equidem puerum peiorem quam
te noui neminem Per 209 tibi equidem non
mihi opto As 625 qui lubet male dicere?
equidem tibi bona optaui omnia Ru 639 equidem neque peperi puerum neque praegnas fui
Tru 389 quid paues? #Nihil equidem paueo
Men 610 equidem hercle nullum perdidi As
622 disperii. #Equidem hercle oppido perii
miser Mer 709 pernoui equidem . . ingenium
tuom ingenuum Tri 665 quid iam tu uis?
#Equidem ego neque partem posco mihi Ru
1077 hau postulo equidem* med in lecto accumbere St 488 possum equidem inducere
animum As 832 aliam tecum esse equidem
facile possum perpeti As 845 laeuam ostende.
#Quin equidem ambas profero Au 650 tun
meo patre's prognatus? #Immo equidem meo
Men 1079 nusquam repperi. #Quaeram
equidem si quis credat Per 44 equidem has
te inuito iam ambas rapiam Ru 796 an id
ioco dixisti? equidem serio ac uero ratus Am
964 ecastor equidem* te . . et salutaui et . .
Am 714 equidem scio iam filius quod amet
meus As 52 scio equidem quam ob rem me
. . tu tristem credas nunc tibi As 842 alii
. . nunc sunt mores. #Id equidem ego certo
scio Ba 437 scio equidem* me te esse nunc
et te esse me Cap 249 nam equidem insanum
esse te certo scio Men 292 non tu scis? #Non
equidem scio Men 715 non sunt uenales.
#Scio equidem istuc Mo 754 nam scio equi-
dem nullo pacto iam esse posse haec clam
senem Mo 1054 iste symbolust inter erum
meum et tuom de muliere. #Scio equidem Ps
649 scio equidem istuc ita solere fieri Tri
353 scio equidem te animatus ut sis Tri
698 scio equidem quae nolo multa mihi au-
dienda Tru 834 scio equidem sponsam tibi
esse Tru 865 scibam equidem nullum esse
nobis nisi me seruom Sosiam Am 385 sciui
equidem in principio ilico nullam tibi esse in
illo copiam Ep 324 iam pridem equidem*
istuc sciui Poe 1347 iam pridem equidem*

istas sciui esse liberas Poe 1391 nam equidem te iam sector quintum hunc annum Per
172 iam dudum hercle equidem sentio Ba
890 nam equidem illic uterum . . numquam
extumere sensi Tru 200 quin ergo imus?
#Equidem te sequor Mer 583 sequor hercle
equidem* Fr I. 10(*ex Varr l L* VI.73) Men 1024
(quando equidem *MueRs pro* quandoquidem)
sine. #Sino equidem si lubet Ba 99 sine.
#Non sino neque equidem . . sinam Ba 419
quid hic speculare? #Nihil equidem speculor
Cas 791 malim . . . #Spero equidem Poe
1185 equidem suadeo ut ad nos abeant Ru
879 equidem Sosia Amphitruonis sum Am 411
equidem certo idem sum qui semper fui Am
447 equidem sana sum Am 720 equidem
ecastor sana et salua sum Am 730 equidem
tam sum seruos quam tu Cap 543 tuos sum
equidem Cas 740 equidem hac inuita tamen
ero matris filia Ep 585 certe equidem noster
sum Mi 433 mitis sum equidem fustibus Mi
1424 i in malam rem. #Ibi sum equidem
Poe 295 utrum tu masne an femina's? #Vir
sum equidem Ru 105 equidem hercle orator
sum St 495 non hercle equidem quicquam
sumpsi Au 640 abs te equidem sumam Ps
509 tace. #Taceo hercle equidem* Cu 156
equidem ualeo et saluos sum Am 581 non
equidem in Aegyptum hinc modo uectus fui
Mo 994 hanc equidem Venerem uenerabor
Poe 278 nusquam hercle equidem illam uideo Ru 470 immo equidem te . . nusquam
uidi gentium Am 686 uidi equidem †exinem
intum domito fieri† Tru 319 equidem ecastor
uigilo Am 698 uigilo hercle equidem quod
sciam Men 503 quid opus est, qui sic mortuos? equidem tamen sorti sum uictus(*LLy:
aliter* ψ) Cas 428 uidere equidem uos uellem
Poe 681

2. *cum persona uel secunda uel tertia:* decet
te equidem* uera proloqui Au 138 quadringentos filios habet atque equidem omnes lectos
Ba 974 cerae parsit haud parsit Ba 996
Cas 208(equidem *U pro* quidem) potin operam
. . neque(o. inique *LLy*) equidem malam ***
Ci 368(*A solus*) Cu 211(equidem *Rg pro* quidem) scio te esse equidem* hominem militarem Ep 16(*an supra 1 referendum?*) ad
hostis transfugerunt. #Armane? #Atque equidem* cito Ep 30 Ep 99(equidem *SeyRg*¹ *pro*
quidem) me equidem* certo seruauit consiliis
suis Ep 378 adulescentem equidem dicebant
emisse Ep 603 uis conclamari auctionem?
#Fore equidem* die septimi Men 1.56 mihi
equidem* iam arbitri uicini sunt meae quid
fiat domi Mi 158 o lepidum . . atque equidem* plane educatum in nutricatu Venerio Mi
650 da hercle pignus ni omnia memini et
scio et equidem* si scis tute Per 187 ita
me di bene ament, sapienter: atque equidem*
miseret tamen Per 639 pol equidem* hau
mentire Poe 291 filias meas celauistis clam
me atque equidem ingenuas Poe 1240 nam
med equidem* harum miserebat St 329 quattuor sane dato dum equidem* hercle quod
edant addas St 554 Tri 352(quando equidem *ARRsU pro* quandoq.) atque equidem*

ipsus ultro uenit Philto T<small>RI</small> 611   T<small>RI</small> 991
(quando equidem *RRs pro* quandoq.)   T<small>RU</small> 113
(equidem *Rs pro* quidem)   T<small>RU</small> 559(quando
equidem *RsU pro* quandoq.)   T<small>RU</small> 884(equidem *Rs pro* quidem)
    3. *vis particulae per alia verba augetur:
vide supra* II.

EQUOLA - - adhinnire **equolam**(*A* equulam
Prisc) possum ego hanc C<small>I</small> 308(*cf Prisc* III. 42)
Thraecae sunt ***(**eculae** *LubbertRgl var supp
LLy*) P<small>OE</small> 1168   *Cf* Ryhiner, p. 33

EQUUS - - I. **Forma** **equos** A<small>S</small> 704(-us *P*),
B<small>A</small> 936(-us *P* ęq. *C*), 943(-us *P*), 944(*A* -us *P*),
988(*B* -us *CD*), C<small>AS</small> 811(-us *ABVJ* equs *E* aeq.
J), M<small>ER</small> 852(-us *P* ęq. *B*)   **equom** C<small>I</small> 286
(*LULy* equm *Aψ*), 292(*LULy* equm *Aψ*), T<small>RU</small>
319(equom ex indomito domitum *WeisL* equi-
dem exinem intum(intu *B*) domito *PS̱†Ly†* var
em *RsU*)   **equo** A<small>S</small> 704, B<small>A</small> 72(pro equo *Z*
preco *D* p̄co *BC*), 428(*add LuchsRg*), 941, M<small>I</small>
721(equo suspiam *AD²* quo suspiam *CD¹* quo
suscipiā *B*) M<small>O</small> 153, R<small>U</small> 268(*FZ* et quo *D*
et quod *BC*)   **equi** M<small>EN</small> 866(eq. *E*)   **equos**
A<small>U</small> 494, M<small>EN</small> 862   **equas** M<small>I</small> 1112(ae. *D*)
equis B<small>A</small> 927(ęq. *C*), M<small>EN</small> 868, P<small>ER</small> 754(et
equis *add Rs*)   *corrupta:* A<small>M</small> 979, equo uis
E pro quouis   B<small>A</small> 403, equos *B¹ pro* eccos;
1083, equum *P pro* aequom   C<small>AS</small> 166, equis
E pro ecquis   C<small>U</small> 610, equum *J pro* eccum
M<small>O</small> 83, equum *B¹ pro* eccum   P<small>S</small> 484, equas *P
pro* ecquas   R<small>U</small> 413, equis *B pro* ecquis
    II. Significatio *et proprie et translate* 1. *nom.:*
ne tu si equos esses, esses indomabilis C<small>AS</small> 811
egomet mihi comes, calator, equos, agaso, ar-
miger M<small>ER</small> 852   nec te equo magis est equos
ullus sapiens A<small>S</small> 704
    has tabellas . . quas fero non sunt tabellae
sed equos quem misere Achiui ligneum B<small>A</small> 936
hic equos non in arcem ueram in arcam faciet
impetum: exitium . . fiet hic equos hodie auro
senis B<small>A</small> 944   turbat equos lepide ligneus B<small>A</small>
988   *Cf* Graupner, p. 26; Wortmann, p. 26
agite equi facitote sonitus ungularum appareat M<small>EN</small> 866
    2. *acc.:* i curre equm adfer C<small>I</small> 286   equm
me adferre iubes C<small>I</small> 292   uidi equom* ex indomito domitum fieri T<small>RU</small> 319(*WeiseL*)   ego
faxim muli pretio qui superant equos sint uiliores A<small>U</small> 494   equos iunctos iubes capere
me indomitos ferocis M<small>EN</small> 862
    tu quidem ad equas fuisti scitus admissarius
M<small>I</small> 1112(ad equos esses doctus ad. *Gloss Verg
ed Barth Adv* XXXVII. 5)
    3. *abl.* **a.** *modi:* ibi equo* cursu luctando
. . sese exercebant B<small>A</small> 428(*Rg*)   disco hastis
pila cursu armis equo uictitabam uolup M<small>O</small>
153(*loc dub*)   nempe equo* ligneo per uias
caerulas estis uectae? R<small>U</small> 268   Pergamum diuina moenitum manu armis equis exercitu at-
que eximiis bellatoribus . . subegerunt B<small>A</small> 927
nec te equo magis est equos ullus sapiens
A<small>S</small> 704
    mihin equis iunctis minare? M<small>EN</small> 868
    b. *abl. abs.:* integro exercitu et equis* P<small>ER</small>
754(*Rs*)
    c. *post praepp.:* cecidissetue ebrius aut de
equo* uspiam M<small>I</small> 721   quae hic sunt scriptae

litterae hoc in equo insunt milites armati atque animati B<small>A</small> 941   . . ubi mihi pro equo*
lectus detur B<small>A</small> 72
    4. *adiectiva:* ferox M<small>EN</small> 862   domitus T<small>RU</small>
319(*L*)   indomabilis C<small>AS</small> 811   indomitus M<small>EN</small>
862, T<small>RU</small> 319(*L*)   integer P<small>ER</small> 754*   iuncti
M<small>EN</small> 862, 868   ligneus B<small>A</small> 936, 988, R<small>U</small> 268
sapiens A<small>S</small> 704

ERADICITUS - - omnia male facta uostra
repperi radicitus: non radicitus quidem hercle
uerum etiam **exradicitus** M<small>O</small> 1112

ERADICO - - I. **Forma** **eradicas** M<small>ER</small> 775
(me er. ω me err. *A* me exr. *R* merad. *P*)
eradicabam E<small>P</small> 434(*v. secl RgS̱*)   **eradicabo**
P<small>ER</small> 819   **eradicet** R<small>U</small> 1346   **eradicare** T<small>RU</small>
660(-rest *Z* -remsi *CD* -rensi *B*)   **eradicarier**
A<small>U</small> 299(-ciarier *B*)   **eradicatus** B<small>A</small> 1092
    II. Significatio *praecipue de personis(cf*
Graupner, p. 27): quin me eradicas* miserum
M<small>ER</small> 775   perditus sum atque etiam eradicatus B<small>A</small> 1092   dic ut te in quaestu tuo
Venus eradicet caput atque aetatem tuam R<small>U</small>
1346   ego pol uos eradicabo P<small>ER</small> 819   . . suam
rem perisse seque eradicarier* A<small>U</small> 299   era-
dicarest* certum cum primis patrem postid locorum matrem T<small>RU</small> 550
    pugnis memorandis meis eradicabam homi-
num aureis E<small>P</small> 434(*cf* Inowraclawer, p. 56)
    *****ERE** . . T<small>RI</small> 947 *CD* **re *B*

EREPO - - foras lumbrice qui sub terra
erepsisti modo A<small>U</small> 628

ERETRIA - - mihi **Eretria** erit haec tua
domus P<small>ER</small> 323   quam capiam ciuitatem cogito potissumum: Megares, **Eretriam**(*R* -re
feretriam *CD* -re seretriam *B*) M<small>ER</small> 646   erus
meus me Eretriam(*Z* eretsiam *B* ***iam *CD*)
misit P<small>ER</small> 259   dominus me bouis mercatum
Eretriam(*AB* -ia *CD*) misit P<small>ER</small> 322(cf Goerbig,
p. 33; Koenig, p. 3)

ERGA - - I. **Forma** A<small>U</small> 735, erga te commerui *RedslobS̱* emerui *P* de te com. *BriRgL*
nam de te merui *U* de te demerui *Ly* C<small>AP</small>
1020, erga te add *Rs solus* M<small>I</small> 636, comitatem
erga *Ca* comitante merce *P sed* merced *B¹*
P<small>S</small> 1020, ergasme *B pro* erga me   T<small>RU</small> 406,
vide infra III. 1   *corruptum:* A<small>S</small> 30, erga *J
pro* ergo
    II. Collocatio *postpositum his in locis:*
me(d) erga A<small>S</small> 20, C<small>AP</small> 416(*trans. D*), E<small>P</small> 391
te erga C<small>AP</small> 245   sese erga C<small>AP</small> 350(*Bent
trans. PULy*)   amicum erga T<small>RI</small> 1126, 1128
    III. Significatio(*cf* Langen, *Beitr.* p. 156)
A. *sensu locali:* tonstricem Suram nouisti nostram? #Quaen(*SpLy* quem *PS̱†*) erga aedem
(*PLy* quae mergi aciem in *Rs* quae mercedem
L duce Buggio quae mercede *BuggeU*) sese
habet? T<small>RU</small> 406(*cf* Langen)
    B. *translate* 1. *sensu neutrali:* iam istuc
gaudeo, utut erga me meritast A<small>M</small> 1101   . . ut
fueris animatus erga suom gnatum atque se
C<small>AP</small> 407   utut erga med est meritus, mihi
cordist tamen C<small>I</small> 109
    2. *sensu amico:* per mei te erga bonitatem
patris C<small>AP</small> 245   me esse scit sese erga(*Bent
erga sese PULy*) beniuolum C<small>AP</small> 350   si ego
item memorem quae me erga multa fecisti
bene . . C<small>AP</small> 416   . . ut erga hunc rem geras

fideliter Cap 424   magis nosces meam comitatem erga* te amantem Mi 636   benignus . .
erga me ut siet Mi 1230   quando ergo erga
te benignus fui . . Ru 1389   mihi ut erga te
fui et sum referas gratiam Tri 619   neque
fuit . . quoi fides fidelitasque amicum erga aequiperet tuam Tri 1126   si quid amicum erga
bene feci aut consului fideliter . . Tri 1128

3. *sensu inimico:* si quid med erga hodie falsum dixeris . . As 20   quid ego erga* te
commerui . . mali . . Au 735($) si quid ego
erga te inprudens peccaui aut gnatam tuam
Au 792   ad carnificem dabo. #Meritus est
(erga te *add Rs*) Cap 1020   . . quod ego umquam erga Venerem inique fecerim Cas 617
quasi quid filius meus deliquisset med erga
Ep 391   formido male ne malus item erga*
me sit ut erga illum fuit Ps 1020   si erga
parentem aut deos me impiaui Ru 191   *similiter:* metuo . . ne te leuiorem erga me(me . . te
HermRRs) putes Tri 1171

ERGASILUS - - *parasitus. In supersc.* Cap
act. IV *sc.* 1 *et* 2. *Etiam* Cap 788   **Ergasilum**
Cap 833(her. *B*)   **Ergasile** Cap 138(ergo. *BV*),
790, 833, 853, 909   *Cf* Schmidt, p. 367

ERGO - - I. **Forma** 1. As 30, erga *J*; 688,
ergo *DLLy* ego *BEJ*ψ; 846, at ego *Rgl* soli
850, ego *J*; 925, ego *E*   Au 323, ege *P corr.*
Ac; 498, ergo *U* igitur *P*ψ; 639, ego *FZRgL*;
725, eo *PLLy* adeo *SeyU* ergo *MueRg$* Ba
558, ergo *BriRg* ego *P*ψ † $; 1049, ergo *CU*
ege *BD*ψ   Cap 383, ego *E*   Ci 608, ergo *Taub*
ego *VEJ om B*   Cu 172, uergo *B*¹; 603, ergo
igitur *U* uois *BEL*† *var em* ψ   Men 758(tergo
R; 965, ergo *PU* ero *Pius*ψ; 1155, ego *A*   Mer
894, ergo *PL*†*U om Guy*ψ;971,hercle *R*   Mi 380,
ego *P corr A*; 1043, humanust ergo *R et Haupt*
humanum stergeo *P var em RU*; 1073, ergo
add R solus Mo 682, ergo *add GuyU*; 757,
ergo somniauit *LLy* consomniauit *P*ψ† $; 1096,
ergo *R solus* ego *P*ψ; 1119, ego *B*   Per 217,
ego *B*; 701, ero *C*   Poe 16, ergo *U* esse
P$†*L*†*Ly* † st *Rgl*; 726, ego *Char* 240   Ps 391,
ego *A*; 914, ego quo *P pro* ergo quod(*A*);
1016, rego *P corr F*; 1084, ego *CD*; 1333, ergo
om A   Ru 184, ergo *om B*; 712, ergo dato
TurnU lac *P var suppl* ψ; 1316, ego *GDLULy*
St 292, ego *C*   Tri 756, ergo *om A*; 818,
ergo *add RRs*   Tru 175, ego *P corr FZ*;
314, *Rs solus pro* tergo   Fr I. 90(*ex Varr l L*
VII. 63), age ergo *L. Sp RgL* agerge *Varr$*†*Ly*†

2. *corrupta:* ergo *pro* ego *exhibetur a libris*
ut sequitur: Am 117 *Char* l. 53; 575 *E*   As 37
*B*¹*J*; 654 *D*; 658 *D*   Au 759 *J*   Ba 499
P corr. A; 599 *D*¹; 1184 *C*; 1190 *C*   Cap 617
VEJ; 731 *J*; 816 *E*   Cas 549 *J* Ep 147
*E*¹*J* Men 330 *BC* Mer 471 *A corr P*; 960 *CD*
Mi 308 *P corr F*; 554 *A ut vid*   Mo 1174 *B*¹
Per 26 *P corr A*; 195 *P corr D*³; 213 *P corr Ca*
Poe 152 *B*; 1005 *D*   Ps 339 *CD*; 1295 *P*
corr A   Ru 285 *D*; 1049 *CD*   St 76 *CD*
Tri 843 *C*

As 276, dat ergo *E pro* de tergo   Cas 979,
ergo *add P*   Men 434, ergo *B*² ego *P pro* eo
Mi 219, ergo *P pro* tergo(*P*ψ)   Poe 1249,
ergo *CD* herci∗ *A pro* hercle   Ps 151, ergo
PU(qui v. secl) om A; 652, ergo *add P om A*;

1295, ergo *P pro* igitur(*A*)   Ru 835, ergo
add CD   Tru 94, ergo *P pro* ea(*FZ*)

II. **Collocatio**   *saepissime initium sententiae*
occupat; sed ubi cum imperativo consociatur
imperativum praemittere consuevit Plautus (ex-
ceptis octo exemplis).   In enuntiatis interr.
pronomen interr. vel particula interr. antecedit,
exceptis Ep .259, Ps 40, Tri 191, 901.   *Cf*
Kellerhoff, p. 74

III. **Significatio** (*cf* Langen, *Beitr.* p. 235)
A. *coniunctio; plerumque ad priorem causam*
efficientem refert   1. *nexu arto:* dominus . . nec
aequom anne iniquom imperet cogitabit: ergo
in seruitute expetunt multa iniqua Am 174
Amphitruonis (sum) Sosia. #Ergo istoc magis,
quia uaniloquo's, uapulabis Am 378   dormitis
interea domi: em ergo hoc tibi As 430   amandone exorarier uis ted an osculando? #Enim
uero utrumque. #Ergo* . . utrumque nostrum
serua As 688   egomet me defraudaui . .: nunc
ergo* alii laetificantur Au 725   meritus est.
#Ergo edepol meritam mercedem dabo Cap 1020
perii hercle ego: manufesta res est. #Fateri
ergo aequomst Cas 896   perfidiosus est amor.
#Ergo in me peculatum facit Ci 72   ecastor
mihi uisa amare. #Istoc ergo auris grauiter
obtundo tuas ne quem ames Ci 118   negat
haec filiam me suam esse, non ergo haec mater
meast Ep 590   inuenissemus iam diu si uiueret.
#Ergo istuc quaero certum qui faciat mihi Men
242   absque te esset, hodie numquam . .
uiuerem. #Ergo edepol . . med emittas manu
Men 1023   per mare ut uectu's nunc oculi
terram mirantur tui: ergo edepol palles Mer 373
est irata propter istanc. ergo cura Mer 955
Achillis frater est . . #Ergo mecastor pulcer
est Mi 63   quid propius fuit quam ut perirem,
si elocutus essem ero? ergo si sapis mussitabis
Mi 476   Mi 1073(ergo *R in lac*)   ille illas
spernit . . #Ergo iste metus macerat quod
ille fastidiosust ne . . Mi 1233   non tu uides
hunc uoltu ut tristi est senex? #Video. #Ergo
inridere ne uideare Mo 812   satin tu usque
ualuisti? #Hau probe. #Ergo edepol palles
Per 24   quiesco. #Ergo(*vide GulRgl*) amo
te Poe 252   haec mihi hospitalis tessera cum
illo fuit. #Ergo hic apud me hospitium tibi
praebebitur Poe 1053   pauci ex multis sunt
amici. #Ego scio istuc: ergo* utrumque tibi
nunc dilectum para Ps 391   hau mentitust.
#Ergo* haud iratus fui Ps 1084   hercle me
isti haud sano solent uocare nec ego ergo(*Herm* ergo
ego *P* ego *A*) istos Ps 1333   di homines
respiciunt: bene ergo* hinc praedatus ibo Ru
1316   pedibus ire non queo: ergo* iam (*FZ*
nam *APLy*†) reuortas St 292   me quidem
harum miserebat. #Ergo auxilium propere latumst St 329   Tru 314(is duci se gestit: ergo
Rs pro istuc insegesti tergo)

2. *nexu laxo praecipue in interrogationibus*
et imperationibus: agite pugni iam diu est quom
uentri uictum non datis . . . em nunciam ergo
Am 307   ut nos dicamur duo omnium dignissumi esse quo cruciatus confluant. #Ergo
mirabar quod dudum scapulae gestibant mihi
As 315   cupio malum nanciscier. #Placide
ergo unumquidquid rogita As 326   meministin

asinos . . uendere atriensem? #Memini. #Em ergo is argentum huc remisit As 336 quid tum? #Ausculta ergo: scies As 350 tam ego homo sum quam tu. #Scilicet. #Sequere hac ergo As 490 scio captiones metuis. #Verum. #Ergo ut iubes tollam As 790 me honestiust quam te palam hanc rem facere. #At pol qui dixti rectius. tu ergo fac ut . . concias As 824 merito tuo facere possum. #Age ergo hoc agitemus conuiuium As 834 surge amator i domum. #Abscede ergo* paululum istuc As 925 despondes filiam? #Cum illa dote quam tibi dixi. #Sponden ergo? Au 256 uolo scire. #Tace ergo Au 428 Au 498(ergo U pro igitur) non attactam oportuit. #Ergo quia sum tangere ausus . . Au 755 quem quaeritas? #Bacchidem. #Utram ergo? Ba 588 ille cum illa neque cubat neque ambulat . . #Ubi nunc Mnesilochus ergost? Ba 899 persuasumst facere quoius me nunc facti pudet. #Prius te cauisse ergo . . aequom fuit Ba 1017 pater exspectat . . me. #Ergo* animum aduortas uolo Cap 383 mihi obsequiosus semper fuisti . . . #Ergo quom optume fecisti nunc adest occasio Cap 423 essetne . . is seruos acceptissumus? #Opinor. #Cur ergo iratus mihi's? Cap 715 . . ut melius consulerem . . illi . . #Ergo ab eo petito gratiam istam Cap 721 (nuptias) orno et paro. #Non ergo opus est adiutrice? Cas 547 ego intus . . uolo accurare. #Propera ergo Cas 588 paene exposiuit cubito. #Cubitum ergo ire uolt. #Quin imus ergo? Cas 853-4 ego sum illius mater. #Hicine tu ergo habitas? Ci 746 lumen hoc uide. #Grandiorem gradum ergo fac ad me Cu 118 haud quicquamst magis quod cupiam. #Tene me, amplectere ergo* Cu 172 ubist is? #Aduenit simul. #Ubi is ergost? Ep 22 altera dixit . . ? #Quid? #Tace ergo ut audias Ep 241 dederim uobis consilium catum . . #Ergo ubi id est? Ep 259 quam negat nouisse mater? #Ni ergo matris filiast . . Ep 700 ignorabitur ne uxor cognoscat te habere. #Ergo mox auferto tecum Men 430 Men 965(ergo PU ero Piusψ) (praeconium) dabitur. #Ergo* nunciam uis conclamari auctionem? Men 1155 domi maneto me. #Ergo actutum face cum praeda recipias Mer 498 est profecto. #Opta ergo ob istunc nuntium quid uis tibi Mer 907 regi hunc diem mihi operam decretumst dare. #Age eamus ergo Mi 78 placet ut dicis. #Intro abi ergo Mi 255 pede ego iam illam huc tibi sistam in uia. #Agedum ergo face Mi 345 non potuit reperire . . lepidiores duas. #Ergo adcura Mi 805 meminisse nequeat. #Ergo istuc metuo Mi 891 haud uereor ne nos subdola perfidia peruincamur. #Abeamus ergo intro Mi 944 quid ergo hanc dubitas conloqui? #Sequere hac me ergo Mi 1009 praeceptis parebo. #Voco ergo hanc quae te quaerit? Mi 1036 eram meam eduxi foras. #Video. #Iube ergo adire Mi 1268 di tibi bene faciant semper quom aduocatus mihi bene es. #Ergo des minam auri nobis Mi 1420 uirtute formae id euenit. #Ergo ob hoc uerbum te . . donabo . . aliqui Mo 174 senex gynaeceum aedificare uolt. #Quid ergo* somniauit? Mo 757 Mo 1096(ergo R pro ego)

quid agitur? #Vivitur. Satin ergo ex sententia? Per 18 faciam. #Quo ergo is nunc? Per 191 ecquid tu (habes)? #Nihil equidem. #Cedo manum ergo Per 225 dum dos sit . . . #Ergo istuc facito ut ueniat in mentem tibi me esse indotatam Per 388 quid attinet non scire? #Ausculta ergo* ut scias Per 701 cur tu autem sine me's? #Agedum ergo accede ad me Per 763 non sum (irata). #Da ergo ut credam sauium. #Mox dabo quom . . rediero. #I ergo strenue Poe 404-5 rem aduorsus . . leges? #Sciuimus. #Em istaec uolo ergo* uos commeminisse Poe 726 qui id potest? #Facile. #Fac ergo id facile noscam ego Poe 893 omitte saltem tu altera. #Omitto. #Sperate salue. #Condamus alter alterum ergo in neruom bracchialem Poe 1269 pietas prohibet. #Audio: pietatem ergo istam amplexator Ps 292 tibi responsum dicito. #Aduorte ergo animum Ps 481 hic quoque exemplum reliquit eius. #Dato istunc sumbolum ergo illi Ps 652 prius illi erimus quam tu. #Abite ergo ocius Ps 758 erus meus est imperiosus. #Noui. #Propera pellegere epistulam ergo Ps 997 haben argentum? #Rogitas quod uides? #Heus, memento ergo dimidium . . dare Ps 1164 bonum aequomque oras. #Sequere me hac ergo* Ru 184 equo ligneo . . estis uectae? #Admodum. #Ergo aequius uos erat candidatas uenire Ru 269 sciui lenonem facere ego hoc quod fecit. #Cauistis ergo tu atque erus ne abiret? Ru 378 multa praeter spem scio multis bona euenisse. ergo animus aequos optumumst aerumnae condimentum Ru 402 bene equidem tibi dico . . . #Obsecro hoc praeuortere ergo. #Quid(#Ergo quid U) negotist? Ru 641 Ru 712(ergo dato Lamb U in lac quam var suppl ψ) tuae istae sunt? #Contende ergo uter sit tergo uerior Ru 752 tangam hercle uero. #Agedum ergo accede huc modo Ru 785 non feret nisi uera dicet. #Solue uidulum ergo Ru 1142 censeo. #Quid ergo censes? #Quod rogas, censeo. #Dic ergo quanti censes? Ru 1271-2 quod seruo meo promisisti meum esse oportet. quando ergo erga te benignus fui . . Ru 1389 . . si sint ista ut ego aecum censeo. #Volo scire ergo ut aequom censes St 113 at ei oratores sunt populi. #Ergo oratores . . summi accubabunt St 482 lautus sum. #Optume: sequere ergo hac me intro St 669(v. secl GoeRRgLU) bonum ius dicis. #Age ergo obserua St 727 polliceor operam. #Ergo ubi eris paulo post? Tri 191 rem ipsam indaget dotem dare si dixerim. #Quo pacto ergo* igitur clam dos depromi potest? Tri 756 Tri 818(ergo add RRs ante igitur) ubi ipse erat? #Bene rem gerebat. #Ergo ubi? Tri 901 immo haud nolo. #Sponden ergo tuam gnatam uxorem mihi? Tri 1157 sunt mihi etiam fundi et aedis. #Cur obsecro ergo* ante ostium . . astas? Tru 175 . . opus semper siet . . . #Respice ergo Tru 909

3. nexu laxo in responsis commotis: at ego hanc uolo. #Ergo sunt quae exoptas As 846 cocum ego non furem rogo. #Cocum ergo* dico Au 323 eo. #Abi hinc sis ergo pessumarum pessuma Cas 793 huius . . quaerere aibas filiam #Huius ergo* quaero Ci 608 Cu 603(ergo igitur

U in loco dub)   de illa quaero. #De illa ergo
ego dico tibi MER 899   aedis dico. #Ergo
intro eo igitur Mo 847   aliud te rogo. #Aliud
ergo* nunc tibi respondeo Mo 1119
    4. *vim addit praecipue interrogationibus et
imperationibus:* uitam meam tibi largiar. #Cur
ergo minitaris mihi? As 611   istud ego satis
scio. #Qur ergo* quod scis me rogas? Ps 914
    caue mihi mendaci quicquam. #Quin tu ergo
rogas? As 30   uolo seni narrare. #Quin tuom
officium facis ergo ac fugis? As 380   istoc
me facto tibi deuinxti. #Quin te ergo* hilarum
das mihi? As 850   nunc tu sapienter loquere.
#Quid stamus? quin ergo imus? MER 582   non
longe hinc abest a nobis? #Quin ergo* commostras? MER 894   neque edepol (te decipere)
uolo. #Quin tu ergo itiner exsequi meum me
sinis? MER 929   sinite abeam. #Quin ergo
abis? MI 1085   tace dum tabellas pellego.
#Ergo quin legis? Ps 40
    pone hoc sis. #Quid ergo* ponam? Au 639
ne istuc dixis. #Quid tibi ergo . . tactiost? Au 744
ne ille . . Ephesi . . mauellem foret. quid ergo*
istic? BA 1049(*U*)   interminatur uitam —
#Quid ergo? . . #Interemere ait uelle uitam
CAs 659   pectus mihi icit . . ariete. #Quid
tu ergo hanc . . tractas tam dura manu? Cas
850   * *#Quid tu ergo timebas nam? CI 253
deridesne me? #Quid tu ergo insane rogitas?
Cu 19   ego . . ducam. #Quid ergo hanc(e. h. q. *R*)
dubitas conloqui? MI 1008   tibicinam liberauit. #Philolachesne ergo? Mo 972   . . an
sempiternam seruitutem seruiat. #Quid nunc
uis ergo? PER 34   aio enim uero. #Quid ergo
dixi? PER 185   ego eo haud longe. #Quo
ergo * *, scelus? PER 217   nummus abesse
hinc non potest quod nunc dicam.   #Quid id
est ergo? PER 664   sicine ego te orare iussi?
#Quo modo ergo orem? PoE 386   doctum
doces. #Quid ergo dubitas quin . . ? PoE 881
omnia scio. #Quid ergo dubitas dare mihi argentum? Ps 1313   ne male loquere apsenti amico.
#Quid ergo ille . . mihi latitabat? TRI 926
ipsus, inquam, Charmides sum. #Ergo ipsusne's?
TRI 988   plane istuc est. #Quid nunc ergo
hic odio's? TRU 619(*loc dub*)

    numquam te morabitur quin habeas? #Ubi
nunc est ergo meus Mnesilochus filius? BA 346
gratiam habeo magnam. #Quam mox mihi argentum ergo redditur? RU 1412

    numquam hinc feres argenti nummum. #Age
ambula ergo As 488   eloquar iam: ausculta.
#Age ergo loquere Au 820   pacisci cum illo
. . potes. #Pacisce ergo opsecro BA 866   si ego
hic peribo . . at erit mihi hoc factum mortuo
memorabile. #Facito ergo ut Acherunti clueas
gloria CAP 689   úxorem accipe hanc ab nobis.
#Date ergo daturae si umquam estis CAS 831
seruom antestari? uide. #Em ut scias me liberum esse: ergo ambula in ius Cu 625   ego
te in neruom . . rapiam ni argentum refers.
#Age ergo recipe Cu 727   periimus: obsecro
hercle. #Mittite ergo MEN 1016   drachmam
dato. #Dabitur. #Dari ergo sis iube MER 777
est irata propter istanc. #I modo. #Ergo cura.
#Quin tu ergo i modo MER 955   abite . . .
#Celebre apud nos imperium tuomst. #Agite

abscedite ergo MI 1198   nomen domini quaero
quid siet. #Age comminiscere ergo Mo 662
iam abi: uicisti. #Abi nunciam ergo(#*ante* ergo
RU) PER 215   quid est quod metuas? #Idem
istuc quod tu. #Dic ergo PER 239   omnia
quae tu uis ea cupio. #Mutua fiunt a me: age
age age ergo PER 766   at tamen non . .
#Caue ergo sis malo(s. m. e. *RRs*) et sequere
me PER 835   numquid agere aliud me uides?
#Ambula ergo cito Ps 920   di te perdant:
sequere sis me ergo Ps 1230   uae uictis.
#Vorte ergo umerum Ps 1317   sunt (ancillae
meae). #Agedum ergo tange utramuis RU 720
nihil ago tecum . . . #Ergo abi hinc sis(a. h. s. e.
BriRs) RU 1053   nulla causast quin feras.
#Heus tu mihi dato ergo si sapis RU 1398
    eadem narrabo tibi res Spartiaticas. #Quin
sequere me ergo(*vide A*) PoE 720   uter remo-
ratur? #Quin sequere ergo* intro. Ps 1016   per
ego haec genua te optestor senex. #Quin tu
ergo omitte genua RU 628
    cena modo si sit cocta. #Hisce ergo abeant
CAS 744

    5. *vim addit modo simplex modo aliis parti-
culis apposita:* non hic placet mihi ornatus.
#Nemo ergo tibi hoc apparauit. BA 125 BA 558
(ergo *BriRg pro* ego)   quid amas Bacchidem?
#Duas ergo hic intus eccas Bacchidas BA 568
tute dixeras tuam arcessituram esse uxorem
meam.   #Ergo arcessiuisse ait sese CAS 601
quin tu fidicinam produci intus iubes? #Haec
ergost fidicina EP 477   non edepol tu homo
sanus es.   #Iam ergo haec madebunt faxo
MEN 326   ut aetas malast, mers mala ergost
MEN 758(*vide* ω)   uerum hic dicit. #Tibi ergo*
dicit MER 971   mane. #Molesta's. #Ergo ero
quoque nisi scio quo agas te PER 234 PoE 16
(ergo *U* esse *PS*†*L*†*Ly*† st *PyRgl*)   hic trecentos nummos numeratos habet. #Ergo nos
inspicere oportet istuc aurum PoE 595   quando
usus ueniet fiet. #Nunc ergo usus est ST 475
    ergo edepol(*vide supra*): MEN 1023, MER 373,
PER 24   **ergo ecastor:** ecastor ergo* mihi hau
falsum euenit somnium MI 380   **ergo mecastor:** MI 63(*supra*)
    hercle ergo: deus dignus fuit quisquam homo
qui esset? #Non hercle humanust ergo* MI 1043
    ergo igitur: Cu 603(*U*), Mo 847, TRI 756,
818(*RRs*)
    nempe ergo: ego patrem exoraui. #Nempe
ergo hoc ut faceret? BA 689   ait uenisse
illum in somnis ad se mortuom. #Nempe ergo
in somnis? Mo 491

    6. *dubia et corrupta:* nam mihi tuos pater
patritus ergo(*RglS et U qui tamen dicit* ergo
post nam *laudari non posse:* †*LLy* hic *ins RRgl*
'*vix* erego, *antiqua forma' Ly*) hospes Antidamas
fuit PoE 1051   dic . . me illum amare plurumum
omnium hominum ergo(*PS*† erum tuom *Rs* merito *UL* * * ergo *Ly qui sensu pro praep. habet*)
TRU 590(*cf* Jordan, *Beitr.* p. 260)   i intro
amabo et tu ergo(*Z* uergo *P*) a me cum(†*S* tu
ergo mecum *U* tu eris mecum: tum *LLy* tu
ergo abi a me: post *Rs*) TRU 958   age ergo
(*L. Sp et Rgl* agerge *VarrS*†*Ly*†) specta FR I.
90(*ex Varr l L* VII. 63)
    B. *praep.*: TRU 590(*Ly supra* A. 6)

ERIDAMNIGERULUS - - muli **eridamnigeruli** Tru 551(U muliere i dam. P mulieri damnigeruli LLy var em ψ)

ERIGO - - Mo 842, erecte P pro recte(AB^2); 914, si erecte D si ere te BC pro si hercle (Py); 1109, satin erecte P pro satine recte (Py) Ru 930, erigitur B igitur CD pro ero igitur(Ca)

ERILIS - - I. Forma erilis Am 1069(her. J), As 655(her. P), Ba 170, Ci 749(her. EJ), Ep 20(her. J), Mi 416, 458(her. D), Mo 3(her. P), St 650(her. CD), Tru 297(A heriis B herus C erus D) **erile** Ru 198(her. CD) **erilis** (gen.) Au 74(her. P), Ru Arg 2 (her. CD) **erili** Au 275(her. JU), Ba 233, 366, 931(her. B), Cap 199(her. D), Cas 1014(her. EJ), Ep Arg 4, Ep 164(A her. P), Mi 481($BriRg\mathbb{S}Ly$ her. B -le $AP\psi$), Per 193, Ps Arg I. 6, Ps 395, 413, 673(AD her. BC) **erilem** Ba 351, Ci 550 (her. J er. E), Men 966, Mi 114, 122, 274, 337, 470(eccam erilem ACD hec camerile B^1), 508, 549, Mo 21(her. $P\mathbb{S}$†), 83(her. C), 349, Tri 602 (her. CD), Tru 669(rure erilem F rurier item P) **erile** Au 588(B her. D hercle J), 599(herile $P\mathbb{S}$† erile L† eri ita $MueRgU$ eri ille $WagnerLy$), Mi 481($APRL$ -li $Bri\psi$) **erili** (abl.) Mi 263(erili se RRg eri se B^2 eri sese $A\psi$ eriqui CD eriuse B^1), Poe 285(erili et A eri licet P) corruptum: Mo 1142, erile P pro hercle($Pius$)

II. Significatio 1. adiective: amicam erilem Athenis auectam scio Mi 114 uideo illam amicam erilem Mi 122 Mi 263(erili B^2RRg eri $A\psi$) scio me uidisse . . Philocomasium erilem amicam sibi malam rem quaerere Mi 274 tu istic ais esse erilem concubinam Mi 337 haec mulier quae hinc exit modo estne erilis concubina? Mi 416 tam east quam potis nostra erilis concubina Mi 458 domi eccam erilem* concubinam Mi 470 concubinam erilem insimulare ausus es probri· Mi 508 meam esse erilem concubinam censui Mi 549 corrumpe erilem adulescentem optumum Mo 21 aurum efficiam amanti erili filio Ba 233 . . ut amantem erilem copem facerem filium Ba 351 erili filio hanc fabricam dabo Ba 366 (v. secl U) expugnaui amanti erili filio aurum Ba 931(v. secl Kies§) nubet Euthynico nostro erili filio Cas 1014 quid erilis noster filius? Ep 20 adulescenti dicam nostro erili filio Ep 164 eccum erilem filium uideo Mo 83 me perisse et Philolachetem cupit erilem filium Mo 349 erili filio largitu's dictis dapsilis Ps 395(vide L) minas . . quas dem erili filio Ps 413 hic (est) amica amanti erili filio Ps 673 (dixti) nostrum erilem filium Lesbonicum suam sororem despondisse Tri 602 erilis noster filius apud uos Strabax ut pereat Tru 297 mirum uidetur rure erilem* filium Strabacem non redisse Tru 669 neque iam quo pacto celem erilis filiae probrum . . queo comminisci Au 74 nobis prope adest exitium mihi atque erili filiae Au 275 dico ei quo pacto eam . . uiderim erilem nostram filiam sustollere Ci 550 mea haec erilis gestitauit filia Ci 749 uidulum ubi erant erilis filiae crepundia Ru Arg 2

di te seruassint semper, custos erilis As 655 egredere, erilis permities, ex aedibus Mo 3 spectamen bono seruo id est qui rem erilem procurat Men 966 satin abiit ille neque erili negotio(Bri erile negotium $APRL$) plus curat . . Mi 481 pro erili* et nostro quaestu satis bene ornatae sumus Poe 285 scio fide hercle erili ut soleat inpudicitia opprobrari Per 193 erilis praeuortit metus Am 1069 ne morae molestiaeque imperium erile* habeat sibi Au 588 erile* imperium ediscat Au 599 erili imperio ingeniis uostris lenem (seruitutem) reddere Cap 199 erile scelus me sollicitat Ru 198 erilis patria salue Ba 170 terra erilis patria, te uideo lubens St 650

2. substantive: dat erili argentum Ep Arg 4 opemque erili ita tulit Ps Arg I. 6

ERIPIO - - I. Forma eripio Men 1054 **eripis** Mer 176, Mo 591(A -it P -ite B^2), Ru 712 **eripiam** Mi 814, Ru 759 **eripui** Men 1052(PR RsU erupii $A\psi$), Mer 341 **eripuit** Au 316(Z eripui J ripuit B deripuit $GulRg$), Cap 311 **eripiatur** Mer 840(que id er. Sciop qui derip. P) **eriperem** Ps 675(R solus pro surr.) **eriperes** Au 827 **eriperet** Cu 597 **eripe** Men 1011, St 718(-ito Rg) **eripite** Cas 629 **eripito** St 718(Rg -pe $A\psi$) **eripere** Mer 973, Poe 776, Ru 600, 772 **ereptum**(sup.) Cas 721, Per 63 **ereptum**(partic. nom. neut.) Ru 711 corrupta: Cu 597, eripere E^1 pro arripuit Tri 476, pre(pre C) eripiam P pro praeripiam (A)

II. Significatio A. proprie 1. de rebus: ut eum (anulum) eriperet, manum arripuit mordicus Cu 597 neque enim decet . . ire aliena ereptum(alien er. CD) bona Per 63 eripite isti gladium Cas 629 eripe oculum isti Men 1011 quas si attigeris oculos eripiam tibi Ru 759 pulmentum pridem ei eripuit* miluos Au 316 eripe* ex ore tibias St 718 . . ubique id eripiatur* animo tuo quod placeat maxume Mer 840 absolute: iam ut eriperes apparabas Au 827 quod tetigere ilico rapiunt: si eas ereptum ilico scindunt Cas 721 similiter de animalibus: lupo agnum eripere postulant Poe 776(cf Schneider, p. 7) neque eas (hirundines) eripere quibat inde Ru 600 has hirundines ex nido uolt eripere ingratiis Ru 772

2. de personis: miser amicam mihi paraui animi causa, pretio(* L) eripui Mer 341('forte adiectivum latet' L probante Ly) haud aequom . . adulescenti amanti amicam eripere Mer 973 meas mihi ancillas inuito me eripis Ru 712 eripiam ego hodie concubinam militi Mi 814 . . ut lenoni eriperem* mulierculam Ps 675(R) quin modo erupui homines qui ferebant te Men 1052 ego accurro teque eripio ui pugnando ingratiis Men 1054

B. translate: ius meum ereptumst mihi Ru 711 tam mihi quam illi libertatem hostilis eripuit manus Cap 311 tu quidem ex ore orationem mihi eripis Mer 176 responsiones omnes hoc uerbo eripis* Mo 591

C. persona a qua eripitur semper per dat.

indicatur: mihi Cap 311, Mer 176, Ru 711, 712
tibi Ru 759   illi Cap 311   ei Au 316   isti
Cas 629, Men 1011   adulescenti Mer 973   lenoni Ps 675(*R*)   militi Mi 814   *similiter* lupo
Poe 776   *locus e quo:* ex nido Ru 772   ex
ore Mer 176   inde Ru 600   *modus:* pretio
Mer 341(*dub*)   uerbo Mo 391
***ERO* - - Mo 1059
EROGITO - - interibi ego ex hac statua
uerberea uolo **erogitare** meo minore quid sit
factum filio Cap 952
EROTIUM - - *meretrix. In supersc.* Men
act. I *sc.* 3 *et* 4; *act.* II *sc.* 3; *act.* IV *sc.* 3;
etiam Men 524   **Erotio** Men 331, 508, 509,
601, 652, 670   **Erotium** Men 173, 300, 674
corruptum: Men 688, dares erotium *add D*
Cf Schmidt, p. 188
ERRATIO - - si ad saxum . . ea deorsum
cadit **errationis** fecerit compendium Ru 180
ERRO - - I. Forma **erro** Men 1025, Mi
793, Mo 187   **erras** Ba 473, 677, Men 1025
(eras *D*[1]), Mer 928(gerrae *SchRg*), Mo 188, 952
errat Ba 4(*ex Char* 201), Ci 366   **errant** Am
975(*v. secl U*)   **errabo** Mo 816c, 847(*A lac
P*)   **errabit** Poe 733(cerr. *B*), Ru 178   **errasti** Ba 677   **erres** Cap 14, 957(*L in lac*),
Ep 577, Mo 75(*PRU om Spψ*)   **erret** Tri 4
erretis Men 47, Mi 150   **errare** Men 482,
Poe 1005   **errasse** Tri 666   **errans** Ba 2
(*ex Char* 201)   **errata**(*neut. acc.*) Tri 649
corrupta: Am 157, erro *B*[1] *pro* ero   Men 1118,
1119, erratis *B*[1] *pro* eratis; 1120, erramus *B*[1]
pro eramus   Tru 316, erro *B pro* ero
II. Significatio 1. *proprie:* annis uiginti
errans a patria afuit Ba 2(*ex Char* 201)   ilico
errat intra muros ciuicos Ba 4(*ex Char* 201)
errabo potius quam perductet quispiam Mo
816c = 847*   hem, errabit illaec hodie Ru 178
2. *translate:* a. me Amphitruonem rentur esse:
errant probe Am 975(*v. secl U*)   erras, Lyde:
ego omnem rem scio Ba 473   erras. #At quidem tute errasti quom . . Ba 677   ego me tua
causa, ne erres, non rupturus sum Cap 14   neque ero uꞇquam, ne erres: spem ponas me(*L
um. ne s. p. P*[neque *VEJ pro* ne] *varie vel em
vel trans ψ*) bonae frugi fore Cap 957   miser
errat ut ego dixi Ci 366   scio quid erres Ep
577   ne mox erretis iam nunc praedico prius
Men 47   quoniam sentio errare extemplo . .
coepi adsentari Men 482   adulescens, erras*.
#Quid, erro? Men 1025   erras*: me decipere
haud potes Mer 928   mox ne erretis haec . .
mulier feret imaginem Mi 150   ne tu erres*
hercle Mo 75(*PRU* erres *om ψ*)   mone quaeso
si quid erro. #Tu ecastor erras Mo 187-8   erras peruorse pater Mo 952   ibi extemplo leno
errabit*. #Qua de re? Poe 733   nolo ego errare hospitem Poe 1005   nequis erret uostrum
paucis in uiam deducam Tri 4   scio te sponte
non tuapte errasse sed amorem tibi pectus
opscurasse Tri 666
b. *seq. interr. obl.:* erro quam insistas uiam
Mi 793(*cf* Langen, *Pl. Stud.* p. 328)
c. *partic. substantive:* te hoc facto credis
posse optegere errata? Tri 649
3. *adverbia, sim.:* peruorse Mo 952   probe
Am 975   ilico Ba 4   intra muros ciuicos Ba 4

ERROR - - amori accedunt etiam haec: insomnia aerumna **error** (et *add CD om Ca*) ter-
ror(errore terrore *B*) et fuga Mer 25   tantus
cum cura meost error(meus terror *B*) animo
Mer 347(*'hin und her schwanken'* Langen,
Pl. Stud. p. 328)   algor error pauor me omnia
tenent Ru 215   **erroris**(ir. *E*) ambo ego illos
et dementiae complebo Am 470   suo uiatico
redduxit me usque ex **errore** in uiam Ps 668
corruptum: Mo 352, itam aliam erroris(eroris
B[1]) *P pro* ita mali maeroris (*B*[2])
ERUBESCO - - **erubui**(eruibui *B* -bu *D*[1])
mecastor misera propter clamorem tuom. #Itane?
erubuisti(-uit sti *B*)? Tru 291-2
ERUS - - I. Forma **erus** Am 242, 291,
297, 362, 381, 405, 452, 586, 1075, *fr* II(*ex Non*
354), As 328, 430, 456(*D* he. *BE*), 658(*B* he.
DE), Au 278, 280, 288, 603, 619, 680, Ba 140
(quom erus *add Rg*), 662, 872(eros *B*), Cap 200,
223, 241, 362, 444, 708, 857, 1005 *bis*, Cas 734
(erur *E*), *ib.*, 876(*A* frus *P*), Ci 620, Cu 159,
173, 177, Men 985 a(erus sic si *Rs* erus ob *BoLU*
mea meus erus ob *R* ceruso *PS†Lyt*), 1070,
1076, Mer 112, 131(-us erus *CD* -u̅ seruus *B*),
809, Mi 88(ereꞇus *C*), 99, 111, 235, 451(at erus
hic *RRg* atticis *L* ac erus[herus *B*] ego *B*[2]*CD*
acherusa ego *B*[1] atque erus; ego *Ly*), 480, 550,
775, 859, Mo 43(quam erus *B om CD* clam ero
R superiores *LLy*), 353, 743, 881, 890(erus *LLy*
erus tuus *CaU* eratus *PS†* aeratus *Rs*), 894,
946 *bis*(*A* he. *P*), 1044, 1063, Per 11, 29 b, 259,
277, 280, 361, 514, 613(he. *B*), 787, 811(frus *D*),
Poe 264, 824, 826, 839, 848, 865(*Rgl* erum *Pψ*),
873, 885, 892, 894, 901, 929(aerus *D*), 1123,
Ps 596, 638, 642, 660, 789, 982(serus *B*), 996,
1028, 1150, 1152(eruus *B*), 1268, Ru 119, 339,
345, 347, 378, 922(he. *C*), 1074, St 665, Tri 722
(erus see *F* merus sese *B* meruisse *CD* si erus
se *HermRU*), Tru 579   **era** Am 974(hera *E*),
As 147, Cas 45, 508, 687, Ci 674, Mer 803, 842
(erã [*D*]), Mi 996 b, 1385(*add MueRg*), Tru 129
(*A om P*), 213, 215(mea era sua *A* meaera *B*
me era *CD*), 584(quae era *Rs* heque tam *PS†*
var em ψ), 796(*FZ* ira *P*), 797(era me *Bo* eram
P), 800   **eri** Am 163(he. *E*), 192, 262, 338,
347, 622, As 257, 435, Au 599(eri ita *MueRgU*
eri ille *WagnerLy* herile *PS†* erile *Lt*) Ba 212,
Cap 526(†$), Men 968, 980, Mi 105(*Ca* meri *P*),
263(eri sese uidisse *A* eriuse[*B*[1] eriqui *CD*
erili se *B*[2]] uidisset *P*), 362, Mo 28, Ps 626,
1103, 1106, 1202, Ru 351, 918(he. *C*), Tri 1102,
1112(*add RRs in lac*), Tru 551(muli erei *Palm*
muli ere i *P* mulieri *LLy om Rs*)   **ero** Am
260, 460, As 561, 672, Au 67, 589, 592, 597,
604, Ba 645, Cap 404, Cas 724(enim uero
B), Ci 606(ero *E*), Men 443(ero me *R* drome
PS† var em ψ), 982, Mer 529, Mi *Arg* I. 2,
Mi 409(*om B*[1]), 438(aero *B*), 476, 800(cum ero
add SeyU), Mo 745, 785, 872(eri *R*), 876, 880,
948, Per 7, 9(quae ero *P* quaero *A*), 10, 247, 721
(ero meo *U* sedulo *PS†Lt LyRs*), Poe 370(ere
C), 376(eo *C*), 589, 879, 881, 884, 888, 903(eo *C*),
912, 920, 922(*om GuyRglLU*), Ps 618, Ru 325,
376(*add Rs solus*), Tri 724, 1110, Twu 308, 316
(erro *B*), 612   **erae** Am 261, 452(-ꞁ *E*), 1061
(ere *P*), Cas 44(he. *V*), 506(-ꞁ *E* -e *V*), Ci 713
(era *B*[1]*VE*), 715, 721(he. *E*), Per 181(ut erae

FZ utere *B* ere *CD*), Sᴛ 275(aere *B* erę *C*
ere *D*), 282(erę *C*), 361(*A* aere *P*), Tʀᴜ 800(erae
meae *FZ* aerae mea *B* ere mea *cum spat CD*
ere erae meae *Rs*), 801(aere *BC* ere *D*), 839
(ere *B*) **erum** Aᴍ 448, 466, 565, 585, 591,
1082, As 256(aerum *E* erum *D*), 280(eros *NiemeyerRgl*), 354, 356(dixi erum *Ac* dixeram *P*),
367, 456, 485, 486, 646, 661(*P* umerum *Bent̃S̃
LLy*), 683, 701, Aᴜ 590, 593, 812, Bᴀ 415(he.
CD), 642, 929, Cᴀᴘ 36, 41, 204, 243, 413, 421,
626, 666, 685, 707, Cᴜ 175, Eᴘ 126, 186(erum
meum atque *add Rg¹U*), 345, Mᴇɴ 1002, 1005,
1026, 1084, Mᴇʀ 128, Mɪ *Arg* I. 5(dominum *R
Rg* †S̃), II. 7(*B²* uerum *P*), Mɪ 116(ad erum *BD*
alterum *C*), 119, 127, 132(aerum *P*), 404, 512, 546,
858(illum *A*ˎ, 906, 922, Mᴏ 869(erum me *add SpU*),
872, 992, Poᴇ 204, 818, 860, 863, 865(erus *Rgl*),
879, 892, 917, Ps 155, 410(uerum *P*), 455, 461,
493 *bis*, 648, 691, 1113, 1283, Rᴜ 306, 327,
328, 345, 451, 774(*CD* he. *B* ero *A*), 775(he. *B*),
819(he. *B*), 928(he. *C*), 1038(aerum *B*), 1056,
Sᴛ 312(eum *D¹*), Tʀɪ 435, 1027, 1121, Tʀᴜ 572,
590(erum tuom *Rs* ergo *PS̃†Ly* merito *UL*)
eram Cɪ 655, Mᴇɴ 300, Mɪ 1040, 1268, Pᴇʀ 248,
Sᴛ 290, 303, Tʀᴜ 262(*Sp* meam *P* eam *ARsL
Ly*), 320, 799(*FZ* rem *P*), 895 **ere** Aᴍ
570, 577(*ins Rgl*), 595(mi ere *ins Gertz U*), As
619(tere *E*), 641, 714, Aᴜ 820(hę rę *E*), 821(erę
E), 826, Bᴀ 668, 905, Cᴀᴘ 418(ere *add Rs* tu
ULLy †S̃), Cᴀs 632, 646, 703(*add Rs solus*),
Cɪ 776, Cᴜ 142(*add BueL*), 146, 169(uales, ere
AcRgU ualere te *Pψ* †S̃), Eᴘ 202, Mᴇɴ 438,
1003, 1011, 1020, 1023(ore *C*), 1024, Mᴇʀ 134
(multe ere te *CD* multa ececte *B* multae
hercle temet *R*), Mᴏ 448, Poᴇ 280, 296(*A* aere
P), 384(impias, ere, te *AB* impia secrete *CD*),
1127, Ps 4, 230, Rᴜ 1052(*Ca* pre *P*), Sᴛ 419,
655, Tʀɪ 512(*A* ele *P*), 617, 1072 **era**(*voc.*) Cᴀs
311, 313(tua, era, *LLy* uera *BVES̃†* hera *J*
cara *Rs* uero *CaU*), Cɪ 544(aera *E*), 695, 712,
727, Mɪ 1216, Mᴏ 259(era *add Rs*), Tʀᴜ 186
ero Aᴍ 157(erro *B¹*), As 251, 455, 456(*E³J* ego
BDE), 500(he. *B*), Cᴜ 275(ab ero *add Rg*), Mᴇɴ
968, Mɪ 1210, 1353, Mᴏ 965, Pᴇʀ 461(*om R*),
498(*A* domino *P om R*), Poᴇ 396, Ps 595, 1283
(ab ero *om RU*), 1321, Rᴜ 113, 670(he. *B*), 818
(he. *B*) **era**(*abl.*) Mɪ 1090(fera *B*) **eri** Aᴍ 960
(he. *E*), 961(si eri *BD* fieri *E* fuerint *J*), Poᴇ
27 **eris** As 283, 571, Bᴀ 650, Mᴇɴ 983(*v.
secl URRsS̃L* =) Mᴏ 859, Poᴇ 843(fieri suis eris
Ca fieris uisceris *B* fieri siuisceris *CD*) **eros** As
280(*NiemeyerRgl* erum *Pψ*) **eras** Rᴜ 737(he. *B*)
eris Mᴇɴ 973 *corrupta:* Aᴍ 303, eri *BD*, As 436,
eri *DE pro* heri Bᴀ 213, erus *P pro* res(*Bo*),
793, intendit erus *P*(eruis *D¹*) *pro* intendi te-
nus(*Non* 6) Cᴜ 173, ero *add PS̃† om Guyψ* Eᴘ
272, herus *E¹ pro* cras Mɪ 60, ere *P pro* eae
(*R*); 73, eri *A* aeri *P pro* heri(*FZ*); 439, eri *D
pro* heri; 489, eri *B¹D¹ pro* heri; 1403, eri *B
pro* feri Mᴏ 914, si ere te *BC* si erecte *D pro*
si hercle(*Py*) Pᴇʀ 93, loquitum eram *P pro*
loquitur meram(*Ca*); 108, ere *CD pro* here(*B*);
701, ero *C pro* ergo Poᴇ 285, eri licet *P pro*
erili et(*A*) Ps 338, ere *add A* Tʀɪ *Arg* 9, nubunt eri *BD pro* nubunt liberi; 994, sed erum
P pro ceterum(*Gul*) Tʀᴜ 69, eri *PS̃† var em ψ*;
200, ut erum illi *P pro* illi uterum(*A*); 297,

erus *D* herus *C* heriis *B pro* erilis(*Ca*); 509ᵗ
ere *PS̃†Ly†* var em ψ; 711, ero *P pro* ego(*L*)
herus *ubique J* De scansione nom. sing. cf
Leo, *Pl. Forsch.* p. 272

II. Significatio (*cf* Koehm, *A. F.* p. 159)
1. *nom.:* .. ne pessum (erus) abeat Aᴜ 598
delude ut lubet erus* dum hinc abest Pᴇʀ 811
.. erus* cum amica accubet Bᴀ 140(*Rg*) neque superior quam erus* accumbere Mᴏ 43
me custodem addiderat erus maior meus Cᴀᴘ
708 me custodem erus addidit miles meus
Mɪ 550 .. ei ipse (erus) adsit Mᴇɴ 969 erus
aduenit peregre Mᴏ 353 dum erus adueniat
a foro opperiar domi Poᴇ 929 aibat Rᴜ 307
(*infra sub* exibat) erus meus amat filiam
huius Euclionis Aᴜ 603 hic pater est huius
erus quam amat Aᴜ 619 mulieris quam erus
meus amabat Mɪ 111 ferocem facis quia te
erus* amat Mᴏ 890(*vid ω*) .. qui praefestinet
ubi erus adsit praeloqui Rᴜ 119 castigabit Mᴏ
881(*infra sub* resciuerit) cauistis ergo tu atque erus ne abiret? Rᴜ 378 obsonauit erus
et conduxit coquos Aᴜ 280 in saginam erus*
sese coniecit meus Tʀɪ 722 hoc ubi Amphitruo erus conspicatus est ilico equites iubet ..
inducere Aᴍ 242 tu idem mihi uis fieri quod
erus consueuit tibi? Rᴜ 1074 Adelphasium
quam erus deamat tuos ingenuast Poᴇ 894
lubet scire quantum aurum erus sibi dempsit
et quod suo reddidit patri Bᴀ 662 (era) te
demoritur Mɪ 1040 mihi ita dixit erus meus
miles Ps 596 neniam mea era apud nos dixit
de bonis Tʀᴜ 213 erus hanc duxit postibi
Cɪ 620 erus eccum recipit se domum et ducit coquom Ps 789 (erus) edixit mihi ut dispertirem Aᴜ 281 era fecit, educauit magna
industria Cᴀs 45 mea era* sua consilia summa
eloquitur libere Tʀᴜ 215 uos .. quos argento
emerit Cᴀᴘ 205 era mea .. domo si ibit Mɪ
996 b(S̃ *in loco perdub*) i in malam rem. #I
tu atque erus Poᴇ 873 errant Aᴍ 975(*infra
sub* sunt) excruciabit me erus domum si
uenerit quom haec facta scibit Mɪ 859 quom
modo (erus) exibat foro ad portam se aibat
ire Rᴜ 307 pigeat postea nostrum erum si
uos eximat uinculis aut solutos sinat Cᴀᴘ 204
propest quando erus ob facta pretium exsoluet
Mᴇɴ 985 a(*BoLU et similiter RRs in loco perdub*
†S̃Ly*) me meus erus fecit ut uigilarem Aᴍ 297
erus nuptias meus hodie faciet Aᴜ 288 indigna
digna habenda sunt erus quae facit Cᴀᴘ 200,
Cᴀs 45(*supra sub* educauit) hoc est quod meus
erus facit Cᴜ 177 omnia mira sunt nisi erus
hunc heredem facit Poᴇ 839 is me ex Syncerasto Crurifragium fecerit Poᴇ 886 non
rem diuinam facitis hic uos neque erus? Rᴜ 347
quid faceret? #Rogas quid faceret? adseruaret
Rᴜ 379 quid eo puero tua era fecit? Tʀᴜ
800 Persae quid rerum gerant aut quid erus
tuos Pᴇʀ 514 erus meus .. neque habet plus
sapientiae quam lapis Mɪ 235 dormitis interea domi atque erus in hara haud aedibus
habitat As 430 nisi etiam is (erus) quoque
me ignorabit Aᴍ 461 erus quod imperauit
neglexisti persequi Aᴍ 586 ut erus quae imperauit facta quom ueniat sient Aᴜ 278 erus
.. apstinere hau quit quin mihi imperet quin

me suis negotiis praefulciat Per 11 ecquid auditis quae era* inperat? Tru 584(*Rs*) ibo ut erus quod imperauit Alcumenae nuntiem Am 291 ubi parturit deos sibi inuocat Am 1061 iubet Am 243(*supra sub* conspicatus) nonne erae meae nuntiare quod erus meus iussit licet Am 452 quod (erus) iubeat .. properet persequi Au 600 hic manere me erus sese iusserat Au 680 linguam liberam erus iussit med habere Per 280 huic operam dem hospiti quoi erus iussit Per 613 hoc tibi erus me iussit ferre. #Erus* tuos? Ps 1150 me huc obuiam iussit (erus) sibi uenire Ru 308 sine me ire era* quo iussit Tru 129 erus meus~.. ad te ferre me haec iussit tibi dona Tru 579 qui dare te huic puerum iussit? #Era* maior mea Tru 796 erus nos apud aedem Veneris mantat. #Maneat pol Poe 264 erus si minatus est malum seruo suo .. Per 361 nonne me huc erus misit meus? Am 405 era quo me misit ad patrem non est domi Mer 803 erus me .. rus misit filium ut suom arcesserem Mo 1044 erus meus me Eretriam misit Per 259 reddere hoc non perdere erus me misit Ps 642 erus istunc nouit As 456 nouit erus me Mo 894 era* intro te ut eas obsecrat Mi 1385 obsonauit erus Au 280 (era) parturit Am 1061 orauit Tru 797(*infra sub* rogitauit) .. ne quod hic agimus erus percipiat fieri Cu 159 erus si tuos uolt facere frugem, meum erum perdet Poe 892 erus hic noster potat. #Erus hic uoster potat? #Ita loquor Mo 946 praefulciat Per 12(*supra sub* imperet) era atque haec dolum .. hunc protulerunt Cas 687 quia te prohibet erus clam potior. #Prohibet? nec prohibere quit nec prohibebit Cu 173-4 .. ut (erus) domo sumeret neu foris quaereret Ba 648 me erus meus manum apstinere hau quit Per 11 erus eccum recipit se domum Ps 789 reddidit Ba 662(*supra sub* dempsit) erus alter eccum ex Alide rediit Cap 1005 siquidem huc umquam erus redierit eius Per 787 metuo autem ne erus redeat etiam dum a foro Ps 1028 hoc die crastini quom erus resciuerit mane castigabit eos Mo 881* .. quom eri reueniant domum Poe 27 era* me rogitauit(*Bo* exorauit *Rs* orauit *LLy*) minor puer ut afferretur Tru 797 erae huic respondi quod rogabat Ci 721 si era mea me sciat tam socordem esse quam sum Ci 674 haec facta scibit Mi 860 erus nequiuit propitiare Venerem Poe 848 si erus me ne esse elocutum .. sciat .. Poe 885 sinat Cap 205(*supra sub* eximet) si ille (erus) te comprimere solitust hic noster nos non solet Ru 1075 sumeret Ba 648(*supra sub* quaereret) hoc ego modo atque erus minor hunc diem sumpsimus prothyme Ps 1268 tantum erus* atque ego flagitio superauimus Cas 876 .. dum erus se ad suom suscitet officium Ru 922 era mea .. dum huc transbitat Mi 859(*LLy in loco dub*) erus si ueniet si me quaeret hic ero Mi 480 Mi 859(*supra sub* excruciabit) erus peregre uenit Mo 743 inde ut me accersas erus tuos ubi uenerit Ps 660 huc Labrax ad prandium uocauit Plesidippum erum meum erus uoster Ru 345 uolt te nouos erus operam dare tuo

ueteri domino Cap 362 facere uolt era officium suom Cas 508 Poe 892(*supra sub* perdet) erus* meus tibi me salutem multam uoluit dicere Ps 982

erus meus elephanti corio circumtentust Mi 235 erus meus Agorastocles ibidem gnatust inde surruptus fere sexennis Poe 901 erus Amphitruo occupatus Am *fr* II(*ex Non* 354) .. erus ut minor opera tua seruetur Mer 112 quis erus est igitur tibi? Am 362 quis tibi erust? Am 381 ubinamst erus? As 328 ubi erus tuos est? Ba 872 ubi Charinus erus*, domin est an foris? Mer 131 ubi Toxilus est tuos erus? Per 277 Plesidippus tuos erus ubi amabost? #Quasi non sit intus. #Neque pol est neque .. huc .. uenit Ru 339 Amphitruo hic quidem est erus meus Am 1075 noui equidem hunc: erus est meus Men 1070 erus atque alumnus tuos sum Mer 809 diuom atque hominum quae superatrix atque era* eadem es omnibus (hominibus?) Mer 842 illest miles meus erus* .. gloriosus inpudens Mi 88 erus meus hic quidemst Mo 1063, Poe 1123 nolo ego te qui erus sis mihi onus istuc sustinere As 658 erus tu mihi es Cap 223 non ego erus tibi sed seruos sum Cap 241 tu mihi nunc erus es(*Ca* e. n. est *PRs LULy*) Cap 444 tum tu mihi igitur erus es Cap 857 erat erus Athenis mihi adulescens optumus Mi 99 .. quoi homini erus est consimilis uelut ego habeo Poe 824 tu erus es: tu seruom quaere Men 1076 mater tu eadem era's As 147

proinde eri ut sint ipse item sit: tristis sit si eri* sint tristes: hilarus sit si gaudeant Am 960-1 hisce ambo et seruos et era frustra sunt duo qui me Amphitruonem rentur esse: errant probe Am 974(*v. secl U*) erus eccum ante ostiumst Cap 1005 erus* sum. #Quis erus? #Quoius tu seruo's Cas 734 Athenis domus est. #At erus hic Mi 451(*RRgS vide* ψ) erus meus ita magnus moechus mulierumst ut .. Mi 775 era mea .. huius cupiens corporist Mi 997(*LLy vide* ψ) erus peregrist Per 29 b neque periurior neque peior alter usquamst gentium quam erus meus est neque tam luteus neque tam caeno conlitus Poe 826 erus si tuos domist quin prouocas? Ps 638 erus meus est imperiosus Ps 996 ibidem erus est noster St 665

2. *gen.:* scio .. neque .. esse seruom in aedibus eri .. As 435 eri imagine obsignatam epistulam Ps 1202 num inuitus rem bene gestam audis eri? Ba 212 .. ut absente ero res eri diligenter tutetur Men 968 .. ut eri sui corrumpat et rem et filium Mo 28 res rationesque eri Ballionis curo Ps 626 Tri 1112(apsentis mei eri *add RRs in lac*) insinuat sese ad illam amicam eri* Mi 105 .. participauerit de amica eri* Mi 263 an hic Palaestrast .. eri mei amica? Ru 351 eri concubinast haec quidem Mi 362 filium Mo 28(*supra sub* rem) huc eo, eri(eo eri iussu eius *L*) sum seruos Am 347 expugnatum oppidumst imperio atque auspicio eri mei(m. e. *FLLy*) Am 192 ex conspectu eri si sui se abdiderint .. Ps 1106

serui qui ad eri fraudationem callidum ingenium gerunt As 257   haec eri inmodestia coegit me Am 163   imperio Am 192(*supra sub* auspicio)   pergam eri imperium exequi(per sequar *Non* 266) Am 262   non soleo somniculose eri imperia persequi Am 622   eri* ita imperium ediscat ut .. Au 599   propterea eri imperium exsequor, bene et sedate seruo id Men 980   nequamst homo qui nihili eri imperium sui seruos facit Ps 1103(*trans SpRg*) iussu Am 347(*L: supra sub* seruos)   mandata eri perierunt una et Sosia Am 338   .. paupertatem eri .. et meam †sententiam tolerarem Ru 918   aberis ab eri quaestione Tri 1012 rationes Ps 626(*supra sub* res)

oppetam .. pestem eri(†$) uicem meamque (pestem mortemque eri uicem *Rs*) Cap 526

ite hac simul muli erei(*Palm* mulieri i *P om Rs var em ψ*) Tru 551

3. *dat.*: dabo eum (anulum) ero(*SpU*) Mi 800 (*vide ψ*)   argenti meo ero(*A* e. m. *PL*) lenoni quindecim dederat minas Ps 618   mihi dare bonam operam. #Tibine ego? immo ero* meo Per 721(*U*)   ero amanti operam datis Poe 589 meoque ero* eum hic uendidit Poe 903   (puellam) dat erae suae Cas 44   (puerum) erae* meae extemplo dedit. #Quoi malum erae*? Tru 800-1   ero Amphitruoni patera donata aureast Am 260   data uerba ero sunt Ru 325 quoi (ero) me custodem addiderat erus maior meus Cap 708

ego ero maiori uostra(*A* esse ego uestra ero amari *P*) facta denarrauero Tru 308   haec sic dicam erae Am 261   haec uti sunt facta ero dicam meo Am 460   quid ego erae* dicam? Ci 713   meone ero tu(e. t. *om LRg* ero *om Ly*) improbe †teto(ero *Ly*) male dicere (ero *add L*) audes? Tru 612   .. ut perirem si elocutus essem ero Mi 476   eloquere haec erae tu Tru 839   .. ne indicium ero facias meo Mo 745 hanc omnem rem meae erae iam faciam palam Cas 506   ero meo uni indicasso Poe 888   ibo intro haec ut meo ero memorem Poe 920 nonne erae meae nuntiare quod erus meus iussit licet? Am 452   id .. ero amanti seruos nuntiare uolt Mi *Arg* I. 2   ego nunc meae erae* nuntiabo St 275   eam ero nunc renuntiatumst nuptum huic Megadoro dari Au 604 erae huic respondi quod rogabat Ci 721

fer amanti ero salutem As 672   Toxilo has fero tabellas tuo ero Per 247   duas aut tris minas auferunt eris Ba 650

ita erae meae hodie contigit Am 1061   .. quid ego ero dicam meo malae rei euenisse Au 67

bene .. ero gessisse morem Cap 404   non .. satis erae morem geris St 361   ego inscitus sum qui ero* me postulem moderarier Men 443(*RU*)   .. quae ero* placere censeat praesenti atque apsenti suo Per 9   qui ero* ex sententia seruire seruos postulat Au 589   qui amanti ero seruitutem seruit Au 592(*v. secl Guy Rg$L*)   qui ero suo seruire uolt bene seruos seruitutem .. Per 7   noli .. suscensere ero* meo causa mea Poe 370

cesso .. ero* meo ire aduorsum Cas 724   aduorsum ut eant uocitantur ero Mo 876   solus nunc eo aduorsum ero ex plurumis seruis Mo

880   ei aduorsum uenimus. #Quoi homini? #Ero nostro Mo 948   credo .. capturum spolia ibi .. illum qui ero aduorsus uenerit⁔Tri 724   nunc amanti ero .. regias copias aureasque optuli Ba 645   eraeque egenti subueni St 282   Selenium .. quae erae suppositast parua Ci 715

sciui lenonem facere ero* hoc Ru 376(*Rs*) meo ero facies iniuriam Mi 438   .. lubenter tuo ero meus .. faciat male Poe 881   (metuo) dum ero insidias paritem ne me perduim Poe 884   nata .. meo erost filia Ci 606   maxumas opimitates .. suis eris ille una mecum pariet As 283   tuo ero redempta's rursum Mer 529

crucior .. apud nos expeculiatos seruos fieri suis eris* Poe 843

eris damno et molestiae et dedecori saepe fueris As 571   ero(*om GuyRglLU*) uni potius intus ero odio quam .. hic sim uobis omnibus Poe 922   eodem modo seruom ratem esse amanti ero aequom censeo Au 597   istuc tibi et tuost ero in manu Poe 912   nec satis sum ero ex sententia Per 10   .. ero ut omnibus in locis sim praesto Men 982

hic meo ero amicus solus firmus restitit Tri 1110   ero* beneuolens uisust suo Tru 316 dum te fidelem facere ero* uoluisti absumptu's paene Mi 409   ero seruos multimodis suo fidus Mo 785   .. ero infidelis fueris As 561 scin tu erum tuom meo ero esse inimicum capitalem? Poe 879   ire decet me ut erae* opsequens fiam Per 181   apscede hinc sis sycophanta par ero* Poe 376   i solent esse eris utibiles Men 983(*v. secl RRs$LU =*) Mo 859

4. *acc.* a. *cum verbis:* nequeo durare quin ego erum accusem meum Cu 175   si erum uis Demaenetum quem ego noui adduce As 354 ego me dixi erum* adducturum As 356   iam hercle ego erum* adducam a foro Mi 858   ego erum* adduco meum. #Quaere erum atque adduce Ru 774-5   tuae (erae) si quid uis nuntiare: quo pacto hic seruos suom erum hinc amittat domum Cap 36   ait .. sese illum amare meum erum Mi 127   di omnes deaeque ament .. neque erum meum adeo Poe 860 dic .. me illum amare .. erum tuom(*Rs* ergo *P$*† merito *UL* *ergo *Ly*) Tru 590   suom accersit erum* Athenis Mi *Arg* I. 5   erum arcessiuit Ru 819   abiisti hinc erum arcessitum Ru 1056   erumne ego aspicio meum? Au 812   quid hoc negotist Pistoclerum Lydus quod erum tam ciet? Ba 415   suom erum seruos conlaudauit Cap 421   comprime sis eiram. #Eram* quidem hercle tu .. comprime Tru 262(*Sp$U*)   ipsum ante aedis conspicor erum* meum Ep 186(*Rg¹*)   ante aedis .. erum et Chaeribulum conspicor Ep 345   erum ut seruos criminaret apud erum Ps 493   .. nisi ut erum metuam et curem Mo 992   tris deludam erum et lenonem et .. Ps 691   non me dico sed eram meam Mo 1040   eram meam eduxi foras Mi 1268   .. quo pacto emisisti e uinclis tuom erum Cap 413   erum exhibeas uolo Mi 546   eramque ex maerore eximam St 303   ego erum expugnabo meum Ba 929

suom erum faciet libertatis compotem Cap 41 me meum erum captum ex seruitute atque hostibus reducem fecisse liberum Cap 685 dedecoris pleniorem erum faciam tuom quam .. Mi 512 meum erum dementem facit Poe 204 erum meum indignissume nescioqui sublimen ferunt Men 1002 nimis uellem hae fores erum* fugissent St 312 erum nos fugitare censes? As 485 amicam habes eram meam hanc Erotium? #Neque hercle ego habeo .. Men 300 .. quo incumbat eo (erum) impellere Au 594 aduenientem peregre erum Stratippoclem impertit salute seruos Epidicus Ep 126 haec meretrix meum erum miserum .. intulit in pauperiem Tru 572 erum* in obsidione linquet As 280 tun me .. audes erum ludificari? Am 565 sequere sis erum qui ludificas dictis delirantibus Am 585 nempe ludificari militem tuom erum uis? Mi 906 erum maiorem meum ut ego hodie lusi lepide, ut ludificatust! Ba 642 ita meum erum miserum macerat Poe 818 metuam Mo 992(*supra sub curem*) noui erum Am 448 erus istunc nouit atque erum hic As 456 nempe tu nouisti militem meum erum? Mi 922 ilico hic opperiar erum dum ueniat Ru 328 di te et tuom erum perduint Poe 863 .. meum erum* ut perdant Poe 865(*vide Rgl*) meum erum perdet Poe 892 pigeat .. nostrum erum si .. Cap 204 .. ne erum usquam praeterirem Ru 306 quin tradis huc cruminam erum pressatum(*Py* pr. e. *BDE* impr. he. *J* pr. umerum *Bent§LLy*) As 661 erus si tuos domist quin prouocas? Ps 638 quaere Ru 775(*supra sub adduce*) hoc serui esse officium reor retinere (erum) ad salutem Au 594 erum saluto primum Ps 455 serua erum As 256 erum seruaui quem seruatum gaudeo Cap 707 di immortales meum erum seruatum uolunt Poe 917 seuocabo erum Men 1084 sis erum tuis factis sospitari .. As 683 em sic datur si quis erum seruos spernit Ps 155 si erum uidet superare amorem .. Au 593 .. ut (erum) toleret Au 598 eccam eram uideo Ci 655 uideo .. meum erum lenonem Ru 451 quid uideo? eram atque ancillam ante aedis? Tru 895 is huc erum etiam ad prandium uocauit Ru 327 erum meum (uocauit) erus uoster Ru 345

hic adesse erum arbitror Ps 1113 is mihi dixit suom erum peregre huc aduenisse Charmidem Tri 1121 uin erum deludi? As 646 erum meum hic in pacato oppido luci deripier in uia! Men 1005 erum* eccum uideo huc Simonem .. incedere Ps 410 aequiust eram .. oratores mittere ad me St 290 erum atque seruom plurumum Philto iubet saluere Tri 435 si quidemst decorum erum uehere seruom inscende As 701 .. uti erum* me uotem uerberare Mo 869(*SpU*)

scin me tuom esse erum Amphitruonem? Am 1082 .. erum me tibi fuisse atque esse conseruom Cap 243 (aio) me tuom esse seruom et te meum erum Cap 627 adiuro .. med erum tuom non esse Men 1026 domin an foris dicam esse erum Charinum? Mer 128 ut serui uolunt esse erum* ita solet Mo 872 scin

tu erum tuom meo ero esse inimicum capitalem? Poe 879 hasce esse oportet .. eras tuas Ru 737 aequiust eram mihi esse supplicem St 290

b. *cum praepp.* ad: iam ille illuc ad erum .. Amphitruonem aduenerit .. Am 466 tu abi ad forum ad erum As 367 ei nunciam ad erum As 486 ad erum* ut ueniret Ephesum scribit Mi *Arg* II. 7 inscendo ut eam rem Naupactum ad erum* nuntiem Mi 116 ad erum ueni quo ire occeperam Mi 119 .. ad illum deferat meum erum Mi 132 si ad erum haec res prius †deuenerit(*A* peruenit *P* uenerit *RRg* praeuenit *Ly*) .. Mi 404 ego (fero) hanc ad Lemniselenem tuam eram Per 248 ab ero ad erum meum maiorem uenio Ps 1283 ad erum ueniam docte atque astu Ru 928 ad meum erum arbitrum uocat me hic Ru 1038 recipe te ad erum Tri 1027 nunc ad eram reuidebo Tru 320 ad meam eram* (puerum) detuli Tru 799

apud: seruo bono apud erum qui uera loquitur Am 591 decet .. seruom .. confidentem esse suom apud erum potissumum Cap 666 decet .. seruom superbum esse apud erum potissumum Ps 461 .. erum ut seruos criminaret apud erum Ps 493

in: qui ero ex sententia seruire seruos postulat in erum matura in se sera condecet capessere Au 590

inter: istic symbolust inter erum meum et tuom de muliere Ps 648

5. *voc.*: ere, era(*vide supra sub forma*) solent in media sententia stare, et absolute usurpari. Cum pron. possess.: mi ere Am 595(*GertzU*) ere mi Cas 646 o ere Ru 1052*, Tri 617 o ere mi Cas 632 o mi ere Poe 1127, Tri 1072

6. *abl.* a. *cum praepp.* ab: discesti ab ero As 251 redime .. te ab hoc (ero) As 673 Cu 275(ab ero *add Rg*) recordetur id .. quid is preti detur ab suis eris Men 973 tabellas .. quas tu attulisti mihi ab ero meo Per 461 ex Persia sunt istaec allatae mihi a meo ero (*A*) Per 498(*vide P et ψ*) hae regiones quae mihi ab ero sunt demonstratae Ps 595 ab ero* ad erum meum maiorem uenio Ps 1283 hoc auferen .. abs tuo ero? Ps 1321 tanta iniuria facta in nos est .. ab nostro ero Ru 670

cum: hic cum mea erast* Mi 1090(era est mea *U*) cum ero pauca uolo loqui Mi 1353 ain tu istic potare solitum Philolachem .. cum ero uostro? Mo 965 te suspendas cum ero et uostra familia Poe 396 ubi ille seruos cum ero huc aduenerit Ru 818

in: neque in ero* quicquam auxili siet .. Am 157

b. *abl. abs.*: ... ut Demaeneto tibi ero praesente reddam As 455 ero* huic praesente reddam As 456 absente ero solus mihi talentum argenti soli adnumerauit As 500 .. ut absente ero rem eri diligenter tutetur Men 968 peculiosum esse addecet seruom .. quem praesente praetereat oratio Ru 113(†*LLy*)

c. *cum verbo*: ero te carendumst optumo Mi 1210

7. *adiectiva:* caelo conlitus Poe 826 gloriosus impudens stercoreus Mi 88 hilarus Am 961 imperiosus Ps 996 luteus Poe 826 maior Ba 642, Cap 708, Ps 1283, Tru 308, 796 minor Mer 112, Ps 1268, Tru 797 miser Poe 818, Tru 572 nouos Cap 362 optumus Mi 1210 peior Poe 826 periurus Poe 826 (*cf* Mi 90) tristis Am 961

ERVVM - - Cas 126(erui *add Rs solus*) **eruom**(*B ras* seruom *B ante ras* seruū *CD*) daturin estis bubus quod feram? Mo 62 eruom (*B* -um *CD*) tibi aliquis cras faxo ad uillam adferat Mo 68 *Vide* Ps 1152, *ubi* eruus *B pro* erus

✱✱ES - - Ci 371(*A* similes *RsLLy*)
✱✱ESA - - Fr II. 28(*ex Fest* 333)
ESCA - - I. **Forma esca** As 221(aesca *J*), Mo 691(una esca *A* est canna *P*), Ru 1237 **escae** Men 100(-cę *C*) **escam** Cas 221(*add KlotzLLy* patinam *Rs* †Ş) Mi 581(e. petam *A cum Fest* 169 capetam *CD* capiā *B*¹ capiar *B*²), Ru 1238 **esca** Men 88(aesca *J*) **escarum** Tru 610(ęs. *B*) **escis** Per 337(ęs. *CD*) **escas** Cas 492(aes. *J*), Men 457, Ps 830

II. **Significatio** *et translate et proprie(cf* Graupner, p. 23) 1. *nom.:* escast meretrix, lectus inlex est, amatores aues As 221 .. nec quod una esca* me iuuerit magis Mo 691 in aetate hominum plurumae fiunt transennae: atque .. in eas plerumque esca inponitur quam si quis auidus poscit escam auariter decipitur Ru 1237-8

2. *gen.:* itast adulescens: ipsus escae maxumae Men 100 tun †pertilli doni causa holerum atque escarum et .. Tru 610

3. *dat.:* lubenter escis alienis studes Per 337

4. *acc.:* numquam hercle ex ista nassa ego nodie escam* petam Mi 581 Ru 1238(*supra* 1) obsona, propera: sed lepide uolo, molliculas escas Cas 492 adfatimst hominum in dies qui singulas escas edint Men 457 .. meas qui essitabunt escas quas condiuero Ps 830 quoiuis placituram escam* credo Cas 221

5. *abl.:* quem tu adseruare recte ne aufugiat uoles, esca atque potione uinciri decet Men 88

ESCARIVS - - nimis lenta uincla sunt **escaria**(scaria *Non* 108&338): quam magis extendas, tanto adstringunt artius Men 94 collyrae **escariae** Poe 137(*RRgl pro* κολλῦραι λύραι)

ESCENDO - - dein susum **escendam**(*BoŞ* asc. *BDEψ* ads. *J*) in tectum Am 1008 iam in currum **escendi**(uescendi *B* conscendi *FZR RgU*) Mer 931 eho an etiam in caelum **escendisti**? Tri 942 illuc sursum **escendero** Am 1000 non tu scis quom ex alto puteo sursum ad summum **escenderis**(*A des. P*) maximum periclum esse ne .. ? Mi 1150 *corruptum:* Mer 259, escendu *B* ascendi in *CD pro* inscendo in(*A*)

ESSENTIA - - Fr III. 11: haec interpretatio non minus dura est quam illa Plauti essentia atque entia *Quint* II. 14, 2

ESSITO - - asper meus uictus sanest. #Sentisne **essitas**(-tos *D ex corr* esi. *U*) Cap 188 uel ducenos annos poterunt uiuere meas qui **essitabant**(*A* es. *U* essit[esit *CD*] habunt *P*)

escas Ps 830 catulinam carnem **esitauisse** Romanos(*Plautus in Sat. refert*) Fr I. 111(*ex Paulo* 45)

ESSVRIALIS - - uenter gutturque resident **esurialis**(ess. *Ly*) ferias Cap 468 *Cf* Graupner, p. 16

ESSVRIO - - I. **Forma esurio** Cap 866, Cas 725(*PLU* res. *A* ess. *ψ*), 801(ess. *Rs*), Men 926, St 180(*P* ess. *Aψ* adess. *RRg*) **esurit** Cas 795 *bis*, Cu 381, St 217(ess. *U*) **essuries** St 345(*A* esu. *PU*) **esurirem** Ci 41 **esurire** Cap 866, St 504(*P* ess. *Aψ*) **esuriens** Cap 912, Mer 556, St 577, 604 **esurientes** Poe 6(*D*⁴ esuple. *P*), 31 **esurientibus** Am 311 ess. *semper Ly*

II. **Significatio** 1. *verbum fin.:* esurire mihi uidere. #Mihi quidem esurio non tibi Cap 866 tu amas ego essurio* et sitio Cas 725 qui amat .. si esurit, nullum esurit Cas 795 quid agis? #Esurio hercle atque adeo hau salubriter Cas 801 neque ego hanc superbiai causa pepuli ad meretricium quaestum nisi ut ne esurirem Ci 41 nisi (homo) eam (pecuniam) mature parsit, mature esurit Cu 381 quando esurio, tum crepant (intestina) Men 926 nunc essurio* acrius St 180 ridiculus aeque nullus est quando esurit St 217 si me inritassis — #Edepol essuries male St 345 .. ut consulam qua lege nunc med .. essurire oporteat St 504

2. *participia:* a. uxor me exspectat iam dudum esuriens domi Mer 556 et qui esurientes* et qui saturi uenerint Poe 6 .. neue esurientes hic quasi haedi obuagiant Poe 31 praesens esuriens adest St 577

b. tu istam cenam largire .. esurientibus Am 311(*cf* Wueseke, p. 50)

c. quasi lupus esuriens timui ne in me faceret impetum Cap 912 hereditatem inhiat quasi esuriens lupus St 605

ESSVRIO(*nomen*) - - essurio uenio non aduenio saturio Per 103

ESTRIX - - Cas 778, ambas estrices *AP pro* ambestrices(*Loman*)

ET - - I. **Forma** 1. *var. lectt.:* Am 105, et *add PeerlkampfRgl*; 161, et *Rgl pro* ita; 170, *om HavetLy*; 231, et *add Bo om PLULy*; 234, et uirium *P*(uirum *D*¹*J*) *Ly*Ş† uiri *Luchsψ*; 246, ut *E*; 299, et *om Non* 361; 489, *om R v. secl LangenL*; 550, sed *L om U: ib.*, ad *J*; 558, -umst *Ca* -um si et *P*; 593, *add Loman om P*; 651, et *add HermRgl*; 723, et malum et malum *BDE* et malum *U* mulieri et malum *LindRgl*; 1075, et *PLULy* ut *Acψ*; 1131, et *om Rgl*; *fr* I, certo cruce et *Non*Ş† te certo *PyRgl* te cruce et *ψ* As 59, et *om FlRgl*; 254, *om LambRgl*; 571, *add BoRgl*Ş *om Pψ*; 649, ei *E*; 701, si uerum quidem est *P*Ş† si u. q. et *LLy* uero si quidemst *Rgl* sin erum quidemst *U*; 835, et *Pius* ut *PLLy* Au 263, istuc fiet *P*(siet *J*) Ş+*U* istuc ei et *LLy*(i) festina et *Rg*; 322, et *Mue* ut *PLy*; 337, es *U*; 458, i et *BLU* et *DJ* i *GuyLy* ei *BriRg*Ş; 546, et *add LLy* tibi *MueRg in lac*; 722, et *om E*; *ib.*, et *add Rg solus post* mali; 731, miser et misere *R* et miser et misere

SeyRg et misere *Acψ* Bᴀ 7, est *Char*; 191, uiuit recte et(*om D*) ualet *P* uiuit ualet *SLy duce R* uiuit et ualet *BentRU* recte ualet *RgL*; 199, et *add R solus*; 266, non uerum *GuyR pro* et non eum; 497, cura et *P* curat *A* curaest *R* cura: ei *LLy*(i) est curae *U*; 552, et *add Sey om PRL*; 636a, et *R solus pro* sed; 664, ec quid *B* ut quid *D*¹ *pro* et quid; 715, et *om BoR*; 732, et *add BRU*; 743, et *om Non LLy*; 754, ut *D*¹; 928, et *add BeckerR*; 1080, et *PU* at *ParRgS* sed *AcLy*; 1105, *om R*; 1196, sed *U*; 1211, et *om BergkRgU* † *S* Cᴀᴘ 99, et⁓*add DEJLy om Bψ*; 199, eamque et *P* eam queit *Rs* †*U trans ψ*; 245, *om Rs*; 389, ex *E*; 447, et tua *om DJ*; 575, et *BEJLy* es *Flψ*; 718 et *add PU om Non ψ*; 742, etsi *PLLyU* et si *ψ*; 880, ut *E*; 907, prefecturam et *P* re agam praefecturam et *Rs* praefectura mea *ASLLy aliter U*; 928, et cura me satis et *PLU* et cura satis me *AS* et c. s me et *Ly* satis me et cura et *Rs*; 934, petere a te *Rs pro* poteris et; 972, ecfugi *Rs pro* et fugi; 976, *om E*; 1005, ostium et *PULy* ostiumst *Briψ* Cᴀꜱ 72, ae *B*; 87, *om ALy*; 178, edepol *VEJ pro* et pol(*B*); 215, et *add JLy*; 217, *om U*; 284, probum te et frugi *SeyL* probum et frugi *Ly pro* bone frugi(*PS*†) *var em ψ*; 389, et *add Rs*; 424, et *add Rs*; 461, eidem *LambL pro* et idem; 594, et *A* at *B* atque *VE*²*JU*; 752, que et *Rs pro* atque(*AP*); 810, et *add U duce Leone*; 872, em tibi *Rs pro* et ibi; 959, me in fugam *CaRs pro* et fugiam Cɪ 22, et *add PLU om Sp*; 95, et ille me *om U*; 179, ut *WeisRsU*; 240, et mihi *vel* et me *RsLLy in lac*; 477, *om Rs*; 514, et castor *B* et *Prisc* ecastor *VEJ pro* et summus(*A*); 516, est *P pro* et(*AB*²); 520, et Saturnus *PU pro* itaque Ianus(*A*); 615, *om U*; 672, et *add Rs* †*L*; 691, *add Sey om P*; 706 *v. confingit Ly*; 722, dic et impera tu *RsLy*(dice) dic impera et tu *PS*† dic impetratumst *L* dic inpetrabis *U*; 724, e *E*¹; 726, concinnat malum et *Rs LLy* *** et *AS aliter U*; 755, septem et decem *CaU pro* septemdecim(*Bo*); 770, te *VE* tu *J corr B*²; 775, et *PLULy* etiam *RsS* Cᴜ 348, *om J*; 368, et *add FlRgl*; 446, et *add BoRgU*; 493, et *PS*†*LULy*† atque *Rg*; 506, et paro *om U*; 574, et lorica et cassida *add U*; 628, met *EJ pro* me et; 666, sed *Pistor RgLU* Eᴘ 302, et *add Rg om Pψ*; 485, et *add PLU om Aψ*; 622, et *A* haec *BE* hec *J*; 717, inueni et *B*²*E*²*J* inueniet *B*¹*E*¹; 733, et *A om P* Mᴇɴ 216, et *P om A*; 222, et *om R*; 249, et discaueas *CaR pro* edis caueas (*P*); 401, et *add RRs*; 435, i et *RLy* et *P* i *U* ei *Grutψ*; 540, nec *D*; 617, *PLy* ei *GrutRsS* i *RU*; 750, et *add Rs solus*; 807, et *om P add FZ*; 859, et concidam *add R solus*; 943, et *B* e *CD*; 986, sed *P corr B*²; 1009, et *om GuyRRs*; 1069, et *om RU*; 1097, dixti et *Sey RsLU pro* dixisti; 1098, dixti et *SeyRs* dixsti *B*² dixti *DLLy* dixit *B*¹*C* dixisti *ParS*; 1158, et *add MueRs* Mᴇʀ Arg II. 4, et *add U solus*; 16, fit *B* etsi *BoRRg*; 86, et *R* sed *PLU*; 282, fiet *C pro* ei et(*ABD*); 283, et tu *add CaRg*; 475, simul *PLy* et *Aψ*; 521, et *add PL om Aψ*; 536 a, it *A om R*; 546, ut

D; 548, et *AP om RRg*; 891, et *add CaR pro* quieto; 1000, artificiet *P pro* artis feci et(*Ca*) Mɪ 101, ut *Don*; 134, ⸲et uenietis *B*² et uenieis *B*¹ et uenit eius *C* et uenit et is *D* uenit is et *RibRgS duce Sey* et uenit et is *PLLy* et uenit et *BoR* aduenit et is *U*; 213, astitis et *CD* astitisset *B* adstitisti *Paul pro* astitit et (*Z*); 221, *add Mue om PLLy*; 259, ec *P corr B*²; Bᴀ 357, mede *D*¹ *pro* med et; 370 et mora *AB*¹ et *om B*²*CDR*; 380, et *add B*²*CD om A*; 438, *om R*; 466, et astute edidit *R* diuit ut(*CD* du it in *B*¹) tuam *P var em ψ*; 475, et *PR* id *Aψ* 521, et *PLULy* i et *R* i *Rg* ei *BriS*; 539, uidi et *B*² uidet *B*¹ uidit et *CD*; 600, et *R solus pro* nam; 610, ut *B*¹; 615, mee *B*¹; 640, set *BoR*; 675, ut *R*; 716, structam *U solus pro* et tuam; 723, esset *P* esse *B*²*D*² *pro* esse et(*A*); 724, ec *CD*¹; 728, et pretio digna *ins RibRg in lac*; 732, est(*om B*²) scaeles hisus *P pro* essent et scelesti is(*A*); 733, et *A om P*; 738, tua *B pro* et mea; 762, procellunt se et *om* (*P*) *em RRg*; 812, et *PLULy* i et *BoR* ei *GulRgS*; 837, et promo *om CD*; 888, id *R*; 918, *om LLy*; 952, *om BoR*; 975, *om C*; 982, et abs te abire *U* abs te *PS*†*L*† *aliter Rg*; 983, et *add BriRgLU om Pψ*; *ib.*, et *om B*; 1011, *om B*; 1014, & etiam s' *B* etiam sed *CD* etiam sic *BoR* et celas et *A ut vid ψ*; 1042, *om U*; *ib.*, *om PRULy add Caψ*; 1048, s' uos *B pro* et tuos; 1161, *add Ca om PRLy*; 1171, reuerearis et *A* reuearis ret *CD*¹ reueris *B* reuearis et *D*²; 1178, et scutulam *A* scutulam *Ly* cultura *P* culcitam *LambR*; 1207, et idem ego tel *CD*¹ et illē agotelli *B* et quidem ego te *BriRg* eidem ego te illim *RibL* et idem ego te *D*³*S*† idem ego te *Ly var em RU*; 1228, exoro *CD pro* et oro(*B*); 1341, et me *PS*†*Ly*† mi med *L* me *var em ψ*; 1348, et *FZ* ut *PL*†*U*; 1366, *om R*; 1384, arse *B pro* mars et Mo 28, semet *CD pro* me et(*B*); 33, et *P* st *RRs*; 123, *om R*; *ib.*, *add RsLy*; 154, et *FZ* e *P*; 199, *om Rs*; 318, et lepide *B* elepida *CD* lepide *Rs*; 364, et *add Dousa om P*; 414, et *trans BentRRsU*; 467, e . . . *B*; 498, habeo et *Rs pro* habito; 569, salue et tu *PLULy* salueto *LachRsS*; 612, est *A*; 812, *om B*; 959, *om R*; 969, *om B*¹; 975, *om B*¹*C*; 1060, ut *U* Pᴇʀ 3, et *PU om Aψ*; 67, et *B om CD*; *ib.*, et frugi uirum *add R*; 157, tum *BoR pro* et tu; 182, et *add L solus*; 198, *add MueRs*; 250, *Ac* at *P*; 263, *om AU*; 467, et *add AcRRsL*; 546, et *add BoR*; 650, quom et ipsus *R* qum∗∗∗psus *A* cum ipsus *P*; 696, et *R solus pro* atque; 709, set *A*; 727, et *add AcRRs*; 754, et equis *add Rs solus*; 799, ea *P corr Ca*; 834, et *R* at *PU*; 855, *om R* Pᴏᴇ Arg 6, et ita *add RRgl*; 88, e *CD*; 137, et *R Rgl pro* dē; 142, em *UL*; 285, eri licet *P pro* erili et(*A*); 287, et tamen *SLLy* ettamen *A om PU* itidem *Rgl*; 311, et *ARgl* ac *Pψ*; 343, tu *U pro* et corpus, 385, *om ALy*; 538, et *add U solus*; 556, et *om LambRRglL*; 607, et *Sey* set *B* sed *CDLULy*; 697, et *A om PLLy*; 898, et Giddeninim *A lac P*; 952, *om* et em *U*; 1018, sibi ait et *A* sibim tet *BD hiat C*; 1030, e *B*; 1059, emit et is *ACD* emittetis *B*; 1108, *Py* est *PU*†; *ib.*, et *P* atque *GuyRgl*

estolidum *L;* 1185, *A ut vid* ut *P;* 1191, *v.*
om WeisRglU; 1221, ed *B;* 1245, e *B;* 1300,
om U; 1333, et leno et lycus *Rgl* et leno lycus
P uel leno uel lycus ψ(λύκος *S*)   Ps 53, ei
R; 156, et quae *A* eque *C* eque *D* ////quo
B; 191, et *A* etiam *P;* 240, et places sane
add Rg; 277, ae *C;* 407, et *A* at *P* ac *RU;*
421, *om C;* 529, et *add Ac om P;* 594, pol
R; 674, et *A* non ut *P om R;* 705 b, et *PL*
om Aψ; 735, *om R;* 805, *om FlRg;* 891, i
Gul U; 906, iam mihi *R pro* tum me et; 939,
et maleficum *om R;* 957, et *A B;* 959, et ego
et *CD* ego et *B pro* ego(*A*); 988, *A om P;*
1012, accipi et *CaRg* accipiet *P* accipe *A*
accipi *S;* 1055, *om BoR;* 1253, et dis *StuL*
diuis *S* dis *ARg* digni *P;* 1276, et *add RgL*
Ru 79, et *PLULy* sed *Luchsψ;* 103, et tu *add*
Rs solus; 285, famula et *add Rs solus;* 750,
patriae et parens *Rs pro* patria; 769, et *PL*
om Aψ; 835, et *add AcRs;* 862, et *add PyRsL*
om Pψ; 1171, etabula *B pro* et bulla; 1197,
ego *Rs;* 1204, et *Rs solus pro* atque; 1307, et
alii *PS†* mi et alii *Ly* pecu alui *Rs* elaui
PiusLU   St 5, noctes et dies *CD* noctaes
sed *B;* 8, nostra et uirum *Rg pro* uiri; 45, et
si *AP* etsi *LULy;* 310, et *A* es *P;* 378, *om*
CaRg; ib., *om R;* 538, praesente te et hoc
Rg praesentet huic *P* praesente te(d) huic
Guyψ; 542, *om RRg;* 672, pol mi hoc *R*
solus pro sequor et; 693, scaphio et *A* caphio
et *P* scaphiis *BoRRgLU;* 730, et *add Ca*
RRg   Tri 147, sed *RRs;* 169, et *om HermL;*
213, hac esse et *TaubL* hac esset *P* haec esciet *A* ac sese *Gulψ;* 250, et bibit *Non* 81
pro ecbibit; 256, ago cum meo animo et recolo
PL cum animo meo reputo *Aψ;* 295, et *AP*
om GepRRs; 335, et *add ARU;* 340, *om Serv*
in Aen IV. 231; 380, et *AP om Fritzschius*
RsS; 555, *om CD;* 619, et *R* ut *PLLy;* 659,
sed *RRs;* 743, ei sed *RRs pro* illi et; 820,
om RRs; ib., aetherei *ScalRRsU pro* et Nerei;
821, et *Z* e *P;* ib., et grates gratiasque *P*
gratas gratisque *BoRRs;* 828, et *om U†S;*
874, *om Non* 73; 1042, sed *P corr Ac;* 1112,
ob rem et liberos *RRs in lac;* 1174, quod eū
conuentū *B pro* et Lesbonicum si domist; 1184,
etiam *P pro* et eam(*Bo*)   Tru Arg 7, edis *B*
pro et is; 63 a, nec *Ly;* 67, scorta et *Scal* scorti
PLy†; 123, itulli *B* ittuli *CD pro* et tu(*A*);
214, fundi et *A* fundit *BC* fundis *D¹;* 269, et
PU est *Aψ;* 395, aliqui si aqueust *B* aliqui
si aque usq; est *CD pro* aliquis laqueus et
(*Ca*); 433, et *add GepLU in lac;* 493, arguti
et cati *ZLU* arguit eccati *BC* argut eccati *D*
argute cati *Seyψ;* 539, et iam *Rs pro* etiam
in loco dub; 577, et *add SeyLy;* 676, tibi et
PL uis et *LambRs* lubet *Bueψ;* 786, mihi et
U solus pro nec: *var em ψ;* 808, *om GepU;*
854, ec *Non* 80; 857, extinxe et *Rs* edixe et
U ea dixit *PS†LLy;* 863, te a *L pro* et om
MueU; 867, e *D* ut *U †S;* 924, et *add PU om*
Goel; 932, callert et *LLy* calent et *PS†* callent
nihil *U* calefiunt *Rs;* 934, scitus et bellust
mihi *SpLU* citus bellum hi *PS†* var em ψ;
937, is et *P* i sed *U om GuyRs †S;* 946,
pallam et *CaU* apale *PS† var em ψ;* 947, etia
nam *P pro* et lanam(*Ca*); 958, i *LLy* et *PRsS*

om U   Vi 63, et scelestus dudum atque *L*
e∗∗∗∗∗∗que *A*   Fr I. 13, et *FestLLy om RRg;*
20, que *SeyRg*
2. *corrupta:* Am 233, et *Non* 272, *pro* ex;
517, et flictum *D*, et fictum *J pro* ecflictim;
578, et quid *P pro* ac quid; 757, et *add D;*
ib., ista hec *B* ista et *DEJ pro* istaec(*Lamb*)
897, et *P* sed *Guy;* 916, et quidem *EJ pro*
equidem(*BD*); 960, et *EJ pro* e(*BD*)   As 438,
et rapezitam *B¹* et rapere ita *EJ* et rape *cum*
spatio DE pro trapezitam(*B²*); 676, et *P pro* ei;
867, corruptelę(*BD* -e *E*) et *P et Non* 339
pro corruptelaest(*Scal*); 888, et castor *DE pro*
ecastor; 910, et quis *P Non* 15 *pro* ecquis
Au 3, et euntem *E pro* exeuntem; 16, et qui
P et quidem *Non* 320 *pro* ecqui(*Gul*); 273, et
add D; 559, et *add P om Goel;* 565, et *J* e
BD var em ω; 652, et petis *DEJ pro* expetis
(*B*); 665, et fert *E* ec feri *D pro* ecfert(*BJ*)
717, et *P pro* ex(*Ca*); 749, et cusemus *DE¹*
pro excusemus; 766, et *DVE pro* ex; 787, et
add P om Py   Ba 65, et *add B;* 155, et
add CD; 206, et quidnam *P pro* ecquidnam
(*Pius*); 446, et *C* id *B* fit *DR pro* it(*FZ*); 887 et *P*
pro at(*Ac*); 977, et templo *D¹ pro* extemplo Cap
44, et *EJ pro* ut; 325, et istimo *D pro* existumo;
511, et *J pro* ex; 647, et *add P om Guy;* 674, et
emisti *P pro* exemisti(*B²*); 696, redibit et *P pro*
rebitet(*Par*); 823, et delicias *P pro* aedilicias;
888, et *P* at(*Ca*); 924, et *P pro* ex(*AB²*);
942, et *J pro* atque   Cas 66, et *VE pro* ei;
614, et *E¹ pro* ad; 950, et *Non* 397 *pro* ei
Ci 7, et *VEJ pro* eo(*B*); 48, et haec a te
BVS† ae' hec a te *E* et hecata *J var em ψ;*
109 et *P pro* ut(*Py*); 122, et *A pro* sumus(*P*);
202, et *P pro* ut(*F*); 685, illic et *VE pro*
ilicet(*BJ*)   Cu 348, et cum et *J* cum et *E*
pro cum   Ep 110, et *VE om J* eius *B*   Men
135, et qua *P pro* ecqua(*B²*); 149, et quid *CD*
pro ecquid(*B*); 178, et ius *D pro* metuis; 476,
et *add Prisc* I. 483; 673, et quis *CD pro*
ecquis(*B²*); 705, et cum *C pro* eccum; 983, et
add P om B²; 1003, aut et *P pro* audat   Mer
25, et *add CD* e *B om Ca;* 39, certum et(i *C*)
conata *PS†* c. ut c. *CaU* certumst conata *LLy*
certumst ut coepta *RRg;* 192, et *add P om*
Ca; 240, ancilla et una capra *B pro* illaec
capra; 466, et *add P om A;* 599, et *add P*
om Sarac   Mi 8, gestat et *B¹* gestit et *L†*
gestitet *B²CD* gestit *Ca †S;* 23, habeto et *CD*
habetot *B* habeto *ARLLy* habeto ei *Wag-*
nerSU aliter Rg; 42, et quidem *C pro* ecquid;
49, et depol *C pro* edepol; 64 uida et *BD* in-
daet *C pro* uide(*A*); 158, et *B* ae *C om A ras D;*
186, et *add P om AB²;* 236, egom et istuc *B²*
pro ego istuc; 265, ego et *P pro* egomet(*A*);
318, noui et ibi *B* non iui et ibi *D pro* non
tu tibi(*R*) *v. om C;* 385, et *A* hi *P pro* ei(*R*);
419, essa et hec *B¹* essae et hanc *B² pro* esse
hanc; 443, et castor *B¹ pro* ecastor; 484, ego
et *B¹ pro* egomet; 554, fatear et ego et *P pro*
fateare ego(*A*); 661, fatear et *P pro* fateare;
714, ego et *P pro* egomet(*A*); 782, et quan *D*
pro ecquam; 924, illa et aenam *CD* illa eam
B pro ille te nam; 1068, et amicam crucias
A pro animi excrucias; 1092, et agone *B* te
tango *CDU pro* te tago(*Bo*); ib., et *B pro* te;

1106, et quid *B* et *Non* 306 *pro* ecquid; 1158, ate et *D* attet *C pro* ad te(*B*); 1162, et scin tu *B* et scintur *C* et scint˜ *D*¹ et scin *D*² *pro* scin(*Bo*); 1216, et cum *B pro* eccum; 1297, et quis *B pro* ecquis; 1314, et fori *B pro* efferri; 1321, et alia *B pro* me tali; 1332, currit et intrē(introm *C*) atque certo *P* curre intro atque ecferto *Sey aliter RU*; 1375, ego et *P pro* egomet(*Ca*); 1377, et *P*§† sed *BugRgLLy om R*; 1429, et *CD pro* ei(*AB*)   Mo 121, et *P pro* ei(*Gul*); 377, et *add C*; 481, et *P pro* ei (*Sciop*) eidem *R*; 543, et *P pro* ei(*Taub*); 549, et *CD*¹ uet *B*¹ ue *B*² *pro* ei(*D*³); 610, et sorte dabit *CD pro* opsecro, quod illic petit(*AB*); 668, et *A pro* iam; 770, et quam *CD* ec quam *B pro* ecqua; 792, simul et *CD*² simul *BD*¹ *pro* simitu(*A*); 958, et tibi *B* et tibi est *CD pro* potarier(*A*); 962, et *P pro* ei(*A ut vid*); 1089, et illum in ius si ueniam *P*§†*Ly*† *var em* ψ; 1137, et cum *D pro* eccum   PER 30, et *add B*; 72, et *C pro* ut; 180, et *A pro* ei; 225, et quid *P pro* ecquid; 387, et *A* est *R pro* sit; 417, respirarem et ibi ut *P pro* respirare me ut tibi(*A*); 476, et *add CD post* ut; 593, et qui *P pro* atque(*A*); 638, et flauit *P pro* ecflauit(*A*); 666, et *add P om Py*; 667 b, et fer *CD*¹ *pro* ecfer; 681, et te *add B*¹; 740, et *P pro* ei(*A*)   POE 163, dam(p)no et *add P om Grut*; 174, et *P pro* ei(*FZ*); 273, et *add CD*; 428, et fexis *P pro* ecfexis; 507, et *add Non* 533; 525, tumultuaris et *B pro* tumultuari sed; 530, cursu curuas et *Fest* 97 *pro* ceruom cursu uel; 534, et das *B pro* edas; 619, et quid nam *B pro* ecquidnam; 624, et *CD* net *B pro* nec(*Py*); 824, et *P*§† est *Py*ψ; 952, et *C pro* ut; 985, et quid *C pro* ecquid; 1079, et *P pro* sed(*Par*); 1131, nouis et *P pro* noui sed(*A*); 1136, illa et *P* illae *ALLy* illaec ψ; 1305, et quid *CD pro* ecquid; 1390, facite et *PLy*† facite ut uos *HasperRgl*§*U* faciatis *L* Ps *Arg* II. 2, et flictim *A pro* ecflictim   Ps 4, miseria et eam *D* -ia eam *C pro* miseriae te; 301, et me die *C pro* eme die; 349, et *C pro* ei(*A*); 559, tibis et *B pro* tibi sed; 701, et fecturum *A pro* ecf.; 740, idem et quid *Plinius pro* indidem ecquid; 944, et amo *add A*; 959, et ego et *CD* ego et *B* egomet *R pro* ego(*A*); 985, haera et *B pro* haeret; 1221, dem et *B pro* de me; 1324, et fecissem *P pro* ecf.   RU 68, et *P pro* ei(*Z*); 268, et quo *CD* et quod *B pro* equo(*FZ*); 1357, et *P pro* st(*Ca*)   ST 366, et quae *Non* 533 *pro* ecquae; 394, ilico et *P pro* ilicet: iam(*A*); 539, et *add D*; 698, et ian *B pro* etiam; 707, cepente(ce. *CD*) pinę(-ne *CD*) et trispine einet(emet *CD*) et tara *P pro* cantione *Graeca*   TRI 296, praecipito et *P pro* praecipio ea(*A*); 298, et *add P om A*; 302, et *add AP om Bo*; 371, et *P* e *A pro* ei(*Ca*); 527, et *C pro* etsi; 673, et malumst in *BL* stet malum in *CD* malumst *Bri*ψ; 741, et *A pro* ei; 772, nuntii et *B pro* nuntiet; 832, et stat *P pro* te sat; 887, et *P*§† *om Scal*ψ; 1061, et mere *CD pro* emere; 1145, et *add P om Bo*   TRU 155, et bibitis *P pro* ecbibitis (*Ca*); 170, amica et *P pro* amicae(*F*); 242, et *P pro* det(*A*); 320, et cum *P pro* sed eccum (*FZ*); 542, et quidem has *CD pro* ecquid amas

(*Ca*); 612, et *CD* eto *B*§† *om RsU* tu *L* ero *Ly*; 664, et quis *P pro* ecquis; 680, et *P om Rs* te *SeyLU* †§*Ly*; 717, et *C pro* nec; 719, et uere *P pro* tu eras(*Z*); 754, et *CD* ex ex *B*§† *var em* ψ; 811, et *add P om Ca*; 840, et ues *P pro* tu es(*FZ*); 850, et *P pro* eat(*FZ*); 851, ipsa et *P pro* eapse(*Sey*); 908, et auio *P*§†*L*†*Ly*† ut auis *Rs* ut catuli *SpU*; 953, et *P pro* de(*Ca*)

II. Significatio (*cf* Ballas, I. p. 3-18; II. pp. 3, 6) A. *copulative semel positum* 1. *vocabula duo coniungit,* a. *duo substantiva:* α. re-diere . . Amphitruo et Sosia AM *Arg* I. 6   hinc iurgium tumultus uxori et uiro AM *Arg* I. 8 . . nuntiis praesim et lucro AM 12   comoedia reges quo ueniant et di AM 61(*v. om J*)   . . eius ornamenta et corium uti conciderent AM 85   esse credent seruom et conseruom suom AM 129   Amphitruo ueniet huc ab exercitu et seruos AM 141   erit operae pretium hic spectantibus Iouem et Mercurium facere histrioniam AM 152(*cf* Sjögren, p. 27)   dominus diues, operis et* laboris expers AM 170   id ui et uirtute militum uictum . . oppidumst AM 191   magnanimi uiri freti uirtute et uiribus AM 212   nos nostros more nostro et modo instruximus AM 221   cadunt uolneris(†§) ui et uirium AM 234   formam cepi huius in med et statum AM 266   erroris ambo ego illos et dementiae complebo AM 470   libertas salus uita res et parentes (et *add HermRgl*) patria et prognati AM 651   at ego te cruce et cruciatu(*Py* ego certo cruce et cruciatum *Non*) mactabo AM *fr* I(*ex Non* 342)   picus et cornix ab laeua As 260   maxumam praedam et triumphum eis adfero As 269   audacia usust nobis inuenta et dolis As 312(*v. secl U*§)   tergo et cruribus consuluit haud decore As 409   noctem tuam et uini cadum uelim As 624   noctem huius et cenam sibi ut dares As 736   mihi statuam et aram statuis As 712   hominis Salus frustratur et Fortuna As 727 . . ut secum esset noctes et dies As 753(*cf* Sjögren, p. 3)   obiurigare pater haec noctes et dies MER 46   sollicitae noctes et* dies . . sumus semper ST 5(*cf* TRI 287 b)   hoc agitemus conuiuium uino et* sermone suaui As 835   ego uirtute deum et maiorum nostrum diues sum satis AU 166, CAP 324(*v. secl edd praeter Ly*)   deum uirtute dicam et maiorum meum PER 390   tusculum emi hoc et(*Prisc* I. 104 et hasce *PLy*[hasc'] et has *WeisU*) coronas floreas AU 385   angulos omnis mearum aedium et conclauium mihi peruium(†§*U*) facitis AU 438   pro re nitorem et gloriam pro copia qui habent . . AU 541   uestitu et creta occultant sese AU 719   Bacchas metuo et bacchanal tuom BA 53   hospitium et cenam pollicere BA 185   cor meum et cerebrum . . finditur BA 251   uideo incedere patrem sodalis et magistrum BA 404   peruortam turrim et propugnacula BA 710   cape stilum propere et tabellas tu has tibi BA 728   . . morbum et* mortem scribat BA 732   uideo exaduorsum Pistoclerum et Bacchidem BA 835   tantum damni feci et flagiti BA 1032   desidiae et nequitiae BA 1083(*R*)   solus ego omnis longe antideo stultitia et moribus indoctis BA 1089

. . nisi mauoltis fores et postes comminui securibus Ba 1119   probri perlecebrae(*unum voc RLy: cf* Peters, *H. S.* IX. 118) et persuastrices: quid nunc? etiam redditis nobis filios et seruom? Ba 1167-8   filius me et Chrysalus circumduxerunt Ba 1183   . . ne obnoxius filio sim et seruo Ba 1197   inter se commutant uestem et nomina Cap 37   . . adulescentem . . prognatum genere summo et summis ditiis Cap 170 fratres . . fuere summo genere et summis ditiis Poe 60   patriam et libertatem perdidi Cap 300 . . me saturum seruire apud te sumptu et uestitu tuo Cap 322   meo cibo et sumptu educatust Men 905   copiam istam mihi et potestatem facis Cap 374   . . quo nos uictu et uita prohibeant Cap 493   istic hastis insectatus est domi matrem et patrem Cap 549   eam uolt suae matri et patri . . reddere Ci 718   sub gemman abstrusos habeo tuam matrem et patrem? Cu 606   fratres . . una matre natos et patre uno Men 1103   una nocte postulauisti et die . . te perdocere? Cap 717   uidi . . tuom gnatum et genium meum Cap 879   antiqua opera et uerba . . uobis placent Cas 7   omnibus rebus ego amorem credo et* nitoribus nitidis anteuenire Cas 217   sitellam . . efferto cum aqua et sortis Cas 296   . . tu hodie canem et furcam feras Cas 389   fiunt ludi ludificabiles seni nostro et nostro Olympioni uilico Cas 762   tu redde huic scipionem et pallium Cas 1009   ego mea culpa et stultitia . . maceror Ci 76   parite laudem et lauream Ci 201   mellillam me uocare et suauium solitast suom Ci 247   me . . habes perditui et praedatui Ci 366   supplicium dabo aurum et pallam(*Sch* a. et p. *om Rs*) Ci 477   ille suppilat mihi aurum et pallas Men 803   pallam et aurum hoc abstuli Men 1142   contempla aurum et pallam satin haec me deceat Mo 282 itaque me Iuno regina et Iouis supremi filia, itaque me Saturnus eius patruos et summus pater Ci 513-4   itaque me Iuno et Saturnus Ci 520(*PU*)   uolunt te Ci 705(*iterat Ly* me *pro* te *legens*) o mi homo et mea mulier, uos saluto Ci 723 alienum concinnat malum et (*RsLLy* alienum∗∗∗∗et *A*) maerorem familiarem Ci 726 occultemus lumen et uocem Cu 95   tu crocinum et casia's Cu 101   sonitum prohibe forium et crepitum cardinum Cu 158   sonitum et crepitum claustrorum audio Cu 303   datin isti sellam . . et aqualem cum aqua? Cu 312 ita me machaera et clypeus ∗∗∗∗∗(et lorica et cassida *add U*) Cu 574   machaeram et clipeum poscebat sibi Tru 506   quaeratis chlamydem et machaeram hanc unde ad me peruenerit Cu 632   chlamydem adferto et causiam Per 155   iura . . et leges tenet Ep 292   duos sodalis erum et Chaeribulum conspicor Ep 345(*cf* Asmus, p. 46)   quis haec est muliercula et ille grauastellus? Ep 620 auxilia mihi et suppetiae sunt domi Ep 677 sycophantae et palpatores plurumi in urbe hac habitant Men 260   mihi tu ut dederis pallam et spinter? Men 683   habet pallam et* spinter Men 807   . . ego huic hodie abstulerim pallam et spinter Men 1061   me compleuit

flagiti et formidinis Men 901   in tabernam uasa et* seruos conlocaui Men 986   socer et medicus me insanire aiebant Men 1046 . argentum dixi me petere et uasa Men 1056   ea domus et(eadem urbs et*BueL* eadem pol et*RU* et mihi illi *Rs*) patriast mihi(domus *Rs*) Men 1069 ait sese . . flagitium et damnum fecisse Mer 237 ei nos facetis fabricis et doctis dolis glaucumam . . obiciemus Mi 147   earumque artem et disciplinam optineat colere Mi 186(*vide R*) domi habet hortum et condimenta Mi 194 ego istam insulturam et desulturam nihil moror Mi 280   meas confregisti inbricis et tegulas Mi 504   inscitiae meae et stultitiae ignoscas Mi 543   Periplecomene et* Pleusicles progredimini Mi 610   facetiarum †corpusque sit plenum et doli Mi 783   bono subpromo et* promo cellam creditam! Mi 837   soror eius huc . . uenit . . et* mater Mi 975   sororem . . adesse et matrem dicito Mi 1102   pithecium haec est prae illa et spinturnicium Mi 989 socium tuorum conciliorum et participem consiliorum Mi 1013   conlaudato formam et faciem Mi 1027   causiam habeas . . et* scutulam ob oculos Mi 1178   libertatem tibi ego et diuitias dabo Mi 1213   Mars et* Venus (curant) Mi 1384   uirtute id factum tua et* magisterio tuo Mo 33   docent litteras iura leges sumptu suo et labore nituntur . . Mo 127   haec uerecundiam mihi et uirtutis modum deturbauit Mo 139   parsimonia et* duritia discipulinae aliis eram Mo 154   mihi Amor et Cupido in pectus perpluit meum Mo 163   te ille deseret aetate et satietate Mo 196   cedo mihi speculum et . . arculam Mo 248   amator meretricis mores sibi emit auro et purpura Mo 286(*v. secl Rs§L*)   pater . . offendet . . aedis plenas conuiuarum et mulierum Mo 379 uiden uestibulum . . hoc et ambulacrum quoiusmodi? Mo 817   circumduce hasce aedis et conclauia Mo 843   seruorumque operam et lora mihi cedo Mo 1038   iubeo ignem et sarmen arae(*Sey* sarmenta *PyULLy*) . . circumdari Mo 1114   ego hunc quaestum optineo et maiorum locum Per 61   collyrae facite ut madeant et colyphia Per 92   ut muraena et conger ne calefierent Per 110   chlamydem adferto et causiam Per 155   educe uirginem et istas tabellas Per 460   salutem dicit Toxilo Timarchides et familiae omni Per 502   integro exercitu (et equis *add Rs solus*) et praesidiis Per 754   repariet . . hic filias et hunc sui fratris filium Poe 122(*v. secl ULy*)   reperiet suas filias et hunc sui fratris filium Poe 125 (*v. secl GuyRgl§*)   . . ut gnatas et mei fratris filium(*vide U*) reperire me siritis Poe 952 (*v.* 954, quae mihi subruptae sunt et fratris filium *secl Lind, cum v.* 952 *conflauit U*) gerrae germanae hercle et collyrae escariae Poe 137(*RRgl: vide sub* collyra)   celabit hominem et aurum Poe 180   . . dupli tibi auri et hominis fur leno siet Poe 184   nauem et mulierem . . comparato Poe 211   quando illi (apud me *add PRgLULy om Bo§*) mecum caput et corpus copulas(*P* mecum palpas et lallas *ALy*)? Poe 343(∗*L*: et corpus *om U*) mihi aduocatos dixi et testis ducere Poe 531

opportune egrediuntur Milphio una et uilicus
Poe 576   ligulas (, *LLy*) canalis ait se aduexisse et nuces Poe 1014   palas uendundas
sibi ait et* mergas datas Poe 1018   hac me
laetitia adfecistis tanta et tantis gaudiis ut . .
Poe 1275   qui tibi lubidost . . loqui inclementer nostro cognato et patri? Poe 1323
audiui ingenium et mores eius quo pacto sient
Poe 1404   me miseria et cura contabefacit
Ps 21   metum et fugam perduellibus meis
(iniciam *ins PyR*) me ut sciant natum Ps 589
iussit sumbolum me ferre et hoc argentum Ps 598
illius seruos huc ad me argentum attulit et
obsignatum sumbolum Ps 1092   epistulam
modo hanc intercepi et sumbolum Ps 716   ego
precator et patronus foribus processi foras Ps
606   medicamento et suis uenenis dicitur
fecisse . . Ps 870   nunc occasiost et tempus
Ps 958   auferri praemium et praedam decet
Ps 1225   sultis . . adprobare hunc gregem
et fabulam Ps 1335   deturbauit uentus tectum
et tegulas Ru 78(*v. secl DziatzkoRs*)   nobis
(confractast) uilla in terra et tegulae Ru 153
Veneri paraui uasa et puteum non mihi Ru 136
huius fani (famula et *add Rs*) sacerdos clueo
Ru 285   sunt nobis quaestu et cultu Ru 294
deos decepit et homines Ru 346(*cf* Sjögren,
p. 10)   operam ludo et deliciae dabo Ru 429
nostro illum puteum periclo et ferramentis
fodimus Ru 436   (cena) Thyestae †quondam
antepositast(-tae est anteposita *U var em ψ*)
et Tereo Ru 509   speras . . multum futurum
sirpe et laserpicium Ru 630   huic altrae
patria et* parens quae sit nescio Ru 750(*Rs*)
mea Palaestra et Ampelisca Ru 878   lucrum
praeposiui sopori et quieti Ru 916   paupertatem eri qui et meam †sententiam(sentilenam
Rs seruitutem *CaL ULy*) tolerarem Ru 918 monimentum meae famae et factis Ru 935   nihil
peto nisi cistulam et crepundia Ru·1086   credo
. . ego illic inesse argenti et auri largiter Ru
1188   sunt domi agni et porci sacres Ru 1208
haec mihi diuidiae et senio sunt St 19   imperitus rerum et morum mulierum . . uenio
St 104   uosne latrones et mendicos homines
magni penditis? St 135   amoenitates . . omnium
uenerum et uenustatum adfero St 278   operam
omnem . . et texturam improbam(*ACDU* -em
Bψ) St 348   pernam et glandium deicite
St 360   Epignomum conspicio tuom uirum
et seruom Stichum St 371   Neptuno grates
ago et tempestatibus St 403   erant . . adulescenti fidicina et* tibicina St 542   benignitates hominum ut periere et prothymiae St
636   Sticho et . . Sagarino meo cena cocta
ut esset St 680   scaphio et* cantharis batiochis bibunt St 693   suspicionem et culpam
ut ab se segregent Tri 79   tuae mandatus
est fide et fiduciae Tri 117   te quaeso ut
me opera et consilio iuues Tri 189   raptores
panis et peni Tri 254   meo modo et* moribus uiuito antiquis Tri 295   ut parentes eum
esse et cognati uelint Tri 307   Philto iubet
saluere Lesbonicum et Stasimum Tri 436   adfinitatem ut conciliarem et gratiam Tri 443
deos decent opulentiae et factiones Tri 493
ut rem patriam et gloriam maiorum foedarim

Tri 656   . . bonis mis quid foret et meae
uitae Tri 822   epistula illa mihi concenturiat metum . . et illud mille nummum Tri
1002   faxim lenonum et* scortorum †plus est
Tru 63a(*v. secl RsU*)   lenonum et scortorum
plus est fere Tru 64   circum argentarias
scorta et* lenones . . sedent cottidie Tru 67
ibist ibus pugnae et uirtuti(pugna et uirtust
Rs) . . Tru 110   tuo uestimento et cibo alienis
rebus curas Tru 137   sunt mihi etiam fundi
et aedes Tru 174   euge, fundi et aedes Tru
187   fundi et* aedes obligatae sunt Tru 214
ut esset aliquis laqueus et redimiculum Tru 395
diuortium et discordiam inter nos parem Tru
420   matris opera mala sum et meapte malitia Tru 471   fer huc uerbenam intus et
bellaria Tru 480   me interfecisti paene uita
et lumine Tru 518   erus meus et* ocellus
tuos Tru 579(*U*)   ferre me haec iussit tibi
dona . . et has quinque argenti minas Tru 580
fons uiti et periuri Tru 612   matres duas habet
et* auias duas Tru 808   . . quam penes est
mea omnis res et liberi Tru 858   at ego
(dedi) pallam et* purpuram Tru 946(*CaU*)
latus in latebras reddam meis dentibus et*
manibus Fr I. 20(*ex Macr* III. 16, 1)   *cum
ellipsi alterius subst.*: habes . . #Tabellas uis
rogare: habeo et stilum Mi 38

  β. substantiva praepp. sequuntur **a**: a matre
et sorore uenit Mi 1313   **ad**: redactus sum
usque ad unam hanc tuniculam et ad hoc
misellum pallium Ru 550   **aduorsum**: stultus
est aduorsum aetatem et capitis canitudinem
Fr II. 8(*ex Paulo* 62)   **ante**: hic . . ante ostium
et ianuam Per 758   **clam**: emptast amica clam
uxorem et clam filium Mer 545   **cum**: is erat communis cum hospite et praedonibus Ba 282   exit . .
Chalinus intus cum sitella et sortibus Cas 351
progreditur cum corona et lampade meus socius
Cas 796   . . ut mulierem . . cum auro et*
ueste abduceret Cu 348   hic astabo . . cum
hac forma et factis sic frustra? Mi 1021   . . ut
abeat cum sorore et matre Mi 1146   te suspendas cum ero et uostra familia Poe 396
hic rex cum aceto pransurust et sale Ru 937
euocat cum nassiterna et cum aqua istum Ba
12(*ex Festo* 169)   aetatem agitis cum pietate
et cum fide Ru 29   i dierecta cum sucula et
cum porculis Ru 1170   cum amicis deliberaui
iam et cum cognatis meis St 580   **de**: de hippodromo et palaestra ubi reuenisses domum Ba
431   . . uxori renuntiaret de palla et de prandio
Men 421   . . ut sint insidiae de auro et de
seruo meo Poe 549   araneas de foribus deiciam et de pariete St 355   **ex**: satis iam
dolui ex animo et cura Cap 929(*vide Rs*)   **in**:
eum inliciatis in malam fraudem et probrum
Tru 298   in tuo luco et fanost situm Au 615
haec res mihi in pectore et corde curaest Men
761   magno in genere et in diuitiis maxumis liberos hominem educare Mi 703   **ob**:
ob rem et liberos(*ins RRs*) Tri 1112   **per**:
per supremi regis regnum iuro et matrem familias Iunonem Am 831   per omnis deos et
deas deierauit Cas 670   per myropolia et
lanienas Ep 199   impetraui per amicitiam et
gratiam Mi 1200   iuro per Iouem et Mauor-

tem Mɪ 1414 per malitiam (et *add PL*) per dolum et fallaciam Ps 705b per ioculum et ludum de nostro saepe edunt Tʀᴜ 107(*loc dub*) per amicitiam et per fidem flens me obsecrauit Tʀɪ 153 **praeter:** praeter aetatem et uirtutem stultus es Eᴘ 106 nihil etiam dum harpagauit praeter cyathum et* cantharum Ps 957 **pro:** te istis tuis pro dictis et male factis .. accipiam Aᴍ 285 facere certumst pro copia et sapientia Mᴇʀ 506 **sine:** sine modo et modestia sum Bᴀ 613 sine classe sineque exercitu et tanto numero militum St 930 uiros .. quibus sunt uerba sine penu et pecunia Cᴀᴘ 472(*om O*) facile tu istuc sine periclo et cura .. fabulare Eᴘ 146 mulieres sunt .. sine munditia et sumptu Poᴇ 247 aduorsari sine dedecore et scelere summo haud possumus St 72 si sine ui et sine bello uelint .. tradere Aᴍ 206 eandem puellam peperit .. sine obstetricis opera et sine doloribus Cɪ 141 cogita .. item nos perhiberi .. sine omni lepore et sine suauitate Poᴇ 242 *praep. variatur:* **sine** lucro et **cum** malo quiescunt Ru 923

γ. *clausulam et praep. cum subst. coniungit:* tua sunt opera et propter te improbior Bᴀ 1201

δ. *substantivum et gerundium:* hi male suadendo et lustris lacerant homines Cu 508

ε. *duo adiectiva substantive usurpata:* aequalem et sodalem, liberum ciuem, enicas Mᴇʀ 612 illum tibi aeternum .. fore amicum et beneuolentem Mo 195 tragici et comici numquam aeque sunt meditati Pᴇʀ 465 opsecro hercle te .. mea inimica et maleuola Poᴇ 393 diem habeamus hilare huius malo et nostro bono Poᴇ 1367 meum gnatum .. quaerit et amicum meum Tʀɪ 876 Megaronides communis .. meus et tuos beneuolens Tʀɪ 1147 prosunt .. arguti et* cati Tʀᴜ 493(*ZUL*)

ζ. *post praep.:* me quidem pro barda et pro rustica reor habitam esse Pᴇʀ 169

η. *subst. et adiect. vel partic. substantive usur.:* si .. uelint rapta et raptores tradere Aᴍ 206 mandata eri perierunt una et Sosia Aᴍ 338 alii laetificantur meo malo et damno Aᴜ 726 facta et famam sauciant Bᴀ 64 mihi illius ira .. et maledicta expetent Aᴍ 896 nouom maritum et nouam nuptam uolo rus prosequi Cᴀꜱ 782 socium aerumnae et* mei mali uideo Bᴀ 1105 amica mea et conserua quid agat Stephanium .. St 651 ibi uoster cenat cum uxore .. et Antipho St 664 *cum ellipsi quadam:* spondeo (gnatam tibi) et mille auri Philippum dotis Tʀɪ 1158 *post praep.:* famigeratori res sit cum damno et malo Tʀɪ 219

ϑ. *subst. et adiect. coniungit:* mala mers .. haec et callidast Cɪ 727 *similiter:* meum parentum nomen memoras et meum Eᴘ 637

b. *duo pronomina* (*cf* Sjögren, p. 62): α. otium (et *add JLy*) mihi et tibi erit Cᴀꜱ 215 locus liber datust mihi et tibi apud uos St 663 di me et te infelicent Cᴀꜱ 246 quae res bene uortat mihi et uobis Cu 729 operam potestis ambo mihi dare et uobis simul Mᴇɴ 1099 totidem quot ego et tu sumus Mo 647 quot sunt? #Totidem quot ego et tu sumus Ru 564 bene ei qui inuidet mihi et ei qui hoc gaudet Pᴇʀ 777 .. labori .. mei te rogandi et tis

respondendi mihi Ps 6 praesente te et* hoc apologum agere unum uolo St 538(*Rs*) abite tu domum et tu autem domum Tʀᴜ 838 si te mea manu .. et hunc uis (una *add BueRs*) mori(emori *AcU*) Tʀᴜ 927 ego quae illi dedi et illa quae a me accepit Cɪ 146 .. ut illi et tibi limem caput Poᴇ 294 illius laudare infit formam uirginis et aliarum itidem quae .. Ru 52 *cum ellipsi quadam in responsis:* tun heri hunc salutauisti? #Et te quoque etiam Aᴍ 717 fortunatum mihi sit. #Ita uero et mihi Cᴀꜱ 402 quis arguit? #Egomet. #Et ego Mᴇɴ 652 in mari mi(*add Ly*) et alii (*PS̄*† *var em ψ*) confractast nauis Ru 1307 *similiter:* quae tibi mulier uidetur multo sapientissuma? #Quae tamen .. se poterit gnoscere et illa quae .. St 125 ego pro me et pro te curabo Ps 232

β. *pron. person. et subst.:* ego fui illi .. et meus .. pater Aᴍ 249 capitis te perdam ego et filiam As 133 nobis(*om BoLy*) periculum et familiae portenditur As 530 me miserum et meos discipulos .. contuderunt Aᴜ 409 istaec flagitia me celauisti et patrem Bᴀ 167 negas nouisse me? negas(nouisse? me negas et *Rs*) patrem meam? Mᴇɴ 750 hic relinquet .. med et Mnesilochum Bᴀ 357 ei uos morigerari mos bonust et* erili imperio eamque .. Cᴀᴘ 199 (*Nettleship LLy* eamque et e. i *PS̄*† *Ut*) is mihi et filio aduorsatur suo Cᴀꜱ 150 ibi ego te(*loc perdub*) et suffragatores tuos ulciscar Cᴀꜱ 299 sortiar tibi et Chalino Cᴀꜱ 343 te .. mihi amicam esse creui .. et matrem tuam Cɪ 2 serua me. #Tamquam me et* genium meum Cu 628 me ipso praesente et Lycone tarpezita Cu 712, 714(*om tar.*) (iussisti coquere) .. tibi et parasito tuo Mᴇɴ 389 eam reliqui .. in naui et seruolum Mᴇʀ 108 perdidisti me et fidem mecum tuam Mᴇʀ 625 scio obtigisse hoc .. tibi et Phaoni Mɪ 1247 Iuppiter .. me perisse et Philolachetem cupit Mo 349 ego ipse et Philolaches .. sumus commensi Mo 910 me quidem .. spectatam censebam esse et meos mores Pᴇʀ 171 di te et tuom erum perduint Poᴇ 863 istuc tibi et tuost ero in manu Poᴇ 912 hic nos cognouit modo et hunc sui fratris filium Poᴇ 1325 satis mihi et* familiae omni sit meae Ps 191 me et simul participis omnes meos praeda onerabo Ps 588 me et* Calidorum seruatum uolunt Ps 906 recepit .. sacerdos me et Palaestram Ru 350 tu et Palaestra quo modo saluae estis? Ru 365 rediisse uideo .. te et fratrem tuom St 507

hanc fabulam .. Iuppiter hodie ipse aget et ego una cum illo Aᴍ 95 Mnesiloche et* tu, Pistoclere, iam facite .. Bᴀ 754 obsecro, Planesium, et te, Phaedrome, auxilium ut feras Cu 696 liberos hominem educare generi monumentum et sibi Mɪ 704 Philematium intro abi et tu, Delphium Mo 397 Lesbonicum hic adulescentem quaero .. et* item alterum Tʀɪ 874(*cf Non* 73)

γ. *pronom. demonst. et subst.:* tibi dedi .. illam .. et illud spinter Mᴇɴ 682 eampse .. et eius tristem uirum uideo Mᴇɴ 773 una hic et Palaestrio me habent uenalem Mɪ 579 emit

.. duas illas et* Giddeninem .. tertiam Poe
898   illos accubantis .. reliqui et meum
scortum ibidem Ps 1271   hunc (sumbolum)
ferebat et* quinque argenti minas Ps 718(*ALy*)

δ. *pron. interr. et subst.:* dic inpera mihi
quid uis et* quo uis modo Tru 676(*Rs*)

ε. *pron. et adiect. pron.:* respondent bello se˜et
suos tutari posse Am 214 adsum auxilio .. tibi
et* tuis Am 1131   salutem accipio mihi et
meis Ep 548 em quoi te et tua .. commendes
uiro Mer 702 *Cf* Sjögren, p. 65

ζ. *pron. et partic. vel adiect. subst.:* quae res
tibi et gnatae tuae bene .. uortat Au 787
tibi ferre et gnato Lesbonico aibat meo Tri
1140   te et sceleste parta (nauis) uexit bona
Ru 506   *cum ellipsi quadam:* mauis maritum
seruom (te) aetatem degere et gnatos tuos?
Cas 291

η. *pron. et subst. post praepp.* abs: pecuniam
quadruplicem abs te lenone auferam Cu 619
absque: absque me foret et meo praesidio, hic
faceret Per 837   ad: ad te et legiones tuas
tuto posset peruenire Mi 224   nimium .. ad
te et tuam uitam uides Mi 716   ut meae
gnatae ad me redirent et* potestatem meam
Poe 1276   cum: in amicitiam insinuauit cum
matre et mecum simul Ci 92   de: meruimus
et ego et pater de uobis et re publica Am 40
ut meritu's de me et mea re As 160   ut tu
promeritu's de me et filio Cap 933   satur
nunc loquitur de me et de parti mea Men 479
(*v. secl edd pler: om A*)   per: per me .. et
tuam ancillam ei curetur Mi 910(*LLy: loc dub*)
per ego †te tua te genua obsecro et hunc Poe
1388   propter: sit melius mihi .. propter te
et tuos Au 225

c. *duo adiectiva:* α. aequi et iusti hic eritis
omnes arbitri Am 16   iustam rem et facilem
esse oratam a uobis uolo Am 33   quantus et*
quam ualidus est Am 299(*cf Non* 361) .. mortalis inlucescas luce clara et candida Am 547
sana et salua sum Am 730   tuam amicam ..
scio .. sanam et saluam Mer 889   minae uiginti sanae et saluae sunt tibi Ps 1068   domi
meae eccam saluam et sanam Ep 563   armamenta salua et sana sunt Mer 172 .. euenturam exagogam Capuam saluam et sospitem
Ru 631   piam et pudicam esse tuam uxorem
ut scias .. Am 1086   uis .. gnatum tuae
superesse uitae sospitem et superstitem As 17
amico utantur gnato et beneuolo As 66(*v. secl
FlRglSU*)   recipe me ad te .. amicum et
beneuolum Ci 640   ille amico et beneuolenti
suo sodali .. rem .. exsequitur Ba 475   uerum
quidem et* decorum erum uehere seruom As
701(*loc dub*)   bellum et pudicum uero prostibulum popli Au 285   censen .. parcum
et miserum iuuere? Au 315   quibus et quantis me donatis gaudiis Au 808   ipsus est nequam et miser Ba 194   imitatur nequam
bestiam et damnificam Ci 728   illi sunt improbi, uos nequam et gloriosae Tru 156   malus
et nequamst homo qui .. Ps 1103   inuadam
extemplo in oppidum antiquom et uetus Ba
711(*cf* Sjögren, p. 41)   scelus .. factumst
iam diu antiquom et uetus Mo 476   quaestum .. inhonestum et* maxume alienum ingenio suo Cap 99(*Ly*)   multis et multigene-
ribus opus est tibi militibus Cap 159   is sodalis Philocrati et cognatus est Cap 528   seruos et* liber fuisti Cap 575(*Ly*)   bellam et
tenellam Casinam conseruam tuam Cas 108
lassus fueris et famelicus Cas 130   faciet ..
hominem ex tristi lepidum et lenem Cas 223
probum te et* frugi hominem .. esse arbitror
Cas 284   seruate uostros socios ueteres et nouos
Ci 199   me infelicem et scelestam! Ci 685
inibis a me solidam et grandem gratiam Cu
405   conuenire uolt hominem .. mendacem
et gloriosum Cu 471   res publica et priuata
geritur Cu 552   remoram .. faciunt rei priuatae et publicae Tri 38   forma lepida et
liberali .. adulescentulam .. mercatust Ep 43
lepida et liberali formast Mi 967   forma lepida et liberalist Per 130   sat est et plus
satis: superfit Ep 346   nihil moror uetera et
uolgata uerba Ep 350   aerumnosam et mi-
serarum compotem mulierem retines Ep 559
habe animum lenem et tranquillum Ep 562
animo liquido et tranquillo's Ep 643   hominem multum et odiosum mihi Men 316   o facinus indignum et malum! Men 1004   indignum facinus fecisti et malum Mo 459   dico
.. gratum me et munem fore Mer 105   isti
dicto solida et perpetuast fides Mer 378   bo-
nam(*PL* bonae *Aψ*) hercle te et(*PL om Aψ*)
frugi arbitror Mer 521   ego istum in tranquillo et tuto(*CaR* tranquietu o *B* transquieto
tuto *CD* tranquillo quieto tuto *Seyψ*) sistam
Mer 891   pulcer est .. et liberalis Mi 63
ego stulta et mora multum Mi 370   hospitam .. ingenuam et liberam Mi 490 .. pallium malacum et calidum conficiatur Mi 688
tibi sunt gemini et trigemini .. filii Mi 717
qui inprobi essent et* scelesti is adimerent
animam Mi 732   ea sibi inmortalis memoriast meminisse et* sempiterna Mi 888   tibi
condicio noua et* luculenta fertur Mi 952
quo pacto potis nupta et uidua esse eadem?
Mi 966 .. hominem tam pulcrum et praeclarum uirtute Mi 1042   ego frugi usque et
probus fui Mo 133 .. hominem audacem et
malum Mo 1078   satin haec tibi sunt plana et
certa? Per 183   tamquam proserpens bestiast
bilinguis et scelestus Per 299   ita catast et
calida Per 622   uin tu facinus facere lepidum et festiuom? Poe 308   nos uidemur tibi
plebeii et pauperes Poe 515 .. liberum ut
commostraremus tibi locum et uoluptarium
Poe 602   est lepida et lauta Poe 1198   mittam .. malam rem magnam et maturam Ps
234   mirum et magnum facinus feceris Ps
512   dabo aliam pugnam claram et commemorabilem Ps 525   clamore magno et multo
flagitabere Ps 556   posse opinor me dare
hominem tibi malum et doctum Ps 729   neque
.. quemquam uidi magis malum et* maleficum Ps 939 a   peculiosum esse addecet seruom et probum Ru 112   piscatum hamatilem
et saxatilem adgredimur Ru 299   qui homo
sese miserum et mendicum uolet .. Ru 485
salsam praehibet potionem et frigidam Ru 503
inepta et* odiosa eius amatiost Ru 1204   amica mea et tua dum .. se exornat St 701   lepi-

dam et suauem cantionem . . occupito cinaedicam St 760   inmoenest facinus uerum . .
utile et conducibile Tri 25   facilem fecit et
planam uiam Tri 645   is mores hominum
moros et morosos efficit Tri 669   salsipotenti et* multipotenti Iouis fratri . . laudes
ago Tri 820   placido te et clementi . . usus
sum Tri 827   integrum et plenum adortast
thensaurum Tru 725   blitea et luteast meretrix Tru 854(cf Non 80)   hic . . scitus et
bellust mihi Tru 934(SpLU)   malam rem is
et* magnam Tru 937(PLLy)   tibi pudico
hominest opus et non malo Vi 40   pulcrum
et luculentum hoc nobis hodie euenit proelium
Fr I. 65(ex Non 63)   similiter: nostrum id
omne et* intus est Poe 538(U)   pudendum
et* uero clurinum pecus Tru 269(PU)

β. adiect. et subst. praepp. sequontur: te uolo de
communi re appellare mea et tua Au 200   nequedum exarui ex amoenis rebus et uoluptariis Mi 641   tua te ex uirtute et* mea meae
domi accipiam benigne Mi 738   istic symbolust inter erum meum et tuom de muliere
Ps 648   pro erili et *nostro quaestu satis bene
ornatae sumus Poe 285   pro exercitu gymnastico et palaestrico hoc habemus Ru 296

γ. adiectiva numeralia coniungit (cf B allas,
I. pp. 12, 18; Sjögren, p. 52): mille et ducentos Philippum attulimus aureos Ba 230
quid oneris (fers)? #Annos octoginta et quattuor Mer 673   centum in Cilicia et quinquaginta (homines) . . Mi 43   haud sum natus annos praeter quinquaginta et quattuor
Mi 629   reddidit mille et ducentos(ParRRg
duc. et mille Pψ) Philippum(d. Ph. et m. U)
Ba 272   annos septem et decem(CaU pro
septemdecim) Ci 755   iam dantur septem et
uiginti minae Mer 430   uin centum et mille
(nummum)? Ru 1328   . . siem quinque et
uiginti annos natus Ru 1382

δ. partic. praes. act. coniungit: lubens fecero
et solens Cas 869

ε. partic. praet. pass.: exploratum dico et prouisum hoc tibi Cap 643   factum et curatum
dabo Cas 439   factum . . et recte factum
iudico Ep 707   te auratam et uestitam bene
habet Men 801

ζ. adiect. et partic.: di me saluom et seruatum
uolunt Au 677, Tri 1076   ego sum miser.
#Immo ego sum (miser add P om Ald et miser
add SeyRg) et misere perditus Au 731   uxor
tibi placida et placatast Mer 965   probum
et numeratum argentum ut accipiat face Per
526   dona accepta et grata habeo Tru 617

η. gradus varios (cf Sjögren, p. 46): miserum
istuc uerbum et pessumumst 'habuisse' Ru 1321
ad hunc . . adgredimur uirum . . optumum et
non similem . . As 681   ego (celerior) et*
multo melior Au 322   ex bonis pessumi et
fraudulentissumi fiunt Cap 235   (ostium) bellissumum hercle uidi et taciturnissumum Cu 20
homo . . pessume et nequissume Men 488
optumus et* carissumust Ps 805   optumum
esse operi faciundo corium et sincerissumum
Ru 757   gesto famem . . maxumam et grauissumam St 164   oratio . . optuma . . et sci-

tissuma St 184   uenter erat solarium . . optumum et uerissumum Fr I. 25(ex Gell III. 3, 5)

ϑ. adiect. et subst.: magis est nimbata et nugae
merae Poe 348(cf Isid Or XIX. 31, 2)   similiter: uolo tecum loqui de re nostra et* uirum
St 8(Rg)   uapulabis meo arbitratu et nouorum aedilium Tri 990

ι. adiect. et clausula: stultus et* sine gratia's
Au 337(vide Ly)   ne tu habes seruom graphicum et quantiuis preti Ep 410   probast
et pretio digna(RibRg probast cum lac P var
suppl ψ) Mi 728   hominem nimium lepidum
et nimia pulcritudine Mi 998   mulierem lepidam et pudico ingenio! Mo 206   me ut gloriosum faciam et* copi pectore Ps 674   magnis
munditiis et* dis dignis . . sumus . . accepti
Ps 1253   quam probus sit et frugi bonae
Tri 320   similiter: quam liber harum rerum
et* multarum siet Am 105(Rgl)

d. duo adverbia: α. imperator utrimque hinc et
illinc Ioui uota suscipere Am 229   meus pater . . recte et sapienter facit Am 289   decet
. . confidenter pro se et proterue loqui Am 837
scribas uide plane et probe As 755   tibi os
est sublitum plane et probe Ep 491   domi
et foris . . satis semper est Cas 177   acceptae
bene et commode eximus intus Cas 855   bene
ego istam reduxi . . et pudice Cu 518(cf Sjögren, p. 56)   bene et pudice me domi habuit Cu 698   facis benigne et amice Ci 107
bene et sedate seruo (eri imperium) Men 980
bene quaeso . . dicatis et amice(RRg recte U
† SLy var em ψ) Mi 1341   opust quadraginta
minis celeriter calidis . . et cito Ep 142   quam
facile et quam fortunate euenit Ep 243   docte
et sapienter dicis Ep 404   ut docte et perspecte sapit! Mi 757   dicito docte et cordate Mi 1088   ille eam rem adeo sobrie et
frugaliter accurauit Ep 565   orationem docte
et astute edidit(R docte diuit ut tuam PS†
var em ψ) Mi 466   loquere lepide et* commode Mi 615   . . ut accurate et commode . .
exsequamur Mi 945   ego hic esse et illic simitu hau potui Mo 792   modice et modeste
meliust uitam uiuere Per 346   hanc ego rem
exorsus sum facete et callide Per 455   basilice te intulisti et facete Per 806   multa
aqua usque et diu macerantur Poe 243   hoc
cito et cursimst agendum Poe 567(v. ret Ly: secl
Weisψ)   basilice exornatus cedit et fabre
ad fallaciam Poe 577   firme et(RU ex A
ferme(?) et A ferme Pψ) familiariter Tri 335
satis scite et probe! Tri 786   singillatim et
placide percontabere Tri 881

β. gradus varios: minus . . caute et cogitate
suam rem tractauit Tri 327   loquitur laute
et minume sordide(P l. nihil attrectat sordidi
A) Mi 1001   lepidissume et compsissume confido confuturum Mi 941

γ. adverb. et claus.: recte loquere et proinde
. . ut uxorem decet Am 973   . . cum labore
magno et misere uiueret Au 14   sapienter
factum et consilio bono! Au 477   hominem
. . ludificarier magis facete uidi et* magis miris modis Mi 539   nos hilari ingenio et* lepide accipient Mo 318   . . tranquille cuncta
et* ut proueniant sine malo Mo 414   simi-

liter: lege et rite ciuem cognitam Alcesimarchus possidet Ci *Arg* 10

δ. *adverb. et adiect:* male facta iterari multa et uero possunt As 568   recte et uera loquere Cap 960   facinora .. mihi clara et diu clueant Ps 591   nimis diu et longum loquor Ps 687   *similiter:* multa euenient et merito meo Cap 971   multa ego possum docta dicta et* quamuis facunde loqui Tri 380 *Cf* Sjögren, p. 58

e. *duo verba coniungit* α. *indic. praes.:* pace aduenio et pacem .. fero Am 32   foedant et* proterunt hostium copias Am 246   sane sapio et sentio Am 448   domi ego adsum, inquam .. et apud te adsum Sosia idem Am 577   ualeo et saluos sum recte Am 582   uigilo et uigilans .. fabulor Am 698   sana sum et deos quaeso ut .. Am 720   mihi plurumum credo et scio .. Am 757   nego .. et .. aio Am 759   iste .. ait .. et .. negat Cap 567   Amphitruo fio et uestitum inmuto meum Am 866   quem omnes mortales ignorant et ludificant Am 1047   puer ille .. ut magnust et multum ualet! Am 1103   audio et quiesco As 447   hanc domum iam multos annos est quom possideo et colo Au 4   uiuitne et ualet Ba 188(*R solus*)   uiuit et* ualet Ba 191(*Bent RU*)   quicum edo et amo Ba 646   quod edit quaerit et id aegre inuenit Cap 461   orno et paro Cas 546   tu amas, ego essurio et sitio Cas 725   hau uerbum facit et saepit ueste id qui estis Cas 921   me colitis et* magni facitis Ci 22   ego te reduco et †uoco ad diuitias Ci 559   adfert potionem et sitim sedatum it Cu 116   seruo et seruatum uolo Cu 335   tecum oro et quaeso .. ut .. Cu 432   eodem hercle uos pono et* paro Cu 506   libertos .. habent et eos deserunt Cu 548   mihist usui et plurumum prodest Men 358   male mihi precatur et facit conuicium Mer 235   dico et recipio ad me Mi 230   me certauim nutricant et munerant Mi 715   culpant et comedunt tamen Mi 756   procellunt se et* procumbunt Mi 762   omnia memin et scio Per 186   beneficium scit accipere et reddere nescit Per 762   meo me lacessis ludo et delicias facis Poe 296   illi apud me mecum palpas et* lalas Poe 343(*ALy*)   morare et male facis Poe 359   nego et negando .. rauio(*A* auio *CD* aruio Ly '*plebeia forma*') Poe 778   cupio et te sequor Poe 1161   ignosco et credo tibi Poe 1413   tu sapis (et places sane *add Rg*) Ps 240   ita uidere: et non uidere dignus .. Ps 611   uideo et cognosco signum Ps 1002   ego illum hominem metuo et formido male Ps 1019   plaudunt et* parum clamitant me Ps 1276   quo argumento socius non sum et fur sum Ru 1023   dum concedo et consulo Ru 1036   exit et ducit senem Ru 1356   spero quidem et uolo St 9   hic asto et* pulto St 310   ago cum meo animo et* recolo Tri 256(*PL* cum m. an. reputo *Aψ*)   scio ego et sentio ipse quid agam Tri 639   quin tu hinc amoues et te moues? Tri 802   scio et credo tibi Tri 1073   conlaudo consilium et probo Tri 1148   ualeo et ualidum teneo Tru 126   ecbibitis et comestis

Tru 155   ego laetus sum et laetitia differor Tru 701   ad suom quaestum callent et* fastidiunt Tru 932   quid murmurillas tecum et te discrucias? Fr II. 38(*ex Non* 143)

β. *indic. fut.* (*cf* Sjögren, p. 79): ibo et* Mercurium subsequar Am 550   ibo et* cognoscam Am 1075   ibo et faciam sedulo Ba 871   ibo et persequar Ci 531   ibo intro et dicam te dic adstare Men 331   ibo et conueniam seruom Men 557   ibo et consulam hanc rem amicos Men 700   ibo et pultabo ianuam Poe 739   hinc intro ibo et sacruficabo Ru 1263   ibo et pultabo fores St 308   ibo intro ad libros et discam St 400   ego ibo intro et gratulabor St 567   ibo hinc et amicos meos curabo St 682   ibo et quaeram Vi 56   adibo contra et contollam gradum Ba 535   faciam et pultabo foris Mo 898   feram et perferam .. abitum eius Am 645   ego Teresiam .. aduocabo et consulam Am 1128   ego istum .. laborem demam et deminuam tibi Au 165   te amabo et te amplexabor Ba 1192   hac dabo protinam et fugiam(p. me in fugam *CaRs*) Cas 959   auctionem hic faciam et uendam quicquid est Men 1153   aliquo aufugiam et me occultabo Mi 582   inter participes diuidam praedam et participabo Per 757   non negabo debere et dabo Mo 1024   male credam et credam tamen Poe 878, 889   quae tibi bona dabo et faciam Ps 939 b

γ. *indic. perf.:* mecum cenauisti et mecum cubuisti Am 735   obsonauit erus et conduxit coquos Au 280   callidum senem .. compuli et perpuli .. ut .. Ba 644   me obiurigauit .. et me meliorem fecit Ba 1021   fui ego illa aetate et feci illa omnia Ba 1079   compararunt et confixerunt dolum Cap 47   melius noui quam tu et uidi saepius Cap 975   salutem iussit .. dicere et has tabellas dare me iussit Cu 422   hanc me iussit .. dare epistulam et item hanc alteram .. iussit dare Tri 899   perdidisti et repperisti me Ep 652   rex Agathocles regnator fuit et iterum Pintia Men 410   in somnis egi satis et fui homo exercitus Mer 228   eam rem uolutaui et diu disputaui Mo 88   tetigi, inquam, et pultaui Mo 457   sycophantias instruxi et comparaui Per 325   haec sciuisti et* me celauisti? Per 799   perdidi .. quod tibi detuli et quod dedi Ps 260   increpui hibernum et fluctus moui maritumos Ru 69   adesuriuit et* inhiauit acrius Tri 169

haec carina satis probe fundata et bene(*Ac* satis profundata bene et *P* et *om LLy*) statutast Mi 918   quae dissignata sint et facta nequiter tranquille cuncta .. ut proueniant Mo 413   edepol mandatum pulcre et curatum probe! Tri 138

δ. *subiu. praes.:* ne ego hic nomen meum commutem et Quintus fiam e Sosia Am 305   faciam .. ut minus ualeas et miser sis Am 584   quam tu inpudicam esse arbitrere et praedices Am 905   .. quin consistam et conloquar Au 474   facilius ut nent et moueant manus Au 596   .. ut eum redimat et remittat Cap 397   id tacitus taceas tute tecum et gaudeas Ep 651   .. qui hunc hinc tollant et domi deuinciant

Men 845 . . quin amet et scortum ducat Mer
1022 ego efficiam . . ut liqueant omnia et
tranquilla sint Mo 417 . . ut erum metuam
et curem Mo 992 . . odio hercle habeant et
faciant male Per 206 eum ego ut requiram
et* redimam Per 696(R) in custodelam nos
tuam ut recipias et tutere Ru 696 . . ut hinc
intro abeam et me suspendam Ru 1189 eum
roga ut relinquat alias res et huc ueniat Ru
1212 . . quin quae tu uis ego uelim et faciam lubens Tri 341 . . ad me reuisas et*
ɲaleas Tru 433

ε. *subiu. imperf.:* . . ut sibi latrones cogerem
et conscriberem Mi 76

ζ. *subiu. perf.:* . . ubi prensus in furto sies
manufesto et uerberatus As 569

η. *subiu. plusq.:* quae coniurasset mecum et
firmasset fidem Ci 241 mihi esset commendata et meae fidei concredita Ci 242 b(*v. secl
Mueω*), 245

ϑ. *imperat.* (*cf* Sjögren, pp. 89, 92): abi
ad forum . . et narra haec As 367 abi et renuntia Ba 592 intro abi et . . fac accures
Cas 421 abi et aliud cura Cas 613 abi
et cura Cas 718 abi et istuc cura Per 165
abi intro et comprecare Mi 394 intro abi
et cenam coque Ps 890 abi intro ad me et
laua St 533 i sane et . . parata fac sint
omnia Am 971 i et(*BLU* i *GuyLy* ei *BriRgS*
et *DJ*) cenam coque Au 458 i et* quantum
potes abduc istos Men 435(*RLy*) i intro
amabo et* tu ergo abi a me Tru 958(*Rs in
loco dubio*) quantum poteris festina et
fuge As 157 adde et scribas uide plane et
probe As 755 festina et* uale Au 263(*Rg
istuc: i et LLy*) plaudite et mihi . . mulsum date As 906 manum da et sequere
Ba 87 cura et* concastiga hominem probe
Ba 497 bene ambula et redambula Cap
900 tace sis . . et mihi ausculta Cas 204
intro ite et cito deproperate Cas 745 bene
ualete et uincite uirtute uera Ci 197 bene
ualete et uiuite Mi 1340 ad terram aspice
et despice Ci 693 dic et* impera tu Ci
722(*RsLy*) da isti cistellam et* intro abi
Ci 770 redi et respice ad me Cu 113 redi
et respice ad nos Ps 244 sussilite . . et mittite istanc foras Cu 151 placide egredere et
sonitum prohibe forium Cu 158 aspecta et*
contempla Ep 622 quin me aspice et
contempla Mo 172 ualete et nobis clare
plaudite Men 1162 contra pariter fer gradum et confer pedem Mer 882 serua et subueni Mer 995 loquere et consilium cedo
Mi 978 adi, obsecro, et congredere Mi 1266
dispennite hominem diuorsum et distennite Mi
1407 huc me aspecta et responde mihi Mo
1026 a caue ergo sis . . et sequere me Per 835
ausculta mihi modo et* suspende te Poe 311
tu appone et respice ad me Poe 857 uale
et haec cura clanculum ut sint dicta Poe 913
adsistite omnes contra me et* . . aduortite animum Ps 156 aduorte ergo animum et fac
sis promissi memor Ps 481 accipe et* cognosce signum Ps 988 respice ad me et relinque . . parasitum St 331 accipite et date
uociuas auris Tri 11 circumspice dum te . . et*

quaeso identidem circumspice Tri 147 male
uiue et uale Tri 996 recipe te et recurre
petere re recenti Tri 1015 fer contra manum et pariter gradere Tru 124 puero utere
et procura Tru 878 immo tu prior perde
et peri Tru 951 exite et ferte fustes priuos
in manu Fr II. 35(*ex Ps-Acrone ad Hor Serm
I. 6, 22*)

audacter imperato et dicito Men 52 inquito et me tangito Ru 1342

ι. *infin. praes.:* par est uia decedere et concedere Am 990 ego cunas . . trahere et ducere Am 1112 neque puduit eum . . sycophantias struere et beneficiis me emere As 72
nolo illam causam habere et uotitam dicere
As 789 aequomst . . consulere et monere
Au 130 infit dicere adulterinum et* non eum
esse symbolum Ba 266 omnes adfectas tuos
ad probrum . . adpellere una et perdere Ba
378(*v. secl RLy*) uos ualere uolumus et* clare
adplaudere Ba 1211(*loc dub*) dicito . . me
hic ualere et seruitutem seruire Cap 391 sensit . . illam amare et esse impedimento sibi
Cas 61 unum amare et cum eo aetatem exigere Ci 79 . . ut hanc hic . . sinas esse et
hic seruare apud me Ci 105 quid retulit . .
te mandare et mittere ad me epistulas? Ep
134 maior lubidost fugere et facere nequiter Men 83 conclamitare tota urbe et praedicere Mer 51 hau multos homines . . nunc
uidere et conuenire . . mauellem Mi 171 simulet se tuam esse uxorem et deperire hunc
militem Mi 796 ait illam . . cruciari et lacrimantem se adflictare Mi 1032 inridere ne
uideare et* gestire admodum Mo 812 ego
(amo) esse et bibere Poe 313 illud est dulce
esse et bibere Tri 259 . . esse . . in lepido
loco . . et* lepidam mulierem . . contractare
Poe 697 . . eum uelle amicam liberare et
quaerere Ps 419 iube nunc uenire Pseudolum . . et* abducere Ps 1055 suom officium
aequomst colere et facere St 40 bene herclest illam tibi ualere et uiuere Tri 52 aiebant Calliclem indignum ciuitate hac esse et*
uiuere Tri 213 deserere illum et deiuuare
. . pudet Tri 344

intellexerat uereri uos se et metuere Am 23
Iunonem . . me uereri et metuerest par Am 832
pergam eri imperium exsequi et me domum
capessere Am 262 me ire iussit ad eam et
percontarier Ba 575 rogitare oportet prius
et percontarier Cas 571 omnes sapientes decet conferre et fabulari Ru 338

ad me adiri et supplicari egomet mihi aequom censeo St 293

κ. *infin. fut.:* ego me dixi erum adducturum
et me domi praesto fore As 356 credo . . fugitorem fore et capturum spolia . . Tri 724

λ. *infin. perf.:* arcessiuisse ait sese et dixisse
te Cas 601 patrem occidisse et matrem uendidisse etiam scio Men 944 dicant . . neque
. . columem te sistere illi et* detraxe autument
Tri 743(*an infra sub D referendum?*)
id iam scitis concessum et datum mihi Am
11 meamne hic in uia hospitam . . tractatam et ludificatam! Mi 490 a tua mihi uxore
dicam delatam et datum Mi 800

μ. gerund.: habendum et ferendum hoc onust cum labore Am 175   neque umquam lauando et fricando scimus facere neniam Poe 231

v. formas diversas coniungit: censeo et ego te adiuuabo Cas 807   scio et istuc illi dicam Mi 1075

fateor factum et repperi Ba 562   scio et* perspexi saepe Mi 1366   ualeo et ualui rectius Tri 50   est (amicus) et fuit Tri 106

faciam ita ut iubes et te oro . . Am 1144

id ego feci et fateor Au 734   meditatus egomet mecum sum et ita esse arbitror Ba 385   memini· et scio Cu 384, Per 118, 186   satin haec meministi et tenes? Per 183   nam (et *add PLLy*) uenit is et(*Rib*) in proxumo deuortitur Mi 134   sensi et iam dudum scio Mi 580   deposiuit caput et dormit Mo 382

semper sum arbitratus et nunc arbitror Au 216   me honore honestiorem semper fecit et facit Cap 392   ego censui . . et nunc etiam censeo Cas 365   dixi hoc tibi dudum et nunc dico Mi 1059   tu meruisti et nunc meres Mo 59   ut erga te fui et sum Tri 619

memini et praeceptis parebo Mi 1036   iuratus sum et nunc iurabo Ru 1373

meminero: . . et nunc idem dico Cu 493

adfer mihi arma et(arma. #Arma? #Et *RsLy*) loricam adducito Ci 284   ei et hoc memento dicere Mer 282   cape tunicam . . et chlamydem adferto Per 155   fac des et quae iussi nuntiato Per 196

miserum istuc uerbum . . 'habuisse' et nihil habere Ru 1321

2. *duo enuntiata coniungit* **a.** *indic. praes.:* illum contemplo et formam cognosco meam Am 441   proinde ut commodumst et* lubet, quicque facias Am 558   gaudeo et uolupest mihi Am 958, Poe 1326(*sed* uolup est)   demiror quid sit et quo euadat sum in metu As 51   sum uero (adiutor) et alter noster est Leonida As 58   bene hercle facitis et* a me initis gratiam As 59   adducit domum etiam ultro et scribit nummos As 440   ego hanc amo et haec me amat As 631   omnes uidentur scire et me benignius salutant Au 114   stultu's et* sine gratia est Au 337(*Ly*)   quid ego apertas aedis nostras conspicor? et strepitust intus Au 389   fateor peccauisse et me culpam commeritum scio Au 738   oro ut facias . . et ted opsecro caue parsis . . Ba 909   lubet et metuo Ba 1196   nihil est quod metuam mali, et* si peruiuo . . tamen breue spatiumst Cap 742   locant caedundos agnos et dupla agninam danunt Cap 819   fidem qui facitis maxumi et uos Fides Cas 2   qui utuntur uino uetere . . et qui lubenter ueteres spectant fabulas Cas 6   puellam hic senex amat afflictim et* item contra filius Cas 49   qui alteri . . dicunt contumeliam, et qui ipsi sat habent Cu 479   homines captiuos qui . . uinciunt et qui fugitiuis seruis indunt compedes Men 80   probam nihil habere addecet clam uirum et †quae habet partum ei haud commodest Cas 200 (*loc dub*)   is redit in patriam et gnatam generat nuptiis Ci *Arg* 2   omnes homines fabulantur . . et* . . aiunt Ci 775(*PLULy*)   adfert potionem et sitim sedatam it Cu 116

sisto ego tibi me et . . suadeo Cu 163   arma referunt et iumenta ducunt Ep 209   uiue sapis et placet Ep 284   ego sum et istic frater . . tuost Ep 641   tibi quidem quod ames domi praestost . . et sororem in libertatem . . concilio Ep 654   mihi nunc auxilio adiutores sunt et mecum militant Ep 676   aurum meum domo suppilas tuae uxori et tuae degeris amicae Men 740   pater aduolat et* uisam ancillam deperit Mer *Arg* ll. 4(*U*)   aedificat nauem cercyrum et mercis emit Mer 87   tu recte dicis et tibi adsentior Mer 412   suom arcessit erum Athenis et forat . . parietem Mi *Arg* I. 5   ego mihi consilia . . conuoco et . . consulo quid agam Mi 197   ἄδικος es tu non δίκαια et meo ero facis iniuriam Mi 438(*LULy*)   meruisse . . fateor, et . . fecisse . . aio iniuriam Mi 548   quaestus est quod sumitur et* quod . . sumat sumpti sapienti lucrost Mi 675   nimis bona ratione . . uides et tibi sunt gemini Mi 717   digitos despoliat suos et* tuos digitos decorat Mi 1048   meri bellatores gignuntur . . et pueri annos octingentos uiuont Mi 1078   mihi benest et tibi malest Mo 52   quid Philolachetem . . compellat . . sic et praesenti tibi facit conuicium Mo 617   iubeo te saluere et . . gaudeo Mo 1128   da hercle pignus ni omnia memini et scio et quidem si scis . . Per 186   ad te (tabellae) attinent et tua refert Per 497   quia aspicio et(*R aliter* ψ) . . liberalist Per 546   decet me facetum esse et hunc inridere lenonem lubidost Per 807   non opust (ludificare) et* me haud par est Per 834   adoptat hunc senex et facit heredem Poe *Arg* 3   uilicum lenoni obtrudit et* ita eum furto alligat Poe *Arg* 6   quid huc . . incedunt? . . et ille chlamydatus quisnamst? Poe 620   te salutamus . . quamquam hanc salutem ferimus inuiti tibi et quamquam bene uolumus . . Poe 622(*v. ret Ly: secl Bent*ψ)   hoc consilium capio et hanc fabricam apparo Poe 1099   mihi est obnoxius et metuit Poe 1191(*om WeisRglU*)   meae estis ambae filiae et hic est cognatus uoster Poe 1256   salutem inpertit et salutem abs te expetit Ps 43   iam diu ego huic bene et hic mihi uolumus et amicitiast antiqua Ps 233   sane sapis et consilium placet Ps 662   erus eccum recipit se domum et ducit coquom Ps 789   tibi auscultamus et . . ambae te obsecramus Ru 694   ego sum Daemones et mater tua eccam hic intus Daedalis Ru 1174   gratiam habeo et de talento nulla causast quin feras Ru 1397   sequor et* domum redeundi principium placet St 672   scio(*om AcRLU*) et si alia huc causa . . adueni, aequom postulas Tri 97   condicionem hanc . . ego fero et . . aps te peto Tri 488   quid illic festinet sentio et subolet mihi Tri 615   hic agit magis ex argumento et uersus melioris facit Tri 707   laudes ago et(*om BoRRs*) grates gratiasque habeo Tri 821   ausculto perlubens et* metuo . . ne aliam rem occipiat loqui Tri 1042   Tru 539(et iam *Rs pro* etiam *in loco perdub*)   timeo tamen ego mihi et quod peccaui scio Tru 786(*U in loco perdub*)

cruciatur cor mihi et metuo Tri 1169

cum ellipsi quadam: superi incenati sunt et

cenati inferi Au 368   pol uero ista mala et
tu nihili Ba 1162   is amore . . illam deperit
. . et illa hunc contra Ci 193   (delinquont) rustici . . minus quam urbani et multo minus
mali quaerunt sibi Mer 717   id quod haec
nostrast patria et quod hic meus pater Vi 112
   b. *indic. imperf.:* semul radebat pedibus terram et uoce croccibat sua Au 625   non te
odisse aiebat sed uxorem suam et uxorem suam
ruri esse aiebat Mer 766   is amabat meretricem . . et* illa illum contra Mi 101(*cf Donatus ad Ad* I. 1, 25)
   c. *indic. fut.:* uitam meam tibi largiar et de
mea ad tuam addam As 610   ecferet iam secum et mutabit locum Au 664   te ad praetorem rapiam et tibi scribam dicam Au 760
de me hanc culpam demolibor iam et seni faciam palam Ba 383   pater . . numquam erit
tam auarus . . et . . faciam ut faciat facilius
Cap 409   coniciam sortis in sitellam et sortiar tibi et Chalino Cas 342   istud mihi erit
molestum triduom et damnum dabis Ci 106
me indicabit et suas . . faciet(*Rs* faciem *P var
em ψ*) Ci 588(*loc dub*)   hic emet illam de te
et dabit aurum Ep 301   apud ted habitabo
et . . tecum ibo domum Men 1034   antiqua
recolam et* seruibo mihi Mer 546   inscitum
arbitrabimur et per nos quidem hercle egebit
Mer 1020   erit et* tibi exoptatum optinget
Mi 1011 Per 182(et *add R ante* eius)   ipse
aderit et me abs te redimet Per 654(*loc dub*)
ita me di amabunt ut ego . . illam uxorem
ducam et Iunonem extrudam foras Poe 1220
reddam quod apud mest et ius iurandum dabo
Poe 1394   circumducam lepide lenonem et*
quidem effectum hoc . . reddam Ps 529(*loc dub*)
ego te follem pugillatorium faciam et pendentem incursabo pugnis Ru 722   ego te hic
agnum faciam et medium distruncabo Tru 614
iam inuestigabo et mecum ad te adducam Ru
1210   eadem symbolam dabo et iubebo . .
cenam coqui St 439   loquar libere quae uolam et quae lubebit Tru 212   *cum ellipsi:*
multisque damno et mihi lucro . . eris Ci 50
   d. *indic. perf.:* perduellis uicit et domum . .
reuenit Am 643   ego . . ex te audiui et ex
tua accepi manu pateram Am 764   tu dudum
hanc conuenisti et narrauisti haec omnia Am
767   usuram corporis cepi et . . grauidam
feci filio Am 1136   inrita esse omnia intellego
quae dedi et quod bene feci As 137   lubet
scire quantum aurum erus sibi dempsit et*
quid suo reddidit patri Ba 664   loquitatusne
es gnato meo male . . et te dixisti id aurum
ablaturum Ba 805   ille se blanditiis exemit
et persuasit se ut amitteret Ba 964   ego dolis me . . extuli . . et decepi senem Ba 965
semper sensi filio meo te esse amicum et illum intellexi tibi Cap 141   ego iussi et dixit
se facturam uxor mea Cas 483   ego antehac
te amaui et mihi amicam esse creui Ci 1
quaesiui et dixit: meretrici Melaenidi Ci 575
caruitne febris te . . et heri cenauistine? Cu 18
ego hic med intus expiaui probe et quidem
reliqui Cu 387   is . . mihi dedit . . et isti
me heredem fecit Cu 639   inde huc sum
egressus et* te conueni Men 401(*RRs*)   ego

perfodi parietem . . et sene sciente hoc feci
Mi 144   hic me . . emit et* is me sibi adoptauit filium Poe 1059   iam pridem equidem
istuc sciui et miratus fui . . Poe 1347   leno
. . nos hinc auferre uoluit . . et quicquid domi
fuit in nauem inposiuit Ru 357   arrabonem
a me accepisti . . et* iam hinc auexisti(**ſ** abduxti *LLy vide ψ*) Ru 862   minas quadraginta
accepisti a Callicle et ille aedis . . accepit Tri
421   eum uidi miserum et me eius miseritumst Tri 430   *cum ellipsi quadam:* Fides,
nouisti me et ego te Au 584   coepi amare
contra ego illum et ille me(e. i. m. *om U*) Ci
95   inter nos coniurauimus ego cum illo et*
ille mecum [ego cum uiro et ille cum muliere . .] Mer 536   tibi adsunt quas me iussisti adducere et quo ornatu Mi 899   illas
emit . . et ille qui eas uendebat dixit se furtiuas uendere Poe 899   quod damni et quod
fecisti flagiti populo . . potuit dispertirier Ps
440   ego tibi argentum dedi et . . sumbolum
seruo tuo Ps 1200   tetuli ei auxilium et lenoni exitium simul Ru 68   Gripum . . quem
propter tu uidulum et ego gnatam inueni Ru
1410

ipsus captust in mari et eidem illi militi
dono datust Mi *Arg* I. 4

   e. *indic. fut. perf.:* . . ni ob istam orationem
te liberasso et ni Scapham enicasso Mo 223
   f. *subiu. praes.:* . . ut aeque disparet et* dies
e nocte accedat Am 550(*loc dub*)   ne epistula
. . ulla sit . ., et si qua inutilis pictura sit,
eam uendat As 763   mihi auxilio . . sitis et
hominem demonstretis Au 716   . . quid rerum
hic agitem et quid fieri uelim Cap 376   . . ut
pro praefectura mea(*A* -turam et *P* pro re
agam praeturam et *Rs*) ius dicam(*aliter U*) larido et . . auxilium ut feram Cap 907-8   . . gladium ut ponat et redire me intro ut liceat
Cas 706   quomodo prior posterior sit et* posterior sit prior Ci 615   dum tu illi quod edit
et quod potet praebeas Men 90(*cf* Sjögren,
p. 120)   dictum facessas doctum et* discaueas
malo Men 249(*R*)   potin ut animo sis quieto
et facias quod iubeo? Mo 396   longe ab Athenis esse se gnatam autumet et ut adfleat . . Per 152
potest ut alii ita arbitrentur et ego ut ne credam
tibi Ps 633   quae ego sim et quae illaec siet
. . dicam Tri 6   quod habes ne habeas et illuc
quod non habeas habeas Tri 351   ut inimicos
tuos ulciscare et* mihi . . referas gratiam Tri
619   adeas tute Philtonem et dotem dare te
ei dicas Tri 736   faxim lenonum . . plus siet
et minus damnorum . . siet Tru 63 b(*Ly: vide ψ*)
uin te amplectar et(*add U*) suauium dem? Tru
924

   me miserum homines . . caedant et* . . publicitus accipiar Am 161(*Rgl*)   ut(**ſ** et *Pψ*)
ne in suspicione ponatur stupri et clandestina
ut celetur consuetio Am 490
   cum ellipsi quadam: . . quin participem pariter ego te et tu me ut facias(ut f. *om U*) Au
132   tu me et ego te qualis sis scio Au 217
. . quo modo et uerbis quibus me deceat fabularier Am 201   ego dicam quo argumento
et quo modo . . As 302   . . quanto in periclo
et quanta in pernicie siet Ba 827   quam se

ad uitam et quos ad mores . . capessat BA 1077 specta postes . . quanta firmitate facti et quanta crassitudine Mo 819 quo pacto et quantas soleam turbelas dare Ps 110 quam libertam fore mihi credam et quam uenalem hodie experiar Ps 176 istinc procul dicito quid insit et qua facie Ru 1149 . . tuam ego ducam (uxorem) et tu meam? Tri 59

g. *subiu. imperf.:* . . quid faceres et quo pacto id ferre induceres Am 915 . . occiperes tute etiam amare et mihi ires consultum male BA 565(*v. dub*) *Vide* Ci 240, et mihi dulcacerba faceret *Rs*, acerba facere in *post lac A*

h. *subiu. perf.:* quid processerim huc et quid mihi uoluerim dicam As 6

i. *subiu. plupf.:* ni me ille et ego illum nossem adprobe Tri 957

j. *imperat. praes.* (*cf* Loch, p. 24—26): . . tu abs te socordiam omnem reice et segnitiem amoue As 254(*vide Rgl*) redime istoc beneficio te . . et tibi eme hunc isto argento As 673 caue malum et compesce in illum dicere iniuste BA 463 serua tibi sodalem et mihi filium BA 495 orna te . . et palliolum in collum conice Ep 194 anteueni aliqua et* aliquo saltu circumduce exercitum Mi 221(*RgS* et *om Ly: aliter L*) haec cura et hospes cura ut curetur Per 527 illuc abscede procul e conspectu et(*add AcRRs*) tace Per 727 tu abduc hosce intro et una nutricem simul iube . . abire Poe 1147 tu ergo omitte genua et quid sit mihi expedi Ru 628 rem expedite et* mihi quae uobis dudum dixi dicite Poe 556 apstine maledictis et mihi quod rogaui dilue Ru 1108 propera ire . . et recipe te huc rursum Ru 1223 cape sis uirtutem animo et corde expelle desidiam tuo Tri 650 *similiter:* terebratus multum sit et* subsecudes addite Fr. I. 13(*ex Festo* 306) appende in umeris pallium et pergat(†*SLy* perge *L* pergas *Rg*) . . Fr. II. 65(*ex de Or* XIX. 24, 1)

k. *imperat. fut.:* conlaudato formam et faciem et uirtutis commemorato Mi 1027 huc uenito et . . Philocomasium arcessito Mi 1185 gustato tute prius et discipulis dato Ps 886 iubeto Sagarionem . . curare . . et tu ito simul Tri 1106

l. *infin. praes.:* in mentem uenit te bouem esse et me esse asellum Au 229 scio . . me te esse et te esse me Cap 249 operam perire meam sic et te† . . spernere perpeti nequeo Tri 660 *cum ellipsi:* (dixit) se illum lunam credere esse et noctem qui nunc est dies BA 700 (aio) me tuom esse seruom et te meum erum Cap 627 . . te patrem esse adsimules et me filium Cap 1007 ab eo argentum accipi et* cum . . eo . . mitti uolo Ps 1012

. . me meamque rem perire et ludificari filiam Ci 501 huic homini dignumst diuitias esse et* diu uitam dari Mi 723 sunt illi aliae quas spectare ego et me spectari uolo Poe 337 aibat portendi mihi malum damnumque et deos esse iratos mihi Poe 465

m. *infin. fut.:* credo . . (erum meum) acrem fugitorem fore et capturum spolia ibi illum qui . . Tri 724

n. *infin. perf.:* stulte datum reor et* peccatum

largiter Ep 485 renuntiatumst te ∗∗∗(puerum surreptum Tarenti te *add U*) et patrem esse mortuum Men 1128 di immortales meum erum seruatum uolunt et hunc disperditum lenonem Poe 918 Calidorum seruatum uolunt esse et lenonem extinctum Ps 906

fateor omnia facta esse . . et fallaciis abisse eum Cap 678 fateor (minas) datas et eo argento illam me emisse Ep 704 sic malitiam extinxe(edixe *U*) et* . . inuentum filium Tru 857(*RsU*)

o. *gerund.:* auribus perhaurienda sunt . . et adsentandumst Mi 35 soli gerundum censeo morem et capiundas crines Mo 226

p. *formas mixtas:* ego illam illi uideo praestolarier et cum ea tibicinae ibant Ep 218 tu quemuis potis es facere . . et . . animo eram ferocior Mi 1323

lepidu's quom mones et ita hoc fiet Poe 915 aio et . . eas liberali iam adseres causa manu Poe 964 lubidost ludos tuos spectare . . et . . ego dabo Ps 553 lubet scire quid hic uelit . . et huic . . dabo insidias Ps 594

sycophantias conponit . . et profecto se ablaturum dixit BA 741 pater captiuos commercatur . . et in ibus emit olim amissum filium Cap *Arg* 5 erus eccum ante ostium et* erus alter . . rediit Cap 1005 eo ego uos amo et eo . . magnam inistis gratiam Ci 7 illius nomen indit illi . . et ipsus eodemst auos uocatus nomine Men 44 infit mihi praedicare . . et coepit inridere me Mer 250 scio qua me ire oportet et* quo uenerim noui locum Mo 969 hic habeo et* haec mihi deditast habitatio Mo 498(*Rs*) ait sese Veneri uelle uotum soluere . . et eo ad prandium uocauit adulescentem Ru 61 uidulum istum quoius est noui ego . . et quo pacto periit Ru 964

patiundumst pater, et eo pacto addideris . . Tri 379

immo est et∗∗∗di faciant ut siet Au 545 id uti ignoscas quaeso et . . ita me di ament ut mihi uolup est Poe 1412

nimis bella's . . et . . numquam me orares quin darem As 674

quoius iussu uenio et quam ob rem uenerim dicam Am 17

tuom promeritumst merito ut faciam et . . tabellas tene has pellege Per 496 quin tu is accubitum et* conuiuas cedo Ps 891 ita uolo adsimulare . . et* simul formam . . conlaudato Mi 1171

illaec se quandam aibat mulierem . . conuenire . . et scio uenturam Ci 588

ego pol uiuam et tu istaec hodie cum tuo magno malo inuocasti As 910

immo duas dabo . . et si duarum paenitebit . . addentur duae St 551

orauit filius . . et id ego percupio obsequi gnato meo As 76 illest oneratus recte et plus iusto uehit BA 349 mea fiducia opus conduxi et meo periclo rem gero BA 752 feci ego ista . . et te meminisse id gratumst mihi Cap 414 istic hastis insectatus est . . patrem et illic isti . . morbus interdum uenit Cap 550 liber fuisti et ego me confido fore Cap 575

de illo emi uirginem triginta minis . . et pro
his decem coaccedunt minae Cu 344   (filiam)
inueni et* domist Ep 717   tu me admonuisti
recte et habeo gratiam Men 1092   bene hercle
factum et gaudeo Mer 298, Mo 207(*addita clausula*)   bene hercle factum et factum gaudeo
Mo 1147   bene hercle factum et* habeo uobis gratiam Ru 835   in seruitute hic filias
habuit tuas et mihi auri fur est Poe 1335, 1384
(uendidi) militi Macedonio et iam quindecim
habeo minas Ps 346

omnis res paratast et nos . . assumus Cu 353
bene factum et uolup est me . . Ru 892

istas sciui esse liberas et exspectabam si qui
eas assereret manu Poe 1392   id iam pridem
sensi et* subolebat mihi Ps 421

lubenti . . animo factum et fiet a me Ci 12
memini et mancipio tibi dabo Cu 494

hic hunc fecit uilicum et* idem me pridem
. . facere atriensem uoluerat Cas 461

quia tibi aurum reddidi et quia non te defraudauerim Ba 738

hanc tuam gloriam iam ante auribus acceperam et* nobilest apud homines Tri 828(*LLy*)
ego me iam pridem huic daturum dixeram
et* uolui inicere tragulam Ps 407

meminero et recte mones Ba 330

uides quae sim et quae fui ante Mo 199
(*vide Rs*)

te faciam ut quae sis nunc et quae fueris
scias As 140

primum prima salua sis et secunda tu in
secundo salue pretio Poe 331

quae futura et quae facta eloquar Am 1133
. . ut qui fueris et qui nunc sis meminisse
ut memineris Cap 248 *cf* Sjögren, p. 122

. . ut tibi ulmeam uberem esse speras uirgidemiam et tibi euenturam . . messem mali
Ru 637

me hic ualere et* (tute audacter dicito, Tyndare) inter nos fuisse . . Cap 401(*Ly*)   cogitato
hinc . . mitti domum te aestumatum et meam
esse uitam . . positam pignori Cap 433   . . id
paratum et se ob eam rem id ferre Ep 253
terrifica monstra dicit fieri in aedibus et inde
. . emigratum Mo *Arg* 5   haec sat scio quam
habet male et* peiius posthac fore Mo 709(*Ly*)

B. *bis positum* 1. et . . et a. *duo nomina*:
argento interuortam et aduentorem et Sauream
As 359   et operam et uinum perdiderit simul
Au 578   et operam et pecuniam benigne praebuisti Cu 523   ego et oleum et operam perdidi Poe 332   et operam et sumptum perdunt
Ru 24   et operam ludos facit et retia(-am
Ly) Ru 900   satis me et cura et lacrumis
maceraui Cap 928(*Rs: vide Ly*)   te experiri et
opera et factis uolo Cap 429   et discipulus et
magister perhibebantur inprobi Ba 425   apud
hunc confessus es et genus et diuitias meas
Cap 412   mihi et parentum et libertatis apud
te deliquio siet Cap 626   et petronem et dominum reddam . . miserrumos Cap 822   . . ut
quidem tu hodie et* canem et furcam feras
Cas 389   amor et melle et fellest fecundissumus Ci 69   et datores et factores omnis
subdam sub solum Cu 297   et aurum et uestem omnem suam esse aiebat Cu 488   et

aurum et argentum fuit lenonis omne ibidem
Ru 396   et pallam et spinter faxo referentur
simul Men 540   et patriam et patrem commemorant pariter qui fuerint Men 1083   et
argumentum et meos amores eloquar Mer 2
et argumentum et nomen . . eloquar Mi 85   eri
sui corrumpat et rem et* filium Mo 28   is
tibi et faenus et* sortem dabit Mo 612   fateor deberi tibi et libertatem et multas gratas
gratias Poe 134   iam et ornamentis meis et
sycophantiis tuom exornabo uilicum Poe 426
miser et* amore pereo et inopia argentaria Ps
300   et uitorem et piscatorem te esse . .
postulas Ru 990   tetuli et* ei auxilium et
lenoni exitium simul Ru 68(*Ly*)   te et amicitiam et gratiam . . uideo adlicere Tri 382
et homeronidam et postilla mille memorari
potest Tru 485(*loc dub*)

hisce ambo et seruos et era frustra sunt duo
Am 974   ite . . intro omnes et coqui et tibicinae Au 451   omnia periere et aedis et ager
Mo 80   quattuor quadraginta illi debentur
minae et sors et faenus Mo 630   eduxi omnem legionem et maris et feminas Mo 1047
uendit eas omnis et* nutricem et uirgines
Poe 88   utrumuis est et leno et lycus(*Rgl*
uel leno uel lycus ψ) Poe 1333   mihi utrumque saeuit et terra et mare Ru 825

utrimquest grauida et ex uiro et ex summo
Ioue Am 111   . . ut(et *add RsLy*) in usum
boni et in speciem populo sint sibique Mo 123
et uapulando et somno pereo Cu 215

et amicum et beneuolentem ducis Ps 699
praegnati oportet et malum et* malum dari
Am 723(*vide LindRgl*)   dotatae mactant et
malo et damno uiros Au 535   et is reduxit
captum et fugitiuom simul Cap *Arg* 8   et
ius et aequom postulas St 423

oportet esse . . te hominem et sycophantam
et subdolum Poe 1032

b. *duo pronomina, sim.*: et istunc et te uidi
Am 699   et ego te et ille mactamus infortunio Ba 886   et te et hunc amittam hinc
Cap 332   et id et aliud quod me orabis impetrabis Cap 942   otium et* mihi et tibi erit
Cas 215   et istuc et aliud si quid curari uolet me curaturum dicito Men 528   mihi odiosus quisquis es et tu et hic Mi 428   tu homo
et alteri sapienter potis es consulere et tibi
Mi 684(*v. secl RibRgS*)   et* ego et tu . .
#Quid et ego et tu? #Periimus Mo 364   (uo-
lumus) et id et* hoc quod te reuocamus Ps
277   et ipsum sese et illum furti adstringeret
Ru 1260   cras apud me eritis et tu et ille
St 515   intus narrabo tibi et hoc et alia
Tri 1102

ibi utrumque et hoc et illud poteris ulcisci
probe Mo 1179

binos ducentos Philippos . . ecferam et militi quos . . promisi . . et istos Ba 1051-2   et
istuc et si amplius uis dari dabitur Tri 246
ego ducam . . et* eam et si quam aliam iubebis Tri 1184

meruimus et ego et pater de uobis et re
publica Am 40   quia nos libertinae sumus,
et ego et tua mater, ambae meretrices fuimus
Ci 38   uidi et illam et hospitem conplexum

Mɪ 533   di deaeque et te et geminum fratrem excrucient Per 831

et is hodie apud me cenat et frater meus Sт 415

et tibi et tuis propitius caeli cultor aduenit Aм 1065

serua .. et me et* meum gnatum mihi Cap 976

c. *duo adiectiva, sim.*: et memor sum et diligens Aм 630   et meam partem loquendi et tuam trado tibi As 517   Ulixem audiui .. fuisse et audacem et malum Bа 949   mulier, multum et audax et mala's Men 731   et miser sum et fortunatus Cap 993   ea inuenietur et pudica et libera Cas 81   nuptanest an uidua? #Et nupta et uidua Mɪ 965   .. eum esse ciuem et fidelem et* bonum (et frugi uirum *add R*) Per 67   esse id et graue et gratum solet Per 675   utrumque haec et multiloqua et multibiba est anus Cɪ 149   utrumque faxo habebit et nequam et malum Poe 162   seruom .. te esse oportet et* nequam et malum Poe 1030   opino .. id euenturum esse et seuerum et serium Poe 1170   et inpudicum et inpudentem hominem addecet .. aduenire Ru 115

et tua et* tua huc ornatus reueniam ex sententia Cap 447

facile inuenies et peiorem et peius moratam (uxorem) Sт 109

omnia tibi dicis .. et nostram et illorum uicem Tru 158

d. *duo adverbia, sim.:* .. uti tu et* hic sis et domi Aм 593   .. ne et hic uiris sint et domi molestiae Poe 35   sum profecto et hic et illi Aм 594   et illic et hic peruorsus es Tru 152   hinc ego et huc et illuc potero .. arbitrarier Au 607   et bene et male facere tenet Bа 655   et bene et male credi dico Cu 680   et bene et benigne facitis Poe 589 fecisti edepol et recte et bene Cap 1017(*v. om A secl Ly*)   et hinc et illinc mulier feret imaginem Mɪ 151   ita et hinc et illinc mihi exhibent negotium Mo 565   quamuis malam rem quaeras, illic reperias. #At tu hercle et* illi et alibi Tri 555

e. *duo verba, sim.:* quisque id quod quisque et* potest et ualet edit Aм 231   et aegre quaerit et nihil inuenit Cap 462   et illud paueo et hoc formido Cɪ 535   Cɪ 672(et *add Rs assumpta lacuna*)   immo et* celas et non celas Mɪ 1014   eandem .. et* oro et quaeso Mɪ 1228   sine me ire. #Et iubeo et sino Per 189   deos quoque edepol et amo et metuo Poe 282   et bene praecipitis et bonam praedam datis Poe 668   satin ultro et argentum aufert et me inridet? Ps 1316   et* illud quod dat perdit et illi prodit uitam ad miseriam Tri 340(*cf Serv in Aen* IV. 231)

ego hercle uero te et seruabo et* te sequar Men 216   nunc et* amico prosperabo et genio meo multa bona faciam Per 263

et* ipsus probe perditust et beneuolentis perdidit Per 650   ego et donis priuatus sum et perii Tru 618

qui et conuicti et condemnati falsis de pugnis sient Tru 486

mea te gratia et operam dare mihi et ad

eam operam facere sumptum Bа 98   et stulte facere et stulte fabularier utrumque .. hau bonumst Tri 461

et cenandum et cubandumst ei male Mo 701 uis haec quidem herclest et trahi et trudi simul Cap 750

nam et* uenit is et in proxumo hic deuortitur Mɪ 134(*loc dub*)

et redditurast tuam tibi et ea gratia domo profectast Cɪ 763

f. *duo enuntiata:* et quom grauidam et quom te pulcre plenam aspicio gaudeo Aм 681   et quod grauidast uiro et me quod grauidast pariat Aм 879   et intus paueo et foris formido Cɪ 688   et quid tristis sim et quid hic mihi dixerit faxo scias Men 644   facile istuc quidemst si et illa uolt et ille autem cupit Mɪ 1149   et adire lubet hominem et autem nimis eum ausculto lubens Poe 841   Iuppiter te perdat et si sunt et si non sunt tamen Ru 569

ne et hic uarientur uirgis et loris domi Poe 26   deum uirtute habemus et qui nosmet utamur .. et aliis qui .. Tri 355

sedeant .. et qui esurientes et qui saturi uenerint Poe 6

aequomst .. et mihi te et tibi me consulere et monere Au 130   memini et scio et te me orare et mihi non esse quod darem Per 119 et illum Miserum et me Miseram aequomst nominarier Per 647

et te utar iniquiore et meus med ordo irrideat Au 232   sed ne et* istam amittam et* haec mutet fidem Mɪ 983   ne et ipsae sitiant et pueri peritent fame Poe 30

et hoc docte consulendum .. et illud autem inseruiendumst consilium Poe 926

eloquere utrumque nobis et quid tibist et quid uelis Cɪ 57

et tibi oberit et te .. di deaeque perduint Cu 720

et salue et saluom te aduenisse gaudeo Tri 1097

2. -que .. et (*cf* Sjögren, p. 131): *** amorisque noctesque et dies Cɪ 276   materque et soror tibi salutem me iusserunt dicere Mɪ 1315   opimitates .. pariet gnatoque et patri As 283   meque et te(*Rs* me atque te *Pψ*) interimat Cas 752   eccum exit senex patronus mihique et uobis Ru 705   fero conuiuam Dionysum mihique et tibi Sт 661   in tuom custodelam meque et meas spes trado Mo 406 bene expedire uoltis peregrique et domi Aм 5 noctuque et diu ut uiro subdola sis Cas 823 est profecto deus qui .. auditque et uidet Cap 313   metuoque et* timeo ne .. Mɪ 1348(*vide Ly*)   uocem quam per uiuisque et colis Poe 13(†*L*)

3. neque .. et: neque munda adaeque es .. et pallida's Cɪ 56   neque triobolum ullum amicae das et ductas gratiis Poe 868   neque tibi bene esse patere et illis .. inuides Ps 1134   neque illi quicquam usuist et* mihi esse ** potest Cɪ 691   hoc neque isti usust et illi miserae suppetias feret Ru 1083

C. *in responsis* 1. *in salutationibus, sim.*: salue. #Et tu salue Mɪ 1315, Poe 1076(salueto *CaRgl altero loco*)   o amice salue atque ae-

qualis . . #Et tu edepol salue Tɾɪ 49 salue
adulescens. #Et tu multum salueto Rᴜ 416
salueto . . . (#Et tu *add Rs*) saluos sis Rᴜ 103
saluos sis. #Et tu salue Sᴛ 316 salua sis.
#Et tu(*A* ad uas lissi ituli[*B* ittuli *CD*]*P*) Tʀᴜ
123 saluere iubeo te . . bene. #Salue et tu
(*PLULy* saluteo *Lachʋ*) Mo 569 salue. #Et
tu Bᴀ 1106, Cᴀᴘ 1009, Cᴀs 541 o salue . . .
#Frater(. . frater.# *BRU*) et tu Mᴇɴ 1133
salue. #Euge (et tu *add CaRg*) . . saluteo Mᴇʀ
283 salue. #Et tu edepol Poᴇ 1039 salue
. . . #Et uos ambae Sᴛ 90
ualete. #Et uos amate As 745 uale . . .
#Et tu . . uale Bᴀ 605 iam uale. #Et tu
bene uale Mɪ 1352 bene uale. #Et tu bene
uale Mɪ 1361, Poᴇ 1358 uos ualete. #Et tu
uale Poᴇ 808 uale. #Et tu Aᴜ 176 uale.
#Et* uos Pᴇʀ 709 *similiter:* facite quod iubet.
abeamus. et* uos: satis dictumst Poᴇ 607(sed
LULy quos vide)
2. *in enuntiatis affirmativis saepe addita*
quidem, pol, edepol *particula* (*cf* Kuklinski,
p. 37 *adn.*): dedi . . . #Et tibi ego misi mulierem
As 171 scio quid ago. #Et pol ego scio quid
metuo Bᴀ 78 iam huc adueniet miles . . . #Et
miles quidem Bᴀ 222 inprobum istunc esse
oportet hominem. #Et* ego ita esse arbitror
Bᴀ 552 te suom sodalem esse aibat. #Haud
uidi magis. et quidem Alcumeus atque Orestes . . mihi sunt sodales Cᴀᴘ 562 seruos
est. #Et tu quidem seruos es Cᴀᴘ 574 ego
ibam ad te. #Et* pol ego istuc ad te Cᴀs 178
ad te hercle ibam commodum. #Et* hercle ego
ad te Cᴀs 594 quid, peristi? #Perii. et tu
peristi Cᴀs 633 dic . . #Nuntiabo. #Et tu
orato. #Et ego orabo Cᴀs 707 pone me amabo. #Et* ibi audacius licet . . proloqui Cᴀs
872 di me perdant . . si illam uxorem duxero . . . #Et me si . . Cɪ 499 uos saluto.
#Et* nos te Cɪ 724 interim te saluto. #Et
ego te Rᴜ 1055 iubeo uos saluere. #Et* nos
te, Geta Tʀᴜ 577(*Ly*) et nunc idem dico. #Et*
commeminisse ego haec uolam te Cᴜ 493 libera ego sum nata. #Et alii multi qui nunc
seruiunt Cᴜ 607 deos uolo bene uortere . .
uobis. #Et ego nobis omnibus Cᴜ 659 spondeo. #Et ego hoc idem unum spondeo Cᴜ 675
deos quidem oro. #Et* impetras Eᴘ 302(*Rg*)
spondeo. #Et ego spondeo idem hoc Tʀɪ 1163
te uolo. #Et ego te uolo Cᴜ 687 uos uolo.
#Et nos te Mɪ 1267 ego sum Periphanes.
#Et ego Apoecides sum. #Et ego quidem sum
Epidicus Eᴘ 202 rem hercle loquere. #Et
repperi . . Eᴘ 285 quis arguit? #Egomet.
#Et ego Mᴇɴ 653 spero. #Et ego idem spero
fore Mᴇɴ 1094 spero equidem. #Et* pol ego
Poᴇ 1185 patrem fuisseMoschum tibi ais? #Ita
uero. #Et mihi Mᴇɴ 1108 missas iam ego
istas artis feci. #Et* quidem ego dehinc iam
. . Mᴇʀ 1000 dico et recipio ad me. #Et*
ego impetrare dico Mɪ 231 abeo. #Et* quidem ego ibo domum Mɪ 259 certe equidem
noster sum. #Et pol ego Mɪ 433 hunc . .
uolumus conuentum. #Et ego uos Mɪ 1138
potare tecum conlubitumst mihi. #Et edepol
mihi tecum Mo 296 Hercules ted inuoco.
#Et ego . . Mo 529 eo ego. #I sane: et*

ego domum ibo Pᴇʀ 198(*Rs*) eo ego hinc
haud longe. #Et quidem ego haud longe
Pᴇʀ 217 propero. #Et pol ego item Pᴇʀ 224
quo agas te? #Ad uos. #Et pol ego ad uos
Pᴇʀ 235 tecum habeto. #Et tu hoc taceto
Pᴇʀ 246 abeo. #Et* ego abiero Pᴇʀ 250
manus uobis do. #Et post dabis sub furcis
Pᴇʀ 855 amans per amorem si quid feci . .
ignoscere . . aequomst. #Haud uidi magis. et*
nunc ego amore pereo Poᴇ 142 credo #Et
ego credo Poᴇ 1330(*cf v. seq.*) hunc meum esse
dico. #Et quidem ego item esse aio meum Rᴜ 1025
date bibat tibicini. #Et quidem nobis Sᴛ 758
uolt fieri liber. . . #Et ego esse locuples Tʀɪ 565
tun uidisti? #Et tute item uideas licet Tʀɪ
1179
D. *aliquid novi addit* 1. *ut narrationem proferat:* certum est hominem eludere. et enim
uero . . . decet Aᴍ 266 si dixi, nihilo magis
es . . . et id huc reuorti ut me purgarem Aᴍ
909 uolt placere sese amicae . . . : et quoque catulo meo subblanditur As 184 interii
si non inuenio . : et profecto nisi illud perdo
. . pereundumst mihi As 244 ain tu meum uirum hic potare . . et ad amicam detulisse . .
meoque filio sciente id facere? As 852 id
ea faciam gratia quo . . . et hic qui poscet . .
Aᴜ 34 ita di faxint inquito. #Ita di faciant.
#Et mihi ita di faciant Aᴜ 789 Bᴀ 636 a(et . .
nunc *R pro* sed . . non) nostros agnos conclusos istic esse aiunt duos. #Et praeter eos
agnos meus est istic . . canis Bᴀ 1146 coepit
captiuos commercari . . : et quoniam heri indaudiuit . . Cᴀᴘ 30 hic illius hodie fert imaginem et hic hodie expediet . . et suom erum
faciet . . Cᴀᴘ 40-1 uenatici sumus . . . et
hic quidem hercle . . Cᴀᴘ 88 tu's pater proxumus. #Audio. #Et propterea saepius . . moneo
Cᴀᴘ 240 nunc alterius imperio opsequor. #Et
quidem si . . Cᴀᴘ 307 te experiri . . uolo et
quo minus dixi quam uolui . . animum aduortas uolo Cᴀᴘ 430 unguor ut illi placeam:
et placeo ut uideor Cᴀs 227 quid si etiam
. . occentem hymenaeum? . . #Censeo: et ego te
adiuuabo Cᴀs 807 duxit uxorem hic sibi . .
et* eam cognoscit . . Cɪ 179 nisi ambo occidero et quidem hercle nisi . . efflixero . .
Cɪ 526 istanc quam quaeris inquit . . dedi
. . : et uiuit inquit Cɪ 572 illaec se quandam aibat . . conuenire . . : et scio uenturam
Cɪ 588 me lubente feceris: et(#Sed *Pistor
RgLU*) leno hic debet nobis . . minas Cᴜ 666
id . . argentum . . sumpsit faenore . . : et is
danista aduenit una cum eo Eᴘ 55 (auos
paternus) facit Menaechmum e Sosicle; et is
germanum . . quaeritat Mᴇɴ *Arg* 5 quo ego
redeam? #Equidem ad phrygionem censeo:
et* pallam refer Mᴇɴ 617(*PLy*) non ego te
modo hic . . uidi astare, quom negabas . . et
negabas me nouisse Mᴇɴ 634 uiros sup-
seruire sibi postulant, dote fretae, feroces. et
illi quoque haud abstinent . . Mᴇɴ 768 ego
te . . surrupuisse Ioui scio: et . . ted esse conpactum scio: et* . . caesum . . scio: tum patrem occidisse . . etiam scio Mᴇɴ 942-3 Siculus
sum Syracusanus. #Et* mihi illa patriast domus Mᴇɴ 1069(*Rs*) te Syracusis natum esse

dixti: et* hic natust ibi. Moschum tibi patrem fuisse dixti: et huic itidem fuit Men 1097-8 eam ut sim implicitus dicam . . .: et* hoc parum . . more maiorum institi Mer 16 ubi eam uidit? #Intus intra nauem . . et cum ea confabulatust Mer 188 iam bienniumst . .? #Certo. et* inter nos coniurauimus . . Mer 536a quid oneris? #Annos octoginta et quattuor: et eodem accedit seruitus Mer 674 faciemus ut quod uiderit ne uiderit. et mox ne erretis . . Mi 150 simillumas dicito esse: et Philocomasio id praecipiundumst ut sciat Mi 247 Mi 475(et *PR pro* id) licetne? #Quin te iubeo: et(ei *Briſ* i *RRg* i et *R* et *PLULy*) placide noscita Mi 521 meam esse erilem concubinam censui . .: et me despexe ad te per inpluuium tuom fateor: #. . et ibi osculantem . . uidisti? Mi 553-5 Mi 600(et *R pro* nam) aegre amantis ingenium inspicit: et* ego amoris aliquantum habeo Mi 640 eo ego intro igitur. #Et* praecepta sobrie adcures face Mi 812 abeo. #Et uos abite hinc intro actutum Mi 1196 age, animo bono es: et quidem ego te(*BriRg: aliter* ψ) liberabo Mi 1207 tibi habeo magnam gratiam . .: et si ita sententia esset, tibi seruire malui Mi 1356 abi intro atque occlude ostium, et ego hinc occludam Mo 426 *** et* heus, iube illos . . abscedere Mo 467 atque eam manu emisisse? #Aio. #Et* postquam . . pater sit profectus . . perpotasse? Mo 975 quasi sit peregrinus. #Laudo. #Et* tu gnatam tuam ornatam adduce Per 157 scis nam tibi quae praecepi? #Omnia. #Et ut ui surrupta fueris? #Docte calleo. #Et qui parentes fuerint? Per 380-1 o bone uir salueto: et tu bona liberta Per 789 . . et hoc quoque etiam quod paene oblitus fui Poe 40 ita docte atque astu filias quaerit suas: et is omnis linguas scit Poe 112 numquam concessamus lauari . . pingi fingi: et una binae . . eae nos lauando . . operam dederunt Poe 221 adsimulatote quasi ego sim peregrinus. #Scilicet. #Et quidem quasi tu . . oraueris Poe 601 o mi popularis salue. #Et tu edepol quisquis es. et si quid opus est, quaeso, dic Poe 1040 mecum agendumst: . . et* praedicabo quo modo . . faciatis Poe 1245 . . filiam mihi te despondisse. #Memini. #Et dotis quid promiseris Poe 1279 duplum pro furto mihi opus est. #Sume hinc quid lubet. #Et mihi suppliciis multis. #Sume hinc quid lubet. #Et mihi quidem mina argenti(*v. om A secl plerique*) Poe 1352-3 periere . . duodeuiginti minae . . . #Et tute ipse periisti Poe 1381 leno me . . uendidit . .: et* . . quindecim miles minas dederat Ps 53 inter mortalis ambulo interdius: et alia signa de caelo ad terram accidunt Ru 8 eas ab saxo fluctus ad terram ferunt . .: et* seruos illic est eius qui egreditur foras Ru 79 dixi satis: et ubi ille seruos . . aduenerit . . itote exemplo domum Ru 818 nempe tu hanc dicis . .? #Admodum: et ea . . in ista cistula insunt Ru 1081 post sicilicula argenteola et duae . . maniculae et sucula . .: Quin tu i dierecta . . . #Et* bulla aureast Ru 1171 ego hodie neque speraui . . inueni tamen: et* eam . . adulescenti dabo

Ru 1197 eum roga ut . . ueniat. #Licet. #Dicito daturum . . . #Licet. #Et patrem eius me nouisse et mihi esse cognatum Ru 1214 fac ut exores . . . #Licet. #Et tua filia facito oret Ru 1219 repperit patrem Palaestra? #Repperit. #Et popularis est? #Opino. #Et nupturast mihi? Ru 1268 moneo ut tuom memineris officium et* si illi improbi sint St 43 Epignomum elocutu's. #Tuom uirum. #Et uitam meam St 372 uocem ego te ad me ad cenam, nisi . .: et magis par fuerat . . St 512 et equidem . . uos inuitassem domum St 590 abi . . ad Calliclem: dic hoc . . . #Ibitur. #Et gratulator meae sorori Tri 579 scibam ut esse me deceret . .: et* tibi nunc . . habeo gratias Tri 659 me piget parum pudere te: et postremo . . tute pone te latebis Tri 662 fit pol hoc et pars spectatorum scitis . . me haud mentiri Tru 109 quod petebat abstulit. #Et tibi quidem . . attulit magnum malum Tru 814 illic est adulescens . . *** et iam ego audiui Vi 74

2. = et insuper; *addito* quidem: proinde istuc facias . . . #Ego uero, et quidem edepol lubens As 645 eho, an inuenisti Bacchidem? #Et(*add R solus*) Samiam quidem Ba 200 *similiter:* iam huc adueniet — #Et miles quidem Ba 222

3. *confirmat:* estne illaec mea amica Anterastilis? et* ea est certo Poe 1300

E. *in serie* (cf Sjögren, p. 128) 1. *tria vocabula vel enuntiata coniunguntur per* a. et . . . et: eris damno et* molestiae et dedecori saepe fueris As 571 uolui sedulo meam nobilitatem occultare et genus et diuitias meas Cap 299 Iuno filia et Saturnus patruos et* summus pater Ci 516 . . quam istic emi uirginem . . et aurum et uestem Cu 435 Eutychus, tuos amicus et sodalis et* uicinus proxumus Mer 475 te . . uirtute et forma et factis inuictissumum Mi 57 hominem . . praeclarum uirtute et* forma et* factis Mi 1042 Per 754(et equis *add Rs*) etiam ocellum addam et labellum et* linguam Poe 385 etiam opust chlamyde et* machaera et petaso Ps 735 sicilicula argenteola et . . maniculae et sucula Ru 1169 salsipotenti et* multipotenti Iouis fratri et* Nerei Neptuno . . et* fluctibus salsis Tri 820-1

ego uidi #Meumne gnatum? . . et captiuom illum . . et* seruolum meum? Cap 880 soleas tibi dabo et anulum . . et bona pluruma Cas 710-1 odio et malo et molestiae, bono usui estis nulli Cu 501 mihi commendauit uirginem . . et rem suam omnem et illum . . filium Tri 114 illius sapientiam et meam fidelitatem et celata omnia paene ille . . possum dedit Tri 164 ego oues et* lanam et alia multa . . dabo Tru 947

ego aio id fieri in Graecia et Carthagini et hic in nostra terra in Apulia Cas 71

de tunica et chlamyde et machaera ne quid speres Mi 1423

ego et* Menaechmus et parasitus eius Men 222 satin hoc . . tribus uobis opsonatumst . . tibi et parasito et mulieri? Men 321 meas quidem te inuito et Venere et summo Ioue . .

deripiam Ru 783   quae res bene uortat mihi
et tibi et uentri meo Per 329(*vide LLy*)   tris
deludam, erum et lenonem et qui hanc dedit
mihi epistulam Ps 691
   conscripsti syngraphum inter me et amicam
et lenam As 747
   deum uirtute . . et maiorum et tua multa
bona . . habemus Tri 346
   quae tam callida et docta sis et faceta Poe
234   malum et scelestum et periurum aibat
esse me Ps 1083
   euscheme hercle astitit et* dulice et comoedice Mi 213   militem lepide et facete et*
laute ludificarier uolo Mi 1161
   ego ualeo recte et rem gero et facio lucrum Per 503   te amo et metuo et magni
facio Ps 944   egomet me coquo et macero
et defetigo Tri 225 ualeo et uenio ad minus
ualentem et melius qui ualeat fero Tru 578
   tu prohibebis et . . operam dabis et ille . .
suspicabitur Ba 60-1
   is resciuit et uidit et perdidit me Mer 343
si nunc me suspendam, (et *add Rs*) meam
operam luserim.et . . fecerim et . . creauerim
Cas 424-6
   tu cetera cura et contempla et de meis uenator uerbis Mi 1029
   incommoditate apstinere . . commemini et . .
iustam partem persequi et meam partem itidem tacere Mi 645-6   quid nunc uolt? #Te
conpellare et conplecti et contrectare Mi 1052
   dico me nouisse extemplo et me eius seruom
praedico esse et aedis demonstraui nostras As
345-6
   ut uos . . uoltis . . et ut . . uoltis . . et uti
uoltis Am 1—8   scis tute facta uelle me . .
et istuc confido . . et causa iustast Au 687-8
ego quo pacto inuentust scio et qui inuenit
hominem noui et dominus qui nunc est scio
Ru 965   tuam uolt sororem ducere uxorem
et mihi sententia eademst et uolo Tri 444
   et* homines essent minus multi mali et . .
facerent . . et postea . . esset annona uilior Mi
733-4
   pater curauit uno ut fetu fieret . . et* ne in
suspicione ponatur stupri et . . celetur Am
489-90   scio mecastor quid uelis et quid postules et quid petas Tru 862
   utrimquest grauida . . et meus pater . . cubat et haec . . nox est facta Am 111-3   immo
est et . . di faciant ut siet et(*add Ly om ψ*) plus
plusque et(*add L om ψ ∗ S̄*) istuc sospitent . .
Au 545-6
   habeo et fateor esse apud me et . . habeas
tibi Ru 1358
   b. et . . et . . et: et meum nomen et mea
facta et itinera ego faxo scias Tri 882   et
fugi et tibi surripui filium et eum uendidi
Cap 972   dixeram . . mendacium et de hospite et de auro et de lembo Ba 958   et currendum et pugnandum et autem iurigandumst
in uia Mer 119   immo et* operam dabo et
defendam et subuenibo sedulo Men 1009   et
ipsus periit et res et fides Tru 45
   c. . . . que . . et: sutor sartorque scelerum et
messor maxume Cap 661   filium tuom modo
. . uidi in publica celoce ibidemque illum adu-

lescentulum Aleum una et tuom Stalagmum
seruom Cap 875   ineptia (atque *add RRg*)
stultitiaque adeo et temeritas Mer 26(*vide Ly*)
gentes omnes mariaque et terras mouet Ru 1
harundinem fert sportulamque et hamulum St
289   aequiust . . oratores mittere ad me
donaque ex auro et quadrigas St 291
   sumus . . molossici odiosicique et multum
incommodestici Cap 87   di me omnes magni
minutique et etiam patellarii faxint Ci 522
confidentes garrulique et maleuoli supra lacum
Cu 477
   te optestor . . teque oro et quaeso . . Ru
629   is amare occepit . . usuramque eius
corporis cepit. . et grauidam fecit Am 109   accipias potesque et scortum accumbas Ba 1189
iuro . . me nociturum nemini . . iureque id
factum arbitror et . . bene agitur Mi 1416
quod dem scortis quodque in lustris comedim
et* congraecem Ba 743
   d. et . . que: tantum gemiti et* mali (et *add
Rg*) maestitiaeque hic dies mihi optulit Au
722   domitos habere oportet oculos et manus orationemque Mi 564   tu fecisti . . culpa
maxume et desidia tuisque stultis moribus Tri
647
   per ceram et lignum litterasque interpretes
salutem inpertit Ps 42   ego te per crura et
talos tergumque obtestor tuom Ru 635
   te . . arripiam et* . . coniciam teque ambustulatum obiciam Ru 769   operam . . perdam et texturam improbem deiciamque . .
telas St 348
   e. et . . et . . que: et* rem seruat et se bene
habet suisque amicis. usuist Mi 724
   f. et . . atque: id persequarque corde et
animo atque auribus Cap 387   ne ego homo
miser et scelestus dudum atque infelix fui Vi
63(*L*)   occludunt linguam et constringunt
manus atque . . faciunt Mi 605   intellego et
bene monitum duco atque esse existumo Mo
314   comparaui quo pacto . . auferam . . et
mulier ut sit libera atque ipse ultro det argentum Per 327
   g. atque . . et: Alcumeus atque Orestes et
Lycurgus . . mihi sunt sodales Cap 562   iuben . . praestinatum abire . . alium porcinam
atque agninam et pullos? Cap 849   . . †per-
tilli doni causa holerum atque escarum et
poscarum Tru 610   di deaeque superi atque
inferi et medioxumi Ci 512   stat propter
uirum fortem atque fortunatum et forma regia
Mi 10   hanc seruolus tollit atque exponit et
ex insidiis aucupat Ci *Arg 4*   quaestum . .
seruo atque obtineo et . . colo Per 54   accedam atque hanc appellabo et subparasitabor
patri Am 515   capiam . . atque dolabo et
concidam Men 859(*R solus*)   praeoccupato
atque anteueniam et* foedus feriam Mo 1060
edim atque ambabus malis . . uorem et . .
praeripiam Tri 476   auscultate atque operam
date et* mea dicta deuorate As 649   eum
sume atque abi . . et uos illum sequimini
Au 329   intro abi atque actutum . . euoca
. . et sitellam . . efferto Cas 296   repudia istos
comites atque hoc respice et reuortere Mer
871   consequere atque illam saluta et gra-

tulari illi Tʀᴜ 512   agit gratias mihi atque
ingenium adlaudat meum et* mea promissa
non neglexit persequi Mᴇʀ 86   ain . . me
rabiosum atque insectatum esse hastis . . meum
patrem et eum morbum mihi esse? Cᴀᴘ 553

   h. et . . neque: adnumerauit et credidit nequest deceptus in eo As 501   si uos placet
et si placuimus neque odio fuimus Cᴀᴘ 1035
grata acceptaque huiust benignitas et me . .
non paenitet nequest quor . . Sᴛ 51

   i. et . . neque . . neque: et uos . . abduxi . .
neque id processit . . neque quiui . . prehendere Rᴜ 89

   j. que . . et . . atque: sileteque et tacete atque animum aduortite Pᴇʀ 3(ex alio auctore)

   k. post primum vocabulum vel enuntiatum:
uino et uictu, piscatu probo electili uitam colitis Mᴏ 730   uti sarcinam constringam et clipeum . . accommodem, fulmentas iubeam suppingi soccis Tʀɪ 719   me uidere uis et* me
te amare postulas, puerum petis Tʀᴜ 863(loc
dub; cf v. pr.)

   l. ante ultimum seriei voc. (cf Sjögren,
p. 136): omnes plateas perreptaui gymnasia et
myropolia Aᴍ 1011   eris damno molestiae
et dedecori . . fueris As 571(PLULy)   ab eo
donatur auro uxore et filio Aᴜ Arg II. 9   recens captum hominum nuperum (et add PU om
Non ψ) nouicium Cᴀᴘ 718   eumque appellant
meretrix uxor et socer Mᴇɴ Arg 9   ego uoluptate uino et* amore delectauero Mᴇʀ 548
. . ut des pacem . . salutem et sanitatem
nostrae familiae Mᴇʀ 679   . . dono habere
auferre et abs te abire Mɪ 982(U)   lamentari ait illum miseram cruciari et . . se adflictare Mɪ 1032   salutem . . expetit . . titubanti
. . animo corde et pectore Ps 44   maiorum
meum fretus uirtute dicam mea industria et
malitia Ps 582   concreditumst taciturnitati
clam fide et fiduciae Tʀɪ 142   per malitiam
per dolum et fallaciam Ps 705 b(vide L)   adulescenti dabo ingenuo Atheniensi et cognato
meo Rᴜ 1198   Philopolemum uiuom saluom
et sospitem Cᴀᴘ 873   miror tam catam tam
doctam te et bene te eductam . . Mᴏ 186(loc
dub)   exite ignaui male habiti et male conciliati Ps 133   quibus ingenium . . utibilest
modicum et* sine uernilitate Bᴀ 7   sperat
nuptias dimittit concubinam et moechus uapulat Mɪ Arg II. 15   res rationesque eri Ballionis curo argentum accepto et quoi debet
dato Ps 627   mihi dixit docuit et praemon-
strauit prius Tʀɪ 854   munus adulescentuli
fungare uxori excuses te et dicas senem As
813   si quis uidit quis eam abstulerit quis
(ue add PLULy) sustulerit et utrum . . institerit Cɪ 679   ualete bene rem gerite et* uincite Cᴀs 87   fugite omnes abite et de uia
secedite Cᴜ 281   uale uince et me serua Mᴇʀ
497   i percontare et roga Mᴏ 682   commisce mulsum, struthea . . appara . . et calamum inice Pᴇʀ 88   age illuc apscede procul e conspectu et* tace Pᴇʀ 467   aperite
hoc aperite propere et . . uocate Tʀɪ 1174
. . ut hoc . . accurate agatur docte et diligenter Cᴀᴘ 226   nunc subito propere et celere
obiectumst mihi negotium Cᴜ 283   ut pudice

uerba fecit cogitate et* commode Pᴏᴇ 1221
accipiam benigne lepide et lepidis uictibus
Mɪ 739   Ampsigura tua mater fuit, pater tuos
is erat frater . . meus et is me heredem fecit
Pᴏᴇ 1070   facetiast amare . . duos uno cantharo potare et(add CaRRg) unum scortum
ducere Sᴛ 730   iubet . . aliam aliorsum
ire praemandare et quaerere . . Tʀᴜ 403

   2. quattuor vocabula vel enuntiata coniunguntur: res et parentes (et add HermRgl) patria
et prognati Aᴍ 650   tua opera et comitate
et uirtute et sapientia fecisti Cᴀᴘ 410   . . scombrum et trugonum et cetum et mollem caseum
Cᴀᴘ 851   machaera et clypeus (et lorica et
cassia add U) Cᴜ 574   gynaeceum aedificare
uolt . . et balineas et ambulacrum et porticum Mᴏ 756   salutem dicito matri et* patri
et cognatis et si quem . . Cᴀᴘ 389-90   solutast nauis . . et oppidum expugnauimus et
legiones . . cepimus et ipsus Amphitruo optruncauit regem Aᴍ 413-5   immo potes . . et
poteris et* ego potero et di eam potestatem
dabunt Cᴀᴘ 934   memini et scio et calleo
et commemini Pᴇʀ 176   nuntiet . . illum
bene gerere rem et ualere et uiuere et eum
rediturum actutum Tʀɪ 773-4   probo et fideli
et fido et cum magna fide Tʀɪ 1096   scio
equidem sponsam tibi esse et filium ex sponsa
tua et tibi uxorem ducendam iam, esse alibi
iam animum tuom et* . . . Tʀᴜ 867

   et salutaui et . . exquisiui . . et manum
prehendi . . et osculum tetuli tibi Aᴍ 715-6
et multo fiat ciuitas concordior et inuidia nos
minore utamur . . et illae malam rem metuant . . et nos minore sumptu simus Aᴜ 481-4

   pane et assa bubula poculum grande et* aula
magna Cᴜ 367-8   lepide et sapienter commode et facete res paratast Mɪ 907   Babylo-
nica et* peristroma tonsilia et tappetia Sᴛ 378
diem pulcrum et celebrem et uenustatis plenum dignum Veneri pol Pᴏᴇ 255   arcum et
pharetram et sagittas sumpsero, cassidem in
caput . . Tʀɪ 725

   dedisti . . operam adlaudabilem probam et
sapientem et sobriam Pᴇʀ 674   res . . tu sapienter docte et cordate et cate mihi reddidisti opiparas Pᴏᴇ 131   mea opera labore
et rete et horia Rᴜ 1020

† quom haec . . intus sit et cum amica accubet
quomque osculetur et conuiuae alii accubent
Bᴀ 140   Diespiter te deique . . perdant et
uentrem tuom parasitosque omnis et qui . .
Cᴀᴘ 909-10

   patrem et me teque amicosque omnes adfectas tuos ad probrum Bᴀ 377

   aio adueniensque ilico me salutauisti et ego
te et osculum tetuli tibi Aᴍ 800

   per precem per fortunam incertam et* per
. . bonitatem patris perque conseruitium commune Cᴀᴘ 244-5

   ad lenonem deuenit . . puellam destinat
datque arrabonem et iure iurando alligat Rᴜ 46

   tibi olant stabulum stratumque sellam et
sessibulum merum Pᴏᴇ 268

   plaudite et* ualete lumbos porgite atque exsurgite Eᴘ 733

bene uiuo et fortunate atque ut uolo atque
animo ut lubet Mɪ 706

deduntque se diuina humanaque omnia urbem
et liberos Aᴍ 258   maceror macesco consenesco et tabesco Cᴀᴘ 134   ad eam rem
usust hominem astutum doctum cautum et
callidum Ps 385(*loc dub*)   ego accipiam te . .
lepido uictu uino unguentis et . . pulpamentis
Ps 947   facta hominum mores pietatem et
fidem noscamus Rᴜ 11(*vide edd*)

ecfer cito . . stilum ceram et* tabellas linum
Bᴀ 715

decet me amare et te bubulcitarier me uictitare
pulcre te miseris modis Mo 53   panem et polentam uinum murrinam Fʀ I. 2(*ex Plin n. h.* 14, 92)
    scio, et . . scio, et . . scio, tum . . scio Mᴇɴ
941-4(*supra* D. 1)

3. *quinque vocabula vel enuntiata coniunguntur:* recordatus multum et diu cogitaui
argumentaque . . institui ego atque . . eam
rem uolutaui et diu disputaui Mo 85-8   mortalem catum malum crudumque et* callidum
et* subdolum Poᴇ 1107-8   intro abi . . et . .
iube . . atque haec ei dice monstra praecipe
Mɪ 255   heri et nudius tertius quartus quintus
sextus usque Mo 956   haud intermissum hic
esse et* bibi scorta duci pergraecari fidicinas
. . ducere Mo 959   hoc age ad terram aspice
et despice oculi inuestiges astute augura Cɪ
693(*vide Rs§*)   dum ted abstineas nupta uidua uirgine iuuentute et pueris liberis Cᴜ 37-8
boni serui haec expetunt, rem fidem honorem
gloriam et gratiam Tʀɪ 272-3

quae quidem mihi atque uobis res uortat
bene gregique huic et dominis atque conductoribus As 3 Bᴀ 928(et mille *BeckerR*) dabitur
tibi amphora una et una semita fons unus
unum ahenum et octo dolia Cᴀs 121-2   substruont . . , extollunt, parant . . et* . .   haud
materiae reparcunt nec . . ducunt Mo 123-5
loquitur . . nihil nisi laterculos sesumam pa-
paueremque triticum et frictas nuces Poᴇ 326

4. *longa series:* libertas salus uita res et
parentes patria et prognati tutantur Aᴍ 650
pudicitiam et pudorem et . . cupidinem deum
metum parentum amorem et cognatum concordiam Aᴍ 841   tantum gemiti et* mali (et
add Rg) maestitiaeque . . famem et pauperiem
Aᴜ 722   Persas Paphlagonas Sinopas Arabes
Caras Cretanos Syros Rhodiam atque Lyciam
Perediam et Perbibesiam Centauromachiam et
Classiam Unomammiam Libyamque (et *add Bo
RgU*) oram omnem Conterebromniam Cᴜ 442-6
insomnia aerumna error (et *add CDU*) terror
et(*om U*) fuga ineptia (atque *add RRg*) stulti-
tiaque(que *om RRg*) adeo et temeritas incogitantia excors inmodestia petulantia et cupiditas maliuolentia Mᴇʀ 25-8   inhaeret etiam
auiditas residia iniuria inopia contumelia et
dispendium multiloquium parumloquium Mᴇʀ
29—31   Pᴇʀ 3(et *add PU post* leone)   perfidia et peculatus . . et auaritia . . quarta inuidia quinta ambitio sexta obtrectatio septumum
periurium . . octaua indiligentia nona iniuria
decumum . . scelus Pᴇʀ 554-8   muriaticam . .
naricam bonam et canutam et taguma quinas
fartas conchas Fʀ II. 18-20(*ex Fest* 166)

F. et = etiam: decet et facta moresque huius
habere me similes item Aᴍ 267   sine cadere
me. #Sino. #Sed et(*Ly* sinos & & *B*¹ sinon
& *CD* var em *ψ*) hoc quod mihi in manust
Mo 328   istoc absente male rem perdit filius,
nam et aedis uendit Tʀɪ *Arg* 4

G. *vi adversativa:* duxi habui scortum potaui dedi donaui: et* enim id raro Bᴀ 1080(*U*)
dirrumpi cantando hymenaeum licet et(*add U
duce Leone*) illo morbo . . non est copiae Cᴀs
810   non enim quaestus potis est fieri nisi
sumptus sequitur scio: et* tamen quaestus non
consistet si . . Poᴇ 287   neque . . columem te
sistere illi et* detraxe autument Tʀɪ 143(*vide
supra* A e *λ*)   ui magna seruos est . . : et* is
tamen mollitur Tʀᴜ *Arg* 7

H. *dubia et incerta:* ****et m**** Cɪ 461
et**** Fʀ I. 8(*ex Fest* 274)   et ego te conculcabo ut sus catulos suos Fʀ II. 49(*ex Serv Dan
ad Aen* II. 357)   [*Charles Knapp*]

ETENIM - - etenim ille quoius huc iussu
uenio, Iuppiter, non minus quam uostrum
quiuis formidat malum Aᴍ 26   *corruptum:*
Bᴀ 1080, *PU* at enim *ParRg§* sed enim *Dou
LLy* Cɪ 777, etenim *P pro* enim(*Bo*)   *Cf*
Langen, *Beitr.* p. 263; Clement, p. 15; Leo,
Pl. Forsch. p. 304

ETIAM - - *Cf* Kirk, Etiam *in Plautus and
Terence*, Am. Jour. Phil. XVIII. 26-42; Langen,
Beitr. p. 160; Ramsay, *Ad Most.* Ex. III

I. **Forma** *variae lectt.:* Aᴍ 381, etitiam *E*;
745, *om J* iam *LindRglU*; 773, *om U*; 814,
etiam *LuchsRgl pro* haec iam   As 440, ei
iam *E*   Aᴜ 55, etiam *om B* altero loco; 565,
etiam *ZU* uel *BrugmannRg* e *BD* et *J* ei
Grutψ; 614, etiam atque *om D*; *fr* V, etiam
add WagnerRg   Bᴀ 216, etiam *iterat B*¹;
565, *add Sey§ om PURgLy* †*L*; 954, autem
BoR fuit *U*; 1025, orare etiam *R pro* opsecrare; 1092, *om HermRLLy*; 1161, *om C*;
1167, iam *HermR*   Cᴀᴘ 664, etiam *add Rs*
Cᴀs 924, etiam *U* e*** *Pψ*   Cɪ 522, etiam *A
om PU*; 757, etiam *U* dimidiam *RsLy* ***iam
P§ iam *L*; 775, etiam *Rs§* et *Pψ*   Cᴜ 612,
etiam *P§*†*ULy* mihi iam *PyRglL*   Mᴇɴ 158,
etiam et q. s. *om CD*; 320, etiam *add R*; 398,
etiam *CD*³ sed iam *B* s' iam *D*¹; 1042, uel
ille qui *U pro* etiam hic   Mᴇʀ 29, *om Par
RRg*; 595, tamen etiamst *U* tamen demsi *P§*†
tam dempsi *CD* var em *ψ*; 732, etiam *ZR* iam
Pψ †*§*   Mɪ 1014, etiam sic *BoR* etiam sed *CD*
et etiam s' *B* et celas et *A* ut uid *ψ*   Mo
383, eccam *D*¹; 741, etiam *U* etia *C* eia *BD*
heia *Aψ* v. secl *Rs*; 827, etian *A*   Pᴇʀ 145,
etiam *D* ut iā *C* ciam *B*; 174, dum etiam *om
P*   Ps 566, ego iam *R*   Rᴜ 817, ettiam *C*
Sᴛ 571, etiam *Bo* it iam *B* id iam *CD*; 698,
et ian *B*   Tʀᴜ 30, eliciant *Rs*; 207, es etiam
A set iam *B* sed iam *CD*; 380, etiam *ins L
duce P aliter Aψ*; 526, eliam *B* iam *CD*; 534,;
etiam men *P§*† examen *HauptLULy aliter*
539, et iam *Rs*; 881, an non etiam *L* iam *P* var
em *ψ*; 898, etia *B*; 910, addam etiam unam
L post Ca et Bo ad omnae(omne *CD*) *P§*† var
em *ψ*; 939, si etiam me *U* si *P§*†*Ly*† var em
RsL   Fʀ I. 115, *om A Nonii*(*ex Non* 334)

corrupta: Men 92, etiam *B²* tiam *B¹* iam *CD pro* tam Mi 1250, etiam *P* eam *Sarac* Ps 191, etiam *P pro* et(*A*); 932, etiam *add P om A*; 1221, dem et iam *B* idem etiam *D* idem *C pro* de me iam(*Ca*) Ru 582, etiam *add Prisc* I. 235 Tri 1184, etiam *P pro* et eam (*Bo*) Tru 603, pector etiam *CD pro* pectore iam(*B*); 947, etia nam *P pro* et lanam (*Ca*) *pro* etiam *exhibet* eciam *haud raro C semel J*; etiam *semel et B et C et D sed variis locis* aetiam *semel D*

II. Significatio *multis in locis significatio non accurate diiudicari potest, qua de causa loci quidam non raro duobus sub titulis apparent* A. *vi temporali* = 'still', 'noch' 1. *cum praes.* a. *indic.:* at etiam cubat cuculus: surge amator i domum As 923 non uides me ex cursura anhelitum ducere? As 327 excrea. #Etiamne? #Age, quaeso hercle, usque ex penitis faucibus: etiam amplius As 40-1 (*cf infra* D. 5) perperam iam dudum hercle fabulor. #Pol tu quidem, atque etiam facis Cas 368 ego amoris aliquantum habeo umorisque etiam in corpore Mi 640 at mentiris etiam Am 369 (*cf v.* 366; *et infra* C. 1) posse edepol tibi opinor etiam uni condi p**um ubi accubes St 617 etiam quis ego sim me rogitas? Am 1029 (*cf infra* B. 9) is etiam sese sapere memorat Ep 524 immo etiam in medio oculo paullum sordet Poe 315 audire etiam* ex te studeo Ba 1161 hoc etiam pulcrumst Au 507 etiamst paucis uos quod monitos uoluerim Cap 53(*cf infra* B. 6) si non impetrauit, specula etiam (et. sp. *PLU*) in sortitust mihi Cas 307 mihi uicino hoc etiam conuentost opus ut quod mandaui curet Cas 502 amplectere ergo. #Hoc etiamst quam ob rem cupiam uiuere Cu 172 etiam opust chlamyde Ps 735(*infra* B. 1) non satis id est ni amplius etiam Tri 248 (*infra* D. 2) sunt mihi etiam fundi et aedis Tru 174 propter hunc spes etiamst hodie tactum iri militem Tru 886 iam sequar te: hunc uolo etiam conloqui Men 432 uideo (iam diem multum esse): hunc aduocare uolo Ps 1158(*sub* B *refert Kirk*)

b. *subiu.:* sed maneam etiam Tri 1136 uerberetur etiam Mi 1418(*infra* C. 2) *similiter* Mi 1401(*infra* e)

c. *imperat.:* concede huc a foribus. #Fiat. #Etiam concede ,huc. #Licet. (etiam .. licet *om CD*). #Etiam nunc concede audacter Men 158-9 iam foris ferio? #Feri: uel mane etiam Men 177(*cf v.* 422 *infra* d).

d. *in responsis:* sed tu, etiamne astas? Cas 728, Mo 522(*cf infra* C. 4) ei, bene ambula. #Atque audin etiam? As 109 nuntia me adesse ... #Licet. #Audin etiam? Tru 331 pro fidem, Thebani ciues! #Etiam clamas, carnufex? Am 376(*cf infra* B. 9) quid nunc? etiam consulis? Tri 572 quid tu autem? etiam huic credis? Cap 556(*cf* Kirk, p. 32 *et infra* C. 4) quae haec, malum, inpudentiast? #Etiam inclamitor quasi seruos? Ep 711 etiam parasitum manes? Men 422 etiam* muttis? Am 381(*infra* C. 4) longum istuc amantist. #Etiam muttis? Mer 896 etiam muttis, impudens? Per 827(*infra* C. 1) emam opinor.

#Etiam 'opinor'? Per 651 pergin etiam, uerbero? Cu 196 pergo(*Ac* -ge *APLy*) etiam temptare? Poe 1224 etiamne ultro tuis me prolectas probris? Ba 567 at etiam restas? abi istinc Mo 851(*infra* C. 4) etiam retentas? Ru 877 quid ago? #Quid agas, rogitas etiam? Ba 1196 stasne etiam? i sis Cas 749 (*infra* C. 4) quid agit parasitus noster Gelasimus? etiam ualet? St 574 uerberon etiam an iam mittis? Mi 1424(*infra* C. 1) *cum quadam ellipsi:* etiam tu, homo nihili? Ba 1188(*Ly*) *similiter:* at etiam asto? at etiam cesso foribus facere hisce assulas? Mer 130 *Cf* Loch, p. 24

e. **etiam nunc**: ita mihi animus etiam nunc abest Am 1081 ibidem mihi etiam nunc(meus *RRg*) adnutat Mer 437 utram tibi lubet etiam* nunc capere, cape prouinciam St 698 quin etiam nunc habet pallam, pater Men 806 etiam nunc nauseo Am 329 immo etiam nunc peto Ru 1123 illae rei ego etiam nunc sum paruolus Ps 783 etiam nunc misera timeo Ru 449 etiam nunc mulier intust? #Etiam Mer 816 etiam nunc nescio quid uiderim Mi 518 etiam* nunc nego Men 398

iubet quinque me addere etiam nunc minas Mer 435(*cf infra* B. 5) in ambiguost etiam nunc quid ea re fuat Tri 594 tu quidem edepol noster es etiam* nunc Tru 207 patrem uidere se neuolt etiam nunc Ep 42

etiam* nunc scelestus sese ducit pro adulescentulo St 571 etiam nunc .. adhinnire equolam possum ego hanc Ci 307(*ex Prisc* I. 42) etiam nunc intus hic in proxumost Mi 301 Philocomasium hicine etiam nunc est? Mi 181 *fortasse etiam haec:* etiam nunc decem minae apud te sunt Mo 299 etiam nunc satis boni sunt .. Mo 827 *Cf infra* D. 5

abscede etiam nunc, etiam* nunc, etiam .. ohe istic astato Au 55(*infra* C. 2) etiam nunc concede audacter Men 158(*infra* C. 2) *similiter* Am 1082, Mi 1373

etiam nunc .. priusquam Mi 1339(*infra* C. 1)

etiam .. nunc: etiam misero nunc malae dolent Am 408 etiamne habet nunc Casina gladium? Cas 691

nunc etiam: censui .. Casina ut uxor mihi daretur et nunc etiam censeo Cas 365 nunc etiam (consilium) rudest Poe 189 uim .. doloris .. condidisti in corpus, quo nunc etiam morbo misera sum Tru 520 *similiter:* nunc etiam uolo dicere .. Mo 118

nunc .. etiam: nunc quidem etiam seruio Ps 610 abiendi nunc tibi etiam occasiost Am *fr* XV(*ex Prisc* I 564)

etiam dum: metuo .. ne erus redeat etiam dum a fore Ps 1028(*vide* Kirk) .. siue etiam dum siem quinque et uiginti annos natus Ru 1381(*loc dub*)

etiam prius: aibat mulierem suam beneuolentem conuenire etiam prius Ci 586 immo etiam prius uerberetur fustibus Mi 1401

Ba 221(*vide infra* D. 5) extra portam mihi etiam currendumst prius Ps 331 paucula etiam sciscitare prius uolo Mer 386

prius etiam: prius etiamst quod te facere ego aequom censeo Mer 569 prius ipse mecum etiam uolo hic meditari Am 202

etiamnum: etiamnum reliquiarum spes animum oblectat meum Men 462   etiamnum quid sit negoti falsus incertusque sum Tru 785

etiam . . parumper: cohibete intra limen etiam uos parumper Mi 596

etiam amplius: As 41(*supra* a)   etiam . . ultro: Ba 567(*supra* d)

2. *cum imperfecto*: etiamne in ara tunc(*FZ* nunc *P*) sedebant mulieres? Ru 846

3. *cum futuro*: tibi nos dedimus (malum) dabimusque etiam Per 847   dubium habebis etiam sancte quom ego iurem tibi? Cap 892 quin etiam diu morabor Cas 606   mane modo: etiam percontabor Men 922(*infra* B. 1, 6)

immo etiam porro si uis dicam Cu 453

. . nisi etiam hic opperiar tamen paulisper Au 805

priusquam . . pugnabo, ego etiam prius dabo aliam pugnam Ps 524(*infra* B. 4)

4. *cum perfecto*: perii. #Parum etiam praeut futurumst praedicas Am 374   ut lepide deruncinauit militem. #At etiam parum Mi 1142

5. *in enunt. negat.* **a.** *praes.*: nullum muttit etiam uerbum Cas 924(*U in lac*)   quo id sim facturus pacto, nihil etiam scio Ps 567   quid sit nihil etiam scio St 356

tu quidem haud etiam es octoginta pondo Per 231

ita dolet . . neque etiam* queo pedibus . . ambulare Tru 526

dissimulabo . . quasi neque esse hic etiam dum sciam Mi 992

b. *fut.*: quos non dabo temere etiam priusquam . . Ba 921

c. *perf.*: numquam etiam quicquam adhuc uerborumst prolocutus perperam Am 248   . . quam ille qui numquam etiam natust Ep 336 numquam edepol quoiquam etiam utendam dedi Per 128   pater tuos numquam cum illa etiam* limauit caput Fr I. 115(*ex Non* 334)

is mihi nihil etiam respondit Ru 959   nihil adhuc peccauit etiam Per 630

scyphos . . rettulitne? #Non etiam As 445 tibi minas uiginti pro amica etiam non dedit Ps 280

quippe haud etiam quicquam inepte feci Mer 381   perii. #Haud etiam Mi 1400

tu meum ingenium . . nondum etiam* edidicisti Per 174

neque meum pedem huc intuli etiam in aedis Am 733

nihil etiam dum(*P* dum e. *A*) harpagauit praeter cyathum Ps 957   Ps 1028(*supra* 1. e)

tristis exit: haud conuenit etiam hic dum Phronesium Tru 321

neque quicquam cum ea fecit etiam num stupri Poe 99(*v. secl Guy non Ly*)

nemo etiam tetigit (fores) As 385   nemo etiam me accusauit merito meo As 491

B. *ex temporali uis abit in additoriam; saepe tamen uis incerta;* 1. *cum subst.*: etiam agnum misi Au 561   etiam* hallec duint Au *fr* V (*Wagner Rg ex Non* 120)   uolt placere sese amicae . . uolt etiam ancillis As 184   etiam histriones anno quom . . Iouem inuocarunt uenit Am 91   eho an etiam Arabiast in Ponto? Tri 934(*infra* D. 1)   mihi ultro adgerunda

etiamst aqua Ru 484   inhaeret etiam* auiditas Mer 29   quin etiam aurum atque ornamenta . dat dono Mi 1147   Bacchis etiam* fortis tibi uisast? Ba 216   etiam opust chlamyde et machaera et petaso Ps 735(*supra* A. 1. a)   adeo etiam argenti faenus creditum audio Mo 629 condigne etiam meus med intus gallus gallinacius . . perdidit Au 465   etiam intro duce si uis uel gregem uenalium Au 452   etiamne obturat inferiorem gutturem? Au 304   hoc etiam ad malum accersebatur malum Ba 424 illast — etiam uis nomen dicam? Mer 728 etiam ocellum addam et labellum et linguam Poe 385(*v. secl L*)   etiamne eam adueniens salutem? #Censeo. #Etiam patrem? Ru 1275 etiam †nunc dico(*PSU* hodie *RglU* om *Ly*) Periphanes . . mihi . . adnumerauit As 499 da sauium etiam prius quam abitis As 940 tene etiam priusquam hinc abeo sauium Cu 210 egone istic dixi? #Tute istic, etiam adstante hoc Sosia Am 747   bene te: bene me: bene nostram etiam Stephanium! St 709   tempestas, memini, quondam etiam* fuit Tru 380(*L*)

porro etiam: porro etiam ausculta pugnam quam uoluit dare. #Etiamst quid porro? Ba 273(*infra* 6)   Cu 453(*supra* A. 3)

etiam insuper: etiam laborem ad damnum apponam epithecam insuper Tri 1025

que . . etiam: quin si tu nolis filiusque etiam tuos . . liber possum fieri Cas 314   cum hac cum istac cumque amica etiam tua Cas 612

atque etiam: atque etiam fides ei quae accessere tibi addam dono Ep 473   Persas atque etiam omnis personas male di omnes perdant Per 783   (habeo) atque etiam Philippum . . mille nummum Tri 965   nisi mihi argentum redditur, uiginti minae. #Atque etiam mihi aliae uiginti minae Ps 1223   numquid aliud? #Hoc atque etiam: ubi erit . . Ba 757 *addit clausulam*: at scin etiam quo modo? Au 307   adscribe dum etiam . . 'Sed . .' Ba 745(*infra* 6)   fabulantur . . . etiam* Lampadionem me . . quaesiuisse aiunt Ci 775(*cf infra* 6) tum patrem occidisse . . etiam scio Men 944 Mo 118(? *supra* A. 1. a)   . . atque etiam in ea lege adscriber . . Per 69   de te quidem haec didici omnia. #Etiamne ut ames eam . . Poe 281   *Cf* Ballas, I. p. 33

2. *cum adiect. subst.*: multa exquirere etiam prius uolo quam uapulem Mer 167   sed etiam unum hoc Ba 546   quid? hoc etiam unum St 427   immo etiam tibi . . faciam omnia Ru 441   Men 922(? *supra* A. 3)

3. *cum pron.*: etiam me miserum famosum fecit flagitiis suis Cas 991   ego etiam(*U ***** iam *PS aliter* ψ) quaero meam Ci 757   etiam me? quo modo ego uiuam sine te? Mi 1206(*cf v.* 1207 *U*)   si etiam me amas Tru 939(*U*) . . ne nosmet nostra etiam uitia eloquamur Poe 251   occiperes tute etiam* amare? Ba 565   uerum audire etiam* ex te studeo Ba 1161   etiam tu, homo nihili? Ba 1188(*ita Ly vide supra* A. 1. d)   quo fugiam? etiam tu fuge Mo 513   loquere tu etiam, frustum pueri Per 848

obsecro, etiamne hoc negabis? Am 760   nisi etiam hoc falso dici insimulaturus es Am 902 etiam* hic seruom se meum esse aibat Men 1042(*loc dub*) amori accedunt etiam haec quae dixi minus Mer 24 etiamne haec (opsonia) illi tibi iusserunt ferri? Mer 751 quom etiam hic agit . . Mi 811(*loc dub*) quin etiam illi hoc dicito Mo 422 an etiam* credis id? Am 773 numquid aliud etiam uoltis dicere? Ps 370

etiam porro: etiamnest quid porro? Ba 274

atque etiam: atque etiam hoc praedico tibi Au 99 atque etiam mihi aliae uiginti minae Ps 1223

similiter: . . quin etiam* men super adducas quae . . Tru 534(*loc perdub*) at ego est etiam prius quam abis quod uolo loqui As 232 uin etiam dicam quod uos magis miremini? Ps 522 etiam quae simul uecta mecum in scaphast excidit Ru 200

4. cum adiect.: etiam . . aliam Ps 524(*supra* A. 3) . . ut ad senem etiam alteram facias uiam Ba 692 alterum (fatum) etiamst* Troili mors Ba 954 etiam furacem aiunt qui norunt magis Poe 1386 an etiam es ueneficus? Ps 872

etiam insuper: . . ut etiam in maerore insuper inimico nostro miseriam hanc adiungerem Cas 441 . . ni sumptuosus insuper etiam siet Mer 693

et etiam: di me omnes magni minutique et etiam* patellarii faxint . . Ci 522

atque etiam: satin magnificus tibi uidetur? #Pol iste atque etiam malificus Ps 195 non demutabo: atque etiam certum quod sciam . . Ps 566(*vide R*)

5. cum numeralibus: est etiam hic ostium aliud posticum nostrarum harunc aedium St 449 nunc alteris etiam ducentis usus est Ba 971 heus tu etiam pro uestimentis huc decem accedent minae Per 669 iubet quinque me addere etiam nunc minas Mer 435(*supra* A. 1. e) age ostende etiam tertiam (manum) Au 641 tris minas accudere etiam possum Mer 432 etiam tibi hanc amittam noxiam unam Poe 403 uolo narrare tibi etiam unam pugnam Poe 492 uerbum etiam adde(a. e. *CDU*) unum Ru 1007 addam etiam* unam minam istuc Tru 910(*L post Ca et Bo*) *similiter*: em tibi etiam (plagam) Men 1018

6. cum verbis: is etiam me ad prandium ad se abduxit Poe 1282 etiam Lampadionem me in foro quaesiuisse aiunt Ci 775(*supra* 1) ut etiam* confidenter mihi contra astitit Cap 664 (*Rs*) atque audin etiam? As 109(*supra* A. 1. d) audin etiam? Tru 331(*supra* A. 1. d) etiamne adueniens complectar eius patrem? Ru 1277 etiam de tergo ducentas plagas . . dabo As 276 quadraginta etiam dedit huic Mo 978 eho an etiam in caelum escendisti? Tri 942 huic etiam exhibui negotium Men 1072 an etiam ille umquam expugnauit carcerem? Ps 1172 multa exquirere etiam prius uolo Mer 167(*supra* 2) etiam fatetur de hospite? Mo (549 b =) 553 is etiam sese sapere memorat Ep 524 etiam me iunctis quadrigis minitatu's prosternere Men 939 etiam ob stultitiam tuam te . . multabo mina Tri 708 etiam* nihili pendit addi purpuram Tru 539(*Ly*) quid perierandum est etiam* praeter munera! Tru 30 etiamne

eam adueniens salutem? Ru 1275 an etiam* id tu scis? Am 745 at ego etiam (scio) . spem decepisse multos Ru 401 tune etiam cubitare solitu's in cunis? Ps 1177 etiamne facere solitus es scin quid loquar? Ps 1178 sed etiam est . . Cap 53(*supra* A. 1. a) est etiam ubi profecto damnum praestet facere Cap 327 is clam patrem etiam hac nocte illac per hortum transiluit Tru 248(*infra* D. 6) is huc erum etiam ad prandium uocauit Ru 327 an non etiam tuom oculum uocas? Tru 881(*L*) eho an tu etiam uidisti Iouem? Tri 943

atque etiam: perditus sum atque etiam* eradicatus sum Ba 1092 tibi quidem supplicium . . de nobis detur? #Atque etiam pro dictis . . poenae pendentur mihi As 482

nec . . etiam: non placet nec temerest etiam (*LULy* temerest: etiam *ψ*) Ba 670

immo etiam: caue tu istuc dixis: immo etiam . . ego adferam ad te Vi 83

etiam . . porro: is etiam corruptus porro suom corrumpit filium As 875 porro etiam ausculta pugnam quam uoluit dare Ba 273 (*supra* 1)

etiam ultro: adducit domum etiam* ultro As 440

etiam percontabor Men 922(*supra* A. 3) patri etiam gratulabor? Ru 1270 etiam quid consultura sis sciam? Ci 518

adscribe dum etiam Ba 745(*supra* 1) atque etiam habeto mulierem dono tibi Ps 1075

non modo(*vel quidem*) **uerum**(*vel sed*) **etiam**: non modo ne intro eat uerum etiam ut fugiat Mo 390 repperi . . non radicitus quidem hercle uerum etiam exradicitus Mo 1112 non equidem in Aegyptum hinc modo uectus fui sed etiam in terras solas Mo 995

7. quoque etiam a. cum subst.: cani quoque etiam ademptumst nomen Ep 234 uenibit uxor quoque etiam si quis emptor uenerit Men 1160 oculis quoque etiam plus iam uideo quam prius Mer 299 linguam quoque etiam uendidi datariam St 258 Thetis quoque etiam lamentando †lausum fecit filio Tru 731

b. cum pron.: atque ego quoque etiam . . metuo malum Am 30 mihi quoque etiamst ad portum negotium Mer 328 me quoque etiam* uende si lubet Per 145 num tu quoque etiam insanis? Am 753 si quidem habebo tibi quoque etiam proderit Tru 875(*LLy*) tun heri hunc salutauisti? #Et te quoque etiam Am 717 te quoque etiam . . antidibo Ps 932 ego pol te faciam, scelus, te quoque etiam ipsum ut lamenteris Per 744 hoc quoque etiam mihi in mandatis dedit Am 81 et hoc quoque etiam quod paene oblitus fui Poe 40 hanc quoque etiam . . matrem uocem Ep 589 cum ea quoque etiam mihi fuit commercium Tru 94 illis quoque abrogant etiam fidem qui nihil meriti Tri 1048

c. eam quoque edepol etiam multo haec uicit longitudine Am 281

8. etiam . . quoque a. cum subst.: immo etiam cerebrum quoque omne e capite emunxti meo Mo 1110 pietatis causa (tange) uel etiam matrem quoque Ps 122

b. cum pron.: etiam mihi quoque stimulo

fodere lubet te Cu 130　etiam tu quoque adsentaris huic? Am 702　atque etiam tu quoque ipse . . crederes As 502　. . nisi etiam is quoque me ignorabit Am 461

c. *cum adiect.:* edepol ne etiam tua quoque male facta iterari multa . . possunt As 567

d. *cum partic.:* iurauistin . . conceptis uerbis? #Etiam consutis quoque Ps 353

9. *in interrogationibus mirantium vel irridentium:* etiamne, inpudens, muttire uerbum unum audes? Men 710　etiam clamas, carnufex? Am 376(*supra* A. 1. d)　furcifer, etiam me delusisti? As 677　etiam derides, quasi nomen non gnoueris? Men 499　etiam me aduorsus exordire argutias? Ba 127　uerbero, etiam inrides? Mo 1132　etiam, carnufex, minitare? Ba 785　ego illud numquam dixi. #Etiam negas? Mer 763　rogasne, improbe, etiam qui ludos facis me? Am 571　sceleste, at etiam quid uelin, id tu me rogas? Am 1025　uerbero, etiam quis ego sim me rogitas? Am 1029 (*supra* A. 1. a)　quid tibi nos tactiost? . . #Quae res? etiam rogitas? Au 424　etiam rogitas, sceleste homo, quine . .? Au 437　uerberabilissume, etiam rogitas? Au 633　feci ego istaec dicta quae uos dicitis? #Rogitas etiam? Cas 997

C. *ex temporali abit vis particulae in iterativam* = iterum, rursus, denuo: 1. at mentiris etiam Am 369(*supra* A. 1. a)　lubet etiam mihi has perlegere denuo Ba 923　etiam nunc saluto te, Lar familiaris, Mi 1339　spes etiamst hodie tactum iri militem Tru 886(? *supra* A. 1. a)　quid si etiam . . occentem hymenaeum Cas 806　etiam clamas? Am 376(*supra* A. 1. d; B. 9)　Amphitruonis ego sum seruos Sosia. #Etiam denuo? Am 394　at etiam furcifer, male loqui mihi audes? Cap 563　etiam, scelus, male loquere? Per 290　at etiam male dicis? Tri 991　etiam, scelus uiri, minitare? Tru 621　etiam muttis, impudens? Per 827(*supra* A. 1. d)　*similiter:* quid illi reditio etiam huc(*vide BriU*) fuit? Mo 377　uerberon etiam an iam mittis? Mi 1424(*supra* A. 1. b)　me uituperas? fur! #Etiam (#Fur, etiam *Rg*) fur, trifurcifer Au 326

2. *cum imperativis:* abscede etiam nunc Au 55(*supra* A. 1. e)　etiam nunc concede audacter Men 158(*supra* A. 1. e)　redde etiam *argentum Cu 612　circumspice etiam Mo 474　etiam nunc uale Mi 1373　uide etiam nunc Am 1081(*supra* A. 1. e)　uide sis modo etiam Mer 324　quaeso hercle etiam uide Mer 1013　*similiter:* uerberetur etiam Mi 1418(*supra* A. 1. b)

3. *etiam atque etiam:* te moneo hoc etiam atque etiam ut reputes Tri 674　uide, Fides, etiam atque(e. a. *om D*) etiam nunc saluam ut aulam . . auferam Au 614　etiam = etiam atque etiam: uigila . . . uigila . . . etiam uigilas? Mo 373-383

4. *idem fere quod iterum rogo, seq. interr.:* ubi tu's? etiamne hanc urnam acceptura's? ubi's? Ru 467　etiam acceptura's urnam hanc? Ru 469　etiamne adstas? Cas 728, Mo 522 (*supra* A. 1. d)　etiam huic credis Cap 556 (? *supra* A. 1. d)　quid nunc? etiam mihi desponde filiasm? Au 255　etiam tu illam de-

stinas? Per 542　etiam dicis ubi sit, uenefice? Per 277　etiam muttis? Am 381(*supra* A. 1. d) etiam quid mihi respondetis? Ba 670(*loc dub: vide LULy*)　etiam* redditis nobis filios et seruom? Ba 1167　at etiam restas? Mo 851 (*supra* A. 1. d)　stasne etiam? Cas 749(*supra* A. 1. d)　etiamne unguentis unguendam censes? Mo 272

5. *idem fere quod iterum dico, seq. imperat. vel sim.:* etiamne abis? Poe 431　redi: etiamne astas? etiam audes? Men 697　heus reclude: heus, Tranio, etiamne aperis? Mo 937　#Quae haec est fabula? #Etiamne aperis? Mo 937-8 etiam dispertimini? Cu 189　etiamne imus cubitum? Cas 977　mane tu atque adsiste ilico, Pbanisce: etiam respicis? Mo 885b scelerate, etiam respicis? Per 275　obloquere. #Fiat: maxume. #Etiam taces? Cu 41　etiam tu taces? Per 152, Tri 514　etiam tu argentum tenes? Per 413　etiam uigilas? Mo 383 (*supra* 3)　Mo 741(*U aliter* ψ)

D. *vi intensiva* 1. *cum subst.:* an etiam Arabiast in Ponto? Tri 934(*supra* B. 1)　etiam Epidicum quam ego fabulam aeque ac me ipsum amo nullam aeque inuitus specto si agit Pellio Ba 214　etiam opilio . . aliquam habet peculiarem As 540　si quidem hercle etiam supremi promptas thensauros Iouis . . Ps 628 etiam cum uxore non cubet? Mer 538　immo etiam* scio Mer 732

2. *cum adiect. subst.:* foris aliquantillum etiam quod gusto id beat Cap 137　tantum affero . . atque etiam amplius Cap 777　non satis id est mali ni amplius etiam . . Tri 248 (*v. secl BueRsU; cf supra* A. 1. a)　etiam dimidium censes? Ba 321　hunc etiam ipsi culpabunt mali Ba 397　mihi quidem uno te plus etiamst quam uolo Am 610　aut dimidium aut plus etiam faxo hinc feres Ps 1328 perdidi etiam plus boni quam mihi fuit Ru 504 dimidium uel tu dicas. #Immo hercle etiam plus (*Sey* amplius *PRs*) Ru 960(*cf* Fraesdorff, p. 38)

3. *cum adiect.:* exta inspicere in sole etiam* uiuo licet Au 565(*U*)　maiore . . opere ibi seruiles nuptiae quam liberales etiam curari solent Cas 74　hau potui etiam in primo uerbo perspicere sapientiam Per 552

4. *cum pron.:* etiam illud quod scies nesciueris Mi 572　iam aderit tempus quom sese etiam ipse oderit Ba 417　etiam ipsus ultro debet argentario Au 530(*v. secl CaRgU*) etiam ultro ipsi aggerunt ad nos Tru 112 nescio etiam id quod scio Ba 791　si me fas est orare etiam(*R* opsecrare *P* exorare *LangenRg*) aps te Ba 1025　*similiter:* si . . muttiuero etiam quod egomet certo sciam Mi 566　etiam qui it lauatum in balineas . . Ru 382　etiam quod est non estur nisi soli lubet Fr I. 27(*ex Gell* III. 3, 5)

5. *cum adv.:* excrea . . etiam amplius As 41 (*supra* A. 1. a)　etiam faxo amabit amplius Men 791　an etiam* opsono amplius Men 320(*R*)　quin etiam ut magis noscas . . Cap 290(*aliter Kirk*)　immo etiam . . magis hoc tum demum dices Poe 188　uin etiam te faciam ex laeto laetantem magis? Ps 324　tibi ille unicust, mihi etiam unico magis unicus Cap

150 atque etiam modo uorsabatur mihi in labris primoribus Tʀɪ 910 etiam nunc decem minae apud te sunt Mo 299(*supra* A. 1. e) atque etiam nunc satis boni sunt Mo 827(*supra* A. 1. e) atque isti(*dub.*) etiam* parum male uolo Tʀᴜ 898 eo fortasse iam opust. #Immo etiam prius Bᴀ 221(*supra* A. 1. e) etiam tum uiuit quom esse credas mortuam Pᴇʀ 356 Mɪ 1014 (etiam sic *BoR falso ex P*)

6. *cum verbis:* at etiam te suom sodalem esse aibat Cᴀᴘ 561 . . ut ne etiam aspicere aedis audeat Mo 423 quin loris caedite etiam si lubet Mᴇʀ 1002 utere . . uel etiam in loculos conpingite Mᴇɴ 691 at etiam dubitaui hosce homines emerem Cᴀᴘ 455 haeret haec res si quidem etiam* mulier factast ex uiro Aᴍ 814(*Rgl*) eae (leges) misere etiam ad parietem sunt fixae Tʀɪ 1039 is clam patrem etiam . . per hortum transiluit ad nos Tʀᴜ 248(*supra* B. 6)

supinum: nunc uenis etiam ultro inrisum dominum Aᴍ 587

7. *cum clausula:* a. optume itis, pessume hercle dicitis: quin etiam deciderint uobis femina in talos uelim Pᴏᴇ 570 etiam me abire hinc non sinent? Rᴜ 817

uix cauet quom etiam cauet: etiam quom cauisse ratus est . . Cᴀᴘ 255-6 uidi petere miluom etiam quom nihil auferret tamen Rᴜ 1124(*vide Rs*)

b. **etiam si**(*cf* Kriege, p. 18): edepol etiam si in crucem uis pergere, sequi decretumst Cᴀs 93 immo etiam si alterum tantum perdundumst perdam potius quam . . Eᴘ 518(*v. om ARgSLU non Ly*) tamen etiam si(*U vide ψ*) podagrosis pedibus esset . . Mᴇʀ 595(*U*) Tʀɪ 474, etiam si *P pro* etsi(*A*)

8. *in interr. ubi idem fere quod* re vera, *sim. esse videtur*(*cf* Loch, p. 24): tun audes etiam seruos spernere, propudium? Pᴏᴇ 271 ausu's etiam comparare uidulum cum piscibus? Rᴜ 982 an etiam in caelum escendisti? Tʀɪ 942 (*supra* B. 6) etiam me meae latrant canes? Pᴏᴇ 1234 etiam loquere, larua? Mᴇʀ 981, 983 at etiam minitatur audax? Rᴜ 711 etiam me mones? Bᴀ 910 etiam †uim proportas, flagiti flagrantia? Rᴜ 733 istic Theotimus diuesnest? #Etiam rogas? Bᴀ 331 uisun est tibi credere id? #Etiam rogas? Mᴇʀ 202 quid ais, propudium? tun etiam . . 'odium' me uocas? Cᴜ 191

vi minuta: etiam tu, ere, istunc amoues abs te? As 714 ego censeo eum etiam(†*LU* censeo: e. c. *Ly*) hominem in senatu dare operam(! *Ly*) As 871 nonne arbitraris tum adulescentem anuli paterni signum nosse? #Etiam tu taces? Tʀɪ 790

E. *vi affirmativa* (*cf* Samuelson, Eranos IV, p. 7): numquid uis? #Etiam Aᴍ 544 nihilne attulistis inde auri domum? #Immo etiam Bᴀ 316 etiam nunc mulier intust? #Etiam Mᴇʀ 816 numquid processit . . noui? #Etiam Mo 1000 atque audin? #Etiam Pᴏᴇ 406(*aliter LU*)

[*Charles Knapp*]

ETIAMSI - - *vide* etiam D. 7. b

ETSI - - *cf* Kriege, p. 20 **1.** *solum* **a.** *cum indic. praes.:* etsi procul abest, urit male Mo

666(*v. secl R post* 609 *trans* ω) etsi abest, hic adesse erum arbitror Ps 1113 uerum nunc saltem etsi istunc(*L si PS†Ly†* hunc saltum si *Rs* si etiam me *U*) amas, dan tu mihi . .? Tʀᴜ 939 salue etsi aliter ut dicam meres Cᴀᴘ 744 canem . . aliquis abducat face etsi non metuendast Mo 855 etsi(*PLULy* et si *RgS*) peruiuo usque ad summam aetatem tamen breue spatiumst . . Cᴀᴘ 742 mane etsi (*om U*) properas Pᴇʀ 272 etsi iam ego ipsus quid sit prope scire puto me, uerum (me: uerum ω, etsi = quamquam, at tamen *putantes*) audire etiam ex te studeo Bᴀ 1160 gaudeo etsi nihil scio quod gaudeam Cᴀᴘ 842 id ut ut est etsist dedecori(*R* -rum *P*), patiar Bᴀ 1191 uiri etsi(*Rs* uer∗∗∗ *A* uera. #Si ea *Ly*) ita sunt, at nunc non potest Cɪ 455 (*Rs*) etsi east, non est ea Mɪ 532 postremo tamen etsi istuc mihi acerbumst . . saltem id uolup est . . Mɪ 1210 etsi res sunt fractae, amici sunt tamen Pᴇʀ 655 si adhibebit fidem, etsi ignotust(*Ac* etsist ignotus *B* et si est ignotus *CD*), notus Rᴜ 1044 etsi(*ABD* et *C*) scelestus est, at mihi infidelis non est Tʀɪ 527

b. *cum indic. perf.:* tam sum seruos quam tu etsi ego(etsego *J*) domi liber fui Cᴀᴘ 543 uapulo hercle ego inuitus tamen etsi malum merui Cᴀs 958 non uidi eam, etsi uidi Mɪ 407 etsi aduorsatus tibi fui istac iudico Tʀɪ 382 ibo huc quo mihi imperatumst, etsi odi hanc domum Tʀɪ 600

c. *cum indic. fut.:* facito sis reddas, etsi hic habitabit, tamen Pᴏᴇ 1084

d. *cum indic. fut. exact.:* tamen fiet, etsi tu fidem seruaueris Rᴜ 1350

e. *cum subiu.:* pol etsi taceas, palam id quidemst Aᴜ 421 idem istuc ipsa, etsi tu taceas, reapse experta intellego Tʀᴜ 815 doli non doli sunt etsi(*U* ni *P* nisi *Fψ*) astu colas Cᴀᴘ 221 ita faciam ut tute cupias facere sumptum etsi ego uetem Cᴀᴘ 856 at pol ego etsi uotet(*A* etiamsi uetet *P*) edim Tʀɪ 474 uix hercle opinor (dare possum) etsi(*RRg* si *Pψ* est si *A*) me opponam pignori Ps 87 . . ut semper piscetur etsi sit tempestas maxuma Vɪ 107(*ex Fulg de abst serm* XIV, XV) esti (et si *RgS*) illi improbi sint . . tam pol . . nostrum officium meminisse decet Sᴇ 43

f. etsi = quamquam, 'and yet', 'wie wohl doch': Bᴀ 1160(*supra* 1) etsi(*BoRRg* fit *B* et *CDψ*) hoc parum hercle more maiorum institi Mᴇʀ 16(*RRg post v.* 2 *trans*) etsi mihi dixit dare potestatem eius Pᴇʀ 601 etsi admodum in ambiguost etiam nunc quid ea re fuat Tʀɪ 593

2. tam(en)etsi (*cf* Braune, p. 44, *n.*; Kriege, p. 25, 27) **a.** tametsi: *editores et mss tum per unum tum per duo vocabula scribunt:* audis quae dico tam etsi praesens non ades Aᴍ 977 tam etsi fur mihı's, molestus non ero Aᴜ 768 tam etsi dominus non inuitus patitur, serui murmurant Mɪ 744 da tam etsi inhonestu's Mo 63(*Rs* data es in(h)onestis *PS*† *var em ψ*) non eo genere sumus prognatae tam etsi sumus seruae ut . . Pᴏᴇ 1201 age loquere quiduis tam etsi tibi suscenseo Ps 471 ego te hoc, soror,

tam etsi's maior, moneo ut . . St 41   eos
omnes tam etsi hercle haud indignos iudico . .
nihil moror St 205   proba mers facile emptorem reperit tam etsi(A tarem est etsi P) in
abstruso sitast Poe 342   tam etsi(tamen
etsi C) occupatu's, moramur Ps 244
    pater huc me misit . . oratum meus tam
etsi pro imperio . . scibat facturos Am 21
    tam(om J) etsi non noui dabo Cu 259   eum
rem fidemque perdere tam etsi nihil fecit aiunt
Cu 504
    tam etsi(EZ tamenetsi PRs tamen si R
tamenesi A) id futurum(P daturus R apturus
Rs aurus A id futu *supersc*) non est . . quanta
adficitur miseria! Per 362
    numquam hercle effugiet tam(*Non* 38 iam
CD tiam B^1 etiam B^2) etsi capital fecerit
Men 92
    sed tandem tametsi(RRg tamen demsi[dempsi
CD] $P\$$† tamen etiamsi U tamen dem si LLy)
podagrosis pedibus esset Eutychus . . Mer 595
datur ignis tam(F tamen P) etsi ab inimico
petas Tri 679
    b. tamenetsi: uerberibus, lutum, caedere pen-
dens? #Tamen etsi(*Grut* tam inest si P tamine
si Rs tam etsi B^2) pudet? Mo 1167   Per 362
(*Rs supra* a) *vide supra* 1 *etiam haec:* Cap 742,
Cas 958, Mi 1210, Per 655, Poe 1084, Ru 1350
    3. *corruptum:* Tri 507, etsi hercles P *pro*
si haec res(A)
    EU - - *approbantis et gaudentis est particula;*
cf Langen, *Beitr.* p. 197, Ussing *ad* Ba 331,
sed praecipue Richter, p. 507
    I. Collocatio '*semper suam sedem habet in
enuntiati capite', et plerumque in uersuum ca-
pite(excepto* Men 176); *altera particula* ecastor,
edepol, hercle *sequitur nullo interposito uocabulo.*
    II. **Significatio** 1. *seq. enunt. pronunt.*
a. *solum:* Eutyche. #Eu, Charine! Mer 601
ecquis hic est? #Adest. #Eu(euge R), Philolaches! Mo 339   ipse miles concubinam intro
abiit oratum suam . . . #Eu, probe! Mi 1146
cape tunicam atque zonam . . . #Eu, probe!
Per 156   mihi tibi atque illi iubebo iam
adparari prandium. #Eu(A om PU) Men 174
    inde usque ad diurnam stellam crastinam
poterimus. #Eu(A om PU secl Ly), expedite
fabulatu's Men 175   latius demumst operae
pretium iuisse. #Eu, recte (*BoR* erecte P recte
$AB^2\psi$) edepol mones Mo 842   eu, praedatu's
probe Per 667   em tibi adsunt quae me iussisti adducere . . #Eu, noster esto Mi 899
    b. *addita particula:* minus ab nemine acci-
piet. #Eu(neu B heu FZR) ecastor, (hoc
add R) nimis uilest tandem Mi 1062   eu(heu
$FZRgl$) ecastor! quom ornatum aspicio nostrum
ambarum, paenitet Poe 283   eu ecastor(AP
au R ecastor *GuyRg*) risi te hodie multum
St 243(*cf* Richter)
    eu edepol ne tu . . esses agitator probus
Men 160   eu(heu B^2RRs) edepol(! Ly) ne ego
homo uiuo miser Men 908   eu($PULy$ ei B^2
heu $A\psi$) edepol patrem eius miserum praedicas
Mo 981
    eu($FlLULy$ heu $P\psi$) hercle, mulier, multum
et audax et mala's Men 731   eu(heu *Schneider*
R) hercle ne tu — abi modo Mo 585   eu hercle

(! Ly) nomen multimodis scriptumst tuom Per
706   eu(FlU heu Z eheu P) hercle (! Ly)
ne istic fana mutantur cito Ru 821   eu(Sp
eum P heu *BueRs*) hercle (! Ly), in uobis
resident mores pristini Tru 7
    2. *cum acc. exclam.* a. *solum:* eu(CDU euge
$B\psi$), litteras minutas! Ba 991
    b. *add. particula:* eu(heu FZR) ecastor homi-
nem periurum! Mi 1066
    eu(B^1VE^1 heu B^2Rg tu E^3J) edepol res
turbulentas! Ep 72   eu(om A) edepol mortales malos! Poe 603   eu(heu D) edepol
specie lepida mulierem! Tru 415   eu(heu
(*FZRg*) edepol hominem nihili! Ru 695
    eu(*CaLULy* tu $P\$$† heu R ineptum Rs)
hercle hominem multum et odiosum mihi Men
316   eu(BD eo C heu $FZRRs$) hercle morbum acrem ac durum! Men 872   eu(A heus
P) hercle praesens somnium! Mi 394   eu
($DRgLU$ bu C heu A ut vid $B\psi$) hercle, odiosas res! Mi 1056   eu hercle mortalem catum!
Poe 1107
    3. *corrupta:* Au 350, eu D heu B *pro* heus
(*FZ*); Au 456, eu BD heu J *pro* heus(*Bent*)
Ba 251, eu P *pro* heu(F); Mer 770 eu P *pro*
heu(R); Ru 481, eu si B *pro* heus exi
    EVADO - - I. **Forma** euasit Ru 175   **eua-**
das Poe 172   **euadat** As 51   **euadere** Ru
612   **euasurus** St 541, Tri 938
    II. **Significatio** 1. *proprie:* saluast: euasit
ex aqua: iam in litorest Ru 175
    2. *translate:* demiror quid sit et quo euadat
sum in metu As 51   intellego hercle sed quo
euadas nescio Poe 172   lubet experiri quo
euasurust denique Tri 938   miror quo euasurust apologus St 541
    quam ad rem dicam hoc attinere somnium
numquam hodie quiui ad coniecturam euadere
Ru 612
    3. *add. term. per* ad: Ru 612   ex: Ru 175
quo: As 51, Poe 172, St 541, Tri 938
    EUAX - - *eorum est 'qui laetitia exultant
audita aliqua re uel animaduersa'* (Hand); *cf*
Richter, p. 515
    euax! aspersisti aquam Ba 247   euax(euhax
B)! nimis bellust atque ut esse maxume optabam locus Ba 724   euax! nunc pol demum
ego sum liber Cas 835   ubi ubist, prope
mest: euax! habeo Cu 97   euax! iurgio hercle
tandem uxorem abegi ab ianua Men 127   St
594, euax attatae R *pro* uae aetati tuae
    EUBOICUS - - est Euboicus miles, locuples,
multo auro potens Ep 153
    EUCLIO - - *senex. In supersc.* Au *act.* I
sc. 1, 2; II 2, 3, 8; III 2, 3, 4, 5, 6; IV 2,
3, 4, 9, 10; V 1.   Au *Arg* I 1, 13; II 1, 6
Au 26, 182, 192, 199, 252, 536, 569, 619(*add
Rg solus*), 728, 758, 769, 791   **Euclionis**
Au 290, 476, 603, 683(euclonis E)   **Euclioni**
Au *Arg* II. 8, Au 353, 822(*J* heu. *BDE*)
Euclionem Au 171, 176   *Cf* Schmidt, p. 188
    EVEHO - - Mi 416, euexit B *ante ras pro* exit
    EVELLO - - ego istos fictos compositos cri-
pos concinnos tuos unguentatos usque ex cerebro **exuellam** (*Scal* euellam AU expellam P) Tru
288   Mi 171, euellet C auellet B^1D^1 *pro* ma-
uellem(B^2D^2)

EVENIO · · I. Forma euenit Poe 792(*ex
Non* 392 *v. om P*), Ps 685(*A* uenit *P*) **eueni-
unt** Am 938, 941, Ba 628, Cas 618(*A* -iant
PLLy ueniunt *GepRs*), Cu 125(-nunt *FlRgU*
ueniunt *Ly*), Per 18, 454, Poe 1270, Ps 574
(*AB* ueniunt *CD*), Tri 361, 364, 1117 **eueniet**
As 720, Au 348, Cas 376(*v. om P add B²*),
383, Mer 417, 652, Mi 889(eadem e. *R* adem
ueniunt *P* eisdem ueniat *L* eo deueniunt *Ly*),
Per 535, St 28 **euenient** Cap 971 **euenit**
Ba 102, 1069, Cap 198, 246, Ci 137, 309, Ep
243, Mer 1144, Mer 774, Mi 109, 381(*A* -iat
BC eueat *D*), 1211(*Ca* uenit *P*), Mo 173, Poe
753, Ps 771, Ru 300(*Bo* uenit *P*), 912, 1178,
1366, St 92(uenit *U*), Tri 1181, Fr I. 65(*ex
Non* 63) **euenerunt**(*vide seq.*) Cap 415,
Men 67, St 209 **euenere** Men 1151(*A* -runt
PRLU) **euenerat** Ru 1187 **euenerit** Cas
345, Mer 651 **eueniat** Ba 79(*Ca* ueniat *PU*),
144(-nat *BoRU*), Cap 91(ne e. *BC* nec ueniat
D), Cas 390, Cu 271, Mi 669, Mo 58(euenat *L*),
132, Tri 715(*F* -iet *P*) **euenat** (*vide* eueniat)
Cu 39(*Muret* -niat *P*), Ep 290(*Bo* -niat *P*),
Mi 1010(*R* -niat *P*), Tri 41(*Par* -niat *AP*)
eueniant Am 632, Cas 618(*PLLy* -iunt *ASU*
ueniunt *GepRs*), Mo 395, Per 293(-at *A*), 629
(ut optata eueniant *ARgS* opta ut conueniant *P*
optata ut e. *FULy* optata ut euenant *L* op. u.
conuenant *R*), Ru 640 **euenant** Ep 321(*Bo*
-iant *P*) **euenisset** Poe 1252(*ALy* -ire *Pψ*)
euenire As 723, Mer 338(esse id *Rg*), Poe
1252(*P* -isset *ALy*) **euenisse** Au 68, Cap
946, Ep 721(mi euenisse *BriRg¹* meruisse *PS†
var em ψ*), Poe 1078(uortisse *MueRgl*), Ru 398
(uenisse *CD*), 400, Fr I. 113(*ex Fest* 277 *Paul*
276) **euenturam** Ru 631, 637, 1186 **euenturum** Am 187, Ba 1195, Mer 999, Poe 1170
(id e. *ACD* inde uenturum *B*) *corrupta:* Cas
437, eueniat *P pro* ueniat(*Ca*)   Cu 272, eueniat *add E¹ falso*   St 232, euenisse *A(post*
208) *pro* ueniisse(*A ut vid*) uenisse *P* ueniuisse
FlRRg

II. Significatio *semper translate*(*cf* Cas 437),
et de rebus vel bonis vel malis: 1. opta id quod
ut contingat tibi uis. #Quid si optaro? #Eue-
niet As 720   exopta id quod uis maxume
tibi euenire: fiet As 723   si illuc quod uolumus eueniet gaudebimus Cas 376(*B² solus*)
satin quicquid est quam rem agere occepi proprium nequit mihi euenire* quod cupio? Mer
338   satin ergo ex sententia? #Si eueniunt
quae exopto, satis Per 18   euenniant* uolo
tibi quae eoptas Per 293   multa eueniunt
homini qua uolt quae neuolt Tri 361   non
multa quae neuolt eueniunt, nisi fictor malust
Tri 364   bene quod agas eueniat* tibi Tri
715   male istis (aedibus) euenat* Cu 39   quam
facile et quam fortunate euenit illi! Ep 243
.. quo modo mihi Epidici blanda dicta euenant* Ep 321   male tibi euenisse uideo Fr
I. 113(*ex Paulo* 276 *Festo* 277)   ita commoda
quae cupio eueniunt Tri 1117

sperat quidem animus: quo eueniat* dis
in manust Ba 144(*cf* Schneider, p. 28) iam
inde porro aufugies? deinde item illinc si item
(idem *RRg*) euenerit? Mer 651   id uolup
est quom ex uirtute formae euenit* tibi mea

opera super hac uicina Mi 1211   si quid
boni promittunt, perspisso euenit Poe 792(*ex
Non* 392)

haec euenere*, frater, nostra ex sententia
Men 1151   hoc euenit* .. Ps 685(*infra* 2)
.. neque .. post in morte id(*om UL*) euenturum
esse umquam Ba 1195   merito tibi ea euenerunt a me Cap 415   uirtute formae id euenit
.. ut Mo 173(*infra* 2)   opino .. id euenturum* esse et seuerum et serium ut .. Poe 1170
(*infra* 2)   id ego euenire* uellem Poe 1252
(*infra* 3)   neque id immerito eueniet St 28
qui scis an tibi istuc enueniat* prius quam
mihi? Mo 58   quod mihi ne eueniat* non
nullum periculumst Cap 91   quod numquam
opinatus fui neque alius quisquam ciuium sibi
euenturum id contigit ut .. Am 187   in hominum aetate multa eueniunt huius modi Am 938
pauca effugiam scio, nam multa eueniunt, et merito meo Cap 971   ut mihi quicquid ago lepide
omnia prospereque eueniunt* Ps 574   horum
tibi istic nihil eueniet Au 348   si quid tibi,
pater, laboris .. #Nihil euenit, ne time Tri 1181
tum specimen cernitur quo eueniat aedificatio Mo 132   gaudeo edepol si quid propter
me tibi euenit boni Men 1144   multa praeter
spem scio multis bona euenisse Ru 400   quid
si apud te eueniat* subito prandium aut potatio forte aut cena Ba 79   perque conseruitium commune quod hostica euenit manu ..
Cap 246   damna euenerunt maxuma misero
mihi St 209   .. ne qua ob eam suspicionem
difficultas euenat* Ep 290   utinam di faxint
infecta dicta re eueniant tua Am 632   istaec
blanda dicta quo eueniant madeo metu Mo
395   eueniunt digna dignis Poe 1270   te digna
ut eueniant precor Ru 640   illi diuitiae
euenerunt maxumae Men 67   .. neque propter
eam quicquam eueniet nostris foribus flagiti
Mer 417   uenerare ut nobis haec habitatio
bona fausta felix fortunataque euenat* Tri 41
mihi haud saepe eueniunt* tales hereditates
Cu 125   incommodi si quid tibi euenit id
non est culpa mea Mer 774   id misera
maestast, sibi eorum euenisse* inopiam Ru 398
quid ego ero dicam meo malae rei euenisse
quamue insaniam .. Au 68   irae si quae
forte eueniunt huius modi inter eos .. Am 941
propter meum caput labores homini euenisse
optumo! Cap 946   Tri 1181(*supra sub* nihil)
multa mihi in pectore nunc acria atque acerba
eueniunt Ba 628   quod bonum atque fortunatum sit mihi. #Magnum malum. #Tibi quidem edepol, credo, eueniet Cas 383   .. ne
forte tibi eueniat* magnum malum Cu 271
.. tibi euenturam hoc anno uberem messem
mali Ru 637   quis modus tibi exilio tandem
eueniet? Mer 652   amanti mihi obuiam eueniunt* morae Cas 618   ubi primum euenit militi huic occasio sublinit os illi lenae Mi 109
quid ad illas artis optassis si optio eueniat
tibi? Mi 669   ut optata eueniant* operam
addito Per 629(*loc dub*)   piscatus meo quidem animo hic tibi hodie euenit bonus Ba 102
hic piscatus mihi lepide euenit Ru 912   ubi
mihi potestas primum euenit Ci 137   utinam ..
conueniundi mihi potestas euenat*! Mi 1010

potatio, prandium Ba 79(*supra sub* cena) credebam edepol turbulentam praedam euenturam mihi quia illa mihi tam turbulenta tempestate euenerat Ru 1186-7   pulcrum et luculentum hoc nobis hodie euenit proelium Fr I. 65(*ex Non* 63)   si autem frugist, (res) eueniunt frugaliter Per 454   istam rem uobis bene euenisse* gaudeo Poe 1078   quom istaec res male euenit tibi, Gripe, gratulor Ru 1178 quom istaec res tibi ex sententia pulcre euenit, gaudeo Ru 1366   seruitus si euenit ei uos morigerari mos bonust Cap 198   meae animae salsura euenit* St 92   . . uelut haec mihi euenit seruitus Ps 771   mihi hau falsum euenit* somnium quod noctu hac somniaui Mi 381 quid si sors aliter quam uoles euenerit? Cas 345   spero ego mihi quoque tempus tale euenturum ut . . Mer 999   tranquillitas euenit quasi naui in mari Poe 753

constr. cognata: si euentus non euenit neque quicquam captumst piscium . . domum redimus Ru 300

lusus inter propriam et translatam sign.: si speras . . euenturam exagogam Capuam saluam et sospitem . . Ru 631(*cf* 637)

2. *seq.* ut: deos quaeso . . mihi ut sortito eueniat. #Ut quidem hercle pedibus pendeas Cas 390   †ueluti mihi euenit ut ouans praeda onustus cederem Ba 1069   mi euenisse (*Bri Rg*[1]) intellego ut liceat merito huius facere Ep 721(*Rg*[1])   eadem eueniet* obliuiosa extempulo ut fiat Mi 889(*R*)   uirtute formae id euenit te ut deceat quicquid habeas Mo 173 neque mihi haud imperito eueniet tali ut in luto haeream Per 535   opino . . id euenturum* esse et seuerum et serium ut haec inueniantur hodie esse huius filiae Poe 1170 hoc euenit* in labore atque in dolore ut mors obrepat interim Ps 685

3. *seq.* ne: ne indigna indignis di darent id ego euenire* uellem Poe 1252

4. *seq. infin.:* nimis opportune mihi euenit redisse Alcesimarchum Ci 309

5. *addito dat.:* mihi Ba 628, 1069, Cap 91, Cas 390, 618, Ci 137, 309, Cu 125, Ep 321, 721*, Mer 338, 999, Mi 381, 1010, Mo 51, 58, Per 535, Ps 771, Ru 912, 1186, 1187, St 209   tibi As 723, Au 348, Ba 102, Cap 415, Cas 383, Cu 271, Men 1144, Mer 652, 774, Mi 669, 1211, Mo 58, Per 293, Ru 637, 1178, 1366, Tri 715, Fr I. 113   sibi Am 187, Ru 398 illi Ep 243, Men 67   nobis Tri 41, Fr I. 65 uobis Poe 1078   ero Au 68   homini Cap 946, Tri 361   militi Mi 109   multis Ru 400   dignis Poe 1270

aedibus Cu 39   foribus Mer 417   naui Poe 753   animae St 92   *fortasse etiam* exsilio et fugae Mer 652

6. *adiect. praedicativum saepe additur; inveninimus etiam haec adverbia praed.:* aliter Cas 345 bene Poe 1078   facile Ep 243   fortunate Ep 243   frugaliter Per 454   immerito St 28 lepide Ps 574, Ru 912   male Cu 39, Ru 1178, Fr I. 113   merito(meo) Cap 415, 971   opportune Ci 309   perspisso Poe 792   prospere Ps 574   pulcre Ru 1366   ex sententia Men

1151, Ru 1366   quo Ba 144, Mo 132, 395 quo modo Ep 321

EVENTUS - - euentus rebus omnibus uelut horno messis magna fuit Mo 159   si euentus non euenit*, neque quicquam captumst piscium . . domum redimus Ru 300

EUGE - - *de forma, significatione, mensura cf* Richter, p. 516   eugae *probat* Richter, *exhibet semper* Ly

gaudentis exclamatio 1. *absolute, nonnumquam sequente voc.:* suasi seni ne . . copia esset. #Euge Ep 356   adulescens nuptast cum sene. #Euge Mi 967   septumum periurium . . #Euge (*P* eugae *ARsⓈLy*) Per 557   quis istic est? #Charinus.   #Euge iam χάριν τούτῳ ποιῶ Ps 712   adsum praesens praesenti tibi.   #Euge, Tranio. quid agitur? Mo 1076   Lysimache, salue. #Euge(*PRLU* euge: et tu *CaRg* eugae *AⓈLy*), Demipho, salueto Mer 283   uel sex mensis opperibor. #Euge(fuge *A*), homo lepidissume Ps 323   quid fit? #Euge, Sagarine lepidissume(*pro adv. habent RRgⓈ*) St 660   di sciunt culpam meam istanc non esse ullam. #Euge, papae(euge pape *B* eugipe *CD*[1] eutibe *D*[2] eugepae *GuyRLLy*) Mer 626(*cf* Richter, p. 525)

bis positum: non enim possum quin exclamem: euge, euge, Lysiteles, πάλιν Tri 705

dubia: Ba 760, euge eamus *CaR* fugiamus *PⓈ†* var em ψ; 979, euge *add RRg in fine versus* Cas 386, eugae *Ly* auge *B*[1]*VEⓈ†L†* aeuge *B*[2] age *J* naugae *Rs duce Richtero*(nugae)

2. *seq. adverb.:* quid postquam laui? #Accubuisti. #Euge(*iterat MueRg*), optume! Am 802 iam hercle ego illum nominabo. #Euge, strenue! Mo 586   *Vide* St 660(*supra* 1)

bis positum: hic dicam deuortier . . #Euge, euge, lepide! Mi 241

3. '*seq. enuntiatum quo quasi explicitur*' *particula:* ut uales? #Exemplum adesse intellego. #Euge(*PLU* eugae *AⓈLy* eugepae *CaRg*[1]): corpulentior uidere Ep 9   fiat. #Euge: salua res est Ru 1037   euge(*add URs* eu *R* adest *Gru Ly*), adest opsonium Mo 363   euge: Philolaches patrissat Mo 638   eugae(*add Rs*): par pari respondes dicto Per 223   euge(*add R*): strenue mehercle isti Ps 1175(*R*)   euge! fundi et aedis, per tempus subuenistis Tru 187 euge: euscheme hercle astitit Mi 213 euge(*P* eugae *ⓈLy*)! socium aerumnae et mei mali uideo Ba 1105   euge, oculus meus: conueniunt manuplares eccos Mo 311   euge (*Ca* fuge *P* eugae *ARsⓈLy*), optume eccum . . Simo progreditur intus Mo 686   euge(ecce *P* euce *A*), opportune egrediuntur Milphio una et uilicus Poe 576   euge, Astaphium eccam(*FZ* eugastha phin[euge staphin *CD*] maccam *P*) it mihi aduorsum Tru 503   euge, par pari (eugepae porro *AcRU*) aliud . . contigit Ps 692   euge(*B* eu *CDU*) litteras minutas! Ba 991

bis positum: euge euge(*Ca* fuge fuge *P*): di me saluom et seruatum uolunt Au 677   euge euge(eugae eugae *A* euge frugi[-e *EJ*]*P*), Epidice, frugi's Ep 493   euge, euge, perbene ab saxo auortit fluctus ad litus scapham Ru 164 euge(*om R*) euge, exornatu's basilice Per 462 euge(fuge *C*), euge: sic furi datur St 766

4. '*antecedit enuntiatum ad quod pertinet*'
particula: lepide dictum de atramento atque
ebure. euge(*PRLU* eugae ψ) plaudo Scaphae
Mo 260   me dicit: euge(*CDRLU* eugae *B*ψ)
Per 90

5. *corrupta:* Aм 1018, euge *EJ pro* eugepae
(*D* -ę *B*)   As 555, euge *EJ* eugae *BD* pro
fugae(*Bue*)   Cap 274, euge petalem(potalem
EJ) *P pro* eugepae, Thalem(*Gul*); 823 euge *J*
pro eugepae
EUGEPAE - - *exclamatio gaudentis. Cf*
Richter, p. 526. *Invenitur aut in initio versus*
aut in exitu. '*Praeter unum* Rudentis *locum*
170 *semper ita positum est ut et antecedat id*
quo loquentis animus commotus est, et subse-
quatur eius quasi explicatio'. aedis occluserunt.
eugepae(*D* -ę *B* euge *EJ*): pariter hoc fit atque ut alia facta sunt Aм 1018   eugepae,
Thalem(*Gul* euge petalem *BD* euge potalem
EJ) talento non emam Milesium Cap 274
eugepae(-e *BE* euge *J*): ediciones aedilicias
hic quidem habet Cap 823   eugepae(*CaRg*[1]
euge *PLU* eugae *A*ψ): corpulentior uidere Eр 9
eugepae(*Guy* eugipe *CD*[1] eutibe *D*[2] euge pape *B*
Rs§[papae] eugae papae ψ): deos absentis testis
memoras Mer 626   eugepae: porro(*AcRU*
euge: par pari *AP*ψ) aliud . . contigit Ps 692
eugepae(*A* -e *CD* eugepae *B*): lepide, Charine,
meo me ludo lamberas Ps 743   eugepae(*Ca*
-pace *P*): uiden alteram illam ut fluctus eiecit
foras? Ru 170   eugepae(*B* -e *CD*), saluos
sum Ru 442   eugepae(*AB* -e *CD*): quando
adbibero, adludiabo Sт 381
EUHOE - - Men 836, eu(h)oe Bacche: heu
RLU euhan euhoe *Rs* euhoe atque euhoe *Ly*
(*ad* Cas 727) eubi(*C* euhi *D* eum *B*[1] heu *B*[2])
atque heu *P*§† *Cf* Richter, p. 529
EUNOMIA - - *matrona. In superscr.* Au
Act. II *sc.* 1; *act.* IV *sc.* 7   mater est Eunomia
Au 780   *Cf* Schmidt, p. 189
EVOCO - - I. **Forma** **euocas** Mi 1248(*U*
Ly duce R -atum *CD* -at˘ *B* euoca *Bent*ψ)
euocat Ba 11(*ex Fest* 169)   **euocabo** Mi 610,
Poe 205, Ps 604, Ru 479   **euocaui** Poe 257
euocauisti Poe 416(*A* -casti *P*)   euocem
Cas 272, Poe 920(*A* seuocem *P*), Ps 1121, Tri
1172   **euocemus** Poe 707, Sт 736   **euoca-**
rem Ps 640   **euoca** Aм 967(-abis *B*[1]), Cas
295, Mi 1248(*Bent* -as *ULy duce R* -atum *CD*
-at˘ *B*), Mo 675, 679, Poe 1116(uoca *GuyLy*)
euocate Aм 949, Men 218, 674, Tri 1175(*P* ęu.
B uocate *Bo*§)   **euocato** As 383   **euocare**
Ba 1117   **euocaturus** Mi 202   *corruptum:*
Mo 1005, tu euocare *P pro* te uocare(*Py*)
II. Significatio 1. *absolute:* euocabo. heus
Periplecomene . . Mi 610   sed euocabo. heus,
i foras, Agorastocles Poe 205
2. *seq. acc.:* pultadum fores atque euoca aliquem (huc *add RRs*) intus ad te Mo 675   euocadum aliquem ocius(*A* foras *P*) Mo 679   ostium
pultabo atque intus euocabo aliquem
foras Ps 604   . . ut hoc pultem atque aliquem (huc *add Rg*) euocem hinc(huc *LambR*)
intus(intus huc *U*) Ps 1121
dedi dudum priusquam me euocauisti* foras
Poe 416   ecquid gratiae quom huc foras te
euocaui? Poe 257

quid dubitamus pultare atque huc euocare
ambos foras? Ba 1117
eo intro aut(*R* an *PULy*) tu illunc (huc *add*
FlRgLU) euoca* foras Mi 1248   sed i euoca*
illam Poe 1116   eo ut illum euocem Tri 1172
ecquis euocat . . istum inpurissumum? Ba 11
(*ex Fest* 169)
quid si euocemus huc foras Agorastoclem?
Poe 707   uin amicam huc euocemus? Sт 736
i, puere, pulta atque atriensem Sauream, sist
intus, euocato huc As 383   uin tuis Chalinum
huc euocem uerbis foras? Cas 272   euocate
intus Cylindrum mihi coquom actutum foras
Men 218   aperite atque Erotium aliquis euocate ante ostium Men 674   huc si (erum)
ante aedis euocem* . . Poe 920   si intus esset, (erum) euocarem Ps 640   tu gubernatorem a naui huc euoca* uerbis meis Blepharonem Aм 967   Lesbonicum si domist, foras
(*om GuyLLy*) euocate*(eu. f. *BergkRRs*) Tri
1175   iam hercle euocabo hinc hanc sacerdotem foras Ru 479   euocate huc Sosiam Aм
949   intro abi atque actutum uxorem huc
euoca ante aedis cito Cas 295
similiter translate: pectus digitis pultat: cor
credo euocaturust foras Mi 202
3. *additur adverb.:* huc Aм 949, 967, As 383,
Ba 1117, Cas 272, 295, Mi 1248(*FlRgLU*), Mo
675(*RRs*), Poe 257, 707, 920, Ps 1121(*Rs*), Sт
736   hinc Ps 1121, Ru 479   foras Ba 1117,
Cas 272, Men 218, Mi 202, 1248, Poe 257, 416,
707, Ps 604, Ru 479, Tri 1175   intus Men
218, Mo 675, Ps 604, 1121   *similiter:* ante
aedis Cas 295, Poe 920   ante ostium Men 674
a naui Aм 967   ad te Mo 675
meis, tuis uerbis Aм 967, Cas 272   mihi
Men 218
adverbia modi: cito Cas 295   actutum Cas
295, Men 218   ocius Mo 679(*A* foras *P*)
EVOLATICUS - - Poe 474, euolaticorum
AP pro uolaticorum(*Hand*)
EVOLO - - cistella hic(cistellula hinc *RsL*
Ly duce Bent) mihi, adulescens, **euolauit** Cı
731   *Cf* Wortmann, p. 39
EVOLVO - - quem ego hominem si quidem uiuo uita **euoluam**(*B*[2] uitae uoluam *P*)
sua Men 903(e uita *Rs*)   ego in hoc triduo
aut terra aut mari aliquonde euoluam id argentum tibi Ps 317
EVOMO - - credo animo malest aedibus.
#Quid iam? #Quia edepol ipsum lenonem **euo-**
munt Ps 953   *Cf* Graupner, p. 7
EUORTO - - **euortes** tuo arbitratu homines fundis, familiis Per 566(*de lenone dicit*)
. . ut agro **euortat** Lesbonicum quando **euor-**
tit(euertit *P*) aedibus Tri 616   aiebant Calliclem indignum ciuitate . . uiuere bonis qui
hunc adulescentem **euortisset**(*A* euer. *P*) suis
Tri 214   *Cf* Dousa, p. 541
ΕΥΡΕΤΗΣ-- nimiumst mortalis graphicus:
εὐρετής(heuretes *APL*†*U* heureta is *R*) mihist
Ps 700   *Vide* Mi 217, *ubi* an, heureta, me *R*
anheriatus *P*§† *var em* ψ
EURIPIDES - - non uentus fuit uerum
Alcumena **Euripidi**(-ippidi *CD*) Ru 86
EUSCHEME -- euge euscheme(*Pius* uscheme
P eus *Paul* 61) hercle astitit et dulice et co-

moedice Mɪ 213 hautǂ in euscheme(*Ca* eusce mea *P* ei eu. *RRs* ineuscheme *LULy*) astiterunt Tʀɪ 625

EUTHYNICUS - - eaque nubet **Euthynico** (*A* te ut hynico[ynico *E* hinico *J*] *P*) nostro erili filio Cᴀs 1014 *Cf* Schmidt, p. 189

EUTYCHUS - - *adulescens. In supersc.* Mᴇʀ *act.* II *sc.* 4; *act.* III *sc.* 4; *act.* IV. *sc.* 5; *act.* V *sc.* 2, 4 (*nom.*) Mᴇʀ 474(-ichus *D* -ihus *C*), 595(-ichus *P*), **Eutyche** Mᴇʀ 601(-iche *P*), 611(-iche *P*), 638(*add BoLy* igitur *RRgL* ǂ 𝔖), 947(-ice *P*), 963(-iche *B* -ice *CD*), 995(-iche *P*), 1010(*B* -iche *CD*) *Cf* Schmidt, p. 190

EX - - *cf* Kampmann, *De de et ex praepositionum usu Plautino.* Pr. Breslau 1850. *De assimilatione in verbis compositis cf* Dorsch, p. 37

I. Forma 1. e *ante:* b. balineis Pᴇʀ 90(*B* a *CD*) ballistario Poᴇ 202 bono Mo 865(*U*)
c. caelo Tʀɪ 940(quo ad e caelo *RRs* quod *PLLy* qui de *Guyψ*), 941 capite Mo 1110 castris Aᴍ 216(*add FRgl om Pψ*) conspectu Aᴍ 518, Cᴀᴘ 434, 749, Pᴇʀ 467(*Dou* in *P*), 727, Tʀᴜ 541(hinc e *Grut* ince *B* in *CD*) culina Mo 1, 5(nidor e c. *PyL* nidore cupinam *P*𝔖ǂ *var om ψ*) cunis Aᴍ 1115
f. fano Cᴜ 216(effano *E*), Poᴇ 323, 821, Rᴜ 334, 663(e fano *ZLULy* aefandae *P*[e- *B* -ę *C* -e *D*]𝔖ǂ ac pauidae *Rs*), 706, 1065(e fano *Lamb in lac* ✱✱✱ 𝔖) ferro Rᴜ 1300(*Bo* e fero *CD* effero *B*)
g. genere Poᴇ 1240(*ARgl om Pψ*)
l. liberis Mɪ 718(*A om P*) litore Rᴜ 1019 loculis Eᴘ 144(*ULy* elo✱✱✱ *Pψ*) ludo Rᴜ 43 lustris As *Arg* 8(e l. rapit *Ca* eius trisrae *BD* *E*¹ eius triste agit *E*³*J*)
m. Macedonia Ps 616(*add HermR om Pψ* -nio *Pψ*) malo Mo 863(*U* de *GulRL* a *Pψ*) manibus Mɪ 457(*FlRgS om Pψ*), Tʀɪ 902 mari Rᴜ 272, 300, 562, Vɪ 72(*add Rg*) me Mo 745, Poᴇ 887(*AB om CD*) medio Tʀɪ 941(*Par om PLy*) meo Eᴘ 564(*A ex PRgU*) multis Poᴇ 1203 myrteta Vɪ 101(*Prisc* II. 124 ǂ𝔖 per *Porph ad flor car* I. 38, 7)
n. naui Aᴍ 329(*om L*), Poᴇ 651 nocte Aᴍ 550(e n. accedat *P* cedat nox nocti *Rgl*) nuce Cᴜ 55
p. pabulo Mɪ 304(*CaULy om P* a *Boψ*) patria Cᴀᴘ 537, Poᴇ 1189(*Ca om A ut vid et P*) periclo Bᴀ 965(*om B*) Persia Pᴇʀ 461 Philippa Eᴘ 636(*RRg*¹*U* ex *Aψ*) portu Aᴍ 412, 701, Bᴀ 288 praeda Cᴀᴘ 34(*Stu* de *PLy*), 111(*U post Stu* de *Pψ*) praetore Pᴇʀ 487(*A* ad praetorem *PLLy*) promptaria Aᴍ 156 proxumo As 53, Aᴜ 290, Mɪ 969(*BachRgLy om P*𝔖ǂ in *CaRU* ex *L*), 1136(*A om P*)
q. quantillis Poᴇ 1167(ę *D*)
r. re Sᴛ 620(sat e rest *Ly* saterest *P* sateris *A ut vid* sat erit *BoRgU* satis est *FZL* satis erit *R* sater est 𝔖) Rhodo Mᴇʀ 390(*CDULLy* rohdo *B* e om *Bψ*) robigine Rᴜ 1300
s. sagina Mɪ 845(*R om P*) scapha Rᴜ 173 senatu Aᴜ 549 serua Mɪ 961(*Dou om P*) somno Mɪ 690(*A om PR*) Sosia Aᴍ 305 Sosicle Mᴇɴ *Arg* 4 summo Cᴀᴘ 305
t. tuis Eᴘ 625(*A* ex *PRgLU*)
u. uero Sᴛ 242(*A* ex *P*) uili Fʀ I. 11(*ex*

Varr l L VII. 66) uinclis Cᴀᴘ 413 uirtute Poᴇ 1328 uita Mᴇɴ 903(*add Rs*) uoltu Aᴍ 960(*BD* et *EJ*), Aᴜ 717(*Ca* e *P* ex *LULy*)
2. ex *ante:* **a.** abitu Aᴍ 529, 641(hoc *ins Rgl*) acie Ps 655 aduentu Aᴍ 641 adulescente Mo 84 aduorso Mᴇʀ 878(*loc perdub: vide* ω), 880 aedibus As 632, Aᴜ 44(*om D*), Cᴀᴘ 533, Cᴀs 776, Mo 3, 698, Ps 656, 730(*P om A*), Tʀɪ 137, 276(*om Non* 374), Tʀᴜ 847 aegritudine Poᴇ 69 aethere Aᴍ *Arg* I. 9 Alide Cᴀᴘ 511, 1005, 1014 aliis As 503 alio Poᴇ 175, 560 alto Mᴇɴ 227, Mɪ 1150 amicis Tʀɪ 94 amoenis Mɪ 641 amore Aᴍ 541, As 883, 919, Cᴀs 520, Mᴇʀ 325, 443, 447 Anactorio Poᴇ 93 angiportu Cɪ 124 animo Cᴀᴘ 928, Cᴀs 23, Cᴜ 224, Eᴘ 526, Sᴛ 2, Tʀɪ 397, Tʀᴜ 449 antiquo Ps 1190 anulo Ps 56 aqua Rᴜ 175, 534, 1168 Arabia Pᴇʀ 522, 541, Tʀᴜ 539(*BueLLy* eccum e. *A. BueRs* ex Sarra *U* exarat *P*𝔖ǂ) arce Bᴀ 954, 958, Ps 1064 arcis Mᴇɴ 803(sex′ *B*) Argo Aᴍ 98(Alcaeo *FlRgl v. om J*) argumento Tʀɪ 707 armario Mᴇɴ 531 Asia Sᴛ 152, 367 auditis Cᴀs 224 audito Bᴀ 469 augurio As 263 auro Bᴀ 640, Cᴜ 440, Sᴛ 291, 367
b. Ballione Ps 193 bonis Cᴀᴘ 235
c. capite Cᴀs 391 Capitolio Tʀɪ 84(*A* e *P*) Carysto Ps 737 catenis Mᴇɴ 84 cera Ps 33 cerebro Tʀᴜ 288(*P* e *A*) Chrysalo Bᴀ 362 concha Rᴜ 704 confidente Mᴇʀ 856 conspectu Mᴇɴ 876, Ps 1106 copia Cᴀs 499 corpore Cᴀᴘ 841, 1001 cruciatu Eᴘ 611 crumina As 590, Pᴇʀ 265 cursura As 327
d. Demetrio Bᴀ 912 disciplina Ps 1274 dulci Cᴜ 11
e. ea Cɪ 611, Mɪ 248, Poᴇ 2, Tʀɪ 742 eapse Eᴘ 254(*Kamp* se ab se *P*) eo Aᴜ 709(*FLU*ǂ*Ly* exeo *Pψ*) ephebis Mᴇʀ 40(*Muret om P: loc dub*), 61 Epheso Bᴀ 236, 389, 561 errore Ps 668 exilio Mᴇʀ 947(redii ex *KampLLy* redi *P* redii de *Rψ*)
f. factis Mo 199 fera As 145 filio Bᴀ 1114 flagitio Bᴀ 1011 forma Mᴇʀ 517(*P* e *A*) fuga Mᴇʀ *Arg* I. 7 fundis Ps 228
g. gaudio Rᴜ 1284 Gelasimo Sᴛ 631(*A* e *P*) germana Rᴜ 737 gnatae Aᴜ 807 gratulando Cᴀᴘ 504
h. hac Aᴜ 2, Cᴀᴘ 951, Mᴇɴ 667, Mᴇʀ 1024, Mɪ 126, Pᴇʀ 143, 611, Rᴜ 256 his Cᴀᴘ 251, Rᴜ 211, Tʀɪ 1127 hisce Cɪ 546, Mᴇʀ 799, Mo 951 hoc As 130, Cᴀᴘ 293, 295, 297, Cᴜ 257, Eᴘ 470, Mᴇɴ 808, 988, Mᴇʀ 129, Mɪ 1164, Pᴇʀ 479, Poᴇ 500(*P Non* 407 *om A*), Ps 412, 655 (*CaRRgU om P* eo *Aψ*), Rᴜ 232, 266, Tʀᴜ 443 hospitio Mɪ 308(*RRg duce Bent* illac hec sum [sunmt *D*] *P*) hostibus Aᴍ 684(*v. secl U*), Mɪ 8
i. illis Ps 392(ex illis *ins ALy* illis *Pψ: loc dub*), Sᴛ 421 impedito Eᴘ 86 improuiso Mᴇʀ 339(ex i. *add R solus*), Rᴜ 1192 incertis Poᴇ 1164 incerto Ps 965 India Cᴜ 439 indomito Tʀᴜ 319(ex i. domitum *WeisL* ex indomitis domitas *GoelU* exinem intum domito *P*𝔖ǂ*Ly*ǂ *aliter Rs*) industria Poᴇ 219 ingenio Bᴀ 546, Pᴇʀ 212, Tʀɪ 1049 inimicitia Sᴛ 409 iniuria Cɪ 180 insana Aᴍ 704 insidiis As 881, Aᴜ 62, Cᴀs 436, Cɪ *Arg* 4, Cɪ 187, Mᴇɴ 570 insulso Rᴜ 517 intumo Tʀᴜ 600

ipsa Cɪ 764, Mɪ 1292   ipsis Cᴀᴘ 810, Pᴇʀ 499
irato Cɪ 652   ista Mɪ 581, istac Pᴇʀ 652, Sᴛ
111   istoc Aᴜ 56, Mᴇɴ 168(*om B Non* 394)

l. laeto Ps 324   Leonida As 368   locis
Tʀɪ 823   longa Cᴀs 1006   lustris As 934
lutulento Bᴀ 384

m. maerore Sᴛ 303   magisterio Bᴀ 148
mala Cᴀᴘ 959   malis Bᴀ 598(*om D*¹), Rᴜ 348,
Sᴛ 120(*A e P*)   manu Aᴜ 471   mari Sᴛ 365
(*P e A*)   matronarum Mɪ 791(*A om P ut R
cum A ut putavit*)   me Aᴍ 524, 710(ex me *Non*
44 *om P*), 816, Aᴜ 77, Bᴀ 841, 911, Cᴀᴘ 619,
779, Cɪ 651, Eᴘ 696, Mᴇɴ 558, 677, Mɪ 246(*R
om P*), 651, 654, 1265, Pᴇʀ 218, Ps 492, Tʀɪ
538(*Kamp om P a A𝕊*† *ULy*), Tʀᴜ 554   mea
Mᴇɴ 273, 1019, Ps 762(mea *ins BoRRgL*), Tʀᴜ
964(e *Non* 467)   medio Tʀᴜ 527   meis Mᴇɴ
849(ni iam ex m. *CaR* ne iam *P* ni a *Vahlen*ψ)
melle Mᴇʀ 139   meo Eᴘ 564(*PRgU e AR*),
Poᴇ 1200(*A e B om CD* sapit *U*)   metu Cᴀs
361   miseriis Cᴀᴘ 924(*AB*² et *P*)   Mnesilocho Bᴀ 782   multis Poᴇ 360, Ps 390, 392,
Sᴛ 343, Fʀ I. 89

n. naui Aᴍ 629, Mᴇɴ 1075   natali Ps 1237
Naucrate Aᴍ 860   neruo Poᴇ 1409   nido Rᴜ
772(*P e A*)   nostris Tʀɪ 601(*PL om Guy*ψ)

o. occluso Eᴘ 308   occulto Vɪ 118   oculis
Mᴇʀ 591(*CD* oculos *B* oculi *RRg*)   oenopolio
As 200   omni Mo 30   omnibus As 208, Mᴇɴ
370, Mo 337, Sᴛ 12, Tʀᴜ 187   ope Mɪ 1082   opere
Mᴇɴ 883   opibus Mɪ 620   oppido Aᴍ 217,
Poᴇ 994(*P* longe *aliter A*)   opsidione Mo 1048
(*P exii A*)   oraclo Mᴇɴ 841   ordine Rᴜ 1155
ore Mᴇʀ 176, Sᴛ 718

p. parata Cᴀᴘ 538, Cᴀs 827   patre Bᴀ 665
patria Poᴇ 1247   patribus Cɪ 40   paupertate
Aᴜ 206   pauxillo Mo 865   pectore Ps 144,
1035, Tʀᴜ 78, 603   pecunia Tʀᴜ 346   penitis
As 40   perdita Eᴘ 644   periculo Rᴜ 349
Persia Pᴇʀ 498(*A e P*)   pessuma Sᴛ 138   Philippa Eᴘ 636(*A e PRg*¹*U*)   Philomela Rᴜ 604
Phrygia Tʀᴜ 536   pictura Sᴛ 271(*P ut A*)
pietate Rᴜ 1176   plurumis Mo 880   porta
Pᴇʀ 436   portu Aᴍ 404(e *J*)   praeda Eᴘ 608
(*J om B*¹*E* est *B*²), 621(*PRg*¹ de *A*ψ)   prae-
sidio Rᴜ 1051   priore Cɪ 605   procliua Rᴜ
1132(ex p. planam *add Gul in lac*)   procliuo
Mɪ 1018   Progne Rᴜ 604(*PL*†*U om Ly em
Rs𝕊*)   proxumo Aᴜ 171, 400, 403, Cᴀs 687,
1013, Mᴇɴ 790, Mɪ 472(hinc ex *A* hic in *P*
hinc e *AcR*), 969(*L vide* ψ), Sᴛ 431   puella
Pᴇʀ 592

r. re Aᴍ 570, As 539, Cᴀᴘ 296(*Valla om PLy
e U*), 959, Mᴇɴ 661   Rhodo Mᴇʀ 257

s. Samo Bᴀ 472, 574   Sarra Tʀᴜ 539(*U
supra sub* Arabia)   se Aᴜ 21, Cᴀs 46, Mo
418(*Ca exei CD* ex eis *B*), Poᴇ 239, Rᴜ 410
secundis Cɪ 557(*RsLLy in lac*), Seleucia Tʀɪ
771, 845   semine Sᴛ 169   senatu Cɪ 776, Mo
1050(*A e P*)   sene Ps 871   sententia Aᴜ
589, Cᴀᴘ 347, 447, Cɪ 126(*v. om AL secl* ψ),
Mᴇɴ 1151, Mᴇʀ 94, 370, Mɪ 947(atque ex *R* at
P), Pᴇʀ 10, 18, Ps 762(*P Non* 334 mea *ins Bo
RRgL*), Rᴜ 1365, Tʀᴜ 961   sermone Mɪ 1091
seruitute Cᴀᴘ 454, 685, 758   Sicyone Ps 1174
Siluani Aᴜ 766(et *D V*¹)   sitella Cᴀs 396   somno
Mᴇʀ 160   spiritu Aᴍ 233(et *Non* 272)   sponsa

Tʀᴜ 865   sterculino Cᴀs 114(e *J*)   suis Cᴀᴘ
997(haud ex *Muret* audax *EJ* haud *B*), Rᴜ 908
summis Mᴇʀ 111   summo Aᴍ 111(*om U*)   suo
Mɪ 308(*UL duce Bent: supra sub* hospitio)
Syncerasto Poᴇ 886   Syria Tʀᴜ 530

t. tabellis Pᴇʀ 518, Ps 49   te Aᴍ 745, 764,
812, As 45, 765(*EJAcRglU* abs *BD Non* 190
ψ), Aᴜ 563, 734, 781, 796, 822, Bᴀ 189, 1161,
Cᴀᴘ 263, Cᴀs 125, 643, 654, 689(*Kamp* ad *E* a
BVJ𝕊), Cɪ 363, Cᴜ 689, Eᴘ 44, 246, 561, 574,
Mᴇɴ 1070, Mᴇʀ 375, Mɪ 289, 1055, 1072(*D*³ ex-
ste *P*), Mo 365(*FZ* e *P*), 625(*add Below U*), 763
(ex te exemplum *BLULy* exemplum *CDR* sibi
ex . . . *A* sibi exemplum ψ), Pᴇʀ 218, 219, 619,
Poᴇ 156, 889(ex ted ortum *Bo* ex te ortum *A
BD* exortum *C* ex te exortum *GepU*), Ps 3, 43
(*ARg𝕊* abs *P*ψ), 347, Rᴜ 121, 739, 1023, 1180,
1312, Sᴛ 38, 111, 324, Tʀɪ 518, 1080, Tʀᴜ 802
(ex te *Bo* ea te *P* atque *U*)   temporibus Mᴇɴ
829   tua Aᴍ 764, Ps 336, 338   tibi Eᴘ 170
tragoedia Aᴍ 54(*v. om J*)   tristi Cᴀs 223   Troia
Bᴀ 1058   tuis Cᴀᴘ 968(*Ca om P*), Eᴘ 625(*PRg
LU* e *A*ψ)   tuo Bᴀ 566, Pᴇʀ 563   Tusco Cɪ
562

u. uicinia Aᴜ 390(*Lamb om P* e *U*)   uinclis
Cᴀᴘ 356, 766(*v. om B*)   uiro Aᴍ 111, 814, Tʀᴜ
134   uirtute Mɪ 738, 1211   unguiculis Sᴛ 761
uno Mɪ 551   unoquoque Cᴜ 295   uoltu Aᴜ
717(*LULy* et *P* e *Ca*ψ)   urbe Aᴍ 256, 533,
Eᴘ 279, Pᴇʀ 555, Ps 1098(e u. *om R*), Rᴜ 295,
Tʀɪ 597, 701   usu Mᴇʀ 394   utero Sᴛ 387,
Tʀᴜ 511   uxore Aᴍ 1015, Cɪ 604, Mɪ 689(*om B*)

3. *corrupta:* Cᴀᴘ 389, ex *E pro* et   Cɪ 724,
e *E*¹ *pro* et   Mɪ 1406, et *B pro* mox   Mo 154,
e *P pro* et(*F*'); 155, tam e *P pro* a me(*B*²);
287, nollit e *B*¹ *pro* nolit ei(*Py*); 467, e . . . *B
pro* et   Poᴇ 161, e *B pro* em; 1030, 1245, e
B pro et   Ps 955, ex transuorso *P lac A
corr Varro*   Rᴜ 927, liberis ex populo *P𝕊*†
var em ψ   Sᴛ 304, ex *add P om A*; 536, ex
illa *B pro* eccillam   Tʀɪ 371, e *A* et *P pro* ei;
1052, ex *ins A*; 1053, ex genere *P pro* exigere
A)   Tʀᴜ 558, ex eo *CD* exo *B pro* ἔξω; 754,
ex ex *B𝕊*† et *CD var em* ψ; 776, ex parte *C
pro* expertae

II. Collocatio   1. *postpositum:* qua ex Eᴘ
170 b   lenone ex Ballione Ps 193

2. *inter adiect. et subst.:* meo e conspectu
Cᴀᴘ 434   mea ex sententia Cɪ 126, Mᴇʀ 370
mea ex crumina Pᴇʀ 265   tua ex re Aᴍ 570,
Cᴀᴘ 296*, 959   tua . . ex sententia Cᴀᴘ 447
tua . . ex uirtute Mɪ 738   tuo ex ingenio Pᴇʀ
212   nostra ex sententia Mᴇɴ 1151   suo ex
animo Sᴛ 2   suis . . ex locis Tʀɪ 823   quo
ex supplicio Poᴇ 994   summo . . e genere Poᴇ
1240(*A*)   capitali . . ex periculo Rᴜ 349   illo
. . e periclo Bᴀ 965   *similiter:* primo ex med
Cᴀᴘ 779   eorum ex ingenio Tʀɪ 1049   amborum ex sententia Tʀᴜ 961   eius ex semine
Sᴛ 169   *Cf etiam* tibi ex sententia Rᴜ 1365
ero ex sententia Pᴇʀ 10

3. *inter subst. et adiect.:* iuuentute ex omni
Attica Mo 30   ciuibus ex omnibus Sᴛ 12   nomine e uero Sᴛ 242

4. *vocabulo uno interiecto:* ex Siluani luco
Aᴜ 766   ex gnatae pedisequa Aᴜ 807

III. Significatio   A. *de loco et sim. suspen-*

sum 1. *ex verbis* **a.** *movendi intransitivis:* abin (hinc *add PyRgl*) e conspectu meo? Am 518 iamne isti abierunt quaeso ex conspectu meo? Men 876 quasique istius causa amoris ex hoc matrimonio abierim . . Mi 1164 . . quom extemplo meo e conspectu abscesseris Cap 434 ni iam ex* meis oculis abscedat . . Men 849 (*CaR*) age illuc apscede procul e conspectu Per 467*, 727 lautum credo e* balineis iam hic adfuturum Per 90 istic seruos ex Carysto qui hic adest ecquid(*A* hic qui aduenit quid[qui *B*] *P* qui huc aduenit quid *BoR*) sapit? Ps 737 uisam ecquae aduenerit in portum ex Epheso nauis mercatoria Ba 236 nudius quartus aduenimus(*Rg* uenimus in *Pψ†ℱ*) Cariam ex India Cu 439(*Rg*) Ps 737(*CaR supra sub* adesse) aduenio ex Seleucia, Macedonia, Asia atque Arabia Tri 845 ut exulatum ex pectore aufugiat meo Ps 1035 is ex Anactorio ubi prius habitauerat huc commigrauit in Calydonem hau diu Poe 93 ex hoc loco ibo ego ad tresuiros As 130 ere, unde is? #Ex senatu Ci 776 eum uidit ire e ludo fidicinio domum Ru 43 ilico hinc imus haud longule ex hoc loco Ru 266 ite . . domum ambo nunciam ex praesidio praesides Ru 1051(?) exire ex urbe prius quam lucescat uolo Am 533 hinc ex hisce aedibus paulo prius uidi exeuntem mulierem Ci 546 non commeministi semul te hodie mecum exire ex naui? Men 1075 ut aetas ex ephebis(*R* atque animus phoebus aetate[etate *BC*] *P* ut ex ephebis aetate *MuretLULy*) exiit(exii *Muret LULy*) Mer 40 una exeuntis uideo hinc e* proxumo Mi 1136 exi e culina sis foras Mo 1 exi, inquam, nidor, e* culina Mo 5(*PyL aliter ψ*) istum e naui exeuntem oneraria uidemus Poe 651 necdum exit ex aedibus Ps 730 . . quom exissem ex aqua . . Ru 534 exi e fano Ru 706 desiluit haec autem altera in terram e scapha Ru 173 deos quaeso ut tua sors ex sitella effugerit Cas 396 effugiet ex urbe Tri 597 effugias ex urbe inanis Tri 701 egredere, erilis permities, ex aedibus Mo 3 estne Ampelisca haec quae foras e fano egreditur? Ru 334 eccas ipsae huc egrediuntur timidae e* fano mulieres Ru 663 emigrauit iam diu ex hisce aedibus Mo 951 (*solus A*) uix ex gratulando miser iam eminebam Cap 504 . . quom ex alto puteo sursum ad summum escenderis Mi 1150 euasit ex aqua Ru 175 si hercle tu ex istoc loco . . excesseris Au 56 iam excessit mihi aetas ex magisterio tuo Ba 148 extemplo ex* ephebis postquam excesserit . . Mer 61 ex hac familia me plane excidisse intellego Men 667 (iui) ad caput amnis quo ad e caelo(*LachRRs* quod de caelo *PLLy* qui de *GuyUℱ*) exoritur sub solio Iouis. #E caelo? #Atque e* medio quidem Tri 940-1 citus e cunis exilit Am 1115 perfidia et peculatus ex urbe et auaritia si exulant . . Per 555 Ps 1035(*supra sub* aufugiat) ait sese Athenas fugere cupere ex hac domu Mi 126 Venerem ipsam e fano fugent Poe 323 migrare certumst iam nunc e* fano foras Cu 216 quid hoc clamoris oritur hinc ex proxumo? Au 403 signum ex arce si periisset Ba 954 utinam te di prius perderent quam periisti e patria tua Cap 537 quotumo die ex Sicyone huc peruenisti? Ps 1174 cotidie ex urbe ad mare huc prodimus pabulatum Ru 295 nescioqui seruos e(†ℱ per *Rg*) myrteta prosilit Vi 101 erus alter eccum ex Alide rediit Cap 1005 iam redii ex* exilio Mer 947 cumque eo reueni ex inimicitia in gratiam St 409 in castra ex urbe ad nos ueniunt flentes principes Am 256 nostra nauis (huc *add PyRglLULy*) ex* portu Persico uenit Am 404 nudius quartus uenimus in Cariam ex India Cu 439 si quae forte ex Asia nauis heri aut hodie uenerit St 152 percontor . . ecquae nauis uenerit ex Asia St 367 quasi ad adulescentem a patre ex Seleucia ueniat Tri 771

b. *movendi, agendi, sim. transitivis:* ex conspectu eri si sui se abdiderunt Ps 1106 peristis nisi iam hunc e conspectu abducitis Cap 749 . . nisi hinc abducit quo uolt ex hisce aedibus Mer 799 . . uirginem furtiuam abductam ex Arabia penitissuma Per 522 illam quidem iam in Sicyonem ex urbe(ex u. *om R*) abduxit(add. *Ly*) modo Ps 1098 abduce hasce hinc e* conspectu Suras Tru 541 uxorem . . abduce ex aedibus Tru 847 adduxi ancillas tibi eccas ex Suria duas Tru 530 ecquam tu aduexti tuae matri ancillam e* Rhodo? Mer 390(*LLy*) ni ante solem occasum e loculis adferes(*Ly* e loculis prompseris elo*** *PψU*) Ep 144 tabellas . . quas tu attulisti mihi ab ero meo usque e Persia Per 461 ex* Persia sunt istaec allatae mihi a meo ero Per 498 (*vide ω*) . . nisi hodie mihi ex fundis . . omne huc penus adfertur . . Ps 228 attuli eccam pallulam ex Phrygia tibi Tru 536 purpurám ex* Arabia tibi attuli tua . . Tru 539(*loc dub*) e* manibus amisisti praedam Mi 457(*FlRgℱ*) . . ut aliquo ex urbe (eam *add LuchsRg*) amoueas Ep 279 amicam secum auexit ex Samo Ba 574 illam ex* Siluani luco quam abstuleras cedo Au 766 ibi signum ex arce iam abstuli Ba 958 cibum captamus e mari Ru 300 tu istinc ex cera cita Ps 33 ex occluso atque obsignato armario decutio argenti tantum . . Ep 308 e portu nauis huc nos dormientis detulit Am 701 hinc med amantem ex aedibus deiecit(*CaULy* eiecit *FlRglL* delegit *Pℱ*) huius mater As 632 delegit As 632 (*Pℱ*) inde cras quasi e promptaria cella depromar ad flagrum Am 156 illa ex* suo se hospitio edit(eduxit *LambR*) foras Mi 308(*loc dub*) clanculum ex aedibus me edidi(dedi *GulR*) foras Mo 698 contra Teloboae ex oppido legiones educunt Am 217 uirum ex hoc saltu damni saluom ut educam foras Men 988 ex* opsidione in tutum eduxi maniplaris meos Mo 1048 uide ex naui efferantur quae imperaui iam omnia Am 629 item ego dolis me illo extuli e* periclo Ba 965 ecfertur praeda ex Troia Ba 1058 ex sterculino effosse! Cas 114 ex hoc sepulcro uetere uiginti minas effodiam ego hodie Ps 412 eiecit As 632(*FlRglL*) eicite ex animo curam atque alienum aes Cas 23 e* sagina ego eiciar cellaria Mi 845 quaene eiectae e mari simus ambae? Ru 272 se iactatas atque eiectas hodie esse aiunt e mari Ru 562 . . eum ex lutulento caeno propere hinc eliciat foras Ba 384 emisisti(exemisti *LambRs*) e uinclis tuom erum Cap 413 ex porta ludis quom emissust lepus Per 436 quando ex neruo emissu's conpingare in carcerem Poe 1409 . . nisi somnum socordiamque ex pectore oculisque exmouetis(*A* amo. *PRU*) Ps 144 suom nomen omne ex pectore exmouit meo Tru 78 a tu ut oculos emungare ex capite per nasum tuos Cas 391 cerebrum quoque omne e capite exmunxti meo Mo 1110 tu quidem ex ore orationem mihi eripis Mer 176 has hirundines ex* nido uolt eripere ingratiis Ru 772 eripe ex ore tibias St 718 ego istos fictos . . unguentatos usque ex* cerebro exuellam Tru 288 quem ego hominem . . oppido e uita(*Rs* uita *Pψ*) euoluam sua Men 903 exaedificauisset me ex his aedibus Tri 1127 ex unoquoque eorum exciam(excutiam *CaRgU* †*S*) crepitum polentarium Cu 295 dormientis spectatores metuis ne ex somno excites? Mer 160 ex ipsis dominis meis pugnis exculcabo furfures Cap 810 mihi cautiost ne nucifrangibula excussit ex* malis meis Ba 598 Cu 295(*supra sub* exciam) iam ego ex corpore exigam omnis maculas maerorum tibi Cap 841 labore lassitudost exigunda ex corpore Cap 1001 exigam hercle ego te ex hac decuria Per 143 spes est tandem aliquando inportunam exigere ex utero famem St 387 exemi ex manu manubrium Au 471 me . . ex uinclis eximis Cap 356 Cap 413(*LambRs : supra sub* emisisti) speraui miser ex seruitute me exemisse filium Cap 758 ex* miseriis plurumis me exemerunt Cap 924 non omnes ex cruciatu poterunt eximere Epidicum Ep 611 se ex catenis eximunt aliquo modo Men 84 eximes ex hoc miseram metu? Ru 232 ueneror ut nos ex hac aerumna eximat Ru 256 eramque ex maerore eximam St 303 . . ut eam ex hoc exoneres agro Ep 470 expediui ex seruitute filium Cas 454 me ex suis locis pulcre ornatum expediuit Ru 908 rete extraxi ex aqua Ru 1168 nam qua me nunc causa extrusisti ex* aedibus? Au 44 illae autem senem cupiunt extrudere incenatum ex aedibus Cas 776 . . quem dudum e* fano foras lenonem extrusisti . . Ru 1065 istam exturbes ex animo aegritudinem Cu 224 eum exturbasti ex aedibus Tru 137 exturbauit hic nos ex* nostris aedibus Tri 601 cum tonitru uoce missa ex aethere Am *Arg* I. 9 ex Epheso huc ad Pistoclerum . . litteras misi Ba 389 misine ego ad te ex Epheso epistulam super amica? Ba 561 . . quam ego haud multo post mittam e ballistario Poe 202 quo illic homo foras se penetrauit ex* aedibus? Tri 276(*cf Non* 374) quasque e* patria perdidi paruas Poe 1189 iam modo ex hoc loco iubebo ad istam quinque perferri minas Tru 443 ne quis uero ex Arabia penitissuma persequatur Per 451 Amphitruo e* castris ilico producit omnem exercitum Am 216 era atque haec dolum ex proxumo hunc protulerunt Cas 687 prompseris Ep 144(*U: supra sub* adferes) ego meos animos uiolentos meamque iram ex pectore

iam promam Tru 603 quo illum nunc hominem proripuisse foras se dicam ex aedibus? Cap 533 accurrit uxor ac uirum e* lustris rapit As *Arg* 8 cano capite te cuculum uxor ex lustris rapit As 934 hostis uiuos rapere soleo ex acie. #Pol te multo magis opinor uasa ahena ex aedibus Ps 655-6 . . recipias te domum huc ex hostibus Am 684 inde ex eo loco(exeo ilico *BriRgS* † *U*) uideo recipere se senem Au 709 manendo medicum dum se ex opere recipiat Men 883 quam mox horsum ad stabulum iuuenis recipiat se e* pabulo Mi 304 e fano recipere uideo se Syncerastum Poe 821 hunc ex Alide huc reducimus Cap 1014 suo uiatico redduxit me usque ex errore in uiam Ps 668 Charinum ex fuga retrahit sodalis Mer *Arg* I. 7 illi me ex* senatu segregant Mo 1050 quid tu te solus e senatu seuocas? Au 549 noctu hac solutast nauis e portu Persico Am 412 interea e portu nostra nauis soluitur Ba 288 radiossus sese sol superabat ex* mari St 365 illo suppilat mihi aurum et pallas ex* arcis domo Men 803 hoc . . clanculum ex armario te surrupuisse aiebas uxori tuae Men 531 . . quas uos ex patria liberas surruptas esse scitis Poe 1247 ego si te surrupuisse suspicer Ioui coronam de capite ex* Capitolio . . Tri 84 quae me e* somno suscitet, dicat . . Mi 690 puellam proiectam ex angiportu sustuli Ci 124 traxit ex intumo uentre suspiritum Tru 600 fortunis ex secundis ad miseras uocat Ci 557(*Rs LLy in lac*) *dubium:* quem tempestas e* mari*** Vi 72

c. *accipiendi, dandi, emendi, sumendi, sim.:* ex tua accepi manu pateram Am 764 ni in quadriduo abalienarit quo ex* te argentum acceperit As 765 e manibus dedit mihi ipse Tri 902 emit hosce e* praeda ambos de quaestoribus Cap 34 heri quos emi e* praeda a quaestoribus Cap 111(*U*) in re praesenti ex copia piscaria consulere quid emam potero Cas 499 illam adducit quae ex* praeda emptast Ep 608(*loc dub*) haec illast autem quam emi ex* praeda Ep 621 iamne habeat signum ex arce Ballionia Ps 1064 amico . . mea ex crumina largiar Per 265(*loc dub*) ex ea largiri te illi Tri 742 ex malis multis metuque summo capitalique ex periculo . . recepit ad se . . sacerdos me et Palaestram Ru 348-9 ducentis aureis Philippis redemi uitam ex flagitio tuam Ba 1011 ex uno puteo similior numquam potis aqua aeque sumi quam . . Mi 551 a pistore panem petimus, uinum ex oenopolio As 200 aulam maiorem si potes ex* uicinia pete Au 390 ego hinc artoptam ex proxumo utendam peto a Congrione Au 400 numquam hercle ex ista nassa ego hodie escam petam Mi 581 ille eo maiore hinc opere ex* te exemplum petit Mo 763(*B LULy*) si hercle me ex medio mari sauium petere tuom iubeas . . Tru 527

d. *interrogandi, quaerendi, sim. de auctore:* interibi ego ex hac statua uerberea uolo erogitare Cap 951 me oratricem hau spreuisti sistique exorare ex* te Mi 1072 salutem inpertit et salutem ex* te expetit Ps 43 ex

uxore hanc rem pergam exquirere Am 1015
spatium ei dabo exquirendi meum factum ex
gnatae pedisequa Au 807   ex his quae uolo
exquisiuero Cap 251   eadem ego ex hoc quae
uolo exquaesiuero Cap 293   est quod uolo
exquirere ex* te Cas 689   ex ipsa, obsecro,
exquaeritote Ci 764   age nunciam ex me exquire rogita quod lubet Ep 696   idem ego
dicam si ex* me exquiret miles Mi 246 . . ne
titubet si exquiret(R quiret P) ex ea miles Mi
248   i ad forum e* praetore(ad praetorem
PLLy) exquire Per 487   ex te poterit argumentis hanc rem magis exquirere Ru 1180
ego ex te exquaero atque ex istac tua sorore
St 111   ex* te exquiro Tru 802   qui istuc
in mentemst tibi ex* me . . percontarier? Au
710   si esses percontatus me ex aliis . . As
503   istuc uolebam ego ex te percontarier
Ba 189   percontare ex ipsis: ipsae tibi narrabunt Per 499   te ex puella prius percontari
uolo quae ad rem referunt Per 592   adduco
hunc si quid uis ex hac percontarier Per 611
. . si nos ex te percontabimur aut patriam
tuam aut parentes Per 619   nisi molestumst
paucis percontarier uolo ego ex te Ru 121   ex
me quaeris quid deliqueris? Am 816   cur hoc
ego ex te quaeram? As 45   hoc qui sciam
ne quis id quaerat ex me . . Tru 554   sunt
quae ex te solo scitare uolo Cap 263

e. *audiendi, sciendi, sim. de auctore:* ex
te audiui ut urbem maximam expugnauisses
Am 745   ego equidem ex te audiui Am 764
cur istuc, mi uir, ex ted audio? Am 812   quid
ego ex te audio? Au 734, Ep 44, 246, Men 1070,
Mo 365*, Ps 347, Ru 739, Tri 1080(ted RRs)
quod facinus ex te ego(om Ly) audio? Au 796
quod ego facinus audio ex te? Au 822   satin
est si plura ex me audiet hodie mala quam
audiuit umquam Clinia ex Demetrio? Ba 911-2
uerum audire etiam ex te studeo Ba 1161   ex
me audibis uera quae nunc falsa opinare Cap
619   . . primo ex med hanc rem ut audiat
Cap 779   haec sic aiebat audiuisse ex* eapse
atque epistula Ep 254   audiui . . e* meo seruo
illam esse captam Ep 564   saepe ex te audiui
Mer 375   quod ego, Sceledre, scelus ex te
audio? Mi 289   hoc numquam uerbum ex*
uxore audias Mi 689   nescio tu ex me hoc
audiueris an non Mi 1265   numquam ecastor
hodie scibis priusquam ego ex te audiuero Per
219   iam pridem equidem istuc ex te audio
Poe 156   caue sis audiam ego istuc posthac
ex te St 38   . . si omnia ex* me audiueris
Tri 538   ex me quidem hodie numquam fies
certior Ba 841   numquam edepol mortalis
quisquam fiet e* me certior Poe 887   si ex
te tacente fieri possem certior . . Ps 3   quidquid est iam ex Naucrate cognato id cognoscam
meo Am 860   rem repperi omnem ex tuo magistro Ba 566   omnia resciui scelera ex Mnesilocho tua Ba 782   . . ex me primo ut prima
scires Am 524   uolo ex te scire qui sit agnus
curio Au 563   ego ex hoc quo genere gnatus
sis scio Cap 295   quae tamen scio(dub) scire
me ex hoc Cap 297   nisi ex te scio quicquid
hoc est cito . . Cas 643   possum scire ego
istuc ex te? Cas 654   uolo ex te scire quic-

quid est Ci 363   . . ut haec ex me sciat
eadem Ci 651   quod scio omne ex hoc scio
Cu 257   . . ut haec quae bona dant di mihi
ex me sciat Men 558   iam ego ex hoc ut
factumst scibo Men 808   id me scire (ex te
add Below U) expeto Mo 625   e me ne quid
metuas nihil sciet Mo 745   nisi sciero prius
ex te, tu ex me numquam hoc quod rogitas
scies Per 218   quo argumento . . fur sum
facdum ex te sciam Ru 1023   uolo ex te
scire signa Ru 1312   possum scire ex te uerum? St 324   . . ne ille ex te sciat neue
alius quisquam Tri 518

similiter de rebus: ego quom peribat uidi
non ex audito arguo Ba 469   esse bonum e*
uoltu cognosco Au 717   hanc ego de me
coniecturam facio magis quam ex auditis Cas
224   ex factis nosce rem Mo 199   ex tabellis nosce rem Per 518   ex tabellis iam
faxo scies . . Ps 49

f. *nascendi, procreandi, sim. de origine:* Amphitruo natus Argis ex Argo(Argis Alcaeo *Fl
Rgl*) patre Am 98   quasi si esset ex se nata
Cas 46   . . nec ex uxore natam, uxoris filiam
Ci 604   ex priore muliere nata . . meo erost
filia Ci 605   ex ea natast haec uirgo Ci 611
cur non, quae ex te nata sit Ep 574   uideon
ego Telestidem . . ex* Philippa matre natam
Ep 636   postriduo natus sum ego . . quam
Iuppiter ex Ope natust Mi 1082   mulier profecto natast ex ipsa Mora Mi 1292   . . ingenuas liberas summoque e* genere gnatas Poe
1240(ARgl)   accepit ad sese haud secus quam
si ex se simus natae Ru 410   respondeo . .
natas ex Philomela atque ex Progne(PL† U ac
Progne Ly Attica RsꙄ) esse hirundines Ru 604
te ex concha natam esse autumant Ru 704
. . eam qua ex tibi commemores hanc . . filiam
prognatam Ep 170   illa te, ego hanc mihi
educaui ex patribus conuenticiis Ci 40   filiam
quam ex te suscepi . . Ep 561   lenones ex
Gaudio credo esse procreatos Ru 1284

similiter: neque quicquam nobis pariant ex*
se incommodi Mo 418

is ex se hunc reliquit . . filium Au 21   filiam
ex te tu habes Au 781   scio . . esse filium ex
sponsa tua Tru 865   utrimquest grauida et
ex uiro et ex* summo Ioue Am 111   eius ex
semine haec certost fames St 169

g. *oriendi, initium capiendi, sim.:* neque
per uinum . . ex me exoritur discidium in conuiuio Mi 654   inde mihi principium capiam
ex ea tragoedia Poe 2   ne enuntiet id esse
facinus ex* ted ortum Poe 889   nolebam ex
me morem progigni malum Ps 492

similiter: scio dulce atque amarum quid sit
ex pecunia Tru 346

h. *de materie* α. *e quo aliquid factum est:* ex*
spiritu atque anhelitu nebula constat Am 233
(*cf Non 272*)   huic decet statuam statui ex
auro Ba 640   statuam uolt dare auream solidam faciundam ex auro Philippo Cu 440
aequiust . . oratores mittere ad me donaque
ex auro St 291   machaera . . misera gestit
fratrem facere ex hostibus Mi 8(*loc dub*)   resinam ex melle Aegyptiam uorato Mer 139
hoc (ueru) . . e robigine non est e* ferro fac-

tum Ru 1300 ego ex te hodie faciam pilum catapultarium Cu 689

similiter: faciunt e* malo peculio quod nequeunt e* bono: augent ex pauxillo .. Mo 863-5 (*U in loco dub*) diuitias tu ex istac facies Per 652

β. de priore condicione: augent ex pauxillo*** Mo 865(?) quin uos capitis condicionem ex pessuma primariam St 138 axitiosae annonam caram e uili concinnant uiris Fr I. 11(*ex Varr l L* VII. 66) eccum erilem filium uideo corruptum ex adulescente optumo Mo 84 di me ex perdita seruatam cupiunt Ep 644 eandem hanc .. faciam ex tragoedia comoedia ut sit Am 54 ex insana insaniorem facies Am 704 haeret haec res si quidem haec iam mulier factast ex uiro Am 814 .. ex me ut unam faciam litteram longam Au 77 facietque extemplo Crucisalum me ex Chrysalo Ba 362 Herculem fecit ex patre Ba 665 me qui liber fueram seruom fecit, e summo infumum Cap 305 ex parata re imparatam omnem facis Cap 538 facies tu hanc rem mihi ex parata imparatam Cas 827 si eris uerax, tua ex re facies ex(†ß) mala meliusculam Cap 959(*v. secl BoU: vide ψ*) si eris uerax ex* tuis rebus feceris meliusculas Cap 968 (faciet) hominem ex tristi lepidum et lenem Cas 223 hanc ex longa longiorem ne faciamus fabulam Cas 1006 .. si possum tranquillum facere ex irato mihi Ci 652 ego .. quo modo me expeditum ex impedito faciam Ep 86 facit Menaechmum e Sosicle Men *Arg 4* (facis) eundem ex confidente actutum diffidentem denuo Mer 856 ingenuan an festuca facta e* serua liberast? Mi 961 fecisti modo mihi ex procliuo planum Mi 1018 faciam hanc rem ex* procliua planam tibi Ru 1132 is me ex Syncerasto Crurifragium fecerit Poe 886 quantae e quantillis iam sunt factae Cap 1167 .. te faciam ex laeto laetantem magis Ps 324 Medea .. dicitur fecisse rursus ex sene adulescentulum Ps 871 eccum qui ex incerto faciet mihi quod quaero certius Ps 965 certumst mihi hunc emortualem facere ex natali die Ps 1237 te ex insulso salsum feci Ru 517 mulier factast iam ex uiro Tru 134 .. Quintus fiam e Sosicle Am 305 ex bonis pessumi et fraudulentissumi fiunt Cap 235 .. ut postilena possit ex te fieri Cas 125 nolo ex* Gelasimo mihi fieri te Catagelasimum St 631 uidi equidem †exinem intum domito†(*PßLy* equom ex indomito domitum *WeisL* ex indomitis domitas *GoelU var em Rs*) fieri Tru 319 .. meque ut praedicet lenone ex Ballione regem Iasonem Ps 193 reddam ego te ex fera fame mansuetum As 145 restitue certas mihi ex incertis nunc opes Poe 1164 te ex Leonida futurum esse atriensem Sauream As 368 *fortasse etiam:* quid illud sit negoti lubet scire ex hoc metu(†ß) ut sim certus Mer 129(*loc perdub:* ut eximar *L var em* ψ)

i. *aucupandi, inspiciendi, sim.:* aucupemus ex insidiis clanculum quam rem gerant As 881 hanc seruolus tollit atque exponit et ex insidiis aucupat Ci *Arg 4* huc concedamus: ex insidiis aucupa Men 570 ex alto procul

terram conspiciunt Men 227 .. ne mihi ex insidiis uerba inprudenti duit Au 62 hinc ex insidiis hisce ego insidias dabo Cas 436 quemne ego excepi in mari .. #At ego inspectaui e litore Ru 1019 hinc ex occulto sermonem eius sublegam Vi 118(*ex Non 332 om LyU†ß*) quom ipse exponebat, ex insidiis uiderat Ci 187

k. *variis:* et dies e nocte accedat(dies cedat mox nocti *Rgl*) Am 550 si forte occeperint clamare hinc ex crumina As 590 ex industria ambae numquam concessamus Poe 219 neque dum exarui ex amoenis rebus et uoluptariis Mi 641 exauspicaui ex uinclis Cap 766(*om B*) hunc diem unum ex illis multis miseriis uolo me eleutheria capere St 421

nimia omnia nimium exhibent negoti hominibus ex se Poe 239 miles hic reliquit symbolum expressam in cera ex anulo suam imaginem Ps 56 exprome benignum ex te ingenium Mi 1055 ex* istoc loco spurcatur nasum odore inlutili Men 168

2. *ex nominibus:* rogo Philocratem ex* Alide ecquis hominum nouerit Cap 511 militi e* Macedonia Ps 616(*HermR*) ego conspicor nauem ex Rhodo Mer 257 eras tuas .. atque ex germana Graecia Ru 737 ego Lar sum familiaris ex hac familia Au 2 scio iam filius quod amet meus istanc meretricem e proxumo Philaenium As 53 nostis hunc senem Euclionem ex proxumo pauperculum? Au 171 (filia) uicini huius Euclionis senis(*Ca om P* hinc *PyRgULy*) e proxumo Au 290 haec Casina huius reperietur filia esse ex proxumo Cas 1013 ille hinc amat meretricem ex proxumo Men 790 hanc attingere ausu's mulierem hinc ex* proxumo Mi 472 senis huius uxor Periplecomeni e* proxumo Mi 969 amicam ego habeo Stephanium hinc ex proxumo St 431 *similiter:* unde esse eam aiunt? #Ex Samo Ba 472 dicatque se peregrinum esse ex alio oppido Poe 175 isque se ut adsimularet peregrinum (esse *add PRglLLy*) aliunde ex alio oppido Poe 560 quoiatis estis aut quo ex oppido Poe 994(*P* estis unde sit ne passerit *A*)

qui e nuce nuculeum esse uolt, frangit nucem Cu 55 ni ex* oculis lacrumae defendant, iam ardeat credo caput Mer 591

te ex opibus summis .. ire opitulatum Mi 620(*i. e.* hominem ex opibus summis? *vide Brix-N ad loc*)

ex praesidio(= *dimissis praesidiis?*) praesides Ru 1051

aliquem uelim qui mihi ex his locis aut uiam aut semitam monstret Ru 211 quid illi ex utero exitiost prius quam poterat ire in proelium Tru 511

3. *ex adiectivis:* egon apicularum opera congestum non feram ex dulci oriundum melculo dulci meo? Cu 11 erit .. memorabile me meum erum ex seruitute atque hostibus reducem fecisse liberum in patriam ad patrem Cap 685 suis me ex locis in patriam †urbis cummam† reducem faciunt Tri 823

4. *ex adverbiis:* ilico hinc imus haud longule ex hoc loco Ru 266 age illuc apscede

procul e conspectu Per 467*, 727   exscrea
.. usque ex penitis faucibus As 40   usque e
Persia Per 461(*supra* 1. b)   usque ex errore
Ps 668(*supra* 1. b)   .. ubi perpruriscamus usque
ex unguiculis St 761   usque ex cerebro Tru
288(*supra* 1. b)   ex summis opibus .. usque
Mer 111(*infra* D)

5. *indicat locum quo:* satis iam dolui ex
animo et cura Cap 928   si quid est homini
miseriarum quod miserescat, miser ex animost
Ep 526   credo ego miseram fuisse Penelopam .. suo ex animo St 2   miser ex animo
fit, factius nihilo facit Tri 397   ut miserae
matres sollicitaeque ex animo sunt Tru 449

ut uiridis exoritur colos ex temporibus atque fronte Men 829

B. *de tempore:* haec adeo ut ex hac nocte
primum lex teneat senes Mer 1024   bonus
uolo iam ex hoc die esse Per 479   res serias
omnis extollo ex* hoc die in alium diem Poe
500   bene promittis multa ex multis Poe 360
(*ut* alia ex aliis, diem ex die: *cf* Ussing *ad loc*)

C. *vi causali:* conicitur ipse in morbum ex
aegritudine Poe 69   ex amore hic admodum
quam saeuos est Am 541   quid fatere? #Me
ex amore huius corruptum oppido As 883   ex
amore tantumst homini incendium As 919   miseriorem ego ex amore quam te uidi neminem
Cas 520   hic homo ex amore insanit Mer 325
sanus non est ex amore illius Mer 443   numquam edepol fuit .. ille senex insanior ex
amore quam ille adulescens Mer 447   hinc
sapit quicquid sapit ex* meo amore Poe 1200
satis iam dolui ex animo et cura Cap 928(*aliter
em Rs: vide supra* A. 3)   adsudascis iam ex
metu, mastigia! Cas 361

neque illo quisquamst alter hodie ex paupertate parcior Au 206   illa illi dicit eius
se ex iniuria peperisse gnatam Ci 180

lacrumantem ex abitu concinnas tu tuam
uxorem Am 529   plus aegri ex abitu uiri
quam ex aduentu uoluptatis cepi Am 641

non uides me ex cursura anhelitum etiam
ducere? As 327   lassus sum hercle e(*om L
addito commate*) naui Am 329

(uenis) ut tibi ex me sit uolup Men 677
plus dabo quam praedicabo ex me uenustatis
tibi Mi 651   quid tibi ex filio nam, opsecro,
aegrest? Ba 1114   .. satis cepissem miseriarum e* liberis Mi 718

D. *idem fere indicat quod* secundum: fricari
sese ex antiquo uolunt Ps 1190   hic agit
magis ex argumento Tri 707   quantum ex
augurio auspicioque intellego .. As 263   ex
copia piscaria consulere quid emam potero
Cas 499(?)   ad hunc me modum intuli illi satis
facete: nimis ex disciplina Ps 1274(*LLy*)   ex*
forma nomen inditumst Mer 517(*cf* Ps 655, St
242)   ex* hoc nomen mihist Ps 655   ex ingenio malo malum inueniunt suo Ba 546(*v. om
A*)   tuo ex ingenio mores alienos probas Per
212   eorum ex ingenio ingenium horum probant Tri 1049   ex Tusco modo tute tibi indigne dotem quaeras corpore Ci 562   ex*
matronarum modo capite compto crinis uittasque habeat Mi 791   nunc Miccotrogus
nomine e* uero uocor St 242   Apollo mihi

ex oraclo imperat ut ego illic oculos exuram
Men 841   qua facie sunt? responde ex ordine Ru 1155   satin ut facete atque ex*
pictura astitit? St 271   uolup est quom istuc
ex pietate uostra uobis contigit Ru 1176   quid
mali sum, ere, tua ex re promeritus? Am 570
meum caput contemples si quidem ex re consultas tua As 539   haec tu eadem si confiteri uis tua ex* re feceris Cap 296   si eris
uerax, tua ex re(, *add L*) facies .. ex mala
meliusculam Cap 959(*v. secl BoU*)   ex re tua
ut opinor feceris Men 661   ex tua rest ut
ego emoriar Ps 336   ex tua re non est ut
ego emoriar Ps 338   tantillum loculi ubi catellus cubet id mihi sat e* rest loci St 620(*Ly*)
ero ex sententia seruiri seruos postulat Au 589
.. qui magis sit seruos ex sententia Cap 347
et tua et tua huc ornatus reueniam ex sententia Cap 447   ego nunc quasi sum onusta
mea ex sententia Ci 126(*v. om AL secl* ψ)
bene opsonaui atque ex mea sententia Men 273
bene ora commetaui atque ex mea sententia
Men 1019   haec euenere, frater, nostra ex
sententia Men 1151   merces .. omnis ut
uolui uendidi ex sententia Mer 94   ex summis
opibus uiribusque usque experire .. Mer 111
hac nocte non quieui satis mea ex sententia
Mer 370   id procedit lepide atque ex* sententia Mi 947   ego .. neque satis sum ero
ex sententia Per 10   satin ergo ex sententia?
Per 18   ducam legiones meas .. auspicio
liquido atque ex sententia Ps 762   quom
istaec res tibi ex sententia pulcre euenit gaudeo
Ru 1365   utrique mos geratur amborum ex
sententia Tru 961   lepide ecastor aucupaui
atque ex* mea sententia Tru 964   iam ex
sermone hoc gubernabunt doctius porro Mi 1091
e* tuis uerbis meum futurum corium pulcrum
praedicas Ep 625   incedit huc ornatus haud
ex* suis uirtutibus Cap 997   .. ut, hospes,
tua te ex uirtute et mea meae domi accipiam
benigne Mi 738   ex uirtute formae euenit
tibi mea opera super hac uicina Mi 1211   e
uirtute uobis fortuna optigit Poe 1328   uoltum
e* uoltu comparet Am 960   non ex usu nostrost
neque adeo placet Mer 394   ex tuo inquam
ussust Per 563

E. *vi partitiva:* me unice unum ex omnibus
te atque illam amare aibas mihi As 208   te
unum ex omnibus Venus me uoluit magnificare
Men 370   .. unice qui unus ciuibus ex omnibus probus perhibetur St 12   te unum ex
omnibus amat Tru 187   o amice ex multis
mihi une, Cephalio Fr I. 89(*ex Prisc* II. 188)
quo nemo adaeque iuuentute ex omni Attica
antehac est habitus parcus Mo 30   illi ego
ex omnibus optume uolo Mo 337   solus nunc
eo aduorsum ero ex plurumis seruis Mo 880
hoc e multis maxumumst Poe 1203   pauci
ex multis sunt amici Ps 390   dilectum para
atque ex multis exquire illis unum qui certus
siet Ps 392(d. p. ex multis atque exquire illinc
unum *L aliter Ly*)   ex* malis multis malum
quod minumumst id minumest malum St 120
(*v. secl L*)   ex multis nequiorem nullum quam
hic est St 343   tu ex amicis certis mihi's
certissumus Tri 94

F. *locutiones aliquot:* ex aduorso uides Mer 878(*loc desp: vide* ω), 880   ita mi ex improuiso(*R* mihi *Pψ*) res aliqua obicitur Mer 339   ex improuiso filiam inueni meam Ru 1192   ex transuerso Ps 955(*P et fortasse A* ut transuorsus ω *ex Varr l L* VII. 81)

G. *additur terminus:* Athenas Mi 126   domum Am 684, Ru 43, 1051   domo Men 803   *adverbium:* hinc Am 518(*add PyRgl*), As 590, 632, Au 290(*RgULy*), 400, 403, Ba 384, Cas 436, Ci 546, Mer 799, Mi 472, 1136, Ru 266, St 431, Tru 541, Vi 118   istinc Ps 33   huc Am 404(*add Py om PS*), 684, 701, Ba 389, Cap 1014, Poe 93, Ps 228, 1174, Ru 295, 663(*LULy*)   illuc Per 467*, 727   quo Cap 533, Tri 276   aliquo Ep 279   foras Ba 384, Cap 533, Cu 216, Men 988, Mi 308, Mo 1, 698, Ru 334, Tri 276   *praep. cum subst.:* ab Au 400, Per 461, Tri 771   ad Am 156 (?), 256, As 130, Ba 389, 561, Ci 551(*RsLLy*), Mi 304, 1150, Ru 295, 348, Tri 771, Tru 443   de Tri 84   in Am 256, Ba 236, Cu 439, Men 849(*CaR*), Mo 1048, Poe 93, 500, Ps 668, 1098, Ru 173, St 409, Tri 823, 902

H. ex *repetitur:* et ex uiro et ex summo Ioue Am 233   ex Philomela atque ex Progne Ru 604(*vide edd*)   ex te .. atque ex istac tua sorore St 111

cum duobus nominibus: ex spiritu atque anhelitu Am 233   ex seruitute atque hostibus Cap 685   ex animo et cura Cap 928(*Rs*)   ex eapse atque epistula Ep 254   ex temporibus atque fronte Men 829   ex occluso atque opsignato armario Ep 308   ex amoenis rebus et uoluptariis Mi 641   tua ex uirtute et mea Mi 738

cum multis nominibus: ex Seleucia, Macedonia, Asia atque Arabia Tri 845

[*W. E. Waters*]

EXADVORSUM - - uideo exaduorsum Pistoclerum et Bacchidem Ba 835

EXAEDIFICO - - quid interest dare te in manus argentum amanti .. adulescenti .. qui **exaedificaret** suam incohatam ignauiam? Tri 132(*cf* Inowraclawer, p. 34: Graupner, p. 7 *et adn.* 2)   **exaedificauisset** me ex his aedibus, apsque te foret Tri 1127   sibi laudauisse hasce ait architectonem nescioquem **exaedificatas** insanum(*Stud ex A* aedificatas[ẹ- C e- *D*] has sane *P*) bene Mo 761

EXAEQUO - - aurum auro expendetur, argentum argento **exaequabitur**(*B* [exe-] -mus *CULy* -mur *D*) Ru 1087

EXAERAMBUS - - uina quae heri uendidi uinario **Exaerambo**(exe. *J* Serambo *RRgl*), iam pro is satis fecit Sticho? .. nam uidi huc ipsum adducere trapezitam **Exaerambum**(*D* exe. *BEJ* Serambum *RRgl*) As 436-8   *Cf* Koenig, p. 8; Schmidt, p. 368

EXAGITO - - Ru 122, exagitas *CD* exigas *B pro* ex(s)icas(*Turn*)

EXAGOGA - - si speras tibi .. eam .. euenturam **exagogam** Capuam saluam et sospitem .. Ru 631   sic faciat domum(bonum *BugRs*) ad te exagogam Tru 716(*cf* Graupner, p. 716)   ite hac simul .. bonorum **exagogae**(*Z* axagoce *CD* macagoce *B*) Tru 552

EXAMBULO - - ne hinc foras **exambulet** (*A* ambulet *PL*) Ep 165

EXAMEN - - neque istuc insegesti tergo(*P var em RsU*) coget **examen**(*A* exanimem *CD* examinem *B*) mali Tru 314(*cf* Blomquist, p. 26) quin examen(*HauptLULy* etiam men *PS⁺ aliter Rs*) superadducas quae mihi comedint cibum? Tru 534   glirium **examina** Fr II. 37(*ex Non* 119)

EXAMINO - - examinatus As 265 *E*, Au 208 *J pro* exanimatus   Cas 573, examinatum *VJ pro* exanimatum

EXAMUSSIM - - ne ista edepol, si haec ẹ-era loquitur, examussimst optuma Am 843 .. ut hanc rem uobis examussim disputem Men 50   aedes .. sunt paratae, expolitae, factae probe examussim(-missum *B¹*) Mo 102

EXANCLO - - ne iste edepol uinum poculo pauxillulo saepe **exanclauit**(*APNon* 292 -ui *Placidus* exantlauit *Sergius*) submerum scitissume St 273

EXANIMALIS - - .. ni illum **exanimalem** faxo, si conuenero Ba 848   mihi multae in pectore sunt curae **exanimales**(-abiles *A*) Ru 221(*cf* Egli, I. p. 28)

EXANIMABILIS - - Ru 221, exanimabiles *A pro* exanimales

EXANIMO - - I. **Forma** exanimor Ci 208 (examor *V*)   **exanimatus** As 265(examinatus E), Au 208(examinatus *J*), Ba 298(exanimus *BoR*), Ps 9   **exanimata** Cas 630(exaniminata *J*), Ep 572   **exanimatum**(*acc.*), Cas 573(*A* examinatum *J*), Mer 220(-tu *B*)   **exanimatas** Ru 372, 409   *corruptum:* Tru 314, exanimem *CD pro* examen(*A*)

II. **Significatio** 1. *proprie:* uix hodie ad litus pertulit uos uentus exanimatas Ru 372   uuidas eiectas exanimatas accepit ad sese Ru 409

2. *translate:* iactor crucior agitor stimulor uorsor in amoris rota, miser exanimor* Ci 208   quid illuc quod exanimatus* currit huc Leonida? As 265   priusquam intro redii, examinatus* fui Au 208   non me fefellit: sensi: eo exanimatus* fui Ba 298   quid est quod tu exanimatus .. gestas tabellas tecum? Ps 9   quid est quod haec huc timida atque examinata* exsiluit? Cas 630   exanimata exsequitur aspectum tuom Ep 572   aspicit te timidum esse atque exanimatum Mer 220(*loc dub*)   exanimatum* amittat domum Cas 573

EXARESCO - - tu istaec mihi dato: **exarescent** faxo Ru 578   nequedum **exarui** ex amoenis rebus et uoluptariis Mi 641

EXARO - - Tru 539, exarat tibi *PS⁺* ex Arabia tibi *BueRsLLy* ex Sarra *U*

EXASCIO - - iam hoc opus est **exasciato** (*Ac* -eato *Ly* -eatum *BDEL⁺* -iatum *U* exaceatum *J*) As 360   *Cf* Graupner, p. 15; Inowraclawer, p. 68

EXAUDIO - - nec satis **exaudibam**(*BVE* -iebam *AJ*) nec sermonis fallebar tamen Ep 239   quem fodere metuo sonitum ne ille **exaudiat** Tri 754   nequeo quae loquitur **exaudire** clanculum Men 478   quae loquatur exaudire hinc non queo Mer 707

EXAUGEO · · bene facta maiorum meum exaugeam St 304

EXAUSPICO · · **exauspicaui** ex uinclis (*VEJ* omnia om *B*) Cap 766 *Cf* Weidner, *Advers. Plautina* p. 12

EXBALLISTO · · Ballionem **exballistabo** (-ali- *FZR*) lepide Ps 585 *Cf* Egli, II. p. 9; Graupner, p. 18

EXCANTO · · quoiuis **excantare** facile cor potes Ba 33(*ex Non* 102; *Serv in Buc* VIII. 71)

EXCEDO · · iam **excessit** mihi aetas ex magisterio tuo Ba 148 si hercle tu ex istoc loco digitum transuorsum aut unguem latum **excesseris** . . Au 57 extemplo ex ephebis postquam **excesserit**(*FZ* -it *P*) Mer 61(*subiu. perf.*)

EXCETRA · · iam tibi istuc cerebrum dispercutiam, **excetra** tu(excitra tu *A* execrata *BVE* execreta *J*) Cas 644 ain, excetra tu, quae tibi amicos tot habes tam probe oleo onustos? Ps 218 cum leone, cum **excetra**(*A* ecscetera *B* exscedra *CD*), cum ceruo . . deluctari mauelim Per 3 *Cf* Wortmann, pp. 5, 46

EXCIDIO · · **excidionem**(*BE* exciditionem *J*) facere condidici oppidis Cu 534

EXCIDIUM · · exitium, **excidium**(*A* exc. exi. *P*), exlecebra fiet hic equos hodie auro senis Ba 944

EXCIDO · · I. Forma **excidit**(*perf.*) Ci 677(*B* excindit *VE*), 696, 697, Poe 260, Ru 201 **exciderunt** Ba 668, Mer 541(*AB* -rint *D* -rit *C*), Mo 732 **excidat** Cu 45(*Lamb* exedat *BVE* exaedai *J*) **excidisse** Ci 711(-sē *J*), Men 667

II. Significatio 1. *proprie:* etiam quae simul uecta mecum in scaphast excidit Ru 201 loca haec circiter (cistella) excidit* mihi Ci 677 haec est. #Quis? #Quoi haec excidit cistella. #Certe . . locum signat ubi ea excidit Ci 696-7 tum *** more(*lac var supp LU*) excidisse Ci 711 illi quidem hau sane diust quom dentes exciderunt* Mer 541 nihil respondes? lingua huic excidit, ut ego opinor Poe 260 numqui nummi exciderunt, ere, tibi quod sic terram optuere Ba 668

similiter: recte tenes(*i. e.* intellegis). #Minus formidabo ne excidat* Cu 45

2. *translate:* ex hac familia me plane excidisse intellego Men 667 nunc nobis communia(*PS†* omnia *PyLU* simitu omnia *R* conuiuia *Rs* comia *Ly*) haec exciderunt Mo 732

EXCIDO · · patriam ego **excidi**(-da *B*) manu Tru 532(*v. secl RsU*) intempestiuos **excisos**(-ssos *ALy*) (postis) credo Mo 826

EXCI(E)O · · uox uiri pessumi me **exciet** foras Ps 1285 ex unoquoque eorum **exciam** (*ES† LLy* extiam *BV* eiciam *J* excutiam *Ca RgU*) crepitum(cr. exc. *SchLy*) polentarium Cu 295 ut mihi **exciuisti** lacrumas Ci 112 quid est, pater, quod me exciuisti ante aedis? Ep 570 quis homo tam tumultuoso sonitu me **exciuit** foras? Tri 1176

EXCIPIO · · I. Forma **excipies** Au 775 (*Non* 293 -as *Non* 129 expies *P*) **excepi** Ru 1019(-epi *C*), 1184, 1185, 1292 **excepisti** Ru 986(excę. *C*), Tru 264(*Ly duce Bue* esse cepisti *P* decepisti *Aψ*) **excepit** Mi 168(*BD*

expetiṭ *A* excepte *C*) **excepisse** Ru 397 excepta(*sing. nom.*) Ru 1362

II. Significatio 1. *proprie:* omnia insunt salua: una istinc cistella exceptast modo cum crepundiis Ru 1362 haud est (tuom), si quidem quod uas excepisti Ru 986 credo aliquem inmersisse atque eum(*i. e.* uidulum) excepisse Ru 397 quemne ego excepi in mari . . mea opera labore et rete et horia? Ru 1019 sumne ego scelestus qui illunc hodie excepi uidulum, aut quom excepi qui non . . abstrusi? Ru 1184-5 in mari prehendi rete atque excepi uidulum Ru 1292 *similiter:* 'eiram' dixi: ut excepisti*, dempsisti unam litteram Tru 264(*Ly duce Bue*)

2. = omittere, secernere: senex talos elidi iussit conseruis meis: sed me excepit* Mi 168

3. = ad se recipere: neque partem tibi . . indipisces neque furem excipies* Au 775(*cf Non* 129, 293)

EXCISO · · capillo scisso atque **excisatis** (*A* -ss- *NonLLy*) auribus Ci 383(*ex Non* 108)

EXCITO · · haec eri inmodestia coegit me, qui(, me qui *L*) hoc noctis a portu (med *ins HermRgl*) excitauit Am 164 uox me precantum huc foras excitauit Ru 259 dormientis spectatores metuis ne ex somno **excites** (-em *KiesU*)? Mer 160

EXCLAMO · · ibi nescioquis maxuma uoce **exclamat**(ecl. *E*): 'Alcumena . .' Am 1064 uoce clara exclamat(inclamat *DouRgl*) uxorem tuam — summus imperator diuom Am 1120 hic exclamat eum sibi esse sodalem Cap 512 ille exclamat derepente maxumum Mo 488 non enim possum quin **exclamem**: 'euge' Tri 705

EXCLUDO · · I. Forma **excludunt** Men 1040(-sum [*B²*]) **excludet** Men 671 **exclusit** Men 668, Tru 758(*SpLLy* incluit *BS†* induit *CD* hinc: lusit *Rs* me lusit *U*) **excludam** Mi 977(extrudam *LambR*) **excludito** Ps 510 (*CDLLy* sex cliidito *B* exlidito *RRgS* exsculpito *LambU*) **excludi** Tru 635(*Sp* -dis *P*) **exclusus** As 596, Tru 636(exolusus *D*) **excluso** (*masc.*) Men 470 **exclusi**(*plur.*) As 361 **exclusissumus** Men 698(-imus *P*)

II. Significatio continuo nos ambo exclusi sumus As 361 homo hercle hinc exclusust foras As 596 parasito excluso foras Men 470 male mihi uxor sese fecisse censet, quom exclusit foras Men 668 me non excludet ab se Men 671 ego sum exclusissumus Men 698 alii me negant eum esse qui sum atque excludunt* foras Men 1041 hercle occasionem lepidam, ut mulierem excludam* foras Mi 977 (*cf* Langen, *Beitr.* p. 250; Seyffert, *Stud. Pl.* p. 19; Schmidt, *Untersuchungen* p. 328, *adn.*) quo pacto excludi*, quaeso, potui planius quam exclusus* nunc sum? Tru 635-6 abiit intro, exclusit* Tru 758

excludito* mihi hercle oculum si dedero Ps 510

EXCONCINNO · · nimis lepide **exconcinnauit**(*Stu* ** con. *A*) hasce aedis Alcesimarchus Ci 312(*cf* Studemund, *Em. Pl.* p. 12)

EXCOQUO · · usque ero domi dum **excoxero** (-cocx- *D*) lenoni malam rem magnam Per 52 (*cf* Graupner, p. 10) quid diuitiae? suntne

opimae? #Unde exc⌣quat(exquoquat *B*) sebum
senex Cap 281   aeneis coculis mihi **excoctast**
omnis misericordia Fr II. 67(*ex Isid or* XX. 88;
Plac)

EXCORS - - amori accedunt .. incogitantia,
excors(-tia excors, *LLy*) inmodestia Mer 27
scio me fuisse **excordem**(*AB²D²* -de *P*), caecum, incogitabilem Mi 544

EXCRUCIABILIS - - nullam ego me uidisse credo magis anum **excruciabilem**(-cruti-
V) quam illaec est Ci 653   ego hunc scelestum in ius rapiam excruciabilem(*U* exulem
PŞt var em ψ) Ru 859

EXCRUCIO - - I. **Forma excrucio** Ci 59
(*L* -or *P* -tior *V*)   **excrucias** Cas 416(*Rs*
crucias *PŞt* crux east *Caψ*), Mi 1068(crucias *B*)
excruciat Cas 227, Cu 62(-tiat *E*), 170(-tiat
E), Per 32 b(*D³* -cia *BD¹* -tia *C*), Ru 388(-tiat
D)   **excruciant** Tri 287   **excrucior** Ba 1092
(*LLy* -tior *B* crucior *CDψ*), Ci 59(-tior *V* -cio
L), Ep 192(-uor *P*), Mi 1022(-iet *B*), Tri 103
excruciabit Mi 859(*D²* -uit *P*)   **excruciabere**
Mi 843(*D²* -ret *P*)   **excruciaro** Cap 691(*Ly*
duce Bo -auero *P* -tia- *E* cruciauero *Boψ*),
St 436   **excruciem** Ba 1184   **excrucies**
Mi 1280   **excruciet** Ru 399(-tiet *CD*) **ex-**
crucient Per 831(-tient *CD*)   **excruciarer**
Mi 720   **excrucia** Mer 618   **excruciare**
Ep 390(-tiare *E*)   **excruciari** Mo 355(-tiari
D), Ps 448   **excruciatum** Ba 519 c(*om A*)
excruciandum(*sing. masc.*) Mi 567(*A* -ciatum
BD -tiatum *C*), Poe 1302

II. **Significatio** 1. *proprie:* quem quidem
ego ut non excruciem, alterum tantum auri
non meream Ba 1184   quando ego te exemplis excruciaro* pessumis Cap 691(*Ly*)   egone
si post hunc diem muttiuero .. dato excruciandum* me Mi 567   si falsa dicis, Lurcio,
excruciabere* Mi 843   excruciabit* me erus..
quom haec facta scibit Mi 859   ecquis homost
.. qui hodie sese excruciari meam uicem possit
pati? Mo 355   iam hercle ego illunc excruciandum totum carnufici dabo Poe 1302   hunc
ego cupio excruciari Ps 448

2. *translate*(*cf* Egli, I. p. 26) a. *absolute:*
ostende: meast. #Male excrucias* Cas 416(*Rs*)
perge excrucia, carnufex Mer 618

b. *cum acc. vel passive:* omnibus exemplis
excrucior* Ba 1092   mea(*PŞt* media *Rs* med
L misera *MueLy* om *U*) excrucior(-io *L*) Ci 59
id ego excrucior* Ep 192   haec quom audio
in te dici, is excrucior* miser Tri 103
uxor me excruciat quia uiuit Cas 227   Ci 59
(*L: vide supra*)   is me excruciat Cu 62   sed
hoc me unum excruciat* Per 32 b   haec sunt
quae me excruciant Tri 287   ipsus se excruciat Cu 170   di deaeque et te et geminum
fratrem excrucient Per 831

additur animi: coeperam ego me excruciare
animi Ep 390   continuo excruciarer animi
Mi 720   quid illam miseram animi excrucias*? Mi 1068   ne illam animi excrucies Mi
1280   hoc sese excruciat animi Ru 388   .. ne
sic se excruciet animi Ru 399   *Cf* Schaaff,
p. 40

c. *de dolore corporali:* mori me malim excruciatum inopia Ba 519 c(*v. om A*)   proper-

ando (— *Ly*) excrucior* Mi 1022(†*Ş* properadum: stando exc. *Rg* propera: exspectando exc.
RLU)

d. hunc tibi dedo diem. #Meam culpam
habeto nisi probe excruciauero St 436(*cf* Graupner, p. 12)

e. *acc. cogn.:* id Ep 192, hoc Ru 388   *abl.
caus.:* is Tri 103   *abl. modi:* omnibus exemplis
Ba 1092, Cap 691   *adv.:* male Cas 416(*Rs*)
probe St 436

EXCUBIAE - - is sperat .. sibi fore paratas
clam uxorem **excubias** foris Cas 54

EXCUBO - - Mi 484, excubantem ea *CD
pro* met cubantem eam(*A*)

EXCUDO - - is etiam se sapere memorat:
malleum sapientiorem uidi **excusso**(*A* sap. *et
lac P*) manubrio Ep 525   nauem .. saepe
tritam, saepe fixam, saepe **excussam** malleo
Men 403

EXCULCO - - ex ipsis dominis meis pugnis
exculcabo furfures Cap 810

EXCURO - - lepide **excuratus** incessisti
(*AP* cessisti *MueRsŞ*) Cas 726   uictu excurato .. sumus festiue accepti Ps 1254

EXCURRO - - ego dabo ei talentum primus
qui in crucem **excucurrerit** Mo 359   quom
se **excucurrisse**(-sě *C*) illuc frustra sciuerit
Ba 359

EXCUSATIO - - hic dies summust(* *L* quo
est *ins Ly* quom *Rgl*) apud me inopiae(†*Ş*)
excusatio As 534(† *U*)   *corruptum:* Mer 464,
tu excusatio *B pro* me incusato(*A*)

EXCUSO - - apud amicam munus adulescentuli fungare, uxori **excuses** te et dicas
senem? As 813   si prehensi simus, **excuse-**
mus(etc. *DE ante corr*) ebrios non fecisse amoris
causa Au 749   .. ut tu istuc **excusare** possies
Au 747   facile **excusari** potest St 601   *corruptum:* Mer 464, tu excusato *CD pro* me incu-
sato(*A*)

EXCUTIO - - I. **Forma excutiunt** Au 152
(-cuci. *B*), Cap 419, Men 86(-cuci. *B*)   **excu-**
tiam(*indic.*) Cu 295(*CaRgU* exciam *ELLyŞ*†
extiam *BV* eiciam *J*), Per 794   **excutiam**
(*subiu.*) Cap 601   **excussit**(*subiu.*?) Ba 598
excutias Mer 576   **excute** Au 646

II. **Significatio** *et translate et proprie:* anum
lima praeterunt aut lapide excutiunt clauom
Men 86   *similiter:* mihi misero cerebrum excutiunt tua dicta, soror: lapides loqueris Au
152   crucior lapidem non habere me, ut illi
mastigiae cerebrum excutiam Cap 601
.. ne nucifrangibula excussit ex malis meis
Ba 598   tibi ego hoc continuo cyatho oculum
excutiam tuom Per 794

eos si offendero, ex uno quoque eorum excutiam* crepitum polentarium Cu 295   ut lacrumas excutiunt mihi Cap 419   .. utine
adueniens uomitum excutias mulieri? Mer 576
agedum, excutedum pallium Au 646

EXDORSUO - - tu, Machaerio, congrum,
muraenam **exdorsua** quantum potest(*Non* 17
exossata fac sient *P*) Au 398   mirum ni hic
me quasi murenam **exdorsuare**(*WeidnerRgl*
exossare *Pψ*) cogitat Am 319   *Cf* Egli, I.
p. 34

EXEDO - - *et proprie et translate:* expec-

tando **exedor** miser atque exenteror Ep 320(*cf*
Graupner, p. 6) uos eam (rem) **exestis**
(*KochRsU* ea uos estis *ALLy* eam uos estis
Kiess̄ aliter P) Tru 312 non condimentis
condiunt, sed strigibus uiuis conuiuis intestina
quae **exedint** Ps 821 (argentum) **exessum**
(*RRs* comessum *APψ*), expotum, exunctum,
elotum in balineis Tri 406 *corruptum:* Cu
45, exedat *BVE* exaedat *J pro* excidat(*Lamb*)
EXEFFICIO · · accipe hoc qui istuc **exefficias**(*P* eff. *FL* ecf. *RsULy*) opus Tru 909
EXEMPLUM · · I. Forma **exemplum**(*acc.*)
Ep 9(*pro nom.* habent *GrutRg²*), Mer 265, Mi
400, 638(aex. *D*), 757, Mo 90, 103(extemplum
C), 762, 763(ex . . . *A*), 1116, Per 335(-ptum
A), Ps 135, 651, Ru 488, 603, 617, 620, Tri
921, 922 **exemplo** As 389(*E³J* extemplo
BDE¹), Ba 540, Men 985 b, Mi 359(*AB¹* extemplo *PL*), 726, Mo 773, Poe 1272(*A* -um *P*)
exempla(*nom.*) Poe 298 (*acc.*) Mo 1116, Poe
1273 **exemplis** Ba 505, 1092(-blis *C*), Cap
691(extemplis *J*), Ep 671, Mer 226, Mo 192, 212,
1040(emplis *CD¹*), Ru 370, 594(*v. secl RRss̄L*),
Tru 26 *corrupta:* exemplo *pro* extemplo :
Am 865 *J*, 1097 *D¹*, As 289 *D¹ et Non* 412,
345 *J*, 390 *J*, Au 613 *B¹*, Cap 484 *D*, Mi 578
B¹D¹, 890 *P corr D³*, Mo 101 *D*, 1064 *B¹*, Poe
652 *C*, 850 *P corr A*, Ps 804 *P*, Ru 405 *P corr
D³*, Tri 492 *C*, 725 *CD*, Tru 45 *C*, 800 *B*
II. Significatio 1. *idem fere quod* exemplar,
specimen: id repperi iam exemplum Mo 90
sibi quisque inde exemplum* expetunt Mo 103
ille eo maiore hinc opere sibi exemplum* petit
quia . . Mo 763(ex te *pro* sibi *BLULy*) nunc
hinc exemplum capere uolt, nisi tu neuis Mo
762 exempla edepol faciam ego in te. #Quia
placeo, exemplum expetis Mo 1116 O Apella,
O Zeuxis pictor, . . hoc exemplo* ut pingeretis :
nam alios pictores nihil moror huius modi tractare exempla Poe 1272-3 hic quoque exemplum reliquit eius Ps 651
similiter: ut uales? #Exemplum adesse intellego Ep 9(*loc dub*) . . ut apud te exemplum experiundi habeas, ne quaeras foris Mi
638 . . ubi exempla conferentur meretricum
aliarum . . Poe 298 ferte opem inopiae atque exemplum pessumum pessum date Ru 617
exempla edepol faciam ego in te Mo 1116
(*supra*) statuite exemplum impudenti Ru 620
2. = modus(*cf* Langen, *Beitr.* p. 112): . . si
istoc exemplo* omnibus qui quaerunt respon-
debis As 389 multi more isto atque exemplo
uiuont Ba 540(*v. om A*) eo ego exemplo seruio tergi ut in rem esse arbitror Men 985 b
credo ego istoc exemplo* tibi esse pereundum
extra portam Mi 359 . . deos parauisse uno
exemplo ne omnes uitam uiuerent Mi 726 hoc
exemplo* ut pingeretis Poe 1272(*supra* 1; *cf*
Dousa)
amaui equidem hercle ego olim . . uerum
ad hoc exemplum numquam Mer 265 ad id
exemplum somnium quam simile somniauit Mi
400 fit poll illuc ad illuc exemplum Mi 757
ea caussa ad hoc exemplum* te exornaui ego
Per 335 . . nisi ad hoc exemplum experior
Ps 135 ad hoc exemplum amittit ornatum
domum Ru 488 ego ad hoc exemplum si-

miae respondeo Ru 603 quod ad exemplumst
(nomen)? . . ad hoc exemplumst? Tri 921-2
si quid erit quod illi placeat, de exemplo
meo ipse aedificato Mo 773
ego illam exemplis plurumis planeque amo
Ba 505 nos uentisque fluctibusque iactatae
exemplis plurumis Ru 370 omnibus exemplis*
crucior(exc. *BLLy*) Ba 1092 ego te exemplis*
pessumis cruciauero(excr. pes. *Ly*) Cap 691
di deaeque omnes me pessumis exemplis interficiant nisi . . Mo 192 perii hercle ni ego
illam pessumis exemplis enicasso Mo 212 quot
illic homo hodie me exemplis ludificatust atque te Ep 671 . . quot amans exemplis ludificetur, quot modis pereat Tru 26 di . .
miris . . exemplis somnia in somnis danunt
Mer 226, Ru 594(*v. secl RRss̄L*) . . quis me
exemplis* eludificatus est Mo 1040
EXENTERO · · expectando exedor miser
atque **exenteror** quo modo . . euenant Ep 320
si istaec uera sunt(: *LLy*) planissume (: *ψ*)
meum **exenterauit**(exin. *J* exintrauit *B¹*) Epidicus marsuppium Ep 511 illic autem exenterauit mihi opes argentarias Ep 672 acutum
cultrum habeo senis qui **exenterem** marsuppium
Ep 185 *Cf* Graupner, pp. 6, 11; Inowraclawer, p. 61; Ramsay *ad Most.*, p. 273
EXEO · · I. Forma **exeo** Au 709(ex eo
ELU†Ly), Ba 794, 1052, Cas 932(*J* sexeo *BVE*
eo *Rs*), Ep 183, 650(*J* ea eo *B*) **exis** Mo 683
exit Am 497, 955, As 151(-iit *E*), 585, Au 301,
Ba 234, 583, Cas 350, Cu 22, Men 180, 463,
Mer 699, Mi 155, 376, 416(auexit *B ante ras:
perf. Ly*), 1199, Mo 900(*PR om Aψ*), 901, Poe
203, Ps 730(-iit *PL om A: perf. Ly*), Ru 705,
1209, 1356, Tri 401, Tru 255, 321 **eximus**
Ba 289, Cas 855 **exeunt** Am 223, Mi 1310
exitur Cas 813(exit *A* exigitur *V*) **exibam**
Au 178(-igebam *B¹* -irem *Cic de divin* I 31,
65), Mi 181 **exibat** Ru 307 **exibo** Mi 537,
Ps 753 a(*LLy in lac ex A*) **exibit** Ci 783,
Ru 1351, Tru 198(*A* -iuit *P*) **exiui**(*vide seq.*)
St 459(*AP* exii *R*) **exii** Cap 109(exiui *BoRs*),
Mer 40(*MuretLULy* -iit *Pψ*), Ps 1282(*Z* exi *P*
exiui *A ut vid*) **exiit**(*vide* exit *supra et*
Fleckeisen, *Exerc. Pl.* p. 39) Ci 700, Mer 40
(*PRgs̄Ly* -ii *ψ*), Ps 730(*PL* exit *Aψ pro perf.
habet Ly*) **exierunt** Mi 1432(*AB om CD*)
exierit Mi 524, 1169, Poe 730 **exeam** St
675 **exeat** Ba 768, 932, Cas 867, Mi 1249,
Mo 903 **exeant** Ci 782 **exissem** Ru 534
(-iissem *LLy* -iuissem *FlU*), St 743(*B* uex-
issem *CD*) **exi** Au 40 *bis*, Cap 977, Cu 276 *ter*
(ex. xi. xi *E tertium om J*), Ep 660, Mo 1, 5
(*iterat Ly*), Per 459, 725, Ru 481(heus exi *Sey*
heus, Agasi *JLy* heus si *CD* eu si *B*), 706, Fr
II. 31(*ex Gell N. A.* XVIII. 12, 4) **exite** Ep
399, Mer 311, Mi 1338, Ps 133, *ib.*(*A* ite *P*),
Fr II. 35(*ex Acrone ad Hor Serm* I. 6, 22) **exire** Am 533, Men 513(*PRs̄U* exeire *Aψ*), 1075,
Mi 341, 1069, 1093, Ru 1200 **exiens** Poe 652
exeuntem Au 3(et euntem *EJ*), Ba 204, Ci
547, Mer 961, Poe 651(exiuntem *B*) **exeuntis**
(*acc.*) Mi 1136(-es *C¹*) **exiturum** Mi 1197
exitum(*nom.*) Am 219 **exitam** Fr II. 70(*ex
Paulo* 28) **exeundum**(*nom.*) Au 40 *corrupta:* Men 199, exii *P pro* exue(*A*) Mer 271,

uicinum eccum exit *P pro* eccum it uicinus
(*A*); 981, exibat *B pro* ibat Mɪ 832, exiuit *C*
exuiuit *BD pro* exhibit(*Ca*); 1039, exire *B pro*
exigere Mo 418, exei *CD* exeis *B pro* ex se
(*Ca*); 1048, exii *A pro* ex Sᴛ 173, exi supple-
mentum(plementum *B*) *P pro* explementum(*A*)

II. Significatio 1. *absolute:* . . dum intro
eo atque (inde *add U*) exeo* Eᴘ 650 ego hic
tantisper dum exis te opperiar foris Mo 683
exit Sosia Aᴍ 955 atque eccam inlecebra
exit* As 151 ecquis exit? Bᴀ 583 eapse
eccam exit Mᴇɴ 180 ipse exit Mɪ 155 hilarus exit, impetrauit Mɪ 1199 Adelphasium
eccam exit atque Anterastylis Poᴇ 203 optume
eccum exit senex Rᴜ 705 eccum exit et ducit senem Rᴜ 1356 tristis exit Tʀᴜ 321
eccos exeunt Mɪ 1310 quom exibam hic erat
Mɪ 181 sed mox exibo* Ps 573(*LLy in lac*)
nemo exibit Cɪ 783 iam ego faxo exibit
senex Rᴜ 1351 iam exibit* Tʀᴜ 198 si
exierit leno, censen hominem interrogem? Poᴇ
730 . . ut quando exeat . . ei . . dem in manum Bᴀ 768 lubet lamentari dum exeat Bᴀ
932 immo opperiamur dum exeat aliquis
Mɪ 1249 exi, inquam, age exi Aᴜ 40 Philocrates . . obsecro, exi: te uolo Cᴀᴘ 977 heus
(exi *add CaRg*), Phaedrome, exi, exi, exi*, inquam ocius Cᴜ 276 Mo 5(*infra 3*) Sagaristio,
heus, exi atque educe uirginem Pᴇʀ 459 heus,
Saturio, exi Pᴇʀ 725 heus exi*, Ptolemocratia, cape hanc urnam Rᴜ 481 exi tu,
Daue, age sparge Fʀ II. 31(*ex Gell* XVIII. 12, 3)
exite atque ecferte huc intus omnia Mɪ 1338
exite, agite exite*, ignaui Ps 133 exite et
ferte fustes Fʀ II. 35(*ex Acrone ad Hor Serm*
I. 6, 22) exeuntem filium uideo meum Mᴇʀ
961 adiit ad nos extemplo exiens Poᴇ 652

2. *cum abl. usurpatur:* praesagibat mihi
animus frustra me ire quom exibam* domo Aᴜ
178(*cf Cic de diuin* I. 31, 65) facio ut eam
exire hinc uideas domo Mɪ 341 unde exit
haec? ⁑Unde nisi domo? ⁑Domo? Mɪ 376
postquam porta exierunt*, nihil cessarunt . .
Mɪ 1432 ubi portu eximus, homines remigio
sequi Bᴀ 289

3. *cum praepp.* a: sed quinam hinc a nobis
exit? Mᴇʀ 699 quando exierit Sceledrus a
nobis, cito transcurrito ad uos Mɪ 524 ex:
hinc ex hisce aedibus . . uidi exeuntem mulierem Cɪ 547 necdum exit* ex aedibus Ps
730 . . ut quom exissem* ex aqua, arerem
tamen Rᴜ 534 exi e culina sis foras Mo 1
exi (exi *iterat Ly*), inquam, nidor, e culina(*PyL*
nidore cupi *P sed* culine *B² in marg* nidore
helluo *Rs* nido, uolturi *Ū* nidoricape *R* nidori-
cupe *Ly*) Mo 5 principio ut ex ephebis aetate exii* Mᴇʀ 40(*translate? aliter RRg₰*)
exii e fano Rᴜ 706 non meministi semul te hodie
mecum exire ex naui Mᴇɴ 1075 istum e
naui exeuntem* oneraria uidemus Poᴇ 651 una
exeuntis uideo hinc e proxumo Mɪ 1136 exire
ex urbe priusquam lucescat uolo Aᴍ 533

ad: illa noctu clanculum ad me exit Cᴜ 22
iube eampse exire huc ad nos Mɪ 1069 iam
exeo ad te Bᴀ 794, 1052 iam ego ad te
exibo foras Mɪ 537 ne exspectetis . . dum
illi huc ad uos exeant Cɪ 782

in: utrique imperatores in medium exeunt
Aᴍ 223 Cᴀs 855(*infra 4 sub* intus) cum: mecum Mᴇɴ 1075(*supra sub* ex) . . ego huc iam
dudum simitu exissem* uobiscum foras· Sᴛ 743
ipse exit Lesbonicus cum seruo foras Tʀɪ 401
per: exi istac per hortum Eᴘ 660

4. *terminus indicatur per adv.* hinc: exeundum hercle tibi hinc est foras Aᴜ 40 . . qui
hinc exeat eum ut ludibrio habeas Cᴀs 867
Cɪ 547(*supra 3 sub* ex) hic stetit, hinc illuc
exiit Cɪ 700 Mᴇʀ 699(*supra 3*) Mɪ 341(*supra 2*)
haec mulier quae hinc exit* modo, estne erilis
concubina? Mɪ 416 Mɪ 1136(*supra 3*) Mɪ 1197
(*infra sub* intus) homo nemo hinc quidem
foras exit* Mo 901 quid ego hinc quae illic
habito exeam? Sᴛ 675 huc: Cɪ 782(*supra 2
sub* ad) heus foras exite huc aliquis Eᴘ 399
heus aliquis huc foras exite Mᴇʀ 911 Mɪ 1069
(*supra 3 sub* ad) iube maturare illam exire
huc Mɪ 1093 ecquis huc* exit Mo 900(*R* huc
exit *om Aψ*) . . ne huc exeat qui male mulcet
Mo 903 inde huc exii* crapulam dum amouerem Ps 1282 iussi . . exire huc seruom eius
ut . . iret Rᴜ 1200 Sᴛ 743(*supra 2 sub* cum)
illuc: Cɪ 700(*supra*) inde: inde exeo* ilico
Aᴜ 709 inde foras tacitus profugiens exeo*
. . . ut senex . . biberet Cᴀs 932 Eᴘ 650(*U*)
Ps 1282(*supra*) unde: unde exeuntem* me
aspexistis Aᴜ 3 . . exeuntem me unde aspexisti modo Bᴀ 204 ostium unde saturitate
saepe ego exii* ebrius Cᴀᴘ 109 Mɪ 376(*supra 2
sub* domo) utrimque: utrimque exitumst
maxuma copia Aᴍ 219

qua: . . fumus si qua exit foras Aᴜ 301
istac: Eᴘ 660(*supra 3 sub* per)

intus: Philaenium estne haec quae intus
exit? As 585 eccum exit foras Chalinus intus
cum sitella et sortibus Cᴀs 350 acceptae
bene et commode eximus intus ludos uisere
Cᴀs 855 huc in uiam nuptialis ubi ille exierit intus . . Mɪ 1169 illum hinc(huc *Luchs
RLULy*) sat scio iam exiturum esse intus Mɪ
1197 ecquis intus exit? Tʀᴜ 255

foras: Amphitruo subditiuos eccum exit foras
Aᴍ 497 quinam exit foras? Bᴀ 234 exitur*
foras Cᴀs 813 liquido exeo foras auspicio
aui sinistra Eᴘ 183 Menaechmus cum corona
exit foras Mᴇɴ 463 non ego te indutum foras
exire uidi pallam? Mᴇɴ 513 modo exibat
foras Rᴜ 307 optume eccum exit foras Rᴜ
1209 auspicio hodie optumo exiui* foras Sᴛ
459 *exempla supra citata:* Aᴜ 40, 301, Cᴀs
350, 932, Eᴘ 399, Mᴇɴ 901, Sᴛ 743;
etiam Mɪ 537(*supra 3 sub* ad), Mo 1(*supra 3
sub* ex), Tʀɪ 401(*supra 3 sub* cum)

5. *additur adv. uel abl. modi:* actutum Mᴇʀ
910 iam Bᴀ 794, 1052, Mɪ 537, 1197, Rᴜ
1351, Tʀᴜ 198 ilico Aᴜ 709 mox Ps 573
(*LLy*) modo Bᴀ 204, Mɪ 416 clanculum
Cᴜ 22 ocius Cᴜ 276 iam dudum Sᴛ 743
maxuma copia Aᴍ 219 liquido auspicio, aui
sinistra Eᴘ 183 auspicio optumo Sᴛ 459 *similiter:* cum corona Mᴇɴ 463 cum sitella et sortibus Cᴀs 350 ebrius Cᴀᴘ 109 hilarus Mɪ
1199 tristis Tʀᴜ 321

6. *seq infin. finalis:* Cᴀs 855(*supra 4*) ut:
Cᴀs 932, Rᴜ 1200 dum: Ps 1282

7. **exitus** *adiect.:* ad exitam aetatem, *id est* ad ultimam aetatem Fʀ II. 70(*ex Paulo* 28)

EXERCEO - - I. Forma exerceo Mɪ 656, Ru 525 **exercent** Mo 862 **exercebant** Bᴀ 429 **exerce** Poᴇ 13 **exercere** Mɪ 626 **exercitus** Mᴇʀ 228, Tʀɪ 1090 **exercita** Cɪ 379(*ex Non* 198) **exercitum** Mᴇʀ 65, Pᴇʀ 856(*Ca* execitū *B* feci tum *CD*) **exercitam** Eᴘ 529 (exercitatam *E*), Mɪ *fr(ex Fulg de abstr serm* XX) **exercitos** Bᴀ 21(*ex Char* 229) **exerciturus** Aᴍ 324 **exercendo**(*dat. neut.*) Aᴍ 288 **exercendas** Vɪ 34 *corruptum:* Tʀᴜ 313, enim exercere *P pro* quidem hercle(*A*)

II. Significatio 1. *proprie:* talis iactandis tuae sunt consuetae manus. #At qualis exercendas nunc intellego Vɪ 34 gestiunt pugni mihi. #Si in me exercituru's, quaeso in parietem ut primum domes Aᴍ 324 exerce uocem Poᴇ 13

2. *translate:* **a.** cursu, luctando, hasta, disco, pugilatu, pila, saliendo sese exercebant magis quam scorto aut sauiis Bᴀ 429 . . multo opere inmundo rustico se exercitum . . Mᴇʀ 65 exercent sese ad cursuram Mo 862 ad cubituram, mater, magis sum exercita fere quam ad cursuram Cɪ 379(*ex Non* 198) fui hac aetate exercitus Tʀɪ 1090 *similiter:* me ad uelitationem exerceo Ru 525(*cf* Inowraclawer, p. 89)

b. multiplex aerumna me exercitam* habet Eᴘ 529 in somnis . . fui homo exercitus Mᴇʀ 228 hancine aetatem exercere me amoris gratia Mɪ 626 an me hic parum exercitum* hisce habent? Pᴇʀ 856 sodalem atque me exercitos habet Bᴀ 21(*ex Char* 229) nos nostramque familiam habes exercitam Mɪ *fr(ex Fulg de abst serm* XX) haec nox scitast exercendo scorto conducto male Aᴍ 288

c. Venerem amorem amoenitatemque accubans exerceo Mɪ 656

d. *res indicatur per abl. modi:* cursu etc. Bᴀ 429 opere Mᴇʀ 65 ad: cubituram Cɪ 379, cursuram Cɪ 379, Mo 862 uelitationem Ru 525

EXERCITO - - Eᴘ 529, exercitatam *E pro* me exercitam

EXERCITOR - - magister mihi **exercitor** animus nunc est Tʀɪ 226 huic . . gurguliost exercitor, is hunc hominem cursuram docet Tʀɪ 1016 *Cf* Graupner, p. 17

EXERCITUS - - I. Forma exercitus Cᴀᴘ 153 **exercitum** Aᴍ 102, 125, 207, 217, 230, 401, 504, 1137, Bᴀ 1071, Cᴀᴘ 155, Cɪ 58, Mɪ 221, Ps 587(legiones *R*) **exercitu** Aᴍ 140 (exɇ. *E v. om J*), 733, Bᴀ 927, 930, Pᴇʀ 754, Ru 296 **exercitus**(*nom.*) As 553 (*acc.*) Aᴍ 215

II. Significatio 1. *proprie:* pro exercitu gymnastico et palaestrico hoc habemus Ru 296 *similiter:* noli, obsecro, lacrumis tuis mihi exercitum imperare Cɪ 58(*cf* Egli, II. p. 23)

2. *de militibus:* **a.** legiones copiae exercitusque eorum ui pugnando periuriis nostris fugae potiti As 553

b. *acc.:* se exercitum extemplo domum reducturum Aᴍ 207 domum reduco integrum omnem exercitum Bᴀ 1071 Amphitruo castris ilico producit omnem exercitum Aᴍ 217

aliquo saltu circumduce exercitum Mɪ 221 ad oppidum hoc uetus continuo meum exercitum protinus obducam Ps 587 imperator utrimque . . hortari exercitum Aᴍ 230 properiter de suis finibus exercitus deducerent Aᴍ 215

cum praep. **ad:** summus imperator non adest ad exercitum Aᴍ 504 **in:** hinc abiit ipsemet in exercitum Aᴍ 102 cum Amphitruone abiit hinc in exercitum Aᴍ 125 cum Amphitruone hinc una ieram in exercitum Aᴍ 401 (*v. secl FlRglL*) in exercitum profectu's Aᴍ 1137

c. *abl.:* Priami patriam Pergamum . . armis equis exercitu atque eximiis bellatoribus . . subegerunt Bᴀ 927 bello extincto, re bene gesta, integro exercitu et praesidiis . . Pᴇʀ 754 *cum praepp.:* hodie Amphitruo ueniet huc· ab exercitu Aᴍ 140 . . ut cum exercitu hinc profectus sum Aᴍ 733 ego erum expugnabo meum sine classe sineque exercitu Bᴀ 930(*cf* Inowraclawer, p. 91

d. *translate de edendo:* nunc remissus est edendi exercitus. #Nullumne interea nactu's qui posset tibi remissum . . imperare exercitum? Cᴀᴘ 153-5 *Cf* Egli, II. p. 5; Graupner, p. 19 *Fortasse hic habemus lusum significationum; cf* Todd, *Clas. Rev.* XXIV. 120

EXFAFILLO - - (palliolum) conexum. in umero laeuo, **exfafillato**(expap. *FestR* expalliato *U*) bracchio(-tobbr. *B*) Mɪ 1180 *Cf* Leidolph, p. 213

EXHAURIO - - amorem . . trahere **exhaurire**(*Ca* exurire *P*) me quod quirem ab se domo Mᴇʀ 65

EXHERES - - niue **exheredem** fecero uitae suae Bᴀ 849(*cf* Egli, I. p. 28; Graupner, p. 9) ut ego exheredem meis me bonis faciam Mo 234 *Cf* Blomquist, p. 19; Schaaff, p. 28

EXHIBEO - - I. Forma exhibes Mo 2(*C* exibes *BD*) **exhibet** Cas 409, Mᴇʀ 273(*ACD* exibent *B* exibet *R*) **exhibent** Mo 565(*D³* exibent *P*), Poᴇ 239 **exhibebo** As 457(exi. *P*) **exhibebit** Ru 556(is exi. *A* sexhibebit *B* se exh. *CD*) **exhibui** Mᴇɴ 1072(exi. *B¹D¹*) **exhibuit** Aᴍ 895(exi. *J*) **exhibeas** Mɪ 546 (*AB²* exi. *P*), Pᴇʀ 274(exi. *B*) **exhibeat** Pᴇʀ 315(exi *B*), Ru 473 **exhibeant** Cᴀᴘ 817

II. Significatio 1. da modo meo periculo: rem saluam ego exhibebo, as 457

2. uidistin ambas? #Vidi. #Erum exhibeas uolo: meruisse . . fateor malum Mɪ 546

3. *de rebus molestis:* . . ut sciant alieno naso quam exhibeant molestiam Cᴀᴘ 817 exhibeas molestiam, ut opinor, si quid debeam Pᴇʀ 274 illi dudum meus amor negotium insonti exhibuit Aᴍ 895 huic etiam exhibui negotium Mᴇɴ 1072 hircum . . ruri qui uobis exhibet* negotium Mᴇʀ 273 et hinc et illinc mihi exhibent negotium Mo 565 mihi exhibeat negotium Ru 473 iam is exhibebit* hic mihi negotium Ru 556 . . ne exhibeat plus negoti Pᴇʀ 315 . nimia omnia nimium exhibent negoti hominibus ex se Poᴇ 239

4. = monstrare: mihi inter patinas exhibes

argutias Mo 2   patiundumst si quidem me uiuô mea uxor imperium exhibet Cas 409

EXIGO - - I. **Forma exigo** Cap 1009(*VEJ* -uo *B*)   **exigis** Cas 320   **exigit** Ba 223 (-et *BoL*)   **exigitur** Mer 822   **exiguntur** Mer 828   **exigam** Cap 841, Per 143, Ru(859 *ins Rs*)   **exiget** Ba 223(*BoL* -it *Pψ*)   **exegi** As 439(exaegi *B*)   **exegit** Au 414(*v. secl U*), Mi 1277(-igit *P*)   **exegeram** Cap 720   **exigam** Ba 903   **exigas** Au 43   **exigat** Tri 15   **exegerim** Tri 953   **exige** Ba 903   **exigere** Ci 79(-ge *VE*), Men 720(*Rs* esse *Pψ*), Mi 1039(exire *B*), 1275, Per 423, St 387, Tri 1053 (*A* exgenere *P*)   **exigi** Mer 68(-it *P*)   **exactus** Tri 427b(*v. trans Ly em Sp U secl ψ*)   **exacto** (*masc.*) Ci 163   **exactura** (*fem.*) Ci 243   **exigunda**(*fem.*) Cap 1001   *corrupta:* Au 178, exigebam *B¹ pro* exibam Cas 813, exigitur *V pro* exitur Ru 122, exigas *B pro* exicas, 256, exigat *A pro* eximat

II. **Significatio** 1. = expellere, *et proprie et translate:* omnis exegit foras me atque hos onustos fustibus Au 414   ego ex corpore exigam omnis maculas maerorum tibi Cap 841 illic ibi demumst locus ubi labore lassitudost exigunda ex corpore Cap 1001 . . extemplo inde . . rus rusum confestim exigi* solitum a patre Mer 68   uxor . . exigitur matrimonio Mer 822   si itidem plectantur uiri . . ut illae exiguntur Mer 828   tua causa exegit* uirum ab se Mi 1277   exigam hercle ego te ex hac decuria Per 143   exigam(*ins Rs*) exsulem Ru 859   spes est tandem aliquando inportunam exigere ex utero famem St 387

2. = poscere, postulare, *praecipue de pecunia:* prius quae credidi uix anno post exegi As 439 de amittenda Bacchide aurum hic exigit* Ba 223   hodie exigam aurum hoc? #Exige ac suspende te Ba 903   possum a te exigere argentum? Per 423   qua sponsione pronuper tu exactus es Tri 427b(*v. trans Ly em SpU secl ψ: de passivo dub*)   si mage exigere* occipias, duarum rerum exoritur optio Tri 1053 (*v. secl BergkRs§*)

3. = agere, degere: . . ut te dignam mala malam aetatem exigas Au 43   . . quicum una a puero aetatem exegeram Cap 720   dies atque noctes cum cane aetatem exigis Cas 320 . . unum amare et cum eo aetatem exigere* Ci 79   quae esset aetatem exactura mecum in matrimonio Ci 243(*ex A solo*)   med aetatem uiduam exigere* mauelim Men 720(*Rs*) tecum aetatem exigere* ut liceat Mi 1039   tecum uiuere uolt atque aetatem exigere Mi 1275 dedi ei meam gnatam quicum aetatem exigat Tri 15   . . non nouisse possim quicum aetatem exegerim Tri 953   tu quoius causa hanc aerumnam exigo* Cap 1009   decumo post mense exacto hic peperit filiam Ci 163

4. *additur abl. sep.:* matrimonio Mer 822 *modi:* labore Cap 1001   *praepp.:* ab Mi 1277, Per 423   ex Cap 841, 1001, Per 143, St 387 *adv.:* foras Au 414   inde Mer 68   rus Mer 68

EXIGUUS - - Cap 1009, exiguo *B pro* exigo

EXILICUS - - Mer 17, sumque inde exilico *P var em RRgU †ψ*

EXILIS - - uxor . . omnium me **exilem**

atque inanem fecit aegritudinum St 526   *Cf* Blomquist, p. 20; Schaaff, p. 31

EXILIUM - - *vide* exsilium

EXIM - - utcumque in alto uentust . . exim(exin *B²*) uelum uortitur Ep 49   ut quomquest uentus exim uelum uortitur Poe 754 *Cf* Abraham, p. 237 *et vide* exin

EXIMIUS - - 1. *abl. sing.:* ibi amare occepit forma eximia mulierem Mer 13   neque credibilest forma eximia.(exu. *C¹D¹*) mulierem eam me emisse ancillam matri Mer 210 ibi ego aspicio forma eximia(*AD²* -ia *BD¹* exu. *C*) mulierem Mer 260   sambucas aduexit secum forma eximia(*A* exu. *PR*) St 381

2. *abl. pl.:* Priami patriam Pergamum . . armis equis exercitu atque **eximiis** bellatoribus . . subegerunt Ba 927

3. *corruptum:* Tri 411, eximiis *D pro* sex minis

EXIMO - - I. **Forma eximis** Cap 356   **eximunt** Men 84   **eximes** Ru 232   **eximet** Cap 730(*om B¹*)   **eximent** Mer 127(-meant *B*)   **exemi** Au 471, Ba 952   **exemisti** Am 796, Cap 413(*Lamb Rs* emisisti *Pψ*), 674(*B²* et emisti *P*)   **exemit** Ba 964   **exemerunt** Cap 924 (me ex. *AB²J* met [mei *E*] emerunt *B¹VE*)   **eximam** Mer 486, St 303   **eximat** Cap 204, Ru 256(exigat *A*)   **eximar** Mer 129(*L* sim certus *P§†ULy var em ψ*)   **exemerim** Ci 260(*A solus*)   **eximere** Ep 611   **exemisse** Cap 758   *corrupta:* Cas 517, cura meme *VEJ* curam exime *B pro* cur amem me(*Bue*) Per 335, exemptum *A pro* exemplum

II. **Significatio** 1. *proprie* = demere, eripere, *sim.:* interdius sub terra lapides eximet* Cap 730   hinc pateram tute exemisti Am 796 *similiter:* exemi ex manu manubrium Au 471 numquam edepol omnes balineae mihi hanc lassitudinem eximent* Mer 127

2. = liberare, seruare, *et proprie et translate:* uinctus sum sed dolis me exemi: item se ille seruauit dolis Ba 952   pigeat postea nostrum erum si uos eximat uinculis Cap 204   se ex catenis eximunt aliquo modo Men 84   me . . ex uinclis eximis Cap 356   . . quo pacto exemisti* e uinclis tuom erum tua sapientia Cap 413   *similiter:* ita mihi exemisti* Philocratem fallaciis Cap 674   uisne eam ad portum atque eximam mulierem pretio? Mer 486 ex miseriis plurumis me exemerunt* Cap 924 eximes ex hoc miseram metu? Ru 232   . . ex hoc metu ut eximar* Mer 129(*L*)   . . ut nos ex hac aerumna eximat* Ru 256   . . quin . . eram . . ex maerore eximam St 303   olim ille se blanditiis exemit Ba 964   speraui miser ex seruitute me exemisse filium Cap 758 non omnes ex cruciatu poterunt eximere Epidicum Ep 611

3. *dubium:* **** exemerim Ci 260

4. *additur abl. sep.:* uinclis Cap 204   *dat. sep.:* mihi Cap 674, Mer 127   *adv.:* hinc Am 796   *praep.* ex: manu Au 471   uinclis Cap 356, 413   catenis Men 84   aerumna Ru 256 cruciatu Ep 611   maerore St 303   miseriis Cap 924   metu Mer 129(*L*), Ru 232   seruitute Cap 758

5. *additur abl. modi:* blanditiis Ba 964   do-

lis Bᴀ 952   fallaciis Cᴀᴘ 674   sapientia
Cᴀᴘ 413(*Rs*) aliquo modo Mᴇɴ 84   quo pacto
Cᴀᴘ 413(*Rs*)   *abl. pretii:* pretio Mᴇʀ 486

EXIN - - ut famast homini, exin solet pecuniam inuenire Mo 227   Eᴘ 49, exin *B²* pro
exim

EXINANIO - - ama id quod decet rem tuam:
istum **exinani** Tʀᴜ 712

EXINDE - - ostium ubi conspexi, exinde me
ilico protinam dedi Cᴜ 363   ita praecellet
atque exinde sapere eum omnes dicimus Ps
680   postquam alium repperit . . damnosiorem [mihi] exinde(exine *B*) †immouit loco Tʀᴜ
82 *Cf* Leo, *Lect. Pl.* p. 571

EXINTRO - - Eᴘ 511, exintrauit *B¹* pro
exenterauit

EXISTIMO - - **I. Forma existumo** As 514
(-imo *PL*), Cᴀᴘ 325(*F* -imo *BEL* et istimo *D*),
682(*Bo* estimo *B* estumo *EJ* aestumo *LU*),
Mᴇʀ 566(exae. *RRg* exe. *B* -imo *CDL*), Mo 814
(exsis. *D*), 909(-imo *ABDL v. om C*), Pᴇʀ 353
(-imo *APL* aestumo *PyU*), Sᴛ 162(*A* -imo *P*),
Fʀ II. 16(*Scal Rg Ly ex Paulo* 143: aestimo
PaulL aestumo *𝕾*)   **existumas** Aᴍ 1024(-imas
PL), Mo 27   **existumat** As 149(-imat *P*), Aᴜ
299(*ins Ly in lac*), Mo 76, 305(-imat *PL*)
existumant Bᴀ 548   **existumes** Aᴍ 330(*J*
-imes *BDEL*)   **existumet** As 821(-imet*PL*),
Mᴇʀ 352   **existuma** Aᴜ 298(-ima *P*)

II. Significatio 1. *seq. infin. praes.:* merito
id fieri uterque existumat Mo 305   frustrari
alios stolidi existumant Bᴀ 548   . . ne ire
posse cum onere existumes Aᴍ 330 *Cf* Votsch,
pp. 36, 38; Walder, p. 37

2. *seq. esse:* . . ne id quidem me dignum،
esse existumat As 149   non . . ullam in publico esse maiorem hac existumo Mo 909   non
ego omnino lucrum omne esse utile homini
existumo* Cᴀᴘ 325

hocine boni esse officium serui existumas?
Mo 27(*cf* Walder, p. 47)   esse existumo
humani ingeni Mo 814

esse *omissum:* neque id me facere fas existumo As 514   opus hoc facto existumo Mᴇʀ 566
similiter: quem ad modum existumet me? Mᴇʀ
352

3. *seq. infin. perf.:* . . quo minus laboris cepisse illam existumet Sᴛ 132   ne illa existumet amoris causa percitum id fecisse te As
821   sum Sosia nisi me esse oblitum existumas Aᴍ 1024   tute existuma ✳✳✳✳✳(existumat *ins Ly*) suam rem perisse seque eradicarier
Aᴜ 298-9(*v. trans GulRgU*)

4. *seq. gen. pretii:* dum ne ob male facta
peream parui existumo* Cᴀᴘ 682   neque quod
dixi flocci existumat Mo 76   rogata fuerit
necne flocci existumo* Fʀ II. 16(*ex Paulo* 143)
non ego inimicitias omnis pluris(flocci *Rs* plure
SeyLy ex Char 109) existumo* quam . . Pᴇʀ 353
Cf Schaaff, p. 35

EXITIABILIS - - exitiabilem ego illi faciam hunc ut fiat diem Eᴘ 606

EXITIO - - neque exitium exitiost . . Cᴀᴘ
519(*de acc. seq. cf* Lindsay *ad loc*)   quid illi
ex utero exitiost prius quam . . Tʀᴜ 511

EXITIUM - - **I. Forma exitium**(*nom. et
voc.*) As 133, Bᴀ 944(-cium *B*, 987(-cium *BC*),

Aᴜ 275(-cium *J*), Ps 60   **exiti** Pᴏᴇ 918(-tii *D¹*)
exitio Bᴀ 947(*A* -um *P*), 953(*AC* -scio *B* -ium
D), Cɪ 691(*add RsL in lac*)   **exitium** Cᴀᴘ 519
(*Pontanus* -lium *PL*†), 832, Bᴀ 1054(-cium *BD*
-io *Ly*), Mᴇʀ 849, Rᴜ 68(-cium *B*)   **exitio**
Cɪ 663   **exitiis**(*abl.*) Bᴀ 1093(-ciis *C*)

II. Significatio A. *proprie:* neque exitium*
exitiost Cᴀᴘ 519(*cf* Lindsay *ad loc*)

B. *translate:* 1. *nom.:* nobis prope adest
exitium, mihi atque erili filiae Aᴜ 275   nunc
adest exitium Ilio Bᴀ 987   prope adest exitium mihi Ps 60   exitium excidium exlecebra
fiet hic equos hodie auro senis Bᴀ 944

2. *gen.:* tantum eum instat exiti Pᴏᴇ 918

3. *dat.:* Mnesilochust Alexander qui erit exitio* rei patriae suae Bᴀ 947   Ilio tria fuisse
audiui fata quae illi forent exitio* Bᴀ 953
neque illi quicquam usuist et mihi esse exitio*
potest Cɪ 691(*vide L*) *Cf* Bᴀ 1054(*Ly*)

4. *acc:* sciui ego iam dudum fore me exitium* Pergamo Bᴀ 1054   pultando assulatim
foribus exitium adfero Cᴀᴘ 832(*cf Non* 72)
tetuli ei auxilium et lenoni exitium simul Rᴜ 68
pessum dedi iram inimicitiam . . exitium per-
tinaciam Mᴇʀ 849

5. *voc.:* perlecebrae, permities, adulescentum
exitium As 133

6. *abl.:* satiust mihi quouis exitio interire
Cɪ 663   omnia me mala consectantur, omnibus exitiis interii Bᴀ 1093(*cf* Langen, *Beitr.*
p. 109)

EXIURO - - *vide* eiuro

EXLECEBRA - - exitium excidium **exlecebra**(exla. *D*) fiet hic equos hodie auro senis
Bᴀ 944

EXLIDO - - *vide* elido

EXMIGRO - - *vide* emigro

EXMOVEO - - *vide* emoveo

EXΞΩ - - domi quidquid habet †neititur(*Ps*
uehitur *RsU* eicitur *LLy*) ἔξω(*Ca* exo *B* ex
eo *CD*) Tʀᴜ 558

EXOBSECRO - - per tuom te genium **exobsecro**(*Rs* obsecro *Pψ*) Cᴀᴘ 977   molestae
sunt: orant, ambiunt, **exobsecrant**(*A* obsecrant
PRU) Mɪ 69   supplicabo, **exobsecrabo** ut
quemque amicum uidero As 246   exop. *semper Ly*

EXOCULO - - uos . . ni ei caput **exoculassitis** .., ego uirgis circumuinciam Rᴜ 731

EXOLETUS - - scortum **exoletum** ne quis
in proscaenio sedeat Pᴏᴇ 17   domi reliqui
exoletam uirginem Fʀ I. 106(*ex Prisc* II. 489)
ibidem erunt scorta **exoleta** quique stipulari
solent Cᴜ 473

EXONERO - - hodiene **exoneramus** nauem?
Sᴛ 531   . . ut eam ex hoc **exoneres**(exho.
EJ) agro Eᴘ 470

EXOPTABILIS - - praecucurri ut nuntia-
rem nuntium **exoptabilem**(*A* obt. *P sed* obta-
lis *D¹*) Sᴛ 392

EXOPTO - - **I. Forma exopto** As 846(*RglU*
exoptem *Pψ*), Mᴇɴ 817, Pᴇʀ 18   **exoptas** As
846(-es *Rgl*)   **exoptant** Rᴜ 873   **exoptabam** Mɪ 1135   **exoptaui** Cɪ 77, Rᴜ 639(*PLy*
optaui *Guyψ*)   **exoptauit** Bᴀ 502   **exoptem**
As 724, 846(-to *RglU*), Ps 938   **exoptes** As
846(*Rgl* -as *Pψ*), Mᴇɴ 818, Mo 188(*AcR* ex-

spectes $P\psi$), Per 16(optes A ut vid), Ps 937 ($Rg\mathfrak{S}$ optes $P\psi$) **exopta** As 723 **exoptare** St 296 **exoptatum**(*nom.*) Mi 1011 (*acc.masc.*) Am 654, Tru 514 **exoptate**(*voc.*) Cap 1006, Cu 306 **exoptata**(*nom. pl.*) As 726 **exoptatissume**(*voc.*) Tri 1072(-ime *APL*)

II. Significatio A. *partic.*: 1. *praedicative:* me uxori exoptatum credo aduenturum domum Am 654   *attributive:* adduco tibi exoptatum Stratophanem Tru 514   o salue, exoptate gnate mi Cap 1006   o mea opportunitas, Curculio exoptate, salue Cu 306   o mi ere exoptatissume, salue Tri 1072   *Cf* L a n g e n, *Beitr.* p. 137

2. *subst.:* erit et tibi exoptatum optinget Mi 1011(*cf* W u e s e k e, p. 31)   animo sis bono face: exoptata optingent As 726

B. *verbum* 1. *seq. acc. rei:* uix ipsa domina hoc . . exoptare ab deis audeat St 296   exopta id quod uis maxume tibi euenire: fiet. #Quid ego aliud exoptem amplius nisi . . As 723-4   sanun es qui istuc exoptes? Men 818 tibi optigit quod plurumi exoptant sibi Ru 873 ergo sunt quae exoptas*: mihi quae exoptem* uolo As 846(*vide RglU*)   o Toxile, dabunt di quae exoptes* . . . #Si eueniunt quae exopto, satis (ex sententia) Per 16-8   tantum tibi boni di . . duint quantum tu tibi exoptes*: nam si exoptem quantum dignu's tantum dent . . Ps 937-8   tibi bona exoptaui* omnia Ru 639

2. *cum. acc. personae:* illum exoptauit potius? Ba 502   ego illum unum mihi exoptaui quicum aetatem degerem Ci 77   quae quidem illum exoptes* unum* Mo 188(*AcR*)

3. *seq. infin.:* quos uidere exoptabam me maxume una exeuntis uideo Mi 1135 *Cf* W a l d e r, p. 48

4. *seq. ut:* omnium hominum exopto ut fiam miserorum miserrumus Men 817

EXORABILIS - - noui ego nostros: (pater) **exorabilest**(-e est P -ist $A\mathit{RRgU}$) St 74

EXORABULUM - - quot amans exemplis ludificetur . . quotque exoretur **exorabulis** Tru 27

EXORATOR - - Mo *Arg* 11, exorator P *pro* exoratur (B^2C^3)

EXORBO - - Ba 869, exorbabo D *pro* exsorbebo

EXORDIO - - I. Forma **exordire** Ba 127 **exorditur** Ci 730(*J* -etur *BVE*)   **exordiar** Mi 98(B^2D^2 -at B^2D^1 -exodiat C)   (*subiu.*) As 115, Ba 722   **exordiri** Cas 651, Ps 399   **exorsus** Per 455   **exorsi** Mi 257   **exorsa** Ba 350(*pass.*)

II. Significatio nunc argumentum exordiar* Mi 98   etiam me aduorsus exordire argutias? Ba 127   . . atque ibi consilia exordiar As 115 .. ut teneat consilia nostra quem ad modum exorsi sumus de gemina sorore Mi 257   neque facinus quantum exordiar Ba 722   malum pessumumque . . tua ancilla hoc pacto exordiri coepit Cas 651   itidem haec exorditur* sibi intortam orationem Ci 730   hanc ego rem exorsus sum facete et callide Per 455   neque exordiri primum unde occipias habes neque ad detexundam telam certos terminos Ps 399

exorsa haec tela non male omnino mihist Ba 350(*passive*)

EXORIOR - - I. Forma exoritur Cu 647, Men 828, Mi 654, Ru 4, Tri 940, 1053(*v. secl BergkRs\mathfrak{S}*)   **exoriatur** Tri 1009   **exoriens** Am 422, Ru 71   **exorientem** Ba 426   **exortus** Ps 39   **exorta** Am 274   **exortum** As 308(*U in loco dubio*)   (*acc. neut.*) Poe 889(ex te exortum *GepU* ex te ortum *ABD* exortum *C*)   **exorti** Am 1092   **exorta** Men 1039

II. Significatio 1. *proprie:* neque se luna quoquam mutat atque uti exortast semel Am 274   (signum est) cum quadrigis Sol exoriens Am 422   ante solem exorientem nisi in palaestram ueneras Ba 426   signum quod semper tempore exoritur suo hic atque in caelo Ru 4   Arcturus signum: . . uehemens sum exoriens, quom occido uehementior Ru 71

ad caput amnis qui(*Guy* quod *PLLy* quo ad *RRs*) de caelo exoritur sub solio Iouis. #E caelo? #Atque e(*Par om Ply*) medio quidem Tri 940   exoritur uentus turbo Cu 647   *similiter:* ut uiridis exoritur colos ex temporibus atque fronte Men 828

2. *translate:* . . ubi utero exorti dolores, ut solent puerperae Am 1092   neque per uinum umquam ex me exoritur discidium in conuiuio Mi 654   . . id esse facinus ex te exortum* Poe 889(*U*)   . . ne subito metus exoriatur scapulis stultitia tua Tri 1009   nimia mira mihi quidem hodie exorta sunt miris modis Men 1039   quid istud tibi negoti exortum* est? As 308(*U*)   duarum rerum exoritur optio Tri 1053(*v. secl Rs\mathfrak{S}*)

quasi solstitialis herba paulisper fui: repente exortus sum, repentino occidi Ps 39

EXORNATULUS - - mulierculam **exornatulam**(ea ornatula *U*)! Ci 306(*ex A*)

EXORNO - - I. Forma **exorno** Mo 293 **exornas** Mo 168   **exornat** St 701   **exornant** Cas 769(*A* ornant *P*)   **exornabo** Poe 426   **exornaui** Per 335   **exornauit** Ps 1207, Tri 857(*A* -ui *P*)   **exornauero** Ps 751   **exornetur** Tri 767   **exornarem** St 744   **exornare** Poe 213   **exornarier** Ba 280   **exornatus** Cas 768(exoratus *J*), Mi 1184, Per 462, Poe 577   **exornata** Mo 290   **exornatum** (*masc.*) Ps 757   **exornatae** Ep 226, Poe 284 (-tę *C*)   **exornatis**(*dat. fem.*) Au 784   (*abl. neut.*) Tru 270

II. Significatio 1. *de rebus:* ego lembum conspicor longum strigorem maleficum exornarier Ba 280   nauem et mulierem . . comparato: nam nullae magis res duae plus negoti habent forte si occeperis exornare neque umquam satis . . ornantur Poe 213   repudium rebus paratis exornatis nuptiis? Au 784   aduenisti huc te ostentatum cum exornatis ossibus Tru 270

2. *de personis:* ubi ero exornatus, quin tu dicis quid facturus sim? Mi 1184   tibi me exorno ut placeam Mo 293   . . nisi me uobis exornarem St 744   ut ille me exornauit* ita sum ornatus Tri 857(*v. secl U*)   quom ornatum aspicio nostrum ambarum paenitet exornatae ut simus Poe 284   quid tu te exornas? Mo 168   ea causa ad hoc exemplum te exor-

naui ego Per 335   euge, euge exornatu's basilice Per 462   . . dumque se exornat uos
uolo ludere inter nos St 701
    illae autem in cubiculo armigerum exornant*
duae Cas 769   ubi hominem exornauero subditiuom fieri ego illum militis seruom uolo
Ps 751   hominem cum ornamentis omnibus
exornatum adducite ad me Ps 757   hominem
exornauit mulierem qui abduceret Ps 1207
is homo exornetur graphice in peregrinum modum Tri 767   quasi non fundis exornatae
multae (meretrices) incedant per uias Ep 226
pulcra mulier . . nequiquam exornatast bene
si moratast male Mo 290(v. secl omnes praeter
Ly) Poe 213(supra 1 sub nauem)   uilicus is
. . cum corona candide uestitus lautus exornatus*que ambulat Cas 768   ornamentis meis
et sycophantiis tuom exornabo uilicum Poe 426
basilice exornatus cedit(A incedit PL) et fabre
ad fallaciam Poe 577
    EXORO - - **I. Forma exoro** Cas 269   **exo-
ras** Ep 687   **exorat** Ba 1200, Cas 43   **exoratur** Mo Arg 11(B³D³ -tor P)   **exorabo** Ba
521, 1177, St 621   **exorabis** As 707   **exorabit** Men 518, Ru 1219   **exoraui** Ba 689
exorauit Tru 797(Rs rogitauit Bo⸮U orauit
LLy duce Bo ro uit P)   **exorem** Ba 1176, 1199,
Mo 1180, Poe 375, Tru 6(Rs orem Bψ ·ore CD)
exores Ba 1176, Ci 303, Ru 1218   **exoret**
Cas 697, 705   **exoremus** St 74   **exoretur**
Tru 27(FZ -itur P)   **exorauerit** Cas 304
exora Per 43, Poe 357(-or B)   **exorare** Ba
1025(LangenLy opsecrare P orare etiam R),
1170(-arier HermU), Cap 210, Men 1049, Mi
1072, Ps 76, Tri 325   **exorasse** Mi 1224
(orasse B)   **exorari** As 917, Au 309, Tri 759
exorarier As 687, Mo 1175, Poe 380   **exorando** (abl.) St 70   corrupta: Cas 768, exo-
tus J pro exornatus   Mi 1228, exoro CD pro
et oro(B)
II. Significatio 1. absolute: numquam hercle
hodie exorabis As 707   orat ut eam det sibi:
exorat, aufert . . Cas 43   nemo audet prope accedere. #Exoret. #Orat Cas 697   nihil moror mihi
deprecari. #Facile exoras Ep 687   permirum . .
praedicas te adisse atque exorasse* Mi 1224
quid faciam? #Exora*, blandire, palpa Poe 357
tua filia facito oret: facile exorabit Ru 1219
exorando, haud aduorsando sumendam operam
censeo St 70   neque tu ut facias consilium
dabo uerum ut exoremus St 74   exorabo aliquo modo: ueni St 621
2. seq. acc. personae: sine, mea pietas, te
exorem. #Exores tu me? Ba 1176   numquam
edepol quisquam me exorabit quin . . Men 518
amandone exorarier uis ted an osculando? As
687   Ba 1176(supra)   age iam, sine ted (hoc
add RL) exorarier Mo 1175   sine te exorem
Mo 1180, Poe 375   sine ted(Guy te P hoc A
te hoc RRglULy) exorarier Poe 380   dic me
uxorem orare ut exoret illam gladium ut ponat
Cas 705   expurges, iures, ores blande per
precem eamque exores ne tibi suscenseat Ci
303   ab sui sodali gnati exoratur* tamen
Mo Arg 11   quot amans exemplis ludificetur
. . quotque exoretur* exorabulis Tru 27   era
mea me exorauit* puer ut afferretur Tru 797

(Rs)   ego patrem exoraui Ba 689   Argyrippus exorari spero poterit ut sinat . . As 917
metuo ne Olympionem mea uxor exorauerit
ne Casinam ducat Cas 304   fac ut exores
Plesidippum ut me manu emittat Ru 1218
    acc. rei: quid si de uostro quippiam exorem*?
Tru 6
3. seq. ab cum persona: si me fas est exorare* abs te . . Ba 1025(Ly)   ego quidem
ab hoc certe exorabo Ba 1177   quid si ego
impetro atque exoro a uilico . . ut eam illi
permittat? Cas 269   ex: sisti . . exorare ex
te . . Mi 1072
4. seq. acc. rei et ab cum persona: censen talentum magnum exorari pote ab istoc sene ut
det? Au 309   sine me hoc exorare* abs te ut
. . desistas Ba 1170   res quaedamst quam
uolo ego me aps te exorare Tri 325   potin
est ab amico alicunde exorari (argentum)?
Tri 759
5. additur adv. pro persona: alicunde exora
mutuom Per 43   Tri 759(supra 4)
6. seq. duo acc.: hanc ueniam illis sine te
exorem Ba 1199   satin offirmatum quod mihi
erat, id me exorat? Ba 1200   unum exorare
uos sinite nos. #Quidnam id est? #Ut . . Cap
210   Mo 1175(RL: supra 2)   Poe 380(supra 2)
7. seq. ut: As 917(supra 2), Au 309(supra 4),
Ba 1170(supra 4), Cap 210(supra 6), Cas 269
(supra 3), Cas 705(supra 2), Ru 1218(supra 2),
Tru 799(Rs: supra 2)   si possum exorare ut
pallam reddat Men 1049   non queo lacrumam exorare ut expuant unam modo Ps 76
ne: eadem exorabo, Chrysalo causa mea pater ne noceat Ba 521   Cas 304(supra 2), Ci 303
(supra 2)
    EXOSSO - - quid id exquiris tu qui pugnis
os **exossas**(-at J) hominibus? Am 342   **exos-
satum** os esse oportet quem probe percusseris.
#Mirum ni hic me quasi muraenam **exossare**
(exdorsuare WeidnerRgl) cogitat: ultro istunc
qui **exossat** homines Am 318-20   **exossabo**
(-abit C) ego illum simulter itidem ut muraenam coquos Ps 382   congrum muraenam **exossata** fac sient(P exdorsua quantum potest
Non 17 et ω) Au 399   Cf Egli, I. p. 34;
Graupner, p. 11
    EXOTICUS - - mare superum omne Grae-
ciamque **exoticam** . . sumus circumuecti Men
236   quid istae quae uestei quotannis nomina
inueniunt noua? . . supparum aut subminiam,
ricam, basilicum aut **exoticum** Ep 232   non
omnes possunt olere unguenta **exotica** Mo 42
    EXPALLESCO - - uiden ut **expalluit**(pal-
luit V)? Cu 311
    EXPALLIO - - **expalliatus** sum miser Cas
945   palliolum . . conexum in umero laeuo,
expalliato(U expapillato Fest 83 et R: cf Goetz,
Em. Mil. glor. p. VI: exfafillato APψ) bracchio
Mi 1180
    EXPALPO - - quid faciam? #Exora, blan-
dire, **expalpa**(PNon 104 et Ly palpa Aψ) Poe
357   nunc seruos argentum a patre **expalpabitur** Vi 115(ex Non 104 & 476 om Ly)
    EXPAPILLATUS - - Mi 1180: vide supra
sub expallio

EXPECCO · · Am 658, 659, expeccatum *D bis pro* exspectatum

EXPECULIATUS · · crucior .. pretiis emptos maxumis apud nos **expeculiatos** seruos fieri suis eris Poe 843

EXPEDIO · · I. Forma **expedis** Mer 174 **expedit** Am 308   **expediam** Am 912   **expedibo** Tru 138(*ACD Non* 476 -iuo *B*)   **expediet** Cap 40, 54   **expediui** Cap 454   **expediuit** Am 521(-duint *J*), Per 626, Ru 908 **expediam** Tri 880   **expediat** Per 458   **expediant** Tri 236   **expedi** Am 1081, Men 619, Per 215, 640, Poe 1024, 1111, 1196, Ru 628(-ti *BD*), 650(paucis ex. *Lamb om P* uis *T* uis dicam tibi *Ly*), 1102, St 363, 427   **expedite** Poe 556, Ru 314(*ins Ly silens*), Tru 790(*PLLy* -to *Boψ*)   **expedito** Tru 790(*Bo* -te *PLLy*) **expedire** Am 5, Ru 1317   **expedirier** Poe 1007   **expeditum**(*acc. masc.*) Ep 86   **expedite**(*adv.*) Men 176, Mer 120(-tam *U*) *corrupta:* Men 762, expedit *D pro* expetit St 284, nunc expedi *P*(expidi *B*) *pro* expetit nunc Tru 366, expedis *D pro* expetit

II. **Significatio** A. *verbum* 1. = parare: cingitur, certe expedit se Am 308

2. = liberare: expediui ex seruitute filium Cap 454   ego lenonem ita hodie intricatum dabo ut ipsus sese qua expediat nesciat Per 458   nimis pauebam ne peccaret: expediuit Per 626

3. = dimittere: me ex suis locis pulcre ornatum expediuit templis reducem pluruma praeda onustum Ru 908

4. = euenire, uortere: nequiter paene expediuit* prima parasitatio Am 521   ut res rationesque uostrorum omnium bene (me *add LomanLULy*) expedire uoltis Am 5(*cf* Langen, *Beitr.* p. 1)   amoris artis eloquar quem ad modum (se *add ARU*) expediant Tri 236(*cf* Langen) *fortasse:* sic uolo profecto uera cuncta huic expedirier Poe 1007

5. = exsequi, perficere: hic hodie expediet hanc docte fallaciam Cap 40   *Etiam* Am 5, *si me suppletur* (*supra* 4)

6. = prodesse: profecto expediet fabulae huic operam dare Cap 54 *Cf* Walder, p. 28

7. = narrare, enucleare: a. cur dixisti? inquies. ego expediam tibi Am 912   agedum expedi: scin me tuom esse erum? Am 1081 qui, amabo? #Ego expedibo* Tru 138

b. *interrogatio subsequitur:* hoc mihi expedi: quo agis? Per 215   tu paucis expedi: quid postulas? Ru 1102   quin tu expedis, quid siet quod me .. quaerebas? Mer 174

c. *interr. antecedit:* quid tu misera's? mihi expedi Men 619   quae patriast tua? age mihi actutum expedi Per 640   quid ait aut quid orat? expedi Poe 1024   quid est, fratris mei gnate? quid uis? expedi Poe 1196   quis istic est qui deos tam parui pendit? paucis expedi*? Ru 650   tum tu igitur qua causa missus es ad portum id expedi St 363   quid id autem unumst? expedi St 427   quid puero factumst .. meo nepote? capita rerum expedito* Tru 790

earum nutrix qua sit facie mihi expedi Poe

1111   omitte genua et quid sit mihi expedi* Ru 628

d. *intra interr.:* ecquem adulescentem huc dum dic astatis, expedite, uidistis ire Ru 314 (*Ly*)

e. *seq. acc.:* agite igitur .. rem expedite Poe 556   perge alia tu expedire Ru 1317   capita rerum expedito* Tru 790(*supra* c)   nescioquid expediam potissumum Tri 880

B. *participium:* quo modo me expeditum ex impedito faciam Ep 86   expedite fabulatu's Men 176   quid illuc est quod ille tam expedite* exquirit cursuram sibi? Mer 120

EXPELLO · · ni illos homines **expello**, ego occidi planissume St 401   corde **expelle** desidiam tuo Tri 650   *corrupta:* Ba 965, expuli *P pro* extuli(*Dissald*) Tru 288, expellam *P* euellam *AU* exuellam *Scalψ*

EXPENDO · · I. Forma **expendetur** Ru 1087   **expendi** As 300   **expendas** Mer 487 **expendi**(*infin.*) Ba 640   **expensus** Mer 488 **expensi**(*neut.*) Mo 304   **expensa**(*acc. pl.*) Tru 73

II. **Significatio** 1. *proprie:* ego qui ted expendi scio: nudus uinctus centum pondo's quando pendes per pedes As 300

2. *de auro, argento, sim.:* a. hunc hominem decet auro expendi Ba 640   uin .. eximam mulierem pretio? #Qui potius quam auro expendas? #Unde erit? #Achillem orabo aurum ut mihi det Hector qui expensus fuit Mer 487-8 aurum auro expendetur, argentum argento exaequabitur Ru 1087

b. **expensum:** bene igitur ratio accepti atque expensi inter nos conuenit Mo 304   .. ubi aera perscribantur usuraria — accepta dico, expensa ne qui censeat Tru 73

EXPENSO · · res rationesque eri Ballionis curo: argentum accepto, **expenso**(*APLy om Boψ*), et quoi debet dato Ps 627(†*Ly*)

EXPERGEFACIO · · flagitium probrumque magnum .. **expergefacis** Cu 198

EXPERGISCOR · · prius quam Venus **expergiscatur**(*AD⁴* experiscatur *BD¹* expescatur *C*) prius deproperant sedulo sacruficare Poe 321   uigila inquam, **expergiscere**(*B²* expergis *P*), inquam Mi 218   nunc te meliust **expergiscier** As 249   postquam **experrecta's** te prodigiali Ioui .. conprecatam oportuit Am 740

EXPERGO · · Mi 218, expergis *P pro* expergiscere(*B²*)

EXPERIOR · · I. Forma **experior** Am 508, 637, Ba 1168, Ep 527, Men 334(ex. esse *Lips* exterior *P*), Mer 771, Mi 405(-ar *CD*), 633(*v. om C*), 671(*B²* -io *P*), Ps 135, St 509, Tri 460   **experitur** Ci 221(*E³LU* expetitur *PSt*) **experiar** As 245, Ba 405(-or *B* -er *D¹*), Cap 349, Mo 1090, Poe 1408, Ps 73, 174, St 311, Tru 609   **experiere** Tru 529   **experiemur** Cas 274   **experiar**(*subiu.*) Cap 425, Ps 176, Ru 1221, Tru 753(*Rs* -iri *Pψ*)   **experire** (*impera.*) As 722, Cap 429(*B¹Rs* -ri *B²DOJψ*), Mer 111   **experiri** Am 512, 662, As 247(*P* experi *SkutschLy: aliter Rgl* †*SL*), Cap 429(-re *B²Rs* experi *VE*), Mer 151, 769(*PLRU* -rei *Aψ*), Mo 237, Ru 917, Tri 938, Tru 753(-iar

Rs) **experirier** Ps 1007, Tʀᴜ 753(*Ca* -re *P*) **experturum**(*masc.*) Tʀᴜ 398 **expertus** Bᴀ 387, Cᴀᴘ 145, Cᴀs 812, Cᴜ 680, Tʀɪ 826 **experta's**(*sing.*) Tʀᴜ 529, 815 **experto**(*dat. masc.*) Mᴇʀ 289(exporto *A*) **expertae**(*plur.*) Tʀᴜ 776 (-te *B* -parte *C* -pete *D*) **experiundi** Mɪ 638 **experiundo** Rᴜ 186 a

II. **Significatio** 1. = tentare **a.** *absolute:* ad me adi uicissim atque experire As 722 ex summis opibus uiribusque usque experire, nitere, erus ut . . seruetur Mᴇʀ 111 opera licet experiri Mᴇʀ 151 . . ut apud te exemplum experiundi habeas ne quaeras foris Mɪ 638 experiar, ut opinor Mo 1090 nisi ad hoc exemplum experior, non potest usura usurpari Ps 135 *** experiundo is datur acerbum Rᴜ 186 tempestate saeua experiri expetiui paupertatem eri qui . . tolerarem Rᴜ 917 sine experiri*. #Immo opperiri: uis est experirier* Tʀᴜ 753 te omnes saeuom . . commemorant . .: ego contra opera expertus Tʀɪ 826 iam istuc . . reapse experta intellego Tʀᴜ 815

b. *cum acc.:* nimis tenax es? #Num me expertu's uspiam? Cᴀs 812 uin me experiri? #Nolo Mᴇʀ 769 ecastor te experior quanti facias uxorem tuam Aᴍ 508 istaec dicta: te experiri*(dicta tua experire re *Rs*) et opera et factis uolo Cᴀᴘ 429 experiar opibus(omnes *Rgl*), omni copia . . ut quemque amicum uidero: dignos, indignos adire †atque experiri* certumst mihi As 245-7

ain tandem? istuc primum experiar Tʀᴜ 609 ne uereare: meo periclo huius ego experiar fidem Cᴀᴘ 349 an ego experior tecum uim maiorem? Bᴀ 1168

c. *seq.* **cum:** maritumis moribus mecum experitur* Cɪ 221 quamquam ego te meruisse ut pereas scio, non experiar tecum Pᴏᴇ 1408 tecum Bᴀ 1168(*supra* b)

d. *seq. infin.:* magis non factum possum uelle quam opera experiar persequi Cᴀᴘ 425

e. *seq. interr. obliqua:* an ille . . id se uolt experiri suom abitum ut desiderem? Aᴍ 662 ecastor te experior quanti facias uxorem tuam Aᴍ 508(*cf* Redslob, p. 8, *adn.*) nunc experiar* sitne aceto tibi cor acre in pectore Bᴀ 405 nunc experiemur nostrum uter sit blandior Cᴀs 274 in te hercle certumst principi ut sim parcus experiri Mo 237 nunc ego te experiar quid ames quid simules Ps 73 (*cf* Redslob, p. 8, *adn.*) nunc ego scibo atque hodie experiar quae capiti quae uentri operam det quaeque suae rei quae somno studeat . . Ps 174 perge opera experirier quid epistula ista narret Ps 1007 experiar fores an cubiti ac pedes plus ualeant Sᴛ 311 lubet experiri quo euasurust denique Tʀɪ 938(*cf* Fuhrmann, CV, p. 828) huc remisit . . epistulam: sese experturum quanti sese penderem Tʀᴜ 398

f. *seq.* ut: Mᴇʀ 111(*supra* **a**) qui Rᴜ 917 (*supra* **a**)

2. = per tentationem discere, scire, sentire **a.** *cum acc.:* ego id nunc experior domo atque ipsa de me scio Aᴍ 637 id adeo ego hodie **expertus** sum Cᴜ 680 id ego experior Eᴘ

527 experiri istuc mauellem me quam mihi memorarier Aᴍ 512 benignitatem tuam mihi experto* praedicas Mᴇʀ 289

b. *seq. infin.* (*cf* Walder, p. 46): id opera expertus sum esse ita Bᴀ 387 haud mendacia tua uerba experior* esse Mᴇɴ 334 nunc ego uerum illud uerbum esse experior uetus Mᴇʀ 771 nunc demum experior* mihi ob oculos caliginem opstitisse Mɪ 405(scio *pro* d. e. *Serv Dan ad Aen* I. 233) id quidem experior ita esse ut praedicas Mɪ 633(*v. om C*) quibus nunc me esse experior* summae sollicitudini Mɪ 671 . . quam libertam fore mihi credam et quam uenalem hodie experiar Ps 176 . . ut gratum mihi beneficium factis experiar Rᴜ 1221 quoniam mihi amicum experior esse, credetur tibi Sᴛ 509(*vide PSL Ly*) benigniorem . . te mihi quam nunc experior esse confido fore Tʀɪ 460 id ita esse experta's: nunc experiere, mea Phronesium, me te amare Tʀᴜ 529

c. *seq. interr. obliqua:* expertus quanti fuerit nunc desidero Cᴀᴘ 145 propemodum expertae* estis quam ego sim mitis tranquillusque Tʀᴜ 776

EXPERIURO - - Cɪ 304, experiuraui *Fest* 274 *pro* expurigabo

EXPERS - - I. **Forma expers** Aᴍ 170, As 43(e. sis *BJ* expressis *E*), 505 **expertem** Aᴍ 713(e. te *P* experte *Non* 359), Pᴇʀ 509, Ps 498 *corruptum:* Mᴇʀ *Arg* II. 13, expers *P pro* exspes(expes *SaracL*)

II. **Significatio** 1. *cum gen.:* ipse dominus diues, operis et (*om HavetLy*) laboris expers . . Aᴍ 170(*v. secl FuhrmannRglS*) . . ut qui matris(expers †S e. m. *CaRglLy*) imperii(-o *LuchsRglLLy*) sies As 505 quapropter te expertem amoris nati habuerim Ps 498(†*LLyS*) Cf Blomquist, p. 19; Schaaff, p. 28

2. *cum abl.:* eo more expertem* te factam adueniens offendi domi Aᴍ 713 dono te ob istuc dictum ut expers* sis metu As 43 ea res me domo expertem facit Pᴇʀ 509 imperio As 505(*LuchsRglLLy: vide supra* 1) Cf Schaaf, p. 28, *adn.* 4

EXPETESSO - - I. **Forma expetesso** Eᴘ 255, Mɪ 1229(expetes sunt *B*) **expetessis** As 526 **expetessit** Cɪ 739(*Sey* -tit *PLLy*), Mɪ 959(*R duce Pio* -isset *P*) **expetessunt** Mɪ 1231(expetes sunt *B*), Rᴜ 258 **expetessam** (*subiu.*) Cɪ 13(*Gronov* expetes *P*), Tʀɪ 228 **expetessat** Mɪ 1244(*BoR* exspectat *Pψ* expectat *CD*)

II. **Significatio** 1. *absolute:* ultro amas, ultro expetessis As 526 sine ultro ueniat, quaeritet, desideret, expetessat* Mɪ 1244(*BoR*)

2. *cum acc.:* . . utram potius harum mihi artem expetessam Tʀɪ 228 consilium a te expetesso Eᴘ 255 *** quam argentum expetessit* Cɪ 739 quae uos arbitror uelle ea ut expetessam* Cɪ 13

quae te amat tuamque expetessit* pulcram pulcritudinem Mɪ 959 . . ut eius mihi sit copia quem amo quemque expetesso* Mɪ 1229 illum multae sibi expetessunt* Mɪ 1231

qui sunt qui a patrona preces mea expetessunt? Rᴜ 258(*cf* Sonnenschein *ad loc*)

EXPETO · · **Forma** **expeto** Cas 184(ex-specto *V*), 669(-cto *B*), Cu 107, Mi 1258, Mo 625, Poe 1131, Ps 1087(*Beroaldus* -cto *P*), Ru 240, 943, Tru 652, Tru 960　　**expetis** As 27 (-tetis *J*), Au 652(*B* et petis *DEJ*), Mer 937, Mo 1116　　**expetit** Ci 554, 739(*PLLy* -tessit *Sey et ψ ex Pareo*), Men 762(-dit *D¹*), Mi 1386 (*Par* petit *CD om B* deperit *PyRU*), Poe 635 (*AU aliter Pψ*), 636, St 284(*A* expedi *CD* ex-pidi *B*), Ps 43 (-ctat *B¹*), Tri 366(*A* -is *BC* -dis *D*), Tru 204(*A* -titi *BD* -tiit *C*)　　**expe-timus** St 740(-ctimus *C*)　　**expetitis** Ba 51　　**expetunt** Am 174, Cas *Arg* 1, Cas 80, Mi 393, Mo 103(-ant *B¹*), 861, Tri 272　　**expetitur** Ci 221(*PS†Ly* -ritur *E³LU*)　　**expetebant** Mo 155　　**expetent** Am 896　　**expetiui** Cas 920, Ru 917　　**expetam** Am 1127(-ctam *E*), Au 434(*B²J* ex-spectam *B¹D*), Cas 624, Ci 671(-ctam *VE*), Mer 489, Ru 1393(-ctam *C*)　　**expetas** Cas 370, Tri 674　　**expetat** Am 872(-ctat *E*)　　**expetant** Am 589(-ctant *EJ*), Mo 128(-ctant *D¹*)　　**ex-petere** Am 495, Cas 12, Mi 620　　**expetiuisse** Cas 430　　**expetenda**(*abl. sing.*) Per 521　　*cor-rupta:* Cap 63, expetat *VE pro* exspectat Ci 13, expetes *P pro* expetessam(*Gronov*) Mi 168, expetit *A pro* excepit; 959, expetisset *P pro* expetessit(*R duce Pio*); 1229, expetes sunt *B pro* expetesso; 1231 expetes sunt *B pro* ex-petessunt　　Ru 628, expeti *BD pro* expedi Tru 776, expete *D pro* expertae

II. Significatio 1. *proprie:* **a.** duae unum expetitis palumbem Ba 51　　non edepol piscis expeto Ru 943

operam bonam magis expetit* quam argen-tum Ci 739　　neque unde auxilium expetam habeo Ci 671　　nescio unde auxili praesidi perfugi mihi aut opum copiam comparem aut expetam Cas 624

boni sibi haec expetunt, rem, fidem, hono-rem, gloriam et gratiam Tri 272　　istuc ha-beo, hoc expeto Tru 960　　aegrest . . id ex-petiuisse opere tam magno senem ne ea mihi daretur atque ut illi nuberet Cas 430　　ita fit ubi quid tanto opere expetas Cas 370　　me haud paenitet tua ne expetam* Au 434

quoius nunc ista aduentum expetit* Tru 204 maritumis moribus mecum expetitur* (amor) Ci 221(*dubium*)　　stulta sibi expetunt consilia Mo 861　　neque te decora neque tuis uirtu-tibus a te expetere Mi 620(*longe aliter LLy*) optumi quique expetebant a me doctrinam sibi Mo 155　　sibi quisque inde exemplum expetunt* Mo 103　　quia placeo exemplum expetis Mo 1116　　intelleximus studiose ex-petere uos Plautinas fabulas Cas 12　　pro meo iure oras. #Mirum quin tuom ius meo periclo aps te expetam* Ru 1393　　. . ut Iouis supremi multis hostiis pacem expetam* Am 1127　　salutem inpertit et salutem abs(ex *A RgS*) te expetit* Ps 43

sanus si sim non te medicum mihi expetam Mer 489

sequere ut illam uideas quam expetis Mer 937　　te mihi expetiui Cas 920　　te uolt te quaerit teque exspectans expetit* Mi 1386 peregre aduenientes te expetimus*, Stephani-scidium, mel meum St 740　　ut decet amat,

uirum suom cupide expetit* St 284　　conser-uam uxorem duo conserui expetunt Cas *Arg* 1 . . quam serui summa ui sibi uxorem expetunt Cas 80

gerund.: adduxit simul forma expetenda li-beralem uirginem Per 521　　*Cf* Herkenrath, p. 41

b. *seq. infin.* (*cf* Walder, p. 18): non dico: audire expetis* Au 652　　age, perge, quaeso: animus audire expetit Ci 554　　id audire ex-peto* Ps 1087　　tempestate saeua experiri ex-petiui Ru 917　　. . reputes quid facere expetas Tri 674　　ego istum agrum tibi relinqui . . enixe expeto Tri 652　　istuc quid sit quod scire expetis* eloquere As 27　　istuc expeto* scire quid sit Cas 184　　istuc expeto* scire Cas 669　　id uolo mihi dici id me scire expeto Mo 625(*cf* Walder, p. 48)　　id scire expeto Poe 1131　　ipsum expeto tangere Cu 107　　hic prope adest quem expeto uidere Mi 1258　　uidere expeto te Ru 240

. . ut alii sibi esse illorum similis expetant* Mo 128　　se fictorem probum uitae agundae esse expetit* Tri 366

c. *seq.* ut: filia sic repente expetit* me ut ad sese irem Men 762　　ne: . . id expedi-uisse . . ne ea mihi daretur atque ut illi nu-beret Cas 430

d. *apponuntur adverbia:* cupide St 284 enixe Tri 652　　studiose Cas 12　　opere ma-gno Cas 430　　tanto opere Cas 370　　summa ui Cas 80　　repente Men 762

2. *translate* = accidere, euenire(*cf* Langen, *Beitr.* p. 1) **a.** *absolute:* in seruitute expetunt multa iniqua Am 174

b. *cum dat.:* mea sit culpa quod egomet contraxerim si id Alcumenae innocenti(-enas innocentiae *LachRgl*) expetat* Am 872　　in-sonti mihi illius ira in hanc et male dicta expetent Am 896　　satin eadem uigilanti ex-petunt quae in somnis uisa memoras? Mi 393

c. *seq.* in *cum acc.:* non par uidetur facere delictum suom . . expetere in mortalem ut sinat Am 495(*cf Non* 301)　　quoius ego hodie in tergum faxo ista expetant* mendacia Am 589

3. *dubium:* malo si quid bene facias id be-neficium interit(*P* id *om* BentRglLLy facias, aetatem expetit *AU*): bono si quid male facias aetatem expetit* Poe 635-6(ae. exp. *id est* 'aetate opus est' Ussing *ad loc*)

EXPILO · · cum suo sibi gnato unam ad amicam de die potare illam **expilare** As 826

EXPIO · · metuo te atque istos **expiare** ut possies Mo 465　　*corruptum:* Au 775, ex-pies *P pro* excipies(*Non* 293)

EXPLEMENTUM · · uenalis ego sum cum ornamentis omnibus: inanimentis **explementum** (*A* exi plementum *B* exi supplementum *CD*) quaerit St 173

EXPLEO · · **I. Forma** **expleui** Cu 386, 410　　**expleri** As 167, 169　　**expletus** As 405 **expletis** Tri 475

II. Significatio 1. *proprie:* edepol ne ego hic med intus expleui probe Cu 386　　mihi istoc nomine dum scribo expleui totas ceras

quattuor Cu 410(*cf* Blomquist, p. 14) edim
atque ambabus malis expletis uorem Tri 475
2. *translate:* qui modus dando? nam numquam tu quidem expleri potes. #Quid modist
ductando, amando? numquamne expleri potes?
As 167-9 Aeacidinis minis animisque expletus cedit(*Scal* incedit *BEJL* incidit *B*) As 405

EXPLICO - - explico Mer 17(*U* exilico
PS† *Lt Ly*† *aliter RRg*) is explicaui(*P* -uit
A) meam rem postilla lucro Poe 750 non
repperisti . . tranquillum locum ubi tuas uirtutes explices Ep 445 orant . . uentus operam dum dat, ut uelum explicent(*A* -et *P*)
Mi 1317 pulcre ego hanc explicatam tibi
rem dabo Ps 926

EXPLORATOR - - exploratorem hunc faciamus ludos suppositicium Ps 1167

EXPLORO - - quin exploratum dico et
prouisum hoc tibi Cap 643

EXPOLIO - - I. Forma expoliunt Mo
126(*v. secl RRsS*) expoliuit Ci 314 expoliuero Poe 188(ubi ex. *B* expoliauero *C* exspoliauero *D*) expolitum(*acc. neut.*) Mi 1174
expoliri Poe 221 expolitae(*pl.*) Mo 101
II. Significatio 1. *proprie:* aedes quom
extemplo sunt paratae, expolitae, factae probe
examussim, laudant fabrum Mo 101 Venerem
mearum haec aedes olent, quia amator expoliuit Ci 314(*A solus*) numquam concessamus
lauari aut fricari aut tergeri aut orari, poliri,
expoliri, pingi, fingi Poe 221
2. *translate:* consilium . . ubi expoliuero* . .
Poe 188 meum opus ita dabo expolitum ut
inprobare non queas Mi 1174 (liberos parentes) expoliunt, docent litteras Mo 126(*v. secl
RRsS*)

EXPONO - - I. Forma exponit Ci *Arg*
4 exponebat Cas 42, 187 exponam Tru
659 exposiuit Cas 853(*AB* -suit *VEJ*) exponas Ci 235 exponi Cas 41 exponendam
Ci 166, 182
II. Significatio 1. *de liberis:* conspicatust
primulo crepusculo puellam exponi: adit extemplo ad mulierem quae illam exponebat
Cas 41-2 dat eam puellam ei seruo exponendam ad necem Ci 166 hanc seruolus tollit
atque exponit Ci *Arg* 4 dicit . . peperisse
gnatam atque eam se seruo ilico dedisse exponendam Ci 182 meretricem . . quam olim
tollere quom ipse exponebat . . uiderat Ci 187
2. *de aliis hominibus:* paene (me) exposiuit*
cubito Cas 853 ego pol istos mundulos amasios hoc ictu exponam atque omnis eiciam
foras Tru 659
3. at enim ne tu exponas(ponas *U de A errans*) pugnos tuos(pugno os metuo *L*) in imperio meo Ci 235(*i. e.* ostendas)

EXPORGO - - exporgi(*A* -ci *P*) meliust
lumbos atque exsurgier Ps 1 exporgebat labra lambitum Cap 912 b(*Rs in lacuna* ***impetum *A aliter U*)

EXPORTO - - non enim ille meretriculis
munerandis rem coegit . . quae nunc ad uos
clam exportatur(*P* -antur *A*) Tru 311 neu
qui manus attulerit sterilis intro ad nos grauidas foras exportet(*Prisc* I. 425 exortet *P*) Tru

98 *corruptum:* Mer 289, exporto *A pro* experto

EXPOSCO - - bene dictis tuis bene facta
aures meae auxilium exposcunt(*A* -postulant
P) Per 495 *Cf* Abraham, p. 195

EXPOSITICIUS - - reuortar ad illam puellam expositiciam Cas 79

EXPOSTULO - - opstetrix expostulauit
(post. *B*²) mecum parum missum sibi Mi 697
. . ut nesciam utrum me expostulare(*R* post.
PL) tecum aequom siet Mi 515 mortuom
illum credidi expostulare quia percussissem
fores Mo 521 *Vide* Per 495, *ubi* expostulant
PR exposcunt(*A*) 'habet vim conquerendi'
— Abraham, p. 194

EXPOTO - - quid factumst eo (argento)?
#Comessum, expotum, exunctum, elotum in
balineis Tri 406 pallam . . fert confecto
prandio, uinoque expoto Men 470

EXPRETUS - - *vide* exspretus

EXPRIMO - - miles hic reliquit symbolum
expressam in cera ex anulo suam imaginem Ps
56 . . qui argentum adferret atque expressam
imaginem suam huc ad nos Ps 649 *corruptum:* As 43, expressis *E pro* expers sis

EXPROBRO - - I. Forma exprobras Mo
300, Tri 318 exprobrem Mo 301 exprobraret Am 47(-baret *B*) exprobra Tri 361
(*ARRsU* opprobra *P*[obp. *CD*]ψ) exprobrare
Cap 591
II. Significatio mos numquam illi fuit . .
ut exprobraret* quod bonis faceret boni Am 47
pergin seruom me exprobrare esse, id quod
ui hostili optigit? Cap 591 triginta minas
pro capite tuo dedi. #Cur exprobras? #Egone
id exprobrem qui mihimet cupio id opprobrarier Mo 300-1 quid exprobras(?*LLy*) bene
quod fecisti?(, *LLy*) tibi fecisti non mihi Tri
318 ne exprobra*, pater: multa eueniunt homini quae uolt Tri 361

EXPROMO - - I. Forma expromam Mi
666 expromet Mi 208(non -it *Bo*² nox pro-
mit *C*) exprompsi Mi 831(-msi *B* -misi *C*
expsi *D*) expromat Ba 653(promat *R*) exprome Mi 1055 expromere Mer 47(-ret *B*),
Mi 764 expromptum Mi 832(*add R solus*)
II. Significatio 1. *proprie:* heminas octo
exprompsi* in urceum Mi 831 *Vide* Mi 882,
ubi expromptum bibit *R pro* exbibit
2. *translate:* a. uel hilarissumum conuiuam
hinc indidem expromam tibi Mi 666 exprome
benignum ex te ingenium Mi 1055
b. ubiquomque usus siet, pectore expromat*
suo Ba 653 quicquid est, incoctum non expromet* (consilium) Mi 208
c. pater . . perfidiam iniustitiam lenonum
expromere* Mer 47(*infin. hist.*) haud centesumam partem dixi atque . . possum expromere
Mi 764

EXPUGNO - - I. Forma expugno Ps 586
expugnabo Ba 929 expugnaui Ba 931(*v. secl
KiesSRg*) expugnauit Ps 1172 expugnauimus Am 413 expugnauero Ba 977 expugnauisses Am 746 expugnari Mi 1157(*Py*
-re *P*), Tru 170 expugnatum Am 191, Ps 766
corrupta: Cap 620, expugnare *J pro* expurigare

Cɪ 189, expugnatur *VEJ pro* expungatur Cᴜ 585, expugno *J pro* expuncto

II. Significatio 1. *proprie:* id ui et uirtute militum uictum atque expugnatum oppidumst Aᴍ 191   ubi Pterula rex regnauit oppidum expugnauimus Aᴍ 413   extemplo ubi oppidum expugnauero Bᴀ 977   oppidum quoduis uidetur posse expugnari* dolis Mɪ 1157 ex te audiui ut urbem maxumam expugnauisses Aᴍ 746   *similiter:* an etiam ille umquam expugnauit carcerem, patriam tuam? Ps 1172

2. *translate:* amator similest oppidi hostilis: quam primum expugnari potis . . Tʀᴜ 170 ego hoc ipsum oppidum expugnatum faxo erit lenonium Ps 766   hoc ego oppidum(*i. e.* Ballionem) si expugno facilem hanc rem . . faciam Ps 586   praeut ego erum expugnabo meum sine classe Bᴀ 929(*cf* I n o w r a c l a w e r, p. 91)   cepi expugnaui amanti erili filio aurum ab suo patre Bᴀ 931(*v. secl KiesRgSL*) *Cf* E g l i, II. pp. 8, 11

EXPUNGO - - . . ut **expungatur**(*B* -pugnatur *VEJ*) nomen, ne quid debeam Cɪ 189 (*cf* I n o w r a c l a w e r, p. 71)   miles pulcre centuriatus est **expuncto**(-ugno *J*) in manipulo Cᴜ 585   natis peruellit. #Licet: iam diu saepe sunt **expunctae** Pᴇʀ 848(*cf* I n o w r a c l a w e r, p. 87)

EXPURGATIO - - habui **expurigationem** (i *ins R*): facta pax est Aᴍ 965   ego expurigationem(i *ins R*) habebo, ut ne suscenseat Mᴇʀ 960

EXPURGO - - expurigabo(*R* i *omAUNon* 164 experiuraui *Fest* 374) hercle omnia ad raucam rauim Cɪ 304   **expurges**, iures, ores blande per precem Cɪ 302(*A solus*)   tun te expuriges(*R* -rges *APRULy*: mihi *add APR ULy*) Mɪ 497   hoc primum me **expurigare** (*R* -rgarə *BE* -ugnare *J*) tibi uolo me insaniam neque tenere . . Cᴀᴘ 620   . . ut sinas . . expurigare(i *om ALy*) me Cɪ 453(*A solus*)   expurigare(*R* -rgare *APRU* purgare *Ly*) uolo me Mɪ 497   me expurigare(*R* -rgare *PRULy*) haec tibi uidetur aequius Mɪ 517

EXPUTESCO - - perdura dum intestina **exputescunt** tibi Cᴜ 242

EXPUTO - - ut utramque rem simul **exputem** Tʀɪ 234   *Vide* Ps 76, *ubi* exputant *B pro* exspuant

EXQUIRO - - I. Forma   exquiro Sᴛ 111 (*PLy* exquero *A* exquaero *Boψ*), Tʀᴜ 802 **exquiris** Aᴍ 342, Bᴀ 721(*B²* exqueris *P* exquaeris Scutω)   **exquirit** Bᴀ 951, Mᴇʀ 120, 926 **exquiret** Mɪ 246, 248(*R* quiret *P* queret *B²*) **exquiretur** Mᴇʀ 493   **exquisiui** Aᴍ 715 **exquisiuero** Cᴀᴘ 251, 293(*D¹J* exque. *BD²E* exquae. ω), Rᴜ 330   **exquiratur** Tʀɪ 217(exequi. *A*)   **exquireres** Mᴇʀ 637   **exquire** Aᴍ 803, Aᴜ 800(*BDE* exquere *J* exquaere ω *ex Prisc* I, 38), Eᴘ 696, Mᴇʀ 503, Mɪ 1405(exquire rem *BergkU* quirere *CD¹* quare *B* quor ire *Seyψ*), Pᴇʀ 487, 606, 615, Ps 392   **exquaeritote** Cɪ 765(exque. *BE* exquę. *V* exquisitote *J*)   **exquirere** Aᴍ 1015(-rerere *B*), Cᴀs 689(*BVE* exquire *J*), Mᴇʀ 167, Ps 450(*PLy* exquae. *Aψ*), Rᴜ 1180   **exquisisse** Cɪ 574   **exquisitum**

(*nom. neut.*) Cᴀᴘ 638   **exquisito**(*abl. neut.*) Aᴍ 628, 791   **exquirendi**(*gen.*) Aᴜ 806(exquae. *U*) **exquisitum**(*sup.*) Sᴛ 107(*ALy* exquaę. *B* exquę. *C* exque. *D*)

II. Significatio 1. = diligenter quaerere: ex multis exquire illis unum(*RRgS* exquire ex multis illis unum *P* atq. exquire ex illis paucis *A var em LLy*) qui certus (homo) siet Ps 392   (argentum) inuenietur, exquiretur, aliquid fiet Mᴇʀ 493

similiter: quid illuc est quod ille tam expedite exquirit cursuram sibi? Mᴇʀ 120

2. = diligenter rogare, inuestigare **a.** *absolute:* nunc exquire Aᴍ 803   exquire Pᴇʀ 615 age nunciam ex me exquire Eᴘ 696   idem ego dicam si ex(*add R*) me exquiret miles Mɪ 246   ne titubet si exquiret* ex ea miles Mɪ 248   i ad forum, e praetore(*A* ad praetorem *PLLy*) exquire Pᴇʀ 487   ego ex te exquaero* Sᴛ 111   ex(*Bo* ea *P* atque *U*) te exquiro Tʀᴜ 802   *fortasse* Rᴜ 330(*infra* c)

b. *cum acc. rei:* quid id exquiris? Aᴍ 342, Bᴀ 721   mihi istuc primum exquisitost opus Aᴍ 628   opus mihi est istuc exquisito Aᴍ 791 satin istuc mihi exquisitumst fuisse hunc seruom in Alide neque esse hunc Philocratem? Cᴀᴘ 638   exquire quiduis Mᴇʀ 503   percontare, exquire quiduis Pᴇʀ 606   ex his quae uolo exquisiuero Cᴀᴘ 251   eadem ego ex hoc quae uolo exquisiuero Cᴀᴘ 293   est quod uolo exquirere* a(*BVJS* ex *Kampψ*) te Cᴀs 689   ceterum ex ipsa . . exquaeritote* Cɪ 765   multa exquirere . . uolo Mᴇʀ 167

ex uxore hanc rem pergam exquirere* quis fuerit quem . . Aᴍ 1015   quae ex te poterit argumentis hanc rem magis exquirere Rᴜ 1180 eam rem nunc exquirit intus Mᴇʀ 926   exquire rem sis Mɪ 1405(*BergkU*)   spatium ei dabo exquirendi meum factum ex gnatae pedisequa Aᴜ 806   exquirit facta Iliorum Bᴀ 951 si exquiratur usque ab stirpe auctoritas unde quidquid auditum dicant Tʀɪ 217   hominis faciem exquireres Mᴇʀ 637   quid istuc est quod huc exquaesitum mulierem mores uenis? Sᴛ 107

c. *seq. interr. obliqua:* ualuissesne usque exquisiui simul Aᴍ 715   quis fuerit Aᴍ 1015 (*supra* b)   exquaere sitne ita ut ego praedico Aᴜ 800(*cf* Tʀᴜ I. 38)   quoi illam dedisset exquisisse oportuit Cɪ 574   satius est . . exquaerere sintne illa necne sint Ps 450 unde . . dicant Tʀɪ 217(*supra* b)   *fortasse:* eadem haec sacerdos Veneria si quid amplius scit, si uidero, exquisiuero Rᴜ 330

d. *cum infin.:* satin istuc mihi exquisitumst fuisse hunc seruom in Alide neque esse hunc Philocratem? Cᴀᴘ 638(*supra* b)

e. *seq. ex cum abl.* (*vide supra*): Aᴍ 1015, Aᴜ 806, Cᴀᴘ 251, 293, Cᴀs 689*, Cɪ 765, Eᴘ 696, Mɪ 246, 248, Pᴇʀ 487, Rᴜ 1180, Sᴛ 111, Tʀᴜ 802*   **a** *cum abl.:* Cᴀs 689(*BVJS* ex *Kampψ*)

EXSANGUIS - - aulam . . penitus conditam **exanguis**(exs. *JRg*) amens seruat Aᴜ *Arg.* I. 4 *Vide* Rᴜ 663, *ubi* exsangues *Nettleship pro* †taefandae

EXSCREO - - age, age, usque **excrea**(exscrea *RglLy*) As 39

EXSCRIBO - - bonos (homines) in aliis tabulis **exscriptos** habet Ru 21 eorum referimus nomina **exscripta** ad Iouem Ru 15

EXSCULPO - - uix **exsculpsi**(*Ly* exc. *Pψ*) ut diceret Cɪ 541(*i. e.* extorsi) **exsculpito** (*LambU* excludito *CDLLy* sex cliidito *B* exlidito *ψ*) mihi hercle oculum Ps 510

EXSECO - - quin tu in paludem is **exicas**que(*Turn* exagitasque *CD* exigasque *B* exsi. *RsULy*) harundinem? Ru 122 membra (ei *add RRgLy*) **exsecemus** serra Fʀ l. 44(*ex Char* 219) *corruptum:* Mᴇɴ 980, exsecor *B¹ pro* exsequor

EXSECRO - - Cᴀs 644, execrata *BVE* -eta *J pro* excetra tu(*A*)

EXSEQUOR - - I. Forma **exsequor** Mᴇɴ 980(*B²* exsecor *B¹* exequor *CD*) **exsequitur** Bᴀ 476, Eᴘ 572(*ABJ* exeq. *E*) **exsequontur** Ru 261(-quuntur *BC* -cuntur *D*) **exsequar** Aᴍ 956(*Ly* exe. *Pψ*), As 160(*RglLLy* exe. *Pψ*) (*subiu.*) Mᴇʀ 913(exe. *CD*) **exsequare** Tʀᴜ 462(*Z* -ere *P* exe. *CD*) **exsequamur** Mɪ 945 **exsequi** Aᴍ 262(*Ly* exe. *Pψ* persequar Nᴏɴ 266), 801(*BD* exe. *EJRglU*), Cᴀᴘ 195(exe. *U* exeq'*E*), Eᴘ 174(exe. *VEJ*), Mᴇɴ 245, Mᴇʀ 929 (exe. *CD*), 934(exe. *DR*), Mo 706(exe. *AD*), Ps 995(*A* exe. *P*), Tʀɪ 282, 686 **exsecuta**(*nom. sing.*) Tʀᴜ 459(exe. *C*)

II. Significatio 1. = quaerere: aliter uiuos numquam desistam exsequi (eum) Mᴇɴ 245 (mater) exanimata exsequitur aspectum tuom Eᴘ 572 bonam atque obsequentem deum atque haud grauatam patronam exsequontur Ru 261

2. *de funere:* ego te credidi uxorem quam tu extulisti pudore exsequi Eᴘ 174(*num melius vocabulum per* colere *interpretandum, ut fortasse* Ru 261?)

3. = persequi *cum acc.:* ut accurate et commode hoc quod agendumst exsequamur Mɪ 945 ille . . sedulo rem mandatam exsequitur Bᴀ 476 nullam rem oportet dolose adgrediri nisi astute adcurateque exsequare* Tʀᴜ 462 pergam eri imperium exsequi* Aᴍ 262(*cf Non* 266) impera, imperium exequar Aᴍ 956 eri imperium exsequor* Mᴇɴ 980 quin tu ergo itiner exsequi meum me sinis? Mᴇʀ 929(*cf Non* 482: *Prisc* II. 229)

nolo ego cum improbis te uiris . . neque in uia neque in foro necullum sermonem exsequi Tʀɪ 282 *similiter:* perge exsequi (*i. e.* interrogationem) Aᴍ 801

4. = pati *cum acc.:* di . . id uoluerunt uos hanc aerumnam exsequi Cᴀᴘ 195 tanto meliust te sororis causa egestatem exsequi Tʀɪ 686 necessest hodie Sicyoni me esse aut cras mortem exsequi Ps 995 lucri causa auara probrum sum exsecuta Tʀᴜ 459

5. *cum infin.:* ego te dehinc . . tractare exsequar As 160 ut . . inceptum hoc itiner perficere exsequar Mᴇʀ 913 *Cf* Votsch, p. 29; Walder, p. 18

6. *seq.* ut *cum subiu.:* certum exsequist, operam ut sumam ad peruestigandum Mᴇʀ 934 exsequi certa res est ut abeam potius . . quam domi cubem Mo 706

EXSIGNO - - omnia ego istaec quae tu dixti scio, uel **exsignauero** Tʀɪ 655

EXSILIO - - alter puer citus e cunis **exsilit**(*Ly* exilit *Pψ*) Aᴍ 1115 naue exilit Mᴇʀ *Arg* II. 3 quid est quod haec huc timida . . **exsiluit**(*A* exiluit *BVE* exilunt *J:* foras *add PLU*)? Cᴀs 630 ilico intra limen isti astate, ut quom extemplo uocem continuo **exsiliatis** (*ULy* exi. *Pψ*) Mo 1065 *Vide* Ps 818, *ubi* exilient *CD pro* extillent

EXSILIUM - - I. Forma **exilium** Cᴀᴘ 519 (*PL†* om *U* exitium *Pontanusψ*) **exsilio** Mᴇʀ 652(*ULy* exilio *Pψ*) **exsilium** Mᴇʀ 848(exitium *R*), 933(*ULy* exilium *Pψ*), 980(in exi. *P* [aex. *C*]*L℔†* in exsi. *ULy* exulatum *Rg aliter R*), Pᴇʀ 562(*ULy* exilium *Pψ*) **exilio** Mᴇʀ 947(*ULy* exi. *Pψ*) *corruptum:* Mᴇʀ 981, exilium *B pro* exulatum

II. Significatio 1. *nom.:* neque exilium* exitiost Cᴀᴘ 519(*PL†*)

2. *dat.:* quis modus tibi exsilio tandem eueniet? qui finis fugae? Mᴇʀ 652

3. *acc.:* pater mihi exsilium parat Mᴇʀ 933 pessum dedi iram inimicitiam . . exsilium* inopiam Mᴇʀ 848

quem . . ego in exsilium* quom iret redduxi domum Mᴇʀ 980 te in exsilium hinc ire oportet Pᴇʀ 562

4. *abl.:* iam redii de(*R* redi *P* redii ex *Kamp LLy*) exsilio Mᴇʀ 947

EXSOLVO - - I. Forma **exsoluor** Bᴀ 858 **exsoluam** Eᴘ 152(*BVNon* 8 -ar *AL* exoluam *J*) **exsoluet** Mᴇɴ 985 **exsoluar** Eᴘ 152(*AL* -am *BVNon* 8 *et ψ* exoluam *J*) **exsoluemini** Tʀᴜ 784(*Ca* exsolue mihi *P*) **exsolui** Bᴀ 962 (etsolui *D¹*), Ru 367(*B* -uisti *CD*) **exsoluere** Bᴀ 1135(*PLULy* exoluere *FZψ*) **exsoluam** Aᴍ 784(*PLULy* exoluam *FZψ*), 948(*B* exoluam *DEJ* persoluam *Rgl*), Eᴘ 722(tu ut exs. *BJ* cui resoluam *E*) **exsolue** Aᴍ 783(*Mue* exolue *Rgl* eam[ea *E*] solue *P*) **exsoluite** Bᴀ 862 **exsolui** Bᴀ 857, 861, Cᴀᴘ 514

II. Significatio (*cf* Sjögren, p. 150) 1. *proprie:* agedum exsolue* cistulam. #Quid ego istam exsoluam? obsignatast recte Aᴍ 783-4

2. = liberare: cedo tu ut exsoluam* manus Eᴘ 722 properans exsolui* restim Ru 367 iube sis me exsolui cito: nam ni exsoluor . . Bᴀ 857-8 quin tu me exsolui iubes? #Exsoluite istum Bᴀ 861-2 ibi uix me exsolui* Bᴀ 962 iussi ilico hunc exsolui Cᴀᴘ 514 si uerum mihi eritis fassae uinclis exsoluemini* Tʀᴜ 784 *similiter:* aliqua ope (te) exsoluam* Eᴘ 152

3. *de pecunia:* exsoluere quanti fuere Bᴀ 1135 pretium exsoluet Mᴇɴ 985 *similiter:* quae . . uota uoui . . ea ego exsoluam* omnia Aᴍ 948

EXSORBEO - - iam illorum ego animam amborum **exsorbebo**(*B²* exor. *B¹C* exorbabo *D*) oppido Bᴀ 869(*cf* Inowraclawer, p. 54) *Vide* Eᴘ 188, *ubi* exorbebo *Non* 102 *pro* exsugebo

EXSPECTATIO - - uide ne sies in **exspectatione**(*F* inspectatione *CD* in *om B* illi exspectationi *BoR*) Mɪ 1279 misera in exspectationest(*A* in *om P* exp. *CD*) Epignomi aduentum uiri Sᴛ 283

EXSPECTO · · I. Forma exspecto Poe
12(exp. *C*), 362(*A* exp. *P*), 817(exp. *C*), Tri 98
(exp. *PSL*), Tru 675(*ZRsLy* exp. *L* expector
PSt)   **exspectas** Cu 144(*JRgLy* exp. *BEψ*)
exspectat Cap 63(*J* exp. *BDLU* expetat *VE*),
382(exp. *PLU*), Cas 540(*A* exp. *P*), Men 599
(*BRLy* exp. *CDψ*), Mer 556(*B* exp. *CDRg* ex-
spectanti an *B*), Ps 1033(*ULy* exp. *FZ* ex-
pectata *P*)   **exspectamus** As 531(exp. *EJU*)
exspectatis St 137(*A* exp. *PU*)   **exspectant**
As 331(*B* exp. *DEJL*), Ba 1204(ecsp. *B* exp.
CDRS), St 642(*AB* exp. *CD*)   **exspectabam**
Au 707(spectabam *LambRgL* asp. *GulU*), Tru
1392   **exspectes** Mo 188(*RsULy* exp. *PSL*
exoptes *AcR*)   **exspectet** Mer 280(*A?LULy*
exp. *Pψ*), Mi 1244(*B* exp. *CD* expetessat *BoR*)
exspectetis Cas 64(*AB* exp. *VEJ*), Ci 782(exp.
BE), Ps 1234(*ULy* exp. *Pψ*), Tri 16(*A* exp. *P*),
Tru 482(*RsULy* exp. *P* -tens *C*)   **exspectare**
As 528(exp. *DEJU*), Ru 922(*DRsULy* exp. *B*
Cψ), Tri 734(*RsLy* exp. *Pψ*)   **exspectans** Ba
110(*Weis* exp. *L* spectans *P* insp. *HermRU*),
Mi 1386(exsp. expetit *Par* exspectat *B* exsp.
deperit *PyRU* expectans petit *CD*)   **exspec-**
tando(*abl.*) Ep 320(*LULy* exp. *BEψ*), Mi 1022
(propera: exp. excrucior *RLU* properando exc.
CDStLy properadum: stando exc. *ColuiusRg*),
Tru 916(*RsLy* exp. *Pψ*)   **exspectatus** Am 679
(-tatun *B* -tatum *DJ* -tastim *E*), Mo 441, Tri
574(*RRsLy* exp. *Pψ*), Tru 185(*A* exp. *P*)   **ex-**
spectatum(*acc. masc.*) Am 658(*Ly* exp. *Pψ* -cca-
tum *D*), 659(*Ly* exp. *Pψ* -ccatum *D*), 680(*LLy*
exp. *Pψ*)   **exspectate**(*voc.*) Poe 1260(*C* exp. *D*
-etate *B*), St 583(*Rg* sperate *Pψ* o *ins Loman*
RL)   **exspectatior** Mo 442(exp. *D*)   *cor-*
rupta: pro formis expeto *verbi inuenimus* Am
589, expectant *EJ*; 872, expectat *E*; 1127, expectam *E* Au 434, exspectam *B¹D* Cas 184,
exspecto *V*; 669, expecto *B* Ci 671, expectam
VE Mo 128, expectant *D¹* Ps 43, expectat
B¹; 1087, expecto *P* Ru 1393, expectam *C*
Etiam Men 882, exspectando *BC* expectando *D*
pro spectando(*D²* *et Auson*)
II. Significatio A. *verbum* 1. *absolute:* is,
ne exspectetis, hodie . . non redibit Cas 64
sine ultro ueniat, quaeritet, desideret, exspectet*
Mi 1244   propera: expectando* excrucior Mi
1022(*RLU*)   miser cubando in lecto hic exspectando obdurui Tru 916   teque exspectans*
expetit Mi 1386
    2. *seq. acc.* a. *rei:* . . dum eius exspectamus
mortem As 531   quin(*RsLy* qui *PSt*) tuam
(quid metuam? tuam *L*) expecto* osculentiam
(obsequetiam *Rs* truculentiam *L*) Tru 675   si
quis pugnam exspectat* litis contrahat Cap 63
    id As 528(*infra* 5)   magnum inceptas si id
exspectas quod nusquamst Cu 144   istuc As
331(*infra* 4)
    b. *personae:* pater exspectat aut me aut ali-
quem nuntium Cap 382   amica exspectat me
scio Men 599   nunties negotium mihi esse in
urbe ne me exspectet Mer 280   uxor me exspectat* iam dudum esuriens domi Mer 556
dum te exspecto, neque ego usquam aliam
mihi paraui copiam Poe 362   filii uos exspectant intus Ba 1204   tu ecastor erras quae
quidem illum exspectes* unum Mo 188(exoptes

AcR: cf Poe 362)   quid illos exspectatis qui
abhinc iam abierunt triennium St 137   si
quem hominem exspectant eum solent prouisere St 642
    3. *seq.* **de:** sed de argumento ne exspectetis
fabulae Tri 16
    4. *seq. interr. obl.:* te sequor exspectans* quas
tu res hoc ornatu geras Ba 110   exspectando
exedor . . quo modo mihi Epidici blanda dicta
euenant Ep 320   exspecto quo pacto meae
techinae processurae sient Poe 817
    indeque exspectabam* aurum ubi abstrude-
bat senex Au 707   *fortasse:* istuc quod adfers aures exspectant meae As 331(quid sit
post istuc *ins Rgl*)
    5. *seq.* **si:** an te id exspectare oportet si
quis promittat tibi te facturum diuitem As
528   iam dudum si arcessatur ornata exspectat domi Cas 540   iam dudum exspecto
si tuom officium scias Poe 12   exspectabam
si qui eas assereret manu Poe 1392   exspecto
si quid dicas Tri 98   *Cf* Lindskog, p. 68
    6. *seq.* **dum:** ne exspectetis . . dum illi huc
ad uos exeant Ci 782   ne exspectetis dum
hac domum redeam uia Ps 1234   ne exspectetis . . meas pugnas dum praedicem Tru 482
non enim illum exspectare oportet dum erus
se . . suscitet Ru 922
    7. *seq.* **ut:** cor . . exspectat* meum . . ut ex-
ulatum ex pectore aufugiat meo Ps 1033   nisi
exspectare uis ut eam sine dote frater nuptum
conlocet Tri 734
    B. *participium perf.* 1. *nom. vel acc.:* ex-
spectatus* aduenio?   #Haud uidi magis exspectatum Am 679-80   ut exspectatus peregre
aduenisti Tru 185   certe enim me illi exspectatum* optato uenturum scio.   #Quid? me
non rere exspectatum* amicae uenturum meae?
Am 658-9   credo exspectatus ueniam familiaribus.   #Nimio edepol ille potuit exspectatior
uenire qui . . Mo 441-2
    numquam . . quoiquam tam exspectatus fi-
lius natus quam . . Tri 574   *Cf* Wueseke, p. 43
    agens per dat. indicatur: Am 658, 659, Mo
441, Tri 574
    2. *voc.:* cupite atque exspectate pater, salue
Poe 1260   St 583, exspectate *ins Rg ante*
sperate
EXSPES · · mercator **exspes**(*Sarac* [expes]
L expers *P*) patria fugere destinat Mer *Arg*
II. 13
EXSPOLIO · · satin si quis amat nequit
quin nihili sit atque inprobis se artibus ex-
spoliat(*D* exp. *CS* partibus *CD* art. exs. *om B*
parta ipse exspoliet *SaracRs*)? Tru 553   *Vide*
Poe 188, *ubi* exspoliauero *D* exp. *C pro* ubi
expoliuero(*B*)
EXSPRETUS · · it magister quasi lucerna
uncto **expretus** linteo Ba 446(*v. secl L tU: cf*
Fest 79)
EXSPUO · · non queo lacrumam exorare
ut (oculi) **exspuant**(*ULy* exp. *Pψ* -tant *B*)
unam modo Ps 76   *Cf* Graupner, p. 6
EXSTILLO · · sinapis . . quae illis qui
terunt . . oculi ut **exstillent**(*Char* 144 ext. *AS*
extilient *B* exilient *CD*) facit Ps 818   *Cf* Egli,
I. p. 30; Ryhiner, p. 14

EXSTINGUO · · I. Forma exstinguere (*fut.*) Au 93(*Ly* ext. *Pψ*) extinxi Tru 957(*Rs* distinxi *CS* dix. *B* discincxi *D* disc. *LLy* restinxi *U*) **exstinxit** Tru 524(*Ly* ext. *Bψ* -cxit *BD*) **exstingue** Per 801(*Ly* ext. *Pψ*) exstinguere Mo 487(*LULy* ext. *BCψ* exsungere *D¹*) **extinxe** Tru 857(ext. et *Rs* ea dixit *PS†LLy* edixe et *U*) **exstingui** Au 91(*Ly* ext. *Pψ*) **exstincta**(*nom.*) As 785(*RglLLy* ext. *Pψ*) **exstinctum**(*acc. masc.*) Ps 906(*ULy* ext. *Pψ*) **exstincto**(*abl. neut.*) Am 189(*Ly* ext.*Pψ*), Per 754(*Ly* ext. *Pψ* -uito *D¹*)

II. Significatio I. *proprie:* si lucerna exstincta sit . . As 785   lucernam forte oblitus fueram exstinguere* Mo 487   quod quispiam ignem quaerat exstingui uolo Au 91(*cf v.* 93) exstingue ignem, si cor uritur, caput ne ardescat Per 801

II. *translate:* a. si ignis uiuet, tu exstinguere extempulo Au 93(*cf v.* 91 *et* Egli, I. p. 28) ne . . hinc nos extinxit* fames Tru 524   ut extinxi* hominem Tru 957(*Rs*)   di . . me et Calidorum seruatum uolunt esse et lenonem exstinctum Ps 906   . . tonstricem meam sic malitiam extinxe* Tru 857(*Rs falso*)

b. legiones reueniunt domum duello exstincto maxumo Am 189   re placida, pacibus perfectis, bello exstincto*, re bene gesta Per 754

EXSTO · · nemo **exstat**(*A* extat *PL*) qui ibi sex menses uixerit Tri 543

EXSTRUO · · cerialis cenas dat: ita mensas **exstruit**(*Ly* ext. *Pψ*) Men 101   tu argentum eluito, idem **exstruito**(ext. *B*) Ps 162

EXSUGO · · iam ego me conuortam in hirundinem atque eorum **exsugebo**(*B* exu. *E³ et Non* 479 exugelo *E¹VJ* exorbebo *Non* 102) sanguinem Ep 188   iam nunc ego illic egredienti sanguinem **exsugam** procul Poe 614   *Cf* Egli, I. p. 29, *adn.*

EXSUL · · senex . . huc Athenis **exsul**(*Ly* exul *Pψ*) uenit, hau malus Ru 35   ad uillam illius exsul(*Ly* exul *Pψ*) ubi habitat senex . . Ru 77   ego hunc scelestum in ius rapiam exsulem(*Ly* exulem *PS†L* exilem *A* exigam exulem *Rs* excruciabilem *U* exules dica *PalmerSonnenschein*) Ru 859

EXULE · · Ru 959, **exsules** (ἐξούλης) dica *PalmerSonnenschein pro* exsulem

EXSULO · · perfidia et peculatus ex urbe et auaritia si **exsulant**(*ULy* exu. *Pψ*) . . Per 555(*cf* Graupner, p. 17)
certumst **exsulatum**(*ULy* exu. *Pψ*) hinc ire me Mer 644   quo nunc ibas? *#*Exsulatum(*U Ly* exu. *Pψ*) Mer 884   filium . . ego exulatum(*Rg* in exilium *PS†ULLy*) quom iret, redduxi domum: nam ibat(exibat *B*) exsulatum(*U Ly* exu. *CDψ* exilium *B*) Mer 980-1   . . ne trapezita exsulatum(*Ly* exu. *Bψ* exultatum *EJ*) abierit Cu 559   . . ne quo abeat foras urbe exsulatum(*U* exu. *ABC RgS* exo. *Ly*) Mo 597   leno abit scelestus exsulatum(*ULy* exu. *Pψ*) Ru 325   alii exsulatum(*ULy* exo. *Rs* exu. *Pψ*) abierunt Tri 535   res exsulatum(*ULy* exu. *Pψ*) ad illam clam abibat patris Mer 43   si opprimit pater, quod dixit, exsulatum(*CLU* exu. *D* exso. *Bψ*) abiit salus Mer 593   cor . . exspectat . . ut exsu-

latum(*U* exu. *CDRgS* exo. *BR* exso. *Ly*) ex pectore aufugiat meo Ps 1035

EXSULTO · · Cu 559, exultatum *EJ pro* exsulatum

EXSUPERO · · metuo ne praedicatio tua nunc meam formam **exsuperet**(exu. *C*) Mi 1237 *Vide* St 279, *ubi* exuperat *D¹* exs. *D² pro* superat

EXSURGO · · I. Forma exsurgo Am 1067 (*DRglLLy* exurgo *BEJSU*) **exsurrexi** Ps 1272(*ULy* exu. *Pψ*), Ru 915(*DRsULy* exu. *BCψ*) **exsurgat** Mi 81(exu. *C*) **exsurgatis** Ba 758(exu. *CD*) **exsurge** Mo 376(exurgoe *D*), Poe 11(*B* exurge *CD*) **exsurgite** Am 1066(exu. *EJU*), Ep 733(*A* exso. *A* extollite *P*), Ru 280(*RsULy* exu. *Pψ*), Tru 968(*RULy* exu. *Pψ*) **exsurgier** Ps 1(*A* -ger *B* exurger *CD* -gere *Par R*) *corrupta:* Ru 1008, exsurgere *D¹* exsugere *D³ pro* exurgeri

II. Significatio 'exsurgite' inquit . . .: ut iacui, exsurgo Am 1066-7   ne quoquam exsurgatis donec a me erit signum datum Ba 758   lumbos porgite atque exsurgite* Ep 733 exporgi meliust lumbos atque exsurgier* Ps 1 (*cf* Loewius, *Analec. Pl.* p. 149; Schenkl, p. 56)   qui autem auscultare nolet, exsurgat foras Mi 81   quaeso edepol, exsurge: pater aduenit Mo 376   exsurge, praeco, fac populo audientiam Poe 11   postquam exsurrexi orant med ut saltem Ps 1272   exsurgite a genibus ambae Ru 280   de nocte multa impigreque exsurrexi Ru 915   plaudite atque exsurgite Tru 968

EXSUSCITO · · exsuscitate(exu. *J*) uostrum huc custodem mihi Cu 91

EXTA · · et de edundis et de cremandis usurpatur: *cf* Keseberg, p. 2; 1. *nom.*: dum **exta** referuntur uolo narrare tibi etiam unam pugnam Poe 491   iamne exta cocta sunt? St 251
2. *acc.*: interibi attulerint exta Poe 617 quin exta inspicere in sole ei uiuo licet Au 565   uotui exta prosicarier Poe 456(*cf* Schuster, p. 7, *adn.*)   in manibus exta teneam ut poriciam Ps 266   abducunt ad exta(extra *B*) Mi 712
3. *abl.*: **extis**(extis *D*) sum satur factus probe Poe 804   agninis me extis placari uolo Ps 329   omnibus in extis aibat portendi mihi malum damnumque Poe 464   nimiae uoluptatist quod in extis nostris portentumst Poe 1205

EXTARIS · · semper petunt aquam hinc . . aut aulam **extarem**(-re *B*) Ru 135

EXTEMPLO · · I. Forma extempulo *in fine versus usurpatur nisi* Mi 890, *ubi in fine dimidii primi; ex emendatione legitur nisi* Ba 968, Ci 572 *corrupta:* extemplo *pro* exemplo As 389(*BDE*) Mi 359(*P et L*)

II. Collocatio *vel ante vel post verbum collocatur sine, ut videtur, discrimine. Si cum coniunctione usurpatur, invenimus semper* quom extemplo(*cf* Kellerhoff, p. 73), *sed* extemplo ubi, extemplo quando, extemplo . . postquam, extemplo . . ut

III. Significatio *semper de tempore* 1. a. *cum verbis:* si non extemplo ab eo abduxero Per 164   dixi . . me id aurum accepisse extemplo ab hospite Ba 686   adit extemplo ad mu-

lierem Cas 41   extemplo amplectitote crura
fustibus Ru 816   postilla extemplo se adplicant, adglutinant Men 342   uno ictu extempulo cepi spolia Ba 968   extemplo(exemplo *J*)
ianitorem clamat As 390   quoniam sentio
errare, extemplo . . coepi adsentari Men 482
lubido extemplo coeperest conuiuium Per 121
si ames, extempulo(*Ca* extemplo *P*) melius
illi . . consulas Ci 96   extemplo denegabit
Poe 736   extemplo puer paedagogo tabula
dirumpit caput Ba 441   extemplo aduenienti
ei tabellas dem in manum Ba 769   dedi . .
adueniens extempulo(extimplo *CD*) sumbolum
seruo tuo Ps 1201   extemplo (*D³* exemplo *P*)
. . daturos dixit Ru 405   erae meae extemplo
(exemplo *B*) dedit Tru 800   si feriri uideo
te, extempulo dolet Poe 150   ubi accersat,
meam extemplo(exemplo *B¹*) filiam ducat domum Au 613   itote extemplo domum Ru 819
alienun es . . qui non extemplo intro ieris?
Tru 666   ibi extemplo leno errabit Poe 733
si ignis uiuet tu exstinguere extempulo(*Ca* extemplo *P*) Au 93   extemplo facio facetum
me As 351   facietque extemplo Crucisalum
me ex Chrysalo Ba 362   extemplo hercle
ego te follem pugillatorium faciam Ru 721
is adornat . . extempulo ut maritus fias Ep 361
eadem eueniet obliuiosa extempulo(*Bo* exemplo
P extemplo *D¹RU*) ut fiat Mi 890   citius
extemplo foro fugiunt Per 435   ille extemplo
illam hortabitur Mi 1189   'ubi east?' inquam
extempulo(-plo *J*) Ci 572   inuadam extemplo
in oppidum antiquom et uetus Ba 711   ille
extemplo seruolum iubet illum eundem persequi
Ci 182   lege uti liberet praetor te extempulo Ru 927b(*Rs similiter U* ut liberes ex
populo praeter te *PS̄ var em ψ*)   dico me
nouisse extemplo(exemplo *J*) As 345   faxo
uitae is extemplo(*om JU*) opstiterit suae Cap
801   eum ego obtruncabo extempulo(*Ca* -plo
P) Mi 461   quin occidisti extemplo? Ru 841
hic extemplo orat obsecratque Cap 513   homini extemplo ostendit symbolum Ba 263   non
ego illi extemplo hamum ostendam Mo 1070
credo ego istoc extemplo(*B²CDL* exemplo *A*
B¹ψ) tibi esse pereundum extra portam Mi 359
si . . se penetrauit potio extemplo(exemplo *C*)
et ipsus periit . . Tru 45   Venerem placauere
extemplo(*A* exemplo *P*) Poe 850   . . se exercitum
extemplo domum reducturum Am 207   reuortere ad me extemplo Ep 424   sciui extemplo
(exemplo *D*) rem de compecto geri Cap 484
eius elegantia meam extemplo speciem spernat
Mi 1235   quoniam sentio . . nauem extemplo
statuimus Ba 291

    pro monstro extemplost(exemplo est *Non* 412)
quando qui sudat tremit As 289   si dederis
erit extemplo mihi quod dem tibi Cap 122
largiloquae extemplo sumus Ci 122   quid tu
dubitas quin extempulo(*B* -plo *CD*) . . fur leno
siet? Poe 183

    b. *cum partic.*: adit ad nos extemplo(ex-
emplo *C*) exiens Poe 652

    2. *cum coniunctionibus* **quom**: ne tu me
ignores, quom extemplo meo e conspectu abscesseris Cap 434   quom extemplo ad forum
aduenero, omnes loquentur Cap 786   ut, miles

quom extemplo(exemplo *B¹D¹*) a foro adueniat
domum, domi comprehendar Mi 578   huc
autem quom extemplo(exemplo *J*) aduentum
adporto . . Am 865   satillum animae . . quom
extemplo(exemplo *C*) emisimus Tri 492   quom
extemplo hoc erit factum . . Mi 1176   quom ex-
templo(*MueRg* ibo *omisso* quom *PS̄† Ly* ilico
UL) hanc ego tetulero intra limen Ci 650⁻ aedes
quom extemplo(exemplo *D*) sunt paratae expolitae . . Mo 101   qui amat . . quom extemplo
sauiis sagittatis perculsust . . Tri 242   quom
extemplo in macellum pisces prolati sient, nemo
emat Ru 979   aibat reddere quom extemplo
redditum esset As 442   senex quom extemplost,
iam nec sentit nec sapit Mer 295   egomet autem
quom extemplo(exemplo *CD*) arcum . . sumpsero . . Tri 725   hanc ad nos quom extemplo
a foro ueniemus mittitote Mi 933   quom ex-
templo(exemplo *P*) ueniunt conductum coquom
nemo illum quaerit Ps 804   tristes ilico quom
extemplo a portu ire nos cum auro uident Ba
304   . . ut quom extemplo(exemplo *B¹*) uocem,
continuo exsiliatis Mo 1064

    postquam: sese extemplo ex ephebis post-
quam excesserit, non . . operam dedisse Mer 61

    quando: absoluto hinc me extemplo (exemplo
D¹) quando satis deluseris Am 1097

    ubi: uendam ego . . extemplo(et templo *D*)
ubi oppidum expugnauero Ba 977   credidi
esse insanum extemplo ubi te appellauit Tyndarum Cap 559   eaque extemplo ubi ego uino
has conspersi fores . . aperit ilico Cu 80   qui
extemplo(*U* quin *P* quine *FlRs*) ubi natust . .
poscebat Tru 506

    ut: atque extemplo inde ut spectauisset pe-
plum, . . exigi solitum a patre Mer 67

    EXTENDO - - ibi suam aetatem **extende-
bant**, non in latebrosis locis Ba 430(*v. secl
GuyRgS̄U*) istaec nimis lenta uincla sunt
escaria: quam magis **extendas** tanto adstringunt artius Men 95

    EXTENTO - - ad istunc modum alieno uiris
tuas **extentes** ostio Ba 585   uenisti huc te
extentatum? Mo 594

    EXTEREBRO - - numquam hercle istuc
exterebrabis, (, *om L*) tu(, *ins L*) ut sis peior
quam ego siem Per 237   *Cf* Graupner,
p. 15; Inowraclawer, p. 68

    EXTERGEO - - quanto magis **extergeo**
(uerum), rutilus atque tenuius fit Ru 1301
quid fit? #Verum **extergetur** Ru 1304   quis
istest Peniculus? qui **extergentur** baxeae?
Men 391   linteum cape atque **exterge**(exteger
D¹) tibi manus Mo 267   hoc (uerum) uolo
hic ante ostium **extergere** Ru 1299

    EXTERIOR - - Men 334, *P pro* experior
esse(*Lips*)   factus sum extimus a uobis Tru
fr(ex Prisc I, 100: *post v.* 728 *ins RsLLy post*
Langen, *Beitr.* 328; extumus *RsLy* factus *del
Ly* dubitanter)

    EXTERO - - amicae . . cum **extritis**(*Fest*
301 exteritis *A* extortis *Paul* 52, 352, *Prisc* I.
103 extertis *Ly*) talis Ci 408

    EXTERSUS - - bene me amassint mea . .
axicia linteumque **extersui**(*Palm* -sum *BVJ*
-sim *E*) Cu 578

    EXTEXO - - **extexam** ego illum pulcre iam

Bᴀ 239 *Cf* Graupner, p. 14; Inowrǎ-clawer, p. 70; Ramsay *ad Most.* p. 274

EXTIMESCO - - **extimuit**(eti. *J*) tum illa Cɪ 551 ut tremit atque extimuit postquam te aspexit Mɪ 1272 cur tanto opere **extimueras?** Mo 525

EXTOLLO - - I. Forma **extollo** Mᴇʀ 831, Pᴏᴇ 500 **extollunt** Aᴍ 1109, Mo 122 **extollam**(*fut.*) Mɪ 861(-at *P*) **extolli**(*inf.*) Mo 178 *corruptum:* Eᴘ 733, extollite *P pro* exsurgite (exsorgite *A*)
· II. **Significatio** 1. *proprie:* continuo extollunt ambo capita Aᴍ 1109 hunc hodie postremo extollo mea domo patria pedem Mᴇʀ 831
similiter: parentes . . fundamentum substruont liberorum, extollunt, parant sedulo in firmitatem Mo 122 mauis uituperarier falso quam uero extolli? Mo 178(*i. e.* laudari: *cf v. seq.*)
2. = differre: hoc in diem extollam* malum Mɪ 861 res serias omnis extollo ex hoc die in alium diem Pᴏᴇ 500

EXTORQUEO - - Cɪ 408, extortis *Paul* 352, *et Prisc* I. 103 *pro* extritis

EXTORRIS - - Cᴀs 994, immo extorrem illius ∗∗ *Rs* immo hectore' illius *P var em* ψ

EXTRA - - I. *de loco:* Siluani lucus extra murumst auius Aᴜ 674 uel extra(*Bo* ire tra *B*¹ ire extra *B²DEJLULy*) portam trigeminam ad saccum ilicet(*Bo* licet *PLULy*) Cᴀᴘ 90 inde extra portam ad meum libertum Cordalum . . facite deductis siet Cᴀᴘ 735 (uolt) uidere ardentem te extra portam Cᴀs 354 credo ego . . tibi esse pereundum extra portam Mɪ 359 extra portam mihi etiam currendumst prius Ps 331 ego deuortor extra portam huc . . Ps 658 foris illic extra scaenam fient proelia Cᴀᴘ 60 imperatores . . extra turbam ordinum collocuntur simul Aᴍ 224 ego declinaui paululum me extra uiam Aᴜ 711
ego tecum aequom arbitrum extra considium captauero Cᴀs 966 extra numerum es mihi Mᴇɴ 182 tertia salue extra pretium Pᴏᴇ 332
2. = praeter: mihi extra unum te mortalis nemo corpus corpore contigit Aᴍ 833 quemque . . uideritis hominem . . extra unum Palaestrionem . . Mɪ 161 ille illas spernit segregat ab se oʈhnis extra(extre *C*') te unam Mɪ 1232
3. *corruptum:* Mɪ 712, extra *B pro* exta

EXTRAHO - - quicquid haesit **extraho**(-bo *B*) Rᴜ 984 ut sine labore hanc (aquam) **extraxi** Rᴜ 461 rete extraxi ex aqua Rᴜ 1168 reti piscator de mari **extraxit**(trahit *Rs*) uidulum Rᴜ *Arg* 1

EXTRICOR - - aliqua ope exsoluam(-ar *AL*), **extricabor**(*dep.*) aliqua Eᴘ 152 *Cf* Langen, *Beitr.* p. 67

EXTRUDO - - I. Forma **extrudit** Aᴜ 38, 70, Mᴇʀ *Arg* II. 1 **extrudunt** Cᴀs 789 **extrudam** Mɪ 1124, Pᴏᴇ 1220 **extrudet** Cɪ 530 **extrusisti** Aᴜ 44, Rᴜ 1066(*PLLy* extrusti *Rs*) **extrusit** Mᴇʀ 357(-xit *B*) **extrudam** Mɪ 977 (*LambR* excludam *P*ψ) **extrudat** Rᴜ 1046, Tʀᴜ 86 **extrudantur** Pᴏᴇ 38 **extrudere** Cᴀs 776
II. **Significatio** 1. *cum acc.:* anum foras extrudit ne sit conscia Aᴜ 38 neue ambi-

tionis causa (artifices) extrudantur foras Pᴏᴇ 38 mercatum asotum filium extrudit pater Mᴇʀ *Arg* II. 1 Iunonem extrudam foras Pᴏᴇ 1220 quem dudum∗∗∗(e fano foras *RsLLy* e fano deae *U*) lenonem extrusisti* Rᴜ 1066 . . ut mulierem extrudam* foras Mɪ 977(*cf* Schmidt, p. 328, *adn.;* Seyffert, *Stud. Pl.* p. 19) senem cupiunt extrudere incenatum ex aedibus Cᴀs 776 incenatum senem foras extrudunt mulieres Cᴀs 789 nam qua me nunc causa extrusisti ex aedibus? Aᴜ 44 me . . decies die uno saepe extrudit aedibus Aᴜ 70 iam hinc olim me inuitum domo extrusit* ab se Mᴇʀ 357 metuo propter uos ne uxor mea me extrudat aedibus Rᴜ 1046 . . ut me extrudat foras Tʀᴜ 86 illam extrudet quom hanc . . ducet domum Cɪ 530 si uoluntate nolet, ui extrudam foras Mɪ 1124
2. *seq. abl.:* aedibus Aᴜ 70, Rᴜ 1046 domo Mᴇʀ 357 ex *cum abl.:* aedibus Aᴜ 44, Cᴀs 776 fano Rᴜ 1066 abs: se Mᴇʀ 357 *adv.:* hinc Mᴇʀ 357 foras Aᴜ 38, Cᴀs 789, Mɪ 977(*R*), 1124, Pᴏᴇ 38, 1220, Rᴜ 1066(*LLy*), Tʀᴜ 86 *sup.:* mercatum Mᴇʀ *Arg* II. 1

EXTUMEO - - illic uterum, quod sciam, numquam **extumere** sensi Tʀᴜ 200

EXTUNDO - - eundem animum oportet nunc mihi esse . . atque olim prius quam id **extudi** (-li *C*) Mo 221 Mo 140, extudit *Rs* texit *PS*† *om FlRLLy*

EXTURBO - - I. Forma **exturbo** Pᴏᴇ 382 **exturbasti** Tʀɪ 137 **exturbauit** Mo 1032 (*B²C* -bit *B¹D*), Tʀɪ 601, 1084 **exturbes** Cᴜ 224 **exturba** Tʀɪ 805
II. **Significatio** 1. *cum acc.:* istam exturbes ex animo aegritudinem Cᴜ 224 ego illi mastigiae exturbo oculos atque dentes Pᴏᴇ 382 numquid Tranio turbauit? #Immo (mi *ins BoRRs*) exturbauit* omnia Mo 1032 exturbauit hic nos (ex *add PL om Guy*ψ) nostris aedibus Tʀɪ 601 nosque exturbauit foras Tʀɪ 1084 ille qui mandauit eum exturbasti ex aedibus? Tʀɪ 137 cunctos exturba aedibus Tʀɪ 805
2. *seq. abl.:* aedibus Tʀɪ 601, 805 ex *cum abl.:* aedibus Tʀɪ 137, 601(*PL*) animo Cᴜ 224 *adv.:* foras Tʀɪ 1084

EXUNGO - - eluas tu an **exunguare**(*B* exungare *CD* ∗∗∗uare *A*), ciccum non inderduim Rᴜ 580 rem uos estis **exunguimini** ebibitis (*A* uos exungula male uiuitis *P*) Tʀᴜ 312 (argentum) comessum, expotum, **exunctum**(*Gul* exutum *P* exussum *ALLy*), elotum in balineis Tʀᴜ 406

EXUO - - **exue**(*A* exii *P*) igitur si non saltas Mᴇɴ 199 *Vide* Aᴍ *fr* I., ubi exuo *Non* 342 *et* S *om U*ψ Tʀɪ 406, *ubi* exutum *P pro* exunctum(*Gul*)

EXURGO - - ego te hic, itidem quasi peniculus nouos **exurgeri**(*A ut vid* -re *BC* exsurgere *D*) solet, ni hunc amittis, **exurgebo**(exugebo *D*³) quicquid umoris tibist Rᴜ 1008-9 *corrupta:* Mo 376, exurgoe *D*; Pᴏᴇ 11, exurge *CD pro* exsurge

EXURO - - I. Forma **exurit** Bᴀ 940 **exurent** Pᴇʀ 569 **exuram** Mᴇɴ 842(-rati *CD*¹) **exuras** Rᴜ 767(*A* exurias *P*) **exurere** Mᴇɴ

843   **exussum** Tri 406(*ALLy* exutum *P* exunctum *Gulψ*)   *corruptum:* Tru 530, exuri
P pro ex Suria
    II. **Significatio** (argentum) comessum, ex-
potum, exussum*, elotum in balineis Tri 406
illi noctu occentabunt ostium, exurent fores
Per 569   ut ego illic oculos exuram* lampadibus ardentibus.   #Perii . . minatur mihi oculos exurere Men 842-3   ignem magnum hic
faciam.   #Quin inhumanum exuras* tibi? Ru

767   ille olim habuit ignem qui signum daret:
nunc ipsum exurit Ba 940
    EXUVIAE - - 1. *nom.:* quid hoc est? #In-
duuiae tuae atque uxoris **exuuiae** Men 191
Cf Inowraclawer, p. 93
    2. *acc.:* . . si in singulis stipendiis is ad hostis
exuuias dabit Ep 38   exuuias(exsu. *B¹C*)
facere quas uoui uolo Men 196(*cf* Egli, II. p. 15)
    3. *abl.:* mane castigabit eos bubulis **exuuiis**
Mo 882

F.

FABA - - quid repperisti? #Non quod pueri
clamitant in **faba** se repperisse Au 819   *Cf*
Egli, I. p. 14; Schneider, p. 33
    FABELLA - - Mi 38, fabellas *A pro* ta-
bellas
    FABER - - I. Forma faber Cap 1027, Mo
892   **fabri** Mo 112, 114   **fabrum** Cap 733,
Men 887, Mo 103, Poe 915   **fabri** Mo 120,
Mi 919(*D³* eabri *CD¹* muliebria *B*), Ru 531
fabrorum Mo 134, 136   **fabris** Mo 131
    II. **Significatio** *et proprie et translate:* 1. ar-
cessatur faber ut istas compedis tibi adimam
Cap 1027   tace sis, faber, qui cudere soles
plumbeos nummos Mo 892(*facete*)
    parentes fabri liberum sunt Mo 120   ad-
sunt fabri* Mi 919(*ad nauem aedificandam*)
ut fortunati sunt fabri ferrarii Ru 531
    2. imber . . tigna putefacit: perdit operam
fabri Mo 112   ea haud est fabri culpa Mo 114
    probus fui in fabrorum potestate dum fui:
postea quom inmigraui ingenium in meum
perdidi operam fabrorum Mo 134-6
    3. abducite istum actutum ad Hippolytum
fabrum Cap 733   cogito utrum me dicam
ducere medicum an fabrum Men 887   laudant
fabrum atque aedes probant Mo 103   proba
materies datast si probum adhibes fabrum
Poe 915
    4. eatenus abeunt a fabris Mo 131(*loc perdub*)
    FABRE - - basilice exornatus cedit(*A* in-
cedit *PL*) et fabre ad fallaciam Poe 577   haec
est (fallacia) fabre facta ab nobis Cas 861
hoc facinus pulcrumst . . hoc factumst fabre
Men 132   ut apologum fecit quam fabre! St
570   nihil quicquam factum nisi fabre Fr I.
31(*ex Char* 199)
    FABRICA - - I. Forma fabricam Ba 366,
Ep 690, Mi 875, Poe 1099(-ca *B*)   **fabricarum**
Mi 772   **fabricas** Ci 540   **fabricis** Mi 147
    II. **Significatio** *Cf* Ramsay *ad Rud.* p. 264
1. quot admoeniui fabricas, quot fallacias in
quaestione! Ci 540   hanc fabricam* apparo
(paro *Ly*) Poe 1099   erili filio hanc fabricam
dabo super auro Ba 366(*v. secl U*)   nescioquam fabricam facit Ep 690   hanc fabricam
fallaciasque . . tenetis Mi 875
    2. quando habebo, igitur rationem mearum
fabricarum dabo Mi 772
    3. ei nos facetis fabricis et doctis dolis
glaucumam ob oculos obiciemus Mi 147
    FABRICOR - - fabricare quiduis, quiduis

comminiscere As 102(*cf Non* 471)   compara,
fabricare, finge quod lubet . . ut senem . .
fallas Ba 693   age modo, **fabricamini** Cas 488
    FABULA - - hoc conuiuiumst pro opibus
nostris satis commodule nucibus, **fabulis**, ficulis
St 690   *Cf* Ryhiner, p. 35
    FABULA - - I. Forma fabula Cap 52,
1029, Men 72, 1077, Mer 1007, Mo 937, 1181,
Poe 551, Per 788(famula *B*), Ps 2, 720(*A* -le
BD -lę *C*), Ru 355, Tru 967   **fabulae** As 7
(-le *E* -lę *D*), Men 13(*add R solus*), Poe 1370
(-le *B* -lę *C*), Tri 16   **fabulae**(*dat.*) Am 15
(-lę *BE*), As 10(-le *E* -lę *DJ*), Cap 54, Ru
1421(-le *D*), Tri 18(*AB* -le *CD v. secl RRs*)
fabulam Am 94, Ba 214, Cas 84(*A* -a *PRsU*
de *A* errantes), 1006, Mi 293, Mo 510, Ps 564,
754, 1335, Tri 21(*v. secl RRs*)   **fabula** Cas 84
(*PRsU* -lam *Aψ*)   **fabulae** Ps 388   **fabulas** Cas 6, 8, 12, 17, Men 724, 725   **fabulis**
Poe 8   *corruptum:* Men 922, fabulam *B* falam
CD pro fabulans(*Ac*)
    II. **Significatio** 1. *proprie* a. *nom.:* quae
haec fabulast? Men 1077, Per 788*   quae
haec est fabula? Mo 937   quae istaec fabulast? Ru 355
    b. *acc.:* peregrino ut aduenienti narrent
fabulas. #Quas fabulas? Men 724-5   illisce
hodie hanc conturbabunt fabulam Mo 510   tu
istam, si te di ament, temere hau tollas fabulam Mi 293(*cf* Graupner, p. 9)
    em tibi omnem fabulam Ps 754
    2. *fabula scaenica* a. *nom.:* haec res agetur
nobis, uobis fabula Cap 52   haec urbs Epidamnus est, dum haec agitur fabula Men 72
fabula haec est acta Mo 1181   horunc hic
nunc causa haec agitur spectatorum fabula
Poe 551, Ps 720*(*om* hic nunc)   ad pudicos
mores facta haec fabulast Cap 1029   Plautina
longa fabula in scaenam uenit Ps 2   Veneris
. . haec in tutelast fabula Tru 967
    breuior fabula erit Mer 1007   sat sic longae
fiunt fabulae Ps 388
    2. *gen.:* quod postremumst condimentum fa-
bulae, . . plausum postulat comoedia Poe 1370
. . ut sciretis nomen huius fabulae As 7   de
argumento ne exspectetis fabulae . . Tri 16
Vide Men 13, *ubi* fabulae *ins R solus*
    3. *dat.:* expediet fabulae huic operam dare
Cap 54   uoletis plausum fabulae huic clarum
dare Ru 1421   huic facietis fabulae silentium
Am 15

huic nomen Graece Onagost fabulae As 10 huic Graece nomen est Thensauro fabulae Tri 18(*v. secl RRs*)

4. *acc.:* hanc fabulam . . Iuppiter hodie ipse aget et ego cum illo Am 94 Epidicum quam ego fabulam aeque ac me ipsum amo, nullam aeque inuitus specto, si agit Pellio Ba 214-5 intelleximus studiose expetere uos Plautinas fabulas Cas 12 sultis adplaudere atque adprobare hunc gregem et fabulam . . Ps 1335 hanc ex longa longiorem ne faciamus fabulam Cas 1006 qui lubenter ueteres spectant fabulas Cas 6 spectare Ba 215(*supra*) post transactam fabulam(*A* -ta fabula *PRsU*) argentum si quis dederit . . Cas 84 hanc fabulam dum transigam . . Ps 564 haec quom primum actast uicit omnis fabulas Cas 17

aequomst placere ante alias ueteres fabulas Cas 8 rogat ut liceat possidere hanc nomen fabulam Tri 21(*v. secl RRs*)

5. *abl.:* qui non edistis saturi fite fabulis Poe 8 Cas 84, transacta fabula *PRsU: vide supra* 4

6. *adiectiva:* breuior Mer 1007 longa Cas 1006, Ps 2, 388

FABULO(R) - - I. Forma (*cf* Langen, *Beitr.* p. 61) **fabulor** Am 623, 698, Ba 510, Ep 44, Cas 368, Men 324, 741, Ps 1147, Ru 526 **fabulare** Ci 720, Ep 147, Mi 424(-res *D ante ras*), 925, Ps 1147, Ru 1325, St 589, Tri 480(-aris *A*), 502 **fabulatur** Ci 315, 716(-at *E*[1]), Mer 364(*B* -etur *CD*) **fabulantur** Ci 774 **fabulabor** Am 300, Cap 535, Poe 1159 **fabulabimur** Poe 718, Tri 711 **fabulem** Mi 443 (-er *B*[2]*RLLy*) **fabuler** Mi 371(*A* -et *B*[1] -em *B*[2]*GD*), 443(*B* -em *PŠU*), Ep 645, Poe 441, Ru 117 **fabuletur** Cap 548, Per 149 **fabulemur** Mi 877, Ru 1311 **fabulari** As 640, 642 (*om EJ*), Ep 237(-re *A*), Mer 872, Poe 233, Ru 338, 1113, Tru 182(*A* -re *P v. secl L*), 183, 830(*Ca* -rem *P*) **fabularier** Am 201, Mo 606, Ps 62, Tri 461 **fabulans** Men 922(*Ac* falam *CD* fabulam *B*) **fabulatus** Ci 295, Men 176 **fabulata** Ep 553, St 748, Tri 208 **fabulandi** Poe 34

II. **Significatio** 1. *absolute:* quo modo et uerbis quibus me deceat fabularier . . Am 201 clare aduorsum fabulabor Am 300 uigilans . . uideo uigilans fabulor Am 623 suauiust complexos fabulari As 640 uobis est suaue amantibus complexos fabulari As 642(*v. om EJ*) perperam iam dudum hercle fabulor Cas 368 commode hercle fabulatur Ci 315(*A solus*) occepere aliae mulieres duae sic post me fabulari* inter sese Ep 237 commode fabulata's Ep 553 expedite fabulatu's Men 176 cum hoc quem noui fabulor Men 324 occidis fabulans* Men 922 quid illuc est quod solus secum fabulatur* filius? Mer 364 siquidem mecum fabulari uis subsequere Mer 872 ego stulta . . multum quae cum hoc insano fabuler* Mi 371 quicum tu fabulare*? #Quicum nisi tecum? Mi 424 stulta multum quae uobiscum fabulem* Mi 443 nimis lepide fabulare Mi 925 domum sermones fabulandi conferant Poe 34 ego cum illa fabulabor libere Poe 1159 mihi uideor cum ea fabularier Ps 62 quin tu mecum fabulare?

#Fabulor Ps 1147 . . ut cum furcifero fabuler Ru 717 istae mutae sunt quae pro se fabulari non queant? Ru 1113 aduorsum te fabulare St 589 nimium lepide fabulatast St 748 stulte fabularier . . in aetate hau bonumst Tri 461 non didici fabulari* Tru 181 uinum si fabulari* possit se defenderet Tru 830

2. *cum acc:* ibi quae relicua alia fabulabimur Poe 718 si non hoc aliud fabulemur Ru 1311 ad hunc modum haec hic quae futura fabulor Ba 510 haec tu peruorse modo(-sario *LLy*) mihi fabulatu's Ci 295 satin haec recte fabulor? Men 741 facile tu istuc sine periclo et cura . . fabulare Ep 147 miror . . te istaec sic fabulari Poe 233 non istaec . . decuit te fabulari Tru 183 id quod factumst fabulor Am 698 quid fabulabor? Cap 535 praecipe astu filiae quid fabuletur Per 149 ne tu quod istic fabuletur auris immittas tuas Cap 548 mihi cibus est quod fabulare Ci 720 Ci 774 (*infra* 3) quid ego ex te audio? #Hoc quod fabulor Ep 44 Mer 364(? *supra* 1) aliud est quod potius fabulemur Mi 877 credin quod ego fabuler? Poe 441 sciunt quod Iuno fabulatast cum Ioue Tri 208 ibi de istis rebus plura fabulabimur Tri 711 . . ut apud te falsa fabuler Ep 645 uerum . . omnes sapientes decet conferre et fabulari Ru 338 omnia corusca prae tremore fabulor Ru 526 nostram haec rem fabulatur* Ci 716 rem fabulare* Tri 480

faenus illic, faenus hic: nescit quidem nisi faenus fabularier Mo 606 curculiunculos minutos fabulare Ru 1325(*cf* Schneider, p. 33)

3. *seq. acc. cum infin.:* quid hoc negotist quod omnes homines fabulantur per uias mihi esse filiam inuentam? Ci 774

4. *seq. oratio recta:* quin fabulare 'di bene uortant: spondeo'? Tri 502

5. *add.* cum *cum abl.:* Men 324, Mer 364, 872, Mi 371, 424, 443, Poe 1159, Ps 62, 1147 Ru 717, Tri 208 apud te Ep 645 aduorsum te St 589 de istis rebus Tri 711 pro se Ru 1113 inter sese Ep 237

dat.: mihi Ci 295

adv.: aduorsum Am 300 clare Am 300 commode Ci 315, Ep 553 expedite Men 176 facile Ep 147 lepide Mi 925, St 748 libere Poe 1159 perperam Cas 368 peruorse Ci 295 sic Ep 237, Poe 233 stulte Tri 461 quo modo, quibus uerbis Am 201

FACESSO - - ego opinor rem **facesso.** #Si quidem sis pudicus, hinc **facessas** Ru 1061-2 dictum facessas (*B*[2]*ERLLy* fac cessas *B*[1]*CŠU* fac cesses *Rs* †*ŠU*), datum edis, caueas malo Men 249(*cf* Leo, *Lect. Pl.* p. 576)

FACETIA - - haec **facetiast** amare inter se riualis duos St 729 ecquam tu potis reperire . . mulierem quoi **facetiarum**(*Ca* fatiarum *BC* faciarum *D*) †corpusque sit plenum et doli Mi 783(*loc dub*) fecisti . . **facetias** quom hoc donauisti dono St 655 tu quemuis potis es facere ut afluat **facetiis**(*A* -tis *B*) Mi 1322

FACETUS - - I. Forma **facetus** Ci 492 (facitis *J*), Mi 642, Per 306 **faceta** Poe 234, Tru 930(faceta es quae *Pius* eaci[eati *CD*] eta est que[q: *B*]*P*) **facetum** As 351, Mi 1385,

Per 807   **facetis**(*abl.*) Mi 147(*A ut vid* facitis *P* factis *Bras*), Mo 45   **facete**(*adv.*) As 581, Cap 176, 276(facere *J*), Cas 685(facere *E*), Ep 412(*add RgU*), Men 131, Mi 39(facite *B*¹ facile *B*²), 539(facite *CD*¹), 907(*FZ* facite *P*), 1141(*AD*³ facite *B* fatite *CD*¹), 1161(facite *BC* fatite *D*¹), Per 455(fatite *D*¹), 323, 806, Poe 637(facite *B*), Ps 1273, St *Arg* I. 9(*L* fac ✳✳✳*A*𝔖), St 271   *corrupta:* Mi 1323, facetis *P pro* facetiis(*A*)   Tru 355, facetus *A pro* inficetus(*P*)

II. **Significatio** 1. *adiectivum* a. *attributive:* uel cauillator facetus uel conuiua commodus idem ero Mi 642   facetum puerum! Mi 1385 extemplo facio facetum me atque magnificum uirum As 351

ei nos facetis✳ fabricis et doctis dolis glaucumam .. obiciemus Mi 147   .. tam facetis quam tu uiuis uictibus Mo 45

b. *praed.:* eo facetu's✳ quia tibi aliast sponsa Ci 492   nunc huic ego graphice facetus fiam Per 306   decet me facetum esse Per 807 .. quae tam callida et docta sis et faceta Poe 234   qui .. bella aut faceta's✳ quae ames hominem isti modi? Tru 930

2. *adverbium* a. *verbis apponitur:* ut adsimulabat Sauream med esse quam facete! As 581 satin ut facete atque ex pictura astitit St 271 facete✳ aduortis tuom animum ad animum meum Mi 39   ut facete✳ orationem ad seruitutem contulit! Cap 276   facete dictum! Cap 176, Poe 637✳   decet dari facete uerba custodi catae Men 131   hanc ego rem exorsus sum facete✳ et callide Per 455   ut ille fidicinam facete✳ fecit nescire .. Ep 412   basilice te intulisti et facete Per 806   ad hunc me modum intuli illi satis facete Ps 1273   nimis tu facete loquere Per 323   numquam .. quemquam ludificarier magis facete✳ uidi Mi 539   militem lepide et facete✳ et laute ludificarier uolo Mi 1161   ludo ego hunc facete✳ Cas 685   lepide et sapienter commode et facete✳ res paratast Mi 907

b. *adiectivo app.:* nimis facete✳ nimisque facunde malast Mi 1141

c. *dubium:* St *Arg* I. 9, facete *L* fac ✳✳✳*A*ψ

FACIES - - I. **Forma**   **facies** Mer 622(*D*² pacies *P*), Poe 977, Ps 964, Tri 852, 861   **faciem** Am *Arg* I. 1, Ci 71, 590(-am *J* -et *Rs post lac*), Mer 427, 428(ancillam *R*), 637, Mi 1027, 1172(-e *BoR*), Ps 142   **facie** As 353, 399, Cap 646(fatie *E*), Per 547, Poe 592, 1111 (facile *C et A ut vid*), Ps 724, 1217(facile *B*), Ru 314, 316, 565, 1149, 1155, Tri 768(*Sarac -es P*𝔖*Ly*), 903   *corrupta:* As 726, facie *J* fatie *E pro* face Mi 1028, faciem *CD* matiē *B pro* aciem Ps 214, faciem *B*¹ *pro* faciam; 965, faciem *B pro* faciet

II. **Significatio** 1. *nom.:* quin percontatu's hominis quae facies✳ foret? Mer 622   facies quidem edepol Punicast Poe 977   pergerina facies uidetur hominis atque ignobilis Ps 964   ignota facies✳ Tri 768(*infra* 3)   Hilurica facies uidetur hominis Tri 852   minus placet mihi haec hominis facies Tri 861   *Cf* Gronov, *Lect. Pl.* p. 1

2. *acc.:* a. faciem quom aspicias eorum, hau mali uidentur Ps 142   conlaudato formam et faciem Mi 1027   formam amoenitatem illius

faciem✳ pulcritudinem conlaudato Mi 1172   hominis faciem exquireres Mer 637

b. ad istam faciemst morbu: qui me .. macerat Ci 71   illam mandauit mihi ut emerem ad istanc faciem. ✳At mihi quidam adulescens mandauit ut ad illam faciem✳ .. emerem sibi Mer 427-8(*cf R*)   in faciem uorsus Amphitruonis Iuppiter Am *Arg* I. 1

c. *dubium:* ✳✳✳faciem✳ consciam Ci 590

3. *abl.:* ego pol Sauream non noui neque qua facie sit scio As 353   qua facie uoster Saureast? As 399   qua faciest tuos sodalis Philocrates? Cap 646   sat edepol concinnast facie Per 547 ego eum (lenonem) qua sit facie nescio Poe 592 earum nutrix qua sit facie✳ mihi expedi Poe 1111   si modo mihi hominem inuenietis propere. ✳Qua facie? Ps 724   qua facie✳ fuit dudum quoi dedisti sumbolum? Ps 1217   ecquem adulescentem .. strenua facie .. uidistis? Ru 314   nullum istac facie .. uenisse huc scimus Ru 316   (mulieres) qua sunt facie? ✳Scitula Ru 565   dicito quid insit et qua facie Ru 1149(*cf* Goldmann, I. p. 24)   qua facie sunt (crepundia)? Ru 1155   ignota facie✳ quae non uisitata sit Tri 768   qua faciest homo? Tri 903

4. *apponitur genetivus:* Amphitruonis Au *Arg* I. 1   hominis Mer 622, 637, Ps 964, Tri 852, 861   eorum Ps 142   *adiectiva:* concinna Per 547 conscia Ci 590   Hilurica Tri 852   ignobilis Ps 964   ignota Tri 768   peregrina Ps 964   Punica Poe 977   scitula Ru 565   strenua Ru 314 non uisitata Tri 768

FACILIS - - I. **Forma facile** Ci 8, Cu 241, Ep 659, Men 755, Mi 250, 611, 1149, Mo 411, 791, Poe 871, Tri 679 (facul *Rs*)   **facilem** Am 33, Ep 342, Ps 586, Tri 645   **facile** Mi 917   **facilia** Per 761   **faciles** Fr II. 59(*ex Serv ad Aen* VIII. 310 -is *Ly*)   **facilius**(*nom.*) Poe 974   (*acc.*) Poe 1109(-lus *B*)   **facillumum** (*nom.*) Tri 630   *adverbia:* **facile** Am 139, As 240, 739, 845, Au 345(facere *J*), Ba 33 (*ex Non* 102; *Serv ad Buc* VIII. 71), 695, 696, Cap 393, 867, 958, Ci 234, Cu 467(*B*² *in margine om P*), 657, Ep 146, 243, 504, 687 (-i *EJ* facil *B*), Men 93, 192, 223, 928(facilin *P* -en *B*²), Mer 855, Mi 702 (eacile *C*), 1128, 1255(*BoRRgU* scio *B* facio *CD*𝔖† *aliter LLy*), Mo 549e, 559, Per 245, 297, 386, 779, Poe 139, 307, 342, 592, 877, 893 *bis*, 1218, Ps 583, *ib.*(-em *A*), Ru 170, 385, 1100, 1219, 1366, St 109, 601, Tri 663, 706, 1019, Tru 419, 494   **facilius** Am 142, Au 27, 33, 596, Cap 33, 409, Ci 500, 636, 715, Cu 604, Men 45, 978, Mo 1099, 1170, Poe 883 (facius *C*), 905, Ps 281, Ru 26, St 627, Tru 806   **facillume** Cu 586(-ime *E*¹), St 116(-ime *APLy*)   *corrupta:* Mi 39, facile *B*² *pro* facete Poe 1092, facile *P pro* facere(*Ca*); 1111, facile *C et ut vid A pro* facie Ps 1217, facile *B pro* facie

II. **Significatio** a. *adiectivum* 1. *attributive:* mihi hunc diem dedistis .. facilem atque impetrabilem Ep 342   faciles oculos habet Fr II. 59(*ex Serv ad Aen* VIII. 310)   iustam rem et facilem esse oratam a uobis uolo Am 33

2. *praedicative:* facilem hanc rem meis ciuibus faciam Ps 586   tibi paterque auosque

facilem fecit et planam uiam Tri 645   haec
mihi facilia factu facta sunt Per 761 . . quo
illud gestu faciat facilius* Poe 1109

facile istuc erit Ep 659 facile istuc quidemst
Mi 1149   facilest Mi 250   id quam mihi facile
sit haud sum falsus Men 755   quod est facillumum facis Tri 630   facilest imperium in
bonis Mi 611   facilest inuentu Tri 679

3. *seq. infin.:* . . facile esse nauem facere Mi
917   quamuis desubito facilest facere nequiter
Mo 411   simul flare sorbereque haud factu
facilest Mo 791   facile est frequentare tibi
utilisque habere Ci 8(*loc dub*)   facilest miserum inridere Cu 241   sorbere Mo 791(*supra*)
sine pennis uolare hau facilest Poe 871 *Cf*
Walder, p. 29

incipere multost quam impetrare facilius Poe
974

4. *seq. sup.:* factu Mo 791, Per 761   gestu
Poe 1109   inuentu Tri 679 *vide supra*

b. *adverbium:* abigis facile Per 297   solus
ego omnibus antideo facile, (*Ly* antideo, facile
ψ) miserrumus hominum ut uiuam Per 779
facile adseruabis dum eo uinclo uincies Men
93   . . parentes te ut cognoscant facilius Ci
636 . . qui ab alieno facile cohiberent manus
Tri 1019   lepidi mores turpem ornatum facile
factis comprobant Poe 307   tanto apud iudicem
hunc argenti condemnabo facilius Mo 1099
tris facile corios contriuisti bubulos Po 139
istuc facile non credo tibi Ru 1366   quicumuis
depugno multo facilius quam cum fame St 627
. . quo illam facilius nuptum . . daret Au 27
facilin tu dormis cubans? Men 928   . . quo
ille eam facilius ducat Au 33   perge ac facile
ecfeceris. #Qui, malum, facile? Ba 695-6   iam
facile enabit Ru 170   quam facile et quam
fortunate euenit illi Ep 243   facile* exoras Ep
687   facile exorabit Ru 1219   facile tu istuc
. . fabulare Ep 146   facile meus pater quod
uolt facit Am 139(*om J*)   haec faciet facile
(facile f. *B*) ut patiar As 739   faciam ut faciat
facilius Cap 409   tu quemuis confidentem facile tuis factis facis Mer 855   istoc pretio tuas
nos facile feceris Poe 1218   id quod pudet
facilius fertur . . Ps 281   omnia memoras quo
id facilius fiat Poe 905   parasitus octo hominum munus facile fungitur Men 223   facile
palmam habes Tri 706   credo te facile impetrassere Mi 1128   nolo ames. #Facile impetras
Per 245   animum inducam facile Poe 877   ubi
loci fortunae tuae sint facile intellegis Cap 958
. . quo in quemque hominem facile* inueniatis
loco Cu 467   ubi nunc Curculionem inueniam?
#In tritico facillume Cu 586   facilius si qui
pius est . . inueniet ueniam sibi Ru 26   facile
inuenies et peiorem (uxorem) et . . St 109   facile inuenio quo modo diuortium . . parem Tru
419   facile sibi facunditatem uirtus argutam
inuenit Tru 494   tu pone te latebis facile Tri
663   facile memoria memini Cap 393   illius
nomen memini facilius . . Men 45   . . facilius
ut nent et moueant manus Au 596   tam facile
noui quam me Cu 657   tu nouistin fidicinam
Acropolistidem? #Tam facile quam me Ep 504
hunc uos lenonem Lycum nouistis? #Facile Poe
592   fac ergo id facile noscam Poe 893   quoi-

uismodi hic cum fama facile nubitur Per 386
moueant Au 596(*supra*)   ut facilius alia quam
alia eundem puerum . . parit Tru 806   facile
patiar cetera As 240   facile patior Cap 867
patierin me periurare? #Pol te aliquanto facilius quam . . Ci 500   magis multo patior facilius uerba Men 978   omnia ego istuc facile
patior Ru 1100   aliud quiduis impetrari a me
facilius perferam quam . . Mo 1170   internosse
ut uos possitis facilius . . Am 142   aliam tecum
esse equidem facile possum perpeti As 845   te
scio facile* abstinere posse Au 345   quoiuis
excantare cor potes facile Ba 33(*ex Non* 102;
Serv ad Buc VIII. 71)   reconciliare ut facilius
posset domum Cap 33   facile id quidem edepol
possum si tu uis Ci 234   . . suos Selenium parentes facilius posse noscere Ci 715   eo facilius* facere poterit Poe 883   qui id potest?
#Facile Poe 893   facile excusari potest St 601
proba mers facile emptorem reperit Poe 342
haud facile* in eundem rusum restituis locum
Mi 702   scio edepol facile* Mi 1255   facillume
spectatur mulier quae ingeniost bono St 116
. . facile ut uincam, facile* ut spoliem meos
perduellis Ps 583   superas facile Men 192   fur
facile quem obseruat uidet Ru 385   facile ut
uincam Ps 583   tam facile uinces quam pirum
uolpes comest Mo 549 e, 559   propter uos uiuo
facilius Cu 604   Per 779(*supra* sub antideo)

FACINUS - - I. Forma facinus Am 315
(facimus *LLy*) 820, 858(fatinus *D*), Au 587, Men
132, Mi 282, 377(fatinus *D*), 418, 616, Poe 1086,
Tri 24, Tru 218(facimus *B*), 820   **facinus**(*acc.*)
Am 859(fatinus *D*), 1117, As 313, Au 220, 460,
616, 733, 796, 822, Ba 52(fatinus *B*), 641, 682,
722, 925, Cap 753, Ci 231(*ex Gell* VI. 7, 1), Cu
24, Ep 32, Men 141, 447, 1004, Mer 154, Mi
281, 309(fatinus *D*¹ facin' *C*), 498(fatinus *D*¹),
Mo 459(facimus *CD*), Poe 308, 889, 901, Ps 512,
542(fatinus *D*), 576, Ru 162, 393, Tri 884, Tru
382, 809   **facinora** Tru 795   **facinorum** Ps
746   **facinora** Mi 618, 621, Mo 777, 1113(*R
in loco perd*), Ps 563, 590, Tri 1030   *corruptum:* Mi 665, facinus *B pro fauonius*

II. Significatio *vox media quae tamen saepius in malam partem usurpatur* 1. *nom:* pessumumst facinus* nequiter ferire malam Am
315(*cf LLy*)   nimis ecastor facinus mirumst . .
sic me insimulare falso facinus tam malum
Am 858(*cf* Lindström, p. 1)   nimis mirumst
facinus quo modo haec hinc huc transire potuit
Mi 377   facinus mirumst quo modo haec hinc
huc transire potuit Mi 418   hoc est serui
facinus frugi facere quod ego persequor Au
587   (facinus) natumst nouom. #Quod id
est facinus? #Inpudicum Mi 282   meum
illuc facinus Tru 820   hoc facinus pulcrumst,
hoc probumst, hoc lepidumst, hoc factumst
fabre Men 132   amicum castigare . . inmoenest
facinus, uerum in aetate utile et conducibile
Tri 24(*cf Cic inv.* I. 50, 95; *Fest* 109; *Corn*
II. 23, 35)

istuc facinus quod tu insimulas nostro generi
non decet Am 820   hoc me facinus misere macerat Mi 616   istuc facinus . . tuom sollicitat
animum Au 733   festiuom facinus uenit mihi
in mentem modo Poe 1086

hoc facinus . . factumst fabre MEN 132(?)
humanum facinus* factumst TRU 218   facinus
. . natumst nouom MI 281

mea nunc facinora aperiuntur clam quae speraui fore TRU 795   (facinora) quae post mihi
clara et diu clueant PS 591

2. *gen.*: ecquid argutust?   #Malorum facinorum saepissume PS 746

3. *acc.*: istuc facinus audeam PS 542   ei
mihi, quod facinus ex te ego audio? AU 796
quod ego facinus audio ex te? AU 822   quod
ego facinus audiui adueniens tuom? TRU 382
stultitiast facinus magnum timido cordi credere PS 576   quod ego hunc hominem facinus
audio eloqui(*Sch* loqui *Pψ*)! AU 616   nescis . .
facinus quantum exordiar BA 722   haud decorum facinus tuis factis facis AU 220   istuc facinus . . id ego feci et fateor AU 733   duplex
hodie facinus feci BA 641   qui in mentem
uenit tibi istuc facinus facere tam malum? BA
682   Atridae duo fratres cluent fecisse facinus
maxumum BA 925   potine tu homo facinus
facere strenuom? CI 231(*ex Gell* VI. 7, 1) numquid tu quod te . . indignum sit . . inceptas
facinus facere? CU 24   numquam quicquam
facinus feci peius neque scelestius MEN 447
facinus fecit audax MI 309   . . qui facinus tantum tamque indignum feceris MI 498   non potest dici quam indignum facinus* fecisti et
malum MO 459   uin tu facinus facere lepidum
et festiuom? POE 308   mirum et magnum facinus feceris PS 512   facinus audax incipit AU
460   . . ne tale quisquam facinus incipere audeat CAP 753   insimulas AM 820(*supra* 1), insimulare AM 859(*supra* 1)   uin tu facinus luculentum inspicere? MEN 141   tantum facinus
modo inueni ego AS 313(*v. secl US*)   nimium
lepidum memoras facinus POE 901   nescis tu
fortasse apud nos facinus quod natumst nouom
MI 281   magnum facinus incipissis petere TRI
884   nimis formidolosum facinus praedicas AM
1117   ego ausim tibi usquam quicquam facinus
falsum proloqui? MER 154   quod facinus uideo!
RU 162   uide sis facinus muliebre! TRU 809
. . ut ne enuntiet id esse facinus ex ted
ortum POE 889   non ego istuc facinus mihi
. . conducibile esse arbitror BA 52

exclam.: edepol facinus inprobum! EP 32   o
facinus indignum et malum! MEN 1004   o facinus inpudicum! RU 393

tu haec facinora . . designaueris MO 1113(*R
duce Ac*)   magna me facinora decet efficere PS
590   . . ea te facere facinora quae . . MI 621
solus facio facinora inmortalia MO 777   basilica hic quidem facinora inceptat loqui TRI
1030   me tibi . . facinora puerilia obicere . .
MI 618   . . me idcirco haec tanta facinora promittere quo . . PS 563

4. *adiectiva*: audax AU 460, MI 309   basilica
TRI 1030   clara PS 591   conducibile BA 52,
TRI 24   duplex BA 641   haud decorum AU 220
falsum MER 154   festiuom POE 308, 1086   formidolosum AM 1117   humanum TRU 218   improbum EP 32   immoene TRI 24   indignum CU 24,
MEN 1004, MI 498, MO 459   lepidum MEN 132,
POE 308, 901   inpudicum MI 282, RU 393   luculentum MEN 141   immortalia MO 777   magnum

BA 925, PS 512, 576, 590, TRI 884   malum AM
315, 889, BA 682, MEN 447, 1004, MO 459, PS
746   mirum AM 858, MI 377, 418, PS 512   muliebre TRU 809   nouom MI 281   probum MEN
132   puerilia MO 618   pulcrum MEN 132   quantum BA 722   tale CAP 753   tantum AS 313,
MI 498, PS 563   scelestius MEN 447   strenuom
CI 231   utile TRI 24

FACIO - - I. Forma facio AM 1145(fatio
B), AS 114(fatio *E*), 173(fatio *B*), 351, 615, 836,
AU 254, 369, BA 89, 812, 945, 948, 1057, CAP
616, 895, CAS 224, 373, 395(*Rs* facit *Pψ* †*S*),
605, 802, 878, CI 204, 376, CU 48, 281, 580,
713, EP 348, 522(*iterat A*), 581, 661(*Ca* facto
EJ facito *B*), MEN 423, MER 3, 95(*Pius* facto
P), 440, MI 168, 306, 341, 784(facio dum *Lamb*
faciomdum *CD* faciundū *B*), 1319, 1351, MO
37, 184, 777, 1052, 1130, 1146(*Ca* cio *post lac*
P), PER 210, 224, 503, 538(hoc facio *A* refero
P), POE 377, 862, 1421(*D⁴* facio *P*), PS 849, 944
(magni facio *AB* magnifico *CDRU*), RU 771, 782,
ST 384(*AB* faciam *CD*), 644, 702, TRI 293, 634,
843(*A* -am *PL*), 918, 992, TRU 447(*Ca* facto *P*),
606, 690(*Z* facto *P*), 915(*Z* facto *P*)   **facis** AM
499, 536, 555(facit *Non* 179), 571, 937, AS 380,
496, AU 146, 220, 222, 643(facisne *PLU* facin
Hariusψ), BA 119, 379, 1044(facias *B*), 1062,
1065, CAP 374, 388, 538, 582, 843, 949, CAS 368,
396, 528, 920, CI 107, 645, CU 24, 272, 547,
673, 675, EP 326, 691, 723, MEN 372(*A* facias
P), 381, 716, 721, 735, 805, MER 501, 611, 784,
855, 873, 895, MI 438, 1070, MO 719, 803, 890,
PER 147(facit *D*), 382, 814, POE 280, 296, 355,
359, 852, PS 11, 208(*APULy* om *Rψ*), 224,
261, RU 244, 1368, 1408(*A* facias *P* benef. ω
praeter Ly), 1411, ST 36, 326 b, 530, 565, TRI
197, 362, 630, 631, 634, 662, 675, TRU 145, 668,
VI 87   **facit** AM 49(*Z* fecit *P*), 79, 123, 139
(*v. om J*), 185, 289, 352, 526, 687, 721, 995,
1084, 1115, AS 147, 860, AU *Arg* I. 10, AU 246,
BA 409, 464, CAP 200, 392, 579, 834, CAS 395
(*P* facio *Rs*), 851(uallum f. *A ut vid lac P*),
921, CI 72, 290, CU 160, 177, 258, EP 436(fecit
Non 254), 685(*A ut vid* facis *P*), 690 (*A* fecit *BE*
fecit *J*), MEN *Arg* 4, MEN 99, 763, 805 *ter*, MER 124,
235, 590, 657, 877, MI 108, 465(*Luchs* faciunt
P), MO 345, 617(*om C*), 982, PER 65, 509, 688,
POE *Arg* 3, POE 70, 204, 839, 840(faciet *URglL*),
1098, PS 238, 269, 403(*ACD* fecit *B*), 818, 940,
1041, 1097, 1103, 1310, RU 414, 431, 432, 470
(*v. om CD*), 900(*Prisc* I. 332 dat *P*), ST 16,
463, TRI 250, 397, 438, 439, 707, 857(*v. secl U*),
1047, 1069(*P* fecit *ARRs*), TRU 554(*D* faĉ *B*
facta *C*) 769   **facimus** AM 315(*LLy* facinus
Pψ), CI 121(*J* -iemus *BVE*), EP 141, PS 638,
RU 1001, ST 7 a   **facitis** AS 59, 214, AU 438,
CAP 217, CAS 2(facis *J*), CI 22, CU 315, MI 858,
1159(*A* tacitis *P*), PER 803, POE 589, RU 343,
347, 881, ST 99, TRU 180(*A* factis *P* fertis
RsU v. secl *Guy*)   **faciunt** AS 50, 510, AU
404, BA 296, 1165, CAP 477, CAS 775, EP 224(*A*
et *Non* 548 facimus *P*), MEN 7(*v. secl Osannω*),
81, MER 225, 285(*AB* faciant *CDR*), 715, MI
606, 1273, MO 116, 863, 1141(*PU* om *Guyψ*),
PER 64, 434, POE 612(faciun *B*), 1132, PS 540,
812(-ant *BoR*), 972, RU 593, 659, TRI 35, 38,
211, 823, 1032, TRU 17, 106, 145   **faciebam**

Ep 421 **faciebat** Men 716, Mo 961, Per 825, 826, Ru 956 **faciebatis** As 212 **faciam** Am 54(*v. om J*), 59, 63, 345, 357, 541, 549, 583, 613, 876, 878, 887, 966, 1001, 1030, 1052, 1085, 1144, As 28, 138 *bis*, 140, 369, 692, Au 31, 32, 77, 153, 365, 443, 622, 623, 774, Ba 183, 228, 241, 383, 634, 785, 871, 888(reddam *Fest* 161), Cap 65, 123, 337, 338, 385, 409, 610, 798, 800, 956, 962, Cas 124, 157, 307, 419, 468, 607, 1004, Ci 107, 236, Cu 88, 122, 576, 689, 691, 707, Ep 293, 349, 606, Men 850, 858, 985 a(*PRsֆ†Ly†* facta *BoRLU*), 1012, 1152, 1153, Mer 153, 896, Mi 157, 285, 512, 661, 847, 1044, Mo 94(*v. secl RRsֆL*), 428, 798(*add U solus*), 898, 929, 1116, Per 47(*Ca iam PULy†*), 147(-ē *C*), 178, 191, 263, 494, 500, 662, 743, 760, Poe 165, 197, 357, 359, 377, 702, 1236(factam *C*), 1289, 1364, 1422, Ps 145, 214(-em *B¹*), 324, 513, 586, 674, 868, 872, 884, 939 b, Ru 404, 441, 722, 767, 795(*A facio P*), 928, 931, 932(*v. om B*), 959, 961, 1084, 1088, 1132, 1408, St 81(non f. *AP* faciant *AcRRgU*), 84, 86, 354, 407, 445, 566, 675, Tri 233, 235, 685, 806, 843(*PL* facio *Aψ*), 883, 948(f. ita ut *Sp* ✳✳✳mit aut *P* Catamitum haud *BugRU*), 1064, 1172, Tru 614, 759 **facies** Am 398, 704, 848, As 882, Cap 959, Cas 117, 132, 827(*A om cum lac P*), Mer 573, Mi 50, 459, 635, 1311, 1365, Mo 75(-aes *BC*), Per 652, Poe 385, Ru 761, St 474(-est *A*), 622, Tru 361 **faciet** Am 298, 459, As 595, 739, Au 289, Ba 59, 362, 943, 1186, Cap 41, 43, 440, 834, Cas 83, 223, Ci 590(*Rs* faciem *Pψ*), Mi 590(*Rs* faciem *BVEψ* faciam *J*), Mer 1003, Mi 473 (-ent *B¹*), 1236, Per 268(-aet *B*), 820, Poe 372, 840(*RglL* facit *Pψ*), 1191, Ps 965(-em *B*), Ru 330, 1050, 1245, St 603 **faciemus** As 737, Ep 263, 274, Mi 149, 934, 973 **facietis** Am 15, Cap 196, Men 1061, Mi 892 **facient** As 65, Per 618, Ps 943(-et *A*) **feci** Am 395, *ib.*(ici *OttoRgl*), 425, 815, 893, 925, 1136, As 137, 617, 848, Au 26, 424, 734, 745, 764, 797, Ba 352, 410, 641, 800(fecisti *C*), 1032, 1079, Cap 385 (feti *D*), 414(fecisti *J*), 499, 931, 943, 994, 995, 996, Cas 450, 549, 566, 994, 996 (feram *Rs*), 997 *bis*, Ci 138, 364, 504, Cu 549(*PL† U†* fecisti *FZψ*), *ib.*(*add PLLy om Pyψ*), 558, 566, Ep 137, *ib.*(fici *J*), 677, Men 447, 701, Mer 381 (f. amantes *CD* faciã ante *B*), 543(id f. *Seyֆ* ideç feci *A* ideo *Pψ*), 625, 638, 668(flexi *U*), 1000(artis f. Ca artificiet *P*), Mi 144(f. is *B²D* ex ras fecitis *CD* ante ras fecisti *B¹*), 563, 1203 (*Mue* fecit *PR*), 1376(*Ca* fecit *P*), Per 471, 475, 734(*P* eff. *A*), Poe 140(*FZ* fecit *P*), 459, 803, Ru 517, Tri 123, 976(auri f. *FZ* aurifici *P*), 1128 (bene f. *CD* benifici *B*), 1165, Fr I. 45(*ex Char* 220) **fecisti** Am 375, 428(feci *D¹*), 1137, As 559, Ba 160, 166, 381, Cap 411, 416, 423, 931, 941, 944, 961, 1017, Cas 596, 975, Cu 549(*FZ* feci *PL† U cum lac* nunc *RglLy*), Ep 337, 647, 706, Men 492, 1057, Mi 1018(fecis *D*), Mo 459, 853, Per 668, 713, Poe 143, 716, Ps 440, St 655, Tri 161, 269, 318 *bis*, 646, Tru 799 **fecit** Am 103, 109, 298, 408, 598, As 272, 293, 437, 942, 943, Au 188, 245, 497, 548, 671, Ba 258 *bis*, 337, 345, 392, 445, 503, 665, 810, 983, 1021, Cap *Arg* 7, Cap 45, 294, 297, 302, 305, 392, 754, 1014, Cas 45(*A* facit *P*), 460, 860, 991,

1011, Ci 86, 176, 363(*Stu ex A om LLy*), Cu 504. 639, Ep 34, 412, Men 62, 77, 900, 906, 1027, 1129, Mer 594, 979, Mi 309, 456(*R* feci *B¹U* fecisti *B²CD*), 577, 1077, 1257, Mo 478, 828, 1141(*B²* feci *P*), 1156(*Z* facit *P*), 1159 *bis*, Per 563, Poe 77, 99, 1070, 1221(fece *B*), Ps 434, Ru 47, 88, 346, 376, 381, 656, 1058, St 177, 526, 570, 601, Tri 20, 645(*A* facit *P*), 792, 1069(*ARRs* facit *Pψ*), 1168, Tru 436(*F* ficit *B* facit *CD*), 731, 800(*FZ* facit *P*), 804(*Rs om P* dono *KampLy* puer est *L*), 811, 851, Vi 7(*om Rg*) **fecimus** Au 436, Poe 1237, 1368 **fecistis** Cas 88, Ci 198, Poe 7 **fecerunt** Am 184, Au 753, Ep 32, Men 586(*ADLLy* fecerint *BCψ v. secl HermRRsֆU*), Mi 1377, Poe 609 (-int *B*), Ru 697, Vi 94(*ex Prisc* II. 200) **fecere** Ba 1206, Cap 824(*B* -unt *VEJ*), Mer 318 (*ACD* facere *B*) **feceram** Per 109 **fecerat** Ci 134(*E³* -rit *P*), St 251 **fecero** Am 198, 1003(facero *J*), As 705, Au 204, 623, Ba 555, 849, Cas 869, Men 424, 439, Mer 497, Mi 1252 (ferero *C*), Poe 857, Ps 520, St 351, Fr I. 77 (*ex Gell* III. 3, 7) **feceris** Cap 296, 695, 968, Cu 243, 665, Men 272, 661, Mer 139, Mi 1243, Poe 1218, Ps 512, 654, Tri 279, 347, 348 **fecerit** Au 163, Men 92, Mo 711, Poe 886, 1218, Ru 180(-at *B¹*), Vi 36 **faciam** Am 155, 1040(*add GuyRglL*), As 268, 537, 647, Au 612, Ba 634, 857, Cap 617, 858, Cas 117, 486, 506, 549, Ci 63, 301, Cu 555, 589, Ep 86, 98, 255, Men 834, 963, Mer 158, 207, 505, 565, 568, 578(*Pius* factum *B* factam *CD*), 712, Mi 305, 335, 459, 692(*R* faciat *Pֆ†*), 1094, 1399(ea iam *L*), Mo 234, 346, 371, 381, 389, 523, 678, 1149, Per 26, 42, 46, 496, Poe 357, 971(si adeam *C*), Ps 78, 89, 39?(*secl ω*), 779, 1229, 1316, Ru 1206, St 82, 194, Tri 27(-at *A*), 341, Tru 405, 823 **facias** Am 508, 558, As 489, 644, Au 132(*om U*), 173, 253, 338, 539, Ba 63(facaas *B¹*), 692, 874, 909, 989 a(*v. om RUL*), 990 c, 993, 1153, 1194, Cap 437, 632, 748, 865, Cas 253, 260, 373, 490, Ci 62, Cu 36, 223, 539, 565, 631, Ep 136, Men 425, 502, 893, 911, 947, 1023, Mer 179, 504(factas *B*), 874, 990, Mi 972(fatia *D*), 1034, Mo 396, 435, 745, Per 154, 221(-es *B*), 375(-am *D*), 494, Poe 165, 411, 636, 636, 812, 1150(-es *D*), Ps 161, 578, Ru 1273, 1415(*FZ* -am *P*), St 73, Tri 638, 1168, 1187, (*Ca* -aes *B* -es *CDLULy*), Tru 616, 836 **faciat** Am 889, As 182, 792, 797, 798(-tiã *E*), 889, 945, Au *Arg* II. 5, Au 85, 387, 776, Ba 46, 334, 410, 466(*v. secl AnspachRRgֆ*), 908, Cap 409, Cas 206(-as *Varr l. L.* VII. 106), Ci 531, Cu 218, 330, Ep 311(pati *J*), Men 242, 789, 846, Mer 397(*Non* 924), Mi *Arg* I. 11, Mi 168, 346, 465, Per 82, 384, 671, Poe 178, 378, 489(-am *Non* 424), 658(*A* -et *P*), 703, 882(-ant *C*), 1109, Ps 436, 598, 755, 1086, Ru 130, St 26, 27, 69, 117, 122, Tru 716, 966(*Rs* -am *P*), Vi 50 **faciamus** As 644, Au 262, Cas 1006, Ci 27(*secl U*), Mi 893(*B* -emus *CDU*), Ps 1167 **faciatis** Mer 992(f. oro *CD* faciat misero *B*), Poe 1245, 1390 (*L* facite et *PLy†* facite ut uos *Hasperψ*) **faciant** Am 380, Au 363, 478, 545, 789 *bis*, Ba 617, 626(faxint *FlR*), Cas 813, 828, 903, Ci 232, Cu 129, Ep 235, Men 1021, Mer 908(*Z* -at *P*), Mi 164, 570, 919(*U in loco dub*), 1419, Mo 222, Per 206 *bis*, 488(ficiant *A*), 823, 844, Poe 126

(-ent *GepU*), 134(-at *A*), Ps 272, 207(*v. secl* ω), 315(*PL* faxint *A*ψ), Ru 703, St 44, 81(*AcRRgU* -am *AP*ψ) **facerem** Am 526, As 75, 678, Ba 351, Mer 247, 633, 958(facere *B*¹), 994, Mi 139, Per 539, Ps 913, Tri 143(facĕrĕ *D*) **faceres** Am 915, Au 222, 736, 828, Ba 555, Cu 426, Mer 633, 884(*Lach* facer his *CD* facere uis *B* ut faceres *MueRgU*), Mi 838, Per 434, Ps 437, Tri 135, 634 **faceret** Am 47, 834, As 860, Ba 551, 689, Cap 912, Ci 240(*Rs* pro facere in), Ep 316(facret *E*), 501, Per 837, Ru 379 *bis*, 599, Tru 396 **faceremus** Ba 1209 **facerent** Ba 1208, Mi 734 (*AB²D²* -ret *P*), Poe 1140 **fecerim** Cas 425, 617, Men 397, Mo 1136, Tru 828 **feceris** As 48, Cas 332, Ep 148, Men 415, Mer 957, Mi 20, 498, 1167, 1368, Mo 272, Poe 1023, St 285, Tri 85(*ACD*feceres*B*),513 **fecerit** Ci 461(*Rsinlac*), Men 994, Poe 928, 1216(*Ac* -is *APL*) **fecerint** Men 586(*CD* -unt *ADLLy v. secl HermRRsS*), Tru 295(*A lac P*) **fecisset** Am 84, Au 471, Tri 172, Fr I. 7(*ex Fest* 165) **fecissent** Am 44, 386

faxo Am 355, 589, 972, 997, 1107(fixo *E*), As 132, 749, 876, 902, Au 578, Ba 506, 715(fexo *D*¹), 831(*hic om D et post v.* 833 *coll*), 848, 864, Cap 801, 1010, Cas 484(forxo *J*), Cu 587, Ep 156, 469, 656, 712, Men 113, 157, 326, 468, 521, 540, 562, 644, 661, 791, 950, 956, Mi 463, 1367, Mo 68, 1133, Per 161, 195, 439, 446, Poe 162, 173, 346, 371, 460, 908, 910, 1154, 1191, 1227, 1228, Ps 49, 387, 393, 766, 949, 1039, 1043, 1328, Ru 365, 578, 800, 1351, Tri 60, 62, 882 (faxos *B*), Tru 118, 428, 643, 761, Vi 8(*L in lac*), Fr I. 77(*ex Gell* III. 3, 7) **faxis** As 612, 613, Cap 124, 695, Men 113, Mi 1417, Ps 533, Ru 1118, St 610 **faxit** Cas 1016(*AJ* flaxit *BVE*) **faxim** Am 511, Au 420, 494, Mer 826, Per 73(f. nusquam *Py* faximus quam *P*), Poe 1091, 1093, Tri 221, Tru 63 a, 348 **faxis** As 256, 625, Mi 624(*B²D²* taxis *P*), 1125, 1245, 1372, Mo 517(*L in lac*), 808, 1115, Tru 943 **faxit** Am 461(*ex Serv ad Verg* VIII. 564 faciat *P*), Cap 622, 712, Cas 628, Men 861, Mo 398, Ps 923(faxet *D*¹) **faximus** Tru 60(*Ca* facimus *P*) **faxint** Am 632, Au 149, 257, 788, Ba 626(*FlR* faciant *P*ψ), Cap 172, 320, Ci 51 (faxirae *B*), 523, Mer 285(*CD* faxim *B* facient *A*), Mo 464(*B²* axint *P*), Per 652, Poe 909, 911, 1208, 1400(faxsit *B*), Ps 315(*A* faciant *PL*), Vi 86 **faxem** Ps 499(dixem *RL*)

fac Am 396, 971(*Py* facta *P*), 976, 978(faciam∗∗ *Non* 88 face iam *Ly*), 979, 982, As 695, 824, Au 273, 685, Cap 337, 439, Cas 421, 521, 527, Cu 118, 414, 521, 617, 634, Ep 266, 567, Men 249(fac cessas *B*¹*C* facessas *B²DRLLy* †*S: cf* Hermes XVIII. 576), 890, 1147, Mi 277(fa *A*), 1360, Mo 400(face *RRsLU*), 1145, 1168, 1177, Per 43, 196, 438, 519, 586, Poe 11, 422, 580, 893,1148, Ps 190(face*U*), 210(*RgLULy*face *P*ψ), 236, 315(fac hoc *P* face (*ARULy*), 469(fax *B*), 481(fac sis *edd* faxis *P*), 696(fac sciam *AP* faciam *CD*), 696c(*v. om ARLU secl* ψ), 1141, 1327, Ru 698(fac ut ulciscare *A* are *post lac P* ut ulciscare *CaRsU*), 1023, 1088(*Ritterhuys* facis *P*), 1215, 1218, St 21, 473(*PS* facies *A* face ψ), 739, 771, Tri 174(*A* face *PLLy*), 878, 1008,

Tru 625, 883(fac uisas me *Rs* fac ualeas *GulLU Ly* facultas *PS*†) **face**(*cf* Skutsch, p. 56) As 4(*D* eace *B* eace *E* ecce *J*), 90, 605, 726 (*BD* facie *J* fatie *E*), Au 153, Cas 353, 637(fac *A*), 714, Ci 352(*in lac*), 504, Ep 39, 302(*Ac* tace *P*), Men 946, 948, 1014, Mer 176(*Bo* tace *PLU Ly*), 498(fac *A ut vid*), Mi 335, 345(facet *B*), 613(*Rg in loco dub*), 812(facte *C*), 1034(face te *Ca* facite *B* facito *CDLLy*), Mo 60, 854, 1129 (*Sciop* tale *P*), Per 146, 198, 242, 398, 526, Poe 1035, 1278(face tu *Rgl* facito *ACD*ψ facite *B*), Ps 18(*A* fac *PR*), 157(*P* fac *A*), 210(*PS* fac ψ), 315(*ARULy* face hoc *L* fac hoc *PRgS*), St 185, 473(*RRg LULy* face *PS* facies *A*), Tri 174(*PLLy* fac *A*ψ), 800, 1103, Tru 478, 924, Fr I. 70(*Rg ex Diom* 383 facere *cod*) **facite** Au 407, 453, Ba 34 b(*ex Don ad Phor* IV. 3, 30 -to *R*), 754, Cap 736, Cas 146, 746, 784, Ci 678, Cu 314, Men 867(*B* -tote *CD*), 992, Mi 1395, Mo 78, Per 92, Poe 42, 91, 607, 1390(f. ut uos *Hasper* facite *PLy*† faciatis *L*), Ps 163, 177, 181, Ru 621, St 65(*A* faciete *CD lac B*), 309, Fr III. 6(*ex Don ad Phor* IV. 3, 30) **facito** As 238, 488, Au 257(scito *B*¹), Ba 36, 96, 328, 1153 *bis*, Cap 689, Cas 523, 524, Ci 62, 64, Cu 210, 213, Men 437, Mer 278, 279, 565(*B om CD*), Mi 354, 806, 1034 (*CDLLy* facite *B* face te *Ca*ψ), 1177, Mo 216, 1164, Per 388, 445, 729, Poe 408, 1084(-te *B*¹), 1278(*ACD* -te *B* face tu *Rgl*), 1414, 1418(*D*⁴ facto *P*), Ps 166(face *R*), 515, Ru 792, 1219, St 47(*v. om A secl LULy*), 148, 519, Tri 296, 485, Tru 429 **facitote** Men 866

facere Am 49, 60, 90, 152, 494, 675(f. si *Ca* faceres *BDE* facerem si *J*), 789, 996, 1143, As 67, 138, 213, 218, 407, 504, 514, 613(*L* efficere *P*ψ), 767, 821, 834, 853, 877, Au 112, 122, 338(*v. secl WeisRgSLy*), 587, 626, 740, 751, Ba 26(*U* pro forte), 57, 93, 98, 481, 555, 655, 682, 702, 859, 1016, 1102, 1191, Cap 129, 132, 147, 294, 327, 388, 440, 467, 794, 802, 856, 894, 936, 955, Cas 462, 508, 607, Ci 51, 74, 144, 231, 240(-et *Rs*), 242, 591, 646, 652, Cu 24, 46, 47, 155, 246, 534, 703(*v. om B*¹), Ep 114, 270(*v. om CD*), 289, 329(*E³J² RgL* fere *E¹J¹* ferre *B*), 337, 465, 722, Men 83, 164, 196, 405, 493, 605, 869, 900, 940, Mer 4, 7(tanti f. *CD* tacere *B*), 84, 130, 399, 411, 422, 505, 522, 569, 621, Mi 8, 303(-et *B*¹), 344, 395, 409, 458, 493, 500, 522, 531, 574(pacere *CD*¹ pacere *B*¹ sacere *D*²), 606, 616, 621, 917, 978 (-et *B*), 980, 990, 1070, 1115, 1270, 1274(*Ca* tacere *AS*† taceret *B* tagere *CD*), 1277, 1322, 1371, Mo 187, 323(face *SpLy*), 354, 411, 435, 759, 813, 816, Per 35(*Ca lac P* emere *TLy*), 42, 287, 414, 685, Poe 24, 149, 164, 231, 308, 351, 442, 454, 633, 634, 846, 864, 882, 883, 892, 1092 (*Ca* facile*P*), 1202, 1212 *bis*, 1216, 1389, 1396, 1402, Ps 88, 206, 291, 348, 375, 570, 605, 696, 696c (*om ARRgLU*), 726, 1100, 1104, 1178, 1237, 1291, 1322, Ru 376, 407, 684(male f. *Rs in lac*), 709, 1002, St 6, 21, 40, 59, 61, 99, 218, 538 (*MueU* agere *P*ψ), 692, 769, Tri 120, 174, 328, 461, 631, 633, 657(-ę *B*), 674, 737, 766(*v. secl BriRRsSLU*), 768(*A* solus secl *U*), 1063, Tru 377, 426(*FZ* -rĕ *P*), 436, 465, 467, 468(*v. om BRsS*), 469, 470, 730, 816, 877(aliter f. *U* refacere *PLy* nef. *F*ψ), 966(facire *B*), Fr I. 3(*ex*

Serv ad Georg I. 124), 62(*Varr l. L.* V. 153)
fecisse Aᴍ 1003, Aѕ 437, 822, Aᴜ 750, 794, Bᴀ
925, 1013, 1038, 1086, Cᴀᴘ 686, Cᴜ 555, Mᴇɴ
668, 813, Mᴇʀ 237, 464, Mɪ 548(*AB²D³* -set *P*),
1285(-sē *B*), Mo 1165, Poᴇ 956, 1395, Ps 871,
Rᴜ 196, Tʀɪ 95, 184, 348

  factus Aᴍ 615, Aѕ 330, Bᴀ 413, Cᴀᴘ 806, Eᴘ
200, 650, Mᴇɴ 1045, Mɪ 1409(*B* -tum *ACDL*),
Mo 113, 145, 941, Pᴇʀ 24, Poᴇ 49, 802, 804, Ps
802, Sᴛ 317, Tʀɪ 43, 610, 975, 980, Tʀᴜ 683(*Ca*
-um *P*), *fr*(*ex Prisc* II. 100)   **facta** Aᴍ 113,
573, 814, 957(*MueRgl om LULy lac* 𝔖), 965,
1042, 1129, Aᴜ 472(*secl GuyRg𝔖LU*), Cᴀᴘ 55,
1029, Cᴀѕ 861, 1010, Cɪ 175, 617, Mɪ 942, 961,
Mo 475(*PU* -um 𝔖*Ly om Bergkψ*), Rᴜ 644,
670(*Valla in lac* orta *TurnLy*), Tʀᴜ 134   **fac-**
tum Aᴍ 303, 431, 572, 692, 698, 700, 749(*D²J*
factus *BD¹E*), 893, *fr* XIII(*ex Non* 237), Aѕ 251,
451, 557, 744, 890, Aᴜ 20, 440, 741, Bᴀ 295,
388, 470, 726, Cᴀᴘ 681, 684, 952, 980, Cᴀѕ 39,
305, 418, 902, 978, Cɪ 12, 784, Cᴜ 714, Eᴘ 209,
707, 708, Mᴇɴ 10, 132, 533, 650, 679, 808, 850,
1126, Mᴇʀ 12, 298, 482, 984, Mɪ 37, 166, 1091,
1176, 1306(-us *B*), 1332, 1409(*ACD* -us *BRRgU*),
Mo 33, 207, 361, 449, 458, 475(𝔖*Ly* facta *PU*
om *Bergkψ*), 476, 507, 636, 646, 651, 916, 1147,
Pᴇʀ 775, 822, Poᴇ 488, 788, 805, 1067, 1183,
1326, 1379, Ps 361, 1099, Rᴜ 324, 835, 892, 958,
962, 1300, 1365, Sᴛ 374, Tʀɪ 127, 405, 429 *bis*,
1010, 1166, Tʀᴜ 167, 218(-ust *A*), 222, 789
(*Ca* datum *P*), 827, 851(*FZ* -us *P*), Fʀ I. 31
(*ex Char* 199)   **facti**(*neut.*) Bᴀ 1016(*om C*),
Cɪ 164, Mᴇʀ 957, Tʀɪ 127   **factum**(*masc.*)
Aᴜ 504, Bᴀ 1090, 1100(*v. secl RRg* 𝔖*U*)   **fac-**
tam Aᴜ 713, Ps 347   **factum** Aᴍ *fr* XIII
(*ex Non* 237), Aѕ 685, Aᴜ 146 (*CaRgLU*
facto *B* facta *DEJψ*), 418, 477, 807, Bᴀ 302,
495, 562, 1098, Cᴀᴘ 352, 425, 709, Cᴀѕ 286, 394,
398(*BachL in loco dubio*), 439, Cɪ 504, Eᴘ 206,
207, 707, Mᴇɴ 683, 1130, Mᴇʀ 242, 389, 662
(*om CD*), Mɪ *Arg* II. 5(*B²* -to *P*), Mɪ 561, 569,
1367, 1374, 1415, 1435, Mo 477, 483, 816, 916,
1093, Pᴇʀ 311, Poᴇ 16(*dub*), 45, 762, Rᴜ 30,
1193, Sᴛ 354, Tʀᴜ 343, 377(*A* -am *P*), 700,
827, 877, Fʀ I. 41(*ex Char* 219)   **factā** Aᴍ
390, 968   **facto** Aᴍ 169, 505 *bis*, 776, Bᴀ
604, Cᴀᴘ 303, Cᴀѕ 587(-ust *A*), Eᴘ 109(*v. om*
A secl 𝔖*U*), 288, 695, Mᴇɴ 753, Mᴇʀ 323, 565
(-ito *D²*), 566, Mo 923, Poᴇ 197, 319(-ust *A*),
Rᴜ 398, Sᴛ 57(*D* facio *BC v. om A secl LULy*),
61, Tʀɪ 129, 584, 649(*A* pacto *PLU*), 887
facti Mo 819   **factae** Mo 102, Poᴇ 1167(-tę
C -te *B*), Tʀɪ 597(-te *B*)   **facta** Aᴍ 133, 460,
474, 559, 575, 779, 884, 885, 1019, 1057, 1133,
Aѕ 567, Aᴜ 278, Eᴘ 392, Mᴇɴ 397, Mɪ 227, *ib.*
(*Sp* infecta *PLy*), Mo 413, Pᴇʀ 761, 842, Ps 108, Tʀɪ
183, 185, Tʀᴜ 179(*A* fac *B* uac *CD*), 774   **factis**
(*neut.*) Aᴍ 44, Cᴀᴘ 522, Cᴜ 441, Mᴇɴ 595, Mᴇʀ
1005, Mo 29, Rᴜ 935, Tʀɪ 279   **facta**(*acc.*) Aᴍ 267,
757, 816, 851 *bis*, Aѕ 913, Aᴜ 146(*DEJ* -to *B*
-tum *CaRgLU*), 503, 686, Bᴀ 64, 778, 908, 951
(*B¹D¹* fata *AB²CD²U*), Cᴀᴘ 424, 446, 678, 682,
Cᴀѕ 686, 879, Mᴇɴ 985(*BoRLU* faciam *PRs𝔖*†
Ly†), Mɪ 192, 622, 734, 860, Mo 416, 735, 986,
1111(fata *B¹*), Pᴇʀ 495(actis *A*), Rᴜ 11, 345, Sᴛ
282(*v. secl RRgLU*), 303, 305, Tʀɪ 323, 882, Tʀᴜ
308, 313, 555(furta *Rs*), 730, 774, 822   **factis**

(*neut.*) Aᴍ 285, 926, 1085, 1140, Aѕ 162, 683, Aᴜ
213, 220, Bᴀ 156, 379, 704, Cᴀᴘ 405, 429, 940,
Cᴀѕ 155, 286, Eᴘ 718, Mᴇɴ 372, 590, Mᴇʀ 554(*PR*
-eis *A*), 855, Mɪ 57, 662, 1021, 1042, Mo 199,
1171, Poᴇ 133, 307, Rᴜ 1221(facitis *B*), Sᴛ 3, 280,
Tʀɪ 323, 702   **factius**(*neut. acc.*) Tʀɪ 397(faetius *B*)
facturus Aᴍ 397, Aѕ 376, Bᴀ 716, Cᴜ 75, Mᴇɴ
119, 946, Mɪ 1184, Pᴇʀ 144, 146, Poᴇ 167, 169,
Ps 387, 565, 567, 751(*RRgU* acturus *Pψ*), Fʀ
II. 64(*ex Isid or.* XIX. 24, 1)   **factura** Sᴛ 73
facturum Aᴍ *fr* V(*ex Non* 473), Aѕ 497,
529, Cᴀᴘ 428, Cɪ 236, Eᴘ 419, Mɪ 346, 1068
bis, 1070, Mo 423, Pᴇʀ 141, 496, Poᴇ 422,
771, Ps 565, Rᴜ 95, Sᴛ 22, 201, 463, Tʀᴜ
767   **facturam** Aѕ 612, 787, Cᴀѕ 483, Poᴇ
409   **facturi**(*nom.*) Aᴜ 354   **facturos** Aᴍ 22,
Cᴜ 263   **faciunda** Cᴀᴘ 986   **faciundum**
Aᴍ 891, Cᴀѕ 968, Cɪ 657, Mᴇʀ 422(*U* -e- *Pψ*),
Mɪ 748(*ABD* -e- *A* -ihun- *C*), 887(*FRRg* -e-
Pψ), 889, 891(*B* -e- *CD*), Poᴇ 956, 1225, Sᴛ 54
(e- *Pω*), 716   **faciundi**(*neut.*) Eᴘ 271, Sᴛ 117
faciundo(*neut.*) Pᴇʀ 689(-e- *ANon* 468), Rᴜ 757
faciundam Cᴜ 440   **faciundum** Aᴍ 1129, Aѕ
820, Cɪ 769, Eᴘ 274(*B* -do *J* -endo *E*), 378(-e-
PRg² fi. *J*), Mᴇɴ 700(-e- *PLLy*), Mo 556, 1092,
Sᴛ 618   **faciundo**(*neut.*) Aѕ 873(*RglU* -e- *Pψ*),
Bᴀ 402(*v. secl RRg*)   **faciundi**(*nom.*) Mɪ 991
(ludi f. *Ca* ludificandi *P*)   **faciundas** Mᴇɴ
542(*PLU* -da *Pyψ*)   **faciunda** Mᴇɴ 542(*Py*
-das *PLU*), Sᴛ 87(*A* -e- *P*)   **factu**(*sup.*) Aᴜ
582(*Ald* -tū *P*), Cᴀѕ 625(*Sciop* -tis *AP*), Mo 791,
Pᴇʀ 761, Ps 185(*Lamb* -tum *AP*), Sᴛ 83

corrupta: Aѕ 700, feceras *E¹ pro* feras; 883,
facere *J pro* fatere   Aᴜ 345, facere *J pro* facile; 399, fac sient *P pro* quantum potest(*Non*
17); 615, fac *V¹ pro* fano   Bᴀ 695, haec feceris *P pro* ecfeceris(*Palm*)   Cᴀᴘ 276, facere
J pro facete; 725, quem feceris *J pro* confeceris   Cᴀѕ 685, facere *E pro* facete   Cɪ 492,
facitis *J pro* facetus   Cᴜ 489, facis *J pro* infitias
Eᴘ 562, face *P pro* tace   Mɪ 39, facite *B¹ pro*
facete; 147, facitis *P pro* facetis; *ib.*, factis *A*
pro dolis; 158, faciat *D¹ pro* fiat; 539, facite
CD¹ pro facete; 547, facio *B² pro* fateor; 907,
facite *P pro* facete; 1141, facite *P pro* facete;
ib., faciunda *B pro* facunde; 1161, facite *P pro*
facete; 1191, facerē *B pro* feram; 1255, facio
*CD*𝔖† scio *B* var em *ψ*   Mo 459, facimus *CD¹*
pro facinus   Pᴇʀ *Arg* II. 12, faci***; 455, facite *D¹ pro* facete; 652, facies *add CD*; 856,
feci tum *CD pro* exercitum   Ps 542, facere *B*
dicere *CD om Py*; 386, haec facta *CD pro* ecfecta; 897, fecit *P pro* edixit(*A*)   Rᴜ 1142,
faciam *CD pro* sciam(*B*); 1308, contra facta *P*
pro confracta(*Py*); 1326, frigide factas *P pro*
frigefactus   Sᴛ *Arg* I. 9, fac***; 566, factam
P pro pactam(*Ac*); 697, facto *P pro* pacto(*R*)
Tʀɪ 209 facta *ins P om A*; 297, fac eos *P pro*
faeceos(*A*)   Tʀᴜ 218, facimus *B pro* facinus
Pro faci- *saepe* fati- *exhibet BE nonnumquam*
D rarissime VC

  II. Significatio A. = efficere, perficere, conficere 1. *seq. acc. subst., et proprie et translate:*
aedes . . sunt paratae, expolitae, factae probe
examussim Mo 102   (*anulum*) fecit nouom Tʀɪ
792(*loc dub*)   huic *apologum* facere* unum uolo
Sᴛ 538(*MueU*)   ut apologum fecit quam fabre

Sᴛ 570 Mulciber . . *arma* fecit quae habuit Strapippocles Eᴘ 34 uisast simia *ascensionem* ut faceret admolirier Rᴜ 599 haec uocabula *auctiones* subigunt ut faciant uiros Eᴘ 235 auctionem hic faciam Mᴇɴ 1153 auctionem facias Poᴇ 411 cras auctionem faciam Poᴇ 1364 dum auctionem facio* . . Poᴇ 1421 quando quem auctionem facturum sciunt, adeunt Sᴛ 201 nunc auctionem facere decretumst mihi Sᴛ 218 iam non facio* auctionem Sᴛ 384 exsurge, praeco, fac populo *audientiam* Poᴇ 11 *augurium* hac facit Sᴛ 463 *bacchanal* facitis Mɪ 858 mihi . . *bellum* facit (*A*[*iudice L*]*LLy* uallum f. *ARsŞ*) Cᴀs 851 *beneficium* . . quoi facias non placet Tʀɪ 638 numquam hercle effugiet tam etsi *capital* fecerit Mᴇɴ 92 Eutyche, capital facis Mᴇʀ 611 uel *carnuficinam* hunc facere possum perpeti Cᴀᴘ 132 quid si igitur *cenam* faciam*? Mᴇʀ 578 ne *censionem* semper facias Rᴜ 1273 ne *clamorem* hic facias neu conuicium Bᴀ 874 ubi facta erit *conlatio* nostrarum malitiarum Mɪ 942 *compendium* edepol haud aetati optabile fecisti Bᴀ 160(*v. secl LangenRgŞ*) compendium ego te facere pultandi uolo Ps 605 errationis fecerit* compendium Rᴜ 180 ut faciam praeconis compendium Sᴛ 194 da qui faciam* *condimenta* Mɪ 692(*RRgULy in loco perdito*) hanc ego de me *coniecturam* domi facio magis quam ex auditis Cᴀs 224 hanc ego de me coniecturam domi facio ni foris quaeram Cɪ 204 potin coniecturam facere? Cᴜ 246 ecquid tu de odore possis . . facere coniecturam? Mᴇɴ 164 uosmet nunc facite coniecturam ceterum Poᴇ 91 coniecturam egomet mecum facio Rᴜ 771 tu *contumeliam* alteri facias, tibi non dicatur? As 489 *conuicium* Bᴀ 874(*supra sub* clamorem) male mihi precatur et facit conuicium Mᴇʀ 235 praesenti tibi facit* conuicium Mo 617 uti sibi amanti facerem argenti *copiam* As 75 amanti argenti feci copiam As 848 copiam istam mihi et potestatem facis ut . . Cᴀᴘ 374 . . ut mihi eius facias conueniundi copiam Cᴀᴘ 748 quod maxume cupiebas eius copiam feci tibi Cᴀs 450 feci eius ei quod me orauit copiam Cɪ 138 argenti rogo uti faciat copiam Cᴜ 330 deos orato ut eius faciant* copiam Mᴇʀ 908 . . ut eam copiam sibi potestatemque facias* Mɪ 972 . . ut tibi recte conciliandi primo facerem copiam Pᴇʀ 539 . . nec qui deterior esset faceres copiam Tʀɪ 135 mihi qui uiuam copiam inopi facis Vɪ 87 unum *curriculum* face Tʀɪ 1103 tantum *damni* feci et flagiti Bᴀ 1032 damnum praestet facere quam lucrum Cᴀᴘ 327 ait . . flagitium et damnum fecisse haud mediocriter Mᴇʀ 237 non miror si quid damni facis aut flagiti Mᴇʀ 784 tu quod damni et quod fecisti flagiti . . Ps 440 nimias *delicias* facis Cᴀs 528 heia delicias facis Mᴇɴ 381 enim uero, ere, facis delicias Poᴇ 280 enim uero, ere . . delicias facis Poᴇ 296 *diuitias* tu ex istac facies Pᴇʀ 652 . . postquam feceris *diuortium* Mɪ 1167 sic faciat domum ad te *exagogam* Tʀᴜ 716 *excidionem* facere condidici oppidis Cᴜ 534 *exempla* edepol faciam ego in te Mo 1116 *ex-*

uuias facere quas uoui uolo Mᴇɴ 196 feci* ego istaec †*dicta* quae uos dicitis? . . si quidem hercle feci, feci nequiter Cᴀs 996-7 nescioquam *fabricam* facit* Eᴘ 690 non pertractate (*fabula*) factast Cᴀᴘ 55 ad pudicas mores facta haec fabulast Cᴀᴘ 1029 fecisti, ere, *facetias* Sᴛ 655 haud decorum *facinus* tuis factis facis Aᴜ 220 istuc facinus . . id ego feci et fateor Aᴜ 734 duplex hodie facinus feci Bᴀ 641 . . istuc facinus facere tam malum . . Bᴀ 682 Atridae duo fratres cluent fecisse facinus maxumum Bᴀ 925 potine tu homo facinus facere strenuom? #Aliorum adfatimst qui faciant Cɪ 231(*ex Gell* VI. 7, 1) numquid tu quod te aut genere indignum sit tuo facis aut inceptas facinus facere? Cᴜ 24 numquam quicquam facinus feci peius neque scelestius Mᴇɴ 447 edepol facinus fecit audax Mɪ 309 . . qui facinus tantum tamque indignum feceris Mɪ 498 . . ea te facere facinora . . Mɪ 621 indignum facinus fecisti et malum Mo 459 solus facio facinora inmortalia Mo 777 uin tu facinus facere lepidum et festiuom? Poᴇ 308 mirum et magnum facinus feceris(*B fe. fa. CD*) Ps 512 humanum facinus factumst* Tʀᴜ 218 neque mei . . puditumst *factis* quae facis Bᴀ 379 (*v. secl U*) . . haec sic facta ad hunc faciat modum Bᴀ 908 persuasumst facere quoius me nunc facti* pudet Bᴀ 1016 . . facta ut facta* ne sient Mɪ 227 minus audacter scelesta facerent* facta Mɪ 734 . . qui facit* inproba facta* amator Tʀᴜ 554(*loc dub*) nec *fallaciam* astutiorem ullus fecit poeta atque ut haec est fabre facta ab nobis Cᴀs 860-1 sermoni iam *finem* face As 605 tu ipse ubi lubet finem face Eᴘ 39 neque umquam lauando . . scimus facere finem(*LambLU pro* neniam) Poᴇ 231 (*cf* Krause, p. 33) . . id facere *flagitium* patrem As 853 tantum flagiti Bᴀ 1032(*supra sub* damnum) non hodie hoc tantum flagitium facerent Bᴀ 1208 flagitium maxumum feci Cᴀs 549 clanculum tu istaec flagitia facere censebas potis? Mᴇɴ 605 . . istaec flagitia tua pati quae tu facis Mᴇɴ 721 ei narrabo tua flagitia quae facis Mᴇɴ 735 Mᴇʀ 237 (*supra sub* damnum) quid flagiti Mᴇʀ 784 (*supra sub* damnum) fores hae fecerunt* magnum flagitium modo Poᴇ 609 quod flagiti Ps 440(*supra sub* damnum) *foedus* feci* Aᴍ 395 . . ut ne legi *fraudem* faciant aleariae Mɪ 164 erus si tuos uolt facere *frugem* . . Poᴇ 892 acerbum *funus* faciet As 595 fecisti funus med absenti prandio. cur ausu's facere? Mᴇɴ 492 fecisti *furtum* in aetatem malum Bᴀ 166 . . uos furta faciatis multa Poᴇ 1245 furtum ego uidi qui faciebat Rᴜ 956 ego istuc furtum scio quoi factumst Rᴜ 958 grandiorem *gradum* ergo fac ad me Cᴜ 118 de istac Casina huic nostro uilico *gratiam* facias. #At pol ego nec facio neque censeo Cᴀs 373(*cf* Gronov, p. 349) quam benigne gratiam fecit Mɪ 577 de cena facio gratiam Mo 1130 fac* istam cunctam gratiam Mo 1168 non audes . . aliquam partem mihi gratiam facere hinc de argento? Ps 1322 iuris iurandi uolo gratiam facias* Rᴜ 1415 hisce ego de artibus gratiam facio Tʀɪ 293 ad eam rem facere uolt nouom *gynaeceum* Mo 759 quasi uero nouom nunc proferatur Iouem facere *histrioniam* Am 90 erit operae pretium hic spectantibus Iouem et Mercurium facere histrioniam Am 152(*cf* G r o n o v, p. 6) *ignem* magnum hic faciam Ru 767 *imperatum* bene bonis factum ilicost Ba 726 facit recta in anguis *inpetum* Am 1115 hic equos non in arcem uerum in arcam faciet impetum Ba 943 timui ne in me faceret impetum Cap 912 a me iubes facere inpetum in eum Men 869 mihi in pectore atque in corde facit amor *incendium* Mer 590 anus hercle huic *indicium* fecit de auro Au 188 (coruos) indicium fecit Au 671 illic indicium fecit Cap 1014 facite indicium . . quis eam abstulerit Ci 678 si indicium facio interii Mi 306 **genua obsecro ne indicium ero facias meo Mo 745 sapienti ornatus quid uelim indicium facit Ru 431, 432 indicium domino non faciam? Ru 959 si istuc ut conare facis indicium, tuom incendes genus Tri 675 feci* ego *ingenium* meum Mer 668 facin *iniuriam* mihi an non? Au 643 ego me iniuriam fecisse filiae fateor tuae Au 794 huic mihique haud faciet quisquam iniuriam Ba 59 mihi . . insignite factast magna iniuria Cas 1010 filio suo . . innocenti fecit tantam iniuriam Mer 979 meo ero facis iniuriam Mi 438 tuae fecisse* me hospitae aio iniuriam Mi 548 quis . . nostris tam proterue foribus facit iniuriam? Ru 414 quibus aduorsum ius . . insignite iniuria hic factast Ru 644 tanta . . iniuria facta* in nos est modo hic intus ab nostro ero Ru 670 quoniam ego adsum faciet nemo iniuriam Ru 1050 uiris . . tantas absentibus nostris facit iniurias inmerito St 16 (facis) amico iniuriam. #Neque meumst neque facere didici. #Indoctus quam docte facis Tri 631 uide . . ne facias iniuriam Tru 836 *insidias* seruos facit huius Lyconidis Au *Arg.* I. 10 suis . . filiis fecere insidias Ba 1206 in popinam . . *inruptionem* facite Poe 42 hac *iter* facundumst Cas 968(*A solus*) certum est celare quo iter facias*? Per 221 *lenocinium* facere* Ba 26(*U*) ego lenocinium facio? Ep 581 uxori meae mihique obiectent lenocinium facere Mer 411 tun *legirupionem* hic nobis cum dis facere postulas? Ru 709 ne illi sit cera ubi facere possit *litteras* As 767 nihil est *lucri* quod me hodie facere mauelim quam . . Ba 859 est . . ubi . . damnum praestet facere quam lucrum Cap 327 lucrum facit* Cas 395 (*loc dub*) lucrum ingens facio* Mer 95 . . unde tu pergrande lucrum facias Per 494 rem gero et facio lucrum Per 503 lucro faciundo ego auspicaui in hunc diem Per 689(*Non* 468) lucrum hercle uideor facere* mihi Tru 426 continuo meum cor coepit artem facere *ludicram* Au 626 *mandata* dicam facta ut uoluerit As 913 satin habes mandata quae sunt facta si refero? Cap 446 huic morbo facere *medicinam* potest Ci 74 uiden ut anus tremula medicinam facit? Cu 160 nullus melius medicinam facit Men 99 *mentionem* ego fecero de filia mihi ut despondeat . . Au 204 fac mentionem cum auonculo Au 685 saepe mecum mentionem fecerat* puerum . . ut re-

perirem sibi Ci 134 noli facere mentionem te emisse Mo 813 qua de re ego tecum mentionem feceram Per 109(*cf* G r o n o v, p. 59) prius tu non eras (Charmides) quam auri feci* mentionem Tri 976(*cf* B l o m q u i s t, p. 106) quis est qui mentionem facit* homo hominis optumi? Tri 1069 nauibus magnis *mercaturam* faciam Ru 931 quid *modi* . . amplexando facies? As 882(*cf* K r a u s e, p. 33) quid modi flendo . . hodie facies? Mi 1311 ecquid facies modi? Poe 385 tibi *moram* facis quom ego solutus asto Ep 691 ne tu hercle praeterhac mihi non facies moram Mo 75 similiorem *mulierem* . . non reor deos facere posse Mi 531 ego autem cum illa facere nolo *mutuom* Cu 47 mutuom mecum facit Tri 438 facile esse *nauem* facere Mi 917(*s. secl RRg*§) animi causa mihi nauem faciam Ru 932(*v. om B*) mulionum *nauteam* fecisset Fr I. 7(*ex Fest* 165) neque umquam lauando . . scimus facere *neniam* Poe 231(*supra sub* finem) nostro seni . . *nomen* facio ego Ilio Ba 945 ut istae faciunt* uestimentis nomina Ep 224 iuuentus nomen fecit Peniculo mihi Men 77 quo modo . . Menaechmo nomen est factum tibi? Men 1126 quod tibi nomen est fecit mihi Men 1129 Plautus . . nomen Trinummo fecit Tri 20 huic ego die nomen Trinummo facio* Tri 843 hanc modo *noxiam* unam . . fac causa mea Mo 1177(missam *add LomanRLU* amissam *Rs*†§) *nuptias* numquae causast quin faciamus hodie Au 262 erus nuptias meus hodie faciet Au 289 Cererin . . has sunt facturi nuptias? Au 354(*cf Macr S.* III. 11) . . ut fortunatas faciat gnatae nuptias Au 387 . . tantisper dum ego cum Casina faciam nuptias Cas 486 effugiet ex urbi ubi erunt factae nuptiae Tri 597 effugias ex urbe . . factis nuptiis Tri 701-2(*v.* 702 *secl KochRs*) ˘ qui mihi auscultabunt facient *obsequentiam*(*Sca* ellam *PL*†*Ly*†) As 65 nunc facio *obsidium* Ilio Ba 948 me meum *officium* facere* si huic eam aduorsum arbitror Am 675 hic suom officium facit Am 721 quid me accusas si facio officium meum? As 173 quin tuom officium facis ergo ac fugis? As 380 coqui . . faciunt officium suom Au 404 fecit officium hic suom Cap 297 facere uolt era officium suom Cas 508 faciundumst puerile officium Ci 657 date uiam mihi . . dum ego hic officium meum facio Cu 281 fecisti iam officium tuom, me meum nunc facere oportet Ep 337 scis facere officium tuom Mer 522 . . si parentes facient officium suom Per 618 posse opinor facere me officium meum Ps 375 nihilist . . suom qui officium facere inmemor est Ps 1104 nostrum officium nos facere aequomst St 6 omnis sapientis suom officium aequomst colere et facere St 40 illi suom officium non colunt quom tu tuom facis St 36 nec uoluntate id (officium) facere meminit St 59 sociae . . fidentis fuit officium facere quod modo haec fecit* mihi Tru 436 ille *opere* foris faciendo lassus noctu aduenit As 873 facto opere arbitramino Ep 695 haec . . opifex opera fecit barbarus Mo 828 si (istaec opera) non faxis . . Ps 533 . . optumum esse operi fa-

ciundo corium . . Ru 757   neque ruri neque
hic operis quicquam facio* Tru 915   minus
operis nihilo faciat Vi 50   opus facere nimis quam dormire mauolo Fr I. 3(ex Serv
ad Georg I. 124)   non loquar nisi pace facta
Am 390   pacem feci Am 395   iam facta* pax
est inter uos duos? Am 957(MueRgl)   facta
pax est Am 965   modo pacem faciatis* oro
Mer 992   ego pausam feci Poe 459   Thetis
. . lamentando pausam fecit filio Tru 731(Valla
LULy)   in me peculatum facit Ci 72(cf Gronov, p. 120)   scio qui periclum feci As 617
istaec in usu ubi periclum facias* aculeata
sunt Ba 63   face semel periclum. #Feci saepe,
quod factum queror Ci 504   id quidem experior . . . #Immo, hospes, magis quom periclum facies M 635   lignum caedat, pensum
faciat(p. f. om Non 424), Mer 397   ego faciam
ploratillum(A plorantem illum PRglU) Poe 377
quanta firmitate facti (postes) Mo 819   mihi
potestatem facis Cap 374(supra sub copiam)   ut
. . sibi potestatem facias* Mi 972(supra sub copiam)   paululum praedae intus feci Poe 803
indica, fac pretium Per 586   factast pugna in
gallo gallinacio Au 472(v. secl GuyRgSL)   aegrest mihi hunc facere quaestum carcerarium
Cap 129 mulierum quae hunc quaestum facimus*
Ci 121   eum quaestum facio Ci 376(ex Prisc
VIII. 21)   facerent . . indignum genere quaestum
corpore Poe 1140   remoram . . faciunt rei
priuatae et publicae Tri 38   haud mentior
resque uti facta dico Am 573   res . . ut factast eloquar Am 1042   hanc rem ut factast
eloquar Am 1129   me honestiust quam te palam hanc rem facere As 821   ego rem diuinam intus faciam Am 966(cf Gronov, p. 58)
re diuina facta mecum prandeat Am 968   lauabo ut rem diuinam faciam Au 612   rem
diuinam feci Cu 558   . . ut dum rem diuinam faceret* cantaret sibi Ep 316   te pro filio
facturum dixit rem esse diuinam domi Ep 415,
419(B² solus v. secl ω)   . . dum rem diuinam
faceret Ep 501   paucis uerbis rem diuinam
facito Poe 408   rem diuinam se facturum dixerat Ru 95   . . ut rem diuinam faciat aut
hodie aut heri Ru 130   nempe rem diuinam
facitis hic Ru 343   non rem diuinam facitis
hic uos neque erus? Ru 347   adorna ut rem
diuinam faciam Ru 1206   reuorsionem ad terram faciunt uesperi Ba 296   . . reuorsionem
ut ad me faceret denuo Tru 396   tu labellum
abstergeas potius quam quoiquam sauium faciat palam As 798   scelus . . factumst iam
diu antiquom et uetus. #Antiquom? #Id adeo
nos nunc factum inuenimus. #Quis id fecit?
Mo 476-8   capitale scelus factum*st Mo 475
(loc dub caedes facta U duce P)   seditionem
facit lien Mer 124   . . dum ne per fundum
saeptum facias semitam Cu 36   hisce ego iam
sementem in ore faciam Men 1012   ita huic
facietis fabulae silentium Am 15(v. om J)   fac
silentium Per 519   sonitum fecerunt fores Mi
1377   inauris da mihi facienda pondo duom
nummum stalagmia Men 542   nequeo . . quin
tibi saltem staticulum, olim quem Hegea faciebat Per 825   . . quem olim faciebat in Ionia Per 826   ibi nunc statuam uolt dare au-

ream solidam faciundam ex auro Philippo Cu
440   neque quidquam stupri faciet Cas 83
neque quicquam cum ea fecit etiamnum stupri
Poe 99(v. secl ω praeter Ly)   necessest facere
sumptum qui quaerit lucrum As 218   flagitium meum sit . . facere sumptum de tuo Ba
98   . . tute cupias facere sumptum Cap 856
alios dapsilis sumptus facit Mo 982   si hoc
pudet fecisse sumptum, supplici habeo satis
Mo 1165   mea . . causa sumptum fecit St 601
modeste melius facere sumptum quam ampliter
St 692   amatorem aibat . . esse peregrinum
sibi suppositionemque eius facere gratia Ci
144   tantas turbellas facio Ba 1057   techinam
de auro aduorsum meum fecit patrem Ba 392
hic (fauonius) facit tranquillitatem Mer 877
. . prius quam turbarum quid faciat amplius
Men 846   ubi cum lenone me uidebis conloqui tum turbam facito Per 729   uadimonium
ultro mihi hic facit* Ep 685   mihi . . non
uallum facit(A ut vid lac P bellum f. A[iudice
L] LLy licet tangere U) Cas 851   uiden tu
illam oculis uenaturam facere? Mi 990   face-
uentum, amabo, pallio Cas 637   quid facitis,
quaeso? #Ventum Cu 315   ego istaec feci
uerba uirtute irrita Am 925   uerbum caue faxis
As 625   neque ullum uerbum faciat perplexa-
bile As 792   uelim te arbitrari med haec
uerba . . facere Au 122   uerba ne facias Au
173   uerba hic facio quasi negoti nihil siet
Au 369   nimis lepide fecit uerba ad parsimoniam Au 497   ego uerbum faciam nullum Ba 785   uerbum nullum fecit Ba 983   illa
haud uerbum facit Cas 921   quid istic uerba
facimus? Ep 141   oculum ecfodito . . si ullum
uerbum faxo Men 157   . . quantum hunc audiui facere uerborum senem Mi 493   te cum
illa uerba facere de ista re uolo Mi 1115   ut
multa uerba feci* Mi 1203   uerbum edepol
facere non potis Mi 1270   Mo 517(caue uerbum
faxis ins L in lac, item R in v. seq)   Mo 803
(uerba ins U in lac)   haud uerbum faciam Per
500   uerba quidem haud indocte fecit Per
563   uerba facit* emortuo Poe 840   ut pudice uerba fecit* cogitate et commode Poe 1221
multa uerba fecimus Poe 1368   mortua uerba
re nunc facis Ps 261   uera multa facimus Ps
638   uerba facimus Ru 1001   si praeterhac
unum uerbum faxit hodie . . Ru 1118   multa
scio faciunda uerba St 87   quid multa uerba
faciam? Tru 405   hic . . uersus meliores facit
Tri 707   hoc (ueru) . . e robigine non est
e ferro factum Ru 1300   ad senem etiam
alteram facias uiam Ba 692   me uotat uim facere nunc quod fero Ps 1291   noster fecit Vidulariam Vi 7   . . ut balniator faciat ungen-
tariam Poe 703   suo animo fecit uolup As
942   facite uostro animo uolup Cas 784
de pecunia: argentum huic facite* Ba fr XXII
(ex Don ad Phorm IV. 3, 30 =) Fr III. 6   relicuom id auri factum quod ego . . promisissem
Ba 1098
2. seq. adiect., sim.: feci illa omnia Ba 1079
pater . . faciet quae illum facere oportet omnia
Cap 440   fateor omnia facta esse ut tu dicis
Cap 678   dic me omnia quae uolt facturum Mi
1070   omnia faciet Iuppiter faxo Poe 1191a

tibi . . quae uoles faciam omnia Ru 441   sine
opera tua di horunc nihil facere possunt Ci 51
eum rem fidemque perdere, tam etsi nihil fecit,
aiunt Cu 504   ius iurandum dabo me malitiose nihil fecisse Poe 1395   nihil feci secus
quam me decet Fr I. 45(ex Char 220)   alium
. . ni sciam fecisse* multa nequiter Mi 1285
ego plus minusue feci quam me aequom fuit
Cap 995

acerba facere* in corde Ci 240(A solus)
haud aequom facit qui . . dediscit Am 687   non
aequom facis Ba 119, Ep 723   si aequom
facias mihi odiosus ne sies Men 502   amauit.
aequom ei factumst Tru 222   si aequom facias
aduentores meos non incuses Tru 616   lingua
dicta dulcia datis, corde amara facitis Tru 180
(v. secl. GuyRsSL)   uidi Neptunum . . commemorare quae bona uobis fecissent Am 44
. . ut exprobraret quod bonis faceret boni Am 47
arbitratur . . merito . . uobis bona se facere quae
facit* Am 49   plus insciens quis fecit quam
prudens boni Cap 45   mihi bona multa faciam
clam meam uxorem Cas 468   dum nescientes
quid bonum faciamus*, ne formida Mi 893
genio meo multa bona faciam Per 263   ne
ego hodie tibi bona multa feci* Per 734   bonum factum esse (†SLy factumst ψ), edicta ut
seruetis mea Poe 16   bonum . . factum pro
se quisque ut meminerit Poe 45   multa
bona uolt uobis facere Poe 1216   quae tibi
bona dabo et faciam Ps 939 b   indigna digna
habenda sunt erus quae facit Cap 200   ille
uxori iusta fecit Ci 176   . . ut ei quod posses
mali facere faceres Ba 555   quod posset mali
faceret in me Ba 551   ne quid in te mali
faxit Cas 628   . . quantum isti morbo nunc
tuo facias mali Men 911   mihi nescioquid
mali consulunt quod faciant Per 844   omnia
. . mihi facio* mala Tru 447   tanta mira in
aedibus sunt facta Am 1057   non mirum
factumst As 451   neque nouom neque mirum
fecit As 943   non mirum facis Ba 1044*,
Cap 582   hau mirumst factum Mer 482
num mirum aut nouom quippiam facit? Mo
345   quando lenost, nihil mirum facit Per 688
quid mirum fecit? Ps 434   locum . . ubi nequam faciat clam Poe 178, 658*(omisso clam)
nouom As 943(supra sub mirum)   ego insipiens noua nunc facio Cas 878   Mo 345(supra
sub mirum)   feceris par tuis ceteris factis
Tri 279   proprium facio Cu 48   iam nunc
secunda mihi facis As 496   haud uoluisti istuc
seuerum facere Ci 646   tu tuom facito Ba
1153   uerum(Ca) factum . . dices Mi 1367(dub)
unum hoc faciam Au 365

si mihi tale post hunc diem faxis . . Men 113
dum tale facies quale adhuc adsiduo edes Mi 50
uel tu ne faceres tale in adulescentia Ps 437
meus seruos numquam tale fecit quale tu mihi
Men 1027   fecere*, tale ante alii spectati uiri
Mer 318   . . qui hoc tale facere possiet
St 769

3. seq. acc. pronom.: haec uti sunt facta ero
dicam meo Am 460   loquar haec uti facta
sunt hic Am 559   hoc ita factumst proinde
ut factum esse autumo Am fr XIII(ex Non 237)
hoc ne sic faciat As 797   hoc face quod te

iubet soror Au 153   unum hoc faciam ut . .
Au 365   hoc mihi factust* optimum Au 582
ego te facere hoc uolo Ba 93   hoc factumst
ferme abhinc biennium Ba 388   hoc ut faceret
quod loquor Ba 689   propterea hoc facio ut . .
Ba 812   si quis hoc gnato tuo tuos seruos
faxit . . Cap 712   immerito meo mihi haec
facis Cas 920   neque adeo haec faceremus ni . .
Ba 1209   quis hoc dicit factum? Ep 207
atque hoc poetae faciunt in comoediis Men 7
hoc factumst fabre Men 132   ut hoc usus
factost Men 753   condigne autem haec meretrix fecit Men 906   egomet haec te uidi facere
Men 940   di hoc quidem faciunt* Mer 285
quid si unum faciam* hoc? Mer 578(GulLLy)
sene sciente hoc feci* Mi 144   uin tu facere
hoc strenue? Mi 458   hoc facito . . memineris . . Mi 806   tum te hoc facere oportet Mi
980   quom extemplo hoc erit factum . . Mi 1176
mei tergi facio haec non tui fiducia Mo 37
sicine hoc te mihi facere? Per 42   hoc
meumst ut faciam sedulo Per 46   te hoc
facturum quod rogo adfirmas mihi Per 141
hoc si facturu's face Per 146   at tu hoc face
Per 242   tua ego hoc facio* gratia Per 538
haec . . facilia factu . . Per 761   hoc quod
tibi suadeo facis? Per 814   consulto hoc factumst Poe 788   fac* hoc quod te rogamus
Ps 315   mulier haec facit Ps 1310   sciui
lenonem facere hoc quod fecit Ru 376   tun
haec facis? St 326 b   hoc tale facere possiet?
St 769   si (haec) recte seu peruorse facta sunt,
ego me fecisse confiteor Tri 183   hoc sic
faciam Tri 233   hoc ut dico facis Tri 662
argentum hoc facit Tri 857(v. secl U)

non id ita factumst Am 572   ego me id
facere studeo As 67   merito . . id faciam tuo
As 138   neque conari id facere audebatis prius
As 213   neque id me facere fas existumo
As 514   id uirtute huius collegai . . factumst
As 557   existumet amoris causa percitum id
fecisse te As 822   numquam facere ea quae
nunc facit As 860   id ea faciam gratia . .
Au 32   merito id tibi factumst Au 440   id
adeo tibi faciam Au 623   ego mihi bibam
ubi id fecero Au 623   cur id ausu's facere
ut . .? Au 740   . . ut illi id factum sciscerent
Ba 302   quod iubeo id facias Ba 990 c.   id
quod te iubeo facias Ba 993   si id facietis . .
Cap 196   cum cruciatu maxumo id factumst
tuo Cap 681   malene id factum tu arbitrare?
Cap 709   quam diu id factumst? Cap 980
sine quod lubet id faciat* Cas 206(cf Varr
l. L. VII. 106)   quod uir uelit fieri id facias
Cas 253   si id factumst ecce me nullum senem
Cas 305   ubi id erit factum ornamenta po-
nent Ci 784   si id feceris, uenire poteris . .
uilius Cu 243   quod istic scriptumst id . . ut
faceres Cu 426   ne malitiose factum id esse
aps te arbitrer . . Mi 569   tum id quod odiost
faciundumst cum malo atque ingratiis Mi 748
qui id facere potuit? Mi 1277(loc dub)   si id
facies tum demum scibis Mi 1365   iureque
id factum arbitror Mi 1415   quid si id non
faxis? Mi 1417   uirtute id factum tua et
magisterio tuo Mo 33   neque id faciunt donicum parietes ruont Mo 116   id adeo nos

nunc factum inuenimus Mo 477   quis id fecit?
Mo 478   quapropter id uos factum suspicamini? Mo 483   me suasore atque inpulsore
id factum . . dicito Mo 916   publicae rei causa
quiquomque id facit . . Per 65   frugi, si id
facit Poe 1098   illine audeant id facere? Ps
206   pistrinum in mundo scibam si id faxem*
mihi Ps 499   quo id sim facturus pacto, nihil
etiam scio Ps 567   si id facere nequeat . .
Ps 570   ego quod mihi imperauit sacerdos id
faciam Ru 404   metus has id ut faciant subigit Ru 703   neque id magis facimus quam . .
St 7   neu tuo id animo fac quod . . minatur
St 21   faciendum id nobis quod parentes imperant St 54   neque equidem id factura* neque tu ut facias consilium dabo St 73   nihil
quam ob rem id faciam meruisse arbitror St 82
ne id faciat temperat St 117   id me inuitet
ut faciam* fides Tri 27   si id non feceris* . .
Tri 85   quae ego tibi praecipio ea facito Tri
296   id nunc facis haud consuetudine Tri 362
quod ego nolo id . . facis Tri 634   dicas
facere id eius ob amicitiam patris Tri 737
id mea uoluntate factumst? Tri 1166   omnis id faciunt . . Tru 17
    factumst illud ut . . Am 431   faciundumst
mihi illud . . quod . . Am 891   factumst illud, fieri
infectum non potest Au 741   ne illa illud
hercle cum malo fecit suo Ba 503   utinam istuc
pugni fecissent tui Am 386   quam dudum
istuc factumst? Am 692   scio istaec facta
proinde ut proloquor Am 757   si istuc quod
dicis faxis As 612   istud facias ipse As 644
istud male factum arbitror quia . . Au 418
istuc sapienter saltem fecit filius quom . . Ba
337   feci ego istaec itidem in adulescentia
Ba 410   feci* ego ista(ita BoLy) ut commemoras Cap 414   si istuc faxis, haud sine poena
feceris Cap 695   tui amoris causa ego istuc
feci Cas 994   ego istuc faciam sedulo Ep 293
male facit si istuc facit: si non facit tu male
facis Men 805   istuc uxor faciet Mer 1103
istuc caue faxis Mi 1125   uiri quoque armati
idem istuc faciunt Mi 1273   quis istaec faciebat? Mo 961   . . quom istaec sciet facta
ita Mo 986   egone istuc ausim facere, praesertim tibi? Poe 149   si hercle istuc umquam
factumst, tum . . Poe 488   pauci istuc faciunt
homines quod . . Ps 972   facito istuc quod
minitare Ru 792   minume istuc faciet noster
Daemones Ru 1245   ut istuc faciat quod tu
metuis.   tamen si faciat . . St 26-7   ut tu
istuc insipienter factum sapienter feras Tru
827
    caue tu idem faxis alii quod serui solent
As 256   si idem faciant ceteri . . Au 478·
si idem istud nos faciamus . . Ci 27   iam
ante alii fecerunt idem Ep 32   idem faciebat
Hecuba quod tu nunc facis Men 716   eadem
quae . ., illi faciunt tibi Mi 606   facio idem
quod plurumi illi Mo 1052   tu fac idem quod
rogas me Per 43   . . ut idem mihi faceres
quod . . Per 434   idem edepol Venerem credo
facturam tibi Poe 409   idem ego nunc facio
St 644   plerique idem quod tu facis faciunt
Tru 145   tu hercle itidem(Bergk diem P idem
FZLULy) faceres si . . Mi 838   pariter hoc

fit atque ut alia facta sunt Am 1019   numquid aliud fecit* nisi quod . . Mo 1141
    nec me secus umquam ei facturum quicquam
quam memet mihi Cap 428   haud etiam quicquam inepte feci* Mer 381   horunc illa nihilum quicquam facere poterit Mer 399   quasi
tu numquam quicquam adsimile huius facti
feceris Mer 957   qui aeque faciat confidenter
quicquam quam mulier facit* Mi 465   deceat nos facere quicquam quod homo quisquam
inrideat Poe 1202   nihil quicquam factum
nisi fabre Fr I. 31(ex Char 199)   ut commodumst . . quicque facias Am 558   quo quicque
pacto faciat ipsi dixero Ps 755   quiduis . .
faciam Cap 338   arbitramini quiduis licere facere uobis? Mi 500   quiduis face * gaudeam
Tru 924   facere cupio quiduis Ep 270(B solus)
    quae illi ad legionem facta sunt memorat
pater Am 133   bene quae in me fecerunt ingrata ea habui Am 184   quod egomet solus feci
. . id . . numquam poterit dicere Am 425   uiuo
fit quod numquam quisquam mortuo faciet mihi
Am 459   omnes scient quae facta Am 474   cura
rem communem quod facis Am 499   optas quae
facta Am 575   id quod factumst fabulor Am
698   qui quae facta infitiare Am 779   denegat
facta quae tu facta dicis Am 851   ego quod
feci factum id Amphitruoni offuit Am 893   ea
quae sunt facta infecta re esse occlamitat Am
884(Rgl)   quae neque sunt facta . . arguit Am
885   quod omnis homines facere oportet Am 996
eum fecisse ille hodie arguet quae ego fecero*
hic Am 1003   quae futura et quae facta eloquar Am 1133   inrita esse omnia . . intellego
. . quod bene feci As 137   quae domi duellique male fecisti As 559   certumst efficere
(facere L) in me omnia eadem quae tu in te
facis As 613   istud . . quod faciamus nobis
suades As 644   ea quae nunc facit As 860
nihil . . est quod facere mauelim As 877   neque uerbis merui ut faceres quod facis Au 222
quod facias perit Au 338(v. secl WeiseRgS†L)
alia memorare quae illum facere uidi Ba 481
facere quoius me nunc facti* pudet Ba 1016
erus quae facit Cap 200   memorem quae me
erga multa fecisti bene Cap 416   faciet quae
illum facere oportet omnia Cap 440(v. secl Rs)
fortuna quod tibi nec facit nec faciet me iubes
Cap 834   quod bene fecisti, referetur gratia
Cap 941   nolim suscensere quod ego iratus
ei feci male Cap 943   quod male feci crucior
Cap 996   uincite uirtute uera, quod fecistis
antidhac Cap 88, Ci 198   quae facta dixi Cas
686   quicquid est meus filius quod fecit Ci
363(Stu ex A)   feci saepe (periclum) quod
factum queror Ci 504   hoc est quod meus
erus facit Cu 177   miserumst ingratum esse
homini id quod facias bene Ep 136   ego quod
bene feci male feci* Ep 137   ire infitias mihi
facta quae sunt.   #Dic quid est id . . quod
fecerim Men 397   idem . . quod tu nunc facis
Men 716   quae me clam ratus sum facere . .
Men 900   . . ut quae fecisti infitias eas Men
1057   etiamst quod te facere ego aequom
censeo Mer 569   illic faciat quod facturum
dicit Mi 346   praeut alia dicam quae tu numquam feceris Mi 20   eadem quae illis uolu-

isti facere . . Mɪ 606   te quicquam quod faxis* pudet Mɪ 624   militi male facietis ambae
Mɪ 892   . . quae dissignata sint et facta nequiter Mo 413   quod nunc uoluisti facere quin
facias mihi Mo 435   numquid aliud(*om BoU*)
fecit* nisi quod faciunt(*PU om Guyψ*) . . gnati?
Mo 1141   . . propter ea quae fecit* Mo 1156
. . quod partim faciunt argentarii Pᴇʀ 434   fac
quod facturum te promisisti mihi Poᴇ 422
. . quod faciundum fuit Poᴇ 956   . . quod . .
ceteris omnibus factumst Poᴇ 1183   quod faciundumst cur non agimus? Poᴇ 1225   . . quod
nunc factumst Poᴇ 1379   habes quod facias
Ps 161   neque sim facturus quod facturum
dixeram Ps 565   sciui lenonem facere hoc quod
fecit Ru 376   quod tibi pater facere minatur Sᴛ 21
meministis quod opus sit facto facere in aedibus
Sᴛ 61   pati nos oportet quod ille faciat Sᴛ 69
quid hic fastidis quod faciundum uides esse
tibi? Sᴛ 716   quid exprobras bene quod fecisti? tibi fecisti non mihi Tʀɪ 318   . . quod
fartores faciunt Tʀᴜ 106(*loc dub*)   idem quod
tu facis Tʀᴜ 145   quid est quod uobis pessumae haec male fecerint? Tʀᴜ 295   male quod
mulier facere incepit Tʀᴜ 465   ignoscas quod
. . fecerim Tʀᴜ 828
    quid faciam? Aᴍ 155, As 537, Bᴀ 634, Cɪ 63,
301, Eᴘ 98, Mᴇʀ 207, 565, Mɪ 459, Mo 523,
Pᴇʀ 42, Poᴇ 357   quid in tabernaclo fecisti?*
Aᴍ 428   quid ego feci? Aᴍ 815, Mᴇʀ 625,
Tʀɪ 1165   quid faceres Aᴍ 915   quid ego faciam? Aᴍ 1040*, Cᴜ 589, Pᴇʀ 26 (*de collocca-
tione cf* Kellerhoff, p. 55)   quid faciundum
censeat Aᴍ 1129   quid minitabas te facturum?
Aᴍ *fr* V (*ex Non* 473)   si quid sceleste fecit . . As 293   quid me facturam putas? As
612   ego interuisam quid faciant coqui Aᴜ 363
quid fecimus? Aᴜ 436   quid faceres si reppe-
rissem? Aᴜ 828   si quid stulte facere cupias
Bᴀ 57   quid fecit? quid non fecit? Bᴀ 258
minus mirandumst illaec aetas si quid illorum
facit quam si non faciat Bᴀ 409   quid factumst? Bᴀ 470   quid nos uis facere? Bᴀ 702
quid nunc es facturus? Bᴀ 716   quid feci?*
Bᴀ 800, Tʀɪ 123   quid nunc ego faciam? Bᴀ
857, Mᴇʀ 712   quid me patrem par facerest?
Cᴀᴘ 147   nec quid faciam scio Cᴀᴘ 617   quid
hic homo tantum incipissit facere? Cᴀᴘ 802
quid fecisti? Cᴀᴘ 944   quid me oportet facere?
Cᴀᴘ 955   quid tu mihi facies? *Egone quid
faciam tibi? Cᴀs 117   quid facies Cᴀs 132
scin quid nunc facias? Cᴀs 490   quid ego
nunc faciam? Cᴀs 549, Cᴜ 555, Eᴘ 255 (n. f.
PSU), Mᴇɴ 963, Mɪ 305, Mo 371, 1149   quid
est facturus Cᴀs 902   quid ego usquam male
feci tibi? Cɪ 364   ne quid faciat cauto opust
Cɪ 531   quid nunc uis facere me? Cɪ 591
quid facturu's? Cᴜ 75   quid facitis, quaeso?
Cᴜ 315   quid fecisti?* Cᴜ 549   quid tibi me
uis facere? Eᴘ 114   eloquere quid faciemus
Eᴘ 274   quid illum facere* uis Eᴘ 329   scin
quid te amabo ut facias? Mᴇɴ 425   si quid
ego stulte fecero Mᴇɴ 439   quid faciundum
censeat Mᴇɴ 700   quid ille faciat ne id obserues Mᴇɴ 789   quid nunc faciam? Mᴇɴ 834,
Ps 1229   scin quid facias optumumst? Mᴇɴ
947˙   quid uis faciam? Mᴇʀ 158   quid fa-

cerem Mᴇʀ 247   si quid faciundumst facere
damni mauolo quam . . Mᴇʀ 422   quid aliud
faciam? Mᴇʀ 568   quid me facere uis? Mᴇʀ
621   quid ego facerem? *Quid tu faceres?
Mᴇʀ 633   quid ibi faceres* Mᴇʀ 884   caui
ne quid facerem* Mᴇʀ 958   nihili facio quid
illis faciat ceteris Mɪ 168   nescio quid male
factum a nostra hic familiast Mɪ 166   si quid
faciendumst mulieri male atque malitiose Mɪ 887
sin bene quid aut fideliter faciundumst . . Mɪ
889   scin quid tu facias? Mɪ 1034   quid nunc
mihi's auctor ut faciam? Mɪ 1094   quin tu
dicis quid facturus siem? Mɪ 1184   per amorem si quid fecero* . . Mɪ 1252   quid uolt me
facere* Mɪ 1274   nunc quaero quid faciam
Mo 381   quid factumst? Mo 507   quid nunc
faciundum censes? Mo 556   non hercle quid
nunc faciam reperio Mo 678   eloquere nunc
quid fecerim Mo 1136   quin dicis quid facturus sis? Mo 1144   scin quid facias? Pᴇʀ 154
quid male facio? Pᴇʀ 210   quid faciet mihi?
Pᴇʀ 268   per amorem si quid feci* Poᴇ 140
quid facturu's? Poᴇ 169   malo si quid bene
facias . . bono si quid male facias . . Poᴇ
635-6   si quid bene facias . . Poᴇ 812   quid
ibi factunt? Poᴇ 1132   . . nisi quid di aut
parentes faxint Poᴇ 1208   quid nos fecimus
tibi? Poᴇ 1237   quid mihi par facere sit . .
Poᴇ 1396   quid med hac re facere deceat . .
Poᴇ 1402   quid faciam tibi? Ps 78   cedo
mihi quid es facturus? Ps 387   neque nunc
quid faciam scio Ps 398(*secl ω †S*)   . . ni
quid harpax feceris Ps 654   me quid uis facere fac sciam Ps 696, 696 c(*v. om ARRgLU*)
quid se facere oporteat Ps 726   scin quid eo
facturus es? Ps 751(*RRgU* acturus *Pψ*)   nescio
hercle rebus quid faciam meis Ps 779   quid
ego huic homini faciam? Ps 1316   quid faceret? *Si amabat, rogas quid faceret? Ru 379
quid facies? Ru 761   quid factumst? Ru 962
quid fecit tibi uir scelestus? Ru 1058   quaeramus nobis quid facto* usus sit Sᴛ 57(*v. om A
secl LULy*)   si quid scis me fecisse inscite aut
inprobe Tʀɪ 95   quid fuit officium meum me
facere? Tʀɪ 174   quid faceres si . .? Tʀɪ 632
quid male facis? Tʀɪ 634   reputes quid facere expetas Tʀɪ 674   quid is scit facere
postea? Tʀɪ 766(*v. secl BriRRsSLU*), 786
(*A solus secl U*)   si quid stulte fecit Tʀɪ 1168
si quid facere occeperunt bene Tʀᴜ 469(*v. secl
RsS*)   quid illa quoi donatust fecit* Tʀᴜ 804
neque quid nunc faciam scio Tʀᴜ 823   si quid
facturus es . . Fʀ II. 64(*ex Isid or.* XIX. 24, 1)
    4. *seq. enunt. rel.:* quod dictum foret sci-
bat facturos Aᴍ 22   quod uolt facit Aᴍ 139
faciam quod uoles As 692   quae uolet faciemus As 737   scis tute facta uelle me quae
tu uelis Aᴜ 686   tum me faciat quod uolt
magnus Iuppiter Aᴜ 776   ei facta cupiam
quae is uelit Bᴀ 778   quod uir uelit fieri id
facias Cᴀs 253   quod uolueram faciebatis As
212   facere certumst . . quae te uelle arbitrabor Mᴇʀ 505   dic me omnia quae uolt facturum Mɪ 1070   di me faciant quod uolunt
Mo 222   quod nunc uoluisti facere quin facias mihi? Mo 435   faciam equidem quae uis
Pᴇʀ 147   quae uoles faciam omnia Ru 441

quae tu uis . . faciam lubens Tʀɪ 341 facit ille quod uolgo haud solent Aᴍ 185 neuter fecit quod nouae nuptae solet Cᴀꜱ 1011 facio quod . . moechi hau ferme solent Poᴇ 862 denegat facta quae tu facta dicis Aᴍ 851 an illic faciat quod facturum dicit Mɪ 346 quod dicis facere non quis Pᴇʀ 287 neque sim facturus quod facturum dixeram Pꜱ 565 quid (quod *FZU*) tibi lubet fac Aᴍ 396 impune facere quod lubeat licet Aᴜ 751 sine quod lubet id faciat Cᴀꜱ 206 facito quod lubet Mo 1164 me(*R om APψ*) face quid tibi lubet Pᴇʀ 398 eum fecisse ille hodie arguet quae ego fecero hic Aᴍ 1003 . . ut faceres quod facis Aᴜ 222 quod bene feci male feci* Eᴘ 137 eum fecisse aiunt sibi quod faciendum fuit Poᴇ 956 sciui lenonem facere hoc quod fecit Rᴜ 376 hoc ut faceret quod loquor Bᴀ 689 bene quod fecisti tibi fecisti non mihi Tʀɪ 318 etiamne facere solitus es . . scin quid loquar? Pꜱ 1178 male quod potero facere, faciam Aꜱ 138 quod posset mali faceret in me Bᴀ 551 ei quod posses mali facere faceres Bᴀ 555 quod opus sit facto facere Sᴛ 61 . . quod(quid *ACDSL*) possiet facere faciat* male Poᴇ 882 hoc face quod te iubet soror. #Si lubeat faciam Aᴜ 153 uolo ut quod iubebo facias Bᴀ 989(*v. om UL*) quod iubeo id facias Bᴀ 990 c id quod te iubeo facias Bᴀ 993 faciam quod iubes Mᴇɴ 850, 858, Poᴇ 971* facias quod iubeo Mo 396 facite quod iubet Poᴇ 607 fac quod te iubeo Pꜱ 1327 fac quod iussi Tʀᴜ 625 ut erus quae imperauit facta . . sient Aᴜ 278 . . ut quod imperetur facias* Mᴇʀ 504 quod mihi si imperes faciam Mᴇʀ 505 fac quod imperat Poᴇ 1148 ego quod mihi imperauit sacerdos id faciam Rᴜ 404 faciendum id nobis quod parentes imperant Sᴛ 54 . . facere quod ego persequor Aᴜ 587 persuasumst facere quoius me nunc facti pudet Bᴀ 1016 sodalis quod promisit fecit Mᴇʀ 594 fac quod facturum te promisisti mihi Poᴇ 422 quod istic scriptumst . . ut faceres Cᴜ 426 quod mandasti feci* Cᴜ 549 quod fui iuratus feci Cᴜ 566 si quidem uultis quod decrero facere Cᴜ 703 id quod odiost faciundum Mɪ 748 faciunt a malo peculio quod nequeunt∗∗∗ Mo 863 te hoc facturum quod rogo adfirmas mihi Pᴇʀ 141 hoc quod tibi suadeo facis Pᴇʀ 814 faciunt* scurrae quod consuerunt Poᴇ 612 caue sis feceris quod hic te orat Poᴇ 1023 . . facere quicquam quod homo quisquam inrideat Poᴇ 1202 faciant aduersum eos quod nolint Pꜱ 207(*v. secl RRgSU*) fac hoc quod te rogamus Pꜱ 315 pauci istuc faciunt homines quod tu praedicas Pꜱ 972 factumst ╷quod suspicabar Rᴜ 324 facito istuc quod minitare Rᴜ 792 pridie caueat ne faciat quod pigeat postridie Sᴛ 122 quae ego tibi praecipio ea facito Tʀɪ 296 facit hic quod pauci Cᴜ 258 quod est facillumum facis Tʀɪ 630 quicquid facere occeperit Cᴀᴘ 467 quicquid ego male feci . . Eᴘ 677 quicquid fecit, nobiscum una fecit Mo 1159 quidquid facturu's face Mᴇɴ 946 pol ego utrumque facio Aꜱ 836 uenit uobis faciundum utrumque Mɪ 891

facitne ut dixi? Aᴍ 526 facis ut alias res soles Aᴍ 536, Sᴛ 530 faciam ita ut iubes Aᴍ 1144 factumst proinde ut factum esse autumo Aᴍ *fr* XIII faciam ita ut uis Aᴍ 541 istaec facta proinde ut proloquor Aᴍ 757 faciam ut iubes Aꜱ 369, Bᴀ 228, Cᴀꜱ 419, 1004, Mo 929, Tʀɪ 1064 hic fecit hominem frugi ut facere oportuit Cᴀᴘ 294 facis ita ut te facere oportet Cᴀᴘ 388 iamiam faciam ut iusseris Cᴜ 707 faciam ut tu uoles Mᴇɴ 1152 non ego item facio ut alios . . ui uidi amoris facere Mᴇʀ 3-4 faciam ita ut uis Poᴇ 1422, Tʀɪ 883, 1172 faciam ita . . ut fieri uoles Sᴛ 566 facis nunc ut facerest aequom Mɪ 1070 ita ut dicis facta hau nego Mo 735 si ut digna's faciant . . Pᴇʀ 206 faciam ita ut te uelle uideo Pᴇʀ 662, Tʀɪ 948(*dub*) hoc ut dico facis Tʀɪ 662 sicut dixi faciam Tʀɪ 685 bonas ut aequomst facere facitis Sᴛ 99 ut multi fecit Rᴜ 381 minus quam aequom me erat feci Aᴜ 424 aliter nos(*dub*) faciant quam aequoms't Sᴛ 44

5. facere *locum verbi antecedentis occupat:* fugit te ratio. #Utinam istuc pugni fecissent tui Aᴍ 386 nonne . . contudit? fecit hercle Aᴍ 408 cura rem communem, quod facis Aᴍ 499 enarraui: nisi te amarem . . non facerem Aᴍ 526 te uidi. #Numquam factumst Aᴍ 700 . . me narrare? #. . numquam factumst Aᴍ 749 certumst non amittere. #Edepol me lubente facies Aᴍ 848 id me . . esse habituram putat: non edepol faciam Aᴍ 887 amat: sapit: recte facit Aᴍ 995 cur . . suscenseam patres ut faciunt ceteri Aꜱ 50 neque . . accuso neque id me facere has existumo Aꜱ 514 complectere. #Facio lubens Aꜱ 615 me delusisti? #Numquam hercle facerem Aꜱ 678 da mihi istas uiginti minas. #Videbitur: factum uolo Aꜱ 685 inscende actutum. #Ego fecero Aꜱ 705 hominem . . opprimas. Nihil . . est quod facere mauelim Aꜱ 877 uolt . . ducere, lubensque ut faciat Aᴜ Arg. II. 5 ludos facias . . . #Neque edepol . . facio Aᴜ 254 quid tibi ergo meam . . tactiost? #Quia uini uitio . . feci Aᴜ 745 . . te abstulisse. #Neque . . feci Aᴜ 764 mihi indicabis? #Faciam Aᴜ 774 si haec habeat aurum quod illi renumeret, faciat lubens Bᴀ 46 abii . . hoc factumst ferme abhinc biennium Bᴀ 388 serva sodalem. #Factum uolo Bᴀ 495 misine ego ad te . . epistulam? #Fateor factum Bᴀ 562 pacisce quiduis. #Ibo et faciam sedulo Bᴀ 871 castigem . . . #Immo oro ut facias Bᴀ 909 si quid peccatum siet fecisse dicas de mea sententia Bᴀ 1038 ecquid eum . . compulerit, sic ut eum, si conuenit, scio fecisse Bᴀ 1086 meum pensum . . accurabo . . . #Facito ut facias Bᴀ 1153 ut eis delicta ignoscas. #Faciet Bᴀ 1186 potandumst. #Age iam . . facere inducam animum Bᴀ 1191 auis me ferae consimilem faciam. #Si faxis te in caueam dabo Cᴀᴘ 124 decet id pati animo aequo: si id facietis . . Cᴀᴘ 196 te gratus emittat manu: et . . faciam ut faciat facilius Cᴀᴘ 409 fecisti ut redire liceat . . confessus es . . emisisti? #Feci ego ista Cᴀᴘ 414 bene rem gerere bono publico sic ut ego feci heri Cᴀᴘ 499 ore

sistet . .: facere certumst Cap 794 uise ad patrem. #Facere certumst Cap 894 muneres, sic ut tu huic potes . . facere merito maxume Cap 936 orat ut eam curet, educet. era fecit* Cas 45 uincite . . quod fecistis antidhac Cas 88, Ci 198 ne Casinam ducat. si id factumst . . Cas 305 perperam . . fabulor. #Etiam facis Cas 368 gratiam facias. #At pol ego neque facio . . Cas 373 mea uxor uocabit . . .: ego iussi et dixit se facturam uxor mea Cas 483 hominem amatorem ad forum procedere . . sic ut ego feci Cas 566 aliquid aegre facere. #Quin faciam lubens Cas 607 coqui dant operam . . peruortunt . . restingunt: illarum oratu faciunt Cas 775 ludibrio habeas. #Lubens fecero et solens Cas 869 mercedem dare: qui faxit* . . Cas 1016 nitide accepisti . . . #Lubenti edepol animo factum Ci 12 hanc . . sinas esse . . # . . Faciam Ci 107 ne tu exponas pugnos . . . #Numquam edepol faciam. #Fidem da. #Do non facturum esse me Ci 236 fi mihi obsequens. #Ita faciam Cu 88 perdura . . : si id feceris Cu 243 neque me magni pendere uisumst. Item alios deos facturos scilicet Cu 263 desponde . . : me lubente feceris Cu 665 promistin . . : #Me ipso praesente . . factumst Cu 714 . . ego me interimam. #Ne feceris Ep 148 deridebitis. #Non edepol faciemus Ep 263 ulciscare . . #Nunc occasiost faciundi Ep 271 opus est homine qui . . deferat: nam te nolo neque opus factost . . . ne te censeat fili causa facere Ep 288-9 deferas . . face* modo Ep 302 ludos fecisti . . #Factum hercle uero et recte factum iudico Ep 707 quid isti oratis? me meruisse intellego ut liceat marito huius facere Ep 722 cape atque serua: me lubente feceris Men 272 ne feceris: periisti si intrassis Men 415 neque . . eum uolo intromitti. #Ecastor haud inuita fecero Men 424 te surrupuisse aiebas . . . #Numquam hercle factumst Men 533 mihi tu ut dederis pallam? numquam factum reperies Men 683 palla surruptast mihi . . . #Edepol factum nequiter Men 650 numquid me morare quin ego liber . . siem? #Fac causa mea Men 1147 taceo. #Face* Mer 176 . . capra . . dotem ambederit. instare factum simia Mer 242 animus mihi dolet. #Nausea edepol factum credo Mer 389 meliust te . . praeuortier. #Tu prohibes. #At me incusato: te fecisse sedulo Mer 464 uince et me serua. #Ego fecero Mer 497 . . ut apud me praehiberem locum: id feci* Mer 543 amplecti uoles . . . : peruorse facies Mer 573 hominis faciem exquireres. #Feci Mer 638 si ille abierit, mea factum omnes dicent esse ignauia Mer 662 qui ego uideam facis? #Faciam Mer 896(Ly) loris caedite . . #Istuc uxor faciet Mer 1003 ego perfodi parietem . . et sene sciente hoc feci Mi 144 uise, abi intro tute. #Certumst facere* Mi 303(de facere certumst cf. Fleckeisen, Zur Kritik p. 10, adn.) serua istas fores . . #Consiliumst ita facere Mi 344 pede ego iam illam huc tibi sistam in uiam. #Agedum ergo face* Mi 345 narrandum ego istuc militi censebo. #Facere certumst Mi 395 placide noscita. #Ita facere certumst

Mi 522 nec uideris quod uideris. #Ita facere* certumst Mi 574 loquere lepide et commode. #Pol ita decet hunc facere Mi 616 eiciar . . . #Non edepol faciam Mi 847 hanc ad nos . . mittitote. #Faciemus Mi 934 serua illam (1054): responde aliquid aut facturum aut non facturum Mi 1068 sermonem sublegerunt. #Lepide factumst Mi 1091 ui extrudam foras. #Istuc caue faxis Mi 1125 meam extemplo speciem spernat. #Non faciet Mi 1236 nisi perdere istam gloriam uis quam habes? caue sis faxis Mi 1245 exegit uirum ab se. #Qui id facere potuit? Mi 1277 ibo quamquam inuita facio Mi 1319 cogitato identidem . . . : si id facies . . Mi 1365 te manere iubeam. #Caue istuc feceris Mi 1368 si honeste censeam te facere posse, suadeam: uerum non potest: caue faxis Mi 1372 iuro . . me nociturum nemini . . . #Quid si non faxis? Mi 1417 is me in hanc inlexit fraudem. #Iure factum iudico Mi 1435 si quid nummo sarciri potest . . neque id faciunt Mo 116 unguentis unguendam censes? #Minume feceris Mo 272 uisne ego te . . amplectare? #Si tibi cordist facere*, licet Mo 323 . . ut offigantur bis . . bracchia? ubi id erit factum a me . . Mo 361 hic defodit hospitem . . . #Quapropter id uos factum suspicamini? Mo 483 Mo 798(faciam ins U solus) abstine iam sermonem . . . #Faciam Mo 898 abi rus, dic . . . faciam ut iubes Mo 929 uolo quaestioni accipere seruos. #Faciundum edepol censeo Mo 1092 ego accersam homines. #Factum iam esse oportuit Mo 1093 iam iubeo ignem . . circumdari. #Ne faxis Mo 1115 hic apud nos hodie cenes: sic face* Mo 1129 . . ire aliena ereptum bona, neque illi qui faciunt mihi placent Per 64 uolo te currere . . . #Faciam Per 191 ecquid . . est in te speculae? #Adito: uidebitur: factum uolo Per 311 aures meae auxilium exposcunt. #Tuom promeritumst merito ut faciam, et ut me scias esse ita facturum . . Per 496 aes pro capite dent: si id facere non queunt Poe 24 sine teuerberem item ut tu mihi fecisti Poe 143 exora, blandire, palpa. #Faciam sedulo Poe 357 ne tu oratorem hunc pugnis pectas postea. #Non faciam Poe 359 seruom esse audiui meum apud te. #Numquam factum reperies Poe 762 respice ad me. #Fecero Poe 857 qui malam rem mihi det merito fecerit Poe 928 mortui sunt? #Factum Poe 1067 amata lenone hic. #Facere* sapienter puto Poe 1092 hic illi malam rem dare uolt. #Frugist si id facit Poe 1098 abeo igitur. #Facias* . . mauelim Poe 1150 ne cognosceret eas aliquis, quod nunc factumst Poe 1379 egon patri subrupere possim? atque adeo si facere possim . . Ps 291 audio . . amicam . . esse factam argenteam: cur id ausu's facere Ps 348 . . si amat, si amicam liberat: . . uetus nolo faciat Ps 436 si abstuleris . . . #Faciam Ps 513 si seruat fidem . . #Seruitium tibi me abducito, ni fecero Ps 520 metuebam male ne abisses. #Fuit meum officium ut facerem Ps 913 ita me di ament. #Ita non facient* Ps 943 retinete porro post factum ut laetemini Ru 30 faucis interpresserit. #At malo cum magno suo fecit Ru 656   iube oculos elidere, itidem ut sepiis faciunt coqui Ru 659 . . dimissero. #Facito istuc quod minitare Ru 792   egone . . celem? minime istuc faciet noster Daemones Ru 1245 aduorsari . . hau possumus, neque . . id factura neque tu ut facias consilium dabo St 73   si manere hic sese malint . . non faciam* St 81   gerere bellum, quom nihil quam ob rem id faciam meruisse arbitror St 82   ueni illo ad cenam: sic face St 185   quisnam . . has frangit fores? tun haec facis? St 326   tu hoc conuorre. #Ego fecero St 351   consperge ante aedis. #Faciam. #Factum oportuit St 354 ut illa uitam repperit hodie sibi, item me spero facturum St 463   promitte. #Certumst. #Sic fac*. #Certa rest. #Lubente me hercle facies* St 474   iube . . cenam coqui. si hercle faxis . . St 610   posse . . locum condip ** ubi accubes. #Sane faciundum censeo St 618   exspectant . .: idem ego nunc facio St 644   concastigabo . . inuitus ni id me inuitet ut faciam fides Tri 27   si tu surrupuisse suspicer . .: si id non feceris . . Tri 85 dedistin argentum? #Factum neque facti piget Tri 127   gregem . . uoluit totum auertere. #Fecisset edepol Tri 172   iudex sim reusque ad eam rem. Ita faciam Tri 235   mentire edepol . . atque id nunc facis haud consuetudine Tri 362   dependi pro illo adulescente quem tu esse aibas diuitem. #Factum #Ut quidem illud perierit. #Factum id quoquest Tri 429 abalienare a nobis: caue sis feceris Tri 513 dotem dare te ei dicas, facere id eius ob amicitiam patris Tri 737   meum corrumpi . . perpessu's filium. #Si id mea uoluntate factumst . . Tri 1166   posthac temperabo. #Dicis si facias* modo Tri 1187   dat operam . . .: nam omnis id faciunt . . Tru 17   ubi cenabis? #Ubi tu iusseris. #Hic: me lubente facies Tru 361   si quid tibi compendi facere possim, factum* edepol uelim Tru 377   seruolum huc mittam meum. #Sic facito Tru 429   quid si me iubeat intro mittier? conceptis me non facturum uerbis iurem Tru 767   sine me habere . .: si auferes . . omnis . . spes animam efflauerit. #Factum cupio Tru 877

6. *absolute, saepe addito abl. modi:* mea ui subactast facere Am 1143   tuo facit iussu, tuo imperio paret As 147   illic homo aedis compilauit, more si fecit suo As 272   dico hercle ego quoque ut facturus sum As 376   animo sis bono face* As 726   de argento si mater tua sciat ut sit factum As 744   merito tuo facere possum As 834   more tuo facis. #Facta* uolo Au 146   more hominum facit Au 246 coquite facite festinate nunciam quantum lubet Au 453   excusemus ebrios nos fecisse amoris causa Au 750   ut adhuc locorum feci*, faciam sedulo Cap 385   magis non factum possum uelle quam opera experiar persequi Cap 425 fecisti ut tibi . . numquam referre gratiam possim satis Cap 931   nihil est me cupere factum, nisi tu factis adiuuas Cas 286   Cas 398(factum esse *ins L*) pietate factumst mea atque maiorum meum Cas 418   ita fieri oportet. #Factum et curatum dabo Cas 439   cauebunt qui audierint faciant Cas 903(*loc dub*)   **face nunciam**

Ci 352   ego nusquam dicam nisi ubi factum dicitur Men 10   ut facturus, dicam Men 119 uxor resciuit rem omnem, ut factumst Men 679   iam ego ex hoc, ut factumst, scibo Men 808   factum herclest Mi 37   muliebri fecit* fide Mi 456   Mi 613(face modo *Rg in loco dubio*) facis nunc ut facerest aeqom Mi 1070   tua factum opera Per 775   quando boni estis, ut bonos facere addecet, facite ut . . Poe 1389 Poe 1390(faciatis *L*)   tuo consilio faciam Ru 961   scibam ut esse me deceret, facere non quibam miser Tri 657   uostra Hercle factum iniuria Tru 167   eapse ultro ut factum*st fecit omnem rem palam Tru 851   caue faxis Tru 943(*loc dub*) si quis animatust facere*, faciat ut sciam Tru 966   uelim ted arbitrari factum Fr I. 41(*ex Char* 219)   peribo si non fecero: si faxo, uapulabo Fr I. 77   *fortasse:* morare hercle * facis Mo 803

supinum: hoc mihi factust optumum Au 582 hoc factust* optumum Ps 185   hoc mihi optumum factu arbitrer St 83   simul flare sorbereque haud factu facilest Mo 791   haec mihi facilia factu facta sunt Per 761   tanta factu* modo mira miris modis intus uidi Cas 625

7. *apponuntur adverbia:* bene facere, *absolute:* bene facis, facitis(*formula probandi*) Am 937, As 59, Cap 843, Cas 396, Cu 272, 673, Per 147*, Ru 881, 1408*, 1411   bene facit Am 352   quae dedi et quod bene feci As 137   caue sis i̧ superare seruom siris faciundo bene Ba 402 et bene et male facere tenet Ba 655   quom optume fecisti, nunc adest occasio bene facta cumulare Cap 423   quod bene fecisti, refertur gratia Cap 941   fecisti edepol et recte et bene Cap 1017   miserum est ingratum esse homini id quod facias bene Ep 136   ego quod bene feci, male feci Ep 137   iumenta ducunt. #Nimis factum bene Ep 209   immutabo. #Bene fecisti: bene uale Ep 647 ualeo . . . #Bene hercle factum et gaudeo Mer 298   sin bene quid aut fideliter faciundumst . . Mi 889   bene hercle factum et gaudeo mihi nihil esse Mo 207   (ualui). #Factum optume Mo 449   est alias aedis mercatus sibi . . speculoclaras. #Bene hercle factum Mo 646   satin intellegis? #Bene hercle factum Mo 651   bene benigneque arbitror te facere. #Factum edepol uolo Mo 816   me ludificatust. #Bene hercle factum et factum gaudeo Mo 1147   et bene et benigne facitis quom . . datis Poe 589   si quid bene facias, leuior pluma est gratia Poe 812   ita me Iuppiter bene amet, bene factum Poe 1326   di . . neque ament nec faciant bene Ps 272   furcifer! #Factum* optume Ps 361   illam . . abduxit modo. #Bene hercle factum Ps 1099   abeas si uelis. #Bene hercle factum Ru 835   bene factum et uolup est me . . tetulisse auxilium Ru 892   ea filia inuentast mea. #Bene mehercle factumst Ru 1365   spes est eum melius facturum St 22 argenti . . aduexit nimium. #Nimis factum bene St 374   bene quod fecisti tibi fecisti, non mihi Tri 318   nequam illud uerbumst 'bene uolt' nisi qui bene facit Tri 439   bene si facere incepit . . Tru 467   nimis . . paucae efficiunt, si quid facere occeperunt bene Tru

469(*v. secl Rs𝔖*)   mulieri nimio male facere melius opust quam bene Tru 470   *seq. dat.:* quin . . sibi faciat bene As 945   si dum uiuas tibi bene facias . . Ba 1194   neque deos neque homines aequomst facere tibi posthac bene Ci 242   tibi di semper . . faciant bene Men 1021   bene uolt uobis facere. #Facere occasiost Poe 1212   tibi, non mihi Tri 318(*supra*) bene uolo ego illi facere Tri 328   bene quam simulas facere mihi te, male facis Tri 633   quoi di bene faciant Ba 617   quoi deos . . censeam bene facere magis decere Ru 407   quoi ego nunc . . factum melius quam meae Veneri uelim Tru 700   malo bene facere tantundemst periculum quantum bono male facere Poe 633-4 bonus bonis bene fecerit* Poe 1216   malo si quid bene facias Poe 635   si quoi homini di esse bene factum uolunt Ru 1193(*v. secl Langen Rs𝔖*)   bene si amico feceris, ne pigeat fecisse: potius pudeat si non feceris Tri 347-8   *seq. praep.:* bene quae in me fecerunt . . Am 184 quae med erga multa fecisti bene Cap 416 si quid amicum erga bene feci* Tri 1128 *vide etiam infra* B

male facere *absolute:* domi duellique male fecisti As 559   istud male factum arbitror quia non latus fodi Au 418   homines . . quando male fecerunt purigant Au 753   illi male aegre patere dici qui facit Ba 464   et bene et male facere tenet Ba 655   malene id factum tu arbitrare? #Pessume Cap 709   quod male feci crucior Cap 996   faciam igitur male(*om FlRg*) potius Cu 122   Ep 137(*supra sub* bene)   nimis doctust ille ad male faciundum Ep 378   quidquid ego male feci . . Ep 677   pro illis loquantur quae male fecerunt* Men 586(*v. secl Herm RRs𝔖*)   male facit si istuc facit: si non facit tu male facis Men 895   male facis properantem qui me commorare Mer 873   nescioquid male factum a nostra hic familiast Mi 166 Mi 887(*supra* 3)   quid est? #Male hercle factum Mo 458   si ut digna's faciant . . faciant male Per 206   quid male facio? Per 210, Tri 634 morare et male facis Poe 359   male faxim lubens Poe 1091, 1093   quoi male faciundist potestas St 117   male quod mulier facere incepit . . Tru 465   male . . facere occeperunt Tru 468   Mi 470(*supra sub* bene)   *seq. dat.:* tibi male quod potero facere, faciam As 138   quid ego usquam male feci tibi? Ci 364   male mihi uxor sese fecisse censet Men 668   ne quid male faxit mihi Men 861   abitus tuos tibi . . fecerit male Mo 711   tibi male uolt maleque faciet Per 820   male facis mihi quom . . Ps 208(*APULy om Rψ*)   Tri 633(*supra sub* bene f.)   uobis pessumae haec male fecerint Tru 295   si non fecero ei male aliquo pacto . . Ba 555   ego iratus ei feci male Cap 943   quoi . . ego . . male plus lubens faxim Au 420   male illi feci Cap 994   me neque isti male fecisse mulieri Men 813   militi male quod facietis ambae Mi 892   animo male factumst huic repente miserae Mi 1332   Poe 634(*supra sub* bene f.)   bono si quid male facias . . Poe 636 lubenter tuo ero meus quid possiet facere faciat* male eius merito: . . eo facilius facere poterit Poe 882-3   omni populo male facit

Tri 1047   *seq. praep.:* male facere isnonem in me Ru 684(*Rs*)   *vide etiam infra* B

absurde facis qui angas te animi Ep 326 cupio tibi aliquid aegre facere Cas 607   facis benigne et amice Ci 107   amice facis quom me laudas Mo 719   haud amice facis qui . . offers moram Poe 852   edepol . . facis benigne Cap 949 benigne edepol facis Ru 1368   facis benigne St 565   factum a uobis comiter Poe 805 condigne autem haec meretrix fecit Men 906 aeque faciat confidenter Mi 465   facias recte aut commode Cas 260   fecisti commode Mo 853   consulto hoc factum est mihi Poe 788 (fallacia) haec est fabre facta ab nobis Cas 861 hoc (facinus) factumst fabre Men 132   quod ego umquam erga Venerem inique fecerim Cas 617   a me insipienter factum esse arbitror Mi 561   sapienter potius facias* quam stulte Per 375   lepide facis Cu 675, Tru 668   uin tu lepide facere*? Mi 978   lepide facitis* Mi 1159   ne a me memores malitiose de hac re factum Cas 394   non malitiose tamen feci Mi 563   pessumest, facimus nequiter Am 315 (*LLy*)   maior lubidost . . facere nequiter Men 83   edepol factum nequiter Men 650   facilest facere nequiter Mo 411   odiose facis Ba 1062, 1065   pudicius faciunt quam illi . . Mer 715 sat habet fauitorum semper qui recte facit Am 79   meus pater . . pro huius uerbis recte et sapienter facit Am 289   amat: sapit: recte facit Am 995   quae recte faciunt culpo As 510 sine gratiast ibi recte facere Au 338(*Ly v. secl WeiseRgl𝔖*)   aliquanto facias rectius Au 539 meam rem non cures, si recte facias Cap 632 neque tu recte adhuc fecisti umquam Cap 961 recte feceris Cap 1028   si recte facias . . auscultes mihi Cu 223   si recte facias . . med emittas manu Men 1023   si huc item properes . . facias rectius Mer 874   uenit in mentem ut recte faciant* Ps 134   recte facis Tri 197   sapienter factum et consilio bono Au 477   sapienter factum a uobis Ba 295   si amant sapienter faciunt Ba 1165   facis sapientius quam . . Cu 547   sapienter potius facias* quam stulte Per 375   qui edistis multo fecistis sapientius Poe 7   facere sapienter puto Poe 1092   me si sciam fecisse aut parentes sceleste Ru 196   ut adhuc locorum feci, faciam sedulo Cap 385   fecit strenue Ba 445   stulte fecisse fateor Ba 1013   stulte ecastor fecit Ci 86   nimis stulte faciunt Men 81   nimis stulte dudum feci quom . . Men 701   nimis stulte facis Mer 501   stulte feci* qui hunc amisi Mi 1376   miror . . tultam stulte facere Mo 187 amans facit stulte Ps 238   stulte facere . . in aetate hau bonumst Tri 461   neque uere neque tu recte adhuc fecisti umquam Cap 961

satis faciat mihi ille Am 889   fecisse satis opinor As 437   iam pro is satis fecit Sticho? As 437   scibam huic te capitulo hodie facturum satis pro iniuria As 497

item a me contra factumst Au 20   item alios deos facturos scilicet Cu 263   non ego item facio ut Mer 3   faciam ego hodie te . . item ut . . Ps 868   item ego te faciam Ps 872   item me spero facturum St 463   feci ego istaec itidem . . Ba 410   ut aliter facias non est co-

piae MER 990   TRU 877 (aliter facere *GepU*
refacere *PLy* nef. *Fψ*)   nec me secus umquam
ei facturum quicquam . . CAP 428
    ita facito As 488   ita scilicet facturam As
787   quam ob rem ita faceres AU 736   ita
bellus hospes fecit Archidemides BA 345   ita
fecit ut auri quantum uellet sumeret BA 352
ita faciam CU 88, TRI 235, 806   ego ita factum esse dico EP 207   credo ita esse factum
ut dicis MEN 1130   consiliumst ita facere MI
344   ita facere certumst MI 522, 574, TRI 1063
ita decet hunc facere MI 616   me scias ita
esse facturum PER 496   faciam ita ut te uelle
uideo PER 662   faciam ita ut uis POE 1422
faciam ita ut fieri uoles ST 566   faciam ita
ut uis TRI 883   ita *etiam* AM 572, CAP 388,
MO 986, TRI 235 (*supra*)
    sic faciam uti constitui AM 1052   ego sic
faciendum censeo As 820   illaec sic facit CI
290   sic faciundum censeo CI 769, EP 274*
sic si faciam MEN 985a(*Rs in loco dub*)   sic
face MO 1129, ST 185, 473   sic faciam RU 928,
ST 84   hoc sic faciam TRI 233   sic *etiam* As
797, TRI 233, TRU 429 (*supra*)
    utut es facturus . . AM 397
    meo more fecero AM 198   more si fecit suo
As 272   lenonum more fecit RU 346   id nunc
facis haud consuetudine TRI 362   animo sis
bono face As 726   muliebri fecit* fide MI 456
tuo consilio faciam RU 961   uide sis quoius
arbitratu facere nos uis RU 1002   fac tu hoc
modo. #At tu hoc modo ST 771   de conpecto
faciunt consutis dolis PS 540
    ex re tua . . feceris MEN 661
    exempla quae sequuntur iam ante citata sunt:
ampliter ST 692   benigne CI 107, MI 577, MO
816, POE 589   clam POE 178   cogitate POE 1221
commode POE 1221   docte TRI 631   fabre FR
I. 31   facile AM 139, CAP 409, POE 883   fideliter MI 889   harpax PS 654   honeste MI 1371
immerito ST 16   improbe TRI 95   impune AU
151   indocte PER 563   inepte MER 381   inscite TRI 95   insigniter CAS 1010, RU 644
lepide AU 497, MI 1091   iusipienter TRU 827
malitiose MI 569, 887, POE 1395   mediocriter
MER 237   merito CAP 936, EP 722, PER 496
modeste ST 692   nequiter CAS 997, MI 1285,
MO 413   pertractate CAP 55   peruorse MER 573,
TRI 183   proterue RU 414   pudice POE 1221
recte AM 995, CAP 1017, CAS 260, EP 707, TRI
183   sapienter AM 289, BA 337   sceleste As
293   sedulo BA 771, EP 293, PER 46, POE 357
strenue MI 458   stulte BA 57, MEN 439, PER
375, TRI 1168
    8. *cum duobus acc.* a. *substantivis:* fac pro-
serpentem bestiam me As 695   mirum quin
tua me causa faciat Iuppiter·Philippum regem
aut Dareum AU 85   quem ego auom feci iam
ut esses AU 797(*per prolepsin*)   quem quidem
ego hodie faciam hic arietem Phrixi BA 241
tuom patrem meque una . . tua infamia fecisti
gerulifigulos flagiti BA 381   Bellerophontem
tuos me fecit filius BA 810   me qui liber fueram seruom fecit CAP 305   hunc fecere* Aetoli
sibi agoranomum CAP 824   te facio cellarium
CAP 895   fel quod amarumst id mel faciet
CAS 223   gladium faciam culcitam CAS 307

illuc est . . quod hic hunc fecit uilicum CAS
460   me . . facere atriensem uoluerat sub ianua
CAS 462   eam uolt meretricem facere CU 46
ne facias (uicinos?) testis CU 565   isti me heredem fecit CU 639   . . ne ulmos parasitos faciat* EP 311   ego tuom patrem faciam paren-
ticidam EP 349   ego illam uolo hodie facere
libertam meam EP 465   ego modo . . huic frater
factus EP 650   eum . . heredem fecit MEN 62
amantes una inter se facerem conuenas MI 139
adoptat hunc senex et facit heredem POE *Arg*
3   ei rei ego finitor factus sum POE 49   facit
illum heredem fratrem patruelem suom POE 70
eum . . heredem fecit POE 77   uin tu illam . .
tuam libertam facere? #Cupio. #Ego faciam
ut facias POE 164   hic ne uerberetillum
faciat . . formido POE 378(*loc dub: cf* LEO,
Vind. Pl. p. 7)   non sum nequiquam miles factus POE 802   erus hunc heredem facit POE
839   is me heredem fecit POE 1070   hominum auaritia ego sum factus improbior coquos
PS 802   boues . . conuiuas faciunt* PS 812
ego te follem pugillatorium faciam RU 722
iam tu piscator factu's? ST 317   strategum
te facio hoc conuiuio ST 702   hic illest senecta aetate qui factust puer TRI 43   post tu
factu's Charmides TRI 975   iam ego te hic
agnum faciam TRU 614   eiusdem Bacchae fecerunt nostram nauem Pentheum VI 94
    b. *subst. et adiect. vel adiectivis:* grauidam
Alcumenam uxorem fecit suam AM 103   grauidam fecit is eam compressu suo AM 109
concubitu grauidam (eam) feci filio: tu grauidam item fecisti AM 1136-7   haec ob eam rem
nox est facta longior AM 113   uorsipellem se
facit AM 123   faciam ego hodie te superbum
AM 357   geminus Sosia hic factust tibi AM 615
eo more expertem te factam . . offendi domi
AM 713   haec . . nos delirantis facere dictis
postulat AM 789   . . me impudicam faceret AM
834   quem pol ego . . faciam feruentem flagris
AM 1030   me uxor insanum facit AM 1084
face* . . omnem auritum poplum As 4   me non
scientem feceris As 48   ego illos lubentiores
faciam quam Lubentiast As 268   tu diues es
factus? As 330   si quis promittat tibi te facturum diuitem As 529   facio facetum me atque magnificum uirum As 351   nequeon ego
ted . . facere mansuetem? As 504   participem
pariter ego te et tu me ut facias* AU 132   eam
senex anum praegnantem fortuito fecerit AU
163   neque me certiorem fecit AU 245(*cf*
Fraesdorff, p. 281)   face . . certiorem me
CAS 353   . . ut nos facias certiores CU 631
fac me certiorem CU 634   faciet me certiorem
RU 330   faciam uos certiores ST 675   fac
me si scis certiorem TRI 878   moribus praefectum mulierem hunc factum uelim AU 504
nisi forte factu's praefectus nouos MO 941
mulsi congialem plenam faciam tibi fideliam
AU 622   ut amantem erilem copem facerem
filium BA 351   propter te . . prauos factus est
BA 413   malum si promptet in dies faciat
minus BA 466(*v. secl AnspachR Rg§*)   ni illum
exanimalem faxo si conuenero, niue exheredem
fecero uitae suae BA 848-9   ego exheredem
meis me bonis faciam MO 234   te faciam* . .

confossiorem soricina nenia Ba 888(*cf Fest* 161) me meliorem fecit praeceptis suis Ba 1021 suom erum faciet libertatis compotem Cap 41 ea (consili *Rs*) facitis nos compotes Cap 217 me rex . . faxit patriae compotem Cap 622 fratrem . . reducem . . faciet liberum Cap 43 . . ut huius reducem facias filium Cap 437 meum erum . . reducem fecisse liberum Cap 686 tibi . . hunc reducem in libertatem feci Cap 931 suis me ex locis . . reducem faciunt Tri 823 me ferae consimilem faciam Cap 123 hostilis cum istoc fecit meas opes aequabiles Cap 302 ne tuom animum auariorem faxint diuitiae meae Cap 320 me honore honestiorem semper fecit et facit Cap 392 dentilegos omnes mortales faciam Cap 798 cibo iste factust imperiosior Cap 806 uin te faciam fortunatum? #Malim quam miserum quidem Cap 858 tu deum hunc saturitate facias tranquillum tibi Cap 865 te aggerunda curuom aqua faciam probe Cas 124 ut bene uociuas aedis fecisti mihi! Cas 596 haec ut infecta faciant Cas 828 facta infecta facere uerbis postules Tru 730 me miserum famosum fecit flagitiis suis Cas 991 facito ut facias stultitiam sepelibilem Ci 62 ea . . facta morigerast uiro Ci 175 Ci 590(faciet *Rs pro* faciem) prius grauida (ea) factast Ci 617 ne te mihi facias ferocem Cu 539(*cf* Gronov, p. 92) ferocem (te) facis quia . . Mo 890 delicatum te hodie faciam Cu 691(*an* del. *praed.?*) rogitando sum raucus factus Ep 200 fac participes nos tuae sapientiae Ep 266 neque tui participem consili quemquam facis Ps 11 bardum me faciebam Ep 421 (= adsimulabam) suam . . undantem chlamydem quassando facit* Ep 436(*cf Non* 254 *et* Sidey, p. 23) istuc . . certum . . faciat mihi Men 242 nec quid id sit mihi certius facit Men 763 face* me certum quid tibist Ps 18 nimis uelim certum qui id mihi faciat Ps 598 epistula atque imago me certum facit Ps 1097 solus bene factis tuis me florentem facis* Men 372 illum ut sanum facias Men 893 quando sanus factus sit Men 1045 (sanguinem) saluom feceris Mer 139 liberum caput tibi faciam Mer 153 quemuis confidentem facile tuis factis facis Mer 855 omissam faciat concubinam Mi *Arg* I. 11 intumum ibi se miles apud lenam facit Mi 108 ego uostra faciam latera lorea Mi 157 te fidelem facere ero uoluisti Mi 409 dedecoris pleniorem erum faciam tuom quam . . Mi 512 face* te fastidi plenum Mi 1034 magnum me faciam Mi 1044 . . quas hic praegnatis fecit Mi 1077 tu te uilem feceris Mi 1243 nequior factus iamst usus aedium Mo 113 ego sum in usu factus nimio nequior Mo 145 infecta dona facio Mo 184 saucius factus sum in Veneris proelio Per 24 facere* amicum tibi me potis es sempiternum Per 35 hodie illam faciat leno libertam suam Per 82 . . ne haec fama faciat . . repudiosas nuptias Per 384 ciuitatem maxumam maiorem feci Per 475 ea res me domo expertem facit Per 509 non tu illum uides quaerere ansam, infectum ut faciat? Per 671 haec mihi facilia factu facta* sunt quae uolui effieri Per 761 hic faceret te prostibi-

lem Per 837 meum erum dementem facit Poe 204 illam mihi tam tranquillam facis quam . . Poe 355 ego faciam ploratillum(*A* plorantem illum *PRglU*), nisi te facio propitiam Poe 377 fecisti prodigum promum tibi Poe 716 extis sum satur factus probe Poe 804 ipsus hercle ignauiorem potis est facere ignauiam Poe 846 illud gestu faciat facilius Poe 1109 tuas nos facile feceris Poe 1218(*cf* Schaaff, p. 34) hanc canem faciam* tibi oleo tranquilliorem Poe 1236 me faciam pensilem Ps 89 omnia facis effecta haec ut loquor Ps 224 quid audio? #Amicam tuam esse factam argenteam Ps 347 facit* illud ueri simile quod mendaciumst Ps 403 fac* sis uociuas . . aedis aurium Ps 469 facilem hanc rem meis ciuibus faciam Ps 586 ego nunc me ut gloriosum faciam et copi pectore Ps 674 memorem inmemorem facit qui monet quod memor meminit Ps 940 te nunc flentem facit Ps 1041 tegulas inlustriores fecit Ru 88 ego te hodie faxo recte acceptum Ru 800 diuiduom talentum faciam Ru 1408 eos nunc laetantes faciam aduentu meo St 407 omnium me exilem atque inanem fecit aegritudinum St 526 genium meliorem tuom non facies St 622 fac nos hilaros hilariores St 739 . . si qui (eum) probiorem facere posses Tri 120 alium fecisti me Tri 161 quos tibi obnoxios fecisti Tri 269 factius (factum?) nihilo facit Tri 397 in re salua Lesbonicus factus est frugalior Tri 610 facilem fecit* et planam uiam Tri 645 is factu's qui tum non eras Tri 980 fac te propere celerem Tri 1008 quos quom celamus si faximus* conscios Tru 60 dicax sum factus* Tru 683 uir illam non mulier praegnatem fecit Tru 811 factus sum extimus a uobis Tru *fr*(*ex Prisc* II. 100) (corpus) atrum fecerit Vi 36 di tibi illum faxint filium saluom tuom Vi 86

missum facio Tiresiam senem Am 1145 dico . . amorem missum facere me Mer 84 dum illius te cupiditas atque amor missum facit Mer 657 missas iam ego istas artis feci* Mer 1000 Mo 1177(missam *add RL duce Loman*) si quid stulte fecit, ut ea missum(*Sch-am P* -a *Rψ*) facias omnia Tri 1168(*cf* Sidey, p. 7)

angulos omnis mearum aedium . . peruium facitis Au 438

c. *prior status per* ex *indicatur:* ex insana insaniorem facies Am 704 haec iam mulier factast ex uiro Am 814 ex me ut unam faciam litteram Au 77 faciet . . Crucisalum me ex Chrysalo Ba 362 si frugist, Herculem fecit ex patre Ba 665 fecit e summo infumum Cap 305 ex parata re imparatam omnem facis Cap 538 si eris uerax, tua ex re(, *L*) facies(† *S*) ex mala meliusculam Cap 959(*v. secl BoU*) si eris uerax ex tuis rebus feceris meliusculas Cap 968(*v. secl RsL*) faciet . . hominem ex tristi lepidum et lenem Cas 223 facies tu hanc rem mihi ex parata imparatam Cas 827 hanc ex longa longiorem ne faciamus fabulam Cas 1006 . . si possum tranquillum facere ex irato mihi Ci 652 ego ex te hodie faciam pilum catapultarium Cu 689 me expeditum ex impedito faciam Ep 86 facit Menaechmum e

Sosicle Men *Arg* 4   gestit †fratrem(stragem *GronovRRg* fartum *MuretULy*) facere ex hostibus Mi 8   ingenuan an festuca facta e serua liberast? Mi 961   fecisti modo mihi ex procliuo planum Mi 1018   is me ex Syncerasto Crurifragium fecerit Poe 886   quantae e quantillis iam sunt factae! Poe 1167   te faciam ex laeto laetantem magis Ps 324   Medea . . dicitur fecisse rursus ex sene adulescentulum Ps 871   ex incerto faciet* mihi quod quaero certius Ps 965   certumst mihi hunc emortualem facere ex natali die Ps 1237   te ex insulso salsum feci opera mea Ru 517   faciam ego hanc rem ex procliua planam tibi Ru 1132   mulier factast iam ex uiro Tru 134(*cf* Am 814 *supra*)

d. *materies per* ex *indicatur:* hoc (uerum) e robigine, non est e ferro factum Ru 1300

e. ludos facere: ludos facis me Am 571   quem senecta aetate ludos facias Au 253   hocine me aetatis ludos bis factum esse indigne! Ba 1090   (me) sic ludos factum! Ba 1100(*v. secl RRg₰L*)   ut scelestus . . nunc iste te ludos facit Cap 579   me ludos fecisti de illa conducticia fidicina Ep 706   desiste ludos facere Men 405   miris modis di ludos faciunt hominibus Mer 225, Ru 593   ludos hodie uiuo praesenti hic seni faciam Mo 428   circus ubi sunt ludi faciundi* mihi Mi 991   ludos me facitis Per 803   exploratorem hunc faciamus ludos suppositicium Ps 1167   ludos me facit Ru 470(*om CD*)   operam ludos facit* et retia Ru 900   ego tibi . . ludos faciam clamore in uia Tru 759   quid cessamus ludos facere? Fr I. 62(*ex Varr l. L. V.* 153)

f. *app. adv. praed.:* . . si id palam fecisset Au 471   anus fecit palam Au 548   de me hanc culpam demolibor iam et seni faciam palam Ba 383   mihi hoc fecit palam Cap 754   hanc omnem rem meae erae iam faciam palam Cas 506   ea omnia fecit palam Men 900 . . istuc ut tu mihi malum facias palam Mer 179   restant alii qui faciant* palam Poe 126 (*v. secl GuyRgl₰*)   ut animus meus erit faciam palam St 86   ne enuntiarem quoiquam neu facerem palam Tri 143   fecit omnem rem palam Tru 851

9. *acc. per prolepsin usurpatur*(*cf* Redslob, p. 7, adn. 7): eandem hanc . . faciam ex tragoedia comoedia ut sit Am 54   te ego faciam hodie . . ut minus ualeas Am 583   tu me . . numquam facies quin sim Sosia Am 398   Sosia me ille egomet fecit sibi uti crederem Am 598   te faciam ut scias As 28   face id ut paratum iam sit As 90   ego . . te faciam ut quae sis . . scias As 140   ego te faciam miserrumus mortalis uti sis Au 443   quem ego auom feci iam ut esses Au 797   facito cenam mihi ut ebria sit Cas 146   di me omnes . . faxint ne ego oppingam Ci 523   sola me ut uiuam facis Ci 645   ego te faciam ut hic formicae . . differant Cu 576   haec uocabula auctiones subigunt ut faciant uiros Ep 235   ille fidicinam fecit sese ut necaret Ep 412 (*LRg²*)   exitiabilem ego illi faciam hanc ut fiat diem Ep 606   et pallam et spinter faxo referantur simul Men 540   eum . . fa-

ciemus ut quod uiderit ne uiderit Mi 149   Venus fecit eam ut diuinaret Mi 1257   tu quemuis potis es facere ut afluat facetiis Mi 1322   patrem faciam tuom . . ne intro eat Mo 389   te faciam* ut scias Per 47   ego istuc placidum tibi ut sit faciam Per 178   me mala ut fiam facis Per 282   `istuc facito ut ueniat in mentem tibi Per 388   possum te facere ut argentum accipias? Per 414   ego . . te faciam . . te quoque . . ut lamenteris Per 743   ego omnis hilaros . . faciam ut fiant Per 760   te faciet ut sis . . libera Poe 372   nec potui . . propitiam Venerem facere uti esset mihi Poe 454   me Iuppiter faciat* ut semper sacruficem Poe 489   ego illam pugnis totam faciam ut sit merulea Poe 1289   ego uostra latera loris faciam ut ualide uaria sint Ps 145   pernam callum . . facito in aqua iaceant Ps 166   quid ego cesso Pseudolum facere ut det nomen . .? Ps 1100   tu facis me quidem ut uiuere nunc uelim Ru 244   numquam te facere hodie quiui ut . . diceres Tru 816

10. *app. dat.* **a.** *personae:* mihi Am 459, 889, As 496, Au 643, ·789, Ba 59, Cap 374, 754, Cas 117, 467, 920, 1010, Ep 685, Men 77, 113, 242, 668, 763, 861, 1129, Mi 991, 1018, Mo 75, Per 42, 268, 434, 844, Poe 143, 355, Ps 208, 598, 965, 1322, Ru 932, Tri 318, 633, Tru 426, 436, 447, Vi 87   tibi Au 338(*v. secl WeisRg₰*), 440, Ba 1194, Cap 834, Cas 117, 607, Ci 242a, 364, Cu 129, Ep 691, Men 1021, Mer 153, 179, Mi 570, 606, 1419, Mo 711, Per 488, 734, 820, Poe 149, 409, 716, 1237, Ps 78, 938b, Ru 441, 1058, 1132, St 716, Tri 318, Tru 759, Vi 86   sibi As 75, 945, Mi 972, Poe 956   nobis St 44(*GuyL*), 54, 57   uobis Am 44, 49, Mi 891, Poe 1212, 1216, Tru 295   huic Au 188, Ep 650, Mi 1332   illi Cap 994, 1014(?), Tri 328   illis Mi 606   ei Ba 555 *bis*, 945, Cap 428, 943, Tru 222   quoi Au 420, Ba 617, Ru 407, 958, St 117, Tri 638, Tru 700   quoiquam As 798, Tri 143   alteri As 489   ceteris Mi 168, Poe 1183   bonis Am 47, Poe 1216   bono Poe 634, 1216   malo Poe 633, 635, 636   sapienti Ru 431, 432   amico Tri 347   domino Ru 959   emortuo Poe 840   erae Cas 506   ero Mi 438, Poe 882   filio Mer 979, Tru 731   gnato Cap 712   homini Ps 1317, Ru 1193   hospitae Mi 548   mulieri Men 813, Mi 887   militi Mi 892   populo Poe 11, Tri 1047   prognatis Cas 398(*L̄*)   regibus Cu 555   seni Ba 383, 945   uxori Ci 176   uiro Ci 175   uiris St 16   capitulo As 497   genio Per 263   Cereri Au 354   Sticho As 437

b. *rei:* animo As 942, Cas 784, Mi 1332, St 21   fabulae Am 15, Tri 20   foribus Mer 130, Ru 414   conuiuio St 702   legi Mi 164   morbo Ci 74, Men 911   prandio Men 492   rei priuatae et publicae Tri 38   sepiis Ru 659   sermoni As 605   uestimentis Ep 224   uilico Cas 373

11. *cum abl. vel personae vel rei:* tum me faciat quod uolt magnus Iuppiter Au 776   diui me faciant quod uolunt Mo 222   me face quid tibi lubet Per 398   quid ego hoc(illoc *Skutsch Ly*) faciam? Mo 346   quid illa faciemus concubina quae domist? Mi 973   meo minore quid sit factum filio Cap 952   quid puero factumst*?

Tru 789 quid eo fecisti puero? Tru 799 quid eo puero tua era fecit*? Tru 800 quid postremo argento factumst quod dedi? Ep 708 quid esset argento factum? Mo 636 nescit quid faciat auro Ba 334 sed quid ea drachuma facere uis? Ps 88 quid facies ea (machaera)? Mi 459 quid iis (nummis) facturu's? Poe 167 quid oculo factum*st tuo? Mi 1306 quid fecisti scipione aut quod habuisti pallium? Cas 975 tuo quid factumst pallio? 978 nescio hercle rebus quid faciam meis Ps 779 quid factumst eo(sc minis quadraginta) Tri 405 *similiter:* etiam cesso foribus facere hisce assulas? Mer 130

12. usu facere: (me) pugnis usu fecisti tuom Am 375

13. seq. subiu. vel subiu. cum ut (ne); a. sub-iu.(cf Person, p. 13): faciam sit . . tragicomoedia Am 63 faciam res fiat palam Am 876 quantum potes parata fac* sint omnia Am 971 tu, diuine, huc fac adsis Am 976 quouis pacto fac commentus sis Am 979(cf Non 88) haec curata sint fac sis Am 982 syngraphum facito adferas As 238(cf Loch, p. 11) curata fac sint Au 273 facite totae plateae pateant Au 407 tu facito opsonatum nobis sit opulentum opsonium Ba 96 iam facite in biclinio cum amica sua uterque accubitum eatis Ba 754 fac fidelis sis fideli Cap 439 ad . . Cordalum in lapidicinas facite deductns siet Cap 736 (me) facite hinc accersatis Cas 146 fac accures Cas 421 fac uacent aedes Cas 521 facitodum . . colas Cas 523(?) fac habeant linguam tuae aedes Cas 527 qui Summanu's? fac sciam Cu 414 fac sis bonae frugi sies Cu 521 unde emisti? fac sciam Cu 617 fac uideam Ep 567 dictum fac cesses dare Men 249(Rs facessas B²DRLLy: cf Hermes XVIII. 576) facitote sonitus ungularum appareat Men 866 cursu celeri facite* inflexa sit pedum pernicitas Men 867 num . . cerritust? fac sciam Men 890 facite illic homo iam in medicinam ablatus sublimen siet Men 992 actutum face* cum praeda recipias Men 948 qui ego uideam facis? Mer 895(Ly in loco dubio) quid negotist? fac* sciam Mi 277 praecepta sobrie adcures face* Mi 812 fac sis frugi Mi 1360 faciam* quasi puero in collo pendeant crepundia Mi 1399 hoc unum facito cogites Mo 216 aedes iam fac* occlusae sient Mo 400 canem istam a foribus aliquis abducat fac Mo 854 has tabellas . . ipsi Lemniseleni fac des Per 196 face rem hanc cum cura geras Per 198 fac sit mulier libera Per 438 eadem istaec facito mulier ad me transeat Per 445 fac ergo id facile noscam ego Poe 893 linguam conpescas face Poe 1035 facito* sis reddas (paterna bona) Poe 1084 facito* in memoria habeas . . Poe 1278 tu . . amicam mihi des facito aut auri mihi reddas minam Poe 1414 facito* in memoria habeas Poe 1418 face* plenum ahenum sit coquo Ps 157 glandium sumen facito* in aqua iaceant Ps 166 munigeruli facite ante aedis iam hic adsint Ps 181 fac* sis sit delatum huc mihi frumentum Ps 190 fac possis Ps 236 fac* sis promissi memor Ps 481 me quid uis facere fac* sciam

Ps 696(cf 696c) facite hic lege potius liceat quam ui uicto uiuere Ru 621 quo argumento . . fur sum facdum ex te sciam Ru 1023 iam hic fac sit Ru 1215• tua filia facito oret Ru 1219 memineris facito St 47 paupertas fecit ridiculus forem St 177 quid fuit officium meum me facere? fac* sciam Tri 174 tu hoc facito . . cogites Tri 485 fac ualeas Tru 883 (GulLULy fac uisas me Rs facultas PŞ†) face* olant aedes arabice Fr I. 70(ex Diom 383)

b. ut: eandem hanc . . faciam ex tragoedia comoedia ut sit Am 54 faciam ut commixta sit tragicomoedia Am 59 me perpetuo facere ut sit comoedia . . non par arbitror Am 60 hic pugnis faciet hodie ut dormiam Am 298 me meus erus fecit ut uigilarem Am 298 iam faciam ut uerum dicas dicere Am 345 ita di faciant ut tu potius sis atque ego te ut uerberem Am 380 ille faxit* Iuppiter ut ego hodie . . capiam pilleum Am 461 deum non par uidetur facere, delictum suom . . expetere in mortalem ut sinat Am 494 tanto breuior dies ut fiat faciam Am 549 facis* ut tuis nulla apud te fides sit Am 555 te ego faciam . . ut minus ualeas et miser sis Am 583 Sosia me ille egomet fecit sibi uti crederem Am 598 alterum . . aduenis faciam ut offendas domi Am 613 faciam . . ut uno fetu . . pariat Am 878 fac* Amphitruonem aduenientem ab aedibus ut abigas Am 978(cf Loch, p. 22) faciam ut sit madidus sobrius Am 1001 ego faciam tu idem ut aliter praedices Am 1085 te faciam ut scias As 28 face id ut paratum iam sit As 90 uin faciam ut te Philaenium praesente hoc amplexetur Am 647 haec faciet facile ut patiar As 739 tu ergo fac ut illi turbas lites concias As 824 faxo ut(om FlRgl) scias As 902 feci thensaurum ut hic reperiret Euclio Au 26 eam ego hodie faciam ut hic senex . . sibi uxorem poscat Au 31 illud facito* ut memineris conuenisse Au 257 ego te faciam miserrumus mortalis uti sis Au 443 di faciant ut siet Au 545 quem ego auom feci iam ut esses Au 797 ibi tu facito ut subuenias Ba 36 anulum gnati tui facito ut memineris ferre Ba 328(cf Seyffert, Stud. Pl. p. 2 adn. 2) facito ut facias Ba 1153 is . . ut amittatur fecit Cap Arg 7 ego faciam ut pugnam inspectet non bonam Cap 65 fac cissume ut redimatur. ≠Faciam Cap 337 faciam ut faciat facilius Cap 409 fecisti ut redire liceat Cap 411 faciam ut uerus hodie reperiare Tyndarus Cap 610 facito ergo ut Acherunti clueas gloria Cap 689 faciam ut huius diei . . semper meminerit Cap 800 faciam ut tute cupias facere sumptum Cap 856 ego faciam ut pudeat Cap 962 faciam uti . . uitam colat Cas 157 cum quiqui facito ut ueniant Cas 524 face ui impetres Cas 714 facite cenam mihi ut ebria sit Cas 746 facito ut facias stultitiam sepelibilem Ci 62 tuam stultitiam sola facito ut scias Ci 64 sola me ut uiuam facis Ci 645 facito ut memineris Cu 210 facito ut pretio peruincas tuo Cu 213 facite uentum ut gaudeam Cu 314 quid refert me fecisse regibus ut mihi oboedirent? Cu 555 ego te faciam ut hic formicae frus-

tillatim differant Cu 576   ille fidicinam fecit
sese ut necaret Ep 412(*LRg² duce Mue*) exitiabilem ego illi faciam hunc ut fiat diem Ep
606   ad me face uti deferatur Men 948   tu
facito . . ut uenias aduorsum mihi Men 437
face ut oculi locus in capite appareat Men 1014
facietis ut ego huic hodie abstulerim pallam
Men 1061   istos rastros uilico Pisto ipsi facito
ut coram tradas Mer 278   uxori facito ut
nunties negotium Mer 279   quod opust facto,
facito* ut cogites Mer 565   numquam facerem
ut illam amanti abducerem Mer 994   uin iam
faciam ut stultiuidum ┼ut fateare? #Age face
Mi 335   facio ut eam exire hinc uideas domo
Mi 341   praecepta facito ut memineris Mi 354
me ut fateare faciam esse adulescentem moribus Mi 661   facito uti uenias ornatu . . nauclerico Mi 1177   Venus fecit eam ut diuinaret
Mi 1257   tu quemuis potis es facere ut afluat
facetiis Mi 1322   facite inter terram atque
caelum ut sit Mi 1395   facite huc ut redeat
noster . . senex Mo 78   ego id faciam ita
esse ut credatis Mo 94(*v. secl RRs§L*) patrem
faciam tuom . . ut fugiat longe ab aedibus
Mo 389   . . facturum . . ut fugiat Mo 423
fac . . ut tu meam timeas uicem Mo 1145
te faciam* ut scias Per 47   collyrae facite ut
madeant et colyphia Per 92   ego istuc placidum tibi ut sit faciam Per 178   me mala
ut fiam facis Per 382   istuc facito ut ueniat
in mentem tibi . . Per 388   possum te facere
ut argentum accipias? Per 414   faciam ut mei
memineris Per 494   numeratum argentum ut
accipiat face Per 526   'sciunt' cruminam hanc
. . facere ut remigret domum Per 685   ego pol
te faciam . . te . . ut lamenteris Per 743   omnis hilaros . . faciam ut fiant Per 760   di faciant ut id bibatis Per 823   ego faciam ut
facias Poe 165   faciam ut facto gaudeas Poe
197   te faciet ut sis ciuis Attica atque libera
Poe 372   si nequeo facere ut abeas, egomet
abiero Poe 442   non potui tamen propitiam
Venerem facere uti esset mihi Poe 454   tum
me Iuppiter faciat* ut semper sacruficem Poe
489   fac modo ut condocta tibi sint dicta Poe
580   faciam . . ut balneator faciat unguenta-
riam Poe 702   illum ut perdant facere possum, . . meum erum ut perdant Poe 864   ego
illam pugnis totam faciam ut sit merulea Poe
1289   facite* ut uos uostro subueniatis supplici
Poe 1390   ego uostra latera loris faciam ut
ualide uaria sint Ps 145   haec . . facite ut
offendam parata Ps 163   facite hodie ut mihi
munera multa huc . . conueniant Ps 177   face*
ut animum aduortas Ps 210   te ipsam . . faciam* ut deportere in pergulam Ps 214   facito
ut memineris Ps 515   tu modo quid me facere uis fac ut sciam Ps 696c(*v. om A secl
Rg§LU*)   oculi ut exstillent facit Ps 818
facio ut opera appareat meo Ps 849   ipsus
sibi faciam ut digitos praerodat suos Ps 884
ita ille faxit* Iuppiter ut ille palam ibidem
adsiet Ps 923   quid ego cesso Pseudolum facere ut det nomen? Ps 1100   tu facis me
quidem ut uiuere nunc uelim Ru 244   fac* ut
ulciscare illos scelestos Ru 698   faciam ut det
Ru 1084   fac* sis aurum ut uideam: post ego

faciam ut uideas cistulam Ru 1088   fac ut
exores Plesidippum Ru 1218   facite* sultis nitidae ut aedes meae sint St 65   facito ut
sciam St 148   fores facite ut pateant St 309
parata res faciam ut sit St 445   hoc tu facito ut cogites St 519   non me quidem faciet
auctore hodie ut illum decipiat St 603   tu
fecisti ut (uia) difficilis foret Tri 646   hanc
rem uti celes face Tri 800   face ut accumbam Tru 478   numquam te facere hodie quiui
ut is quis esset diceres Tru 816   si quis animatust facere faciat* ut sciam Tru 966

c. ut ne: eum . . faciemus ut quod uiderit
ne uiderit Mi 149   facturum ut ne etiam aspicere aedis audeat Mo 423

d. ne: patrem faciam tuom . . ne intro eat
Mo 389   fac ego ne metuam mihi Mo 1145
ita di faxint ne . . seruiam Poe 909   di me
omnes . . faxint ne ego oppingam Ci 523

e. ut *explicativum:* ille facit quod uolgo hau
solent ut . . sciat Am 185   factumst illud ut
ego illic uini hirneam ebiberim Am 431   unum
hoc faciam ut in puteo cenam coquant Au 365
cur id ausu's facere ut . . tangeres? Au 740
facit hic quod pauci ut sit magistro obsequens
Cu 258   fac quod facturum te promisisti
mihi ut ego hunc lenonem perdam Poe 422
bonum factum esse edicta ut seruetis mea Poe
16   bonum hercle factum pro se quisque ut
meminerit Poe 45   factum. #Ut quidem illud
perierit. #Factum id quoquest Tri 429

14. *variae constructiones* quo: qui . . alter
quo placeret fecisset minus Am 84   qui: de
compecto faciunt . . qui me argento circumuortant Ps 540 (?)

quia: istuc male factum arbitror quia non
latus fodi Au 418   quod: iam pridem uidetur
factum heri quod homines quattuor in soporem
collocastis Am 303   quom *explicativum:* istuc
sapienter saltem fecit filius quom diuiti . . dedit Ba 337   nimis stulte dudum feci quom
marsuppium . . concredidi Men 701   amice facis quom me laudas Mo 719   beneque facitis
quom . . datis Poe 589   ut aequomst facere
facitis quom . . habetis St 99

quin: tu me uiuos hodie numquam facies
quin sim Sosia Am 398   . . pauxillum parui
facere quin nummum petat Au 112   non enim
faciam quin scias Mi 283   numquam quisquam
faciet* quin soror istaec sit gemina huius Mi
473

qui *relativum:* absurde facis qui angas te
animi Ep 326   ego lenocinium facio qui habeam alienas domi? Ep 581   male facis properantem qui me commorare Mer 873   stulte
feci qui hunc amisi Mi 1376   haud amice
facis qui cum onere offers moram Poe 852

quom *temporale:* iam diust factum quom discesti ab ero As 251   iam dudum factumst
quom primum bibi As 890   abhinc annos
factumst sedecim quom conspicatust . . puellam
exponi Cas 39   iam dudum factumst quom
abiisti domo Tri 1010

postquam: biennium iam factumst postquam
abii domo Mer 12   iam diu factumst postquam bibimus Per 822

15. *cum. infin.:* ut ille fidicinam fecit nescire

(*P* uestire *B*[1]*Ly*† *var em ψ*) esse emptam tibi Ep 412(*cf* Votsch, p. 29)

16. faxo: a. *cum fut.*(*cf* Ashmore, *Proc. Am. Phil. Ass.* vol. 28 p. VII; Delbrück, *Verg. Syn.* II. p. 322; Schnoor, p. 5; Weißenhorn, p. 10): familiaris accipiere faxo haud familiariter Am 355   faxo probe iam hic deludetur Am 997   magis iam faxo* mira dices Am 1107 uostra . . ibi nomina faxo erunt As 132   horrescet faxo lena As 749   ego faxo hau dicet nactam quem derideat Ba 506   iam faxo hic erunt Ba 715   faxo iam scies Ba 831   liber in diuitias faxo uenies Cap 1010   uir aberit faxo* domo Cas 484   iam faxo hic erit Ep 156 tuas possidebit mulier faxo ferias Ep 469   cetera haec posterius faxo scibis Ep 656   ego faxo scies hoc ita esse Ep 712   iam ergo haec madebunt faxo Men 326   non faxo eam esse dices Men 468   manufesto faxo iam opprimes Men 562   ego faxo (palla) referetur Men 661   etiam faxo amabit amplius Men 791   elleborum potabis faxo Men 950   iam ego illic faxo erit Men 956   iam faxo hic erit Mi 463, Per 439   uerum factum faxo post dices magis Mi 1367   iam faxo hic aderunt Per 161   ego laudabis faxo Per 195 iam hic faxo aderit Per 446   utrumque faxo habebit Poe 162   ego iam faxo scies Poe 173 ego faxo . . ninnium pro te dabit . . Poe 371 ego faxo . . contentiores mage erunt Poe 460 disperibit faxo Poe 908   conlibertus meus faxo eris Poe 910   ego faxo hospitium hoc leniter laudabitis Poe 1154   omnia faciet Iuppiter faxo Poe 1191   iam faxo scibis Poe 1227   faxo eris mea sponsa Poe 1228   ex tabellis faxo scies Ps 49   temperi ego faxo scies Ps 387   iam hic faxo aderit Ps 393 faxo magis id dices Ps 949   haud multo post faxo scibis accubans Ps 1039   Calidorum haud multo post faxo amplexabere Ps 1043   dimidium aut plus etiam faxo hinc feres Ps 1328 scibis faxo Ru 365   (istaec) exarescent faxo Ru 578   iam ego faxo exibit senex Ru 1351 faxo (bona) erunt Tru 118   iam faxo hic aderit Tru 428   apud nouos magistratus faxo erit nomen tuom Tru 761   faxo scibitis Vi 8 (*L in lacuna*)

b. *cum fut. exact.:* ego faxo et operam et uinum perdiderit simul Au 578   faxo uitae is extemplo opstiterit suae Cap 801   faxo haud inultus prandium comederis Men 521   faxo actutum constiterit lymphaticum Poe 346   ego hoc ipsum oppidum expugnatum faxo erit lenonium Ps 766   faxo haud tantillum dederis uerborum mihi Tri 60

c. *cum subiunc.:* quoius ego hodie in tergum faxo ista expetant mendacia Am 589   faxo haud quicquam sit morae Am 972   iam faxo ipsum hominem manufesto opprimas As 876 faxo scias As 902(*FlRgl*)   faxo se haud dicat nactam quem derideat Ba 864   quingentos curculiones pro uno faxo reperias Cu 587   faxo foris uidua uisas patrem Men 113   et pallam et spinter faxo referantur simul Men 540   quid tristis sim . . faxo scias Men 644   eruom tibi aliquis faxo ad uillam adferat Mo 68   ego ferare faxo . . in crucem Mo 1133   ne tu hercle

faxo haud nescias Tri 62   et meum nomen et . . ego faxo* scias Tri 882   ego faxo dicat me . . crudum uirum esse Tru 643

faxim: ego faxim ted Amphitruonem esse malis Am 511   ego faxim muli . . sint uiliores Au 494   faxim . . plures uiri sint uidui Mer 826   ne isti faxim* nusquam appareant Per 73 pauci sint faxim qui sciant quod nesciunt Tri 221   faxim . . minus damnosorum hominum quam nunc sunt sient Tru 63   nulla faxim cis dies paucos siet Tru 348

faxint: utinam di faxint infecta dicta re eueniant tua Am 632

17. = aestimare, habere *cum gen. pretii*(*cf* Blomquist, p. 164; Schaaff, p. 35): **a.** te quoque ipsum facio haud *magni* As 114   neque quid uelim neque quid nolim facitis magni As 214   . . neminem meum dictum magni facere As 407   me colitis magni facitis Ci 22   ut eas magni facias Ps 578   te amo et metuo et magni facio(*AB* magnifico *CDRU*) Ps 944 fidem . . facitis* *maxumi* Cas 2   . . hominem pauperem pauxillum *parui* facere Au 112   parui ego alios facio Mi 1351   tuom fecerunt fanum parui Ru 697   minumique fecerit Ci 461(*Rs in lac*)   deos . . *minumi* facit Ps 269 tuas magnas minas non *pluris* facio quam . . Cu 580   nimio . . hic pluris pauciorum gratiam faciunt pars hominum quam . . Tri 35 me *minoris* facio prae illo Ep 522   minoris multo facio* quam dudum senes Ep 661   ita minoris ✳✳✳ facio* praequam . . Mo 1146   deos . . credo humanas querimonias non *tanti* facere* . . Mer 7   te experior *quanti* facias uxorem tuam Am 508

nihili facio nisi causa tua Ba 89   nihili facio Cap 616   mos est . . neque nouisse quoius nihili sit faciunda gratia Cap 986   quin nihili facio Cas 605   ego hercle nihili facio Cas 802   respicio nihili meam uos gratiam facere Cu 155   me nihili faciat Cu 218   nihili facio Mer 440   nihili facio quid illis faciat ceteris Mi 168   dum non nihili factu's Mi 1409(*RRg similiter U in loco perdub*)   nihili facio scire Per 224   nihili faciat Ps 1086 nihili eri imperium sui seruos facit Ps 1103 mores nihili faciunt quod licet nisi quod lubet Tri 1032

tu istos minutos caue deos *flocci* feceris Cas 332(*cf* Egli I. 12; II. 10)   non ego te flocci facio Cu 713   meum tergum flocci facio Ep 348   neque ego illum . . flocci facio Men 423 caue quisquam quod illic minitetur uostrum flocci fecerit Men 994   caue tu ullam flocci faxis mulierem Mo 808   is leno . . flocci non fecit fidem Ru 47   ego quae tu loquere flocci non facio Ru 782   minacias ego flocci non faciam* tuas Ru 795   caue quemquam flocci feceris St 285   falson an uero laudent . . non flocci faciunt Tri 211   neque adeo edepol flocci facio Tri 918   di te perdant si te flocci facio an periisses prius Tri 992   non ego te flocci facio Tru 606   te non flocci facit Tru 769   hoc seruom meum non *nauci* facere esse ausum! Ba 1102   neque ridiculos iam *terrunci* faciunt Cap 477   *aequi* istuc facio* dum modo eam des Mi 784

b. *compendi* uerba multa iam faciam tibi
Ba 183　orationis operam compendi face Mo 60
ego hodie compendi feci binos panes in dies
Per 471　curam hanc facere conpendi potes
Poe 351　operam fac compendi quaerere Ps
1141　si quid compendi facere possim factum
edepol uelim Tru 377　*Cf* Blomquist, p. 164;
Schaaff, p. 39

neque ille scit quid . . *damni* faciat As 182
facere damni mauolo quam . . Mer 422　facere argenti cupiat aliquantum *lucri* Mo 354
non edepol minis trecentis carast. fecisti lucri
Per 668　non emisti hanc uerum fecisti lucri
Per 713　. . me esse hos trecentos Philippos
facturum lucri Poe 771　'a' facio* lucri Tru
690　*similiter* ex *cum abl.:* haec . . si confiteri uis tua ex(*Valla om PLy*) re feceris Cap 296
restim *sumpti* fecerim Cas 425　nec satis
id est mali ni amplius etiam quod ecbibit . .
quod facit sumpti Tri 250

18. =mactare: iamne exta cocta sunt? quot
agnis fecerat? St 251

19. *in precationibus:* ita di faciant ut Am 380
ita di faciant. #Et mihi ita di faciant Au 789
ita di faxint Au 149, 257, 788, Per 652,
Poe 909, 911　ita di deaeque faxint Cap 172
di melius faciant Ba 626(meliora faxint *FlR*),
Cas 813, Ps 315(*PL* meliora faxint *Aψ*)　di
faxint* Ci 51　di melius faxint* Mer 285　di
meliora faxint* Poe 1400　di me omnes . .
faxint ne ego oppingam . . Ci 523　at tibi
di bene faciant omnes Per 488　at tibi di
faciant bene Mi 570　di tibi bene faciant
semper Mi 1419　ita ille faxit Iuppiter Mo
398　ita ille faxit Iuppiter ut . . Ps 923　di
te deaeque omnis faxint* cum istoc omine . . .
Mo 464　male tibi di faciant Cu 129

B. *participium; substantive usurpatum*(*cf*
Wueseke, p. 12) 1. *nom.:* erit mihi hoc factum mortuo memorabile Cap 684　aetatem
aliam aliud factum condecet Mer 984

facta ut facta ne sient Mi 227　utinam
quae dicis dictis facta suppetant Ps 108　facta* atque corda in felle sunt Tru 179　bene
facta tua me hortantur Per 842　tua quoque male facta iterari multa . . possunt As
567　non pluruma male facta mea essent Ep
392　timeo ne male facta antiqua mea sint
inuenta omnia Tru 774

2. *gen.:* quoius me nunc facti pudet Ba 1016
reum eius facti nescit qui siet Ci 164　tu
numquam quicquam adsimile huius facti feceris Mer 957　factum neque facti pudet Tri
127

3. *dat.:* statuam uolt dare auream . . factis
monimentum suis Cu 441　factis tuis . . arbitri ut sint Mer 1005　his factis studet Mo
29　ego urbi Gripo indam nomen monimentum meae famae et factis Ru 935　feceris
par tuis ceteris factis Tri 279　meis nec male
factis fugast Cap 522(*v. secl FlU*)　omnibus
male factis testes tres aderant acerrumi Men
595　quis bene factis meus pater . . architectust omnibus Am 44(*cf.* Palmer *ad loc*)

4. *acc.:* ego quod feci factum id(id f. *CaL
Ly*) Amphitruoni offuit Am 893　spatium ei
dabo exquirendi meum factum Au 807　ut

nuntiaret domino factum* nauigat Mi *Arg* II. 5
opsecro . . ut tu istuc insipienter factum sapienter feras Tru 827

hoc cedere ad factum uolo Cap 352　ante
hoc factum hunc sum arbitratus semper seruom pessumum Mi 1374　post factum flector
Tru 343(?)

decet et facta moresque habere me similes
item Am 267　tute edictas facta tua Am 816
ut matronarum hic facta pernouit probe Au
503　eadem . . facta et famam sauciant Ba
64　haec sic facta ad hunc faciat modum Ba
908　ibi exquirit facta* Iliorum Ba 951　operam date dum mea facta itero Cas 879　domi (habet) . . delenifica facta Mi 192(*v. secl Rg
ℬU*) quae istaec aetas fugere facta . . solet Mi
622　minus audactae scelesta facerent facta
Mi 734　haec facta scibit Mi 860　facta hic
turbauimus Mo 416　facta hominum . . noscamus Ru 11　haud miranda facta dicis Ru 345
contundam facta Talthubi St 305　mea facta
. . ego faxo scias Tri 882　ego ero maiori
uostra facta denarrauero Tru 308　haec facta
narrabo seni Tru 313　qui facit* improba
facta* amator Tru 555(?)　facta infecta facere
uerbis postules Tru 730　nunc adest occasio
bene facta cumulare Cap 424　bene dictis tuis
bene facta* aures meae auxilium exposcunt
Per 495　nunc tibi potestas adipiscendist . . .
[bene facta* maiorum tuom] St 282(*v. secl RRg
LU*)　bene facta maiorum meum exaugeam
St 303　bene facta bene factis aliis pertegito
Tri 323(*cf* Graupner, p. 8)　dum ne ob male
facta peream Cap 682　omnia male facta*
uostra repperi Mo 1111　em mea male facta
Tri 185

erus ob facta* pretium exsoluet Men 985(*Bo
RLU*)　uideo ego te propter male facta qui's
patronus parieti Tru 822

5. *abl.:* istoc me facto tibi deuinxti As 850
hoc facto sese (frugi) ostendit As 862　dicto
haud audebat, facto nunc laedat licet Cap 303
omnis inimicos mihi illoc facto repperi Ep
109(*v. om A secl Rg¹ℬU*)　ne deteriorem tamen hoc facto ducas Mer 323　egone te ioculo modo ausim dicto aut facto fallere? Mo
923　faciam ut facto gaudeas Poe 197　dedistine hoc facto ei gladium qui se occideret?
Tri 129　te hoc facto* credis posse optegere
errata? Tri 649

factis me impudicis abstinui Am 926　me
uxor insanum facit suis foedis factis Am 1085
suis factis te inmortali adficiet gloria Am 1140
magis istuc percipimus lingua dici quam factis fore As 162　sis erum tuis factis sospitari
. . As 683　quali me arbitrare genere prognatum? #Bono. #Quid factis? #Neque malis
neque improbis Au 213　haud decorum facinus tuis factis facis Au 220　metuo magis ne
Phoenix tuis factis fuam Ba 156　neque mei
neque te tui intus puditumst factis quae facis
Ba 379(*v. secl U*)　quid mihi refert Chrysalo
esse nomen nisi factis probo Ba 704　neque
med umquam deseruisse te neque factis neque
fide Cap 405　te experiri et opera et factis
uolo Cap 429　te factis adiuuas Cas 286　hoc
ut deico facteis persequar Mer 554　tu quem-

uis confidentem facile tuis factis facis Mer 855
Pyrgopolinicem . . uirtute et forma et factis
inuictissumus Mi 57 hic astabo tantisper cum
hac forma et factis sic frustra? Mi 1021 hominem . . praeclarum uirtute et forma et factis Mi 1042 lepidi mores turpem ornatum
facile factis comprobant Poe 307 . . ut gratum mihi beneficium factis* experiar Ru 1221
honesta dicta factis St 280

nos eius animum de nostris factis noscimus
St 3 ex factis nosce rem Mo 199 apud aediles pro eius factis . . dixi causam Men 590
. . ego istum pro suis factis pessumis pessum
premam Mo 1171

pro bene factis eius ut ei pretium possim reddere Cap 940 ut acerbumst pro bene factis
quom mali messim metas Ep 718 solus bene
factis tuis me florentem facis Men 372 com-
parebo tibi res bene factis frequens Mi 662
quibus pro bene factis fateor deberi tibi et
libertatem et . . Poe 133 bene facta bene
factis aliis pertegito Tri 323 ego pol te istis
tuis pro dictis et male factis . . accipiam Am
285 ego illum siti male dictis male factis
amatorem ulciscar Cas 155

quo facto aut dicto adeost opus Am 169
citius quod non factost usus fit quam quod
factost opus Am 505 edepol qui factost opus
Am 776 celeriter factost opus Ba 604 ego
intus quod factost* opus uolo accurare Cas 587
te nolo neque opus factost Ep 288 quod
opust facto* facito ut cogites Mer 565 opus
hoc facto existumo Mer 566 non factost*
opus Poe 319 meministis quod opus sit facto
facere St 61 uideat quid opus sit facto Tri
584 opus factost(† **S**) et(om ScalRRsLULy)
uiatico ad tuom nomen Tri 887

factost usus Am 505 ut hoc usus factost
gradum proferam Men 753 iam istoc magis
usus factost Ru 398 quaeramus nobis quid
facto usus sit St 57

praedicative: miser ex animo fit, factius* nihilo facit Tri 397

FACTIO - - 1. *nom.:* meamne hic Mnesilochus Nicobuli filius per uim ut retineat mulierem? quae haec **factio**st? Ba 843 neque
quicquam debeo. #Quae haec factiost? non
debes? Ru 1371 cum uostra nostra non est
aequa factio Tri 452

2. *abl.:* neque nos **factione** tanta quanta tu
sumus Ci 493

3. *nom.:* deos decent opulentiae et **factiones**
Tri 491

4. *acc.:* istas magnas **factiones**, animos, dotes dapsiles . . nihil moror Au 167 tu nunc
dicis non esse aequiperabiles uostras cum nostris factiones atque opes? Tri 467 ut scias
hic factiones(ACD fract. B) atque opes non
esse Tri 497

FACTIOSUS - - uenit hoc mihi . . in mentem ted esse hominem diuitem, **factiosum** Au
227 multi . . reperiuntur falsi falsimoniis,
lingua **factiosi**, inertes opera Ba 542(v. om A)
Cf Dousa, p. 283

FACTITO - - haec stultitiast me illi uitio
uortere egomet quod **factitaui** in adulescentia

Ep 432(v. secl RgS post 455 coll AcLU) tu
quid **factitasti** mandatis super? Ba 195

FACTO - - Ru 1326, frigide factas P pro
frigefactas(*Valla*)

FACTOR - - isti qui ludunt datatim serui
scurrarum in uia, et datores et **factores** omnis
subdam sub solum Cu 296(*cf* Boegel, p. 106;
Ribbeck, *Zur . . Curculio* p. 88) Tru 108,
factores Rs fartores CDLULy fectorum B§†

FACTRIX - - Tru 571, factrici Rs pro ac-
ceptrici(*Ca* -ce *P*)

FACULA - - tibi Fortuna **faculam**(fo. B)
lucrifera adlucere uolt Per 515 Cf Graupner, p. 8; Ryhiner, p. 30

FACULTAS - - Tru 883, facultas P§† fac
uisas me Rs fac ualeas GulLULy

FACUNDITAS - - facile sibi **facunditatem**
uirtus argutam inuenit Tru 494 Cf Goldmann, II. p. 8

FACUNDUS - - satis facundu's: sed iam
fieri dicta compendi uolo Cap 965 nullus usquam amator adeost callide facundus . . ut
possit loqui Mer 36

nimis facete nimisque **facunde**(faciunda B
fecunden CD¹ fecunde AD³) malast Mi 1141
multa ego possum docta dicta quamuis facunde loqui Tri 380

FAECEUS - - nihil ego istos moror **faeceos**
(A fac eos P) mores Tri 297 Cf Gronov,
p. 49

FAENERATOR - - interuenit lucripeta faenus **faenerator**(fe. PU) postulans Mo Arg 6

FAENERATRIX - - *titulus fabulae Plautinae a Festo*, p. 372 *et Diomede*, p. 401 *citatae*

FAENERO - - ne illa ecastor **faenerato**(foe.
BDE fe. J fe. NonRgl) funditat As 896(*cf*
Non 312) ne illam ecastor faenerato(fe. P)
abstulit Men 604 Cf Graupner, p. 14; Gronov, p. 46; Sidey, p. 46

FAENUS - - I. Forma **faenus** Mo 575(RLU
in lac), 580(fe. P), 583(A in lac), 600, 605(fe.
P), ib.(A fe. P), ib.(A fe. P), 610, 631, Vi 88
faenoris Mo 597(A *** his P) **faenus** As 429
(foe. BJ fe. ERgl fe. D), Mo Arg 6(fe. PU),
561(fe. P), 580(fe. P), 584, 592, 603(fe. P),
ib.(fumus B¹ fe. CD), ib.(fe. BD om C), 604
(fe. P), 606(fe. P), 612, 629, 1160, Vi 85
faenore As 248(foe. P), Cu 480 (fe. BEU foe.
J), 508(foe. J fe. EU fe. BV -ri Ly), Ep
53(fe. Rg foe. P), 115(fe. Rg foe. Rg), 252(A
foe. BJ fe. Rg), Men 583(fe. B²U foe. CD),
Mo 537(UL in lac -ri CaR), 602(foe. D), 917,
Vi 84(UL -ri StuRg§Ly tae. A) **faenori** Mo
532, 1140(ne. P) **faenori** Mo
532, 1140(ne. P)

corruptum: Men 371, fenus CD pro Venus

II. Significatio 1. *nom.:* quin accedat faenus, id non postulo Vi 88 quattuor quadraginta illi debentur minae et sors et faenus Mo
631 datur faenus mihi? #Faenus illic, faenus hic: nescit quidem nisi faenus fabularier
Mo 605(*vide U*) quin mihi faenus* redditur?
Mo 575 reddeturne igitur faenus? #Reddet
Mo 580 illuc primum, faenus reddundumst
mihi Mo 600 quod illuc est faenus . . quod
illic petit? Mo 610 at uolo ***faenus *** n-
qu***o Mo 583 b

2. *gen.:* . . ne quo abeat foras urbe exolatum faenoris* causa tui Mo 597

3. *acc.:* sortem accipe. #Immo faenus, id primum uolo Mo 592 cedo faenus, redde faenus*, faenus reddite Mo 603 mihi neque faenus neque sortem argenti danunt Mo 561 quin uos mihi faenus date Mo 584 daturin estis faenus actutum mihi? Mo 604 is tibi et faenus et sortem dabit Mo 612 faenus, sortem . . nos dabimus, nos conferemus Mo 1160 faenus mihi nullum duis Vi 85 interuenit lucripeta faenus faenerator postulans Mo *Arg* 6 reddo Mo 603 *bis(supra)* etiam argenti faenus creditum audio Mo 629

nescit quidem nisi faenus fabularier Mo 606 dum reperiam qui quaeritet argentum in faenus As 429

4. *abl.:* tu solus coedo faenore argentum datas Mo 602 ibi sunt qui dant quique accipiunt faenore Cu 480 dedit argentum faenore* Mo 537 argenti minam . . orauisti ut darem tibi faenore* Vi 84 uos faenori*, hi male suadendo . . lacerant homines Cu 508 aut faenore aut periuriis habent rem paratam Men 583 certumst (minas) sumam faenore As 248 argentum ab danista . . sumpsit faenore Ep 53 . . unde ego illud (argentum) sumpsi faenore Ep 115 eum argentum sumpsisse . . ab danista faenore Ep 252 subegi faenore argentum ab danista ut sumeret Mo 917 fateor . . faenori argentum sumpsisse Mo 1140 *Cf* Romeijn, p. 8; Vissering, II. 82

scelestiorem ego annum argento faenori (*sc* locato, dato?) numquam ullum uidi Mo 532 (*an dat.? cf edd ad loc*)

FAENUSCULUM - - si amabas, inuenires mutuom: ad danistam deuenires, adderes **faenusculum** Ps 287 *Cf* Ryhiner, p. 43

FALA - - ubi sunt isti . . qui hosticas trium nummum causa subeunt sub **falas**(*Ca* falsa *P*) Mo 357 *Cf* Gronov, p. 195; Leo, *Lect. Pl.* p. 568

FALLACIA - - I. Forma fallacia Cap 220 (-tia *BDE*), Poe 774(*A* -tia *P*) **fallaciae** (*dat.*) As 266(-tiae[e, ẹ] *P*), Poe 605(-tiae[-ẹ] *P*) **fallaciam** As 69(-tiam *BE*), 250(-tiam *BDE*), 252(-tiam *BD*), Cap 40(-tiam *BDE*), Cas 860(-tiam *V*), Poe 195(-tiam *BD*), 577 (-tiam *P*), 580(*A* -tiam *P*), Ps 705 b(*B* -tiam *CD* -as *AULy*), 765(-tiam *CD*) 1193(-tiam *CD* offuciam *BergkRg* sucophantiam *R*) **fallacia** Cap 46(-tia *BDE v. secl LorenzRg𝔖*) **fallaciae** Ps 672(-ẹ *B* -tiẹ *CD*) **fallaciarum** Mi 1156(falat. *P*) **fallaciis** Ps 558(*A* -tiis *P*) **fallacias** Ci 540(-tias *BV*), Mi 192(-tias *D v. secl Rg𝔖U*), 875, Ps 705 b(*AULy* -ciam *vel* -tiam *Pψ*), 1195(-tias *CD*) · **fallaciis** Cap 671 (-tiis *B*), 674(-tiis *BE*), 678(-tiis *BE*), Ps 1055 (-tiis *CD*), 1194(-tiis *D*), Tru 892

II. Significatio 1. *nom.:* neu permanet palam haec nostra fallacia Cap 220 compositast fallacia ut eo me priuent Poe 774

hic (in hac epistula) doli, hic fallaciae omnes . . sunt Ps 672

2. *gen. part.:* quod apud nos fallaciarum sex situmst . . Mi 1156

3. *dat.:* metuo quom illic obscaeuauit meae

---

falsae fallaciae As 266 neu fallaciae praepedimentum obiciatur Poe 605

meis uicissim date locum fallaciis Ps 558

4. *acc.:* praeceptor tuos qui te hanc fallaciam* docuit ut fallaciis hinc mulierem a me abduceres Ps 1193-4 hic hodie expediet hanc docte fallaciam Cap 40 nec fallaciam astutiorem ullus fecit poeta atque ut haec est fabre facta ab nobis Cas 860 Collabiscum uilicum hanc perdoceamus ut ferat fallaciam Poe 195 ne quid titubet, docte ut hanc ferat fallaciam Ps 765 nunc te ǃmeliust . . argento comparando fingere fallaciam As 250 . . inueniundo argento ut fingeres fallaciam As 252(*cf* Herkenrath, p. 70; Krause, p. 34)

quot admoeniui fabricas quot fallacias in quaestione! Ci 540 domi habet animum falsiloquom . . domi fallacias Mi 192(*v. secl Rg𝔖U*) quas tu mihi praedicas fallacias? Ps 1195 hanc fabricam fallaciasque minus si tenetis . ., denuo uolo percipiatis plane Mi 875

basilice exornatus cedit et fabre ad fallaciam Poe 577 fac modo ut condocta tibi sint dicta ad hanc fallaciam Poe 580 nauclerico ipse ornatu per fallaciam . . abduxit ab lenone mulierem As 69 tet demeritas . . dein laetitias de tribus fraude partas per malitiam per dolum et fallaciam* Ps 705 b

5. *abl. instrumenti:* inscientes sua sibi fallacia ita compararunt . . dolum Cap 46(*v. secl LorenzRg𝔖*) tuis scelestis falsidicis fallaciis delacerauisti . . opes Cap 671 ita mihi exemisti Philocratem fallaciis Cap 674 fateor . . fallaciis abisse eum abs te mea opera atque astutia Cap 678 iube . . Pseudolum . . abducere a me mulierem fallaciis Ps 1055 Ps 1194 (*supra* 4) ne istum ecastor hodie astutis conficiam falla ciis Tru 892

6 *adiectiva:* astuta Cas 860, Tru 892 falsidica Cap 671 falsa As 266 scelesta Cap 671

FALLAX - - Poe 1310, fallax *A ut vid pro* hallex

FALLO - - I. Forma fallo Am 933(-lor *E*[1]), Ci 482 **fallis** Au 766, Ci 483 **fallit** Men 1082, Ps *Arg* II. 14 **fallunt** Ps 142 **fallebar** Ep 239 **falles** Am 392(uapules *D*) **fefellit** Ba 298 **fefellerint** Fr I. 54(*ex M. Caes ad Front* II. 10) **fallas** Ba 694(falsas *D*[1]) **fallatur** Ep 354 **fallere** Mo 923 **falsus** Men 755, Ru 384, Tru 785(*Angel* fassis *P*) **falsa** Au 123 **falsum** Mi 381 **falsae**(*dat.*) As 266(-e *DE* -ẹ *J*) **falsum**(*masc.*) Ci 372(*Rs in lac*), 483(*LLy in lac*) (*neut.*) Am 435, 755, As 20, Cap 703, 955, Men 656, Mer 154, 308, Mi 392(probri *R*), 437 **falsa** Ru 312(*Ly* alguque 𝔖*Rs in lac*) **falso** (*neut.*) Am 813(*vide* falsa), 859(*Lind-* um *PU*), 888, 902, Ba 474, 572, Men 840, Mi 297(*Ca* -som *B* -sum *CD*), 365, 396(om *HermR*), Mo 178, 179, Poe 1258, Tri 210 **false** Cap 610 **falsa** Am 813 (falsa falso *D*[2] falso *BDE* falsum *J*) **falsā** Cap 106 **falsis**(*neut.*) Tri 204 **falsas** Ru 13, 18 **falsi** Ba 541(*Pius* -is *P*) **falsa** Cap 619, 981, Cas 686, Ci 668(ecastor falsa *Ca* ecastore ais a *VEJ* ecastor ais hâ *B*), Ep 645, Men 412(*E* salsa *P*), Mi 843(*D* palsa *P*), Ru 1135 **falsis**(*fem.*) Tru 486 (*neut.*) Ru 13 *corrupta:* Cap 264, falsa locum *E pro* falsilocum; 671, falsis dicis *E pro* falsidicis, Mi 878, -m falsa *B,* -m falsta *CD var em edd,* Mo 357, falsa *P pro* falas(*Ca*) Ru 589, falsis *CD pro* salsis; 748, fallis *P pro* feles(*Turn*)

II. **Significatio** A. *verbum* 1. *absolute:* quid si falles*? Am 392, quid si(*CaLU* id si *Valla* id *vel* it *P*) fallis? Au 776 faciem quom aspicias eorum hau mali uidentur: opera fallunt Ps 142

2. *cum acc. personae:* nec satis exaudibam nec sermonis fallebar tamen Ep 239 non me fefellit: sensi Ba 298 nisi me animus fallit hi sunt gemini Men 1082 egon te ioculo modo ausim dicto aut facto fallere? Mo 923 falsum fallis** Ci 483(*LLy*) qui data fide firmata fidentem fefellerint..Fr I. 54(*ex M. Caes ad Front* II. 10) lenonem fallit sycophanta cacula Ps *Arg* II. 14 nunc iterum ut fallatur pater Ep 354 ut senem hodie doctum docte fallas* Ba 694

3. *cum acc. neut.:* id ego si fallo . . Am 933 Au 776(quid si *CaLU*; *supra* 1) *fortasse* Men 755(*infra* 4) **umquam si hoc fallo Ci 482

4. *seq. interr. obl.:* id quam mihi facile sit haud sum falsus Men 755 etiamnum quid sit negoti falsus* incertusque sum Tru 785 *cum indic.:* quippe qui quem illorum obseruat(-et *B²L recte ut vid*) falsust Ru 384

5. *cum infin.:* haud falsa sum nos odiosas haberi Au 123

6. *add. gen.:* sermonis Ep 239(*supra* 2; *cf* S c h a a f f, p. 40) *abl. instrumenti:* ioculo modo, dicto, facto Mo 923 opera Ps 142(*an nom. pl.?*)

B. *participium* 1 *substantive:* ne me appella, falsa*, falso nomine Am 813 falsum* fallis Ci 483(*LLy*) multi . . reperiuntur falsi* falsimoniis Ba 541(*v. om A*) nunc falsa prosunt. #At tibi oberunt Cap 706(*cf* W u e s e k e, p. 33)

. . tu talis uir falsum autumas Cap 955 iuro . . neque me falsum dicere Am 435 ego uero (audio illum) falsum dicere Am 755 adiuro . . nos non falsum dicere Men 656 decide collum stanti si falsum loquor Mer 308 si falsa* dicis . . excruciabere Mi 843 si falsa dicam frustra dixero Ru 1135 . . ut apud te falsa fabuler Ep 645 falsa memorat Cap 981 non ecastor falsa* memoro Ci 668 ex me audibis uera quae nunc falsa opinare Cap 619 haud falsa*, mulier, praedicas Men 412

2. *cum pronomm. coniunctum:* si quid tu med erga hodie falsum dixeris . . As 20 quae facta dixi,(, *om U*) omnia huic(, *U*) falsa dixi Cas 686 uotuin te quicquam mihi hodie falsum proloqui? Cap 703 Mer 154(*infra* 3) id me insimulatam perperam falsum* esse somniaui Mi 392

3. *attributive*(*cf* H o f m a n n, p. 7): quid falsum praebes *arbitrum?* Ci 372(*Rs in lac*) egon ausim tibi usquam quicquam *facinus* falsum proloqui? Mer 154 metuo quom illic obscaeuauit meae falsae *fallaciae* As 266 num hi falso oblectant *gaudio* nos? Poe 1258 falsas *litis* falsis testimoniis petunt Ru 13(*cf* R o m e i j n,

p. 93) ne me appella, falsa*, falso *nomine* Am 813 falsum nomen possidere . . postulas Mi 437 ego te, *Philocrates* false, faciam ut uerus hodie reperiare Tyndarus Cap 610 et conuicti et condemnati falsis de *pugnis* sient Tru 486 *res* falsas . . impetrant apud iudicem Ru 18 mihi hau falsum euenit *somnium* Mi 381 piscatorem aequomst (perire) fame sitique *speque* falsa* Ru 312(*Ly*) perdidit ciuem innocentem falso *testimonio* Men 840 falsis testimoniis Ru 13(*supra*) illorum *uerbis* falsis acceptor fui Tri 204

4. *adverbium:* tu Pistoclerum falso atque insontem *arguis* Ba 474 culpent Tri 210(*infra*) hoc falso *dici* insimulaturus es Am 902 sic me *insimulare* falso*, facinus tam malum Am 859 neque me perpetiar probri falso insimulatam Am 888 falso* insimulas Philocomasium Mi 297 probri me maxumi innocentem falso insimulauit Mi 365 neque me patiar probri falso* inpune insimulatam Mi 396 uel falso . . *laudari* multo malo Mo 179 falson an uero laudent culpent quem uelint . . Tri 210 neque tu me habebis falso *suspectum* Ba 572 malam *uituperarier* falso quam uero extolli? Mo 178

FALSIDICUS - - mendacilocum aliquem . . **falsidicum,** confidentem Tri 769(*loc perdub*) tuis scelestis **falsidicis**(falsis dicis *E*) fallaciis delacerauisti . . opes Cap 671

FALSIFICUS - - domi habet animum falsilocum, **falsificum,** falsiiurium Mi 191(*v. om AR secl Rg§U*)

FALSIIURIUS - - domi habet animum . . **falsiiurium**(falsiuirium *B¹D¹*) Mi 191 *vide* falsificus

FALSILOCUS - - quarum rerum te **falsilocum** (*B¹DJ* -quom *B²* quom *Ly* falsa locum *E*) mihi esse nolo Cap 264(*cf* S c h a a f f, p. 31) domi habet animum falsilocum (*BD³U* -com *CD¹* -quom *ψ*) Mi 191 *vide* falsificus

FALSIMONIUM - - multi . . quom censeas esse amicos reperiuntur falsi **falsimoniis** Ba 541(*v. om A secl §*)

FAMA - - I. **Forma** fama Mo 144, 227, Per 384 **famae**(*gen.*) Tri 629(-e *BC*) (*dat.*) Ru 935 **famam** Ba 64, Mo 228, Per 351, Tri 379, 642, 689, Fr II. 7(*ex Paulo* 61, 16) **fama** Per 386 **famas** Tri 186 *corruptum:* Per 347, -im famiae *B* -im famae *CD pro* infamiae

II. **Significatio** 1. *nom.:* ut famast homini, exin solet pecuniam inuenire Mo 227 simul res fides fama uirtus decus deseruerunt Mo 144 ne haec fama faciat repudiosas nuptias Per 384

2. *gen.:* si in rem tuam . . esse uideatur gloriae aut famae, sinam Tri 629

3. *dat.:* ei ego urbi Gripo indam nomen monimentum meae famae et factis Ru 935a

4. *acc.:* eo pacto addideris nostrae lepidam famam familiae Tri 379 ne mihi hanc famam differant me germanam meam sororem in concubinatum tibi . . dedisse Tri 689 inimici famam non ita ut natast ferunt Per 351(*cf* G o l d m a n n, II. 9) hasce mihi propter res malas(*A* maledicas *RRsLU* male dictas *P*) famas ferunt Tri 186 bona dissimulant facta

et famas sauciant Ba 64   ego si bonam famam mihi seruasso, sat ero diues Mo 228   hanc maiores famam tradiderunt tibi tui Tri 642

nullam ego rem citiorem apud homines esse quam famam reor Fr II. 7(*ex Paulo* 61, 16)

5. *abl.*: quoiuismodi hic cum (mala add *APLy om Cav*) fama facile nubitur Per 386

FAMELICUS - - quom lassus fueris et **famelicus** noctu ut condigne te cubes curabitur Cas 130   quid agit? #Quod famelicus St 575 saluete fures maritumi . . . **famelica** hominum natio, quid agitis? Ru 311

FAMES - - I. Forma fames Men 975a, Poe 14, Ps 350, St 169 (-is *A*), 236, 341, Tru 524   fami St 158b(*v. om ARULy*)   famem Au 311(-ẽ//// *B*), 722, St 155, 163(gesto f. *A* gestor amem *P*), 387, Vi 95(*ex Prisc* II. 235) fame As 145, 531, Cap 466, Cas 153, Ci 45 (-ae *J*), Cu 318, Mo 193, 1106, Per 318, Poe 30, Ru 312(-ae *C* -e *B*), St 216, 581, 627, 640, Fr I. 29(*ex Gell* III. 3, 5)

II. Significatio 1. *nom.*: adhaesit homini ad infumum uentrem fames St 236   hinc nos extinxit fames Tru 524(*cf* Goldmann, II. 6) tacitum te obrepet fames Poe 14   hunc fames iam occiderit Ps 350   quid ego quoi misero medullam uentris percepit fames? St 341   eius ex semine haec certost fames St 169   (dantur) ab suis eris ignauis improbis uiris uerbera, compedes . . fames, frigus durum Men 975

2. *dat.*: ego refero (gratiam) meae matri Fami St 158b(*v. om ARULy*)

3. *acc.*: famem* hercle utendam, si roges, numquam dabit Au 311   spes est tandem aliquando inportunam exigere ex utero famem St 387   ego non pausillulam in utero gesto famem* St 163   hic dies mihi optulit famem et pauperiem Au 722   famem ego fuisse suspicor matrem mihi St 155(*cf* Egli, I. 23; Inowraclawer, p. 17, 28) inopiam, luctum, maerorem, paupertatem, algum, famem Vi 95 (*ex Prisc* II. 235)

4. *abl.*: neque (diem) ieiuniosiorem nec magis ecfertum fame uidi Cap 466   reddam ego te ex fera fame mansuetem As 145   ego illum fame ego illum siti . . amatorem ulciscar Cas 153

lippiunt fauces fame Cu 318   maior pars populi aridi reptant fame Fr I. 29(*ex Gell* III. 3, 5)

emitte (boues) sodes ne enices fame Per 318 ego illam anum interfecero siti fameque atque algu Mo 193   . . ut egomet me hodie iugularem fame St 581

paene sum fame emortuos St 216   . . ne nos moriamur fame As 531   me esse omnes mortuom dicant fame St 640   lugubri fame familia pereat Ci 45   huc si quis intercedat tertius, pereat fame Mo 1106   piscatorem aequomst (perire) fame sitique speque** Ru 312 et ipsi siteant et pueri peritent (pereant *CD*) fame Poe 30

quicumuis depugno multo facilius quam cum fame St 627

FAMIGERATIO - - haec **famigeratio** (*P* -feratio *P*) te honestet me conlutulentet Tri 692(*cf* Goldman, II. 9)

FAMIGERATOR - - ego de eorum uerbis **famigeratorum**(-generat- *C*) insciens prosilui amicum castigatum: . . **famigeratori** (-generat-*C*) res sit cum damno et malo Tri 215-9

FAMILIA - - I. Forma familia Au 342, Ci 45, Poe 803, Tri 251   familiae Am 1044 (-ę *J* -e *E*), As 520(-ę *J* -e *E*), Cap 307   familiai Am 359(*Bent* -ae, ·ę, -e *P*), Mer 811 (*Bent* -a *P*), 834(*Bent* -de *B* -ę *CD*)   familias Am 831, Mer 405, 415, St 98(filias *D¹*) familiae (*dat.*) As 530(-ę *J* -e *E*), Mer 398 (-ę *C* -a *B*), 679(-ę*C*), Per 213, 502(-e*B¹*), Ps 191(malitiae *A*), Tri 379, Fr II. 3(*ex Varr l. L.* VII. 103)   familiam Am 471, 874, Ci 560, Mi *fr*(*ex Fulg de abstr. serm.* XXL), Poe 186, 870, Ps 274, Ru 1207, Tri 1133, 1135 familia Au 2, Men 667, Mi 166, 172, 351, Mo 106, Poe 168, 396   familiae Men 74(-ę *C*) familias Tru 407   familiis Per 566   *In* Mi 743 familiaest *legit R pro* -rum Ilias *falso corrupta* : As 743, familiarum *J pro* familiarium Ep 172, familiam *P in ras pro* filiam Men 623, familiarum *B² pro* familiarium Mi 174, uestrarum familiarum *B²CD pro* uestrum familiarium (*AB¹*); 262, 278, familiarum *P pro* familiarium(*A*)

II. Significatio (*cf* Koehm, p. 1) 1. *nom.*: hic autem apud nos magna turba ac familiast Au 342   paululum praedae intus feci dum lenonis familia dormitat Poe 803   si haec non nubat, lugubri fame familia pereat Ci 45

nox datur: ducitur familia tota, uestiplica . . Tri 251   aliud fiet oppidum sicut familiae quoque solent mutarier Men 74

2. *gen.*: omnis familiae causa consistit tibi As 520   peruorse perturbauit familiae mentem meae Am 1044   mater rediit . . cum . . salute familiai* maxuma Mer 811   ipse fui imperator familiai Cap 307   di penates meum parentum, familiai* Lar pater Mer 834   per supremi regis regnum iuro et matrem familias Iunonem Am 831   illa forma matrem familias flagitium sit si sequatur Mer 405   ancillam . . forma mala ut matrem addecet familias Mer 415   uiros nostros quibus tu uoluisti esse nos matres familias* St 98

me esse huius familiai* familiarem praedico Am 359

3. *dat.*: addideris nostrae lepidam famam familiae Tri 379   ut decet lenonis familiae Per 213   salutem dicit Toxilo Timarchides et familiae omni Pee 502   . . ut des pacem . . nostrae familiae Mer 679   nobis periculum et familiae portenditur As 530   ancilla . . quae habeat cottidianum familiae coctum cibum Mer 398   frumentum . . quod satis mihi et familiae* omni sit meae Ps 191   gannit odiosus omni totae familiae Fr II. 3(*ex Varr l. L.* VII. 103)

4. *acc.*: addicet praetor familiam totam tibi Poe186   misereat si familiam alere possim misericordia Ps 274   auxerunt nostram familiam Ru 1207   illos . . dementiae complebo atque omnem Amphitruonis familiam Am 471   itane nos nostramque familiam habes exercitam Mi *fr*(*ex Fulg de abstr. serm.* XXL)   familiam optumam occupauit Tri 1135

ut ego hanc familiam interire cupio Poe 870
in horum familiam frustrationem hodie iniciam maxumam Am 874   tu locere in luculentam familiam Ci 560   . . eum sororem
despondisse suam in tam fortem familiam Tri
1133   haec . . circumit per familias Tru 407
5. *abl.*: euortes tuo arbitratu homines fundis, familiis Per 566
nescioquid male factum a nostra hic familiast Mi 166   quid tumultuas cum nostra familia? Mi 172   nequam homo, indiligens, cum
pigra familia Mo 106   totum lenonem tibi
cum tota familia dabo hodie dono Poe 168   te
suspendas cum ero et uostra familia Poe 396
ego Lar sum familiaris ex hac familia Au 2
ex hac familia me plane excidisse intellego
Men 667   nec quoiquam quam illi in nostra
meliust famulo familia Mi 351
6. *adiectiva, sim.*: fortis Tri 1133   luculenta Ci 560   magna Au 342   optuma
Tri 1135   pigra Mo 106   omnis Am 471, As
520, Per 502, Ps 191, Fr II. 3   tota Poe
168, 186, Tri 251, Fr II. 3. lenonis Per 213,
Poe 803

FAMILIARIS · · I. Forma familiaris Am
354, 355, Au 2, Cap 273, Ep 2, Mi 389, 1339,
Tru 667   **familiari** As 309(-rio *J*)   **familiarem** Am 359, As 267, 319(*Non* 227 -re *PL*),
874, Au 134, Ba 458, Ci 726, Per 126, St 145,
525, Tri 89   **familiares** Am 127, Cap 840
(*Rs om Pψ*), Cas 330, Mi 183(*Z* -is *BD§* fa-
miaris *C*)   **familiarium** Am 146, 1083, As 743
(-rum *J*), Men 623(-rum *B²*), Mer 69, Mi 174
(*AB¹* -rum *B²CD*), 262(*A* -rum *P*), 278(*A*
-rum *P*)   **familiaribus** Mo 441, Ps 903, Ru
1207   **familiares** Am 353(-is *ULy*)   **familiariter** Am 355, Ep 2, Men 374, Ru 420,
Tri 335
II. **Significatio** (*cf* K o e h m p. 9) 1. *substantive* (*cf* W u e s e k e, p. 18) a. *nom.*: quis
me reprehendit pallio? ⁑Familiaris Ep 2   in
somnis . . meus mihi familiaris uisust Mi 389
inimicitas tua uxor mihi . . inimici familiares
Cas 330   . . ut ne qui essem familiares quaererent Am 127   . . se ut uideant domi familiares* Mi 183
b. *gen.*: certe familiarium* aliquoi irata's
Men 623   ille non potuit quin sermone suo
aliquem familiarium* participauerit Mi 262
. . ne quis se uideret huc ire familiarium* As
743   modo nescio quis inspectauit uostrum
familiarium* Mi 174   ea signa nemo (homo
add Ly duce R: *cf* S e y f f e r t, *Ber. Phil. Woch.*
16, 11) horum familiarium uidere poterit Am
146   haec sola sanam mentem gestat meorum
familiarium Am 1083   ibi multo primum(plurumum *Muret U*) sese familiarium laborauisse
Mer 69   ne . . quantum hic familiarium*st
maxumum in malum . . insuliamus Mi 278
c. *dat.*: edicam familiaribus profecto ne quis
. . credat Ps 903   credo exspectatus ueniam
familiaribus Mo 441
d. *acc.*: aduenisse familiares dicito Am 353
haben tu amicum aut familiarem quempiam?
Tri 89
2. *adiective*: nescio quam tu familiaris sis;
nisi actutum hinc abis, familiaris accipiere . .

haud familiariter Am 354-5   ire (oportuit) te
quidem qui's familiaris Tru 667   me esse
huius familiai familiarem praedico Am 359
nec mihi secus erat quam si essem familiaris filius Cap 273   sis amanti subuenire familiari* filio As 309   ego nunc Libanum requiram aut familiarem filium As 267   ego
Lar sum familiaris ex hac familia unde . .
Au 2   etiam nunc saluto te, Lar familiaris
Mi 1339   ut rem diuinam faciam . . Laribus
familiaribus Ru 1207
fundum alienum arat, incultum familiarem
deserit As 874   habeo opinor familiarem*
tergům (—t. *Ly*), ne quaeram foris As 319(*cf
Non* 227)
. . ut tuam rem ego tecum hic loquerer familiarem Au 134   rem familiarem curat Ba
458   curate igitur familiarem rem ut potestis
optume St 145   me absente familiarem rem
uxor curauit meam St 525
maerores familiares* mihi anteuortunt gaudiis Cap 840(*Rs*)   ✳✳✳et in maerorem familiarem Ci 726   qui familiarem suam uitam
oblectet modo Per 126
3. *adverbium*: accipiere Am 355(*supra* 2)   nimium familiariter me attrectas Ru 420   hominem ignotum compellet me tam familiariter
Men 374   edepol hominem praemandatum
ferme familiariter! Tri 335
odio's nimium familiariter Ep 2

FAMOSUS · · me miserum **famosum** fecit flagitiis suis Cas 991(*A solus*)   *Vide* Mi
797, *ubi* famose *B* famese *D* famęsę *C pro*
faueae(*Scal*)

FAMULUS · · ego huius fani (**famula** *et
add Rs*) sacerdos clueo Ru 285   nec quoiquam
quam illi in nostra meliust **famulo** familia Mi
351   uolt placere sese- amicae . . . uolt **fa-
mulis** As 184   nescio nisi ut improbos **famulos** imiter Cas 954   iube famulos(-is *A*)
rem diuinam mihi apparent St 396   *corruptum*: Per 788, famulast *B pro* fabulast

FANUM · · I. Forma **fanum** Cu 14, Poe
1180, Ru 61, 284, 822   **fani** Ru 285a   **fano**
Ru 331   **fanum** Au 583, 620, Cu 204, Ru 94,
128, 253 b, 271, 308, 386, 454, 570, 586, 622,
697, 865, 1286   **fano** Au 615(fac *V¹*), 617, Cu
62, 216, 527, Poe 323, 821, Ru 334, 560, 564,
613(fano meae uiciniae *Turn* fano *CD* fanom
B), 644, 663(e fano *Z* aefandae *P*[ef. *B* -dę
C -de *D*] ac pauidae *Rs*), 689, 706, 1065 g(e
fano foras *add RsLLy duce Lamb in lac*)
fana (*nom.*) Ru 821   (*acc.*) Ru 140
II. **Significatio** 1. *nom.*: hoc Aesculapi
fanumst Cu 14   id hic est Veneris fanum Ru 61
Veneris fanum, obsecro, hoc est? Ru 284   hoc
Herculi est Veneris fanum quod fuit Ru 822
haud sordere uisust festus dies, Venus, nec tuom
fanum Poe 1180   ne istic fana mutantur cito
Ru 821
2. *gen.*: ego huius fani sacerdos clueo Ru 285
3. *dat.*: hanc quae proxumast uillam Veneris
fano pulsare iussisti Ru 331
4. *acc.*: audio aedituom aperire fanum Cu 204
tuom fecerunt fanum parui Ru 697   perscrutabor fanum Au 620   uiden amabo? fanum

uidesne hoc? Ru 253b(*vide U*)   heus tu, qui
fana uentris causa circumis Ru 140

huc **ad** Veneris fanum uenio uisere Ru 94
ad hoc fanum ad istunc modum non ueniri
solet Ru 271   me huc obuiam iussit sibi
uenire ad Veneris fanum Ru 308   tibi me dixeram
praesto fore **apud** Veneris fanum Ru 365   ut
ted auferam, aula, **in** Fidei fanum Au 583   in
fanum Veneris . . mulierculas duas secum adduxit Ru 128   i sane in Veneris fanum huc intro
Ru 386   quid ego cesso fugere in fanum Ru
454   intro rumpam iam huc in Veneris fanum
Ru 570   abeo hinc in Veneris fanum Ru 586
currite huc in Veneris fanum Ru 622   uisam
huc in Veneris fanum Ru 1286

5. *abl.*: migrare certumst iam nunc **e** fano
(effano *E*) foras Cu 216   Venerem ipsam e
fano fugent Poe 323   e fano recipere uideo
se Syncerastum Poe 821   estne Ampelisca
haec quae foras e fano egreditur? Ru 334
ipsae huc egrediuntur timidae e fano* mulieres
Ru 663   exi e fano Ru 706   illum quem
dudum e fano* foras lenonem extrusti Ru 1065
(*RsU*)

(aurum) **in** tuo luco et fano*st situm Au 615
. . se aulam onustam auri abstrusisse hic intus
in fano Fide Au 617   hic leno aegrotus incubat in Aesculapi fano Cu 62   uolo hic in
fano supplicare Cu 527   hic in fano Veneris
signum flentes amplexae tenent Ru 560   istaec
sunt . . mulieres hic in fano Veneris Ru 564
quid hic in Veneris fano* meae uiciniae clamoris oritur? Ru 613   iniuria . . fit . . in Veneris fano Ru 644   signum in fano hic intus
Veneris Ru 689

6. *gen. app.*: Aesculapi Cu 14, 62   Fidei Au
583, 617   Herculi Ru 822   Veneris Ru 61,
94, 284, 308, 331, 386, 560, 564, 570, 586, 622,
644, 822, 865, 1286

FARCIO - -† quinas(anguillas *Winter Rg*)
fartas, conchas piscinarias Fr II. 20(*ex Festo*
166)   *Vide* Ep 455, *ubi* farcias *A* fartias *B*
faruas *EJ pro* sarcias(*Lamb*)

FARFARUS - - uiscum legioni dedi fundasque: eo praesternebant folia **farferi** Poe 478
dissipabo te tamquam folia farfari Fr II. 58
(*ex Serv ad Aen* VII. 715)

FARINA - - oleo opust, **farina** Tru 906

FARTIS - - non uestem amatores amant
mulieris sed uestis **fartim**(-um *SaracRRyU*:
cf Gloss Plaut) Mo 169   ✱✱✱esa **farte** biberem
Fr II. 28(*ex Festo* 333)

FARTUM - - misera gestit **fartum**(*Muret
ULy* fratrem *B*²*CDŞ*†*L*† fratri *B*¹ fretis *A?*
stragem *GronovRRg*) facere ex hostibus Mi 8
Vide Mo 169, *ubi* uestis fartum *SaracRRgU*
(*vide* fartim *supra*)

FARTOR - - † saepe aedunt (sepe edunt
FZLLy) quod fectorum(*B* factores *Rs* **fartores** *CDLULy*) faciunt Tru 107

FAS - - si me **fas** est opsecrare aps te, pater
Ba 1025(*cf* Walder, p. 51)   amabo, hicine
istud decet?   #Iusque fasquest Ci 20   neque
. . te accuso neque id me facere **fas** existumo
As 514   quod manu non queunt tangere, tantum **fas** habent quo manus apstineant Tri 288

FASCIA - - **fasciis**(*Z* falciis *B* faciliis *CD*)

opus est, puluinis, cunis, incunabulis Tru 905
Vide Mi 277, *ubi* fasciam *A pro* fac sciam

FASCIS - - unum a praetura tua . . abest.
#Quidnam? #Lictores duo, duo ulmei **fasces**
uirgarum Ep 28(*cf* Blomquist, p. 33)

FASTIDIO - - I. **Forma fastidis** Cap 837,
Cas 727, Men 169, St 334, 716   **fastidit** Au
245, Ba 333, Cu 633, Mo 886b   **fastidiunt**
Tru 932

II. **Significatio** *et proprie et translate*(*cf*
Gronov, p. 78) 1. *absolute:* habeat auro soccis subpactum solum. #Quor ita fastidit? Ba
333   nescioquem . . nactus es ubi cenes: eo
fastidis Cap 837   mane uero, quamquam fastidis Cas 727   quaeratis chlamydem . . unde ad
me peruenerit. #Ut fastidit gloriosus! Cu 633
olfacta igitur hinc, Penicule: lepide ut fastidis!
Men 169   mihi molestus ne sis. #Vide ut
fastidit simia Mo 886b

2. *cum gen.*(*cf* Blomquist, p. 101; Schaaff,
p. 44): abiit neque me certiorem fecit: fastidit
mei Au 245   mein(*Sciop* mihin *ALy* mihi in
P) fastidis? St 334

3. *seq. clausula vel praep.*: quid hic fastidis
quod faciundum uides esse tibi? quin bibis?
St 716   omnes homines ad suom quaestum
†calent et fastidiunt Tru 932

FASTIDIOSUS - - iste metus me macerat
quod ille **fastidiosust** Mi 1233   Neptunus ita
solet: quamuis fastidiosus aedilis est Ru 373

FASTIDIUM - - scin quid tu facias? face
te **fastidi**(-ili *B* -idii *CD*) plenum quasi non
lubeat Mi 1034   *Vide* St 300, *ubi* fastidia et *ins R*

FATEOR - - I. **Forma fateor** Am 606,
As 62, 566, 882, Au 88, 643(*om PyRgŞ*), 734,
738(fator *J*), 794, Ba 562, 1013, Cap 318, 677,
Cas 725, Cu 255, Ep 2, 501, 655, 703, Men
1107, Mer 983a, Mi 547(*AD²* facior *P* facio
B²), 554, Mo 1139, Per 213, 734, 854, Poe 133,
Ps 353, 363, 848, 913, 1313, Ru 285, 735, 1358,
1384(*FZ* inteor *B* intueor *CD*), Tru 79, 171,
835   **fateris** Cap 317(frater in *VE*)   **et** *ins R*
As 883 (facere *J*), Au 644   **fatetur** Mo 549
(*om ω* ==) 553, Ps 489, Fr I. 43(*ex Char* 219)
fatebor Cap 535   **fatear** Au 644, Cap 961,
Per 215(facear *B*)   **fateare** Mi 335,   554
(f. ego *AB²* fatear et ego et *P*), 661(*FZ* -ar
et *P*)   **fateamini** Tru 779   **fatere** Ps 488
(*Bo* -ri *P*)   **fateri** Cas 896, Tru 783   **fassus**
Au 830, Cap 295, 317, Tri 969, 982   **fassa**
Ci 654(-as *B*¹*VE*¹), Tru 792(sassa *C*)   **fassae**
(*pl.*) Tru 784   *corruptum*: Tru 785, fassis *P*
pro falsus(*Ang*)

II. **Significatio** 1. *absolute* a. id quoque
iam fiet nisi fatere. #Quid fatear tibi? Au
644   istuc facinus . . id ego feci et fateor
Au 734   ego ex hoc quo genere gnatus sis
scio, hic fassust mihi Cap 295   confitere ut
te autumo? #Fatear si ita sim Per 215
fatere*: dic καὶ τοῦτο ναί. #καὶ τοῦτο ναί.
#Fatetur Ps 488-9   hic nunc uolo scire,
eodem pacto sine malo fateamini Tru 779
Epidice, fateor. #Abi intro Ep 655

b. *paratactice* (*cf* Weißenhorn, p. 7):
pauper sum, fateor, patior Au 88   fuit meum
officium ut facerem, fateor Ps 913   ius petis,
fateor, tene Ps 1313

c. *interroganti respondet vel asseveranti affir-mat:* facin iniuriam mihi? #Fateor* Au 643 est tibi nomen Menaechmo? #Fateor Men 1107 iurauistin te illam nulli uendituram nisi mihi? #Fateor Ps 353 Veneris fanum, obsecro, hoc est? #Fateor Ru 285   tun trifurcifur mihi audes . . dicere? #Fateor, ego trifurcifur sum Ru 735 promisistin huic argentum? #Fateor* Ru 1384 huic homini nescioquid est mali . . obiectum . . #Fateor Am 606   bone uir, salue. #Fateor Cas 725   tute ipse . . ad me refers. #Fateor Cu 255   quis . . me reprehendit pallio? #Fa-miliaris. #Fateor Ep 2   temperare istac ae-tate istis decet artibus. #Fateor Mer 983   ne ego hodie tibi bona multa feci. #Fateor Per 734   satis sumpsimus supplici iam. #Fateor Per 854   sacrilege! #Fateor Ps 363   quam primum expugnari potis, tam id optumumst amicae. #Ego fateor Tru 171

2. *cum acc.:* fateor, gnate, mi . . #Quid fatere*? As 883   quid fatear tibi? Au 644 quid negabo aut quid fatebor? Cap 535   fa-terin* eadem quae hic fassust mihi? Cap 317 quae dudum fassa*st mihi, quaene infiitias eat? Ci 654   quod ego fatear . . pudeat quom au-tumes? Cap 961   quidni fateare* ego quod uiderim? Mi 554   †omnem in ordinem(in or-dine rem *U* ordine rem *FZL* mi ordine rem *Rs om Ly*) fateri ergo aequomst Cas 896   uis subigit uerum fateri Tru 783   at si uerum mihi eritis fassae . . Tru 784   satis es fassa* Tru 792

similiter cum praep.: etiam fatetur de hospite? Mo 549 b = 553

3. *cum dat.:* mihi Cap 295, 317, Cas 896(*Rs*), Ci 654, Tru 784 tibi Au 644

4. *seq. infin.*(*cf* Votsch, p. 35, 37; Walder, p. 35, 40): fateor eam esse inportunam As 62 fateor . . esse uera As 566   aurum . . quod modo fassu's esse in arca Au 830   ego patri meo esse fateor summas diuitias domi Cap 318 fateor me omnium hominum esse . . minumi preti Ep 501   uin iam faciam ut stultiuidum te fateare? Mi 335(*loc dub*)   tute me ut fateare* faciam esse adulescentem moribus Mi 661 fateor ego profecto me esse ut decet Per 213 quibus pro bene factis fateor deberi tibi et libertatem et . . Poe 133   fateor equidem esse me coquom carissumum Ps 848   fateor (ui-dulum) esse apud me Ru 1358   ego tibi me obnoxium esse fateor culpae compotem Tru 835 fateor . . me ex amore huius corruptum op-pido As 882   fateor* peccauisse Au 738   ego me iniuriam fecisse filiae fateor tuae Au 794 fateor factum Ba 562   stulte fecisse fateor Ba 1013   fateor omnia facta esse ita ut tu dicis Cap 677   fateor (minas) datas et . . me emisse Ep 703   meruisse equidem me maxumum fateor* malum Mi 547   me despexe ad te per inpluuium tuom fateor Mi 554   fateor pec-cauisse, amicam liberasse Mo 1139   aurum . . a me te accepisse fassu's Tri 969   fassu's Charmidem dedisse aurum tibi Tri 982   me fuisse huic fateor summum atque intumum Tru 79

5. *seq. interr. obl.:* si non strenue fatetur ubi sit aurum, membra exsecemus serra Fr I. 43 (*ex Char* 219)

FATIGO - - non sum scitior quae hos rogem aut quae **fatigem** Ci 680

FATIS - - *usurpatur in composito* adfatim *solo quod vide* (affatim)

FATUM - - dum ibi exquirit **fata** illorum (*AB²CD²LU* facta Iliorum *Gulψ* facta illorum *B¹*) Ba 951   Ilio tria fuisse audiui fata . . : paria item tria eis tribus sunt fata nostro huic Ilio: . . iam duo restabant fata tunc Ba 953, 956, 959   *corruptum:* Mo 1111, fata *B¹* pro facta

FATUS - - Am 906, fatu *P pro* ea tu(*Ca*)

FATUUS - - paene effregisti, **fatue**(-ẹ *J*), foribus cardines Am 1026   quicumque ubique sunt, qui fuerunt, quique futuri sunt posthac stulti, stolidi, **fatui** Ba 1088

FAUCES - - 1. *nom.:* lippiunt **fauces** fame Cu 318(*cf* Egli, I. p. 23)

2. *acc.:* ueneficae illi **fauces**(-is *BoRRsU*) prehendam Mo 219(*v.secl Ladewig*§)   mise-rumst opus . . fodere puteum ubi sitis fauces tenet Mo 380(*cf* Graupner, p. 31)   sacer-doti scelestus faucis(-es *B*) interpresserit Ru 655

3. *abl.:* exsecra . . usque ex penitis **faucibus** As 40   manufesto faucibus(*VEJ* facibus *B*) teneor Cas 943   ingurgitat inpura in se me-rum auariter faucibus plenis(p. f. *J*) Cu 126 propino tibi salutem plenis faucibus St 468 (*cf* Egli, III. p. 21)

FA-VEA - - eapse **fauea** ubist? Tru 513(*Rs* eabse abisti *P*§† eapse abiit? ubist *LLy* ubi ea se abstulit *U*)   quasi hunc anulum **faueae** suae(*Scal* s. f. *RRg* famẹsẹ[*C* -esẹ *D* -ose *B*] ancille *P* faueolae *BugU*) dederit Mi 797

FAVEOLA - - Mi 797(*BugU supra sub* fauea)

FAVITOR - - *vide* fautor

FAVONIUS - - hic **fauonius** serenust, istic (*B* s. f. est hic *CD*) auster imbricus Mer 876 (*cf* Hubrich, p. 49)   liquidiusculusque ero quam uentus est fauonius(*D²* faonius *CD¹* fa-cinus *B*) Mi 665

FAUSTUS - - haec erit tibi **fausta** meretrix Per 632   ut nobis haec habitatio bona fausta (*ABD* frausta *C*) felix fortunataque euenat Tri 41

FAUTOR - - si quoi **fauitores**(fautores *B et Non* 99) delegatos uiderint . . Am 67   uir-tute ambire oportet non **fauitoribus** Am 78 sat habet **fauitorum**(-ium *E*) semper qui recte facit Am 79

FAX - - huic lucebis nouae nuptae **facem** Cas 118   *corrupta:* Cas 943, facibus *B pro* faucibus Ps 469, fax si *B pro* fac sis

*FE** Ci 347 *Vide* Cas 997, *ubi* fe *add B ante* si

FEBRICULOSUS - - haec sunt hic limaces liuidae **febriculosae** miserae amicae Ci 406 (*Varr l. L.* VII. 64; *de A dub*)

FEBRIS - - 1. *nom.:* caruitne **febris** te heri uel nudiustertius? Cu 17   si ei forte fuisset febris, censerem emori Mo 720   uisam hesternas reliquias, quierintne recte necne: num afuerit febris Per 78   init te umquam febris? Fr II. 14(*ex Paulo* 110)   *Cf* Fr I. 79, *ubi* tussis febris *Prisc* I. 271 *pro* querquera tussis (*Fest* 257)

2. *acc.:* certo scio hoc **febrim**(*Z* -em *A* -in *P*) tibi esse quia . . Ps 643

FECTOR - - Tru 108, fectorum *B quod var em edd*

FECUNDUS - - amor et melle et fellest **fecundissumus**(-i *Pl*) Ci 69   *Vide* Mi 1141, *ubi* fecunde *AD³* fecunden *CD¹* faciunda *B pro* facunde

FEL - - 1. *nom.:* **fel** quod amarumst id (amor) mel faciet Cas 223   oculus huius, lippitudo mea, mel huius, fel meum Poe 394

2. *acc.:* semel **fel**(*add Rs om Pψ* †**S**) bibo Ru 884

3. *abl.:* amor et melle et **fellest** fecundissumus Ci 69   in melle sunt linguae sitae . .: facta atque corda in felle(*A* -es *A* belle *B* bella *CD om* in) sunt sita atque acerbo aceto Tru 179

FELES - - sequere hac, sceleste, **feles** (fles *D²* fides *D¹*) uirginaria Per 751   tune hic **feles**(*Turn* felis *U* fallis *P* faelis **S**) uirginalis liberos parentibus sublectos habebis? Ru 748   *Cf* Graupner, p. 26; Gronov, p. 306; Inowraclawer, p. 61; Wortmann, p. 24

FELICITAS - - satis spectatast mihi iam tua **felicitas** St 628

FELICO - - Mer 436, felicent *B pro* infelicent

FELIX - - haec habitatio bona fausta **felix** fortunataque euenat Tri 41   quae res tibi et gnatae tuae bene **feliciter**que uortat Au 788   *Vide* Ci 37, *ubi* felices *J¹ pro* paelices St 629, *ubi* satis feliciter *etc. post* apud te   *supplet U Cf* Hubrich, p. 110; Gimm, p. 19; Soltau, p. 4

FELO - - iam ille **felat**(*Ly* illi *A*[*uix* ille]ψ fe∗∗ *A ut vid* felat *A teste Ly* subolet *R exempli causa* foetet *LoeweRg* fetet *L* notust *U*) filius Ps 422

FEMINA - - I. Forma   **femina** Am 1060, Au 135, Ci 705, 706(*add Ly*), Men 838, Mi 1003, Ru 104, Tru 131, 284   **feminam** Mi 486 (-a *B¹*), Per 208, Vi 116(*ex Philarg ad Buc* II. 63) **femina** Mi 958, Per 475   **feminaru**m Am 509 (-ium *E*), Ru 281   **feminas** Mi 1113, Mo 1047 (fae. *D*)   *corrupta:* Mi 203, femina *P pro* femine(*AB²*); 831, feminas *P pro* heminas(*Sarac*)

II. **Significatio** (*cf* Koehm, p. 90) A. *substantive* 1. *nom. vel voc.:* nec me miserior feminast nec ulla uideatur magis Am 1060   illa autem ipsast nimium lepida nimisque nitida femina Mi 1003   mala tu femina's Tru 131   bona femina et malus masculus uolunt te Ci 705(*etiam* 706 *Ly*)   da mihi, optuma femina, manum Au 135

2. *gen.:* feminarum* nullast quam aeque diligam Am 509   misericordior nulla mest feminarum Ru 281

3. *acc.:* feminam scelestam te astans contra contuor Per 208   ad equas fuisti scitus admissarius: qui consectare qua maris qua feminas Mi 1113   eduxi omnem legionem, et maris et feminas Mo 1047
audiui feminam ego leonem semel parire Vi 116(*ex Philarg ad Buc* II. 63)

4. *abl.:* undest? #A luculenta atque festiua femina Mi 958

5. *adiectiva:* bona Au 135, Ci 705   festiua Mi 958   lepida Mi 1003   luculenta Mr 958   mala Ci 705   misera Am 1060   misericors Ru 281   nitida Mi 1003

B. *adiective* (*cf* Asmus, p. 15): non . . hisce homines me marem sed feminam uicini rentur Mi 486   utrum tu masne an femina's qui illum patrem uoces? Ru 104
ciuitatem . . maiorem feci atque auxi ciui femina Per 475
illa me ab laeua rabiosa femina adseruat canis Men 838   musca nulla feminast in aedibus Tru 284

FEMUR - - 1. *nom.:* feruit(*Stu* ferit *ALU* feries *P* feriens *Ly*) **femur** dexterum, ita uehementer eicit Mi 204

2. *acc.:* ei pugno praefregisti bracchium. #Quid, bracchium? #Illud dicere uolui: **femur** Mi 27   ferit Mi 204(*vide supra* 1)   dentibus frendit: icit femur(fremur *B*) Tru 601

3. *abl.:* nixus laeuo in **femine**(*AB²* -na *P*) habet laeuam manum Mi 203

4. *nom. pl.:* mea . . haec habeo omnia meo peculio empta. #Nempe quod **femina** summa sustinent Ps 1188   deciderint uobis femina in talos uelim Poe 570

5. *acc.:* asinos . . quibus subtritae ad **femina** (-nea *D*) iam erant ungulae As 340

FENESTRA - - neque solariumst apud nos . . neque **fenestra**(*AB²CD* -etra *B¹* fenstra *Ly*) nisi clatrata Mi 379   quid facies? #Concludere in **fenestram**(*P* -tra *A* festram *Vitus Garnerus Gruterusque, tum RsLy*) firmiter, unde auscultare possis Cas 132   industriores (aedis) fecit **fenestras**(festras *MeursiusRs* fenstras *Ly*)que indidit Ru 88   *De correptione cf* Esch, p. 37

FENICULUS - - indunt coriandrum, **feniculum**(foe. *C*), alium, atrum holus Ps 814 *Cf.* Ryhiner, p. 35

FERAX - - nullum esse opinor ego agrum in agro Attico aeque **feracem** quam hic est noster Periphanes Ep 307

FERCULUM - - Mo 253, ferculi *CD¹* oculi *B¹* perculi *D²* pro peculi(*B²*)

FERE - - tam crepusculo fere ut amant lampades accendite Fr I. 60(*ex Varr l. L.* VII. 77) fere maxuma pars(m. p. *om Rs*) morem hunc homines habent Cap 233   ad cubituram . . magis sum exercita fere quam ad cursuram Ci 380(*ex Non* 198)   lenonum et scortorum plus est fere(*B* ferre *CD*) quam olim muscarumst Tru 64   certo scio fere(*Ly* eri *P***S**† heri *FRs* ibi *SeyL U*) plus scortorum esse . . . Tru 69(*Ly*)   ibidem gnatust, inde surruptus fere sexennis Poe 902   *corrupta:* Cap 116, fere *BE* ferre *DJ*; 123, fere *P pro* ferae(*Serv ad Aen* X. 559)   Ep 329, fere *E¹J¹ pro* ferre (*B*); 573, fere *B¹ pro* ferre   Men 96, fere *Non* 108 *falso*   Mi 1128, impetras fere *C pro* impetrassere   Ru 1407, fere *P pro* ferre (*D³*)   Tru 580, fere *P***S**† *pro* ferre(*FZψ*)

FERENTARIUS - - illum tibi **ferentarium** (*A* -taneum *P*) esse amicum(*P* a. e. *A*) inuentum intellego Tri 456(*ex re militari: cf.* Graupner, p. 17; Inowraclawer, p. 89   *De correptione cf* Esch, p. 114

FERETRIUS - - Mer 646, megares feretriam *CD pro* Megares, Eretriam

FĒRIAE - - offers mihi laudem lucrum ludum iocum festiuitatem **ferias** Cap 770 tuas possidebit mulier faxo ferias Ep 469 uenter gutturque resident esurialis ferias Cap 468 *Cf* Egli, I. p. 18; Graupner, p. 16; Inowraclawer, p. 83

FERIATUS - - ego hanc machaeram mihi consolari uolo ne lamentetur . . quia se iam pridem **feriatam**(*Sarac* fieri attam *P*) gestitem Mi 7

FERIO - - I. Forma **ferio** Cas 405, Men 176, Ps 1135 a **ferit** Am 232, Mi 204(*ALU* feruit *StuRgS* feries *P* feriens *Ly*), Tri 247 **feriam** Am 1019, Mo 1061, Tru 254 **feriet** Am 704 **feriam**(*subiu.*) Ci 641 **ferias** Ba 1173, Ps 137 **feri** Cas 407(fieri *J*), Men 176, Mi 1403(eri *B*), Tru 941(*PRsS* †ψ) **ferire** Am 315 **feriri** Poe 150 *corrupta:* Am 151, adest ferit *P pro* adeste: erit(*Palmer*) Au 665, ec feri *D pro* ecfert Tru 556, feri *BD pro* ferri(*FZ*)

II. **Significatio** 1. *absolute:* pro se quisque . . ferro ferit Am 232 ex insana insaniorem (Baccham) facies, feriet saepius Am 704 mentitur: feri* Mi 1403 non metuo ne quid mihi doleat quod ferias Ba 1173

2. *cum acc.:* feriam foris Am 1019 iam foris ferio(*P* ferio foris *AR*)? #Feri Men 176 has foris non ferio Ps 1135 a fores quidquid est futurum feriam Tru 254

ferit* femur dexterum Mi 204 nequiter ferire malam male(†S) discit manus Am 315 feri* malam ut ille rursum Cas 407 compressan palma an porrecta (os) ferio? Cas 405 dic. #Si superfit, os . . feri Tru 941(*Rs* dic tum super feri *P* †ψ)

utrum hac me feriam an ab laeua latus? Ci 641 si feriri uideo te extemplo dolet Poe 150 quos (homines) quom ferias, tibi plus noceas Ps 137 *translate:* ibi illa pendentem (amatorem) ferit: iam amplius orat Tri 247 anteueniam et(ut U) foedus feriam Mo 1061

FERME - - hoc factumst ferme abhinc biennium Ba 388 nemo ferme sine damno huc deuortitur Men 264 edepol ferme(*Scal* firme *PRsS*) ut quisque rem accurat suam, sic ei procedit Per 451 facio quod manufesti moechi hau ferme solent Poe 862(*cf* Dousa, p. 440) mihi quidem aetas actast ferme(*A* acta si fert me *P*) Tri 319 edepol hominem praemandatum ferme(firme et *RU ex A*) familiariter Tri 335 honeste fieri ferme non potest ut eam perpetiar ire in matrimonium Tri 731

FERMENTUM - - nunc in **fermento**(fir. *J*) totast: ita turget mihi Cas 325 mea uxor propter illam tota in fermento iacet Mer 959 *Cf* Egli, II. p. 18; Graupner, p. 11

FERO - - I. Forma **fero** Am 32(*Ac* affero *PL*†), 141, Au 88, Ba 935, Cap 872, Men 130, 286, Mer 672, 854, Mi 1026(*PS*†*Ly* ferrem *L* refero *Gertz* ψ), Mo 654(peto *A*), Per 247, Poe 958, 1359, Ps 1292, Ru 464(*BD*² ferro *CD*¹), 914, 957, 1030, St 657(ferro *C*), 661, Tri 488, 973, Tru 578, 893, 900, Vi 5(*Rg*), Fr I. 5(*ex*

Paulo 61 gero *Non* 196) **fers** As 503, Cap 372, 964, Mer 161, Mi 1053, St 319(*ACD* fes *B*) **fert** As 323, Au 195, Ba 322, Cap 39, Cu 50, 83, Men 469, 568, 759(*B*¹ effert *B*²*C* adfert *DSLy*), Ps 1011, St 289 **ferimus** Poe 622, 641 **fertis** Men 999, 1013, Tru 180 (*RsU* factis *P* facitis *A*ψ *secl GuyRsS*UL) **ferunt** Au 493, Men 1002, Mo 677(efferunt *D*³), Per 351, Poe 1291(*A* fuerunt *P*), Ps 1108, Ru 76, 674, Tri 186 **feror** Ci 209 **fertur** Am 774(ferunt *E*), As *Arg* 5, Cu 82, Mi 952(offertur *Serv Dan ad Aen* IV. 608), Ps 281, Tru 550 **ferebat** Men 564, Ps 718 **ferebant** Men 1052 **feram** Am 645, 877, Au 449, Cas 996(*Rs pro* feci), Ep 295, Mo 614, Ps 1242 (*AS* deferam *P*ψ), St 433(*RRg pro* Syrum) **feres** As 487, 670, Au 832, Men 662, 692, 694, 1018, Mer 443, Mi 1423, Ps 1328, Ru 435, 1004(ferres *D*¹), Tri 1160(*B* fores *CD*) **feret** Am 308(*BD* foret *E* fortet *J*), Mi 151(ferret *B*¹), Ru 968, 1083, 1141(fert *B*), Tri 793 **feretis** Ru 1296 **tetuli** Am 716(retuli *J*), 800(tutuli *E*), Ba 811(*B*¹ detuli *B*²*CD*), 960(*AcR* detuli *P*ψ), Men 591(detuli *AB*²), 630(detuli *B*¹) Ru 68 (teluli *D*¹) **tuli** Au 433(ad te tuli *Stu* attuli *J* adtuli *BDLU*), Poe 1067 **tetulit** Ba 482(*AC* detulit *BD*), Men 381(*P* detulit *B*²), Mo 471(*P* detulit *B*²) **tulit** Ps *Arg* I. 6(adtulit *BoRg*) **tulerat** Cu 644 **tetulero** Ci 650

feram Am 870, Cap 908, Cu 10, Men 116(faeram *C*), Mi 1191(facerē *B*), Mo 62, Tri 728 **feras** As 355, 700(*om D* feceras *E*¹), Cap 146, 439 (*Non* 512 *et Rs* geras *P*ψ), 964, Cas 389, Ci 248, Cu 696(-atis *J*), Poe 15, Ru 992, 1397, Tri 495, Tru 827 **ferare** Mo 1133 **feratur** Au 156 **ferat** Ba 480, 1061, Cap 451, Cu 226, Mer 276 (*v. secl RRgL*), Mi 1127(*v. secl OsannR*), Mo 912, Poe 195, Ps 753, 765(serat *SciopR*), Ru 969, Tri 774, Fr I. 50(*ex Non* 221) **ferant** Am 1093, Au 493, Men 956, Mi 1303(peant *B*), Per 352, Tru 549 **ferrem** Cu 412(-t *B*), Mer 704, Mi 1026(*L* fero *PLy*S† refero *Gertz*ψ) **ferres** Men 681, 682 **ferret** Ba 264, Tri 1143(-ent *C*) **ferretur** Tru 798(*PLLy* afferetur *CaS* auferretur *Rs*) **tetulerit** Ru 1040 **fer** (*cf* Skutsch, p. 56) As 672, Ba 1059, Men 554, Mer 882, Mi 1343, 1387, Per 792(*BoRU* ferte *PS*†*LLy* adferte *Rs*), Ru 1177(ferre *U*), Tru 124(*A* fert *P*), 480 **ferte** Mi 1332(*FZU* certo *P* ecferto *Sey*ψ), Ru 617, 624, St 683, Fr II. 35 (*ex Pseudo-Acrone ad Hor Serm* II.5. 11) **ferre** Am 915, As 347, 699, 732, 804, Au 230, Ba 328, 637, 787, Ci 323, Ep 253, 329(*B* fere *E*¹*J*¹ facere *E*³*J*²*RgL*), 573(fere *B*¹), 659, Men 1003, Mo 596, Ps 598, 1150(*ACD* ferro *B*), Ru 464, 1030, 1407(*D*³ fere *P*), St 89, Tri *Arg* 7, Tri 778, 975, 1140, Tru 579, 580(*FZ* fere *PS*†) **ferrier** Ru 367 **ferri** Cap 372, Cas 170, Cu 84(*Bent* afferri *PL*), Mer 198, 752, Mi 1137, 1349, Ru 437, Tri 836(*add SpU*), Tru 556(*FZ* fieri *C* feri *BD* degeri *Rs* ecferri *U*), 750(*FZ* ferre *B* ferte *CD*) **tetulisse** Ru 893 **ferenti** Mo 232(referre rem ferenti *GruterRsS* ref. bene merenti *Cay* refferr////i *B ex* refferenti *ut vid* referenti *CD*) **laturus** Ba 1003 **latum** (*nom.*) St 329(latun *B*) **latam** Ci 732 **latae** (*nom.*) Am

1106(laete *D* latẹ *EJ*) **ferunda** (*nom.*) Ru
483 **ferundum** (*nom.*) Am 175(ferandam *J*)
corrupta: Au 249, fero *D pro* sero; 664, hec
feret *B* hoc ferret *J pro* ecferet (*Pius*); 665,
et fert *E* effert *J pro* ecfert Cap 116, ferre
DJ pro ferae; 355, ferant *P pro* offerant
(*Fl*); 658, haec ferte *J pro* ecferte Cas 880,
tuli *J* tu *BVE pro* turbaui(*A*) Ci 638, tetulit *B pro* detulit Mer 906, amare fert *B pro*
tua refert(*FZ*); 1010, introire fero *B pro* intro
refero Mi 1059, uerriant fertur *CD pro* uerri
adfertur; 1153, hac ferre *P pro* ecferri(*A*);
1302, ut ferat *add P om Bo*; 1335, fer ad macellum *B* ferinantace malum *CD*$†*em*ψ; 1338,
hec(*vel* haec) ferte *P pro* ecferte (*Ca*) Per
667, et fer *CD*¹ *pro* ecfer Poe 1351, ferto
CD pro furto Ru 729, at ferre *P pro* ad-
ferre(*A*); 1300, fero *P pro* ferro(*Bo*); 1302, ferre
P pro refᵊrre(*Lamb*) St 347, hẹc ferte *P*
vro ecferte(*Bo*) Tri 319, fert me *P pro*
ferme(*A*); 814, at ferre *B pro* adferre(*D*); 815,
fero *C* forte *D pro* foro Tru 64, ferre *CD*
pro fere(*B*); 353, fer *CD pro* uer(*AB*)

II. Significatio A. *proprie* 1.=portare, capere,
sim.: anulum gnati tui facito ut memineris ferre
Ba 328 fer* aquam pedibus Per 792 em
tibi aquam . . em, sic uolo te ferre honeste ut
ego fero* Ru 464 ait se ob asinos ferre
argentum atriensi Saureae uiginti minas As
347 argentum non morabor quin feras As
355(*idem fere quod* accipias argentum) hodie
non feres As 670 uehes . . me si quidem
hoc argentum ferre speres. #Ten ego ueham?
#Tun hoc feras* argentum aliter a me? As
699—700 pater nos ferre hoc iussit argentum ad te As 732 adferre argentum (parasitum) credo: nam si non ferat . . Cu 226 . . se
ob eam rem id (argentum) ferre Ep 253 argentum ego cum hoc feram Fp 295 nisi feres
argentum, frustra's Men 694 . . quoi iussit
sumbolum me ferre et hoc argentum Ps 598 hoc
(argentum) tibi erus me iussit ferre* Ps 1150
arrabonem hoc pro mina mecum fero Poe 1359
numquam hinc (aurum) feres a me Au 832
cape hoc tibi aurum . . i, fer filio Ba 1059
non . . accipiam: proin tu quaeras qui ferat
Ba 1061 aurum ornamenta quae illi instruxisti ferat Mi 1127(*v. secl OsannR*) aurum
ornamenta uestem pretiosa omnia duc adiutores tecum ad nauim qui ferant Mi 1303*
. . qui dicat aurum ferre se a patre Tri *Arg* 7
neque aurum ferre uirgini dotem a patre dicat
Tri 778 nihil auri fero Tri 973 ego me
aurum ferre dixi Tri 975 quasi qui aurum
mihi ferret* aps te Tri 1143 bona sua pro
stercore habet foras iubet ferri* Tru 556 *si-*
militer: boni(*om RRgL* bonum *U*) de nostro
tibi nec ferimus nec damus Poe 641 deos
quaeso . . #Ut quidem tu hodie canem et furcam feras Cas 389 (cistellam) in cau_eam
latam oportuit Ci 732 de tunica et chlamyde
et machaera ne quid speres: non feres Mi
1423(= accipies) clunes infractos fero* Fr
I. 5(*ex Paulo* 61; *cf Non.* 196) iussin colum
ferri mihi? Cas 170 egon apicularum opera
congestum non feram . . melculo dulci meo?
Cu 10 si coronas serta unguenta iusserit

ancillam ferre Veneri aut Cupidini As 804
Aegyptini . . cortinam ludis per circum ferunt*
Poe 1291 aut dimidium aut plus etiam faxo
hinc feres Ps 1328 mirum quin illo tecum
diuitias feras Tri 495 erus meus . . ad te
ferre me(adgerere me *Rs*) haec iussit tibi dona
quae uides illos (†$) ferre* . . et has quinque
argenti minas Tru 579—80 epistulam istam
fert Ps 1011 ferat epistulas duas Tri 774 . . si
(epistulas) opsignatas non feret Tri 793 eruom
daturin estis bubus quod feram? Mo 62 ne
frit(*Ellis* nee erit *P* ne gry *AcR*) quidem ferre
hinc potes Mo 596 furcam Cas 389(*supra sub*
canem) dignu's deciens qui furcam feras Ci
248 exite et ferte fustis priuos in manu Fr
II. 35(*ex Pseudo-Acrone ad Hor Serm* II. 5. 11)
guttam non feres Ru 435 multis blanditiis
a me gutta non ferri potest Ru 437(=obtineri:
v. secl FlRs) harundinem fert sportulamque
et hamulum piscarium St 289 altera manu
fert lapidem Au 195 manus ferat (ei *add*
L) ad (eius *add Rg*) papillas Ba 480(†$*Ly*)
manum sub uestimenta ad corpus tetulit* Bacchidi Ba 482 fer* contra manum et pariter
gradere Tru 124 reside duplicem ut mercedem feras Poe 15 (minas) sat habeo si
cras fero* Mo 654 (uiginti minas) obuiam ei
ultro feram* Ps 1242 quinque argenti minas
Tru 579(*supra sub* dona) ego minam auri
(*SeyRsLLy* eo mihi amare *P*$† *aliter U*) fero
supplicium Tru 893 supplicium hanc(ad te
hanc *CaRsL*) minam fero auri Tru 900 uidemus ad saxa nauem ferrier Ru 367 numquam hinc feres argenti nummum As 487
is mille nummum se aureum . . tibi ferre et
gnato Lesbonico aibat meo Tri 1140 quando
(opsonium) acceptumst, non potest ferri* foras
Tru 750 ubi onus nequeam ferre pariter,
iaceam ego asinus in luto Au 230(*an trans-*
late?) . . ut me adiutorem qui onus feram*
ad portum roget Mi 1191 ornamenta Mi
1127, 1303(*supra sub* aurum) (pallam) ad
scortum fero Men 130 pallam ad phrygionem
fert Men 469 pallam ad phrygionem . . ferebat Men 564 pallam non fert Men 568
numquam intro ibis nisi feres pallam simul
Men 662 illam (pallam) ad phrygionem ut
ferres Men 681 Men 1139(fero *R solus pro*
habeo) fertne partem tertiam (auri)? Ba 322
(patera) in hac cistellula tuo signo obsignata
fertur* Am 774 patibulum ferat per urbem
Fr I. 50(*ex Non* 221) eccum (peniculum) in
vidulo saluom fero Men 286 huc in hanc
urbem pedem numquam intro tetulit* Men 381
propera, Menaechme, fer pedem, confer gradum Men 554 neque hodie huc intro tetuli*
pedem Men 630 huc post hunc diem pedem
intro non feres Men 692 in hasce aedis pedem nemo intro tetulit* Mo 471 (Philippos)
ego non laturus sum Ba 1003 agite ite foras:
ferte pompam (*i. e.* cenam) St 683 huic
credo (pompa) fertur Tru 550 certumst quo
ferant (pompam) obseruare Tru 549 ad amicam id (pretium) fertur As *Arg* 5 hoc praemi feres Men 1018 eine hic cum uino uinus
fertur? . . istunc qui fert afflictum uelim: ego
nobis ferri* censui Cu 82—4 et illud spinter ut

ad aurificem ferres MEN 682　　sportulam ST 289 (*supra sub* hamulum)　supplicium TRU 893, 900 (*supra sub* minam)　symbolum . . tute dederas ad eum ut ferret filio BA 264　　symbolum PS 598(*supra sub* argentum)　seruos . . hunc (symbolum) ferebat cum quinque argenti minis (et q. a. minas *ALy*) PS 718　symbolum hunc ferat lenoni cum quinque argenti minis PS 753 sumbolam . . . feram ST 433(*RRg*)　　syngraphum . . hic ferat secum ad legionem CAP 451　has tabellas ferre me iussit tibi BA 787 egomet tabellas tetuli* ut uincirer BA 811　has tabellas obsignatas . . fero BA 935　　. . ut has tabellas ad eum ferrem* CU 412　　Toxilo has fero tabellas tuo ero PER 247　si hercle nunc ferat sex talenta magna argenti pro istis praesentaria MO 912　de talento nulla causast quin feras RU 1397　ad eum hospitalem hanc tesseram mecum fero POE 958　tunicam MI 1423(*supra sub* chlamyde)　intro (haec urna) ferundast RU 483　fer huc uerbenam intus et bellaria TRU 480　. . talentum . . mecum quod feram uiaticum TRI 728　hunc (uidulum) homo feret a me nemo . . #Non ferat si dominus ueniat? RU 968—9(*cf* Leo, *Anal. Pl.* I. p. 45)　tu istunc (uidulum) hodie non feres RU 1004　hunc si potes fer* intro uidulum RU 1177　non feretis istum (uidulum) RU 1296

2. lingua dicta dulcia datis, corde amara fertis* TRU 180(*RsU v. secl Guy* & *UL*)　tantum hoc onerist quod fero. #Quid oneris? #Annos octoginta et quattuor MER 672　habendum et ferundum* hoc onust(*i. e.* seruitus) cum labore AM 175

ueni ut auxilium feram AM 870　. . Alcumenae in tempore auxilium feram AM 877 . . ut sibi auxilium ferant AM 1093　ibo . . pernis auxilium ut feram CAP 908　obsecro . . auxilium ut feras* CU 696　tetuli* ei auxilium RU 68　uolup est me hodie his mulierculis tetulisse auxilium RU 893　auxilium propere latum*st ST 329　egone ut opem mihi ferre putem posse inopem te? BA 637　amanti fer opem MI 1387　Pseudolus opem . . erili ita tulit* PS *Arg* I. 6　ferte opem inopiae RU 617　non metuo quin meae uxori latae* suppetiae sient AM 1106　memento . . suppetias mihi cum sorore ferre EP 659　ecquis suppetias mihi audet ferre? MEN 1003　tu illi fers suppetias MI 1053　ferte suppetias qui Veneri . . commiserunt caput RU 624　illi miserae suppetias feret RU 1083 fer amanti ero salutem AS 672

condiciones tetuli* tortas confragosas MEN 591　tibi condicio nova et luculenta fertur* per me interpretem MI 952　fero . . ei condicionem hoc pacto RU 957　ecquid condicionis audes ferre? #Iam dudum fero RU 1030 ne iste haud scit quam condicionem tetulerit RU 1040　uin tibi condicionem luculentam ferre* me? RU 1407　condicionem hanc quam ego fero . . TRI 488

quo pacto hoc Ilium appelli uelis, id fero (*Ly ex P var em ψ*) ad te consilium MI 1026 . . ut Collabiscum uilicum hanc perdoceamus ut ferat fallaciam POE 195　. . docte ut hanc

ferat* fallaciam PS 765　tetuli* . . lenoni exitium RU 68　quid fers? #Vim, metum, cruciatum, curam, iurgiumque atque inopiam MER 161 pacem ad uos fero* AM 32　hanc salutem ferimus inuiti tibi POE 622

caue fidem fluxam feras* CAP 439(*Rs ex Non* 512)

seruos quoius ego hanc fero imaginem AM 141　huius illic hic illius hodie fert imaginem CAP 39　haec duarum hodie uicem . . mulier feret* imaginem MI 151　ei nomen diu seruitutis ferant PS 1108　metuo ne illaec simiae partis ferat MEN 276(*v. secl RRgL*)

hanc laetitiam accipe a me quam fero CAP 872　quot ego uoluptates fero*, quot risiones, quot iocos, quot sauia, saltationes, blanditias, prothymias ST 657

inimici famam non ita ut natast ferunt. #Ferant eantque . . crucem PER 351-2　hasce mihi propter res malas famas ferunt TRI 186 contra pariter fer gradum et confer pedem MER 882

iamne ea fert iugum? #Tam a me pudicast quasi soror mea sit CU 50

manum prehendi et osculum tetuli* tibi AM 716　osculum tetuli* tibi AM 800　quis istaec est quam tu osculum mihi ferre* iubes? EP 573　ferre aduorsum homini occupemus osculum ST 89

mores meliores sibi parent pro dote quos ferant quam nunc ferunt AU 493　res plurumas . . fert* MEN 759　me uidebunt gratiam referre rem ferenti* MO 232

imbres fluctusque atque procellae . . (ferri *add SpU*) TRI 836

3. hoc quidem hercle quoquo ibo . . mecum feram AU 449　haec illi tibi iusserunt ferri MER 752　. . nos secundum ferri nunc per urbem haec omnia MI 1349

crederes nunc quod fers AS 503　neque cepi nisi hoc quod fero hic in rete RU 914 dic quid fers ut feras hinc quod petis CAP 964 quid illum ferre* uis? EP 329　rogitas . . quid petam, quid feram . . MEN 116　quid fers? MER 161　unde is? quid fers? quid festinas? ST 319

utinam mea mihi modo auferam quae ad te tuli* salua AU 433　me hoc uotat uim facere nunc quod fero PS 1292

ut feras hinc quod petis CAP 964　quod posces feres MER 443　egomet fero quod usust MER 854　quod in mari non natumst . . ne feras RU 992　illud quod non uis feres* TRI 1160

ut iubeat ferri in nauim si quid inponi uelit MI 1187　quin feram si quid datur MO 614 (quidquid inerit) non feret* nisi uera dicet RU 1141

melius qui ualeat fero TRU 578

4. *cum acc. personae:* quo rapitis me? quo fertis me? MEN 999　uideo med ad saxa ferri saevis fluctibus MER 198　ad unum saxum me fluctus ferunt* MO 677(*cf* Schneider, p. 11) ea me spectatum tulerat per Dionysia CU 644 homines qui ferebant te sublimen quattuor MEN 1052　ego ferare faxo . . in crucem MO 1133　hanc ego tetulero intra limen CI

650   tu seruos iube hunc ad me ferant Men
956   eas ab saxo fluctus ad terram ferunt
Ru 76   maxumo hercle hodie malo uostro
istunc fertis Men 1013   fero conuiuam Dionysum mihique et tibi St 661   erum meum
indignissume nescioqui sublimen ferunt Men
1002   era me rogitauit minor puer ut ferretur* Tru 798(v. secl Langen*RsLU)   foras
(uxor) feratur Au 156
   similiter: se ut ferunt res fortunaeque nostrae . . Ru 674
   5. seq. supinum: spectatum tulerat Cu 644
(supra 4.)
   B. translate 1. = pati: nequeo quin fleam
quom abs te abeam. #Fer aequo animo Mi 1343
feram et perferam usque abitum eius animo
forti atque offirmato Am 645   . . ut ferrem
has contumelias Mer 704   feram* ego istaec
dicta Cas 996(Rs)   ista uirtus est quando
ususst qui malum fert fortiter As 323   . . tu
istuc insipienter factum sapienter feras Tru 827
periclitatus sum animum tuom . . quo pacto
id ferre induceres Am 915   nimio id quod
pudet facilius fertur quam illud quod piget
Ps 281   quod di dant fero Au 88
   alienus . . eius incommodum tam aegre feras
Cap 146   seruitutem ita fers ut ferri decet
Cap 372   mortui sunt? #Factum: quod ego
aegre tuli Poe 1067
   2. = torqueri: uorsor in amoris rota, miser
examinor, feror, differor . . Ci 209
   3. seq. quin: non feret* quin uapulet Am 308
   C. app. praepp. ad: me Men 956   te As
732, Au 433, Mi 1026(Ly*)   uos Am 32
eum Ba 264, Cu 412, Poe 958   amicam As
Arg 5, Tru 893   aurificem Men 682   legionem Cap 451   phrygionem Men 469, 563,
681, 682   scortum Men 130   corpus Ba
482   nauim Mi 1303   papillas Ba 480
portum Mi 1191   saxa, saxum Mer 197, Mo
677, Ru 367   terram Ru 76   uillam Ru 76
   a, ab: me As 700, Au 832, Ru 437, 968
te Mi 1026(L), Tri 1143   patre Tri Arg 7,
Tri 778   saxo Ru 76
   in cum acc.: aedis Mo 471   caueam Ci 732
crucem Mo 1133   nauim Mi 1187   urbem
Men 381   cum abl.: cistellula Am 774   manu
Fr II. 35   rete Ru 914   uidulo Men 286
   intra: limen Ci 650
   per: circum Poe 1291   urbem Mi 1349,
Fr I. 50   me Mi 951(instrum.)
   secundum: mos Mi 1349
   sub: uestimenta Ba 482
   cum: me Au 449, Poe 958, 1359, Tri 729
te Tri 495   se Cap 451   labore Am 175(de
modo)
   abl. instrum.: manu Au 195   fluctibus Mer
197   corde Tru 180   modi: animo forti
Am 645   aequo animo Mi 1143   quo, hoc
pacto Am 914, Ru 757
   adverbia: aegre Cap 145, Poe 1067   contra
Mer 882   facile Ps 261   fortiter As 323
docte Ps 765   honeste Ru 464   indignissume Men 1002   pariter Au 230   similiter:
in tempore Am 877   sublimen Men 1002, 1052
quo Men 999, Tru 549   hinc As 487, Au
832, Cap 964, Ps 1328   huc Men 381, 630,

692, Tru 480, 550(Fl Rs)   illo Tri 495   foras
Au 156, Tru 556, 750   intro Men 381, 630,
692, Mo 471, Ru 483, 1177   intus Tru 480
   additur dat.: mihi Ba 637, Cas 170, Ep
573, 659, Men 1003, Mer 854, St 661, Tri 186,
1143   tibi Am 716, 800, Ba 787, Mer 752,
Mi 952, Poe 621, 641, Ps 1150, St 661   sibi
Am 1093   nobis St 84   huic Tru 550   illi
Mi 1053, Ru 1083   ei Ba 480(L), Cu 82, Ps
1242, Ru 68, 957   Alcumenae Am 877   amanti
As 672   atriensi As 347   Bacchidi Ba 482
bubus Mo 62   Cupidini As 804   erili Ps
Arg 2   filio Ba 264, 1059   homini St 89
inopiae Ru 617   lenoni Ps 753, Ru 68   melculo Cu 10   mulierculis Ru 893   Toxilo
Per 247   Veneri As 804   uirgini Tri 778
uxori Am 1106
   D. corrupta vel dubia: *** ferre* Ci 323
*** fero Vi 5(Rg uro L)
FEROX - - I. Forma ferox As 468, Mi 1390,
Tru 272(an eos ferox Rs an eas P*† var em ψ)
ferocem Cu 539, Mo 890   feroces (nom.) Am
237(-is E), Men 767   (acc.) Men 863(FZU
-is Pψ)   ferocior Mi 1323(Non 305 -tior CD
fortior B), Ru 606(-tior D)   ferociter Am 213
   II. Significatio 1. adiectivum: ferox est uiginti minas meas tractare sese As 468   . . ut
adoriatur moechum qui formast ferox Mi 1390
quia accepisti armillas an eo's ferox*? Tru 272
(Rs)   uicimus ui feroces Am 237   uiros subseruire sibi postulant, dote fretae, feroces Men
767   quia tecum eram, propterea animo
eram ferocior* Mi 1323   illa nimio iam fieri
ferocior Ru 606
   ne te mihi facias ferocem aut supplicare
censeas Cu 539(cf Gronov, p. 92)   ferocem
facis quia †te eratus (erus L Ly duce Ca
erus tuos RU) amat Mo 890   equos iunctos
iubes capere me indomitos ferocis Men 863
   2. adverbium: nimis ferociter legatos nostros
increpant Am 213
FERRAMENTUM - - nostro illum puteum
periclo et ferramentis fodimus Ru 436
FERRARIUS - - . . ut fortunati sunt fabri
ferrarii Ru 531
FERRATILIS - - cis hercle paucas tempestates, Tranio, augebis ruri numerum, genus
ferratile Mo 19   Cf Graupner, p. 17
FERRATUS - - ferratusque(ferrat usq' D³ ferr-
rat usque CD¹) in pistrino aetatem conteras
Ba 781
FERREUS - - I. Forma ferreum (nom.) Per
21   ferream Per 572   ferreo (masc.) Cu
692   (neutr.) Cu 227, Poe 828(Scal ferro P)
ferrei Tru 943   ferreos St 619   ferreis
Per 571, 573   ferrea Per 571   ferreis
Per 570, Tri 1039
   II. Significatio 1. adiectivum a. proprie:
tu tibi iubeas concludi aedis foribus ferreis,
ferreas aedis commutes, limina indas ferrea,
ferream seram atque anellum: ne sis ferro parseris: ferreas tute tibi inpingi iubeas crassas
conpedis Per 570—3   te hodie faciam cum
catello ut accubes: ferreo ego dico Cu 692
eae miserae (leges) etiam ad parietem sunt
fixae clauis ferreis Tri 1039   . . quoi sunt
dentis ferrei Tru 943   si arte poteris accu-

bare. #Vel inter cuneos ferreos Sᴛ 619 tormento non retineri potuit ferreo Cᴜ 227

b. *translate:* negotium edepol. #Ferreum fortasse? Pᴇʀ 21 *Cf* Inowraclawer, p. 73

2. *substantivum:* uel in pistrino mauelim agere aetatem praepeditus latere(catulo *MueU*) forti ferreo* Pᴏᴇ 828(*nisi forte latere cum Leone ad* later *subst. referendum est*)

FERRICREPINUS · · apud fustitudinas **ferricrepinas**(-pidinas *E³J*) insulas As 33

FERRITERIUM · · ∗∗cor tenditur(*RsⱾ* portenditur ψ), inde **ferriterium** Mo 744

FERRITERUS · · oculicrepidae, cruricrepidae, **ferriteri**, mastigiae Tʀɪ 1021

FERRITRIBAX · · ubi sunt isti plagipatidae **ferritribaces** uiri Mo 356 *Cf* Egli, III. p. 34

FERRUGINEUS · · facito uti uenias ornatu huc ad nos nauclerico: causiam habeas **ferrugineam**(*Scut* -genas *B* -genes *CD¹* -gines *D³*), . . palliolum habeas **ferrugineum**(*ex Non* 549 -geneum *P*), nam is colos thalassicust Mɪ 1178-9

FERRUM · · 1.*nom.:* quom liquescunt petrae, **ferrum** ubi fit Bᴀ 17(*ex Serv ad Georg* IV. 171, *Prisc* I. 575, *Non* 474) quid crepuit quasi ferrum modo? Aᴜ 242

2. *dat.:* ne sis **ferro** parseris Pᴇʀ 572

3. *acc.:* **ferrum** ne (*RsLLy in lac*) haberet metui Cᴀs 908 ferrum tenes . . Cɪ 642

4. *abl.:* **ferro** ferit Aᴍ 232 auro hau ferro(*Z* aufero *P*) deterrere potes Tʀᴜ 929 hoc (ueru) . . e robigine, non est e ferro(*Bo* fero *CD* effero *B*) factum Rᴜ 1300

5. *corrupta:* Pᴏᴇ 828, ferro *P pro* ferreo (*Scal*) Ps 1150, ferro *B pro* ferre Rᴜ 464, ferro *CD pro* fero Sᴛ 657, ferro *C pro* fero

FERRUMINO · · Mɪ 1335, ferruminat *R solus in loco perdito Cf* Inowraclawer, p. 69

FERVEFACIO · · quando in patinas indidi . . aut maccidem aut saucaptidem, eaepse sese **feruefaciunt** ilico Ps 833

FERVEO · · feruit(*Stu* ferit *ALU* feries *P*, feriens *Ly*) femur dexterum, ita uehementer eicit Mɪ 204 ubi omnes patinae **feruont** (*A* feruent *P*), omnis aperio Ps 840 quem pol ego hodie ob istaec dicta faciam **feruentem** flagris Aᴍ 1030 quasi aquam feruentem(*B²J* feruuentem *B¹VE*) frigidam esse, ita uos putatis leges Cᴜ 511 iuben· . . epulas foueri foculis **feruentibus**? Cᴀᴘ 847

FERVESCO · · cocum percontabatur possentne seriae **feruescere** Cᴀᴘ 917

FERUS · · ah, nimium **ferus** es Bᴀ 73 (*iteratum post* 64) liber captiuos auis **ferae** (*Turn* fere *BE* ferre *DJ*) consimilis est Cᴀᴘ 116 auis(aui *Serv ad Aen* X. 539) me ferae (*ex Serv* fere *P*) consimilem faciam Cᴀᴘ 123 reddam ego te ex **fera** fame mansuetem As 145 *corrupta:* Bᴀ 1163, feri *C pro* fieri Mɪ 1090, fera *B pro* era

FESTINO · · I. Forma festinas Eᴘ 79, Mᴇʀ 367, Pᴏᴇ 336, Sᴛ 319 **festinat** As 604, Sᴛ 536 **festinamus** Sᴛ 677 **festinant** Cᴀs 558, 763, 793 **festinabat** Cᴀs 432 **festinet** Tʀɪ 615 **festina** As 157, Aᴜ 263(festina et *Rg* istuc fiet *BDⱾ†U* istuc siet *J* istuc ei *MueLLy*) **festinate** Aᴜ 453 **festinantem** Pᴏᴇ 523

II. Significatio remigio ueloque quantum poteris festina et fuge As 157(*cf* Graupner, p. 22) nunc festinat As 604 festina* et uale Aᴜ 263(*Rg*) coquite, facite, festinate nunciam quantum lubet Aᴜ 453 ut ille trepidabat, ut festinabat miser Cᴀs 432 miseri ut festinant senes Cᴀs 558 omnes festinant intus totis aedibus Cᴀs 763(*cf* Gronov, p. 334) intus alii festinant Cᴀs 793 i sane si quidem festinas magis Eᴘ 79 apud nos eccillam festinat cum sorore uxor tua Sᴛ 536 ibi festinamus omnes Sᴛ 677 seruile esse duco festinantem currere Pᴏᴇ 523

quid festinas? Mᴇʀ 367, Pᴏᴇ 336, Sᴛ 319 propemodum quid illic festinet sentio Tʀɪ 615

FESTIVITAS · · 1. mea uita, mea mellilla, mea **festiuitas**! Cᴀs 135 quid agis, mea festiuitas? Cᴀs 577 huius delicia, huius salus amoena, huius festiuitas Pᴏᴇ 389(*v. om CD*)

2. offers mihi laudem lucrum ludum iocum **festiuitatem** ferias Cᴀᴘ 770

FESTIVOS · · I. Forma festiuom (*nom. neut.*) Pᴏᴇ 1086(*B* -um *CD*) **festiuam** Mɪ 591 (*Gul* -a *AP*) **festiuom** Pᴏᴇ 308(*B* -um *ACD*), 695(*AB* -um *CD*) **festiuo** Mɪ 83, Ps 1254 **festiua** Mɪ 958 **festiuae** (*nom.*) Cᴜ 88(-e *BE* -ę *J*) **festiuos** Cᴀs 760 **festiuissuma** Eᴘ 623(festiuistiuissima *A* festu uissima *B²* ///festu uisse *ut uid B¹* estestu uisse *E* ē ē tu uise *J*) **festiuissumae** (*nom.*) Cᴜ 93(-e *B* -ę *EJ*) **festiue** Ps 1254

II. Significatio 1. *adiectivum* **a.** *de personis:* usque ab unguiculo ad capillum summumst festiuissuma* Eᴘ 623 undest? #A luculenta atque festiua femina Mɪ 958

b. *de rebus, sim.:* aperiuntu aedes festiuissumae Cᴜ 93 agite bibite festiuae fores Cᴜ 88

adsedistis . . in festiuo loco Mɪ 83 in loco festiuo sumus festiue accepti Ps 1254 tibi illud (hospitium) possum festiuom dare Pᴏᴇ 695 neque (credo) usquam ludos tam festiuos fieri Cᴀs 760

uin tu facinus facere lepidum et festiuom? Pᴏᴇ 308 festiuom facinus uenit mihi in mentem modo Pᴏᴇ 1086 nimium festiuam* mulier operam praehibuit Mɪ 591

2. *adverbium:* in loco festiuo sumus festiue accepti Ps 1254

FESTUCA · · ingenuan an **festuca** facta e serua liberast? Mɪ 961 *Cf* Romeijn, p. 69

FESTUS · · *de die tantum usurpatum (cf* Gimm, p. 20) A. *proprie:* 1. Aphrodisia hodie Veneris est **festus**(-os *B*) dies Pᴏᴇ 1133 haud sordere uisust festus dies, Venus, nec tuom fanum Pᴏᴇ 1180

2. hunc **festum** diem habeamus hilare Pᴏᴇ 1366

3. **festo** die si quid prodegeris profesto egere liceat Aᴜ 380 mitte ad me . . hodie Adelphasium tuam die festo celebri nobilique Aphrodisiis Pᴏᴇ 758 hostiis erus nequiuit propitiare Venerem suo festo die Pᴏᴇ 848

4. profestos **festos**(*Scal* profectos f. *P.* profecto festum ut *U duce Dousa*) habeam decretumst mihi Pᴏᴇ 501 *Vide* Ps 321, *ubi* festos *R pro* aliquos

B. *in allocutione blanda:* sine . . ted amari,
meus festus dies, meus pullus passer Cas 137
　　FETEO, FETIDUS - - *vide* foe-
　　FETUS (*subst.*) **- -** faciam . . ut uno **fetu**
(fẹtu *C* foetu *DJ*) . . pariat sine doloribus Am
878　　pater curauit uno ut fetu(fẹtu *E* foetu
BD) fieret Am 487　　*Cf* Kane, p. 58
　　FETUS (*adiect.*) **- -** (canis) tam placidast
quam **feta** quaeuis(est aqua *CaU*) Mo 852
　　FIBER - - sic me subes cottidie quasi **fiber**
salicem Fr II. 13(*ex Paulo* 90)
　　FICEDULENSIS - - militibus . . opus Tur-
ditanis, opust **Ficedulensibus** Cap 163　　*Cf*
Egli, II. p. 5; Vissering, I. p. 77
　　FICTILIS - - ibi tu uideas litteratas fictiles
(*B* -is *Ly* om *CD*) epistulas pice signatas
Poe 836
　　FICTOR - - prae illo qui omnium legum
atque iurum **fictor** condictor cluet Ep 523　　non
multa quae (sapiens) neuolt eueniunt, nisi fictor
malust. #Multa illi opera opust ficturae qui
se **fictorem** probum uitae agundae esse expetit Tri 364-5
　　FICTURA - - satis placet **fictura**(*Goel RRg*
pictura *APψ*) Mi 1189　　multa illi opera opust
ficturae qui . . Tri 365
　　FICULA - - hoc conuiuiumst pro opibus nostris satis commodule nucibus fabulis **ficulis**
St 690　　*Cf* Ryhiner, p. 35
　　FICUS - - hospes respondit Zacynthi **ficos**
fieri non malas Mer 943　　**ficis**(olficis *A*) uictitamus arideis Ru 764
　　FIDELIA - - Fides, mulsi congialem plenam
faciam tibi **fideliam**(-um *J*) Au 622
　　FIDELIS - - I. Forma **fidelis** As 573,
Au 618, Cap 439, Mi 1364　　**fideli** As 568, Cap
439, Tri 1096　　**fidelem** Ba 491, Mi 409,
1370, 1376(-le *CD*[1]), Per 48, 67　　**fidelior** Cap
716, Vi 41(tibi fidelior *Rg in lac*)　　**fideliorem**
Cap 346　　**fideliores** (*acc.*) Mi 1354(*B* -is *CD*)
fideliter Cap 363, 424, Cu 333, Mer 301(*A* si
quid uelim *P*), Mi 889, Tri 1128　　*corrupta:*
Mi 1015, fidelis *CD pro* fidus; 1369, fidele *CD*[1]
pro fide　　Mo 785, fidelis *B*[2] *in lac pro* fidus
　　II. Significatio A. *adiectivum* 1. *attribu-*
tive: . . eum esse ciuem et fidelem et bonum
Per 67　　operam da hanc mihi fidelem Per 48
　　2. *praedicative* **a.** *absolute:* neque. quemquam
fideliorem . . potes mittere ad eum Cap 346
dicant seruorum praeter me esse fidelem neminem Mi 1370
　　b. *cum dat.:* mihi Au 618, Cap 716(*infra*
sub illi)　　eum fidelem* mihi esse inuenio Mi
1376　　satin ut quem tu habeas fidelem tibi . .
nescias Ba 491　　alios fideliores semper habuisti tibi quam me Mi 1354　　cogitato . . tibi
quam fidelis fuerim Mi 1364　　qui (tibi fidelior
Rg in lac) sit quam serui tui Vi 41　　caue tu
illi fidelis . . potius fueris quam mihi Au 618
illi fuisti quam mihi fidelior Cap 716　　te
fidelem facere ero uoluisti Mi 409　　fac fidelis
sis fideli Cap 439　　amicae quam amico tuo
fueris magis fidelis As 573
　　B. *substantivum:* mea commendaui bona . .
probo et fideli et fido et cum magna fide Tri
1096　　fac fidelis sis fideli Cap 439　　ubi
sciens fideli infidus fueris . . As 568

　　C. *adverbium:* si quid . . consului fideliter
Tri 1128　　uolt te nouos erus operam dare
tuo ueteri domino . . fideliter Cap 363　　aussimne
ego tibi eloqui fideliter*? Mer 301　　sin bene
quid aut fideliter faciundumst . . Mi 889　　erga
hunc rem geras fideliter Cap 424　　respondit
mihi paucis uerbis atque adeo fideliter Cu 333
　　FIDELITAS - - . . hominem quoi fides **fideli-**
tasque amicum erga aequiperet tuam Tri 1126
illius sapientiam et meam **fidelitatem** . . pessum
dedit Tri 164
　　FIDES - - I. Forma **fides** Am 80, 555,
Au 584, 586, 608, 611, 614, 621, Cap 893, 927,
Cas 2, Ci 483, Men 575, Mer 378, 531, Mo
144, 1023, Per 244, 348, Ps 477, Tri 27, 1126,
Tru 45　　**fidei**(*gen.*) Au 121, 583, 617(*P* fidi *vel*
fidei *Ly* o Fides *U post Gertz* et *Py* Fide
Scalψ), Vi 41(f. plenior *L in lac*)　　**fidei** Am 391
(fide *BoRglLLy*), Au 615(fide *ScalRgLLy*), 667
(*P* fide ω *ex Char* 70), 676(*P* fide *ScalRgLLy*),
Cas 1007(*P* fide *Ly*), Ci 245(fide *Ly*), Per 193
(*R* fide *Aω*), Poe 890(*A* fide *Pω*), Tri 117(*CD*
fide *Bω*), 128(*P* fide *Schneider* ω), 142(*P* fide
Schneider ω)　　**fidem** Am 373, 376(*Ald* uide *D*
fidi *BE*), 455, 1129, As 458, 583, Au 300, 667,
692, Ba 570, 629, 636, Cap 349, 418, 439, 930,
Cas 2, Ci 236, 241, 259, 663, 760, Cu 139, 196,
504, 694, Ep 124(*Lamb* idem *P*), 220, 549, 580,
Men 872 b(fide *C*), 999, 1053, Mer 421, 531,
624, Mi 453, 455, 862, 983, Mo 77, 500(fide *D*),
530, Per 785, Poe 830, 900, 953, 967, Ps 376,
467, 519, 631, 899(fide *B*[1]), Ru 11, 47, 615,
622, 952, 954, 1043, 1350, Tri 153, 192, 272,
591, 1048 *bis*, 1070, 1113, Tru 29, 58, 805
fide As 199, Au 213, 772, Ba 3(*Ly in lac*), 542
(*v. om A*), Cap 351(uicem *Rs*), 405, 432, 890,
Men 894, Mer 1013(mea fide *RibRLy* me fide
PS† *var em ψ*), Mi 456(fidẽ *B*), 1369(fide nulla
FZ fidele nulla *CD*[1] fidelent ulla *B*), Mo 670,
Per 194, 243, 485, Poe 439, Ps 316, 1095(*B*[2]
fidem *P*), Ru 29, 1386, Tri 1096, 1111, Tru 48
(a fide *add Rs*), 586, Fr I. 54(*ex M. Caes ad*
Front II. 10)　　*corrupta:* As 120, fidem *D pro*
eidem; 561, fidem tem *J pro* fidentem Ci 242 b
(*v. iteratum secl* ω)　　Men 65, fides *P pro* pedes
(*Py*)　　Mi 1015, fides *B* fidelis *CD pro* fidus
(*A*)　　Per 751, fides *D*[1] *pro* feles　　Tri 2, fidẽ
B pro finem; 54, fidem *A pro* idem　　Tru 264,
fidẽ *CD pro* demp-
　　II. Significatio A. *proprie:* 1. **a.** si parua
iuri iurandost fides, uise ad portum　　Cap 893
saluos sum si quidem isti dicto solida et perpetuast fides Mer 378　　merito esse iratum
arbitror quod apud te paruast ei paruomst *Ly*)
fides Ps 477　　facis ut tuis nulla apud te fides
sit Am 555
　　b. Fide* censebam maxumam multo fidem
esse Au 667　　illis quoque abrogant etiam
fidem qui nihil meriti Tri 1048　　paruam esse
apud te mihi fidem ipse intellego Ps 467
si pergis paruam(paruom *Ly*) mihi fidem
arbitrarier . . Ba 570　　si sciat noster senex
fidem non esse huic habitam . . As 458　　mihi
fidem habere noluisset As 583　　criminin
me habuisse fidem? Ba 629　　non habeam
tibi fidem tantam Ba 636　　quia ei fidem non
habui argenti . . Per 785　　. . ne fidem* ei

haberem Ps 899   perdidisti me et fidem mecum tuam Mer 624   cum illo perdidero fidem Ps 376

per fidem quod creditumst Ci 760   per fidem deceptus sum Mo 500   per amicitiam et per fidem flens me obsecrauit Tri 153

c. neque demutauit animum de firma fide Tri 1111   a fide perit Tru 48(*Rs*)

2. *negotiatoris est:* a. grauior paupertas fit, fides sublestior Per 348   extemplo et ipsus periit et res et fides Tru 45   simul res, fides, fama, uirtus, decus deseruerunt Mo 144

b. boni sibi haec expetunt, rem, fidem, honorem, gloriam et gratiam Tri 272   eum rem fidemque perdere .. aiunt Cu 504   fidemque remque seque teque properat perdere Ep 220 rem fidemque nosque nosmet perdimus Tru 58 tu inuentu's uero meam qui furcilles fidem Ps 631(*cf* Graupner, p. 25)

c. cetera quae demutauit uolumus uti Graeca mercamur fide As 199(*cf* Graupner, p. 28; Gronov, p. 30; Schneider, p. 29) ne tu, leno, postules te hic fide lenonia uti Ru 1386

B. *translate:* 1. a. si illis fides est quibus est ea res in manu Am 80   neque fuit .. quoi fides fidelitasque amicum erga aequiperet tuam Tri 1126   res magis quaeritur quam clientum fides quoiusmodi clueat Men 575   inuitus ni id me inuitet ut faciam fides Tri 27   neque tippulae leuius pondust quam fides lenonia Per 244(*cf* Ru 1386 *supra* A. 2. c)

b. uelim te arbitrari med haec uerba .. meai fidei tuaique rei causa facere Au 121 si tibi pudico hominest opus .. qui (fidei plenior *L in lac*) sit quam .. Vi 41

c. tuae fidei* credo Am 391   tuaen fidei* credo? Cas 1007   tuae fidei* concredidi aurum Au 615   meae concreditumst taciturnitati clam fide* et fiduciae Tri 142   quae mihi esset commendata et meae fidei* concredita Ci 245 tuae mandatus est fide* et fiduciae Tri 117 scio fide* hercle erili ut soleat inpudicitia opprobrari Per 193   edepol fide* adulescentem mandatum malae! Tri 128

d. quod credidisti reddo. #Haud accuso fidem Ep 549   nolo .. tuam .. accusari fidem Mer 421   meo periclo huius ego experiar fidem Cap 349   facta hominum, mores, pietatem et fidem noscamus Ru 11

e. quali me arbitrare genere prognatum? #Bono. #Quid fide? #Bona Au 213   hic adulescens multo Ulixem anteit fide* Ba 3 (*Ly ex Char* 201)   neque med umquam deseruisse te neque factis neque fide Cap 405 muliebri fecit fide* Mi 456   dicant .. fide* nulla esse te Mi 1369   aetatem agitis cum pietate et cum fide Ru 29   amico fido et cum magna fide Tri 1096   lingua factiosi, inertes opera, sublesta fide Ba 542   .. ut pro ea fide habeant iudicem Per 194

dic bona fide Au 772, Per 485   bonan fide tu mihi istaec uerba dixisti? Cap 890   uin bona dicam fide? Poe 439   bonan fide* istuc dicis? Ps 1095   bonan fide? Mo 670   bona fide? Tru 586   *De prosodia cf* Luchs, p. 21

2. a. illaec repertast fides firma nobis Cap 927   animus redieit sei mecum seruatur fides

Mer 531   si debes, cedo, fides seruandast Mo 1023

b. si adhibebit fidem, etsi ignotust, notus Ru 1043   cures tuam fidem Tri 192   is leno .. flocci non fecit fidem Ru 47   fidem da. #Do .. non facturum esse me Ci 236 (*cf* Walder, p. 50)   des firmatam fidem te huc .. intro ituram Mi 453   do fidem .. isto me intro ituram quo iubes Mi 455, Per 243(*infra* c)   si fidem modo das mihi te non fore infidum. #Do fidem tibi Ru 952-4 Fr I. 54(*infra* c)   qui coniurasset mecum et firmasset fidem Ci 241   Mi 453(*supra*)   Fr I. 54(*infra* c)   caue fidem fluxam geras Cap 439 ne .. haec mutet fidem Mi 983   tecum seruaui fidem Cap 930   .. si fidem seruas mecum Cu 139   spero, seruabit fidem* Ep 124   mortalem graphicum .. si seruat fidem Ps 519 tamen fiet etsi tu fidem seruaueris Ru 1350 male fidem seruando .. Tri 1048   hic unus .. seruat fidem Tri 1113

c. fide data credamus Per 243   data fide firmata fidentem fefellerint Fr I. 54(*ex M. Caes ad Front* II. 10)

te .. cogitato hinc mea fide mitti domum Cap 432   mea ego id promitto fide Men 894 uide. #Mea fide*. #Satis habeo Mer 1013 (*RibLLy*)   fac hoc quod te rogamus .. mea fide, si .., ego .. euoluam id argentum tibi Ps 316   mittam .. istunc aestumatum tua fide* Cap 351

3. *in execrandi formulis* (*de collocatione cf* Kellerhoff, p. 79; Siewert, p. 41): pro fidem*, Thebani ciues! Am 376   pro deum atque hominum fidem Cu 694, Ep 580

diuom atque hominum clamat continuo fidem Au 300   tu clamabas deum fidem atque hominum omnium Men 1053

pro Cyrenenses populares, uostram ego imploro fidem Ru 615   uostram iterum imploro fidem Ru 622

di uostram fidem! Cap 418, Ci 259, Men 872 b, Poe 830, 900, 953, Tri 591, Tru 29   mare, terra, caelum, di uostram fidem! Tri 1070 Iuno Lucina, tuam fidem! Au 692   tuam fidem, Venus noctuuigila Cu 196

tuam fidem obsecro Am 373   opsecro uostram fidem Men 999   ne dixeritis obsecro huic (huic d. o. *Kellerhoff R*) uostram fidem Mi 862

di, obsecro uostram fidem Am 1129, Ci 663, Tru 805

di immortales, obsecro uostram fidem Am 455 pro di immortales, obsecro uostram fidem Mo 77, 530, Poe 967

C. *adiectiva apponuntur:* bona Au 213, 772, Cap 890, Mo 670, Per 485, Poe 439, Ps 1095, Tru 586   firma Cap 927, Tri 1111   fluxa Cap 439   Graeca As 199   lenonia Per 244, Ru 1386   magna, maxuma Au 667, Tri 1096 mala Tri 128   muliebris Mi 456   parua Ba 570, Cap 893, Ps 467, 477   perpetua Mer 378 solida Mer 378   sublesta Ba 542, Per 348 tanta Ba 636

D. *dea*(*cf* Hubrich, p. 32; Keseberg, p. 56): 1. Fides, nouisti me et ego te Au 584   ibo ad te fretus, tua, Fides, fiducia Au 586   tu

modo caue . . ., Fides Au 608   id te quaeso
ut prohibessis, Fides Au 611   uide, Fides,
etiam atque etiam nunc Au 614   Au 617(*PyU*)
o Fides . . faciam tibi fideliam Au 621   Fidem
qui facitis maxumi et uosmet Fides Cas 2

2. ted auferam, aula, in Fidei fanum Au 583
se aulam . . abstrusisse hic intus in fano Fidei*
Au 617

3. Fide* censebam maxumam multo fidem
esse Au .667   Siluano potius credam quam
Fide* Au 676   Fide* non melius creditur
Poe 890

4. Fidem . . facitis maxumi Cas 2

E. *dubium:* ∗∗∗ at fides Ci 483(*fortasse
ignorat* fides *A et ita L*)

FIDES, -IUM - - 1. **fides** non reddis? #Ne-
que fides neque tibias Ep 514   fides ei quae
accessere tibi addam dono gratiis Ep 473

2. conducta ueni ut **fidibus** cantarem seni
Ep 500

FIDICINA - - I. Forma **fidicina** Ep 47,
294, 477, 653, St 542(-ae *RgU*)   **fidicinam**
Ep *Arg* 1, Ep 90, 191, 267, 275, 313, 315, 372,
411, 473, 479, 476, 482, 487(*om B²*), 503, 704
fidicinā Ep 151, 287, 352, 366, 490(fididicina
B), 707   **fidicinas** Mo 960, St 380(fiac. *A*)
II. **Significatio** 1. *nom.:* illum . . adducam
huc ad te quoiiast fidicina Ep 294   quin tu
fidicinam produci intus iubes? #Haec ergost
fidicina Ep 477   tibi quidem . . domi praestost
fidicina Ep 653   erant minori illi adulescenti
fidicina* et tibicina St 542
(fidicina) ita curetur usque ad mortem ut
seruiat Ep 269   mandauit . . ut fidicina quam
amabat emeretur sibi Ep 47

2. *acc.:* fidicinas* tibicinas sambucas aduexit
secum forma eximia St 380   me iussit senex
conducere atiquam fidicinam sibi huc domum
ut . . cantaret sibi Ep 315   hanc . . filius meus
deperibat fidicinam Ep 482   is ipse hanc destinauit fidicinam(*A* fidicinam emit fidicinam *B¹*
alterum fid. *om B²* . . . . fidicinam *EJ*) Ep 487
haud intermissum . . scorta duci, pergraecari,
fidicinas tibicinas ducere(conduci *RRs†§*) Mo
960   emit fidicinam filiam credens senex Ep
Arg 1   is suo filio fidicinam emit quam ipse
amat Ep 90   fateor . . illam me emisse amicam
fili fidicinam Ep 704   foras educite quam
intro duxistis fidicinam Ep 473   tu cupias
liberare fidicinam Ep 275   nouistin fidicinam
Acropolistidem? Ep 503   ego parabo aliquam
dolosam fidicinam nummo conducta quae sit
Ep 372   quin tu huc producis fidicinam Acropolistidem? Ep 479   ostendam fidicinam aliquam conducticiam Ep 313   ut fidicinam . .
ulciscare Ep 267
ut ille fidicinam fecit nescire(†§*Ly* sese ut
nesciret *LRg²* duce *Mue*) esse emptam tibi Ep
411   quin tu fidicinam produci intus iubes?
Ep 476
ego illum audiui in amorem haerere apud
nescioquam fidicinam Ep 191

3. *abl.:* quid illa fiet fidicina igitur? Ep 151
me ludos fecisti de illa conducticia fidicina
Ep 707
argentum deferat pro fidicina Ep 287   leno
omne argentum abstulit pro fidicina Ep 352

sibi esse datum argentum dicat pro fidicina
Ep 366   pro fidicina* haec cerua subpositast
tibi Ep 490

FIDICINIUS - - eam uidit ire e ludo **fidicinio**(-cio *D¹* -cini *Rs*) domum Ru 43

FIDIUS - - per Dium(*Hermolaus* deum *PU*)
Fidium(fiduum *J*) quaeris As 23(*v. secl FlRgl§*)
Cf Hubrich, p. 35

FIDO - - non amantis mulieris sed sociae
unanimantis **fidentis** fuit officium facere Tru
435   ubi **fidentem**(fidem tem *J*) fraudaueris
As 561(*cf* Wueseke, p. 45)   data fide firmata
fidentem fefellerint Fr I. 54(*ex M. Caes ad Front*
II. 10)   *Vide* Tri 770, *ubi* cum fidentem *P pro*
confidentem

FIDUCIA - - I. Forma **fiduciae** Tri 117,
142   **fiduciam** Ba 413(-tiam *BC*)   **fiduciā** Au
586, Ba 752, Ep 697, 698(*J* -tia *BE*), Mo 37
(-tia *B* -duoia *B*), Per 39(*SeyRs* confidentia *Pψ*),
Poe 1209(-tia *CD*)
II. **Significatio** 1. *dat.:* meae concreditumst
taciturnitati clam fide et fiduciae Tri 142
(adulescens) tuae mandatus est fide et fiduciae
Tri 117

2. *acc.:* propter te tuamque prauos factus est
fiduciam Ba 413

3. *abl.:* ibo ad te fretus tua, Fides, fiducia
Au 586   mea fiducia opus conduxi Ba 752
qua fiducia ausu's . . filiam meam dicere esse?
#Lubuit, ea fiducia Ep 697-8   mei tergi facio
haec non tui fiducia* Mo 37   qua fiducia*
rogare . . audes? Per 39(*SeyRs*)   mea fiducia
hercle haruspex . . his promisit . . libertatem
Poe 1209

FIDUS - - 1. *nom.:* infidos celas: ego sum
tibi firme **fidus**(*A* firma fides *B* firme fidelis
CD) Mi 1015   ero seruos multimodis suo fidus
(*RRs§* m. filius *A* multum suo *cum lac P* m. s.
fidelis *B²* multis modis fidus *LLy*) Mo 785
fidus ero, quisquis es Ru 955   fidus fuisti:
infidum esse iterant Tri 832

2. *dat.:* qualine amico . . commendaui? #Probo
et fideli et **fido** . . Tri 1096

FIGO - - non sum dignus prae te ut **figam**
palum in parietem Mi 1140   **fixus** hic apud
nos est animus tuos clauo Cupidinis As 156
quam tu mihi nunc nauem narras? #Lig-
neam, saepe tritam, saepe **fixam**(fissam *R*),
saepe excussam malleo Men 403   (leges) misere
(*R* -ae *ZLy*) etiam ad parietem sunt **fixae**
(-xe *BC*) clauis ferreis Tri 1039   *corruptum:*
Am 1107, fixo *E pro* faxo

FIGULARIS - - uorsutior es quam rota
figularis Ep 371

FILIOLUS - - I. Forma **filiola** Ru 39
filiolum Cap 876, Tru 640(*Ca* -orum *P*)   **filiolam** Ci 665(-la *B*), Ru 106   **filiolo** Tru 805
(-on *Py* filio lotoni *P*), ib. (f. dei *Angel* filio
lodel *P*)   **filiola** Ci 571
II. **Significatio** (*cf* Koehm, p. 122; Ryhiner, p. 37) 1. *nom.:* huic filiola uirgo periit
paruola Ru 39

2. *acc.:* crepundia haec sunt quibuscum tu
extulisti nostram filiolam* ad necem Ci 665
filiolam ego unam habui, eam unam perdidi
Ru 106   postquam filiolum* peperit animos

sustulit Tru 640   tibi surripuit quadrimum
puerum filiolum tuom Cap 876
   3. *abl.*: supposiuit. #Quoi? #Sibi. #Pro
filiolon*? #Pro filiolo* Tru 805   .. quae educaret eam pro filiola sua Ci 571
   FILIUS, -A -- I. Forma filius Am 30, As
Arg 5, As 52, 74, 103, 751, Au 16(-um *Non*
359), Ba 244, 308, 337, 346, 484, 810, 830, 842,
1076, 1091, 1183, 1190, Cap *Arg* 1, Cap 25, 95,
261, 273, 330, 988, 990, 1025, Cas *Arg* 2, Cas
35, 49, 51, 55, 264, 289, 314, 329, 995(*Rs* illius
P Ilius *ψ ex Serv Dan*), Ci 370, 363, Ep 20,
277, 390, 430, 481(*om J*), 673, Mer 257, 261,
364, 1008, Mo 637, 659, 670, 997(*om D*), 1016,
1026 c(*L U* fu∗∗∗ *A*), Poe 64, 1072, 1257, Ps
422, 442, Tri *Arg* 3, Tri 108, 437, 449, 574,
1085, 1143, Tru 297, 538   **filia** Am 99, Au 23,
258, Cas 1013, Ci 513, 516, 606, 717, 749(*B²
om P*), 762(-ă *J*), Ep 573, 585, 699, 700, 716,
Men 762, 770, 822, 844, Per *Arg* I. 4, Ru 742,
1173, 1219, 1334, Tri 1183, Tru 789   **fili**
Cap 98(-ii *P*), Ep 289(-ii *P*), 389(-ii *J*), 704
(-ii *E¹J*)   **filii** Ep *Arg* 3   **filiai** Au 295
(*Scal* filiae in *BDV* filiae *J*), 372(*Scal* -ae *P*),
540(*Scal* -ae *PU*), 797(*Guy* -ae *B* -ę *EJ* -e *D*)
filiae As 595(-ie *E*), Au 74(-ię *EJ*), Ep 405(-ie
EJ), Ru *Arg* 2   **filio** As *Arg* 1, As 49, 57,
89, 123, 309, Au 10, 12, Ba 233, 259, 264,
366, 645, 850, 855, 931, 1059, 1197, 1164, Cap
32, 140, 361, Cas 150, 262(unico *BoRs*), 1014,
Cu 638, Ep 89(*om E¹*), 164, Mer 972, 979, 989
(illi *LLy*), Mo 758, 929, Poe 1080, Ps 395, 413,
417, 444, 673, 1330, Tri 359, 424(*AB* -um *CD*),
499, 571, 604, 611, 839, 1134, Tru 731(-um *Rs*),
849, 935   **filiae** Au 218(*D* -ię *BJ*), 269(-ię *J*), 275,
794(-ię *EJ* -ie *D*), Per 148(-ę *C*), St 560, Tri 157,
1100(-ie *B*), Tru 802(-ię *CD* -ie *B*)   **filium** Am
718, 720, 992, 1123, As 267, 344, 522 (-ūn *J*),
832, 875, 931, Au 21, Ba 238, 351, 407, 495,
906, 919, 921, 1110, 1113, 1175, Cap *Arg* 5, 9,
Cap 101, 316, 348, 366, 437, 454, 576, 586, 758,
759, 761, 872, 899, 972, 1007, 1015, 1016, Cas 60,
Ci 317, 365, Ep 173, 246, 408, 508, Men 61,
Mer *Arg* II. 1, 9, Mer 545(clam f. *A* iam filio
P), 961, 1021(*FZ* -ia *P*), Mo 28, 83, 349, 664,
750, 1044, 1117, 1138, Poe 75, 122, 125, 952
(*aliter U*), 957, 997, 1042, 1059, 1144, 1325,
Ps 430, 446, 482, Tri 114, 396, 602, 1075, 1165,
Tru 522, 669, 846, 857, 865, Vi 86, Fr I. 119
(*ex Fest* 375)   **filiam** As 132, 544, Au *Arg*
I. 4, II. 3, Au 172, 219, 228, 255, 271, 289,
384, 476, 603, 613, 729, 781, Ci 163, 499, 501,
524, 550, 568, 600, 602, 604, 607, 617, 621,
759, 775, 780, Ep *Arg* 1, 7, Ep 88, 172(*A* familiam *P*), 368, 542, 561, 568, 588, 589, 590, 597,
(*v. om A*), 604, 635, 698, 703, 717, Mi 111
(*B²D²* -ia *P*), Per 127, 338, Poe 1156, 1278,
1357(fillam *B*), Ru 1165, 1192, 1196, 1203,
1213, 1363, St 66, 547, Tri 110, 1075, 1156,
1162, Tru 821, 866(Calliclai f. *KiesU* iam esse
alibi iam *PSL*[*om* iam] *Ly*)   **filio** Am 1136,
As 851, 853, 862, Au *Arg* II. 9, Ba 420, 1114,
Cap 396, 933, 952, Cas 59, Ep 414, Poe 76, 119,
Ps 1307(*om CD*), 1311, Tri 1122   **filia** Au 204,
683, Ci 172, 533, Ep 357(pro f. *Ac* pelia *B¹E*
pro illa *B²*), 400, 705, Per 341, Ru 1211
filii Ba 1204, Cap 7, Men *Arg* 1, Men 18, 1118

(fili *B¹*), Mi 717(filia *A*), 1081   **filiae** Ep 36
(-ię *BJ* -ie *E*), Poe 84(-ię *C*), 1103, 1116, 1136,
1166(-ię *C* -ie *D*), 1171, 1256(-ie *B* -ię *C*), 1261
(-ię *C* -ie *B*), St 96(-ię *C*), 539(-ię *C*)   **filiis**
Ba 1206(filiis *B*), 1210, Poe 1128, St 567   **filios**
Am 480, 1070, 1088, Ba 974, 1168, Cu 221, Ep
212   **filias** Au 479, Poe *Arg* 8, Poe 111, 121
(*v. secl ULy*), 124, 1100, 1115, 1160, 1239(*PLU*
feilias *Aψ*), 1246, 1334, 1345, 1374, 1383, 1412,
St *Arg* II. 1, St 505   **filiis** Cap 367   *corrupta:* Cap 763, filios *J pro* liberos   Ci 729,
filio *B¹VJ pro* folio(*B²E*)   Ep 509, filia *A pro*
libera   Mer 755, filium *P pro* filum(*A*)   Mo
151, filia *P pro* pila(*B²*); 785, filius *A lac P*
pro fidus   Per 181, filiam *CD pro* fiam   Poe
954, *totum versum secl Lind* ω   St 98, filias
D¹ pro familias   Tri 506, filio *P pro* Philto
(*A*); 516, filio *D² pro* Philto   Tru 640, filio-
rum *P pro* filiolum(*Ca*); 805, filio lotoni *P*
pro filiolon; *ib.*, filio lodel *P pro* filiolo di
   II. Significatio (*cf* K o e h m, pp. 121, 122, 190)
1. *nom.*: Iouis sum filius Am 30   huic filia
unast Au 23   ubi mihist filius? Ba 244   ubi
nunc est ergo meus Mnesilochus filius? Ba 346
quo in periclost meus Mnesilochus filius? Ba
830   quis istic? #Megalobuli filius Ba 308
.. si essem familiaris filius Cap 273   isne istic
fuit? #Huius filius Cap 988   istic ipsust Tyndarus tuos filius Cap 990   compedibus quaeso
ut tibi sit leuior filius Cap 1025   eist filius
Cas 35   ille unicust mihi filius Cas 264   mihi
inimicus filius Cas 329   tuos modo unus filius
Ci 370   filia tua ubi sit Ci 717   nostra
haec alumnast tua profecto filia Ci 762   quis
istaec est? #Tua filia Ep 573   ero matris filia
Ep 585   ille quidem Volcani iratist filius Ep
673   da pignus, ni east filia Ep 699   ni ergo
matris filiast Ep 700   hic est intus filius apud
nos tuos Mer 1008   si itast ut tu sis Iahonis
filius Poe 1072   hic est .. huiusce fratris filius Poe 1257
   ita me di deaeque .. et Iouis supremi filia ..
Ci 513   ita me .. Iuno filia et Saturnus Ci 516
   nec pol filia umquam patrem accersit ad se
nisi .. Men 770   filius .. aduexit meus matri
ancillam suae Mer 261   ne quid dotis mea
ad te afferret filia Au 258   quid erilis noster
filius (agit)? #Valet Ep 20   quid agit filius?
Bene uolt tibi Tri 437   alium senex allegat
alium filius Cas *Arg* 2   filius .. armigerum
adlegauit suom Cas 45   scio iam filius quod
amet meus As 52   amat efflictim et item contra
filius Cas 49   neu .. prohibeto .. filium* quin
amet et scortum ducat Mer 1021   cedit noctem filius As *Arg* 5   quadringentis Philippis
filius me et Chrysalus circumduxerunt Ba 1183
hic eius rem confregit filius Tri 108   auro
contra constat filius Tru 538   .. ut filius tuos
.. esse allatum id aps te crederet Tri 1143
filius ut ais debebat Mo 1026 c(*L in lac* dedit
U)   hanc .. filius* meus deperibat fidicinam
Ep 481   me .. derideret filius Ep 430   quasi
quid filius meus deliquisset med erga Ep 390
Diabolus Glauci filius Cleaeretae lenae dedit
.. minas As 751   aedis filius tuos emit Mo
637   qua in regione istas aedis emit filius? Mo
659   de uicino hoc proxumo tuos emit aedis

filius Mo 670   eccum unde aedis filius* meus
emit Mo 997   filia sic repente expetit me ut
ad sese irem Men 762   solus secum fabulatur
filius Mer 364   istuc sapienter saltem fecit
filius Ba 337   Bellerophontem tuos me fecit
filius Ba 810   quicquid est meus filius quod
fecit Ci 363(Stu ex A)   iam illi foetet(LoewRg
fetet L subolet R notust U fe*** As ille felat
Ly) filius Ps 422   quod .. hic tecum filius
negoti gessit Mo 1016   mea haec erilis gestitauit filia Ci 749   perficito argentum hodie ut
habeat filius amicae quod det As 103   ecqui
maiorem filius* mihi honorem haberet .. Au 15
(cf Non 359)   qui hic habitat filium Au 21
ubi nunc filius meus habitat? Tri 1085   si
tu nolis filiusque etiam tuos Cas 314   filius*
te quidem oppressit Cas 995(Rs solus)   me
hodie orauit Argyrippus filius ut .. As 74   tua
filia facito oret Ru 1219   meus me orauit filius ut .. Tri 449   (puerum) mea .. peperit
filia Tru 789   legiones parat paterque filiusque Cas 51   idne tu mirare si patrissat filius?
Ps 442   male rem perdit filius Tri Arg 3
tibi sodalis periit huic filius Ba 484   erilis
noster filius apud uos Strabax ut pereat Tru
297   tua uxor filiusque promiserunt mihi Cas
289   meamne hic Mnesilochus Nicobuli filius
.. ut retineat mulierem! Ba 842   filius meus
illic apud uos seruit captus Alide Cap 330
subornata suadet sui parasiti filia Per Arg 1. 4
quas meus filius turbas turbet Ba 1076   .. quae
meus filius turbauit Ba 1091   (filius) ualet
pugilice atque athletice Ep 20   priusquam
ueniat filius Ep 277

egon ubi filius corrumpatur meus, ibi potem? Ba 1190   haec Casina huius reperitur
filia esse Cas 1013   apud uos meus seruatur
filius Cap 261   est heri aduectus filius Mer
257   ei filius .. puer septuennis surripitur
Carthagine Poe 64   captust in pugna Hegionis
filius Cap Arg 1   capitur alter filius Cap 25
illic est captus .. Hegionis filius Cap 95   ex
priore muliere nata .. meo erost filia Ci 606
numquam .. quoiquam tam exspectatus filius
natus .. Tri 574   haec hodie .. inuentast
filia Ep 716   ea filia inuentast mea Ru 1364
quicum Alcumenast nupta, Electri filia Am 99
haec tibi pactast Callicli filia Tri 1183
seni huic fuerunt filii nati duo Cap 7   ei
sunt natei filii gemini duo Men 18   mercator
Siculus, quoi erant gemini filii Men Arg 1
uos tum patri filii quot eratis? Men 1118   tibi
sunt gemini et trigemini .. filii* Mi 717   illi
patruo .. Carthaginiensi duae fuere filiae Poe
84   quasi filiae tuae sint ambae Poe 1103   si
eae meae sunt filiae .. Poe 1116   an huius
sunt illaec filiae? Poe 1136   haecine meae sunt
filiae? Poe 1166   haec inueniantur hodie esse
huius filiae Poe 1171   uos meae estis ambae
filiae Poe 1256   ambae filiae sumus Poe
1261   ei filiae duae erant St 539   alia apportabunt ei Nerei filiae Ep 36   filii nos exspectant intus Ba 1204   numquam enim nimis
curare possunt suom parentem filiae St 96
ipse .. quoius filii tam diu uiuont Mi 1081
2. gen.: fidicinam .. pro amica ei subiecit
filii Ep Arg 3   fateor .. illam me emisse ami-

cam fili fidicinam Ep 704   uidulum ubi erant
erilis filiae crepundia Ru Arg 2   acerbum
funus filiae faciet, si te carendumst As 595
hic non poterat de suo senex obsonari filiai*
nuptiis Au 295   .. ut bene haberem me filiai*
nuptiis Au 372   .. si nitidior sis filiai* nuptiis Au 540   ego auom feci iam ut esses filiai*
nuptiis Au 797   quo pacto celem erilis filiae
probrum Au 74   numquam nimis potest pudicitiam quisquam suae seruare filiae Ep 405
.. ne te censeat fili causa facere Ep 289
dudum fili causa coeperam ego me excruciare
animi Ep 389   hic occepit quaestum hunc fili
gratia Cap 98
3. dat.: adest exitium mihi atque erili filiae
Au 275   is mihi et filio aduorsatur suo Cas
150   nemo anteueniat filio .. meo Ps 417
age nunc uincito me auscultato filio Ba 855
amanti argento filio auxiliarier .. uolt senex
As Arg 1   .. eum thensaurum commostraret
filio Au 12   adulescenti dicam nostro erili
filio Ep 164   dic me aduenisse filio Mo 929
quoi homini despondit? #Lysiteli, Philtonis
filio Tri 604   .. eum sororem despondisse ..
Lysiteli .. Philtonis filio Tri 1134   deblaterauisti .. meae me filiae daturum dotem Au
269   erili filio hanc fabricam dabo Ba 366
(v. secl U)   mihi dedit tamquam suo .. filio
Cu 638   dare uolt uxorem filio Mo 758   minas effodiam ego hodie quas dem erili filio
Ps 413   filiae illae dederat dotem St 560
illius filiae .. habeo dotem unde dem Tri 157
thensaurum effodiebam intus dotem filiae tuae
quae daretur Tri 1100   mater .. filiae donq
dedit Tru 802   dedisti filio cibaria Tru 935
te .. haud aequom filio fuerat tuo .. amicam eripere Mer 972   symbolum quem tute
dederas ad eum ut ferret filio Ba 264   i,
fer (aurum) filio Ba 1059   numquam indicare id filio uoluit suo Au 10   infitias ire
coepit filio Ba 259   erili filio largitu's dictis dapsilis Ps 395   amanti ero filio senis ..
regias copias .. optuli Ba 645   quis illest
qui minitatur filio? Ba 850   eaque nubet Euthynico nostro erili filio Cas 1014   filio* nos
oportet opitulari unico Cas 262   nihil pretio
parsit filio dum parceret Cap 32   praemonstra
docte praecipe astu filiae quid fabuletur Per
148   redde (ancillam) filio* Mer 989   paterna oportet filio reddi bona Poe 1080   sis
amanti subuenire familiari filio As 309   cur
postremo filio suscenseam? As 49
quae res recte uortat mihique tibique tuaeque filiae Au 218   quae res bene uortat mihi
meoque filio uobisque Cap 361
aurum efficiam amanti erili filio Ba 233   is
suo filio fidicinam emit Ep 89   expugnaui
amanti erili filio aurum Ba 931(v.secl KiesRgSL)
dicam ut aliam condicionem filio inuenies suo
Tru 849   ipsus ultro uenit Philto oratum filio
Tri 611   sine dote posco tuam sororem filio
Tri 499   tuam sororem filio posco meo Tri
571   filio dum diuitias quaero Tri 839   egestatem tolerare (uolo) Lesbonico .. Charmidai
filio Tri 359   .. nisi forte in uentrem filio*
conrepserit Tri 424   ego me iniuriam fecisse
filiae fateor tuae Au 794   filio suo .. inno-

centi fecit tantam iniuriam Mer 979　pausam
fecit filio(*VallaLULy* lausum f. f. *PS*† *aliter Rs*)
Tru 731

　　tune es adiutor nunc amanti filio? As 57
semper sensi filio meo te esse amicum Cap 140
hic (est) amica amanti erili filio Ps 673　uiginti iam usust filio argenti minis As 89　illic
est pater patrem esse ut aequomst filio Ps 444
　　meo filio non sum iratus Ba 1164　numquid
iratus es aut mihi aut filio? Ps 1330　ego
illuc argentum tam paratum filio scio esse . .
As 123　　ne obnoxius filio sim et seruo Ba
1197

　　lepide ipsi hi sunt capti suis qui filiis* fecere insidias Ba 1206　. . ut apud lenones
riuales filiis fierent patres Ba 1210　gratulabor uostrum aduentum filiis St 567　salue,
Hanno, insperatissume mihi tuisque filiis Poe
1128

　　4. *acc.*: **a.** adduxtin illum huius filium captiuom(*PS*† c. f. *PyLU v. om A secl Ly*) Cap
1016　adoptat illum puerum surrupticium sibi
filium Men 61　is me sibi adoptauit filium
Poe 1059　alium agnoscit filium Cap *Arg* 9
erus meus amat filiam huius Euclionis pauperis Au 603　tu tuam me appelles filiam Ep
588　si me appellet filiam Ep 589　hanc
adserua Circam, Solis filiam Ep 604　. . filium
ut suom accesserem Mo 1044　filiam tuam
iam cognosces Ci 780　hic nos cognouit modo
et hunc sui fratris filium Poe 1325　mihi commendauit . . illum corruptum filium Tri 114
te uotui Argyrippum filium Demaeneti compellare aut contrectare conloquiue aut contui
As 522　si quid uis filium concastigato Ba
1175　quoi tuom concredat filium hodie audacius Cap 348　is illius filiam* conicit in nauem
miles Mi 111　filium conuenero Ba 921　is
etiam corruptus porro suom corrumpit filium
As 875　haec herclest . . meum quae corrumpit filium Ci 317　. . ut eri sui corrumpat et
rem et filium Mo 28　filium corrupisse aio
te meum Mo 1138　hic mihi corrumpit filium
Ps 446　ut amantem erilem copem facerem
filium Ba 351　quam tu filium tuom (desideras) Cap 316　etiam mihi despondes filiam?
Au 255　filiam despondi ego Au 271　tuam
mihi maiorem filiam despondeas Poe 1156
. . tuam maiorem filiam mihi te despondisse
Poe 1278　tuam . . mihi desponde filiam*
Poe 1357　Alcesimarcho filiam suam despondit in diuitias maxumas Ci 600　tibi uxorem filiam dedero meam Ci 499　filiam utendam tuam mihi da Per 127　dicito daturum meam illi filiam uxorem Ru 1213　ego
tibi meam filiam bene quicum cubitares dedi
St 547　quoius ducit filiam? Au 289　meam
extemplo filiam ducat domum Au 613　ducendam Tru 866(*KiesU*)　quasi ducentis Philippis emi filium Ba 919　in ibus emit olim
amissum filium Cap *Arg* 5　. . ut censeret
suam sese emere filiam Ep 88　emit hospitalem is filium inprudens senex Poe 75　speraui miser ex seruitute me exemise filium Cap
758　expediui ex seruitute filium Cap 454
mercatum asotum filium extrudit pater Mer
Arg II. 1　filiam ex te tu habes Au 781　num-

quid increpitauit filium? Mo 750　quod quaeritabam, filiam inueni meam Ci 759　ain tu
te illius inuenisse filiam Ep 717　ex inprouiso
filiam inueni meam Ru 1192　is inprouiso
filiam inueni tamen Ru 1196(*v. secl LangenRsSLy*)
crepundiis quibuscum hodie filiam inueni meam
Ru 1363　si filiam locassim meam tibi . . Au
228　Euclionis filiam laudant Au 476　si
queat aliquem inuenire suom qui mutet filium
Cap 101　ibi illa nominat Stratippoclem Periphanai filium Ep 246　ecquem filium Stratonis nouerim Demaenetum As 344　(filiam)
hodie huic nuptum Megadoro dabo Au 271
minumo sumptu filiam ut nuptum darem Au
384　ego teque tuamque filiam meque hodie
obtruncauero Ci 524　speraui ego istam tibi
parturam filium Am 718　deos quaeso ut salua
pariam filium Au 720　decumo post mense
exacto . . peperit filiam Ci 163　peperit filiam
Ci 617　meo compressu peperit filiam Ep 542
filium peperisti Tru 522　pariet postea aut
uarum aut ualgum aut compernem aut paetum
aut brocchum filium Fr I. 119(*ex Festo* 375)
me meumque filium . . habes perditui et praedatui Ci 524　capitis te perdam ego et filium
As 132　Chrysalus . . perdidit filium Ba 1113
perdidit unum filium Cap 759　filiam quam
ex te suscepi . . eductam perdidi Ep 561　tuom
perdidit, pessum dedit tibi filium unice unicum
Ba 407　filiam tuam mihi uxorem posco Au
219　audientem dicto, mater, produxisti filiam
As 544　prohibeto . . filium quin . . Mer 1021
(*per prolepsin*)　quam uos igitur filiam nunc
quaeritatis alteram? Ci 602　(quaerito) non
ex uxore natam, uxoris filiam Ci 604　huius
quae locutast quaerere aibas filiam Ci 607　eam
nunc puellam filiam eius quaerimus Ci 621　ut
ille amicam haec quaerebat filiam Ep *Arg* 7
Antidamae filium quaero Poe 1042　huius
reconciliasso in libertatem filium Cap 576
meum ut illic redimat filium Cap 366　filium
tuom . . redimere se ait Cap 586　hunc ex
Alide huc reducimus. ＊Quid, huius filium? Cap
1015　. . ut huius reducem facias filium Cap
437　is ex se hunc reliquit ˙. . filium Au 21
quoius modi reliqui . . filium? Mo 1117　reliqui hic filium atque filiam Tri 1075(*cf* Sjögren,
p. 9)　neque eum seruom umquam repperi neque filium Cap 761　is . . reperiet . . hunc sui
fratris filium Poe 122, 125　mei fratris filium
reperire me sinitis Poe 952　filium istinc tuom te
meliust repetere Tru 846　uxor complexa collo
retinet filiam Ru 1203　reuereor filium Ep 173
haec autem (salutat) hunc filium Poe 1144
serua tibi sodalem et mihi filium Ba 495　filiam meam quis integram stuprauerit Tru 821
di tibi illum faxint filium saluom tuom Vi 86
et tibi surripui filium et eum uendidi Cap 972
suscepi Ep 561(*supra sub* perdidi)　hic filium
subdiderat uicini Mer *Arg* II. 9　. . uiderim erilem nostram filiam sustollere Ci 550
ego nunc Libanum requiro aut familiarem filium As 267　uendidi Cap 972(*supra*)　tuin
uentris causa filiam uendas tuam? Per 338
filium tuom . . uiuom et sospitem uidi Cap 872
dixit mihi . . tuom uidisse hic filium Ep 408
uideon ego Telestidem te Periphanai filiam?

Ep 635   exeuntem filium uideo meum Mer
961   eccum erilem filium uideo, corruptum
ex adulescente optumo Mo 83   eius filiam
Lyconides uitiarat Au *Arg* I. 4   Lyconides
istius uitiat filiam Au *Arg* II. 3

b. ego tuom tibi aduenisse filium respondeo
Cap 899   filium sensit suom eandem illam
amare Cas 60   ecquam scis filium tibicinam
meum amare? Ps 482   Stratippoclem aiunt
Periphanai filium . . curauisse . . Ep 508 (dixi)
nostrum erilem filium Lesbonicum suam sororem despondisse Tri 602   eas emisse aedis
huius dicam filium Mo 664   ego utrumque
facio ut aequomst filium As 836   Iuppiter . .
me perisse et Philolachetem cupit erilem filium
Mo 349   scit peperisse iam ut ego opinor
filiam suam Au 729   iube Telestidem huc
prodire filiam Ep 568   meus formidat a.nimus
nostrum tam diu ibi desidere neque redire filium Ba 238   mirum uidetur rure erilem filium Strabacem non redisse Tru 669   . . filium
te uelle amantem argento circumducere Ps 430
    meum corrumpi . . perpessu's filium Tri 1165
eius cupio filiam uirginem mihi desponderi Au
172   filiam meam tibi desponsam esse audio
Tri 1156   filiam tuam sponden mihi uxorem
dari? Tri 1162   dixit meum Diniarchi puerum
inuentum filium Tru 857   homines fabulantur
per uias mihi esse filiam inuentam Ci 775 (patiar) . . ludificari filiam Ci 501   eam qua ex
tibi commemores hanc . . filiam* prognatam Ep
172

filium bonum patri esse oportet Am 992   dixit . . eum . . filium suom esse Am 1123   scio
quor te patrem esse adsimules et me filium
Cap 1007   eam suam esse filiam . . adiurabat
mihi Ci 568   emit fidicinam filiam credens
senex *Arg* 1   amica quam pater suam filiam esse retur Ep 368   negat haec filiam me
suam esse Ep 590   qua re filiam credidisti
nostram? Ep 597   qua fiducia ausu's . . filiam
meam dicere esse? Ep 698   eius filium esse
hic praedicant Agorastoclem Poe 957   Hannonem se esse ait . . Muthumbalis filium Poe
997   filiam meam esse hanc oportet Ru 1165
uidet . . suam filiam esse adultam uirginem
Tri 110   scio . . esse . . filium ex sponsa tua
Tru 865

c. sine me . . ire huc intro ad filium Ba 906
numquidnam ad filium haec aegritudo adtinet?
Ba 111₀   ad meam maiorem filiam inuiso
modo St 66

consulit aduorsum filium Tri 396   emptast
amica clam uxorem et clam filium* Mer 545
dedin tibi minas triginta ob filiam? Ep 703

d. ego dissuadebam, mater. #Bellum filium!
As 931

e. suasque adgnoscit quas perdiderat filias
Poe *Arg* 8   senex castigat filias St *Arg* II. 1
annos multos feilias meas celauistis clam me
Poe 1239   opulentiores pauperiorum filias ut
indotatas ducant uxores Au 479   Priamus . .
quadringentos filios habet Ba 974   geminos in
uentre habere uideor filios Cu 221   huius filias
apud uos habeatis seruas Poe 1246   in seruitute
hic filias habuit tuas Poe 1334, 1383   istas
inuenisti filias Poe 1412   hodie illa pariet filios

geminos duos Am 480   illam geminos filios pueros peperisse conspicor Am 1070   Alcumena geminos peperit filios Am 1088   perdiderat Poe
Arg 8(*supra*)   docte atque astu filias quaerit
suas Poe 111   etiam redditis filios et seruom?
Ba 1168   reperiet . . hic filias Poe 121   reperiet suas filias Poe 124   ita me di . . meas
. . mihi seruassint filias St 505   si uis tuas
uidere filias . . Poe 1160   filios suos quisque
uisunt Ep 212   filias dicas tuas surruptas . .
esse paruolas Poe 1100   filias malo meas
(uidere) Poe 1115

hasce aio liberas ingenuasque esse filias ambas meas Poe 1345   modo cognouit filias suas
esse hasce ambas Poe 1374

5. *voc.*: concede huc, filia! Men 822   filia,
heus! Men 844   o filia mea, . . me absens
miseriarum commones Ru 742   filia mea, salue
Ru 1173

6. *abl.*: a. perdam operam potius quam carebo filia Ci 533   ab eo donatur auro uxore
et filio Au *Arg* II. 9   . . erogitare meo minore
quid sit factum filio Cap 952   concubitu grauidam feci filio Am 1136   . . meoque filio sciente
id facere flagitium patrem? As 853   mutatio
inter me atque illum ut nostris fiat filiis Cap
367

b. ubi mentionem ego fecero de filia . . Au
204   quo pacto mihi cum hoc conuenerit de
huius filio Cap 396   proinde ut tu promeritu's
de me et filio Cap 933   eloquere ut haec res
optigit de filia Ru 1211   ain tu, meum uirum
hic potare . . cum filio? As 851   qui quidem
cum filio potet una atque . . As 862   una
consentit cum filio Cas 59   caue siris cum
filia mea copulari hanc Ep 400   cum tuo filio*
perpotaui modo Ps 1307   cum tuo filio libera
accubat Ps 1311   . . quae cum eius filio egi . .
Tri 1122   quid tibi ex filio nam . . aegrest?
Ba 1114

tu qui pro tam corrupto dicis causam filio
Ba 420   eaque educauit eam sibi pro filia Ci
172   ea iam domist pro filia* Ep 357   te pro
filio facturum dixit rem esse diuinam domi Ep
414   illam me emisse amicam fili fidicinam
pro tua filia Ep 705   utrum pro ancilla me
habes an pro filia? Per 341   eumque adoptat
sibi pro filio Poe 76   ille . . adoptauit hunc
pro filio sibi Poe 119

iuxta mecum rem tenes super Euclionis filia
Au 683

7. *adiectiua vel genetivi apponuntur:* amans
As *Arg* 1, As 57, 309, Ba 233, 351, 931, Mer
972, Ps 673   asotus Mer *Arg* II. 1   abditiuos
Poe 64   audientem As 544   bellus As 931
brocchus Fr I. 119   compernis Fr I. 116   gemini Am 480, 1070, 1088, Cu 221, Men *Arg* 1,
Men 18, Mi 717   erilis Au 74, 275, Ba 233,
351, 366, 931, Cas 1014, Ci 550, 749, Ep 20,
164, Mo 83, 349, Ps 395, 413, 673, Ru *Arg* 2,
Tri 602, Tru 297, 669   ingenuus Mi 717, Poe
1239, 1345   familiaris As 267, 309, Cap 273
hospitalis Poe 75   indotata Au 479   innocens Mer 979   libera Poe 1239, 1345   paetus
Fr I. 119   saluos Cap 872, Vi 86   sospes Cap
872   ualgus, uarus Fr I. 119

fratris Poe 122, 125, 952, 1257, 1325   para-

siti PER *Arg* I. 4 pauperiorum AU 479 senis
BA 645 uicini MER *Arg* II. 9 Antidamae
POE 1042 Callicli TRI 1183, TRU 766(*KiesU*)
Charmidai TRI 359 Demaeneti AS 522 Di-
niarchi TRU 857 Electri AM 99 Euclionis
AU 476, 603, 683 Glauci AS 751 Hegionis
CAP *Arg* 1, CAP 95 Iahonis POE 1072 Iouis
AM 30, CI 513 Megalobuli BA 308 Muthum-
balis POE 997 Nerei EP 36 Nicobuli BA 842
Periphanai EP 246, 608, 635 Philtonis TRI
1134 Solis EP 604 Stratonis AS 344 Vol-
cani EP 673

FILUM - - satis scitum **fĭlum**(*Pius et ut vid
A* filium *P*) mulieris MER 755 *Vide* BA 1206,
ubi filis *B¹ pro* filiis *Cf* Blomquist, p. 161;
Gronov, p. 248; Inowraclawer, p. 70;
Schaaff, p. 23

FINDO - - heu, cor meum et cerebrum, Ni-
cobule, **fĭndĭtur** BA 251 impleuisti fusti **fĭs-
sorum** caput AU 454 *Vide* MEN 403, fissam
R pro fixam POE 221, findi *B pro* fingi *Cf*
Egli, I. p. 27

FINGO - - I. Forma **fĭngit** CAP 304, MEN
Arg II. 6(*add RRs*), MI *Arg* II. 11, TRI 363
fĭngĭtis CAP 207(*BD* fugitis *VEJ*) **fĭngunt**
PER *Arg* II. 5(*A solus*) **fĭnget** AM 317 **fĭn-
geres** AS 252 **fĭnge** BA 693, ST 354(*BugRg*
pinge *APẞ†Lt Ly* terge *R* tinge *LipsU*) **fĭn-
gere** AS 250 **fĭngi** CU 594(fringi *J*), POE 221
(findi *B*) **fĭcta** ST 745 **fĭctum**(*nom.*) AS 174
(*ex Non* 308 *et* 493 *om P*) **fĭctos** TRU 287
corruptum: AM 517, et fictum *J pro* ecflictim

II. Significatio A. *proprie:* illic homo me
interpolabit meumque os finget denuo AM 317
(*cf* Egli, I. p. 34) hercle ego istos fictos compositos crispos concinnos tuos . . exuellam TRU
287 *medialiter:* numquam concessamus lauari
aut fricari aut tergeri aut ornari, poliri expoliri, pingi, fingi* POE 221 itast ingenium muliebre: bene quom lauta, tersa, ornata, fictast,
infectast tamen ST 745 *fortasse* ST 354, *ubi*
finge *BugRg pro* pinge.

B. *translate* 1. fortuna humana fingit artatque ut lubet CAP 304 sapiens quidem pol
ipsus fingit fortunam sibi TRI 363(*cf* Schneider, p. 28)

2. meliust . . argento conparando fingere fallaciam AS 250 inueniundo argento ut fingeres fallaciam AS 252(*cf* Herkenrath, p. 70)
compara, fabricare, finge quod lubet . . ut senem . . fallas BA 693

3. neque fictum* usquamst neque pictum . .
ubi lena bene agat cum quiquam amatore AS
174 neque pol dici nec fingi* potest peior
(mulier) CU 594 *cum infin.:* seruos pedisequam ab adulescente fingit(*add RRs*) matri
(ait *add PyLU aliter Ly*) emptam MER *Arg* II.
6 geminam fingit mulieris sororem adesse
MI *Arg* II. 11 *fortasse* PER *Arg* II. 5, *ubi*
✱✱✱fingunt✱✱ *A*

4. fugam fingitis* CAP 207 *cf* Gronov, p. 68
FINIO - - MEN 593, contruorsiam finiret *R
pro* fieret
FINIS - - 1. *nom.:* quis modus tibi exilio
tandem eueniet? qui **fĭnis** fugae? MER 652
2. *acc.:* sermoni iam **fĭnem** face tuo AS 605
(*cf* Krause, p. 33) tu ipse ubi lubet finem

(-e *B¹*) face . . EP 39 finem(fidē *B*) fore quem
dicam nescio TRI 2 neque umquam lauando
et fricando scimus facere finem(*LambLU om
CD* niam *B* eniam *memb Turn* neniam *GrutẞLy*
metam *RRgl*) POE 231

3. *abl.:* **a.** hunc senem osse **fĭni**(nisi *Non* 72
tenus *R*) dedolabo assulatim uiscera MEN 859
b. uti propere(*PULy* properiter *Rglẞ* propere
irent, *L*) de suis **fĭnibus** exercitus deducerent
AM 215

4. *corruptum:* MER 929, finis *D pro* sinis
FINITOR - - eius nunc regiones, limites, confinia determinabo: ei rei ego **fĭnitor** factus
sum POE 49(s. factus f. *CDULy*) *Cf* Gronov,
p. 275

FIO - - **I. Forma fĭo** AM 864, 866, MI 1337
(*Kayser* fio *P longe aliter RLU*), PER 5, 49,
TRU 764(fu *Rs*) **fĭt** AM 459(sit *J*), 505, 576
(*U pro* sit), 756, 862(*BD* sit *EJ*) 1019, 1098
(*D* sit *BEJ*), 1119(*DE* sit *BJ*), AS 36(om *B¹*),
127, BA 9(*ex Non* 172), 17(*ex Prisc* I. 575), 252
(sit *D¹*), 626 a, 775, 879, 979, 1053, 1132, CAP
25, 358(sit *J*), 558(*BJ* id *Rs* sit *VE*), 594(ni
Rs fune *J*), CAS 70, 75, 370, 404(*B²* sit *P*),
423(*Ca om P*), 725, 788, 915, CI 768(*B* sit *VEJ*),
CU 61, 120 a, 683, EP 211, 396(*E³Z* sit *EE¹J*),
MEN 359, MER 31, 284, 366, 822, 963(fiet *B*),
MI 117(sit *CD*), 757, 1253(sit *B*), MO *Arg* 7,
MO 108, 873(*GrutRsL* fuit *Pψ*), PER 348, 675,
PS 1159(*Bent* fiet *BD om C*), 1240, 1246, RU
24, 242, 510, 644, 647, 822(*add PalmerLy om
Pψ*), 939, 1003(*add Rs om Pψ*), 1052, 1301,
1303, ST 641, 660, 717(tuo fit sumptu *add
L solus*), TRU 192(*P* fiet *AL*), 255, 349(*ABD*
sit *C*), 397, 935, 1035, 1036, 1051, TRU 109,
196, 304, 912 **fĭunt** BA 1197(fiant *U*), CAP
236(*Herm* sunt *P*), CAS 761, CU 157, EP 447,
MER 714, 715, 764, MO 505, PER 766, POE 41,
598, 830, PS 388, RU 1236 **fĭebat** RU 956
fĭam BA 155, PER 306, PS 404 **fĭes** AS 275,
BA 841, CI 48, RU 1016 **fĭet** AS 108(*PLy* ei
be- *uel* i be- *Flψ*), 191, 478(*D²J* flet *BD¹E*),
723, 829, AU 644, BA 360, 944, CI 12, EP 151,
MEN 73, 186(*Grut* flet *P*), 250(fiat *vel* feiet *A*),
1157, MER 302, 413(fiaet *C*), 446, 493, 494, 700,
MI 908(*Beroald* fiat *P*), MO 667(fiet *U solus
pro* dicunt), 776, 1166, PER 359(om *D¹*), 479,
POE 887, 915, PS 201, RU 286, 763, 1000, 1350,
ST 475, 754(flet *P*), TRI 559, 612, 1068(*A* fies
P), TRU 366 **fĭent** CAP 60(fiant *B ut vid*),
CU 728 **fĭam** AM 305, MEN 817, PER 181(*B*
filiam *CD* feiam *RRs*), 382 **fĭas** CAS 112, EP
361, PER 230, TRU 142 **fĭat** AM 549(sciat *J*),
770, 876, 996(*DJ* flat *BE*), AS 39, AU 241, 276,
481, 491, 492, BA 513(fiam *Non* 222), 519 b(om
A secl ω), CAP 213, 367, 966, CU 41, 673, EP
190, 270(v. habet *B solus*), 318, 606, MEN 158,
353, 544, 1154, MER 1022, MI 158(faciat *D*), 890
(*R* fiant *PRLy* fiunt *L*), 993, 1054, 1348, 1436
(*A* fuit *P*), MO 803(om *B*), 1038, PER 73, 293,
360(*Pẞ†* heia *Rs* †om *ψ*), 508, 692, POE 611,
905, 1366, PS 416, 554, 559(flat *B*), RU 1005,
1037, 1042, 1257, 1337, 1417, 1423(optume *Rs*),
ST 269, 565, TRI 220 *bis*, 245, TRU 962 **fĭamus**
AU 310 **fĭant** AM 389, AS 624, CAP 1034, MI
890(*PRLy* fiunt *L* fiat *ẞ duce R*), PER 760
fĭerem EP 712, MER 958(*U* uix uiuo miser *Rψ*

uix uiuum ser *CD* ultum miser *B*), Ps 1319
fleres Tri 644   **fleret** Am 487(proferat *Rgl*),
Au 605(furet *B¹D*), 742, Ba 434(*B* fleret *CD*),
788(-it *D¹*), Ep 509, Men 593(*aliter R*), 682, Mi
950 **flerent** Am 82, Au 605, Ba 1210, Cap 998,
Poe 788   fi Cu 87, Per 38(*B* sed *CD*)   **fite**
Cu 89(*B* phite *VE* site *J*), 150, Poe 8(fice *B*)
fieri Am 567, 587, 593, 693, 702, 851, 891, As
307, 376, Au 741 *bis*, Ba 80, 88, 299, 695, 1163
(feri *C*), 1209, Cap 102(*Rs*₰ om *PL*†*ULy*†), 376,
587, 843, 965, 996, Cas 71, 125, 253, 316, 423
(*Ca* om *P*), 439, 473, 760, 981, Ci 5, 778, Cu
159, 200, 316, 651, Ep 139, 270(*v. habet B solus*),
414, Men 184, 375, 923, 1008, 1059, Mer 943,
950(-it *B*), Mi 37, 560, 855b, 926, 1098, 1218
(-re *P*), 1295, 1362(*FZ* fleri *P*), Mo *Arg* 4(*Grut*
sileri *P*), Mo 41, 305, 722, 723(*U solus*), Per
107, 173, 368, 541, Poe 127(*v. secl GuyRRgl*₰),
286(*v. om P*), 395, 624, 725(fierei *RRgl* saepe
B₰†*LULy* sepe *CD*), 842, 843(f. suis eris *Ca*
fieris uisceris *B* fieri siuisceris *CD*), 1056, 1089,
1251, Ps 3, 7, 302, 752, 786, 1168, Ru 55, 606,
619, 1035(*D³* fleri *P*), 1074, 1205, 1290, 1404,
St 187(*A* fleri *P*), 347, 564, 566, 631(*A* om *P*),
637, Tri 80, 177, 353, 405, 434, 521, 564, 704,
730, 731, 913, Tru 319, 363, 424(*FZ* fleri *P*),
566, 747, 758, Vi 22, Fr I. 96(*ex Festo* 181)
    corrupta: Am 56, fit *BD pro* sit; 63, fit *E pro*
sit; 961, fieri *E pro* si eri   Au 263, istuc fiet
BD₰†*U* festina et *Rg* istuc ei et *MueLLy*;
405, fiat *PNon* 525 *pro* fuat(*Harius*); 426, fiat
BD pro fuat   Ba 446, fit *DR pro* it   Cas
357, fiamus *J pro* eamus; 407, fieri *J pro* feri
Cu 526, fit *B pro* sit(*EJ*)   Mer 16, fit *B pro*
et; 36, fit *D¹ pro* sint; 282, fiet *C pro* ei et;
624, fiere *P pro* flere(*Ca*); 747, fite *C pro* ite;
844, fiat *CD* fiet *B pro* fuat; 996, bene fiet *B*
pro benefici   Mi 7, fieri attam *P pro* feriatam; 492, fiat *B pro* fuat; 595, fiat *A* fuā *P*
var em ω; 600, fit *CD pro* id; 705, fit *P pro*
est   Ps 1029, fiant *CD pro* fuant   Tri 594, fiat
D pro fuat   Tru 145, fieri *P pro* pleri-; 556,
fieri *C pro* ferri; 559, fit *C pro* se it; 819, fiunt
C pro sunt   Fr I. 118, fit *Fest* 375 *var em* ω
    II. Significatio(*cf* facio) 1. *cum subiecto:*
a. = crescere: Arabia .. ubi apsinthium fit
atque cunila gallinacea Tri 935   liquescunt
petrae ferrum ubi fit Ba 17(*ex Prisc* I. 575)
hospes respondit Zacynthi ficos fieri non malas
Mer 943   locus .. ubi fit* polenta As 36
nihil moror aliena mihi mihi opera fieri plures
liberos Ci 778
    b. = esse, futurum esse *cum subiecto subst.:*
auctio fiet Menaechmi mane sane septini
Men 1157   ea conportatur praeda ut fiat
auctio publicitus Per 508   uxor uirum si
clam domo egressast foras uiro fit causa Mer
822   fit concursus per uias Ep 211   uidi
ego multa saepe picta quae Acherunti fierent
cruciamenta Cap 998   flagitium .. fiet nisi
dos dabitur uirgini Tri 612   furtum ego uidi
qui faciebat: noram dominum id quoi fiebat
Ru 956   iube .. ignem ingentem fieri Cap
843   indutiae parumper fiant Am 389   quid
is iniqui fit? Ru 647   ne sinas in me insignite fieri tantam iniuriam Men 1008   paterer uicino meo eam fieri .. tam insignite

iniuriam Mi 560   quibus insignite iniuria
hic factast fitque in Veneris fano Ru 644
uidemus auro insidias fieri Ba 299   .. mihi
ut insidiae fierent Poe 788   dum ludi fiunt in
popinam .. inruptionem facite Poe 41   nec
pol ego Nemeae credo .. usquam ludos tam
festiuos fieri Cas 760   hic intus fiunt ludi
ludificabiles seni nostro Cas 761   .. istius
hominis ubi fit* quomque mentio Ba 252
subauscultemus ecquid de me fiat mentio Mi
993   quom mentionem fieri audio usquam
uiduli .. Ru 1290   horresco misera mentio
quotiens fit partionis Tru 196   tibi messis
in ore fiet mergeis pugneis Ru 763   mundi-
tias uolo fieri St 347   nolo ego murmurillum
neque susurrum fieri Ru 1404   mutatio inter
me atque illum ut nostris fiat filiis Cap 367
hodie fient nuptiae Cu 728   ardent oculi:
fit* opus Cap 594   .. mihi dum fieret otium
Mi 950   aliquando osculando meliust .. pausam fieri Ru 1205   ut periclum fiat (;*add*
UL) uisam quid uelit St 269   .. ut postilena possit ex te fieri Cas 125   foris illic
extra scaenam fient* proelia Cap 60   hodie
id (proelium) fiet* Men 186   non .. potis est
quaestus fieri, nisi sumptus sequitur Poe 286
rem aduorsus populi fierei* leges (sciuimus)
Poe 725   .. quoius haec res arbitratu fiat
Ru 1005(*cf* 1003, 1035)   .. ut sponsio fieret
Men 593(*vide R*)   in aetate hominum plurumae fiunt transennae ubi decipiuntur dolis
Ru 1236   memini istanc turbam fieri Cu 651
nolo equidem mihi fieri uentulum Cu 316
plura uerba fieri* non desidero Cas 423
    eme die caeca .. oliuom, id uendito oculata
die: iam hercle uel ducentae fieri possunt praesentes minae Ps 302
    c. *cum pronomine:* quid fit(*saepe interrogantis*
de valetudine)? Ba 626, 775, 879, 979, Cas 725,
Ci 768*, Ep 396*, Mer 284, 366, 963*, Ru 1052,
1303, St 660   quid fit denique? edisserta
Cas 915   quid nunc fit* Ps 1159   percide
os tu illi odio: age, ecquid fit*? Cas 404
quid (nunc *ins MueRgl*) uis fieri? Am 702, Au
741, Mo 41   quid fieri uelim .. Cap 376
si quid fieri peruorse uidet Per 368   quid tibi
aequomst fieri? Am 851
orabat *quod* istic esset scriptum ut fieret*
Ba 788   faciendumst mihi illud fieri quod
illaec postulat Am 891
pariter *hoc* fit atque ut alia facta sunt Am 1019
aetatis atque honoris gratia hoc fiet tui As
191   merito hoc nobis fit qui .. Ba 1132
haec quom hic uideo fieri, crucior Poe 842
more hoc fit atque stulte mea sententia St 641
non hoc tuo fit* sumptu St 717(*L solus*)   hoc
ita si fiat, publico fiat bono Tri 220   egone
ut haec mihi patiar fieri? Tru 758
quod omnis homines facere oportet dum *id*
modo fiat* bono Am 996   id (*i. e.* pendere)
quoque iam fiet nisi fatere Au 644   scio
te id (*i. e.* redimere) nolle fieri, ecficiam tamen
ego id Cap 587   lubenti edepol animo factum et fiet a me Ci 12   fieri (*i. e.* seruire)
oportet. #Facere cupio quiduis dum id fiat
modo Ep 270   si id (*i. e.* in lege adscribi) fiat,
ne isti faxim nusquam appareant .. Per 73

dixi .. tibi quo pacto id (*i. e.* concubinam recipere) fieri possit clementissume Mɪ 1098 merito id (*i. e.* amare) fieri uterque existumat Mo 305 atque id (*i. e.* perdere) fiat nisi te hodie .. defigam .. Pᴇʀ 293 si id (*i. e.* non irasci) fieri non potest .. Poᴇ 395 scio .. nec Fortunam id (*i. e.* fortunatos esse) situram fieri Poᴇ 624 quoniam id (*i. e.* labori parcere) fieri non potest .. Ps 7 potius quam id (*i. e.* argentum dare) non fiat, ego dabo Ps 554 et operam et sumptum perdunt: id eo fit quia .. Rᴜ 24 *pronomine omisso:* pater curauit uno ut fetu fieret* Aᴍ 487 scortum ducat quod bono fiat modo Mᴇʀ 1022 factum herclest: memini fieri Mɪ 37 tamen fiet (*i. e.* lenones miseros esse) etsi tu fidem seruaueris Rᴜ 1350 uolo inquam fieri* (*i. e.* ad cenam ire) Sᴛ 187 qua lege licuit uelle dixit fieri (*i. e.* obtinere tibicinam) Sᴛ 564 faciam ita ut fieri uoles Sᴛ 566 de magnis diuitiis si quid demas, plus fit* an minus? Tʀɪ 349 quom considero meminisse uideor fieri Tʀɪ 405

factumst *illud:* fieri infectum non potest Aᴜ 741 fit pol illuc ad illuc exemplum Mɪ 757 quamquam illud aiunt magno gemitu fieri, comprimere dentes uideor posse Ps 786 meo modo *istuc* potius fiet* quam tuo fiat Pᴇʀ 359 scio .. istuc ita sole re fieri Tʀɪ 353 hominem noueris. #Tamquam me: fieri istuc solet Tʀɪ 913 tu *idem* mihi uis fieri quod erus consueuit tibi Rᴜ 1074(*cf* Lᴇ o, *An. Pl.* I. p.45) non potest *utrumque* (*i. e.* suspicionem et culpam segregare) fieri Tʀɪ 80 *quicquid* est comiter fiet a me Rᴜ 286

quom sciuerit .. quid mihi fiet postea? Bᴀ 360 quid mihi fiet tertio qui solus facio facinora? Mo 776 quid illa fiet fidicina? Ep 151 quid illa nunc fiet*? Mᴇʀ 413 quid me fiet nunciam? Mo 1166

animum aduorte. #Fiet sedulo Mᴇʀ 302 accede ad me atque adi contra. #Fit sedulo Rᴜ 242 cures tuam fidem. #Fit* sedulo Tʀɪ 192

ut .. amore perdita est misera .. #Mutuom fit* Mɪ 1253 omnia quae tu uis, ea cupio. #Mutua fiunt a me Pᴇʀ 766

quod bonis bene fit* beneficium, gratia ea grauidast bonis Cᴀᴘ 358 bonis quod bene fit, haud perit Rᴜ 939 b perii, animo male fit Rᴜ 510 at iam bibes. #Diu fit Cᴜ 120 a

fiat(*saepe approbantis*): proferri uolo. #Fiat Aᴍ 770 te obsecro .. #Fiat As 39 desponde. #Fiat Aᴜ 241 nobis detis locum loquendi. #Fiat Cᴀᴘ 213 obloquere. #Fiat: (*punctum om Ly*) maxume Cᴜ 41 mi frater, cupio. #Fiat Cᴜ 673 concede huc a foribus. #Fiat Mᴇɴ 158 inauris da mihi. #Fiat Mᴇɴ 544 eamus intro, frater. #Fiat Mᴇɴ 1154 subsequere. #Fiat* Mo 803 i mecum .. #Fiat Mo 1038 meo modo istuc potius fiet quam tuo. #Fiat Pᴇʀ 360(ne fiat *R*) inpone uero. #Fiat Pᴇʀ 692 pone nos recede. #Fiat Poᴇ 611 .. nt sis .. in custodia. #Fiat Poᴇ 1366 date locum fallaciis. #Fiat* Ps 559 remitte restem .. #Fiat Rᴜ 1037 deiera te mihi argentum daturum ... #Fiat Rᴜ 1337 hic

hodie cenato. #Fiat Rᴜ 1417 uos hic hodie cenatote ambo. #Fiat* Rᴜ 1423 'fiat' ille inquit adulescens Sᴛ 565 ibi ille cuculus: ocelle mi, fiat Tʀɪ 245 utrique mos geratur ... #Fiat Tʀᴜ 962

quod opust fiat Mᴇɴ 353 fiat quod te oro Mɪ 1052 fiat istuc potius quam nunc pugnem tecum Rᴜ 1042 ut uis fiat Cᴀᴘ 966 ut iusseris .. ita fiet As 829 ego eo ad forum .. : fietne? #Ambula As 108(*Ly*) uxorem nolo te esse adsimulari. #Fiet* Mɪ 908 quando usus ueniet, fiet Sᴛ 475 si eris meritus fiet* Tʀɪ 1068 sicin hoc fit? foras aedibus me eici? As 127(*cf* Votsch, p. 21) sicine hoc fit? pedes, statin an non? Ps 1246 lepidu's quom mones et ita hoc fiet Poᴇ 915 hoc si ita fiat mores meliores sibi parent Aᴜ 492 ita fieri oportet Cᴀs 439 ita fieri iussi Pᴇʀ 107

2. *additur praedicativum:* formido male ne .. Quintus fiam e Sosia Aᴍ 305 interdum fio Iuppiter quando lubet Aᴍ 864 ilico Amphitruo fio Aᴍ 866 fiam ut ego opinor Hercules, tu autem Linus Bᴀ 155 ego nolo ex Gelasimo mihi fieri* te Catagelasimum Sᴛ 631 merui ut fierem (liber) Ep 712 nunc huic ego graphice facetus fiam Pᴇʀ 306 fio* miser Mɪ 1337 fio* inpudens Tʀᴜ 764 si forte liber fieri* occeperimus Mɪ 1362 ocissume nos liberi possumus fieri Fʀ I. 96(*ex Festo* 181) fio miser quaerendo argento mutuo Pᴇʀ 5 exopto ut fiam miserorum miserrumus Mᴇɴ 817 qui fierem miser Mᴇʀ 958(*U solus pro* uix uiuo miser) tibi morologus fio Pᴇʀ 49 necessitate me mala ut fiam facis Pᴇʀ 382 alius nunc fieri uolo Poᴇ 127(*v. secl GuyRRglS*) .. ut tibi fierem supplex Ps 1319 nunc ego poeta fiam Ps 404 men piacularem oportet fieri ob stultitiam tuam Ep 139 certissumumst mepte potius fieri seruom quam .. Mᴇɴ 1059 non licet .. obsoni me participem fieri? Tʀᴜ 747

liber numquam fies ocius As 275 .. ut det qui fiamus liberi Aᴜ 310 una libella liber possum fieri Cᴀs 316 tun .. amator istac fieri* aetate audes? Bᴀ 1163 .. quam tu eius potior fias Cᴀs 112 fi mihi obsequens Cᴜ 87 .. ut erae obsequens fiam* Pᴇʀ 181 fite* mihi uolentes propitiae Cᴜ 89 fite causa mea ludii barbari Cᴜ 150 age fi* benignus Pᴇʀ 38 .. ubi uorsicapillus fias Pᴇʀ 230 qui non edistis, saturi fite* fabulis Poᴇ 8 numquam hercle hinc hodie ramenta fies fortunatior Rᴜ 1016 potin tu fieri subdolus? Poᴇ 1089 honori posterorum tuorum ut uindex fieres Tʀɪ 644 .. quin otiosus fias Tʀᴜ 142

idem Mercurius .. fit Aᴍ 862 ut quae fierent fieret* particeps Aᴜ 605 illa umquam de mea pecunia ramenta fiat* plumea propensior Bᴀ 513 illa umquam meis opulentiis ramenta fiat grauior aut propensior Bᴀ 519 b (*v. om A secl ω*) apud lenones riuales filiis fierent patres Bᴀ 1210 ex bonis pessumi et fraudulentissumi (homines) fiunt* Cᴀᴘ 236 ubi boni meliores fiant Cᴀᴘ 1034 .. continuo ut maritus fiat Ep 190 is adornat .. extemplo ut maritus fias Ep 361 ei praemonstrabitur

quo pacto fiat subdola Ep 318   numquam ..
fiet ille senex insanior ex amore Mer 446
miserior mulier me nec fiet nec fuit Mer 700
urbani fiunt rustici? Mer 714   illi qui non
fiunt rustici Mer 715   obliuiosae extemplo
uti fiant* .. Mi 890   (erus) malus fit* Mo
873(*GrutRsL*) ego omnis hilaros ludentis
laetificantis faciam ut fiant Per 760 .. curauisse ut fieret libera Ep 509   uolt fieri
liber Tri 564   illa nimio iam fieri ferocior
Ru 606   fit ipse, dum illis comis est, inops
amator Tri 255   miser ex animo fit Tri 397
nos tempus est malas peioris fieri* Mi 1218
de te alios fieri doctos Per 541   expecula-
tos seruos fieri* suis eris Poe 843   fieri ego
illum militis seruom uolo Ps 752 .. potesse
ibi eum fieri diuitem Ru 55   se scelere fieri
nolunt nobiles Ru 619   an ego alium dominum paterer fieri hisce aedibus? Tri 177   ne
ego istum uelim meum fieri seruom Tri 434
tanto breuior dies ut fiat* faciam Am 549
multo fiat ciuitas concordior Au 481   dum
dos ne fiat comes Au 491   istoc inlecebrosius fieri nihil potest Ba 88   saeuitudo mala
fit peior Ba 9(*ex Non* 172)   fieret* corium
tam maculosum .. Ba 434   exitium, excidium, exlecebra fiet hic equos hodie auro senis
Ba 944   fit uasta Troia Ba 1053   factumst illud,
fieri infectum non potest Au 741   quod male
feci crucior: modo si infectum fieri possiet Cap
996   mihi morigeri pessuli fiunt Cu 157   de
illius (pugnis) illae fiunt sordidae Ep 447   exitiabilem ego illi faciam hunc ut fiat diem Ep
606   quando alia (fabula) agetur, aliud fiet
oppidum Men 73   illud spinter .. ut fieret
nouom Men 682   solent tibi umquam oculi
duri fieri? Men 923   uidi eam (aulam) plenam atque inanem fieri Mi 855(*dub.*)   potuit
hercle lepidius nihil fieri Mi 926(*Rg in loco
perdubio*)   grauior paupertas fit, fides sublestior Per 348   macerato hoc pingues fiunt
auro in barbarica boues Poe 598   id tibi
profecto taurus fiet Ps 201   sat sic longae
fiunt fabulae Ps 388   hoc Herculi fit* Veneris fanum quod fuit Ru 822   fiet tibi puniceum corium Ru 1000   omne id ut fiat cinis
Ru 1257   rutilum atque tenuius (ueru) fit
Ru 1301   ne tu illunc agrum tuom siris umquam fieri neque gnati tui Tri 521(*cf* Schaaff,
p. 34)   meus quidem hercle numquam (ager)
fiet Tri 559   si quod mutuom quid dederis,
fit pro proprio perditum Tri 1051   maceria
illa .. in noctes singulas latere fit minor Tru
304   uidi elephantum Indum domitum fieri
(*Rs in loco perdubio*) Tru 319   *similiter:*
numquam Hecala aetate(*SeyLy*
aetate Hecala *SalmU* senecta *L*) fies Ci 48
uiden ridiculos nihili fieri? St 637(*cf* Schaaff,
p. 36)
    mihi in mandatis dedit ut conquistores fie-
rent histrionibus Am 82   si de damnosis aut
si de amatoribus dictator fiat nunc Athenis
Atticis .. Ps 416   quae illic hominum corruptelae fiunt Poe 830
    3. = *accidere, euenire:* uiuo fit* quod num-
quam quisquam mortuo faciet mihi Am 459
citius quod non factost usus fit quam quod
factost opus Am 505   fit* quod tibi dixi,
gliscit rabies Cap 558   fit quod futurum dixi
Cas 788   ne quod hic agimus erus percipiat
fieri Cu 159   fit* quod di uolunt Mi 117
tune id dicere audes quod .. nec potest fieri
Am 567   quae neque fieri possunt .. profers
Am 587   ut quae fierent fieret* particeps Au
605   nouom attulerunt quod fit nusquam
gentium Cas 70 .. ut quod uir uelit fieri
id facias Cas 253 .. quod solet fieri intus ..
Mo 722(*vide U*) .. quod neque fiet neque
fuit Per 479 .. quinto die quod fieri* oportet
Tru 424   quid fit* deinde? Am 1098, 1119
arbitri sunt meae quid fiat* domi Mi 158   si
quid bonis boni fit esse id et graue et gratum
solet Per 675   quid uis operis fieri? Vi 22
non, opinor, fieri hoc posse hodie Cas 473
mirum hoc qui potuit fieri Ep 414   molestus
ne sis: non tuo hoc fiet* modo Men 250   hoc
ideo fit quia .. Mer 31   hoc adeo fieri credo
consuetudine Mi 1295   fit pol hoc Tru 109
haec quom uideo fieri suffuror Tru 566   uapula. #Id quidem tibi hercle fiet* As 478   exopta id quod uis maxume tibi euenire: fiet
As 723   uix uidetur fieri posse Ba 695   ego
aio id fieri in Graecia Cas 71   id ni fit,
mecum pignus .. dato Cas 75   sin id fieri
non potest .. Cas 981   nescio nisi .. fieri
non posse arbitror Ci 5   id eo fit quia ..
Cu 61   omnia memoras quo id facilius fiat
Poe 905   qui istuc potis est fieri .. ut dicis?
Am 693   mel meum .. istaec fiunt* Ba 1197
idem istuc aliis adscriptiuis fieri ad legionem
solet Men 184   dixin ego istaec hic scelere fieri?
Men 375   inuenietur, exquiretur, aliquid fiet
Mer 493   iam istuc 'aliquid fiet' metuo Mer
494   mane aliquid fiet Tru 366   atque illud
saepe fit: tempestas uenit Mo 108   quidquid
dein fiet* Mo 667(*U*)   uini cadum uelim,
si optata fiant As 624   postquam nihil fit,
clamore hominem posco Cu 683   nihil fit,
non amor, teritur dies Tru 912   eo fit quia ..
Am 756   dico ut usust fieri As 376   ni (di)
uellent, non fieret scio Au 742   quid si apud
te eueniat desubito prandium .. ut solet in
istis fieri conciliabulis Ba 80   ut fit in bello
capitur alter filius Cap 25   per pol saepe
peccas. #Ita fit ubi .. expetas Cas 370   sic
decet, sic fieri* oportet Mer 950   si sic aliis
moechis fiat* minus moechorum siet Mi 1436
alio pacto .. quam in aliis comoediis fit Ps
1240   uelim si fieri possit Tru 363
    terrifica monstra dicit fieri* in aedibus Mo
Arg 4   quae hic monstra fiunt anno uix possum eloqui Mo 505
    4. *locutiones:* faciam res fiat palam Am 876
partitudo prope adest ut fiat palam Au 276
palam istaec fiunt te me odisse Mer 764   timeo ne hoc tandem propalam fiat nimis Mi 1348
quoius arbitratu facere nos uis? #Viduli
arbitratu (ita fit *add Rs*) Ru 1003   quoius
haec res arbitratu fiat? Ru 1005   uin qui in
hac uilla habitat eius arbitratu fieri? Ru 1035
ex me quidem hodie numquam fies certior
Ba 841   numquam .. mortalis quisquam fiet
e me certior Poe 887   si ex te tacente fieri
possem certior .. Ps 3 *Cf* Fraesdorff, p. 28

petere honorem pro flagitio more fit. #Morem inprobum! Tri 1035   strenuosos praeterire more fit. #Nequam quidem! Tri 1036(*cf* Votsch, p. 21)

uerbiuelitationem fieri compendi uolo As 307   iam fieri dicta compendi uolo Cap 965   ludos .. rursum fit senex Mo *Arg* 7   adeo donicum ipsus sese ludos fieri senserit Ps 1168   5. *seq. variae constructiones:* ni .. uidissemus fieri ut apud lenones riuales .. fierent patres Ba 1209   quo .. pacto potest nam .. fieri nunc uti tu et hic sis et domi? Am 593   id quidem tibi hercle fiet* ut vapules As 478   quod quidem ego nimis quam cupio fieri* ut impetret Cap 102   hocine fieri ut inmodestis hic(†ß) te modereris moribus Cu 200   item hinc ultro fit, ut meret potissumus nostrae domi ut sit Men 359   potuisset iam fieri ut probe litteras sciret Per 173   qui potuit fieri ut Carthagini gnatus sis Poe 1056   id me commissurum ut patiar fieri ne animum induxeris Tri 704   honeste fieri ferme non potest ut eam perpetiar ire in matrimonium Tri 731   si id fieri possit ne indigna indignis dei darent .. Poe 1251

numquam enim fiet* hodie haec quin saltet tamen St 754   nullo modo potest fieri prorsus quin dos detur uirgini Tri 730

FIRMITAS - - fundamentum substruont liberorum, extollunt, parant sedulo in **firmitatem** Mo 122   specta postes quoiusmodi: quanta **firmitate** facti Mo 819

FIRMITUDO - - si istam **firmitudinem**(*B* firmidinem *D* formidinem *E* fortitudinem *J*) animi optines, salui sumus As 320

FIRMO - - quae coniurasset mecum et **firmasset** fidem .. Ci 241   nisi das **firmatam** (-ta *B¹*) fidem te huc .. intro ituram Mi 453   satin ego istuc habeo offirmatum(**firmatum** *Anspach L*)? Ba 1202   data fide **firmata** fidentem fefellerint Fr I. 54(*ex M. Caes ad Front* II. 10)

FIRMUS - - I. Forma firmus Tri 1110 **firma** Cap 927, St 521(*A v. om P*)   **firmum** Tri 387   **firma**(*abl.*) Tri 1111   **firmo** As 944   **firmi** St 521   **firmiorem** Tri 229   **firmiora**(*nom. neut.*) Mo 1104   **firme** Per 451 (ferme *Scal R L U Ly*), Mi 1015(*A C D* firma *B*), Tri 335(*R et U ex A* ferme et *A* ferme *Pψ*)   **firmiter** Cas 132, Ep 83, Ps 901(*P* fortiter *A U Ly*)

II. Significatio 1. *adiectivum*(*semper translate*) **a.** *de rebus, sim.:* utram (artem) aetati agundae arbitrer firmiorem Tri 229(*cf* Herkenrath, p. 71; Krause, p. 34)   nimio plus sapio sedens: tum consilia firmiora sunt de diuinis locis Mo 1104   illaec repertast fides firma nobis Cap 927   neque demutauit animum de firma fide Tri 1111   nec quisquamst tam ingenio duro nec tam firmo pectore As 944   si res firma*, item firmi amici sunt St 521(*cf* Char 211)   firmum omne erit quod tu egeris Tri 387

b. *de personis:* firmi amici sunt St 521   hic meo ero amicus solus firmus restitit Tri 1110   **2.** *adverbia*(*cf* Gehlhardt, p. 34) **a. firmiter** *proprie:* concludere in fenestram firmiter

Cas 132   *translate:* tantae in te inpendent ruinae: nisi suffulcis firmiter, non potes subsistere Ep 83   eum promisisse firmiter* dixit sibi .. Ps 901

b. firme *translate:* firme* ut quisque rem accurat suam Per 451   infidos celas: ego sum tibi firme* fidus Mi 1015   *Vide* Tri 335, *ubi* firme et familiariter *RU pro* ferme f.

FISCINA - - habete (eam) uobis cum porcis cum **fiscina** Mer 988(*cf Sero ad Georg* I. 266; Gronov, p. 250; Schneider, p. 5)

FISSILIS - - ad focum si adesses, non **fissile** haberes(†*PU* auferres *RgS̄t LLy*) caput Au 440   *Cf* Langen, *Beitr.* p. 139

FLABELLIFERA - - ducitur familia tota, uestiplica, unctor, auri custos, **flabelliferae** (*A* -re *P* fab. *D¹*) Tri 252

FLAGITATOR - - sol semper hic est usque a mani ad uesperum: quasi **flagitator** astat usque ad ostium Mo 768   ne quis formidet **flagitatorem**(flagitorem *VE*) suom Cas 24   *Cf* Egli, II. 34; Inowraclawer, p. 82

FLAGITIUM - - I. Forma flagitium Ba 97, 1164, Cas 903, Mer 406(-cium *C*), Mi 694, Poe 965, Ps 1248, Tri 612   **flagiti** Am *fr* IX (*ex Non* 453), Ba 381(-tii *P*), 1032(-tii *B D* -cii *C*), Cas 159(-tii *B V E* -cii *J*), Men 901(-tii *P*), Mer 417(*B* -tii *D¹* -cii *C* -tium *D²*), 784(-tii *B*), Mi 509(-cii *B* -tii *C D*), Poe 610(-tii *P*), Ps 440(*A* -tii *P*), Ru 733(-tii *C D* -cii *B*), Tru 587(-tii *P*)   **flagitium** As 853(-cium *D J*), Ba 378, 1008(-cium *C*), 1046, 1208(-gium *D¹*), Cas 549, Cu 198(-cium *B*), Mer 237(-cium *C*), 423, Poe 609, Tri 643   **flagitium**(*voc.*) As 473, Cas 152, 552, Men 489, 709   **flagitio** Ba 1011, Cas 876, 937, Ep 516, Tri 1035   **flagitia**(*acc.*) Ba 167, 376, Men 605, 719, 721, 735, 738, 739   **flagitiis** Ba 498(*v. secl RgS̄*), Cas 991

II. Significatio 1. *nom.:* id flagitium meum sit, mea te gratia .. operam dare mihi Ba 97(*cf* Walder, p. 51)   tun .. amator istac fieri aetate audes? #Qui non? #Quia flagitiumst Ba 1164   ✳✳flagitiumst Cas 903   illa forma matrem familias flagitium sit sei sequatur Mer 606   flagitiumst si nihil mittetur Mi 694   flagitium .. fiet nisi dos dabitur uirgini Tri 612   tuom flagitiumst tuas te popularis pati seruire Poe 965   si cecidero, uostrum erit flagitium Ps 1248   *Cf* Lindskog, p. 66

2. *gen.:* manufestum hunc obtorto collo teneo furem(furti *Rgl*) flagiti Am *fr* IX(*ex Non* 453)   illum .. Acheruntis pabulum, flagiti persequentem(†ßL uiam *add Rs textum ret Ly*), stabulum nequitiae Cas 159

†uim proportas, flagiti flagrantia? Ru 733   tuom patrem meque .. tua infamia fecisti gerulifigulos flagiti Ba 381   ipsa quae sis stabulum flagiti Tru 587(*cf* Graupner, p. 24)

neque propter eam quicquam eueniet nostris foribus flagiti* Mer 417   non miror sei quid damnei facis aut flagiti Mer 784   quid id est flagiti? Poe 610   tu quod damni et quod fecisti flagiti populo .. potuit dispertirier Ps 440   quam propter tantum damni feci et flagiti Ba 1032

me conpleuit flagiti et formidinis Men 901

concubinam erilem insimulare ausus es probri
pudicam meque summi flagiti Mɪ 509

3. *acc.*: a. tantum flagitium te scire audiui
meum Bᴀ 1008   flagitium probrumque
magnum . . expergefacis Cᴜ 198   ain tu . .
meo . . filio sciente id facere flagitium patrem?
As 853   non hodie hoc tantum flagitium*
facerent canis capitibus Bᴀ 1208   flagitium
maxumum feci miser Cᴀs 549   ait sese . .
flagitium et damnum fecisse haud mediocriter
Mᴇʀ 237   fores hae fecerunt magnum flagitium modo Poᴇ 609(*cf* Romeijn, p. 13)
patrem et me teque . . adfectas . . ad probrum, damnum, flagitium adpellere una Bᴀ
378   . . ut uirtute eorum anteparta per flagitium perderes Tʀɪ 643
. . quam illud flagitium uolgo dispalescere
Bᴀ 1046   . . quam obprobramentum aut flagitium muliebre exferri domo Mᴇʀ 423

b. iam ego aperiam istaec tua flagitia.
#Quae mea flagitia? Mᴇɴ 738   istaec flagitia
me celauisti et patrem Bᴀ 167   . . ut celam
patrem . . tua flagitia aut damna aut desidiabula Bᴀ 376   clanculum te istaec flagitia facere censebas potis? Mᴇɴ 605   ei narrabo
tua flagitia quae facis Mᴇɴ 735   . . quam
istaec flagitia tua pati quae tu facis Mᴇɴ 721
non ego istaec flagitia possum perpeti Mᴇɴ 719

4. *abl.*: maxumo ego ardeo flagitio Cᴀs 937
tantum erus atque ego flagitio superauimus
nuptiis nostris Cᴀs 876
flagitio cum maiore post reddes tamen Eᴘ
516(*cf* Dousa, p. 261)   ducentis aureis Philippis redemi uitam ex flagitio tuam Bᴀ 1011
petere honorem pro flagitio more fit. #Morem
inprobum! Tʀɪ 1035
dedecorat te me amicos atque alios flagitiis
suis Bᴀ 498(*v. secl RgÆ*)   me miserum famosum fecit flagitiis suis Cᴀs 991

5. **flagitium hominis**(*cf* Blomquist, p.161;
Schaaff, p. 23): is mihi et filio aduorsatur
suo . . flagitium illud hominis Cᴀs 152   flagitium hominis, da obsecro argentum huic As
473   flagitium hominis, qui dixit mihi suam
uxorem hanc accessituram esse Cᴀs 552   flagitium hominis, subdolo ac minumi preti Mᴇɴ
489   non te pudet prodire in conspectum
meum, flagitium hominis? Mᴇɴ 709

FLAGITO - - I. Forma **flagitas** Mᴇʀ 178
flagitat Poᴇ 539   **flagitamus** Poᴇ 539   **flagitare**(*indic.*) Ps 1145   **flagitabere** Ps 556
(*A* flagit habere *B* flagito abere *CD²* flagito
abire *D¹*)   **flagitarier** Mᴇɴ 46(*v. secl Ly*)
II. Significatio 1. *cum acc.*: neque nos
quemquam flagitamus neque nos quisquam
flagitat (*sc.* ut debitores; *cf* Ussing *ad loc*)
Poᴇ 539   tu, bone uir, flagitare saepe clamore
(*i. e.* praeconis) in foro, quom libella nusquamst . . Ps 1145   si non dabis, clamore
magno et multo flagitabere* Ps 556   *similiter de filio amisso:* illum clamore uidi flagitarier Mᴇɴ 46(*v. secl Ly*)
2. *seq.* ut: nunc, quom malum audiendumst,
flagitas me ut eloquar Mᴇʀ 178

FLAGRANTIA - - etiam uim(†Æ) proportas
(porces Rs opprobras *CaU*), flagiti **flagrantia**

(-cia *B*)? Rᴜ 733(*cf* Blomquist, p. 161)
Vide Mɪ 1235, ubi flagrantia *B* pro elegantia

FLAGRITRIBA - - eo enim ingenio hi sunt
flagritribae(-tibae *C* -tibę *D*) qui haec habent
consilia Ps 137   *Cf* Egli, III. p. 33

FLAGRUM - - I. Forma **flagrum** Pᴇʀ 362
flagri As 297, Pᴇʀ 419   **flagrum** Aᴍ 156
flagro Mᴇʀ 416   **flagris**(*abl.*) Aᴍ 1030, Cᴀs
123, Ps 1240
II. Significatio 1. tametsi id futurum non
est, ubi captumst flagrum, dum tunicas ponit,
quanta adficitur miseria! Pᴇʀ 362   *Vide* Mo
744, *ubi* flagrum tergo tuo *U in lac*
2. gymnasium flagri, salueto! As 297   scortorum liberator, suduculum flagri Pᴇʀ 419(*cf*
Graupner, p. 12)
3. cras quasi e promptaria cella depromar
ad flagrum Aᴍ 156
4. ea molet, coquet, conficiet pensum, pin-
setur flagro Mᴇʀ 416(*cf* Inowraclawer, p. 56)
quem pol ego hodie ob istaec dicta faciam
feruentem flagris Aᴍ 1030   ego te implebo
flagris Cᴀs 123   in aliis comoediis . . cum
stimulis aut flagris insidiantur Ps 1240

FLAMMA - - semper . . **flamma** fumost proxuma: fumo comburi nihil potest, **flammā** potest Cᴜ 53-4   *Cf* Schneider, p. 11

FLAMMARIUS - - stat fullo, phrygio, aurifex, linarius, caupones patagiarii, indusiarii,
flammarii, uiolarii . . Aᴜ 510

FLECTO - - quoniam a viro . . aduenit
nuntius rus non iturum, **flexi**(*U* feci *Pψ*) ingenium meum Mᴇʀ 668   post factum **flector**
(*PÆ†Ly* adflictor *Rs* plector *ZU*), quia ante-
partum perdidi Tʀᴜ 343

FLEMINA - - lassitudine inuaserunt misero
in genua **flemina** Eᴘ 670   *Cf* Gronov, p.159

FLEO - - I. Forma **fleo** Cᴀᴘ 97   **fles** Ps
75, 96   **flet** Rᴜ 388   **flent** As 32(*post v.*
45 *iteratum*), Cᴜ 318(*U falso pro* plenos)
fleueris(*fut. pf.*) Ps 100   **fleam** Cᴀᴘ 139, Mɪ
1311, 1342(*FZ* -at *P* infleat *D¹*), Ps 96   **fle**
Cᴀᴘ 139, Eᴘ 601, Mɪ 1324(flet *B*)   **flere** Mᴇʀ
624(*Ca* fieri *P*), Pᴇʀ 622(*A* om *P*)   **flens** Cɪ
123, 132, 192, Tʀɪ 154   **flentem** Ps 1041, Rᴜ
387   **flentes** (*nom.*) Aᴍ 256(-is *J*), Rᴜ 560
flendo Mɪ 1311(*D²* fendo *P*)   *corrupta:* As
flet *BDE* pro fiet(*J*)   Bᴀ 434, fleret *CD* pro
fieret(*B*)   Mᴇɴ 186, flet *P* pro fiet(*Grut*)   Mɪ
1362, fleri *P* pro fieri(*FZ*)   Pᴇʀ 751, fles *D²* pro
feles Rᴜ 1035, fleri *P* pro fieri(*D³*)   Sᴛ 187,
fleri *P* pro fieri(*A*); 754, flet *P* pro fiet   Tʀᴜ
424, fleri *P* pro fieri(*FZ*)
II. Significatio 1. *absolute:* . . ubi flent nequam homines qui polentam pinsitant As 32
(*post v.* 45 *iteratum*)   quas (aedes) quotiensquomque conspicio, fleo Cᴀᴘ 97   ne fle. #Egone
illum non fleam? Cᴀᴘ 139   ne fle, mulier
Eᴘ 601   flere* omitte Mᴇʀ 624   quid modi
flendo* quaeso hodie facies? #Quid ego ni
fleam? Mɪ 1311   ne fle* Mɪ 1324   nequeo
quin fleam* Mɪ 1342   noli flere* Pᴇʀ 622
quin fles? #Pumiceos oculos habeo Ps 75   quid
fles, cucule? uiues. #Quid ego ni fleam? Ps 96
hinc flens abiit Cɪ 123   hinc modo flens abiit
Cɪ 132   flens hinc abiit Cɪ 192   signum
flentes amplexae tenent Rᴜ 560   flens me

obsecrauit Tri 154 ad nos ueniunt flentes principes Am 256

te nunc flentem facit Ps 1041 sedentem flentemque opprimes. #Sed quid flet? Ru 387-8 *Vide* Cu 318, *ubi* dentes flent *U falso*.

2. *seq. acc.:* egone illum non fleam? egon non defleam talem adulescentem? Cap 139

3. *cum abl.:* nisi tu illi dacrumis fleueris argenteis . . Ps 100

FLO - - simul **flare** sorbereque haud factu facilest Mo 791(*cf* Schneider, p. 33) *corrupta:* Am 996, flat *BE pro* fiat Mi 1337, flo *P pro* fio(*Kayser*) Per 638, et flauit *P pro* ecflauit(*A*) Ps 559, flat *B pro* fiat

FLOCCUS - - 1. *gen.*(*cf* Blomquist, p. 90; Schaaff, p. 36): tu istos minutos caue deos **flocci** feceris Cas 332 non ego te flocci facio Cu 713 meum tergum flocci facio Ep 348 neque ego illum maneo neque flocci facio Men 423 caue quisquam quod illic minitetur uostrum flocci fecerit Men 994 caue tu ullam flocci (floxci *B*) faxis mulierem Mo 808 is leno . . flocci non fecit fidem Ru 47 ego quae tu loquere flocci non facio Ru 782 minacias ego flocci non faciam(*A* ego istas flocci non facio *P*) tuas Ru 795 caue quemquam flocci feceris St 285 falson an uero laudent . . non flocci (flacci *A*) faciunt Tri 211 nihil agis: neque adeo edepol flocci facio Tri 918 di te perdant si te flocci facio an periisses prius Tri 992 non ego te flocci(*CD* flacci *B*) facio Tru 606 de nihilo nihil est irasci quae te non flocci facit Tru 769 *Cf* Egli, I. p. 12 satin abiit neque quod dixi flocci existumat? Mo 76 non ego inimicitias omnis flocci(*Rs* pluris *Pψ*) existumo quasi(*Ps* quam *Px*) . . Per 353 *Cf* Egli, II. p. 10

neque muneralem legem . . rogata fuerit necne flocci aestumo(existumo *ScalRgLy*) Fr II. 16(*ex Paulo* 143)

flocci pendo quid rerum geram Fr III. 7 (*ex Fulg* XIXL)

2. *acc.:* qui sis qui non sis **floccum**(ciccum *RRs*) non interdium Tri 994

3. *corruptum:* Cas 967, flocco habebit tibi *Non* 7 *pro* fusti defloccabit

FLOREO - - uer uide: ut tota **floret**, ut olet, ut nitide nitet Tru 354(*de muliere*) do hanc (meretricem) tibi **florentem**(-te *B*) **florenti** Per 770(*i. e.* cum coronis, *sed cf* Ussingium *ad loc*) solus bene factis tuis me florentem facis Men 372 *corruptum:* Mi *Arg* II. 11, floret *C pro* foret

FLOREUS - - non ego te modo hic ante aedis cum corona **florea**(*B²* flora *P*) uidi astare? Men 632 tusculum emi hoc et coronas **floreas** Au 385

FLOS - - ea tempestate **flos** poetarum fuit Cas 18(*cf* Egli, II. p. 30) flos ueteris uini meis naribus obiectust Cu 96 . . nisi haec meraco se uspiam percussit **flore** Liberi Cas 640 me compleui flore Liberi Ci 127(*v. om AL secl* §*Ly*)

FLUCTUO - - quid si mihi animus **fluctuat** (-ant *P*)? Mer 890(*cf* Inowraclawer, p. 75) ut nunc ualide fluctuat mare, nulla nobis spes

est Ru 303 **fluctuare** uideo uehementer mare Ru 903

FLUCTUOSUS - - . . . salute horiae quae in mari **fluctuoso** piscatu nouo me uberi compotiuit Ru 910

FLUCTUS - - I. Forma **fluctus**(*sing.*) Ru 165, 171(*v. secl SonnenscheinL*) **fluctus**(*nom. pl.*) Mo 677, Ru 76, Tri 836 **fluctibus** Tri 821 **fluctus** Mer 877, Ru 69, 168 **fluctibus** Mer 198, Mi 414, Ru 369

II. Significatio 1. *proprie:* ab saxo auortit fluctus ad litus scapham Ru 165 uiden alteram illam ut fluctus eiecit foras? Ru 171

eas ab saxo fluctus ad terram ferunt Ru 76 imbres fluctusque atque procellae (ferri *add SpU*) infensae (fremere *add LindRRs*) frangere malum Tri 836

Neptuno . . laudes ago et grates gratiasque habeo et fluctibus salsis . . Tri 821(*cf* Goldmann, I. p. 9)

saluae sunt si illos fluctus deuitauerint Ru 168 increpui hibernum et fluctus moui maritimos Ru 69

Diana me in locis Neptuniis . . seruauit, saeuis fluctibus ubi sum adflictata multum Mi 414 nos uentis fluctibusque iactatae exemplis plurimis . . Ru 369

2. *translate:* iterum iam ad unum saxum me fluctus ferunt Mo 677 hic facit tranquillitatem, iste omnis fluctus conciet Mer 877 uideo med ad saxa ferri saeuis fluctibus Mer 198

FLUO - - amoris imber grandibus guttis non uestem modo permanauit sed in medullam ultro **fluit** Fr III. 2(*ex Front* 2. 2, p. 27 *N*) probe med emunxti. #Vide sis, satine recte: num mucci **fluont**(-unt *PU*) Mo 1109 fac fidelis sis fideli: caue fidem **fluxam** geras Cap 439 *Vide* Mi 1322, *ubi* fluat *PNon pro* afluat(*A*)

FLUVIUS - - I. Forma **fluuius** Ba 85, Cu 86 **fluuium** Ba 86, Men 64 **fluuio** Tru 563

I. Significatio 1.*proprie:* ingressus fluuium rapidum . . rapidus raptori pueri subduxit pedes Men 64 hoc adsimilest quasi de fluuio qui aquam deriuat sibi . . Tru 563

2. *translate:* rapidus fluuius est hic: non hac temere transiri potest. #Atque ecastor apud hunc fluuium aliquid perdundumst tibi Ba 85-6(*de meretrice*) quisnam istic fluuiust quem non recipiat mare? Cu 86(*de vinolento*)

FOCULUS - - iam intus uentris fumant **focula** Per 104 iuben . . laridum atque epulas foueri **foculis** feruentibus? Cap 847 *Vide* Per 515, *ubi* foculam *B pro* faculam

FOCUS - - ad **focum** si adesses non fissile auferres caput Au 439 in medio **foco** defodit (thensaurum) Au 7 haec imponentur in foco nostro Lari Au 386 conuenit . . urbem agrum aras **focos** seque uti dederent Am 226

FODICO - - stimulus ego nunc sum tibi, **fodico**(*Bent* eo dico *P*) corculum Cas 361 eadem (dicta) aculeata sunt, animum **fodicant** Ba 64

FODIO - - I. Forma **foditur** Ba 1159 **fodiam** Men 951 **fodi** Au 418 **fodimus** Ru 436 **fodiat** Poe 1020(*A* fodi *BD om C*)

fodere Cu 130(*om J*), Mo 380(*solus B*), Tri 754 *corrupta:* Am *fr* VI, fodito *Non* 225 *pro* ecfodito(*Prisc*)　Men 156, hec fodito *B¹ pro* ecfodito Mi 374, fodiri *P pro* exfodiri(*A; cf* Langen, *Beitr.* p. 84)

II. Significatio 1. *proprie:* hortum fodiat* Poe 1020　locum . . quem fodere metuo, sonitum ne ile exaudiat Tri 754　miserumst opus igitur demum fodere puteum ubi sitis fauces tenet Mo 380(*v. habet solus B*)　nostro illum puteum periclo et ferramentis fodimus Ru 436

2. *translate:* cor stimulo foditur. #Pol tibi multo aequius est coxendicem Ba 1159　istud male factum arbitror, quia non latus fodi Au 418

etiam mihi quoque stimulo fodere* lubet te Cu 130　ego te pendentem fodiam stimulis triginta dies Men 951

FOEDO - - **foedant** et proterunt hostium copias iure iniustas Am 246　rem patriam et gloriam maiorum **foedarim**(*ABPrisc* I. 308 foedar in *CD*) meum Tri 656

FOEDUS (*adiectivum*) - - me uxor insanum facit suis **foedis** factis Am 1085　. . ne ubi uorsicapillus fias, **foede** semper seruias Per 230　distraxissent disque tulissent satellites tui me miserum foede Tri 833

FOEDUS(*subst.*) - - pacem feci, **foedus**(fedus *D*) feci(ici *OttoRgl*), uera dico Am 395　anteueniam et foedus feriam Mo 1061　ab ero ad erum maiorem uenio foedus(fedus *BD¹*) commemoratum Ps 1283　**qui frangant foedera** Ci 460(*A*)

FOETEO - - dic, amabo, an **foetet**(*JNon* 233 et *RglULy* fetet *BEψ* fętet *D*) anima uxoris? As 894　anima foetetne(*RglULy* fe. *DEψ* fę. *BJ*) uxoris tuae? As 928　fy, fy, foetet (*AJ* fetet *BVE*) tuos mihi sermo Cas 727　iam illi foetet(*LoewRg* fe*** *AS̈ v. om P* fetet *L* subolet *R* notust *U* ille felat *Ly*) filius Ps 422

FOETIDUS - - ieiunitatis plenus, anima **foetida**(fe. *BNon* 231), senex hircosus tu ausculere mulierem? Mer 574　piscatores . . praebent populo pisces **foetidos**(fe. *B*) Cap 813

FOLIUM - - **1.** inuoluolum quae in pampini **folio**(filio *B¹VJ*) intorta inplicat se Ci 729

2. **folia**(*B²* fortia *P*) nunc cadunt praeut si triduom hoc hic erimus; tum arbores in te cadent Men 375　*Cf* Inowraclawer, p. 57; Egli, I. p. 16; II. p. 44

3. tu legiones difflauisti spiritu, quasi uentus **folia** aut paniculum tectorium Mi 18　dissipabo te tamquam folia farfari Fr II. 58(*ex Serv ad Aen* VII. 715)　uiscum legioni dedi fundasque: eo praesternebant folia farfari Poe 478

FOLLIS - - quom it dormitum, **follem** obstringit ob gulam Au 302(*cf* Egli, I. p. 24) ego te follem pugillatorium faciam Ru 721(*cf* Inowraclawer, p. 50)　scio spiritum eius maiorem esse multo quam **folles** taurini halitant Ba 16(*exPrisc* I. 575; *cf* Egli, I. p. 27)

FOLLITUS - - ego **follitum** (*i. e.* folle indutum; *cf* Leo, *Vind. Pl.* p. 4) ductitabo Ep 351(follitim *CaRg¹*)

FONS - - dabitur tibi amphora una et una semita, **fons** unus, unum ahenum, et octo dolia Cas 122　male dicere audes, fons uiti et peiiuri? Tru 612(*cf* Blomquist, p. 161; Inowraclawer, p. 53)　utrum **Fontine**(*A* fontale *P*) an Libero imperium te inhibere mauis? St 699(*cf* Hubrich, p. 90)　mihi interbibere sola, si uino scatat, Corinthiensem **fontem** Pirenam potest Au 559　decumum a **fonte** tibi tute inde, si sapis St 708

FONTALIS - - St 699, fontale *P pro* Fontine(*A*)

FOR - - tu meum ingenium **fans** atque infans nondum etiam edidicisti Per 174　quae neque fieri possunt neque **fando** umquam accepit quisquam Am 588　fando (*Gep* fandum *A* eandum *P* ehodum *B*) ego istuc nomen (*BoS̈U* istuc hominem *APψ*) numquam audiui Ep 496

FORAS - - **1.** *absolute:* foras foras(*CaRg* *foras *PS̈* i foras *LambLULy*), lumbrice! Au 628　*vide* Ci 266, *ubi* **ni foras *A*

2. *cum verbis:* an metuis ne quo *abeat* foras urbe exolatum? Mo 596　abii foras Mo 879, Poe 1285　ipse abiit foras Poe 1283　hunc subcustodem suom foras (*Lamb* foris *P*) *ablegauit* Mi 869　uix foras me *abripui*(*Lamb* arr. *P*) atque effugi Cu 598　ducam scortum atque aliquo ad cenam *condicam* foras Men 124　tuam nec chlamydem *do* foras nec pallium quoiquam utendum: mulierem aequomst uestimentum muliebre dare foras Men 658-60　illaec . . . hospitio *edit*(educit *LambR*) foras Mi 308(*locus dubius*)　clanculum ex aedibus me edidi(dedi *GulR*) foras Mo 698　illam *educunt* huc nouam nuptam foras Cas 798　heus foras(eioras *E*) educite . . fidicinam Ep 472　neque uirum(*Bo vide ψ*) ex hoc saltu damni saluom ut educam foras(*Pius* ute duo anfora *P*) Men 988　eram meam eduxi foras (foris *B*) Mi 1268　istas iam ambas educam foras Ru 725　. . piscis usque adeo donicum eduxit foras Tru 39(*v. secl RRs*)　senex eccum aurum *ecfert* foras Au 665　eo tibi argentum iubebo iam intus ecferri foras Ba 95　teneo sortem. #Ecfer foras Cas 415　uidi mortuom efferri foras Mo 1001　tu illi ubi fui inde *effugi* foras Mo 315　quid tu foras *egressa*'s? Am 1078　eapse eccam egreditur foras(*om A*) Cas 163　hic egreditur foras Cu 466　uxor uirum . . clam domo egressast foras Mer 821　ancillula illius est quae hinc egreditur foras (foris *B*) Mi 987　. . quoius causa . . foras (fori *B*) sum egressa Mi 1010　eccam ipsam (ipsa *BriU*) egreditur foras (foris *CD*) Mi 1215　quisnam egreditur foras? Per 404　foras egredier uideo lenonem Lycum Poe 742　hos percontabor qui hinc egrediuntur foras Poe 960　nimium tarde egrediuntur foras Ps 1032　seruos illic est eius qui egreditur foras Ru 79　estne Ampelisca haec quae foras e fano egreditur? Ru 334　ad amores tuos foras egredere St 738　eapse eccam egreditur foras Tru 852　egressa huc sum foras Tru 858(*omnia add L solus*)　sed leno egreditur foras Vi 117(*ex Non* 332)　foras aedibus me *eici*? As 127　uiden alteram illam ut fluctus eicit foras? Ru 171

(*v. secl SonnenscheinL*) istos mundulos amasios . . omnis eiciam foras Tru 659 ut †eum
ex lutulento caeno propere hinc *eliciat* foras
Ba 384 nisi nobis producuntur iam atque
emittuntur foras . . Ba 1147 quam ob rem
ego argentum *enumerem*(numerem *FZRU*)
foras? Per 531 *i(Lamb* foras *CaRg * S*) foras,
lumbrice Au 628 ei foras mulier Cas 211
quotiens foras(*om D*) ire uolo, me retines Men
114 eccum it uicinus foras Mer 271 eccum
it foras Mer 561 iam hercle ire uis, mula,
foras pastum Mo 878 ite foras Per 758 a
heus, i foras, Agorastocles Poe 205 . . ut
uideant te ire istinc foras Poe 796 ite istinc,
serui, foras Poe 1319 ite istinc foras, Turbalio, Sparax Ru 656 ibisne ad cenam foras?
St 612 agite ite foras St 683 ite ite hac
simul . . foras(*om Rs*) egerones Tru 551(*KiesLLy
in loco perdubio* foraseuerrones *U*) quid dubitamus . . huc *euocare* ambos foras? Ba 1117
uin tuis Chalinum huc euocem uerbis foras?
Cas 272 euocate intus Cylindrum . . foras
Men 218 cor credo euocaturust foras Mi 202
tu illunc(*FZ* illuc *P* illum huc *FlRgLU*) euoca
foras Mi 1248 huc foras te euocaui Poe 257
me euocauisti foras Poe 416 quid si euocemus huc foras Agorastoclem? Poe 707 intus
euocabo aliquem foras Ps 604 euocabo hinc
hanc sacerdotem foras Ru 479 foras(*omGuy
LLy* uocate *Bo* euocate *PLLy om* foras; eu. f.
BergkRRs) Tri 1175 ne hinc foras *exambulet*(*A* ambulet *PL*) Ep 165 uox uiri pessumi
me *exciet* foras Ps 1285 quis homo . . me
exciuit foras Tri 1176 uox me precantum huc
foras *excitauit* Ru 259 anum foras *extrudit*
Au 38 incenatum senem foras extrudunt mulieres Cas 789 ui extrudam foras(*Reiz* foris
P) Mi 1124 ambitionis causa extrudantur foras Poe 38 Iunonem extrudam foras Poe 1220
dudum (e fano foras *add RsLLy duce Lamb* e
fano deae *U **PS*) lenonem extrusti Ru 1065
. . ut me extrudat foras Tru 86 homo hercle
hinc *exclusust* foras As 596 parasito excluso
foras Men 470 (me) exclusit foras Men 668
me . . excludunt foras Men 1040(*v. iteratur post
v.* 1028) . . ut mulierem excludam(extrudam
LambR) foras Mi 977 Amphitruo subditiuos
eccum *exit* foras(foris *D*) Am 497 exeundum
hercle tibi hinc est foras Au 40 de suo tigillo fumus . . si qua exit foras Au 301 quinam exit foras? Ba 234 eccum exit foras
Chalinus intus Cas 350 exitur foras Cas 813
liquido exeo foras auspicio Ep 183 heus foras
exite huc aliquis Ep 398 Menaechmus cum
corona exit foras Men 463 non ego te indutum foras exeire uidi pallam Men 512 heus
aliquis . . huc foras exite Mer 910 meus conseruos . . it foras Mi 271 iam ego ad te
exibo foras Mi 537 exi e culina . . foras Mo 1
homo nemo hinc quidem foras exit Mo 901
modo (erus) exibat foras Ru 307 optume
eccum exit foras Ru 1209 auspicio hodie
optumo exiui foras St 459 ego huc . . exissem
uobiscum foras St 743 ipse exit Lesbonicus
cum seruo foras Tri 401 omnis *exegit* foras
me atque hos onustos fustibus Au 414 neu
qui manus . . grauidas foras *exportet* Tru 98

haec huc timida atque exanimata *exsiluit* foras
(*PLU om Aψ*) Cas 630 qui autem ausculate
nolet *exsurgat* foras Mi 81 nosque *exturbauit*
foras Tri 1084 quae cras ueniat perendie
foras *feratur* Au 156 bona . . foras iubet
ferri(degeri *Rs* ecferri *U*) Tru 556 quando
acceptumst non potest ferri foras Tru 750
ilico res foras *labitur* Tri 243 *migrare* certumst iam nunc e fano foras Cu 216 *mittite*
istanc foras Cu 151 quo illic homo foras
se(fortasse *Non* 374) *penetrauit* ex aedibus?
Tri 276 operam uxoris *polliceor* foras quasi
catillatum Cas 551 ego . . patronus foras
processi foras Ps 606 nuntiate, ut prodeat
foras(fonas *B*), Giddenini Poe 1119 *produco*
Ba 1147(*supra sub* emittuntur) ubi sunt isti
quos ante aedis iussi huc produci foras? Cap
252 intus pateram *proferto* foras Am 770 quo
ted hoc noctis dicam *proficisci* foras? Cu 1 inde
foras tacitus *profugiens*(*Redslob* proficiens *JU*
profectus *Rs* preficiens *BV* pfitiens *E* exeo
Cas 932 Mnesilochus eccum maestus *progreditur* foras Ba 611 (Menaechmus) progreditur foras Men 109 aedium dominus foras
Simo progreditur intus Mo 686 praeda progreditur foras Per 682 *promisi* foras Mo 1004
ad cenam hercle alio promisi foras. #Quid,
foras? #Foras hercle uero St 596-7 quo illum
nunc hominem *proripuisse* foras se dicam ex
aedibus? Cap 533 quid uos foras *prosequi-
mini*? Ru 1049 si non sequitur, (istum) *rapite* sublimem foras Mi 1394 ego secreto te
huc foras *seduxi* Au 133 ne ille ecastor hinc
trudetur largus lacrumarum foras As 533 foras
necessumst quicquid habeo *uendere* St 219
nunc speculabor . . qui foras *ueniat* Tru 708
num quo foras *uocatus* es ad cenam Cap 172
uocatos credam uos esse ad cenam foras Ru
1420 foras uocate(*Bo*) Tri 1175(*supra sub*
euocate) *corruptum:* Mo 679, foras *P pro
ocius*(*A*)

FORIS(*adv.*) - - auro formidat Euclio, abstrudit foris(-es *P*) Au *Arg* II. 6 alicubi
(quod habeo) abstrudam foris Au 577 rogitas . . quid foris egerim Men 116 sinito ambulare, si foris(-es *J*) si intus uolent Cap 114
foris ambulatis Mo 451 . . quippe quam hic
adstes foris Men 332 . . si foris cenat Men
126 foris cenauerat tuos gnatus Mo 484
hodie cenabis foris Poe 1400 uocem te ad
cenam, nisi egomet cenem foris St 190 qui
malum tibi lasso lubet foris cenare? St 598
ille opere foris faciendo lassus noctu aduenit
As 873 foris illic extra scaenam fient proelia Cap 60 et intus paueo et foris formido
Ci 688 foris aliquantullum etiam quod gusto
id beat Cap 137 ego hic tantisper, dum exis,
te opperiar foris Mo 683 domi erat (foris *add
MueRg*) quod quaeritabam Mer 845 habeo
. . familiarem tergum, ne quaeram foris As
319 sunt igitur ligna, ne quaeras foris Au 358
copias . . optuli, ut domo sumeret, neu foris
quaereret Ba 648 hanc ego de me coniecturam domi facio ni foris(*E³* foras *P*) quaeram
Ci 204 apud te exemplum experiundi habeas,
ne quaeras foris Mi 638 sperat . . sibi fore
paratas . . excubias foris Cas 54 ego . . meos

oculos habeo, nec rogo utendos foris(-as *CD*)
Mɪ 347　mihi mira uidentur te hic stare foris
Mᴇɴ 362　domi et foris aegre quod sit satis
semper est Cᴀs 176　domin an foris dicam
esse erum Charinum? Mᴇʀ 128　ubi Charinus
erus, domin est an foris(es *B*)? Mᴇʀ 131　si domi
sum, foris est animus; sin foris sum, animus
domist Mᴇʀ 589　Palaestrio domi nunc apud
mest, Sceledrus nunc autemst foris(*A* -as *P*)
Mɪ 593　faxo foris uidua uisas patrem Mᴇɴ 113

FORIS - - I. **Forma** (*cf* Abraham, p. 200)
foris Aᴍ 496, Aᴜ 665, Bᴀ 234, 1057, Cᴀs 163,
874, Mᴇʀ 699, Mɪ 154, 527(fobis *B¹C*), 985
(-es *BLy*), 1198, Mo 508(*B²* -es *B¹C* -aes *D*),
1062, Pᴇʀ 300(*R acc. ψ*), 404(*A* -es *P*), Sᴛ 87
forem Bᴀ 833(-tem *C*), Cᴀs 893(†*U*)　**fores**
As 759, Bᴀ 610, Cᴀs 936, Cᴜ 88(*voc.*), 486,
Mᴇɴ 178, 362(*om A*), Mᴇʀ 409, Mɪ 270(*AB* -is
CD), 328(*BRgLLy* -is *CDψ v. secl LadewigRg*𝕾),
410, 1250(*FZRgULy* -is *Pψ*), 1377(*RRgULy*
-is *Pψ*), Poᴇ 609, 741, Sᴛ 309, 311, 312(foges*D¹*),
Tʀɪ 1124　**forium** Cᴜ 158(*Py* forum *P*)　**foribus** Aᴍ 1026, As 388, 426, Cᴀᴘ 832, Cᴜ 161,
Mᴇʀ 417, Ps 606, Rᴜ 414, Tʀɪ 870　**foris** Aᴍ
449(-es *Ly*), 1019(-es *JLy*), 1021(*U* -es *Pψ*), 1022
(*U* -es *Pψ*), 1027(-es *JLy*), *fr* V(*ex Non* 473
-es ω), As 384(-es *LLy*), 386 (*U* -es *Pψ*), Aᴜ
104(-es *Pω*), Bᴀ 578(*ParRU* -es *Pψ*), 581
(*RU* -es *Pψ*), 586(*RU* -es *Pψ*), 723(*ParRU* -es
Pψ), 798(*RU* -es *BDψ* fortes *C*), 1118(*RsU* -es
Pψ), 1119(*RU* -es *Pψ*), Cᴀᴘ 831(*RsU* -es *Pψ*),
Cᴀs 434(-es *Zω* -as *P*), Cɪ 91(-es *Pω*), 638(-es
Pω), Cᴜ 71(*RgU* -es *Pψ*), 80(*RgU* -es *EJψ*),
sores *B*), 87(*RgU* -es *Pψ*), 145(*RgU* -es *Pψ*),
Mᴇɴ 176(-es *LLy*), 351(*RRs* -es *Pψ*), 550(-es
Pω), 987(-es *Ly*), Mɪ 328(-es *Ly*), 342(*RRgU*
-es *Pψ*), 1296(-es *FZLLy*), Mo 405, 445(-es
PLLy), 453(*R om P* -es *Ly*), 456(-es *Ly*), 461
(-es *Ly*), 516(*RU* -es *Pψ* -aes *D¹*), 521(*RU* -es
Pψ), 674(*RRsU* -es *Pψ*), 898(*RRs*𝕾*U* -es *PL
Ly*), 900(*A om P*), 1046(*RRsU* -es *Pψ*), Pᴇʀ
300(*nom. sg. R*), 569(*RRs* -es *Pψ*), Ps 1135(*R*
-es *Pψ*), Rᴜ 480(*Rs* -es *Pψ*), 1202(*Rs* -es *Pψ*),
Sᴛ 308(*RRsU* -es *Pψ*), 326(*AB* -es *CDLLy*),
327(*RRg* -es *Pψ*), Tʀɪ 868(-es *Pω*), Tʀᴜ 95(-es
CDω -as *B*), 254(-es *Pω*), 289(*A* -es *ULy* -as
P), 350(-es *Pω*)　**foribus** Aᴍ 269, 464, 467,
As 760, Bᴀ 632, Mᴇɴ 158, Mᴇʀ 130, Mo 429,
829, 854, 900, Pᴇʀ 570, Sᴛ 355　*corrupta:* Tʀɪ
1160, fores *CD pro* feres

II. **Significatio** 1. *nom.:* a. aperitur foris
Mᴇʀ 699, Mɪ 527*, 985(-untur fores *Ly duce P*)
ecce autem commodum aperitur foris Mɪ 1198
foris aperitur(*R* aperit *P*𝕾†*LLy* aperite *FZU*
operit *Rs*) Pᴇʀ 300　apertast foris Sᴛ 87　sed
foris concrepuit nostra Bᴀ 234　sed foris
concrepuit Cᴀs 163　sed foris concrepuit hinc
a uicino sene Mɪ 154　concrepuit foris. #Hi-
cine percussit? Mo 508　sed quid hoc est
quod foris concrepuit proxuma uicinia? Mo 1062
sed ibi concrepuit foris Pᴇʀ 404　crepuit foris
Aᴍ 496　attat, foris crepuit Aᴜ 665　sed
crepuit foris Bᴀ 1057　tace uostra foris crepuit Cᴀs 874
b. agite, bibite festiuae fores Cᴜ 88　concrepuerunt fores Bᴀ 610　sed concrepuerunt
fores Cᴀs 936　sed interim fores crepuere

Cᴜ 486　sed fores crepuerunt nostrae Mɪ 270,
328(*v. secl LadewigRg*𝕾 conc. *PLULy*)　sed
fores uicini proxumi crepuerunt Mɪ 410　fores
hae fecerunt magnum flagitium modo. #Quid
. . .? #Crepuerunt clare Poᴇ 609　crepuerunt
fores Poᴇ 741　hinc sonitum fecerunt foris
Mɪ 1377　Poᴇ 609(*supra*)　fores hae sonitu
suo mihi moram obiciunt Tʀɪ 1124　nimis
uellem hae fores erum fugissent Sᴛ 312　impleantur elegiorum meae fores carbonibus Mᴇʀ
409　fores occlusae omnibus sint nisi tibi As
759　occlusae sunt foris Mɪ 1250　. . te hic
stare foris fores* quoi pateant Mᴇɴ 362　fores
facite ut pateant Sᴛ 309　metuis . . ne fores
Samiae sient Mᴇɴ 178　experiar fores an cubiti ac pedes plus ualeant Sᴛ 311
2. *gen.:* sonitum prohibe forium* et crepitum
cardinum Cᴜ 158
3. *dat.:* paene effregisti . . foribus cardines
Aᴍ 1626　. . cardines ne foribus effringantur
As 388　iussin in splendorem dari bullas has
foribus nostris? As 426　pultando assulatim
foribus exitium adfero Cᴀᴘ 832　foribus
dat aquam quam bibant Cᴜ 161　neque
propter eam quicquam eueniet nostris foribus
flagiti Mᴇʀ 417　ego precator et patronus
foribus processi foras Ps 606　quis . . tam
proterue foribus facit iniuriam? Rᴜ 414　ecquis his foribus tutelam gerit? Tʀɪ 870
4. *acc.:* a. agedum tu . . forem* hanc pauxillum aperi Bᴀ 833　forem(†*U*) obdo ne
senex me opprimeret Cᴀs 893
b. audio aperiri fores* Bᴀ 798　iube sis
actutum aperiri fores Bᴀ 1118　aperite hasce
ambas fores Cᴀᴘ 831　audio aperiri fores*
Cᴀs 434　aperitin foris? Mo 445　ecquis has
aperit foris? Mo 900(*A vide P*)　foris aperit
(†𝕾 -itur *R* operit *Rs* aperite *FZU*) Pᴇʀ 300
aestuosas sentio aperiri fores Tʀᴜ 350　ego
uino has conspersi fores* Cᴜ 80　fores paene
exfregisti Bᴀ 586　ean gratia fores effringis?
Sᴛ 327　. . nisi mauoltis fores et postes comminui securibus Bᴀ 1119　pultando paene
confregi hasce ambas fores* Mo 453　pultando,
inquam, paene confregi foris Mo 456　illi . .
exurent fores Pᴇʀ 569　feriam foris Aᴍ 1019
iam foris ferio? Mᴇɴ 176　. . has fores non
ferio Ps 1135　foris quidquid est futurum
feriam Tʀᴜ 254　. . qui sic frangas fores Aᴍ
1022　quis nostras sic frangit foris? As 384
quisnam obsecro has frangit foris? Sᴛ 326
at ego ilico obseruo(*FZ* obserui *B*𝕾†　obseruaui *B²* obseruis *CD*) foris Mɪ 328(*v. secl
LadewigRg*𝕾)　occlude sis fores ambobus
pessulis Aᴜ 104　hasce ego aedis occludam
hinc foris Mo 405　sine fores sis, abi, nolo
operiri Mᴇɴ 351　abiit operuit fores Mᴇɴ 550
Pᴇʀ 300(*supra sub* aperit)　. . si istas pepulissem fores Aᴍ *fr* V(*ex Non* 473)　pultabo
foris Aᴍ 449, Mo 898, Sᴛ 308　fores pultare
nescis Bᴀ 581　agedum pulta illas fores
Cɪ 638　foris pultabo Mᴇɴ 987, Mɪ 1296,
Tʀɪ 868　pultadum fores Mo 674　quid istas
(foris) pultas? Tʀɪ 871　patefeci fores Mo 1046
istas percussi fores Mo 516　. . quia percussissem fores Mo 521　an foris censebas
nobis publicitus praeberier? Aᴍ 1027　serua

istas fores Mɪ 342   tetigistin foris? Mo 461
sine fores sic Men 351   nolo ego foris conseruas meas a te uerberarier As 386(cf Dousa,
p. 59; Goldmann, I. p 21)
    quis ad fores est? Am 1021   adi actutum
ad fores Ba 578   subsequere propius me ad
fores Ba 723   consecutust clanculum me usque
ad fores Cɪ 91   sequere hac . . me ad fores
Cu 87   quid si adeam ad fores? Cu 145
accedam huc ad fores Ru 480   accedam opinor
ad fores Ru 1202   ad fores auscultate Tru
95   quis ad foris* nostras . . es ausa accedere?
Tru 289
    ara Veneris haec est ante horunc fores Cu 71
    5. abl.: tu tibi iubeas concludi aedis foribus
ferreis Per 570   ecquis hic est maxumam his
qui iniuriam foribus defendat? Mo 900   cesso
foribus facere hisce assulas? Mer 130   eum
ego meis dictis malis his foribus . . reppuli Ba
632
    me . . oportet . . hunc telo suo sibi malitia
a foribus pellere Am 269   amoui a foribus
maxumam molestiam Am 464   narrabit . . hinc
sese a foribus Sosiam amouisse Am 467   concede huc a foribus Men 158   concedam a
foribus huc Mo 429   canem istam a foribus
aliquis abducat face Mo 854
    ego hinc araneas de foribus deiciam et de
pariete St 355
    in foribus scribat occupatam . . esse se As 760
uiden coagmenta in foribus? Mo 829(cf Inowraclawer, p. 15)
    FORMA - - I. Forma   forma Mɪ 1087,
1327(Ca formam PRgS† v. secl LorenzRg), Ru
1306   formae Mɪ 1211(-ẹ C -e BD -ai Ly
formaque SeyRg fortuna U), Mo 173(-e D
-ai Ly)   formae(dat.) Mɪ 777(GuyRLU -am
BDψ -a C)   formam Am Arg I. 4, II. 2, Am
266, 441, 456, 600, As 402, Men 1064, Mer 395,
Mɪ 777(-a C -ae GuyRLU), 968, 1027, 1172,
1237, 1251, Per 548, Poe 1114, Ru 51   forma
Am 316, 614(-ǎ J), Cu 232, Ep 43, Men 19,
Mer Arg I. 2, Mer 13, 210, 260, 405, 414, 517,
638(fora B), Mɪ 10, 57, 782, 871, 967, 1021
(-ǎ B), 1042(-ǎ B), 1170, 1211(SeyRg), 1390, Per
130, 521, 698, Ru 894, St 381
    II. Significatio (semper proprie de forma
corporis) 1. nom.: ita me mea forma habet
sollicitum Mɪ 1087   forma* huius mores uirtus animum attinuere hic tuom Mɪ 1327   mendicus es?   #Tetigisti acu.   #Videtur digna
forma Ru 1306
    2. gen.: ex uirtute formae* euenit tibi Mɪ
1211   uirtute formae* id euenit te ut deceat
quicquid habeas Mo 173
    3. dat.: Alexandri praestare praedicat formae*
suam Mɪ 777(GuyRLU)
    4. acc.: formam una abstulit cum nomine
Am 600   formam cepi huius in med et statum
Am 266   conlaudato formam et faciem Mɪ 1027
formam, amoenitatem illius, faciem, pulcritudinem conlaudato Mɪ 1172   illum contemplo
et formam cognosco meam Am 441   taciti
contemplemur formam Per 548   non potuit
pictor rectius describere eius formam As 402
formam . . uerbis depinxti probe Poe 1114
Mercurius formam Sosiae serui gerit absentis

Am Arg I. 4   . . ne praedicatio tua nunc meam
formam exsuperet Mɪ 1237   non nostra formam
habet dignam domo Mer 395   parem sapientiam
habet ac formam Mɪ 1251   is illius laudare
infit formam uirginis Ru 51   haud est dissimilis meam quom formam noscito Men 1064
ubi ego formam perdidi? Am 456
    Alexandri praestare praedicat formam* suam
Mɪ 777
    ad tuam formam illa una dignast Mɪ 968
Iuppiter mutauit sese in formam eius coniugis
Am Arg II. 2
    5. abl.: alia forma esse oportet quem tu
pugnis legeris Am 316   forma* aetate item qua
ego sum Am 614   forma lepida et liberali . .
adulescentulam . . mercatust Ep 43   ei sunt
natei filii . . ita forma simili ut . . Men 19
emit atque adportat scita forma mulierem Mer
Arg I. 2   ibi amare occepi forma eximia mulierem Mer 13   neque credibilest forma eximia
mulierem eam me emisse Mer 210   ibi aspicio forma eximia mulierem Mer 260   illa
forma matrem familias flagitium sit sei sequatur Mer 405   ego emero . . ancillam . .
non malam, forma mala Mer 414   qua forma*
esse aiebant? Mer 638   stat propter uirum
fortem atque fortunatum et forma regia Mɪ
10   te . . uiuere uirtute et forma et factis
inuictissumum Mɪ 57   ecquam tu potis reperire forma lepida mulierem? Mɪ 782   mulierem nimis lepida forma ducit Mɪ 871   lepida
et liberali formast Mɪ 967   . . hominem . . praeclarum uirtute et forma* et factis Mɪ 1042
. . ut adoriatur moechum qui formast ferox
Mɪ 1390   forma lepida et liberalist Per 130
adduxit simul forma expetenda liberalem uirginem Per 521   uideor uidisse hic forma persimilem tui, eadem statura Per 698   clientas
. . ambas forma scitula atque aetatula Ru 894
fidicinas tibicinas sambucas aduexit secum
forma eximia St 381
    hic astabo tantisper cum hac forma* et
factis sic frustra? Mɪ 1021   ex forma nomen
inditumst Mer 517   ex uirtute formaque* euenit tibi Mɪ 1211(SeyRg)   de forma noui de
colore non queo nouisse Cu 232   prae illius
forma quasi spernas tuam Mɪ 1170
    6. adiectiva app.: eximia Mer 13, 210, 260
expetunda Per 521   lepida Ep 43, Mɪ 782,
871, 967, Per 130   liberalis Ep 43, Mɪ 967,
Per 130   mala Mer 414   regia Mɪ 10   scita
Mer Arg I. 2   scitula Ru 894
    FORMICA - - ego te faciam ut hic formi-
cae(-e E -ẹ J) frustillatim differant Cu 576
non hercle (aurum) minus diuorse distrahitur
cito quam si tu obicias formicis papauerem
Tri 410(cf Non)   Cf Egli, II. p. 60; Schneider, p. 34; Wortmann, p. 49
    FORMICINUS - - moue formicinum gradum
Men 888   Cf Graupner, p. 26; Gronov,
p. 217; Inowraclawer, p. 67; Schneider,
p. 8; Wortmann, p. 49
    FORMIDO - - eadem nos formido timidas
terrore impulit Am 1079   me conpleuit flagiti
et formidinis Men 901   neque miser me commouere possum prae formidine Am 337   ego

miser uix asto prae formidine Cap 637   *Vide*
As 320, *ubi* formidinem *E pro* firmitudinem
FORMIDO - - I. **Forma formido** Am 304,
As 461, Ci 535, 673(*B²J* -da *B¹VE*), 688, Mo
511, 514, Per 364, Poe 379, Ps 1019   **formidas** Ps 316   **formidat** Am 27, Au *Arg* II. 6,
Ba 237   **formidabam** Cap 913(*P* -aui *A ut vid
et S*)   **formidabo** Cu 45   **formidaui** Cap
913(*A ut vid et S* -abam *Pψ*)   **formidet** Cas
24   **formida** As 462, 638, Mi 893, 1011   **formidans** Am 1113
II. **Significatio** 1. *absolute:* da, quaeso, ac
ne formida As 462   bono animo es: ne formida As 638   bonum habe animum: ne formida Mi 1011   dum nescientis quid bonum
faciamus, ne formida Mi 893   et intus paueo
et foris formido Ci 688   *coniuncto laxe in-
finitivo:* meus formidat animus, nostrum tam
diu ibi desidere neque redire filium Ba 237
2. *cum acc.:* et illud paueo et hoc formido
Ci 535   nihil ego formido Mo 514   ego nunc
quod non futurumst formido tamen Per 364
Iuppiter non minus quam uostrum quiuis formidat malum Am 27
ego illum male formidaui* Cap 913   ne
quis formidet flagitatorem suom Cas 24
3. *cum. dat.:* metuens pueris, mihi formidans
Am 1113   auro formidat Euclio abstrudit foris
Au *Arg* II. 6
4. *seq. ne cum subiunct.:* formido male ne ego
hic nomen meum commutem Am 304   formido
miser ne hic me tibi arbitretur suasisse As 461
quae in tergum meum ne ueniant male formido* Ci 673   minus formidabo ne excidat
Cu 45   nimis quam formido ne manufesto hic
me opprimat Mo 511   hic ne me uerberetillum faciat . . male formido Poe 379   formido
male ne malus item erga me sit Ps 1019
5. *seq. infin.:* fac hoc . . mea fide, si isti formidas credere Ps 316   *Cf* Walder, p. 22
FORMIDOLOSUS - - nimis **formidolosum**
(-usum *J*) facinus praedicas Am 1117   hasce
herbas . . congerunt, **formidolosas**(-sam *A*
-olosas *Ly*) dictu non essu modo Ps 824(*cf
Dousa*, p. 408)
FORMOSUS - - mercari uisus mihi sum
formosam capram Mer 229
FORMULA - - temperi hanc uigilare oportet
formulam atque aetatulam ne . . foede semper
seruias Per 229   *Cf* Ryhiner, p. 43
FORO - - **forat** geminis communem clam
parietem in aedibus Mi *Arg* I. 5   ita se **forabunt** patibulatum per uias stimulis Mo 56
FORS - - 1. a. *nom. subiectum:* **fors**
fuat an istaec(*A* forsitan ea tibi *P*) dicta sint
mendacia Ps 432
b. *adv.:* **fors**(*Bo* forte *PLUS²* fort' *Ly*) si
tussire occepsit As 794
2. **forte** a. *solum:* forte aspicio militem Cu
337   Tarenti ludei forte erant quom illuc uenit
Men 29   interibi hic miles forte Athenas aduenit Mi 104   lucernam forte oblitus fueram
extinguere Mo 487   non mihi forte uisum
ilico fuit melius quom prandium . . dedit Mo
694
b. *cum coniunctionibus* ut: forte ut adsedi

in stega . . Ba 278(*cf Fulg exp. serm. xviiL*)
rus ut ibat forte, ut multum pluerat . . Men 63
forte si: ibi forte istum si uidisses . . Am 621
forte(*PLUS²* fort' *Ly* fors *Boψ*) si tussire occepsit . . As 794   nullae magis res duae plus
negoti habent forte si occeperis exornare Poe
213
si forte: an egomet me illic reliqui si forte
oblitus fui? Am 457   irae si quae forte eueniunt huius modi . . Am 941   quid si forte in
insidias deuenero? As 105   ego illum . . oblectabo, prius si forte aduenerit As 370   uerberarem asinos si forte occeperint clamare As
590   si forte pure uelle habere dixerit . . As
806   possis, si forte accubantem tuom uirum
conspexeris . . cognoscere? As 878   quid si
apud te eueniat desubito prandium aut potatio
forte aut cena? As 80   ibo ut uisam huc ad
eum, si fortest domi Ba 529   ecquid tu de
odore possis si quid forte olfeceris facere coniecturam? Men 163   quid . . si ibi amare forte
(-i *B*) occipias? Mer 650   si ei forte fuisset
febris, censerem emori Mi 720   si forte liber
fieri occeperim, mittam nuntium ad te Mi 1362
tu isto ad uos optuere . . si uolturios forte
possis contui Mo 838   tibi erit cordolium, si
quam ornatam melius forte aspexeris Poe 299
memoradum mihi si noui forte Poe 1064   si
quid (forte *add U*) amplius scit . . exquisiuero
Ru 329   si ab uiro tibi forte ueniet nuntius,
facito ut sciam St 148   illum . . mittere ad
portum uolo si quae forte . . nauis . . uenerit
St 152   si in aedem ad cenam ueneris, atque
ibi opulentus tibi par forte obuenerit Tri 469
tu nunc si forte eumpse Charmidem conspexeris . . Tri 950   si iratum scortum fortest amatori suo, bis perit amator Tru 46   si qua
forte contiost . . Fr II. 42(*ex Diom 345*)
nisi forte: nisi lenocinium forte(facere *U*)
collubitumst tibi Ba 26(*ex Char 200*)   hoc te
monitum nisi forte ipse non uis uolueram Cap
309   nihil ad me attinet? #Nisi forte factu's
praefectus nouos Mo 941(*solus A*)   (nisi forte
carcerem aliquando effregistis Serv ad Aen I.
140; *cf* Ps 1172)   quid sit nihil etiam scio: nisi
forte hospites uenturi sunt St 357   in portast
locus nisi forte in uentrem filio conrepserit Tri
424
ne: ne quid animae forte amittat dormiens
Au 303, 305(*priore loco* forte *om J et Non 234*)
pacem ab Aesculapio petas, ne forte tibi eueniat magnum malum Cu 271   uide sis, ne
forte ad merendam quopiam deuorteris Mo 966
metuo . . ne forte me auferat Poe 1293
qui: Amphitruo alius qui forte . . tuam rem
curet Am 826(*v. secl HermRglU*)
c. **forte fortuna:** ni illic hodie forte fortuna foret
miles Mnesilochum . . opprimeret Ba 916   forte
fortuna per inpluuium huc despexi Mi 287
3. *corrupta:* Ba 955, forte *P pro* portae(*A*)
Mer 655, forte *CD pro* fore(*B*)   Ru 202, forte
D pro foret   Tri 815, forte *D pro* foro
FORSITAN - - Ps 432, forsitan ea tibi *P
pro* fors fuat an istaec(*A*)
FORTASSE, FORTASSIS - - 1. **fortasse**
(*saepe ironice usurpatur*) a. *cum verbis finitis:*
istoc fortasse aurost opus. #Philippeo quidem.

#Atque eo fortasse iam opust Ba 220-221 an tu fortasse fuisti meae matri obstitrix? Cap 629 nescis tu fortasse(-et *B*¹) apud nos facinus . . nouom Mi 281 fortasse(-ę *B*) metuis in manum concredere? Per 441 fortasse haec tu nunc mihi non credis Ps 888 fortasse tu huc uocatus es ad prandium? Ru 142 *corrigentis in responso:* ain tu omnia haec? in carnario fortasse dicis Cu 324

b. *cum infin.*(*cf* Gronov, p. 290; Votsch, p. 16): ubi fit polenta, te fortasse dicere As 36 fortasse ted amare suspicarier Ba 34a(= Fr III. 5; *ex Don ad Ter Hec* III. 1, 33) ad quadraginta fortasse eam posse emi minumo minas Ep 296 fortasse te illum mirari coquom quod uenit Mer 782 fortasse medicos nos esse arbitrarier Poe 1004 haben . . #Parasitum te (-tumet *P var em ψ*) fortasse dicere Tru 680

c. *in responsis sine verbo:* neque me alter est . . #Fortasse(*BentRgl* -is *Pψ*) As 493 frugi tamen sum . . #Fortasse As 499 nequest deceptus in eo. #Fortasse As 502 negotium edepol. #Ferreum fortasse? Per 21 ego (uidi) . . #In somnis fortasse(† *S* -is *FlRgl*) Am 726

d. *cum nisi*(*cf* forte): quid istuc scriptum? #Nescio, nisi fortasse(-ae *B*) blanda uerba Per 250

e. *numerali app.:* illic noster est fortasse(-et *B*¹*C*) circiter triennium Mi 350

f. *corrupta:* Ba 671, fortasse *A pro* fortassis Tri 276, fortasse *Non* 374 *pro* foras

2. **fortassis**(*cf* Leo, *Pl. Forsch.* p. 270, *adn.*): ego (uidi) . . #In somnis fortassis(*FlRgl* -se *PLULyS*†) Am 726 neque me alter est . . #Fortassis(-se *BentRgl*) As 493 occidi. #Fortassis(-se *A*) tu auri dempsisti parum? Ba 671

FORTIS - - I. **Forma fortis** Am 340, Ba 216, Mi 1106(*ex Non* 306 fortius *P*) 1111, Per 846, Ps 992 **fortem** Ci 232, Mi 10, 1042(*R solus*), Ru 314, Tri 1133 **forti** Am 646, Poe 828 **fortior** As 557 **fortiter** As 323, 324, Ba 823, Men 129(foriter *B*), Poe 972, Ps 901 (*AULy* firmiter *Pψ*) *corrupta:* Ba 798, fortes *C pro* fores; 833, fortem *C pro* forem Men 375, fortia *P pro* folia(*B*²) Mi 1323, fortior *B pro* ferocior Mo 1160, fortem *B pro* sortem Ru 1260, forti *P pro* furti(*Py*)

II. **Significatio** A. *adiectivum* 1. *de animo:* qui possim uideri huic fortis a me ut abstineat manum Am 340 hicinest qui fuit quondam fortis? Per 846(*in malam partem?*)

sane ego me nolo fortem perhiberi uirum Ci 232 stat propter uirum fortem(*an de corpore?*) atque fortunatum et forma regia Mi 10 ecquem adulescentem . . strenua fide, rubicundum, fortem . . uidistis? Ru 314(*de corpore?*) hominem . . fortem* factis Mi 1042(*R solus*) quod (agit) homo edepol fortis atque bellator probus Ps 992 feram . . abitum eius animo forti atque affirmato Am 646 qui mest uir fortior ad sufferundas plagas? As 557

2. *de corporis forma, aliquando in malam partem*(*cf* Dousa, p. 362 *et edd*): Bacchis etiam fortis tibi uisast? Ba 216 ecquid fortis* uisast? Mi 1106(*cf Non* 306) quid is? ecqui fortis? Mi 1111

similiter vel de latere ferreo vel de ferreo (vinculo):

mauelim agere aetatem praepeditus latere(*ex later?*) forti ferreo Poe 828(*cf* Leo *ad loc*)

idem fere quod locuples: eum sororem despondisse suam in tam fortem familiam Tri 1133 (*cf Non* 306)

B. *adverbium*(*cf* Gehlhardt, p. 34; Langen, *An. Pl.* II. p. 8) 1. *de animo:* em ista uirtus est . . qui malum fert fortiter As 323 fortiter malum qui patitur, idem post potitur bonum As 324 pugnaui fortiter* Men 129 quin tu insistis fortiter? Poe 972

2. = firme *vel* firmiter: adstringite (hunc) ad columnam fortiter Ba 823 eum promisisse fortiter(*AULy* firmiter *Pψ*) dixit sibi sese abducturum a me dolis Phoenicium Ps 901

FORTITUDO - - As 320, fortitudinem *J* formidinem *E pro* firmitudinem

FORTUITUS - - si eam senex anum praegnatem **fortuito**(*DEJ et Fest* -tu *BU*) fecerit . . Au 163(*cf Fest* 238)

FORTUNA - - I. **Forma fortuna** As 727, Au 100(fur. *D*), Cap 304(fur. *J*), 834, 864(-ax *VEJ*), Mi 1212(*U pro* formae), Per 515, 516, Poe 973, 1328, Ps 679 **fortunam** As 716, 718, Cap 245, Er 332(fur. *J*), Poe 624, Ru 501, Tri 363 **fortuna** Ba 916, 1108, Ci 557(*U* -is *RsLLy* fortu∗∗ *AS*), Mi 287, Poe 302(*v. secl RRglS UL*), Ps 679, Ru 533(-am *Non* 406), Fr I. 17(*ex Macr* III. 16, 1) **fortunae** As 629(-ę *J* -e *DE*), Cap 958(-e *B*), Ru 185(-e *BD* -ę *C*), 674, Tru 219 (-e *BC*) **fortunis** Tru 372 **fortunas** As 515, Cas 161, Ci 114(fur. *J*), Mi 125(*B*²*D*² -na *P*), Mo 48, Ru 523, St 300, Tru 966(*U in loco perdito*) **fortunis** Ci 557(*RsLLy* -na *U* fortu∗∗∗ *AS*), Tru 709

II. **Significatio** A. *sing.* 1. *proprie* a. *nom.:* ex uirtute fortuna* euenit tibi Mi 1212(*U*) e uirtute uobis fortuna optigit Poe 1328 fortuna* humana fingit artatque ut lubet Cap 304

b. *acc.:* spes est fore mecum fortunam* Ep 332 sapiens . . ipsus fingit fortunam sibi Tri 363(*cf* Schneider, p. 28) te oro per precem, per fortunam incertam Cap 245

c. *abl.:* fortuna abusa indigna Ci 557(*U in lac*) pari fortuna aetate ut sumus utimur Ba 1108 proinde ut quisque fortuna (Fortuna *Ly*) utitur, ita praecellit Ps 679 utinam fortuna* nunc anetina uterer Ru 533(*cf Non* 406) quis est mortalis tanta fortuna affectus umquam? Fr I. 17(*ex Macr* III. 16, 1) aurum id fortuna inuenitur, natura ingenium bonum Poe 302(*v. secl RRglS UL*)

2. **forte fortuna**: ni illic hodie forte fortuna hic foret . . Ba 916 forte fortuna per inpluuium huc despexi Mi 287

3. **dea**(*cf* Egli, III. p. 10; Goldmann, II. p. 21; Hubrich, p. 93; Keseberg, p. 48): quem te autem diuom nominem? #Fortunam atque Obsequentem As 716 licet laudem Fortunam As 718 hominis Salus frustratur et Fortuna As 727 si bona Fortuna* ueniat ne intro miseris Au 100 respice. #Fortuna quod tibi nec facit nec faciet me iubes Cap 834 idem ego sum Salus, Fortuna*, Lux, Laetitia, Gaudium Cap 864(*cf* Egli, III. p. 4) tibi Fortuna faculam lucrifera adlucere uolt. #Quae

istaec lucriferast Fortuna? Per 515-6 certo
scio nec fore nec Fortunam id situram fieri
Poe 624 aliqua Fortuna fuerit adiutrix tibi
Poe 973 centum doctum hominum consilia
sola haec deuincit dea, Fortuna Ps 679 ut
quisque Fortuna(*Ly: vide supra* 1. *c*) utitur
Ps 679 malam Fortunam in aedis te adduxi
meas Ru 501

 B. *plur.* (*numquam de rebus; cf* L a n g e n,
Beitr. p. 293) 1. *nom.:* ubi loci fortunae tuae
sunt facile intellegis Cap 958 se ut ferunt
res fortunaeque nostrae, par nos est moriri Ru
674 actutum fortunae solent mutari, uaria
uitast Tru 219 uostrae fortunae meis praecedunt, Libane, longe As 629 nimio hominum
fortunae minus miserae memorantur Ru 185

 2. *dat.:* hoc tuis fortunis, Iuppiter, praestant
meae Tru 372

 3. *acc.:* conqueritur mecum mulier fortunas*
suas Mi 125 ego meas queror fortunas As
515 huc meas fortunas eo questum ad uicinam Cas 161

secundas fortunas decent superbiae St 300
sine me aleato fungi fortunas meas Mo 48 o
scirpe, scirpe, laudo fortunas tuas Ru 523 rem
ac fortunas(*U* romabo *P₰† L† Ly†* Romae habeo
Rs) si quoi animust perdere Tru 966(*U*) inmundas fortunas aequomst squalorem sequi Ci
114

 4. *abl.:* obseruabo meis quid fortunis fuat
Tru 709 fortunis* ex secundis ad miseras
uocat Ci 557(*RsLLy*)

 C. *adiectiva app.:* bona Au 100 incerta Cap
245 humana Cap 304 indigna Ci 557(*U*)
lucrifera Per 515, 516 mala Ru 501 im-
mundae Ci 114 miserae Ci 557(*RsLLy*), Ru
185 secundae Ci 557(*RsLLy*), St 300

FORTUNO - - I. Forma **fortunabunt** Tri
576 **fortunatus** Au 182, Cap 993(-is *E*), Cu
141, Mo 49, Poe 1262 **fortunata** Mi 1223,
Tri 41 **fortunatum** Cas 382, 402 **fortunati**(*neut.*) Ci 80 **fortunatum**(*masc.*) Ba 455,
Cap 858, Mi 10 **fortunatam** Ps 1065 **fortunate**(*voc.*) Ps 1065 **fortunati** Poe 623, Ru
531 **fortunatae** Mi 65(-e *P* -ę *B²*), Per 549
fortunatorum(*masc.*) Tri 549 **fortunatas** Au
387 **fortunatior** Cap 828(fur. *J*), Ru 1016,
1191 **fortunate** Ep 243(fur. *J*), Mi 706(*A*
-to *P*)

 II. **Significatio** A. *verbum finitum:* di fortunabunt uostra consilia Tri 576(*cf Non* 109)

 B. *participium* 1. *adiectivum* **a.** *de personis:*
et miser sum et fortunatus* Cap 993 nunc
ego sum fortunatus Poe 1262 saluos atque
fortunatus . . semper sies Au 182 uin te faciam fortunatum? Cap 858 tu fortunatus, ego
miser Mo 49 fortunati omnes sitis Poe 623
o fortunate, cedo fortunatam manum Ps 1065
qui me in terra aeque fortunatus erit? Cu 141
quis mest fortunatior? Ru 1191 numquam
hercle hinc hodie ramenta fies fortunatior Ru
1016 nemo uiuit fortunatior* Cap 828 illae
sunt fortunatae quae cum isto cubant Mi 65
ut fortunati sunt fabri ferrarii Ru 531 o
fortunata mulier es Mi 1223 fortunatum Nicobulum qui illum produxit sibi Ba 455 stat

propter uirum fortem atque fortunatum et forma
regia Mi 10

 b. *de rebus sim.:* satin Athenae tibi sunt uisae fortunatae atque opiparae? Per 549(*cf*
D o u s a, p. 232) meretrix fortunatist oppidi
similluma Ci 80 o fortunate, cedo fortunatam
manum Ps 1065 ut fortunatas faciat gnatae
nuptias Au 387

uenerare ut nobis haec habitatio bona fausta
felix fortunataque euenat Tri 41 quod bonum atque fortunatum sit mihi Cas
382, 402(mihi sit)

 2. *substantivum:* sicut fortunatorum memorant insulas Tri 549

 3. *adverbium:* quam facile et quam fortunate* euenit illi! Ep 243 nunc bene uiuo et
fortunate* atque ut uolo Mi 706

FORUM - - I. Forma **forum** Cu 403, Ps
791 **fori** Ps 807 **foro** As 428 **forum** As
108, 125, 245, 251, 329, 367, Au 281, Ba 347,
902, 1060, Cap 786, 815, Cas 26, 526, 564, Cu
336, 474, Ep 303(foram *J*), 358, 422, Men 213,
597, 666, 684, Mer 797, Mi 72, 89, 930, Mo
707, 844, 853, 999, Per 444, 487, Ps 561, 764,
790, 896, 1230, 1236, Ru 988, 1200, Tri 261,
727, Tru 313 **foro** Am 1012, As 117, Au 273,
356, 473, Cap 475, 478, 491, Cas 591, Ci 775,
Cu 475, 502, 507(*J* uoro *BE*), Ep 119, 198,
Men 209, 491, 600, Mi 578, 858(-m a foro *A*
fore *P*), 933, Mo 534, 998, 1051, Per 435, 442,
Poe 929, Ps 163, 800, 973, 1028, 1145, Ru 974,
Tri 282, 651, 815(*B* fero *C* forte *D*) *corrupta:* As 554, forum *P pro* eorum(*Ca*); 769, forum *P pro* eorum(*Ca*) Men 950, helles forum
B² pro elleborum Mer 638, fora *B pro* forma
Mi 1010, fori *B pro* foras

 II. **Significatio** 1. *nom.:* non inforabis me
quidem, nec mihi placet tuom . . forum nec
comitium Cu 403(*cum lusu verborum*) forum
coquinum qui uocant, stulte uocant, nam non
coquinumst uerum furinumst forum Ps 791

 2. *gen.:* hoc ego fui hodie solus obsessor fori
Ps 807

 3. *dat.:* triduom hoc unum modo foro operam adsiduam dedo As 428

 4. *acc.* **a.** *post verba:* fugit forum, fugat suos
cognatos Tri 261 hodie forum . . oculis inspexi meis Men 597 forum coquinum qui uocant . . Ps 790

 b. *cum praepp.* ad(*cf* A b r a h a m, p. 205):
ego eo ad forum As 108 quid ego cesso ire
ad forum? As 125 deos atque amicos iit salutatum ad forum Ba 347 ego ad forum autem hinc ibo Ba 1060 ego ad forum modo
ibo Cas 526 ibo ad forum Mer 797 uidetur
tempus sese ut eamus ad forum Mi 72 eo
ego(ego abeo *ARs*) hinc ad forum Mo 853 i
ad forum Per 487 at ego ad forum ibo Ps
561 ibo ad forum Ps 764 . . ut ad forum
iret Ru 1200 ad forum ibo Tri 727 iam
quidem hercle ibo(*A* hercle ibi *P*) ad forum Tru
313 abiisti ad forum As 251(*cf* L i n g e, *De Pl.
Asin.* p. 33) nunc tu abi ad forum ad erum
As 367 abeo ad forum igitur Ba 902 abeo
ab illo maestus ad forum Cu 336 illam dudum tibi dedi atque abii ad forum Men 684
hinc ad forum abiit gloriosus Mi 89 . . ut

abeam potius hinc ad forum quam domi cubem
Mo 707   Mo 853(*supra sub* eo)   abi istac trauorsis angiportis ad forum Per 444   extemplo
ad forum aduenero Cap 786   ego(eo *add R
solus*) ad forum illum conueniam Mi 930   nunc
pergam ad forum As 245   stultitia magnast
. . hominem amatorem ullum ad forum procedere Cas 564   nos prodimus ad forum Men
213   properabo ad forum Men 666   sequere
sis me ergo hac ad forum Ps 1230   ego uisam ad forum* Ep 303   *cum verbis morandi*
(*contra* Abraham): numquid processit ad forum hodie noui? Mo 999   si graderere tantum
quantum loquere, iam esses ad forum Ps 1236

apud: res magna amici apud forum agitur
Ep 422   conduxit coquos tibicinasque hasce
apud forum Au 281   mihi hic uicinus apud
forum . . edixit Ps 896   is apud forum manet
me Ep 358   maior apud forumst, minor hic
est intus As 329   (erunt) symbolarum collatores apud forum piscarium Cu 474(*cf* Vissering, I. p. 57) . . nisi mihi esset apud forum
negotium Mo 844

in: quorum odos subbasilicanos omnes abigit in forum Cap 815   piscatorem uidisti . .
uidulum piscem . . protulisse ullum in forum
Ru 988

circum: tranquillumst; Alcedonia sunt circum
forum Cas 26

5. *abl. a. cum verbis:* citius extemplo (a *add
PRLU om Aψ*) foro fugiunt quam ex porta
ludis quom emissust lepus Per 435   malim
istius modi mihi amicos furno mersos quam
foro Ep 119

b. *cum praepp.* **ab**: citius iam a foro argentarii abeunt Per 442   iam hercle ego erum
adducam a foro* Mi 858   quom extemplo a
foro adueniat domum Mi 578   dum erus adueniat a foro opperiar domi Poe 929   citius
extemplo a(*PRLU om Aψ*) foro fugiunt Per
435   Megadorus meus affinis eccum incedit a
foro Au 473   a foro incedo domum Mo 998
curata fac sint quom a foro redeam domum
Au 273   iam afferetur si a foro ipsus redierit
Au 356   uiso huc amator si a foro rediit domum Cas 591   metuo . . ne erus redeat etiam
dum a foro Ps 1028   haec quom ego a foro
reuortor, facite ut offendam parata Ps 163
hanc ad nos quom extemplo a foro ueniemus,
mittitote Mi 933

de: ilico properaui abire de foro Men 600
ipsi de foro tam aperto capite ad lenones eunt
Cap 475   ego sycophantam iam conduco de
foro* Tri 815   iube . . aliquid scitamentorum
de foro opsonarier Men 209   ut surrupuisti
te mihi dudum de foro Men 491

in: accessi ad adulescentes in foro Cap 478
in foro infumo boni homines atque dites ambulant Cu 475(*cf* Vissering, I. p. 59)   nec uobiscum quisquam in foro frugi consistere audet
Cu 502   usque in foro dego diem Mo 534   in
foro operam amicis do Tri 651   nolo ego . .
te . . in foro necullum sermonem exsequi Tri
282   tu, bone uir, flagitare saepe clamore in
foro Ps 1145   item alii parasiti frustra obambulabant in foro Cap 491(*v. secl Rs*)   omnis
plateas perreptaui . . in macello, in palaestra

atque in foro Am 1012   hi saltem in occultis
locis prostant, uos in foro* ipso Cu 507   Lampadionem me in foro quaesiuisse aiunt Ci 775
quem sum defessus quaerere . . in gymnasio
atque in foro Ep 198   cur sedebas in foro?
Ps 800   in foro palam omnes uendo pro meis
uenalibus Ru 974   ego me uideo uenire in
meo foro Mo 1051   apud Archibulum ego
ero argentarium. #Nempe in foro? As 117   in
foro uix decumus quisquest qui ipsus sese
nouerit Ps 973

FOVEA - -   ego ille doctus leno paene in
foueam decidi Per 594   ita decipiemus **fouea**
lenonem Lycum Poe 187   *Cf* Graupner, p. 24;
Inowraclawer, p. 84

FOVEO - -   in pectore meo **foueo** quas
meus filius turbas turbet . . Ba 1076   ibo
lautum in pyelum: ibi **fouebo** senectutem
meam St 568   iuben . . patinas elui, laridum
atque epulas(† ℥) **foueri** foculis feruentibus Cap
847

FRACTIO - - Tri 497, fractiones *B pro* factiones

FRANGO - - I. Forma frangit As 384, Ci
222(fragit *V*), Cu 55, St 326 a   **frangitis** Mo
939   **frangunt** Am 232   **frangas** Am 1022
frangat Mo 740   **frangant** Ci 460   **frangito**
Poe 729   **frangere** Tri 836   **frangi** Cap 89
(-it *J*), Mo 802(*U solus in lac*)   **fracta** Ru
505   **fractum** Men 885   **fractae**(*nom. pl.*)
Per 655   *corrupta:* Ru 1308, contra fracta *D²
pro* confracta   Tri 837, frangere *D pro* ruere

II. Significatio 1. *proprie:* quid istas aedis
frangitis? Mo 939   colaphos perpeti potis
parasitus frangi*que aulas in caput Cap 89
ait se obligasse crus fractum Aesculapio Men
885   sic frangas fores Am 1022   quis nostras
sic frangit foris? As 384   quisnam, obsecro,
has fractum foris? St 326 a   procellae infensae
frangere malum Tri 836   minume miror nauis
si fractast tibi Ru 505   qui e nuce nuculeum
esse uolt, frangit nucem Cu 55   si pultem
non recludet? #Panem frangito Poe 729(*cum
lusu verborum*)   uenit nauis nostrae naui quae
frangat († *L*) ratem Mo 740   tela frangunt Am
232

2. *translate:* ita meum frangit* amantem animum Ci 222   misericordia***(frangi nullum
U) hominem oportet Mo 802
etsi res sunt fractae, amici sunt tamen Per
655

**qui frangant foedera Ci 460

FRATER - - I. Forma frater Cu 716, Ep
641, 650, Men 1087, Mi 62, Per 699, 830, Poe
1069, St 415, 510, Tri 735   **fratris** Poe *Arg*
7, Poe 122(*v. secl ULy*), 125(*v. secl GuyRglℨ*),
952(*aliter U*), 954(*v. secl Lindω*), 1196, 1257,
1325, St 432   **fratri** St 630, Tri 820   **fratrem** Au 694, Cap 42, 126, 194, 458, 510, 1015
(*om B¹*), Men 232, 1094, Mi 8(*B²CDℨ*† fratri
B¹ fretis *A?* stragem *RRg* fartum *MuretULy*),
Per 695, 831, Poe 70, St 507, 527, 612   **frater**
(*voc.*) Au 120, 127, 140, 158, 160, 176, Cu 641,
658, 673, 697, Ep 649, Men 1135, 1133, 1139,
1147, 1151, 1152, 1154, St 531   **fratre** Au
687, St 582   **fratres** Ba 925, Men *Arg* 10,
Poe 59, St *Arg* I. 2(f****** *A*)   **fratribus**

Men 48, St 540   **fratres** Men 1102, St II. 3 *corruptum:* Cap 317, frater in *VE pro* faterin
   II. Significatio (*cf* Koehm, pp. 137, 185)
1. *nom.:* hic huius frater est, haec autem illius soror Cu 716   ego sum et istic frater qui te mercatust tuost Ep 641   ego modo ✳✳ huic frater factus Ep 650   illic homo . . geminus est frater tuos Men 1087   immo eius frater . . est Mi 62   uideor uidisse hic forma persimilem tui. #Quippe qui frater siet Per 699 hic eius geminust frater Per 830   pater tuos is erat frater patruelis meus Poe 1069   is hodie apud me cenat et frater meus St 415 . . frater tuos nisi dixisset mihi . . St 510 . . ut eam sine dote frater nuptum conlocet Tri 735
   Atridae duo fratres cluent fecisse facinus maximum Ba 925   i se cognoscunt fratres postremo inuicem Men *Arg* 10   Carthaginienses fratres patrueles duo fuere Poe 59   duo fratres✳✳✳ St *Arg* I. 2
2. *gen.:* gnatum hunc fratris repperit Poe *Arg* 7   reperiet . . hic filias et hunc sui fratris filium Poe 122(*v. secl ULy*)   reperiet suas filias et hunc sui fratris filium Poe 125 (*v. secl GuyRglS*)   . . meas . . hic ut gnatas et mei fratris filium reperire me siritis Poe 952 (*cf U*)   (et fratris filium Poe 954, *qui versus ab omnibus damnatur*)   quid est, fratris mei gnate? Poe 1196   hic est cognatus uoster, huiusce fratris filius, Agorastocles Poe 1257 hic nos cognouit modo et hunc sui fratris filium Poe 1325   amicam ego habeo Stephanium . . tui fratris ancillam St 432
3. *dat.:* parasitus mihi atque fratri fuisti St 630   salsipotenti et multipotenti Iouis fratri et Nerei Neptuno . . laudes ago Tri 820
   idemst ambobus nomen geminis fratribus Men 48   eae erant duobus nuptae fratribus St 540
4. *acc.:* **a.** di deaeque et te et geminum fratrem excrucient Per 831   gestit †fratrem(fretis *A?* stragem *GronovRRg* fartum *MuretULy*) facere ex hostibus Mi 8   facit illum heredem fratrem patruelem suom Poe 70   (circumeo) fratrem quaesitum geminum germanum meum Men 232 eodemque pacto fratrem seruabit suom Cap 42 intus eccum fratrem* germanum tuom Cap 1015   eccum fratrem Pamphilippum St 527 inuenis hunc meum fratrem esse Men 1094 germanum . . fratrem seruire audiui hic meum Per 695   domum rediisse uideo . . te et fratrem St 507
   b. *cum praepp.* ad: ei hac intro mecum . . ad fratrem meum Au 694   ego ibo ad fratrem ad alios captiuos meos Cap 126   ad fratrem quo ire dixeram mox iuero Cap 194   eo protinus ad fratrem inde Cap 510   ad fratrem modo (eo *add Rs* ibo dum *U* ad *add FlLy*) captiuos alios inuiso meos Cap 458
   apud: apud fratrem ceno in proxumo St 612
   c. spes mihist uos inuenturum fratres germanos duos geminos Men 1102   eae uiros tam perseuerent peregrinantes pauperes ita sustinere fratres St *Arg* II. 3
5. *voc.:* **frater!** *intra enuntiatum:* Au 120, 127, 140, 158, 160, Men 1139, 1151   *extra enuntiatum:*

frater, obsecro te Cu 697   frater et tu (salue) Men 1133(*cf RU*)   et tu, frater Au 176   frater, faciam ut tu uoles Men 1152   optumum atque aequissumum orat, frater Men 1147   eamus intro, frater Men 1154   hodiene exoneramus nauem, frater? St 531   salue, frater Ep 649   frater mi, salue Cu 641, 658   mi frater, cupio Cu 673   mi germane gemine frater, salue Men 1125
6. *abl.:* istuc confido a(*Py om P*) fratre me inpetrasse Au 687   uideone ego Pamphilippum cum fratre Epignomo? St 582
   FRATERCULO - - tunc papillae primulum sororiabant . . illud uolui dicere, **fraterculabant** Fr I. 87(*ex Paulo* 296, *Festo* 297; sor. *et fra. invertit Ly*)
   FRATERCULUS - - germana mea sororcula. #Repudio te **fraterculum**. #Tum tu igitur, mea matercula. #Repudio te **fraterculum**(† *SL* puerculum *Ly duce L*) Ci 451-2(*ex Prisc* III. 29) *Cf* Koehm, p. 138
   FRAUDATIO - - ad eri **fraudationem** callidum ingenium gerunt As 257
   FRAUDO - - quid(*om FritzschiusLy*) quod ego **frudaui**(*RRs* defrudaui *BD¹LLyS*† defrau. *AC*)? Tri 413   memorare . . possunt, uel fidentem **fraudaueris**, ubi ero infidelis fueris As 561 si **fraudassis**, dic ut te in quaestu tuo Venus eradicet Ru 1345   metuo in commune ne quam fraudem **frausus** sit As 286(*cf* Hofmann, p. 7) *Vide* Au 724, *ubi* fraudaui *VEJ pro* defraudaui
   FRAUDULENTIA - - os habet, linguam, perfidiam . . confirmitatem, **fraudulentiam**(*AB²D²* -tia *P*) Mi 189b   *Vide* Ps 582, *ubi* fraudulentia *AB*(-cia) *pro* fraudulenta(*Bo*)
   FRAUDULENTUS - - I. Forma **fraudulenta** Mi 880   **fraudulente** Ps 366(fraudulente *CD*)   **fraudulentum** Ru 318   **fraudulenta** Ps 582(*Bo* -ti *CD* -tia *A* -cia *B*) **fraudulenti**(*nom.*) Men 582   **fraudulentissumi** Cap 235(*J* -imi *BDEL*)
   II. Significatio 1. *de personis:* fur! #Babae! . . *#Fraudulente*! #Inpure leno! Ps 366   datum denegant quod datumst . . rapaces uiri fraudulenti Men 582   ex bonis pessumi et fraudulentissumi (homines) fiunt Cap 235   . . nesciam aut mala esse aut fraudulenta Mi 880 ecquem (uidistis) . . senem . . contracta fronte, fraudulentum? Ru 318
   2. *de re:* mea industria et malitia fraudulenta* facile ut uincam Ps 582
   FRAUS - - I. Forma **fraus**(*voc.*) Ps 365 **fraudis** Ru 651   **fraudem** As 286, Mi 164, 294, 1435(*A* -de *CD* -de in *B*), Tri 658, Tru 298, 548(frudem *Rs solus pro* dolum) **fraude** Ps 705b, Ru 1248(frude *Sey pro* lusi *in loco dubio*)
   II. Significatio(*cf* Langen, *Beitr.* p. 274)
1. *voc.:* fur! #Babae! #Fugitiue! #Bombax! #Fraus popli. #Planissume Ps 365
2. *gen.:* fraudis, sceleris, parricidi, periuri plenissumus Ru 651
3. *acc.:* cruribus capitique fraudem capitalem hinc creas Mi 294   adeo ut ne legi fraudem faciant aleariae Mi 164(*cf* Gronov, p. 221) metuo in commune ne quam fraudem frausus

sit As 286 *Vide* Tru 458, *ubi* tantam fraudem adgrediri *Rs duce Ca pro* tantundem dolum adgrediar
is me in hanc inlexit fraudem* Mi 1435 otio aptus in fraudem incidi Tri 658 . . ut eum inleciatis in malam fraudem et probrum Tru 298
4. *abl.:* . . dem laetitias de tribus fraude partas Ps 705 b *Vide* Ru 1248, *ubi* mihi cum frude *Sey* mihi cum lusi *PS*† *Lt nisi* quom lusi *BoRsU* mihi conlusim *ExonLy*
FREMITUS - - boat caelum **fremitu** uirum Am 233
FREMO - - Tri 836, fremere *add LindRRs*
FRENDO - - hoc uide: dentibus **frendit** (-d *CD*), icit femur Tru 601 illum male formidaui(-abam *PRsLULy*): ita **frendebat** dentibus Cap 913 nec machaera audes dentes **frendere** Fr II. 40(*ex Non* 447)
FREQUENS - - **frequens** senatus poterit nunc haberier Mi 594 apud omnis conparebo tibi res bene factis frequens Mi 662 ita omnibus relictis rebus mihi **frequentem**(-tē *BVE³* -te *E¹*) operam dedistis Ci 6 *Cf* Gronov, p. 357
FREQUENTO - - isto quidem nos pretio (tanti est; *add Ly duce cod Varr*) facile est († *S* optantist *Rs* pretio ptanti est *Varr l. L.* VII. 99) **frequentare** tibi Ci 9 *Cf* Gronov, p. 117
FRETUM - - *titulus fabulae a Gellio* III. 3, 7 *citatae*
FRETUS - - *semper cum abl.:* ibo ad te **fretus** tua, Fides, fiducia Au 586 huius ego experiar fidem, fretus ingenio eius Cap 350 dis sum fretus, deos sperabimus Cas 346 maiorum meum fretus uirtute dicam Ps 581 magnanimi uiri **freti**(*om D*) uirtute et uiribus Am 212 scapularum confidentia, uirtute ulmorum **freti**(-ci *BD*) As 547 omnes mortales deis sunt freti Cas 348 ita istaec solent, quae uiros subseruire sibi postulant dote **fretae**(-te *B*), feroces Men 767 uidi ego deis **fretos**(*B* disertos *VEJ*) saepe multos decipi Cas 349 *Vide* Mi 8, *ubi* fretis *A*(?) *in loco dubio*
FRICO - - **1.** *proprie:* **fricentur** (genua): dan quod oro? As 671 numquam hercle facerem, genua ni tam nequiter **fricares** As 678 numquam concessamus lauari aut **fricari** . . Poe 220 neque umquam lauando et **fricando** scimus facere neniam Poe 231(*v. secl RU*)
2. *in malam partem:* uncti hi sunt senes: fricari sese ex antiquo uolunt Ps 1190
FRIGEFACTO - - calidum prandisti prandium hodie? #Quid iam? #Quia os nunc **frigefactas**, quom rogas Poe 760 dabo septingentos. #Os calet tibi: nunc id frigefactas (*Valla* frigide factas *P*) Ru 1326
FRIGIDUS - - **I. Forma frigidus** Cas 910, Mi 760, Ru 527 **frigidam** Ci 35, Cu 511, Per 106, Ru 530 **frigida**(*abl.*) Mo 157 **frigida**(*nom. neut.*) Per 111 *corruptum:* Ru 1326, frigide factas *P pro* frigefactas
II. Significatio clam si occasio usquamst, aquam frigidam subdole suffundunt Ci 35 quasi aquam feruentem frigidam esse ita uos putatis leges Cu 511 frigida (aqua) non laui

magis lubenter Mo 157 edepol Neptune, es balineator frigidus Ru 527 probus hic conger frigidust Mi 760 non habuit gladium; nam esset frigidus Cas 910 . . ut muraena et conger ne calefierent; nam nimis melius oppectuntur frigida Per 111 pernam quidem ius est adponi frigidam postridie Per 106 ita salsam praehibet potionem et frigidam Ru 530
FRIGO - - tam **frictum** ego illum reddam quam **frictumst** cicer Ba 767 loquitur nihil nisi laterculos . . triticum et **frictas** nuces Poe 326
FRIGUS - - quid is preti detur ab suis eris ignauis improbis uiris: uerbera . . fames, **frigus** durum Men 975 neque mihi ulla obsistet amnis . . nec calor nec frigus metuo Mer 860
FRIGUTTIO - - nam quid **friguttis**? quid istuc tam cupide cupis? Cas 267 *Cf* Wortmann, p. 39
FRIT - - non dat, non debet. #Non debet? #Ne frit(*Ellis* nec erit *P* ne gry *AcR*) quidem ferre hinc potes Mo 595
FRIVOLARIA - - *titulus fabulae a Charisio, Festo, Paulo, Nonio, Prisciano, Varrone citatae*
FRONS - - **1.** *nom.:* †herile imperium ediscat ut quod **frons**(fronos *B¹DE¹* non os *J*) uelit oculi sciant Au 599(*cf* Goldmann, II. p. 5) quid illuc est quod illi caperrat frons(fros *Non* 173) seueritudine? Ep 609
2. *acc.:* quid contraxistis **frontem**? Am 52 coloratilem frontem habet Fr I. 110(*ex Non* 149 *et* 204)
3. *abl.:* uentriosus, truculentis oculis, commoda statura, tristi **fronte** As 401 ego te porrectiore fronte(-em *B* -ē *V ante ras*) uolo mecum loqui Cas 281 adstitit seuero fronte curans, cogitans Mi 201 senem statutum uentriosum, tortis superciliis, contracta fronte Ru 318
ut uiridis exoritur colos ex temporibus atque fronte Men 829
FRUCTUS - - **1.** *nom. sg.:* exsoluere quanti fuere: omnis **fructus**(*i. e.* lana) iam illis decidit Ba 1135 meast haec. #Scio; sed meus fructus est prior Cas 839(*in malam partem*) usus, fructus, uictus, cultus iam mihi harunc aedium interemptust, interfectust, alienatust Mer 832 cras mihi potandus fructus est fullonius Ps 782(*cf* Egli, I. p. 38; Inowraclawer, p. 69)
2. *acc. pl.:* credo . . potis te . . massici montis uberrumos quattuor **fructus** ebibere in hora una Ps 1304 *Cf* Egli, I. p. 17
FRUGALIS - - **1.** *adiect.:* Lesbonicus factus est **frugalior**? Tri 610
2. *adv.:* ille eam rem adeo sobrie et **frugaliter** accurauit Ep 565 si quam rem accures sobrie aut frugaliter Per 449 sin autem frugist, eueniunt frugaliter Per 454
FRUMENTARIUS - - Hedylium, tecum ago quae amica's **frumentariis** Ps 188
FRUMENTUM - - fac sit delatum huc mihi **frumentum** Ps 190 montes maxumi **frumenti** acerui(*om AcL* †*S* structi *RRg*) sunt domi Ps 189 frumenti . . . alibi messis maxumast Tri 529 . . ut hortum fodiat atque ut **fru-**

mentum metat Poe 1020 ut **frumento** afluam Ps 191 de frumento anseres clamore absterret abigit Tru 253

FRUNISCOR - - hinc tu nisi malum **frunisci**(-cei *A ut vid et* Ly) nihil potes, ne postules Ru 1012

FRUOR - - Argyrippus exorari . . poterit ut sinat sese alternas cum illo noctes hac **frui** As 918 *corrupta:* Ba 370, frui *D pro* frugi Mo 724, sic frui uita *U in lac* Ps 38 frui *CD pro* fui(*AB*)

FRUS⁂⁂ Cas 990

FRUSTILLATIM - - iam ego te faciam ut hic formicae frustillatim differant Cu 576 *Cf* Ryhiner, p. 51

FRUSTRA - - 1. = nequiquam: abeo . . maestus . . med illo frustra aduenisse Cu 337 hic astabo tantisper cũm hac forma et factis sic (sit *B* si sic *CD om GuyRgLULy*) frustra(*Ca*-am *P*)? Mi 1021 dixi. #Frustra dixti Mer 658 egone frustra(*BoR* egon in sustro *B* egom fustro *CD var em* ψ) . . tibi dixi? Mi 882 si falsa dicam, frustra dixero Ru 1135 ductare Men 694(*infra* 2) praesagibat mihi animus frustra me ire Au 178 quom se excucurrisse illuc frustra sciuerit . . Ba 359 item alii parasiti frustra obambulabant in foro Cap 491 at frustra obsecras Ci 467(*Stu ex A* fru⁂⁂s⁂⁂ras *A*)

2. *locutiones* **frustra esse** = decipi, falli, errare: iam hisce ambo et seruos et era frustra sunt duo Am 974 illam meretricemne esse censes? #Quippini? #Frustra's(*Z* frustres *P*) Ba 840 egone hic me patiar frustra(*LLy* frustrat *A ut vid om P* esse *CaRRsU*) in matrimonio Men 559(*subaudito* esse) nisi feres argentum, frustra's : me(*RRsU* frustra me *PLLy*) ductare non potes Men 694 hilarus est; frustrast homo Mo 567 sine argento frustra's, qui me tui misereri postules Ps 378 stulti hauscimus frustra ut simus Ps 683 nec nihil hodie . . tu hic edes, ne frustra sis Cap 854(*de hac formula cf* Boeckel, p. 35.) tu huc post hunc diem pedem intro non feres, ne frustra sis (*Py* frustrassis *CD* ferustasis *B*) Men 692 nunc mulier, ne tu frustra sis, mea non es Mer 528 aliter hinc non eibis: ne sis frustra Mi 1422 (*AB v. om CD*) numquam hercle hodie hic prius edes, ne frustra sis Per 140 dominus huic, ne frustra sis(*Grut* frustrases *B* -ssis *CD*) nisi ego nemo natust Ru 969 ego tibi daturus nihil sum, ne tu frustra sis Ru 1255 res itast, ne frustra sis Tru 754(*SpLULy* resistat ex ex[*B* et semel *CD*] frustra sit *P*$†) tres ista amet? #Tu frustra sis *Rs*)

frustra habere = decipere: is aduenientis seruom ac dominum frustra habet Am *Arg* II. 5

FRUSTRATIO - - in horum familiam **frustrationem**(-cionem *J*) hodie iniciam maximam Am 875 optumas **frustrationes**(-cio- *C*) dederis in comoediis Mo 1152

FRUSTRATUS - - aliam posthac inuenito quam habeas **frustratui** Men 695

FRUSTRO - - nescioquis praestigiator hanc **frustratur** mulierem Am 830 hominis Salus frustratur et Fortuna As 727 multos me hoc pacto iam dies **frustramini** Mo 589 i se quom

frustrant(*Ac* -trantur *CDL* -tantur *B*), **frustrari** alios stolidi existumant Ba 548(*cf* Hofmann, p. 33) scires uelle gratiam tuam : noluit **frustrarier** Cu 331 *corrupta:* Ba 840 frustres *P pro* frustra's Men 559, frustrat *A ut vid pro* frustra(?) ; 692, frustrassis *CD* ferustasis *B pro* frustra sis Ru 969, frustrassis *CD* frustrases *B pro* frustra sis

FRUSTULENTUS - - uin aquam? #Si **frustulentast**, da . . obsorbeam Cu 313

FRUSTUM - - loquere tu etiam, **frustum** pueri? Per 848 *Cf* Blomquist, p. 161 ; Schaaff, p. 23; Graupner, p. 6

FRUTEX - - nec ueri simile loquere nec uerum, **frutex**(rupex *GuyR*) Mo 13 *Cf* Fay, *Am. Journ. Phil.* XVIII. 170

FRUX - - 1. frugem: uiso ecquid eum ad uirtutem aut ad frugem opera sua compulerit Ba 1085 quin eum restituis? quin ad frugem conrigis Tri 118 certast res ad frugem adplicare animum Tri 270 erus si tuos uolt facere frugem(-gi *PalmerU*), meum erum perdet Poe 892

2. frugi a. *solum:* quamquam ego sum sordidatus, frugi tamen sum As 498 ego ad illud frugi usque et probus fui Mo 133 frugi numquam eris Ci 240 Epidice, frugi's Ep 493 (*vide U*) fac sis frugi Mi 1360 quid nunc mihi auctores estis? #Ut frugi sies Poe 721 si frugi esse uis . . Poe 963 si tu modo frugi esse uis . . Tri 1182 nisi quem spes relinquere omnes esse ut frugi(frui *D*) possiet Ba 370 hic illi malam rem dare uolt. #Frugi si id facit Poe 1098 hic postulet frugi esse : nugas postulet Tri 441 nec uobiscum quisquam in foro frugi consistere audet Cu 502 sin autem frugist, (res) eueniunt frugaliter Per 454 sin diues malust, is cliens frugi habetur Men 577 fures . . sedent quasi sint frugi Au 719 lena bene agat . . quae frugi esse uolt As 175 nec satis liber sibi uidetur (libertinus) nec satis frugi Per 840 ita seruom par uidetur frugi(-e *J*) sese instituere Am 959 hoc est serui facinus frugi . . Au 587 . . ut detur nuptum nostro uilico seruo frugi Cas 255 . . ut enim frugi seruo detur . . Cas 268 si (tonsor) frugist, usque admutilabit probe Cap 269 ego . . illum antehac hominem semper sum frugi ratus As 861 nullus frugi esse potest homo . . Ba 654 uorsipellem frugi(*om BoR Rg*) conuenit esse hominem . . Ba 659 si frugist, Herculem fecit ex patre Ba 665 Ba 1112 (frugi homo atque optumus *Rg pro* optumus homo) hic fecit hominem frugi ut facere oportuit Cap 294 probum (te *add SeylL*) et frugi (*SeyLLy pro* bone frugi *P*$† bonae frugi *GepU pro* bona e⁂⁂ frugi *Rs*) hominem iam pridem esse arbitror Cas 284 frugi's tu homo, Apoecides Ep 693 cum frugi hominibus ibi bibisti Tri 1018 meum uirum frugi(†$ egregium *U*) rata(uirum rata sum probum *Rgl*) siccum, frugi . . As 856-7 (uirum) quom aspicias tristem, frugi censeas Cas 562 Per 67(et frugi uirum *add R solus*)

b. frugi bonae(*pro dat. habent* Lindsay *ad* Cap 956 ; Ramsay, *Excurs.* X *ad* Most : *pro ge-*

netivo autem Blomquist, p. 78; Brix-N. *ad*
Cap 956; Riemann, *Rev. de Phil.* XIV. p. 67;
Schaaff, p. 39): numquam bonae frugi(-e *DE*)
sient As 602   bonus uir numquam neque
frugi bonae neque ero Cap 956   ne spem
ponas me bonae frugi fore Cap 957   Cas
284(*U: vide supra* a) . . si quidem tu frugi
bonae's Cas 327   fac sis bonae frugi sies
Cu 521   bonae hercle te (et *add PL om A*ψ)
frugi arbitror Mer 521 . . quasi ipse sit frugi
bonae Poe 845   nunc, patrue, tu frugi bonae's Poe 1226   numquam eris frugi bonae
Ps 337   tamen ero frugi bonae Ps 468   is
probust quem paenitet quam probus sit et frugi
bonae Tri 320   nec probus est nec frugi bonae Tri 321   temptat benignusne an bonae
frugi sies Tru 34   est benignus potius quam
frugi bonae Tru 41

c. *corruptum:* Ep 493, frugi *P pro* eugae(*A*)

FU - - *respuendi particula secundum* Richterum, p. 530   mane uero quamquam fastidis. #Fu fu(*L* ey ey *P* fy fy *Sp§U* fui fui *Ly*
fufae *Rs* edepol *A ut vid*), foetet tuos mihi
sermo Cas 727   quam confidenter loquitur, fu
(*U falso* fue *BD* fut *C om R*ψ). #At te Iuppiter dique omnes perdant: fufae(*Rs§ om PU*
fu *RLLy*), oboluisti alium Mo 38-9   Ps 1294
(fu *RL* pfui *BU* p̄sui *C* s' sui *D* hae *A§Ly*
hahae *Rg*)   Tru 764(fu *Rs pro* fio)

FUCILIS - - Fr III. 12: **fucilis**, falsa; dicta
autem quasi fucata Paul 92, 13

FUCUS - - nihil moror mihi **fucum** in alueo, apibus qui peredit cibum Fr I. 93(*ex Prisc*
I. 522)   uetulae edentulae, quae uitia corporis
fuco(suco *B*) occulunt Mo 275(*cf Philarg ad
Verg Georg* IV. 39)   nec sycophantiis nec **fucis**
ullum mantellum obuiamst Cap 521(*v. secl Lan-
gen§LU*)   *Cf* Ramsay, *Excurs. ad* Most
XVI, 2

FUFAE - - fufae(*Rgl§ duce Bent* fu *Bent*
tuae *P*[tuę *BEJ*]*LULy*), nauteam bibere malim As 894   Cap 727(*Rs*)   Mo 39(*Rs§*) *vide
supra sub* fu

FUGA - - I. **Forma** fuga Cap 522, Mer 25
(furga *B*)   **fugae** As 555(*Bue* eugae *BD* euge
EJ) (*dat.*) Mer 652(fuge *C*)   **fugam** Am 238
(†*§L*), 250, Cap 207, Cas 959(me in f. *CaRs*)
fugiam *P*ψ), Ep 615, Ps 589   **fuga** Mer *Arg*
I. 7

II. **Significatio** 1. *nom.:* neque deprecatio
perfidiis meis, nec male factis fugast Cap 522
(*v. secl FlU*)   amori accedunt etiam haec . . :
insomnia aerumna error terror et fuga* Mer 25

2. *gen.:* eae nunc legiones . . fugae* potiti
As 555

3. *dat.:* quis modus tibi exilio tandem eueniet? qui finis fugae? Mer 652

4. *acc.:* fugam fingitis Cap 207 . . metum
et fugam (*nomen praed. ad* me *pertinens*) perduellibus meis (iniciam *ins PyR falso*) med ut
sciant natum Ps 589

cum praepp.: quin tu mihi adornas ad fugam uiaticum? Ep 615   fugam* in se(*per
anastrophen praepositionis ULy* †*§L* in fugam
sed *LindRgl*; se *pro* suos *usurpari putat*
Dousa, p. 19, *legens* conuertit) tamen nemo
conuortitur Am 238(*cf Non* 480)   perduelles

penetrant se in fugam Am 250   hac dabo protinam me in fugam* Cas 959(*CaRs*)

5. *abl.:* Charinum ex fuga retrahit sodalis
Mer *Arg* I. 7

FUGAX - - perenniserue, lurco edax, furax,
fugax, cedo sis mihi argentum Per 421

FUGIO - - I. **Forma** fugio Ep 664(fuigio
J), Men 851, Poe 427, Vi 99   **fugis** As 380,
Au 415, Cap 592, Mo 524   **fugin** Au 660(fungi
E)   **fugit** Am 386(fugit te *BD* fugite *E iterat J*), Cu 60, Mer 669, St 751, Tri 261   **fugimus** Ba 760(*FritzscheLLy* -iamus *P§*† eamus *LindRgU*)   **fugiunt** Mo 862(*om BoL*),
Per 436   **fugiebam** Am 199   **fugiebatis** As
213   **fugiam** Au 405(redeo *Non* 525), Cas 959
(fugam *CaRs*), Mi 861   **fugiet** Ba 36(effugiet
CD), Men 92(*PyLLy* te fugiet *P* effugiet *Rs§U
ex Non* 38)   **fugi** Cap 972(et fugi *P* ecfugi
Rs), Ep 681(fugi num *BJ* fugitiuum *E*)   **fugiam** Au 730, Cas 875, 955, 970(*v. secl L*), Mo
513   **fugias** Am 451, Ep 452   **fugiat** Mo 390,
424   **fugiamus** Cap 208 *bis*   **fugissem** Fr I.
120(*ex Gell* VI. 9, 7)   **fugissent** St 312   **fuge**
As 157, Men 850, Mo 460, 461 *bis*, 513, *ib.*
(*Pareus* fuges *B²CD¹* fugies *B¹* fugis *CaR*), 523,
527(*FZ* fui *P* fugis *B²*), Ps 139(es fuge *AD²*
est fugi *P*), Tri 289   **fugite** Cu 281(fugtae
J), Men 1017   **fugito** Tru 880   **fugere** Au
407, Ep 515, Men 83, Mer *Arg* II. 13, Mi 126,
622, 886, Poe 789, Ru 454, Tri 1034   **fugiens**
Cap *Arg* 2   **fugiendi** Cap 117   *corrupta:* Au
677, fuge fuge *P pro* euge euge(*Ca*)   Cap 9,
fugiens *J pro* profugiens; 207, fugitis *VEJ pro*
fingitis   Cas 951, fugier *E pro* fungier   Mi
582, aut fugiam *B¹ pro* aufugiam   Mo 686,
fuge *P pro* euge(*Ca*)   Poe 508, fugit aut *CD
pro* fugitaui(*B*)   Ps 323, fuge *A pro* euge;
1035, aut fugiat *P pro* aufugiat(*Ca*)   St 766,
fuge *C pro* euge   Tri 261, fugit *A pro* fugat

II. **Significatio** A. *proprie* 1. *absolute:* quom
pugnabant maxume, ego tum fugiebam ma-
xume Am 199   quantum poteris festina et
fuge As 157   de industria fugiebatis As 213
quin tuom officium facis ergo ac fugis? As 380
date uiam qua fugere liceat Au 407   an
adeam, an fugiam Au 730   iam bis bibisse
oportuit. #Fugimus* Ba 760   alium quadrimum fugiens seruos uendidit Cap *Arg* 2   fugiendi si datast occasio, satis est Cap 117   nos
fugiamus? quo fugiamus? Cap 208   quin fugis? Cap 592   et fugi* et tibi surripui filium
Cap 972   hac dabo protinam et fugiam? Cas
959   ubi sauium oppegit, fugit Cu 60   fugite* omnes Cu 281   non fugio*, domi adesse
certumst Ep 664   maior lubidost fugere et facere nequiter Men 83   numquam edepol fugiet* Men 92   fuge domum . . #Fugio Men
851   fuge, obsecro, atque abscede ab aedibus
Mo 460   fuge, obsecro. #Quo fugiam? etiam
tu fuge* Mo 513   caue respexis, fuge, operi
caput. #Cur non fugis tu? Mo 523   exercent
sese ad cursuram: fugiunt* Mo 862   propera
atque abi. #Fugio Poe 427   harpaga, bibe,
es, fuge* Ps 139   cetera rape, trahe, fuge,
late Tri 289

2. *cum acc.:* . . ut illum persequar qui me
fugit Mer 669   num te fugi*? Ep 681

nimis uellem hae fores erum fugissent St 312 scuta iacere fugereque hostis more habent licentiam Tri 1034   haud fugio sequestrum Vi 99(*ex Prisc* II. 224)   fugit forum, fugat suos cognatos Tri 261

cum acc. termini: ait sese Athenas fugere cupere ex hac domu Mi 126   fugias manibus dimissis domum Ep 452   fuge domum quantum potest Men 850

3. *cum abl.:* . . ut improbos famulos imiter ac domo fugiam Cas 955   citius extemplo (a *add PRLU*) foro fugiunt quam . . Per 436   mercator exspes patria fugere destinat Mer *Arg* II. 13

4. *cum praepp.:* fugin* hinc **ab** oculis? Au 660   . . ut fugiat longe ab aedibus Mo 390 a foro Per 436(a *om ARs§Ly: vide supra* 3)   **ex** hac domu Mi 126(*supra* 2)

fuge **ad** me propius Mo 461   fugito huc ad me Tru 880   quo fugiamus? #In patriam Cap 208   fugite hinc in malam crucem Men 1017 quid quo dubito fugere hinc in malam crucem Poe 789   quid ego cesso fugere in fanum? Ru 454   nisi fugissem in(*om Ly*) medium . . Fr I. 120(*ex Gell* VI. 9, 7)

5. *cum adverbiis:* fugiam hercle aliquo **Mi** 861   hinc fugias Am 451   Au 660(*supra* 4) propera igitur fugere hinc Ep 515   Men 1017 (*supra* 4)   Poe 789(*supra* 4)   fuge huc Mo 461 Tru 830(*supra* 4)   fugiam* intro Au 405   quo fugis nunc? Au 415   quo fugiamus? Cap 208 neque quo fugiam neque ubi lateam . . scio Cas 875   nec quo fugiam scio Cas 970(*v. secl* L)   quo(quor *BoU*) fugiam? Mo 513

6. *add. adv. modi, sim.:* maxume Am 199 longe Mo 390   propius Mo 461   citius Per 435 qua uia Au 407   quantum potest Men 850 (*supra* 2)   tantum quantum quis fuge* Mo 527 capite obuoluto . . ut fugiat cum summo metu Mo 424   manibus dimissis Ep 452(*supra* 2)

B. *translate:* fugit* te ratio Am 386(*cf* Gronov, p. 13)   . . ubi me fugiet* memoria . . Ba 36   facinora quae istaec aetas fugere facta . . solet Mi 622   ego multos saepe uidi regionem fugere consili prius quam repertam haberent Mi 886   actumst: fugit hoc libertas caput St 751

FUGITIVI - - *titulus fabulae a Varrone de l. L.* VII. 63 *citatae*

FUGITIVOS - - I. **Forma fugitiuos** Cap 17(-us *P*), Cas 397, Tri 1027(-us *P*)   **fugituom** Cap *Arg* 8(-um *PL*), Poe 832(-um *P*) **fugituam** Ps 319(-um *Non* 331)   **fugitiue** (*voc.*) Ps 365   **fugitiuis**(*dat.*) Men 80   **fugitiuos** Cap 209   *corruptum:* Ep 681, fugitiuum *E pro* fugi num

II. **Significatio** 1. *adiective:* non fugitiuost hic homo Tri 1027   fugitiuis seruis indunt compedes Men 80   tute es fugitiuos Cas 397   una opera alligem fugitiuam* canem agninis lactibus Ps 319

2. *substantive:* fur! #Babae! #Fugitiue! #Bombax! Ps 365   fugitiuos ille . . domo quem . . abstulerat uendidit Cap 17   is reduxit captum et fugitiuom simul Cap *Arg* 8   quoduis genus ibi hominum uideas . . furem an(*Ac ad*

P§† ac *GepU*) fugitiuom uelis Poe 832   haud nos id deceat fugitiuos imitari Cap 209

FUGITO - - I. **Forma fugitat** Cap 545, Tri 261(*SpLULy* fugat *Pψ* fugit *A*)   **fugitant** Cap 156   **fugitaui** Poe 508(*B* fugit aut *CD*)   **fugitare** As 485, Cap 158, 541

II. **Significatio** *cum acc. et proprie et translate:* erum nos fugitare censes? As 485   minume miror si te fugitat aut oculos tuos Cap 545   quid istuc est quod meos te dicam fugitare oculos? Cap 541   dedita opera amicos fugitaui* senes Poe 508   fugit forum, fugitat* suos cognatos Tri 261

fugitant omnes hanc prouinciam Cap 156 non pol mirandumst fugitare hanc prouinciam Cap 158

FUGITOR - - credo ad summos bellatores acrem — **fugitorem** fore Tri 723

FUGO - - I. **Forma fugat** Ci 216, Tri 261 (*PRs§* fugit *A* fugitat *Spψ*), 262(-ant *U*)   **fugent** Poe 323   **fugauerit** Am 136   **fugatis** (*partic. abl.*) Ps 1269

II. **Significatio** *cum acc.:* ita me Amor . . fugat, agit . . Ci 216   fugit forum, fugat* suos cognatos, fugat* ipsus se ab suo contutu Tri 261-2   memorat legiones hostium ut fugauerit Am 136   opus meum omne ut uolui perpetraui, hostibus fugatis Ps 1269(*cf* Inowraclawer, p. 90)   ita sunt turpes . . Venerem ipsam e fano fugent Poe 323

FUI - - *vide titulum* fu

FUIST *** Ci 391

FULCIO - - decumbe inquam: conloco, **fulcio**, mollio . . Cas 883   mane puluinum. #Bene procuras mihi: satis sic **fultumst**(-ust *A*) St 94

FULGEO - - St 349, fulgebant *C* fulgebunt *D pro* algebunt

FULGURIO - - **fulguritae**(-te *B* fulgur ita *CD*) sunt alternae arbores Tri 539   *Cf* Gronov, p. 345

FULIGO - - si tibi illi non os oblitumst **fuligine**(*A ut vid* fuli nece *CD* fuli neti *B*) Poe 1195

FULLO - - stat **fullo**, phrygio, aurifex, linarius Au 508   petunt **fullones**, sarcinatores petunt Au 515

FULLONIUS - - cras mihi potandus fructus est **fullonius** Ps 782(*de cruciatu: cf* Egli, I. p. 38; Inowraclawer, p. 69)   si non didicisti **fulloniam**(*Dousa* -icam *P*), non mirandumst As 907(*i. e.* artem)

FULLONICUS - - As 907, fullonicam *P pro* fulloniam(*Dou*)

FULMENTA - - **fulmentas** iubeam suppingi soccis Tri 720

FUMIFICO - - inde ignem in aram ut Ephesiae Dianae . . Arabico **fumificem** odore amoene Mi 412

FUMIFICUS - - Epeum **fumificum** qui legioni nostrae habet coctum cibum Fr II. 1(*ex Varr l. L.* VII. 38)

FUMO - - iam intus uentris **fumant** focula Per 104

FUMUS - - 1. *nom.:* **fumus**(sumus *J*) est haec mulier quam amplexare As 619   diuom . . clamat . . fidem de suo tigillo fumus si qua

exit foras Au 301(cf Egli, I. p. 24; Goldmann, I. p. 17) oculi dolent .. quia fumus
molestus est Mo 891
2. dat.: flamma **fumo**st proxuma Cu 53(cf
Schneider, p. 11)
3. abl.: **fumo** comburi nihil potest, flamma
potest Cu 54
4. corrupta: As 595, fumus J¹ pro funus
Men 492, fumus C pro funus Mo 603, funus
B¹ pro faenus
FUNDA - - uiscum legioni dedi **funda**sque:
eo praesternebant folia farfari, .. ne ad fundas uiscus(† Ŝ) adhaeresceret: in fundas uisci
indebant grandiculos globos Poe 478-81
FUNDAMENTUM - - parentes fabri liberum
sunt: ei **fundamentum** substruont liberorum
Mo 121   cum **fundamento**(fud. D) (aedes)
perierint Mo 148   a fundamento mihi usque
mouisti mare Ru 539   Vide Mi 917, ubi fundamenta C pro fundata
FUNDITO - - cum cruciatu tuo istaec hodie, uerna, uerba **fundita**s Am 1033   mon-
strum mulieris! tantilla tanta uerba **funditat**
Poe 273   ne illa (uerba) ecastor faenerato
funditat(fundit Non 312) As 896   in fundas
uisci indebant grandiculos globos: eo illos uo-
lantis iussi **funditarier** Poe 482   Vide Mer
58, ubi funditari CD pro diffunditari
FUNDITUS - - perdidisti me sodalem funditus Ba 560   di te deaeque omnis funditus
perdant Mo 684   illius sapientiam et meam
fidelitatem et celata omnia paene ille ignauos
funditus pessum dedit Tri 165
FUNDO - - bene lineatam si semel carinam
conlocauit (architectus), facile esse nauem facere, ubi **funda**ta(BD fundamenta C) constitu-
tast(f. c. secl RRgŜ). nunc haec carina satis
probe fundata est bene(Ac profundata bene
et P et om LLy) statutast Mi 917-8
FUNDO - - ita me di ament .. #Ita non
facient: mera iam mendacia **fundes**(-i̯s AU)
Ps 943   corrupta: As 896, fundit Non 312
pro funditat . Tru 214, fundit BC fundis D¹
pro fundi et(A)
FUNDUS - - I. Forma **fundus** Tri 1123,
Tru 727, Fr I. 37(ex Char 211)   **fundum** As
874, Cap 181, 182(v. secl Rs), Cu 36, Tru 177
fundi(nom.) Men 1158, Tru 174, 187(A -de P),
214(fundi et A fundit BC fundis D)   **fundis**
Ep 226(eundis A), Per 566, Ps 228
II. Significatio 1. nom.: a. .. ut quae cum
eius filio egi ei rei fundus pater sit potior
Tri 1123(i. e. auctor, adstipulator: cf Romeijn,
p. 108; Gronov, p. 349)   is est fundus nouos
(Rs nobis PL) Tru 727(translate)   plure tanto
altero quanto eius fundus est uelim Fr I. 37
(ex Char 211)
b. uenibunt serui, supellex, fundi, aedes:
omnia uenibunt Men 1158   sunt mihi etiam
fundi et aedis Tru 174   euge, fundi* et aedis Tru 187(cf Goldmann, I. p. 20)   fundi*
et aedis obligatae sunt ob Amoris praedium
Tru 214
2. acc.: fundum alienum arat, incultum familiarem deserit As 874(cf Inowraclawer,
p. 55)   quasi fundum uendam, meis me addicam legibus. #Profundum uendis tu quidem,

haud fundum mihi Cap 181-2(v. secl Rs)   dum
ne per fundum saeptum facias semitam Cu 36
(cf Inowraclawer, p. 54)   neminem hodie
mage amat corde .. si quidem habes fundum
atque aedis Tru 177
3. abl.: quasi non fundis* exornatae multae
incedant per uias Ep 226(cf Dousa, p. 116)
euortes tuo arbitratu homines fundis, familiis
Per 566   .. nisi hodie mihi ex fundis tuorum
amatorum omne huc penus adfertur Ps 228
FUNGINUS - - hic quidem **fungino** generest: capite se totum tegit Tri 851   Cf Inowraclawer, p. 58
FUNGOR - - I. Forma **fungitur** Men 223
fungar Fr I. 95(ex Paulo 144, Festo 145:
funger Fest)   **fungaris** Tri 1(fungas Non
497)   **fungare** As 813(-ri D)   **fungatur** Am
827, Tri 354   **fungi** Mo 48   **fungier** Cas
951(fugier E)   corruptum: Au 660, fungi E
pro fugin
II. Significatio cum acc. modo coniuṅgitur:
te .. absente hic munus fungatur tuom Am 827
apud amicam munus adulescentuli fungare* ..
As 813   ecquis est qui homo munus uelit
fungier* pro me? Cas 951   parasitus octo hominum munus facile fungitur Men 223   sine
me aleato fungi fortunas meas Mo 48   sequere hac, me gnata, ut munus fungaris* tuom
Tri 1(cf Nencini, Em. Pl. p. 113)   is est
immunis quoi nihil est qui munus fungatur
suom Tri 354   prohibentque moenia alia(. L
Ly) unde ego fungar* mea(? LLy) Fr I. 95(ex
Paulo 144, Festo 145)
FUNGUS - - iam nihil sapit nec sentit:
tantist quantist **fungus** putidus Ba 821(cf Egli,
I. p. 14; Graupner, p. 27)   satis esse nobis
non magis potis quam **fungo**(findo C) imber
St 773(cf Egli, I. p. 21)   adeon me fuisse
fungum ut qui illi crederem Ba 283   stulti,
stolidi, fatui, **fungi**, bardi! Ba 1088(cf Inowraclawer, p. 58)
FUNIS - - Cap 594, fune U pro fit
FUNUS - - acerbum **funus**(fumus J¹) filiae
faciet, si te carendumst As 595   fecisti fu-
nus(fumus C) med absenti prandio Men 492(cf
Egli, I. p. 29; Graupner, p. 6)   multa Thebano poplo acerba obiecit **funera** Am 190
FUR - - I. Forma **fur**(nom. et voc.) Au 326
bis, 633, 768, Cap 1018, Cas 720, Poe 184, 785,
1335(v. om A), 1384(for B), Ps 365, Ru 385 bis,
1022(fur sum F furtum P), 1023, 1026   **furis**
As 681   **furi** As 421, St 766   **furem** Am fr
IX(ex Non 453 furti Rgl), Au 322, 469, 769,
775, Poe 709(tu rem B), 832, Ru 957, Tri 1024
(furorem C)   **fures** Poe 1237, Ps 895, Ru 310,
881 bis   **furum** Au 552   **furibus** Au 83(fu-
rias Non 483), Tru 111   **fures** Au 97, 395,
718   **furibus** Ba 657   corruptum: Au 768,
furi J furo VE fuero BD pro i uero
II. Significatio saepe pro convicio usurpatur 1. nom. et voc.: tun trium litterarum
homo me uituperas? fur! #Etiam fur, trifurcifer Au 326   uerberabilissume, etiam rogitas?
non fur, sed trifur Au 633   uide, fur, ut sentis sub signis ducas Cas 720   fur! #Babae!
#Fugitiue! #Bombax! Ps 365
tam etsi fur mihi's, molestus non ero Au

768   hic fur est tuos qui paruom hinc te abstulit Cap 1018   quid tu dubitas quin .. fur
leno siet? Poe 184   manufesto fur es Poe
785   et mihi auri fur est Poe 1335(*v. om A
secl ω*), 1384*   fur facile quem obseruat uidet,
custos qui fur sit nescit Ru 385   numqui
minus .. fur* sum quam tu? Ru 1022   quo
argumento socius non sum et fur sum? Ru 1023
iam repperi quo pacto nec fur nec socius sies
Ru 1026
     fures estis ambae Poe 1237   in aedibus
sunt fures Ps 895   saluete, fures maritumi!
Ru 310   fures mihi estis. #Quid, fures? rape
Ru 881
     2. *gen.*: uirum .. optumum et non similem
furis huius As 681   mihi omnis angulos furum inpleuisti Au 552
     3. *dat.*: euge, euge: sic furi datur St 766
quoi numquam unam rem me licet semel praecipere furi As 421
     hic apud nos nihil est aliud quaesti furibus*
Au 83   nos rusum lepide referimus gratiam
furibus nostris Tru 111
     4. *acc.*: heus tu, qui furem* captas, egredere
ocius Poe 709   . . neque furem excipies Au
775   obtrunco gallum, furem manufestarium
Au 469   cocum ego, non furem rogo Au 322
manufestum hunc obtorto collo teneo furem*
flagiti Am *fr* IX(*ex Non* 453)   sanus tu non
es qui furem me uocas Au 769   equitem, peditem, libertinum, furem †ad fugitiuom uelis
Poe 832
     ita me di ament, graphicum furem*! Tri 1024
post ad furem egomet deuenio Ru 957
     confige sagittis fures thensaurarios Au 395
fures uenisse atque abstulisse dicito Au 97
scio fures esse hic complures, qui uestitu et
creta occultant sese Au 718
     5. *abl.*: harpaget cum furibus, furetur quod
queat Ba 657
FURAX - - perenniserue, lurco, edax, **furax**,
fugax! Per 421   (te) **furacem** ⟨aiunt⟩ qui norunt magis Poe 1386
FURCA - - . . ut quidem tu hodie canem et
furcam feras Cas 389   dignu's deciens qui
furcam feras Ci 248   ego remittam ad te
uirum cum **furca** in urbem tamquam carbonarium Cas 438   postquam es emissus caesum
uirgis sub furca(*B²D³* suffurca *B¹* sufurca*CD¹*)
scio Men 943   manus uobis do. #Et post dabis sub **furcis** Per 855   *De pedicarum genere*
cf Allen, *H. S.* VII. 42
FURCIFER - - 1. *voc.*: Am 285(furgifer *BD*
fugifer *E*), 539, As 485(furtifer *D*), 677, Cap
563, 577, Cas 139, Mi 545, Mo 69, Poe 784,
Ps 361, Ru 996
     nom.: uiden ut astat(*RSL* restat *BLy va-*
riant ψ) **furcifer** Mo 1172   audin, furcifer
quae loquitur? Ps 194
     2. *abl.*: non hodie isti rei auspicaui ut cum
furcifero fabuler Ru 717
FURCILLO - - tu inuentu's uero meam qui
furcilles(*A* for. *P* -as *C¹*) fidem Ps 631   *Cf*
Graupner, p. 24; Ryhiner, p. 53
FURFUR - - ex ipsis dominis meis pugnis
exculcabo **furfures** Cap 810   pistores scrofi-

pasci qui alunt **furfuribus**(*Luchs* -re *P* -ri *U*)
sues .. Cap 807
FURINUS - - forum coquinum qui uocant,
stulte uocant, nam non coquinumst uerum **fu-**
rinumst forum Ps 791
FURNUS - - una edepol opera in **furnum**
calidum condito atque ibi torreto me pro pane
rubido Cas 309   malim istius modi mihi
amicos **furno** mersos quam foro Ep 119   *Cf*
Egli, III. p. 5
FUROR - - improbus cum improbis sit, harpaget cum furibus, **furetur**(*om HermRRgLy*)
quod queat Ba 657   an quo **furatum** mox
uenias uestigas loca? Ru 111   quo mox furatum ueniat speculatur loca Tri 864   conductus uenio. #Ad **furandum** quidem Ps 850
FUROR - - Tri 1024, furorem *C pro* furem
FURTIFICUS - - minus iam **furtificus** sum
quam antehac Ep 12   ubi illa altrast **furti-**
fica laeua? Per 226   . . ut praerodatis uostras **furtificas** manus Ps 887
FURTIM - - hic clam furtim esse uolt ne
quis sciat neue arbiter sit Poe 662   . . ne
quid clam furtim se(*A* furtise *B* furtiue *CD*)
accepisse censeas Poe 1022   *Vide* Tru 882,
ubi iteratim, furtim *Ly* interim futatim *Pψ*
†*SL*
FURTIVUS - - haecine illast **furtiua** uirgo?
Per 545   adduxit .. liberalem uirginem **fur-**
tiuam abducta ex Arabia Per 522   mihi
furtiuam meo periclo uendidit Per 715   scis
mercari **furtiuas**(-titias *V* -titiuas *B*) atque
ingenuas uirgines Cu 620   dixit se furtiuas
uendere Poe 899   *corruptum:* Poe 1022, furtiue *CD pro* furtim se   *Cf* Gimm, p. 20
FURTUM - - I. **Forma** furti Am *fr* IX(*Rgl*
furem *Non*ψ), Poe 737(furti sese *Par* furtis est
vel es *P*), 1238, Ru 1260(*Py* forti *P*)   furtum Ba 166, Cap 1019, Men 170, Poe 564(-to
U), Ru 956, 958(*an nom.?*)   furto As 563, 569
(futuro *J*), Poe *Arg* 6(frurto *C*), 1351(ferto *CD*)
furta Poe 1245, Tru 555(*Rs* facta *Pψ*)   furtis
Fr I. 66(*Non* 134)   *corrupta:* Am 510, furtis
J pro si istis   Ru 1022, furtum *P pro* fur
sum(*F*)
     II. **Significatio** 1. *gen.*: homo furti* sese
adstringet Poe 737   et ipsum sese et illum
furti* adstringeret Ru 1260   manufestum hunc
.. teneo furti* Am *fr* IX(*Rgl soli ex Non* 453)
quid id furtist? Poe 1238
     2. *acc.*: id duplicabit omne furtum Poe 564
(*vide U*)   fecisti furtum in aetatem malum
Ba 166   furtum ego uidi qui faciebat Ru
956   quid olet? responde. #Furtum, scortum,
prandium Men 170   *per prolepsim:* ego istuc
furtum scio quoi factumst Ru 958
     ego hunc grandis grandem natu ob furtum
ad carnificem dabo Cap 1019
     praedicabo quo modo uos furta faciatis multa
Poe 1245   qui facit tam inprobe furta Tru
555(*Rs*)
     3. *abl.*: eum furto* alligat Poe *Arg* 6
in furto ubi sis prehensus .. As 563   . . ubi
prensus in furto* sies manufesto .. As 569
duplum pro furto* mihi opus est Poe 1351
     mihi Lauerna in furtis celebrassit manus Fr
I. 66(*ex Non* 134)

FUSCINA - - ibi ut piscabar, **fuscina** ici uidulum Vɪ 100

FUSTIS - - I. Forma **fustem** Aᴍ 358, Aᴜ 48, 469, Rᴜ 842 **fusti** As 427(fusi *D* fuste *J*), Aᴜ 454, Cᴀᴘ 896(uisti *J*), Cᴀs 967(flocci *Non* 7), 971(*A solus*) **fustis** (*acc.*) Poᴇ 1320 (fuistis *A*), Fʀ II. 35(*ex Ps-Acr ad Hor ser.* II. 5, 11) **fustibus** Aᴜ 409, 414, 422, Mɪ 1401, 1424, Rᴜ 816 *corruptum:* Aᴍ 510, fustis *E pro* si istis

II. Significatio 1. *acc.:* si hercle hodie fustem cepero aut stimulum in manum . . Aᴜ 48 capio fustem, obtrunco gallum Aᴜ 469 caperes aut fustem aut lapidem Rᴜ 842 ite istinc, serui, foras, ecferte fustis* Poᴇ 1320 exite et ferte fustes priuos in manu Fʀ II. 35 (*ex Ps-Acr ad Hor serm.* II. 5, 11) auferere, non abibis, si ego fustem sumpsero Aᴍ 358

2. *abl.:* extemplo amplectitote crura fustibus Rᴜ 816(*cf* Inowraclawer, p. 25) ita me miserum et meos discipulos fustibus male contuderunt Aᴜ 409 fusti defloccabit(flocco habebit *Non* 7) iam illic homo lumbos meos Cᴀs 967(*A solus*) lupina scaeua fusti rem gerit Cᴀs 971(*A solus*) impleuisti fusti fissorum caput Aᴜ 454 nisi mantiscinatus probe ero, fusti* pectito Cᴀᴘ 896 prius uerberetur fustibus Mɪ 1401

omnis exegit foras me atque hos onustos fustibus Aᴜ 414 mitis sum equidem fustibus Mɪ 1424(*cf* Egli, I. p. 34) fustibus sum mollior magis quam ullus cinaedus Aᴜ 422 tanquam si claudus sim cum fusti* est ambulandum As 427(*cf* Egli, I. p. 38, *adn.*)

FUTATIM - - id quoque interim (†*SL*) futatim(iteratim furtim *Ly*) nomen commemorabitur Tʀᴜ 882

FUSTITUDINUS - - apud **fustitudinas**(-tidunas *EJ*) ferricrepinas insulas As 33

FUTTILIS - - enim vero, Gelasime, opinor, prouenisti **futtile** Sᴛ 398

FY - - fy fy(*Sp* ey ey *P* edepol *A ut vid* fufae *Rs* fu fu *L* fui fui *Ly*), foetet tuos mihi sermo Cᴀs 727 *Cf* Richter, p. 530

G.

GALEA - - gestandust peregre clupeus, **galea**, sarcina Tʀɪ 596 scelestus **galeam** in naui perdidi Rᴜ 801 . . ego capiam pro machaera turturem, . . pro **galea** scaphum Bᴀ 70

GALLIA - - Fʀ II. 63, linna coopertast †testrio gallia *ex Isid orig.* XIX. 23, 3

GALLICUS - - ego faxim muli pretio qui superant equos sint uiliores **Gallicis** cantheriis Aᴜ 495

GALLINA - - has (tabellas) quidem **gallina** (-as *A*) scripsit Ps 30 dic igitur me passerculum, **gallinam**, coturnicem As 666(*cf* Wortmann, p. 44) quod ille gallinam aut columbam se sectari aut simiam dicat . . Mɪ 162 habent quas **gallinae** manus? Ps 29(*cf* Egli, III. p. 9, *adn.* 4)

GALLINACEUS - - I. Forma **gallinacius** Aᴜ 465(-tius *BD*) **gallinacea** Tʀɪ 935(-tia *BD*) **gallinacio** Aᴜ 472(-ceo *BD v. secl Guy RgSL*) **gallinacei** Cᴜ 450 **gallinaceos** Cᴀᴘ 849

II. Significatio (*cf* Gimm, p. 20) meus med intus gallus gallinacius . . perdidit planissume Aᴜ 465 factast pugna in gallo gallinacio Aᴜ 472(*v. secl GuyRgSL*) in cauea si forent conclusi itidem ut pulli gallinacei . . Cᴜ 450 . . alium (praestinatum abire) agninam et pullos gallinaceos Cᴀᴘ 849 ubi apsinthium fit atque cunila gallinacea Tʀɪ 935

GALLUS - - meus med intus **gallus** gallinacius . . perdidit planissume Aᴜ 465 tu istum **gallum**, si sapis, glabriorem reddes . . Aᴜ 401 capio fustem obtrunco **gallum**, furem manufestarium Aᴜ 469 credo edepol ego illi mercedem **gallo** pollicitos cocos Aᴜ 470 factast pugna in **gallo** gallinacio Aᴜ 472(*v. secl GuyRgSL*) priusquam **galli**(*ABD*³ calli *CD*¹) cantent . . me e somno suscitet . . Mɪ 690 *Vide* Ps 166, *ubi* gallum *P pro* callum(*A*)

GAM ✱✱✱ Cɪ 251

GANEUM - - censen tu illunc hodie primum ire adsuetum esse in **ganeum**? As 887 inmersit aliquo sese credo in ganeum Mᴇɴ 703

GANNIO - - **gannit** odiosus omni totae familiae Fʀ II. 3(*ex Varr l. L.* VII. 103) *Cf* Dousa, p. 38; Wortmann, p. 22

ΓΑΡ - - an amas? #Ναì *γάρ*(*Weise* necar *P*) Bᴀ 1162 ecquam scis filium tibicinam meum amare? #Ναì *γάρ*(*Bent* naegar *B* negar *CD*). #Liberare quam uelit? #Καì τοῦτο ναì *γάρ*(*Bent* cetuton kaito itone gras *B* ceu ton kaito ito negaris[*C* -rs *D*]*CD*) Ps 483-4

GARRIO - - nugas **garris** Cᴜ 604 nugas! ludificabitur, **garriet** quoi neque pes umquam neque caput compareat Cᴀᴘ 614 soleo hercle ego **garrire** nugas Aᴜ 830 *Vide* Aᴜ 831, *ubi* garris nugas *add U falso*

GARRULUS - - (ambulant) confidentes **garrulique** et maleuoli supra lacum Cᴜ 477

GAUDEO - - I. Forma **gaudeo** Aᴍ 681, 958, 993, 1100, Bᴀ 456, Cᴀᴘ 707, 842, Cᴀs 418, 568(gadeo *J*), Cɪ 16, 776, Cᴜ 306, Eᴘ 7, 128 (te gaudeo *PS*† *om R. Mue et ψ*), 395, 711, Mᴇɴ 1032, 1134, 1144, 1148, Mᴇʀ 298, Mɪ 897, Mᴏ 207, 448, 805, 904, 1129, 1147, Pᴇʀ 300, 502, Poᴇ 686, 1078, 1326, Rᴜ 1366, Sᴛ 584, 586, Tʀɪ 1097, 1178, Tʀᴜ 385(gaude *D*¹ gratulor *AU*), 705(*FZ* audes *P*) 923 **gaudes** Bᴀ 184 **gaudet** Pᴇʀ 777(gaud *CD*), Tʀᴜ 50(-it *B*) **gaudent** Mᴏ 306(*v. secl LangenRsSU*), Rᴜ 1285 **gaudebimus** Cᴀs 376(*v. habet B*² *solus*) **gaudeam** Cᴀᴘ 839, 842, Cᴜ 314, 316, Tʀᴜ 924 **gaudeas** Cɪ 545, Eᴘ 651, Mᴇʀ 886, Poᴇ 197, Tʀɪ 310 **gaudeat** As 185, Tʀᴜ 714 (*Mue* gaudia *PRsS*†) **gaudeant** Aᴍ 961, Mᴏ 306(*v. sec! LangenRsSU*), Sᴛ 207, 394(*A* audeant *P*) **gaude** Cᴀᴘ 839 *bis*, 842 **gau-**

dere Ru 1367, Tri 53, Tru 922   *corrupta:* Ru 1109, 1133, **gaudeam** *P pro* caudeam

II. **Significatio** 1. *absolute:* hilarus sit (seruos), si (eri) gaudeant Am 961   amanti subparasitor, hortor, adsto, admoneo, gaudeo Am 993   gaude! #Quid ego gaudeam? #Quia ego impero: age gaude modo Cap 839(gaude modo *add GertzU in fine v. sequentis*)   gaude audacter. #Gaudeo, etsi nihil scio quod gaudeam Cap 842   bene hercle factum et gaudeo Mer 298   totus gaudeo Mo 904, Tru 705*   scias gaudere me Ru 1367   sustentatumst sedulo. #Edepol gaudeo St 586   ipsus gaudet*, res perit Tru 50

2. *seq. acc. pronominis:* haec qui gaudent .. Mo 306(*v. secl LangenRs§U*)   *fortasse* Per 777 (*an abl.? vide infra* 3)   quod bonist id tacitus taceas .. et gaudeas Ep 651   iam istuc gaudeo .. Am 1100   quid ego gaudeam Cap 839   nihil scio quod gaudeam Cap 842   quid agis hic? #Quod **gaudeas** Ci 545   maxume quod uis audire, id audies; quod **gaudeas**(quid ego audiam *RRg*) Mer 886   iam meo malost quod maleuolentes gaudeant* St 394(*an absolute?*)   est quod gaudeas Tri 310

3. *seq. abl. causali:* dicam auctionis causam, ut damno gaudeant St 207   gaudeant perpetuo suo semper bono Mo 306(*v. secl Langen Rs§U*)   faciam ut facto gaudeas Poe 197   gaudere aliqui me uolo Tru 922(*v. secl Bue Rs§U*)   .. nisi ego aliqui gaudeo Tru 923   quiduis face *(ego ut *Rs* qui *ULLy*) gaudeam Tru 924   bene ei qui inuidet mihi et ei qui hoc(*an acc.?* gaudio *add ZU*) gaudet* Per 777

4. *seq. infin.(cf* Votsch, p. 38; Walder, p. 48):* saluom te aduenire gaudeo Ba 456, Poe 686   saluom gaudeo te aduenire Cu 306   saluom (te gaudeo *add PS†* *om R.Mue et ψ*) huc aduenisse ... Ep 128   saluom te aduenisse gaudeo Mo 448, Tri 1097   saluom te aduenisse peregre gaudeo Mo 805   uenire tu me gaudes Ba 184   uenire saluom gaudeo Ep 7, Mi 897   uenire saluom mercatorem gaudeo Ep 395   hercle istum abiisse saluom gaudeo Per 300   istam rem uobis bene euenisse gaudeo Poe 1078   quem hercle ego litem adeo perdidisse gaudeo* Cas 568   saluom gaudeo peregre te in patriam rediisse St 584   tuom patrem rediisse saluom peregre gaudeo Tri 1178

gaudeo tibi mea opera liberorum esse amplius Ci 776   gaudeo mihi nihil esse huius causa Mo 207

bene hercle factum et factum gaudeo Mo 1147   quem .. ego esse inventum gaudeo Men 1134   erum seruaui, quem seruatum gaudeo Cap 707   uentum gaudeo ecastor ad te Ci 16   facite uentum ut gaudeam Cu 314   (uolo) esse ut uentum gaudeam Cu 316

5. *cum variis particulis* quom: quom grauidam et quom te pulcre plenam aspicio, gaudeo Am 681   quom nos di iuuere, Olympio, gaudeo Cas 418   quom tu's liber gaudeo Ep 711, Men 1148   quom tu liber es, Messenio, gaudeo Men 1032   saluos quom aduenis .. peregre gaudeo Mo 1129   quom istaec res tibi ex sententia pulcre euenit gaudeo Ru 1366

quom tu's aucta liberis quomque bene prouenisti salua gaudeo* Tru 385   *similiter* quom *temporale:* subblanditur nouos amator, se ut quom uideat gaudeat As 185   prome uenustatem amanti tuam, ut gaudeat* quom perdis (*LLy* perit *MueU*) Tru 714

quia: quia uos tranquillos uideo, gaudeo et uolupest mihi Am 958

si(*cf* Lindskog, p. 66): si illuc quod uolumus eueniet gaudebimus Cas 376   gaudeo edepol si quid propter me tibi euenit boni Men 1144   si ualetis gaudeo Per 502   gaudeo et uolupest mihi si quid lenoni optigit magni mali Poe 1326   omnes mortales si quid est mali lenoni gaudent Ru 1285   credo hercle te gaudere si quid mihi malist Tri 53

GAUDIUM - - I. **Forma gaudium** Ba 23 (*ex Non* 173), 115, Cap 864, Tri 1119(-ia *BoR Rs*)   **gaudio** Poe 1217   **gaudium** Cap 771, Cu 106(gadium *J*), Mo 867(gaudium persequar *add U in lac*), St 295   **gaudio** As 282, Mer 885(g. antiquo *Luchs* gaudiantiq' *CD* gaudiantq' *B* gaudia antiqua *R* †§L), Per 777(*add ZU*), Poe 1258, Ru 1284   **gaudia** Tri 1119 (*BoRRs* -ium *Pψ*)   **gaudiis** Cap 840   **gaudia** Mer 885(*R vide* gaudio), Ps 704, Tru 702, 714(*PRs§†* gaudeat *Mueψ*), Poe 1275, Tri 1116, 1119   **gaudiis** Au 808, Poe 1275, Tri 1116, 1119

II. **Significatio** A. *proprie* 1. *nom.:* gaudiis gaudium* suppeditat Tri 1119

2. *dat.:* gaudio ero uobis Poe 1217   maerores anteuortunt gaudiis Cap 840   *fortasse etiam* Tri 1119(*vide infra* 4)

3. *acc.:* da uicissim meo gutturi gaudium* Cu 106   tam gaudium grande adfero St 295   offers mihi .. saturitatem, gaudium Cap 771 .. ut meum (gaudium persequar *add U*) Mo 867

quoi te trina triplicia tribus modis tria gaudia .. dem Ps 704   ad me magna nuntiauit Cuamus hodie gaudia Tru 702   .. ut tu gaudia* quom paris, perdas Tru 714(*Rs*)   *Vide* Mer 885, *ubi* in gaudia antiqua *R*

4. *abl.:* maximas opimitates gaudio effertissumas .. pariet As 282   hoc (gaudio *add ZU*) gaudet Per 777   hi falso oblectant gaudio nos Poe 1258

restituam iam ego te in gaudio* antiquo ut sies Mer 885

hac me laetitia adfecistis tanta et tantis gaudiis Poe 1275   hic homost omnium hominum praecipuos uoluptatibus gaudiisque antepotens Tri 1116   quibus et quantis me dotatis gaudiis Au 808   ita gaudiis gaudium* suppeditat Tri 1119(*an dat.? cf* Goldmann, II. p. 20)

B. *translate* 1. *dea(cf* Egli, III. p. 4): quis istic habet? #Amor, Voluptas, Venus, Venustas, Gaudium, locus .. Ba 115   ego nunc tibi sum summus Iuppiter, idem ego sum Salus, Fortuna, Lux, Laetitia, Gaudium Cap 864   lenones ex Gaudio credo esse procreatos Ru 1284

2. *appellatio blanda:* cor meum, spes mea, mel meum, suauitudo, cibus, gaudium Ba 23 (*ex Non* 173)

GAULUS - - inerit in crumina .. cantha-

rus, epichysis, **gaulus**(*Z* caulus *P*), cyathus
Ru 1319
  GELASIMUS - - *parasitus; in supersc.* St
act. I *sc.* 3, II 2, III 2, IV 2. *nom.* St 330
(*add Rg solus*), 458, 574   **Gelasimo** St 174
Gelasimum St 150   **Gelasime** St 239(gei. *A*
-ine *D*), 398, 585, 611, 615(-ine *D*), 632   **Ge-**
lasimo St 498, 631   *Cf* Schmidt, p. 369
  GELU - - Mo 193, gelu *CD pro* algu(*B*)
Poe 829, gelus *U pro* genus
  GEMINI LENONES - - *fabulae titulus apud*
Prisc I. 231 *et Festum* 249
  GEMINO - - Mi *Arg* II. 11, geminat *P pro*
geminam(*Scut*) Mi 1102, geminat *B pro* ge-
minam
  GEMINUS - - I. Forma **geminus** Am 615,
Men 68, 69, 1087, Per 830   **gemina** Mi 383,
391, 474(*A* germana *PR*), 975(huc g. *Grut*
uggeminam *B* ugge nimam *CD*)   **gemino**
Men 40   **geminum** Men 26(-tum *CD*[1] -norum
R), 58, 71, 232, 257, Per 695, 831   **geminam**
Mi *Arg* II. 11(*Scut* -at *P*), Mi 238, 441(age minam *B*[1]), 1102(-at *B*)   **gemine** Men 1125
gemina Mi 258   **gemini** Men *Arg* 1, Men 18
(-ei *B*[1]*Rs*§), 1082(-ei *B*[1]*Rs*§*Ly* gemui *C*), 1120
(-ei *B*[1]§*Ly* gemmini *C*), Mi 717   **geminis**
Men 48   **geminos** Am *Arg* II. 9(*om SpU*), Am
480(*v. secl U*§), 1070, 1088, 1089 *bis*, Cu 221,
Men 1103   **geminis** Mi *Arg* I. 6   **geminis-**
sumus Per 830(-isumus *B*)
  II. **Significatio** 1. *adiective:* hodie illa
pariet filios geminos duos Am 480   illam geminos filios pueros peperisse conspicor Am 1070
Alcumena geminos peperit filios. #Ain tu, geminos? #Geminos Am 1088-9   geminos in
uentre habere uideor filios Cu 221   mercator
Siculus, quoi erant gemini filii . . Men *Arg* 1
ei sunt nati filii geminei duo Men 18   tibi
sunt gemini et trigemini . . filii Mi 717
geminum illum puerum . . surrupit alterum
Men 58
  idemst ambobus nomen geminis fratribus
Men 48   illic homo aut sycophanta aut geminus est frater tuos Men 1087   spes mihist
uos inuenturum fratres germanos duos geminos
Men 1103   mi germane gemine frater, salue
Men 1125   geminum autem fratrem seruire
audiui hic meum Per 695   hic eius geminust
frater. #Hicinest? #Ac geminissumus Per 830
di deaeque et te et geminum fratrem excrucient Per 831
  geminam* fingit mulieris sororem adesse Mi
Arg II. 11   sororem geminam germanam alteram dicam Athenis aduenisse Mi 238   . . ut
teneat consilia nostra . . de gemina sorore Mi
258   mea soror geminast germana uisa uenisse Athenis Mi 383   illa ausculata mea
soror gemina esset suompte amicum Mi 391
geminam* germanam meam hic sororem esse
indaudiui Mi 441   . . quin soror istaec sit
gemina* huius Mi 474   sicut soror eius huc
gemina* uenit Ephesum Mi 975   sororem geminam* adesse et matrem dicito Mi 1102
  geminus Sosia hic factust tibi Am 615
  de rebus: forat geminis communem clam
parietem in aedibus Mi *Arg* I. 6
  2. *substantive:* is illic habitat geminus sur-

rupticius Men 68(*cf* Wueseke, p. 15)   ille
geminus qui Syracusis habet hodie in Epidamnum uenit Men 69   hi sunt geminei* germani duo Men 1082   geminei* ambo eramus
Men 1120
  immutat nomen auos huic gemino alteri
Men 40
  inponit geminum* alterum in nauem pater
Men 26   uenit . . hunc quaeritatum geminum
germanum suom Men 71   (uenimus) fratrem
quaesitum geminum germanum meum Men 232
geminum dum quaeris, gemes Men 257   geminos* Alcumena enititur Am *Arg* II. 9   *De*
geminus germanus *locutione cf* Asmus, p. 25
et adn. 2
  GEMITUS - - tantum **gemiti**(*ex Non* 487 *et*
Prisc I. 258 gemitte *P*) et mali maestitiaeque
hic dies mihi optulit Au 722   quamquam
illud aiunt magno **gemitu** fieri, comprimere
dentes uideor posse Ps 786   *Vide* Men 26,
ubi gemitum *CD pro* geminum
  GEMMA - - sub **gemman** abstrusos habeo
tuam matrem et patrem? Cu 606
  GEMO - - geminum dum quaeris, **gemes**
Men 257   uxorem tuam neque **gementem** ne-
que plorantem nostrum quisquam audiuimus
Am 1099   me intuetur **gemens** Tru 599   *Vide*
Men 1082, *ubi* gemui *CD*[1] *pro* gemini
  GENA - - Tru 184, genis *P pro* geniis(*A*)
  GENER - - istic quidem edepol mei uiri
habitat **gener** Ci 753   **generum** nostrum ire
eccillum uideo cum adfini suo Tri 622   *Cf*
Koehm, p. 155
  GENERO - - gnatam **generat** nuptiis Ci
Arg 2   *Vide* As 39, *ubi* generatur *J pro* geratur; Mi 703, *ubi* generet *CD*[1] *pro* genere
  GENIUS - - I. Forma **genius** Cap 292
genio Cap 290, Per 263   **genium** Au 725,
Cap 879(uemum *J*), 977(*F* ingenium *P*), Cu
301, 628, Men 138, Per 108, St 622   **geniis**
(*abl.*) Tru 184(*A* genis *P*)
  II. **Significatio** (*cf* Hubrich, p. 95; Keseberg, p. 42) 1. *nom.:* ad rem diuinam . . Samiis uasis utitur ne ipse Genius surripiat Cap
292
  2. *dat.:* genio suo quando sacruficat . . Cap
290   genio meo multa bona faciam Per 263
  3. *acc.:* ecquis est qui mihi commonstret
Phaedromum, genium meum? Cu 301(*cf* Egli,
III. p. 4)   egomet me defraudaui, animumque
meum geniumque meum Au 725   hic quidem
genium meliorem tuom non facies St 622(*cf*
Gronov, p. 334)   serua me. #Tamquam me
et genium meum Cu 628   quid agis? #Teneo
dextera genium meum Men 138   uidi . . #Me-
umne gnatum? #Tuom gnatum et genium*
meum Cap 879(*cf* Graupner, p. 29)
  ecquid hallecis? #Vah, rogas? #Sapis multum ad genium Per 108   per tuom te genium* obsecro, exi Cap 977
  4. *abl.:* istos qui cum geniis* suis belligerant, parcepromi Tru 184
  GENS - - I. Forma **gens** Tri 286   **gen-**
tium Am 620, 686, As 90, 287, Au 413, Ba 831,
Cas 70, Ci 668, Ep 483, 678, Men 262, Mer
419(*om B*), 434(gencium *C*), 606, 858, Mi 685,
1379, Poe 690, 825, Ps 98(gencium *C*), 402,

405, 619, 966, Ru 469, 824, Tru 914(*Angel*
centium *P*) **gentis** Ru 1(*RsLy* -es *Pψ*), 10
(-es *B*) *corrupta:* Per 123, gentem *P pro*
egentem(*FZ*) St 282, genti *P pro* egenti(*Z*)
  II. Significatio(*cf* Koehm, p. 16) 1. *nom.:*
sacrum profanum, publicum priuatum habent,
hiulca gens Tri 286
  2. *acc. pl.:* qui gentis omnes mariaque et
terras mouet eius sum ciuis Ru 1   is nos per
gentis aliud alia disparat Ru 10
  3. *gen.*(*cf* Blomquist, p. 62): sequere hac
me. #Quo gentium Ba 831   non hercle quo
hinc nunc gentium aufugiam scio Ru 824   certa
rest me usque quaerere illam quoquo hinc abductast gentium Mer 858   ubi illum quaeram
gentium? Ep 678   ubinamst is homo gentium? Mer 434   ubi tu me nouisti gentium?
Ps 619   ubi tu's gentium? Ru 469   ubi mea
amicast gentium* Tru 914   . . nisi Libanum
inuenio iam, ubi ubist gentium As 287   ubi
ubist gentium, inuestigabo Mi 1379   face id
ut paratum iam sit. #Unde gentium? As 90
obsecro unde haec gentium? Ci 668   unde
haec igitur gentiumst? Ep 483   unde ego hominem hunc esse dicam gentium? Ps 966
  num obdormiuisti dudum? #Nusquam gentium Am 620   te nisi nunc hodie nusquam
uidi gentium Am 686   nouom attulerunt quod
fit nusquam gentium Cas 70   meretrices mulieres nusquam perhibentur blandiores gentium
Men 262   ubi sum? #Nusquam gentium Mer
606   quaerit quod nusquam gentiumst, reperit tamen Ps 402   uiginti minas quae nusquam nunc sunt gentium inueniam tamen Ps
405   neque ligna ego usquam gentium praeberi uidi pulcrius Au 413   bona uxor suaue
ductast, si sit usquam gentium Mi 685   neque peior alter usquamst gentium Poe 825
neque labellai spes sit usquam gentium Ps 98
  quid si igitur reddatur illi unde emptast?
#Minume gentium(m. g. *om B*) Mer 419   illi
dixerunt . . te quaeritare a muscis. #Minume
gentium Poe 690
  GENU - - **I. Forma genu** Cap 797(*acc.:*
RsLy; abl.: LU †ℒ), Cu 282(*abl.:* aut g. *om*
B¹)   **genua** As 670, Cu 309, Mer 123   **ge-**
nua(*acc.*) As 678, Cas 930, Ci 567(ienua *J*), Cu
630, Ep 670, Mi 542(*A* gea *P*), 1239, Mo 744
(*Ca* *enua *P*) Poe 1387, 1397, Ru 174, 274,
627, 628, Tru 827   **genibus** Ru 280, 695
  II. Significatio 1. *nom.:* hodie non feres,
ni genua confricantur As 670   genua hunc
cursorem deserunt Mer 123(*cf* Goldmann, II.
p. 3; Inowraclawer, p. 24)   tenebrae oboriuntur, genua inedia succidunt Cu 309
  2. *acc.:* genu ad †quemque(quem *Rs*) iecero
(adiecero *Rs*), ad terram dabo Cap 797(*vide*
infra 3 *ubi pro abl. habetur*)
  anus ei amplexast genua* plorans obsecrans
Ci 567   genua amplectar atque obsecrabo Mi
1239   nunc tibi amplectimur genua egentes
opum Ru 274
  numquam hercle facerem, genua ni tam nequiter fricares As 678   omitte genua Poe
1397   quin tu ergo omitte genua et quid sit
mihi expedi Ru 628
  continuo in genua ut astiti, pectus mihi pe-

dibus percutit Cas 930   lassitudine inuaserunt misero in genua flemina Ep 670   prae
timore in genua in undas concidit Ru 174
  per tua genua te obsecro ut nos facias certiores Cu 630   perque tua genua*. #Quid obsecras me? Mi 542   per tua te genua* obsecro ne . . Mo 744   per ego te(*om KaempfL*
†ℒ) tua te(*om GepRglULy*) genua obsecro . .
Poe 1387   per ego haec genua te optestor,
senex . . Ru 627   per tua(te *SpLy*) obsecro
(te *ins LangenRs*) genua ut tu(g. te ut *L*) istuc
. . feras Tru 827(*cf* Langen, *Beitr.* p. 335)
  3. *abl.:* genu quemque icero, ad terram dabo
Cap 797(*PyLU: vide supra* 1)   ne quem in
cursu capite, aut cubito, aut pectore offendam
aut genu* Cu 282
  manus mihi date, exurgite a genibus ambae
Ru 280   te obsecramus, aram amplexantes . .
genibus nixae Ru 695
  GENUS - - **I. Forma genus** Cap 278, Cu
449, Ep 18, Mo 623, 657, Poe 829(gelus *U*),
1303, Ps 77, Tri 542, 545, 678, 1046   **ge-**
neris Mer 525   **generi** Am 820, Mi 704, Per
582, St 181   **genus** Au 780, Cap 299, 412,
Mer 970, Mo 19, Poe 831, 1187, Ru 820, Tri
290, 675, 676(*om RRs*)   **genere** Au 212, 554,
778, Cap 31, 170, 277, 295, 319, Ci 25, 130,
Cu 23(-ri *P*), Ep 107, 169, Mer 969, 970(†*GLy*
damnum *RRg*), Mi 680, 703(-et *CD¹*), Per 596,
645, 651, Poe 60, 110, 1140, 1186, 1201, 1240,
Ps 456, 590, Ru 1197, Tri 326, 373, 851(gerere *B*)   **genera**(*nom.*) Cap 161, Poe 834, Ps
153   **generibus**(*abl.*) Mo 1141   *corrupta:* Cap
159, multis generibus *DVE¹ pro* multigeneri-
bus Tri 1053, ex genere *P pro* exigere(*A*)
  II. Significatio (*cf* Koehm, p. 13) A. = familia, stirps 1. *nom.:* genus illi est unum
pollens atque honoratissumum Cap 278   genus
nostrum semper siccoculum fuit Ps 77(*iocose*)
ne scintillam quidem relinques, genus qui congliscat tuom Tri 678(*cf* Graupner, p. 8)
  2. *dat.:* istuc facinus, quod tu insimulas,
educare, generi non decet Am 820   . . liberos . .
generi monimentum et sibi Mi 704   generi
nostro haec redditast benignitas St 181
  3. *acc.:* noui genus Au 780   uolui sedulo
meam nobilitatem occultare et genus et diuitias meas Cap 299   confessus es et genus et
diuitias meas Cap 412   . . genus ingenio quom
improbant Mer 970   si istuc . . facis indicium,
tuom incendes genus: tum igitur tibi aquae
erit cupido genus* qui restinguas tuom. Tri
675-6
  4. *abl.:* dic mihi quali me arbitrare genere
prognatum? #Bono Au 212   si me nouisti
minus genere quo sim gnatus . . Au 778
adulescentem . . prognatum genere summo et
summis ditiis Cap 170   ego ex hoc quo genere
gnatus sis scio Cap 295   fateor . . me . . summo
genere gnatum Cap 319   ubi istas uideas
summo genere natas, summatis matronas . .
Ci 25   Sicyone summo genere ei uiuit pater
Ci 130   numquid tu quod te aut genere*
indignum sit tuo facis? Cu 23   captiuam
genere prognatam bono de praeda's mercatus
Ep 107   quid est quod pudendum siet genere
natam bono pauperem domum ducere te uxo-

rem? Ep 169 qui bono sunt genere nati, si sunt ingenio malo suapte culpa †genere capiunt (damnum c. *RRg* g. sapiunt *L* g. cedunt *U*) .. Mer 969-70 licuit uxorem dotatam genere summo ducere Mi 680 quo genere aut qua in patria nata sit aut quibus parentibus .. Per 596 haec erit bono genere nata Per 645 summo genere esse arbitror Per 651 fratres patrueles duo fuere summo genere et summis ditiis Poe 60 quo genere gnata, qui parentes fuerint Poe 110 .. facerentque indignum genere quaestum corpore Poe 1140 eo sumus gnatae genere ut deceat nos esse a culpa castas Poe 1186 eo genere sumus prognatae Poe 1201 .. ingenuas liberas summoque genere gnatas Poe 1240 tu qui piu's, istoc es genere gnatus, nummum non habes Ps 356 eo sum genere gnatus .. Ps 590 adulescenti huic, genere summo .. bene uolo ego illi facere Tri 326 scin tu illum quo genere natus sit? #Scio, adprime probo Tri 373 *similiter:* mihi intro misti in aedis quingentos cocos cum senis manibus, genere geryonaceo Au 554

indaudiuit de summo loco summoque genere captum esse equitem Aleum Cap 31 quo de genere natust illic Philocrates? #Poluplusio Cap 277 eam de genere summo adulescenti dabo ingenuo Ru 1197

illa laus est, magno in genere* et in diuitiis maxumis liberos hominem educare Mi 703 numquid aliud fecit nisi quod summis gnati generibus? Mo 1141

B. = species, *sim.* (*cf* Blomquist, p. 26) 1. *nom.:* genus est lenonium inter homines Cu 499 qui uarie ualent, capreaginum hominum non placet, neque pantherinum genus Ep 18(*cf* Blomquist, p. 158) .. danista qui sit, genus quod inprobissumumst Mo 623 nullum edepol hodie genus est hominum taetrius nec minus bono cum iure quam danisticum Mo 657 uel in pistrino mauelim agere aetatem .. quam apud lenonem hunc seruitutem colore. quid illuc est genus*! Poe 829 sane genus hoc mulierosumst tunicis demissiciis Poe 1303 Syrorum, genus quod patientissumumst hominum Tri 542 Campans genus multo Syrorum iam antidit patientia Tri 545 id genus hominum omnibus uniuorsis est aduorsum atque omni populo male facit Tri 1046

eorum sunt aliquot genera Pistorensium Cap 161(*v. del Rs*) qui habet quod det, utut homost, omnia genera recipiuntur Poe 834(*cf* Asmus, p. 45) huc adhibete auris quae ego loquar, plagigera genera hominum Ps 153

2. *gen.:* mei senex, tam uetulam (ouem)? #Generis Graecist Mer 525

3. *dat.:* generi lenonio numquam ullus deus tam benignus fuit Per 582

4. *acc.:* augebis ruri numerum, genus ferratile Mo 19 quoduis genus ibi hominum uideas Poe 831 Iuppiter qui genus colis alisque hominum Poe 1187(*cf* Blomquist, p. 158) nimis homo nihilist, quist piger, nimisque id genus odi Ru 920

.. quia ego ad hoc genus hominum duraui Tri 290

5. *abl.:* hic quidem fungino genere* est, capite se totum tegit Tri 851

C. *adiectiva app.:* bonum Au 212, Ep 107, 169, Mer 969, Per 645 Campans Tri 545 capreaginum Ep 18 danisticum Mo 657 ferratile Mo 19 funginum Tri 851 geryonaceum Au 554 Graecum Mer 525 honoratum Cap 278 improbum Mo 623 lenonium Cu 499, Per 582 magnum Mi 703 mulierosum Poe 1303 pantherinum Ep 18 patiens Tri 542 plagigerum Ps 153 pollens Cap 278 poluplusium Cap 277 probum Tri 373 siccoculum Ps 77 summum Cap 170, 319, Ci 25, 130, Mi 680, Mo 1141, Per 651, Poe 1240, Ru 1197, Tri 326 taetrum Mo 657

GERARIUS - - Mer 87, gerariam *CD* gubnatorū *B pro* cercyrum

GERMANUS - - I. Forma germana Ci 451, Mi 383, 474(*PR* gemina *Aψ*), Mo 40 (*v. secl Ly*), Poe 329 **germanae**(*dat.*) Tru 438 (-ne *P*) **germanum** Cap 1015, Cas 615, Men *Arg* 5, Men 71, 232 **germanam** Au 122, Mi 238, 441(-na *B*[1]), Tri 690 **germane**(*voc.*) Men 1125 **germanā** Ru 737 **germano** Cap 288(*v. secl BoRsL*) **germani** Men 1082(-nei *Ly*) **germanae** Ba 39(-ne *D*), Poe 137 (-ne *C*) **germanos** Men 1102

II. Significatio (*cf* Koehm, p. 140) A. *adiective* 1. *de personis:* eccum fratrem germanum tuom Cap 1015 (ueni) fratrem quaesitum geminum germanum meum Men 232 spes mihist uos inuenturum fratres germanos duos geminos Men 1102 mi germane gemine frater, salue Men 1125 quid agunt duae germanae meretrices cognomines? Ba 39 .. facere ut aequomst germanam sororem Au 122 Philocomasio huc sororem geminam germanam alteram dicam Athenis aduenisse Mi 238 mea soror geminast germana uisa uenisse Mi 383 geminam germanam* meam hic sororem esse indaudiui Mi 441 .. quin soror istaec sit germana* huius Mi 474 .. me germanam meam sororem in concubinatum tibi .. dedisse Tri 690 .. germanae quod sorori non credit soror Tru 438 germana mea sororcula! Ci 451

2. *de rebus:* tuae blanditiae mihi sunt quod dici solet, gerrae germanae Poe 137(*cf* Schneider, p. 51) .. eras tuas quidem hercle atque ex germana Graecia Ru 737 germana inluuies, rusticus, hircus, hara suis Mo 40(*v. secl Ly*) nunc tu mihi amicus es in germanum modum Cas 615 ille quidem Theodoromedes fuit germano nomine Cap 288(*v. secl BoRsL*)

B. *substantive:* is germanum, postquam adoleuit, quaeritat Men *Arg* 5 eamus, mea germana Poe 329 *similiter*(*cf* Wueseke, p. 12, 15): uenit .. hunc quaeritatum geminum germanum suom Men 71 hi sunt geminei germani duo Men 1082

GERO - - I. Forma gero Ba 509, 752, Men 757, Mi 358, 747(*PL* -unt *Aψ*), Per 503, Ru 1144, Fr I. 5(*RgL ex Non* 196 fero *Paul* 61 *et ψ*) **geris** Am 341, Ci 719, Ep 25, St 361 **gerit** Am *Arg* I. 4, Am 131, As 277, Au 248, Cas 971, Mi 136, St 353, Tri 870, Tru 255, 728, 870(*PS* †*Ly* † tegit *Rs* elegerit *L* paret *MueU*)

gerimus Cap 313, Mi 613 **gerunt** As 257,
Ba 940(geruntur *B²*), Mi 747(*A* gero *PL*), Poe
813 **geritur** Cu 552, Men 418, Mi 1152, St
310 **gerebat** Tri 901 **geram** St 95, 742
(cerã *C* morigerabor *RRgLy*), Tru 965(gera *P*)
geretur Ps 22 **gessi** Cu 527, Mo 200 **gessit**
Ci 84(-si *VE*), Mo 1017 **gessistis** St 518
gesserit(*fut. pf.*) Tri 139 **geram** Au 54, 117,
412, Men 115, Mo 578(uis g. *B²* uis ceram *B¹C*
uiscerã *D*), Ru 1068, Tri 1058, Fr III. 7(*ex
Fulg* XIX *L*) **geras** Au 826, Ba 110, 417, Cap
424, 439(feras *Rs ex Non* 512), Men 788, Mi
936(*Sey* gerat *P* gere at *FZR*), Mo 189(-ens *C*),
724, Per 198, 595(-at *A*), Ps 48, 102(*PRgLU*
legas *A8Ly* ingeras *SalmR*) **gerat** Am 239,
Ba 795, Men 789, Mi 577, Ps 1102, Ru 897
gerant As 881, Ba 287, Per 513 **geratur**
As 39(generatur *J*), Ep 693, Ps 559(giratur *A*),
Tru 961 **gereret** Am *Arg* I. 2 **gereretur**
Ba 291 **gesserim** Mi 397(*A* -it *P*) **gesseris**
Tru 383 **gesserit** Am 196, Mi 867, Mo 1017,
Per 714 **gessissem** Am 524(cessissem *BD¹E*
gessiem *J¹*) **gere** Am 277, Men 825(*Sp* agere
P age *CaR*), Mi 936(gere at *FZR* gerat *P*
geras *Seyψ*), Mo 577(*AB²* cherem *P*), Per 605,
Ps 195 **gerite** Cas 87, Cu 149 **geritote**
Ba 712 **gerere** Ba 477, Cap 498, 912(morem
g. *U in lac*), Poe 304, 305(*v. secl Guy*), Ps 449,
1176, St 82, Tri 773(g. rem *FZ* gererem *P*)
geri Cap 484, Tru 415 **gessisse** Cap 404
(g. morem *B²J* gesis amorem *B¹D* gessis
amore *VE*), Mo 776 **gerentes** Tru 145
(*BLULy* -tis *CDψ*) **gerentum** Tru 223(*AB*
-tium *CD*) **gesta**(*fem.*) Am 784, Ci 147, 197,
555, Men 519, Mer 213, Ps 1235, Ru 64, 1072
gestam Ba 212, Ep 212, St 379, Tri 592, Tru
965 **gesta**(*abl.*) Am 654, Mo 57(re bene gesta
ins R), Per 754, St 402, 411, 507, Tri 592, 1182
gestae(*nom.*) Am 417(-te *J²*) **gestas** Men 8
gerundum(*acc. masc.*) Mo 226(*Non* 202 gere. *P*),
gestu(*sup.*) Poe 1109 *corrupta:* Am 401(geram
E pro ieram) Poe 675, tuam gessi *C pro* tu
ages Tri 842, gerit *ins A*; 851, gerere *B pro*
genere Tru 274, gesta *P pro* gestas(*A*)

II. Significatio A. *proprie:* geritote amicis
uostris aurum corbibus Ba 712   meretricem
pudorem quam aurum gerere condecet Poe 305
(*v. secl Guy*)   scias posse eum gerere crassas
compedes Ps 1176   onustum gero corpus Men
757   clunes desertos gero* Fr I. 5(*ex Non* 196
infractos fero *Paul* 61 *et 8Ly* inf. g. *L*)   o mi
parentes, hic uos conclusos gero Ru 1144
omnem in tergo thensaurum gerit As 277
Volcanum in cornu conclusum geris? Am 341
(*cf* Graupner, p. 29)   non pluris refert quam
si imbrem in cribrum geras* Ps 102

Mercurius formam Sosiae serui gerit absentis Am *Arg* I. 4

similiter: meretricem pudorem gerere magis
decet quam purpuram Poe 304(*cf* 305 *supra*)

satine ego animum mente sincera gero . .
Ba 509   ad eri fraudationem callidum ingenium gerunt As 257

caue fidem fluxam geras* Cap 439

B. *translate* 1. *de ira* = exercere: si quid pec-
catumst, plumbeas iras gerunt Poe 813   istaec

insipientiast iram(iras *BugRgU*) in promptu
gerere Ps 449

2. *de magistratu administrando:* sine suffragio aedilitatem hic quidem gerit St 353   iam
tu autem nobis praeturam geris? Ep 25   haec
ut nuntiem uxori suae ut gesserit rem publicam ductu, imperio, auspicio suo Am 196   ex
me primo ut prima scires, rem ut gessissem*
publicam Am 524   quis res publica et priuata
geritur, nonne is crederem Cu 552

similiter: heus ecquis his foribus tutelam
gerit? Tri 870 . . meo tergo tutelam geram
Tri 1058   ecquis huic tutelam ianuae gerit?
Tru 255   *fortasse etiam* Tru 870, aliud perfugium gerit, *ubi pro* gerit *habet* tegit *Rs*
elegerit *L* paret *MueU*

3. **bellum gerere:** dum bellum gereret cum
Telebois hostibus Am *Arg* I. 2   quid mihi
opust decurso aetatis spatio cum meis gerere
bellum? St 82

4. = agere, facere, *sim.:* ego sum Ulixes,
quoius consilio haec gerunt* Ba 940   ut adflet
quo illud gestu* faciat facilius Poe 1109
quantumst hominem amicum adhibere, ubi
quid geras* Per 595   est profecto deus
qui quae nos gerimus auditque et uidet Cap
313

rogitas quo ego eam, quam rem agam, quid
negoti geram Men 115   infectum . . reddere
. . quod me apsente hic tecum filius negoti
gessit. #Mecum ut ille hic gesserit . . negoti?
Mo 1017   ille quidem iam scit quid negoti
gesserit Per 714   . . quod tu hic me absente
noui negoti gesseris Tru 383

5. **rem gerere:** nec recedit loco quin statim
rem gerat Am 239   aucupemus ex insidiis
clanculum quam rem gerant As 881   per
metum male rem gerit Au 248   scio quam
rem geram Au 412, 826(geras)   occepi ego
opseruare eos quam rem gerant Ba 287   sentio
quae res gereretur Ba 291   oportet rem mandatam gerere* amici sedulo Ba 477   meo
periclo rem gero Ba 752   bene scio quam
rem gerat Ba 795   . . ut erga hunc rem geras
fideliter Cap 424   sciui extemplo rem de compecto geri Cap 484   quid est suauius quam
bene rem gerere bono publico Cap 498   ualete,
bene rem gerite et uincite Cas 87   lupina
scaeua fusti rem gerit Cas 971(*A solus*)   bene
gessi rem Cu 527   bene res geritur Men 418
satis iocatu's, nunc hanc rem gere* Men 825
hanc rem gero Mi 358   scio quam rem gerat
Mi 577   eodem consilio . . gerimus rem Mi
613(*v. secl U*)   meo remigio rem gerunt* Mi
747   modo intellexi quam rem mulier gesserit
Mi 867   bene ambula, bene rem geras* Mi 936
nunc haec res apud summum puteum geritur
Mi 1152   fac rem hanc cum cura geras Per
198   ualeo recte et rem gero et facio lucrum
Per 503   uide sis quam tu rem geras Ps 48
tace atque hanc rem gere Ps 195   obseruemus
quo eat aut quam rem gerat Ps 1102   nimis
haec res sine cura geritur St 310   ita rem
gessistis ut uos uelle amicosque addecet St 518
suam rem melius gesserit Tri 139   . . illum
bene gerere* rem et ualere et uiuere Tri 773
bene rem gerebat Tri 901   sine labore res

geri pulcre potest Tʀᴜ 415   animo bono male rem gerit Tʀᴜ 728

re gesta bene Aᴍ 654   re bene gesta Mᴏ 57 (*add Rs*), Pᴇʀ 754   bene re gesta Sᴛ 402, Tʀɪ 1182   bene gesta re Sᴛ 411, 507   edepol re gesta pessume gestam probe Tʀɪ 592   res gestast bene Aᴍ 784   haec sic res gestast Cɪ 147, 197   audire expetit ut gesta res sit Cɪ 555   rem omnem iam ut sit gesta eloquar Mᴇɴ 519   ita res gestast Ps 1235   narrant ut res gesta sit Rᴜ 64   hoc modo res gestast, ut ego dixi Rᴜ 1072   num inuitus rem bene gestam audis eri? Bᴀ 212   hercle rem gestam bene Eᴘ 212, Sᴛ 379   . . ne patrem prehendat ut sit gesta res suspicio Mᴇʀ 213   meamque ut rem uideo bene gestam, uostram rursum bene geram* Tʀᴜ 965

hic quidem certe quae illic sunt res gestae memorat Aᴍ 417   exspectans quas tu res hoc ornatu geras Bᴀ 110   mi homo . . alias res geris Cɪ 719   omnis res gestas esse Athenis autumant Mᴇɴ 8   Alexandrum . . aiunt maxumas . . res gessisse Mᴏ 776

ne me obseruare possis quid rerum geram Aᴜ 54   rogitant me ut ualeam, quid agam, quid rerum geram Aᴜ 117   quid ille faciat ne id obserues, quo eat, quid rerum gerat Mᴇɴ 789   quid id ad me . . refert Persae quid rerum gerant Pᴇʀ 513   Gripus seruos noster quid rerum gerat miror Rᴜ 897   quid tu me curas quid rerum geram? Rᴜ 1068   flocci pendo quid rerum geram Fʀ III. 7(*ex Fulg* XIX *L*)   timeo quid rerum gesserim* Mɪ 397

6. **morem gerere**: pater nunc intus suo animo morem gerit Aᴍ 131

gere patri morem meo Aᴍ 277   geratur* mos tibi As 39   dicito . . bene . . ero gessisse* morem in tantis aerumnis tamen Cᴀᴘ 404   nolui illi morem gerere Cᴀᴘ 912b (*omnia supp GepU*)   gessit morem oranti(*A* de ea re gessit [-ʙɪ *VE*] morem *PLU*)   morigere mihi Cɪ 84   gerite amanti mihi morem Cᴜ 149   quotiens monstraui tibi uiro ut morem geras Mᴇɴ 788   illi amanti suo hospiti morem gerit Mɪ 136   illi morem praecipue sic geras* Mᴇɴ 189   uni modo gessi morem Mᴏ 200   soli gerundum censeo morem Mᴏ 226   ah, gere* morem mihi.   #Quid tibi ego morem uis geram*? Mᴏ 577-8   i sane ac morem illi gere Pᴇʀ 605   mos tibi geretur Ps 22   fiat: geratur* mos tibi Ps 559   morem tibi geram Sᴛ 95   non ecastor . . satis erae morem geris Sᴛ 361   morem uobis geram* Sᴛ 742(morigerabor *RRgLy*)   utrique mos geratur amborum ex sententia Tʀᴜ 961

morem geras Bᴀ 417   quid agas? mos geratur Eᴘ 693   *** (animo ut tu tuo *ins U*) morem geras Mᴏ 724

C. *participium* (*cf* Blomquist, p. 111; Schaaff, p. 32)*:* plerique idem quod tu facis faciunt rei male gerentes* Tʀᴜ 145   piaculumst miserere nos hominum rei male gerentum* Tʀᴜ 223

GERRAE - - esse negotiosum interdius uidelicet Solonem . . leges ut conscribat quibus se populus teneat: gerrae(-ꬰ *EJ*)! As 600   quid

istae . . nomina inueniunt noua? cumatile aut plumatile, carinum aut gerrinum, gerrae(-e *AE* -ꬰ *BVJ*) maxumae! Eᴘ 233   Mᴇʀ 928 (gerrae *SchoellRg pro* erras)   tuae blanditiae mihi sunt quod dici solet, gerrae germanae Pᴏᴇ 137(*cf* Egli, I. p. 13; Gronov, p. 277; Schneider, p. 61)   potin est ab amico alicunde exorari? #Potest. #Gerrae! Tʀɪ 760 *Cf etiam* Brandt, *Jahrbücher* CXVII p. 365

GERRINUS - -   quid istae quae uestei quotannis nomina inueniunt noua? . . carinum aut gerrinum(*AP* -nium *E* cerinum *LLyRg²* *ex Non* 549) Eᴘ 233   *Cf* Brandt, *Jahrbücher* CXVII p. 385

GERRO - - ite, ite hac simul . . foras gerronis(*PG*† f. *om Rs* f. egerones *Kies LLy* foraseuerrones *U*) Tʀᴜ 551   *Cf* Brandt, *Jahrbücher* CXVII p. 365

GERULIFIGULUS - - patrem meque una . . tua infamia fecisti gerulifigulos flagiti Bᴀ 381 (*v. secl RsĝU*) *Cf* Langen, *Beitr.* p. 166

GERULUS - - non dabis si sapies: uerum si das maxume, ne ille alium gerulum(gerurulum *C*) quaerat . . sibi Bᴀ 1002

GERYONACEUS - - intromisti in aedis quingentos cocos, cum senis manibus, genere geryonaceo(*FZ* gerronaceo *BJ* gerynaceo *D*) Aᴜ 554

GESTIO - - I. Forma gestio As 788, Cᴀs 471, Mᴇɴ 486, Mɪ 1214(-os *B*), Ps 116, 1073, Tʀɪ 325   gestis Mᴏ 878   gestit Mɪ 8(*Ca* gestitet *B²CD* gestat et *B* gestit *et L*), 1398, Tʀᴜ 314(se g. ergo *Rs* segesti tergo *P*)   gestiunt Aᴍ 323(*B²* gestiuit *B¹DE*), Bᴀ 596   gestibant As 315(gesta. *J*)   gestire Mᴏ 812

II. Significatio 1. *absolute:* gestiunt* pugni mei Aᴍ 323   mirabar quod dudum scapulae gestibant* mihi As 315   dentifrangibula haec meis manibus gestiunt Bᴀ 596   reddam impetratum. #At gestio* Mɪ 1214   inridere ne uideare et gestire admodum Mᴏ 812

2. *seq. infin.:* iam dudum gestit moecho hoc abdomen adimere Mɪ 1398   dare iam ueniam gestio Tʀɪ 325   neque is duci se gestit* Tʀᴜ 314(*Rs solus*)   misera gestit* †fratrem facere ex hostibus Mᴇɴ 8   gestis aliquo (ire) Mᴏ 878   illam moueri gestio As 788   iam hercle amplexari iam osculari gestio Cᴀs 471   roga . . gestio promittere Ps 116, 1073   adibo ad hominem, nam turbare gestio Mᴇɴ 486   *Cf* Votsch, p. 29; Walder, p. 17

GESTITO - - uolucrem uocem gestito Aᴍ 326   quasi ostreatum tergum ulceribus gestito Pᴏᴇ 398   ego sum illius mater quae haec gestitauit(gestauit *J*) Cɪ 746   mea haec erilis gestitauit(gestauit *J*) filia. #Mentiris nam mea gestitauit(f. m. n. m. g. *habet B² solus*) Cɪ 749-50   ubi east quae gestitauit(gestauit *J*)? Cɪ 752   pater istum (anulum) meus gestitauit(gestauit *EJ*) Cᴜ 602   ne (machaera) lamentetur . . quia se iam pridem feriatam gestitem Mɪ 7   *Vide* Mɪ 8, *ubi* gestitat *B²CD pro* gestit

GESTO - - I. Forma gesto Sᴛ 160, 163 g. famem *A* gestor amem *P*) gestas Mᴇʀ 572, Ps 10, Tʀᴜ 274(*A* gesta *P*)   gestat Aᴍ 1083 gestant Eᴘ 617, Ps 427   gestauit Rᴜ 1081, Sᴛ 159, 161   gestem Bᴀ 375   gestandus

Tri 596(-dust *R* -du si *B* -du *C* -dum *D*)
corrupta: As 315, gestabant *J pro* gestibant
Ci 746, 749, gestauit *J pro* gestitauit   Ci 752,
Cu 602, gestauit *EJ pro* gestitauit   Mi 8,
gestat et *B*¹ *pro* gestit

II. Significatio   1. *proprie:* . . gestas* tecum ahenos anulos Tru 274   gestandust* peregre clupeus, galea, sarcina Tri 596   in
manibus gestant copulas secum simul Ep 617
ea . . olim parua gestauit crepundia Ru 1081
iam hos multos dies gestas tabellas tecum
Ps 10

illa (*i. e.* mater) med in aluo menses gestauit
decem: at ego illam (*i. e.* famem) in aluo gesto
plus annos decem. atque illa puerum me
gestauit paruolum, . . ego non pausillulam in
utero gesto* famem St 159-63

2. *translate:* tu quidem meum animum gestas:
scis quid acturus siem Mer 572   haec sola
sanam mentem gestat meorum familiarium
Am 1083

homines qui gestant quique auscultant
crimina . . Ps 427(*i. e.* nuntiant)

ut haec (flagitia) conclusa gestem clanculum?
Ba 375(*i. e.* retineam)

GESTOR - - omnes pendeant, **gestores** (*i. e.*
proditores) linguis, auditores auribus Ps 429

GETA - -   iubeo uos saluere.   #Et nos te,
Geta(*SeyLy* noster geta *P.S*† o noster Cuame
Rs duce Sey noster Cyame *L* noster esto *SpU*),
quid agis? Tru 577

GIDDENIS - - *nutrix. In supersc.* Poe *act.*
V *sc.* 3(*A ut vid* ciddis *B* gitdis *D*³)   **Giddenini** Poe 1119(*Mue* -nenem *A* -neme *PU*
-neni *Ly*)   **Giddeninem** Poe 898(et G. *A lac*
P -nenem *Ly fortasse A* -nemem *U*), 1130(*B*
-nimem *C* -nimen *D* -nenem *ALy*)

GIGNO - -   an etiam Arabiast in Ponto?
#Est: non illa ubi tus **gignitur** Tri 934   meri
bellatores **gignuntur**(cinguntur *C*) quas hic
praegnatis fecit Mi 1077   te adiutorem **genuerunt** (di immortales) mihi tam doctum hominem . . Ps 907

GLABER - - **glaber** erat tamquam rien
Fr I. 113(*ex Festo* 277; *Paulo* 276)   oues
scabrae sunt, tam **glabrae**(-re *B* galabre *CD*),
en, quam haec est manus Tri 541   tu istum
gallum . . **glabriorem**(*Non* 17 cla. *BV*² -nem
*DV*¹*J*) reddes mihi quam uolsus ludiust Au 402

GLADIUS - -   **I.** Forma **gladius** Ru 841
(*FZ* claudius *P*)   **gladium** Cap 915, Cas 307,
629, 660 ter, 691, 706, 751(*A lac P* gladios *U*),
909, 910, Mer 613, Ps 349, Tri 129   **gladio**
Ps 349   **gladiorum** Tru 492   **gladiis**(*abl.*)
Cas 344   *corrupta:* St 360, gladium *C pro*
glandium   Fr I. 101, gladios *Varro pro* glan-
dio(*Pius*)

II. Significatio   1. *nom.:* quin occidisti
extemplo? #Gladius* non erat Ru 841

2. *gen.:* illi quorum lingua gladiorum aciem
praestringit domi Tru 492

3. *acc.:* ei, gladium adfer Ps 349   arripuit
gladium, praetruncauit tribus tegoribus glandia
Cap 915   dedistine hoc facto ei gladium qui
se occideret? Tri 129   demisisti gladium in
iugulum Mer 613(*cf* Egli, II. p. 50)   eripite
isti gladium Cas 629   si sors . . decolassit,

gladium faciam culcitam eumque incumbam
Cas 307   gladium . . #Hem. #Gladium . .
#Quid eum gladium? #Habet Cas 660   etiamne
habet nunc Casina gladium? #Habet, sed duos.
#Quid, duos? #Altero te occisurum ait, altero
uilicum hodie Cas 691   gladium* Casinam intus habere ait qui me atque te interimat Cas
751   dum gladium quaero, ne habeat * arripio ** capulum. sed quom cogito, non habuit gladium Cas 909-10   . . ut exoret illam
gladium ut ponat Cas 706

4. *abl.:* quid opust gladio? #Qui hunc occidam atque me Ps 349

necessumst uorsis gladiis depugnarier Cas
344(*cf* Inowraclawer, p. 86 *et Philarg ad
Verg georg.* III. 222)

GLANDIONIDA - - iube . . de foro opsonarier **glandionidam**, suillam . . Men 210

GLANDIUM - -   1. *dat.:* honos syncerasto
periit, pernis, **glandio**(*Pius* gladios *ex gradios
lib*) Fr I. 101(*ex Varr l. L.* VII. 61)

2. *acc.:* pernam, abdomen, sumen sueris,
glandium Cu 323   obtrudamus pernam, sumen,
glandium Cu 366   pernam, callum, glandium,
sumen facito in aqua iaceant Ps 166   pernam
et glandium(gladium *C*) deicite St 360

arripuit gladium, praetruncauit tribus tegoribus **glandia** Cap 915   ego pernam, sumen
sueris, spetile, callum, glandia Fr I 49(*ex
Festo* 330)

GLANS - - nummos . . quadringentos. #Tra-
mas putidas. #Quingentos. #Cassam **glandem**!
Ru 1324(*cf* Egli, I. p. 13)   . . ut bubus
glandem(clandem *CD*) prandio depromerem
Tru 646

GLAUCUMA - - **glaucumam**(*A* -ma *P*-comam
Prisc II. 200) ob oculos obiciemus Mi 148(*cf*
Egli, III. p. 29; Gronov, p. 221)

GLAUCUS - - Diabolus **Glauci**(*FZ* clauci
P) filius As 751   *Cf* Schmidt, p. 190

GLIS - - **glirium**(*vel* gliuium *cod*) examina
Fr II. 37(*ex Non* 119)

GLISCO - - pulcre hoc **gliscit** proelium As
912   gliscit rabies Cap 558(*cf* Inowraclawer,
p. 89)

GLOBUS - - in fundas uisci indebant grandiculos **globos**(*ACD* -uos *B*) Poe 481   *Cf*
Blomquist, p. 33

GLORIA - -   **I.** Forma **gloriae**(*dat.*) Tri
629(-ie *B*)   **gloriam** Au 541, Mi 1245, Ru
524(*AB* gloria *an CD*), St 281, Tri 273, 656,
828   **gloria** Am 1140, Ba 20(*ex Don ad And*
I. 2, 34), Cap 689(-am *J*), Cu 286   **gloriae**
Tru 889(-ię *D*)   **gloriarum** Mi 22

II. Significatio   1. *nom.:* hau mutu(*P.S*†
muttum *Rs* multum eius *LLy* id multo *U duce
Sey*) apparet quod datumst: ita sunt gloriae
meretricum Tru 889

2. *gen.:* hominem si quis uiderit . . gloriarum
pleniorem quam illic est Mi 22

3. *dat.:* si in rem tuam . . esse uideatur
gloriae aut famae sinam Tri 629

4. *acc.:* nunc tibi potestas adipiscendist
gloriam, laudem, decus St 281   hanc tuam
gloriam iam ante auribus acceperam Tri 828
boni sibi haec expetunt, rem, fidem, honorem,
gloriam et gratiam Tri 273   . . ut rem patriam

et gloriam maiorum foedarim meum Tri 656
pro re nitorem et gloriam pro copia qui habent
. . Au 541   perdere istam gloriam uis quam
habes Mi 1245   o scirpe, . . semper seruas
gloriam* aritudinis Ru 524

5. *abl.*: suis factis te inmortali adficiet gloria
Am 1140   facito ergo ut Acherunti clueas
gloria* Cap 689   haud subditiua gloria oppidum arbitror Ba 20(*ex Don ad And* I. 2, 34)
nec comarchus nec cum tanta gloria Cu 286

GLORIOSUS - - I. **Forma** gloriosus Ba
18(*ex Non* 470), Cap 58, Cu 633, Ep 301, Mi 89
gloriosum Cu 471, Mi 87, Ps 674, 794   **gloriosae**(*nom.*) Tri 156(*Valla* -si *P*)   **gloriose**
(*adv.*) Per 307, St 277(-sse *BLy*)

II. **Significatio** (*cf* Gimm, p. 20) 1. *adiective:* Praenestinum opino esse: ita erat
gloriosus Ba 18(*ex Non* 470)   ut fastidit
gloriosus Cu 633

Alazon Graece huic nomen est comoediae:
id nos Latine gloriosum dicimus Mi 87
qui . . conuenire uolt hominem . . gloriosum apud Cloacinae sacrum Cu 471   hominem
. . coqum . . multilocum, gloriosum, insulsum,
inutilem Ps 794   hic neque periurus lenost . .
neque miles gloriosus Cap 58   miles Rhodius,
raptor hostium, gloriosus Ep 301   illest miles
meus erus, . . gloriosus, inpudens Mi 89

ego nunc me ut gloriosum faciam et copi
pectore Ps 674   illi sunt inprobi, uos nequam
et gloriosae* Tru 156

2. *adverbium:* subnixus alis me inferam, atque amicibor gloriose Per 307   neque lubet
nisi gloriose* quicquam proloqui profecto
St 277

GLOS - - ἡ τοῦ ἀνδρὸς ἀδελφή, γάλως, παρὰ
Πλαύτῳ.   *Ps-Philox C. G. L.* II. 34 (Fr II. 85)

GLUTINO - - Men 342, ac glutinant *P pro*
adglutinant

GLUTTIO - - collyrae . . nihili sunt cru-
dae, nisi quas madidas **gluttias** Per 94

GLYCERA - - **Glycerae**(*Par* dicere *PSt*
Diceae *SpLULy*) nomen est Mi 436   quem
nominem? #Glyceram(*Lips* Diceam *PSt†LULy*)
Mi 808

GNARUS, GNARURIS - - nec loci **gnara**
sum Ru 210   . . inductoresque acerrumos,
gnarosque nostri tergi As 551   . . ut aeque
mecum sitis **gnarures**(*Turn* siti signa rures *P*
sitis ignari rures *D*⁴) Poe 47   gnaruris uos
(*Ca* gnarurisuo *P*) uolo esse hanc rem mecum
Mo 100   *Cf* Blomquist, p. 107; Schaaff,
p. 28

GNATUS, GNATA - - *vide* nascor

GNOSCO - - *vide* nosco

GONGER - - Per 110, *Prisc* I. 224 *pro*
conger

GORGINES - - ubi habitas? #Hic apud
piscatorem **Gorginem** Vi 54   *Cf* Schmidt,
p. 190

GORGONIDONIUS - - Mi 13, Gordonidoniis
R pro curculionieis(*A*)

GRADIOR - - congredere! #Gradior Ba
980(*CD* congredior *B*)   si male dicetis, uostro
gradiar limite Poe 632(*v. secl RRgl*)   si quo
hic **gradietur**, pariter progredimino Ps 859
si **graderere** tantum quantum loquere iam

esses ad forum Ps 1236   fer contra manum
et pariter **gradere** Tru 124   *Cf* Langen,
Beitr. p. 82

GRADUS - - I. **Forma** gradus Per 80,
203(*LangenRsS om Pψ*), Poe 513   **gradum**
Au 49, 813, Ba 535, Cu 118, Men 554, 754,
888, Mer 882, Ps 707, Tri 1010   **gradu** Ci
378(*ex Festo* 372), Poe 514, 522, 530, Ru 241,
Tri 623(*FZ* -us *P*), Tru 286(*A* gras *P*)   **gradibus**(*abl.*) Ep 13, Ps 1049

II. **Significatio** 1. *nom.:* commorandust
apud hanc †obieci gradus* Per 203(gradus
om RULLy et aliter em)   remorandust gradus
Per 80   iste quidem gradus succretust cribro
pollinario Poe 513(*cf* Graupner, p. 15)

2. *acc.:* adde gradum, adpropera Tri 1010
fer pedem, confer(profer *Langen U*) gradum
Men 554   confer gradum contra pariter Ps
707   contollam gradum Au 813   adibo contra
et contollam gradum Ba 535   grandiorem
gradum ergo fac ad me Cu 118   contra
pariter fer gradum et confer pedem Mer 882
testudineum istum tibi ego grandibo gradum
Au 49(*cf* Schneider, p. 8)   moue formicinum
gradum Men 888   gradum proferam, pro-
grediri properabo Men 754

3. *abl.:* nimium is uegrandi gradu Ci 378(*ex
Festo* 372)   liberos homines per urbem modico
magis par est gradu ire Poe 522   celeri gradu*
eunt uterque Tri 623   abire hinc ni properas
grandi gradu* . . Tru 286

cum pedicis condidicistis istoc grassari gradu
Poe 514   uinceretis ceruom cursu uel grallatorem gradu Poe 530   consequamur gradu
uocem Ru 241

ut tu es(is *ScutU*) gradibus grandibus Ep 13
(*cf* Abraham, p. 220; Dousa, p. 240)   quin
hinc metimur gradibus militariis? Ps 1049

4. *adiectiva app.:* celer Tri 623   formici-
nus Men 888   grandis Cu 118, Ep 13, Tru 286
militarius Ps 1049   modicus Poe 522   testu-
dineus Au 49   uegrandis Ci 378

GRAECIA - - saluete Athenae, quae nutrices
Graeciae(*B* greciẹ *CD*) St 649   mare superum
omne **Graeciam**(*A* gretiam *P*)que exoticam .
sumus circumuecti Men 236   ego aio id fieri
in Graecia(gretia *B* grecia *J* g̃cia *E*) et Carthagini Cas 71   . . eras tuas . . atque ex
germana Graecia(grecia *B* gretia *CD*) Ru 737
Cf Koenig, p. 6

GRAECISSO - - hoc argumentum **graecissat**
(gre. *P*) Men 11

GRAECUS - - I. **Forma** Graecus Cas 77
(gre. *BJ* gretiis *VE*)   **Graeca** St 707(*A* greca *P*)
graecum Fr I. 12(*ex Festo* 274 [grẹ *Fest*])
Graeci(*gen. neut.*) Mer 525(*A* graci *B* grā *CD*
grai *U*)   **Graecum**(*acc. neut.*) Men 9 (gre. *P*)
Graeca(*abl.*) As 199(greca *P*)   **Graeci**(*nom.*)
Cu 288(-ti *B* greti *J* greci *E*)   **Graeca**(*nom.*)
Tru 55(greca *P*)   **Graecas** St 226(grecas *P*)
Graecis(*abl. neut.*) Ru 588(gre. *CD* g̃cis *B*)
Graece(*adv.*) As 10(grece *P*), Cas 32(*J* grece
B greyce *V* g̃ce *E*), 33(grece *BVJ* g̃cẹ *E*),
Mer 9(*B* grece *CD*), Mi 86(grece *BD* crece *C*),
Poe 54(*ins RRgl* latine *PSt†Ut*), Tri 18(*A*
grece *P*)

II. **Significatio** 1. *substantive:* Poenus dum

iudex siet, uel Graecus adeo C$_{AS}$ 77   isti
Graeci palliati capite operto qui ambulant . .
C$_U$ 288
  2. *adiective:* aut empta ancilla . . aut armariola Graeca T$_{RU}$ 55   cantio Graecast S$_T$ 707
cetera quae uolumus uti Graeca mercamur fide
A$_S$ 199(*cf* G r a u p n e r, p. 28; G r o n o v, p. 39;
S c h n e i d e r, p. 29)   (ouis) generis Graeci*
est M$_{ER}$ 525   quasi tolleno aut pilum Graecum
reciprocas plana uia Fr. I. 12(*ex Festo* 274)
uel iunctiones Graecas sudatorias uendo S$_T$ 226
quasi uinis Graecis* Neptunus nobis suffudit
mare R$_U$ 588
  . . quo illud uobis Graecum uideatur magis
M$_{EN}$ 9
  3. *adverbium:* huic nomen Graece Onagost
fabulae A$_S$ 10   Clerumenoe uocatur haec
comoedia Graece, Latine Sortientes. Deiphilus
hanc Graece scripsit C$_{AS}$ 32-3   Graece haec
uocatur Emporos Philemonis M$_{ER}$ 9(*v. secl Osann
Rg*𝔖*)*   Alazon Graece* huic nomen est comoediae M$_I$ 86   P$_{OE}$ 54(Graece, Latine *RRgl*
Latine platus *P* L. Plautus *LLy*)   huic Graece
nomen est Thensauro fabulae T$_{RI}$ 18(*v. secl RRs*)
  GRAIUS - - non tu scis . . Hecubam quapropter canem Graii esse praedicabant? M$_{EN}$
715   *Vide* M$_{ER}$ 525, ubi graei *U pro* Graeci
  GRALLATOR - - uinceretis ceruom cursu
uel **grallatorem**(*ex Festo* 97 *et Varrone l. L.*
VII. 69: clabatorem *B* glab. *CD* claua. *Turn*
grala. *Varr*) gradu P$_{OE}$ 530   *Cf* E g l i, II. p. 58;
G r o n o v, p. 284; L e i d o l p h, p. 229
  GRAMA - - gramarum(*Bue* os amarum *PU*
lacrumarum *KochRg*)   habeo dentes plenos
C$_U$ 318(*vide L*)
  GRANARIUM - - magis oppletis opus est
†tritici **granariis**(-reis *B* -rii *CD*) T$_{RU}$ 523
  GRANDICULUS - - in fundas uisci indebant
grandiculos globos P$_{OE}$ 481
  GRANDIO - - testudineum istum tibi ego
grandibo(gradibo *P* grandiuo *Non* 115) gradum
A$_U$ 49
  GRANDIS - - I. Forma grandis C$_{AP}$ 1019,
T$_{RI}$ 271, 374   **grande** C$_{AS}$ 914, C$_U$ 368
grandi(*dat.*) F$_R$ II. 36 (*ex Ser Sam de med.* 425)
grandem A$_U$ 191, 214, C$_{AP}$ 1019, C$_U$ 405
grande M$_{ER}$ 97, S$_T$ 295   **grandi**(*abl.*) C$_{AP}$
258(*B²* -dis *P*), M$_{ER}$ 22(-de *B*), T$_{RU}$ 286 **grandes** B$_A$ 992 **grandis**(*acc.*) P$_{ER}$ 658 **grandibus**
E$_P$ 13, F$_R$ III. 1(*ex Front* II. 2, p. 27 N)
grandior A$_U$ 159   **grandiorem** C$_U$ 118
  II. Significatio (*cf* G i m m, p. 21) 1. *de
magnitudine rerum:* quicquid erat, grande erat
C$_{AS}$ 914   dabit hic tibi grandis bolos P$_{ER}$ 658
amoris imber grandibus guttis non uestem
modo permanauit . . F$_R$ III. 1(*ex Front* II. 2,
p. 27 N)   grandiorem gradum ergo fac ad me
C$_U$ 118   ut tu es gradibus grandibus E$_P$ 13
abire hinc ni properas grandi gradu . . T$_{RU}$ 286
grandes satis sunt (litterae) B$_A$ 992   . . quos
tam grandi* sim mercatus praesenti pecunia
C$_{AP}$ 258   peculium conficio grande M$_{ER}$ 97
haec sunt uentri stabilimenta: pane et assa
bubula, poculum grande . . C$_U$ 368   dulcia
Plautus ait grandi minus apta lieni F$_R$ II. 36
(*ex Ser Sam de med.* 425)

nec . . quisquam sine grandi* malo . . studuit elegantiae M$_{ER}$ 22
  tam gaudium grande adfero S$_T$ 295   ibi
animo labos grandis capitur T$_{RI}$ 271   inibis
a me solidam et grandem gratiam C$_U$ 405
  2. *de aetate hominum:* sed est grandior natu
(*P g.* nam *Rg*𝔖*)* A$_U$ 159   ego hunc grandis
grandem natu ob furtum ad carnificem dabo
C$_{AP}$ 1019
  aetatem meam scis? #Scio esse grandem
item ut pecuniam A$_U$ 214   uirginem habeo
grandem A$_U$ 191   soror illist adulta uirgo
grandis T$_{RI}$ 374
  GRANDO - - metuo neque uentum neque
grandinem M$_{ER}$ 860   mihi aduentu suo (tempestas) grandinem imbremque attulit M$_O$ 138
  GRANUM - - . . quiue ullum turis **granum**
sacruficauerit P$_{OE}$ 451   nega esse quod dem
mihi nec granum tritici(*Rg* dem nec mihi nec
mutuom *AP*𝔖†*LLy aliter RU*) S$_T$ 256   . . denegarit dare se granum tritici S$_T$ 558   *Cf* E g l i,
I. p. 13; B l o m q u i s t, p. 26
  GRAPHICUS - - I. Forma graphicus
Ps 700(scitus *A*)   **graphicum**(*acc.*) E$_P$ 410,
Ps 519, S$_T$ 570, T$_{RI}$ 936, 1024   **graphice**
P$_{ER}$ 306, 464(graf. *D*), 843(*Lamb in lac* **hice
B hic est *CD* perg. *SpRsU*), T$_{RI}$ 767(grapph. *A*)
  II. Significatio 1. *adiectivum*(*cf* I n o w r a-
c l a w e r, p. 71): ita me di ament, graphicum
furem! T$_{RI}$ 1024   edepol mortalem graphicum!
Ps 519   nimiumst mortalis graphicus* Ps 700
graphicum mortalem Antiphonem! S$_T$ 570
nimium graphicum hunc nugatorem! T$_{RI}$ 936
ne tu habes seruom graphicum E$_P$ 410
  2. *adverbium* (*cf* G e h l h a r d t, p. 34): huic
ego graphice facetus fiam P$_{ER}$ 306   hanc
hospitem . . crepidula ut graphice decet P$_{ER}$
464   graphice* hunc uolo ludificari P$_{ER}$ 843
is homo exornetur graphice in peregrinum
modum T$_{RI}$ 767
  GRASSOR - - sicine hic cum uuida ueste
grassabimur? R$_U$ 251   non uides ut palantes
solae liberae **grassentur**(cr. *P*)? B$_A$ 1138   cum
pedicis condidicistis istoc **grassari**(*Lamb* -sis
occrassari *P*) gradu P$_{OE}$ 514   *Vide* R$_U$ 684,
ubi grassari *FlU in lac quam uarie supp* ψ
  GRATES - - 1. tibi **grates**(-is *Ly*) *ago*
M$_{ER}$ 843   . . ut Ephesiae Dianae laeta laudes
grates(-is *BoRRgLy*)que agam M$_I$ 412   eas
uobis *habeo* grates(-is *RRsLy*) atque ago
P$_{ER}$ 756   Neptuno grates(*AP* -is *RRgLy*)
habeo et tempestatibus S$_T$ 403   Neptuno . .
laudes ago et grates(-is *Ly*) gratiasque(gratas
gratisque *BoRRs*) habeo T$_{RI}$ 821   ego, Neptune, tibi ante alios deos gratis(*HermRRs* gratias *P*ψ) ago atque habeo summas T$_{RI}$ 824
fateor *deberi* tibi et libertatem et multas grates
(*PLU* -tas *Pius*ψ *ex libris gloss*) gratias P$_{OE}$
134   *Cf* L a n g e n, *Beitr.* p. 14
  2. *corrupta:* P$_{OE}$ 1025, gratim *P pro* cratim
gratis *pro* gratiis exhibent A$_S$ 5 *P*, 190 *P*,
194 *P*, C$_{AP}$ 408 *OJ*, 948 *J*, E$_P$ 474 *BJ*, M$_O$
175 *P*, P$_{ER}$ 285 *P*
  GRATIA - - I. Forma gratia A$_S$ 576,
C$_{AP}$ 280, 358, 941, 986, E$_P$ 10, M$_{EN}$ 387, M$_{ER}$
948(tam gratiast *RRg duce Py* mater dati
*P*𝔖† mater pater *BugLULy*), M$_I$ 670, P$_{OE}$ 812

(*FZ* grauia *P*), Ps 320(-cia *B*), Ps 713(*A* -tiam *B* om *CD*), St 472(*A* -am *P*) **gratiae**(*gen.*) Poe 257(-ciae *D* -cię *C*) **gratiae**(*dat.*) Per 428(-ciae *B*) **gratiam** Am 182(*Rein* -as *BDEU* -cias *J*), 940(-ciam *DJ*), 942(-cia *J*) 1141(-ciam *D*), As 59(-ciam *J*), 143(*Bent* -as *PL* -cias *J*), 164, Au 209(-ciam *J*), 247(-ciam *J*), Ba 558, 1022, Cap 373(-as *GuyRs*), 712, 721, 932, Cas 373, Ci 7, 624, 628, 736, 766, Cu 155, 331, 405(-ciam *J*), 426(-ciam *J*), 699, Ep 266, 293, 441, Men 1092, Mer 999, Mi 576(-ia *D*), 979, 1125, 1200, 1228(-ae *B*), 1355(-ia *CD*[1]), 1425, Mo 214, 232, 431, 926, 1130(-ciã *C*), 1168 (-ciam *C*), 1180, Per 540(-ciã *B*), 567 (-ciã *B*), 719, 734, 853, Poe 640, 823, 1041, Ps 1322 (-ciam*B*), Ru 516, 575, 835, 1222, 1392, 1397, 1412, 1415, St 71, 157, 409, 414, 514, Tri 34, 273, 293, 376, 382, 385, 443, 498, 506, 619, 659(*FlRRs* -as *Pψ*), Tru 111 **gratia** Am 486, 664, 682(-cia *J*), 867(-cia *J*), As 191, 536, Au 25(-cia *J*), 32, 267, 337, 360, 435, Ba 97(grãm *C*), Cap 98, Ci 144, 233, 496, 763, Cu 154, 454, 549(-am *B*), 706, Ep 275, 629, Men 150, 697, Mer 223, Mi 103(-iai *Vict* 147), 620, 626(-grãm *B*), 754, 1009(*MueRg pro* causa**), Per 538 (-cia *B*), Poe 9(-cia *B*), Ps 160(-cia *B*), 551, 1289, Ru 90, St 327, 645, Tru 9, 288(*A* -as *C* grat *B* grãs *D*), 565(*FZ* -iam *C* grãm *BD*) **gratiae** Tri 36 **gratias** Am 181(-cias *J*), 182(*PU* -iam *Reinψ* -cias *J*), As 143(*PL* -iam *Bentψ*(-cias *J*), 545(-cias *J*), Au 658(-cias *J*, Cap 373(*GuyRs* -iam *Pψ*), 868, 922(gras *J*), Ep 443, Mer 85, Per 254(*U in lac*), Poe 134 (-cias *BC*), 1254(-cias *B*), 1274(-cias *B*), Ru 906, Tri 659(-iam *FlRRs*), 821(gratas *BoRRs*), 824(-tis *HermRRs*), Vi 4 **gratiis** As 5(*Turn* -tis *P*), 190(*Ca* -tis *P*), 194(*Ca* -tis *P*), Ba 28 *ex Char* 200), Cap 106, 408(*RsLULy* -tis *OJ* -us *BDEVℛ*), 948(*Bo* cratis *BE* gratis *J*), Ep 474(-is *BJ* -us *E*), Mo 175(*Bent* -tis *P*), Per 285(-tis *P*), Poe 868(-ieis *A* -iis *PLU*) *corrupta*: Mo 1178, gratiã *C* grãm *D* gras iam *B pro* cras iam Per 740, gratia *C pro* gnata Ru 772, gratis *D*[1] *pro* ingratiis

II. **Significatio** 1. *nom.*: **a.** bene uocas: tam gratiast Men 387, Ps 713*(*om CD*) locatast opera nunc quidem: tam gratiast* St 472 Mer 948(*RRg falso*) corpulentior uidere atque habitior. #Huic gratia Ep 10 num male relatast gratia, ut collegam collaudaui? As 576 quod bene fecisti, referetur gratia Cap 941 huic pro meritis ut referri pariter possit gratia tibique . . Mi 670 sicine mihi abs te bene merenti male refertur gratia? Ps 320 **b.** quod bonis bene fit beneficium, gratia ea grauidast bonis Cap 358 . . ei in Aleis tanta gratiast Cap 28ὺ(*v. secl UL*) mos est . . neque nouisse quoius nihili sit faciunda gratia Cap 986 si quid bene facias, leuior plumast gratia* Poe 812 uincunt illud conducibile gratiae Tri 36 2. *gen.*: ecquid gratiae, quom huc foras te euocaui? Poe 257 3. *dat.*: referundae ego habeo linguam natam gratiae Per 428

4. *acc.* **a.** *α.* **gratiam habere**(*cf* Langen, *Beitr.* p. 12; Rein, *Qu. Pl.* p. 10): magnam habebam omnibus dis gratiam* As 143 redeo ad te . . si quid me uis. #Habeo gratiam Au 209 . . ut te ei habere gratiam aequom sit bonam Ba 1022 em tibi hominem. #Gratiam* habeo tibi quom copiam . . facis Cap 373 si . . tuos seruos faxit, qualem haberes gratiam? Cap 712 dis hercle habeo gratiam Ci 624 Aesculapio huic habeto, quom pudica's, gratiam Cu 699 ea quae tu uis uolo. #Gratiam habeo Ep 266 hic erit optumus . . #Epidice(-co *ULLy*) habeas (-eo *GuyRs*† ℛ) gratiam Ep 293 tu me admonuisti recte et habeo gratiam Men 1092 Veneri pol habeo gratiam* Mi 1228 tibi habeo magnam gratiam* rerum omnium Mi 1355 soluite istunc. #Gratiam habeo tibi Mi 1425 habeo, Neptune, gratiam magnam tibi quod med amisisti Mo 431 Mo 926(nec tu eam habebis gratiam *U solus*) em huic habeto gratiam Mo 1180 tua ego hoc facio gratia. #Gratiam habeo Per 540 gratiam tibi, Toxile, habeo Per 719 tibi bona multa feci. #Fateor: habeo gratiam Per 734 si quid boni adportatis, habeo gratiam Poe 640(*cf* Lindskog, *p. 66*) impera popularitatis causa. #Habeo gratiam Poe 1041 bonamst quod habeas gratiam merito mihi qui . . feci Ru 516 bene hercle factum: habeo uobis gratiam Ru 835 ego tibi hunc porro seruaui . . #Gratiam habeo magnam Ru 1397 bene facis: gratiam habeo magnam Ru 1412 quom me arbitramini dignum, habeo uobis . . magnam gratiam Tri 506 Tri 659(*vide infra* β)

β. **gratias habere**: As 140(*PL: supra* α) perfidiae laudes gratiasque habemus merito magnas As 545 Cap 373(*GuyRs: supra* α) dei deaeque omnes, uobis habeo merito magnas gratias quom . . Poe 1274 tibi nunc proinde ut merere summas habeo gratias* Tri 659 Neptuno . . laudes ago et grates gratias*que habeo et fluctibus salsis Tri 821 ego, Neptune, tibi ante alios deos gratias* ago atque habeo summas Tri 824 *Cf* Rein, *Qu. Pl.* p. 10

γ. **gratiam referre**(*cf* Langen, *Beitr.* p. 11): merito meo referre studeant gratiam* Am 182 referre gratiam numquam potes As 164 fecisti ut tibi . . numquam referre gratiam possim Cap 932 . . ut tibi gratiam referam parem Mer 999 numquam ego illi possum gratiam referre Mo 214 me uidebunt gratiam referre rem ferenti Mo 232 sciunt referre probe inimico gratiam Per 853 in aliquo tibi gratiam referam loco Ru 575 tibi rursum refero gratiam Ru 1222 te mihi benigne itidem addecet bene merenti bene referre gratiam Ru 1392 neque quisquam melius referet matri gratiam St 157 mihi . . referas gratiam Tri 619 nos rusum lepide referimus gratiam furibus nostris Tru 111

δ. **referre gratias**: Am 182(*PU: vide supra* γ) ε. **agere gratias**: numero mihi in mentem fuit dis aduenientem gratias pro meritis agere Am 181 haud male agit gratias Au 658 te hercle . . . mihi aequomst gratias agere ob nuntium Cap 868 Ioui deisque ago gratias merito magnas C<small>AP</small> 922 . . ut mihi omnis mortalis agere deceat gratias E<small>P</small> 443 agit gratias mihi M<small>ER</small> 85 P<small>ER</small> 254(disque ago gratias *ins U in lac*) eas deis est aequom gratias nos agere sempiternas P<small>OE</small> 1254 Neptuno has ago gratias meo patrono R<small>U</small> 906

ζ. fateor deberi tibi et libertatem et multas gratas gratias P<small>OE</small> 134 ego enim caui recte: eam dis gratiam atque animo meo! M<small>O</small> 926(*Ly: vide infra* b. α)

b. *gratia ab aliis praebita* α. gratiam inire: bene hercle facitis et a me initis gratiam A<small>S</small> 59 a me magnam inistis gratiam C<small>I</small> 7 egomet potius hanc inibo gratiam ab illis C<small>I</small> 628 ille a quadam muliere, si eam monstret, gratiam ineat C<small>I</small> 736 inibis a me solidam et grandem gratiam C<small>U</small> 405 ecquam abs te inibo gratiam? E<small>P</small> 441 me gratiam abs te inire uerbis nihil desidero S<small>T</small> 514 hoc pacto ab illo summam inibis gratiam T<small>RI</small> 376

gratiam cupient tuam P<small>ER</small> 567 si opulentus it petitum pauperioris gratiam A<small>U</small> 247 ab eo petito gratiam istam C<small>AP</small> 721 gratiam a patre(*P g.* per *ALLy*) si petimus . . S<small>T</small> 71 scires uelle gratiam tuam C<small>U</small> 331 . . ut faceres, suam si uelles gratiam C<small>U</small> 426

adde ad istam gratiam unum T<small>RI</small> 385 ego quando te et amicitiam et gratiam in nostram domum uideo allicere T<small>RI</small> 382 eam ambis gratiam? M<small>O</small> 926(*RsŞ*) inter te atque nos adfinitatem ut conciliarem et gratiam T<small>RI</small> 443 eam mihi des gratiam atque animo meo M<small>O</small> 926(*L in loco dubio*) boni sibi haec expetunt, rem, fidem, honorem, gloriam et gratiam T<small>RI</small> 273 satis spectatumst deos atque homines eius neclegere gratiam P<small>OE</small> 823 . . ut scias . . neque nos tuam neglegere gratiam T<small>RI</small> 498 illius ego istanc esse malo gratiam C<small>I</small> 766

β. **gratiam facere**: de istac *Casina* huic nostro uilico gratiam facias C<small>AS</small> 373 de cena facio gratiam M<small>O</small> 1130 non audes . . aliquam partem mihi gratiam facere hinc de argento? P<small>S</small> 1322 hisce ego de artibus gratiam facio T<small>RI</small> 293 quam benigne gratiam* fecit ne iratus esset M<small>I</small> 576 interimam hercle ego te si uiuo. #Fac istam cunctam gratiam M<small>O</small> 1168 iuris iurandi uolo gratiam facias R<small>U</small> 1415 nihili meam uos gratiam facere C<small>U</small> 155 nimioque hic pluris pauciorum gratiam faciunt T<small>RI</small> 34 nequam hominis ego parui pendo gratiam B<small>A</small> 558

c. *cum praepp.*: irae interueniunt, redeunt rursum in gratiam A<small>M</small> 940 rursum si reuentum in gratiamst* bis tanto amici sunt inter se A<small>M</small> 942 tu cum Alcumena uxore antiquam in gratiam redi A<small>M</small> 1141 cum . . eo reueni ex inimicitia in gratiam S<small>T</small> 409 in amicitiam atque in gratiam conuortimus S<small>T</small> 414 uin tu illam actutum amouere a te ut abeat per gratiam M<small>I</small> 979 quin potius per gratiam bonam abeat abs te M<small>I</small> 1125 quod uolui . . impetraui per amicitiam et gratiam a Philocomasio M<small>I</small> 1200 gratiam per (*ALLy* a patre *Pψ*) si petimus . . S<small>T</small> 71(*vide supra* b. α)

d. *post lac.*: ***gratias V<small>I</small> 4(*Stu ex A*)

5. *abl.* a. **gratia** α. = causa *cum gen. aut pron.*: aetatis atque honoris gratia hoc fiet tui

As 191 hancine aetatem exercere me amoris gratia*? M<small>I</small> 626 quasi tu cupias liberare fidicinam animi gratia E<small>P</small> 275 quid tu me deridiculi gratia sic salutas atque appellas? A<small>M</small> 682 hic occepit quaestum hunc fili gratia inhonestum C<small>AP</small> 98 Alcumenae huius honoris gratia pater curauit uno ut fetu fieret A<small>M</small> 486 huc honoris uostri uenio gratia A<small>M</small> 867 eius honoris gratia feci A<small>U</small> 25 tui honoris gratia* . . nuntium ne spernerem C<small>U</small> 549 mei honoris gratia mihique amanti ire opitulatum M<small>I</small> 620 cenaene causa aut mercedis gratia . . postulas comburere? A<small>U</small> 360 is publice legatus Naupactum fuit magnai rei publicai gratia* M<small>I</small> 103 *Cf* Kampmann, *Res milit.* p. 17

dicendi non rem perdendi gratia haec (lingua) natast mihi C<small>U</small> 706(*cf* Sidey, p. 56)

aibat . . suppositionem . . eius (amatoris) facere gratia C<small>I</small> 144 si quidem istius gratia id remoratu's . . E<small>P</small> 629 M<small>I</small> 1009(gratia *MueRg pro* causa)

cum pronom. posses. vel demonst.: qua gratia? #Quia . . A<small>M</small> 664 qua gratia? #Quia uiuo C<small>I</small> 233 quanam gratia*? #Quia . . T<small>RU</small> 288 quid est qua prohibes nunc gratia nos coquere hic cenam? A<small>U</small> 435 scies qua doleat gratia C<small>I</small> 496 te absoluam qua aduenisti gratia C<small>U</small> 454 non pergo hercle nisi scio qua gratia M<small>EN</small> 150 neque id processit qua uos(quoia *Rs*) duxi gratia R<small>U</small> 90 . . qui dant quoia (qua *PU*) amentur gratia A<small>S</small> 536 hoc agamus quoia(*Bergk* quia *D* qua *BCLU*) huc uentumst gratia T<small>RU</small> 9

id ea faciam gratia quo ille eam facilius ducat A<small>U</small> 32 ea affinitatem hanc obstinauit gratia A<small>U</small> 267 ea gratia domo profectast C<small>I</small> 763 ea ego huc praecucurri gratia ne te opprimeret imprudentem M<small>ER</small> 223 ea gratia tamen omnium opera utor P<small>S</small> 160 ean gratia fores effringis? S<small>T</small> 327 nihilo citius ueniet tamen hac gratia S<small>T</small> 645 non abire certumst istac gratia P<small>S</small> 551

id flagitium meum sit, mea te gratia* et operam dare mihi et . . B<small>A</small> 97 nec mea gratia commouent se ocius (pessuli) C<small>U</small> 154 etiam audes mea reuorti gratia? M<small>EN</small> 697 num mea gratia pertimescit magis? P<small>S</small> 1287 tua ego hoc facio gratia ut tibi . . facerem copiam P<small>ER</small> 538 nostra gratia nimiast stultitia sessum inpransum incedere P<small>OE</small> 9 quid opus fuit hoc sumptu tanto nostra gratia? M<small>I</small> 754

β. *post praep.*: stultus et sine gratia's A<small>U</small> 337 hoc in mare abit miserreque perit sine bona omni gratia* T<small>RU</small> 565

b. **gratiis**: fides ei quae accessere tibi addam dono gratiis* E<small>P</small> 474 hanc tibi noctem honoris causa gratiis* dono dabo A<small>S</small> 194 gratiis* a me ut sit liber ducito C<small>AP</small> 948 neque triobolum ullum amicae das et ductas gratieis P<small>OE</small> 868 neque patiar te istanc gratiis* laudasse M<small>O</small> 175 . . quin te gratiis* emittat manu C<small>AP</small> 408 nec meum (est) . . ad te ut mittam gratiis* A<small>S</small> 190 age nunc reside: caue modo ne gratiis* A<small>S</small> 5 . . ne istac aetate sectere gratiis B<small>A</small> 28(*ex Char* 200) non sum (incubitatus) ita ut tu, gratiis* P<small>ER</small> 285 numquam uoltum tranquillaui gratiis(-la ingratiis *DE*) Cap 106

GRATUITUS - - illi quoidam mulieri nulla opera **gratuitast** Ci 740

GRATULOR - - I. Forma **gratulor** Cas 985(*A solus*), Ru 1179, St 386, Tru 385(*A U* gaudeo *Pψ* gaude *D¹*), 517 **gratulantur** Cap 501 **gratulabor** Ru 1270, St 567 **gratulare** Tru 511(*FZ* -ri *P*) **gratulator** Tri 579 **gratulando** Cap 504

II. Significatio 1. *absolute:* uix ex gratulando miser iam eminebam Cap 504 ****gratulor Cas 985

2. *seq. acc.:* eunt obuiam gratulanturque eam rem Cap 501 ego ibo intro et gratulabor uostrum aduentum filiis St 567

3. *seq. dat. personae:* filiis St 567(*supra* 2) gratulator meae sorori Tri 579 illam saluta et gratulare* illi Tru 511

4. *seq. quom:* quom istaec res male euenit tibi, Gripe, gratulor Ru 1179 patri etiam gratulabor, quom illam inuenit? Ru 1270 quom tu's aucta liberis . . gratulor* Tru 385, 517(tu *omisso*)

5. *seq. infin.:* decumam esse adauctam tibi quam uoui gratulor St 386

GRATUS - - I. Forma **gratus** Cap 408 (*PS* -tiis *Rsψ*) **grata** St 50 **gratum** Cap 414, Per 675 **grato**(*dat. masc.*) Per 841 **gratum**(*masc.*) Mer 105 (*neut.*) Am 48, Mer 527, Mo 220, Per 718, Ru 1221 **gratas** Per 134(*Pius* -tes *PLU*), Tri 821(*BoRRs* -tes *Pψ*) **grata** Tru 582, 583, 617 *corruptum:* Ep 474, gratus *E pro* gratiis

II. Significatio 1. *adiective:* gratum arbitratur esse id a uobis sibi Am 48(*cf* Persson p. 24) te meminisse id gratumst mihi Cap 414 si quid bonis boni fit, esse id et graue et gratum solet Per 675

credidi gratum fore beneficium meum apud te Per 718 . . ut gratum mihi beneficium factis experiar Ru 1221 mihi grata acceptaque huiust benignitas St 50 fateor deberi tibi et libertatem et multas gratas* gratias Poe 134 laudes ago gratas* Tri 821(*BoRRs*)

honoris causa quicquid est quod dabitur gratum habebo Mer 527 iussit orare ut haec grata haberes tibi. #Grata acceptaque(*CaLULy* acaq; *B* grataq' *CD* g. amata *Rs*) ecastor habeo Tru 582-3 quorum mihi dona accepta et grata habeo Tru 617

dico eius pro meritis gratum me et munem fore Mer 105

. . quin te gratus* emittat manu Cap 408

2. *subst.:* grato ingratus repertust Per 841 eundem animum oportet nunc mihi esse gratum ut inpetraui Mo 220

GRAVEDO - - quod illa autem simulet quasi **grauedo** profluat, hoc ne sic faciat As 796

GRAVASTELLUS - - quis haec est muliercula et ille **grauastellus** (*P* rauistellus *A* illic rauastellus *U*) qui uenit? Ep 620 *Cf* Ryhiner, p. 37; Studemund, *Pl. Wortf.* p. 284

GRAVIDUS - - I. Forma **grauida** Am 111 (*v. om J*), 719, 878, 879, Cap 358, Ci 617, Tru 90, 475(*PS*† *Ly*† *var em ψ*) **grauidam** Am 103,

109(*v. om J*), 668, 681, 1136, 1137, St 168(·at *A¹*) Tru 472, 498 **grauida**(*neut. nom.*) Ps 198 (grauia *D¹*) **grauidas** Tru 98

II. Significatio 1. *proprie:* utrimquest grauida, et ex uiro et ex summo Ioue Am 111(*v. om J*) non est puero grauida. #Quid igitur? #Insania Am 719(*cf Serv ad Aen* IV. 229) faciam .. ut uno fetu et quod grauidast uiro et me quod grauidast pariat sine doloribus Am 878-9 an me censuit celare se potesse grauida si foret Tru 90 me grauidam esse adsimulaui militi Tru 472

grauidam Alcumenam uxorem fecit suam Am 103 grauidam fecit is eam compressu suo Am 109(*v. om J*) concubitu grauidam feci filio Am 1136 tu grauidam item fecisti Am 1137 prius grauida factast Ci 617

grauidam ego illanc reliqui, quom abeo Am 668 . . quam grauidam hic reliqui meo conpressu Tru 498

quom grauidam et quom te pulcre plenam aspicio gaudeo Am 681

auditaui . . dicier solere elephantum grauidam* perpetuos decem esse annos St 168

†eumque ornatum ut grauida(† *Ly*) quasi puerperio cubem Tru 475

2. *translate*(*cf* Dousa, p. 131): quod bonis bene fit beneficium, gratia ea grauidast bonis Cap 358 nisi carnaria tria grauida* tegoribus onere uberi mihi erunt Ps 198 neu qui manus attulerit sterilis intro ad nos grauidas foras exportet Tru 98

GRAVIS - - I. Forma **grauis** As 55, St 635, Tri 684 **graue** Per 675, Ru 925 **grauem** Ep 557(*BE¹* -iter *E³J*), Tri 75 **grauior** Ba 519 b(*v. om A em R*), Cap 1026, Per 348, Ps 785, Tru 96 **grauius**(*nom.*) Tri 388 **grauissumam** St 164(-i- *APL*) **grauiter** Cap 308, Ci 85, 118, Tri 507 *corrupta:* Poe 812, grauia *P pro* gratia(*FZ*) Ps 198, grauia *D¹ pro* grauida

II. Significatio 1. *adiective* a. *proprie:* compedibus quaeso ut tibi sit leuior filius atque huic grauior seruos Cap 1026 quidquid inest, graue quidemst Ru 925 . . ne quis aduentor grauior abaetat quam adueniat Tru 96 si quispiam det qui manus grauior siet . . Ps 785

b. *translate de personis:* . . quam illa umquam meis opulentiis ramenta fiat grauior aut propensior Ba 519 b(*vide R*) numquam erit alienis grauis qui suis se concinnat leuem Tri 684

de rebus, sim: si quid bonis boni fit, esse id et graue et gratum solet Per 675

in me aerumnam obseuisti grauem* Ep 557 uiden ut annonast grauis? St 635 in utero gesto famem . . maxumam et grauissumam St 164 eum morbus inuasit grauis As 55 omnibus amicis morbum tu incuties grauem Tri 75 ad paupertatem si admigrant infamiae, grauior paupertas fit Per 348(*cf Non* 177) grauius tuom erit unum uerbum ad eam rem quam centum mea Tri 388

2. *adverbium*(*cf* Gehlhardt, p. 41): . . ut me quem ego amarem grauiter, sineret cum eo uiuere Ci 85(*cf* Gronov, p. 351) si haec res grauiter cecidit stultitia mea . . Tri 507

non uerear ne iniuste aut grauiter mihi imperet Cap 308   istoc ergo auris grauiter obtundo tuas ne quem ames Ci 118

GRAVOR - - I. Forma grauaris Mo 1178 g.auare Ru 438, 440, St 476(-ri *A*) **grauabor** Tri 1172   **grauer** St 479   **grauetur** Ep 283, Mi 1230   **grauare**(*impera.*) St 186 **grauatus** St 722(-uat *D*)   **grauatam** Ru 260 **grauate**(*adv.*) Ba 532, Cas 1005, Ru 408(-tę *P*), St 763

II. Significatio 1. *verbum fin.* a. *absolute:* promitte uero: ne grauare St 186   quin tu promittis? #Non grauer, si possiem St 479 non grauabor: faciam ita ut uis Tri 1172   quid grauaris? quasi non cras iam commeream aliam noxiam Mo 1178   non edepol possum. #Quid grauare*? St 476

b. *eq. acc.:* cur tu aquam grauare . . quam hostis hosti commodat? #Cur tu operam grauare mihi quam ciuis ciui commodat? Ru 438-40 *Cf* Gronov p. 318

c. *seq. enunt. rel.:* amota ei fuerit omnis consultatio nuptiarum, ne grauetur quod uelis Ep 283   quod cupiam ne grauetur Mi 1230

2. *participium* a. *adiective:* obsequentem deam atque haud grauatam patronam exsequontur Ru 260   quamquam grauatus* fuisti, non nocuit tamen St 722(*v. iteratur post v.* 766)

b. *adverbium:* ut honeste atque haud grauate timidas . . accipit ad sese Ru 408   nunc minus grauate iam accipit St 763   ueniam mihi quam grauate pater dedit de Chrysalo Ba 532 tibi nunc ueniam minus grauate prospero Cas 1005

GREMIUM - - . . ut ipsus ausculantem in **gremio**(*A* in g. osc.*PRgLULy*) mulierem teneat sedens Ba 478

GREX - - mirum quin **grex** uenalium in cistella infuerit una Ci 733(*cf* Blomquist, p. 26)   mihi atque uobis res uortat bene **gregi**que huic et dominis atque conductoribus As 3 intro duce si uis uel **gregem** uenalium Au 452   benigne ut operam detis ad nostrum gregem Cas 22   sultis adplaudere atque adprobare hunc gregem et fabulam . . Ps 1335 (lupus) gregem uniuorsum uoluit totum auortere Tri 171   duo **greges** uirgarum inde ulmearum adegero Ps 333

GRIPUS - - *piscator. In supersc.* Ru *act.* IV *sc.* 2, 3, 7; *act.* V. *sc.* 2, 3. *nom.* Ru 897(-ppus *CD*)   **Gripi** Ru 1178   **Gripo** Ru 934(-ppo *C*), 1342, 1343   **Gripum** Ru 1288, 1296(-ppum *CD*), 1410(*Pius* griphum *P*)   **Gripe** Ru 927(*B* pigre *C* pigrę *D*), 1052(-ppe *CD*), 1062(-ppe *CD*), 1096(-ppe *B¹C*), 1102, 1127, 1148, 1153, 1165, 1179, 1228, 1235 *bis*, 1376, 1413(-phe *P*)   *Cf* Schmidt, p. 190

GROCCHIO - - Au 625, grocchibat *PU* croccibat *Non* 45 et *ψ*

GRUMIO - - *servus. In supersc.* Mo *act.* I. *sc.* 1. *voc.* Mo 51   *Cf* Schmidt, p. 369

GRUS - - Cas 523, grui *add Rs in loco perdito*

GRY - - Mo 595, ne gry *AcR* nec erit *P* ne frit *Ellisψ*

GUBERNATOR - - 1. *nom.:* adsimulato quasi **gubernator** sies Mi 1182   neque gubernator

umquam potuit . . (auortere) Ru 166   si tu proreta isti naui's, ego gubernator ero Ru 1014

2. *acc.:* **gubernatorem**, qui in mea naui fuit, Blepharonem arcessat Am 950   tu gubernatorem a naui huc euoca uerbis meis Blepharonem Am 967

3. *corruptum:* Mer 87, gubnatorū *B* gerariam *CD pro* cercyrum

GUBERNO - - iam ex sermone hoc **gubernabunt** doctius porro Mi 1091   *Cf* Esch, p. 114

GUGGA - - facies quidem edepol Punicast: **guggast** homo (*A* p. g. h. *om P cum lac et U*) Poe 977

GULA - - quom it dormitum, follem obstringit ob **gulam** Au 302(*cf* Dousa, p. 93) illi socienno tuo iam interstringam gulam Au 659(*cf* Egli, I. p. 33)   tergum quam gulam . . oportet potiora esse Men 970   mihi iam intus potione iuncea onerabo gulam(A gilam *P*) St 639   *Vide* Mer 613, *ubi* gulam *D²* gulum *P pro* iugulum

GURGULIO - - huic, quisquis est, **gurguliost**(*B* -gil. *C* gurgulst *D*) exercitor, is hunc hominem cursuram docet Tri 1016   *Cf* Inowraclawer, p. 16

GUSTATUS - - Ci 70, gustatu *U pro* gustui

GUSTO - - foris aliquantillum etiam quod **gusto** id beat Cap 137   hodie alienum cenabit, nihil **gustabit** de meo Per 473   ut quisque quicque conditum **gustauerit** . . Ps 883 **gustato**(*A* gusta *P*) tute prius Ps 886   quod tu postules **gustare** quicquam(*AP* guttam *StuRs*) . . Cas 128   gustare ego eius sermonem uolo Mo 1063

GUSTUS - - amor et melle et fellest fecundissumus: **gustui**(*Guy* -tu *AP* gustatu *U*) dat dulce Ci 70

GUTTA - - 1. *nom.:* quoi neque paratast **gutta** certi consili Ps 397(*cf* Blomquist, p. 26)   multis blanditiis a me gutta (aquae) non ferri potest Ru 437(*v. secl FlRs*)

2. *acc.:* gustare **guttam**(*StuRs* quicquam *APψ*) Cas 128   si ego in os meum hodie uini guttam indidi Cas 247(*cf* Egli, I p. 12) guttam haud habeo sanguinis Mo 508(*cf* Egli, I. p. 16)   nisi oras guttam non feres Ru 435

3. *abl.:* amoris imber grandibus **guttis** . . uestem . . permanauit Fr III. 1(*ex* Front II. 2, p. 27 N)

GUTTATIM - - cor miserum meum, quod guttatim contabescit Mer 205   *Cf* Egli, I. p. 26 *et Non* 115

GUTTULA - - guttula pectus ardens mihi aspersisti Ep 554   *Cf* Ryhiner, p. 43

GUTTUR - - 1. *nom.:* uenter **guttur**que resident esurialis ferias Cap 468

2. *dat.:* da uicissim meo **gutturi** gaudium Cu 106   uineam pro aurea statua statuam quae tuo gutturi sit monumentum Cu 140

3. *acc.:* etiamne obturat inferiorem **gutturem**? Au 304   nimis calebat (uinum), amburebat gutturem Mi 835   satin in thermipolio condalium es oblitus, postquam thermopotasti gutturem? Tri 1014

GYMNASIUM - - nisi in palaestram ueneras **gymnasi**(-ii *D*) praefecto haud mediocris

poenas penderes Ba 425   totus doleo atque
oppido perii: ita me iste habuit senex **gym-
nasium** Au 410(*cf* Inowraclawer, p. 41)
Periphanem . . sum defessus quaerere . . in
gymnasio(gynasie *J*) atque in foro Ep 198
omnes plateas perreptaui, **gymnasia**(*J* gi. *B
DE*) et myropolia Am 1011   **gymnasium**(gi.
P) flagri, salueto As 297(*cf* Egli, I. p. 36;
III. p. 33; Blomquist, p. 161; Graupner,
p. 17)
    GYMNASIUM - - *meretrix. In supersc.* Ci *act.*
I *sc.* 1. mea Gymnasium Ci 2(gi. *B* gimnassium
E antiphila *Prisc* I. 529), 59, 71 Gymnasium

mea Ci 107(gi. *VE*), 112(gi. *VE*)   *Cf* Schmidt,
p. 190
    GYMNASTICUS - - pro exercitu **gymnasti-
co**(gi. *P*) et palaestrico hoc habemus Ru 296
quo neque industrior de iuuentute erat arte
gymnastica(a. g. *secl RRsS lac exhibet Ly* quisquam nec clarior *UL*), disco, hastis . . Mo 151
    GYNAECEUM - - senex **gynaeceum**(gyne.
B²CD cineceum *B¹*) aedificare uolt hic in suis
Mo 755   ad eam rem facere uolt nouom gy-
naeceum(gyne. *P*) Mo 759   quoiusmodi gy-
naeceum(*D* gyne. *B* ginę *D*)? quid porticum?
#Insanum bonam Mo 908

H.

H*** Ci 347
    HA - - Ep 371, ha *E* ah *J pro* iam; 554,
ha *A pro* ah(*P*)   *vide* aha, hahahe *et* hahae
    HABEO - - I. **Forma habeo** Am 328, As
234, 319, 463(*PRglU* habebo *B²ψ*), Au 191,
209(hebeo *D*), 570(*add SeyRgU om Pψ*), 576,
652 *bis*, 777, 809, Ba 634, 977, 1202, Cap 373,
394, Cas 356(*VJ* abeo *BE*), 414, 470(*Py* abeo
P), 749(*A* habito *PU*), 1008, Ci 66, 210, 624,
647, 671, Cu 97, 318, 400, 530, 606(h. tuam *BJ*
habeatur *E*), Ep 185, 266, 293(*GuyRg*-eas *P†S*),
314, 531, 542(*v. om A*), 645, Men 166, 220(abeo
CD¹), 301, 399, 435, 509, 547, 1092, 1139(fero
R), Mer 439(*BD¹L* -ebo *CD²ψ*), 1013, Mi 38,
48, 347, 358, 407, 640, 705, 789, 804(*ins Mue
RgU*), 1028, 1063, 1075, 1175, 1228, 1307, 1355,
1425, Mo 431, 498(habeo et *Rs* habeto *CD¹*
habito *BD³ψ*), 508, 654, 781, 1030, 1165, Per
45(*Z* abeo *P*), 214, 381, 392(habebo *Rs*), 428,
540, 720, 734(-ere *B* habebo *A*), 756, 782, Poe
640, 824, 1041, 1042, 1049(abeo *A*), 1274, Ps
75, 172, 325, 342(*AB* abeo *CD*), 346, 602, 1187,
1252(h. madulsam *PLULy* abeo madulsa *Lipsψ*)
1325, Ru 835, 941, 972, 1067, 1068 *bis*, 1358,
1370, 1397(*B* habeto *CD*), 1412, 1413, St 219,
257, 362, 397, 403, 431, 477, 566, Tri 158, 500,
506, 659(habebo *FlRRs*), 821, 824, 838, Tru
583, 617, 677, 710, 960, 966(Romae h. *Rs* romabo *PS†L†Ly†* rem ac fortunas *U*)   **habes**
Am 509, As 189, 579, Au 187, 417, 546, 547,
580, 652, 653, 781, Cap 446, Ci 49, 366, Ep 330
(-ere *Rg¹*), 410, 667, 684, Men 219, 300(*A* -eas
PRU), 308(*Sey* habitas *PRLLy*), 311(*Rs solus
pro* dare), 385, 693, Mer 655, Mi 38, 717(-et *A*),
1041, 1245, *fr.*(*ex Fulg de abst. serm.* XX *L*), Mo
210, 247(*v. secl AcRRsLUS*), 389, 770, 831, Per
225, 227(habe *B*), 292, 341, Poe 1008, Ps 157,
161, 196, 218, 326, 341, 356, 399(*AB* -eas *CD*),
Ru 289, 1369(-eas *Rs*), St 712, Tri 351 *bis*,
654, 706, Tru 160, 177, 275, 290(-eost *P*), 627,
878, 919(*D* habens *C* abis *B*)   **haben** Ps 1163
(*A* -es *P*), Tri 89, 964, Tru 680(*Lips* -ent *P*)
habet Am *Arg* II. 5, Am 62(*om E v. om J*), 79,
443, 652, 773, As 78, 179, 430(*U pro* habitat),
541, 844, 885, Au 5, 47, 64, 657(nihil h. *B²*
nihili abet *P*), 720 *bis*, 775(qui h. *L* cuiquam
est *PS†* quoiumst *RgLy* umquam eius *U*), Ba
21(*ex Char* 229), 114(habet *B*), 333, 652, 939,

974, 1063, Cap 463(*v. secl BugU*), 811, 812, 823,
Cas 186(h. despicatam *PU pro* despicatur domi),
189, 200, 219(*SpRs* -eat *Pψ*), 338(*Ca* -eat *PL*),
661 *bis*, 691, 692, 1008(abet *E*), Ci 319(*A* solus),
672, 690, Cu 110, Ep 45, 529, 578, 667, 696, Men
69(*P* -itat *B²D³*), 801, 806, 856, Mer 117, 395,
535, 744 *bis*, 898, Mi 189(*v. secl RsSU*), 191
⟨*v. om AR*⟩, 194, 203, 215, 236, *ib.*(*add RibRg*),
491(*AB¹* -it *D¹* abit *CD³* abiit *B²*), 649, 724,
786, 1065, 1087(*D²* -ent *P*), 1183, 1251(-ent *B*),
Mo 545(†*Ly*), *ib.*, 703, 709(*R duce Herm* -eat
Pψ), 715, Per 623, Poe 185, 594, 660, 833, 845,
978, 1093(*SeyRgl* -itat *Pψ*), 1198, Ps 739(*A*
-etis *P*), 740, 936, 1125, 1136, Ru 21, 198, 992,
1066(sublectum habes *Rs duce Reizio in lac*),
1143(abet *D*), 1297, 1357, Tri 193, 206, 390,
564(*ACD* uolo *B*), 749(-eat *C*), 868(*FZ* -eat *P*),
909, Tru 77, 217, 218, 243, 246(*FZ* -it *B* abit
CD), 406, 556, 558, 713, 727(hiabet *B*), 808, 853,
Fr I. 110(*ex Non* 149, 204), Fr II. 1(*ex Varr
l. L.* VII. 38), 59(*ex Serv ad Aen* VIII. 310), 60
(*ex Macr* V. 19, 11)   **habemus** As 545, Per
708, Poe 235, 838, Ru 296, 552, 764, Tri 347
(*A* -eamus *PL*), 355, Tru 150 b, 160(*FZRsLU*
-eamus *BCψ* abeamus *D*), 217   **habetis** Cap
23, Poe 55, 276, St 100(-tist *B*)   **habetin** Ba
269   **habent** As 201, Au 331, 542, Ba 16(*LLy*
et Serv et Philarg ad Georg* IV. 171 habeant
Prisc I. 575 habitant *Hermψ*), 547(*v. om A*),
1115, 1134, Cap 22(*v. secl Rs*), 233, 234, Ci 26,
Cu 377, 479, 548, Ep 31, Men 338, 573, 579,
584, Mi 500, 1334(*Ca* -et *P*), Mo 781, Per 856,
Poe 213, 320, 871, 980, Ps 29, 138, 211, 1107
(habenti *CD* habent ei *B*), Ru 222(*A in lac
aliter U*), Tri 286, 288, 1034, Tru 76, 233, 745,
Fr I. 56(*ex M. Caes ad Front* II. 10)   **habeor**
Men 783   **habetur** Men 576, 577   **habemur**
Au 124   **habebam** Mer 360, Ps 677, Tru 162
(*Luebbert* -erem *PU*), Fr I. 53(*R ex Non* 545
-bat *Non*)   **habebas** As 143, 386   **habebat**
Mi 1430, Ru 389 *bis*, Tru 217, 393   **habebant**
Ep 216   **habebo** Am 143(*v. om J*), As 463(*B²*
habeo *PRglU*), 869(habeo *J*), Cas 116(habeo
J), 590(*A* habeo *P*), Men 270 (*Py* habeo *P*),
Mer 439(habeo *BD¹L*), 527(-etur *A*), 960,
Mi 710(h. qui mihi *A* habeo quam *P v. secl
GuyRgSU*), 772, Mo 386, 870, Per 392(*Rs
pro* habeo), Tri 659(*FlRRs* habeo *Pψ*), Tru

419, 875(augebo *U*) **habebis** Am 721, Ba 145, 146, 572, Cap 231, 892, Men 257, 547, Mer 442, Mi 360(*CD* -etuis *B* uidebis *A*), Mo 926(*U* dehis *P var em* ψ), Per 567, Poe 258 (*add U solus*), Ps 258, Ru 749, 753 **habebit** Mer 460, Poe 162, 1085, Ru 1140 **habebitis** Ru 1136(redhibebitis *Rs*) **habebunt** Ru 194 **habui** Am 184, 611, 965, As 622, Ba 1080, Ci 537(abui *J*), Cu 600(*B* abituri *E* abiit *J*), Ep 355, Men 119, 399, Mer 230, Per 785, Poe 791, Ps 286(-it *A*), 960, Ru 106, 107, Tri 313, 317 **habuisti** Cas 645, 975, Mi 1354, Poe 1057, Ps 17, Ru 1320 **habuit** As 81, Au 410, Ba 550, 939, Cap *fr*.(*ex Non* 220), Cas 910, Cu 636, 698, Ep 34, Men 565, 588, Per 512, 644, Poe 1334, 1383(abuit *B*), Ps 1232, St 49(*v. om A secl L ULy*), Tri 330 *bis*, 332, 792, Tru 143, Fr III. 3(= Cap *fr.*) **habuimus** Cap 143, Tru 218 **habuero** Cas 787(hab ei ero *E*[1]) **habueris** Cap 314

habeam Am 689, As 695, Au 233(-eo *Osberne* 621), 756, Ba 630, 636, 1103, Cap 308, Cu 596, Ep 331, 581, Men 669, Poe 501, 971(-ant *A*), Ru 1380, Tri 728, 733, Tru 495 **habeas** Am 907, 928, As 188, 518(habes *Non* 151 hebes *Isid or.* XIX. 2, 3), 628, Au 647, 756, Ba 128, 341, 491, 1019, Cas 868(*om J*), Ci 493, Cu 629, Ep 293 († 𝕊 -eo *GuyRg*), 471, Men 111, 569(*AP* -at *B*[2]), 695, Mer 702, Mi 638, 1178, 1179, Mo 47, 173, Per 187, Poe 1278, 1418, Ps 857, Ru 500, 516, 700, 1069, 1229, 1358, St 615, Tri 63, 268, 351 *bis*, Tru 844, Fr II. 23(*ex Festo* 229) **habeat** As 103, Au 588, Ba 45, 46, 332, 502, 662, Cas 219(habet *SpRs*), 338(*PL* habet *Ca*ψ), 909, Cu 601, Mer 398(quae h. *AP* praehibeat *RRg*), 941, 989(*Ca* -as *P* sibi h. *om Rg*), *ib*., Mi 770 (*ScalL ULy* abeat *P*ψ), 792, 937(abeat *D*[5]), 1099, 1100(abeat *AcR*), 1148(*PR* abeat *A*ψ), Mo 709 (-et *HermU*), Per 125(-iat *B*), 156, 164(haat *B*), 166, Poe 822, Ps 1064, Ru 727, 1121, Tru 232 (abeam *Non* 89), *ib*.(-et *A*), 233, 901, 903(abeat *B*) **habeamus** Ep 158, Men 152(-ebimus *R*), Poe 1367(*AB*[1] -emus *B*[2]*CD*), Tri 347(*PL* -emus *A*ψ), Tru 160(*BC* abeamus *D* -emus *FZRsLU*) **habeatis** Men 991, Mer 1002, Poe 1246(*ACD* -etis *B*), Tru 781(-eas *C*) **habeant** Cas 527, Cu 178, 180, Per 194, 206, Poe 626, Tri 222 **haberem** Au 372, Ba 412, Ep 116, Ps 899, Tru 162(*PU* -ebam *Luebbert*ψ) **haberes** Au 440 († 𝕊 auferres *RgLLy*), Ba 564, Cap 712, Tru 582 **haberet** Au 17(-re *Non* 320), Cas 908, Cu 488, Mer 78, Mi 1083 **haberent** Mi 886 (*Lamb* -re *P*), St 312 **habuerim** Ps 498 **habuerit** As 807 **habuissem** Mi 718(*AB*[2] -set *P*) **habuisset** Au 17

habe Am 545, Au 192, Ba 630, 1143, Cap 152, 167, Cas 381, 387, Ep 562, 601(*A* -eto *P*), 618, Men 690, Mi 804(ab *B*), 1011(habet *B*), 1236, 1325, 1357, Mo 387, 653(*AB* habet *CD*), Per 320, 662, Poe 854, Ps 866, 925(gabe *C*), Ru 712(habe iudicem *Ly in lac*), 871, 1382, Tru 525(*FZ* -ebo *P*) **habete** Ep 182, Mer 988, Ru 687, 691 **habeto** As 166, Cu 699, Mi 23(-tot *B*[1]), Mo 1180, Per 246(abeo *B*), 667 (-bo *CD*), Poe 542, 890, 1157, Ps 1075, Ru 1347, St 436, Tri 266(*A* habe *P*), Tru 688, 867(*Rs* habiturus *P* abiturus *LLy*) **habento** Poe

1281(h. scurrae *A* habeant oscurrae *P*) **habere** Am 267, As 81, 583(-uisset *E*[1]), 589, 789, 806, Au 110, 185, 461, 548, Ba 618, 1022, Cap 600, Cas 199, 751, 753, Ci 9, 275, 742, Cu 221, 595, Ep 330(*Rg*[1] -es *P*ψ), 366, 383, Men 396, 429, 452(*Scut* hare *CD* hac re *B*), Mer 246, 342, 549, Mi 564, 598, 982, Mo 90(*v. om ReizR*), Per 280, 303, Poe 458, 875(tacitum h. *L pro* tacere), 1081, 1415, Ps 738, 867, Ru 477, 1022, 1261, 1321, St *Arg* II. 5, St 97(-rē *B*), 119, Tri 683(abere *B*), 687, 1154, Tru 71, 142, 148, 242, 591, 875(sine me h. *BueRsLLy* in eam rem *P*𝕊† *aliter U*) **haberi** Au 123, 131(-re *J*), Cu 300, Mer 361 **haberier** Mi 594(aberrier *B*[1]) **habuisse** Ba 629, Ru 1321 **habiturus** Tri 206(-turust *A* -turus si *B* -taturi *CD*), Tru 150(*FZRsL* -ris *P*ψ), 867(*P*𝕊*U* -beto *Rs* abiturus *LLy*) **habiturum**(*masc*.) Ps 515, Tru 400(-am *U*) **habituram** Am 886 **habituris**(*dat*.) Tru 150(*P* -ru's *FZRsL*) **habitus** Cap 547(abitus *E*), Mo 31, Per 648, Tru 166 **habitum**(*masc*.) Ep 520(*v. om ARg*𝕊*LU*) **habitam** As 458, Per 169 **habiti** Ps 133 **habitae** Poe 1183(-tę *C*) **habita**(*acc*.) Tru 703(*om U*), 705 **habitior** Ep 10(*Don ad Ter Eun* II. 2, 11; *Fest* 102 *et Placidus* abilior *A* agilior *P*) **habenda**(*fem*.) Poe 1215, *ib*.(*AB* -um *CD*) **habendum**(*nom*.) Am 175, Ru 292 **habenda**(*nom. pl*.) Cap 200 **habitum**(*sup*.) Ci 4 **habitu** Cu 238, 288(*Ac* -tus *P*), St 59

corrupta: Au 695, habeo *DE pro* ab eo; 775, habeo *DJ pro* ab eo Cap 721, habeo *J pro* ab eo Cas 967, flocco habebit *Non* 7 *pro* defloccabit Ep 10, habere *Don ad Eun* II. 2, 11 *pro* uidere; 463, habeas *P pro* adest(*A*) Men 1038, sed habeo *B pro* reddibo Mi 97, habeo *P pro* ab eo; 716, habes *AU pro* uides; 938, habeat *P pro* auebat(*Dousa*); 944, habemus *P pro* abeamus(*Ca*); 1208, haberet *B*(*om CD*) *pro* abiret(*Ca*) Mo 666, habes *P pro* abest; 721, habo *add P om A* Poe 1084, habit *P pro* habitabit Ps 365, habe *D pro* babae; 556, flagit habere *B pro* flagitabere; 1227, habere sentiens *P pro* caueres centiens(*FZ*) Tri 849, habeo *B pro* ab eo Tru 21, habenti erce teritur *P quod var em* ω. *Formae* habeo *verbi haud raro pro formis* abeo *verbi scribuntur:* Am 668 *P*; 970 *E*; 1037 *E* As 378 *EJ* Au 103 *E*; 598 *P*; 730 *DE* Ba 1149 *BD*[1]; 1172 *D*[1] Cap 260 *E* Cas 744 *P* Ci 596 *P* Cu 210 *E*[1]; 553 *P*; 588 *E*[3]; 589 *J* Ep 665 *BE*[1] Men 327 *P*; 566 *D*[1]; 603 *P*; 723 *D*; 852 *P*; 1044 *BC* Mer 1016 *P* Mi *Arg* I. 13 *J*; 259 *P*; 655 *P*[1]; 979 *P*; 1126 *BD*[1]; 1146 *P*; 1148 *P*; 1312 *D*; 1416 *P* Mo 393 *DE*; 596 *P*; 654 *P*; 706 *B* Per 297 *P* Poe 23 *D*[1]; 607 *P*; 814 *P*; 1211 *BC*; 1283 *CD* Ps 665 *D*; 1031 *B* Ru 812 *BC*; 834 *P*; 1013 *BC*; 1031 *CD* St 147 *B* Tri 714 *P*; 996 *D* Tru 824 *B*

II. Significatio A. = possidere 1. *absolute:* dabo quando erit. ‡Ducito quando habebis Ps 258 ut nanctu's habe Ru 871 miserum istuc uerbum et pessumumst 'habuisse' et nihil habere Ru 1321 tu .. nihil habes: nos nequam abs te habeamus* Tru 160 dum habeat*, dum amet Tru 232 aliis qui habent det locum

Tru 233   dum habet tempus ei rei secundumst Tru 713

2. *de vel personis vel rebus concretis:* **a.** hanc ut habeo, certumst non amittere Ci 647   nequiquam poscit: (illam) ego habebo* Mer 439 numquam edepol quisquam illam habebit potius quam ille Mer 460   amicior mihi nullus uiuit atque is est qui illam habet Mer 898 sibi habeat* Per 164   ut emas habe centum minis Per 662   habeto* Per 667   neque (illam) quam ob rem eici, habeo Per 782   nunc habeas ut nactu's Tru 844   rogito quis eam auexerit, quis habeat Mer 941   habete uobis cum porcis cum fiscina Mer 988(*cf Serv ad Georg* I. 266; Schneider, p. 5)   redde filio: sibi habeat*. #Iam ut uolt per me habeat, licet Mer 989   ut hic eam abducat habeat*que Mi 770   istas habeat, si argentum dabit Ru 727

b. . . si quidem habes fundum atque aedis Tru 177   si aes habent dant mercem As 201 pinguiorem agnum isti habent Au 331   non conuenit me . . agrum . . habere* Tri 683 tanto meliust . . agrum me habere quam te? Tri 687   aliud quidquid ibist habeat sibi Ru 1121   ego lenocinium facio qui habeam alienas(*Dousa* -os *P* ancillas *A teste Stu*) domi Ep 581   tu amicam habebis? Ba 145   immo neque habebis neque sinam Ba 146   aeque ambo amicas habent Ba 1115   inimicos quam amicos aequomst med habere Ba 618   ratus clam patrem me meum posse habere Mer 342 tibi amicos tot habes tam probe oleo onustos Ps 218   haben tu amicum aut familiarem quempiam? Tri 89   ampullam Per 125(*infra sub* marsuppium) . med hunc habere conspicatast anulum Cu 595   rogat unde habeam Cu 596 rogita unde istunc habeat anulum Cu 601   mihi dicas unde illum habeas anulum Cu 629   pater meus habuit Periphanes Cu 636   quando habebo, igitur rationem . . dabo Mi 772   illum quem habuit perdidit Tri 792   si quis dotatam uxorem atque anum habet* . . Mo 703 St 312(magnum ānum *U pro* manum)   uolo habere aratiunculam pro copia hic apud uos Tru 148(*cum lusu significationis*)   si arationes habituru's* . . Tru 150 a   perficito argentum hodie ut habeat filius As 103   credam fore (saluom) dum quidem ipse in manu habebo* As 463   ego argentum habeo Cu 530   argentum quando habebo* cauero Men 270   argenti montis non massas habet Mi 1065   nempe habeo* in mundo Per 45   quid si non habui*? Ps 286   quid si abstulero? #Do Iouem testem tibi te aetate inpune habiturum Ps 515   scortum quaerit, habet argentum Ps 1125   haben* argentum ab homine? Ps 1163   hostes habent (arma) Ep 31   Mulciber . . arma fecit quae habuit Stratippocles Ep 34   matres duas habet et auias duas Tru 808   quadrilibrem aulam auro onustam habeo Au 809   habeo auris, loquere quiduis Mi 358   tu tibi istos habeas turtures piscis aueis Mo 47   me suspicentur . . habere aurum domi Au 110   iam illic homo aurum scit me habere Au 185   hoc Au 548(*PLULy*)   ne inter tunicas habeas Au 647   certe habes. #Habeo ego? quid habeo?

Au 652   em, nemo habet horum? . . dic igitur quis habet? Au 720   neque partem tibi ab eo qui habet* indipisces Au 775(*L*)   si haec habeat aurum . . faciat lubens Ba 46   habetin aurum? Ba 269   habeas illud quo die illuc ueneris Ba 341   aurum et uestem omnem . . quam haec haberet Cu 488   non habeo (aurum). #At tu, quando habebis, tum dato Men 547   aurum atque uestem muliebrem omnem habeat sibi Mi 1099   sumat, habeat*, auferat Mi 1100   aurum habet Poe 660   haben tu id aurum? Tri 964   iamne abis postquam aurum habes*? Tru 919   Bacchidem habet secum Ba 939   batiolam auream octo pondo habebam* Fr I. 53(*ex Non* 545)   bona . . quae in potestate habuimus ea amisimus Cap 143   . . quae tum haberet peperisset bona Mer 78   . . bona sua med habiturum* omnia Tru 400   aequomst habere hunc bona quae possedit pater Poe 1081 . . ne noceret quam domi ante habui capram Mer 230   causiam habeas ferrugineam . . Mi 1178   chlamydem adferto et causiam quam ille habeat qui . . Per 156   ille nunc laetus est . . qui illam (cistellam) habet Ci 690   confitemur cistellam habere Ci 742   leno ademit cistulam ei quam habebat Ru 389   habeo eccillam meam clientam Mi 789   habeo multos cognatos Mi 705   . . ut concubinam militis meus hospes habeat hodie Mi 937   domi habet hortum et condimenta ad omnis mores maleficos Mi 194(*translate*)   non fissile haberes* caput Au 440   cor lienosum . . habeo Cas 414 neque ego habeo (cor) Ci 66   cor . . nulla habet Mi 786   ut sapiens habet cor! Per 623 eccam coronam quam habuit Men 565   acutum cultrum habeo senis qui exenterem marsuppium Ep 185(*translate*)   cultrum habes. #Cocum decet Au 417   nisi quod custodem habeo liberum me esse arbitror Cap 394   si . . familiae habeam dominum . . Cap 308   scis quot hodie habeas digitos in manu Per 187   digitos in manibus non habent Poe 980   tantas diuitias habet Ba 333   satis habeo diuitiarum Mi 1063 diuitias tu quidem habuisti luculentas Ru 1320 me sibi habeto*, ei ego me mancupio dabo Mi 23   ego habeo hunc (erum) huius modi Poe 824   sat habet fauitorum semper qui recte facit Am 79   familiarem Tri 89(*supra sub* amicum)   ferrum ne(*RsLLy in lac*) haberet metui Cas 908   feminas Mi 804(habeo *ins MueRgU*)   habeas licet (fidicinam) Ep 471 filiolam ego unam habui Ru 106   haud cusificor quin eam (filiam) ego habeam potissumum. #Tun habeas me inuito meam (aulam)? Au 756   filiam ex te tu habes Au 781   quadringentos filios habet (Priamus) Ba 974   geminos in uentre habere uideor filios Cu 221 peperit filiam quam domi nunc habeo Ep 542 (q. d. n. h. *om A*)   si habuissem* (filios) satis cepissem miseriarum e liberis Mi 718   in seruitute hic filias habuit tuas Poe 1334(h. duas f. *D v. om A secl* ω), 1383*   si parem sapientiam habet* ac formam . . Mi 1251   coloratilem frontem habet Fr I. 110(*ex Non* 149, 204) si quidem habes fundum atque aedis Tru 177 gladium . . habet. #Cur eum habet? Cas 661 etiamne habet nunc Casina gladium? #Habet, sed duos Cas 691-2 gladium Casinam intus habere ait Cas 751 sine habere (gladium) Cas 753 dum gladium quaero ne habeat . . Cas 909 quom cogito, non habuit gladium Cas 910 guttam haud habeo sanguinis Mo 508 hariolum hunc habeo* domi Cas 356 ego habui hariolos haruspices . . Poe 791 domi habet hortum . . Mi 194 aliquantum habeo (h)umoris . . etiam in corpore Mi 640 habuit ignem qui signum daret Ba 939 nullum habemus ignem Ru 764 ne tu, aula, multos inimicos habes Au 580 inimicos ipsi in sese omnis habent Ba 547 Ba 618(supra sub amicos) hoc †intus mihi quod insigne habeo . . Cu 400 nec subigi queantur umquam ut pro ea fide habeant iudicem Per 194 habe iudicem Ru 712(Ly in lac quam varie sup ψ) cedo quicum habeam iudicem Ru 1380 habe cum hoc Ru 1382 non . . ullum habeo iumentum Am 328 nec lac nec lanam ullam habent Ba 1134 opus nutrici lact ut habeat* Tru 903 illic qui ob oculum habebat lanam nauta non erat Mi 1430 crucior lapidem non habere me Cap 600 pars lenonum libertos qui habent Cu 548 . . duplicem ut habeam linguas As 695 si decem habeas linguas Ba 128 fac habeant linguam tuae aedes Cas 527 os habet, linguam Mi 189 seruam operam, linguam liberam erus iussit med habere Per 280 referundae ego habeo linguam natam gratiae Per 428 ne duplicis habeatis* linguas Tru 781 . . quasi non habeam . . alium meliorem locum Men 669 tu habes lora Ep 684 istam machaeram longiorem habes quam haec est Tru 627 marsuppium . . quod habes Men 385 ampullam, strigilem, scaphium, soccos, pallium, marsuppium habeat* Per 125 Tru 680(marsipium te L pro parasitum et) matres duas habet Tru 808 ita nubilam mentem animi habeo Ci 210 argenti uiginti minas habesne? As 579 si hercle haberem . . Ep 116 . . argenti minas se habere quinquaginta Ep 366 nequiquam poscit: ego habebo* Mer 439 iam quindecim habeo minas Ps 346 nixus laeuo in femine habet laeuam manum Mi 203 an . . habent quas gallinae manus? Ps 29 St 312(† SLy: em ψ) mea quoque iste habebit Poe 1085 sagax nasum habet Cu 110 utrumque faxo habebit et nequam et malum Poe 162 nomen iam habetis Poe 55 longa nomina contorplicata habemus Per 708 nummum nullum habes* Ep 330 si hercle habeam, pollicear lubens Ep 331 eccos tris nummos habes. #Habeo* Men 219 Men 311(habes ins Rs) hic trecentos nummos numeratos habet Poe 594 nummum non habes Ps 356 in occipitio quoque habet oculos Au 64 ego quidem meos oculos habeo Mi 347 habeo equidem hercle oculum Mi 1307 pumiceos oculos habeo Ps 75 . . ut huius oculos in oculis habeas tuis Ps 857 faciles oculos habet Fr II. 59(ex Serv ad Aen VIII. 310) offerumentas habebis pluris in tergo tuo . . Ru 753 amatores dynamin domi habent maxumam Ps 211 habendum et ferundum hoc onust cum labore Am 175(translate de servitute) uestitum atque ornatum immutabilem habet haec Ep 578 oratores tu accipis:

habeas tibi St 615 operam Per 280(supra sub linguam) os habet, linguam, perfidiam . . Mi 189(translate) habent nocturna ora Poe 320 aliquam (ouem) habet peculiarem As 541 subrupiam in deliciis pallam quam habet As 885 odorare hanc quam ego habeo pallam Men 166 . . ne uxor cognoscat te habere Men 429 tibi habe, aufer, utere Men 690 etiam nunc habet pallam Men 806 hanc dicis . . pallam quam ego habeo*? Men 1139 palliolum habeas ferrugineam Mi 1179 . . quod habuisti pallium Cas 975 Per 125(supra sub pallium) aliud quicquam nisi hoc quod habeo pallium St 257 facile palmam habes Tri 706(translate) haben* . . #Parasitum te(FLy parasitumet PSt peculium Rs pretium te SeyU marsipium L) fortasse dicere? Tru 680 hic seruos quoque partes habet* Am 62(v. om J) aequas habemus partes Ru 552 . . si haec habet (pateram) illam Am 773 dispessis manibus patibulum quom habebis* Mi 360 ● hic autem habuisti Aetolum patrem Poe 1057 numquam ullum (patronum) habui As 622 peculi probam nihil habere addecet clam uirum et quae habet partum ei haud commodest Cas 199-200 meae alae pennas non habent Poe 871 nimis uellem habere perticam As 589 itidem habet petasum et uestitum Am 443 pilleum quem habuit diripuit Fr III. 3(= Cap fr: ex Non 220) ego has habebo usque in petaso pinnulas Am 143(v. om J) is piscatores habet Mi 1183 piscis Mo 47(supra sub auis) nihil habeo, adulescens, piscium Ru 941 habeo praedam Men 435 maxumam hercle habebis praedam Mer 442 dum praedam habere se censeret, interim praeda ipsus esset Ru 1261 pretium Tru 680(supra sub parasitum) an tu te Veneris publicum . . habere posse postulas Tru 142 illa haud ego habuit publicum Tru 143 hunc nos habemus publicum Tru 150 b sine me habere* (puerum): si quidem habebo* . . Tru 875(BueRsLLy) rabonem habeto mecum ut hanc noctem sies Tru 688 sibi sua inueant regna reges sibi diuitias diuites Cu 178 hic haberet regnum in caelo Mi 1083 ualeas tibi habeas res tuas reddas meas Am 928 tuas res tibi habeto* Tri 266 magna res est. #Nullast mihi: nam quam habui* absumpsi Cu 600 res solutast, Gripe: ego habeo Ru 1413 habuitne rem? #Habuit Tri 330 . . eius rem penes me habeam domi Tri 733 illis quibus inuidentur, i rem habent Tru 745 pleraeque eae sub uestimentis secum habebant retia Ep 216 scaphium Per 125(supra sub marsuppium) artua comminuam illo scipione quem ipse habet Men 856 duxi, habui scortum, potaui . . Ba 1080 habeas . . scutulam ob oculos laneam Mi 1178 neque . . habui nisi te seruom Sosiam Am 611 ne tu habes seruom graphicum Ep 410 seruos . . ueteres antiquosque habet Poe 978 sat seruorum habeo domi St 397 uirile sexus numquam ullum habui Ru 107 hominem . . similem esse arbitrarer simulacrumque habere(s. h. om ReizR) Mo 90 iamne habeat signum ex arce Ballionia Ps 1064 quid . . signi Ru 194(LLy pro igni) spiritum . . folles taurini habent* Ba 16 soccos Per

HABEO. 661

125(*supra sub* marsuppium) (sodalem) habeat: optumest Ba 502 aequom fuit sibi habere speculum Ep 383 tibi aliast sponsa ..: habeas Ci 493 quod .. neque habet squamas ne feras Ru 992 neutrubi habeam* stabile stabulum Au 233 habes .. #Tabellas uis rogare: habeo et stilum Mi 38 ne ista stimulum longum habet Tru 853(*translate*) strigilem Per 125(*supra sub* marsuppium) habeo opinor familiarem tergum As 319 quid minitare? #Habeo tergum Ps 1325 tabellas Mi 38 (*supra sub* stilum) habeo domi (tesseram) Poe 1049(*v. secl SeyRgl&*) si ad eam rem testis habeam, faciam quod iubes Poe 971 uin tibicinam meam habere? Poe 1415 manuleatam tunicam habere hominem addecet Ps 738 turtures Mo 47(*supra sub* aueis) em quoi te et tua quae tu habeas commendes uiro Mer 702 mercaturan an uenalis habuit ubi rem perdidit? Tri 332 uestem Cu 488(*supra sub* aurum), Mi 1099(*supra sub* aurum) uestitum Am 443(*supra sub* petasum), Ep 578(*supra sub* ornatum) .. ut habeam mecum quod feram uiaticum Tri 728 pignus da ni ligneae hae sunt quas habes Victorias Tru 275 ego .. inspectaui procul te hunc (uidulum) habere Ru 1022 non habeo (uidulum) Ru 1067 habeo, non habeo: quid tu me curas quid rerum geram? #Quo modo habeas, id refert Ru 1068-9 illuc homo uidulum scit qui habet Ru 1297 em tibi hic habet uidulum. #Habeo .. et si tuos est, habeas tibi Ru 1357-8 heus tu, iam habes* uidulum? #Habeo Ru 1369-70 uirginemne an uiduam habere St 119 euax, habeo (uinum) Cu 97a uinum tu habes St 712 uirginem habeo grandem Au 191 St 119(*supra sub* uiduam) habeo* uiros Cas 470 .. habere ut sineret quos semel nactae forent St *Arg* II. 5 ex matronarum modo .. crinis uittasque habeat Mi 792 uocis non habeo satis Mo 1030 Sarsinatis ecquast, si Umbram non habes? Mo 770 tu qui urnam habes, aquam ingere Ps 157 .. si quis me hanc (urnam) habere uiderit Ru 477 lepidiorem uxorem nemo quisquam quam ego habeo hanc habet* Cas 1008 ego quidem neque umquam uxorem habui neque habeo Men 399 neque hercle ego uxorem habeo .. Men 509 Mo 703(*supra sub* anum) habeas ut nanctu's Tri 63 tu qui zonam non habes .. Poe 1008 *fortasse*: medicum habet patagus morbus aes Fr II. 60(*BueLLy ex Macr V. 19. 11*)

c. tecum hoc habeto tamen ubi iuraueris Ru 1347(*v. secl URs*) illuc quod non habes habeas Tri 351 illuc quod apud uos nunc est apud me habebam* Tru 162 id quod uoles habebis Cap 231 id ubi iam penes sese habent .. Cap 234 atque id quoque habeo Ep 314 idne(*Ly anne VallaRsLU in me P&†*) habebit hariola? Ru 1140 iste id habet quod nos habuimus Tru 218 istaec quicquid istic inerit uobis habebitis* Ru 1136 istuc habeo, hoc expeto Tru 960 istaec uetat prius quam penes sese habet quicquam credere Tru 901

3. *translate*: ecquid is homo habet* aceti in pectore? Ps 739 si opus sit ut dulce promat

indidem, ecquid habet? Ps 740 plus salis plusque leporis hodie habeat* Cas 219 is (amator) habet sucum, is suauitatem As 179 an periclitamini quid animi habeam? Am 689 utcumque res sit, ita animum habeat Ba 662 animi causa. #Quot illic homo animos habet? Ep 45 domi habet animum falsiloquom Mi 191(*v. om AR secl Rgl&U*) habet .. perfidiam, malitiam, atque audaciam .. Mi 189 habet profecto in uentre confidentiam Cap 812 ingenium patris habet Poe 1198 seruos .. habet multipotens pectus Ba 652 neque habet plus sapientiai quam lapis (habet *add RibRg*) Mi 236 .. si parem sapientiam habet ac formam .. Mi 1251

bonum animum habe Am 545(h. a. b. *Rgl*) qui possum, doce, bonum animum habere? Ps 867 bonum animum habete Ru 687 bonum habe animum Au 192, Ba 630(h. b. a. *RRg*), Mi 1011* unde habeam? Ba 630 habe bonum animum Cap 152, Ep 618, Mi 1325, Mo 387, Tru 525* habe modo bonum animum Cap 167, Ps 866 habe animum bonum Cas 387, Ep 601*, Mi 804*, 1236(*Bo b. a. h. LLy*), 1357, Per 320, Ps 925* habete animum bonum Ep 182 .. ut habeat animum bonum Per 166 iubeto habere animum bonum Per 303 habe quietum animum modo Cas 381 habe animum lenem et tranquillum Ep 562 *De vi metrica harum locutionum cf* Luchs, p. 16 *adn.*

Pseudolus mihi centuriata habuit capitis comitia Ps 1232 .. ne uspiam insidiae sient, concilium quod habere uolumus Mi 598 eo enim ingenio hi sunt flagritribae qui haec habent consilia Ps 138 primus commentust .. contionem habere* Men 452 cras habuero*, uxor, ego tamen conuiuium Cas 787 ita uinariorum habemus nostrae dilectum domi Poe 838 rationem habetis quo modo unum amiserit Cap 23 frequens senatus poterit nunc haberier Mi 594

magnam habebas omnibus dis gratiam As 143 habeo gratiam Au 209*, Men 1092, Per 734*, Poe 640(*cf* Lindskog, p. 66), 1041 .. ut te ei habere gratiam aequom sit bonam Ba 1022 gratiam habeo tibi Cap 373 qualem haberes gratiam? Cap 712 dis hercle habeo gratiam Ci 624 Aesculapio huic habeto .. gratiam Cu 699 gratiam habeo Ep 266, Per 540, Ru 1397* Epidice †habeas† gratiam Ep 293 Veneri pol habeo gratiám Mi 1228 tibi habeo magnam gratiam rerum omnium Mi 1355 gratiam habeo tibi Mi 1425 habeo, Neptune, gratiam magnam tibi Mo 431 Mo 926(*U in loco dubio*) em huic habeto gratiam Mo 1180 gratiam tibi, Toxile, habeo Per 720 ecquid gratiae .. habebis Poe 258(*U*) bonamst quod habeas gratiam merito mihi Ru 516 habeo uobis gratiam Ru 835 gratiam habeo magnam Ru 1412 habeo uobis, Philto, magnam gratiam Tri 506 perfidiae laudes gratiasque habemus merito magnas As 545 uobis habeo merito magnas gratias Poe 1274 tibi nunc .. summas habeo* gratias Tri 659 grates gratiasque habeo et fluctibus salsis Tri 821 tibi .. gratias .. habeo summas Tri 824 eas uobis habeo grates Per 756   Neptuno grates habeo et tempestatibus St 403   Cf Rein, p. 10

pro re nitorem et gloriam pro copia qui habent . . Au 542   nisi perdere istam gloriam uis quam habes . . Mi 1245

si sciat noster senex fidem non esse huic habitam . . As 458   . . quod sese absente mihi fidem habere* noluisset As 583   criminin me habuisse fidem? Ba 629   nisi ames, non habeam tibi fidem tantam Ba 636   ei fidem non habui argenti Per 785   . . ne fidem ei haberem Ps 899   me habere honorem eius ingenio decet As 81   mihi honorem haberet* quam eius habuisset pater Au 17   magis potueritis mihi honorem ire habitum Ci 4   quantum ego honorem nunc illi habeo Mi 1075   is mihi honores suae domi habuit maxumos Per 512   amice benigneque honorem, mater, nostrum habes Ru 289   ille eos honores mihi quos habuit perdidit St 49(v. om A secl LULy) . . meque honorem illi habere omnium maxumum Tru 591

qui cum opulento pauper coepit rem habere aut negotium . . Au 461   . . quibuscum haberes rem . . Ba 564   iam bienniumst quom habet rem tecum Mer 535   mecum rem habe* Mo 653   cum optumis uiris rem habebis Per 567   nullae magis res duae plus negoti habent . . Poe 213(i. e. molestiam)

decet et facta et mores huius habere me similes item Am 267   fere maxuma pars morem hunc homines habent Cap 233   habent hunc mores plerique argentarii Cu 377   morem hunc meretrices habent Men 338   maxume morem habent hunc Men 573   nouos omnis mores habeo, ueteres perdidi Tru 677   o lepidum . . . si quas memorat uirtutis habet Mi 649

censebam attigisse propterea huc quia habebas iter As 386   hic ad me recta habet* rectam uiam Mi 491   hic quidem ad me recta habet rectam uiam Ps 1136   ad nostras aedis hic quidem habet* rectam uiam Tri 868

tu malum magnum habebis si . . Am 721 utrumque faxo habebit et nequam et malum Poe 162   . . ut haberent malum magnum St 312(HermRRgL)   tibi habe (malam rem), numquam abs te petam Ba 1143

semper . . istam quam nunc habes aetatulam optinebis Ci 49   ad eam rem habeo omnem aciem Mi 1028   si quidem amicitiast habenda, cum hoc habendast* Poe 1215   ego amoris aliquantum habeo umorisque etiam in corpore Mi 640   nolo illam causam habere As 789 basilicas edictiones atque imperiosas habet Cap 811   edictiones aedilicias hic quidem habet Cap 823   uobis, mulieres, hanc habeo edictionem Ps 172   habui expurigationem: facta pax est Am 965   ego expurigationem habebo ut ne suscenseat Mer 960   . . ut apud te exemplum experiundi habeas Mi 638   ego hic hospitium habeo Poe 1042   scuta iacere . . more habent licentiam Tri 1034   ego nunc probe habeo* madulsam Ps 1252   profecto modus haberi non potest Cu 300   modus omnibus rebus, soror, optumumst habitu Poe 238

habui numerum sedulo: hoc est sextum a porta proxumum angiportum Ps 960   non habeo ullam occasionem ut apud te falsa fabuler Ep 645   hanc habui orationem ut . . Ep 355   habet orationem quasi ipse sit frugi bonae Poe 845   ad loquendum atque ad tacendum tute habeas* portisculum As 518   cum ea tu sermonem nec ioco nec serio tibi habeas Am 907   quid habeat sermonis, auscultabo Poe 822   clam uxorem ubi sepulcrum habeamus* Men 152   solus summam habet* hic apud nos Tru 727

ecquid habes? #Ecquid tu? #Nihil equidem Per 225   quid habes? Au 652   quid habetis, qui mage immortalis uos credam esse? Poe 276   si quid habebo Tru 875(PS† vide ψ) istuc sospitent quod nunc habes Au 546   illud mihi uerbum non placet 'quod nunc habes' Au 547   hoc quod habeo ut commutet coloniam Au 576   quod habuit id perdidit Per 644 quod satis est habitu* plus quam sat est Poe 288(Ly vide ψ)   comedunt quod habent* Ps 1107   quod quisque in animo habet aut habiturust* sciunt Tri 206   quod habes ne habeas, et illuc quod non habes habeas Tri 351 quod habebat nos habemus, iste id habet quod nos habuimus Tru 217-8   id meum quicquid habes redde Au 653   . . te ut deceat quicquid habeas Mo 173   foras necessumst quicquid habeo uendere St 219   domi quicquid habet uehitur(RsU eicitur LLy ueititur PS†) ἔξω Tru 558   habes* nescioquid Per 227 nescioquid . . habeo in mundo St 477

quia nihil habes male dictis te eam ductare postulas As 189   nihil habet* Au 657   ubi nihil habebis, geminum dum quaeris gemes Men 257   Per 225(supra) specta quid dedero. #Nihil: nam nihil habes Per 292   miserum istuc uerbum . . 'habuisse' et nihil habere Ru 1321 tu a nobis sapiens nihil habes Tru 160   nunc nihil habet Tru 217   ubi nihil habeat* alium quaestum coepiat Tru 232   ipse si nihil habeat, aliis qui habent det locum Tru 233   quia nihil habeo . . Tru 710   uirtus omnia in sese habet Am 652

4. seq. enuntiato vel rel. vel interr.: si ecastor nunc habeas quod des . . As 188   non quod (add SeyRgU) potem . . habeo(add SeyRgU) Au 570   ipsi sat habent quod in se possit uere dicier Cu 479   quod edit non habet Cap 463(v. secl BrixU)   uisus sum . . non habere quoi commendarem capram Mer 246   qui habet quod det, utut homost, omnia genera recipiuntur Poe 833   habes quod facias Ps 161 habemus et qui nosmet utamur . . et . . Tri 355   uolt fieri liber, uerum quod dem non habet(ACD u. nequiquam uolo B) Tri 564   . . ut habeam mecum quod feram uiaticum Tri 728 quod dent habent Tru 76   quod det non habet Tru 243   negat se habere quod det Tru 242

quasi non habeam quo intro mittar alium meliorem locum Men 669

neque ubi meas collocem spes habeo . . locum Ep 531

quid faciam nihil habeo miser Ba 634   nihil habeo certi quid loquar Mi 407

quid habetis qui mage immortalis uos credam? Poe 276   cistula . . ubi . . habebat qui
suos parentis noscere posset Ru 389

habeo unde istuc tibi quod poscis dem As
234   neque unde auxilium expetam habeo Ci
671   neque id unde efficiat habet Poe 185
neque unde occipias habes* Ps 399   habeo
dotem unde dem Tri 158

id quod uoles habebis Cap 231   sibi quisque habeant quod suomst Cu 180   qui amat
quod amat si habet id habet pro cibo Mer 744
(quod petit) habet, opinor Mi 215   tu iam
quod quaerebas habes Mo 210   habeas quod
di dant boni Ru 1229   quod habes ne habeas
Tri 351   quod habebat nos habemus Tru 217
id habet quod nos habuimus Tru 218   illud
quod uolo habebo ab illo Tru 419

B. *additur praedicativum* 1. *nomen:* bene
quae in me fecerunt, ingrata ea habui atque
inrita Am 184   is me dignum quoi concrederet habuit As 81   ne ego illum ecastor miserum habebo* As 869(*i. e.* retinebo)   haud
falsa sum nos odiosas haberi Au 123   multum
loquaces merito omnes habemur Au 124   ita
me iste habuit senex gymnasium Au 410   satin
ut quem tu habeas fidelem tibi . . nescias? Ba
491   inimicos ipsi in sese omnes habent Ba 547
(*v. om A*)   senem . . uenalem quem habeo Ba
977(*v. secl L*)   di nos quasi pilas homines habent Cap 22(*v. secl Rs*)   indigna digna habenda
sunt erus quae facit Cap 200   istic homo rabiosus habitus* est in Alide Cap 547   dubium habebis etiam sancte quom ego iurem tibi? Cap
892   quot te modis . . habebo* in nuptiis miserum meis Cas 116   miserrumum hodie ego
hunc habebo* amasium Cas 590   facile est
(†𝔖) frequentare tibi utilisque (nos) habere Ci 9
miserrumum (illam) habui* Ci 537   petulantia mea me animi miseram habet Ci 672   gramarum habeo dentes plenos Cu 318   . . ut
hunc hodie diem luculentum habeamus Ep 158
tu quidem miserum me habes miseris modis
Ep 667   amicam habes* eram meam hanc
Erotium. #Neque hercle ego habeo Men 300
is cliens frugi habetur Men 577   sist pauper
atque haud malus nequam habetur Men 576
haud quisquam dignum habet decedere Mer
117   non nostra formam habet dignam domo
Mer 395   quod dabitur gratum habebo* Mer
527   una hic et Palaestrio me habent uenalem Mi 580   haud mirum ast te habes carum
Mi 1041   alios fideliores semper habuisti tibi
Mi 1354   antehac est habitus parcus nec magis continens Mo 31   muliones mulos clitellarios habent, at ego habeo homines clitellarios Mo 781   librorum eccillum habeo* plenum soracum Per 392   referundae ego habeo
linguam natam gratiae Per 428   quoius modi
is in populo habitust? Per 648   id quod sat
erat satis habere noluit Poe 458   profestos
festos habeam decretumst mihi Poe 501   huius
filias apud uos habeatis* seruas Poe 1246   tu
me antidhac supremum habuisti comitem consiliis tuis Ps 17   amicos tibi habes lenonum
aemulos lanios Ps 196   non uenalem iam habeo Phoenicium. #Non habes? Ps 325   non
habes uenalem amicam tu meam Phoenicium?

#Non edepol habeo* profecto Ps 341   te ex-
pertem amoris nati habuerim Ps 498   mea
quidem haec habeo omnia meo peculio empta
Ps 1187   quicquid est domi id sat est habendum Ru 292   . . omnes tui similes hospites habeas tibi Ru 500   ne inuisas (nos) habeas Ru 700(*Ca lac P* ne *cum lac A* ne indignum id *TLy*)   habe* iudicem . . opulentum
uirum Ru 712(*Ly*)   quem aequiust nos potiorem habere* quam te? St 97   amicam ego
habeo Stephanium hinc ex proxumo St 431
meam culpam(me in culpa *SalmRRg*) habeto
St 436   sacrum profanum, publicum priuatum habent Tri 286   quod manu non queunt
tangere, tantum fas habent quo manus abstineant Tri 288   istaec ego mihi semper habui
aetati integumentum meae Tri 313   ciues . .
quos tu inimicos habes Tri 654   hunc priorem aequomst me habere Tri 1154   antehac
amator summus habitu's Tri 166   quasi uxorem sibi me habebat, anno dum hic fuit Tru
393   iussit orare ut haec grata haberes tibi.
#Grata acceptaque(*Ca*) ecastor habeo Tru 582-3
quorum mihi dona accepta et grata habeo Tru
617   mea dona deamata acceptaque habita*
esse apud Phronesium Tru 703(*sed vide infra* 5)
militis (dona) odiosa ingrataque habita Tru 705
sacrum ac profanum habeas parui penditur Fr
II. 23(*ex Festo* 229; *cf* Tri 286 *supra*)

2. *dat. praed.*: ne morae molestiaeque imperium erile habeat sibi Au 588   ludibrio,
pessuma, adhuc quae me habuisti Cas 645
. . eum ut ludibrio habeas* Cas 868   satine
illic homo ludibrio nos . . habet Ep 667   qui
lubet ludibrio habere me? Men 396   ludibrio,
pater, habeor Men 783   remque nostram habes
perditui et praedatui Ci 366   me inpune irrisum esse, habitum depeculatui Ep 520(*v. om
secl RgSLU*)   quod uiro esse odio uideas, tute
tibi odio habeas Men 111   si ut digna's faciant, odio hercle habeant Per 206   iube sibi
aurum atque ornamenta . . dono habere Mi
982(*vide CaR*)   Mi 1148(*PR abeat Aψ*)   etiam
habeto mulierem dono tibi Ps 1075   tu me
bene merentem tibi habes despicatui Men 693
aliam inuenito quam habeas frustratui Men
695   sapienter habeatis curae quae imperaui
Men 991   . . ut quaestui habeant male loqui
melioribus Poe 626   pulcrae . . fuimus . . neque ab iuuentute ibi inridiculo habitae Poe
1183   me sibi habento* scurrae ludificatui
Poe 1281

3. *seq. pro cum abl.:* tun uerberes qui pro
cibo habeas te uerberari? As 628   . . ne hanc
ille habeat pro ancilla sibi Ba 45   pro certo
incertum si habes Mer 655   quod amat . . id
habet pro cibo Mer 744   eos pro liberis habebo* qui mihi mittunt munera Mi 710(*v. secl
GuyRgSL*)   ego uos pro matula habebo, nisi
mihi matulam datis Mo 386   me quidem pro
barda et pro rustica reor habitam esse aps te
Per 169   utrum pro ancilla me habes an pro
filia? Per 341   pro exercitu gymnastico et
palaestrico hoc habemus Ru 296   aram habete
hanc uobis pro castris Ru 691   quos quom
capio . . habeo pro meis Ru 972   argutum
ciuem mihi habeam pro praefica Tru 495   bona

sua pro stercore habet Tru 556   (me) quasi
pro derelicta sis habiturus* Tru 867(vide LLy)
quando pro cura(RsSLy procures C p cures BD
quor cures L quo cures U) habes Tru 878

4. *varia:* per iocum itidem dicta habeto
quae nos tibi respondimus Poe 542

apsentis uiros proinde habetis* quasi praesentes sient St 100

5. *seq. participium perfectum*(cf Sidey, p. 7):
sub gemman abstrusos habeo* tuam matrem et
patrem? Cu 606   nequiquam abdidi, abscondidi, abstrusam habebam Mer 360   si acceptum sat habes, tibi fore illum amicum sempiternum Mo 247(v. secl AcRRsLU)   ille . . accuratum habuit quod posset mali Ba 550   te
auratam et uestitam bene habet Men 801   cuncta
in ordine . . certa deformata habebam Ps 677
**si conclusos uos me habere in carcere Ci
275   non placet qui amicos intra dentes conclusos habet Tri 909   hasce aedis conductas
habet meus gnatus Ci 319   habeat* cottidianum familiae coctum cibum Mer 398   legioni
nostrae habet coctum cibum Fr II. 1(ex Varr
l. L. VII. 38)   nimium ego te habui delicatam
Men 119   me habet pessimis despicatam modis Cas 186(PU[sed despicatu] aliter Aψ), 189
(v. om A)   satis iam dictum habeo Per 214
hominem seruom suos domitos habere oportet
Mi 564   oculos et manus orationemque Mi 564   sodalem atque me exercitos habet Ba 21(ex Char
229)   multiplex aerumna me exercitam habet
Ep 529   nos nostramque familiam habes exercitam Mi fr(ex Fulg de abst. serm. XX L)   an
me hic parum exercitum hisce habent? Per 856
bonos in aliis tabulis exscriptos habet Ru 21
eam (amicitiam) iunctam bene habent inter se
Ci 26   illa omnia missa habeo quae ante
agere occepi Ps 602   capita inter se nimis
nexa hisce habent* Mi 1334   occlusiorem . .
habeant stultiloquentiam Tri 222   aequomst
. . neque occultum id haberi* . . Au 131   satin
ego istuc habeo offirmatum(firmatum AnspachL)?
Ba 1202   habe rem pactam Poe 854   pactam
rem habeto Poe 1157   habeon rem pactam?
St 566   habeon pactam? quid taces? Tri 500
aut faenore aut periuriis rem paratam
Men 584   multa bona bene parta habemus*
Tri 347   satis partum habeo Tri 838   semper
tibi promissum habeto hac lege As 166   bucculas tam belle purporissatas habes* Tru 290
absque te esset ego illum haberem rectum
ad ingenium bonum Ba 412   res omnis relictas habeo prae quod tu uelis St 362   ego
multos saepe uidi regionem fugere consili prius
quam repertam haberent* Mi 886   sarta tecta
tua praecepta usque habui mea modestia Tri
317   nullos (homines) habeo scriptos Mi 48
tune hic faelis uirginalis liberos parentibus
sublectos habebis Ru 749   eius uidulum eccillum (sublectum habet ins Rs duce Reizio in
lac tenet GuyLULy) Ru 1066   auro habeat
soccis suppactum solum Ba 332   neque tu
me habebis falso suspectum Ba 572   sollicitos
patronos habent Men 579   me hodie nimis sollicitum cliens quidam habuit Men 588   ita me
mea forma habet* sollicitum Mi 1087   apte
structam uitam habes(U ex A pro uides) Mi 716

quasi tu tacitum habere(L solus pro tacere)
quicquam potis sis Poe 875   hoc tu tecum tacitum habeto Poe 890   si huic imperabo, probe
tectum habebo Mo 870

C. *seq. adverbium praed.*: bene et pudice
me domi habuit Cu 698   nihil potest clam
illum haberi Mer 361   seruom ac dominum
frustra habet Am Arg II. 5   illum mater arte-
contenteque habet patres ut consueuerunt As
78   quom sedulo munditer nos habemus . .
Poe 235   si forte pure uelle habere dixerit
tot noctas reddat spurcas quod pure(-as Non
394) habuerit As 806-7   . . ut hunc festum
diem habeamus* hilare Poe 1367   si alibi
plus perdiderim, minus aegre habeam Ba 1103
ea res me male habet As 844   male (illum)
habeas* Men 569   animus . . conscius . . me
male habet* Mo 545(loc dub: vide edd)   haec
sat scio quam me habeat* male Mo 709(loc dub)
exite, ignaui, male habiti et male conciliati Ps
133(cf Wueseke, p. 50)   eius me impietas
male habet Ru 198   sunt tamen quos miseros
maleque habeas Tri 268

is uti tu me hic habueris proinde illum illic
curauerit Cap 314

D. *variae locutiones* se habere: scin quo
modo tibi res se habet? Au 47   dico ut res
se habet Ba 1063   utut res sese habet, pergam turbare porro Mo 545   ita res se habent* Ru 222   Lesbonicum edoceam ut res se
habet* Tri 749

hanc se bene habere aetatem nimiost aequius
Mer 549   tibi sunt gemini . . si te bene habes*, filii Mi 717   et rem seruat et se bene
habet Mi 724   Vide Tru 406, ubi Quaen erga
aedem sese habet Ly(quaen Sp quem PSt) quae
mercedem sese habet L aliter RsU

habere *absolute*: opinione melius res tibi
habet* tua, si hoc impetramus Cas 338   bene
hoc habet Ep 696   uide ornatus hic me satis
condecet? #Optume habet Ps 936

tempus nunc est senem hunc adloqui mihi.
hoc habet: repperi qui senem ducerem Mo 715
solue uidulum . . . #Hoc habet* Ru 1143   Cf
Graupner, p. 20; Schneider, p. 36

satis (sat) habere: satin habes, si feminarum
nullast quam aeque diligam? Am 509   satin
habes mandata quae sunt facta si refero? Cap
446   satin habes si ego aduenientem ita patrem faciam tuom . . Mo 389   sat habeo si
cras fero Mo 654   similiter: si hoc pudet, fecisse sumptum, supplici habeo satis Mo 1165
Cf Lindskog, p. 65

sat habes, qui bene uitam colas Au 187
quaeso ut sat habeas id . . quod Chrysalus me
obiurigauit Ba 1019   ipsi sat habent quod in
se possit uere dicier Cu 479

sat habeo: age nunc loquere quiduis Au 777
obsecro satis iam ut habeatis Mer 1002   uide
modo. #Vidi. #Sat(Rs u. me fide satis PSt
uide. #Mea fide. #Satis RibLLy aliter RU)
habeo Mer 1013   sat habeo: nunc . . discito
Mi 1175   satin habes? #Ut quicquid magis
contemplor, tanto magis placet Mo 831   quicquid est domi id sat est habendum Ru 292

varia: quod quisque in animo habet aut habiturust sciunt Tri 206   aliter regi dictis di-

cunt, aliter in animo habent Fr I. 56(*ex M. Caes ad Front* II. 10)

scis .. qui parentes fuerint? #Habeo in memoria Per 381   facito in memoria habeas tuam maiorem filiam mihi te despondisse Poe 1278   facito in memoria habeas Poe 1418

nescio quid .. habeo in mundo St 477   quaeram equidem, si quis credat. #Nempe habeo in mundo Per 45

id me susque deque esse habituram putat Am 886

facile impetras. #Tecum habeto*. #Et tu hoc taceto Per 246

in seruitute hic filias habuit tuas Poe 1334 (*v. om A secl ψ*), 1383

quae in potestate habuimus .. Cap 143

E. = habitare: As 430(habet *U pro* habitat) hanc domum .. colo patri auoque iam huius qui nunc hic habet Au 5   quis istic habet*? Ba 114   ego hic habeo* Cas 749   ille geminus qui Syracusis habet* Men 69   non tu in illisce aedibus habes*? Men 308   hic habeo* et .. Mo 498(*Rs*)   leno hic habet* uicinus Poe 1093   ubi nunc adulescens habet? Tri 193   haec sunt aedes: hic habet Tri 390 quam ad rem dicam in argentariis referre habere nisi pro tabulis nescio Tru 71(*vide Ussingium ad loc*)   haec meretrix quae hic habet Phronesium Tru 77   hic agrestis est adulescens qui hic habet* Tru 246   Romae habeo Tru 966(*Rs in loco perdito*)

F. habitus *adiectivum:* corpulentior uidere atque habitior* Ep 10

G. *locus quo indicatur per adverbium vel praep.* domi: Au 110, Cas 356, Ep 542, 581, Mer 230, Mi 194, Ps 211, St 397, Tru 558

in: Am 143, 652, As 463, Au 64, Cap 812, Ci 275, Cu 221, Mi 203, 640, 1083, 1180, Per 45, 187, 381, Poe 980, 1278, 1334, 1383, 1418, Ps 739, 857, Ru 753, St 477, Tri 206, Fr I. 56 inter: Au 647   ob: Mi 1178, 1430   sub: Cu 606

HABITATIO - - hic habito, haec mihi deditast **habitatio**(-cio *D*[1]) Mo 498   impiast habitatio(-cio *C*) Mo 504   uxor, uenerare ut nobis haec habitatio(habe. *B*) bona fausta felix fortunataque euenat Tri 41

HABITO - - I. **Forma habito** Am 356, 863, Cas 749(*PU* habeo *Aψ*), Mo 498(*BD*[3] habeto *CD*[1] habeo et *Rs*), Ps 890, St 675, Tru 955 **habitas** Am 700, 1080, Ci 746(-ias *B*), Men 308 (*PRL†Ly* habes *SeyRs*ſ), 819, Poe 413, Ru 1034, Tri 125, Vi 54   **habitat** Am 97, As 430 (habet *U*), Au 21, Ba 206, 472, Cap 4, 96, Cas 35, 36, Ci 100(-abat *J*), 578, 599, 753(-abat *Rs*), Cu 33, 44, Ep 438(-ae *J*), 504, Men 68, 75(hic h. *RsLy* nicaditat *PŜ†L†* hic agitat *GrutRU*), 816, Mo 949, 950, 954, 956, *ib.*(hem ita *B* haectat *CD*), 970, Per 819, Poe 78, 95, 1093(*P* habet *SeyRgl*), Ps 599(-et *BeckerRRg*), Ru 33, 77, 1035, Tri 12, 360, 1085, Tru 12, 285   **habitatis** Ru 110, Vi 58   **habitant** Men 261, 308, Poe 107, 585(-abant *D*)   **habitabat** Ci 162(-babat *BJ*), 753(*Rs* -tat *Pψ*)   **habitabo** Men 1034   **habitabit** Poe 1084(*Py* habit *P*)   **habitauit** Mo 951   **habitauerat** Poe 93(-tabuerat *B*)   **habitet** Ep 505(-at *B*[1] -aret

E), 536, Mer 561, Mo 402, Ps 597(*A* -at *P*), 599(*BeckerRRg* -at *Pψ*), Tri 874   **habitent** Tri 878(*D* -em *BC*)   **habitaret** Mer 636   **habitare** As 382, Ep 534, Men 335, 820(abitare *D*), Mo 954, Poe 959(arbitrare *A*) Ru 716, St 64, Tri 1079   **habitatum**(*sup.*) Ci 579, Tri 1084   *corrupta:* Cap 604, habites *J pro* adbites Men 69(habitet *B*[2]*D*[3] *pro* habet *P*), 1112, habitarem tum *B pro* abii Tarentum Ru 777, habitat *AB pro* abitat Tru 246, habitant *A pro* habet(*FZ*)

II. **Significatio** 1. *absolute:* auectast .. peregre hinc habitatum Ci 579   is habitatum huc commigrauit Tri 1084

2. *seq. adverbium:* hic inquam habito ego Am 356   is ex se hunc reliquit qui hic nunc habitat filium Au 21   ubi ea mulier habitat? #Hic Ba 472   senex qui hic habitat .. est huius pater Cap 4   Hegionis filius senis qui hic habitat Cap 96   senex hic maritus habitat Cas 35   ego hic habito* Cas 749   sua cognata Lemniensis quae habitat* hic in proxumo Ci 100   hicine tu ergo habitas*? Ci 746   leno hic habitat Cu 33   nempe huic lenoni qui hic habitat Cu 44   modo hic habitat* leno, modo adulescens Men 75   hic habito*, haec mihi deditast habitatio Mo 498   nemo hic habitat Mo 949   non hic Philolaches adulescens habitat hisce in aedibus? #Habitauit Mo 950-1 certo scio hic habitare. #Quin sex menses iam hic nemo habitat Mo 954   nemo habitat. #Habitat* profecto Mo 956   Philolaches hic habitat Mo 970   facito sis reddas (rem), etsi hic habitabit*, tamen Poe 1084   leno hic habitat* uicinus Poe 1093   .. Ballio leno ubi hic habitat* Ps 599   ubi tu hic habitas? Ru 1034   non homines habitare mecum mihi hic uidentur sed sues St 64   hicine nos habitare censes? Tri 1079   hic habitat mulier Tru 12 tu peregrinu's, hic ego habito Tru 955   hicine uos habitatis? #Hisce in aedibus Vi 58

is *illic* habitat geminus surrupticius Men 68 di illos homines qui illic habitant perduint Men 308   is illic adulescens habitat in illisce aedibus Poe 78   em illic ego habito Ps 890 illic habitat Daemones Ru 33   (habito) illic longe usque in campis ultumis Ru 1034   quid ego hinc quae illic habito exeam St 675   Lesbonico .. qui illic habitat Tri 360

quis *istic* habitat? Ci 599   istic .. mei uiri habitat* gener Ci 753   istic meretricem credo habitare mulierem Men 335   isticine uos habitatis? Ru 110   nullan istic mulier habitat? Tru 285

ibi habitant*, ibi eos conspicias .. Poe 585 est aequom aetatem .. ibi te usque habitare Ru 716

hic in aedibus *ubi* tu habitas Am 700   in aedibus tu ubi habitas nimia mira uidi Am 1080 .. Demaenetus ubi dicitur habitare As 382, ubi ea mulier habitat? #Hic Ba 472   in Lemnum aufugit, ubi habitabat* Ci 162   ubi habitat? Ci 578, Ep 504   senex hic ubi habitat* Periphanes Ep 438   ubi habitet* .. incerte scio Ep 505   .. monstret eum mihi hominem aut ubi habitet Ep 536   intra aedis .. ubi habitat penetraui pedem Men 816   neges te umquam pedem in eas aedis intulisse ubi habitas? Men 819   ut mihi aedis aliquas conducat uolo ubi habitet istaec mulier Mer 561 ubi habitaret inueniret . . Mer 636   is ex Anactorio ubi prius habitauerat* huc commigrauit Poe 93   omnes meretrices ubi quisque habitant inuenit Poe 107   aedis . . ubi ille habitet* leno Ps 597   . . Ballio leno ubi hic habitat* Ps 599   ad uillam illius exul ubi habitat senex Ru 77   Ru 1034(supra)   ubi nunc tute habitas? Tri 125   Lesbonicum . . quaero in his regionibus ubi habitet Tri 874   fac me si scis certiorem hisce homines ubi habitent* Tri 878   ubinam ego alibi (habitare) censeam? Tri 1079   ubi nunc filius meus habitat? #Hic in hoc posticulo Tri 1085   ubi habitas? #Hic apud piscatorem Gorginem Vi 54

3. cum loc.: proxumae uiciniae habitat Ba 206
4. cum praepp.: in illisce habitat aedibus Amphitruo Am 97   erus in hara haud aedibus habitat* As 430   is una cum patre in illisce habitat aedibus Cas 36   non tu in illisce aedibus habitas*? Men 308   tun . . ais habitare* med in illisce aedibus? Men 820   tamquam si intus natus nemo in aedibus habitet Mo 402 hisce in aedibus Mo 950(supra 2)   in illisce aedibus Poe 78(supra 2)   is in illis habitat aedibus Poe 95   adulescens quidamst qui in hisce habitat aedibus Tri 12   hisce in aedibus Vi 58(supra 2)

illic habitat Daemones in agro atque uilla proxuma propter mare Ru 33   in campis ultumis Ru 1034(supra 2)   in superiore . . habito cenaculo Am 863   in hara As 430(supra) in his dictust locis habitare mihi Ep 534   maiorem partem in ore habitas meo Poe 413(translate)   in hoc posticulo Tri 1085(supra 2)   hic in proxumo Ci 100(supra 2)   is in hisce habitare* monstratust regionibus Poe 959   in his regionibus Tri 874(supra 2)   in . . uilla proxuma Ru 33(supra)   uin qui in hac uilla habitat eius arbitratu fieri? Ru 1035   sycophantae et palpatores plurumei in urbe hac habitant Men 261

apud ted habitabo Men 1034   apud piscatorem Gorginem Vi 54(supra 2)
una cum patre Cas 36(supra)   mecum St 64 (supra 2)
ille . . supra nos habitat Per 819
propter mare Ru 33(supra)

HABITUS - - habitu Mercurius ei subseruit Sosiae Am Arg II. 4   seruos is habitu hau probust St 59   Vide Poe 238, 288(supra sub titulo habeo), ubi habitu supinum est

HABRUS - - coloratilem frontem habet, petilust, **habrus**(Scal petilis habis Non 149   petulis habris Non 204 petilis habris U) Fr I. 110

HAE - - di te ament, Pseudole. #Hae(fu RL hahae Rg pfui BU psui C s' sui D). #I in(A ut vid in PR) malam crucem Ps 1294   Cf Richter, p. 532

HAEDILLUS - - dic igitur me . . agnellum, **haedillum**(hę. B he. DEJ) As 667   Cf Ryhiner, p. 33; Wortmann, p. 32

HAEDUS - - interea ad me **haedus**(A he.

P h. ad me B) uisust adgredirier Mer 248 simia illa atque haedus(A he. P) mihi malum adportant Mer 269   . . ne . . pueri . . esurientes hic quasi **haedi**(F aedi P) obuagiant Poe 31   Cf Wortmann, p. 32

HAEREO - - I. Forma haereo Cap 532 (he. O), Men 846(OnionsLLy ereo P§† uero B² censeo Rs aliter RU), Mer 600(B he. CD haeret RRg), 739(he. P)   **haeres** Mer 723   **haeret** Am 814(hę. B he. DEJ), Mer 600(RRg haereo Pψ), Ps 423(A he. P), 985(haera et B), St 170(A he. P), Tri 904(he. B)   **haesit** Ru 984(Z he. CD aesit B)   **haeream** Per 535(AD he. BC)   **haerere** Ep 191(he. BVE³J haere E¹) **haerentes** Per 74(Rs solus pro rete)   corruptum: Mi 878, haesit CD hesit B pro haec sit(F)

II. Significatio 1. proprie: ubi demisi rete atque hamum, quicquid haesit* extraho Ru 984 iam complures annos utero (fames) haeret meo St 170(v. secl RRg)   Vide Mer 600, ubi haeret pes RRg pro haereo

2. translate: neque mihi haud imperito eueniet, tali ut in luto hacream Per 535   Cf Schneider, p. 3

haeret haec res si quidem haec iam mulier factast ex uiro Am 814   nomen nescit: haeret* haec res Ps 985   haeret haec res si quidem ego apsens sum quam praesens longior Tri 904   occisast haec res, haeret hoc negotium Ps 423

ineptias incipisso: haereo Cap 532(v. secl U) pectus ardet: haereo* Mer 600   adducam . . . #Enim haereo* Men 846   nimium negoti repperi: enim uero haereo Mer 739   nescio quid dicam. #Haeres Mer 723

nam ego illum audiui in amorem haerere apud nescio quam fidicinam Ep 191   Cf Abraham, p. 223   Vide Per 74, ubi albo haerentes Rs pro albo rete falso

HAHAE, HAHAHE - - Cf Richter, p. 533 1. **hahae**(A hahe P hahahe BoU), nunc demum mihi animus in tuto locost Ps 1052   hahae(Rg pfui BU fu RL p sui C p' sui D hae A§Ly). #I in malam crucem Ps 1294

2. **hahahe**(CD -hae BLLy haha A ut vid), iam teneo quid sit Poe 768   nequeo hercle equidem risu admoderarier (hahahae add StuRg Ly) Mi 1073   ut ego accipiam te hodie lepide . . #Hahahe(-hae LLy) Ps 946 Ps 1052 (hahahe BoU: vide supra 1)   hahahe(Ca ha A hahaha BCU aha ha D), requieui Tru 210

HALAGORA - - sarrapis sementium, manstruca **halagora**, sampsa(LLy h. saurex Rgl halagoras ama PU halagorasama §† samcṣatum A) Poe 1313

HALAPOR - - vide titulum alapor

HALATUS - - Men 461, ubi halatum oluisse Rs datum uoluisse P§† L† Ly aliter RU

HALCYON - - Poe 356, halcyon Isid or. XII. 7, 28 pro alcedo

HALISCA - - ancilla. In supersc. Ci act. IV sc. 2 voc. Ci 637(J has liscas BV has licas B hal lisca E), 693(P)   Cf Schmidt, p. 191

HALITO - - scio spiritum eius maiorem esse multo quam folles taurini **halitant**(Herm ha-

beant *Prisc* I. 575 habent *Serv et Philarg in
Georg* IV. 171 *et* *ŚLLy*) Ba 16
HALLEC - - ecquid **hallecis**(D^3 hallegis *P*
halecis *U*)? Per 107   qui mihi olera cruda
ponunt, **hallec**(allec *QuicheratU*) duint(adduint
QuicheratLLy) Au *fr* V(*ex Non* 120)

HALLEX - - tune hic amator audes esse,
hallex(*P* fallax *A ut vid*) uiri Poe 1310   *Cf*
Loewius, *Prodr.* p. 273; Egli, III. p. 31;
Graupner, p.3;Blomquist, p.161; Schaaff,
p. 23

HALOPHANTA - - **halophantam**(*EJNon*
120 halapauta *Fest* 101   kalophantam *B*) an
sycophantam magis hoc esse dicam nescio Cu
463   *Cf* Leidolph, p. 233

HAMATILIS - - piscatum **hamatilem**(*BD*[1]
hammattilem *CD*[2]) et saxatilem adgredimur
Ru 299

HAMILCAR - - Fr III. 13: Hamilcārem *citat
Gell* IV. 7, 1

HAMIOTA - - saluete fures maritumi, conchitae atque **hamiotae** Ru 310

HAMO - - Mo 890, ted aeratus hamat *Rs*
te eratas amat *PŚ*† *var em* ψ

HAMULUS - - harundinem fert sportulamque et **hamulum**(*B* hamum *ACD*) piscarium
St 289   *Cf* Ryhiner, p. 20

HAMUS - - *et proprie et translate* 1. *acc.
sing.:* meus hic est, **hamum** uorat Cu 431(*cf*
Graupner, p. 23; Gronov, p. 87; Inowraclawer, p. 85)   interim ille hamum(-am *B*)
uorat Tru 42(*v. secl L*)   non ego illi extemplo
hamum(*A* itamum *B*[1] ita meum *B*[2]*CD* iram
R) ostendam Mo 1070   *proprie:* ubi demisi
rete atque hamum(amum *B*), quicquid haesit
extraho Ru 984

2. *abl.:* Men 89, **hamo** *ins Rs solus*
3. *nom. pl.:* hisce **hami**(*Ca* his cenā *i B* his
cēnam *CD*) atque haec harundines sunt nobis
quaestu et cultu Ru 294   quod rete atque
hami(ami *D*[1]) nancti sunt, meum potissumumst
Ru 985

4. *corruptum:* St 289, hamum *ACD pro* ha-
mulum(*B*)

HANNIBAL - - Fr III. 13: Hannibālem *citat
Gell* IV. 7, 1

HANNO - - *Poenus. In supersc.* Poen *act.* V
sc. 2, 3, 4   *nom.* Poe *Arg* 7, Poe 1124, 1127
Hannonem Poe 996

HAPALOPSIS - - terrestris pecudes cicimandro condio, **hapalopside**(*P* -losopide *A*
hapalopsi *BueU* hapalocopide *L*) Ps 836

HARA - - rusticus, hircus, **hara** suis Mo 40
(*v. secl Ly*)   erus in **hara**(ara *J*), haud aedibus habitat As 430   *Vide* Au 606, *ubi* hara *J
pro* ara; Ru 1333, 1336, *ubi* haram *B pro*
aram

HARIOLOR - - *Cf* Langen, *Beitr.* p. 260,
qui affirmat verbum semper = diuinare; *secundum* Lorenzium *autem* = nugas agere *exceptis*
As 316, Mi 1256; Brixius *excipit etiam* As
316   *Cf etiam* Knapp, *Cl. Rev.* XXI. 46
argenti uiginti minas habesne? **#Hariolare**
(ar. *JRgl*) As 579   hicine tu ergo habitas?
#Hariolare(hal. *VE*[1] *de B dubium*) Ci 746   non
rem diuinam facitis hic uos neque erus? #Ha-

riolare Ru 347   uae mihi. #Vera hariolare
(ar. *DRgl*) As 924   odore nasum sentiat, si
intus sit. #Hariolatur(*B* ar. *CDR*) Mi 1256
non feret nisi uera dicet: nequiquam **hariola-
bitur**(*Py* ariolatur *P* ar. *U*) Ru 1140   scapulae gestibant mihi, **hariolari**(ar. *ZRgl*) quae
occeperunt sibi esse in mundo malum As 316
capillam promittam optumumst occipiamque
hariolari(ar. *U*) Ru 377(*cf* Schuster, p. 41)

HARIOLUS, -A - - *Cf* Schuster, p. 42; Siewert, p. 34   I. **Forma hariolus** Men 76(*A*
ar. *PRU*), Mo 571(ar. *PRU*), Ru 326(ar. *U*),
Tru 602(ar. *RsU*)   **hariola** Ru 1139(ar. *CU*),
1140(ar. *CU*)   **hariolae**(*dat.*) Mi 693(*A* ar.
PRU)   **hariolum** Cas 356   **hariolos** Am
1132(*P* ar. *Rgl*), Poe 791(*BC* ar. *DRglU*)

II. **Significatio** 1. *nom.:* modo hic habitat
leno, . . parasitus, hariolus Men 76   hic homost certe hariolus Mo 571   mulieres auexit:
hariolus sum Ru 326   num, obsecro, nam ha-
riolust, qui ipsus se uerberat? Tru 602   ista
aut superstitiosa aut hariolast . . . †in me habebit
hariola? Ru 1139-40

2. *dat.:* da quod dem quinquatribus praecantrici, coniectrici, hariolae aut haruspicae Mi
693

3. *acc.:* hariolum hunc habeo domi Cas 356
nihil est quod timeas: hariolos, haruspices mitte
omnes Am 1132   ego habui hariolos, haruspices
Poe 791

HARPAGO(*subst.*) - - blandiloquentulus, **harp-
pago**, mendax Tri 239a

HARPAGO - - dum illi **harpagant**(*Rs* agant
Pψ †*Ś*) Tru 103   nihil etiam dum **harpagault**
praeter cyathum Ps 957   improbus cum improbis sit, **harpaget**(ar. *P*) cum furibus Ba
656   rape, clepe, tene, **harpaga**(ar. *Non* 20),
bibe, es, fuge Ps 139   aurum mihi intus **harpagatumst** Au 201

HARPAX - - *servus. In supersc.* Ps *act.* II
sc. 2, *act.* IV sc. 7.   *nom.* **Harpax** Ps *Arg.* I. 8
Ps 653(*A* arpax *B* harparx *CD*), 925(*om R*), 1009
(arpax *A*), 1010(is H. *A* saphax *P*), 1030, 1031,
1199 *bis*, 1209, 1210   *voc.* Ps 653(hapax *B*)
Harpage(*voc.*) Ps 665   *Cf* Schmidt, p. 370

HARPAX(*adv.*) - - haud ibis intro ni quid
'harpax' (ἅρπαξ *LLy*) feceris Ps 654   tun es
is Harpax? #Ego sum: atque ipse harpax(hapax *A* arpax *B* ἅρπαξ *LLy*) quidem Ps 1010

HARUNDO - - perii, **harundo**(*B* ar. *CDR*)
alas uerberat Ba 51(*cf* Graupner, p. 23)   quin
tu in paludem is exicasque **harundinem**(*Par
-ne P*)? Ru 122   harundinem fert sportulamque et hamulum piscarium St 289   ecferte
huc scopas simulque harundinem St 347   hisce
hami atque haec **harundines**(ar. *B*) sunt nobis
quaestu et cultu Ru 294

HARUSPEX, HARUSPICA - - 1. *nom.:*
nom bona **haruspex** dixit Poe 456c(*v. om A
secl* ω)   condigne haruspex, non homo trioboli,
omnibus in extis aibat portendi mihi malum
damnumque Poe 463   quodque haruspex de
ambabus dixit Poe 1206   mea fiducia hercle
haruspex . . his promisit, scio, libertatem Poe
1209   suspendant omnes nunciam se **haruspices** Poe 746

2. *dat.:* da quod dem quinquatribus prae-

cantrici, coniectrici, hariolae atque **haruspicae**
(ar. *PRU* -ce *C*) Mɪ 693
3. *acc.*: in Velabro uel pistorem uel lanium
uel **haruspicem**(ar. *BES* aur. *J*) .. Cᴜ 483(*v.
secl Urlichs SLU*)   hariolos, **haruspices**(*BDE*
ar. *JRgl*) mitte omnes Aᴍ 1132   ego habui
hariolos, haruspices(*BC* ar. *DNon* 392) Poᴇ 791
    HASDRUBAL - - Fʀ III. 13: hasdrubālem
citat Gell IV. 7, 1
    HASTA - - 1. *abl. sing.*: pro galea sca-
phum, pro insigni sit corolla plectilis, pro
hasta(asta *BC*) talos .. capiam Bᴀ 71   ibi
cursu, luctando, hasta(asta *BC*), disco, .. sese
exercebant Bᴀ 428
    2. *abl. pl.*: istic **hastis**(istis *E*) insectatus
est domi matrem et patrem Cᴀᴘ 549   me .. insectatum esse hastis meum memoras patrem?
Cᴀᴘ 552   quo neque industrior de iuuentute
erat .. disco, hastis, pila Mo 151   denis hastis
corpus transfigi solet Mo 358
    3. *corrupta:* Mo 357, hastis *P pro* hostica
(*R*)   Tʀᴜ 892, hastis *P var em ψ*
    HASTATUS - - abi atque **hastatos** multos,
multos uelites .. Cɪ 287   iubes loricam adducere, multos hastatos, postid multos uelites
Cɪ 293
    HAU, HAUD - - *Cf* Sigismund, *De haud
negationis apud priscos scriptores usu. Diss.*
Lipsiae 1883; Planer, *De haud et haud-
quaquam negationum apud scriptores Latinos
usu. Diss.* Ienae 1886; Habich, *Observationes de negationum aliquot usu Plautino. Diss.*
Halis 1893
    I. Forma 1. **hau**(*cf etiam* Leo, *Pl. Forsch.*
p. 225)   *numquam ante vocales, ante consonantes ut sequitur:* b. Mo 721(*P* haud *AU*),
Tʀɪ 462(*A* haud *PU*)
    c. Cᴀꜱ 355(B^1E haut *V* haud B^2JU), Mɪ 1014
(*A* haut *R* haud *PU*), Mo 434(*P* haud B^2D^3U),
Pᴇʀ 170(*RRs pro* non), Tʀᴜ 242(*Rs pro* soli)
    d. Bᴀ 506(*A* haud *PRgU*), Mɪ 95(*R* au CD^1
aut B^1 haud B^2U iā D^2), Pᴇʀ 137(*R* non *PU
LLy*), 498(*RRsLy* haut *A* haud *Pψ*), Poᴇ 94,
737(*D* haud *C* aud *B*), Vɪ 89
    f. Cᴀꜱ 912(*Rs solus pro* non), Mɪ 381(*A* haud
PU sed aut B^1), Poᴇ 862(*A* haud *PU*), 871
(*A* haud *PU*), Tʀᴜ 731(*ins Rs solus*), 929(hau
ferro *Z*[haut] aufero *P*)
    l. Pᴇʀ 377(*AB* haud *CDU*), Sᴛ 529(*Guy* huc
APS†U), Tʀɪ 233(*A* haud *PU*), Tʀᴜ 657(au *B*
aut CD^1 haud D^4U)
    m. Cɪ 495(*A* haud *P*), Cᴜ 512(au *BE* aut *V*
haud *JU*), Mᴇʀ 482(*A* haud *PRU*), Mɪ 170(*A*
haut CD^1R haud BD^3LU), Pᴇʀ 593(*A* haud
PU haut *R*), 697(*A ut vid* haud *PU* haut *R*
commode *Rs*), Poᴇ 291(*A ut vid* haud *PU*),
1112(*ALLy* haud *CDψ* haut *B* non *Gell Non*),
Ps 142(*A* haud *PRgU* haut *R*), 221(*A* haud
PU), 1078(*A ut vid et B* haud *CDU*), 1084(*AB*
haud *CD*), 1094(*B* haud *CDLU*), 1305(*ABLLy*
haud *CDψ*), Rᴜ 35, Sᴛ 118(*AB* haud *CD*), 590
(hau malique *A solus aliter RgU*), Tʀᴜ 888(au
B aut *CD* haud *FZ*)
    n. Mo 735(D^1 haud BD^3U heu *C*), 919(*P*
haud B^2U), Tʀɪ 445(*A* haud *PU*)
    p. Mᴇɴ 927(*P* haud B^2D^3U), Mo 104(*ins Rs*),
792(AB^1 haud *PU*), Pᴇʀ 23(*A* haud *PU*), 552

(*A* haut *BR* haud *CDU*), 612(*R* haud *PU* hu
A), Poᴇ 1215(*A* haud *PU*), Ps 653(*A* haut *PR*
haud *U*), Rᴜ 222(*ex A* haud *PU* au *A*), Sᴛ 59
(*A* aut *P* haud *U*), 297(*A* haud *PU*), 488(*A*
haud *PU*), Tʀᴜ 528(*B* haud *CDU*)
    q. Cᴀᴘ 592(hau queo *Rs pro* iam nequeo),
Mᴇɴ 589(hau quiquam *Rs* ait quaquam *A* qui-
cum *P var em ψ*), Pᴇʀ 11(*A* aut *P* haud *U*),
Poᴇ 269(*B* haud *CDU*)
    s. Cᴀꜱ 187(*A* haud *BVJU* aut *E*), 801(*A*
haud *BVJU* haut *E*), Cɪ 462(*Rs in lac*), Eᴘ 543
(*Rg* aut *Non* 473 haud *PU*), Mᴇɴ 207(*ins R*),
Mᴇʀ 270(*A v. om P*), 541(*A* haud *BDLU* haut
CR), Mɪ 217(hauscis *em R aliter ψ*), 1014(*A*
haud *PU* haut *R*), 1023(*HauptU om APψ*), 1072
(*CaU* hii *B* hic *CD*), Mo 17(*ins R*), 783(*P* haud
AU haut B^2), Pᴇʀ 205(hauscio *ins R*), 278
(hauscio *R pro* nescio), Poᴇ 835(*B* haud *CDU*
non *Rgl*), 1208(*A* haud *PU*), Ps 215(*A* aut *BC*
haud *DU*), 683(*A* haud *CDU* haud *BR*), 1222
(*A ut vid* aut *P* haud *U*), 1333(*A* haud *PU*
haud *R*), Rᴜ 216(*RsLy* aut *B* haud *ACDψ*),
385(hau seruat *Rs pro* obseruat), 1040(*RsLy*
haud *Pψ*), Tʀɪ 233(*AB* haud *CD*)
    t. Eᴘ 688(*A* aud *B* aut *E* haud *JU*), Mɪ 293
(aau *B* haud *CDU*), Mo 394(*P* haud B^2U),
Poᴇ 755(*Rgl* haud *ACψ* haud *BD*), Tʀᴜ 616
(hau tu mihi *ins RsU*)
    u. Pᴇʀ 500(*A* haud *PU*), Poᴇ 572(*P* haud
U), Ps 251(*Ly* at *Pψ*)
ante consonantes hau *semper scribit Ly,* haud
ante vocales. Nusquam fere hau *exhibet U*
    2. **haud** *ante vocales semper; ante conso-
nantes exempla inveniuntur ante* c, d, f, g, l,
m, n, p, q, r, s, t, u *cons. Nonnumquam pro*
haud *forma in manuscriptis invenimus* haut,
quam R in ed sua saepe exhibet(*cf proleg.* p.
XCIX). *Libri* haut *exhibent ut sequitur A:* Eᴘ
529, Pᴇʀ 498, Tʀɪ 60, 62. *B:* 32*ies. C:* Bᴀ 40,
Mɪ 763, 1000, 1047, Ps 653. *D:* Mᴇʀ 237, Mɪ
145, Mo 1080, Poᴇ 755, Ps 653, Sᴛ 205. *E:*
25*ies. V:* Cᴀꜱ 355.
    3. *corrupta:* Cᴀꜱ 201, haud *V pro* aut; 982,
haud *add P om A*   Cᴜ 464, haud *VEJ* huad
B pro ut(*Ald*); 539, haud E^3 *pro* aut   Mᴇɴ
583, haud D^1 *pro* aut; 620, haut B^2 *pro* aut
Mɪ 469, haud *P pro* aut(*A*)   Poᴇ 466, haud
P pro aut(*Pius*)   Ps 836, haut *add A* aaud *B*
aut *CDULy om Guy ψ*
    II. Collocatio *adverbium proxime ante id
vocabulum poni solet ad quod pertinet. Unum
vocabulum intercedit:* Aᴍ 679, Bᴀ 159, Cᴀᴘ 561,
Cᴀꜱ 652, Mᴇɴ 755, Mᴇʀ 381, 512, 541, 732, Mɪ
1000, Mo 124, 791, Pᴇʀ 102, Poᴇ 141, 755, Rᴜ
919, Tʀɪ 90, Tʀᴜ 321; *duo:* Bᴀ 344; *quattuor:*
Mɪ 629. *Numquam sequitur vocabulum secundum* Sigismundum, *sed cf magis* haud Aᴜ
231, *iterum* haud Rᴜ 658, satis hau Tʀɪ 233
Cf etiam Kellerhoff, pp. 68, 71
    III. Significatio 1. *cum adiectivis:* haud
aequom facit Aᴍ 687   haud aequom filio fuerat tuo .. Mᴇʀ 972   haud aequomst te inter
oratores accipi Sᴛ 494   haud(*FZ* aut *P*) alienus tu quidem es Tʀᴜ 176   hau* bonum teneo
seruom Mo 721   utrumque .. in aetate hau*
bonumst Tʀɪ 462   istic me haud centesumam
partem laudat .. Cᴀᴘ 421   haud centesumam

partem dixi atque . . Mɪ 763 procul amantem abesse haud consentaneumst Cʋ 165 Mnesilochus . . haud consimili ingenio atque illest
Bᴀ 454 haud decorum facinus tuis factis facis
Aʋ 220 dicito . . inter nos fuisse ingenio
haud discordabili Cᴀᴘ 402 hau* dubium id
quidemst Poᴇ 737 simul flare sorbereque
haud(aut *B*¹) factu facilest Mo 791 sine pennis uolare hau* facilest Poᴇ 871 haud falsa
sum nos odiosas haberi Aʋ 123 haud falsa
. . praedicas Mᴇɴ 412 id quam mihi facile
sit haud sum falsus Mᴇɴ 755 mihi hau* falsum euenit somnium Mɪ 381 haud grauatam
patronam exsequontur Rʋ 260 architecti . .
ad eam rem haud inperiti Mɪ 919(*Rg*) neque
mihi haud imperito eueniet Pᴇʀ 535 eos omnis . . haud indignos iudico Sᴛ 205 haud
iniquom dicit Rʋ 1096 med haud inuita se
domum recipit Aᴍ 663 haud(auh *B*) inuita
fecero Mᴇɴ 424 faxo haud inultus prandium
comedereis Mᴇɴ 521 haud iratus fui Ps 1084
oculis haud lacrimantibus Cᴀᴘ 201(*L*) te quoque ipsum facio haud(aut *E*) magni As 114
uilice haud(*A* hic *P*) magni preti Cᴀs 98 homo
haud magni preti Cʋ 167, Mɪ 145(aut *P*) auctionem haud magni preti Sᴛ 235 statura
hau* magna Poᴇ 1112(*cf Gell* XIII. 30, 4; *Non*
52) tu oleum hau* magni pendis Ps 221
haud malum huic est pondus pugno Aᴍ 312
hominem haud malum mecastor! Aʋ 172 stultae atque haud(*B in marg et L* hau *Ly om*
*CD*ψ) malae uidentur Bᴀ 1139 haud malast
mulier Bᴀ 1161 sist pauper atque haud malus . . Mᴇɴ 576 haud malast Mᴇʀ 756 hau*
mali uidentur Ps 142 senex . . hau* malus
Rʋ 35 (ago) aetatem haud malam male Rʋ
337 haud mediocris poenas penderes Bᴀ 425
haud meretriciumst Bᴀ 40 haud miranda
facta dicis Rʋ 345 hau* mirumst factum Mᴇʀ
482 haud(ut *B*) mirum si te habes carum Mɪ
1041 hoc quidem haud(aut *E*) molestumst Cᴀᴘ
357 haud multo post(*cf* Kellerhoff, p. 71)
As 168, Bᴀ 853, Cʋ 182, Poᴇ 202, 1360, Ps 1039,
1043, Rʋ 888, Tʀʋ 474(*FZ* aut *P*) post haud
multo Mᴇʀ 234 metuam haud(*Py* aut *P*) multum Mᴇɴ 985 a hau* multo prius Ps 1094, Rʋ
1055(haud) hau* multos homines . . uidere
. . mauellem Mɪ 170 hau †mutu apparet Tʀʋ
888(*var em* ψ) compendium edepol haud(aut
C) aetati optabile Bᴀ 159(*v. secl LangenRg*𝕊)
et me haud par est Pᴇʀ 834 opera haud fui
parcus Rʋ 919 . . id quidem esse haud perlonginquom Bᴀ 1194 haud permultum attulit
Bᴀ 320 seruos is habitu hau* probust Sᴛ 59
haud satis Poᴇ 288(*L in loco dubio*) haud
sordidae uidentur ambae Bᴀ 1124(h. *transp R*
Rg) neque haud subditiua gloria oppidum
arbitror Bᴀ 19 intus potate hau* . . minus
Mo 394 faxo haud(haut *A*) tantillum dederis
uerborum mihi Tʀɪ 60 haud(*Non* 414 non
PLU) temerariumst As 262 haud(*Sarac* aut
P hau *R*) tuom istuc est te uereri Sᴛ 718
2. *cum adverbiis:* Hercules haud(*Lamb* aud
C apud *D*¹ h. H. *ABLy*) aeque . . abstulit Mᴇɴ
201 haud aliter esse duco Bᴀ 369 haud
aliter id dicetis Mo 98 haud aliter ausim Poᴇ
1358 haud amice facis Poᴇ 852 ego perii

certo haud arbitrario Poᴇ 787 partum ei
haud commodest Cᴀs 200 tergo et cruribus
consuluit haud decore As 409 hau* sane diust
quom dentes exciderunt Mᴇʀ 541 ego hau*
diu apud hunc seruitutem seruio Mɪ 95 hau
diu.. is in illis habitat aedibus Poᴇ 94 quando?
#Haud dudum Pᴇʀ 498 istic leno hau* dum
sex menses . . huc est quom commigrauit Pᴇʀ
137 perii. #Haud(*A* aut *P*) etiam Mɪ 1400
tu quidem haud etiam es octinginta pondo Pᴇʀ
231 Rʋ 1381(haud *add AcL post* dum *U ante*
dum) haud(*Ca* ad *P*) conuenit etiam hic
dum Phronesium Tʀʋ 321 haud(*AB*² aut *P*)
facile in eundem rusum restitues locum Mɪ 702
accipiere faxo haud familiariter Aᴍ 355 facio
quod manufesti moechi hau* ferme solent Poᴇ
862(*cf* Dousa, 440) ut honeste atque haud
grauate . . accepit ad sese Rʋ 408 uerba
quidem haud indocte fecit Pᴇʀ 563 haud
ineuscheme astiterunt Tʀɪ 625(*cf RRs*) haud
(*A* aut *B*) itast res Tʀʋ 194 iterum haud(*B*
aut *CD* autem *FZRsU*) imperabo Rʋ 658 ingressus fluuium . . ab urbe haud longule Mᴇɴ
64 ilico hinc imus haud(*F* aut *P*) longule
ex hoc loco Rʋ 266 haud longe abesse oportet Aᴍ 322 ne tibi hercle haud longest os
ab infortunio Bᴀ 595 eo ego hinc haud(aud
B) longe. #Et quidem ego (eo *add RRs*) haud
longe Pᴇʀ 217(†𝕊) haud longe abesse oportet
homines hinc Rʋ 255 quam dudum in portum uenis? #Hau* longissume postilla Sᴛ 529
uideo caculam militarem me futurum haud(*Dou*
aut *P*) longius Tʀɪ 721 oues illius hau* longe
absunt a lupis Tʀʋ 657 tibi dabo haud
lubenter Cʋ 123 tu me bos magis haud
respicias quam . . Aʋ 231 haud magis cupis
quam ego te cupio Cʋ 305 haud uidi magis Aᴍ 679, Cᴀᴘ 561(*B* audiui *CD*), Mᴇʀ 723,
Poᴇ 141 simitu hau maligne(*P*𝕊†*LLy* si
posset ego iam *Rg* si essent benigne *U*) uos
inuitassem domum Sᴛ 590(*A solus*) haud male
agit gratias Aʋ 658 hau* male meditate maledicax es Cʋ 512 dedit mihi ad hanc rem
Apoecidem . . #Haud male Eᴘ 359 haud male
illanc amoui Mᴇɴ 853 hercle tu me monuisti
hau* male Pᴇʀ 593 tu me commonuisti hau*
male Pᴇʀ 697 hoc quidem actumst hau* male
Ps 1078 Ps 1204(haud *ins RRg*) hau* male
mones Ps 1305 hau* male istuc Sᴛ 118 . . damnum fecisse haud mediocriter Mᴇʀ 237 quam
digne ornata incedit haud(*FZ* aut *P*) meretri-
cie Mɪ 872 ego (ualeo) haud perbene a pecunia
Aʋ 186 uidi . . hominem haud(*v. om B*) perdudum Sᴛ 575 satin tu usque ualuisti? #Hau*
probe Pᴇʀ 23 mihi haud saepe eueniunt
tales hereditates Cʋ 125 esurio hercle atque
adeo hau* salubriter(*A* haud sitio *P*) Cᴀs 801
hau* satis meo corde accepi querellas tuas Cᴀs
187 de hac re mihi satis hau* liquet Tʀɪ 233
estur quasi in popina, hau* secus Poᴇ 835
accepit ad sese haud secus quam si ex se simus
natae Rʋ 410 quasi canes haud secus circumstabant nauem turbines Tʀɪ 835 liberare
iurauisti me haud semel sed centiens Poᴇ 361
haud somniculose hoc agendumst Cᴀᴘ 227 tu
istam . . temere hau* tollas fabulam Mɪ 293
Mᴇɴ 821(hercle id haud uere *Rs* hec eludere

PS† *em ψ*) Mer 862(haud *ins MueRg ante usquam*) equidem haud(hau *B*¹) usquam a pedibus apscedam tuis Mo 857

3. *cum substantivis:* erus in hara haud aedibus habitat As 430   id nunc facis haud(*P aut A*) consuetudine Tri 362   edepol haud dicam dolo Tri 90   auro hau* ferro deterrere potes Tru 929   profundum uendis tu quidem haud fundum mihi Cap 182(*v. secl Rs*)   dicto me emit audientem, haud imperatorem sibi Men 444   haud(*B*² *aut P*) mendacia tua uerba experior esse Men 333   ludos facias haud merito meo Au 253   *similiter:* neque id haud inmerito tuo Men 371   octoginta debentur huic minae? #Hau* nummo amplius Mo 919 lectus . . ubi tu hau* somnum capias Ps 215 numquid recusas contra me? #Haud uerbum (*A* aduersum *PU*†) quidem Poe 1355   me, haud uxorem ulciscitur Men 126

4. *cum pronominibus:* haud quisquam quaeret qui siem Am 130   eum salutat magis haud quiquam quam canem Am 680   faxo haud quicquam sit morae Am 972   huic mihique haud faciet quisquam iniuriam Ba 59   haud(*aut B*) quicquamst magis quod cupiam Cu 171   Men 589(hau* quiquam *Rs* quicum *P de A dubium: var em ψ*)   properanti haud(*CD* heu *B* hau *RLy* hodie hau *Rs*) quisquam dignum habet decedere Mer 117   haud(*FZ aut P*) etiam quicquam inepte feci Mer 381   quas adeo hau* quisquam umquam liber tetigit Poe 269   haud quisquam hodie nostrum curret per uias Poe 527   illa haud(*A* haut *B aut CD*) ego habuit publicum Tru 143   haud(hud *E*) nos id deceat Cap 208   edepol haud te(*PS*†*LLy* recte *Rs* tecum *MueU*) orat Ru 1152   Tru 616 (hau tu mihi *ins ante* meos *RsU*)   tuon arbitratu? #Meo hercle uero atque hau* tuo Ep 688   hau uostrumst iracundos esse Poe 572 haud alius est Au 813

haud istuc rogo Cap 627, Ep 51(te rogo) haud(*FZ aut P*) istoc modo solita's me ante appellare Tru 161

5. *in iocutionibus:* haud ab re(*CaLULy* adeo ob rem *Rs* ad ob rem *PS*†) . . tibi obuenit istic labos Tru 521   ego te in neruom haud ad praetorem hinc rapiam Cu 723 incedit huc ornatus haud ex(*Muret* audax *EJ* haud *B*) suis uirtutibus Cap 997   manibus duella praedicare soleo haud in(ego haud *Rs*) sermonibus Tru 483(*cf* As 430)   haud(aut *B*¹) sum natus annos praeter quinquaginta et quattuor Mi 629   haud sine poena feceris Cap 695 hoc quidem edepol hau* pro insano uerbum respondit mihi Men 927

6. *cum verbis:* illi quoque haud abstinent saepe culpa Men 768   haud(haut *A*) accuso fidem Ep 549   exorando haud(*AB om CD*) aduorsando sumendam operam censeo St 70 . . ego cum illo pignus haud ausim dare Ba 1056   memini quom dicto haud audebat (laedere) Cap 303   tam bellatorem Mars se haud (*A* aut *P*) ausit dicere Mi 11   Poe 1358(*vide supra* 2 *sub* aliter)   Ru 1383(haud ausim *Ly* '*dubitanter*' *pro* aut sim)   haud causificor quin eam ego habeam potissumum Au 755 utut eris, moneo, haud celabis Ba 403(*v. secl R*

Rg)   ego id quod celo hau* celo Mi 1014   haud cessauit . . Vi 76   haud censebam istarum esse operarum patrem Mer 815   neque ego haud committam ut . . Ba 1037   haud Atticam condecet disciplinam Cas 652   Per 170 (hau consueui *RRs pro* non c.)   ego hau* credo sed certo scio Cas 355   credo haud (hauc *B*) crederet Tri 115   Tru 242(hau *Rs pro* soli)   haud decet Ep 421(*U pro* ita d.) haud te(id haud *R*) decet Per 102   me quidem haud(item *R*) decet(addecet *Bo* haud *omisso:* dedecet *RostU*) Per 220   defaenerare hominem egentem hau decet Vi 89   immo . . haud dehortor Cap 209   haud derides Ba 1010   ego bonum . . mihi dari haud(hau *RLy*) desidero Mer 148   ego faxo hau* dicet nactam quem derideat Ba 506   faxo se haud dicat nactam quem derideat Ba 864   haud equidem deico Mer 512   causam haud(*AD*² aut *P*) dico Mi 1427   Tri 90(*vide supra* 3 *sub* dolo)   haud dormitandumst Ba 240   certumst sine dote haud dare(*Pius* had d. *B* addere *CD*) Tri 585 huc . . haud ibis(audibis *A*) intro Ps 654   haud uerbum facit Cas 921   hau* uerbum faciam Per 500   Tru 731(hau fecit *Rs in loco dubio*) haud fugio sequestrum Vi 99(*ex Prisc* II. 224) guttam haud habeo sanguinis Mo 508   iterum haud(*B* aut *CD* autem *FZRsU*) imperabo Ru 658(*an ad* iterum *pertinet?*)   triduom unumst haud intermissum hic esse et bibi Mo 959 pluma haud interest Mo 408   id mihi haud (aut *B*) utrum uelim licere intellego Ba 344 (*transp R*)   Cu 401(haud *BoRg pro* non)   nobis istas redhibere haud liceret Mo 800   lubere hau* liceat(lubeat *PistorRL*), si liceat mihi Per 377   haud mansisti dum ego darem illam Tru 843   haud mentior Am 573, Cu 326   id quidem hau* mentire Per 291   hau* mentitust Ps 1084   scitis pol haec uos me haud (aut *B*) mentiri Tru 109   hau* metuo ne . . quisquam culpitet Ci 495   . . quam illum haud(*Herm om P*) mauellem Ba 452   haud (hud *C*¹) moror Ba 1118   ego quod dixi haud mutabo Ba 1153   quod semel dixi haud mutabo Ba 1202   haud negassim As 503   ita ut dicis facta hau* nego Mo 735   abi, ludis me: credo haud negat Mo 1080   ille quidem haud negat Mo 1081   adsimulasse me esse praegnatem haud nego Tru 390   faxo haud nescias quam rem egeris Tri 62   te haud non uelles(nolles *RRg*) diuidi Au 286   nisi tu neuis. #Immo haud nolo Tri 1157   hau* nosco tuom Tri 445   neque ille haud obiciet mihi Ep 664   non edepol scio: uerum haud opinor Ba 322   orat . . ut istas remittat sibi. #Haud opinor Mo 798   me haud(aut *E*) paenitet si licet . . Am 1124   me haud paenitet tua ne expetam Au 434   haud me paenitet si ut dicis ita futura's Ci 47   cerae quidem haud parsit neque stilo Ba 996   Mo 104(hau *ins Rs*) uitae hau* parco Ru 222   bonis quod bene fit, haud perit Ru 939 b   haud perit quod illum tantum amo Tru 581   ingenium auidi haud pernoram hospitis Ba 276   petere hau* pigeat Tru 528   dum . . perplacet mihi consilium, dum rursum haud placet Mer 349 apage te, Harpax: hau* places Ps 653   num

ultro id deportem? hau* placet S⊤ 297   dudum haud(*Pistor om* PLL*y*) placuit potio S⊤
762(*cf* L е o *ad loc*)   comprimam linguam.
#Haud(aut *E*) potes A⋅м 348   me decipere
haud potes Mеʀ 928   meminisse haud(aut *B*)
possum M⋅ɪ 1047   M⋅ɪ 1270(haud *R pro* non)
ego hic esse et illic simitu hau* potui Mo 792
hau* potui . . perspicere sapientiam Pеʀ 552
hau* possum quin huic operam dem hospiti
Pеʀ 612   R⋅υ 1383(haud potis sim *L pro* aut
sim) aduorsari . . haud possumus S⊤ 72   aedis
postulas comburere? #Haud postulo A⋅υ 362
haud te inuito postulo A⋅υ 757   ne . . censeas.
#Haud postulo Mo 1006   uos adproperare
haud postulo Pое 544(*v. secl L*)   haud postulo aliter Pое 1082   hau* postulo equidem
med in lecto accumbere S⊤ 488   amicitia . .
cum hoc habendast. #Hau* precor Pое 1215
transibo, haud(*MueRg* non *APψ*) prodibo S⊤
614   haud(aut *E*) promeruit quam ob rem
uitio uorteres A⋅м 1142   tuosne hic seruos
est? #Haud pudet R⋅υ 1053   bonine an mali
sint id haud quaeritant Mеɴ 574   huius sermo
haud cinerem(aut emerē *B*) quaeritat M⋅ɪ 1000
Cᴀᴘ 592(hau queo *Rs pro* iam nequeo)   uiri
ius suom ad mulieres optinere haud(aut *E*)
queunt Cᴀꜱ 192(*v. om A*)   me erus meus manum apstinere hau* quit Pеʀ 11   haud recusem quin mihi male sit Cᴜ 164   haud(*Lamb*
aut *PR*) materiae reparcunt Mo 124   haud
repudio hospitium Pое 1054   hoc . . haud reticebo tamen A⋅м 397   haud rogem te si sciam
Mеɴ 640   ego haud scio quid post fuat A⋅υ
426   haud scio quid eo opus sit Bᴀ 1133
hau* scio an congrediar Eᴘ 543   Mеɴ 207(hauscio set *R pro* scio)   eos esse quos dicam hau
scio Mеʀ 270(*A solus*)   M⋅ɪ 217(hauscis *R in
loco dubio*), 1023(hauscis *HauptU pro* scis), Mo
17(hau *ins R*)   hunc hau* scio an conloquar
Mo 783   Pеʀ 205(hauscio *R in lac*), 278(hauscio *R pro* nescio)   qui sperem hau* scio Pое
1208   stulti hau* scimus frustra ut simus Pꜱ
683   haud(aut *B* hau *RsLy*) scitis miseri me
nunc miseram esse R⋅υ 216   ne iste haud(hau
RsLy) scit quam condicionem tetulerit R⋅υ 1040
R⋅υ 385(hau seruat *Rs pro* obseruat)   facit ille
quod uolgo haud solent A⋅м 185   me isti hau*
solent uocare Pꜱ 1333   te hau sinam emoriri
(*A ut vid* aut te sin a me [*om B*] moriri *P*)
Pꜱ 1222   haud sordere uisust Pое 1179   ne
oratricem hau* spreuisti M⋅ɪ 1072   Eᴘ 272(haud
WeiseRg¹ ante uenerit *pro* non)   hau* sto Cɪ
462   haud(*D³* aut *P*) uereor ne nos . . peruincamur M⋅ɪ 943   A⋅υ 710(haud uidet *GuyRg
pro* non u.)   hoc haud uidetur ueri simile uobis Mo 93(*v. secl RRsꝶL*)   haud(aut *E¹J*) uoluisti istuc seuerum facere Cɪ 646   atque haud
te uolo Pое 755   hau* uos uolo ego ambos
Pꜱ 251(*Ly*)   Tʀɪ 948(Catamitum haud *BugRU
**mit aut P* faciam ita ut *ψ*)
    mare haud est mare A⋅ꜱ 134   si papillam
pertractauit haud(id *add CaRgl*) est ab re aucupis A⋅ꜱ 224(*vide* Tʀᴜ 521 *supra* 5)   nebula
haud est mollis aeque . . Cᴀꜱ 847   Cᴀꜱ 912
(hau *Rs pro* non)   haud est dissimilis Mеɴ
1064   ea haud est fabri culpa Mo 114   Mo
802(stulta haut esse *R in lac*)   meum

potissumumst. #Immo hercle haud est R⋅υ 986
te mercennarium haud esse arbitror Vɪ 28(*L*)
haud periclumst cardines ne foribus effringantur A⋅ꜱ 388   eiulatione haud opus est Cᴀᴘ
201   hau* causast, ilico . . quin facias mihi
Mo 434   fecero quamquam haud otiumst Pое
858   hoc mihi haud(*F* aut *P* nil *Rs* sat *Mue
Ly*) laborist laborem hunc potiri R⋅υ 190
    7. *cum enuntiato:* quid istuc est . . quod tu
tam subito domo abeas? #Edepol haud quod
tui me . . distaedeat A⋅м 503

HAURIO - - Tʀɪ 803, hauriat *CD* auriat *B
pro* auri ad(*F*)

HEBES - - quingentos simul ni **hebes** machaera foret uno istu occideras M⋅ɪ 53   *Vide*
A⋅ꜱ 518, *ubi* hebes *Isid or.* XIX. 2, 3 *pro* habeas

HECALA - - numquam **Hecala** aetate(*Rs* ae.
Hecale *SalmU* et haec a te *BVꝶ†* et hecata *J*
ae’ haec a te *E* senecta *L* hac aetate *SeyLy*)
fies Cɪ 48   *Cf* G r a u p n e r, p. 29

HECTOR - - Achillem orabo aurum ut mihi
det **Hector** qui expensus fuit Mеʀ 488(*cf* I n o-
w r a c l a w e r, p. 47)   immo Hector Ilius(*Palmer
ex Serv Dan ad Aen* I 268   ecastor *A* hectore illius *P* ecastor prius *U* extorrem illius
cum lac Rs) te quidem oppressit Cᴀꜱ 994

HECUBA - - Ulixem . . praedicant cogni-
tum ab Helena esse proditum **Hecubae**(eccube
P[-e *CD*]) Bᴀ 963   non tu scis . . **Hecubam**(*B*
hecc. *D* hec cumbam *C*) quapropter canem
Graii esse praedicabant? . . #Quia idem faciebat
Hecuba quod tu nunc facis Mеɴ 714-6(*cf* E g l i,
II. p. 17)

HEDYLIUM - - *meretrix.* principio, **Hedy-**
lium(*Ca* -yllum *B* illum *CD* ***tium *A* Hedy-
tium *L*) tecum ago Pꜱ 188   *Cf* S c h m i d t,
p. 191; W o e l f f l i n, *Archiv,* IX. 163

HEGEA - - *saltator.* nequeo . . quin tibi saltem staticulum olim quem **Hegea**(egea *D*) faciebat Pеʀ 824   *Cf* S c h m i d t, p. 191

HEGIO - - *senex. In supersc.* Cᴀᴘ *act.* II *sc.* 2,
3; *act.* III *sc.* 2, 4, 5; *act.* IV *sc.* 2; *act.* V *sc.* 1,
3, 4. *nom. vel voc.* egio Cᴀᴘ 4, 138(egio *BDE*),
148, 186(*D* heio *BVE* egio *J*), 300(egio *J*),
309(*DJ* heio *BE*), 319, 337, 426(egio *OJ et
Non* 335), 547, 558, 579(egio *E*), 584, 594, 599
(*Ly* hercle *PLꝶ†* hau hercle *Rs* quid ais *Sey
U*), 603, 605(*om J*), 608, 619, 727, 835, 878
(egio *BE*), 893(ebio *B*), 948, 978   **Hegionis**
Cᴀᴘ *Arg* 1, Cᴀᴘ 95(eg. *P*)   **Hegionem** Cᴀᴘ 776
(leg. *E*), 827(eg. *E*), 1024   *Cf* S c h m i d t,
p. 191

HEI - - *vide titulum* ei

HEIA - - *vide titulum* eia

HELENA - - Mnesilochust Alexander . . . : is
Helenam auexit(*A* his[is *CD*] elenam[he. *C*]
abduxit *PR*) Bᴀ 948   Ulixem . . praedicant
cognitum ab **Helena** esse proditum Hecubae
Bᴀ 963

HELLUO - - exi, inquam, nidore, **helluo.**
nam(*Rs* nidore cupinam *P var em ψ*) . . Mo 5

HEM - - *cf* R i c h t e r, p. 544
    I. *Forma* pro em *forma invenimus persaepe
in manuscriptis, praecipue CD,* hem, *quam
formam nonnumquam retinet U. Haud raro
etiam* hem *inseruit R ut metrum servaret. Vide*

etiam Mo 956, *ubi* hem ita *B pro* habitat. *De reliquis variis lectionibus vide titulum* em I

II. Collocatio *particula solet praecedere interrogationibus quibuscum coniuncta est, nonnumquam sequitur*

III. Significatio *usurpatur vel absolute vel cum enuntiatis; et est exclamatio vel obstupefacti re mala, vel re bona, vel indignantis, vel dolentis, vel eius qui audivit vocem vocantis.* 1. *obstupefacti est* **a.** *re mala:* uir pessumis me modis despicatur domi. #Hem(hee *E*)! Cas 187 gladium . . #Hem! #Gladium . . #Quid eum gladium? Cas 660 hem(V^2JLLy em BDV^1 $E\psi$), nemo habet horum? occidisti Au 720 pater hic meus est. #Hem, quid? pater? perii oppido Per 741 muphonnium sucorahim. #Hem (*A* em *PU*), caue sis feceris Poe 1023(*metu ficto*) hem(em *GepU*), quod uerbum auris meas tetigit? Poe 1375 hem(em *BU*), errabit illaec hodie Ru 177 *Vide* St 753, *ubi* hem, quid est *add R*

b. *re bona:* hem(*om E*), erumne ego aspicio meum? Au 811 salue, exoptate gnate mi! #Hem(em *VE*), quid 'gnate mi'? Cap 1006 ego sum ipsus quem tu quaeris. #Hem(*AP* em *U*), quid ego audio? Poe 1046(*v. secl SeyRRs§L*) ego sum. #Hem, quid hoc bonist? Ru 415 Epignomum conspicio . . . #Hem, quid? Epignomum elocutu's? St 372 ego sum Charmides. #Hem, quis est qui mentionem facit? Tri 1069 *Huc dubito an referant edd locos sequentes quos emendant:* Ba 121(hem quam *R pro* umquam), Cu 636(hem Periphanes *FlU* Planesium *P§†L†Ly†* Plothenius *R exempli causa*), Mo 757(hem *add RRs ante* quid)

2. *indignantis:* scyphos . . rettulitne? #Non etiam. #Hem(em *Rgl*) non? As 445 hem(em *Rgl*) quid istuc est? ut tu incedis? As 705 non . . tua dicta in auris recipio. #Non? hem (em *V*), quid agis? Ci 511 me rogas? hem, qui sim(*B²CD* rogassem quid sit *B* rogas homo qui sim *AcRgLU*)? Mi 426 uidi efferri mortuom. #Hem, nouom? Mo 1000 *Fortasse huc etiam referendi sunt hi loci emendati:* Ba 257(hem *add HermR post* Archidemidem), 980(hem *ins RRg ante* rogas), Mer 904(hem quid id *Rg pro* inique), Mo 314(hem *CaR pro* em)

3. *dolentis est:* molestus ne sis. #Hem(*FZ* em *APLLy*), illoc enim uerbo esse me seruom scio Men 250

4. *respondentis:* Stiche! #Hem(*om RRgU*) St 660 Stasime! #Hem(em *RRs*) Tri 1102 Ampelisca! #Hem, quis est Ru 237 heus, Theopropides! #Hem, quis hic nominat me? Mo 784 era. #Hem(*EJ* heui *BV*), quid est? Ci 695

HEMINA - - neque equidem **heminas**(*Sarac* feminas *P*) octo exprompsi in urceum Mi 831

HEPATIARIUS - - te igitur morbus agitat **hepatiarius**(*EJ* ep. *B*) Cu 239

HERBA - - quasi solstitialis **herba** paulisper fui Ps 38 mores mali quasi herba(*ACD* erba *B*) inrigua succreuere uberrume Tri 31(*cf* G r o - n o v, p. 337) 'herbam do' *cum ait Plautus significat* 'uictum me fateor' Fr II. 86(*ex Paulo* 99) coci . . **herbas** oggerunt, eas herbas **herbis** aliis porro condiunt Ps 812-3 hasce herbas(*ACD* herba *B*) huius modi in suom aluom

congerunt Ps 823 quas herbas pecudes non edunt, homines edunt Ps 825 *Vide* Per 421, *ubi* perennis herbae *Non* 11 *pro* perenniserue

HERBEUS - - quis hic est homo cum collatiuo uentre atque oculis **herbeis**? Cu 231

HERCLE - - **I. Forma** *pro* hercle *inuenimus saepe* ercle, *scilicet in* A 13*ies, in* B 35*ies, in* C 16*ies, in* D 48*ies, in* E 14*ies, in* J *quinquies. Inuenimus etiam has formas:* hercule Mer 170 *C*, Mi 581 *Fest* 169, Per 591 *B*, 593 *B*, 628 *B*, 629 *B*, Poe 355 *B*, 377 *P*, Ps 301 *Fest* 179, 1175 *CD*, Tru 357 *A*; herclae As 38 *B*; hercle Ps 1032 *D*, 1056 *D*; herole Ba 281 *B*, Men 503 *C*, Poe 1231 *D*; hercole Per 193 *A*; horcle As 622 *E*; bercle As 412 *E*; hercli Men 1016 *C*; herche Per 534 *B*, Poe 334 *B*, Ru 363 *B*, Tri 560 *B*; erche Cas 992 *E*; erede Mo 878 *C*; herde Men 533 *C*, 656 *C*, 1013 *D*, Mi 311 *C*, 491 *C*, 581 *C*, Mo 212 *D*, 386 *D*, 458 *D*, 463 *D*, 513 *D*, 586 *D*, 1176 *C*, Ru 108 *C*; erde Mi 310 *C*, Mo 469 *D*, 507 *D*, 557 *D*, 878 *D*, Per 440 *B*, 588 *B*; hecle Mer 179 *C*, Ru 834 *D*, Tri 62 *C*, Tru 921 *B*; helcle Tru 854 *D*

variae lectiones: Am 965, *ins Rgl* Au 53, hodie J *om Non* 360 ; 262, *BriRg pro* edepol Ba 303, crede *D¹*; 433, *ins Rg* Cap 599, hegio *Ly* quid ais *SeyU* †*§*; 921, *ins Rg* Cas 258, *ins BoRs*; 977, *A* ergo *P* Ci 52, meam *Rs* †*§*; 239, *iterat A*; 304, hercles *A*; 582, *om L* Cu 308, *ins BoRgU* Ep 65, *ins Rg¹* Men 92, *Non* 38 edepol *PLLy*; 98, *ins R*; 127, *om Varr l. L.* VII. 93; 537, hercle *ins R*; 821, hercle *Vahlen* hec *P§†*; 903, *ins R* Mer 16, *RRgLLy* esse *P§†* equidem *U*; 134, hercle temet *R pro* ere te; 269, uerum h. *A om P*; 585, *om B* Mi 186, ne h. usquam *R pro* earumque; 368, *A om PR*; 571, hercle si te *ACD* hercles ita *B¹*; 878, *ins R*; 926, potuit h. lepidius nil *Rg in loco perdubio*; 1409, *A om P* Mo 75, *om U post R*; 552, *ins MueU*; 720, *P* quin m*** *A* quin mehercle te *Rs§* quin hercle te *Ly* var em ψ; 798, *ins R*; 914, *Py* ere te *BC* erecte *D*; 1142, *Pius* erile *P* Per 41, *R pro* nunc; 283, h. si os *ACD* her clisios *B*; 537, *add Mue RsU*; 591, *om A*; 829, iam taceo h. *om RU secl L* Poe 137, *RRgl* hae *vel* hę *P§†* var em ψ; 274, *ins RRgl*; 508, haec edita *B pro* h. dedita; 1249, ergo *CD* herci* *A* Ps 104, *ins R*; 109, quidem h. *P* profecto *Serv Dan ad Aen* IV, 301; 1175, mehercle *RULy*; 1318, *ins R* St 223, *BergkL* Hercules *P§†ULy* Herculeis *A* Herculeo *RRg*; 379, *om A*; 459, *ins RRg* Tri 717, *om Fl add PRRsU*; 747, nam h. *P* eadem *A*; 885, *ins RRsU*; 1023, *RRs pro* eorum Tru 77, *ins Rs*; 287, *A om P*; 313, quidem h. *A* enim exercere *P*; 527, si h. *LuchsRsLLy* sih *P§†* Fr I. 10, h. equidem *Sp* herclem quedem *Varronis cod*

corrupta: Men 537, ercle *D³R pro* illae Mi 59, hercle *P pro* here(*A*); 1270, hercle *CD pro* edepol(*B*) Poe 864, per hercle nullum *C pro* perdent illum Ps 626, hercle *A pro* ego Ru 490, hercle *P pro* Hercule(*Ca*) Tri 507, hercles *P pro* haec res(*A*) Tru 210, ercle (hercle *D*) quieui *P pro* requieui(*A*); 423, adsido immo hercle uero *add P om Caω*; 611, hercles *P pro* haec res(*Sarac*)

II. Collocatio *si ad totius enuntiati sensum particula pertinet, ab initio stare solet, nisi quod coniunctionem scilicet* atque, neque, at, sed, et *sequitur. Si ad vocabulum unum pertinet, sequi solet. Cum particulis aliis coniuncta aliquando antecedit aliquando sequitur: ut* immo hercle, iam hercle, quidem hercle *semper sed item semper* hercle uero, hercle qui(quin). *Cf* Kellerhoff, pp. 63—66; Kienitz, p. 560. *Invenimus* hercle equidem *octies,* equidem hercle *undecies. Sequitur negationes, sed pronomen personale particula antecedere solet, nullo vocabulo interposito*(Kellerhoff, pp. 60, 68) *Cf etiam* Ballas, I. p. 32; Kaempf, pp. 9, 10, 40; Mahler, p. 15; Seyffert, *Stud. Pl.,* pp. 5, 18, 24; Wichmann, p. 28

III. Significatio(*cf* Wengatz, p. 65) *viri exclamatio*(*cf* Lindström, p. 99) A. *ad enuntiatum totum pertinet* 1. *in initio enuntiati:* a. hercle istum di omnes perduint! As 467 hercle iniuria dispertiuisti Au 330 hercle* quid si hunc conprehendi iusserim? Cap 599(*PLS*† *var em ψ*) hercle me suspendio quam tu eius potior fias satiust mortuom Cas 111 hercle, opinor, permutaui ego illuc nunc uerbum uetus Cas 972(*A solus v. secl U*) hercle, opinor, potius uobis credam quod uos dicitis Cas 999 peri(*ALy om Stuψ*), hercle hic insanit Ci 286 hercle, opinor, pernegari non potest Men 415 hercle, opinor, ea uidetur Mi 417 hercle, opinor, mihi . . agitandumst uigilias Tri 869 hercle te uerberibus multum caedi oportere arbitror Ci 246 hercle (peri *praem ALy*) hic insanit miser Ci 286 hercle istam rem iudicasti perfidiose Cu 719 hercle* detegetur Ep 65(*Rg'*) hercle (qui *ins Rg*) miserumst ingratum esse homini . . Ep 136 hercle (qui *add FlRg*) illunc diui infelicent Mer 436 hercle quicquid(q. h. *BoRg*) est mussitabo Mi 311 hercle pulcram praedicas Mi 968 hercle hanc quidem nihil tu amassis Mi 1006 hercle ted hau bonum teneo seruom Mo 718(*L: vide ψ*) hercle* mihi tecum cauendumst Mo 1142 hercle istum abiisse gaudeo Per 300 hercle te hau sinam emoriri Ps 1222 hercle me(uocare) isti hau solent Ps 1333 hercle* aestumaui prandio St 223(*L*) hercle ille quidem . . uorsutus fuit St 561 hercle istis malam rem magnam moribus dignumst dari Tri 1045

hercle uero: As 249, 373, Mer 168, Mi 683, 1004, St 375, Tru 921 *vide infra* C

hercle qui: *vide infra* C

2. *cum acc. exclamationis:* hercle rem gestam bene! Ep 212, St 379* hercle occasionem lepidam! Mi 977

B. *ad vocabulum unum pertinet;* 1. *post verba:* obsecro hercle, quantus et quam ualidus est Am 299 obsecro hercle *etiam in initio enuntiati* Ba 553, Cu 314, Men 197, 946, Mer 170, 179, Mo 469, 618, Poe 325, 543, 672, Ru 563, Tru 329 dic obsecro hercle serio As 29 eloquere, obsecro hercle Cu 308 da, obsecro hercle, obsorbeam Cu 313 mane mane, obsecro hercle Men 180 periimus: obsecro hercle Men 1016 fuge obsecro hercle Mo 513 cape obsecro hercle cum eo una iudicem Mo(549 c =) 557 tace obsecro hercle Per 427, Ps 129(h. o. *A*) roga opsecro

hercle Ps 116, 1073 responde obsecro hercle hoc uero serio(h. u. s. hoc *MueRgLU*) Ps 1191 perge operam dare opsecro hercle Men 1093 dic mihi obsecro hercle uerum serio Ps 340 iam obsecro hercle habete uobis Mer 988 quid ita opsecro hercle? Ba 254 quid obsecro hercle factumst? Mo 507 an opsecro hercle habent quas gallinae manus? Ps 29 te, opsecro hercle aufer modo Ru 1032 uidetur, obsecro hercle idoneus . . Mo 622

teque opsecro hercle ut . . despuas As 38 an obsecro hercle te id nunc suscenses mihi Cap 680 te opsecro hercle Cu 308(h. *add BoRgU*) obsecro hercle . . te. #Nequiquam hercle obsecras Mi 1396 opsecro hercle te ut . . Mi 1408 opsecro hercle te uoluptas huius Poe 392 *Cf* Kellerhoff, p. 62

quaeso hercle, noli, Saurea, mea causa hunc uerberare As 417 quaeso hercle *in initio enuntiati etiam* As 683, Cas 68, Men 742, Mer 614, Mi 1305, Mo 897, Per 145, Ps 885 quaeso hercle abire ut liceat Ru 834 nolo ores. #Quaeso hercle Mo 1176 adulescens, quaeso hercle, eloquere Men 1066 sed quaeso hercle agedum aspice Cap 570 sed quaeso hercle etiam uide Mer 1013 age quaeso hercle(excrea) usque ex penitis faucibus As 40 manufesto fur es: mihi(es mihi: *L*) quaeso hercle operam date Poe 785 dixtin quaeso (hercle *add MueU*)? Mo 552

perii hercle: As 446, 475, 701(h. uero *Rg*), Au 392 (ego *add SeyRg*), 656, Ba 281, Cu 128, Ep 246, Mer 705, 792, Mi 491, Mo 993, Poe 1360, Ps 1032, Ru 1415, Tru 728(perii *FZRs* perit *Pψ*), Fr I. 46 (*ex Char 240*) perii hercle uero As 701(*Rgl: supra*) perii hercle uero plane, nihil obnoxie St 497(*cf Gell* vi. 17, 4, nunc ego hercle peri) perii hercle, si istaec uera sunt, planissume Ep 510 perii hercle ni ego illam . . enicasso Mo 212 perii hercle hodie, nisi hunc a te abigo Tru 620 perii hercle ego Au 392(*SeyRg*), Cas 895 perii hercle ego miser Au 411, Cas 683, 809, Ru 1131, Tru 538(ego *ins Bo RsLLy* misero mihi *U* †𝕾) periisti hercle Cas 965, Ci 581(*RsL ex P aliter ψ*) perit hercle Tru 728 (*supra*) *Cf* Seyffert, *Stud. Pl.,* p. 24

credo hercle adueniens nomen mutabit mihi Ba 361 credo hercle, hodie deuotabit sortis Cas 388 credo hercle ecfodere hic uolt(*Bo RsLy* ec. h. hic u. c. *PS*†*L*†*U*) Cas 455 pluet, credo hercle,(*U* credo, h. *ψ*) hodie Cu 131 ille quidem aut iam hic aderit credo hercle aut iam adest Ep 257 miles . . credo hercle has sustollat aedis Mi 310 credo hercle te esse ab illo Cu 452 credo hercle anancaeo datum quod biberet Ru 363 credo hercle te gaudere Tri 53 'gaudeo'- - - credo hercle uobis Men 1032 credo hercle uobeis Poe 643 credet hercle, nam credebat iam mihi Mer 212 *Cf* Kellerhoff, p. 63

uin faciam . . ? #Cupio hercle As 648 quid autem urbani deliquerunt? dic mihi, cupio hercle scire Mer 718(*Ly vide ψ*) te orare . . iussit ut eam copiam sibi . . facias. #Cupio hercle equidem Mi 972 aurum . . ferat. #Cupio hercle Mi 1128 cupio hercle inspicere hasce aedis Mo

674   hoc tu mihi reperire argentum potes.
#Cupio hercle Per 134
    varia: abiit (hercle *add PRRsU*) ille quidem
Tri 717   abeo(*L ✳✳✳o PSLy*) hercle Tri 946
ain hercle uero? Tru 921(*Rs* ain *om Pψ*) amo
hercle opino Ba 511   amaui equidem hercle
ego olim Mer 264   amat hercle me, ut ego
opinor Ru 466   adponam hercle urnam iam
ego Ru 471   aufugero hercle si magis usus
uenerit Ba 363   bibendum hercle hoc est St
715   quid si eloquamur? #Censeo hercle* Poe
1249   conceptis hercle uerbis ego periurare
me mauellem Ps 1056   demam hercle iam de
hordeo As 706   deridebo hercle hominem Ps
1059   dico hercle ego quoque ut facturus sum
As 376   dixit. #Dixi hercle uero Mi 367   numquid dixisti..? #Dixi hercle uero omnia Mo 549a
da hercle pignus Per 186   ecfodere hercle hic
uolt credo Cas 455(*PS†L†U* c. h. ec. hic u. *Bo
RsLy*) emungam hercle hominem probe hodie
Ba 701   ire hercle meliust te Men 329   esurio
hercle Cas 801   exeundem hercle tibi(t. h. *Rg*)
hinc est foras Au 40   exigam hercle ego te
Per 143   expurigabo hercle omnia ad raucam
rauim Ci 304(*A*)   ibo hercle aliquo quaerita-
tatum ignem Ru 766   fecit hercle Am 408
factum hercle uero Ep 707   factum herclest
Mi 37   fugiam hercle aliquo Mi 861   habeo
equidem hercle occlum Mi 1307   insaniuisti
hercle Mi 755   interii hercle ego Ep 325   interimam hercle ego te Mo 1168   intellego hercle,
sed quo euadas nescio Poe 172   intellegis?
#Intellego hercle Poe 1104   nempe iubes? #Iu-
beo hercle Men 1029   malim hercle ut uarum
dicas Tri 762   times ecastor. #Egone? mentire hercle Cas 982   metuis? #Metuo hercle
uero Per 534   metuo hercle ne.. Ru 474   mones quidem hercle recte Men 346   mortuom
hercle me quam ut id patiar mauelim Tru
742   mortuom hercle me hodie satius Tru 926
morare hercle Mo 803   negat hercle ille ultimus Cap 11   (tun) negas? #Nego hercle uero Cu
711, Men 307, 631, 821, Mi 830   quis emit?
#Nescio hercle Mer 620   nunc nescio hercle
(h. n. *R*) rebus quid faciam meis Ps 779   nequeo hercle equidem risu admoderarier Mi 1073
nolo hercle Au 572, Cu 83   iam edes aliquid.
#Nolo hercle aliquid Cu 320   occidisti hercle - -
#Quem mortalem? #Omnis tuos Mo 463   opino
hercle hodie.. id euenturum Poe 1169   pluet,
credo, hercle hodie Cu 131(*supra sub* credo)
eo potuit hercle lepidius nil fieri Mi 926(*Rg
solus*) memora..#Pudet hercle Cas 900   reprehendam hercle ego cuncta(*ARgLU* e. c. h.
Pψ) Ps 224   reuorram hercle hoc quod conuorri modo St 389   ego scio hercle utrumque
uelle Per 588   sequor hercle* equidem Fr I.
10(*ex Varr l. L.* vi. 73)   soleo hercle ego(e. h.
E) garrire nugas Au 830   studeo hercle audire
Ps 523   est hercle ita ut dicis Cu 50   confidens! #Sum hercle uero Per 285   estne hic
meus seruos? #Sum hercle uero Poe 797   tace.
#Taceo hercle quidem Cu 156   taceo ego(*RRs*
✳✳✳o *PS* sed #Abeo *L*) hercle Tri 946   iam
taceo hercle Per 829(*incl L om RU*) uix suffero hercle anhelitum Mer 114   tangedum.
#Tangam hercle uero Ru 785, 797   uapulo

hercle ego inuitus tamen Cas 957   uah, uapulo
hercle ego nunc Tru 357   uideo hercle ego
te me arbitrari .. hominem Au 252   uigila!
#Vigilo hercle equidem Men 503   uelim quidem
hercle ut.. Mo 632   ita uelim quidem hercle
Per 629   uelim quidem hercle Ps 1070
    2. *post substantiva:* animo hercle homost suo
miser Tru 595(*vide Rs*)   anus hercle huic indicium fecit de auro Au 188   aquam hercle
plorat(p. h. *B*) .. profundere Au 308   aurum
hercle auferre uoluere Ba 297   auspicio (hercle
add RRg) hodie optumo exiui foras St 459
Bacchae hercle*, uxor - - #Bacchae? #Bacchae
hercle, uxor - - Cas 979   colaphis quidem hercle
tuom iam dilidam caput Poe 494   coqui hercle,
credo, faciunt officium suom Au 404   crura
hercle diffringentur As 474   cubitum hercle
longis litteris signabo Ru 1294   attat, Curculio hercle uerba mihi dedit Cu 583
    dis hercle habeo gratiam Ci 624   di hercle
hanc rem adiuuant Mi 871   di hercle me cupiunt seruatum Cas 814   di hercle omnis me
(me h. o. *LangenRg*) adiuuant Ep 192   deum
hercle me(me h. *FRRs*) atque hominum pudet
Tri 912
    quid, domi (uidisti)? #Domi hercle uero Mi
324   eram(*Sp* eam *ARsLLy*) quidem hercle
tu.. conprime Tru 262   famem hercle utendam.. numquam dabit Au 311   scio fide hercle
erili ut soleat inpudicitia opprobrari Per 193
flagitium quidem hercle fiet Tri 612   formam
quidem hercle uerbis depinxti probe Poe 1114
homo hercle hinc exclusust foras As 596   quoi
homini (hercle *add BoRs*) hodie.. Cas 258   illic
homo (hercle *add R*) homines non alit Men 98
homo hercle periurauit Mer 539   Mi 878(insulsitasque hercle *R in loco corrupto*) euax, iurgio
hercle* tandem uxorem abegi ab ianua Men
127   genua inedia succidunt. #Lassitudine
hercle credo Cu 310   ah, lassitudinem hercle
uerba tua mihi addunt Mer 157   lucrum hercle
uideor facere mihi Tru 426   oculos hercle*
ego istos.. ecfodiam tibi Au 53   odio hercle
habeant Per 206   ratio quidem hercle apparet
(a. h. *A*) Tri 419   rem hercle loquere Ep 285
seruom hercle te esse oportet et nequam et malum Poe 1030
    similiter: malo hercle iam magno tuo ni isti
nec recte dicis As 471   malum hercle uobis
quaeritis As 474   malum quidem hercle magnum Ba 999   malo hercle uostro tam uorsuti
uiuitis Cas 489   malo maxumo suo hercle ilico
Cas 825
    uerum(ultro *Rg †S*) hercle dico Cu 665   ue-
rum hercle hic dicit Tri 463   reprehendam
ego cuncta hercle(*P* h. ego c. *ARgLU*) Ps 224
omnia hercle uxori dixi Men 637   omnia hercle
ego edictaui Men 642
    unum quidem hercle iam scio Mer 266   unum
quidem hercle certo promitto tibi St 480
    3. *post adiectiva:* bellissumum hercle uidi et
taciturnissumum (ostium) Cu 20   bellula hercle Poe 347   bonae hercle te frugi arbitror
Mer 521   bonum hercle factum pro se quisque ut meminerit Poe 45   oratio una .. atque
optuma hercle St 184   calidum hercle esse
audiui optumum mendacium Mo 665   certum

herclest uostram consequi sententiam As 261 dignus hercle's infortunio Ci 239 inimicus herclest huius Poe 1091 maxuma herc¹e iniuria uinctus adsto Ep 715 maxumo hercle hodie malo(Bo m. ho. he. PL) uostro istunc fertis Men 1013 maxumam hercle habebis praedam Mer 442 magna hercle praedast Ru 1315 lassus sum hercle e naui Am 329 ita mali hercle ambo sumus Mo 1107 Mer 134(hercle R pro ere) propitia herclest Poe 334 saluom hercle erit As 463 sanus hercle non es Men 198 scitam hercle opinor concubinam hanc Mer 757 uiaticati hercle* admodum aestiue sumus Men 255 uiduam hercle* esse censui Mi 1409

multo hercle ille magis senex amore perit Mer 445 multo hercle* id minus Mo 1012 tanto hercle melior Ba 211

4. *cum pronominibus:* age, quaeso, mihi hercle translege As 750 quoi deorum? #Mihi hercle Cap 863 immo hercle. #Immo mihi hercle Cas 403 at ego amo. #At ego hercle nihili facio Cas 802 Men 903(hercle *ins R*) quoius ego(hercle *RRgl*)..non emam Poe 274 tu mihi hercle argentum dabis Ps 508 eclidito hercle oculum si dedero Ps 510 dedit uerba mihi hercle, ut opinor Ps 909 ego habeo. #At ego me hercle(*Stu* hercle et ego me *P* tu hercle: at *ReizRsU*) mauolo Ru 1413 taceo ego hercle Tri 946(*RRsU*) Tru 77(mi hercle *Rs pro* mihi) mihi quidem hercle qui minus liceat? Am 986 ego quidem hercle, ut uerum tibi dicam.. As 843 me quidem hercle..non diuides Au 283 non potem ego quidem hercle Au 570 (*vide RgU*) egone istuc dixi tibi? #Mihi quidem hercle Mer 762 Mo 174(hercle ego *R solus pro* ergo) minas.. tibi debeo. #Non mihi quidem hercle Mo 1021 dolet. #Mihi quidem hercle Poe 151 per nos quidem hercle egebit Mer 1020 mihi quidem hercle non est quod dem Tri 761 sequere tu. #Ego hercle uero Men 216 tun.. praedicas? #Ego hercle uero Men 516 ne clama nimis. #Ego hercle uero clamo Mo 577 tibi ego dem? #Mihi hercle uero Ps 626 ego quoque hercle illum.. sum frugi ratus As 861

uapula. #Id quidem tibi(t. q. *FRglU*) hercle fiet As 478 te hercle mihi aequomst gratias agere Cap 868 ad te hercle ibam commodum Cas 593 Mer 971(hercle *R pro* ergo) tu hercle itidem faceres Mi 838 in te hercle certumst principi.. experiri Mo 237 at tu hercle adludiato Poe 1234 ehem, te hercle ego circumspectabam Ps 912 tu hercle opinor in uidulum te piscem conuortes Ru 999 tum tibi hercle deos iratos esse oportet Ru 1146 Ru 1413 (tu hercle *ReizRsU: supra*) at tu hercle et illi et alibi (reperias) Tri 555

nam tu quidem hercle certo non sanu's satis Men 312 inpunissume tibi quidem hercle uendere hasce aedis licet Poe 412 dei te perdant. #Vos quidem hercle Poe 588 scis tu quidem hercle* Ps 109 di dabunt.. tibi quidem hercle.. magnum malum Ru 108 et tibi quidem hercle.. attulit magnum malum Tru 814 immo tu quidem hercle uero Ru 1369

nimis tu quidem hercle.. mihi haec facis

Cas 919 nimis tu quidem hercle* homo stultus es Per 591

ne tu hercle cum magno malo mihi obuiam occessisti As 412 ne tibi hercle haud longest os ab infortunio Ba 595 at ne tu hercle cum cruciatu magno dixisti id tuo Cu 194 ne tu hercle.. gemes Men 256 ne tu hercle sero.. resipisces Mi 403 ne tu hercle linguam conprimes Mi 571 ne tu hercle* praeterhac mihi non facies moram Mo 75 ne tu hercle faxo haud nescias Tri 62

hunc hercle uerberare As 626 haec herclest.. meum quae corrumpit filium Ci 316 hunc hercle ad cenam(*A* ad c. h. *P*) ut uocem St 588 hic hercle homo nimium sapit St 360 tun me uidisti? #Atque his quidem hercle* oculis Mi 368 huc quidem hercle haud ibis intro Ps 654 hoc quidem herclest ingratum donum Tru 535 hoc quidem hercle haud reticebo Am 397 uera dico. #Non de hac quidem hercle(q. h. de hac *CaRgl*.) re Am 736 hoc quidem hercle.. mecum erit Au 449 hic quidem hercle.. ad saccum ilicet Cap 88 uis haec quidem herclest Cap 750 huc quidem hercle ad te bene (ambulatumst) Tru 369

ne ille hercle mihi sit multo tanto carior Ba 310 ne illa illud hercle cum malo fecit suo Ba 503

ei hercle ego uerbo lumbos diffractos uelim St 191 estne hic Philto? #Is herclest ipsus Tri 433 eheu! id quidem hercle ne parsis Ps 79 eam(*ARsLLy* eram *Spψ*) quidem hercle tu.. conprime Tru 262 *Vide* Mi 22, *ubi* hercle is quidem *R pro* quam illic est

ne iste hercle ab ista non pedem discedat As 603 em istaec hercle res est Mer 523 isti quidem hercle orationi.. Poe 443 Men 536 (istuc hercle *R duce D³*)

eodem hercle uos pono et paro Cu 506 idem hercle dicam Men 751

.. qui ipsus hercle(*Curio* h. i. *P*) ignauiorem potis est facere Ignauiam Poe 846

qui hercle illa causa ocius nihilo uenit St 643 Tri 1023(hercle *RRs pro* eorum) quem hercle ego litem.. perdidisse gaudeo Cas 568 (*cf* Men 903 *R*) quem quidem hercle ego.. redduxi domum Mer 980

quicquid herclest Mi 311(*BoRy* h. q. *Pψ*) nescioquid (hercle *add Rg*) uero habeo in mundo St 477

ius merum oras meo quidem animo. #At meo hercle∗∗∗ Ru 1138 meum hercle illic homo uidulum scit Ru 1297 mea quidem hercle causa uidua uiuito Men 727, 1029(liber esto), Ru 139(saluos sis) meus quidem hercle numquam fiet Tri 559 tuon arbitratu? #Meo hercle uero atque hau tuo Ep 688 mea quidem hercle opera liber numquam fies As 275(*cf* Ps 104 *R*) atque eras tuas quidem hercle Ru 737 uostra hercle factum iniuria Tru 167 mea quidem (hercle *add MueReU*) istuc nihil refert Per 538

5. *post aduerbia:* res adhuc quidem hercle in tutost Mer 382 bene hercle facitis As 59 bene hercle factum(st) Mo 646, 651, Ps 1099, Ru 835, 1365* bene hercle factum et gaudeo Mer 298, Mo 207 bene hercle factum

et factum gaudeo Mo 1147 bene hercle uendidi ego te Cu 520 bene herclest illam tibi
ualere Tri 52 bene hercle nuntias Tri 56
optume hercle Mer 977 optume hercle periuras Poe 480 certe hercle ego quantum . .
intellego, aut mihi . . As 263 certe hercle
quam ueterrumus . . optumust amicus Tru 173
non modo ipsa lepidast, commode quoque hercle fabulatur Ci 315 continuo hercle ego te
dedam discipulam cruci Au 59 euscheme
hercle astitit Mi 213 extemplo hercle ego te
follem pugillatorium faciam Ru 721 quid, foras? #Foras hercle uero St 597 hodie hercle,
opinor, hi conturbabunt pedes Cas 465 nimis
iracunde hercle(h. i. *SeyRs*) tandem Men 696
itane uero? #Ita hercle uero Cu 725 supplicatum cras eat. #Ita hercle uero Per 448 lepide
hercle animum tuom temptaui Au 827 lepide
hercle ornatus cedit Mi 897 lepide hercle dicis Per 154 lepide hercle adiuuas Per 466
lepide hercle adsimulas Poe 1106 lepide hercle atque commode (adgressus) Poe 1223 lepide hercle de agro ego hunc senem deterrui
Tri 560 libere hercle hoc quidem Ps 1288
magis hercle metuo Mi 473 male hercle factum Mo 458 optume itis, pessume hercle dicitis Poe 569(*v. secl edd praeter Ly*) modo
hercle in mentem uenit As 588, Mer 294 modo
quidem hercle haec dixisti Ci 296 mox hercle uero . . argentum si quis dederit Cas 84
musice hercle agitis aetatem Mo 729 nequiquam hercle's (Charmides) Tri 973 nimis hercle
inuitus abeo Au 106(*cf* Seyffert, *Stud Pl.,*
p. 5) nimis hercle ego illum coruom ad me
ueniat uelim Au 670 nimisque hercle ego illum
male formidaui Cap 913 atque oppido hercle
bene uelle illud uisus sum Mer 245 et hoc
parum hercle* more maiorum institi Mer 16
minume hercle mirum Men 338 minus hercle
in istis rebus sumptumst sex minis Tri 411
minume, minume hercle uero Tri 752 plane
hercle hoc quidemst Ep 409 non radicitus
quidem hercle uerum etiam exradicitus Mo 1112
secreto hercle equidem(ego *SpRsU*) illum adiutabo Tru 559 strenuissume hercle* iuisti
Ps 1175(*BergkRg: vide* ψ) scite hercle*: cedo
quid illi? Ba 303 scite hercle sane Tri 783
certen uidit? #Tam hercle certe quam ego te
aut tu me uides Mer 186 uix hercle (possum),
opinor Ps 87 uix quidem hercle . . digitulis
primoribus rem tenes Poe 566
   iam hercle . . non queo labori suppeditare As
422 iam hercle amplexari . . gestio Cas 471
iam hercle occeptat insanire primulum Men 916
iam hercle ire uis . . foras pastum Mo 878 iam
hercle euocabo hinc hanc sacerdotem foras Ru
479 iam hercle apud nouos magistratus faxo
erit nomen tuom Tru 761 iam hercle cum
magno malo tu uapula Tru 945 iam hercle
ego erum adducam a foro Mi 858 iam hercle
ego uos pro matula habebo Mo 386 iam hercle ego illum nominabo Mo 586 iam hercle*
ego faciam ploratillum Poe 377 iam hercle
ego illam uxorem ducam Poe 1220 iam hercle ego illunc excruciandum . . dabo Poe 1302
iam hercle uel ducentae fieri possunt praesentes
minae Ps 302 iam hercle ego te continuo

barba arripiam Ru 769 iam hercle ego per
hortum . . transibo St 437 iam hercle ego decumbam solus St 646 iam hercle ego hic te
. . proteram Tru 268 iam hercle* ego istos
. . exuellam Tru 287 iam hercle ego te hic
hac offatim offigam Tru 613 iam hercle ego
tibi . . ludos faciam Tru 759 iam hercle* tu
peristi Poe 355 iam hercle tibi messis in
ore fiet Ru 763
   iam quidem hercle ego tibi istam . . linguam
abscidam Am 556 iam quidem hercle ad illam
hinc ibo As 817 iam quidem hercle te ad
praetorem rapiam Au 760 iam quidem hercle*
ibo ad forum Tru 313 iam dudum hercle fabulor Cas 368 iam dudum hercle equidem
sentio Ba 890
   6. *varia:* mea fiducia hercle haruspex . . his
promisit Poe 1209 Ps 104(mea bona opera
hercle *R pro* me b. o.)
   gerrae germanae hercle Poe 137(*RRgl vide* ψ)
eme die caeca hercle* oliuom Ps 301 amoris
causa hercle hoc ego oculo utor minus Mi 1308
lubente me hercle(*Ca* h. me *PL*†) facies St 474
   malo maxumo suo hercle ilico . . Cas 825 at
malo cum magno suo fecit hercle(m. h. c. magno
s. f. *BriRs*) Ru 656
   utrum hercle*** Per 205(*var suppl* ω) utrum
pro ancilla me habes an pro filia? #Vtrum
hercle magis in uentris rem uidebitur Per 342
cis hercle paucas tempestates . . augebis ruri
numerum Mo 18
   si ante lucem ire(ire hercle *RRsU*†*SLy*) occipias . . Tri 885
   tu aquam a pumice nunc(hercle *R*) postulas
Per 41 ad cenam (hodie *ins R*) hercle alio
promisi foras St 596 inter tot dies quidem
hercle iam aliquid actum oportuit Tru 510 ob
senum hercle industriam uos aecumst clare
plaudere Mer 1026 pro uapulando hercle ego
. . mercedem petam Au 456
   C. cum coniunctionibus: atque: atque hercle
ipsum adeo contuor As 403 atque hercle inuenies tu locum illi Mer 584 atque hercle*
tu me monuisti hau male Per 593 atque hercle mecum agendumst Poe 1243 atque ego
quidem hercle . . As 843 atque oppido hercle . . Mer 245 atque equidem hercle* . . fugitaui senes Poe 508
   et: ad te hercle ibam commodum - - #Et
hercle ego ad te Cas 594 et quidem(*Dousa*
eq. *PLULg*) hercle nisi . . efflixero Ci 526
   at: at hercle cum magno malo tuo . . Au 425
at hercle te hominem . . subdolum (oportet esse)
Poe 1032 at hercle nobis uilla . . (confractast)
Ru 154 at quidem herclest ad perdundum . .
cita Ba 738 at ego hercle Cas 802 at tu
hercle Poe 1234, Tri 555
   uerum: nequam homost, uerum hercle amicus
est tibi Ba 557 uerum hercle* simia illa . .
malum adportant Mer 269 uerum hercle postremo . . non ibo tamen Mer 558 satis scitum
filum mulieris: uerum hercle anet Mer 755 non
unum quidem diem modo uerum hercle in omnis
quantumst Ps 535 ego non pausillulam . .
gesto famem uerum hercle . . grauissumam St
164 uerum hercle uero nos parasiti planius
Cap 75 uerum hercle uero quom belle reco-

gito . . Cu 375 immo abi domum: uerum(*A*
uero *PS*) hercle dico: abi domum Mo 583
ut: conuenit . . ut quidem hercle . . pessume
processerim Cap 649 eueniat . . ut quidem hercle pedibus pendeas Cas 390 **(ut *U*) quidem hercle scitast Ci 306(*U*) Mi 186(ne hercle
pro earumque *R*)
ne: quid metuis? #Ne hercle hodie . . in malum . . insuliamus Mi 278
si: si hercle hodie(*Stu* ho. he. *DEJU* hercle
om B¹) fustem cepero . . Au 48 Ba 433(hercle
post si *ins Rg*) si hercle haberem, pollicerer
Ep 116 si hercle habeam, pollicear lubens
Ep 331 si hercle sciuissem . . numquam facerem Mer 993 si quem scibimus seu maritum
siue hercle adeo caelibem scortarier . . Mer 1018
si hercle nunc ferat sex talenta . . numquam accipiam Mo 912 si hercle* accipere cupias,
ego numquam sinam Mo 914 si hercle istuc
umquam factumst tum me Iuppiter faciat . .
Poe 488 si hercle tantillum peccassis Ru 1150
si hercle abiero hinc, hic non ero Ru 1328 si
hercle faxis, non opinor dices deceptum fore
St 610 si hercle ire occipiam, uotes Tri 457
si hercle ego te non elinguandum dedero . .
Au 250 si hercle ego illum semel prendero . .
Ep 326 si hercle* me(*Luchs* sih plane *PS†*)
. . iubeas Tru 527 si hercle tu . . . excesseris . .
Au 56 si hercle te umquam audiuero . . Ep
593 si hercle illic illas hodie digito tetigerit . . Ru 810 si quidem hercle . . cedit As 405
si quidem hercle nunc summum Iouem te dicas
detinuisse . . As 414 si quidem hercle feci,
feci nequiter Cas 997 si quidem(eq. *Rg*) hercle mihi regnum detur . . Cu 211 si quidem
hercle uendundust pater . . Mo 229 si quidem
hercle etiam supremi promptas thensauros Iouis . . Ps 628 si quidem hercle Iouis fuit,
meus est tamen Ru 1361
ni: ni hercle diffregeritis talos . . Mi 156
etsi: eos omnis tam etsi hercle haud indignos
iudico . . St 205
dum: dum quidem hercle ita iudices, ne . .
Cu 704 dum quidem hercle ne minoris uendas . . Mer 425 dum quidem hercle . . ueniat
cum uino suo St 687 dum quidem hercle tecum nupta sit, sane uelim Tri 58 dum equi-
dem(q. *FRU*) hercle quod edant addas . . St
554
postquam: heus tu, postquam hercle isti a
mensa surgunt . . Ps 296
nam: nam hercle nisi mantiscinatus probe
ero, fusti plectito Cap 896 nam hercle iam ad
me adglutinandam totam decretumst dare Ci
648 nam hercle absque me foret . . Per 836
nam hercle* omnia istaec ueniunt in mentem
mihi Tri 747 nam hercle si istam semel amiseris libertatem . . Mi 701(*vide R*) nam hercle
si cecidero, uostrum erit flagitium Ps 1248 nam
hercle ego huic diei . . oculos effodiam lubens Cap
464 nam hercle ego . . satiust mihi . . interire
Ci 662 nam hercle(*add Rs*) hic quidem ut
adornat . . Cap 921
namque: namque hercle honeste fieri ferme
non potest Tri 731
D. *cum particulis:* **hercle uero:** *in initio enun-*
tiati: hercle uero, Libane, nunc te meliust ex-

pergiscier As 249 hercle uero tu cauebis . .
si sapis As 373 hercle uero uapulabis nisi . .
abis Mer 168 hercle uero liberum esse tete
id multo lepidiust Mi 683 hercle uero iam
adlubescit primulum Mi 1004 hercle uero capiam scopas St 375 ego ad te ibam . . #Her-
cle uero serio . . gaudere aliqui me uolo Tru
921(*vide Rs*) *postpositum*(*vide supra*): As 616
(*infra sub* immo), 701, Cap 75, Cas 38(*infra sub*
immo), 84, 992 (*infra* E *sub* non), Ci 238(*infra* E),
Cu 375, 711, 725, Ep 688, 707, Men 216, 280
(*infra* E), 307, 516, 612(*infra* E), 631, 656(*infra*
sub immo), 821, Mi 324, 367, 830, Mo 549, 577,
907(*infra sub* immo), Per 162(*infra* E), 285, 448,
534, Poe 436(*infra* E), 438(*infra* E), 797, Ps
326(*infra* E), 626, Ru 785, 797, 1369, 1˙372(*infra*
E *sub* non), St 477(*Rg*), 497, 597, Tri 752, Tru
422(*infra sub* immo), 423 b(*v. secl* ω) *Cf* Seyff-
fert, *stud. Pl.,* p. 18
hercle qui(*cf* Kienitz, p. 560): hercle qui(*L*
quid *Pψ*) . . sapias magis Cap 599(*L*) hercle
(qui *add Rg*) miserumst Ep 136 hercle qui
tu recte dicis Men 428, Mer 412, 1007 hercle
qui tu me admonuisti recte Men 1092 hercle
(qui *add FlRg*) illunc diui infelicent Mer 436
hercle qui multum improbiores sunt Mo 824
hercle qui(*FlRglL* quin h. *Aψ* qui h. *P*) conlibertus meus faxo eris Poe 910 hercle qui . .
cauendumst mihi aps te irato Ps 473 hercle
qui aequom postulabat ille senex St 559 hercle
qui dicam tamen Tri 464
immo hercle: numquae causast? . . #Immo her-
cle(*BriRg*) optuma Au 262 immo - - #Immo
hercle abiero Ba 211 huic — immo hercle
mihi — uah . . Cas 369 non . . #Immo hercle.
#Immo mihi hercle Cas 403 nego hercle uero.
#Immo hercle* . . Men 821 non ego sum . .
#Immo hercle tu istic ipsus Mer 759 immo
hercle* dixi quod uolebam Poe 1231 dimidium? #Immo hercle etiam plus Ru 960 meum
potissumumst. #Immo hercle haud est Ru 986
haud iniquom dicit . . #Immo hercle insignite
inique Ru 1097 immo hercle . . ne duis Ru
1367 immo hercle mea ne tu dicas tua Ru
1390 miser est homo qui amat. #Immo hercle
uero . . multost miserior As 616 in morbo cubat
- - immo hercle uero in lecto Cas 38 adiuro . . .
#Immo hercle uero nos non falsum dicere Men
656 ecquid placeant . . ? immo hercle uero per-
placent Mo 907 ero adsiduo . . #Immo hercle
uero accubuo mauelim Tru 422(*cf* 423 b) immo
tu quidem hercle uero Ru 1369
quidem hercle: Am 397, 556, 736, As 275, 414,
478(*RglU*), 817, 843, Au 283, 449, 570, 760,
Ba 738(*CaRg*), 999, 1027, Cap 88, 649, 750, Cas
390, 919, 997, Ci 296, 306, 526(eq. h. *PLULy*),
Cu 211(eq. *Rg*), 704, Men 312, 346, 727, 1029,
Mer 266, 382, 425, 762, 980, 1020, Mi 368*,
Mo 229, 632, 1022, 1112, Per 538(h. *add Mue*
RgU), 591, 629*, Poe 151, 412, 443, 494*, 566,
588, 1114, Ps 79, 109(*cf Servius*), 628, 654,
1070, Ru 108, 139, 1361, St 189, 554(*FRU*),
687, Tri 419, 559, 612, 761, Tru 262, 313*,
369, 510, 535, 814 quidem hercle uero Ru
1369
hercle quidem: taceo hercle quidem Cu 156
(eq. *FlRg*)

ne .. hercle(*vide supra*): As 412, Ba 595, Cu 194, Men 256, Mi 403, 571, Mo 75, Tri 62

hercle equidem: Au 640(*infra* E), Ba 890, Cu 156(*FlRg*), Men 503, Mi 972, 1073(*Bo* quidem *P*), Ru 787(*infra* E), Tru 559(ego pro eq. *Sp RsU*), Fr l. 10*

equidem hercle: an id ioco dixisti? equidem (hercle *add Rgl*) serio .. ratus Am 964 equidem hercle nullum perdidi As 622 equidem (†S) hercle* addam operam sedulo Ci 52 Ci 526(*PLULy* quidem *Dou*ψ: *supra* C *sub* et) equidem hercle argentum pro hac dedi Ep 484 amaui equidem hercle(*A* h. eq. *PLLy*) ego Mer 264 equidem hercle opus hoc facto existumo Mer 566 equidem hercle oppido perii miser Mer 709 habeo equidem hercle oculum Mi 1307 atque equidem hercle* .. fugitaui senes Poe 508 equidem hercle orator sum St 495 St 554(quidem *FRU*: *supra* C *sub* dum)

quin hercle: quin hercle di te perdant postremo quidem Cas 609 decet certe. #Quin hercle te hau bonum teneo seruom Mo 720(*Ly* quin m*** *A* hercle *P var em* ψ) quin hercle accipere tu non mauis quam ego dare Poe 706 quin hercle(hercle qui *FlRglL*) conlibertus meus faxo eris Poe 910 quin hercle lassus iam sum durando miser Tru 327

profecto hercle: profecto hercle non fuit quicquam holerum Cas 912b

uel hercle: uel hercle enica Au 831, Ru 1401 abeo ad forum igitur. #Vel(†S) hercle in malam crucem Ba 902

hercle tandem: nimis iracunde hercle tandem Men 696

tamen hercle: qui amat, tamen hercle, si esurit, nullum esurit Cas 795

heu hercle: heu(*ins Rs* †S) hercle(Hegio *Ly*) quid si hunc conprehendi iusserim? Cap 599 heu(*R* tu *PS*† eu *CaLULy* ineptum *Rs*) hercle hominem multum et odiosum mihi Men 316 heu(eu *FlLULy*) hercle, mulier, multum et audax et mala's Men 731 heu(*FZRRs* eu *BD*ψ eo *C*) hercle, morbum acrem ac durum Men 872a heu(*A ut vid* et *B* eu *DRgLU* bu *C*) hercle odiosas res Mi 1056, Mo 585(*infra sub* eu) heu(*Z* eheu *P* eu *FlU*) hercle, ne istic fana mutantur cito Ru 821 Tru 7(*infra sub* eu)

eu hercle: Men 316(*CaLULy*: *supra*), 731 (*FlLULy*: *supra*), 872a(*BDSLLy*: *supra*) eu hercle praesens somnium Mi 394 Mi 1056(*D RgLU*: *supra*) eu hercle, ne tu — abi modo Mo 585 eu hercle(! *ins Ly*) nomen multimodis scriptumst tuom Per 706 eu hercle mortalem catum! Poe 1107 Ru 821(*FlU*: *supra*) eu(*Sp* eū *B* eum *CD* heu *BueRs*) hercle(! *ins Ly*) in uobis resident mores pristini Tru 7

em hercle: em (hercle *add R*)! Ps 1318

hercle sane: Tri 783 (*supra* B. 5)

hercle adeo: Mer 1018 (*supra* C *sub* si)

quoque hercle: ego quoque hercle illum .. As 861 Ci 315(*supra* B. 5)

hercle hodie(*vide supra*): As 707(*infra* E), Au 48(ho. he. *DEJU*), Cas 258(hercle *ins BoRs*), Cu 131(*aliter U*), Ep 724(*infra* E), 728(*infra* E), Men 1013(*aliter DL*), Mi 278(*supra* C *sub* ne), Per 140(*infra* E: *aliter R*), Poe 1169, Ru 1039 (*infra* E), St 459(hercle *ins RRg*), Tru 620

E. *cum negationibus:* non hercle: non hercle te prouideram As 450 non hercle opinor Ba 323 non hercle opinor posse Cas 340 non (*om PL*) hercle hoc longe destiti Ci 582(*SchRs vide* ψ) non hercle ego is sum qui sum ni .. Men 471 non hercle ego quidem usquam quicquam nuto Men 613 non hercle hisce homines me marem .. rentur esse Mi 486 non hercle tam istoc ualide cassabant cadi Mi 852 non hercle humanust ergo Mi 1043 non hercle quid nunc faciam reperio Mo 678 non hercle* si os perciderim tibi metuam Per 283 non hercle quoi nunc hoc dem spectandum scio Per 440 non scis? #Non hercle Poe 173 non hercle merear Poe 430 non hercle auscultabo Poe 493 non hercle nunc quidem quicquam scio Poe 1028 non hercle .. iam hos dies complusculos quemquam istic uidi sacruficare Ru 131 non hercle quo hinc nunc gentium aufugiam scio Ru 824 non hercle istoc me interuortes Ru 1400 non hercle minus diuorse distrahitur cito quam .. Tri 409 non hercle hoc longe, nisi me pugnis uicerit Tri 483 non hercle*** occidi Tru 174 non hercle equidem quicquam sumpsi Au 640(*cf Non* 396) non hercle equidem censeo Ru 787 non hercle uero taceo Cas 992, Men 612 ego sim? #Non hercle uero Men 280 non habes? #Non hercle uero Ps 326 non debes? #Non hercle uero Ru 1372

neque hercle: neque hercle ego istuc dico nec dictum uolo As 37 neque hercle ego habeo neque .. scio Men 301 neque hercle ego uxorem habeo neque .. dedi Men 509 neque hoc .. neque hercle uero - - Poe 436 neque hercle uero serio .. Poe 438

numquam hercle: numquam hercle facerem .. ni .. As 678 numquam hercle hodie exorabis As 707 numquam hercle hodie .. me solui sinam Ep 724 numquam hercle hodie .. solues Ep 728 numquam hercle* effugiet(*Non* 38 edepol te fugiet *P* edepol fugiet *PyLLy*) Men 92 numquam hercle factumst Men 533 numquam hercle deterrebor quin uiderim .. Mi 369 numquam hercle* ex ista nassa ego hodie escam petam Mi 581 numquam hercle hodie hic prius edes Per 140 numquam hercle istuc exterebrabis Per 237 numquam hercle* hunc mensem uortentem .. seruibit tibi Per 628 numquam hercle quisquam me lenonem dixerit Ru 790 numquam hercle hinc hodie ramenta fies fortunatior Ru 1016 numquam hercle hodie abiudicabit ab suo triobolum Ru 1039 numquam hercle iterum defraudabis me Ru 1416

nihil hercle: nihilo hercle ea causa magis facietis Men 1060 nihil hercle istius quicquamst Mer 738 nihil hercle hoc quidemst praeut .. Mi 19 nihil hercle ego sum isti daturus Ru 1085 nihil hercle hic tibist Ru 1414 sum nihili? #Nihili hercle uero's Ci 238 ego nihil horunc scio. #Nihil hercle uero Per 162 nihili quidem hercle uerbumst St 189

nullus, nusquam, nequiquam hercle: nullum* hercle praeter hunc diem illa apud me erit Mer 585 nusquam hercle equidem illam uideo Ru 470 nequiquam hercle obsecras Mi 1396

ne .. quidem hercle: ne unum quidem hercle (nummum dabis) si sapis Ba 1027   ne hercle operae pretium quidemst mihi te narrare Mi 31   haud hercle: Mo 798(hercle *ins R post* haud)   *verba:* negas? #Nego hercle uero Cu 711, Men 307, Mi 830   tun negas? #Nego hercle uero Men 631, 821   nequeo hercle equidem risu admoderarier Mi 1073   quis emit? #Nescio hercle Mer 620   nescio hercle .. quid faciam Ps 779
similiter: perge. #Non pergo hercle (uero *ins R*) Men 150   quin commonstras si uides? #Non uideo hercle nunc sed uidi modo Mer 895
F. *dubium:* ***m hercle cras*** Ci 267
HERCULANEUS - - quinque nummos mihi detraxi, partem **Herculaneam** Tru 562   *Cf* Egli, III. p. 13; Graupner, p. 21
HERCULES - - I. Forma **Hercules** Ba 155 (er. *P*), 894, Cas 275, Ep 178, Men 201(hercles *B*), Mo 528, Ru 1225(hec. *B*), St 223(*P* -eis *A* Herculeo *RRg* hercle *BergkL* †*S*), 386(*A* herco-leles *B* hercoledes *CD*), 395(er. *D*)   **Herculi** (*gen.*) Cas 398(-ei *BVE¹RsS*† -eis *E²JLLy* -e *U duce Bo*), Per 2(-is *D³ et Serv ad Buc* X. 69), Ru 161(*Ly* -le *CD* -lis *BS*† Herculeae *Rs v. secl U 'fortasse* Hercules' *L*), 822   **Herculis** Ru 161(*vide supra*)   **Herculi**(*dat.*) Ep 179(heri-culi *J*), Mo 984(er. *C*), St 234   **Herculem** Ba 655(-le *D¹*), Cu 358, Mo 528(er. *C*)   **Hercule** Cas 398(*U duce Bo:* vide Herculi), Ru 490(*Ca* hercle *P*)   *corrupta:* hercule *pro* hercle Mer 170 *C*, Mi 581 *Fest* 169, Per 591, 593, 628, 629 *B*, Poe 355 *B*, 377 *P*, Ps 301 *Fest* 179, 1175 *CD*, Tru 357 *A*
II. **Significatio** (*cf* Egli, III. pp. 13, 14; Hubrich, p. 115; Keseberg, p. 57) 1. *nom.:* fiam, ut ego opinor, Hercules, tu autem Linus Ba 155(*cf* Graupner, p. 29)   Hercules ego fui, dum illa mecum fuit Ep 178(*cf* Inowrac-lawer, p. 48)   ab Hippolyta subcingulum Her-cules* haud aeque magno umquam abstulit peri-culo Men 201   ita me Iuppiter, luno .. Her-cules .. dique omnes ament ut .. Ba 894   ecqui poscit prandio?(Hercules* te amabit) — pran-dio, cena tibi St 223(*ita Ly vide ψ*)   Hercu-les dique istam perdant Cas 275   Hercules istum infelicet Ru 1225
2. *gen.:* superauit aerumis suis aerumnas Her-culi* Per 2(†*S*)   iam hoc Herculi est Veneris fanum quod fuit Ru 823   o Palaemon .. qui Herculis* socius(†*SLLy* aerumnae Herculeae *Rs 'fortasse* tuque, Hercules, qui eius socius' *L in app crit*) esse diceris Ru 161(*v. secl U*)   utinam tua quidem sicut Herculei*(tibi sic uti Herculeis *Ly* sic Herculei ut prognatis *Rs* fac-tum esse Herculeis *BachL* ista sicut Hercule illis *U duce Bo*) praedicant quondam progna-tis .. sors deliquerit Cas 398
3. *dat.:* sexta aerumna acerbior Herculi* quam illa mihi obiectast Ep 179   is uel Herculi con-terere quaestum possiet Mo 984   .. ut decu-mam partem Herculi polluceam St 234
4. *acc.:* Herculem fecit ex patre: decumam partem ei dedit, sibi nouem abstulit Ba 665   inuoco almam meam nutricem Herculem Cu 358   Herculem inuoca Mo 528

5. *voc.:* Hercules, qui deus sis, sane disces-sisti non bene St 395   Hercules*, decumam esse adauctam tibi quam uoui gratulor St 386   Hercules, ted inuoco Mo 528
6. *abl.:* Cas 398(*U: supra* 2)   Libertas, .. numquam pedem uoluisti in nauem cum Her-cule* una imponere Ru 490(*cf.* Knapp, *Am. Jour. Phil.* XL. 248)
HERCULEUS - - Cas 398, Herculeis *E²JLLy* -lei *BVE¹RsS*† Hercule *U vide supra sub* Her-cules   Ru 161, aerumnae Herculeae *Rs* Her-culis *BS*† hercule *CD* Herculi *L*†*Ly*† *v. secl U* (*vide supra sub* Hercules)   St 223, Herculeo stabunt *RRg* Hercules(-eis *A*) te amabit *PULyS*† hercle aestumaui *BergkL*
HEREDITAS - - 1. *nom.:* iam non facio auctionem: mihi optigit **hereditas** St 384   si qua mihi optigerit hereditas magna atque lu-culenta .. Tru 344   cena hac annonast sine sacris hereditas Tri 484(*cf* Cap 775 *infra* 2)   mihi haud saepe eueniunt tales **hereditates** Cu 125
2. *acc.:* sine sacris **hereditatem**(he. *B*) sum aptus effertissumam Cap 775(*cf* Egli, I. p. 17; Graupner, p. 31; Gronov, p. 77; Inowrac-lawer, p. 44)   illic homo tuam hereditatem inhiat quasi esuriens lupus St 605
HERES - - 1. *nom.:* apstuli hanc quoius **heres**(referes *A*) numquam erit post hunc diem Men 477   qur ausu's facere, quoii(*i. e.* pran-dio) ego aeque heres eram(*Lips et Bent* ea quae heris heram *P*)? Men 493   .. ut ego exheredem meis me bonis faciam atque haec sit heres(*B* res *CD*) Mo 234
2. *acc.:* isti(*i. e.* anulo) me **heredem** fecit Cu 639   eumque heredem fecit quom ipse obiit diem Men 62   adoptat hunc senex et facit heredem Poe *Arg* 3   facit ille heredem fra-trem patruelem suom Poe 70   puerum illum .. adoptat .. eumque heredem fecit quom ipse obiit diem Poe 77   mira sunt nisi erus hunc heredem(er. *D*) facit Poe 839   is me heredem fecit quom suom obiit diem Poe 1070   cor-rumpe erilem (heredem *ins Rs*) adulescentem optumum Mo 21
3. *corrupta:* Mi 910, heres *D pro* ea res Per 360, heres *P pro* hae res(*A*)   St 18, heres *D pro* haec res
HERI - - I. Forma *pro* **heri** *inuenimus* eri: Am 303 *BD*, As 436 *DE*, Mi 439 *D*, 489 *BD variae lectt.:* Mi 73, hic heri *FZ* aeri *P* aeris *B²* eri *A* interim *R*; 217, an heri maduisti *L* anherialus uestis *PLy*† an heri adbibisti *S var em ψ* St 416, hieri *B* hi heri *P* heri *A*   **heri:** Mi 59, here *A* hercle *P* heri *U*   Per 108, here *B* ere *CD*; 116 here *U*   *corrupta:* Ep 202, here *E³J pro* ere   Mo 993, heri *D pro* perii   Tru 337, uolturi heri duo *CD pro* uolturii triduo
II. **Significatio**(*cf* Heckmann, pp. 23, 29; Kane, p. 53) 1. *cum tempore praeterito:* an heri* adbibisti Mi 217(*S*)   emi atque aduexi heri Mer 106   .. nauem ex Rhodo quast heri aduectus filius Mer 257   tun me heri adue-nisse dicis? Am 758   ain heri nos aduenisse huc? Am 799   heri* Athenis Ephesum adueni uesperi Mi 439   heri* huc Athenis cum hos-

pite adueni meo Mi 489   caruitne febris te
heri uel nudiustertius et heri cenauistine? Cu
17-8   cenauin ego heri in naui in portu Persico? Am 823   heri*..homines quattuor in soporem collocastis nudos Am 303   ..quos consignaui hic heri* latrones Mi 73   rus ut irem
iam heri constitueram(†§ statueram *LorenzRg
LU*) Ps 549   heri in tergo meo tris facile corios contriuisti bubulos Poe 138   nisi hinc
hodie emigrauit aut heri Mo 953   heri et
nudiustertius .. numquam .. desitumst potarier
Mo 956   heri iam edixeram omnibus dederamque eas prouincias Ps 148   istos captiuos duos
heri .. emi de praeda a quaestoribus Cap 111
.. bene rem gerere bono publico sicut ego feci
heri Cap 499   ecquid meministi here* qua de
re ego tecum mentionem feceram? Per 108
adduxit .. ut rem diuinam faciat aut hodie aut
heri Ru 130   heri indaudiuit .. captum esse
equitem Aleum Cap 30   post cenam, credo,
lauerunt heri Ru 151   an heri* maduisti Mi
217(*L*)   tute heri ipsus mihi narrasti Mer 481
iam heri* narraui tibi Per 116   .. uel illae
quae here* pallio me reprehenderunt Mi 59   te
certo heri aduenientem tibi et salutaui et ..
exquisiui Am 714   tun heri hunc salutauisti?
Am 717   turbida tempestas heri fuit Ru 940
heri* ambo in uno portu fuimus St 416   uina
.. heri* uendidi uinario Exaerambo As 436
heri uenisti media nocte Am 514   heri in portum noctu nauis uenit Per 577   is heri huc
in portum naui uenit uesperi Poe 114   .. si
quae forte ex Asia nauis heri aut hodie uenerit
St 152   tu me heri hic uidisti? Am 725   cur
igitur praedicas te heri me uidisse Am 731   ille
heri me iam uocauerat in hunc diem St 516
  2. *cum tempore praesenti:* certo scio heri(*FRs*
eri *P*§† ibi *SeyLU* fere *Ly*) plus scortorum
esse(fuisse *Rs*) iam quam ponderum Tru 69
HESTERNUS - - neque Athenas aduenit umquam ante **hesternum** diem Ps 731   uisam
hesternas reliquias quierintne recte necne Per 77
HERMIO - - estne hic noster Hermio? Fr II.
10(*ex Paulo* 62)   *Cf* Schmidt, p. 192
HEU - - *Cf* Richter, p. 562; Langen,
Beitr., p. 198
  I. Forma As 292, heu *ins CaRgl* Ba 251,
eu *P corr F* Cap 599, heu *ins Rs* †§ quid ais
SeyU Ep 72, heu *B²Rg* tu *E³J* eu *B'VE'*ψ
Men 316, heu *R* tu *P*§† ineptum *Rs* eu *Ca*ψ;
731, heu *PRs*§ eu *FlLULy*; 872, heu *FZRRs*
eu *BD*ψ eo *C*; 908, heu *B²RRs* eu *P*ψ Mer
661, heu *P* ei *RgU* hei *R*; 701, heu *P* hei *R*;
770, heu *A* eu *P* ei *R* Mi1056, heu *A ut uid et
B* eu *DRgLU* bu *C*; 1062, heu *FZR* neu *B*
eu *CD*ψ; 1342, heu heu *AcR* heu *P* eheu
*Grut*ψ; 1358, heu me *HauptU* haeum *P*§† hei
BoR ei *Rg* eheu *LLy* Mo 584, heu *SchneiderR*
eu *P*ψ; 981, heu *A* eu *PULy* ei *B²* Poe 283,
heu *FZRgl* eu *P*ψ Ps 259, heu heu *FZR*
he heu *P* eheu *Bo*ψ; 1320, heu *tertium add
PLULy* Ru 106, heu *add Rs*; 556, heu *add
Rs duce A*; 821, heu *Z* eheu *P* eu *FlU* St
209, heu *ins R* Tru 7, heu *BueRs* eũ *B*
eum *CD* eu *Sp*ψ; 695, heu *FZRs* eu *P*ψ Men
836, heu *PRs*§† *om RichterLU*
  corrupta: heu *pro* heus Au 350 *B*; 456, *J*

Per 844 *P corr Ald* Poe 851 *BC* Ps 1284 *P*
Ru 97 *P* Tri 871 *P corr Z   Etiam* Men 836,
heu *B* eum *B* euhi *D* eubi *C*§† euhoe *vel*
euhan ψ Mer 117, heu *B pro* haud(*CD*) Mo
735, heu *C pro* hau Ps 79, heu *P pro* eheu(*R*)
  II. Significatio *dolentis interiectio* 1. *absolute:* heu heu heu*. #Desine. #Doleo Ps 1320
heu*! #Quid .. ploras? Ru 556(*Rs*)   †eubi at-
queheu* Bromie! Men 836(*vide edd*)
  2. *cum enuntiato declarativo:* heu* cor meum
et cerebrum .. finditur Ba 251   heu heu* nequeo quin fleam Mi 1342(*AcR*)   Ps 259, heu
heu *FZR pro* eheu
  incertum: Ru 106, *Rs ante* eam St 209, *R
ante* misero
  3. a. *cum acc. exclam.:* heu me miserum!
misere(*B²* miserum *P* misere miserum *SeyRg*§)
perii Au 721   heu me miserum Mer 624   Mi
1358, heu me *HauptU em* ψ
  b. *cum dat. exclam.:* heu* misero mihi Mer
661   heu* miserae mihi Mer 701, 770   *Cf*
Kellerhoff, p. 76
  4. *vis particulae per alias particulas augetur:*
heu ecastor: Mi 1062(heu *R pro* heu)   Poe
283(heu *Rgl pro* eu)
  heu edepol: As 292(heu *praem. CaRgl*)   Ep
72(heu *B²Rg¹ pro* eu)   Men 908(heu *B²RRs
pro* eu)   heu* edepol patrem eiius miserum
praedicas Mo 981   Tru 695(heu *Rs pro* eu)
  heu hercle: Cap 599(heu *praem Rs*)   Men 316
(heu *CaR var em* ψ)   heu* hercle, mulier multum et audax et mala's Men 731   Men 872(heu
FZRRs pro eu)   heu* hercle odiosas res! Mi
1056   Mo 585(heu *SchneiderR pro* eu)   heu*
hercle(*! ins Ly*) ne istic fana mutantur cito
Ru 821   Tru 7(heu *BueRs pro* eu)
HEURETA *vel* **HEURETES** - - *vide* εὑρετής
HEUS - - *cf* Richter, p. 566
  I. Forma Am 770, heus *AcRgl om P i FZ*ψ
Au 350, heus *FZ* heu *B* eu *D*; 456, heus *Bent*
eu *BD* heu *J* Cap 950 heus ubi estis *BriRs*
ubi estis uos *P* Cas 166, heeus *E*   Ci 704,
heus *ins U ante* eam Ep 398, huis *B¹* eus *J*
Men 673, heus *F* eius *P* Mer 866, heus *ins
BoRg ante* ilico Mi 217, *v. em R*; 434, eus *B¹*;
469, heius *B*; 522, heius *B*; 816, heius *B*;
1301, heus *PyR om P i Sey*ψ Mo 445, eus *B*
Per 845, heu *P corr Ald* Poe 851, heu *BC*
Ps 1284, heu *P* heus *A*? Ru 97, heu *P*; 481,
eu *B*; 938, teus *D* Tri 871, heu *P*; 963, masticheus *CD pro* mihi asta heus Tru 914, *ins
Rs solus   corrupta:* Mi 394, heus *P pro* eu(*A*);
1043, heus *CDR* heius *B pro* deus(*Bri*ψ)
  II. Significatio *vocantis est:* A. *praecedit
vocativis*(cf Ferger, p. 33) 1. heus tu a. *ante
enuntiata* α. *declarativa:* heus tu, malo, si sapis, cauebis Cas 837   heus tu, te uolo Cu 391
heus tu, tibi ego dico Cu 516   heus tu, tibi
dico, mane Men 696   heus tu, at hic sunt
mulieres Mo 680(*vide Richterum*)   heus tu,
etiam .. decem accedent minae Per 669   heus
tu, .. diuitem .. solemus mactare infortunio
Poe 515   heus tu, tibi dico, mulier, ecquid te
pudet? Poe 1305   heus (tu *ins FlRg*) abit Ps
241   heus tu, nunc occasiost et tempus Ps 958
heus tu, em tibi hic habet uidulum Ru 1357
heus tu, iam habes uidulum(? *add Rs*§) Ru

1369 heus (tu a meis *ins L in lac*) illic estur
Vi 37 heus tu, in barbaria quod dixisse dicitur Fr I. 72(*ex Festo 372*) *intercedit alterum
enunt.:* heus tu, postquam .. surgunt .. cautiores
sunt Ps 296 heus tu, iam postquam .. commeo, dicax sum factus Tru 682 heus tu, si
uoles .. haud factu facilest Mo 791 heus tu,
qui .. circumis, iubere meliust Ru 140 heus tu.
=Quid uis? =Hic homo meus est Ps 1124
β. *imperativa:* heus tu, aduigila Per 615
heus tu, serua istum Per 672 heus tu, mihi
dato ergo, si sapis Ru 1398 heus tu, asta
ilico Tri 1059 *intercedit alterum enunt.:*
heus tu, qui furem captas, egredere ocius Poe
709 heus tu, si quid per iocum dixi, nolito
in serium conuortere Poe 1320 heus tu, qui
.. astas, responde Ps 967 heus tu. =Quid uis?
=Anulum .. facito ut memineris ferre Ba 327
postpositum: audi, heus tu Tri 1059
γ. *interrogativa:* Ru 1369 (*supra α*)
b. *praecedit altero vocativo:* heus* tu, Thessala, intus pateram proferto foras Am 770 heus
tu, leno, te uolo Cu 686 heus tu, leno ... ut
minam .. reddas Poe 1398 heus tu, mulier,
male mereri .. inscitiast Cu 185
2. heus uos: heus* uos, ecquis haec .. audit?
Cas 166 heus uos, pueri, quid istic agitis?
Mo 939 heus uos, ecquis hasce aperit? Mo
988 heus* uos ... hicin Dordalus est leno?
Per 845 heus uos, num molestiaest me adire?
Ru 830
3. *praecedit vocativis nominum · propriorum*
a. *nullo addito vocabulo:* heus, Pardalisca! Cas
688 heus*, Philocomasium! Mi 434 heus*,
Palaestrio! Mi 1301 heus, Tranio! Mo 515
heus, Theopropides! Mo 784 heus*, Synceraste!
Poe 851 heus*, Sceparnio! Ru 97 heus, Palaestra! Ru 677 heus, Ampelisca! Ru 828
b. *seq. enunt. imperativum:* heus, Strobile,
sequere propere me Au 264 heus*, Staphyla,
prodi Au 350 heus, Bacchis, iube .. aperiri
fores Ba 1118 heus (exi *add CaRg*), Phaedrome,
exi, exi, exi Cu 276 heus*, Philocomasium, cito
transcurre Mi 522 heus, Periplecomene et
Pleusicles, progredimini Mi 610 heus*, Sceledre, .. progredere ante aedis Mi 816 heus,
Saturio, exi Per 725 *similiter:* heus, Tranio,
etiamne aperis? Mo 937 *intercedit imperativus:*
heus*, ilico sta, Charine Mer 866(*BoRg*) heus,
i foras, Agorastocles Poe 205 heus*, exi, Ptolemocratia, cape hanc urnam tibi Ru 481(heus
Agasi Pto. *TLy*) heus, manedum, Astaphium
Tru 115
c. *sec. enunt. declar.:* heus, Staphyla, te uoco
Au 269 heus, Curculio, te uolo Cu 303 heus*,
Palaestrio, machaera nihil opust Mi 469 heus*,
Pax, te tribus uerbis uolo Tri 963 *similiter:*
heus*, te adloquor, Palaestrio Mi 217(hauscis
te *R* heus tu, Pal. *Rg*)
d. *seq. enunt. interr.:* heus(*add R solus*) Mnesiloche, quid fit? Ba 626a heus, quid istuc
est, Philocomasium? Mi 420
4. a. *praecedit vocativo nominis appel.:* heus,
adulescens! Ep 1 heus, adulescens, ecqua in
istuc pars inest praeda mihi? Men 135 heus,
adulescens, quid istic debetur tibi? Ps 1137
(*v. secl RRqLU*) heus*, senex, .. ego abs te

mercedem petam? Au 456 heus, senex, quid
tu percontare? Mo 940(*A solus*) heus*, senex,
.. rationem dedi Tri 871 heus, sta ilico,
amator Cas 960 heus, chlamydate, quid istic
debetur tibi? Ps 1139 hodie nate, heus, hodie
nate: tibi ego dico: heus, hodie nate Ps 244
heus, mulier, tibi dico Men 378 uxor, heus,
uxor .. iubeas .. haec hinc intro auferrier Mer
800 heus, amica, quid agis? Tru 917(*vide Rs*)
pessuli, heus, pessuli, uos saluto Cu 147
b. *seq. vocativum:* mulier (heus *ins U*), mane
amabo Ci 704 filia, heus! Men 844 Sagaristio, heus, exi Per 459 Milphio, heus(Milphio *iterat PLy om Boψ*), ubi's? Poe 279 uxor,
heus! Mer 800 hodie nate, heus! Ps 244
B. *praecedit enuntiatis* 1. *interrogativis:* heus,
ecquis hic est? Am 1020, Ba 582, Mi 1297, Mo
445*, 899, Poe 1118 heus, ecquis hic est?
heus! Ru 762 heus*, ecquis hic est ianitor?
Men 673 heus, ecquis in uillast? Ru 413
heus, ecquis his foribus tutelam gerit? Tri 870
adde supra citata: Cas 166, Men 135, Mo 988,
Poe 1305, Tri 870
heus, quid agis tu .. in tegulis? Mi 178 *adde
supra sub A citata:* Mi 420, Mo 939, 940, Ps
1139, Tru 917
heus, audin quid ait? Cap 592 *etiam* Mo
937(*supra A.* 3. b), Per 844(*supra A.* 2)
heus, ubi estis uos? Ps 1136, 1137(*v. secl
RRqLU*) heus, ubi estis? Cap 830, 950(*BriRs*
heus *om Pψ*) *etiam* Poe 279(*supra A.* 4. b),
Tru 914(*Rs*)
num: Ru 830(*supra A.* 2) *sine interr. particula:* Au 456(*supra A.* 4. a)
2. *imperativis:* heus*, foras exite huc aliquis
Ep 398 heus, aliquis actutum huc foras exite
Mer 910 heus*, Simoni me adesse aliquis
nuntiate Ps 1284 heus, foras educite .. fidicinam Ep 472 heus, iube illos illinc ambo abscedere Mo 467 heus, reclude Mo 937 heus,
memento ergo dimidium .. dare Ps 1164 heus*,
mane Ru 938 *adde supra sub A citata:* Am
770(*AcRglL*), Au 264, 350*, Ba 327, 1118, Cas
960, Ci 704(*U*), Cu 276, Mer 866(*BoRg*), Mi
522*, 610, 816*, Per 459, 615, 672, 725, Poe
205, 709, 1320, Ps 967, Ru 481*, 1398, Tri
1059, Tru 115 *similiter:* Mer 800, Mo 937,
Poe 1398
3. *declarativis:* heus, iam satis tu As 446
heus, iam adpetit meridies Mo 651 heus, abit
Ps 241(*vide FlRg*) heus, Polymachaeroplagidi
nomen est Ps 989 *Vide* Mi 1043, *ubi* heus
CDR heius *B pro* deus(*Brix*) *adde supra sub
A citata:* Au 269, Cas 837, Cu 147, 185, 303,
391, 516, 686, Men 378, 696, Mi 217*, 469*,
Mo 680, 790, Per 669, Poe 515, Ps 244, 296,
958, 1124, Ru 140, 1357, 1369, Tri 963, Tru
682, Vi 37(*L*), Fr I. 72
4. *postpositum:* tibi ego dico, heus, Philocomasium! Mi 434 *antepositum et postpositum:*
heus, ecquis hic est? heus! Ru 762
HIBERNUS - - increpui **hibernum**(*i. e.* tempestatem) et fluctus moui maritumos Ru 69
credo .. potis esse te .. massici montis uberrumos quattuor fructus ebibere in hora una.
='Hiberna' addito Ps 1304(*cf* Gronov, p. 271)
tibi pallium .. conficiatur tunicaeque **hibernae**

(*A* mihi bernę *C* in bernae *D* ////ibernae *B*)
bonae Mɪ 688

HIC - - *cf* Thurau, *de pronominum demon-*
strativorum apud Plautum usu. Pr. Rössel. 1876
 I. Forma hic(*de scansione cf* Luchs, *Comm.*
pros. I. p. 3) 353 *exempla sine varia lect.* *Ad-*
denda: Aᴍ 298, *om J*; Aѕ 215, huic *E*; 534, haec
FlRgl; 643, *Py* haec *BD* hęc *E* hec *J*; Aᴜ
244, *FZ* hinc *P*; 548, *FZ* hoc *P*; 656, *PLy*
hinc *Boψ*; 657, *ins Ly*; 658, *Koch om PLULy*;
663, istic *Rg*; Bᴀ 451, *om R*; 453, *RRg om*
Pψ†; 724, *HermR om Pψ*; Cᴀᴘ 36, *B²E* his
B¹DV is *J om Rs*; 335, *PU* is *Flψ*; 547, istic
LuchsRsᶊ; 1014, illi, hic *Ly* illic *Pψ †ᶊ*; Cᴀѕ
48, illic *RRs*; 361, hic sudascit *Rs pro* adsudascis; 767, *PRsU* is *Aψ*; Cᴜ 61, istic *Rg*;
682, *LambRg om Pψ*; Eᴘ 301, is *BriL*; 435,
PL illic *Seyψ*; 438, *om B*; Mᴇɴ 558, *add U*
solus; 563, *add R*; 650 *PRU* is *Briψ*; 900,
add MueRs; 1042, qui *U ex alio versu*; Mᴇʀ
936, *B* id *CD*; Mɪ 104, interibi hic *Ac* interiuit *P* interim ut *B²* interim iuit *D³*; 167
om PyR; 169, *A* huc *R* est *P*; 760, *FZ* huic
P; 770, *om R*; 900, quis hic *Ca* qui sic *P*;
901, *Guy* ehic *CD* ęhic *B*; 1049, *R* huic *CD*
om B; 1283, *PU om Boψ*; Mᴏ 508, hae *R*;
778, *AB²* om *P*; 971, *om R*; Pᴇʀ 587, *A* ihi *P*;
805, *om R an adv.?* Pᴏᴇ 124, huc *RRglU*;
672, chic *D*; 840, *Luchsᶊ* id *PLULy* is *AcRgl*;
845, *ins U*; 999, *A* hinc *P*; 1135, *om C*; 1144,
om B; 1227, *A* haec *C* hęc *D* hec *B*; 1335,
PRglU om Weiseψ; Pѕ 305, huic *A*; 594, *om Bergk*
Rg; 736, *A om P*; 896, *om ARg*; 909, *add R*
solus; 1175, *om ALy*; 1204, *om RRg*; Sᴛ 217,
quam hic *ins WeiseRg*; Tʀɪɴ 814, *BC* his *D*
hinc *FlRRs*; 1027, huic *C*; Tʀᴜ 549, *Sey om*
P is *BoU*; 934, *om Rs*; 960, *Bue duce Lamb*
om P

 haec 269 *exempla sine varia lect.* *Addenda:*
Aᴍ 59, haec tragicomoedia *FlRgl* tragico comoedia *Pᶊ†U* sit tragicomoedia *LLy*; 113,
hac *B*; 780, heac *J*; 789, heace *J*; 814, haec
iam *P* etiam *LuchsRgl*; Bᴀ 140, hic *FZR*; 738,
HermR atque idem *PL†* at quidem *Mueψ*; 797,
hic *B¹*; 1128, *add R*; Cᴀѕ 228, ac *E*; 416, mea
haec est *GepLLy* mea est *U* meast *Pψ*; Cɪ
668, hoc *V*; Cᴜ 104, om *L*; Eᴘ *Arg* 7, hic *J*;
Eᴘ 285, abs *U duce Gep*; 543, hoc *Non* 473;
716, huic *U*; Mᴇɴ 618, hic *CaR*; 1139, haec
east *add VahlenRsLLy*; Mᴇʀ 276, *P aliter A v.*
secl RRgL; 514, *om R*; 737 *add R*; Mɪ 376, *A*
hac huc *P* haec huc *Ly*; 466, *ins SeyRg*; 516,
add RULLy om PᶊRg; 878, *F* hae *CD* he *B*
var em LLy; 918, *Ca* hic *P*; 987, *om BoRgᶊ*;
999, hoc *B*; 1004, *ins R*; 1096, *om B* a me*R*; 1152,
A hanc *P*; 1253, *add CaRRg*; *var em LLy*; Mᴏ
184, ita haec *RU* ista haec(hęc *CD*) *P* istaec
B²ψ; Pᴇʀ 641, *A* hac *P*; Pᴏᴇ 969, *add GepRU*;
1257, haece *P(-cę D)ᶊ†* Iahonis *SchmidtRgl*;
1297, *ACD* hoc *P*; Pѕ 623, *A* hic *P*; 1124,
om C; Rᴜ 329, *Z* hanc *P*; 334, *Py* h *B om*
CD; 433, hec *B* hic *CD*; Sᴛ 51, hoc *B*; 169,
A hac *P*; 237, hę *B*; 263, hoc *R*; Tʀɪ 507,
haec res *A* hercles *P*; 861, *ACD om BRRs*;
Tʀᴜ 93, ecquid *Rs*; 572, *B om CD*; 584, *ins*
Ly Cyamo *L †ᶊ aliter RsU*; 611, haec res *Sarac*

hercles *P* res *RRs*; 895, *pl. LLy*; Vɪ 98, *om*
GK Prisc

 hoc 224 *exempla sine varia lect. Addenda:*
Bᴀ 623, *add R solus*; Cᴀᴘ 796, *Rs* est *Pψ* haec
Gram apud Keil VI 587; Cᴀѕ 485, *PULy* hic
Gulψ; Cɪ 701, *add U solus in loco dubio*; Eᴘ
95, *om J*; Mᴇɴ 82, *MueRsᶊ om PLULy* que
CaR; 131, huic *ColviusRU*; 1122, *B om CD*; Mᴇʀ
692, *add RRgU*; Mɪ 406, *R* hic *P* id *Aψ*; 450,
ho *B*; 1071, *PU om Rψ*; Mᴏ 93, *v. secl RRs*
ᶊL; 666, *v. secl R*; 868, *add R solus*; Pᴏᴇ 288,
Ly in loco perdito; 597, *GepRglLU* hic *Aψ*
om P; Pѕ 243, *om RRgLU*; 479, *om R*; 766,
om R; 1179, *om AR*; Rᴜ 686, *PyRsU* hunc
Pψ †ᶊL; Sᴛ 95, *P* hic *A*; 448, *FR* haec *APψ*;
461, *A* hic *P*; 665, -ce *R*; 672, pol mi hoc *R*
pro sequor et; 773, *add RRg*; Tʀᴜ 273, *A om*
P; 501, quid hoc negotist *Rs* cui adhuc ego
tu *Pᶊ† var em ψ*; 704, istuc *BoRs* illuc *Bach*
LLy; 770, *C om B* h' *D*

 huius (*de scansione cf* Ahlberg, *de Corr.* p.80)
338 *exempla sine varia lect. Addenda:* Aᴍ 96,
-ce *BentRgl*; 266, -ce *U*; Aѕ 556, *† ᶊ*; 725, eius
Non 266; Cᴀᴘ 10, -ce *BD* huisce *E* huius cette
Rs huius *L*; 437, *iterant BD*; 800, *E* eius *B*;
927, *BoLU* haec *APRsLy* illaec *Bachᶊ*; Cᴜ 518,
hius *E* huis *V*; 716, *LuchsRg* illius *Pψ*; Eᴘ
447, prae huius *U pro* de illius; 722, *om J*
Mᴇɴ 1071, -ce *BergkU*; 1090, uius *B*; Mᴇʀ
514, -ce *R*; 607, *add R*; 997, *add AcR*; Mɪ
670, *PLLy* huic *Guyψ*; 699, *APᶊ†Ly* horum
Rψ; 908, huis *CD¹*; Mᴏ 604, *PR* huius *Aψ*;
Pᴏᴇ 389, *v. om CD*; 390a, *v. om A*; 390b, *v.*
secl AngelRRglU; 392, *P* eius *A*; 393, cuius
Non 137; Pѕ 208, *A* huic *PRLy*; 271, holus
A ut vid; 498, *add R*; Rᴜ 285, hui' *B*; Sᴛ 50,
eius *BachL*; Tʀɪ 1183, *ins HermLU* huiius
scribit *Ly ubi vox dissyllaba est*

 huic 158 *exempla sine varia lect. Addenda:*
Aᴍ 702, -ce *RU dissyl. ᶊLLy* nunc *ins MueRgl*;
Aѕ 496, *BD* huc *E* hoc *J*; Aᴜ 188, nunc *E* hoc *J*;
822, hic *L*; Bᴀ 59, -ce *R*; 107, hic *FZR*; 484,
-ce *R*; 764, -ce *R dissyl. RgᶊLLy*; Cᴀᴘ 54,
hinc *J*; 364, *dissyl. ᶊLy*; 380, *Loman* huc *I*
LLy; 936, tu huic *PᶊULy* nunc *L* tu una *Rs*;
1026, *A* hic *P*; Cᴜ 132 *om Rg*; 675, *Rg* hoc
Pψ; Eᴘ 10, hac *J*; 303, *J* hic *BE*; 655, huit
J; Mᴇɴ 131, *ColviusRU* hoc *Pψ*; 359, hic *Non*
468; 1061, *Rsᶊ om Pψ*; 1072, hunc *C*; Mɪ 109,
hinc *C*; 120, *Beroald* huc *P*; 670, *Guy* huius
PLLy; 765, huic rei *BriU* huice *R* hic *Pᶊ†L ̇*
ei hic *BoLy* ei rei *SeyRg*; 1049, huc *CD*;
1071, *R* hinc *P* hoc *U*; Mᴏ 427, *PiusR* hic
Pψ; 619, *ins R solus*; 620, *ins R solus*; 626,
-ce *R*; 978, *A* huc *P*; 1049, huc *CD*; 1166, si
huic das *ins U*; Pᴇʀ 612, *AB* huc *CD*; Pᴏᴇ
260, lingua huic *Ca duce Aldo* uncua *B ut vid*
om CD; Pѕ 208, *PRLy* huius *Aψ*; 327, -ce *R*;
594, hic *SpRg* hinc *R*; Rᴜ 1342, *add Rsᶊ*; Sᴛ
298, *A* huc *P*; 538, hoc *Rg*; 702, *F* huc *P*;
Tʀɪ 326, *AP* hinc *VollbehrRsLU*; 359, *AP* hinc
RRs; Tʀᴜ 251, hic *A*; 550, huc *FlRs*; 796,
Z huc *P*; Fʀ I. 92, *Fest* hic *Prisc*

 hunc 268 *exempla sine varia lect. Addenda:*
Aᴍ 264, *E³* huc *PL*; Aѕ 680, huc *DEJ*; 920,
huc *EJ*; Aᴜ 21, hiine *D*; 329, *LebretonLy* eum
Pψ†; 642, huc *E*; 812, *BD* nunc *EJ*; Bᴀ 397,

Ald hoc *PU*; 904, *ins L*; Cap 35, *om VEJ*; 441, hŏ *E*; 459, *om OJ*; 573, *om EJ*; 780, hoc *J*; 1019, *B²* nunc *P*; Cas 460, *om E*; 616, huc *J*; Ci 121, *A* nunc *P*; 193, huc *E* huc & *V*; Cu 463, †*S om Non* 120 *et LULy*; Ep 273, *B¹U* huc *BoRg¹* hic hunc *EJ* hic *B²φ*; 294, *UL* huc *Pψ*; 428, quam hunc *add Rg solus*; 539, *in lac add GepURg¹*; 606, hic *A*; Men 96, nunc *FR* huc nunc *Rs*; 500, hanc *A*; 573, -ce *R*; Mer 382, huc *B*; Mi 253, *A* nunc *P*; 275, huc *B¹*; 310, *B²* hic *P*; 427, huc *B¹*; 479, hanc *B¹*; 493, huc *B*; 565, *AB²D²* huc *P*; 616, hanc *P* haec *B²*; 796, huc *CD¹*; 797, *D³* hoc *A ut vid et B* huc *CD¹*; 868, huc *P*; 931, hoc *B*; 960, *Ac* nunc *PLy*; 1026, huc *P*; 1049, 1089, huc *B*; 1131, *A* huc *P*; 1138, *om R*; 1183, *om A*; 1374, huc *P*; Mo 115, *B¹* hanc *B²CD*; 652, hoc *C*; 1049, huc *B*; 1078, *B²* huc *B¹C* hŏc *D¹* hŭc *D³*; 1099, *B²* .hinc *P*; Per 182, huc *D*; Poe *Arg* 7, hanc *B*; Poe 824, *Bo* hanc *P*; 988, *PU* illum *Aψ*; 1097, *Pius* nunc *P*; 1238, *A* nunc *P*; 1366, *om ALy transp HasperRgl*; Ps *Arg* II. 9, eum *RU*; Ps 204, hinc *A*; 279, *A* hun *B* heu *CD*; 349, hoc *A*; 592, hic *R*; 711, *FZ* hinc *P*; 1315, hoc *R*; Ru 256, hunc quisquis *Rs in lac* nunc q. *CaU* q. *ψ*; 686, *CD* hĭ *B* hoc *PyRsU* †*SL*; St 421, nunc *B*; Tri 936, *om RRs*; 1016, *om RRs*; 1031, huno *B*; Tru 85, *ins MueRsU*; 166, *U* nunc *Pψ*; 458, *FZ* huc *PS†* nunc *MueRs*; 726, *om Rs*; 929, *ins SeyLLy var em ψ*; 939, *add Rs var em ψ*

hanc 303 *exempla sine varia lect. Addenda:* Am 797, *Sp* hac *PU*; Au *Arg* II. 4, haut *D*; Ba 218, *om SchneiderRg*; Cap 195, au *E*; 781, hac *J*; 795, *Bo* hac *PLy*; Cas 840, *A* iam *P*; 881, hac *GepU*; Ci 102, *A* eam *P*; Ep 398, istanc *BriRg¹*; 575, istanc *MueRgU*; 578, hanc quae sit *ins RgLy*; 596, istanc *BriRg¹*; Men 555, *Non om PL*; 729, *BoU* haut *R* at *Pψ*; 825, *B²* ac *P*; Mer 843, hunc (*P*) nunc *RRg*; Mi 132, *D²* hac *BD¹* hec *C*; 238, *PLy* huc *Rψ*; 244, *ins BoRRgU*; 358, hac *CD*; 380, hec *B¹*; 419, hec *B¹*; 555, *R ex A falso*; 626, hac *B*; 769, hac *C*; 875, hac *C*; 933, *FZ* hoc *D* hec *B* hac *C*; 1008, hac *B*; 1159, *A* hoc *P*; 1283, *Bo* hac *BC* ac *D*; 1435, *A* hinc *CD om B*; Mo 100, *om C*; 213, hac *U*; 1135, *add PyU*; 1144, hac *B¹*; 1177, †*S*; Per 203, hana *B*; 248, *om R*; 574, *om L*; 667, hac *P*; Poe 622a, *om BoRgl* 958, hanc tesseram *A* arcesseram *P*; 1099, han *C*; 1308, *AP* istanc *PyRgl*; Ps 765, hunc *CD*; 983, han asc *C*; *ib.*, han *A*; 985, *om R*; Ru 467, *B²* anc *P*; 477, *iterat C*; St 235, *add RRg*; Tri 9, illanc *RRs*; 642, *A om P*; Tru 688, *Ca* hac *D* ac *C* a *B*; 689, banc *B*; 936, istanc *BoRs*; Vi 7, *add StuRg*; 87, *add StuRg*

hoc 367 *exempla sine varia lect. Addenda:* Am 979, *add U*; As 306, istoc *WeiseRgl*; 424, hac *J* ac *E*; Au 385, *Prisc* I. 104, hasce *P* has *WeiseU* hasc' *Ly*; 548, *PLULy* hic *FZψ*; Ba 126, *Z* haec *BCL* hec *D*; 300, *add HermR*; 397, *PU* hunc *Aldψ*; 422, *Z* haec *B* hec *CD*; 720, hoc ut *P* quot *U*; 757, *add R*; 1066, ho *C*; 1209, ante hoc *LangenRg pro antehac* Cap 3, *B²* hos *P*; 620, *B* ĥ *E* hec *J* haec *V*; 830, *om E*; 834, *PU om Briψ*; Cas 187, *om AL*; 695, *add GepRs*; 708, ĥ *E*; 875, *om J*; Cu 120, *add*

FlR; 123, *FZRgU* hic *Pψ*; 200, potine *Pius Rg*; 270, huc *E³*, 463, *om NonRgLULy*; 675, huic *Rg*; 701, *Langen om P* huc *MueRg* ego *FlLU*; 708, 727, *add FlRg*; Ep 19, hoc *in lac Rg¹*; 206, *Ca in lac om PS*; 695, *ins Rg²Ly aliter ψ om P*; Men 451, *add VahlenLy aliter ψ*; 538, hoc una *PS†U* unum *RedslobLLy aliter Rs*; 821, *BoR* hec *PS† var em ψ*; Mer 34, ac *BoR*; 38, *Ca* hac *P*; 220, hoc *R* eos *APψ*; 568, *om RRg*; 611, *R* hic *B om CDψ*; 922, *ZRRg* haec *Pψ*; Mi 185a, hoc ei *A* hic *P*; 352, *om BoR* quid *U*; 430, *BoRRg* hic *Pψ*; 689, *iterat D*; 766, huc *BRRg*; 806, huc *B*; 915, huc *D¹*; 1350, istuc *LuchsRg*; Mo 174, istuc *BriLU* istoc *Ly*; 328, *pro abl. habent RU*; 904, *RU in lac*; 1028 hic *CaULLy*; 1091, *om CDR*; 1175, *add RL*; Per 69, *ins Rs*; 167, *ins Guy RLU*; 241, *om CDRU*; 263, hoc *U* nunc et *A Pψ*; 324, *om D³*; 538, hoc facio *A* h. *om RU* refero *P*; 768, *om CD*; 775, h' *B¹* heç *CD*; 777, h' *B abl.?*; 814, *om D*; Poe 62, *add RRs*; 380, te hoc *RRglLULy* te *P* hoc *A* ted *GuyS*; 883, *om B*; Ps 154, *om A*; 161, *om R*; 315, fac hoc *PRg* face hoc *L* face *Aψ*; 347, *add MueRgU*; 530, *om D¹*; 586, *add PLy om Aψ*; 910, hoc opus *om BriR*; 967, *add R*; 1258, *add SpRg*; 1310, *FRRg* haec *Pψ* haec hoc *R*; Ru 28, *FlRsU* haec *Pψ*; 376, nunc *MueU*; 641, h. *B*; 779, *LLy in lac* hunc *U*; St 248, *add BugRg*; 263, *R pro* haec; 720, *Mue* o *PS†L†Ly†*; Tri 173, *add Herm RRs*; 389, *APLULy om Scalψ*; 504, *RRs* hic *APψ*; 857, *CD* hac *AB*; 1046, ĥ *D*; 1163, idem hoc *P* itidem *RRs*; Tru 561, *Rs abl. ψ*; 661, ho *CD*; 687, *om BoRsU*

hoc (*abl. masc.*) 76 *exempla sine varia lect. Addenda:* Am 641, *add Rgl soli*; Ba 496, *ARg* illoc *Ly* illo *Pψ*; Cap 828, *add Rs*; Cas 643, *A om P*; 932, hoc ornatu *Pal* cornatu *BVE* cum o. *J*; 643, est cito hoc *A* scito *P* hoc *om U*; Cu 302, eo *BriRg om FlLU*; Ep 26, *add Rg*; Mer 129, huc *CaR*; Mi 21, huc *B¹*; 160, huc *D²*; 754, istoc *FlRg*; 1308, istoc *CaR*; 1326, cum hoc *BriRg* hic *Pψ*; Mo 346, istoc *SkutschLy*; Per 676, illo *R*; 794, *om R*; St 538, *Rg* huic *Pψ*; Tru 608, hoc homine *Rs pro* hominem **hac** 80 *exempla sine varia lect. Addenda:* Am 58, *v. om J*; 412, hec *D*; As 848, hec *J*; Ci 48, hac aetate *SeyLy* et haec a te *BVS†* ae' haec a te *E* et hecata *J var em ψ*; Ep 585, *P* hanc *A*; Men 822, *B²D³* ac *P*; Mer 1019, *Bo* hic *P*; Mi 1212, *Fest* 305 hanc *P*; Mo 909, *v. om C*; Per 584, *A* heç *P*; Ps 104, *ZLLy* hoc *AS†* haec *BC* heç *D var em RgU*; Tri 213, hac esse et *TaubmL* hac esset *P* haec esciet *A* ac sese *GulУ*; 1090, hoc *Non* 192 *et Ly*; Tru 20, *Rs in loco perdito*; 626, iam te hac *add Rs*; 875, hac re *ins U* **hoc** (*abl. neut.*) 46 *exempla sine varia lect. Addenda:* Am 166, hec *E*; 167, *v. secl GulRglSU*; As 263, *add HermRgl*; Ba 447, oc *D*; 1100, *v. secl RRgSL*; Cas 933, *om Rs*; Cu 1, *ex Diom* 441, *Char* 112 hac *P*; 519, *PL om Pyψ*; Mi 850, *Bri* hic *P* hem *R*; Mo 16, *B v. om CDRU*; 328, *RU pro acc. habent ψ*; Per 764, *A om P*; Poe 1272, hoc exemplo *A* hic exemplum *P*; Ps 643, nunc *R*; 1257, in hoc *om RU*; Tru 561, *pro masc. habent GepU*

hi Am 974(*BEU* hii *D* hic *J* hisce *Fl*ψ), As 914,
Ba 1206, 1207, Cap 2(*PLLy* i *Ca*ψ), 48(*v. secl
Guy*ω), Cas 465(*Lamb* his *BVE* is *J*), 720(*A om
PU*), Cu 507(*VE* his *B* hii *J*), 508(*B* in *EJ*),
Ep 193 (hii *J*), Men 221(*BCL* i *DU* isti *FlRs* hic
ALy ei *R*), 847, 958(me hi nunc *Rs* me hic *P*ℐ†
med hisce *AcLULy* hice me *R*), 1082, Mer 869
(hi//// *B* his *R ex B*), Mi 708(*AB*² li *CD*¹ illi
*D*² licet *B*¹ ei *BueL* i *Ly*), 1334(*Fl duce Lamb*
hinc *P* hice *LambR*), Mo 859(*R* hii *BD* hu *C*
ii *U* i *Ly* ei *Sey*ψ), 862(*FZR* hii *BD* hu *C*
ei *L* ii *U* i *Ly* ei *Sey*ψ), Per 820, Poe 550(si hi *C*
si his *B* sibi *D*), 587, 769, 1258(in *B*), Ps 137,
595, 721, 1190(uncti hi *AB* hunc tibi *CD*), Ru
156(*B om CDRs* ei *Ly* i *LU*), Tri 292 **hisce**
(cf Schmidt, *de pron . . . formis,* p. 5) Am 974
(*Fl vide supra*), Cap 35(*P*ω), Cas 744(*A om P*
huc si *U*), Men 958(*Ac vide supra*), Mi 374
(*AP* hosce *R*), 486(*P* hicse *A*), Per 856(*P*ω),
Ps 539(*P*ω), Ru 294(hisce hami *Ca* his cenam
P), Tri 878(*F* hosce *BCLy* osce *D*) **hae**
Ba 801, 808, 809, 1125(*om BoRU*), 1140(*PR*
haec *Schmidt*ψ), 1142(*P* haec *Bo*ω), Ci 314,
405(*P* haec *ColviusRg*), Mo 504(†*Ly*), Per 360
(hae res *A* heres *P* haec res *RU*), 497(istae
BueRsL), Poe 214(istae *HermRglLy*), 330(*AP*
haec *SchmidtRgl*), 609(hi *B* hę *C*), Ps 23, 595,
Ru 227, 727(*PRs* si *A ut vid et* ψ), 746(*A*ℐ
haec *ReizPsLU*), St 312(haece *SchmidtRg*), Tri
1124, Tru 275(*A* hic *P* haec *LLy*) hae *semper
A nonnumquam B raro D* he *vel* hę *P plerumque* **haec**(*fem.*) Au 386, 532, Ba 937(*B* hęc *C*
hec *D*), 1123(*C* hec *D* hac *B* huc *SpRg*), 1142
(*supra*), Cu 39(*Colvius* he *BE* hae *J*), Ep 689
(*B* hae *A* hę *J* hec *E*), Mi 583, Mo 165(hec *B*
he *CD*), 400(*ins RRs*), 640, Per 498(*BachRsL*
istaec *A*ψ istae *P*), Poe 330(*supra*), 1166, 1171,
1376(*A* hae *BU* hę *C* he *D*), Ru 199b, 282,
294(*Bent* hec *CD* he *D*), 746(*supra*), 1095, St 18
(*A* hae *B* hę *C* he *D*), 19(*A* hae *P*), 312(*supra*),
390, Tru 275(*supra*), 295(ω hae *A* hec *B* hęc
CD), 894(*LLy* pro *sing. habent* ψ) **haec** Am
460, 559, 981, 1098(hęc *E*), 1120, As 808, Ba
596, 989b(hic *R*), 1197(etsi haec *L* istaec *P*ψ),
Cas 139, 665, 666 *bis*, Cu 367, Ep 235, Men
326, 976, 1047(*om Gell* XVIII. 9), 1151, Mer 18,
24, 193, 675, 913, Mi 699, 1183, 1195, Mo 146,
732, 771, 841, Per 183, 559, 761, Ps 217,
490, 563, 834(*A aec BD aee C*), Ru 227, 1390,
St 193, Tri 183, 287a, 290, 392

horum Am 146, 356(*D*²*J* horunc *BD*¹*E*ω),
874, Au 720, Cas 414, Cu 71(*E*³ horunc *P*ω),
Mi 284, Poe 551(*CD* horunt *B* horunc *Ca*ω), 969
(*APLU* horunc *Ca*ψ), 984, Ps 414, 720(horun
A) Tri 1049 **harum** Am 105, Ba 578(*FRLULy*
harunc *StuRg*ℐ), 1122, Cas 292, Men 832(*Non*
449 harunc *P*ω), Mi 1016(harunc *P*ω), Mo 404
(harũ *CD* harumc *B*¹ harunc ω), Poe 115(harunc
*P*ω), Ps 69(*PR* harunc *A*ψ), 99, Ru 704, St 329,
450a(*CD* harũce *B* harunc *A*ω harunce *R*),
Tri 228, Tru 639(harum mutat *Ly* auarum ut
ad *P*ℐ† *var em* ψ) **horum** Au 348(horunc
BoRgU), Cap 431(*OJ* horunc *BDE*ω), Ci 51
(horunc *B*ω horrunc *E* horhunc *J*), Mer 399
(*B* horunc *ACD*ω), Mi 699(*RRgLU* huius *AP*
ℐ†*Ly*), Mo 1071, Per 161(horunc *CD*ω hornuc
B), St 713

his Cas 436(hisce *Ca*ω hic *P*), Men 1012
(hasce *P*ω), Mer 982b(*R in v. ficto*), Mi 905,
Mo 29, 336(hisce *FZRs*), 728(*om Fest* 305), Poe
770(*ALLy* is *SeySpU* eis *Rgl* hisce *CD om B*),
1190(*AD* is *BCLLy om URgl*), 1209(*AP* lis
CD), Ps 563(*add RU*), 865, 1185(hisce *P*ω), Ru
484, •616, 703, 892, 1095(*Py* hic *P*), Tri 177(*C*
kis *A* hisc *BD*), 870, Tru 21(*Rs in loco perdito*),
638(*FZLU* hisce *P*ℐ†*Rs* hisc' *Ly*) **hibus**
Cu 506, Mi 74(latrones hibus *FR* l. ibus ψ *ex
Non* 486 *et Plac* 57, 21 latronisbus *CD*¹ latronibus *BD*²)

hos, hosce Am 854(-ce *SchmidtR*), As 737
(-ce *P*ω), Au 351(*P* -ce *AngelRgU*), 414(*P*
-ce *SchmidtRg*), 517(-ce *P*ω), 520(*P om Bo
RgLLy*), Ba 1151(*PRLLy* -ce *URg*ℐ), Cap 1,
34(-ce *P*ω), 455(*PL* -ce *Becker*ψ), 500(-ce *P*ω),
Ci 680, Cu 74(-ce *P*ω), 187, 725, Men 104, 950
(hosce *add BriRs*), Mi *Arg* I. 8, Mi 374(hosce
R pro hisce), 992, 1110(*Py* nos *P*), Mo 822(-ce
*P*ω), Per 771, Poe 506, 510, 552, 715(-ce *P*ω),
771, 791(*addGepRgl*), 960, 982(-ce *R* hosc *A*),
1147(hosce *Schmidt*ω hosc *A* hos *B* has *CD*),
Ps 9, 140, 283(*A om P*), 321(*om U*), 1131(-ce
Rg om R), Ru 131(istos *Schol in Aen* X. 557),
137, 335, Tri 878(hosce *BCLy* osce *D* disce
*F*ψ), 848(-ce *P*ω), 1135, Tru 872 **has, hasce**
Am 143, 264, 314, As 426, 654(*BEJ* hac *D*
hasce *SchmidtRgl*), 735, Au 354(hi *Macr et Rg*),
Ba 728(tu has *Z* tuas *P*), 787(*Fl* hasce *BCR*
-cae *D* hasc' *Ly*), 923, 935, 984, 986, 1121(*P*
hasce *SchmidtRg*ℐ), 1127(bas *D*), Cap 668(tu
has *E*³ tuas *BVE*¹), Cu 80, 412, 422, 434, 545,
Mer 704, Mi 33(*PR* -ce *A*ψ), 310(*Ca* as *P*),
930(*D*³ as *CD*¹ ad *B*), 1437, Mo 454(-ce *Schmidt
Rs*), 480(has tibi *B*²*D*³ hastibus *P*), 648, 806,
811(-ce *RRs*), 813(*GuyL* -ce *RRs om P*ψ), 843
(*P* hoş *A*), 900(*A* -ce *U aliter P*), 977(*A om P*
-ce *RRsU*), Per 195, 247, 544, Ps 20, 25, 30,
1135a, 1330, Ru 677, 702, 703, 772(-ce *Schmidt
RsU*), 796(*A eas P*), 906(-ce *SchmidtRs*), St
52, 326, Tri *Arg* 4, Tri 124(*P* -ce *FlRRsU*),
866, 875, 894, 949, Tru 580 **hasce** Am 350,
As 381(*J* -cę *BD* haesce *E*), 654(*supra*), Au
281, Ba 787(*supra*), 1121(*supra*), Cap 831, Ci
312, 319, Men 1053(*BC* -cę *D*), Mi 33(*supra*),
1023(*CD om B* esse *RU*), 1166(-ce esse *A* asce
esset *P*), 1232(*CDL* hec *B* ab se *FZ*ψ), Mo
403, 405, 453(*B*²*D*³ aşce *P*), 454(*supra*), 470,
547(-ce aedis *B* has cedis *CD*), 674(*A* hasc *P*),
753(*CD* hasc *B*¹), 760(*B om CD* has *A*), 796,
811(*supra*), 813(*supra*), 900(*supra*), 906, 977
(*supra*), 988(*P* has *A om R*), 1082(*D*² hasc *P*),
1085, Per 529(*ACD* asce *B*), Poe 412, 1173,
1344(*P* has *A*), 1375, 1381(*C* -cę *D* -asce *B*),
Ps 823, Ru 736(*P* has *A*), 768(*P* has *A*), 772
(*supra*), 838, 906(*supra*), 1102, St 418(*A* has
CD ans *B*), 435(*A* eas *P*), Tri 124(*supra*), 168,
181(*P* hasc *A*), 186(-ce mihi *A* hascine me *P*
hascine *ParRRsL* has mihi *U*), 848(*A* has *P*),
Tru 95(*add Rs*), 252(*Z* hae si *P om AU*), 258(*CD*
asce *B*), 541 **haec** 133 *exempla sine varia lect.*
Addenda: Am 748, hoc *EJ*; As 332, nunc *Rgl*;
Au 306, *DLy* hęc *J* nęc *B* sic *U*ψ; Ba 375, om *D*;
940, hanc *CD*; 1186, *RRgU* in lac; Ci 677, aec
B; 757, *L in lac*; Ep 663, hac *BE*¹; Men 940,
haece *SciopR*; Mer 781, haeq *A*; 922, hoc *ZRRg*;

Mɪ 517, *om RRgL*; 761, *FZ* hac *P*; Mo 306, *v. secl LangenRsUŞ*; 1054, *A om P*; Pᴇʀ 183, hac *A*; Ps 168, *om U*; 224, hac *C*; 706, *U* hoc *AŞ* huc *Rg om PLLy*; 1310, hoc *FRg*; Rᴜ 28, hoc *FlRsU*; 692, *Lamb om PLy* manu *Rs*; Sᴛ 448, hoc *FR*; Tʀɪ 115, hic *CD*; 341, hoc *CD*; 660, *om A*; Tʀᴜ 109, spoliis *Rs pro* pol haec suos; 312, *A* hic *P*; 584, haec quae *FZ* heque *P* quae *Rs*

his Aᴍ *Arg* l. 5, Aᴍ 69(*add Ly*), 269(*add FlU*) Aᴜ 155, 157, Bᴀ 632(is *D¹*), Cᴀᴘ 168, 251, Cɪ 556(*U in lac*), Cᴜ 344(is *Ly*), 551(*JRgl* iis *E om U* is *Bψ*), Eᴘ 353(*v. secl RRgŞU*), 534, Mᴇɴ 553, 837, Mᴇʀ 92(his sic *Bo* esset *P*), 983b (diis *B*), Mɪ 290(*B²CD* -ce *BriRgŞ* hic *B¹*), 332(*P* -ce *Schmidt*), 368, 1023(*PLy om RRgŞ* hoc *L* hau *U*), Mo 238(his decem *Bent* isdec *B* isdem *CD*), 899(*om U*), Pᴇʀ 504, Poᴇ 872, 1111, Ps 761(his *MueLy* -s *P* ego *KampR om Scalψ*), 1030(iuxta cum his *R* quom haec metuo *Pψ*), Rᴜ 211, 1033(*CDRsLU* heis *Bψ*), Tʀɪ 873, 983, 1127(-ce *FlRRg*), Tʀᴜ 312(*A* hic *P*), 533(*ZLLy* is *Pψ v. secl UsenerRs*), Fʀ I. 15 **hisce** Cᴀᴘ 211(bis *D*), Cɪ 546(*J* cisce *BVE*), Cᴜ 726, Mᴇɴ 327(*add BriRs* his *U*), Mᴇʀ 130(hisc *P*), 799(hisc *B*), Mɪ 290(*supra*), 332 (*supra*), Mo 502(-ce sedibus *B* his cedibus *CD*), 950(ω hisc in *A* hisc *P*), 951, Poᴇ 959(*ACD* isce *B*), Tʀɪ 12, 150, 293(*P* his *ARs*), 402(*A* isc *B* his *CD*), 1127(*supra*), Vɪ 58(*Stu* hisc *AL*)

adverbia **hic** 541 *exempla sine varia lect.* *Addenda:* Aᴍ 46, qui hic placet *add Rgl in lac*; 62, *v. om J*; 69, hic sine *add UL* his *Ly*; 112, *om E*; 143, *ins FlRglLy*; 151, nunc *Rgl om Ly*; 152, *ins HermRglLy*; 559, heç *EJ*; 700 hc¹ *B¹D*; 779, *om J*; 826, hinc *VahlenRLy v. secl Herm RglU*; 968, *add U*; Aᴜ 89, hoc *B¹*; 283, hic hodie tam *Mue* dicam *PŞ†* tibi *ins UL* pro *ins BoLy*; 357, hinc *J*; 569, *add MueRg*; 663, istic *Rg*; 718, *om D*; 822, *L* huic *Pψ*; Bᴀ 4, *ins Rg om Char.* 201; 112, hisce *U*; 314, id *R*; 451, *om R*; 496, *R pro* si; 756, *add R*; 842, hoc *C*; 908, *RRg pro* sic; Cᴀᴘ 4, *om EJ*; 376, *om E*; 791, *ins BriU*; 830, hic est ecquis *ins Bo om P*; 925, huc *A*; Cᴀs 484, *B* huc *VEJ*; 485, *Gul* hoc *PULy*; 791, *B om VEJ*; 792, *Ac* hinc *P*; 963, *Gep om PLU*; Cɪ 17, *om B*; 104, hic unum *ins Kampmann et Sey ex A ut vid om P* tantisper *U*; 682, *om E*; 731, hic *BVEŞ†* huc *U* huic *Jψ*; Cᴜ 61, istic *Rg*; 123, hoc *FZRgU*; 200, hic te *P* tuis *SeyRg om U†Ş*; Eᴘ 273, *B in marg* hunc *BU* huc *BoRg* hic hunc *E*; 438, *om B*; Mᴇɴ *Arg* 7, huc *MeursR*; Mᴇɴ 75, hic agitat *GrutRU* hic habitat *RsLy* nicaditat *PŞ†L†*; 221, *A ut vid* hi *PL* isti *FlRs* ii *R* i *U vix nom.*; 375, *B²CDRLU* heic *B¹ψ*; 439, hic *add R*; 441, hinc *R*; 463, *add R*; 723, an mos hic itast *Bo* an mos est ita hic *B²* annos ita est hoc *P*; 869, *add BoU*; Mᴇʀ 42, hinc *BoRRgL*; 307, *PLU* heic *Aψ*; 312, enices *ACD* hic e. *R* hic ē *B*; 330, *R pro* eccum; 468, *P* heic *Aω*; 602, hicine an *CD* hinc eam *B¹* hic an *B ras*; 773, *PU* heic *Aψ*; Mɪ 73, hic heri *FZ* hic aeri *P* hic eri *A* interim *R*; 166, a nostra hic *A* nostra huic *P*; 195, hec *B¹*; 243, *v. om B¹*; 278, est *A*; 301, hinc *B*; 328, *Rg* ila *CD*

ilico *Bψ †Ş*; 353, si hic *RU* hic *CD* sic *ABψ*; 379, *om A*; 406, *A* hinc *P*; 430, hoc *BoRRg*; 451, *R* ego *B²CDLy var em L*; 474, hinc *B¹*; 483, *ACD* hinc *B*; 765, *PŞ†L†* ei hic *Ly* ei rei *Sey Rg aliter RU*; 832, ille hic *PRgŞ* illic *Boψ*; 1089, hinc *D¹*; 1326, cum hoc *BriRg*; 1370, *add L*; 1426, ego te hic *om CD*; Mo 5, hic *ins R*; 92, *om LorenzRsŞ*; 427, huic *PiusR*; 445, hic est *Sch* intust *L* ist *PLy†* istas *B²D³*; 501, *om L †Ş*; 680, *AB* hinc *CD*; 733, *add HermR*; 764, *PU* ibi *R* isti *Aψ*; 767, huc *A*; 769, *A om P* ibi *R*; 784, quis hic *A lac P*; 885, *add R solus*; 932, *PRLLy* hinc *Aψ*; 965, aic *A* haec *C* hec *B¹* heç *B²D* aio *Ly* duce *A*; 971, hinc abiit hic *A* abiit hinc *PR*; 976, *add R solus*; 999, *add RRs*; 1028, *Ca* hoc *PRsŞ*; Pᴇʀ 298, iam *R*; 312, *ABC* id *D*; 620, *A* id *P*; 641, quando hic *A* quandoquidem *P*; Poᴇ 176, *add MueRgl*; 258, *add Ly* huic *Turn ut vid*; 261, *om D*; 551, *Py* hinc *BD* huic *C*; 597, *A om P* hoc *GepRglLU*; 713, heic *R* se ic *BC* se hic *D* hic *FZLU*; 862, *add BoRgl*; 1009, *add GepRgl*; 1042, *ACD om B*; 1051, *add Rgl*; 1310, tunc *C* tune *D pro* tune hic (*AB*); 1421, *om A ut vid*; Ps 181, hinc *D*; 202, hinc *D*; 327, *add BriRg*; 592, quem hic *R* hunc quem *Pψ*; 594, *SpRg* huic *APψ*; 702, *add R*; 737, huc *BoR*; 1114, *v. om Rg*; 1197, *om A*; Rᴜ 251, *Sarac* hic *P*; 283, *add Rs*; 337, *add CaRs*; 343, *iterat B*; 348, *om B*; 533, *add Rs*; 823, hio *B*; 914, *B om CD*; 923c, *om B secl FlLU*; 1130, *add Rs duce Fl*; Sᴛ 64, *om ARRgU*; 445, *R de A errans*; 704, *A om P*; 716, *om R*; Tʀɪ 45, *A om P*; 152 *add RRs*; 504, hoc *RRs*; 508, *P om ARRsU*; 767, *add RRsL om Pψ †Ş*; 873, hinc *RRs*; Tʀᴜ 64, *ins RRs*; 148, copia hic *Ca* copiae lic *B* copie *cum spat CD*; 209, *A* te *P*; 300, *A* hec *B* heç *D* haec *C*; 413, *Ca* heç *CD* hec *B*; 474, is hic *Weise* istic *PRs*; 498, *Non* 457 *om P*; 524, *AngelRs* hinc *Pψ*; 596, *Sp* ilitic *BŞ†* illic *CD*; 710, mi hic *Ly* mihi *CDψ*; 779, *om Rs*; 952, Philippi hic *Rg*; Philipphi *B* philippi *D* philippices *C †Ş aliter U*

huc: 310 *exempla sine varia lect. Addenda:* Aᴍ 149, *add* Ca*Ly*; 264, *PL* hunc *E³ψ*; *ib.*, *add StuRglLy*; 347, *B²J* huic *B¹DE*; 404 *add PyRglLULy †Ş*; 660 *add MueRgl*; 714, *add MueRgl*; 920, tunc *J*; 1001, *om J*; 1128, *add MueRgl*; As 357, hic *Non* 194; 438, hunc *J*; 661, hac *J*; 685, *om Varr l. L.* VI. 53, VII, 95; 741, heç *D*; Aᴜ 203, *WagnerRg* ego *MueB om Pψ*; 293, *Guy* huic *BDV* hinc *J*; 330, ite huc *Koch* illuc *P*; 429, ueni huc *FlRg pro* uenimus; 452, *add CaRg †Ş*; 457, *add MueRg*; 666, *Lamb* hic *P*; Bᴀ 107, coepit *R pro* qui huc it; 315, *add HermRRgLy*; 1121, *om R*; 1123, *Sp Rg om RŞ* hae *B* haec *CDψ*; 1151, hoc *B¹*; Cᴀᴘ 380, *PLLy* huic *Lomanψ*; 576, hunc *E*; 862, *add FlU*; 1014, hunc *VE*; Cᴀs 161, *A* hinc *P*; 164, *A om P*; 434, huic *E*; 532, *add KochLLy* nunc *RsU †Ş*; 536, *add Rs*; 579, *om A*; 688, hunc *A ut vid et L*; 744, huc si *U pro* hisce; Cɪ 534, *F* hic *BVE om J*; 710, *Rs om PL*; 731, *U* hic *BVEŞ†* hinc *Jψ*; 779, hc̄ *V* hunc *E*; Cᴜ 701, *MueRg* ego *FlLU* hoc *Langenψ om P*; Eᴘ 103, huic *E¹*; 128, *om U*

273, *BoRg* hunc *BU* hic hunc *EJ* hic *B in marg et* ψ; 294, hunc *UL*; 315, hunc *J* hodie *Rg*¹; 394, *add Rg*¹; 435, hunc *J*; 568, *A om P*; MEN *Arg* 7, *MeurseR* hic *P*ψ; 96, *Rs* hunc *P* nunc *FR*; 158, *om CD*; 264, huic *C*; 526, *R* hunc *B*¹ nunc *B*²*CD*; 567, *ins R ipse MueRs om P*ψ; 570, ut *Non* 467; 643, *add R*; 822, *Ca* hac *P*; 1086, hunc *C*; MER 129, *R* hoc *P*ψ; 163, *B* hunc *CD*; 568, *RRg* hoc *CD om B*ψ; 736, *GrutRRg* nunc *P*ψ; 788, *add PyRU*; 878, *om R*; 910, *FZ* hunc *P*; M₁143, huic *B*²; 161, hunc *B*²*D*²; 238, *R* hanc *PLy*; 339, *add RU*; 343, hunc *B*¹; 357, *R* abs te *P*ψ; 376, haec huc *Ly* hac huc *P* haec *A*ψ; 377, hinc huc *A* hic *P*; 418, *R* nunc *P*; 766, *BRRg* hoc *CD*ψ; 828, *ACD* huic *B*; 863, huic *D*; 935, *Z* hunc *P aliter R*; 975, huc gemina *Grut* uggeminam *B* ugge nimam *CD*; 985, hunc *B*; 1010, *add R*; 1085, hic *D*¹; 1136, *add U*; 1196, *Luchs* hinc *PRRg*§; 1405, huc uenire *R* ad te uenirē *B* ad te amuttire *CD* ad eam ut irem ψ *post Rib et Sey*; Mo 80, nunc *RRs*§; 321, *L in lac*; 335 *ins R solus*; 377, *BCD*³; hunc *D*¹; 575, hoc *C*¹; 579, *B*² hunc *P*; 675, *add RRs*; 686, *add Rs*; 689, hunc *B*¹*D*; 900, *PR aliter A*ψ; 1095, *Sarac* hic *P*; 1102, hinc *BoR*; 1120, *Py* huic *P*; 1123, *B* huic *CD*; PER 248, *add Rs*; 529, *A om P*; 605, *PULy* hoc *A*ψ; 654, huc ipse aderit *Rs*§ *duce A* huc aderit hic *P* **se ade***** *A* aderit huc *BoR* ipse aderit *LLy* huc aderit *U*; 669, *om B*; POE 124, *RRglU* hic *P*ψ; 638, *add PU om A*ψ; 665, *Ca om A* nunc *P*§*Ly*; 951, *P* hunc *A*; 1049, huic *A*; 1138, *AB* hic *CD*; Ps 212, *A* huic *P*; 264, *AB*² hunc *P*; 389, *add R*; 586, *A* ut hoc *P* hoc *Ly*; 639, *A* hic *P*; 643, *A* hoc *PLy*; 654, hoc *C*; 706, *Rg* hoc *A*§ *om PLLy*; 737, *BoR* hic *AP*ψ; 1121, *add Rg*; RU 267, *B om CD*; 273, *om Char* 224; 314, nunc *Rs om U*; 418, *U solus pro* ut; 457, *Lamb* huic *P* hinc *ZRs*; 586, *ALLy* hinc *P*ψ; 663, *B om CD*; 709, i huc *Rs* tunc *P* tun *Ca*ψ; 798, *ReizU in lac*; 879, huic *C*; 1387, *B* huic *CD*; 1409, *B* huic *CD*; ST 150, hic *A*; 326 b, *om RU*; 327, *om A*; 529, *P*§†*U* hau *Guy*ψ; 743, *Scal* hic *P*; TRI 989, *add ReizRRs*; TRU 10, *ins U*; 208, huc recipis *A* recepisti *P*; 282, *ALU* hoc *P*ψ; 481, *FlURs* um *P*§†*L*†*Ly*†; 547, adhuc *B*; 550, *FlRs* huic *P*ψ; 620, *FZ* hunc *P*; 655, *add GepRsLy*; 858, *v. ins L*

hac: 68 *exempla sine varia lect. Addenda:* AM 628, ac *J*; AS 741, hęc *D*; 941, hanc *J*; BA 39, me *C*; CAS 881, *GepU* hanc *P*ψ; CI 631, sequere hac *Sey* -rem *B*¹*V* -re me *B*²*J* -re *E*; MEN 556, *Non* 519 hec *B*¹*D*¹ haec *C*; 562, ac *B*¹; Ps 250, *FZ* ac *P*; 252, ac *D*; 1230, *om BoU*; 1275, *BoR* sic *P*ψ; 1315, *AB* ac *CD*; RU 836, hac caedi *Rs* non accedam *PU* accedam *ReizL* non cedam *SeyLy*; ST 463, *P* ac *ÀRRgU*; TRI 1, hac me *A* me mea *P* ac *Non* 497; TRU 644, hanc *B*; FR I. 80, hanc *Festi codex*

hinc: 283 *exempla sine varia lect. Addenda:* AM 322, hic *B*¹*DE*; 518 *add PyRgl*; 743, hin *B*¹*E*; 811, *Bo* hic *P*; 826; *VahlenLLy* hic *P*ψ; *fr* IV, aquae hinc *Rgl* aquam *Non*§†*U* aquae *L* aquai *Ly*; As 590, *om J*; 700, *Ly* duce *Ca*

om *P*ψ; 934, *ins Rgl om P*ψ; AU 290, hinc *PyRyULy om P* senis *Ca*ψ; 291, hic *Gell* III. 14, 15; 327, hunc *J*; 400, hic *J*; 620, hic *J*¹ huc *J*²; 636, *add ReizRg* mea *FranckenU om P*ψ; 656, *Bo* hic *P*ψ; 660, *PLy om Py*ψ; 700, *add Bri Rg*; BA 105, *om RU*; 107, *add RLy* †*L v. secl RRg*§*LU*; 249, *Ca om PL*; 354, *Ca om P*§*L*; 404, *om R*; 900, *add SchneidewinRRg*; CAP 438, *om E*; 887, *B*²*J* hic *B*¹ ℏ *E*; CAS 420, rus hinc *Langen* ruri *P*; CI 700, huic *J*; 702, *B*² hic *P*; 731, *JRsLLy* hic *BVE*§† huc *U*; CU 33, *E*³ huic *VE*¹*J* hic *B*; EP 63, *B* hunc *J* huic *VE*; 165, ne hinc *A* nec hic *B* he hic *J*; MEN 327, *R* quo *P*ψ; 561, *R* id *RsU de A* errantes ea *A*ψ *om P*; MER 11, *Par* hic *P*; 42, *BoRRgL* hic *P*ψ; 183, hoc *B*; 699, *om RRg* †§; 776, hic *B*; 801, *R duce Py om PL*; 1016, *add R*; M₁ 143, *Ca* hic *P*; 151, *AD*² hic *PR*; 200, hic *C*¹; 329, *FZ* hic *P*; 377, hinc huc *A* hic *P*; 418, hinc huc *R* hic nunc *P*; 472, *A* hic *P*; 480, *A* hic *P*; 585, *AB*²*D*³ hic *P*; 986, *Berold* hic *P*; 987, *Beroald* hic *P*; 1090, *ins L*; 1111, *Sarac* hic *P*; 1196, huc *LuchsRLULy*; 1381, *Abraham* huic *P*; 1413, *ACD* hic *B*; 1422, *v. om CD*; Mo 425, *add PRU* om (*P*)ψ; 596, *A* hoc *P*; 650, *Py* hic *P*; 763, maiore hinc *A malo cum lac P*; 932, *A* hic *PRLLy*; 953, *A* hic *P*; 957, *P om A*; 975, huic *C*; 977, *A* hic *P om R*; 1025, hinc te neges *P* sinas *A*; 1102, *BoR* huc *P*ψ; 1113, *RsL aliter P var em* ψ; 1135, *add R*; PER 217, *add L*; 711, *add KiesRL*; POE 376, apscede hinc *AB* aspice dehinc *CD*; 790, *B om CD*; 960, *A* huc *BD* hunc *C*; 1035, *P* hanc *A*; 1148, *A om P*; 1200, hicc *C*¹ hic *A; ib.,* hic *A*; Ps 355, *add SauppiusRg*; 594, nunc *R*; 856, *RRgU in lac*; 1027, *add R*; 1049, *A* hic *CD* hii *B*; 1121, *LambRU*; 1322, *A* hic *P*; 1323, hanc *D*¹; RU 62, *B* hunc *CD*; 457, *ZRs* huic *P* huc *Lamb*ψ; 586, *P* huc *ALLy*; 779, *U in lac* hoc *LLy*; ST 682, *om A*; 355, illim *R*; 647, huc *R*; TRI 326, *Vollbehr RsLU* huic *AP*ψ; 359, *RRs* huic *AP*ψ; 802, *B* hunc *CD*; 814, *FlRRs* hic *BC*ψ his *D*; 873, *RRs* hic *P*ψ; TRU 524, hic *AngelRs*; 541, hinc e *Grut* ince *B* in *CD*; 709, *FZ* hunc *P*; 758, hinc lusit *Rs* incluit *B*§† induit *CD* exclusit *SpLLy* me lusit *U*; 884, *om D*; FR II. 65, *ins Rg solus*

hoc = huc (*cf* Fleckeisen, *J. J. Suppl.* XVI, p. 293, *n.*): AU 638, CAP 480, MER 320, 871, M₁ 218, PER 605(*A* huc *PULy*), Ps 586(*Ly* ut hoc *P* huc *A ut vid et* ψ), 643(*PLy* huc *A*ψ), 706 (*A*§ huc *Rg om PLLy* haec *U*), RU 1403, TRU 282(*P* huc *ALU*), 304(hoc ad *Prisc* 189 *et Rs* isti *P* apud *A* isto ad *SeyLy* istoc ad *L* is ad *Prisc*§*U*), 531(*v. secl URs*§)

corrupta: AM 12, hec *E pro* esse; 90, hunc *J pro* nunc; 92, his *J pro* is; 161, 173, haec *J pro* nec; 277, hoc cepisti *E pro* occ.; 354, hac tutum *E pro* act.; 400, hec *EJ pro* nec; 406, hic sto *B*²*J* isto *B*¹*D pro* sto; 1102, hos *Non* 503 *pro* nos As 36, hac *E pro* ac; 127, hiccine *J pro* sicine; 380, hac *P pro* ac; 382, hi *E pro* i; 420, hac *P pro* ac; 437, his *BJ pro* is; 554, hae *J pro* eae; 909, tuis haec *P pro* istaec AU 44, his *ins EJ*; 64, hoc cipitio *E pro* occ.; 121, haec *DE* hęc *B* hoc *J om Pius*; 164, his *ins Fest* 238; 382, hunc *J pro* nunc; 385, hunc *VJ pro* nunc; 606, hunc *VE pro* nunc; 659, hinc *ins P om Non* 172; 664, hec(hęc *E* hoc *J*) feret(seret *E* secret *D* ferret *J*) *pro* ecferet(*Pius*) Ba 548, hi *CD pro* i; 581, his *ins P om Scal*; 695, haec(hec) feceris *P pro* ecf.(*Palm*); 748, hac *B pro* ac; his *B pro* is; his *A pro* eis; 1090, 1128, his *D pro* bis; 1138, baec castor *B pro* ecastor Cap 19, hic *P pro* is(*Fl*); 112, his *P pro* is(*Sey*); 226, hoc *add P om Guy*; 494, his *B²J pro* is; 521, hi *Philarg ad Georg* IV. 377 *pro* nec; 555, his *B²V²J pro* is; 604, hos *E pro* os; 658, haec ferte *J pro* ecf.; 910, post hanc *B¹ pro* post hac; 928, hoc *add BEJ falso*; 967, haec(hˉ, hec) *P pro* ac Cas 9, hunc *VE pro* nunc; 64, his *BVE pro* is; 71, hoc *P pro* id(*A*); 98, hic *P pro* haud(*A*); 226, miro pol has *B¹VE pro* myropolas; 239, nihil hic anaculix *BVE pro* nihili cana culex(*J*); 245, his *BVE¹ pro* is; 347, hoc *Fulg de abst serm* XIV *pro* istuc; 785, hac tutum *E pro* act. Ci 18, haec *VEJ* naec *B pro* nec; 48, et(ae' *E*) haec(hec *J*) a te *P var em* ω; 483, hac *A ut vid in lac*; 637, has liscas *B²V* has licas *B¹ pro* Halisca(*J*); 666, perge hinc(*J* hino *E* hin *B¹V*) *P pro* pergin(*B²*); 667, ist hoc *BE* iest hoc *V pro* istoc(*J*); 701, hi qui *B* si quis *E* liquis *VŞ† var em* ψ Cu 394, hi *P pro* i(*Ca*); 433, hic *J pro* istic; 434, hic *Serv Dan ad Aen* IV. 608 *pro* isti; 463, hoc *PŞ† om Non* ψ; 651, meministin hanc *P pro* memini istanc(*Gul*) Ep 188, horum *Non* 102 *pro* eorum; 216, haeę *J pro* eae; 238, me harum *P pro* earum(*A*); 330, his *EJ pro* is; 412, hos se *E pro* esse; 471, haec *B* hęc *E* hec *J om A*; 622, haec *BE* hec *J pro* et(*A*); 666, ille hic(huic *EJ*)*P pro* illic; 710, malum haec *add BJ* Men 219, hec costris *P pro* eccos (*B²*); 234, ire hi *P pro* ei rei (*Grut*); 287, 297, mena hec me(mo) *P pro* Menaechme(-mo); 452, hac re *B pro* habere; 676, has stas *B² pro* astas; 849, iam his *B² pro* a meis; 884, facer his *CD pro* faceres Mer 118, una hoc coeperis *Non* 175 *pro* unam occ.; 178, quin hunc *D pro* qui nunc; 189, tu hoc *B pro* tu eho tu quin; 256, hic *add P om A*; 312, hic ę *P pro* enices(*A*); 611, hec *add B*; 876, hic *CD pro* istic: 912, haec *add P om Bo*; 998, huc *B* hia *CDŞ† var em* ψ Mi 28, hic eram *P pro* iceram; 133, his *P pro* is; 189a, hos *P pro* os; 280, hic *ins BD* hic *C om Bent*; 286, hoc cepisti *D pro* occ; 296, hic *add P om Guy*; 314, de his *P pro* deis; 315, hic *P pro* st(*FZ*); 343, est hinc *B¹ pro* istinc; 353, hic *CD pro* sic; 385, hi *P pro* ei; 421, hisce *B²CD* sce *B¹ pro* istisce(*Sey*); 459, hec fer *B¹ pro* ecfer; 470, hec camerile *B¹ pro* eccam erilem; 540, hec cum *D pro* eccum; 604, sci *P* hi si *AŞ† var em* ψ; 695, esse hinc *ins B¹*; 708, hic *ins P om A*; 735, his *B² pro* is; 741, hoc pis *C* hoc pu- *B pro* hospes; 753, hii *B pro* i; 765, hic *PŞ†L†* ei rei *SeyRg var em* ψ; 784, ingenuumne hanc *P pro* -amne an; 789, hec illam *P pro* ecc.; 794, haecque *B* hec que *CD* haecqua *A pro* ecqua; 854, hic *P pro* sic (*R*); 961, hac *D pro* an; 969, hęc *B pro* ea; 1072, hii *B* hic *CD pro* hau(*Ca*); 1089, hic *PR pro* istic(*Bri*); 1100, 1111, his *B pro* is;

1153, hac ferre *P pro* ecf.; 1178, cause(-ae *C*) hanc *P pro* causiam(*Pius*); 1251, hic *ins CD* hinc *B*; 1280, itam hic *PŞ†* ita *BoRg var em* ψ; 1318, haec nunc *B pro* mecum; 1327, hic *ins P om Ca*; 1336, hoc *ins B*; 1338, hec(haec *C*) ferte *P pro* ecf. Mo 175, hanc *CD pro* istanc; 331, mea his *B pro* me ais(*Scal*); 547, his *CD pro* is; 563, de his *P pro* deis; 597, ✱✱his *P* faenoris *Aω*; 761, has sane *P pro* insanum(*A*); 769, haec *B¹ pro* nec; 837, hos *B² pro* uos; 1067, hic *P pro* hodie(*A*); haec(hęc, hec) cum *P pro* eccum Per 283, hos *AD pro* os Poe 137, hae *BŞ†* hę *CD* σαì *L* αì *ULy aliter R Rgl*; 213, hoc ceperis *D pro* occ.; 278, pos hac *P pro* posthac(*Ca*); 508, haec edita *B pro* hercle dedita; 692, huc *ins P om A*; 760, hos *P pro* os(*A*); 824, quo hi *PŞ† var em* ψ; 862, manufesto hi *CD pro* manufesti(*A*); 962, has *CD pro* eas; 1070, his *B pro* is; 1111, se te harum *B pro* sed earum; 1296, hoc *P pro* est(*A*) Ps 33, huic *P pro* istinc(*A*); 97, quo in haec (hęc *D* ec *B*)*P pro* quoi nec; 386, haec facta *CD pro* ecfecta(*A*); 421, hoc *A pro* id; 585b, hoc die *P pro* hodie(*A*); 701, his *P pro* is(*A*); 738, his *CD pro* hircum; 962, quo tum has *CD pro* quotumas; 1109, 1119, his *CD pro* is Ru 219, his *B pro* illis; 647, his *D pro* is; 1112, hec *B¹ pro* nec St 17, his *CD pro* eis; 59, his *A pro* is(*P*); 297, hoc *P pro* id(*A*); 298, hic *P pro* sic(*A*); 347, hęc ferte *P pro* ecf.; 349, de hic iam *B pro* deiciam; 383, post hęc *CD pro* poste(*B*); 536, hec(hęc) illa *CD pro* eccillam; 582, his *D pro* is Tri 17, hi *CD* ii *B pro* i; 226, hunc *P pro* nunc(*A*); 398, his *D pro* is; 541, haec *A pro* em; 560, hoc *add A*; 594, de hac *CD pro* ea; 669, his *P pro* is(*A*); 838, deinde hinc *P pro* dehinc iam(*A*); 839, hisce *ins Non* 468; 949, hos *P pro* quos; 1071, hic *A pro* ipsus(*P*) Tru 22, his *Prisc* I. 421 *pro* id; 63b, dã nos horum *B pro* damnosorum; 341, hinc *P pro* abhinc; 366, has persisti *P pro* asp.(*A*); 423, quin his *PŞ†* quinice *Rs* dis *Spψ*; 437, quem hinc reddidit(redi. *B*)*P pro* quae mihi credidit(*F*); 542, et quidem has me *CD pro* ecquid amas me(*Ca*); 641, hęc *D pro* nec; 673, in his *D pro* minus; 683, hic ax *P pro* dicax; 777, has *CD pro* ambas; 826, his *B pro* is; 861, hunc *P pro* nunc; 934, quam hic horridus citus bellum hi *PŞ† var em* ψ

pro formis pron. ecquis *inuenimus* hęc(haec, hec) quis, quid *ut sequitur:* Au 336 *P*, Ba 11 Fest 169, 781 *D*, 980 *CD*, Men 163 *P*, 673 *B*, Mi 902 *P*, 993 *B*, Mo 319 *P*, 339 *P*, 445 *P*, 900 *P*, Per 108 *P*, Poe 1044 *P*, Ps 370 *A*, 748 *D*, Tri 870 *B*, Tru 505 *C*, 584 *P*

pro formis illaec *habemus* illa hec(haec, hec): Cap 829 *VE*, Ci 558 *P*, 653 *VEJ*, Men 852 *P*, Mi 308 *BD*, 492 *B*, 1031 *CD*, 1122 *B*, 1126 *P*, Tri 6 *P pro* istaec *habemus* ista haec(hec, hec): Am 757 *P*, Cas 995 *P*, Men 413 *B*, 719 *P*, 721 *BC*, Mi 31 *B*, 195 *P*, 536 *P*, 1002 *P*, Mo 388 *P*, 395 *P*, 519 *P*, 906 *D*, 961 *P*, Per 445 *P*, Ps 1298 *P*

II. Significatio (*cf* Thurau, p. 2) **A.** *de eo qui adest, qui ante oculos aliquid agit, vel qui modo aderat vel aliquid agebat, cuius imago etiam in mente manet; de re quae agitur, vel*

quae modo agebatur vel acta est, de qua actor etiamdum cogitat, et similibus
    1. *adiectivum, vel attributum vel praedicatum:*
a. *de persona:* quis hic est homo? Am 292, Cas 733, Cu 230 quis hic homost? Men 650*, Poe 1298, Tru 549* quis hic homo chlamydatus est? Ps 963, 1101(est c.) hic homo sanus non est Am 402, Mer 951(non s.) ebrius est Am 574 inanis est Mo 571 est .. hariolus Mo 571 probus est Per 617, Ps 942 bonus est Poe 1214 meus est Ps 1124 m. hic e. h. Ps 600 sycophantast Tri 892 non fugitiuost Tri 1027* est .. praecipuos Tri 1115 hic insanust homo Men 282 hic scelestus est h. Poe 200 pernix hic est h. Ps 1175 solus .. est qui .. Cu 248 ubi hic* est homo Au 244 adgrediundust hic homo Tri 963 contudit Am 407(PLy) rabiosus habitus est Cap 547* incipit Cap 793 exclamat Cap 512(Rs) incipissit Cap 802 insanit Mer 325 me nouit Men 379 occisus .. est Ba 161 occepit Cap 98(Rs) recipit se Cap 831 sapit Poe 606, St 360 senapi uictitet Tru 315 amat homo hic te As 900
    huic homini .. est obiectum Am 605 seruire huic h. Cap 391 huic h. opust .. minis Ep 141 diuitias esse Mi 723 Mo 620(huic *ins R*) inest .. macula Poe 198 dixit Tru 213 quid huic h. faciam Ps 1316 hunc* hominem .. ad aedis .. accedere Am 264 audio eloqui Au 616 decet auro expendi Ba 640 perlubet h. h. conloqui Cap 833 nouisti Men 379 amat Mi 998 deducam Per 480 teneo Ps 1160 malum esse oportet Ps 613, 956(opinor) onera Ps 1315 (*vide RRg*) cursuram docet Tri 1016* unde ego h. hunc esse dicam? Ps 966 huncine hic h. pati! Ps 202 huncine h. te amplexari! Tru 933 hoc homine .. fortunatior Cap 828* conuentost opus Cu 302* nihil .. audacius Men 631 periuriorem Mi 21* magis malum Ps 939 alium Tru 608(Rs) quoius modi hic* homines erunt? Men 221 hi* nunc h. .. praedicant Men 958 hisce* h. .. rentur Mi 486 ubi sunt hi* h.? Ru 156 hisce* h. .. habitent Tri 878 horunc* hominum oratio Poe 969 elleborum hisce hominibus opus est Ps 1185 hosce* homines emerem Cap 455, 499(emi) monstra hosce homines mihi Tri 948
    hic adulescens Ba 3, Poe 96 hic agrestis .. ad. Tru 246 adulescenti huic* Tri 326 huic* ad. Tri 359 hunc adulescentem Cap 459*, Tri 214 huius .. adulescentuli Mi 634 huic .. ad. Poe 115 haec amica Cu 593 haec .. amicae Ci 405 haec .. anus Ci 149 haec anus Cu 103 huic anu Cu 104 hanc (anum) Au 61 hanc .. anum Cu 112 hac anu Au 60 hasce (ancillas) Tru 541 his* (an.) Tru 533 haec .. filia Ep 716*, Tri 1183 hanc (filiam) Au *Arg* II. 4 hanc .. f. Ep 171 hunc .. filium Au 21*, Poe 1144 hunc .. filium Poe 122, 125, 1325 huic gemino Men 40 hunc .. geminum germanum Men 71 hunc iuuenem Vi 108(*loc dub ex Fulg de abst serm* XXII) haec .. mulier Am 782, 814, Men 383, Mi 151 haec m. As 619, Ci 68, 712, Men 369, 373, 390, 395, Mi 416, Fr II. 53 mulier haec Men 440 haec (m.) Mi 418 huius mulieris Ru 1079 huius .. m. Ru 1090

huius (m.) Mi 474 hanc .. mulierem Am 830, Mi 472, Mo 213, Ps 112 hanc (m.) Ba 634, Ep 398*, 401, Mer *Arg* I. 5, Mi 419* hac (muliere *ins RRg aliter Pψ*) Ba 632 hac* m. Tru 20(Rs) harum .. mulierum Tru 639(Ly) haec .. muliercula Ep 620 hanc mulierculam Ci 131 his mulierculis Ru 892 huic gnato Cap 19 gnatum hunc* Poe *Arg* 7 hic meus pater Vi 112 hanc (puellam) Ci *Arg* 3 huic puello Fr I. 92(*ex Festo aliter Prisc*) huius .. pueri Tru 596 huic puero Mi 1381 hoc puero Per 202 hic senex As 942, Au 31, 37, Cas 48*, Mi 167* hic .. senex Am 1072, Au 34, 294, 297, Cap 596, Cas 466, Mo 778*, *ib.* senex hic Mo 952 hunc .. senex Mo 811 huius .. senex Poe 83 senis huius Mi 969 huic seni As 946, Au 822*, Mo 427(R), 700 seni huic Ba 945, Cap 7 hunc senem Au 171, Men 858, Mer 996, Mi 1183*, Tri 560 senem hunc Mo 714 hunc .. senem Au 642*, Cap 827, Mi 493* senem .. hunc Cap 776 hi senes Ba 1207 hi .. senes Ps 1190* hanc sororem Mi 238*, Poe 218(*de manu dicit*) hunc* meum .. uirum As 920 haec uirgo Ci 612 uirgo haec Cu 615 huius .. uirginis Au 815 hanc (uxorem) Cas 1008 hanc uxorem Ci 530 hac .. uxore Am 980
    huius familiai Am 359 hanc familiam Poe 870 ex hac familia Au 2, Men 667 hoc genus hominum Tri 290 gregi .. huic As 3 hunc gregem Ps 1335 haec hominum natio Men 258 haec .. pompa Fr I. 18(*ex Macr* III. 16, 1) cum .. hac pompa Cu 2
    hic deus Fr II. 45(*ex variis*) hac .. dea Fortuna Ps 678 deum hunc Cap 865 hi (di) Ep 193
    accipitrina haec Ba 274(*translate*) hos .. aduocatos Poe 506 nostra haec alumna Ci 762 hunc .. amasium Cas 590 huic amanti Mi 769 hanc amatricem Poe 1304 hic amicus Tru 216 haec amica Cu 593 huic amicae Men 652 hosce amores nostros As 737 sine hisce* arbitris Cap 211 hoc (captiuo) Cap 171 hos .. captiuos Cap 1 huius collegai As 556 hunc .. comparem .. meum Ps 1026 concubinam hanc Mer 757 hunc (coquom) Ps 793 hos* .. coquos Au 351 hunc cursorem Mer 123 huic* .. custodi Men 131(U) his discipulis Ps 865 hoc emptore Per 580 hic noster (erus) Ru 1075 hunc* (erum) Poe 824 erae huic Ci 721 hanc nostram (eram) Am 453 eram meam hanc Men 300 horum familiarium Am 146 haec .. fidicina Ep 477 haec (fidicina) Ep 480 *bis*, 482, 483, 485 hanc .. fidicinam Ep 481, 487 hac (fidicina) Ep 484 hi .. flagritribae Ps 137 hunc .. furem Am *fr* IX(*ex Non* 453) hariolum hunc Cas 356 hos ariolos Poe 791(*Rgl*) his* histrionibus Am 69(Ly) hanc*.. hospitam Mi 555(R) hanc h. Per 464 huic .. hospiti Per 612* hic .. imperator Cap 166 inimicum .. hunc Ps 584 iudicem hunc Mo 1099* hic latro Poe 663 latrones hibus Mi 74(R) hic leno Cu 61*, Per 131 leno hic Cu 666, Ps 1146 hic .. leno Poe 171, 605 lenonis huius Poe 155 huic lenoni Cu 44, Ps 636, 775 l. huic Per 156 hunc lenonem Poe 423, 818, 924 l. hunc Poe 829, 909 hunc .. l. Per 807, Poe 591, 918, Ru 684 hoc lenone Ps 526 l. hoc Poe 548 hic* .. mastigia Cas 361(Rs) hic*

mastigia Cas 446 haec meretrix Men 906, Tru 77, 572* haec..m. Men 1135 huic meretrici Ci 133 hanc meretricem Men 173, 1048 hic.. miles Ba 844 hic* m. Mi 104 militi huic* Mi 109 huic*..m. Mi 120 hunc* militem Mi 796 hunc*..m. Mi 1131 milite hoc* Mi 160 nugatorem..hunc Cu 462 hunc* n. Tri 936 hunc..nuntium Cap 375, Ps 603 huic..nouae nuptae Cas 118 hanc nouam nuptam Cas 881 parasitus hic Cu 630 haec pauper Au 174 hic quidem Poenus Poe 1125 populum hunc* Ps 204 hos procos Poe 510 hic rex Ru 937a haec sacerdos Veneria Ru 329*, 350(V. h. s.) h. s. Veneris Ru 433* hanc sacerdotem Ru 479 hic* seruos Cap 36 serui hi Mo 859(R), 862(R) hic quidem seruos Ps 445, Tri 1055 hunc* seruom Au 812 hoc (seruo) As 118 hic sodalis tuos Cas 581 hunc sodalem meum Cas 477 hi spectatores Poe 550*, Ps 721(om sp.) horunc spectatorum Poe 551*, Ps 720 hunc* subcustodem suom Mi 868 tibicinas..hasce Au 281 hic* uicinus Ps 896 huic uicinae meae Cas 554 hanc..uicinam meam Cas 532, 579(tuam), Poe 154 hunc uicinum Mer 559, Mo 1078* hunc..u. Mi 479, Per 400 (u. meum) uicinum hunc Mo 663 uicino hoc Cas 502, Mo 669 hac* uicina Mi 1212 uilicus hic* Cas 767 huic nostro uilico Cas 372 hic..sycophanta Am 506 sycophanta hic Ps 1204* sycophantae huic Tri 958 hunc (sycophantam) Tri 959 hic..uenator Poe 647

Aesculapio huic Cu 699 Alcumenae huius Am 486 Amphitruo hic Am 1075 Aristophontes hic Cap 527 harunc Baccharum Mi 1016 hunc..Calliclem Tri 212 Callicli huius Tri 1183(LU) haec Casina Cas 1013 hanc.. Circam Ep 604 huic..Erotio Men 601, 670 uicini huius Euclionis Au 290 h. Eu. pauperis Au 603 huic Gripo Ru 1342, 1343 hic Harpax Ps 1031 huius Hegionis Cap 95 haec Iuno mea Cas 408 huic..Ioui Ps 327, 334 hic..Megadorus Au 778 huic..Megadoro Au 271 huic M. Au 604 Menaechmum hunc* Men 96 haec..Palaestra Ru 827 hic..noster Periphanes Ep 307 hanc..Philocomasium Mi 1296 huius..Philocrati Cap 974 haec..Phronesium Tru 323 Priamus hic Ba 973 hic.. Simia Ps 1018 Sosia hic Am 615 hunc..Sosiam Am 917 hoc Sosia Am 747 hunc* Strabacem Tru 726 hunc..Tithonum Men 853 hunc* Toxilum Per 182 Venus haec Ru 1332 hanc..Venerem Poe 278 Venerem hanc Ru 305, 1334

b. *de animalibus, sim.:* hunc* (agnum) Au 329 hanc* beluam Tru 689 haec cerua Ep 490 hanc canem Poe 1236 haec..canes Tri 172 haec illast capra Mer 268 hic* conger Mi 760 equolam..hanc Ci 308 hic equos Ba 943, 944 hoc..equo Ba 941 has* hirundines Ru 772 haec lacerta Mi 1006(R) hunc ..leonem Men 864 haec* ouis Ba 1123, 1128(R) hae* oues Ba 1125 haec* oues Ba 1140, 1142 harum (ouum) Ba 1122 hasce*..ouis Ba 1121b has (ouis) Ba 1127 hic turdus Ba 792 huic uerri Mi 1059 hic (uerres) Mi 1060

c. *de corpore eiusque partibus:* huius corporis Men 181, Mi 997 huic*..capitulo(i. e. mihi) As 496 hoc caput(i. e. ego) Au 425 hoc..caput (i. e. ego) Ep 95*, Ps 723 hoc caput(proprie) Mo 201 hoc..caput(i. e. me) St 751 hunc.. collum Per 691 haec* hominis facies Tri 861 hac forma Mi 1021 hanc..formulam Per 229 haec genua Ru 627 haec (lingua) Cu 706, Per 430, St 263* haec manus Per 225 haec.. manus Tri 541 hanc..dexteram Poe 417 haec* (manus) Ep 689 has* (manus) Cap 668 manibus his Ep 353 hoc*..oculo Mi 1308 hoc (oculo) Mi 1309 hisce* oculi Mi 374 hisce* oculis meis Mi 290 his..oculis Mi 368 hoc..pectus..meum Ba 226 hi*..pedes Cas 465 hunc..pedem Mer 831 huic..pugno Am 312 Cap 796(Rs) hos pugnos meos Cu 725 hisce (pugnis) Cu 726 huic (tergo an manu?) Mo 870(vide R) hunc umerum Ps 1315(RRs)

d. *de loco, oppidis, sim.:* hic locus Mer 1005 locus hic Per 792 hic..locus Ba 724(R), Ep 454, Ru 255 locus..hic Per 805* hunc.. locum Vi 57 ex hoc loco As 130, Ru 266, Tru 443 in hoc..loco Ci 699 hoc..in loco St 685 hi loci sunt atque hae regiones Ps 595 haec sunt loca atque hae* regiones Ru 227 loca haec circiter Ci 678 in his..locis Ep 534 ab his l. Men 553 ex his l. Ru 211 in his l. Ru 1033 in hac regione Ci 708 his regionibus Ru 616 has regiones Tri 866 ab his regionibus Men 837, Tri 983, Fr I. 15(ex Non 376) in hisce*..regionibus Poe 959 in his r. Tri 873 hic..ager Tru 149 hunc (agrum) Tru 150b ex hoc..agro Ep 470 spatium hoc St 307

Aetolia haec est Cap 94 moenia haec* Ru 692(vide L) hoc oppidum Mi 88 hoc* ipsum oppidum Ps 766 huius..oppidi Poe 656 hoc ..oppidum Ps 384(= 585b) hoc (oppidum) Ps 586(PLy) ad oppidum hoc Ps 587 haec urbs Am 97, Men 72 huic urbei Men 263 huic..urbi Ru 32 hanc urbem Men 380, Poe 950 hanc..urbem Poe 1009 urbe hac Men 261 hac urbe Mer 654 ciuitate hac* Tri 213(L) haec patriast mea Per 641 haec (patria) Per 636 haec nostra..patria Vi 112 (ex Prisc I. 317) patria hac Mer 660

e. *de aedificiis eorumque partibus:* haec aedes Ci 314, Mo 640 haec..aedes Cu 39*, Mo 400 (RRs), 504, Tri 390 harunc* aedium Mer 832, Mo 404 nostrarum harunc* ae. St 450 hisce* aedibus Tri 177 hisce*..ae. Tru 638 hasce aedis Am 350, As 381*, Ci 312, 319, Men 1053, Mo 403, 454*, 470, 547*, 674*, 753*, 796, 843*, 1082*, 1085, Poe 412, Tri 124*, Tru 252 has(ce) ..aedis Mi 310*, 1166*, Mo 405, 480*, Tru 258* hasce (aedis) Mo 760*, 811*, 813(RRsL), Tri Arg 4, Tri 181* aedis has Am 264, Mo 806 aedis..has Mo 906*, 977*, Tri 168 hisce aedibus Ci 546*, Men 327*, Mer 799*, Mi 332*, Mo 502*, 951, Tri 150, 402*, 1127* hisce in ae. Mo 950, Vi 58* hisce*..ae. Tri 12 hosticum hoc*..domicilium Mi 450 domus ..haec tua Men 363 haec tua domus Am 362, Per 323 hanc domum Au 3, Tri 600 hac domu Mi 126 hoc (gynaeceum?) Mo 1028* haec..habitatio Mo 498 haec h. Tri 40 posticulum hoc Tri 194 hoc posticulo Tri 1085 hanc..uillam Ru 331 hac uilla Ru 1035

forem hanc Ba 833　fores hae Poe 609*, Tri
1124　hae fores St 312*　his foribus Tri 870
hasce ambas fores Cap 831, Mo 453*　has . .
fores Cu 80, Mo 900*, St 326 a　has fores Ps
1135 a　his* a foribus Am 269　his f. Ba 632*
foribus hisce* Mer 130　his* . . foribus Mo 899
haec . . ianua As 390　huic . . ianuae Tru 255
ianuam hanc Ba 368　hoc (ostium) Am 1020,
Ps 1139, Ru 413, Tri 870, 1174　hoc . . ostium
Am 1020, Ba 582, Cap 830*, Mi 352, Tru 664
hoc (ostium) Ps 952　hac (porticu) Mo 909
hosce (postis) Mo 822　uestibulum . . hoc Mo
817　hoc u. Fr II. 31　hoc (u.) Fr II. 32(ex
Gell XVIII. 12, 4)

f. de fano, ara: ara . . haec Cu 71　hanc . .
aram Mer 676, Ru 698　aram . . hanc Ru 691,
695　aram hanc Mo 1135*, Ru 1333, 1336
hanc aram Mo 1094　hoc . . fanum Cu 14, Ru
822　fanum . . hoc Ru 284　huius fani Ru 285
fanum . . hoc(acc.) Ru 253　hoc fanum Ru 270
huic (fano) Cu 15

g. de uariis locis: hoc . . angiportum Ps 960
in angiporto hoc Ps 971　angiporta haec Ps
1235　hanc plateam Cap 795*, Cas 799　hac . .
(uia) St 484　hac uia Ps 1234

huic Ilio Ba 956　hoc Ilium Mi 1025(loc
dub)　litus hoc Ru 250　hanc prouinciam
Cap 156, 158(translate)　hanc . . meam prouinciam Tri 190(translate)　haec praesaepes Fr
II. 47(ex Plotio Sac 472)　ex hoc sepulcro Ps
412(translate)　ex hoc saltu damni Men 988
hoc est proscaenium Tru 10

h. de tempore: hic annus Cap 980, Men 234
hic . . annus Mo 533, St 30　annum hunc As
230, 235, 721　hunc a. As 635, 754, Ba 1097,
Per 172, Ps 190　hoc anno Ru 630, 637　anno
hoc Mo 690　hac hieme Mi 689　hunc mensem Per 628　his . . mensibus Per 504, Poe
872　huius saecli Tru 13　hoc saeculum Tri
283(proleptice)　huic aetati Ba 56　hanc . .
aetatem Mer 549　hanc ae. Mi 626*, Tri 301
hac aetate Ci 48*, Tri 1090*　haec aetatula
Mo 217　haec mea senectus Tri 381　ad hoc
diei tempus As 253

hic dies As 534*, Au 722, Men 899, Per 402
hic . . dies Cap 774, Per 712, 773 b, 780　hic
illest dies Cap 518　haec dies Per 33(loc dub),
Ps 623*　dies haec Ps 59　huius diei Cap
800*　huic diei Cap 464　huic . . die Tri 843
hunc diem Am 672, As 847, Cap 634, Ep 341,
496, 576, Men 112, 305, 477, 500*, 692, 749,
Mer 585, Mi 77, 565*, Mo 436, Per 689, 768,
Poe 449, 503, Ps 128, 547, 621, 899, 1268 b,
Ru 1416, St 267, 421*, 424, 478, 517, Tri 961
diem hunc Poe 1188, Ps 179, Ru 686(d. ins Ly)
hunc (diem) Ps 1237　hunc hodie diem Ep 157,
Men 596 (?)　hunc . . d. Ep 606*(proleptice), Men
152, 596, Mer 542, Poe 1366*, St 435, 453
hoc die Per 479, Poe 500　hos dies Ci 226,
Men 104, Ps 283*, Ru 131*, 137, Tru 872　hos . .
dies Ps 9, 321*　hosce . . dies Men 950(BriRs)
his diebus Cap 168　his . . d. Mo 238*　triduom hoc As 428, Ci 104, Men 376, Tru 874
hoc t. Cu 208　in hoc triduo Per 37, Ps 316
haec . . nox Am 113　haec (nox) Am 281　haec
nox Am 288　hanc noctem Men 188, Tru 688*
hanc . . n. As 194, St 438　hac nocte Am 279,

Cas 671, Cu 247, 260, Mer 370*, 1024, Mi 383,
Ru 354, 362, 596, Tru 248　hac (nocte) Am 548
hac . . n. Ru 1307　nocte hac Cap 127, Men
822*, Mer 227, Ru 84　hac noctu Am 272, 404,
731, Tri 869　noctu hac Am 412, Mi 381　has
. . noctes Am 314

i. de pecunia: hoc (argentum) As 674, Ep
338, 339, Ps 1291　huic argento As 728　hoc
argentum As 494, 699, 700, 732, Per 262, 326,
Ps 598(cf Leo, Anal. Pl. I. p. 9), 1150　hoc
(a.) As 466, 677, Au 548*, Cu 727(FlRg), Ep
345, Per 437, 440, Poe 1359, Ps 642, 1321,
Tru 909, 914　hoc . . a. Per 261, Ps 1154, Tru
661*　argentum hoc Ep 646, Ps 1122　argentum
. . hoc Per 324　hoc (argento) Poe 1295, Ps
1292　hoc (aurum) Au 449　aurum . . hoc* Per
597　auro huic Tri 971　aurum hoc Ba 903,
Men 1142　hoc . . aurum Ba 1059　hoc (a.) Au
585, 673, 712, Ba 675, 1066, Poe 713, Tri 783,
Tru 687*　hoc auro Poe 598　hanc (minam)
Poe 469　hanc minam Tru 900　has (minas)
As 654*, 735　has . . minas Mo 648, Tru 580
hosce (nummos) Poe 715, 771(hos)

k. de fabulis, sim.: haec . . fabula Cap 52,
Men 72, Poe 551, Ps 720, Tru 967　haec (f.)
Cas 17, Mer 9　haec f. Cap 1029, Men 1077
(translate), Mo 937, Per 788　fabula haec Mo
1181　huius fabulae As 7　huic . . fabulae Am
15, As 10, Tri 18　fabulae huic Cap 54*, Ru
1421　hanc fabulam Am 94, Ps 564　hanc . . f.
Cas 1006, Mo 510, Tri 21　hac (fabula) Cap
1030　haec comoedia Cas 31, Poe 53　huius
. . comoediae Am 96　huic . . comoediae Mi 86
hanc . . comoediam Am 88, 868　hanc c. Tru 10
hanc (c.) Cas 33　hanc . . comoedia Am 54　in
hac comoedia As 13, Cas 64　in hac . . c. Cas
83　huius . . tragoediae Am 51　tragoediam . .
hanc Am 53　haec* tragicomoedia Am 59(FlRgl)
hoc argumentum Men 11　a . . . hoc Poe 56
huic argumento Men 13　hoc argumentum Mi
79　a . . . hoc Ci 155　haec argumenta Mo 118
hic . . apologus St 544　hanc . . Vidulariam
Vi 7(L)

l. de dictis, sim.: dictum hoc Cap 71　haec
. . dicta(nom.) Cas 139　haec . . d.(acc.) Men 945,
Mo 198　haec d. Tru 660*　his(add U) . . dictis
Ci 556　huic* nuntio St 298　hunc* nuntium
Cap 780　nuntio hoc St 299　haec . . oratio
Poe 969(h. add GepRU)　hanc . . orationem Ep
355　o. hanc Poe 968　huius (sermonis) Mi 700
hunc sermonem Fr II. 50　hunc . . s. Mi 1090
sermone hoc Mi 1091　hoc . . uerbum Men 927
hoc uerbum Mo 174*, 298　hoc uerbo Mo 591
haec uerba St 193　horunc uerborum Cap 431
haec uocabula Ep 235　hoc . . 'profecto' certumst Am 372

m. de re, negotio, sim.: haec res Am 814, Cap
539, Cas 728, Ep 81, Men 512, 761, 913, Mi 404,
1152*, Mo 546, 1034, Per 846, Ps 423, 985, 1161,
Ru 683, 1005, 1211, St 310, Tri 507*, 904,
Tru 611*, Vi 92　haec . . res Au 803, Ba 606,
Ci 197　res haec Ps 601　res . . haec Ep 161,
Vi 98　huius rei As 855　huic rei Tri 930
hanc rem Am 1015, 1129, As 821, Ba 218, Cap
216, 779, 781*, 790, Cas 827, Ci 102*, 148,
Cu 635, Ep 358, 428, Men 500, 700, 825*, Mi
220, 225, 358*, 804, 871, Mo 99, 100*, 1173,

Poe 583, 599, Ps 195, 586, Ru 1132, 1180, Tri 800, 803, Vi 1   hanc.. rem Am 519, Cas 506, Ep 409, Per 455, Ps 926, 939b, Ru 188   rem hanc Per 198   hac re Am 58, Cap 525, Cas 394, Mi 1411, Mo 542, Poe 1402, Tri 233, Tru 875(U) hac re Am 736 hae(c) res Per 360*, St 18 haec (r.) St 19 hae.. res Poe 214, Ru 282 harum rerum Am 105   has res Mi 1437, Ps 1330 hasce.. res Tri 186   his* rebus Mo 728   negotium hoc Ba 229   hoc..n. Mi 873 hoc n. Ps 423   hoc negotium(acc.) Mi 929, Ep 427   hoc..n. Ci 595, Tri 389*(vide Ly)
    hoc factum Cap 684   huius facti Mer 957 hoc..factum Cap 352   hoc f. Mi 1374   hoc facto Mer 323, Tri 129, 649   his factis Mo 29 haec..facta Ba 908   haec f. Mi 860, Tru 313
    n. de modo, pacto: huius modi Am 941, Ba 66, Cap 1033, Mi 1023, Poe 1273, Ps 823, Tri 795   ad hunc modum Au 69, Ba 510, Cu 204, Poe 988*, Ps 457, Ru 195   ad hunc.. modum Ba 908, Ps 1273   hocine modo Mo 26   hoc.. modo Ps 1268   hoc modo Ps 1277, Ru 1072, St 771 bis, Tri 603   hoc pacto Au 51, Mo 589, Tri 376   hocine pacto Cu 695
    o. de dolis, consiliis, sim.: in hac astutia Cap 250   hoc..(consilium)(nom.) Poe 926   hoc .. consilium(acc.) Mi 1025 (RRg), Poe 193   haec .. consilia Ps 138   hoc (consilio) As 360   dolum.. hunc Cas 687   hunc d. Mi 938   hunc .. d. Tru 458*   his..dolis Am Arg l. 5   hanc fabricam Ba 366, Mi 875*   hanc..fallaciam Cap 40, Poe 195, Ps 765   hanc f. Poe 580, Ps 1193   haec (fallacia) Cas 861   haec nostra f. Cap 220   hanc.. fraudem Mi 1435*   huic syco- phantiae Ba 764
    p. de variis rebus, qualitatibus, sim.: hanc*.. abietem Per 248   amiculum hoc Ci 115   hoc a. Poe 349   hoc (a.) Ru 207   hic (anulus) Cu 608, 656   hunc.. anulum Cu 595, 653   hunc a. Mi 797*, 931*, 1049*   anulum hunc Mi 912 hunc*..a. Mi 960   hic (arrabo) Mi 958   hunc arrabonem Mi 957   hanc (aquam) Ru 459, 461 aquam hanc Ru 465   haec (aula) Au 391, 467 bullas has As 426   haec* carina Mi 918   haec celocula Mi 1006(Ly in loco dubio)   haec celox ... *Quae haec* celox? Mi 987(translate)   hanc celocem As 258   hanc.. cenam St 611   chla- mydem hanc Ps 1184   haec.. cistella Ci 655, 696   haec* (cistella) Ci 668, Ru 1143   haec c. Ci 658   hanc (cistellam) Ci 669   hanc (cistel- lulam) Am 797   in hac cistellula Am 773   hunc ..commeatum Ep 343   haec*..condimenta Ps 834   hoc conuiuium St 689   huic* conuiuio St 702   hoc..conuiuium As 834   hoc..co- rium Mo 868(R)   hanc* coronam Men 555 hanc (c.) Per 770   crepundia haec Ci 665   haec (c.) Ci 666 bis   haec..c. Ci 748   haec (c.) Ci 749(acc.)   hanc (cruminam) As 662, 676   c. hanc Per 685   in crumina hac Tru 655   hoc (cultro) Mi 1398   hoc..cyatho Per 794   dentifrangi- bula haec Ba 596   hoc..donum Tru 535   hoc ..dono St 656   haec..dona(acc.) Tru 579   haec (d.) Tru 582   haec d. Tru 589   cum hac dote Per 396   haec..epistula Ps 670   haec (ep.) Ps 671   epistulam hanc Ps 647   hanc..ep. Ps 691, 993, Tri 898   ep...hanc Ps 716   hanc* ep. Ps 983   hanc (ep.) Ps 983*, 985*, Tri 899

hac epistula Ps 690   hasce epistulas Tri 848 has..ep. Tri 875, 894, 949   fluuius..hic Ba 85(translate)   apud hunc fluuium Ba 86(trans- late)   hisce* hami atque haec harundines Ru 294   hasce herbas Ps 823   tene hanc lampadem. *Immo ego hanc* tenebo Cas 840   libello hoc Ps 706   hae..litterae Ba 801   l. hae Ps 23 litterarum..harum Ps 99   lumen hoc Cu 117 hoc..lutum Ru 96   haec (machaera) Tru 627 huic..machaerae Cu 567   machaeram hanc Cu 632   hanc m. Mi 5   hac (machaera) Tru 613 Tru 626(Rs)   hoc (marsuppium) Men 386   hoc (marsuppio) Poe 786   hoc..mercimonium Mer 500 (de serva)   haec*.. mala mers Cas 228 (de muliere)   haec myrtus Vi 93(ex Porph ad Hor carm I. 38, 7)   hanc* obicem Per 203(R)   hoc opsonio Tru 561(vide Rs)   ornamenta haec Mo 294   or...haec Tri 858   hic..ornatus Ba 125 hic (o.) Ps 935   hunc ornatum Am 116   hoc or- natu Ba 110, Cas 932*, 974, Mi 1286, Ru 187 hanc..(pallam) Men 130, 166, 1139   haec (palla) Men 1139*, 1140, Mo 282   hanc (p.) Men 199, 202, 466, 477, 480, 729(BoU), 732, 814 hoc (pallium) Men 196   hoc..p. Am 294, Ru 550, St 257, Fr II. 30   hoc p. Men 922   haec patera Am 780   haec..p. Am 781   haec (p.) Am 790, 794   hanc pateram Am 534   hanc pa- tinam Mi 759   has..pinnulas Am 143   hoc*.. poculum Per 775   hoc (p.) St 759, 762   hoc eodem poculo Cas 933   praeda haec Poe 660, Ps 1124*, Ru 1037   hanc.. praedam As 271 hanc p. Au 816, Ba 1075   haec..ratis Ba 797 (translate)   haec bonorum.. reliquiae Ru 199b hanc..rudentem Ru 938   hunc scipionem As 124   hoc scipione Am 520, Per 816   hoc* (sc.) Cas 643   haec* scripta Ba 989b   haec (securis) Ps 159   his* sub signis Ps 761(Ly)   hic..sinus Cu 82   Cu 83(U)   haec* (sors) Cas 416   hoc.. spinter(nom.) Men 530   hoc (sp.) Men 531, 535   hoc (sp.) Men 525(acc.)   haec.. stabili- menta Cu 367   ex hac statua Cap 961(trans- late)   hoc stercus As 424   hunc (symbolum) Ps 718   s. hunc Ps 753   hae tabellae Ba 808 hae (t.) Ba 809, 937(haec), Per 497*, 498(BoRsL) tabellas..has Ba 728*, Per 497   has t. Ba 787*, 935, Cu 412, 422, 432, 545, Per 195, 544, Ps 20   has (t.) Ba 923, 984, 986, 988, Per 525, Ps 25, 30   has..t. Per 247   his* t. Cu 551 (JRgl)   hoc (terginum) Ps 151   terginum hoc* Ps 154   haec..tessela Poe 1052   hanc* tes- seram Poe 958   haec tela Ba 350   haec tigna Mo 146   hanc tuniculam Ru 549   hoc (tus) Tru 541   tusculum..hoc* Au 385   haec uasa Mer 781   haec (uasa) Mer 783, 801   haec.. uasa Poe 847   hoc (ueru) Ru 1299, 1300   hoc ..uerum Ru 1302   haec..uestis Mo 166   haec (u.) Mo 172   hic..uidulus Ru 1091, 1094   hic u. Ru 1130   huic (uidulo) Ru 969   hunc.. uidulum Ru 936, 976, 1177   hunc (u.) Ru 968, 970, 1006, 1009, 1022, 1025, 1098, 1396   uidu- lum hunc Ru 1379   uindemia haec* Cu 104 hoc (uinum) Cu 120b(R), 121b, 123*, 126, St 715, 717(dub.), 720(hoc add MueRRgU)   hanc uirgam Mer 677   haec..upupa Cap 1004   haec (urna) Ru 478   hanc urnam Ru 467, 481   u. hanc Ru 469   u...hanc Ru 471   hanc..u. Ru 480   hanc (u.) Ru 472, 477, 482

ex hoc abitu Am 641(*Rgl*) haec..aegrimonia
Ru 1190　haec aegritudo Ba 1110　hanc aerumnam Cap 195*, 1009　hasce aerumnas Mi 33
hac aerumna Ru 256　affinitatem hanc Au 267
huius* amoris Ps 498(*R*)　hunc* amorem Cas
616　hoc animo Men 203　hac annona Tri 484
hisce*..de artibus Tri 293　auctionem hanc
St 235(*RRg*)　augurio hoc As 263(*Rgl*)　haec
..bona Men 558, Poe 277　haec b. Ps 1131
hac..causa Mo 394　hoc colore Ru 997
haec condicio St 51　condicionem hanc Au
237, Tri 455, 488　condicione hac Au 476
haec..congeminatio Poe 1297　hanc..coniec-
turam Cas 224, Ci 204　has contumelias Mer
704　hanc..copiam Per 255, Mi 769*　copiam
hanc Vi 87(*Rg*)　haec mea culpa Ep 591　hanc
culpam Ba 383　hanc curam Ep 338　curam
hanc Poe 351　hanc crapulam Ru 586　haec
atque horum* similia..damna Mi 699　ex hac
decuria Per 143　hoc* dedecus Cas 875　haec*
..delicta Ba 1186　haec disciplina Ba 421,
Mer 116

haec (elegantia) Mer 20　ad hoc exemplum
Per 335, Ps 135, Ru 488　hoc* exemplo Poe
1272　haec facetia St 729　hoc facinus pulcrumst, hoc probumst, hoc lepidumst, hoc factumst fabre Men 132　hoc..f. Mi 616　haec
facinora Mo 1113(*R*)　haec..facinora Ps 563
haec factio Ba 843, Ru 1371　haec fama Per
384　hanc*..famam Tri 642　haec..fames St
169*　haec..famigeratio Tri 692　haec..fides
Cap 927*　hoc..flagitium Ba 1208　hanc tuam
gloriam Tri 828　hanc..gratiam Ci 628　hac
gratia St 645　has*..gratias Ru 906　hospitium
hoc Poe 1154　hoc ictu Tru 659　haec (ignauia)
Mo 139　hanc..imaginem Am 141　haec..in-
modestia Am 163　haec..mea imperia Tri 299
haec..inpudentia Ep 710, Men 793　haec..in-
commoditates Au 532　hoc..ingenium Mi 1071
(*PU*)　hanc iniuriam Men 471, Mer 991　hoc..
insigne Cu 399　hoc itiner Mer 913　hoc iudicium meum Cu 717　laborem hunc Ru 190　hanc
laetitiam Cap 872　hac..laetitia Poe 1275
hanc lassitudinem Mer 127　haec..lex Mer
1024, 1025　his legibus Au 157　hanc*..litem
Mo 1144　hos ludos Per 771　haec malitia
Tru 810　hoc*..malum Men 82　huic (malo)
Ps 503　hoc malum Mer 358　hoc..m. Mi 861
hoc* (malum) St 263　hoc (malo) Cu 519(*L*)
hoc..matrimonio Am 852　hoc m. Mi 1164
hunc..metum Cap 519　hoc metu Mer 129
hoc..metu Ru 232　hasce*..merces Mi 1023
miseriam hanc Cas 442　hanc moram Poe 853
hic..morbus Tri 28　huic morbo Ci 74　morem hunc Men 338　hoc* (multiloquium) Mer 38
hoc (nomen) Men 1122*, Tri 890　hoc nomen
Ps 655　hoc..nomen(*acc.*) St 176　his*..noxiis
Mer 983　hanc noxiam Mo 1169　hanc..n.
Mo 1177(*loc dub*), Poe 403　haec..nugae As
808　has..nuptias Au 354*　has nup. St 52
haec occasio Ru 927　huic occasioni As 278
occasionem..hanc As 281　oc...hanc Mo 439
hoc..odium Cu 190　hoc..officium Ps 139
hoc of. meum Ps 377　hoc onus Am 175　hoc
onus(*acc.*) Ba 499　tibi do hanc operam Ba 74,
Men 663(t. h. o. dedi), Mer 447(t. do h. op.),
Mi 1022(t. ego h. do o.), Per 48(o. da h. mihi),

Poe 854(do t. o. h.)　hanc..operam Mi 1076
hanc operam Per 233, Ps 560, Tri 993　o...
hanc Poe 543　hac* mea (opera) Ps 104　optio
haec tua Cas 292　hoc..opus(*nom.*) Tru 907
hoc opus(*acc.*)* Ps 910, 946　haec..opera Mo
828　hunc..ordinem Ci 23　ornatum hunc
Mer 910　meus..hic..ornatus Ru 432　hoc*
pauciloquium Mer 34　hancine..partem Ru 189
hoc (penum) Cap 921(*U*)　hoc..periculum Au
235　peste hac Ps 204　pietati..huic Ps 268
piscatus..hic Ba 102　hic p. Ru 912　postulatio haec Ba 449　hoc..pretium Tri 273　hoc
pretia Men 976　hoc..principium St 672(*R*)
prodigium hoc Ba 1141　hoc..proelium As
912, Fr I. 65(*ex Non* 63)　haec..pugna Am
253　hic* noster quaestus As 215　hunc..
quaestum Cap 129　hunc q. Ci 121*, Per 61
hanc rationem Au 382　rus..hoc Tru 269
(*translate*)　hanc salutem Poe 622a*　hoc..
scelus Cap 762　scelus..hoc Ru 1001　hac
sententia Per 373　haec..seruitus Ps 771　hoc
simili Am 446　hoc..somnium Mer 252, Ru
611　hic somnus Cu 184　hanc (sortem) Cas
379　hoc..spectaculum Poe 209　hoc* sumptu
Mi 754　hoc (supplicium) Tru 894　haec*..
suspicio Ep 285　suspicionem hanc Ba 436
haec stultitia Ep 431　haec..tempestas Mo
162　haec*..turbae Mi 583　hanc ueniam Am
924, Ba 1199, Cas 1000, Ep 730　u. hanc Cas
1004　hanc..u. Cas 1005　hic (uentus) Mer 877
has..uictorias Tru 275*　uis haec..est Cap
750　hoc (uitium) Poe 1203　hoc u. Ps 1250
hoc..u. Tru 191　huic uoluptati Cu 190　hac
uoluptate Poe 1263　harunc uoluptatum Ps 69*
2. *substantivum:* a. hic: quis hic est? As
378, Mi 276, Poe 649, 1333, 1382　adulescentulust Tri 366　noster architectust Mi 901*
est cognatus uoster Poe 1256　est danista Ep
621　dux est Ps 447　huius frater est Cu 716
fur est Poe 1335(*PRglU*)　eius geminust frater. #Hicinest? Per 830　hic is homost qui..
Ep 732　probus est..homo Ps 942　(hospes)
hicinest? #Hic est Per 544　est paedagogus
Ps 447　estne hic hostis..meus? Ba 534　estne
hic parasitus Cu 276　illest parasitus qui..St
196　hic pater est Au 619　pater..Mnesilochust
Ba 877, 1105　pater..est Cap 1011　pater..
meus est Per 741　pater est uoster Poe 1259
noster pater est Poe 1324　lenost Ps 1144
patruos est..tuos Poe 1227*　patruos meus
est Poe 1244　illest senex qui..Cap 787　illest
lepidus quem dixi senex Mi 155　seruos qui..
Cap 1011　estne..meus seruos? Poe 797　tuosne
..seruos est? Ru 1052　tuos..seruost? Ru 1054
sodalis..fuit Ba 460　estne..meus sodalis?
Ba 534　scelestus est..sublingulo Ps 893　sycophantast Ps 1200　uir..est Ba 851　est uir
bonus Ps 1144　Achilles est? Mi 61　estne..
noster Hermio? Fr II. 10　est..potior Iuppiter
Ps 328　estne..Palinurus? Cu 230　hic illest
qui..Tri 43

erit optumus Ep 291　horridus Tru 934(?)
est nequam St 343　mihi odiosus..et tu et
hic Mi 428　eae proxumust Mi 348　ridiculus
St 217(*Rg*)　saeuos est Am 541　sanus..non
est Ci 289　squalust Tru 934　tranquillust Ba
1174　tuist similis Men 1090　truculentust Tru

265 meus est Cu 431 tuos est Ru 1057 intus sit Ba 140(R) quanto hic* fuerit usui Ps 305 *additur* quidem: meus uir hic quidemst Am 660 huius est cluens Cap 335(PU) meus pater hic quidemst Mer 366 sodalis Ba 453(R) meus seruos Mo 447 erus meus Mo 1063, Poe 1123 superstitiosus Cu 397 Dordalus Per 790 Epignomus St 464 Nauclerus Mi 1283 Paegnium Per 201 Sagaristio Per 309 Toxilus hic quidem .. est Per 14 Charinus mihi Ps 736 hic quidem Eucliost Au 728 Chrysalust Ba 774 pater Mnesilochi Ba 1105 tuos est Poe 672 fungino generest Tri 852 Stichus est hic quidem St 655

abducat Mi 770* abiit Tri 718 abegerit As 446 abigat Cu 186 accersit Mi 1283(U) accepturus est Am 296 adest Poe 1135* agit Au 658*, Mi 811, Tri 707 agat Tri 842 ait Cap 365, 974 aibat Men 1042 amat Poe 1092 arbitretur As 461 arrexit Ru 1293 aspernatur As 643* assimulabat Cap 654 attigerit Ru 775 audebit Au 663* auscultet Am 300 autumat Am 306 cogitat Am 319 cognouit Poe 1324 conficiet Ps 464 consolandus .. est Ba 625 contudit Am 407(Rgl) conuorret Ru 845 corrumpit Ps 446 cupit Tri 557 detulit Mi 1049* deperit Am 517, Cas 470 deposiuit Mo 382 deriserit Cu 556 dicit Am 742, Mer 971, Tri 463 dicet Tri 814* dixit Mer 936*, Mi 365 dixerit Men 644 dabit Cu 661 dat Ru 1403 dedit Mi 576, Ps 909(R) daturust Tru 960* dolet Ci 67 egreditur Cu 466 it Mo 566 emet Ep 301* emit Mer 604 emittat Ru 1388 exclamat Cap 512 expediet Cap 40 exturbauit Tri 601 facit Am 721, Cap 297, Cu 258, Ep 685, Poe 840* faciet Am 298* fecit Cap 294, Cas 460, Men 900(MueRs), Mi 1077 faciat Poe 378 faceret Per 837 fassust Cap 297, 317 fert Cap 39 ferat Cap 451 ferebat Men 563(R) fungatur Am 827 gerit St 353 gradietur Ps 859 habet Au 657(Ly), Cap 823, Mi 491, Poe 594, 845(U), Ps 1136, Ru 1066(Rs), 1357, Tri 868 habent Mi 579 habebit Mi 1251(R) haberet Mi 1083 horret Tru 934(SpLU) impertiturust Mi 1060 inceptat Tri 1030 indicium fecit Cap 1014* inquit Poe 1001 insanit Ci 286 irridebit Cap 657 iusserat As 715 liberauit Mo 971 loquitur Cap 991, Ps 230 est locutus Tri 563 ludit Men 824 est .. ludificatus Cas 558 ludificatur Mer 920 maneat Cap 49 memorat Am 417, Mo 963 mentibitur Mi 35 mentitust Mer 936* metuit Ps 284 ministrabit Cu 369 monstrat Cu 299 moratust As 413 narrauit Men 638 natust Men 1097 natus foret Mi 1083 nominat Ba 414, 1121 nouit As 456 nesciat Tri 937 nugatur Tri 900 obtundat Men 851 occepit Cap 98 est occupatus Au 621 orat Cap 513, Per 587*, Poe 1024, Tri 1161 onerauit Mi 902 ego atque hic oramus Cas 371 percussit Mo 508* perdidit Ba 158 perit Poe 1095 pernouit Au 503 possidet Am 458 potest Ps 797, St 625 poterit Ep 292 potuerit Mer 380 postulet Tri 441 productust Ba 457 promisit Ru 1378 quaerit Tri 876 recipit Mo 541 reddet Cap 345 resciscat Mer 466 restituet Cap 588 amicus restitit Tri

1110 salutat Poe 1144* sapit Ep 286 scit Au 548 sciat Men 558(U) sentiat Mer 334, Ru 1100 seruit Cap 21 seruat Tri 1113 sinat Cas 401 soluit Cu 682(LambRg) somniat Cap 848 spectauit Am 424 spectabit Ps 858 subdiderat Mer *Arg* II. 9 subparasitatur Mi 348 sumpsit Cap 805 surruperet Ps 288 tenet Ru 1066(GuyLULy) uadatur Per 289 uenit Poe 1331 uidit Mi 275 uidetur Mi 631 uincet Cas 403 uictust Tri 706 uocat Ru 1038 uocatur Cap 38 uolt Au 201, Cas 455, Per 599, 613, Poe 662, 999*, 1098 uolumus Ps 233 uelit Ps 594 uiuet Mi 1081

haec: haec est quoi .. Ci 695 haecine? #Haec Ep 574 haecinest? #Haec est Ep 621-2 tuast amica Mer 753 Astaphiumst ancillula Tru 93 sit heres Mo 234 mater meast Ep 590 erit .. fausta meretrix Per 632 illius soror Cu 716 illast .. uirgo Per 545 estne Ampelisca Ru 334* Sophoclidisca haec .. est Per 201 libera .. est Cu 716 meast Poe 1222 mea popularis .. est Ru 740 est prior quae Poe 204 sanan .. est Ep 649 est similis Mi 552 meast haec Cas 838

haec illast .. quam Ep 621 haec illaec est Mi 1046 haec east Ep 543*, Mer 766 istaec non est haec Mi 516 Pithecium haec est prae .. Mi 989

mihi incus est Ps 614 mala mers .. est Ci 727 *additur* hercle: haec herclest .. quae Ci 316 quidem: concubinast h. q. Mi 362 plenast Am 777 bellulast Mi 988 saluast Per 723 *additur* quidem: coquast Poe 248 Veneris effigia Ru 421 Epignomi ancilla St 238 haec quidem herclest .. cita Ba 738(R) haec ea occasiost Ps 921 haec res agetur nobis, uobis fabula Cap 52 haec meast sententia Ps 379 haec illast simiae quae .. Ru 771 stultitia .. haec* sit .. Mi 878 haec illast tempestas .. quae .. Mo 162

abiit Mer 792 abierit Mi 1176 abusast Poe 1199 accubat As 830 accubet Ba 1192 adeunda .. mihist Tru 895 adlubescit Mi 1004 (R) ait Mi 430 amat As 631 amet Men 386, Mo 184(RU) aperuistis tu atque haec Ci 3 adseratur Per 717 astat Ci 319 circumit Tru 407 curat Ru 146 deferat Ci 169 deperit Ci 132, Mi 999* desiluit Ru 173 desponsast Mi 1007 datur Per 665 dabit Per 658 dedit Am 809 datast Mer 737(R) emptast Mer 514* exit Mi 376* exorditur Ci 730 exsiluit Cas 630 fabulatur Ci 716 faciet As 739 fecit Tru 436 ferat Mer 276* gestat Am 1083 habet Am 773, Ep 578 habeat Ba 46, Mo 709 haberet Cu 488 imperat Tru 584(Ly) instituit Mi 466(Rg) iratast Poe 353 *bis* loquitur Am 696, 843 meminit Men 618* mutet fidem Mi 983 erit .. nata Per 645 est nata Ru 738 negat Ep 584, 590 nubit Ci 43 nubet Cu 717 nubat Ci 45 nominauit Ci 320 orat Ba 42 nominat Ep 535 peperit Tru 807 percussit Cas 639 perditast Mi 1253* possidet Tru 13 potest Mi 1096*, potuit Mi 377 possit Ru 1110 postulat Am 789 era atque haec protulerunt Cas 687 quaerebat Ep *Arg* 7* remorata .. est Ep 629 respondet Mi 423 saltet

St 754 salutat Poe 1144 sciat Ci 651 stetit Tru 335 fuit.. surpta Ru 1105 sustulit Ci 167 uerberat Tru 113 a uidet Mi 1259 uisast Mi 516 (*RRgU*) uocat Ru 442 uolt Cu 672

b. huius: auos Au 5, 6, 22 filia Cas 1013, Ci 607, 608 filiae Poe 1136, 1171, 1246 filius Cap 396, 437, 576, 988, 1015, 1016, Mo 664 frater Cu 716, Poe 1257* mater As 632, 725* pater Au 5, 22, 619, Cap 4, 10*, 17, 574, Poe 120, Ps 314, 733 soror Mi 474 uxor Mi 908* ciuis Ru 42 cluens Cap 335 seruos Men 1071 *bis* tonstrix Tru 772 uilicus Poe 779 amica Poe 393*

artua Men 855 cor Poe 388, 390 b imago Cap 39 labellum Poe 388 lingua Poe 388 membra Men 855 oculus Poe 394 oculi Poe 316, Ps 857 os Men 848 ossa Men 855 pectus Cas 847 uoltus Mer 599

dicta Ba 449, Ci 316 uerba Am 289, Ba 597 oratio Mer 514, 607 (*R*) sermo As 605, Mi 1000, Ps 201, 208*

aedes Men 816, Mi 1278 amor As 883 anulus Vi 105 (*ex Non* 258) arbitratu Ps 271* benignitas St 50* caseus Poe 390 a causa Mo 207 colustra Poe 390 a complexus As 643 copia Cas 842 delicia Poe 339 delicta Mer 997 (*R*) festiuitas Poe 389 fides Cap 349, 927* forma Am 266, Mi 1327 imago Am 265 insania Am 798 leges As 601 malum Poe 1367 mel Poe 388, 394 merito Ep 722* meritis Mi 670* mores Poe 379 nihil Mi 1153 nomen Men 1135 nox As 736 operae As 721 pudicitia Am 811 pugnae Ep 447 (*U*) sapientia Cap 275 sauium Poe 388, 390 b studium Poe 390 b techinae Cap 642 tergo Tru 314 (*U*) uidulus Ru 1317 uoluptas Poe 387, 392* inimicus Poe 1091 similis Am 267, As 681, Men 1090*, Mi 519

miseret Ci 769, Cu 518*

c. huic: dare Am 797, As 631, Cap 364, 380*, 701, 1028, Cas 367, 369, Cu 436, 672, Ep 574, Men 1139, Mi 260, Mo 978*, 1166 (*U*), Poe 681, Ps 406, 1207, Ru 1342 (*Rs*), 1388, Tru 796*, 946 reddere As 456, Au 829, Cas 1009, Cu 717 deferre Mi 1049* fertur Tru 550* mittere Ps 231, 234 promittere Ba 881, Ru 1384 dicere Cas 686, Cu 128, 132*, Mi 862 male dicere Cu 122, Poe 1036 narrare Cu 255 respondere Mi 1046, 1067, Poe 401 credere Cap 556 *bis*, 572, 584, Poe 1329, Tri 139 despondere Cu 663 spondere Cu 675 (*Rg*)

ire aduorsum Am 675 ire obuiam Mo 540 obuiam occedere As 404

dare insidias Ps 594* insidias parare Per 481 beneficium facere Cap 936* facere iniuriam Ba 59 bene uelle Ps 233

abscesserit lubido Tri 745 abstulerim pallam Men 1061* lingua.. excidit Poe 260* desit amor Tru 442 surpuit Cap 1011 surruptast Men 646 decedamus Ba 107 (*v. dub secl pler*)

adsentari Am 702 anteuenire Tri 911 cauere Ba 44 contingere Poe 1271 debere Mo 619, 626 dolet Cap 152 exhibere Men 1072* expedire Poe 1007 fit Men 359* fratrem fieri Ep 650 facetum fieri Per 306 impercire Cas

832 impingere Cap 734 inicere Cap 659, Cas 589 irata.. sis Poe 395 licet Cap 451, Cas 410 obsonare Ps 208 (*PRLy*) obolere Men 385 olere Au 216 perennitassit Per 330 perire Ba 484, Ru 39 persuadere Mer 331 promere Ep 303* referre Mi 670* restituere Cap 588 statuere Ba 640 uideri Am 340

apologum agere St 538* aquam calefacere Ep 655 animo male factumst Mi 1332 fidem habere As 458 gratiam habere Mo 1180 indicium facere Au 188* tenere oculum Men 1014 conicere somnium Cu 253

esse (*dat. poss.*): filia Au 23 pater Cap 633, Men 1098 nomen Men 1096 ingenium Mi 1071* patria Ru 750 seruos Tru 251* deterius sit Cap 738 sit grauior seruos Cap 1026* gratia (sit) Ep 10* es molestus Men 323, Poe 1316 opus est Mi 1061 es amicus Per 581 condicio primariast Tri 746 gurgulio est exercitor Tri 1015 parumst Tri 1185 sat est Tru 542

d. hunc: *subiectum:* amare Tri 1031 dare Ps 553 facere Cap 129, 132, Mi 616* habere Poe 1081 loqui Mi 275* mori Tru 927 nescire Mer 382* reddere Ru 1120 supplicare Ba 904 (*L*)

esse: Cap 573* hic Mi 1089* te Men 1072, 1136 Philocratem Cap 639 Menaechmum Men 1077 seruom Cap 638, Mi 1374* halophantam Cu 463* fratrem Men 1094 inimicum Poe 772

obiectum: abducere Ba 822, Cap 749 abigere Tru 620 abripere Mo 385 absoluere Mo 652* adducere Ep 294 (*UL*), Poe 646 adire Ba 241, Cap 613, Cas 894, Tru 824 admordere Ps 1125 adoptare Poe *Arg* 2, Poe 119, 904 adfore Ep 273* aduocare Ps 1158 aggrediri Mer 384, Ps *Arg* II. 9* adferre Ps 711* allegare Ep 428 (*Rg*1), Ps 1162 amittere Au 656, Cap 332, Mi 1376 amo Ba 818, Tru 929 (*SeyLLy*) amouere Mo 932 appellare Poe 990, Tri 1041 adseruare Ru 777 aspicere Mi 1328 ausculatare Au 496 conloqui Men 431, Mo 783 compellare St 315 comprimere Ru 1073 conspicari Cap 926 cruciare Cap 731 decipere Am 424 deludere As 679, Cas 560, Tri *Arg* 8 deperire Ci 193*, Mi 1026* dare Cap 340, 1019* emere As 673, Cap 19 exurere Ba 940 facere agoranomum Cap 824 f. heredem Poe 839 f. praefectum Au 504 reducem f. Cap 931 f. uilicum Cas 460* ferre Men 956 priorem habere Tru 1154 ignorare Mi 427 inducere Mi 253* inuenire Cap 441 irridere Vi 111 (*ex Non* 138) ludere Cas 685, 688 (*L*) ludificare Per 833, Poe 1097* ludos facere Ps 1167 mittere Cap 345 noscere Men 1070 obsecrare Poe 1388 occidere Ps 349*, 350 onerare Ps 357 pellere Am 269 percontarier Men 1091 percutere Am 1073 perdere As 420, Cu 697 perscrutare Au 657 praemittere Cas 448 praeterire Au 474 pudet Ps 279* rapere Ru 859 recipere Ps 795 reducere Cap 1014 reprehendere Tri 624 rogare Ba 881, Men 606, Poe 1238* rogitare Tri 937 salutare Am 717, Poe 1000 sistere Ru 778 subsequi Au 806 suspicari Ba 683 sollicitare Ep 680 sustollere Mi 310* tenere Am *fr* X (*ex Non* 331), As 379, Tri 895 tradere Ru 857 tollere Men 845 uenerari Ru 256 (*Rs*) uerberare Am 334, As 417, 626 uidere Cap 615, Poe 644, Ps 592 uisitare Ep 539 (*Rg*¹*U in lac*) ulcisci Poe 1403 uocare St 588

quid tibi tactio hunc fuit? Cas 408

per prolepsin: audin As 598 metuebam Men 420 nosce Ps 262 scio Ep 458 uiden Cap 557 uides hunc uoltu ut tristi est senex Mo 811

subiectum verbi pass.: adligari Vi 106(*ex Fulg de abst serm* XIV) comprehendi Cap 599 curarier Cap 737 exsolui Cap 514 excruciari Ps 447 ludificari Per 843 trahi Ps 494

post praepp.: ad: As 680*, Ba 1151, Ci 529, Mi 96, Per 659 apud: Cap 412, Mi 95, Per 617, Poe 1266*, Tru 215 erga: Cap 424 in: Ps 1144 inter: Cap 378 propter: Tru 886

hanc: *subiectum:* abire Poe 1148 abscedere As 939 cubare Ci 44 petere As 662 scire Ci 717 adductam (esse) Ep 154 esse natam Ru 739 ueniri Per 577 esse: canem Cu 110 eam Ci 320, Mi 419* pauperem Au 174 probiorem Ru 751 filiam meam Ru 1165 esse gnatam Tri 9* tecum esse Tru 936* hic esse apud me Ci 104

obiectum: abducere Ba 90, 634 accipere Cas 830, Ep 475 adducere Per 576, 611 adloqui Am 881 amare As 631, Cu 199, Mi 132*, 1006, Poe 292, 313, 1210, 1230 amplexari As 679, 739 appellare Am 515, Men 775 apprendere Poe 1226 arcessere Cas 553, Mi 1283* arguere Mi 380 asserere Cu 490, 668, 709 asseruare Per 723 colloqui Mi 1008* compellare Men 378 comprimere Ci 616 congredi Ep 546 contemplare Per 564 conuenire Am 767 curare Cu 517 (*prolep.?*) despondere Cu 671 destinare Per 667* Iunonem dicerem Ba 217 dare mancipio Cu 617, Per 589 uxorem dare Cu 672 ducere Ci 620, Mi 1008 educare Ci 39 emere Ep 596*, Per 563, 564, 574*, 597, 625, 627, 713 ferre Ci 650 habere Ba 45, Ci 647 mittere As 635, Mi 933* nouisse Ep 580 (*in lac prolept. RgLy*) noscitare Ep 537 offerre Mer 843* pellere Ci 40 percontari Per 599, 604 reducere Per 659 relinquere Mi 1346 rogare Am 749 scire Ep 575* (*prolept.*) spondere Cu 674 tractare Cas 850, 851 uelle As 846 uendere Per 156, 579 uidere Ba 1161, Ep 576, Mi 244*, Ru 743 uocare Ep 589

aditiost Tru 622 notiost Tru 623 tactiost Poe 1308*

post praepp.: ad: Men 807, Tru 662, 956 apud: Per 203 (*U*) in: Am 896

e. hoc: quid ego hoc* faciam? Mo 346 *post compar.:* metuculosus aeque Am 293 digniorem Ep 26 (*Rg*) confidentius Men 614 doctior Mo 1072

abl. abs.: praesente As 647, Cas 423, St 538 (*Rg*) *abl. sep.:* abstine Tru 926

post praepp.: ab: As 673, Ba 1177, Per 676*, Ps 1138, 1216 absque: Cap 754 cum: Ba 496*, Cap 395, Ep 295, Men 324, Mi 371, 1326* Poe 1215, Ru 1382, Tru 959 ex: Cap 293, 295, 297, Cu 257, Men 808 in: Mi 632 pro: Poe 1244

per prolepsin: cures ut bene sit isti Cu 517 **hac:** frui As 918 opus est empta Per 584* hac* inuita Ep 585 doctius Mo 279 potirier As 916

post praepp.: ab: As 604, Ba 65, 1031, Tru 791, 850 cum: As 848*, Cas 612, Mo 392 ex: Per 611

f. hi: frustra sunt Am 974* litigant As 914 stant Cap 2* confinxerunt Cap 35* commenti Cap 48 (*v. secl GuyRg*ₛ) sunt sentis Cas 720* abeant Cas 744* prostant Cu 507* lacerant Cu 508* auferent Men 847 sunt gemini Men 1082 apud me erunt Mi 708* nexa habent Mi 1334* dicunt Per 820 habent Per 856 oblectant Poe 1258* consenserunt Ps 539 laudant Tri 292

hae, haec: eunt Poe 330* inueniantur Poe 1171 meae sunt filiae Poe 1166 perierunt Poe 1376* complacuerunt Ru 727 (*Rs*) natae sient Ru 746* poterunt Ru 1095 malefecerunt Tru 295* adeundae Tru 894*

g. horum: nemo Au 720 familia Am 874 fores Cu 71 ingenium Tri 1049 mores Poe 984 oratio Ep 103 sermo Cas 444. Ps 414 seruos Am 356 tegulae Mi 284

harum, harunc: aedes Ba 578 pater Poe 115 conchas Ru 704 me .. miserebat St 329

h. his, hisce, hibus: insidias dabo Cas 436* parissumi estis Cu 506 sementem in ore faciam Men 1012 nouom adposiui Mi 905 obuiam ire Mo 336 cerebrum uritur Poe 770 (*ALLy*) redde Poe 1190* promittere Poe 1209*, Ps 563 (*add RU*) adgerunda est aqua Ru 484 ignoscere Ru 703 ostendere Ru 1095*

i. hos, hosce: ducere Am 854 exegit Au 414 absolutos censeas Au 517, 520* inlicere Ba 1151 emit Cap 34 anteponere Cu 74 perire Cu 187 (*subiectum*) uidere Mi *Arg* I. 8, Mi 992 docere Poe 552 percontabor Poe 960 abduc Poe 1147 domi linquere Ps 140 adigit Ps 1131* conloqui Tri 1135 *post praep.:* ad: Mi 1110*, Poe 982

has, hasce: duc Mi 930* segregat Mi 1232 (*Ly*) praestolabimur Poe 1173 liberas esse Poe 1344, Ru 736, 1104 filias esse Poe 1375 emi Poe 1381 consolari Ru 677 petere Ru 702 subigit Ru 703 comburam Ru 768 rapiam Ru 796* uincere Ru 838 abduce St 435*

k. his: ex his exquisiuero Cap 251 cum his mihi nec locus conuenit Ps 1111

l. hoc (*nom.*): quid hoc? Am 1072, 1130, Ba 249, Ep 344, Mi 1343 b, Mo 444, Per 290, Ps 22, 243*, 1246, 1286, Ru 253 a, St 308 estne hoc ut dico? As 54 hoc Veneriumst As 905 in rem hoc tuamst Au 154 hoc etiam pulcrumst Au 507 credibile hoc est? Ba 616, 623 (*R*) tam hoc quidem in procliui .. est Cap 336 hoc tibi aegrest Cas 421 scio quicquid hoc est Cas 643 hoc magnumst Cas 904 estne hoc miserum memoratu? Ci 229 tibi commodumst Ci 486 fuit conducibile Ep 388 plane .. quidemst Ep 409 quid hoc est? Men 191, 638, Poe 1296 *bis*, Ps 246, Tru 770* quid hoc est negoti? Men 522, 997 satin hoc est tibi? Men 615, 655 hoc sic est Mer 268 hocinest amare? Mer 356 (*cf* Walder, p. 30) mihi certissumumst Mer 658 nihil .. hoc quidemst Mi 19, Mo 981 palam fuerit Mi 307 planumst hoc* quidem Mi 406 (*R*) sat erat Mi 755 calidum hoc est Mo 666 quid hoc est conduplicationis? Poe 1297 quid hoc bonist? Ru 415 optu-

mumst Ru 1029   isti usust Ru 1083   est satis
St 95*   postremumst St 314   satis esse .. potis
St 773(*RRg*)   hoc ita si fiat .. Tri 220   dis
dignumst Tri 830   est melle dulci dulcius
Tru 371   adsimilest Tru 563   uolupest Tru 704
mellinae mihi Tru 704*

in mare abit Tru 565(*de argento*)   accurate
agatur Cap 225   agendumst Cap 227, Poe 567
agitur Poe 914   actumst Ps 1078, St 712   nihil .. attinet Ps 14   attinet ad te Ru 962   propere hoc .. decet Mi 220   deferetur Men 133
(*RRsŜ*)   dono datumst St 665   hic dolet Ci
67   unum excruciat Per 32 b   factumst Am
fr XIII   factumst .. abhinc biennium Ba 388
erit factum Mi 1176   consulto .. factumst Poe
788   pariter hoc fit Am 1019   sicine hoc fit?
As 127, Ps 1246   si ita fiat Au 492   merito
.. fit Ba 1132   tuo .. fiet modo Men 250   ideo
fit quia .. Mer 31   propalam fiat Mi 1348   ita
.. fiet Poe 915   fit pol hoc Tru 109   bene hoc
habet Ep 696   hoc habet Mo 715, Ru 1143
catapulta hoc ictumst mihi Cu 394   licet St
448(*R*)   liquet satis Ci 701(*U*)   opsonatumst
Ba 143   optigit Cap 746   mihi optigit mali
Ru 496   peruolgatumst nimis Ps 124   hocine
placet? Am 514   qui potuit fieri Ep 414   hocin
preti redditur? As 128   tua .. refert Ru 966
scriptumst Ba 739   spectatum hoc* mihist St
461   subolet Cas 554   quid hoc hic .. tumet?
Per 312   haud uidetur ueri simile Mo 93
hoc .. in mentem uenerit Tri 1050

hoc, leno, tibi Per 809   neque hoc neque
illuc .. Poe 435   libere .. hoc quidem Ps 1288
*** hoc *** Ci 259 (?)

m. huius: quid huius uerum sit Au 802   nihil .. fore huius quod futurumst Cas 772   haec
atque huius* similia alia Mi 699

n. hoc(*acc.*): hoc animum aduorte Cu 270*,
701*(-ite), Ps 152(-ite), Tri 66, 1046(-ti !)   hoc
agite As 1, Ps 152   hoc age(*cf* Langen, *Beitr.*,
p. 172) Ba 995, Cap 444, Cas 401, Ci 693, 747,
Mi 1114, Per 584, 768*, Poe 761, 1407   egero
Ba 708   ago Ci 692   agas Poe 1197   agamus
Cap 930, 967   agatis Ci 82   agere Ba 47, 76
adporto hoc Mer 161   amiseris Ba 1195   abstuli hoc Men 133(*LULy*)   apparauit Ba 126*
hoc si censes Mer 578   commemini Am 254
commentust Am 979(*U*), Tri 1147   hoc inter
uos componere Cu 701   conspicatus est Am
242   mihi contraxit Cas 551   hoc egomet tu
hoc conuorre St 351   conuorram St 375   credis Tri 607   crederem Per 241*   credere Poe
1264   curabo Ru 779(*LLy in lac*)   dico Cap
643, Mi 1352, Poe 62*, Tri 518   dicis Mi 1400
dices Poe 189   dicetis Mo 96   dicerem Per
240   dic Cas 187*   dicere Cap 853, Mer 282,
Tri 504*   dixisse Tri 556   dici Am 609, 902
datis di Ru 193   da mihi hoc Tri 244   hoc ..
dari! Tru 537   docet Au 412   effexis Cas 708*
ecfecissem Ps 1324   esse effecturum Per 167*
effectum reddam Ps 530   ef. tradam Cu 385
eloquerentur Per 242   exoptare St 296   exorarier Mo 1173*, Poe 380*   facio Ba 812, Per
538*   facis Mer 611(*R*), Tri 662   facit Ps
1310*, Tri 857*   feci Mi 144   faciam Mer
578(*LLy*)   facias As 797   faxit Cap 711   facere Ba 1102, Men 752 (?), Per 42, St 769

scit factum Ep 206*   facturum Ep 419   fieri
Cas 473, Mi 1295   fallo Ci 482   formido Ci
535   gaudet Per 777   habemus Ru 296   habeto Ru 1347   ignosce Mi 568   institi Mer 16
inuenies secus Cap 639   legat As 306*   loquere
Ba 720   loqui Cap 3*, Tri 1136   locutus esse
Am 578   impetrassere Cas 271   mirari Am 594
negas Men 821*   narrabo Tri 1102   narrauit
Cu 349   fecit palam Cap 754   parauissent
Mi 733   patro As 114   persequar Mer 554
petere Am 24   ponam Men 349   praeuorti Ci
781   praeuortar Ps 602   prosperabo Per 263
(*U*)   recipere Mi 229   infectum reddere Mo
1015   renuntiant Ps 420   secus reperies Cap
625   resciuerit Ba 358, Mer 1003, Mo 881
resciuit Ci 195   resciscat Mo 540   responde
Ps 967(*R*)   reticebo Am 397   scis Mi 1023(*L*)
scitis Am 485(*proleptice*), St 591   sciam Tru
554   sciat Mi 309   sine Ru 1311(*LULy*)
spondeo Cu 675(*U*), Tri 1163   taceto Per 246
tenetis Cap 10, Poe 116   uide Per 788, St 270,
Tru 601   ulcisci Mo 1179   uitio uortat Mi
1350*   uolebas Mo 10

fore Au 219   ita esse Cas 115, Ep 713   optumum esse Cas 695(*Rs*)   proxumum esse Ps
1258(*Rg*)   hoc* esse quid dicam nescio Mer
270(*R*)

em ergo hoc tibi As 431   nihil uero hoc*
obnoxiosse! Ep 695(*Rg²Ly*)

hoc longe abibimus Mo 393   decedam Tri
483   destiti Ci 582   *Cf* Egli, I. p. 14

idem hoc (= ad hoc) mittere Am 165

o. hoc(*abl.*): magis hoc certo certius Cap 644
ut .. hoc usus factost Men 753   hoc tuis fortunis praestant meas Tru 372   hoc me aetatis sycophantari pudet Tri 787   nullumst hoc
stolidius saxum Mi 1024   nihil hoc* magis
dulcest Per 764

causale: hoc perieris Mi 297   hoc perimus
Tru 191(*L*)   hoc* .. sistebant cadi Mi 850
hoc .. reperire argentum Per 133   hoc ego
fui .. obsessor fori Ps 807

p. haec: curata sint Am 981   aguntur Am
1098, 1120, Mer 193   imponentur Au 386   intus sint Ba 140(*Rg*)   fiunt Ba 1197(*L*)   madebunt Men 326   nihilo uidentur setius quam
somnia Men 1047   euenere Men 1151   non
sint uera Mer 913   apud hunc senem .. sunt
Mi 1183   communia .. exciderunt Mo 732*
sunt sicut praedico Mo 771   sunt plana Per
183   aberunt Per 559   celata me sunt Ps 490
tibi sunt seruata Ru 1390   haec sunt Tri 183
lacrimas .. eliciunt Tri 290   optuma sunt Tri 392

q. horum, horunc: nihil eueniet Au 348   nihil facere possunt Ci 51, Mer 399(poterit)   quicquam scire Mo 1071   nihil scio Per 161   paenitet St 713

r. haec(*acc.*): ain tu omnia Cu 323   (omnia)
amolirier Mo 371, 391(-mini)   apparauit Ba 126*
appono ad Volcani uiolentiam Men 330   adprobare Am 13   ted arguo Men 940   adseruatote Men 350   adseruare Mi 761*   audiui
Ep 512   audiuerit Cas 575   audiuisse Ep 254
autumaui Tri 324   caueas Tri 287 b   celerate
(-brate) Ps 168   celamus Tru 57   clam esse
Mo 1054*   commeminisse Cu 493   comparato
Poe 211   mihi conciuit Per 784   conclusa

gestem BA 375*　concuret BA 131　conficio
ST 535　eadem confiteri CAP 296　confirmabimus TRI 581　credis POE 490　crederet TRI
115*　credere AU 306*　cura BA 1035, PER 527
curate RU 820　curaturum MEN 548　dico TRI
341*　dicam AM 261, 460(*proleptice*)　dixisti
CI 296　dixi CI 757(*L*), POE 541　dice MI 256
dicere RU 454　dici BA 435, TRI 103　dixisse
AM 963　didici omnia POE 280　dedisti CAS
238　doleo TRI 287a　eloquar MER 797　alia
sum elocutus Ps 696b　elocutus est AS 350
eloquere TRU 839　emo AS 198　expurigare
MI 517*　fabulor MEN 741　fabulu's CI 294
facio Mo 37　facis CAS 920, ST 326b　facit
Ps 1310*　faceremus BA 1209　facis effecta
Ps 224*　facere MEN 940　illi . . ferri MER 751
ferri per urbem omnia MI 1349　fieri POE 842,
ST 448*, TRU 566, 758　gaudent Mo 306　gerunt BA 940*　gestitauit CI 746　habeo omnia
Ps 1187　incessi Ps 1275(*acc. cogn. LLy*)　indicem AS 811　infecta faciant CAS 828　iterarunt AM 211　loquor POE 216　loquar AM
559(*proleptice*), Ps 908　loqui TRU 575　mandauit Mo 25　meditemur MI 944　meministi
PER 183*　memineris MI 1195　memorat Mo
963　memorem POE 920　mentiri MI 1080,
TRU 109*　metuo Ps 1030*　mitto AS 79　moneo uos RU 28*　mussitem TRU 312*　narrauisti AM 767　narrauero Mo 1039*　narrare
AM 748*　obiurgare MER 46, 49(?)　esse oblitum AS 226　opsecro CAP 442　offendam parata Ps 163　iniqua patior RU 710　patior
AS 810　pecco CI 517　pertulere AM 216　reputo TRI 256　scis MI 1023(*Ly*)　scitis EP
377, RU 216a　cetera scibis EP 656　scibit
EP 73　sciuisti PER 798　scire ST 301　spectauit AM 424　tacita auferas AS 816　sustulit
CI 424(?)　ueniisse ST 232　uiderem MER 704
uidisse MI 299

s. his: pro his decem . . minae CU 344*　his*
sic confectis MER 92　iuxta cum his* metuo
ne . . Ps 1030(*R*)

3. hoc *cum genitivo*(*cf* Blomquist, p. 54;
Schaaff, p. 15): aetatis BA 343, 1090, 1100,
TRI 787(*cf* Kane, p. 90; Leo, *Pl. Forsch*,
p. 276)　quid hoc bonist? RU 415　clamoris
AU 403, TRI 1093　copiae BA 422*　conduplicationis POE 1297　diei POE 217　hominis AM
576, 769　mali RU 496　mercimoni Mo 904(*U*)
negoti AS 407, BA 415, 1121, CAP 660, 698, CAS
638, CI 774, MEN 384, 522, 762, 997, MI 956,
POE 1250, TRI 578, TRU 501(*Rs*)　noctis AM
154, 163, 292, 310, CU 1*　oneris MER 672
operis AM 463　praemi MEN 1018　preti AS
128, Mo 879

4. *adverbia* a. hic α. *cum verbo copulativo:*
iam hic ero AM 969, CAS 526, Ps 331, 561(*A*
adero hic *PR*), RU 444, 1224, TRU 208　iam
ego hic ero AU 89*, 104, MEN 225　iam egomet
hic ero ST 47　ego iam hic ero TRI 582(*v. secl*
L)　ego hic ero CAS 167　ego cras hic ero
CAS 786　continuo hic ero EP 424　hic ero
usque MEN 965　hic ero MI 480　hic non ero
RU 1328　iam hic nos erimus MEN 214　triduom hoc hic erimus MEN 376　iam hic erit
CAS 274　iam hic erunt MEN 954　ni hic
foret BA 916

iam faxo hic erunt BA 715　iam faxo hic
erit EP 156, MI 463, PER 439

heus, ecquis hic est? AM 1020, BA 582, MI
1297, Mo 445(hic est aperitin *Sch duce Leone*
ista perit in *PL†Lyt* istas aperit mihi *B²D³*
RU), 899, POE 1118, RU 762　ecquis hic est?
CAP 830(hic est? ecquis *ins Bo om P*), Mo 339
heus, ecquis hic est ianitor? MEN 673

minor (erus) hic est intus AS 329　quis hic
intus alter erat tecum simul? AU 655　quin
(filius) intus hic est CAP 1017　nescio quaest
mulier intus hic in aedibus MER 684　hic est
intus filius apud nos tuos MER 1008　nunc
intus hic* in proxumost MI 301　. . quae hic*
usque fuerit intus MI 406　certo illa quidem
hic* nunc intus est in aedibus MI 483　meas
oportet intus esse hic mulieres RU 568　mulieres duae innocentes intus hic sunt RU 642
mater tua eccam hic intus(-st *LangenRs*) Daedalis RU 1174

. . uti tu et hic sis et domi. #Sum profecto
et hic et illi AM 593-4　egomet sum hic, animus domist AU 181　ubi ego sum? hicine an
apud mortuos? #Neque apud mortuos neque
hic es MER 602-3　sei neque hic neque Acherunti sum, ubi sum? MER 606　ego hic esse et
illic simitu hau potui Mo 792　illic sum atque hic sum TRI 1109　te carens dum hic* fui
(d. te carendum hic fuit *AcRsU*) sustentabam
CAP 925　nec †diu hic fui RU 210　praestigiator es, si quidem hic non es atque ades
CI 297

ubi ea nunc est? #Hic BA 203　ubi east?
#Hic in proxumo CI 752　ubi istaec sunt . .
mulieres? #Hic in fano Veneris RU 564

sunt hic inter se quos nunc credo dicere
CAS 67　. . ut esset hic qui mortuis cenam coquat Ps 796

uxor uocabit huc eam . . ut hic sit secum
CAS 482　praesidem uolo hic . . esse CAS 867
. . hanc hic* unum triduom . . sinas esse CI 104
ego istaec si erit hic* nuntiabo MI 195　dissimulabo, hos . . quasi . . neque esse hic etiamdum sciam MI 992　dic . . hunc hic* esse. #Hic
cum mea erast MI 1089-90　nihil miror si lubenter . . hic eras MI 1326　quasi uxorem sibi
me habebat anno dum hic fuit TRU 393　is
quidem hic apud nos est Strabax TRU 693
amabo hicin tu eras? TRU 719

aequi et iusti hic eritis omnes . arbitri AM
16　erit operae pretium hic* spectantibus AM
151　sola hic mihi nunc uideor AM 640　hic
soli sumus POE 891　ita hic sola solis locis
compotita sum RU 205　hic patera nulla in
cistulast AU 792　hic apud nos nihil est aliud
quaesti furibus AU 83　nihil est hodie hic*
sucophantis quaestus Ps 1197　hic . . apud
nos magna turba ac familiast AU 342　. . ne
quid turbae hic itidem fuat AU 405(*cf Non*
525)　ligna hic* apud nos nulla sunt AU 357
scio fures esse hic* complures AU 718　locus
hic apud nos . . semper liber est BA 82　uesper
hic est BA 1205

hic neque periurus lenost nec meretrix mala
neque miles CAP 57　dixin tibi esse hic sycophantas plurumos MEN 283　ita sunt hic meretrices MEN 377　. . minus hic moechorum

siet M̄ɪ 1436   curiosi sunt hic complures mali
S̄ᴛ 198   lenonum et scortorum hic* plus est
fere Tʀᴜ 64(*RRs*)   .. militem hic* apud me
qui erat Tʀᴜ 596(*RsLLy*)

nominandi istorum tibi erit .. copia hic apud
me Cᴀᴘ 853   unus tibi hic dum propitius sit
Iuppiter Cᴀs 331   tu rus uxorem duces: id
rus hic* erit Cᴀs 485

nemo alienus hic est Cɪ 21   numquis est
hic alius? Tʀɪ 69   .. ne quis nostro hic auceps
sermoni siet M̄ɪ 955   numquis hic est alienus
nostris dictis auceps auribus? S̄ᴛ 102   hic
alia nullast (fidicina) Eᴘ 478   nemo hic* est
Tʀɪ 152(*RRs*)

adulescens quidam hic est adprime nobilis
Cɪ 125(*v. secl WindischmannRgL*)   adulescens
hic est Sicyoni Cɪ 190   quoius modi hic* homines erunt? M̄ᴇɴ 221   est mulier̄intus hic
in aedibus Mᴇʀ 684   se indaudiuisse autumat
(amicam) hic Athenis esse Mᴇʀ 945   hic est
intus filius Mᴇʀ 1008   hic sororem esse indaudiui M̄ɪ 442   Athenis domus est. #At erus
hic* M̄ɪ 451   dicant seruorum praeter me esse
hic* fidelem neminem M̄ɪ 1370   hic* sunt mulieres Mo 680   eius filium esse hic praedicant
Agorastoclem Poᴇ 957   hic mihi antehac hospes Antidamas fuit Poᴇ 955, 1051(*Rgl*)   quantum hic* familiariumst M̄ɪ 278   fuitne hic ..
amicuṣ Charmides Tʀɪ 106

quasi nunc haec sunt hic limaces Cɪ 405(*ex
Varr l. L.* VII. 64)   uestigia hic* si qua sunt
noscitabo Cɪ 682   quid hic? Cɪ 684, M̄ɪ 958
hic concilium(†𝕊) fuit Cɪ 700   est lucrum hic
tibi amplum Eᴘ 302   est hic* praeda nobis
M̄ᴇɴ 441

hic sunt quadraginta minae Eᴘ 646   probae
hic argenti sunt sexaginta minae Pᴇʀ 683
hic sunt quinque argenti lectae numeratae
minae Ps 1149   nummi sexcenti hic erunt
probi numerati Pᴇʀ 437   heic* sunt numerati
aurei trecenti nummi Poᴇ 713   talentum argenti Philippi hic* est Tʀᴜ 952(*Rs*)

hic tibi erit rectius M̄ᴇɴ 382   hic magis est
dulcius S̄ᴛ 704

egone hic me patiar esse(*CaRRsU in lac*)
in matrimonio? M̄ᴇɴ 559   ego hic in insidiis
ero Ps 959   ueteres parsimoniae potius in
maiore honore hic essent Tʀɪ 1029

an mos hic* itast .. ut .. M̄ᴇɴ 723   haec disciplina hic pessumast Mᴇʀ 116   hic fauonius
serenust, istic .. Mᴇʀ 876   hic* uitam audiuit
esse .. perbonam Mo 764(*U*)   sol semper hic*
est Mo 767   nec mihi umbra hic* usquamst
Mo 769   hic* res sunt quietae Mo 932

ubi Artotrogus hic est? M̄ɪ 9   Philocomasium hicine etiam nunc est? #Quom exibam
hic erat M̄ɪ·181   an hic Palaestrast? Rᴜ 351
multi Lesbonici sunt hic Tʀɪ 919

quid hic tibi in Ephesost negoti? M̄ɪ 441
quid uobis est negoti hic? Mo 945

quid .. hic ante aedis clamitatiost? Mo 6
hic quidem neque conuiuarum sonitust Mo 933

boues bini hic sunt in crumina Pᴇʀ 317   tu
hic eris dictatrix nobis Pᴇʀ 770   ne et hic uiris
sint et domi molestiae Poᴇ 35   aurumst profecto hic* .. comicum Poᴇ 597   ero uni potius
intus ero odio quam hic sim uobis omnibus

Poᴇ 922   tune hic* amator audes esse? Poᴇ
1310

ego sim hic siccus Ps 184   mihi opportuna
hic (galea) esset Rᴜ 802   hic odiosu's(*L* ·se es
PS̄† *var em ψ*) Tʀᴜ 619

hic doli, hic fallaciae omnes, hic sunt sycophantiae, hic argentum, hic amica Ps 672-3
hic omnes uoluptates .. sunt Ps 1257   scias hic
factiones atque opes non esse Tʀɪ 497

hic est Veneris fanum Rᴜ 61   hic saxa sunt
Rᴜ 206   est etiam hic ostium aliud posticum
S̄ᴛ 449

labor lenior esset hic mihi eius opera Rᴜ
203   hic uerbum sat est Rᴜ 866   matris nomen hic in securicula quid siet Rᴜ 1163

nihil hercle hic tibist Rᴜ 1414   nihil quicquam hic nunc est uile nisi mores mali Tʀᴜ
33   nec quicquam hic tibi sit qui uitam colas
Tʀɪ 700

est ager sub urbe hic* nobis Tʀɪ 508   et
illic et hic peruorsus es Tʀᴜ 152

β. cum aliis verbis: .. se aulam .. abstrusisse
hic intus in fano Fide Aᴜ 617   te hic* absente
Aᴍ 826   .. ut hic accipias .. aurum Bᴀ 104   hic*
acceptae sumus suauibus modis Cɪ 17   accepi
hic ante aedis cistellam Cɪ 675   hic uolo ante
ostium .. participes bene accipere Pᴇʀ 758   cynice potius in subsellio hic* accipimur quam
in lectis S̄ᴛ 704   hic accumbe Pᴇʀ 792   hic
iam aedibus uitium additur Mo 107   Lycurgus
.. uidetur posse hic* ad nequitiem adducier Bᴀ
112   .. hic administraret ad rem diuinam Eᴘ
418   hic quidem ut adornat (penum) .. Cᴀᴘ
921   in ara hic adsidam sacra Aᴜ 606   adsidite hic in ara Rᴜ 688   hic .. adsidedum
S̄ᴛ 7 b   adside hic S̄ᴛ 92   adsiste (hic *add R*)
ilico Mo 885   adstare Bᴀ 451*, M̄ᴇɴ 331, 332
(foris), 632(ante aedis), Mᴇʀ 468*, 773*, M̄ɪ 1021,
Poᴇ 261*, Rᴜ 314, 585, S̄ᴛ 310, Vɪ 68   adesse
Aᴍ 545, 562, As 398, Aᴜ 274, Bᴀ 47, 100, Cᴜ
207, Eᴘ 257, 272, 273*, Mᴇʀ 455, M̄ɪ 994, 1019,
1258, Mo 383, 1077, Pᴇʀ 89, 91, 161, 446, 530,
595, Poᴇ 253(adsunt *Rgl pro* sunt), 1135, Ps
181*(ante aedis), 393, 561(adero *PR pro* ero),
721, 737(qui hic adest, ecquid *A* hic qui aduenit quid [qui *B*]*P* qui huc adu. quid *BoR*),
1113, 1114(quom hic non adest *om Rg*), Rᴜ 623,
S̄ᴛ 441, 579(*v. secl U*), Tʀᴜ 205, 413*, 428, 474*,
Fʀ I. 6(*ex Festo* 305 *et Acrone ad Hor Epod* I. 5)
senex gynaeceum aedificare uolt hic in suis
Mo 755   aedificare hic* Mo 1028   hic aedificare uolui? Mo 1029   .. quid rerum hic* agitem Cᴀᴘ 376   hic agitat(*GrutRU* nicaditat *P
S̄*†*L*† hic habitat *RsLy*) leno M̄ᴇɴ 75   .. hic
agitare mauis .. uigilias M̄ɪ 216   agitato hic
custodiam Rᴜ 858   hanc fabulam .. hic Iuppiter hodie ipse aget Aᴍ 94   hic nostra agetur
aetas Bᴀ 355   hic quidem .. nihil ages Cᴀs
143   quid tu hic agis? Cᴀs 789   quid agis
hic? Cɪ 545   quod hic agimus .. Cᴜ 159   quid
hic nunc agimus? Eᴘ 157   quid hic agitis?
Eᴘ 345   quid hic uos agitis? Mo 293, Tʀᴜ 896
hic* .. haec agitur .. fabula Poᴇ 551   hic*
quam rem agat Ps 594   Rᴜ 337(hic *ins CaRs*)
quid tu agis hic*? Rᴜ 348   ubi actumst? #Hic
ante ostium Tʀɪ 608   perfidiose numquam quicquam hic agere decretumst mihi Vɪ 61   hic*

fuerat alitus Men *Arg* 7 .. qui ambissent palmam (hic sine *add U* his *Ly*) histrionibus ..
Am 69   quis hic ansatus ambulat? Per 308
cistellam .. ego hic amisi Ci 709   amare ualide coepi hic* meretricem Mer 42   iam serui
hic amant? Per 25   is hic amatur apud uos
Tru 235   amoui mi hic omnia Tru 710(*Ly*
moui mihi *PS*†) hic .. iussi prandium appararier Men 1137   adpone hic sitellam Cas 363
appone hic mensulam Mo 308   hic apponite
Tru 477   uidulum hic apponite Vi 96   animum
attinere hic tuom Mi 1327(*v. secl LorenzRg*)
quem ego hic audiui? Mi 1012   quid hoc hic
clamoris audio ante aedis? Tri 1093   te carendum hic fuit Cap 925(*AcRsU*)   hic apud
nos hodie cenes Mo 1129   hodie hic cenares
Per 710   hic hodie cenato Ru 1417   uos hic
hodie cenatote Ru 1423(*v. secl WeiseRsSU*)
hic apud me cenant alieni St 487   hicine hodie cenas? Tru 359   ubi cenabis? #Hic Tru
361   argumentum hoc hic censebitur Poe 56
cur hic cessat cantharus? St 705   quid ego
hic clamo? Tru 766   hic .. intus apud nos tua
ancilla .. exordiri coepit Cas 650   conlapsus
est hic in corruptelam suam Tru 671   hic* ..
colere mores .. postulas Cas 963   hic quidem
homines .. breuem uitam colunt Ps 822   Ru 283
(*Rs*)   hic istam colloca cruminam in collo As
657   hasce .. hic in ara .. comburam Ru 768
coepit captiuos commercari hic Cap 27   hic commercaris ciuis Per 749   uideor .. commeruisse
hic . aliquid mali Ep 62   mendacium .. hic ..
commentus fui Ps 689   ego hic nomen meum
commutem Am 305   hic compressit uirginem
Ci 158   u. h. compresserat Ci 178   quid ego
hic .. concesso? As 290   iam ego te hic .. conficiam Tru 626   hic apud me hortum confodere iussi Au 244   hic apud nos .. confregisti
tesseram Ci 503   hic eius rem confregit filius
Tri 108   quinam homo hic ante aedes .. conqueritur? Au 727   in tabellis (latrones) consignaui hic* heri Mi 73   nullam pictam conspicio hic auem Mo 839   nec prope usquam
hic quidem cultum agrum conspicor Ru 214
haud conuenit etiam hic dum Phronesium Tru
321   .. quem ego iam hic* conuincam palam
Am 779   sinas nos coquere hic cenam Au 431,
435(prohibes)   pater .. intus hic* .. cubat Am
112   illa hic* cubabit Cas 484   anus hic solet
cubare Cu 76   tu hic* cunctas Cas 792   ego
hic curabo Ba 227   prandium .. hic curatumst
Men 367   hic rem curatam offendet suam Mo 26
hic fac sit cena ut curetur Ru 1215   amicos
meos curabo hic St 682   quid debetur hic tibi
nostrae domi? Tru 261   hicine istud decet?
Ci 20   hic defodit hospitem ibidem in aedibus
Mo 482   tibicen uos .. hic delectauerit Ps 573
hic .. apud me numquam delinges salem Cu 562
iam hic deludetur Am 998, 1005   thensaurum
demonstrauit mihi in hisce aedibus hic in conclaui Tri 151   me .. hic demoratum tam diu
Ru 447   .. erum meum hic in pacato oppido
.. deripier .. Men 1005   duo destituit signa
hic* Ru 823   hic .. me detinet negotium Per
505   in proxumo hic deuortitur Mi 134   apud
te eos hic deuortier dicam Mi 240   hic nunc
licet dicere Cas 196   dicere hic quiduis licet

Cas 794, Per 711, Poe 437, Tru 884   hic inter
nos (dicere) liceat Poe 440   hic . certum nihil
dico tibi Ru 1092   hic* .. non quit dicere Tri
504   te hic differam ante aedis Au 446   te
.. hic formicae .. differant Cu 576   hic disperii
Tri 1089   .. dispertirem obsonium hic bifariam
Au 282   hic tua res distrahitur tibi Tri 617
hic* hodie .. non diuides Au 283(*Rg*)   quas
ego hic turbas dabo! Ba 357   de paulo paululum hic* tibi dabo Cu 123   argentum dedi ..
hic ante ostium Ps 1202   me decet hic* donari
cado uini Poe 258   hic uos dormitis .. domi
As 429   duxit uxorem hic sibi Ci 177   neque
ille hic* calidum exbibit in prandium Mi 832
nec multo plus tu hic edes Cap 854   haud
intermissum hic esse et bibi Mo 959   numquam .. hodie hic prius edes Per 140   hic
elaui bonis As 135   .. in mari quod elaui ni
hic in terra iterum eluam Ru 579   efflictentur homines .. hic in uia St 606   hic me
Antidama .. emit Poe 1058   .. me amando
hic* enices Mer 312(*R*)   .. ne hic nos enecet
Mo 652   hic quidem .. extra portam trigeminam ad saccum ilicet Cap 88   hic* ilico errat
Ba 4(*Rg*)   cistella hic* mihi .. euolauit Ci 731
exhibebit hic mihi negotium Ru 556   aurum
hic exigit Ba 223   tempore exoritur suo hic
atque in caelo Ru 5   hic med intus expleui
probe Cu 386   hic* nos extinxit fames Tru
524   iam ego te hic .. exurgebo Ru 1008   hoc
(ueru) hic ante ostium extergere Ru 1299   faenus illic, faenus hic .. (fabulatur) Mo 605   .. Iouem et Mercurium facere hic* histrioniam Am
152   loquar haec uti facta sunt hic* Am 559
arguet quae ego fecero hic Am 1003   uerba
hic facio Au 369   hunc . faciam hic arietem Ba
241   .. ne clamorem hic facias Ba 874   .. haec
hic* facta Ba 908   ego hic officium meum facio Cu 280   hic* si quid ego stulte fecero
Men 439(*R*)   auctionem hic faciam Men 1153
ludos .. hic* seni faciam Mo 427   rem diuinam
facitis hic Ru 343*, 347   moechi hic* (facere)
hau ferme solent Poe 862   iniuria hic factast
Ru 643   iniuria facta .. est modo hic intus
Ru 670   legirupionem hic .. facere postulas
Ru 709   ignem magnum hic faciam Ru 767
hic quidem genium meliorem tuom non facies
St 622   hic pluris pauciorum gratiam faciunt
Tri 34   iam ego te hic agnum faciam Tru
614   neque hic operis quicquam facio Tru
915   quid hic* fastidis? St 716   hoc quod
fero hic* in rete Ru 914   fixus hic apud nos
est animus tuos As 156   itidem hic apud nos
(fit) As 220   haec hic quae futura fabulor Ba
510   aio id fieri .. hic in nostra terra Cas 72
hic intus fiunt ludi Cas 761   dixin ego istaec
heic* solere fieri? Men 375   hic monstra fiunt
Mo 505   quod solet fieri hic intus .. Mo 722
haec .. hic uideo fieri Poe 842   quod .. hic
tecum filius negoti gessit Mo 1016   mecum
ut ille hic gesserit? Mo 1017   hic uos conclusos gero Ru 1144   quod tu hic .. negoti
gesseris Tru 383   sicine hic* cum uuida ueste
grassabimur? Ru 251   hic seruos quoque partes habet Am 62   has habebo usque hic* in
petaso pinnulas Am 143   is uti tu me hic habueris proinde illum illic curauerit Cap 314   an

me hic parum exercitum hisce habent? Per 856   ego hic* hospitium habeo Poe 1042   hic autem habuisti Aetolum patrem? Poe 1057 in seruitute hic filias habuit tuas Poe 1334, 1383   hic .. uirginales liberos .. sublectos habebis? Ru 748   uolo habere aratiunculam .. hic* apud uos Tru 148   solus summam habet hic apud nos Tru 727   .. huius qui nunc hic habet Au 5   ego hic habeo(A habito PU) Cas 749   haec sunt aedes: hic habet Tri 390   haec meretrix .. hic habet Tru 77   adulescens qui hic habet Tru 246   hic .. habito ego Am 356 is .. hic nunc habitat Au 21   ubi ea mulier habitat? #Hic Ba 472   senex qui hic habitat Cap 4*, 96   senex hic maritus habitat Cas 35 Cas 749(PU vide supra)   habitat hic in proxumo Ci 100   hicine tu .. habitas? Ci 746   (leno) hic habitat Cu 33, 44   senex hic* ubi habitat Ep 438   hic* habitat leno Men 75(RsLy)   hic habito Mo 498   nemo hic habitat Mo 949 non hic Philolaches .. habitat hisce in aedibus? Mo 950   scio hic habitare. #Sex mensis iam hic nemo habitat Mo 954   Philolaches hic habitat Mo 970   hic habitabit Poe 1084   leno hic habitat(habet SeyRgl) Poe 1093   Ballio leno ubi hic habitat? Ps 599   ubi tu hic habitas? Ru 1034   non homines habitare mecum mihi hic* uidentur sed sues St 64   hicine nos habitare censes? Tri 1079   ubi .. habitat? #Hic in hoc posticulo Tri 1085   hic habitat mulier Tru 12   hic ego habito Tru 955   ubi habitas? #Hic apud .. Gorginem Vi 54   hicine uos habitatis? #Hisce in aedibus Vi 58   cistella hic iacet Ci 655, 684   .. homini hic ignoto Men 495   mihi hic immolas bouem As 713 hic* .. incubat in .. fano Cu 61(LLy)   hocine hic pacto potest inhibere imperium magister? Ba 447   illic hic nos insectabit Cap 593   magnas res hic .. instruere Ru 936   pateram hic inesse oportet Am 783   uiginti minae hic insunt in crumina As 653   hic inerunt uiginti minae As 734   hic crepundia insunt Ci 635 quantum hic inest? Ep 346   argentum hic inest Per 321   Ru 1130(hic ins Rs)   quicquid hic* inest Ru 924(secl FlLU)   aurum hic ego inesse reor Ru 925   in proscaenio hic Iouem inuocarunt Am 91   eadem hic iterum iterem Poe 921   quid hic* lates? Mo 5(R)   Fr I 19(hic ins RRg)   hic* tibicinam liberauit Mo 971 amorem te hic relicturum putas? Mer 654 non enim hic (locere) Ci 562   hic nescioquis loquitur Am 331   hic ante ostium .. loquar As 151   ego tecum hic loquerer Au 134   quis homo hic loquitur? Au 731   uocem hic loquentis .. audire Au 411   hic prope me .. mihi nescioquis loqui uisust Ba 1104   quis hic loquitur? Cap 133, Ps 445, Ru 230(prope), 333 prope me hic nescioquis loquitur Per 99, Ru 97   quisnam hic loquitur tam prope nos? St 330   ludificas nunc tu me heic* Mer 307   hic .. meam ludificauisti hospitam ante aedis Mi 494   rem aibat mandasse hic suam Tri 956 .. si hic maneres As 592   quin tu hic manes? As 597   hic manere me .. sese iusserat Au 680   hic me mane Men 1038   hic manebo Mo 582   hic* .. aliquot ut maneas dies Poe 1421   manere hic sese malint St 80   mecum

.. uolo hic meditari Am 202   haec hic uera memorat Mo 963   hic liberas uirgines mercatur Per 845   qur ego hic* mirer? Per 620 inmodestis hic* te modereris moribus Cu 200 ego hic te iubeo mulcari male Tri 984   hic* natus est Mo 92   hospes hic* me necauit Mo 501   nolo istaec hic nunc Mi 31   quis hic* nominat me? Mo 784   tu hic nouisti Agorastoclem? Poe 1044   quoiuismodi hic .. nubitur Per 386   quid hic nugamini? Mo 584   hic exspectando obdurui Tru 916   hic .. turba .. se obiecit Ci 699   ego illum .. hic oblectabo As 370   .. obsequi hic* animo meo Poe 176 (MueRgl)   hic obseruabo Mi 328(Rg)   mihi hic* obstiterit Cap 791(BriU)   hic obsistam Mi 333 Mi 353(RU)   hic* .. occidimus Mo 783(HermR) hic animus occupatust As 537   hic occupatos occupes Ru 109   tu hic quidem occupabis omnis quaestus Ru 989   .. illam hic offendat Mer 587   pater iam hic me offendet Mo 378 ego te hic hac offatim offigam Tru 613   unde hic .. unguenta olent? Cas 236   ego me iusseram hic opperiri Au 698   hic opperiar Au 805   Mer 330(hic RRg pro eccum)   hic te opperiar Mi 303   ego hic .. te opperiar foris Mo 683   hic opperiar erum Ru 328   tu hic opperire Ru 1351   ego .. hic* apud nos opperibor Tru 209   Strabacem hic opperiar Tru 692 .. hic me opprimat Mo 511   .. nosque hic opprimat Ru 456   .. hic quasi haedi obuagiant Poe 31   hic .. aliena oppugnant bona Per 74 quid hic in Veneris fano meae uiciniae clamoris oritur? Ru 613   hic peperit filiam Ci 163   ego paraui hic intus magnas machinas Mi 138   St 445(hic R pro res)   huncine hic* hominem pati colere iuuentutem! Ps 202   prandium .. percoquat apud te hic Mer 580   ego hic peribo Cap 683   quid ego hic .. pereo? Mer 218   nemo homo hic* solet perire apud nos Tru 300   persectari hic(P perscrutari hoc BoRRg †§) uolo Mi 430   perpotasse .. (hic add R)   Mo 976   Am 46(qui hic placet ins RgL) hic pone .. cruminam As 657   .. meam uitam hic pro te positam pignori Cap 433   ponite hic quae adsolent Per 759 a   hic litem apisci postulant peiurio Ru 17   ain tu meum uirum hic potare? As 851   Au 569(Rg)   Ba 756 (R)   erus hic .. potat Mo 946(bis)   numquam hic .. desitumst potarier Mo 958   potare solitum .. hic* Mo 965   hic quidem potant Per 788 hic bene potus Fr I. 107(ex Varr l. L. VII. 77) hic apud me hospitium tibi praebebitur Poe 1053   hic ego tibi praesidebo Mo 1096   ego interim hic .. praesidebo Tru 715 (?)   nos hasce hic praestolabimur Tru 1173   hic* primum praeuorti decet Mi 765(Ly)   (hic add U) .. prandeat Am 968   si posthac prehendero ego te hic* .. Mi 1426   numquid processit ad forum (hic add RRs)? Mo 999   quasi pro puerpera hic procuras Tru 414   hic apud uos proloquar Cap 6   .. ne amicam hic meam prostituat Ps 231   ego hic te .. pedibus proteram Tru 268 ecquem uidisti quaerere(tollere VallaRsU) hic? Ci 708   quis hic me quaerit? Men 675   Poe 1009(hic ins GepRgl)   hominem ego hic quaero malum Ps 974   .. quis hic quaerat malum Ru 16   Lesbonicum hic* adulescentem quaero Tri

873 non ego te hic lubens relinquo Am 531 grauidam ego illanc hic reliqui Am 668 me .. pro ted hic reliqueris.. Cap 435 hic relinquet.. med Ba 356 Ba 496(hic *R pro* si) ..seruom quem hic reliqueram pignus Cap 938 palliolum .. hic intus reliqui Cas 934 animus hanc .. hic reliquerat Mi 1346 miles hic reliquit symbolum Ps 55 hic quoque exemplum reliquit eius Ps 651 reliqui hic filium Tri 1075 (amicam) grauidam hic* reliqui Tru 498 illa .. quae me hic reliquit Tru 513 .. thensaurum ut hic reperiret Au 26 reperiet .. hic filias Poe 121 meas .. hic ut gnatas .. reperire me siritis Poe 952 uestigium hic requiro Ci 724 meamne hic* .. ut retineat mulierem Ba 842 multam hic retinebo St 727 risi te hodie multum .. hic St 244 (hic *ins BriRg*) sacruficem Ps 327 hic sunt scriptae litterae Ba 941 hic ratio accepti scribitur Tru 749 sedete hic Ru 691 hic, odiose, sedes Tru 619(*Ly*) hic apud te seruio Cap 312 hic seruio Per 641 fratrem seruire audiui hic meum Per 695 hic* priuatim seruaretur rectius Ba 314 ut uos hic, itidem illic .. meus seruatur filius Cap 261 hanc .. sinas .. hic seruare apud me Ci 105 hic* .. sonat Ps 702 (*R*) hic mare sonat Ru 206a quoianam uox mihi prope hic sonat? Ru 229 quoia hic* uox prope me sonat? Tri 45 quid hic* speculare? Cas 791 tu hic ante aedis interim speculare Mi 1121 statuite hic lectulos Per 759a hic statui uolo.. Per 759b statuit hic solarium Fr I. 22 (*ex Gell* III. 3, 5) uidetis stare hic captiuos Cap 1 hic stetit Ci 700 .. te hic stare foris Men 362 Men 869(hic *ins BoU*) quid hic nunc stas? Mi 1087 statur hic ad hunc modum Ps 457 quid haec hic .. ante aedis stetit? Tru 335 scio .. med hic stare Vi 66 subripui Au 822(*L*) uolo hic in fano supplicare Cu 527 tu hunc interea hic tene As 379 hic in fano Veneris signum.. tenent Ru 560 hic.. tinnire temperent Poe 33 meamne hic in uia hospitam .. tractatam et ludificatam! Mi 488 quid hoc hic* in collo tibi tumet? Per 312 quae facta hic turbauimus Mo 416 dicito .. me hic ualere Cap 391, 401 metuo.. ne.. hic uapulem Am 334 .. ego hic hodie uapularim Mi 1415 umbra mea hic* intus uapulat Per 298 ..(serui) hic uarientur uirgis Poe 26 ero eum hic uendidit Poe 903 quibus hic pretiis porci ueneunt? Men 289 tu hodie hic uerberato's Mi 1412 te uidi .. hic* in aedibus Am 700 tu me heri hic uidisti? Am 725 dixit .. uidisse hic filium Ep 408 Men 463(hic *R pro* ego) hic meretricis .. uideas ualgis sauiis Mi 93 hic .. uideo illam amicam Mi 121 .. se hic uidit Mi 187 .. centiens hic uisa sit Mi 188 illam hic uidit osculantem Mi 199 quae hic sunt uisa Mi 227 eam uidisse hic .. osculari Mi 243 (*om B¹*), 264(in proxumo) uidisse hic proxumae uiciniae Philocomasium Mi 273 eam me uidisse osculantem hic intus Mi 338 me uidisse in proxumo hic .. osculantem Mi 366 ego te hic* intus uidi Mi 379 quemque hic intus uidero.. osculantem Mi 460 eam .. osculantem hic* uideras Mi 474 hic non uidebit mulierem Mi 527

uidi hic sororem esse eius Mi 1105 uideor uidisse hic .. persimilem tui Per 698 quem hic* uideo? Ps 592(*R*) ecquem tu hic hominem .. uideris..: hic dico in fanum Veneris qui .. adduxit Ru 125-8 uiuere hic non possum Men 781 facite hic lege .. liceat .. uiuere Ru 621 .. hic non uisitatus saepe sit Ps 727 ignota facie quae hic* non uisitata sit Tri 767(*RRsL*) uocat me hic intra praesepis Ru 1038 hic* nunc uolo scire Tru 779 uorsari crebro hic .. uiderent me domi Am 128 fortuna nunc (hic *add Rs*) anetina uterer Ru 533 .. te hic fide lenonia uti Ru 1386 eccum hic captiuom adulescentem Cap 169

γ. varia: nescioquid male factum a nostra hic* familiast Mi 166 uendit eum domino hic diuiti Poe 73 signum in fano hic intus Veneris Ru 689

quid hic? Ci 684 hic intus eccas Bacchidas Ba 568 qui hic *** Cas 990

δ. additur alter terminus: **ante:** aedis Au 446, 727, Ci 675, Men 632, Mi 494, 1121, Tru 335 ostium As 151, Per 758a, Ps 1202, Ru 1299 **apud:** me Au 244, Cap 853, Ci 105, Cu 562, Poe 1053, St 487 nos As 156, 220, Au 83, 342, 357, Ba 82, Cas 650, Ci 503, Mer 1008, Mo 1129, Tru 235, 300, 693, 727 te Cap 312, Mer 580, Mi 240 uos Cap 6, Tru 148, 209 hospitem Mi 134 piscatorem Vi 54 **in:** aedibus Am 700, Mer 684, Mi 483, Mo 482, 950 ara Au 606, Ru 688, 768 cistula Am 792 collo As 657 conclaui Tri 151 crumina As 653 Epheso Mi 441 fano Au 617, Cu 61(*LLy*), 527, Ru 560, 564, 613, 643, 689 lecto Tru 916 oppido Men 1005 petaso Am 143(*RglLy*) posticulo Tri 1085 proscaenio Am 91 proxumo Ci 100, 752, Mi 134, 264, 301 rete Ru 913 securicula Ru 1163 terra Cas 72, Ru 579 suis Mo 755 uia Men 1006, Mi 488, St 606 intra praesepis Ru 1038 prope me Ru 97, Tri 45 *locatiui:* Athenis Mer 945 Sicyoni Ci 190 domi Am 128, As 429, Tru 261 meae uiciniae Ru 613 proxumae uiciniae Mi 273 *adverbia:* foris Men 332, 362, Mo 683 ibidem Mo 482 intus Am 112, As 329, Au 617, 655, Ba 568, Cap 169, Cas 650, 761, 934, Cu 386, Mer 684, 1008, Mi 138, 338, 379, 460, 483, Mo 722, Per 298, Ru 568, 642, 670, 689, 1174 prope Ru 229, 230, 623 usquam Mo 769

b. huc: *α. cum verbis:* meretrix .. huc ad prandium me abduxit Men 1140 huc intro abi ad nos Au 334 Cas 744(huc si *U pro* hisce) illic hinc abiit intro huc Per 200 abeo huc* in ueneris fanum Ru 586 huc .. abiit intro Tri 7 abi huc ad meam sororem ad Calliclem Tri 577 ego hinc abscessero aps te huc Mi 200 huc aliquantum abscessero Tri 625 neque ego hunc(*E³* huc *PL*) hominem huc(*add Stu RglLy*) hodie ad aedis has sinam .. accedere Am 264 huc* accesserit Am 1001 si ad ianuam huc accesseris .. Au 442 accede huc tu Ba 834, Cas 965(*om* tu), Cu 623(*om* tu), 627, 702 (*om* tu), Men 433(*om* tu), Ru 785(*om* tu), 1148 (*om* tu), 1332(-dum), Tru 620*(om* tu) accedam huc* Mo 689 iubedum ea huc* accedat ad me Per 605 accedam huc ad fores Ru 480 nostra huc amica accedat St 711 eodem pacto

quo huc accessi apscessero Tri 710   ego illum
. . huc* acciebo Mi 935   huc* accurrimus ad
Alcesimarchum Ci 710   adduco . . huc ab naui
Naucratem Am 849   ego huc ab naui mecum
adducam Naucratem Am 854   huc adducis . .
Naucratem Am 918   uidi huc* ipsum adducere
trapezitam As 438   huc cras adducam ad lenam As 915   quod amas iam huc adducam
Cu 138   ego illum . . adducam huc* ad te Ep
294   fidicinam . . huc adduxit Ep 413   eam
huc . . adducas Mi 791   illam huc* adducam
Mi 1085   gnatam tecum huc . . adducis Per
142   (mulierem) huc . . adduce Per 439   Ps
389(add R solus)   huc* meam legiones adducam Ps 586   te adducturam huc dixeras eumpse
Tru 133   huc adducito Vi 58   huc ad me
adire ausum! Au 746   Mer 129(R)   adi huc
modo Tru 620   sine eumpse adire huc Tru
890   huc aures . . sunt adhibendae mihi Cas
475   huc adhibete auris Ps 153   quis hasce
huc ouis adegit? Ba 1121   hos huc adigit
lucrificas Ps 1131   huc* ades Men 643(R)   in
portum huc . . sum aduectus Mer 388   . . unde
huc aduecta sum Mer 511   huc . . mulierem
in Ephesum aduehit Mi 113   huc Cyrenas
leno aduexit uirginem Ru 41   . . unde aduectae huc* sumus Ru 267   huc* cum lanterna
aduenit Am 149   huc aduenio Am 368   aduenientem Am 714(Rgl)   ain heri nos aduenisse huc Am 799   miles . . huc adueniat Ba
76   iam huc adueniet miles Ba 222   saluom
†te gaudeo huc* aduenisse Ep 128   . . quem
huc* aduenientem conspicor Ep 435   numero
huc aduenis ad prandium Men 287   . . patrem
meum qui huc aduenit Men 747   . . huc* sororem . . dicam Athenis aduenisse Mi 238   huc
Athenis cum hospite aduenit Mi 489   . . huc
adueniat Philolaches Mo 249   . . ubi huc aduenerit Mo 1069   huc cum tunicis aduenit Poe
975   huc aduenisti Poe 1033, 1138*   Ps 737(R)
. . ne ille huc Harpax aduenat Ps 1030   adulescens huc iam adueniet Ru 80   cum ero huc
aduenerit Ru 818   alia huc causa ad te adueni Tri 97   Tri 989(ReizRRs) dixit . . peregre
huc aduenisse Charmidem Tri 1121   aduenisti
huc Tru 270   Tiresiam . . huc aduocabo Am
1128(Rgl)   huc* aduocauisti Mer 736   huc*
animum aduortite Mi 766   huc* adfecta uiam
Ru 418(U)   huc me adfero Am 989   argentum
. . hospes huc affert As 361   huc argenti adfert
uiginti minas As 532   huc* attulistis Ba 315
Cap 862(U)   id tibi iam huc adferam Men
1037   huc nullum (manum) attuli Per 226
hasce (tabellas) huc* attulit Per 529   huc adferret . . symbolum Ps 57   omne huc penus
adfertur Ps 228   argentum adferret . . huc ad
nos Ps 650   Ps 706(Rg)   huc ad me argentum
attulit Ps 1091   epistulam . . huc ad me attulit Ps 1209   Ru 798(U)   unde nos hostias
agere uoluisti huc*? Ru 273   quin . . mecum
huc intro ambulas? Mer 942   ambulatumst
huc quidem . . ad te bene Tru 369   huc . . aduentum adporto Am 865   thensaurum huc*
mihi adportauisti mali Mer 163   Tyndarum
huc arcessite Cap 950   . . arcessere huc* ad
me uicinam Cas 532(LLy)   miror huc iam
non arcessi in proxumum uxorem Cas 539   ego

eum adeo arcessi huc ad me . . uolo Ru 1199
Gelasimum huc* arcessito St 150   domo dudum
huc arcessita sum St 676   huc me aspecta
Mo 1026a   age me huc aspice Am 750   age
aspice huc Am 778   huc fac adsis Am 976   Ep
273(Rg¹)   Per 654(R)   inde huc* aufugit Poe
665   huc abs te auorti Mi 1074   quo nunc
capessis ted hinc? ‡Huc. ‡Quid, huc? Ba 114
huc seruos cito Men 844   huc commigrauit
Ci 177   leno . . Megaribus huc . . commigrauit
Per 138   huc commigrauit in Calydonem Poe
94   is . . huc commigrauit Tri 1084   huc* ego
ad ianuam concessero Au 666   huc concedam
Ba 610, Ep 103*, Ps 414   concede huc Cap 215,
Men 822*, Mi 985*, Mo 575*   nos concedamus
huc Cap 213a   concedam huc Cas 434*   concede huc a foribus . . etiam concede huc* Men
158   huc* concedamus Men 570   concede huc
. . ab istoc Men 835   huc* concede Men 1086,
Tri 517   concedam a foribus huc Mo 429
huc concessero Mo 687, Tri 1007   huc . .
conciliari potest Cap 131   huc opes . . condidi Ru 1145 . opera huc conductast uostra Au
455   Au 457(MueRg)   . . conducere . . fidicinam
sibi huc* domum Ep 315   . . ne illi huc* confugere possint Mo 1095(translate)   confugiam
huc* Ru 457   conicite sortis . . huc Cas 386
cursum huc* contendit suom Ci 534   . . ut mihi
munera multa huc ab amatoribus conueniant
Ps 177   currit huc Leonida As 265   intro huc
. . propero currere Au 393   currite huc in Veneris fanum Ru 622   e portu nauis huc nos
. . detulit Am 701   Philippos . . deferret huc
ad lenonem Poe 559   . . sit delatum huc mihi
frumentum Ps 190   urnam . . huc ad me detulit
Ru 482   Tru 655(GepRsLy)   huc bona mea
degessi Tru 113   mihi . . huc* culleis oleum
deportauit erit Ps 212   huc despexi in proxumum Mi 287   hucine detrusti me ad senem?
Au 335   huc* deturbatote in uiam Mi 161
eum . . huc deuexit Poe 903   nemo . . huc* deuortitur Men 264   huc in proxumum mihi deuortisse uisi Mi 385   ego deuortor . . huc in
tabernam tertiam Ps 658   huc* dimidium (dari)
dicis, dimidium domum Au 293   da mihi huc
stactam Tru 476   huc* intro duce Au 452   Men
Arg 7(R)   nos te . . huc duxisse oportuit Poe
526   educunt huc nouam nuptam foras Cas
798   sitellam huc tecum efferto Cas 296
ecfer mihi machaeram huc intus Mi 459   machaeram huc ecfer Mi 463   ecferte huc intus
omnia Mi 1338   argentum ecfer huc Per
667b   ecferte huc scopas St 347   ecquis
huc effert nassiternam? St 352   huc* egreditur Cas 536(R)   inde huc sum egressus
Men 401   Mi 1010(R)   ipsae huc* egrediuntur Ru 663   Tru 858(v. totum ins L)
illic huc iturust Am 263   huc* eo Am 347   ne
quis se uideret huc ire As 743   ite huc* ad
nos Au 330   . . qui huc* it Ba 107(v. secl RRg
SLU)   ibo . . huc ad eum Ba 529   sine me . . ire
huc intro ad filium Ba 906   huc* eunt Ba 1123
(Rg)   huc* . . eo quaestum ad uicinam Cas 161
hinc huc iit Ci 702   propera ire intro huc* ad
adfinem tuom Ci 779   eamus intro huc ad te Ep
157   Ep 394(add Rg¹)   Men 96(Rs)   . . te huc . .
intro ituram Mi 454   Mi 1168(add R)   Mo 321

(iri huc *L in lac*) Mo 335 (*R*) huc intro ibo Per 77 huc*..haud ibis intro Ps 654 i..in Veneris fanum huc intro Ru 386 i huc* Ru 709 (*Rs*) huc quid intro ierit.. Tri 10 ibo huc Tri 600 euocate huc Sosiam Am 949 gubernatorem a naui huc euoca Am 967 Sauream ..euocato huc As 383 quid dubitamus..huc euocare ambos foras? Ba 1117 uin..Chalinum huc euocem..foras? Cas 272 uxorem huc euoca ante aedis Cas 295 illunc huc* euoca Mi 1248 Mo 675(*RRs*) huc foras te euocaui Poe 257 ..euocemus huc foras Agorastoclem Poe 707 huc..ante aedis euocem Poe 920 Ps 1121 (*Rg*) uin amicam huc euocemus? St 736 huc* mihi..euolauit Ci 731 me..huc foras excitauit Ru 259 eximus intus..huc in uiam Cas 856 illi huc ad uos exeant Ci 782 foras exite huc aliquis Ep 399 aliquis actutum huc* foras exite Mer 910 Mi 376(*PLy*) iube eampse exire huc ad nos Mi 1069 iube..illam exire huc Mi 1093 Mi 1136 (*U*) Mi 1196(*RLULy*) Mo 900(huc exit *ins PR*) ..ne huc exeat Mo 903 inde huc exii Ps 1282 iussi..exire huc seruom eius Ru 1200 huc*..exissem..foras St 743 haec huc..exsiluit Cas 630 exsuscitate..huc custodem Cu 91 huc in hanc urbem pedem ..intro tetulit Men 380 huc intro tetuli pedem Men 580 huc..pedem intro non feres Men 692 Per 248(*Rs*) fer huc uerbenam intus Tru 480 huc* (pompa) fertur Tru 550(*Rs*) fuge huc Mo 461 fugito huc ad me Tru 880 possumus nos hosce intro inlicere huc* Ba 1151 incedit huc Cap 997 huc incedit Mo 310 sodalem uideo huc* incedere Mo 1120 huc..incedunt Poe 619 uideo huc Simonem..incedere Ps 410 huc ad nos incedit Tri 1151 huc inde (argentum) Ep 632 inde huc aquam St 761 animus rursus te huc inducet Mer 1001 pedem huc intuli..in aedis Am 733 non licet huc* inicere ungulas Ps 643 pallium inice in me huc Tru 479 huc si quis intercedat.. Mo 1106 ad med huc inuisam domum Mer 555 a, 555 b (huc intro ad me) pater huc me misit ad uos Am 20 me huc erus misit Am 405 simulauit..mittere huc..coquos Au 463 huc misit me Au 605 ex Epheso huc ad Pistoclerum..litteras misi Ba 389 huc missa sum Cas 681 ego huc* missa sum ludere Cas 688 huc..nemo intro mittit Men 964 huc ad te missast Mi 1033 missus huc* sum Ps 639 huc sum missa Ru 430 eum.. huc ad adulescentem..mittam Tri 817 seruolum huc mittam meum Tru 428 quid tu huc* occursas? Tru 282 neque huc..intra portam penetraui pedem Men 399 ex Sicyone huc peruenisti Ps 1174 ab naui.. huc..praecucurristi Am 795 huc praecucurri Mer 223 ego huc citus praecucurri St 391 ego huc processi Am 117 quid processerim huc..As 6 procede huc* Mi 828 ..quos ante aedis iussi huc produci foras Cap 252 neque credet huc profectum Am 469 iube ..huc* prodire filiam ante aedis Ep 568 ex urbe ad mare huc prodimus Ru 295 huc producis fidicenam Ep 479 huc*..progreditur intus Mo 686(*R*) amor..me huc

prolicit Cu 97 huc item properes.. Mer 874 proripite hominem..huc Ru 660 si non rebitas huc, ut..dem Cap 380(-tas, huic *LomanRg*) si ille huc rebitet.. Cap 696 huc rebitet Cap 747 huc* recedam Mi 357(*R*) recipias te domum huc ex hostibus Am 684 reciperet se huc..ad praesepem Cu 228 recipe te ad terram..huc* Mer 878 recipe te huc rursum Ru 1223 huc recepit ad se.. sacerdos Ru 349 quam mox te huc* recipis? Tru 208 huc* reconciliasso in libertatem filium Cap 576 iam ego recurro huc As 379 quid ego huc recursem? Mo 581 actutum huc redi Am 969 rediit huc As 395(*add Rgl*) redito huc* As 685 ille huc redierit Cap 339 si ille huc non redeat.. Cap 353 redibo huc ad senem ad cenam Cap 497 redi modo huc intro Cas 998 nisi huc* redit.. Mo 80 facite huc ut redeat Mo 78 redito huc* Mo 579 ..huc umquam erus redierit Per 787 huc redito Ru 858 ..dum ego huc* redeo Ru 879 hunc ex Alide huc* reducimus Cap 1014 is argentum huc remisit As 336 eum..remittat..huc Cap 397 huc remisit nuper ad me epistulam Tru 397 iam ego huc reuenero Ba 1066 huc..reueniam Cap 447 iam huc* reuenero Mi 863 ..si huc reueniat senex Mo 57 si ille huc saluos reuenit.. Tri 156 huc* cum lucro respicias Ps 264 huc respice Ru 707 respice huc ad me Tri 1068 respice huc Tru 116, 118 huc reuortitur Am 660(*Rgl*) quid huc uos reuortemini? Am 689 reuorti Am 909 iam ego huc ad te reuortar Au 203(*Rg*) Men 567(huc *ins R*) intro rumpam iam huc in Veneris fanum Ru 570 secede huc tu Am 771, As 639(*om* tu), Cap 218 (*om* tu), 263(tu *add Rs*) te huc foras seduxi Au 133 sequimini..in proximum me huc Cas 165 illam huc tibi sistam in uiam Mi 344 huc ad me specta Mo 835 subuectabant rure huc uirgas As 341 surgedum huc* Mo 1102 huc ea se subrepsit mihi Mi 333 quin tradis huc* cruminam? As 661 hanc traduxti huc* ad nos uicinam Cas 579 traduxisti huc ad nos uxorem Cas 597 dum huc transibat(*Rg Ly* transiuit *PLS* -ibit *LindR* -mittat *U*) Mi 997 cadum..hinc a me huc..transferam St 647 Tru 10(huc hoc *U pro* hoc) huc transeo in proximum ad..uicinam Cas 145 ad uos Thesprionem iussero huc transire Ep 658 iube transire huc Mi 182 hinc* huc transire ea possit.. Mi 329 huc* transeat Mi 343 haec hinc huc* transire potuit Mi 377, 418 ..ab se huc transiret Mi 869 Mi 997(*R*) uectus huc sum Am 329 huc..uenio Am 26, 867 huc ueni Am 50 Amphitruo ueniet huc ab exercitu Am 140 modo sis ueni huc Am 286 homo huc.. uenerit Am 309 Am 404(*add PyRglLULy*) testem..te huc* non uenisse Am 920 inde huc* ueniet As 357 patrem huc orato ut ueniat As 740 huc*..non uenit As 741 Au 429 (ueni huc *FlRg pro* uenimus) ueni huc Au 447 ille huc ueniet Ba 603 Ba 631(*add R*) huc senex uenit Ba 932 huc uenerimus Ba 1132 huc..uenisti Cas 102 huc quod ueni in urbem.. Cas 106 mercator uenit huc ad ludos Ci 157 ad Chaeribulum iussit (uenire) huc in proxumum Ep 68 aduorsum mihi..ut huc uenires

Men 1051 Mer 788(huc *add PyRU*) ..ut is huc ueniret Mi 133 ..uti uenias..huc ad nos Mi 1177 huc uenito Mi 1185 Mi 1405(*R*) Mo 249(ueniat *PU pro* adu.) eius huc* gemina uenit Ephesum Mi 975 uenisti huc Mo 594 ille huc ueniat uelim Mo 1074 uenisse dixit..peregre huc* patrem Mo 1123 pater..me sciet uenisse huc* Poe 654 huc in portum..uenit Poe 114 is..huc ueniet Poe 121 Poe 124(*R RglU*) Poe 638(*PU*) de mea re huc* ueni Poe 951 uenio huc ultro Ps 1120 huc qua causa ueni..Ru 31 senex..huc Athenis exul uenit Ru 35 huc ad Veneris fanum uenio Ru 94 me huc obuiam iussit sibi uenire ad Veneris fanum Ru 308 adulescentem huc* ..uidistis uenire Ru 314(*vide edd* ire *Ly*) nullum..uenisse huc scimus Ru 316 huc.. nullus uenit Ru 323 neque huc..ullus uenit Ru 340 ..huc scelestus leno ueniat Ru 455 Ru 818(*RsS̄*) eum roga ut..huc ueniat Ru 1212 huc..uenis St 107 tun mihi huc* hostis uenis? St 326b uenio huc* St 327 Ambracia ueniunt huc legati St 491 huc (uenio) longissume St 529(*APUS̄*†) ueni! ⸗Hucine? St 621 ille huc non uenit St 646 senes ..huc uenient Tri 17 huc ad te uenio Tri 67 ..quoia huc uentumst gratia Tru 9 ..ubi iste huc uenerit Tru 340 miles huc ueniat Tru 481(*RsU*) huc* cubitum uenero Tru 547 ut huc ueniat obsecra Tru 592 uiso huc Cas 591 uisam huc in Veneris fanum Ru 1286 uin uocem huc ad te? Cap 360 uxor uocabit huc eam ad se in nuptias Cas 481 uoco huc hominem? Mo 774 uin huc uocem? Per 575 ad prandium uocauit adulescentem huc Ru 62 huc uocatus es ad prandium Ru 142 is huc erum..ad prandium uocauit Ru 327 huc Labrax ad prandium uocauit Plesidippum Ru 344 ⁕⁕ huc ⁕⁕ Ci 354

β. *cum substantivis, sim:* huc..habebas iter As 386 iter huc*..incepi Cas 164 huc secundus uentus nunc est Mer 875 ..commeatus clam esset hinc huc* mulieri Mi 143 Mi 339(huc *add R*) quid illi reditio etiam huc* fuit? Mo 377 quid tibi..in consilium huc accessiost Tri 709 huc in plateam cursuram incipit Tri 1004 quid tibi huc uentiost? Tru 622 *similiter:* ehodum huc, uirgo! Per 610

γ *additur alter terminus:* ab: amatoribus Ps 177 exercitu Am 140 istoc Men 835 me St 647 te Mi 200, 1074 foribus Men 158, Mo 429 naui Am 795, 849, 854, 967 portu Am 149(*CaLy*) ex: fano Ru 663(*ZLULy*) hostibus Am 684 portu Am 701 urbe Ru 295 Epheso Ba 389 Sicyone Ps 1174 ad: me Au 746, Mer 555a, 555b, 788(*PyRU*), Mo 835, Ps 1091, 1209, Ru 482, 1199, Tri 1068, Tru 397, 880 nos Au 330*, 334, Cas 579, 597, Mi 1177, Ps 650, Ru 818(*Rs*), Tri 1151 te Au 203(*Rg*), Cap 360, Ep 294, Mi 1033, Ps 706*, Tri 67, 97, Tru 369 uos Am 20, Ci 782 se Cas 481, Tru 349 eum Ba 529 adfinem Ci 779 adulescentem Tri 817 Alcesimarchum Ci 710 Calliclem Tri 577 Chaeribulum Ep 68 Pistoclerum Ba 389 filium Ba 906 lenam As 915 lenonem Poe 559 senem Au 335, Cap 497 sororem Tri 577 uicinam Cas 145, 161 aedis Am 264*

fanum Ru 94, 308 fores Ru 480 ianuam Au 442 ludos Ci 157 mare Ru 295 praesepem Cu 228 cenam Cap 497 prandium Men 287, 1140, Ru 62, 142, 327, 344 ante aedis Cas 295, Ep 568, Poe 920 apud anum Ps 658 in: me Tru 479 aedis Am 733 fanum Ru 570, 586 (*ALLy*), 622, 1286 plateam Tri 1006 portum Mer 388, Poe 114, St 529(*U*) proxumum Cas 145, 165, 539, Ep 68, Mi 287, 385 tabernam Ps 658 uiam Cas 856, Mi 161, 344 urbem Cas 106, Men 380 Calydonem Poe 94 Ephesum Mi 113 consilium Mer 736(*RRg*) libertatem Cap 576 nuptias Cas 481 extra portam Ps 658 intra portam Men 399 *acc. vel abl.:* domum Ba 315*, Ep 315, Mer 555a, 555b Ephesum Mi 975 Ambracia St 491 Megaribus Per 138 domo Ru 798(*U*) rure As 341 *adverbia:* foras Au 133, Ba 1117, Cap 252, Cas 272, 798, Poe 257, 707, Ru 259, St 743, Tru 858(*L*) hinc Mi 143, 200, 329, 339(*R*), 418 unde Ru 267 inde Ba 315*, Men 401, Poe 665(*CaRglLU*) intro Au 334, 393, 452(*Rg*), Ba 906, 1151, Cas 998, Ci 779, Ep 157, Men 630, 692, 964, Mer 555b, Mi 454, Per 77, 200, Ps 654, Ru 386, 570, Tri 7, 10 intus Cu 97(*Rg*), Mi 459, 1338, Mo 686(*R*), Tru 480 peregre Mo 1123, Tri 1121

δ. *cum verbis addendi, sim.:* pro uestimentis huc* decem accedent minae Per 669 ..huc* ut addas auri pondo unciam Men 526 si istas amas, huc arido argentost opus Ru 726 cedo ..huc mihi marsuppium Men 265 dimidium tibi sume, dimidium huc* cedo Ru 1409 huc* dimidium (dari) dicis, dimidium domum Au 293 huc* ut uiginti minas dem pro te Cap 380 dandum huc* argentumst probum Ru 1387 redde huc sis Au 634 redde huc Au 651 ostende huc manum Au 649 huc* ostende Poe 1049 huc animum..quae loquar aduortite Am 38 animum aduortite huc* Cu 701(*Mue Rg*) huc aures..sunt adhibendae mihi Cas 475 huc adhibete auris quae ego loquar Ps 153 huc* ades Mer 568(*RRg*)

c. hoc α. = huc: pone hoc sis Au 638 quis ait: hoc (imus) Cap 480 hoc non uoluntas me impulit Mer 320 hoc respice et reuortere Mer 871 iubedum eum hoc* accedat ad me Per 605 hoc* meas legiones adducam Ps 586(*Ly*) adduce hoc tu istas Tru 531(*v. secl URs*) non licet hoc* inicere ungulas Ps 643 laetitias.. hoc* attuli Ps 706(*AS̄*) concede hoc tu Ru 1403 quid tu hoc* occursas? Tru 282 hoc* ad uos damni permensust uiam Tru 304(*Rs*)

β. hic *vel* hinc: lucet hoc Mi 218 hoc quidem..haud multo post luce lucebit Cu 182 lucescit hoc iam Am 543 *haec sunt praeter unum Terentianum omnia exempla huius locutionis. Plerique edd.* hoc *pro nominativo habent, quod uerum esse vix potest. Adverbium videtur esse sensu* 'ab oriente'

d. hinc α. *cum verbis:* abduce me hinc ab hac Ba 1031 ..ut te hinc abducat Men 332 tu me hinc abducas Men 782 hinc abducit quo uolt ex hisce aedibus Mer 799 ..quoquo hinc abductast gentium Mer 858 ..hinc mulierem a me abduceres Ps 1194 hinc (mulierem) abduxisti Ru 862 ..uos hinc abducat domum

Sт 128   abduce . . hasce hinc* e conspectu Suras Tru 541   ni(si) actutum hinc abis . . Am 354, 360   nisi hinc abis Am 357, 440, Mer 168   abin hinc* e conspectu meo? Am 518   abiit a me . . hinc Am 639   . . modo qui hinc abieris Am 695   abs te abii hinc* Am 743   tun te abisse hodie hinc negas? Am 758   cubitum hinc abiimus Am 807   abin hinc a me? Am 857   hinc* abierit Au 656   Au 660(hinc *add PLy*) ut dudum hinc abii Au 705, Cap 478   hinc in Ephesum Ba 171   abire hinc nullo modo possim Ba 179   in Ephesim hinc abii Ba 388   Ba 900(*ins RRg*)   abin hinc? Ba 1168   . . si abeamus hinc Cap 260   hinc abiit Alĭdem Cap 573   . . quom hinc* abit Cap 887   hinc abiit Au 265, 460, Cap 901, Cas 750(*v. add U*), Ep 81, Per 711(*RL*), Poe 917, Ps 394, Tri 998(ille), Tru 884*(ille)   abierunt hinc in communem locum Cas 19   abin hinc ab oculis? Cas 302, Tri 989 abi hinc Cas 793, Mi 1111*, Mo 8(*add R*), Ru 1053   hinc abi Men 438(*add R in lac*) hinc flens abiit Ci 123, 132   flens hinc abiit ad matrem Ci 192   hinc* nusquam abiit Ci 702 . . priusquam hinc abeo Cu 210   hinc ad legionem abiit domo Ep 46   abire hinc* non sinam Ep 63   abeamus intro hinc ad me Ep 379   Men 327(*R*)   hinc abiit modo Men 336   hinc intro abeam Men 603   ne quo hinc abeat Men 852 Mer 183(abi *RRg pro* in)   ad portum hinc abii Mer 255   me hinc* abire uis Mer 776   abi hinc intro Mer 930   Mer 1016(hinc intro *ins R*)   hinc ad forum abiit Mi 89   . . hinc senem aps te abisse Mi 1167   uos abite hinc intro Mi 1196   intestatus non abeo hinc Mi 1416   abi tu hinc intro Mo 294   uos modo hinc abite Mo 391   quid si . . abeamus hinc nos? Mo 393   Mo 425(*add PU*) abi . . hinc domum Mo 578   Mo 596(*R*)   . . abeam . hinc ad forum Mo 707   abin hinc in malam crucem Mo 850   Mo 853(abeo *A pro* eo)   hinc* peregre . . pater abiit Mo 957   pater ad mercatum hinc abiit Mo 971   hinc abibo Mo 1113 (*Rs*)   hinc abibam Mo 1117   illic hinc abiit intro huc Per 200   illic hinc iratus abiit Poe 445   hinc a me abierunt Poe 689   hinc abierit malam crucem Poe 799   iube hanc abire hinc* ad te Poe 1148   hinc abiit Ps 53   hinc hic Harpax abierit Ps 1031   iste hinc abiit Ps 1053   abire hinc decet nos Ru 249   abeo hinc* in Veneris fanum Ru 586   Ru 779(*U*)   ipse abire(abitere *AcRs§Ly*) hinc uolet Ru 815   me abire hinc non sinent Ru 817   non sinam ego abire hinc te Ru 944   abeo ego hinc Ru 1013   sine me hinc abire Ru 1027   abiisti hinc Ru 1056   hinc intro abeam Ru 1189   abiero hinc Ru 1328   non tu hinc abis? St 603   intro hinc abeamus St 774   abin hinc dierecte? Tri 457   tu hinc abituru's Tri 714   hic . . hinc abiit Tri 718   abire hinc . . properas Tru 286   abire hinc . . uolunt Tru 301   abiit intro huc Tru 758(*Rs*)   . . ut hinc abeam Tru 824   hinc adulescentem peregre ablegauit pater Cas 62   abscede hinc As 469, Poe 376*   iuben hanc hinc abscedere As 939   abscedite hinc Cap 213   illic hinc abscessit Mi 586   ego hinc* abscessero aps te huc Mi 200   abscedam hinc intro Poe 805   absoluitote hinc me Am 1097

hinc abiit . . in exercitum Am 102, 125(a. b.) longe hinc* afuit Am 322   ille hinc abest Am 640   me hinc* absente Am 811, 826(te)   longe hinc abest a nobis Mer 894   triennium . . iam hinc abest Mo 79   dum tu hinc abes Mo 1018   nummus abesse hinc non potest Per 663(*cf* huc *δ*)   dum hinc abest Per 811   haud longe abesse oportet homines hinc Ru 255   longe hinc abest unde . . Ru 267   non potest triobolum hinc abesse Ru 1330(*cf* huc *δ*)   uiri hinc apsunt St 3   quadraginta accepisse hinc* te neges Mo 1025   hinc tantundem accipies Ps 970   ille hinc amat meretricem ex proxumo Men 790   amare . . coepi hinc* meretricem Mer 42   erum hinc amittat domum Cap 36   hunc amittam hinc Cap 332   ad patrem hinc amisi Tyndarum Cap 589   te . . hinc* amittemus Mi 1413, 1421(-amus)   ego te hinc ornatum amittam Ru 730   quin ego hinc me amolior? Mer 384   iube haec hinc omnia amolirier Mo 371   haec hinc . . amolimini Mo 391   amolimini hinc uos intro Ps 557   Ps 856(*ins RRgU*)   ego cesso hinc me amoliri Tru 630   . . hinc sese a foribus Sosiam amouisse Am 467   orationem hinc ueterem . . amoues Mi 751   . . hunc ut hinc amouerim Mo 932   quin tu hinc* amoues? Tri 802   apage hinc te Mo 518(*R in lac*)   hinc ego . . potero . . arbitrarier Au 607   facite hinc accersatis Cas 146   hinc* me arcessito Mi 480   amicam hinc accersebat Ps 719   illam . . trans mare hinc . . asportet Mer 354   ego adsistam hinc altrinsecus Mer 977   . . ne quis aut hinc aut . . adsit Mi 607   auectast . . peregre hinc Ci 579   concubinam . . hinc Athenas auehat Mi 938   iam hinc auexisti Ru 862(*Rs§*)   lumbifragium hinc auferes Am 454   non potest auferre hinc a me As 154   iussin . . ab ianua hoc stercus hinc auferri? As 424   Au 636(*ins ReizRg*)   quid abstulisti hinc? Au 645   ted . . intro hinc auferam Ba 571   numquam auferes hinc aurum Ba 824   tu auferere hinc Cu 569   iubeas . . haec hinc* intro auferrier Mer 801   hinc te abstulit Cap 1018   aufer hinc palpationes Men 607   iurgium hinc auferas Per 797   maledicta hinc* aufer Poe 1035   hinc . . a me non potest argentum auferri Ps 504   leno . . hinc auferre uoluit Ru 356   si hanc hinc abstulerit . . Ru 472   . . qua platea hinc aufugerim Men 881   quo hinc . . aufugiam scio Ru 824   hinc* auscultabo Ba 404   hinc auscultemus Cu 279   quo nunc capessis ted hinc? Ba 113   hinc cibit(*Ac* ibi *P§*†) testimonium Ru 1101   occeperint clamare hinc* ex crumina As 590   concedere . . hinc mihi intro lubet Ps 571   concedite hinc uos intro Tru 386   foris concrepuit hinc a uicino sene Mi 154   confugisti in aram (hinc *add R*) Mo 1135   Ru 457 (hinc *ZRs pro* huc)   hinc* ilico conscendit Ru 62   tu hinc . . consulas Ps 379   fraudem . . hinc creas Mi 294   decedamus (hinc *add RLy*) Ba 107   hinc ego uos defensabo Ru 692   hinc* ad amicam deferat Men 561(*R*)   hinc* araneas de foribus deiciam St 355   hinc med . . ex aedibus delegit(deiecit *CaULy* eiecit *FlRglL*) As 632   me . . hinc de curru deripit Men 870   desistam Mo 1113(*L*)   hinc* dimidium iussit dari Au 291   hinc . . polluctura . . dabitur nemini Sᴛ 688   hinc ex insidiis .. insidias dabo Cᴀs 436   hinc* dabo insidias Ps 594   hinc consilium dedero Mo 1103   hinc .. rus .. duces Cᴀs 487   latrones .. hinc ad Seleucum duceret Mɪ 949   uideamus qui hinc egreditur Mᴇɴ 349   haec celox .. hinc* egreditur Mɪ 986   ancillula .. hinc* egreditur foras Mɪ 987   hinc* egrediuntur foras Poᴇ 960   .. eum ex .. caeno .. hinc eliciat foras Bᴀ 384   nam hinc exmigrastis Mᴇɴ 823   tu hinc emigra Mo 503   hinc hodie emigrauit Mo 953   hinc Athenis ciuis eam emit Atticus Eᴘ 602   hinc .. ieram in exercitum Aᴍ 401   mihi necessest ire hinc Aᴍ 501   intro ego hinc eo Aᴍ 1039   ad illam hinc ibo As 817   ibo hinc* intro Aᴜ 620, 700 (Rg)   hinc eas Bᴀ 104   eamus hinc* intro Bᴀ 105   ego hinc eo(R om PLLy abeo U) ad illum Bᴀ 348   Bᴀ 354(CaRRgLy)   .. hinc in Elatiam .. eat Bᴀ 591   ad forum .. hinc ibo Bᴀ 1060   hinc ire huic ut liceat domum Cᴀᴘ 451 ibo ad portum hinc Cᴀᴘ 496   hinc huc iit Cɪ 702   in hinc dierectus? Mᴇʀ 183   i tu hinc ad uillam Mᴇʀ 277   ad nauem .. hinc eo Mᴇʀ 461   certumst .. hinc ire me Mᴇʀ 644   hinc eo Mᴇʀ 927   ibo hinc* domum Mɪ 585   ibo hinc intro Mɪ 1376   hinc* ibo huic .. obuiam Mɪ 1381   aliter hinc non ibis Mɪ 1422   peregre hinc it Mo 25   eo ego hinc ad forum Mo 853   i .. hinc Mo 1037(add L)   eo ego hinc haud longe Pᴇʀ 217(hinc eo L)   te in exilium hinc ire oportet Pᴇʀ 562   iri hinc uolo Pᴇʀ 578   hinc eamus intro Poᴇ 502   ite hinc in malam crucem Poᴇ 511   hinc ire cogitas Carthaginem Poᴇ 1419   te hinc ire .. domum Rᴜ 144   hinc imus .. ex hoc loco Rᴜ 266   hinc is a me Rᴜ 518   hinc intro ibo Rᴜ 1263   bene .. hinc praedatus ibo Rᴜ 1316   ibo hinc* Sᴛ 682   hinc iturust .. in Seleuciam Tʀɪ 112   rus .. hinc ire me iussit Tʀᴜ 645   aliquem euocem hinc* intus Ps 1121   euocabo hinc hanc .. foras Rᴜ 479 cistella hinc* mihi .. euolauit Cɪ 731   ne hinc* foras exambulet Eᴘ 165   exaudire hinc non queo Mᴇʀ 707   homo .. hinc exclusust foras As 596   exeundum .. tibi hinc est foras Aᴜ 40 hinc exeat Cᴀs 867   hinc ex hisce aedibus .. uidi exeuntem mulierem Cɪ 546   hinc* illuc exiit Cɪ 700   hinc* a nobis exit Mᴇʀ 699   eam exire hinc uideas domo Mɪ 341   mulier .. hinc exit Mɪ 416   exeuntis uideo hinc e proxumo Mɪ 1136 illum hinc* .. scio .. exiturum esse intus Mɪ 1196 nemo hinc .. foras exit Mo 901   quid ego hinc .. exeam? Sᴛ 675   hinc pateram tute exemisti Aᴍ 796   conuiuam hinc indidem expromam tibi Mɪ 666   hinc* nos extinxit fames Tʀᴜ 524   hinc .. me .. domo extrusit ab se Mᴇʀ 357   hinc facessas Rᴜ 1062   argentum hinc facite Bᴀ 34b(ex Don ad Phor IV. 3. 30 =) Fʀ III. 6   numquam hinc feres argenti nummum As 487   As 700(hinc ins CaRglLy)   numquam hinc feres a me Aᴜ 832 ut feras hinc quod petis Cᴀᴘ 964   ne frit quidem ferre hinc* potes Mo 596   dimidium .. hinc feres Ps 1329   hinc tu .. frunisci nihil potes Rᴜ 1012   hinc fugias Aᴍ 451   fugin hinc ab oculis? Aᴜ 660   propera .. fugere hinc Eᴘ 515   fugite hinc in malam crucem Mᴇɴ 1017, Poᴇ 789(fugere)   habeo Stephanium hinc ex proxumo Sᴛ 431   .. matulam unam tibi aquae

hinc* infundi in caput Aᴍ fr IV (ex Non 543) inspectato(Rs) hinc omnia Cᴀs 871   Athenas .. legatus quo hinc .. fui Tʀᴜ 92   hinc a nobis est mercatus mulierem Ps 617   quin hinc* metimur? Ps 1049   ego hinc migrare cesso Eᴘ 342   eum hinc* in Ephesum miseram? Bᴀ 249 alium potius misero hinc Cᴀᴘ 342   te ait mittere hinc uelle ad patrem Cᴀᴘ 365   cogitato hinc .. mitti domum Cᴀᴘ 432   scito te hinc* .. mittier Cᴀᴘ 438   hinc parasitum in Cariam misi Cᴜ 67   hinc* me .. misit Rhodum Mᴇʀ 11 hinc narrato tibi Ps 20   nuntiare hinc te uolo in patriam ad patrem Cᴀᴘ 384   procul hinc* obseruabo Tʀᴜ 709   aedis occludam hinc foris Mo 405   ego hinc (ostium) occludam Mo 426   ego hinc offlectam nauem Rᴜ 1013   olfacta .. hinc Mᴇɴ 169   quid hoc clamoris oritur hinc ex proxumo? Aᴜ 403   pergas hinc* Fʀ II. 65(Rg ex Isid Or XIX. 24, 1)   ego hinc* artoptam ex proxumo utendam peto a Congrione Aᴜ 400 uenerat aurum petere hinc Bᴀ 631   petunt aquam hinc Rᴜ 134   petam hinc aquam unde .. Rᴜ 412   hinc me petere aquam iussit a uobis Rᴜ 433   Tʀɪ 814(RRs)   sauium sis pete hinc Tʀᴜ 525   procudam ego hodie hinc multos dolos Ps 614   hinc me procura Poᴇ 715   hinc profectus sum ad Teloboas Aᴍ 734   .. hinc* pater sit profectus peregre Mo 975   hinc est profecturus peregre Tʀɪ 149   hinc profugiens uendidit Cᴀᴘ 9   .. ut illum hinc prohibeam Aᴍ 1008   nemo hinc* prohibet Cᴜ 33   promere hinc* possum domo Ps 355(Rg)   hinc proterritum te .. autument Tʀɪ 703   hinc* ex lustris rapit As 934(Rgl)   te in neruom haud ad praetorem hinc rapiam Cᴜ 723   .. si hinc rebito Cᴀᴘ 409   recede hinc dierecte Bᴀ 579 nos hinc domum redimus Mᴇɴ 247   ne quid .. hinc in spem referas Eᴘ 339(translate) aquam hinc de proxumo rogabo Rᴜ 404   hinc* sapit, hinc* sentit quicquid sapit ex meo amore Poᴇ 1200   hic hinc a me sentiat Rᴜ 1100 (translate)   hinc speculabor procul Mo 429 spectato hinc omnia Cᴀs 871   tempus est subducere hinc me As 912   hinc* .. sublegerunt Mɪ 1090(L)   hinc ex occulto .. sermonem sublegam Vɪ 118(ex Non 332 om Ly)   hinc iurgium (est) Aᴍ Arg I. 8   .. rus hinc* esse ad uillam longe quo ducat Cᴀs 420   haec cistella numnam hinc ab uobis domost? Cɪ 658   dicam ut hinc* res sint quietae Mo 932   (sume) agnum hinc* uter est pinguior Aᴜ 327   hinc* sumpsit (minas) Mo 650   sume hinc quidlubet Poᴇ 1351, 1352, 1353   surge hinc Mo 1102(R) te huic hinc quadrimum surpuit Cᴀᴘ 1011 hinc ab ostio iacentem sustuli Cɪ 659   hunc hinc tollant Mᴇɴ 845   me hinc iacentem aliquis tollat Ps 1247   Amphitruonem .. hinc traham Aᴍ 953   hinc* .. ad praetorem trahor Poᴇ 790   hinc* huc transire .. possit Mɪ 329 haec hinc* huc transire potuit Mɪ 377, 418 Ps 1027(R)   cadum .. hinc* a me huc .. transferam Sᴛ 647   ne ille .. hinc trudetur As 533 foras ego hinc uos .. tutabor Rᴜ 691   te hinc uexerunt .. rus As 342   in Aegyptum hinc .. uectus fui Mo 994   hinc ad se ueniat Cᴀᴘ 383 hinc .. mihi dextra uox auris .. uerberat Aᴍ 333   hinc aus ** foras Cɪ 266 β. *cum substantivis, sim.*: commeatus .. esset hinc* huc mulieri Mɪ 143 scin tu nullum commeatum hinc esse a nobis? Mɪ 339 sterilis hinc prospectus .. ad ultumamst plateam Mɪ 609 hinc sonitum fecerunt foris Mɪ 1377 hinc exemplum capere uolt Mo 762 ille .. hinc .. exemplum petit Mo 763 non audes .. mihi gratiam facere hinc* de argento Ps 1322 hinc* numquam eris nummo diuitior Ps 1323 numquam .. hinc .. ramenta fies fortunatior Rᴜ 1016 quid .. hinc abitio? Rᴜ 504

Euclionis hinc* e proxumo Aᴜ 290 adulescenti hinc* genere summo Tʀɪ 326, 359(*RRs*) Tʀɪ 873(*RRs*) .. mulierem hinc* ex proxumo Mɪ 472 aedis .. has hinc* proxumas Mo 977 pater hinc Antimachus Aᴜ 779(*add RRg*) *similiter:* scin quid hinc porro dicturus fuerim? Pᴇʀ 296

γ. *additur alter terminus:* ab: me Aᴍ 639, 857, As 154, Aᴜ 832, Pᴏᴇ 689, Ps 504, 1194, Rᴜ 518, 1100 te Mɪ 200, 1167 nobis Cɪ 658, Mᴇʀ 699*, 894, Mɪ 339 uobis Rᴜ 433 se Mᴇʀ 357 hac Bᴀ 1031 uicino sene Mɪ 154 Congrione Aᴜ 400 foribus Aᴍ 467 ianua As 424 ostio Cɪ 659 oculis Aᴜ 660, Cᴀs 302, Tʀɪ 989 de: argento Ps 1322 curru Mᴇɴ 870 foribus Sᴛ 355 proxumo Rᴜ 404 ex: aedibus As 632, Cɪ 546, Mᴇʀ 799 conspectu Tʀᴜ 541 crumina As 590 insidiis Cᴀs 436 hoc loco Rᴜ 266 lustris As 934(*Rgl*) proxumo Aᴜ 400, Mᴇɴ 790, Mɪ 472, 1136*, Sᴛ 431 occulto Vɪ 118 meo amore Pᴏᴇ 1200

ad: me Eᴘ 379 te Mo 1037(*L*), Pᴏᴇ 1148 se Cᴀᴘ 383 illam As 817, Bᴀ 348 matrem Cɪ 192 patrem Cᴀᴘ 384, 573, 589 hostis Aᴍ 734 legionem Eᴘ 46 praetorem Cᴜ 723, Pᴏᴇ 790 Seleucum Mɪ 949 forum Bᴀ 1060, Mɪ 89, Mo 707, 853 nauem Mᴇʀ 461 plateam Mɪ 609 portum Cᴀᴘ 496, Mᴇʀ 255 uillam Cᴀs 420, Mᴇʀ 277 in: arcem Bᴀ 900(*Rg*), Aᴍ 125 caput Aᴍ *fr* IV(*Rgl*) fanum Rᴜ 586 communem locum Cᴀs 19 patriam Cᴀᴘ 384 Aegyptum Mo 994 Cariam Cᴜ 67 Elatiam Bᴀ 591 Ephesum Bᴀ 171, 249, 354*, 388 Seleuciam Tʀɪ 112 Siciliam Rᴜ 356 exsilium Pᴇʀ 562 malam crucem Mᴇɴ 1017, Mo 850, Pᴏᴇ 511, 789, Rᴜ 518 spem Eᴘ 339 trans mare Mᴇʀ 354 *acc.:* Alidem Cᴀᴘ 573 Athenas Mɪ 938 Carthaginem Pᴏᴇ 1419 Rhodum Mᴇʀ 11 malam crucem Pᴏᴇ 799 domum Cᴀᴘ 451, Mᴇʀ 247, Mɪ 585, Mo 578, Rᴜ 144, Sᴛ 128 rus As 342, Cᴀs 487, Tʀᴜ 645 *abl.:* Athenis Eᴘ 602 domo Cɪ 658, Eᴘ 46, Mᴇɴ 357, Mɪ 341, Ps 355(*Rg*)

adverbia: huc Mɪ 143, 200, 329, 339(*R*), 418 illuc Cɪ 700 indidem Mɪ 666 foras As 533, 596, Aᴜ 40, Bᴀ 384, Cɪ 266, Eᴘ 165*, Mɪ 987, Mo 901, Rᴜ 479 intro Aᴍ 1039, Aᴜ 620, 700 (*Rg*), Bᴀ 105, 571, Eᴘ 379, Mᴇɴ 603, Mᴇʀ 801*, 930, 1016(*R*), Mɪ 1196, 1376, Mo 294, 425(*PR U*), Pᴏᴇ 502, 805, Ps 557, 571, Rᴜ 1189, 1263, Sᴛ 774, Tʀᴜ 386 peregre Cɪ 579, Mo 25, 957, 975, Tʀɪ 149 procul Mo 429, Tʀᴜ 709 quo Bᴀ 113, Rᴜ 824 quoquo Mᴇʀ 858 altrinsecus Mᴇʀ 977

5. hac: sequere hac me Aᴍ 628*, 674, As 876, 941*, Aᴜ 349, Bᴀ 169, 499, 831, Cᴀᴘ 293, Cɪ 631*, Mɪ 1009, Mo 857, 990, Pᴇʀ 332, Pᴏᴇ 502,

Tʀɪ 1* sequere hac tu me Aᴍ 660 sequere hac As 490, 648, 810, Bᴀ 39*, 1166, Cᴀᴘ 764, Cᴜ 454, Mᴇɴ 562*, Pᴇʀ 321, 399, 752, Pᴏᴇ 329, 1210, Rᴜ 1357 sequere hac me intro Bᴀ 108, Cᴀᴘ 953, Cᴜ 370, Sᴛ 669 sequere tu hac me intro Tʀɪ 1109 sequere me hac Eᴘ 657(*A* hac me *PLLy*), Rᴜ 184, Tʀᴜ 644* sequere hac me ad fores Cᴜ 87 sequere hac .. me usque ad praetorem Pᴇʀ 753 sequere .. me .. hac* ad forum Ps 1230 sequimini hac Rᴜ 658 sequimini me hac* Fʀ I. 80(*ex Festo* 301)

ei hac intro mecum Aᴜ 694 ei hac mecum intro Bᴀ 1175, 1181, 1185(in) ei hac mecum Mᴇɴ 406, Mᴇʀ 689, Rᴜ 288(ite), Tʀɪ 580 i hac mecum domum Tʀɪ 710 i hac Ps 1331 ite hac Mᴇʀ 747 ite hac ad cantharum recta uia Ps 1051 ite hac secundum uosmet Sᴛ 453 ite hac simul Tʀᴜ 551 hac ibo Cᴀs 973, Mᴇʀ 222 is hac iit Cɪ 698 prorsum iit hac Cɪ 700 is hac abiit Cɪ 702 hac abiit, hac persequar Cᴜ 109 hac* abiisse censeant Mᴇɴ 556 em hac abiit Mᴇɴ 566 incessi Ps 1275(*R*) persequar hac Cɪ 698 hac iter faciundumst Cᴀs 968 occedamus hac* obuiam Ps 250 †nemo hac praeteriit Cɪ 683 me consequere hac* Ps 1315 intro (hac *add GepU*) hanc .. nuptam deduxi .. Cᴀs 881 hac .. transiri potuit Bᴀ 85 hac* quidem non uenit As 741

hac caedi Rᴜ 836(*Rs pro* non cedam) hac dabo protinam et fugiam Cᴀs 959 hac me feriam an ab laeua latus Cɪ 641 uorte hac* te Ps 252 hac socci uideo uestigium in puluere Cɪ 698 augurium hac* facit Sᴛ 463 ubi sunt hi homines? #Hac ad dexteram Rᴜ 156 hac .. uerba mihi .. dabunt Mɪ 353

B. *pertinet ad eum qui sequitur vel ad id quod sequitur* 1. *attributive:* utram .. harum .. artem expetessam Tʀɪ 228 astutiam hanc institui Eᴘ 363, Mɪ 237(instituam) redditast benignitas Sᴛ 181 te multabo bolo Tʀᴜ 844 amittunt hi* me comites Mᴇʀ 869 consilium Bᴀ 300(*R*), Pᴏᴇ 1099 habent consilia Ps 138 disciplina Mᴇʀ 116 confinxerunt dolum Cᴀᴘ 35* commentast dolum Tʀᴜ 85* edictio Ps 143, 172 fabrica Pᴏᴇ 1099* hoc facto sese ostendit As 862 ad hoc exemplum ut .. Mᴇʀ 265, Rᴜ 603, Tʀɪ 922 hac lege As 166, Mᴇʀ 1019* his legibus Aᴜ 155 hoc .. accersebatur malum Bᴀ 424 huius modi Aᴍ 938, Pᴏᴇ 824 ad hunc modum Sᴛ 76 hoc modo Tʀᴜ 919 morem hunc habent Cᴀᴘ 233, Cᴜ 377, Mᴇɴ 338, 573 morem hunc induxerunt Mo 115 hoc more Mᴇɴ 571 haec multa As 801 hoc pacto Bᴀ 447, Cᴀs 651, Mo 492, Rᴜ 957, Sᴛ 697 prouinciam Mɪ 1159* rationem Sᴛ 430 quaestum Cᴀᴘ 98 hanc rem Aᴍ 1015, Cᴀᴘ 216, Cɪ 102, Cᴜ 635, Mᴇɴ 761, Mᴇʀ 1010 de hac re Mɪ 1411 signum Cᴀᴘ 1035 huic uerbo Cᴀs 210 hoc uerbum Mo 790, Pᴇʀ 360, Tʀɪ 342 haec uitia Mᴇʀ 18 hoc uitium Tʀᴜ 191

2. *substantive:* a. hos Sᴛ 335 b. hoc (*nom.*): etiam unum hoc Bᴀ 546 hoc etiam unum Sᴛ 427 modo unum hoc Mɪ 1166 hoc quoque etiam Pᴏᴇ 40 hoc erat Mɪ 848 sic erit Ps 677 hoc uerumst Ps 679 omne attinet ad te Rᴜ 962 fiet As 192 fit Sᴛ 641 (fieri) unum potest Sᴛ 593 sic hoc placet Sᴛ

429(?) sic uidetur . . conuenire Sᴛ 298 memorabilest Sᴛ 731

(acc.): primum te absoluo Mᴇɴ 780 (cf Kellerhoff, p. 73) adscribe Bᴀ 734 adporto Mᴇʀ 161 animum aduorte Cᴀᴘ 329, Mɪ 766*(-tite), Pᴇʀ 116, Tʀɪ 66 audin? Poᴇ 407 audiueris Mɪ 1265 ausculta Mᴇʀ 568* unum cogites Mo 216 facito ut cogites Sᴛ 519 cogitato Mɪ 915*, Poᴇ 237(unum) crucior Sᴛ 9 utibile deputas Tʀɪ 748 optumum factu arbitror Sᴛ 83 dico Pᴇʀ 653, Ps 119, Tʀɪ 518 dixi Mɪ 1059 dicat Aᴜ 489, Mɪ 687 dixerim As 491 dic Mᴇɴ 923 expedi Pᴇʀ 215 faciunt Mᴇɴ 7, Mᴇʀ 285 face Pᴇʀ 146, 242 facito Mɪ 806* facere Bᴀ 93, Mɪ 458, 980 te monitum Cᴀᴘ 309 obsecro unum Cᴀᴘ 241 praedico Aᴜ 99 hoc praeuortere Rᴜ 641 sic proloquar Aᴍ 202 quaeram As 45 respondet Mᴇʀ 242 respondebo Tʀᴜ 606(?) respondit As 352 responde Eᴘ 19(Rg¹), Mᴇɴ 1130, Poᴇ 252, Tʀɪ 1074 rogare unum Mᴇʀ 515 scire te Cᴜ 133 unum scito Mo 72 seruat Tʀᴜ 570(?) spondeo Cᴜ 675* tacitum habeto Poᴇ 890 uide Cᴜ 153, Sᴛ 270, Tʀᴜ 601 em tibi Sᴛ 728

(abl.): causale Aᴍ 166*, 167*

haec (nom.): accedunt Mᴇʀ 24

(acc.): scias As 332* audi Mᴇʀ 922* diceret Mᴇʀ 70 loquor Ps 227 expetunt Tʀᴜ 272 facit Pꜱ 1310

3. spectat ad sequentem coniunctionem a. ut: hanc instituam astutiam Mɪ 237 habent hunc morem Cᴜ 377 hoc . . esse officium Mo 27 operam hanc subrupui Aᴍ 523 haec multa esto As 801 iter incipe hoc Cᴀꜱ 817(?) consilium capio Poᴇ 1099 laetitia adfecistis Poᴇ 1275 hoc modo amo Tʀᴜ 919

hoc committam Sᴛ 640 curandumst Bᴀ 691 efficiam Mɪ 936 euenit Ps 685 exorare Bᴀ 1170 unum faciam Aᴜ 365 factust optumum Aᴜ 582, Ps 185 opus facto Mᴇʀ 566 sic faciam Tʀɪ 233 factumst Poᴇ 788(?) fieri Bᴀ 1209(Rg), Cᴜ 200*, Sᴛ 593(?) fore Ps 1318 moneo Sᴛ 11, Tʀɪ 674(?) obtigisse Mɪ 1246 impetramus Cᴀꜱ 339 impetrare Cᴀꜱ 364 orare Aᴍ 64, Mo 752 oro Bᴀ 494 orauit Tʀɪ 449 praecipio Ps 161* unum quaeso Cᴀᴘ 747 rogare Sᴛ 248* rogat Tʀɪ 20 in mandatis dedit Aᴍ 81 in rem tuamst Aᴜ 154 potis est Bᴀ 35 in mentem uenit Mᴇʀ 900 antiquom optines tuom Mo 789 meumst Pᴇʀ 46 utibile esse Tʀɪ 748(PLU) opus hoc facto Mᴇʀ 566

ne: serui facinus Aᴜ 587 hoc uis Bᴀ 757 (R) interdixi Mɪ 1056 metuo Poᴇ 883* cauere Rᴜ 1246 uereor Tʀɪ 738

ut ne: hoc* ei dicito . . ut ne degrediatur Mɪ 185a similiter sine ut: Pᴇʀ 69(Rs)

b. quod: quidnam hoc sit negoti quod . . expetit Mᴇɴ 762 quid hoc quod . . ? As 262, Cᴜ 457 quid hoc est quod . . ? Cɪ 655, Mo 1062 hoc haud molestumst quod . . Cᴀᴘ 357 hoc est(erat) quod . . As 864, Cᴀꜱ 531, Mᴇɴ 1135, Mᴇʀ 711, Sᴛ 127 parumne hoc* est malai rei quod . . ? Mᴇʀ 692 hoc (obiectas) quod . . scis Mo 16(causale) hoc quod . . me misit Mo 747 et id et hoc quod Ps 277 similiter de hac re . . quod . . uerberatu's Mɪ 1411

qu'a: hoc commemini magis quia . . Aᴍ 254 (causale; cf Fraesdorff, p. 35) inuidere hoc . . quia Mo 51 hoc* febrim esse quia . . Ps 643 (causale: sed vide Ꞩꞁy) hoc sese excruciat animi quia . . Rᴜ 388 unum consolatur . . quia . . Tʀɪ 395 similiter: hoc facto sese ostendit qui . . potet As 862

c. nam: hoc eam esse opiniost, nam . . nominauit Cɪ 320

d. quom: hoc me beat . . quom Aᴍ 642 hoc . . breuem uitam colunt . . quom Ps 822 propter hanc rem quom . . Cᴀᴘ 216 hoc maxumumst uitium quom . . Poᴇ 1203

4. spectat ad sequentem infinitivum: hanc famam differant me . . dedisse Tʀɪ 689 hoc est serui facinus frugi facere . . Aᴜ 587 hoc serui esse officium reor retinere . . Aᴜ 594 haec facetiast amare . . Sᴛ 729 hanc* rem resciuerim eum uxorem ducturam Cɪ 102 hoc magnumst periclum . . transcendere Aᴜ 235 uis haec quidem . . est . . trudi Cᴀᴘ 750

hoc negabis te dedisse Aᴍ 760 h. unum cogitato tibi proxumum me esse Aᴜ 127 uenit in mentem ted esse Aᴜ 226 iniquomst . . conari Cᴀᴘ 61 expurigare uolo me insaniam . . tenere Cᴀᴘ 620* aegrest me . . dedisse Cᴀᴘ 701 uolo meam rem agere Cᴜ 670 decet dari . . uerba Mᴇɴ 131* commentus est contionem habere Mᴇɴ 451* respondet . . ducturam Mᴇʀ 242 agere oportet: hoc obseruare ostium Mɪ 352 uitio uortat ferri haec Mɪ 1350 scito . . uenire Mo 72(?) dicito facturam Mo 422 uolo . . accipere seruos Mo 1091* pudet fecisse Mo 1165 audio . . esse factam Ps 347(RgU) Ps 643(ꞨLy) uolo monere te Ps 915 ratus sum fore Ps 1318(?) in animum inducunt . . posse Rᴜ 22 deo complacitumst me . . eiectam Rᴜ 187 haud laborist . . potiri Rᴜ 190 credo . . te tenere Rᴜ 246 crucior . . officio uti Sᴛ 9 dicier solere Sᴛ 167 cogites . . optumum esse Tʀɪ 485 dici potest . . inspectas esse Tʀɪ 793 nequeo mirari eum . . despondisse Tʀɪ 1132 uolupest . . habita Tʀᴜ 704 hocinest pietatem colere? As 508 hoc est incepta efficere Bᴀ 1068 insanum amare hoc est quod . . facit Cᴜ 177

haec: narra haec ut nos acturi sumus: te futurum esse As 367 haud scitis me miseram esse Rᴜ 216

5. spectat ad interrogationem: hoc (sis) uide ut . . Cɪ 55, Cᴜ 153, Mᴇʀ 169, Ps 152 haec . . nuntiem ut . . Aᴍ 195 haec . . sciet ut . . Cᴀᴘ 406 hunc . . dolum quo pacto Cᴀᴘ 35 hanc rem . . exquirere quis . . Aᴍ 1015 hoc . . uisost opus . . quo modo Mᴇʀ 330 perscrutari hoc* . . nostri an . . Mɪ 430 rogare hoc* . . uolo quid . . Tʀɪ 173(RRs) hoc non liquet utram . . Tʀɪ 227 loquor hoc ut . . Bᴀ 720(?)

C. antecedens est pronominis relativi: hi comites qui Mᴇʀ 869 hunc qui . . filium Aᴜ 21 huic Erotio quae . . Mᴇʀ 670 huic homini qui Mɪ 723 hosce homines quos Tʀɪ 948 hic leno qui Cᴜ 61(LLy) huius Lyconidis qui Aᴜ Arg I. 10 haec mulier quam As 619 huius mulieris quam Rᴜ 1079 hunc . . Tithonum qui . . Mᴇɴ 853 huius qui . . senex Poᴇ 83 lenone hoc qui Poᴇ 548 hoc . . quod consilium Poᴇ 193 haec dona quae Tʀᴜ 579 hanc laetitiam

quam Cap 872   hoc quod me mactat..lutum
Ru 96   occasionem hanc quae As 281   hoc
opus quod Ps 910   hoc oneris quod Mer 672
hoc ornatu quo Cas 932   hoc eodem poculo
quo Cas 933   hae regiones quae Ps 595   hanc
quam trahis rudentem Ru 938   hanc quae
proxumast..uillam Ru 331

haec (patria) ubi Per 636   hic uidulus ubi
Ru 1130   hoc modo ut Ru 1072   hac familia
unde Au 2

hic qui Am 179, Au 34, Ep 541, Men 309, 873,
Mi 169*, Mo 310, Per 845, 846, Poe 124*, St
399, 436, 464, Tri 432   quis hic est (homo)
quem(qui) Am 292, Ba 451*, Ci 534, Cu 229,
389, Ep 435(L), Men 487, 870, Mi 900*, Per
13, Ps 592, Tri 840, 1006, 1151, Tru 549*
quis haec est quae Per 200, St 237   hic quoius
Mi 1081, Tri 536   hic quem Ba 534, 549, Cap
788, Mer 366, Mi 1258, Ru 334   huius qui Au 5
huius quem Poe 779   huic qui Ba 107   hunc
qui Am fr V(ex Non 331), Cap 29, Tru 166(U)
hunc quem Ba 241, Cu 404, Mi 1138*, Poe 644,
Ps 793   hoc qui Cap 754   hoc quem Men
324   hi qui Ba 1206, Mo 859(R), Poe 587, 769,
Ps 137, 721   his qui Tru 21(Rs)   hos qui Ci
680, Poe 960, St 335   haec quae As 585, Ci
609, Ru 334   huius quae Ci 607   huius quam
Au 619   hanc quae Am 706, As 291, Ep 171,
Mi 1036   hanc quoi As 662, Ci 695   hanc quam
Ru 1080   hac quam propter Ba 1031   hasce
quas St 418   hoc quod Au 576, Cas 277,
Men 319, Poe 40, Ps 1291, Ru 207, Tri 404,
Tru 962   hoc, hoc est quod Ba 1099   hoc est
quod Cu 177(?)   hoc..est quam ob rem Cu
172, Ps 1255   quid hoc qua causa Ba 249
huius quod Cas 772   hoc quoi rei Per 393   hoc
quod rogo As 578, Ci 489, Cu 245, 708(FlRg),
Men 914, Mer 185, 214, Mo 660, 748, Per 141,
Ps 315(rogamus)*, 340, 479*, 1179*, 1191, Tri
930, Tru 273*   hoc quod Au 153, Ba 689,
1005, Cap 834*, Cas 858, Ep 44, 247, Men 148,
1070, Mi 352*, 426, 945, Mo 328, Per 218, 814*,
Ps 277, 919, Ru 252, 279, 376*, 913, 1129, St
389, Tri 449, 1167   hoc quoia gratia Tru 9
hoc quod relicuomst Cas 858(= per reliquam
uitam)   haec quae Mer 24, 675, Mo 841, Per
761, Ps 217, Tri 287   horum quae St 713
haec quae Am 1101, Ba 510, Cas 166, Ep 663*,
Poe 44, 704, Ps 72, 701, 888, Tru 584(LLyU)
id quod agitur huic* rei primum praeuorti
decet Mi 765(Rg)

hunc quisquis Ru 256(Rs)   hoc quicquid
Cas 202, 648, Ru 924c

hinc unde Ru 412   huc quo Tri 600

D. correlativa: hic-hic: alter hinc, hinc alter
appellemus As 618   huius seruos sum sed med
esse huius credidi Men 1071   hunc..huic Men
1072   hac lupi hac canes Cas 971   pater hic
est: hic fur est Cap 1018   hoc..hoc Tru 704(U)

hic-ille: illum laudabunt boni: hunc* etiam
ipsi culpabunt mali Ba 397   Priamus hic..illi
praestat Ba 973   hoc illum me mutare confido pote Cap 171   illum restituam huic Cap
588   illic seruom se assimulabat, hic sese..
liberum Cap 654   illic uocatur Philocrates, hic
Tyndarus Cap 38   illud paueo et hoc formido
Ci 535   ille amicam haec quaerebat filiam Ep

Arg 7   prae huius* illae fiunt sordidae Ep
447(U)   hic pridie natus..quam illest Mi 1083
haec..illam Mi 1096   illud satiust 'satis'..
hoc* plus quam sat est Poe 288(Ly)   et hoc
et illud poteris ulcisci probe Mo 1179   neque
·hoc neque illuc.. Poe 435   et hoc..et illud
Poe 926   illud malum erat praesens huic erant
dieculae Ps 503   hoc praeuortar..illa missa
habeo Ps 602   nihilo pluris tua hoc quam
quanti illud refert mea Ru 966   hoc..illuc
Tru 704(LLy)   boni miserantur illum hunc
inrident mali Vi 111   sum..et hic et illi Am
594   hic..illic Am 969, Cap 261, 314, Mo 792
faenus illic faenus hic Mo 605   illic atque hic
Tri 1109   et illic et hic Tru 152   hinc et
illinc Ioui uota suscipere Am 229   et hinc* et
illinc mulier feret imaginem Mi 151   et hinc
et illinc..exhibent negotium Mo 565   hinc
stas illim..dicis Men 799   surruptus sum illinc, hic..hospes..emit Poe 1058   et huc et
illuc potero..arbitrarier Au 607   uel ego huc
uel illuc uortar Cap 370   dum huc dum illuc
rete ** Tru 38   utrum hac an illac iter institerit Ci 679   hac an illac eam Ru 213   quid
rerum hic agitem..illuc perferat Cap 377

hic-iste: hoc ubi egero tum istuc agam Ba
708   istam emptam esse scibit atque hanc adductam Ep 154   hic fauonius..istic auster,
hic facit..iste..conciet Mer 876   hoc..istuc
Tru 704(Rs)   istuc habeo hoc expeto Tru 960
cum hac, cum istac Cas 612   si huc item properes ut istuc properas Mer 874   alter istinc
alter hinc adsistite Ru 808

hic-domi: et hic uarientur uirgis et loris
domi Poe 26   et hic uiris sunt et domi molestiae Poe 35

varia: illa te ego hanc mihi educaui Ci 39
hic uincet tu uiues miser Cas 403   tu..consignato, hic ministrabit, ego edam Cu 369   ego
huic bene et hic mihi uolumus Ps 233   amori
haec curat tritico curat Ceres Ru 146   aut
hinc aut ab laeua aut dextra..adsit Mi 607

HIEMS - - suae senectuti is acriorem **hiemem** parat Tri 398 (cf Graupner, p. 28;
Inowraclawer, p. 76)   ne algeas hac **hieme**
Mi 689(cf Kane, p. 47)

HIERO - - rex fuit..Liparo, qui..regnum
Hieroni tradidit, nunc **Hierost** Men 411-2

HIETO - - ego dum **hieto** Menaechmus(A
ut vid dumhi & omne aech' B du mihi & omęn
aechmus CD) se subterduxit mihi Men 449
eum **hietare** nondum in mentem uenit Fr II.
42(ex Diom 345)

HILARITUDO - - quid..te..tam abhorret
hilaritudo(il. E)? Ci 54   ut in ocellis hilaritudost! Ru 422   onera te **hilaritudine**(ex Non
120 hilaritus me CD hilarissime B) Mi 677

HILARIS - - nos hilari(FZ il. P) ingenio
et lepide accipient Mo 318   Poe 1367, diem..
hilarem PU ubi hilare Bentψ   Ru 420, mea
lepida hilaria (neut. plur.?) Rs pro m. l. hilara

HILARO - - alii sese **hilarent**(Rs aliis esse
P[ee B]) Men 981

HILARUS - - I. Forma **hilarus** Am 961
(hy. E), Mi 1199(FZ -ius P), Mo 567   **hilara**
Ru 420(-ia Rs)   **hilarum**(acc.) As 837, 850
hilaram Ep 413   **hilaros** Per 760, St 739

hilariores(*acc.*) St 739   **hilarissumum** Mi 666
(-imus *CD* -imum *BL*)   **hilarissume** Men 149
(-ime *PL*)   **hilare**(*adv.*) Men 153(*ins Rs*), Mer
99, Per 456(*Rs* bene *Pψ*), Poe 1367(*Bent* -em
PU)   *corruptum:* Mi 677, hilarissime *B* hilaritus me *CD pro* hilaritudine
   II. **Significatio** *numquam nisi de homini-*
bus usurpari dicit Abraham (p. 221) *impu-*
gnante U et aliis 1. *adiectivum:* hilarus sit Am
961   hilarus* exit Mi 1199   hilarus est Mo
567   quid ais mea lepida, hilara*? Ru 420
esse te hilarum uidero As 837   quin te . . hilarum das mihi? As 850   fidicinam . . hilaram
huc adduxit Ep 413   omnis hilaros . . faciam
ut fiant Per 760   fac nos hilaros hilariores
St 739   hilarissumum* conuiuam . . expromam
tibi Mi 666   homo lepidissume . . atque hilarissume Men 149
   2. *adverbium:* hilare* hunc comburamus diem
Men 152(*Rs*)   hunc festum diem habeamus
hilare* Poe 1367   uenio . . acceptus hilare atque ampliter Mer 99   Per 456(hilare *Rs pro*
bene)
   HILUM - - neque . . umquam † nihili omnibus
(*PS* hilo minus *LambLULy*) propere quam
potest(propere umquam hilo minus quam pote
Rs) peribit Tru 560   Tru 915(hilum operis *Rs*
pro operis quicquam; *cf* Blomquist, p. 26)
   HILURICUS - - Hilurica(*A* el. *P*) facies
uidetur hominis Tri 852
   HILURIUS - - Massiliensis, **Hilurios**(hili. *B*
ll. *FR*) . . sumus circumuecti Men 235
   HINNIO - - As 706, tuo ut hinni *J pro* tolutim ne
   HIO - - qui potuit uidere?   #Oculis.   #Quo
pacto?   #Hiantibus Mer 182
   HIPPODROMUS - - eam ab **hippodromo**
(hipo. *BVE*[1] hypo. *J* ipo. *E*[3] -ma *VE*[1]) uide-
rim . . filiam sustollere Ci 549   inde de hippo-
dromo(phip. *C*) . . reuenisses domum Ba 431
mihi ab hippodromo(hipo. *E* hyppo. *V*) memini
adferri . . puellam Ci 552
   HIPPOLYTA - - ab **Hippolyta**(ipo. *P*) sub-
cingulum Hercules . . abstulit Men 200
   HIPPOLYTUS - - abducite istum . . ad
Hippolytum(yppo. *P*) fabrum Cap 733   *Cf*
Schmidt, p. 192
   HIRA - - radices cordis pereunt, **hirae**
(*Turn* chire *B* chīre *E* chrae *J*) omnes dolent
Cu 238   *Cf* Keseberg, p. 3, *adn.* 1
   HIRCOSUS - - senex **hircosus**(ir. *CD* uir
quosus *B* hirquosus *RRg*) tu ausculere mulie-
rem? Mer 575   *Cf* Wortmann, p. 32
   HIRCUS - - 1. ei pro scorto supponetur
hircus(*BVE* hyrcus *J* ircus *AS*) unctus nautea
Cas 1018(*cf* Wortmann, p. 31)   illic † ircosa-
lus(*P* hircus squalus *Rs* h. olidus *SeyU* h. alius
BeroaldusR illinc h. *alus *LLy*) (adseruat)
Men 839   rusticus, hircus(stercus *U*), hara suis
Mo 40
   2. propter operam illius **hirqui**(*B*[2] irqui
AVEJS om B[1]) improbi edentuli Cas 550   *Cf*
Graupner, p. 25
   3. quasi **hircum**(yrcum *D* id qm̃ *B*) metuo.
ne uxor me castret mea Mer 275   illunc hir-
cum(ircum *AP*)   castrari uolo Mer 272   ec-

quid sapit?   #Hircum(irquum *A* hirquum *B* his
cum *CD*) ab alis Ps 738
   HIRCINUS - - tu qui cum **hirquina** barba
astas(*Ca* hirquin astas b. *P*) Ps 967   (alae) uolucres tibi erunt tuae hirquinae(*A* irq. *B* hir-
cinae *D*[-ne *C*]) Poe 873   *Cf* Wortmann, p. 31
   HIRNEA - - cadus erat uini: inde impleui
hirneam(*BDJ* hy. *J* cyrneam *Non* 546) Am 429
ego illic uini hirneam(hy. *J*) ebiberim meri
Am 431   (*Cf* Blomquist, p. 27)   latuit intus
illic in illac **hirnea**(hy. *J*) Am 432
   HIRUDO - - ego me conuortam in **hirudi-**
nem(hirundinem *VE*[1]*J* erun. *Non* 479 irundi-
nes *Non* 102) Ep 188   *Cf* Wortmann, p. 51
   HIRUNDININUS - - ad **hirundininum** nidum uisast simia ascensionem ut faceret admolirier Ru 598
   HIRUNDO - - dic . . me . . **hirundinem** As
694(*blanda appellatio*)   respondeo . . natas ex
Philomela . . esse **hirundines** Ru 604   has hirundines ex nido uolt eripere Ru 772(*cf* Wortmann, p. 42)   *vide* hirundo *supra*
   HISCO - - aedes **hiscunt** Ps 952   *Cf* Gronov, p. 262
   HISCUM - - Tru 21, *quod varie em editores*
   HISPANUS - - Histros, **Hispanos** . sumus
circumuecti Men 235
   HISTORIA - - **historiam** scripturi sumus
Men 248   historiam ueterem atque antiquam
haec mea senectus sustinet Tri 381   satis
historiarumst(is. *D*) Ba 158   *Cf* Egli, II. p. 46
   HISTRI - - **Histros**(is. *ZR*), Hispanos . .
sumus circumuecti Men 235
   HISTRICUS - - audire iubet uos imperator - - **histricus**(hys. *P*) Poe 4   haec . . imperata sunt pro imperio **histrico** Poe 44
   HISTRIO - - **histrio** in scaena siet Poe
20   uerbum in cauea dixit histrio(istrio *B*)
Tru 931   qui minus eadem **histrioni**(hy. *J*)
sit lex quam summo uiro? Am 77   **histrio-**
nem(hy. *B*) cogis mendicarier Cap 13   **histrio-**
nes(hy. *J*) . . in proscaenio hic Iouem inuocarunt Am 91   . . qui ambissent palmam **histrio-**
nibus(hy. *E*) seu quoiquam artifici Am 69
. . ut conquistores fierent histrionibus(hy. *J*)
Am 82   Iuppiter nunc **histriones**(hy. *J*) curet
Am 87
   HISTRIONIA - - quid admirati estis . . Ió-
uem facere **histrioniam**(hy. *J*)? Am 90   . . spectantibus Iouem et Mercurium facere histrioniam Am 152   *Cf* Gronov, p. 6
   HIULCUS - - sacrum profanum publicum priuatum habent, **hiulca**(hiutca *A*) gens Tri 286
   HO - - hohohocellus Mo 325 *pro* o-o-ocellus
(*Bent*)   ho *** Ci 988(hominem *Rs*)
   HODIE - - I. **Forma** odie *inuenitur in B*
sexies, in C bis, in D quinquies. corrupta: Au
53, hodie *J pro* hercle   Mer 608, hodie satst
B odio sane *CD var em edd*   Mi 45, hodie *C*
die *ABD*   Ps 200, hodie stringam(*P* h. const. *R*)
pro ego te distringam(*A*); 1173, quotum hodie *CD*(odie *B*) *pro* quotumo die   Tru 661,
hodie *CD pro* hoc
   II. **Collocatio** *saepe cum pronominibus per-*
sonalibus collocatur ita ut pronomen priorem
obtineat locum. Raro intercedit aliud uocabu-
lum. Cf Kellerhoff, p. 57; Kaempf, p. 9

III. Significatio *aliquando* hodie *non tem-pus significat, sed iracundam eloquentiam ac stomachum*(*Don ad Ad* II. 2, 7; *cf* K a n e, p. 40), *aliquando* = etiam nunc, 'now-a-days': uirginem . . abduxti hodie Cu 614   abiit a med hodie(*Rgl* me *Pψ* †**ᛋ**) Am 639   abs te abii hinc hodie Am 743   te abiisse hodie hinc negas? Am 758   hodie hinc abiit Cap 573   Mo 1113 (*Rs*)   numquam hercle hodie abiudicabit . . triobolum Ru 1039   hodie hic acceptae sumus Ci 16   hodie accipiat Mo 920   ego accipiam te hodie Ps 946   ego te hodie faxo recte acceptum Ru 800   is hodie hic aderit Cu 207 nos . . adiuuerit hodie Ru 305   tu . . hodie . . aduenisti Am 366   confido parasitum hodie aduenturum Cu 143   hodie adueni peregre Mo 1004   aduenit calamitas hodie ad hunc lenonem Poe 924   aduenisti hodie in ipso tempore Poe 1138   me . . hodie aduocauerit Cas 569   hodie adlatae tabellae sunt Ep 251   nisi hodie . . penus adfertur Ps 228   hodie(*A om P*) attulerit miles . . minas Ps 373   hanc fabulam . . Iuppiter hodie ipse aget Am 94   quin agitis hodie? Cas 765   actumst de me hodie(iam *U* h. iam de me est *P*) Ps 85   illum ad me hodie allegauit Ps 1233   ego illum hodie . . adlexero Poe 671   hodie ambulaui . . in tegulis Mi 272   quaestionem . . hodie(-ae *D*) amittere Am 1017   si hoc hodie(odie *D*) amiseris . . Ba 1195   neque te amittam hodie Ci 463   ted hodie hinc amittamus Mi 1421   neminem hodie mage amat Tru 176   hodie tuam amicam amplexabere Ps 722   hodie(*Lachmann Rgl U* nunc dico *Pᛋ*†*L*† *om Ly*) Periphanes . . talentum . . adnumerauit As 499   huic hodie anteueni Tri 911   id mihi hodie aperuistis Ci 2   hodie apparari iussi . . proelium Men 185   eum fecisse ille hodie arguet Am 1003   censen tu illunc hodie primum ire adsuetum? As 887   audiuistin tu me narrare haec hodie? Am 748, 752(dicere)   ex me audiet hodie mala Ba 911   hodie lumbifragium hinc auferes Am 454   pallam . . hodie(*om B*) uxori abstuli Men 601   huic hodie abstulerim pallam Men 1061   non hodie isti rei auspicaui Ru 717   hodie ✱✱✱esa farte biberem Fr II. 27(*ex Festo* 333)   caedere hodie(odie *B*) tu restibus Per 282   quae hodie (*Rg¹* huc *BEψ*) . . cantaret Ep 315   ego hodie . . capiam pilleum Am 462   si hercle hodie(h. her. *P U*) fustem cepero . . Au 48   me illi hodie . . ceperunt Cap 653   oppidum . . ut hodie capiatur Ps 384(= 585 b, *ubi* hodie *A* hoc die *P*)   neque piscium ullam unciam pondo hodie (*Py* h. p. *PLLy*) cepi Ru 913   cenabis hodie . . magnum malum As 936   hic apud nos hodie cenes Mo 1129   hodie alienum cenabit Per 473   hodie hic cenares Per 710   sic est: hodie(*U* sic estu ideo *P* sic esto: ideo *Ly*) cenabis foris Poe 1400   hic hodie cenato Ru 1417, 1423(-tote)   hodie non cenabis St 325   hodie apud me cenat St 415   ubi cenas hodie? St 480   te apud se cenaturum esse hodie St 511   hicine hodie cenas? Tru 359(c. h. *A U*) conligandae haec sunt tibi hodie(odie *B*) Ep 689   hodie . . nomen commutaueris As 374   illis hodie comparem . . malum Cas 505   nisi hodie . . comparassit . . minas Ep 122   ego tibi

istam hodie . . comprimam linguam Am 348 ego amicum hodie meum concastigabo Tri 25 suom concredat filium hodie Cap 348   quid ego hodie negoti confeci mali! Mo 531   ne istum ecastor hodie . . conficiam Tru 892   uolui animum . . confirmare hodie meum Au 371   ille hodie nidamenta congeret Ru 889   Demaenetum . . conspexero hodie As 479   contempsi eius opes hodie Poe 1177   ita erae meae hodie contigit Am 1061   eos ego hodie omnis contruncabo Ba 975   hodie hercle . . hi conturbabunt pedes Cas 465   illisce hodie hanc conturbabunt fabulam Mo 510   men hodie usquam conuenisse te . . Men 1050   facite hodie ut mihi munera . . conueniant Ps 177   nisi mihi penus . . hodie conuenit(datur *Serv ad Aen* I. 703 *et U aliter Prisc* I. 170 †*L*) Ps 178   neque hodie coquetur Cas 149   hunc hodie corrumpit diem Men 596   quibus credidi hodie . . Per 478   haud quisquam hodie nostrum curret per uias Poe 527   deamaui . . hodie lepidissuma munera Poe 1176   non ego illic hodie debeo triobolum Ru 1354   hunc hominem ego hodie in transennam . . deducam Per 480   quam . . hodie . . sumus defessi quaerere Ep 719   te hodie . . defigam in terram Per 294   hic hodie apud me numquam delinges salem Cu 562   deludificatust me hodie Mo 1033, 1035   quid mercedis petasus hodie domino demeret? Ps 1186   ego hodie Casinam deosculabor Cas 467   hic me hodie . . deriserit Cu 556   designaueris Mo 1113(*R*)   desistam Mo 1113(*L*)   hodie despondebit eam mihi Ru 1269   destinant Mo 1113(*Pᛋ*†*Ly*† dedisti nam *U*)   detexere Am 294 (h. *ins RglLy*)   hodie altera iam bis detonsa . . est Ba 1128   hodie deuotabit sortis Cas 388 si quid . . hodie falsum dixeris As 20   As 901 (h. *ins MueRgl*)   hodie(hodae *J*) dicunt Au 126 dicta . . dixit hodie Cas 668   hodie . . ego dixi per iocum Poe 1169   meum esse hodie . . dixi Ru 1078   diuides Au 283(h. *ins MueRg*)   malum . . ego hodie dabo Am 563   negebis . . pateram mihi dedisse dono hodie? Am 761   (minas) hodie . . daturus dixit As 634   hodie huic nuptum . . dabo Au 271   illi dem hodie insidias Au 662   cenam hodie dare uolo uiaticam Ba 94   dedisti hodie in cruciatum Ba 687 tibi hodie uerba det Ba 744   . . daturum id me hodie mulieri Ba 1029   nihil ego tibi hodie consili . . dabo Ba 1036   daturae si umquam estis hodie uxorem Cas 831   hodie . . cenam des Cu 660   pallam te hodie mihi dedisse Men 398   partem hodie(odie *B*) operae des Mi 1030   dabo aliquid hodie peculi Mo 253   tibi hodie ut det . . malum Mo 529   uerba illi . . dare hodie Mo 1073   Mo 1113(*U*) iuratust sese hodie argentum dare Per 401   hic mihi dies datus hodiest ab dis Per 774 a   lenonem . . dabo hodie dono Poe 169   Poe 1188(h. *ins Rgl*) dabisne . . hodie(-io *B*) uiginti minas? Ps 117 mihi tu hodie . . argentum dabis Ps 518   tibi hodie . . nummum dabo Ps 847   tu amicis hodie . . daturu's cenam? Ps 878   conuiuis cenam . . dabo hodie Ps 881   eam tuo gnato hodie . . dabit Ps 1072   hodie polluctura . . dabitur nemini St 688(*vide edd*)   non audes aliquid mihi hodie(*add U* mi anime *Rs*) dare(d. m.

Ly) munusculi? Tʀᴜ 425 (*U*)   dedi equidem
hodie Tʀᴜ 739   hodie hunc dolum dolamus
Mɪ 938   patera hodie meus uir donauit me
Aᴍ 771   te.. donabo ego hodie aliqui Mo 174
hodie ducam scortum Mᴇɴ 124   ducam hodie
amicam Sᴛ 426   ductitabo Eᴘ 351(h. *ins Rg*[1])
neque nihil hodie.. edes Cᴀᴘ 854   edimus Cᴀs
13(h. *add Rs*)   numquam hercle hodie hic..
edes Pᴇʀ 140   id hodie (*om Fest* 198, *Osberne*
515) effeceris As 98   .. me esse effecturum hodie Pᴇʀ 167   hanc hodie mulierem efficio tibi
tua ut sit Ps 112   hoc opus.. hodie efficiam
Ps 910   hoc sei non hodie ecfecissem Ps 1324
Tʀᴜ 907(unum hodie *Rs pro* uno die)   minas
effodiam ego hodie Ps 413   me.. hodie eludificatus est Mo 1040   eluamus hodie Sᴛ 670
hinc hodie emigrauit Mo 953   non ego te hodie.. emittam manu? Poᴇ 429   Rᴜ 1388(h. *ins*
Rs)   .. ut hodie possiem emolirier Bᴀ 762
emungam.. hominem probe hodie Bᴀ 701   in
Elateam hodie eat Bᴀ 591   si ituri hodie
estis.. Poᴇ 511   in malam crucem ire licebit
.. tibi hodie(enhodie *B*) Ps 1182   eripiam ego
hodie concubinam Mɪ 814   errabit illaec hodie Rᴜ 178   numquam hodie quiui.. euadere
Rᴜ 612   piscatus.. hic tibi hodie euenit bonus Bᴀ 102   hoc nobis hodie euenit proelium
Fʀ I. 65(*ex Non* 63)   illunc hodie excepi uidulum Rᴜ 1184   excruciem Bᴀ 1184(h. *add*
HermRRg)   .. hodie sese excruciari.. pati Mo
355   .. te hodie mecum exire ex naui Mᴇɴ
1075   auspicio hodie optumo exiui Sᴛ 459
hodie exigam aurum hoc? Bᴀ 903   hodiene
exoneramus nauem? Sᴛ 531   mira mihi quidem hodie(*om* [*P*]) exorta sunt Mᴇɴ 1039
numquam hercle hodie exorabis As 707   hic
hodie expediet.. fallaciam Cᴀᴘ 40   ego hodie
(*Bo* h. e. *EJ* ego *om BU*) expertus sum Cᴜ
680   hodie experiar Ps 174, 176   ego hodie
.. faxo.. expetant mendacia Aᴍ 589   hunc hodie postremum extollo.. pedem Mᴇʀ 831   hic
pugnis faciet hodie ut dormiam Aᴍ 298   faciam ego hodie te superbum Aᴍ 357   hodie
numquam facies quin.. Aᴍ 398   te ego faciam hodie proinde ac.. Aᴍ 582   quem pol
ego hodie.. faciam feruentem Aᴍ 1030   scibam
huic te capitulo hodie facturum satis As 496
eam ego hodie faciam ut.. Aᴜ 31   faciamus
hodie Aᴜ 262(*vide Rg*)   erus nuptias meus
hodie faciet Aᴜ 289   hunc.. ego hodie faciam
hic arietem Bᴀ 241   duplex hodie facinus feci
Bᴀ 641   (lucrum) me hodie facere mauelim
Bᴀ 859   non hodie hoc.. flagitium facerent
Bᴀ 1208   ego ex te hodie faciam pilum Cᴜ
689   delicatae te hodie faciam.. ut accubes
Cᴜ 691   ego illam uolo hodie(*A* h. u. *P*) facere libertam Eᴘ 465   numquam quicquam
facinus feci peius.. quam hodie Mᴇɴ 448   quid
modi flendo.. hodie(-ę *B*) facies? Mɪ 1311
hodie uerum factum.. dices Mɪ 1367   ludos
ego hodie(hodi *BD*).. faciam Mo 427   hodie
illam faciet leno libertam Pᴇʀ 82   ego hodie
compendi feci.. Pᴇʀ 471   Atticam hodie ciuitatem.. maiorem feci Bᴀ 474   ego hodie tibi
bona multa feci Pᴇʀ 733   uin tu illam hodie
.. libertam facere? Poᴇ 163   tu hodie omnia
facis effecta haec Ps 223(*vide* ω)   sorbitione

faciam ego hodie te.. Ps 868   rem diuinam
faciat aut hodie(hodce *C*) aut heri Rᴜ 130   si
.. unum uerbum faxis hodie.. Rᴜ 1118   non..
faciet.. hodie ut illum decipiat Sᴛ 603   numquam te facere hodie quiui ut.. Tʀᴜ 816   senem hodie(odie *CD*).. fallas Bᴀ 694   pol hodie non feres As 670   hic illius hodie fert
imaginem Cᴀᴘ 39   tu hodie canem.. feras
Cᴀs 389   pedem.. hodie numquam intro tetulit Mᴇɴ 381   neque hodie huc intro tetuli
pedem Mᴇɴ 630   hercle hodie malo uostro
istunc fertis Mᴇɴ 1013   haec duarum hodie..
feret imaginem Mɪ 150   uolup est me hodie
.. tetulisse auxilium Rᴜ 892   tu istunc hodie
non feres Rᴜ 1004   hodie numquam fies certior Bᴀ 841   exlecebra fiet hic hic equos hodie
auro senis Bᴀ 944   non opinor fieri hoc posse
hodie Cᴀs 473   hodie fient nuptiae Cᴜ 728
hodie id fiet Mᴇɴ 186   numquam hercle hinc
hodie.. fies fortunatior Rᴜ 1016   numquam
.. fiet hodie.. quin.. Sᴛ 754   istaec hodie..
uerba funditas Aᴍ 1033   perficito argentum
hodie ut habeat As 103   plus salis.. hodie
habeat Cᴀs 218   miserrumum hodie ego hunc
habebo amasium Cᴀs 590   hunc hodie diem
luculentum habeamus Eᴘ 157   me hodie nimis sollicitum.. habuit Mᴇɴ 588   properanti
hodie(*add Rg*) hau quisquam dignum habet
decedere Mᴇʀ 117   concubinam.. hospes habeat hodie Mɪ 937   quot hodie habeas digitos
Pᴇʀ 187   se iactatas.. hodie esse aiunt Rᴜ
562   hic mihi dies hodie inluxit corruptor Pᴇʀ
780   ego hodie.. sex immolaui agnos Poᴇ
452 ˙ hic hodie incedet uenator Poᴇ 647   hodie amare inceperim Rᴜ 462   ego.. hodie
(*B²* *om P*) uini guttam indidi Cᴀs 247   numquam hodie induces.. As 494   frustrationem
hodie iniciam Aᴍ 875   quando istaec innatast
tibi? #Hodie(odie *B*) Pᴇʀ 314   ne hercle hodie.. insuliamus Mɪ 278   hodie(odie *P*) forum
.. inspexi Mᴇɴ 597   numquam edepol hodie..
inspicietis Rᴜ 1288   ego lenonem ita hodie
(-ae *B*) intricatum dabo Pᴇʀ 457   hodie(*Mue*
Rgl modo *Pψ*) inueni As 313   haec hodie..
inuentast filia Eᴘ 716   haec inueniantur hodie esse.. filiae Poᴇ 1171   spero alicunde hodie me.. inuenturum esse Ps 104   quod scelus
hodie hoc inueni Rᴜ 1001   quibuscum hodie
filiam inueni meam Rᴜ 1363   si me tu hodie
inuitaueris.. Fʀ I. 57(*ex Schol Ver ad Aen* II.
670)   tu istaec hodie.. inuocasti As 909   mihi
hodie iussi prandium adpararier Mᴇɴ 1137
tris hodie leiteis iudicandas deicito Mᴇʀ 281
egomet me hodie iugularem Sᴛ 581   Chrysalus med hodie lacerauit Bᴀ 1094   enumquam
hodie licebit mihi loqui? Rᴜ 1117   incenato..
esse hodie licet Sᴛ 611   operam meam.. hodie locaui Tʀɪ 844   illic homo hodie me..
ludificatust Eᴘ 671   Mo 1040(*FZL*)   quoius
ego hodie(*A* hic *P*) ludificabor corium Mo 1067
erum.. ego hodie lusi Bᴀ 642   ego hodie aliquam machinabor machinam Bᴀ 232   mercatus te hodiest de lenone? Eᴘ 495   neque hodie.. meream.. diuitias Mᴇɴ 217   ego hodie
(hodi *CD*[1]).. misi parasitum Mɪ 948   mitte..
hodie Adelphasium Poᴇ 757   mittam. hodie
huic.. malam rem Ps 234   si quis non hodie

munus misisset.. Ps 777 lenoni munus hodie misero Ps 781 Tru 589(h. *add L*) (uirgae) hodie in tergo morientur Cap 650 mortuom hercle me hodie(*Bri* medio *P&*† me adeo *Bue Rs*) satiust Tru 926 hodie earum mutarentur nomina Poe 1139 ne tu edepol hodie miserias.. narrauisti Vi 69 hodie nate, heus, hodie nate: .. heus, hodie nate Ps 243 me hodie aduenientem.. noluerit salutare Am 706 hodie ✱✱✱(te nolo *ins Rs*) Cas 726 nubet hodie Cas 700 nupsit.. hodie Ci 43 si illa hodie nupserit.. Mi 1007 nuntiauit Cuamus hodie gaudia Tru 702 occisurum ait.. uilicum hodie Cas 693 parturire hodie uxor occepit Am 1091 hodie eire occepi Mer 303 filiam .. hodie obtruncauero Ci 524 mole salsa hodie (*iterat D*).. conprecatam oportuit Am 740 adsimiliter mihi hodie optigit Ba 951 me hodie orauit Argyrippus As 74 hodie numquam me orares.. As 674 adueniens hodie(*om A*) oraueris Poe 601 hodie illa pariet filios Am 480 poenae pendentur mihi hodie As 483 pendebit hodie pulcre Ba 793 percide os tu illi hodie(*PL*†*U* odio *Seyψ*) Cas 404 in digitis hodie percoquam Ru 902 te hodie lapide percussum uelim St 613 hodie auri tantum perdidi Au 786 non ego hodie perdidissem prandium Men 460 perii hercle hodie nisi.. Tru 620 uix hodie ad litus pertulit Ru 372 nullus esse hodie hoc pauro peior perhibetur Per 202 earum hodie perpauefaciam pectora St 85 perspexi.. quom antehac tum hodie Mi 1366 ego hodie escam petam Mi 581 pluet .. hercle hodie Cu 131 Fr I. 18(hodie *add SchRg*) id quidem hodie numquam poterit dicere Am 426 si ille hodie illa(i. h. *RRg*) sit potitus muliere.. Ps 1071 potare ego hodie.. uolo Au 569 Ep 406(h. *ins Mue*) nos hodie.. praestitimus pulcritudine Poe 1193 ut te hodie.. praeterducerem Mi 67 prandisti prandium hodie Poe 759 hoc hodie(*om AcRglU*) operis processit Am 463 .. ego hodie pessume processerim Cap 649 numquid processit.. hodie(odie *D*¹) noui? Mo 999 procudam ego hodie hinc multos dolos Ps 614 uotuin te.. mihi hodie falsum proloqui Cap 703 St 596 (h. *ins R*) hodie.. sumus defessi quaerere Ep 719 numquam hodie quiescet Mi 214 ego te hodie reddam madidum Au 573 placidum te hodie reddam Cu 727 effectum hoc hodie (h. hoc *B* hoc *om D*¹) reddam Ps 530 (minas) .. hodie reddam Ps 733 domum redierit hodie As 897 is.. hodie.. non redibit Cas 64 Mer 980(h. peregre *R pro* in exilium) ego tibi hanc hodie(-io *C*).. referam Men 466 caput huic argento fui hodie reperiundo As 728 repperi hodie.. diuitias Au 820 .. uerus hodie reperiare Tyndarus Cap 610 illa uitam repperit hodie sibi St 462 risi te hodie St 243 hodie sacruficare.. uolo Tru 423 saeuiendum (*Ly* seru. *HermRRsLU* seu. *P&*†) mihi hodiest Ps 1249 hodie saluere iussi Libanum As 410 (*vide U*) numquam ecastor hodie scibis Per 219 .. hodie sit sectatus simiam Mi 261 simiam hodie sum sectatus Mi 284 me hodie senex seduxit As 362 .. quos pol ut ego hodie seruem Au 364 neque.. hodie.. sinam umquam

accedere Am 264 numquam hercle hodie.. me solui sinam Ep 724 promisimus.. hunc hodie sistere Ru 778 .. ne mihi hodie.. solueret Cu 684 numquam hercle hodie.. solues Ep 728 mea hodie solutast nauis St 417 ego hodie neque speraui.. Ru 1195 minae.. hodie quas .. est stipulatus Ps 1069 sublitum os esse mihi hodie(*Bo* h. m. *BER om J*)! Cap 783 subterfugisse .. mihi hodie Chrysalum Ba 771 ut hodie.. suppetat satias Ioui Ps 334 ego hanc.. surrupui hodie Men 200 surrupuisti .. pallam istanc hodie Men 508 pallam.. hodie tibi.. surrupuit Men 564 si.. illic illas hodie.. tetigerit Ru 810 spes etiamst hodie (se hodie *add CD*) tactum iri Tru 886 temptare certumst. nostrum hodie conuiuium St 684 nos socordia hodie tenuit Poe 317 metuo.. ne.. hodie hic uapulem Am 334 .. ego hic hodie uapularim Mi 1415 uehes pol hodie me As 699 uenibis tu hodie(odie *BD*) Per 336 hodie Amphitruo ueniet Am 140 neque ego umquam nisi hodie ad Bacchas ueni Au 408 hodie non †uenerit Ep 272 hodie in Epidamnum uenit Men 70 is hodie huc ueniet Poe 121 hic qui hodie ueniet .. Poe 124 hodie ornatum .. uenit Poe 1175 nauis heri aut hodie uenerit St 152 diceret me hodie uenturum St 654 tu hodie hic uerberatu's Mi 1412 uorsabo ego illunc hodie(hidie *C*) Ba 766 me hodie uorsauisti Per 795 ego pol illum ulciscar hodie Am 1043 te nisi nunc hodie nusquam uidi Am 686 Cap 631(h. *ins Rs*) hodie primum uidit Mer 532 me hodie oculis uidisti tuis Ru 1166 numquam.. me uincet hodie Mer 438(*iterat CD*) certumst hasce hodie.. uincere Ru 838 hodie numquam ad uesperum uiuam As 630 homo .. qui uiuat hodie Au 419 hodie numquam.. uiuerem Men 1022 hodie stulta uiueret Mi 1320 mortalis .. qui uiuat alter hodie Ru 1281 uocatus hodie (*ins Rs*) ad cenam Cap 173 me uis uomere hodie Cas 732

hodie qui fuerim liber.. Am 177 .. ni hodie Argyrippo essent.. minae As 364 neque me alter est Athenis hodie quisquam.. As 492 neque illo quisquamst alter hodie.. parcior Au 206 ni illic hodie forte.. foret Ba 916 homini hodie peculi nummus non est Cas 258 erit hodie tecum quod amas Cas 451 tibi morigerus hodie .. fui Cas 463 numquam tibi hodie 'quin' erit Cas 608 illaec hodie(odio *Rs*).. moderatrix linguae fuit Ci 537 .. digniorem esse hominem hodie Athenis Ep 26 diuidiae .. mihi hodie(diuidiae *Rg*) fuit Mer 619 nullum edepol hodie(*om A*) genus est hominum taetrius Mo 657 haec dies summa hodiest Per 33(*dub*) ancilla mea quae fuit hodie .. Per 472 ego hodie fui benignus Per 476 Aphrodisia hodie sunt Poe 191, 256(s. A. h.) hodiest mercatus meretricius Poe 339 hodie iuris doctiores non sunt Poe 586 nullus mest hodie(*B om CD*) Poenus Poenior Poe 991 Aphrodisia haece Veneris est festus dies Poe 1133 fuit hodie operae pretium.. Poe 1174 mihi hodie natalis dies est Ps 165 quid .. nisi malum uostra operast hodie(*om BoR*)? Ps 183 nisi carnaria.. hodie mihi erunt Ps

198   num quoipiamst hodie . . nitidiusculum caput? Ps 219   huic lenoni hodiest natalis dies Ps 775   ego fui hodie solus obsessor fori Ps 807   necessest hodie Sicyoni me esse Ps 995   nihil est hodie hic sycophantis quaestus Ps 1197   quod promisisti . . hodie ut liber sim Ru 1217   neque hodie is umquam eris Tri 971   tu eris hodie mecum Tru 362   Tru 656 (h. *ins Rs*)

HOLITOR - - mulier **holitori** numquam supplicat, si quast mala Mᴛ 193   pistor apstulit, lanii, coqui, **holitores** Tri 408

HOLUS - - indunt coriandrum, feniculum, alium, atrum **holus** Ps 814   non fuit quicquam **holerum** (ol. *J*) Cas ,912   pertilli doni causa, holerum atque escarum . . Tru 610   qui mihi **olera** cruda ponunt, hallec duint Au *fr* V(*ex Non* 120)   terrestris cenast . . multis **holeribus** (ol. *J*) Cap 190   *corruptum:* Ps 271, holus *A ut vid pro* huius

HOMERONIDA - - et **Homeronida** (*LLy* -dam *CDS†U†* -dã *B* Thrasonidam *Rs*) et postilla mille memorari potest qui . . Tru 485

HOMO - - I. Forma **homo** 241 *exempla sine varia lectione. Addenda:* Aᴍ 146, *add Ly duce R*; 301, homo *U* modum *S† var em ψ*; 407, homo *PLy om Guyψ*; Cap 98, homo *ins Rs*; 337, is homo *PS†LULy* citissume *Rs*; 512, homo *add Rs*; 540, homon *E*; 812, homost *BJ* homust *E*; 828, homo *ins Ly* hominum *CaLU*; Cu 167, *add B² om P*; 284, homo *ins L*; Ep 493, bene *Rg¹ exempli causa*; 640,· hõ *E*; 671, homo *A om P*; Mer 305, homo *R pro* senex; 1011, honorē *B pro* homo rem; Mᴛ 228, honorem *P pro* homo rem (*Meurse*); 426, rogas? hem *B²CDRSLy* rogassem *B¹* rogas homo *Acψ*; Mo 564, *om HermRRs*; 703, *ins R solus*); 901, homo *A om PRLU*; Per 591, hõ *B*; Poe 606, domo *CD*; 977, *partem versus om PU*; Ps 940, *add R*; 1127, *add Rg*; Ru 648, homo audacissumus *add Lamb om P*; 947, homo *Rs* eho modo *PS†Ly* eho mane dum *L secl U*; 1184, homo *ins FlRgU*; Sᴛ 666, homo donauit uinum *SeyRg pro* quis somniauit aurum; Tri 913, homo *CDU pro* modo (*B*); 1070, homo *A*; Tru 300, homo *A* hominem *P*; 307, homo *A* tomo *P*; 487, homo *ins Rs*; 595, homost *FZ* humost *P om Rs*   **hominis** Aᴍ 576 (-n' *E*), 769, As 473, 656 (*BS†U†* corporis *DEJ RglLLy*), Ba 252, 558, 573, Cap 275 (*Niemeyer Ly om PS†L†* nimiam *add Rs* ille *U*), Cas 152, 552, Men 489, 709, 713, 1088 (*Wesenberg* -ni *P*), Mer 622, 637, Mo 544, Poe 92 (*FZ* -nes *P*), 184, 824 (*GepRgl* -ni *BDψ* -nes *C †S*), Ps 458, 964, Tri 852, 861, 1069   **homini** Aᴍ 166, 171, 605, As 120, 445, 466, 477 (*J* -ne *BDE*), 495, 717, 775, 779, 784 (*PNon* 438 -num *Non* 439), 919, Ba 88, 263, 338, 386, 416, 676, 1156, Cap 325, 391, 772, 946, 973, Cas 258, 262, 294, Cu 189, 531, 557, 707; Ep 136 (*Scioppius* -nem *P*), 141, 425, 526, 709 (-ne *E*), Men 82, 89 (-nis *R*), 293, 304, 474, 495 (*A om CD*), Mer 632, Mᴛ 618, 723, 1319 (*Ly* omni *PS† var em ψ*), 1411 (*A* -nem *P*), Mo 227, 409, 410 (*B²D²* -ne *B¹C* -nis *D¹*), 620 (-ne *B¹* -nē *D³*), 948, Per 180, 240, 241, 265 (homini binis *A* hominibus *PLy* homini bubus *Turn ut vid*),

470; Poe 89, 198, 505, 512, 564 (*BoRgl* omne *P* hominem *U*), 800, 824 (-nes *C* -nis *GepRgl*), 1192, Ps 390, 977, 1256 (-ne *A*), 1316, Ru 114, 662, 1059, 1193, Sᴛ 89 (*A* -nem *P*), 236, 520, 572, 692, Tri 131, 361, 527, 604, 697, 847, 906, 924, 1130 (homoni *Rs*), 1185, Tru 173 (*StuLLy* omni *PS†U* is *Rs*), 213 (*A* -ē *BD* -em *C*)   **hominem** 201 *exempla sine varia lectione. Addenda:* Cas 244, *ins SpULy* aliter *Rs†SL*; 987, ho*** *A supplet Rs*; Ep 26, *om A*; 496, nomen *BoRgS*; M‹ 267, *om CD*; 563, hominem *AB²* -ne *P*; 649, hominem *BriRg* semine *BS†* semisemene *CD var em ψ*; 704, -nes *A*; 927, ero hominem *R pro* lepide; 1066, *om BoR*; 1312, -ne *B*; Mo 704, eum h. *R* neminem *Pψ*; 804, -ne *B¹*; 1124, dominum *Bug RsU*; Per 786, hominem *R pro* non; Poe 564, hominem *U pro* omne; 675, -num *CD*; Ps 385, -ne *LU duce R*; 734, homoinem *B*; 751, ominē *D*; 1315, humerum *SpRRg †S*; 1323, esse hominem *om B*; Sᴛ 576, *v. om B*; Tri 1125, -num *CD*; Tru 416, hominem *add Rs*; 607, -ne *Rs*; 930, -ni *P corr FZ*   **homine** Au 461 (*PS†L† Ly om Aldψ*), Ba 394, 539, Cap 828 (*B* -nem *VEJ*), Cu 302, Ep 287, Men 631 (omine *D¹*), Mo 557 (*BugU pro* eo), Per 477, Ps 385 (*LU duce R* -nem *APψ*), 939 a (-ni *Ly*), 1163, Tru 849, Tru 607 (*BRs* -nem *Pψ*), Vi 40 (*LLy in lac*)   **homines** Aᴍ 159, 846, As 32 c (= 47), Au 753, Ba 118, 289, Cap 78, 84, 142, 233 (*om U*), Cɪ 678, 689 (-nis *PS†*), 774, Cu 475, 482, Ep 165 a, Men 221 (*A ut vid* omines *BC* oms *D*), 958, 997, 1052, Mer 263 (amo *RRg*), 410, Mᴛ 45 (omnes *StuRg*), 452 (-ni *B¹*), 486 (*A* -nis *P*), 733 (*AB²D²* -nis *P*), 735 (*A* -nis *P*), 758 (-nis *PS*), Mo 935, Per 844, Poe 475, 1311, Ps 294 (*Bent om P*), 381, 427, 443, 600, 819, 822, 825, 972, Ru 156, 290, 829, Sᴛ 606, 640 (*PRU* omnes *Aψ*), Tri 878, 893, 1028 (homines *PS†* hominum mores *LindLULy* ueterum mores *RRs*), 1032 (*Bergk* mores *PSLLy*), Tru 932   **hominum** Aᴍ 634, 938, 1121, As 922 (*Fl* unus *L om P*), Au 246, 300, 703 (regum *Scipio Gentilis et Rg*), Ba 372, Cap 333, 419, 511 (*HermRs* omnium *PSU*), 540, 622, 828 (*CaLU* homo *Ly om Pψ*), 836, Cas 694 (*add BoRs*), 783, Cu 694, Ep 18 (-em *J*), 249 (-em *J*), 434, 502, 580, Men 223, 258, 457, 817, 1053, Mer 842, Mᴛ 46, Mo 340, 593 (*AB²* -em *P*), 657, Per 355, 385, 550, 779 (homonū *B*), Poe 90, 472, 474, 619, 830 (-nem *B*), 831, 969, 1187, 1188, Ps 5 (-nem *Non* 501), 153, 351, 678 (-nem *B*), 802, 873, Ru 9, 11, 149, 185, 311, 319, 706, 1235, Sᴛ 183, 636, Tri 35, 240, 243, 290, 543, 669, 912, 1028 (h. mores *Lind* ueterum mores *RRs* homines *PS†*), 1046, 1115, Tru 63 b, 98, 223, 590 (-niū *B*)   **hominibus** Aᴍ 342, Cap 985, Mer 225, 842 (omnibus *RibS*), Mᴛ 755, Poe 239, Ps 827, 1112 (*add R solus*), 1185 (homininibus *B*), Ru 593, Tri 1046 (*ZRgU* omnibus *APψ*)   **homines** Aᴍ 303, 320, 728 (-nis *B* iho. *B*), 996, As 34, 727 (*JLULy* -nis *BDEψ*), Ba 1180 (*Lamb* -nem *P*), Cap 22, 100, 326, 455, 500, 554, 727, Cɪ 203, 205, 242 a, Cu 499, 508, Ep 382 (*E³RgLULy* -nis *PS*), 613, Men 31, 79, 98 (-nis *Non* 422), 308 (*om R*), 452, 453, 952, 961, 990, 1113, Mᴛ 170, 541, 658 (*RLy* -nis *B²CDψ* -nib, *B¹*), 996, Mo 119 (*R ULy* -nis *Pψ*), 245, 781 (homs *D*), 902, 1093,

Per 266(*om BoRU*), 566, 749, Poe 506, 522, 583, 612, 823, 979(*Rgl* -nis *BCSLU* -ni *D¹* omnes *A* omnis *Ly*), Ps 136(*RLULy* -nis *P RgS*), 381, Ru 54, 255, 315(*om U*), 346, 407, 1316, St 64, 135, 401, 446(*ULy* -nis *APψ*), Tri 520, 828(830, 920, 948(*CDULy* -nis *Bψ*), 1022, 1150(*ULy* -is *Pψ*), Fr II. 7(*ex Paulo* 61) **hominibus** Per 265(*B²CDLy* homibus *B¹* homini binis *Aψ*), Tri 1018, Tru 74(*dub*) *corrupta:* Cas 510, homine *VE¹ pro* omine; Cu 124, homines *B* omēs h. *EJ pro* omnes; Ep 397, quoi homini *B²* quoi nomini *B¹* cum nomini *E¹* cum homini *E³J pro* quin omini; Men 564, homo *CD pro* domo; 953, nihil hominus *P pro* nihilo minus; Mer 305, homo *add A*; Mo 463, homine *Ppro* omine; Poe 926, homo *CD pro* modo(*A*); 970, hominem *B pro* omnem; Tri 29, homines *A pro* omnis

II. **Significatio** (*cf* Koehm, *Alt. Forsch*, p. 88) A. *humani generis animal* 1. *oppositum deis:* sum deus. #Immo homo* haud magni preti Cu 167 deus dignus fuit quisquam homo qui esset? Mi 1043 centum doctum hominum* consilia sola haec deuincit dea Ps 678 di me atque homines deserunt Ps 381(= 600) imperator diuom atque hominum Iuppiter Am 1121, Ru 9 d. atque h. quae superatrix.. es atque era eadem es hominibus* Mer 842 me rex deorum atque h. faxit.. compotem Cap 622 diuom atque h. clamat continuo fidem Au 300 pro deum atque h. fidem! Cu 694, Ep 580 deum.. me atque h. pudet Tri 912 deorum odium atque h. Ru 319 miris modis di ludos faciunt hominibus Mer 225, Ru 593

quoi deos atque homines censeam bene facere.. decere Ru 407 neque d. neque h. aequomst facere tibi.. bene Ci 242a spectatumst d. atque h. eius neclegere gratiam Poe 823 deos decepit et h. Ru 346 te obsecro per deos atque homines Mi 541 per d. atque h. ego te obtestor Cap 727 per ego uobis deos atque homines dico Men 990, Tri 520(*om* ego uobis) di nos quasi pilas homines habent Cap 22 di homines respiciunt Ru 1316 homines Salus frustratur et Fortuna As 727

2. *oppositum animalibus:* me quasi murenam exossare cogitat; ultro istunc qui exossat homines Am 320 uiuos homines mortui incursant boues As 34 lupus est homo homini, non homo quom.. As 495(*cf* Raebel, p. 12) reges.. memorare nolo hominum* mendicabula Au 703(*opp.* picis) capreaginum hominum* non placet neque pantherinum genus Ep 18 homo sectatu's nihili nequam bestiam Mi 285 ego habeo homines clitellarios Mo 781(*opp.* mulis) neque ego homines magis asinos numquam uidi Ps 136 quas herbas pecudes non edunt homines edunt Ps 825 non homines habitare mecum.. uidentur sed sues St 64 credo alium in aliam beluam hominem uortier Ru 886 *Similiter:* amico hominibus* domitis .. largiar Per 265(*Ly; cf Cl. Rev.* X. 333)

3. *per se:* tam ego homo sum quam tu As 490 homo ego sum, homo tu's Tri 447 non homo tu quidem es Ba 1169 pugnasti, homo's Ep 493(*vide Rg¹*) uendit.. homini si lenost homo Poe 89 utut homost, omnia ge-

nera recipiuntur Poe 833 quid censes? homost Tri 563 tamquam hominem quando animam ecflauit, quid eum quaeras? Per 638

similiter: salus interioris hominis(*B* corporis *DEJRglLLy* †*SU; cur non* 'inner man'?) amorisque imperator As 566 miseria una uni quidem hominist adfatim Tri 1185 duorum labori ego hominum* parsissem Ps 5 cedo tris mihi homines* Mi 658 tres secum homines* duceret Ru 315 homines quattuor in soporem collocastis Am 303 me.. homines octo ualidi caedant Am 159 parasitus octo hominum munus.. fungitur Men 223 hoc hominibus sat erat decem Mi 755 sexaginta Macedones sunt homines* quos tu occidisti Mi 45 quanta istaec hominum summast? #Septem milia Mi 46 sexaginta milia hominum.. uolaticorum occidi. #Volaticorum hominum? Poe 472-4 an.. usquam sunt homines uolatici? Poe 475 quid huc tantum hominum incedunt? Poe 619

Iuppiter qui genus colis alisque hominum Poe 1187 nullum.. genus est hominum taetrius Mo 657 quoduis genus ibi hominum uideas Poe 831 ego ad hoc genus h. duraui Tri 290 itast haec h. natio Men 258 *similiter:* plagigera genera hominum Ps 153 famelica h. natio Ru 311 id genus hominum hominibus* est aduorsum Tri 1046 genus est lenonum inter homines.. ut muscae Cu 499 Syrorum genus quod patientissumumst hominum Tri 543 latebricolarum hominum corruptor Tri 240

facta hominum mores pietatem et fidem noscamus Ru 11 urbis speciem uidi, hominum mores perspexi parum Per 550 noui ego hominum mores Tru 98 is mores h. moros efficit Tri 669 ueteres h.* mores Tri 1028 noui hominum facit Au 246 noui h. mores maleficos Cas 783 non tu nunc h. mores uides? Per 385 hominum fortunae nimis miserae memorantur Ru 185 ueteres homines* ueteres parsimoniae.. in.. honore hic essent Tri 1028 ita quoique comparatumst in aetate hominum Am 634 in h. aetate multa eueniunt.. Am 938 in aetate h. plurumae fiunt transennae Ru 1235

tum.. homines nostra intellegimus bona quom.. Cap 142 maxima pars morem hunc homines* habent Cap 233 pluris pauciorum gratiam faciunt pars hominum quam.. Tri 35 haud longe abesse oportet homines hinc Ru 255 homines aedium esse similis arbitremini Mo 119 nullam.. citiorem apud h. esse quam famam reor Fr II. 7(*ex Paulo* 61) nobilest apud h... Tri 828 amorem primum apud h. carnificinam commentum Ci 203

mentionem facit homo hominis optumi Tri 1069 optumus:. hominum es homo Cap 333 oratio una interiit, hominum pessume St 183 hominum*.. nemo uiuit fortunatior Cap 828 (*CaLU*) quis homost me hominum miserior? Cap 540 miserrumus hominum* ut uiuam Per 779 quantum terram tetigit hominum periurissume! Ps 351 quantum hominum terra sustinet sacerrumo Poe 90 natum quantumst hominum sacrilegissume! Ru 706

hominem hominis* similiorem numquam uidi

MEN 1088 non hominem mihi sed thensaurum..memoras mali MER 641 cogitaui..ho-
minem quoius rei..similem esse arbitrarer
Mo 89 nouarum aedium esse arbitro similem
ego hominem Mo 91 leno..celabit hominem
et aurum POE 180 ..dupli tibi, auri et hominis, fur leno siet POE 184

B. *sine adiectivo vel pronomine,* 1. *idem fere
significat quod pronomen, ut* quis, quidam, aliquis, quiuis; *angl.* 'a man', 'men', 'people', *germ.*
'mann': **a.** *nom.*: ut nunc sunt maledicentes
homines MER 410 si homines essent minus
multi mali MI 733 ita nunc homines immu-
tantur AM 846 non tu scis quam efflictentur
homines? ST 606 homines tam breuem uitam
colunt quom..PS 822 me esse homines* mortuom dicant fame ST 640(RU) rus homines
eunt CAP 78(*v. secl Rs*) homines* nihili faciunt
quod licet TRI 1032 non mihi homines placent qui..AU 753

b. *gen.*: quid hoc sit hominis? AM 576, 769
quid id sit hominis*? POE 92 quid illuc est
..hominum? RU 149
flagitium illud hominis CAS 152 flagitium
hominis CAS 552, MEN 489, 709
nihil est miserius quam animus hominis
conscius Mo 544
hominum auaritia ego sum factus improbior
PS 802 benignitates hominum ut periere! ST
636 quae illic hominum* corruptelae fiunt!
POE 830 hominum immortalis est infamia
PER 355
eradicabam hominum aureis EP 434(*secl RgS*)
sorores..hominum sorbent sanguinem BA 372
ecquis hominum* nouerit? CAP 511 ..quasi
retruderet hominum* me uis EP 249
(sum) hominum seruator PS 873
piaculumst miserere nos hominum rei male
gerentum TRU 223

c. *dat.*: quodquomque homini accidit AM 171
multa eueniunt h. quae uolt TRI 361 quam
eius modi h. raro tempus se daret BA 676
beneficium h. proprium quod datur..TRI 1130
me tibi istuc aetatis h. facinora puerilia obicere! MI 618 si quid est h. miseriarum quod
miserescat..EP 526 hoc est homini* quam
ob rem uitam amet PS 1256
nihil homini amicost opportuno amicius EP
425 amici h. qui certi sient PS 390 tam homini* optumust amicus TRU 173 quid est h.
Salute melius? AS 717 miserumst ingratum
esse h.* id quod facias bene EP 136 uolup
est h...si..cluet uictoria POE 1192 lucrum
..esse utile h. existumo CAP 325 ut famast
h. exin.. Mo 227 est lubido h. suo animo
obsequi BA 416 homini* pietas —— MI 1319
(*NiemeyerLy*)
pugnis os exossas hominibus AM 342 mos
est obliuisci h. neque nouisse CAP 985 omnia
nimium exhibent negoti h. POE 239 prorogare
uitam possis h. PS 827

d. *acc.*: quamquam hominem uenter ** p **
CI 459 si animus h. pepulit, actumst TRI 308
laus est.. liberos hominem* educare MI 704
faciet h. ex tristi lepidum et lenem CAS 223
dum uiuit h. noueris TRU 163 misericordia ** h.
oportet Mo 802

illic homo homines non alit uerum educat
MEN 98 euortes..h. fundis familiis PER 566
uos faenore h...lustris lacerant h. CU 508
pone sese h. locant POE 612 scis ordine ut
aequomst tractare h. TRI 830
nulla res tam delirantis h.* concinnat cito
AM 728 lucrum lutulentos h. reddidit CAP 326
h.* aequom fuit sibi habere speculum EP 382
puer inter h. aberrauit a patre MEN 31 memini..inter h. me deerrare a patre MEN 1113

2. *idem fere significat quod* is, ille: **a.** *nom.*:
homo furti sese adstringet POE 737 homo*
dum calet PS 1127(R) homo*..in sese concipiet metum AM 301(U) h. cruminam..de-
trahit TRU 652 h. ad praetorem..deuenit
(uenit *NonLy*) AU 317 h...exclusust foras AS
596 madet h. Mo 331 h. insanire occeptat
MEN 934 h. hercle periurauit MER 539 h. peruorti potest POE 874 unde sese h. recipit domum? AU 177 timet h. AM 295 uenitne h.
ad te? PS 1067 iam h. in mercatura uortitur
Mo 639
frustrast h. Mo 567 guggast n. POE 977
animo hercle homo*st suo miser TRU 595 probus h. est POE 582 satur h. est CAP 812 qua
faciest h.? TRI 903 nunc h. in medio lutost
PS 984 homines sequi (*hist. inf.*) BA 289

b. *gen.*: o hominis inpudentem audaciam
MEN 713 h. faciem exquireres MER 637 peregrina facies uidetur h. PS 964 hilurica facies
u. h. TRI 852 minus placet mihi haec h. facies TRI 861 statum uide h. PS 458
hominum ingenium liberale! CAP 419

c. *dat.*: consuadet homini TRI 527 dabitur
h. amica ST 572 id duplicabit h.* furtum
POE 564(*Rgl*) h...ostendit symbolum BA 263
cras susscribam h. dicam POE 800 collum obstringe h. CU 707 iube h.* argento os uerberarier Mo 620 apud mensam plenam h.*
rostrum deliges MEN 89 adhaesit h. ad..uen-
trem fames ST 236 ferre aduorsum h.* occupemus osculum ST 89 ex amore tantumst h.
incendium AS 919

d. *acc.*: hominem accipiam quibus dictis
meret MEN 707 apstraxit hominem in..ma-
lam crucem MEN 66 tibi adduxi h.* Mo 804
nos h. ad te adduximus POE 658 adduc h.
cito PS 389 adire lubet hominem POE 841
admemordit h. AU *fr* II.(*ex Gell* VI. 9, 6) aggredior h. CU 338 aggrediar h. EP 126, MI
169, Mo 1074, ST 583, TRI 45 atra bilis agitat
h. CAP 596 sine me h. apisci EP 668 h...
iubeas accessi CAP 949 h.* caperest certa
res MI 267 mihi h. cedo Mo 1090 potero
..h. circumducere TRI 859 ad lacrumas coegi
h. BA 981 certumst..h. contra conloqui AM
339 blande h. compellabo POE 685 magnufice h. c. PS 702 concastiga h. probe BA 497
neque quisquam h. conspicatust MER 194 conuenistin h.? PS 1079 potero curare h. MEN
949 deridebo hercle h. PS 1059 dispennite
h. diuorsum MI 1407 ut distinxi(*PS* disc. *LLy*
ext. *Rs* res. U) h. TRU 957 potin ut h. mihi
des? MI 926 certumst h. eludere AM 265
emungam hercle h. probe BA 701 h.* exornauero PS 751 implicabit h. furto POE 564(U)
h. interrogem POE 730 mihi h. inuenietis PS

724 ludificata ero h. Mɪ 927 (*R*) h.* aduenientem seruos ludificatus sit Mo 1124 ludificemur h. Sᴛ 578 ludam h. probe Tʀɪ 896 nouistine h.? Bᴀ 837, Tʀɪ 905 noui ego h. Rᴜ 963 h. n. Rᴜ 965 h. noueris Tʀɪ 913, 952, Tʀᴜ 163 obseruabo quid agat h. Mᴇɴ 465 opperiar h. Mᴇʀ 330 h. opprimet Bᴀ 858, 867 (-at) clamore h. posco Cᴜ 683 h. iube aedis mancipio poscere Mo 1091 proripite h. pedibus Rᴜ 660 h. quaesiueris Ep 195 reppuli reieci h. Bᴀ 633 h. reppuli Bᴀ 967 reprehende h. Ps 249 tangere h. uolt bolo Pᴏᴇ 101 uidi edepol h. Sᴛ 575 uoco huc h.? Mo 774 quin uocasti h.? Sᴛ 576

quid si .. accersam homines? Mo 1093 h.* conloquar Tʀɪ 1150 noui h. Mᴇɴ 961

manuleatam tunicam habere hominem addecet Ps 738 non uides hominem insanire? Mᴇɴ 947 homines me quaeritare credo Ep 613 em tibi hominem As 880, Cᴀᴘ 373, 540 excillum hominem* tibi Mɪ 1312(em *LULy*) edepol hominem praemandatum .. familiariter! Tʀɪ 335

accedam ad h. Mɪ 494 nunc est mihi adeundi ad hominem tempus Bᴀ 773 adibo ad h. Mᴇɴ 486, Sᴛ 237 adeam ad h. Tʀᴜ 502 ibo ad h. Mᴇɴ 808 iamne in h. inuolo? Mɪ 1400 hominem *** Cᴀs 988 (*Rs* ho ** *A*)

e. *abl.*: haben argentum ab homine? Ps 1163 Mo 557, homine *BugU pro* eo

f. *relatiui antecedens*: miser est homo qui .. As 616, Cᴀᴘ 461 improbus est h. qui .. Pᴇʀ 762 nequamst h. qui .. Ps 1103 est quidam homo qui .. Cɪ 735 quis is homost qui .. Ps 984 hominis .. facies .. qui Mᴇʀ 622 homini quoi .. facilest facere nequiter Mo 409 h. amanti qui .. Pᴏᴇ 505 hominem .. qui .. Mɪ 260, 1312, Ps 1208, Rᴜ 921, 965 h. quem .. Pᴏᴇ 1287, Rᴜ 1387, Tʀᴜ 280, Vɪ 17 bellum h. quem noueris Pᴏᴇ 1335, 1384 quoius est .. h. Rᴜ 963 ab homine quem .. Bᴀ 539 opus est h. qui .. Ep 287 homines qui .. Aᴜ 753, Bᴀ 118, Cᴜ 482, Mᴇɴ 1052, Ps 427 h. quos .. Cᴀᴘ 84, Mɪ 45 hominum .. qui .. Mᴇɴ 457 arcesse homines qui .. Mᴇɴ 952

C. *additur pronominibus, adiectiuis uim augendi causa* (*cf.* Asᴍᴜs, p. 19) 1. *pronominibus* a. hic: quis hic est homo? Aᴍ 292, Cᴀs 733, Cᴜ 230 quis hic homost? Mᴇɴ 650 (*P* is *Briω*), Tʀᴜ 549 (hic *add Sey* is *BoU*) q. h. h. cum tunicis longis? Pᴏᴇ 1298 q. h. h. chlamydatus est? Ps 963, 1101 (est c.) hic homo sanus non est Aᴍ 402, Mᴇʀ 951 (non sanust) ebrius est Aᴍ 574 (h. hic *PLULyℱℓ corr Luchs*) inanis est Mo 571 est .. hariolus Mo 571 probus est Pᴇʀ 617, Ps 942 bonus est Pᴏᴇ 1214 meus est Ps 600 (m. h. e. h.), 1124 sycophantast Tʀɪ 892 non fugitiuost Tʀɪ 1027 est .. praecipuos Tʀɪ 1115 hic insanust homo Mᴇɴ 282 hic scelestus est h. Pᴏᴇ 200 pernix hic est h. Ps 1175 (p. homost *ALy*) solus h. h. est qui .. Cᴜ 248 ubi hic est homo? Aᴜ 244 adgrediundust h. h. Tʀɪ 963 me pugnis contudit Aᴍ 407* rabiosus habitus est Cᴀᴘ 547 (*PLULy* istic *Luchsψ*) exclamat Cᴀᴘ 512 (homo *add Rs*) pugilatum incipit Cᴀᴘ 793 quid h. h. tantum incipissit facere? Cᴀᴘ 802 h. h.

ex amore insanit Mᴇʀ 325 occisus h. h. est Bᴀ 161 h. homo* occepit quaestum Cᴀᴘ 98 h. h. ad cenam recipit se Cᴀᴘ 831 h. homo* .. sapit Pᴏᴇ 606, Sᴛ 360 (hic hercle h.) si .. h. h. senapi uictitet Tʀᴜ 315 amat homo hic te As 900 ad sapientiam huius hominis* nugator fuit Cᴀᴘ 275 huic homini nescioquid est mali .. obiectum Aᴍ 605 dicito .. me .. seruitutem seruire huic homini optumo Cᴀᴘ 391. h. h. opust quadraginta minis Ep 141 huic h. dignumst diuitias esse Mɪ 723 huic (*ins R solus*) homini* .. os uerberarier Mo 620 inest amoris macula h. h. in pectore Pᴏᴇ 198 quid ego h. h. faciam? Ps 1316 h. h.* amanti neniam mea era .. dixit Tʀᴜ 213 neque ego hunc hominem .. ad aedis .. sinam .. accedere Aᴍ 264 quod ego h. h. facinus audio eloqui! Aᴜ 616 h. h. decet auro expendi Bᴀ 640 perlubet h. h. conloqui Cᴀᴘ 833 ubi tu h. h. nouisti? Mᴇɴ 379 amat h. h. nimium lepidum et nimia pulcritudine Mɪ 998 h. h. ego hodie in transennam .. deducam Pᴇʀ 480 h. h. malum esse oportet Ps 613 minus m. h. h. e. opinor Ps 956 manufesto teneo h. h. qui .. Ps 1160 onera hunc hominem* Ps 1315 (humerum *SpRRg*) h. h. cursuram docet Tʀɪ 1016 unde ego hominem hunc esse dicam? Ps 966 huncine hic h. pati colere iuuentutem Atticam? Ps 202 huncine h. te amplexari tam horridum ac tam squalidum Tʀᴜ 933 hoc (*Rs*) homine* .. nemo uiuit fortunatior Cᴀᴘ 828 h. h. conuentost opus Cᴜ 302 nihil h. h.* audacius Mᴇɴ 631 neque ego hoc h.* quemquam uidi magis malum et malificum Ps 939 Tʀᴜ 607 (*Rs*) quoius modi hic homines* erunt? Mᴇɴ 221 me hi nunc h. insanire praedicant Mᴇɴ 958 non .. hisce h.* me marem .. rentur Mɪ 486 ubi sunt hi h.? Rᴜ 156 hisce h. ubi habitent Tʀɪ 878 cretast .. horunc hominum oratio Pᴏᴇ 969 elleborum hisce h.* opus est Ps 1185 dubitaui hosce homines emerem Cᴀᴘ 455 emi hosce homines Cᴀᴘ 500 monstra hosce h. mihi Tʀɪ 948

b. ille, illic: illic homost Ps 707 quisnam i. h. est qui .. Tʀᴜ 593 i. h. est aut dormitator aut sector Tʀɪ 862 i. h. est .. leno Pᴏᴇ 613 i. h. aut sycophanta .. est Mᴇɴ 1087 i. h. superstitiosust Aᴍ 323 meus i. h. est Mɪ 334 i. h. meus est Ps 381 i. h. homines non alit Mᴇɴ 98 i. h. .. malam rem arcessit Aᴍ 327 i. h. aedis compilauit As 272 facite i. h. .. ablatus .. siet Mᴇɴ 992 conseruauit me i. h. Ps 667 defloccabit iam i. h. lumbos meos Cᴀs 967 deludificauit me i. h. Rᴜ 147 quot i. h. animos habet? Ep 45 i. h. ludibrio nos .. habet Ep 666 magnam i. h.* rem incipissit Mɪ 228 i. h. tuam hereditatem inhiat Sᴛ 605 i. h. me interpolabit Aᴍ 317 quot i. h.* .. hodie me exemplis ludificatust Ep 671 ne i. h. me ludificetur Ps 1120 quo i. h. foras se penetrauit? Tʀɪ 276 i. h. socium .. quaerit As 288 i. h. aurum scit me habere Aᴜ 185 i. h. .. scit qui habet Rᴜ 1297 i. h. ne uxori simulat male loqui Mᴇɴ 125 i. h. .. uolt pallium detexere Aᴍ 294 liberabit ille te homo Mᴇʀ 532 ubi i. est h.? Rᴜ 851 adeundus mihi i. est h. Rᴜ 1298 quis i. est h.? Tʀᴜ

917 ..h. si i. abiit Ps 910 illic homini dimminuam caput Men 304 illunc hominem intemperiae tenent Au 71 ego i. h. perdo Per
738 ego i...h. adlexero Poe 671 ego i. h.
metuo Ps 1019 ego..illum..hominem..sum
frugi ratus As 861 quo i...h. proripuisse se
dicam? Cap 533 nouistin tu i. tunicatum h.
qui siet? Poe 1121 quid illisce homines ad
me currunt? Men 997 quid i. h. quaerunt?
Mo 935 i. h. mihi nescio quid mali consulunt
Per 844 di illos homines*.. perduint Men
308 i. h. expello St 401

c. is: ubi is homost? As 338, Ba 47(ubi
nunc..), Tru 826 ubi is est h. qui..? Cu
652 ubinamst i. h. gentium? Mer 434 quis
i. est h.? Cu 581 quis is homost? Men 650,
Mi 176, Tru 135 si is est homo Ep 543 hic
is h. est qui.. Ep 732 ecquid i. h. scitust?
Ps 748 is homo ut redimatur Cap 337*, 341
ut..h.) uiuitne is homo? Cap 989(is, h. Ly)
quo i. h. insinuauit pacto? Ci 89 ecquid i. h.
habet aceti? Ps 739 i. h. exornetur Tri 767 is
in diuitias h. adoptauit hunc Poe 904 quid
ei homini opus uitast? Per 180 quid est ei
h. nomen? Ps 977 censeo eum etiam hominem in senatu dare operam As 871 eum h.
uti conuenias Cap 515 monstret eum mihi h.
Ep 536 Mo 704(eum hominem R pro neminem)
eum..demonstretis h. Poe 593 dicam ab eo
homine me accepisse Tri 849 ei homines..
condiunt Ps 819 neque is umquam (hominibus
ins R) nobilis fui Ps 1112 eos nunc homines
metuo Mi 996a inter eosne h...postulas?
Tri 1022

d. iste: istic homo rabiosus habitus est Cap
547 istic h. te..concidit Ep 488 ..istius hominis ubi fit quomque mentio Ba 252 homini
ego isti talos subfringi uolo Ru 1059 improbum istunc esse oportet hominem Ba 552 ne
tu i. h. perduis Cap 728 mihi i. uellem h.
dari Ci 93 si i. h...tibi commonstrasso Ep
440 i. b.* numquam audiui Ep 496 isti tibi
quid homines debent Tri 893 non monstrare
possum istos homines Tri 920

e. idem: homo idem duobus locis ut simul
sit Am 568 eidem homini..mandes As 120
eidem homines numquam dicunt Mi 758

f. ipse: ipsum hominem manufesto opprimas
As 876 eccum ipsum hominem Men 898 mentionem facit..hominis optumi. #Ipsus homo*
optumus Tri 1070

g. quis, ecquis: quis homo? Am 309, 625, 1121,
Mo 489 quis homost? Men 137, Poe 1213 quis
homost qui.. Ba 807, Mo 446, Ru 645 q. homost me hominum miserior? Cap 540 q. h...
te alter est audacior? Mi 313 q. h. sit magis
meus Mi 615 q. homost me insipientior? Tri
929 quis tu's homo? Am 1028(cf infra D)
quinam h. hic..conqueritur? Au 727 q. h.
donauit uinum? St 666(SeyRg) q. h...me
exciuit foras? Tri 1176 q. h. hic loquitur?
Au 731 q. h. te rapit? Ru 870 q. h. id uidit? Mi 176 neque te qui homo sis scio Men
301 me rogas homo qui sim? Mi 426(AcRg
LU) quem ego qui sit homo nescio Tri 849,
960 quoi homini? Cap 973, Mo 948 q. h...
boni dedistis plus? Men 474 quoi h. despon-

didit? Tri 604 non nosse hominem qui siet
As 348 dic modo hominem qui sit Ba 555
hominem demonstretis quis eam abstulerit Au
716 quem dices digniorem esse hominem*..?
Ep 26 quem h. inueniemus..utilem? Ep 291
q. tu h. arbitrare nescio Men 744(dub) q. amplexa sum h.? Mi 1345 quemnam hominem?
Poe 859 neque uos qui homines* sitis noui
Mi 451

ecquis homost qui.. Mo 354 ecquem in angiporto hoc hominem tu nouisti? Ps 971 ecquem
tu hic hominem crispum, incanum uideris?
Ru 125

h. qui: qui homo culpam admisit in se..
Au 790 ecquis est qui homo..uelit? Cas 951
..qui homo quod amat uidet Cu 170 q. h.
mature quaesiuit pecuniam Cu 380 q. h. timidus erit.. Mo 1041 q. h. eum norit.. Poe
874 q. h. sese miserum..uolet Ru 485 q.
h...cum animo..depugnat Tri 305 quis
est qui mentionem facit homo hominis optumi..
Tri 1069 qui audit h.*.. Tru 487(Rs) quoi
homini..nummus non est Cas 258 q. h. dei
sunt propitii.. Cu 531, 557, Per 470(p. s.) q.
h.* erus est consimilis Poe 824 (quoius hominis GepRgl) quem..hominem irrigatum..
dabo Ep 121 q. ego h...uita euoluam sua
Men 903 q....h. uideritis Mi 160 Per 786
(hominem R pro non) q. ego h. nullius coloris
noui Ps 1196(loc dub) quo homine..nemo
uiuit fortunatior Cap 828 qui homines probi
essent.. Mi 735

si quis..homo(ins R solus) habet Mo 703(R)
si quoi homini dei..uolunt Ru 1193 si quem
hominem exspectant.. St 642 ..nisi quis satis
diu uixisse sese homo arbitrabitur Cap 792

i. quisquis: quisquis homo huc..uenerit,
pugnos edet Am 309 quemquem hominem attigerit.. Tru 228

k. quisquam: quis me Athenis nunc magis
quisquamst homo quoi di sint propitii? Au
810 ..quem quisquam homo aut amet.. Ba
617 nec homo* quisquamst tam opulentus..
Cu 284(L) Mi 1043(supra A. 1) ..quod h. q.
irrideat Poe 1202 neque q. h. mihi obuiam
uenit Ru 206 numquam..quisquam homo*
mortalis..creduit Tru 307 ne quoiquam homini admoueat As 779 nec h. q. supplicare
..certumst mihi Cap 772 ne hoc q. h. dicerem Per 240 ne q. hoc crederem Per 241
numquam hominem quemquam conueni Ep 80
numquam..h. q. ludificarier..uidi Mi 538
neque esse q. h.* in terra arbitror Tri 1125
nec satis a quiquam homine accepi Per 477

l. quiuis: quoiuis homini*..facilest facere
nequiter Mo 410(v. secl RRgLy)

m. quisque: suam quisque homo* rem meminit Mer 1011 ut quoique homini res paratast.. St 520 ubi quemque hominem aspexero Am 1048 ad suum q. h. quaestum esse
aequomst callidum As 186, Tru 416(h. add Rs)
quo in q. h. facile inueniatis loco Cu 467

n. quidam: olet homo quidam malo suo Am
321 h. q. est qui scit.. Mi 1012

o. aliquis: homo conducatur aliquis Tri 765
aliquem hominem allegent Am 183 ..a. ut h.
reperiam ab istoc milite Ba 42 adlegassem a.

h. Ep 427 (*Rg*[1]) ut a. h. strenuom .. adducerem Ps 697

p. alius: nescioquem .. alium hominem .. quaeritas Men 407 _ cur ausa's alium te dicere amare hominem*? Tru 607

q. nemo: ea signa nemo homo* horum familiarium uidere poterit Am 146 (*Ly; cf* Seyffert, *Berl. phil. Woch.* 16, 11) quod nemo umquam homo antehac uidit Am 566 Cap 828 (homo *ins Ly*) me h. n. deterrebit Mi 332 homo* n. hinc quidem foras exit Mo 901 n. h. umquam ita arbitratust Per 211 hunc h. feret a me n. Ru 968 n. h.* hic solet perire Tru 300 n. h. miser est Vi 63 scio hoc daturum nemini homini As 466 .. concedere h. nato n. Cas 294 iura te non nociturum esse h.*.. n. Mi 1411 te sene omnium senum(senem *Ly*) hominem* neminem esse ignauiorem Cas 244 (*SpULy*)

r. nullus: homo nullust te scelestior Au 419 dignior n. est h. Ba 621 n. frugi esse potest h. nisi qui .. Ba 654 n. h. dicit Ba 808 h. me miserior n. est aeque Mer 335 nullist homini perpetuom bonum Cu 189 Mo 802 (nullum *in lac ins U*)

s. ullus: nec mihi conscius est ullus homo Ru 926 neque illaec ulli pede pedem homini premat As 775 neque illa u. h.* nutet As 784 nec magis manufestum ego hominem umquam ullum teneri uidi Men 594

D. *otiose cum adiectivis, substantivis* (*cf* Asmus, p. 17): **a.** adulescens homo penetrem me? Ba 65 quid nouom a. h. si amat? Ps 434 inlecebrosius . fieri .. potest .. homini adulescentulo Ba 88 alienum hominem intro mittat neminem As 756 inaequius .. homini amanti Poe 505 ire .. h. a. operam datum Poe 512 me perdas hominem amantem Ps 322 dare .. argentum amanti h. adulescenti Tri 131 commoda homini amico As 445 h. a. quist amicus .. Ba 386 a. h. tibi .. credere certumst Ba 1156 .. ut decet uelle h. amicum amico Cu 332 amico h.* .. largiar Per 265 h. amicum adhibere Per 595 bene dicere aequomst h. a. Tri 924 stultitia .. est .. h. amatorem ullum .. procedere Cas 564 usust hominem* astutum doctum, cautum et callidum Ps 385 qui me alter est audacior h.? Am 153 nec quisquam tam a. fuat h. Am 985 uicinum opinor esse h. audacem et malum Mo 1078 h. audacissumus (*Lamb om P*) eas deripere uolt Ru 648 me dices auidum esse h.* Ps 1323 Chrysalus optumus h. Ba 1112 op. hominum es h. Cap 333 h. optumorum optume Cap 836 labores h. euenisse optumo Cap 946 boni h. atque dites ambulant Cu 475 h. optumum teneo Mo 719 callidus Ps 385 (*supra*) h. catum eum esse declaramus Ps 681 h. captiuus commercatur Cap 100 h. c. .. catenis uinciunt Men 79 recens captum h... te perdocere Cap 718 cautus Ps 385 (*supra*) estis h. commodi Ps 443 cupidum h. postulat se in plagas conicere Tri 237 minus damnosorum h. .. siet Tru 63 b ted esse h. diuitem, factiosum Au 226 diuiti h. id aurum .. dedit Ba 338 diues Cu 475 (*supra*) minus h. doctum minusque .. callidum Ep 428 h. docto rem man-

dare Mer 632 Ps 385 (*supra*) te .. tam doctum h. atque astutum Ps 907 infortunio h. praedicas donabilem Ru 654 h. ebrius (se agit) Mo 342 defaenerare h. egentem hau decet Vi 89 fui h. exercitus Mer 228 h. cum ornamentis .. exornatum adducite Ps 756 factiosus Au 226 (*supra*) quod (agit) h. fortis Ps 992 uorsipellem frugi conuenit esse hominem Ba 658 h. f. ut facere oportuit Cap 294 f. h. .. esse arbitror Cas 284 cum f. hominibus ibi bibisti Tri 1018 te me arbitrari .. h. idoneum quem .. Au 252 non potuisti adducere h. magis .. idoneos Poe 583 ignaui (*dub*) h... monent Ru 829 mihi molestu's h. ignoto Men 293 h. ignotum compellet me Men 374 mihi male dicas h.* .. ignoto Men 495 improbissumo h. malas edentauerint Ru 662 et inpudicum et inpudentem h. addecet Ru 115 ineptum .. h. et odiosum mihi Men 316 (*Rs*) ingrato homine nihil inpensiust Ba 394 ego h. infelix fui Am 325 edepol h. infelicem! As 292 sumne ego h. insipiens? Ps 908 ego .. h. iracundus animi perditi Men 269 h. ego iracundiorem .. noui neminem Mer 141 dic h. lepidissumum esse me Men 147 o lepidissumum h.*! Mi 649 (*Rg*) o. h. lepidum! Ps 931 tun libero homini* male seruos loquere? As 477 commercaris ciuis h. libeŕos Per 749 liberos h... modico .. par est gradu ire Poe 522 inclementer dicat homini libero Ru 114 quod mares homines amant Poe 1311 noui: hominem haud malum Au 172 neque malo h.* neque benigno .. dedi Ep 709 o h. malum! Men 640 posse opinor me dare h. tibi malum et doctum Ps 729 ego si .. peiorem h. quaererem .. Ps 792 h. ego hic quaero malum legirupam inpurum peiiurum atque inpium Ps 974 peiorem ego h... numquam .. uidi Ps 1017 malus et nequamst homo qui .. Ps 1103 pessumu's homo Ps 1310 homo .. memor Ps 940 (*R*) mendicos h. magni penditis St 135 scio te esse .. h. militarem Ep 16 edepol hominem miserum! Am *fr* VII (*ex Non* 44) sumne ego homo miser? Ba 623, Cas 303 (m. h.), Mer 588 ne ego homo uiuo miser Men 908, Mo 564* (sum) (ago) unde h. miser atque infortunatus Ba 1106 esse ubi miserum h. decet Ba 1107 †illo sunt homines misere miseri Ci 689 h. misero .. accedit malum Men 82 h. miserum praedicas Per 649 quid negoti dat h. misero? Tri 847 ego sim mitis tranquillusque h. Tru 776 h. .. quaeritamus mortuom Men 240 flent nequam homines As 32 c (= 47) nequam homost Ba 557 nequam hominis .. parui pendo gratiam Ba 558 parasitus ego sum hominis nequam atque improbi Ba 573 uidi ego nequam homines* Ba 1180 nequam homo's Ep 96, Ps 1050 inmigrat nequam h. Mo 105 ut esse addecet nequam homines Mo 902 hominem insectarer .. nequissumum Ru 843 (fecisti) quod h. nequam Tri 123 homines occupatos occupat Men 452 odiosus Men 316 (*supra*) o h.* opportunum! Ps 734 opulento h. seruitus durast Am 166 Au 461 (homine *add* P$†Lt*Ly*) otiosos h. decuit delegi Men 453 nimis otiosum te arbitror h. esse Tru 136 non est ueri simile h. pauperem pauxillum paru-

facere Au 111   me . . esse h. pauperum pauperrumum Au 227   pauperes . . homines miseri
uiuont Ru 290   neque nos hortari . . decet hominem* peregrinum Poe 675   te h. p. atque
aduenam qui inrideas Poe 1031   periurum
conuenire uolt h. Cu 470   periuriorem hoc h.
si quis uiderit . . Mi 21   ecastor h.* periurum!
Mi 1066   probus es homo Cap 427   p. h. sum
Mo 243   p. h. est Ps 749   tu's h. adprime
probus Ru 735   est ei nomen quod . . h. probo
Tri 906   is est honos homini pudico Tri 697
tibi pudico hominest* opus Vi 40   est miseria
nimis pulcrum esse h. Mi 68   h. tam pulcrum et praeclarum Mi 1042   si ridiculum
h. quaerat St 171   ut sani solent homines*
(amare) Mer 263   uiden homines* sarcinatos
consequi? Poe 979   sumne ego (h. add Fl
SU) scelestus Ru 1184   homini scutigerulo
dare lubet Cas 262   plus scire satiust . . seruom h. Ep 60b   numquam irridere . . sinam
seruom h. Ep 328   h.* seruom suos domitos
habere oportet oculos Mi 563   manet . . seruos
h. St 58   hic aderit . . seruos h. St 442   sat
est seruo h. modeste . . facere sumptum St 692
ne uos miremini homines* seruolos potare St
446   duco . . homines spissigradissumos, tardiores quam . . Poe 506   stratioticus homo
qui cluear Ps 918   ego ei stultissumus h. promisissem Ba 1098   tu . . h. stultus es Per 591
oportet esse . . te h. et sycophantam et malum
Poe 1032   lepidumst triparcos homines* uetulos auidos aridos bene admordere Per 266
tranquillus Tru 776(supra)   ibi esse h. uoluptarios dicit Ru 54   edepol h. uerberonem!
Ps 1205   uorsipellis Ba 658(supra)

b. amas hominem non nauci Tru 611   nimis homo nihilist Ru 920   ecce hominem te
. . nihili Tri 1013   noui h. nihili Tru 598
edepol h. nihili Tru 695   est homo haud magni
preti Mi 145   ratusne . . me h. esse . . minumi
pretei? Mi 558   non ego h. trioboli sum Poe
381   haruspex non h. trioboli Poe 463   ames
hominem* isti modi Tru 930

c. multos iste morbus homines macerat Cap
554   hau m. h. . . uidere . . mauellem Mi 170
homines essent minus multi mali Mi 733   Tru
14(multis CaLy in loco dubio)   pauci istuc faciunt homines Ps 972   plerique homines . . ibi
eos deserit pudor Ep 165

quod omnis homines facere oportet Am 996
omnes homines Ci 774, Ps 294*, Tru 932   homines qui . . omnes Ps 427   omnium hominum
(Fl om P unus L) pol nequissumus As 922
omnium hominum Cas 694(h. add BoRs), Ep
502, Men 817, Mo 340, Tri 1115(h. o. ReizRRs),
Tru 590*   hominum omnium Men 1053, Mo
593(o. h. ALULy), Poe 1188   omnes homi-
nes(acc.) Ci 205, Mo 245

E. voc.: homo! Ba 1155(mi praef HermR),
Cap 989(Rs is h. ψ), Cas 266, Men 487, Ru
947(Rs), Tri 913(CDU)   mi homo! Ci 719,
Ep 640, Per 620, Tru 942(Ly in loco dubio)
mi homines! Ci 678

homo audacissume! Au 745   h. ignauissume!
Men 924   h. insanissume! Men 517   h. lepidissume Men 148, Per 791, Ps 323   h. nequis-

sume! Mer 305(R)   h. nihili Mi 285(?), Tri 1017
h. putide! Ba 1163

improbe nihilique homo! Tru 333   mendice
h.! Au 423   momarsicule h.! Fr III. 9(ex Os-
berno 332)   muricida h.! Ep 333   nihili h.!
Ba 904(cf RRg), Tru 942(Rs in loco dubio)
oculissume h.! Cu 121   sceleste h.! Au 437
tu homo nihili! Ba 1188   tun trium litterarum homo! Au 325   quis tu homo's? Cu 412,
Ep 637, Men 826, Mi 425, Tri 970   caedundus tu homo's Cas 528   potine tu homo . . facere? Ci 231   tu homo insanis Ep 575   frugi's
tu homo Ep 693   non . . tu homo sanus es Men
325   tu homo amas Mi 624   tu homo alteri
. . potis es consulere Mi 684

HOMUNCULUS - - homunculi quanti sunt,
quom recogito! Cap 51(v. secl GuyRsS)   homunculi quanti estis: eiecti ut natant! Ru 155
nos homunculi salillum(PULy satillum AStL
aliter RRs) animai . . quom . . emisimus, aequo
mendicus censetur Tri 491   Cf Ryhiner,
p. 37

HONESTO - - me tanto honore honestas
Cap 356   ne me secus honore honestes quam
quom . . Cap 247   haec famigeratio te honestet
Tri 693   pedes hortare, honesta(-ęsta D) dicta
factis St 280

HONESTUS - - I. Forma honestus Per
840   honestum(nom.) Cap 323(-umst JV -ust
E -u est BD)   honestiorem Cap 392   ho-
nestius(nom.) As 820(-ust ω -us est P), Poe
1232(-ust CD honest iussi B)   honeste(adv.)
Mer 404, Mi 1371(-tę C), Ru 408(-tae C), 464,
Tri 731   corrupta: Ci 126, honesta P pro
onusta(Ca)   Ps 218, honestos A pro onustos
(P); 1306, honestam AP pro onustam(Z)   Ru
909, honestum P pro onustum (Z)

II. Significatio 1. nec satis frugi (sibi uidetur libertinus) nec sat honestus Per 840
me honore honestiorem semper fecit Cap 392
2. illi ubi minume honestum*st (me) mendicantem uiuere Cap 323   me honestiust quam
te palam hanc rem facere As 820   nisi honestiust* prehendi Poe 1232
3. ut lepide ut liberaliter ut honeste atque
haud grauate timidas . . accepit! Ru 408   si
honeste censeam te facere posse, suadeam Mi
1371   honeste fieri per me non potest ut . .
Tri 731   sic uolo . te ferre honeste Ru 464
neque illa matrem satis honeste tuam sequi
poterit comes Mer 404

HONOR - - I. Forma honor Ru 195, Tri 663
honos Tri 697(-us C), Fr I. 101(ex Varr l. L.
VII. 61)   honoris Am 486, 867, As 191, 194,
Au 25, 463, Cu 549, Mer 527, Mi 620, Poe 638,
St 338, Tri 694   honori Ep 33, Tri 644   honorem As 81, Au 17, Ba 438, Ci 4, Mi 1075,
Ru 288, Tri 272, 646, 1035(D -re BC), Tru
591   honore Ba 613, Cap 247, 279, 356, 392,
Tri 482, 1029(in maiore h. Loman maiori honori P), Tru 574   honores(acc.) Cu 179, Per
512, St 49   honoribus Au 19   corrupta: Ep
382, honoris J pro oris   Mer 1011, honorē B
pro honos h.   Mi 228, honorem P pro homo rem

II. Significatio 1. nom.: tute pone te latebis facile ne inueniat te Honor Tri 663(deus:

cf Hubrich, p. 107) ad hunc modumst innoxiis honor apud uos Ru 195 is est honos* homini pudico meminisse officium suom Tri 697 honos syncerasto periit pernis glandio Fr I. 101(*ex Varr l. L.* VII. 61)

2. *gen.*: si sine dote duxeris tibi sit emolumentum honoris Tri 694 *formulae:* hanc tibi noctem honoris causa .. dabo As 194 mei honoris .. causa Au 463 honoris causa .. quod dabitur gratum habebo Mer 527 honoris tui causa Poe 638 tui honoris causa St 338 Alcumenae huius honoris gratia pater curauit .. Am 486 honoris uostri .. gratia Am 867 aetatis atque honoris gratia .. tui As 191 eius honoris gratia feci Au 25 tui honoris gratia Cu 549 mei honoris gratia Mi 620 *Has formulas ad deum refert* Hubrich; *secundum* Gronovium, p. 330 *significant* 'ut tibi obsequar, indulgeam, faciam quod tibi cordi est'

3. *dat.*: erit illi illa res honori Ep 33 honori posterorum tuorum ut uindex fieres Tri 644

4. *acc.*: **a.** me habere honorem(*i. e.* obsequi, indulgere — Gronov, p. 330) eius ingenio decet As 81 .. maiorem filius mihi honorem haberet . quam .. pater Au 17 poteritis mihi honorem ire habitum Ci 4 .. quantum ego honorem ego illi habeo Mi 1075 amice .. honorem .. nostrum habes Ru 288 .. meque honorem illi habere Tru 591

olim populi prius honorem capiebat suffragio Ba 438 sibi .. expetunt rem fidem honorem Tri 272 petere honorem* pro flagitio more fit Tri 1035 .. uiam ad quaerundum honorem Tri 646

b. sibi .. habeant regna reges .. sibi honores Cu 179 is mihi honores .. habuit maxumos Per 512 ille eos honores mihi quos habuit perdidit St 49

5. *abl.*: **a.** me honore honestiorem .. fecit Cap 392(*cf* Hubrich, p. 107) me .. honore honestes Cap 247 me tanto honore honestas Cap 356 priuauit (erum) bonis luce honore Tru 574 quo honorest illic? #Summo Cap 279 decedam ego illi .. de honore populi Tri 482 ueteres homines .. in maiore honore* hic essent Tri 1029 sum .. sine bono iure atque honore Ba 613

b. ille .. me impertire honoribus Au 19

HONORO - - quod genus illi est unum pollens atque **honoratissumum** Cap 278 *Vide* Cap 465, ubi honorauerit *J pro* onerauit

HORA - - 1. nimis bona **hora**(*PU* bene ora *Boψ*) commetaui Men 1019 credo .. potis esse te .. quattuor fructus ebibere in hora una. #'Hiberna' addito Ps 1304(*cf* Egli, I. p. 17; Kane, p. 64) ut illum di perdant primus qui **horas** (oras *RGellii*) repperit Fr I. 21(*ex Gell.* III. 3, 5) (poetae) bini custodes semper totis **horis**(*FZ* oris *P* orit *C*[1]) occubant Mi 212(*cf* Kane, p. 44)

2. *corrupta:* Cap 816, hora *J pro* ora Mer 931, hora *B pro* lora Mi 1259, hora ě *D pro* amorest; 1292, hora *D pro* mora Mo 995, horas *B pro* oras

HORAEUS - - scis bene esse... #Pernam .. **horaeum**(horẹum *B* horreum *VEJ* -ẹ- *V*) scombrum Cap 851

HORDEIUS - - emito .. loligunculas, **hordeias**, - -. #Immo triticeias Cas 494

HORDEUM - - demam hercle iam de **hordeo** As 706

HORIA - - (Neptunus) me .. expediuit .. reducem .. salute **horiae**(*Py* horeia *B* horreia *CD* horia *Non* 433; *cf* Marx, *Ein Stück unabhängiger Poesie*, p. 19, *adn.*) Ru 910 malo hunc adligari ad **horiam**(oriam *codd*) Vi 106 (*ex Fulg de abst serm* XIV) excepi .. mea opera, labore et rete et horia(-ca *D*[2] horrea *Prisc* I. 332) Ru 1020

HORIOLA - - in caelum escendisti? #Immo **horiola**(*Sarac* hor. *P*) aduecti sumus Tri 942 *Cf* Ryhiner, p. 43

HORNUS - - euentus rebus omnibus uelut **horno** messis magna fuit Mo 157 *Cf* Kane, p. 35

HORREO - - iam **horret** corpus, cor salit Ci 551 quamquam hic horret(*SpLU* horridus *Pψ*) Tru 934

HORRESCO - - horresco(*A* -isco *P*) misera quotiens mentio fit partionis Tru 196(*cf Non* 217, *Prisc* I. 256) **horrescet** faxo lena As 749(hore. *J*)

HORREUM - - argumentum uobis demensum dabo non modio .. uerum ipso **horreo** Men 15(*v. secl OsannRsŞ; cf* Egli, I. p. 25) *Vide Cap* 851, ubi horreum *VEJ pro* horaeum

HORRIDULUS - - papillarum **horridularum** oppressiunculae Ps 68 *Cf* Ryhiner, p. 47

HORRIDUS - - huncine hominem te amplexari tam **horridum**(*B* hordum *C* horri *D*) .. #Quamquam hic squalust, †quam hic **horridus** (horret *SpLU*) Tru 933-4

HORROR - - mihi **horror** membra misero percipit Am 1118 ea res me **horrore** adficit Am 1068

HORSUM - - quam mox horsum(mox h. *Ca* uxor *P*) ad stabulum iuuenix recipiat se Mi 304 surrexit, horsum(*B* orsum *CD*) se capessit Ru 1020

HORTAMENTUM - - Cap 615, hortamenta *J pro* ornamenta Tru 318, hortamentis *A pro* oramentis

HORTATOR - - in mari solet **hortator** remiges hortarier Mer 696

HORTOR - - I. Forma hortor Am 993 **hortat** As 512(*Ac* orat *PL*) **hortatur** Cas 764(or. *E*), Mer *Arg* II. 15(*RRg* orat *Pψ*†) **hortantur** Per 842 **hortabatur** Mer 697 **hortabitur** Mi 1189 **hortemur** Cas 422(*B*[2] -amur *B*[1]*J* ortamur *VE*) **hortare** St 280 (or. *D*) **hortamini** Poe 672(horta mihi *B*) **hortari** Am 230, Poe 674 **hortarier** Mer 696

II. Significatio 1. *absolute:* amanti subparasitor, hortor, adsto .. Am 993 corpus quaerit, animus hortat*, res monet As 512

2. *seq. acc.:* bene facta tua me hortantur Per 842 senex .. hortatur* coquos Cas 764 coquos, quasi in mari solet hortator remiges hortarier .. ita hortabatur Mer 696 imperator utrimque .. hortari exercitum Am 230 neque nos hortari neque dehortari decet hominem peregrinum Poe 674 propera .. pedes hortare* St 280 remiges Mer 696(*supra*)

3. *seq.* ut: hortemur* ut properent Cas 422
hortatur*.. nato ut cederet Mer *Arg* II. 15
ille extemplo illam hortabitur ut eat Mi 1189
hortamini* ut deuortatur ad me Poe 672

HORTULUS - - *comoediae nomen a Festo*
396 *citatae*

HORTUS - - I. **Forma hortus** Mi 378(or-
tus *CD*) **horti** Mo 1046(*A* orti *P* eius *R*
porro ei *Rs*) **hortum** As 742 (or. *EJ*¹), Au
244, Cas 613(or. *E*), Ep 660(*A* or. *P*), Mer
1009, Mi 194, 340(or. *CD*), Mo 1045, Per 446
(or. *B*), 679, Poe 1020, St 437(*A* or. *P*), 452
(hurtū *B* ortum *D*¹), 614, Tru 249 **horto**
Tru 303   **hortos** Fr II. 29(*ex Plin N. H.*
XIX. 19)

II. **Significatio** 1. *nom.:* neque solariumst
apud nos neque hortus* ullus Mi 378

2. *gen.:* ostium quod in angiportost horti*
patefeci Mo 1046

3. *acc.:* hic apud me hortum confodere iussi
Au 244   ait mergas datas.. ut hortum fodiat
Po e 1020   domi habet hortum et condimenta
ad .. mores maleficos Mi 194   scin tu .. esse
.. neque solarium neque hortum* Mi 340
abii illa per angiportum ad hortum nostrum
Mo 1045   angiporto illac per hortum* circumit
As 742   per hortum* utroque commeatus continet St 452   exi istac per hortum* Ep 660
te ad me recipito illac per hortum Per 679
ego iam per hortum* iussero meam istuc transire uxorem Cas 613   illac per hortum nos domum transibimus Mer 1009(*cf* A b r a h a m,
p. 239)   facito mulier ad me transeat per hortum* Per 446   ego per hortum* ad amicam
transibo St 437   per hortum transibo St 614
illac per hortum transiluit ad nos Tru 249
    hortos tutelae Veneris *adsignante Plauto*
Fr II. 29(*ex Plin N. H.* XIX. 19)

4. *abl.:* maceria illa .. in horto quaest Tru 303

HOSPES - - I. **Forma hospes** As 361, 416,
431, Ba 231(os. *D*), 345(os. *CD*), Cu 429(*add
FlRg*), Mer 98, 943, Mi 635(-is *B*¹ -ite *B*²),
738(-aes *CD*), 741(h. nullus *AD*² -is *D* hoc
pis *C* hoc pusillus *B*), 746, 752(*D*³ -is *P*), 754
(*CaLU* sumpto *Ly* om *PS*† *var em* ψ), 937 (-is *P*),
Mo 479, 497, 501(hopes *B*), Per 527, 529, 544,
576, 604, Poe 120, 685, 955, 1050, 1051, 1058,
Ru 49, 72, 491, 571, 883 *bis*   **hospitis** Ba
276, Mer *Arg* II. 2(*CD* militis *B*), Mer 102
hospiti Ba 275, Cu 429, Mi 136, Mo 481(-biti
*D*¹), Per 612   **hospitem** As 582, Ba 253(os. *D*),
261(-um *D*¹), Mer 104, 940, Mi *Arg* II. 9, Mi
135, 175(-os *P*), 506(-te *B*¹), 533, 555(*vide R*),
Mo 479, 482, Per 464(*fem.* -tam *Ly*), Poe 685,
1005, Ru 451, 583   **hospite** Ba 250(os. *D* -de
*CD*¹), 282, 686 (os. *B* hoste *D*¹), 958(ospito *D*¹),
Mi 489(os. *B*¹), 674, Mo 549 b(os. *CD* =), 553
hospites(*nom.*) Ep 662, Poe 678, St 357   **hospites**(*acc.*) Ru 500   *corrupta:* Mi 510, hospitem *B pro* hospitam   Poe 688, hospitum *A
ut vid pro* hospitium; 1042, hospiti sum *P pro*
hospitium(*A*)

II. **Significatio** 1. *nom.:* ipse aduenit hospes ille qui .. attulit Per 544   ille argentum
.. hospes huc affert As 361   hospes me
quidam adgnouit, ad cenam uocat Mer 98
aureos.. quos hospes debuit nostro seni Ba 231

hospes* nullus .. in amici hospitium deuorti
potest quin .. Mi 741   miles Lyconi.. hospes*
hospiti .. salutem dicit Cu 429(*cf* R a e b e l, p. 15)
hic me Antidama hospes tuos emit Poe 1058
ita bellus hospes fecit Archidemides Ba 345
ut concubinam militis meus hospes habeat Mi
937   hospes necauit hospitem Mo 479   hospes*
hic me necauit Mo 501   hospes respondit..
Mer 943   hospes hospitem salutat Poe 685
ambo in saxo, leno atque hospes.. sedent Ru
72   ego transmarinus hospes sum Diapontius
Mo 497   ille .. illi Poeno .. hospes fuit Poe 120
(*v. secl MueRgl*)   hic mihi .. hospes Antidamas
fuit Poe 955   patritus .. hospes Antidamas Poe
1051   ei erat hospes* par sui Ru 49   hospes!
#Non sum hospes Ru 883   ubi nunc illest hos-
pes qui .. attulit? Per 529   ubi ille meus est
hospes qui me perdidit Ru 491   hospes cura
ut curetur Per 527
    remeabo intro ut accurentur aduenientes hos-
pites Ep 662   .. nisi forte hospites uenturi
sunt St 357

2. *gen.:* redimit ancillam hospitis* Mer *Arg*
II. 2   ingenium auidi haud pernoram hospitis
Ba 276   mecum illa hospitis iussu fuit Mer 102

3. *dat.:* aurum .. ei ademit hospiti* Mo 481
Autolyco hospiti aurum credidi Ba 275   salutem dicit Cu 429(*supra* 1)   hau possum quin
huic operam dem hospiti quoi erus iussit.. Per
612   illi amanti suo hospiti morem gerit Mi 136

4. *acc.:* hospitem adeo, oro ut uendat mihi
Mer 104   antiquom hospitem* nostrum sibi
Mnesilochus aduocauit Ba 261   hanc hospitem* .. crepidula ut graphice decet Per 464
hic defodit hospitem ibidem in aedibus Mo
482   hospitem inclamauit quod .. As 582   nescioquis inspectauit .. Philocomasium atque hospitem osculantis Mi 175   inspectauisti meum
.. hospitem* .. quom osculabatur Mi 506   barbarum hospitem mihi in aedis nihil moror Ru
583   necauit Mo 479(*supra* 1)   tun hospitem
illum nominas hostem tuom? Ba 253   salutat
Poe 685(*supra* 1)   uideo ibi hospitem Zacyntho
Mer 940   uidi et illam et hospitem conplexum .. Mi 533   ibi osculantem meum hospitem cum ista hospita uidisti? Mi 555(*cf R*)
(uideo) .. Siciliensem .. hospitem Ru 451   nolo
ego errare hospitem Poe 1005   deuortitur
apud hospitem paternum Mi *Arg* II. 9, Mi 135
(suom p. h.)
    omnes tui similes hospites habeas tibi Ru 500

5. *abl.:* accepitne aurum ab hospite* Archidemide? Ba 250   me id aurum accepisse .. ab
hospite* Archidemide Ba 686   is (lembus) erat
communis cum hospite et praedonibus Ba 282
Athenis cum hospite aduenit meo Mi 489   dixeram .. mendacium et de hospite et de auro
Ba 958   etiam fatetur de hospite? Mo(549 b =)
553   in bono hospite .. quaestus est quod sumitur Mi 674

6. *voc.:* hospes! As 416, 431, Mi 635*, 738,
746, 752, 754*, Per 576, 604, Ru 571, 883
o mi hospes! Poe 1050   hospites! Poe 678

7. *adiectiva:* amans Mi 136   antiquos Ba 261
auidus Ba 276   barbarus Ru 583   bellus Ba
345   bonus Mi 674   paternus Mi *Arg* II. 9,
Mi 135   patritus Poe 1051

HOSPITA - - similior numquam potis aqua aeque sumi quam haec est atque ista **hospita** (*AB* -tam *CD*) Mɪ 552   tuae fecisse me **hospitae**(*R* -te *P* -tiae *A*) aio iniuriam Mɪ 548 hanc **hospitam**(*Ly* -tem *Pψ*) . . crepidula ut graphice decet Pᴇʀ 464   ludificauisti hospitam Mɪ 495   meamne . . hospitam(*AB*² -ta *CD* hospi *B*¹) . . tractatam et ludificatam! Mɪ 488   tractauisti hospitam (-tem *B*) Mɪ 510   osculantem meum hospitem cum ista **hospita** uidisti? Mɪ 555

HOSPITALIS - - haec mihi **hospitalis** tessera cum illo fuit Pᴏᴇ 1052   emit **hospitalem** is filium inprudens senex Pᴏᴇ 75   ad eum hospitalem hanc tesseram mecum fero Pᴏᴇ 958   tesseram conferre ut uis hospitalem . . Pᴏᴇ 1047

HOSPITIUM - - I. Forma **hospitium** Cᴀᴘ 523(-cium *B*), Pᴏᴇ 1053, Tʀɪ 553(*A* -cium *P*) **hospitium**(*acc.*) Bᴀ 185(-cium *BD*), Cᴜ 417 (-cium *BJ*), Mᴇɴ 419(-c. *D* os. *B*), Mɪ 741(-c. *BD*), Pᴇʀ 510(-c. *BD*), Pᴏᴇ 673(-c. *CD*), 688 (-tum *A ut vid*), 691(-c. *C*), 693(*A* hostium *P*), 1042(*A* hospiti sum *P*), 1054, 1154(-c. *C*), Rᴜ 883, Tʀɪ 673(*infra*)   **hospitio** Aᴍ 161, 296(-c. *BDJ*), Eᴘ 535(-c. *J*), Mɪ 241(os. *BC*), 308(os. *CD*), 385(sosp. *D*¹ -tium *A*), 676(os. *D om R*), 1110, Rᴜ 417(-c. *BD*), Tʀɪ 673(*Mue* -cium *P* -tium *LULy*)

II. Significatio(*cf* Schenkl, p. 4) 1. *nom.:* nec confidentiae usquam hospitiumst Cᴀᴘ 523 (*cf* Graupner, p. 9)   hospitiumst calamitatis Tʀɪ 553(*cf* Inowraclawer, p. 34)   hic apud me hospitium tibi praebebitur Pᴏᴇ 1053

2. *acc.:* ego hic hospitium* habeo Pᴏᴇ 1042 ego faxo hospitium hoc leniter laudabitis Pᴏᴇ 1154   si possum hospitium nancisci Mᴇɴ 419 hospitium et cenam pollicere Bᴀ 185   operam atque hospitium ego isti praehiberi uolo Pᴇʀ 510   hospitium* te aiunt quaeritare Pᴏᴇ 688 alibi te meliust quaerere hospitium tibi Cᴜ 417 a muscis si mihi hospitium quaererem . . Pᴏᴇ 691   ego id quaero hospitium* ubi ego curer mollius Pᴏᴇ 693   haud repudio hospitium Pᴏᴇ 1054   repudio hospitium tuom Rᴜ 883

hospes nullus . . in amici hospitium deuorti potest quin . . Mɪ 741   . . deuortatur ad me in hospitium optumum Pᴏᴇ 673   Tʀɪ 673(*LULy; infra* 3)

3. *abl.:* hospitio publicitus accipiar Aᴍ 161 hic me hospitio pugneo accepturus est Aᴍ 296 est te unde hospitio* accipiam apud me comiter Mɪ 676   accipiam hospitio si mox uenies uesperi Rᴜ 417   (sese) hospitio edit foras Mɪ 308   illi hospitio usus uenit Eᴘ 535

hospitio deuorti: apud te eos hic deuortier dicam hospitio Mɪ 241   ei ambo hospitio* huc . . deuortisse uisi Mɪ 385   is ad nos . . hospitio deuortitur Mɪ 1110   insanum malumst hospitio* deuorti ad Cupidinem Tʀɪ 673   *In his locis* hospitio *pro dativo habet* Schenkl

HOSTIA - - leno . . Veneri . immolarit **hostiam** Pᴏᴇ 450   Iouis . . multis **hostiis**(-tus *E*) pacem expetam Aᴍ 1127   hostiis erus nequiuit propitiare Venerem suo festo die Pᴏᴇ 847 meretrices nostrae primis hostiis Venerem placauere Pᴏᴇ 849(*cf* Dousa, p. 440)   . . Iouem se placare posse donis, hostiis Rᴜ 23   sacru-

ficas ilico Orco hostiis(os. *A*) Eᴘ 176   ei, arcesse **hostias**, uictumas Ps 326(*cf* Keseberg, p. 5)   unde nos hostias agere uoluisti huc? Rᴜ 273

HOSTIATUS - - aequius uos erat candidatas uenire **hostiatas**que Rᴜ 270

HOSTICUS - - **hosticum** (*Lips* hostium *B* ostium *CD*) hoc mihi est domicilium Mɪ 450 seruitium . . **hostica** euenit manu Cᴀᴘ 246   **hosticas**(*R* hastis *P om Sarac et R in ed*) trium nummum causa subeunt sub falas Mᴏ 357   *Cf* Gimm, p. 21

HOSTILIS - - uis **hostilis**(his. *D*) . . fecit meas opes aequabiles Cᴀᴘ 302   mihi . . libertatem hostilis eripuit manus Cᴀᴘ 311   amator similest oppidi **hostilis** Tʀᴜ 169   . . id quod ui **hostili** optigit Cᴀᴘ 591   ✱✱✱insidiis **hostilibus** Ps 1048   *Cf* Gimm, p. 21

HOSTIMENTUM - - par pari datum **hostimentumst**, opera pro pecunia As 172   *Cf* Gronov, p. 30; Schneider, p. 13

HOSTIO - - promitto . . **hostire** contra ut merueris As 377

HOSTIS - - I. Forma **hostis** Bᴀ 534, Rᴜ 438, Sᴛ 140, 326b   **hosti** Rᴜ 438   **hostem** Bᴀ 253, Mᴇʀ 796(*RRg* -is *PႽ†LLy*)   **hoste** Cᴜ 5   **hostes** Aᴍ 222, 236, As 106, Cᴀᴘ 534, Eᴘ 31b, Rᴜ 82, Fʀ I. 42(*ex Char* 219)   **hostium** Aᴍ 136, 246, Cᴀᴘ 92, 144(os. *B*), 762, Eᴘ 300, 532, 562   **hostibus** Mɪ 4, Ps 580(hostib. *A*)   **hostis** Aᴍ 599(-es *DJ*), 734(-es *J*), Eᴘ 30, 35 (-es *J*), 38, Mᴇʀ 796(-em *RRg* †Ⴝ), Mɪ 219, Ps 655, 1027, Tʀɪ 102, 1034   **hostibus** Aᴍ *Arg* I. 2, II. 3, Aᴍ 188, 189, 656, 684, Cᴀᴘ 685, Mᴇɴ 134(os. *B*²), Mɪ 8, Pᴇʀ 753, Pᴏᴇ 524, Ps 1269, Tʀᴜ 75   *corrupta:* hostium *pro* ostium Aᴍ 1020 *EJ*, As 151 *DJ*, Bᴀ 451 *D*, 582 *D*, 686 *D*¹, 768 *P*, Cᴀᴘ 108 *P*, 830 *EJ*, 1006 *J*, Cᴀs 779 *VJ*, 813 *VJ*, Cɪ 669 *VEJ*, Cᴜ 19 *J*, 363 *J*, Mᴇɴ 276 *D*, 523 *D*, 674 *BD*, Mᴇʀ 132 *D*, Mɪ 352 *A*, Mᴏ 768 *ACD*, 795 *AD*, 936 *D*, Pᴇʀ 569 *D*, 758a *P*, Ps 604 *AB*, 1202 *D*, Rᴜ 762 *B*, Sᴛ 449 *ACD*, Tʀɪ 525 *A*, 608 *BD*, Tʀᴜ 175 *D Etiam* Mɪ 450, hostium *B* ostium *CD pro* hosticum(*Lips*)   Pᴏᴇ 552, hostes at uis *C pro* hos te satius; 693, hostium *P pro* hospitium(*A*)

II. Significatio 1. *nom.:* estne hic hostis quem aspicio meus Bᴀ 534   tun mihi huc hostis uenis? Sᴛ 326b   hostis est uxor inuita quae . . datur Sᴛ 140   aquam . . quam hostis hosti commodat Rᴜ 438(*cf* Raebel, p. 15)

hostes crebri cadunt Aᴍ 236   hostes uostri diffidant sibi Rᴜ 82   eunt ad te hostes Cᴀᴘ 534(*cf* Egli II. 10   (arma) hostes habent Eᴘ 31b   hostes contra legiones suas instruont Aᴍ 222   si me hostes interceperint As 106   summouentur hostes Fʀ I. 42(*ex Char* 219)

2. *gen.:* miles Rhodius, raptor hostium Eᴘ 300   proterunt hostium copias Aᴍ 246   memorat legiones hostium ut fugauerit Aᴍ 136

meus rex est potitus hostium Cᴀᴘ 92   gnatus tuos potitust hostium Cᴀᴘ 144   maior (filius) potitus hostiumst Cᴀᴘ 762   gnata mea hostiumst potita Eᴘ 532   (filia) hostiumst potita Eᴘ 562

3. *dat.:* aquam . . hostis hosti commodat Rᴜ 438

praestringat oculorum aciem in acie hostibus
Mɪ 4   ubiquomque hostibus congrediar Ps 580
4. *acc.:* conciuit hostem* domi . . Mᴇʀ 796
(*RRg*) hospitem illum nominas hostem tuom?
Bᴀ 253

hostisne an ciuis comedis parui pendere Tʀɪ
102 (*cf* Dousa, p. 538) conciuit hostis* domi
Mᴇʀ 796 (*vide supra*)   scuta iacere fugereque
hostis more habent licentiam Tʀɪ 1034   hostis
uiuos rapere soleo ex acie Ps 655   uiden hostis tibi adesse? Mɪ 219

hinc profectus sum ad Teloboas hostis Aᴍ
734   illa (arma) ad hostis transfugerunt Eᴘ
30   arma . . trauolauerunt ad hostis Eᴘ 35   is
ad hostis exnuias dabit Eᴘ 38   comparem metuo . . ne . . ad hostis transeat Ps 1027   uti
quicque actumst dum apud hostis sedimus
Aᴍ 599

5. *abl.:* hostibus fugatis Ps 1269 (*cf* Inowraclawer, p. 90)   in re populi placida atque
interfectis hostibus Poᴇ 524   duello extincto
maxumo atque internecatis hostibus Aᴍ 189
uictores uictis hostibus legiones reueniunt domum Aᴍ 188   uictis hostibus quos nemo posse
superari ratust Aᴍ 656   hostibus uictis, ciuibus saluis, re placida . . Pᴇʀ 753   re placida
atque otiosa uictis hostibus Tʀᴜ 75

auorti praedam ab hostibus nostrum salute
socium Mᴇɴ 134

si status condictus cum hoste intercedit dies
Cᴜ 5   dum bellum gereret cum Telobois hostibus Aᴍ *Arg* I. 2   Amphitruo dum decernit
cum hostibus Aᴍ *Arg* II. 3

recipias te domum huc ex hostibus Aᴍ 684
meum erum captum ex seruitute atque hostibus reducem fecisse Cᴀᴘ 685   machaera . .
gestit †fratrem facere ex hostibus Mɪ 8

HOSTISSIM - - ne istum ecastor hodie hostissim (*Rs* hastis *PLy†* astutis *GepUS†* aspiciam *L*) confectum fallacis Tʀᴜ 892

HUI - - *cf* Richter, p. 580   1. *absolute:*
hui! Mo 160 (*U* fuit *Pψ†S*)   hui, babae! basilice te intulisti et facete Pᴇʀ 806 (*cf Rs*)

2. *praecedit enuntiato exclamativo:* hui! quid
†perierandum est etiam! Tʀᴜ 30   Hui! homunculi quanti estis! Rᴜ 154

HUMANUS - - I. Forma **humanus** Mɪ 1043
(*R* -um *PU*)   **humanum** Mᴇʀ 319, *ib.* (*PRL
Ly aliter Aψ*), Mɪ 1043 (*PU* -us *Rψ*), Tʀᴜ 218

humani (*neut.*) As 854, Mɪ 1044, Mo 814 (*CD*
-no *BR*), Poᴇ 466   **humanam** Mɪ 730   **humano** Aᴍ 28   **humana** Aᴍ 28, Bᴀ 1141   **humani** Cᴀs 334 (-ne *B¹*)   **humana** Cɪ 194 (huma
D¹)   **humanas** Mᴇʀ 6 (*Ca* -nis *P*)   **humana**
Aᴍ 258, Cᴀᴘ 304   **humanis** Tʀɪ 479   *corruptum:*
Rᴜ 767, ut humanum *P pro* inhumanum (*A*)

II. **Significatio**   1. *adiective:* non hercle
humanust* Mɪ 1043   quasi tu nescias repente
ut emoriantur humani* Ioues Cᴀs 334   humana
matre natus, humano patre Aᴍ 28   non . . humanumst* Mɪ 1043 (*U*)   humanum facinus factumst Tʀᴜ 218   esse existumo humani* ingeni Mo 814   (deos) credo humanas*
querimonias non tanti facere Mᴇʀ 6   diuos
dispertisse uitam humanam aquom fuit Mɪ 730
humana nos uoce appellant oues Bᴀ 1141

2. *substantive:* deduntque se diuina humanaque omnia Aᴍ 258   fortuna humana fingit artatque ut lubet Cᴀᴘ 304   ut sunt humana*,
nihil est perpetuom datum Cɪ 194 (*cf* Wueseke,
p. 33)   ibi de diuinis atque humanis cernitur
Tʀɪ 479

uolturio plus humani . . est Mɪ 1044

neque diuini neque mihi humani . . quicquam
accreduas As 854 (*cf* Blomquist, p. 98)   quid
ei diuini aut humani aequomst credere? Poᴇ 466

3. **humanumst** *cum infin.:* humanum amarest
humanum autem ignoscere est (*P* atque id ui
optingit deum *A in loco secundo*) Mᴇʀ 319 (*cf*
Walder, p. 29)

HUMERUS - - *vide* umerus

HUMIDUS - - Rᴜ 251, umida *Macr* (*Exc.
Bob.* p. 652, 1 *K*) *pro* umida

HUMUS - - pinge (*AP†SL* terge *R* finge
BugRg tinge *LipsU an* pinse? *Ly*) humum
Sᴛ 354 (*cf* Goerbig, p. 18)   *Vide* Tʀᴜ 595, *ubi*
humost *P pro* homost

HYMEN - - concelebra omnem hanc plateam
†hymenaeo (*A*). Io (hy. mi *Ly* himeneo meio *P*
hy. *MIΩ A* hymen, hymenaeo, io *SpRs*) Cᴀs
799   Hymen, hymenaee, o hymen Cᴀs 800
(himen *EJ* hymenaeo *A* hymen et eo *VE*),
808 (himen *EJ* hymenaeo *A*)

HYMENAEUS - - quid si offendam hymenaeum (himeneum *EJ*)? Cᴀs 806   dirrumpi cantando hymenaeum (*P* -aeo *ARs* hi. *E*) licet
Cᴀs 809 (*cf* Gronov, p. 414)   *De* hymenaee
vide titulum priorem

I.

I - - ossa atque pellis sum miser I (*Rs* miser
Pψ sed miseri *B¹*) macritudine Cᴀᴘ 135

IA *** Vɪ 4

IACEO - - I. Forma **iacet** Aᴍ 241, 1072, Cɪ
655, Mᴇʀ 959   **iacent** Aᴍ 1053, Cᴜ 573   **iacebis**
Cᴜ 718, Tʀɪ 664   **iacui** Aᴍ 1067   **iacuisti** Cᴀs
242   **iaceam** Aᴜ 230   **iaceant** Ps 166   **iaceret**
Cɪ 684   **iacentem** Cɪ 659, Ps 1247 (*D³* tac. *P*)
iacentis Mo 330   *corrupta:* As 518, iacendum
Non 151 *pro* tacendum; 780, iaceat *P pro* iaciat
(*E³*); 904, iaceamus *BDE* iacemus *J pro* iaciamus   Mo 841, iacent *CD pro* placent (*AB*)

II. **Significatio**   1. *absolute:* quisque ut ste-
terat iacet Aᴍ 241   meae . . pugnae . . plurumae optritae iacent Cᴜ 573 (*translate*)   ut iacui exsurgo Aᴍ 1067   hinc ab ostio iacentem
(cistellam) sustuli Cɪ 659   me hinc iacentem*
aliquis tollat Ps 1247   iacentis tollet . . nos
ambos aliquis Mo 330

2. *seq. praep. vel adv.:* senex ante aedis nostras sic iacet Aᴍ 1072   spes . . meae iacent
sepultae in pectore Aᴍ 1053 (*translate*)   iaceam
ego asinus in luto Aᴜ 230   ubi in lustra iacuisti? Cᴀs 242   tu . . in neruo iam iacebis

Cu 718   mea uxor . . tota in fermento iacet
Mer 959   glandium, sumen facito in aqua iaceant Ps 166   in occulto iacebis quom te
maxume clarum uoles Tri 664
    haec cistella hic iacet Ci 655   cistella hic
iaceret Ci 684
IACIO - - I. Forma iacis Mer 617 **iacit**
Cap 73 , Cu 357   **iacitur** Tri 668 (iacet D^1)
iecisti Ru 360 (lec. B)   **iecero** Cap 797 (icero
$PyLU$ adiecero Rs)   **iaciat** As 780 (E^3 iaceat
P)   **iaciamus** As 904 (FZ iaceamus BDE ia-
‹emus J)   **iace** As 904   **iacere** Tri 1034 corruptum: Ru 562, iectas P pro eiectas(A)   De
compositorum vi metrica cf Mather, Harv.
Stud. VII. p. 83-130
    II. Significatio seq. acc.: itast amor ballista
ut iacitur* Tri 668   nimis lepide iecisti* bolum Ru 360   genu †ad(om L ut Ca) quemque
iecero (icero $PyLU$ quem adiecero Rs) Cap 797
montes tu quidem mali in me ardentis iam
dudum iacis Mer 617   talos . . quom iaciat*
'te' ne dicat As 780   iace . . talos ut porro
nos iaciamus* As 904   sibi amator talos quom
iacit scortum inuocat Cap 73   iacit uolturios
quattuor Cu 357   scuta iacere . . habent licentiam Tri 1034
    IACTO - - I. Forma iacto Cu 359 **iactat**
Ru 374   **iactor** Ci 206   **iactari** Tri 685 **iactatae**(fem. nom.) Ru 370 (-te CD)   **iactatas**
Ru 562 **iactandis** Vi 33   corruptum: Ci 217,
iactat P pro lactat(Sciop)
    II. Significatio 1. proprie: nos uentisque
fluctibusque iactatae . . perpetuam noctem Ru
370   se iactatas . . hodie esse aiunt e mari Ru
562   si quae improbae sunt merces, iactat
omnis Ru 374   talos arripio . . iacto basilicum
Cu 359   talis iactandis tuae sunt consuetae
manus Vi 33
    2. translate: iactor, crucior . . uersor in amo-
ris rota Ci 206   nolo te iactari diuitius Tri 685
    IACONICUS - - Mo 404, iaconicam P pro Lac.
    IACTURA - - hinc . . polluctura praeter nos
†iactura(om $RgLULy$ iam CaR) dabitur nemini St 688
    IACTUS - - mihi ob **iactum** cantharo mul-
sum date As 906
    IACULATOR - - probus quidem antea **iacu-
lator** eras Fr II. 62 (ex Isid Orig XIX. 5, 2)
    IACULUS - - quasi in piscinam rete qui
iaculum parat Tru 35   iubeas . . uenari . . rete
iaculo in medio mari As 100   Vide Mi 997,
ubi dum sibi iaculum huc transmittat U domo
si ibit ac dum huc transiuit P𝒮† var em ψ
    IAHON - - Ampsigura mater mihi fuit, **Iahon**
(Stu hiaon A ihon B iachon CDU) pater Poe
1065   cognatus uoster, **Iahonis**(SchmidtRgl
huiusce Pψ †𝒮) fratris filius, Agorastocles Poe
1257   si itast ut tu sis Iahonis(BD iachonis
CDU) filius . . Poe 1072
    IAIENTACULUM - - me inferre Veneri uoui
iaientaculum(Skutsch, Archiv, VII. 528 iam
ientaculum $PRgU$ ieient. Fleckeisen, Ann.
Phil. CXXI. p. 122 et L). ⋕Quid antepono Veneri   **iaientaculo**(Skutsch alen BE aien J
ieient. FlL ieientaculi Non 126 te ientaculo
Quicherat RgU)? Cu 72-3
    IAIUNITAS - - vide ieiunitas

IAM - - I. Forma corrupta: Am 429, -sus
tu iam BD -sus iam EJ pro -sust uiam; 478,
iam DEJ pro eam(B); 671, iam P om Ca;
963, iam P om Ca As 440, ei iam E pro
etiam; 549, iam minas E pro lamminas   Au
782, iam VEJ pro eam(B)   Ba 1194, iam P
pro tam(Bo om HermR)   Cap 639, iam J pro
tam   Cas 412, iam nunc P pro nunciam(Ca);
414, iam iam P iam Pyω; 757, iam B pro
tam; 803, iam minitate A pro ieuni-; 890, iam
P𝒮† om Boψ   Ci 622, sus iam BVE pro su-
sum(B^2J)   Cu 72, iam ientaculum $BERgU$
pro iaientaculum(Skutsch)   Ep 507, add A
Men 398, sed iam B s' iam D^1 pro etiam; 611,
nec iam BC pro ne clam; 804, iam B iã me
D pro clam; 1116, iam B pro nam   Mer 43,
iam P pro clam(Bo); 116, detrudetur iam B
pro detrude, deturba(CD); 545, iam P pro
clam(A); 574, iam etatis BD^2 pro iaiunitatis;
919, contra iam B pro contra amo   Mi 277,
iam A om P; 295, iam P pro iam(Ca); 357,
iam nunc P pro nunciam(A); 786, iam P pro
nam; 1189, nihil iam CD pro illam(AB)   Mo
334, iam B pro eam; 399, nunc tu iam B pro
nunciam tu   Per 19, quia iam add P om A;
47, iam $PULy$† te faciam Ca fac sciam R;
145, ut iã C pro etiam; 292, iam D pro nam;
609, sis iam CD si suã B pro istuc(A); 653,
iam add P om Guy   Poe 251, ut iam CD
pro uitia(FZ); 1047, te esse iam CD pro tes-
seram(A); 1075, inspici (-ce CD) iam PU† inspiciam Caψ   Ps 472, iam P pro tam(A);
521, iam D nam BC𝒮†L† non Rψ; 896, iam
P pro nam(A); 943, mera iam P meram A
Ru 274, iam plectimur P pro amp.(D^3); 900,
iã D pro nam; 913, uno iam D pro unciam;
St 198, qui iam CD quiam B pro com-(A);
349, de hic(hinc CD) iam P pro deiciam(A);
571, id(it B) iam P pro etiam(Bo)   Tri 139,
tute iam P pro tutelam(Scal); 1058, tute iam
CD cute iam B pro tutelam(A)   Tru 138,
quid iam P pro qui amabo(A); 207, sed iam
P pro es etiam(A); 499, iam P pro tam(Ac);
526, iam CD eliam B pro etiam(Ca); 533, iam
P pro alam (Gul); 811, uiri iam P pro uir
illam(Ca); 832, iam probus P pro improbus
(FZ); 873, iam abeo P pro amabo(Bo); 945,
iam P pro cum(Bo)
    II. Significatio A. vocabulum ipsum: iam
reuortar. ⋕Diust 'iam' id mihi Mo 338   iam - -
⋕Quid 'iam'? Ps 1066
    B. = ἤδη: 1. cum praes.: iamne abis? Men
441, Mo 991, Per 50, Ps 380, Ru 584, Tru 919
eo iam(R eodem Pψ) accedit seruitus Mer 674
ille . . iam adest Ep 257   iam adlubescit primulum Mi 1005   iam adpetit meridies Mo 651
miror huc iam non accessi . . uxorem meam Cas
539   adsudascis iam ex metu Cas 361   in
portu iam(RU lac P) adest Mo 366   nunc iam
cultros adtinet Cap 266   iam . . collus collari
caret Cap 357   hic senex iam clamat intus
Au 37   possideo et colo patri auoque iam
huius Au 5   iam liuorem . . scapulis . . concinnas Tru 793   iam auro contra constat filius
Tru 538   corrumpitur iam cena Ps 892   credit
iam tibi Men 616   quem aduocati iam . . deserunt Am 1040   id quoque iam (: LLy) cari

.. deserunt Men 107   iam dico ut .. caueas Ps
511   iam dantur septem .. minae Mer 430
uel amare possum uel iam(*Ca* uellam *P*) scortum ducere Tru 678   iterum iam hic in me
inclementer dicit Am 742   dico ego tibi iam
ut scias Ep 668   ne bitas, dico iam tibi Mer
465   iam hoc tibi dico Per 653   iam(*A* am
P) edico tibi ut .. properes Ps 855   enicas iam
me odio Ru 944   sitim (iam *add BueL*) sedatum it Cu 118   iamne itis? Poe 678   id
ego (iam *add SpRg²*) experior .. Ep 527   iam
tuatim facis ut .. nulla .. fides sit Am 554
iamne ea fert iugum? Cu 50   mali illi fe**
(foetet *LoewRg* fetet *L* subolet *R* notust *U* ille
felat *Ly*) Ps 422   iam intus uentris fumant
focula Per 104   iam tu autem nobis praeturam
geris? Ep 25   iam hercle amplexari, iam osculari gestio Cas 471   dare iam ueniam gestio
Tri 325   iam quasi ostreatum tergum .. gestito
propter amorem Poe 398   id ubi iam penes
sese habent .. Cap 234   tu iam quod quaerebas habes Mo 210   supplici (iam *ins AcR*)
habeo satis Mo 1165   nomen iam habetis Poe
55   iam quindecim habeo minas Ps 346   iam
habes uidulum? Ru 1369   iam(*om BU*) horret
corpus Ci 551   auditis haec quae iam(*LLy* tam
Pψ) .. imperat? Tru 584   satine .. iam(*A* tam *P*)
instat alterum? Poe 919   iam imperatum in
cera inest Ba 733   iamne letat(*B* ne *om Rs*
iit ad *BueLLy*) legionem? Tru 508   iam deliramenta loquitur Cap 598   lucescit hoc iam
Am 543   madent iam in corde parietes Mo 165
iam apste metuo de uerbis tuis Men 266   metuo ego (iam *ins RRg*) uxorem .. Mer 586
primum omnium iam hunc comparere metuo
Ps 1026   iam morior Ps 1221   iam hercle occeptat insanire primulum Men 916   iam amplius orat Tri 248   iam ostendit suam sententiam St 56   philosophatur quoque iam Cap 284
saluos sum: iam philosophatur Ps 974   iam
(ham *B*) scapulae pruriunt Per 32   haec tigna
umide iam(*add HermL*) putent Mo 146   iamne
ego relinquor? Cu 214   uos quidem id iam
scitis concessum Am 11   an iam(*LindRglU om
J* etiam *BDEψ*) id tu scis? Am 745   scio iam
filius quod amet meus As 52(*iteratur ante v.*
84 *ubi* iam s.)   iam illic homo aurum scit me
habere Au 185   iam scio - - - Ci 521   iam(*BV
om EJ*) scis? Ci 613   iam(*om J*) scis ut conuenerit? Cu 435   haec scitis iam ut futura
sint Ep 377   Men 251(iam esse *R* esse *Pψ*)
iam scio quid siet rei Men 764   iam prius
quam sum elocutus scis Mer 155   scio iam
Mer 164   unum .. iam scio Mer 266   ternas scis
iam Mer 304   immo iam(etiam *ZR*) scio Mer
732   iam scio Mer 735   scio iam quid uelis
Mer 775   scio iam quid uis dicere Mi 36   scio
iam quid loquar(*A* loquar *post lac P var em
RU*) Mo 723   scis iam(nam *PS*† s. i. *Rs*) Per
379   iam scis? Per 589   ille quidem iam
scit .. Per 714   omnia istaec scimus iam nos
Poe 550   isti iam sciunt .. Poe 590   istud
ego iam(*add CaRU*) satis scio Ps 914   scio
iam me .. dedisse Ps 990   nos iam .. ut locupletes simus scitis Ru 293   scio iam de argumentis Tru 507   subolet hoc iam uxori Cas
277   subolet iam hoc huic Cas 554   me ..

dolis iam superat architectonem Poe 1110   iam
(*ins U solus*) suspicor Men 1081   iam hoc tenetis? Cap 10, Poe 116(iamne)   (iam *BriRgL
ULy om PS*†) teneo Ep 357   iam tenes? Ep
401   tenes iam? Tri 780   iam tenes praecepta
in corde? Poe 578   iam teneo quid sit Poe
768   iam lora teneo, iam stimulum Men 865
(*vide RLU*)   prehende (bracchium): iam tenes?
Mer 883   nimium iam(*om GuyRRgL*) tinnis
Ps 889   iam(*R* intus *Pψ*) intus uapulat Per
298   iam homo in mercatura uortitur Mo 639
haec iam me suam uoluptatem uocat Ru 442
iam illud mali plus uobis uiuit quam ratae
Ru 453   uosmet iam uidetis ut ornata incedo
Tru 463

    iam (facta *ins MueRgl*) pax est inter uos
duos? Am 957   iam satis est mihi As 329   iam
sat(is) est As 707, Cas 249, Tri 814   ohe, iam
satist Mer 730(*RRg* iohia *Pψ*†)   satis iam
uostrist conuiui Ba 1182   iam iam sat amabost
Mi 1084   iam satis St 735   aut iam nihil est
aut iam nihil erit Cap 921   ea iam domist
pro filia Ep 357   libera's iam Mo 209   iam
liberast? Per 486   iam isti sunt decem Men
222   an iam(*add MueRg*) maritust? Mer 538
breue iam relicuom uitae spatiumst Mer 547
(*A aliter PL*)   quom seis iam(*A* si sim *C* si
sum *D* sis *B*) senex Mer 552   id iam(*A* -idiam
P) lucrumst quod uiuis Mer 553   iam saturi
sumus Mer 750   iam machaerast in manu Mer
926   iamst(tam *BD* *am *C*) ante aedis circus .. Mi 991   uetus iam istaec militiast tua
Per 23   animus iam in nauist mihi Per 709
istuc quidem iam certumst Poe 1172   iam in
litorest Ru 175   iam istest tranquillus tibi?
St 529   iam magnust? Tru 508
    2. *cum imperf.:* iam ut eriperes apparabas
Au 827   iam perducebam illum .. quam amplexast genua Ci 566   credebat iam mihi Mer
212   iam quasi canes .. circumstabant nauem
turbines Tri 835   si amabas iam oportebat
nasum abreptum mordicus Men 195   *similiter
fortasse:* quid(quem *Rs*) iam(nam *L*) reuoca-
bas? Tru 333
    3. *cum perfecto:* illam .. iam(*om L*) in Sicyo-
nem .. abduxit modo Ps 1098   iamne abiit
illaec? Cas 794   iamne abiit? Men 333   iamne
abiit intro? Men 550 a   iamne abiit Syra? Mer
791   iamne isti abierunt? Men 876   iamne
abierunt? St 632   iamne abisti? Tru 634
iamne abscessit uxor? Cas 835   actumst de
me iam(*U* hodie *Aψ* a. hodie iam de me est
P) Ps 85   iam huic uoluptati hoc adiunctumst
odium Cu 190   iam adstiti in currum Men
865   satis iam audiui tuas aerumnas Cap 929
iam ego audiui Vi 74   iam liberta aucta's?
Per 484   iam(eam *CaLULy*) hinc (eam *ins Rs*)
auexisti(*S* abduxisti *PU* auexti *AcRs* abduxti
LLy)? Ru 862   signum ex arce iam abstuli
Ba 958   iam ipse cautor captust Ep 359   iam
lora in manus cepi Mer 931   omnia iam circumcursaui Ru 223   iam(et *A*) commentu's?
Mo 668   omnia composita (iam *add R*) sunt
Mi 1304   hic apud nos .. iam confregisti tesseram Ci 503   in hoc iam loco .. constitit Ci
699   iam Antiphonem conueni St 408   iamne
(namne *D*) exta cocta sunt? St 251   diem

(iam *add Rs*) corrupi optumum Men 598 deblaterauisti iam uicinis Au 268 iam .. decretumst dare Ci 648 omnis fructus iam illis decidit Ba 1136 nos iam defessi sumus Men 654
cum amicis deliberaui iam St 580 iam de
hoc opsonio .. deminui Tru 561 altera iam
bis detonsa .. est Ba 1128 iam dixisti? Mer
658 tria iam (*add CaLy*) dixti uerba Tru 757
iam dedit argentum? As 638 tu dedisti iam
Tru 960 satis iam dolui ex animo Cap 928
iam domuisti animum? Cas 252 iam aliquid
pugnae edidit (dedit *SciopLy*) Cap 585 uehiclum .. eieci iam (*add Rs solus*) Per 782 iam
manu emissu's? As 411 an iam manu emisisti
mulierem? Per 483 iam in currum escendi
Mer 931 iam excessit mihi aetas ex magisterio
tuo Ba 148 iam hinc olim me .. extrusit ab
se Mer 357 haec iam (etiam *LuchsRgl*) mulier
factast ex uiro Am 814 iam pro is satis fecit
Sticho? As 437 quem ego auom feci iam ut
esses Au 797 Bellorophontem iam (*PU om Rψ*)
tuos me fecit filius Ba 810 saepe iam .. plus
.. fecit .. boni Cap 44 iam ante alii fecerunt
idem Ep 32 fecisti iam officium tuom Ep 337
missas iam ego istas artis feci Mer 1000 nequior factust iam usus aedium Mo 113 quantae iam sunt factae Poe 1167 iam tu piscа-
tor factu's? St 317 mulier factast iam (*A om
P*) ex uiro Tru 134 iam .. dicax sum factus
Tru 682 efferantur quae imperaui iam omnia
Am 629 illic sese iam inpediuit in plagas Mi
1388 iam incubitatus es Per 284 iam (*GuyR
tam P tum B²ψ*) mihi sunt manus inquinatae
Mi 325 iam paene inquinaui pallium Ps 1279
iam infortuni intenta ballistast Poe 201 iam
omnis sycophantias instruxi Per 325 iam inspexi Fr I. 90 (*ex Varr l. L.* VII. 63) nomen
.. iam interiit 'mutuom' Ps 295 cultus iam
mihi harunc aedium interemptust Mer 832
plerique omnes iam sunt intermortui Tri 29
iam .. satis iocatu's Men 825 lassus iam sum
Tru 327 iam lauta's? #Iam pol (*P lauta A*)
mihi quidem Tru 378 iam hic est lepide ludificatus Cas 558 satis iam (*A im P*) sunt
maceratae Poe 1248 istuc .. iam memini Mo
335 iam .. mortuost Au 568 iamne mortuo's?
Cas 416 dies .. iam ad umbilicum 'est dimi-
ditatus mortuos Men 155 an iam mortuost?
Ps 309 iam (nam *WeiseRRs*) heri narraui tibi
Per 116 iam iam noui Cu 233 iam oboluit
Casinus Cas 814 iam hunc noui locum Vi 57
iam oppletum oppidumst solariis Fr I. 28 (*ex
Gell* III. 3, 5) ostendit sese iam mihi Tru 439
iamne ornata rest? Cas 578 paratae iam sunt
scapulis symbolae Ep 125 tibi iam ut pereas
paratumst Mi 295 iam perdidisti te Ba 132
mores leges perduxerunt iam in potestatem
suam Tri 1037 non omnino iam perii As 233
hoc quidem iam periit Ep 338 periisti iam
nisi uerum scio Mi 828 iam hercle tu peristi
nisi .. Poe 355 hunc iam (*Non* 317 iam h. *P*)
perscrutaui Au 657 iam satis est philospha-
tum Ps 687 Philocomasium iam profectast?
Mi 1428 iam recommentatu's nomen? Tri 912
multos iam lucrum lutulentos .. reddidit Cap 326
iam .. crassus corius redditust Fr II. 5 (*ex Paulo
60*) id repperi iam exemplum Mo 90 omnia

iam (*add R*) male facta uostra repperi Mo 1111
iam clientas repperi Ru 893 iam (rem *Rs*)
repperi .. Ru 1026 iam resipisti? Mi 1344
iam .. uoster quid sensit senex? Mo 749 sensi
ego iam (*om Gell*) compluriens Per 534 somno
iam (*U duce R* somnum *Ca* omnium *P*) sepeliui .. crapulam Mo 1122 solutumst portitori
iam (-*rium C*) portorium Tri 1107 satis spectatast mihi iam tua felicitas St 628 si quoi
.. iam (*Ca om P*) subuenisti antidhac Au 396
iam subrupuisti pallam? As 929 iamne hanc
traduxti? Cas 579 an iam uendidit aedis Philolaches? Mo 943 iam Cyprum ueni Mer 937
iam uicti uicimus Cas 510

hic sodalis Pistoclero iam puer puero fuit
Ba 460 satis sumpsimus supplici iam Per 854
similiter: heus iam satis tu As 446

4. *cum plusquamperf.:* gloriam iam ante auribus acceperam Tri 828 iam heri constitueram Ps 549 heri iam (*CD*) edixeram Ps
148 ille me iam uocauerat St 516

iam addicta .. erat quom .. Mer 616 mihi
quidem tu iam eras mortuos quia non te uisi-
tabam Per 20 subtritae ad femina iam erant
ungulae? As 340

5. *cum subiunct.:* iam ardeat .. caput Mer
591 si id domi esset mihi, iam (am *P*) pollicerer Per 45 satis iam ut habeatis Mer 1002
quin .. iam odiosus siet Mi 742 uiso .. iamne
habeat signum Ps 1064 si graderere .. iam
esses ad forum Ps 1236 iam tanta esset si
uiuit Ru 744 interuiso iamne a portu aduenerit St 456 face id ut paratum iam sit As
90 si .. iret potuisset iam fieri ut .. Per 173
si posset ego iam (*R* simitu hau maligne *A§*†
LLy si essent, benigne *U*) uos inuitassem domum St 590 (*v. om P*)

6. *cum infin.:* a. *praes.:* me iam censebam
esse in terra Mer 197 uides iam diem multum esse? Ps 1158

b. *perf.:* iam censes patrem abiisse a portu?
Mer 222 iam hosce absolutos censeas Au 517,
520 (i. h. *om Rg* h. *om BoLLy*) menses iam
tibi actos uides Am 500 iam aliquid actum
oportuit Tru 510 iam bis bibisse oportuit
Ba 759 cenam iam (*P om A*) esse coctam oportuit Cas 766 satis iam delusum censeo As 731
factum iam esse oportuit Mo 1093 credo ego
illum iam inaudiuisse Au 266 suspicor iam
me inuenisse Mer 254 iam te ratu's nactum
hominem Ru 1386 ego uos nouisse credo iam
Am 104 scit peperisse iam .. filiam Au 729
paratum oportet esse iam laqueum tibi Cas 392
paratum iam esse dicito Per 302 iam sublimen raptum oportuit Men 995 iam uos redistis in concordiam? Am 962 iam a portu
redisse potuit Mer 596 rure iam rediit uxor
mea Mer 705 iam mater rure rediit Mer 810
iam redii de exilio Mer 947 iam rediit animus Tru 367 me quidem iam satis tibi spectatam censebam esse Per 171

7. *cum partic.:* satis iam dictum habeo Per
214 ego illum probe iam oneratum huc acciebo Mi 935 iam instituta ornata cuncta ..
habebam Ps 677

8. *cum adverbiis:* a. iam dudum (*cf* Langen,
Beitr., p. 41): iam (ian *A*) dudum equidem

cupio Poe 1161   Sosia . . quem iam dudum dico
Am 618   (uxor) i. d. si arcessatur . . exspectat
Cas 540   uxor me exspectat iam(ian *B*) d.
Mer 556   i. d. exspecto si . . scias Poe 12   i. d.
gestit . . abdomen adimere Mi 1398   i. d. hercle
fabulor Cas 368   i. d. (condicionem) fero Ru
1030 montis . . mali . . i. d. iacis Mer 617   iam
(ian *A*) d. intestina murmurant Cas 803   iam
(ian *ARg*) d. ego . . patior dicere St 344   mihi
. . iam(ian *B*) d. ille Surus cor perfrigefacit
Ps 1215   iam(lam *B*) d. meum ille pectus
pungit Tri 1000   iam(*Py* iam iam *P*) dudum
salit Cas 414   scis iam(ian *A*) d. . . sententiam
Ci 508   i. d. scio Mi 580   iam(ian *B*) d. . .
sentio Ba 890   i. d. . . te sequor Ba 109, Poe
1161   i. d. sputo sanguinem Mer 138   iam
(ian *B*) d. ebriust Tri 812   i. dudumst intus As
741   iam(ian *A*) dudum res paratast Mi 1301
non iam(ian *A*) d. ante lucem . . uenimus Poe
318

   iam dudum tibi . . aduorsabar Men 419   i. . .
iam d. quo uolebas As 486

   ille me iam dudum uigilans pugnis contudit
Am 624   i. d. audiui Mer 953   ut i. d. dixi
Am 491   dixi ego i. d. tibi Tri 923   uti d.
iam(clam *B*) demonstraui Mi 1028   quam dudum istuc factumst? #. . Iam d., modo Am 692
qui istuc potis est fieri: . . iam dudum, modo?
Am 693   i. d. factumst quom primum bibi As
890   iam(ian *B*) d. factumst quom abiisti domo
Tri 1010   iam(ian *B*) d., si des, porrexi manum Ps 1148   iam profectast . . ?   #Iam dudum
Mi 1429   sciui ego i. d. fore me exitium Pergamo Ba 1054   ego huc i. d. simitu exissem . .
St 743   dixit mihi iam d. se alius uidisse hic
filium Ep 408

   b. iam pridem: terrae odium (iam p. *add*
RRg) ambulat Ba 820   frugi hominem iam
pridem esse arbitror Cas 284   . . quia se iam
p. feriatam gestitem Mi 7   istuc i. p. scio Ba
1157   iam p. tu me spernis, sentio Ps 466   i.
p. . . suscenset ceriaria Mi 696

   si ualuisset, i. p. quoquo posset mitteret Cu
700

   iam p. . . istuc ex te audiui Poe 156   iam p.
. . frigida non laui magis lubenter Mo 157   i.
p. uidetur factum . . quod . . Am 303   noui hominem i. p. Ru 963   i. p. equidem . . sciui
Poe 1347, 1391(istas)   i. p. ego me sensi nihil
pendier Poe 1300   id i. p. sensi et subolebat
mihi Ps 421   i. p. uendidi Ps 342   fuit occasio . . iam p. argentum ut daret Ps 285

   ego me iam pridem huic daturum dixeram
Ps 406   *Vide* As 826, *ubi* iam pridem mone
U pro iam emone(*P§*†) *var em* ψ

   c. iam diu: haud quicquamst magis quod
cupiam iam(*Gul* iam *P§*) diu Cu 171   iam
diu scio qui fuit Ps 262   i. d. ego huic bene
et hic mihi uolumus Ps 233   iam diust quom
uentri uictum non datis Am 302   terrae odium
(iam diu *add GertzU*) ambulat Ba 820(*U*)

   iam diu sapientiam tuam haec quidem abusast
Poe 1199   emigrauit iam diu(e. pridem ille *RU*)
Mo 951   iam diu saepe sum expunctae Per 848
iam diust factum quom discessi As 251   scelus . . factumst iam diu antiquom Mo 476   iam
diu factumst postquam bibimus Per 822   quo

iam diu sum iudicatus Men 96   nec quicquam
argenti locaui iam(*Ca* tam *P*) diu . . aeque bene
Mo 302   hic me iam diu (nouit) Men 379
quam quidem te iam diu perdidisse oportuit
Ep 11a   iam diu(†*§U* diui *Rs* credo *L*) . . uenit? Cap 882(*BriLy cf* Speijer, *ad Capt.*,
p. 33; Knapp, *Class. Phil.* VIII 248)   fuere
Sicyoni iam diu Dionysia Ci 156

   acum inuenisses, sei appareret, iam(*Gul* tam
P) diu Men 239   inuenissemus iam diu sei
uiueret Men 241

   d. *cum numeralibus:* hanc domum iam multos annos est quom possideo Au 4   interuall-
lum iam hos dies multos fuit Men 104, Ru 137
iam hos multos dies gestas tabellas Ps 9   non
. . iam hos dies complusculos quemquam istic
uidi sacruficare Ru 131   biennium iam factumst postquam abii Mer 12   iam(*C* lam *B*
ium *D*) bienniumst quom mecum rem coepit
Mer 533   i. b. q. habet rem tecum? Mer 535
(dicit) conuicium tot me annos iam se pascere
Mer 59   triennium . . iam hinc abest Mo 79
abhinc iam abierunt triennium St 137   multos
me . . iam dies frustramini Mo 589   sex menses
iam hic nemo habitat Mo 954   te iam sector
quintum hunc annum Per 172   iam complures
annos utero haeret meo St 170   iam(*CD* non
B) decumus mensis aduentat Tru 402

   similiter: iam his duobus mensibus uolucres
tibi erunt . . Poe 872

   plus iam uiginti (annos) mortuom esse oportuit Ba 819   plus iam anno scio Cu 14   postquam iam pueri 'septuennes sunt . . Men 24
plus iam medico mercedist opus Au 448   plus
iam sum libera quinquennium Ep 498   scio
. . plus scortorum esse iam(*FZ* eam *P*) quam
ponderum Tru 69

   C. = nunc: 1. *cum indic. praes.:* accersit
hanc iam(*Bo* hac itam *BC§*† ac itam *D*) Mi
1283   iam tu quoque huius adiuuas insaniam?
Am 798   St 422(iam agere *R pro* capere)   ter-
rai iam(*add Ly* duce Leone) odium ambulat
Ba 820   iam quasi zona liene cinctus ambulo
Cu 220   Campans genus multo Syrorum iam
(*om Diom* 394) antedit patientia Tri 546   me
id iam(*A* meeam *B²CD* meam *B¹* men iam *R*)
non uidisse arbitror Mi 403   iam mihi credis?
Per 529   iam(*R* tun *BD§LLy* tum *C* nam
FlRg) mihi cupio . . St 752(*R*)   iamne autem
ut soles deludis? Au 819   iam minoris **facio
Mo 1146   iterum iam . . me fluctus ferunt Mo
677   iam . . per me habeat licet Mer 989
omnia infitiare iam(*Sch* ea *BVE om J* eam *U*)
Ci 661   iamne(*L* ambae *Pψ*) intellegis? Poe
1103   quod lubet non lubet iam id continuo
Ci 214   decide collum stanti si(si iam tibi *R*)
falsum loquor Mer 308   ludis iam(*ALULy* me
Pψ) ludo tuo Ps 24   iam metuo ne Olympionem . . exorauerit Cas 304   iam istuc 'aliquid
fiet' metuo Mer 494   iam metuo patres quot
fuerint Tru 809   iam scrutari mitto Au 651
mitto iam(enim *R*) ut . . passus est Mi 1289
age iam mitto Mo 840   matris iam iram neglego Mer 938   iam(*om U*) obsecro - - As 926
et iam malli(*Rs* etiam num mali *P§*† *var em* ψ)
pendit . . purpuram Tru 539   iam χάριν τούτῳ
ποιῶ Ps 712   si idem iam(*LindU* isdem *Pψ*)

purgas mihi Am 945 ***iam(dimidiam *RsLy* etiam *U*) quaero meam Ci 757 domum reduco (iam *add RRgLy*) integrum .. exercitum Ba 1071 iam reor Men 846(*R* enim ereo *PS*† *var em ψ*) iamne hoc scitis quid siet? Am 485 scis iam meam sententiam Au 444 iuuentus iam ridiculos .. ab se segregat Cap 470 iam sic sino(*PSLLy* sine *Briψ*) Ps 477 oculi .. iam splendent mihi Poe 314 illum student iam Tru 337 negotium omne iam succedit sub manus Mi 1143 taceo iam Men 618 iam taceo hercle Per 829(*om RU secl L*†*S*) uideo nimio iam multo plus Ba 150(*v. secl RRg*) plus iam(etiam *B*) uideo quam prius Mer 299 naso pol iam haec .. plus uidet quam oculis Mi 1259 iam uides Mo 836 mihi iam uideo .. uictitandum sorbilo Poe 397 iam(eā *C*) hercle ire uis .. pastum Mo 878

iam hisce ambo .. frustra sunt Am 974 minus iam furtificus sum quam antehac Ep 12 iam(*FZ* ea *P*) sum domi Mer 946 in hunc diem iam tuos sum mercennarius Poe 503 iam hoc Herculi est Veneris fanum quod fuit Ru 822 ilicet: iam(*A* ilico et *P*) meo malost quod .. gaudeant St 394 ambitio iam more sanctast Tri 1033 minus saeuos iam sum .. quam fui Tru 673 iam sum caulator probus Tru 683

2. *cum subiunct.:* ut tu meam sententiam iam noscere possis Au 441 iam(item *D¹*) hunc non ausim praeterire Au 474 ut uxorem aspiciam(iam *add U*) .. oculis Cas 940 quas (res) si (iam *BoR*) autumem Men 760, 881(si iam *R pro* me) uin iam faciam ut .. fateare? Mi 335 ut ea iam(*L* ut faciam *PLy var em ψ*) .. pendeant crepundia Mi 1399 quod ego iam certo sciam Ps 566(*R solus aliter Pψ*) stratioticus homo qui cluear (iam *add U*) Ps 918 caue faxis uolnus tibi iam(*PS*†*LLy* icam *Rs* iniciam *U*).. Tru 943

3. *cum infin. vel partic.:* ut mihi necesse sit iam id tibi concredere Tri 144 eorum licet iam metere messem maxumam Tri 32 iam (am *D¹*) ego .. scire puto me Ba 1160 haec .. iam esse in uado .. res uidetur Au 803 scio .. esse alibi iam aurium tuom Tru 866(*aliter RsU*) quos .. exeuntis uideo (iam *add RRg*) Mi 1136

4. *verbo omisso:* quid(*J* qui *BES*†) ego iam nisi te commentum, nimio astute intellego? Ep 281 iamne ut lubet Mo 856 iamne ut soles? Ba 203 iamne(*Ac* anne *P*) autem ut soles? Poe 1410, Tru 695 em meam (iam *add RRs*) auaritiam tibi Tri 185

5. *additur* nunc: nunc minus grauate iam accipit St 763 nunc iam cultros adtinet Cap 266 iam nunc secunda mihi facis As 496 nunc iam alia cura impendet pectori Ep 135 (*cf* Langen, *Beitr.*, p. 287) nunc uolo (iam *add R*) opsonari Mi 738 ite sane nunc iam (*PLU om Linge*) intro(*om L*) Au 451 nunc reppererunt iam(*A om P*) ei uerbo uicarium St 188

iam num(non *GronovRgl*) me decet donari cado uini Poe 258 migrare certumst iam nunc e fano foras Cu 216 iam nunc praedico prius Men 47

D. = statim, ilico: 1. *cum indic. praes.:* per-

---

istis nisi iam hunc(*Py* h. i. *PLU*) .. abducitis Cap 749 iamne abeo? Cas 503 citius iam a foro argentarii abeunt quam .. Per 442 nisi gnatam .. huc iam quantum potest adducis Per 142 inclamat Alcumena: iam(ita *J*) ea res me horrore afficit Am 1068 ego sycophantam iam conduco de foro Tri 815 iamne ego huic dico? Cu 132 ad nauem iam hinc eo Mer 461 iam exeo ad te Ba 794, 1052 iam ut me collocauerat exoritur uentus Cu 646 iam foris ferio? Men 176 perii .. nisi Libanum inuenio iam As 287 iamne in hominem inuolo? Mi 1400 matula iam iam(*U* matulam unam *Nonψ*) .. infundo Am *fr* IV(*U ex Non* 543) .. ut me omnium iam laborum leuas Ru 247 uapulabis nisi iam(aiam *B*) loquere Mer 168 uerberon etiam an iam(ani *B* animā *CD*) mittis? Mi 1424 argentum mihi iam iamque(tam diu *R*) semper numeras Ps 225 iam hercle uel ducentae fieri possunt .. minae Ps 302 animus iam istoc dicto plus praesagitur mali Ba 679 nisi nobis producuntur iam Ba 1147 iam ego recurro huc As 379 iam(*HermR* etiam *Pψ*) redditis nobis filios? Ba 1167 iam redeo Mer 963, St 523 iam ad te redeo Mi 1020, Ps 1157 (r. ad te) decretumst renumerare iam omne aurum patri Ba 516 i, iam sequor (-ar *Sjögren S²*) te Au 696 iam te sequor(-ar *Sjögren S²*) Au 802 uiginti iam usust argenti minis As 89 nummis ducentis iam usus est Ba 706 eo (auro) .. iam opust Ba 221

2. *cum subiunc.:* abeam iam intro Am 970 iam(iam *D¹*) ut opprimar Am 1056 iam faxo ipsum .. opprimas As 876 continuo iam ut remittam .. rogas As 170 ut tua iam uirgis latera lacerentur probe Ba 780 ego sortis utrumque(†*L*) iam(patriam *U*) ** (diribeam *Rs Ly*) Cas 374 ut hoc una opera (iam *add RRs*) .. deferas Men 525 ut haec .. ex me (iam *add BentRRs*) sciat Men 558 facite illic homo iam .. ablatus .. siet Men 992 ni iam(*BCRU* nege- *D* ni ex *MueRs* ni a *Vahlenψ*) meis oculis abscedat Men 849 ut ueniat ad me iam semul tecum Mer 788 iube in urbem ueniat iam simul tecum Mo 930 ut ad te eam iam deducas domum Mi 790 aedes iam fac occlusae sient Mo 400 quid si igitur accersam (iam *add Rs*) homines? Mo 1093 qui .. scio an iam adseratur haec manu? Per 717 facite ante aedis iam hic adsint Ps 181 iam hic fac sit Ru 1215 iam(*U solus* eum *Pψ*) .. abducant domum St 444 homo conducatur aliquis iam quantum potest Tri 765

3. *cum infin.:* iam(*Pius* tam *B* tam etiam *CD*) admordere hunc mihi lubet Ps 1125 iam hoc uolo .. agi Ps 919 iubebo iam adparari prandium Men 174 iam iubeo ignem .. circumdari Mo 1114 certumst praeconum iubere iam quantumst conducier Mer 663 hunc ad amicam iam(*U* ueruis *B* uerius *CD* uenit *Bueψ*) querimonias deferre(*FRsLU* referre *Pψ*) Tru 166(*U*) deuorari decet iam(*LLy* tam *ABS*† tamen *CD om R* nam *FZRgU*) Ps 1127 iam si opsignatas non feret dici hoc potest Tri 793 nisi .. properas dare iam triginta minas Cu 535 dare iam lubeat denuo Tru 234 argentum iubebo iam(tam *Char* 201) intus ecferri foras

BA 95 clauem.. iam iube efferri intus Mo 405
ire.. meliust te intro iam(R interim $P\psi$) MEN
329 iam fieri dicta compendi uolo CAP 965
se adiurat anus iam mihi monstrare CI 584
(iam te hac *add Rs*) occidi optumumst TRU 626
iam modo(*CDL*† iam mo B iam ibo *Rs* immo
ULy).. iubebo.. perferri minas TRU 443 iam
(*add Rs*) nouom maritum.. uolo rus persequi
CAS 782 uis.. nummos iam(*om B*¹) promittier?
BA 873 ego iam.. iussero meam istuc transire
uxorem CAS 613

4. cum futuro: a. indic.: utramque iam mecum abducam semul RU 760 abigam iam ego
illunc AM 150 me iam quantum potest a uita
abiudicabo AS 607 iam quidem hercle ego
tibi.. linguam abscidam AM 556 iam in cerebro colaphos apstrudam tuo RU 1007 argentum (iam *add R*) alibi abutar PER 262 iam
patrem accersam meum MEN 734 accersam
medicum iam quantum potest MEN 875 te..
miseris iam accipiam modis AU 630 ego tibi
quod amas iam huc adducam CU 138 adducam ego illum iam ad te MER 562 iam hercle
ego erum adducam a foro MI 858 (iam *add R*)
ego illam adducam PER 609 iam ego tibi..
Persam adducam PER 828 iam pol eumpse..
mecum adducam TRU 114 iam(*RibRg* mulieri B mulierem *CD*) adibon? MI 1242 iam
illo praesente adibit Mo 564 iam ego hic
adero AU 274 iam ego domi adero ST 66 iam
hic credo aderit BA 47, PER 530 iam hic aderit credo EP 257 iam pol ille hic aderit
credo PER 89 iam hic faxo aderit PER 446,
Ps 393 iam faxo hic aderit TRU 428 pater
.. aderit iam hic meus Mo 383 Philolaches
iam hic aderit Mo 1077 Sangarinus scio iam
(quoniam *Rg* quom iam U) hic aderit ST 441
(*A solus*) iam faxo hic aderunt PER 161 iam
aderit tempus quom.. BA 417 iam huc adueniet miles BA 222 adulescens huc iam adueniet RU 80 at iam(*B*² adiam *BD hiat J*)
afferetur AU 356 id tibi iam(*B[P] om CD*)
huc adferam MEN 1037 (minam) iam ego adferam ad te VI 85 iam.. agitabo aduorsum
cliuom AS 708 iam ego aperiam.. flagitia
MEN 738 iam(*Ca* i *PS*† *om FZRs*) tua probra
aperibo TRU 763 iam(*add BoLU*) ego apparebo domi CAP 457 iam.. apparebunt domi
POE 618 adponam hercle urnam iam ego hanc
RU 471 iam(*A* nam *PU*) hercle ego te.. arripiam RU 769 iam ego adsequar uos MI 1353
eas liberali iam(*om A*) adseres causa manu
POE 964 iam inde porro aufugies? MER 651
iam aliquo aufugiam MI 582 at iam bibes
CU 120 iam cadam MER 613 iam ego.. apros
capiam duos CAS 476 iam hodie alienum cenabit PER 473 iamne illum comessurus es?
Ps 1126 quem ego iam(*om L*) iam iam(*ambo
om U alterum F'ZLy*) concipulabo TRU 621
conficiet iam te hic uerbis Ps 464 iam ego
te hic.. conficiam TRU 626 epistulasque iam
consignabo duas TRI 816(*v. secl RRgU*) ego
conueniam (iam *add GuyRg*) Euclionem AU 176
ego iam(*Ca* iam iam R nam *PS†Lt†Ly*†) conueniam illum MI 1379 conuorret iam hic me
RU 845 quem ego iam hic conuincam AM 779
iam ex Naucrate.. cognoscam AM 860 filiam

tuam iam cognosces CI 780 iam ego me conuortam in hirudinem EP 188 iam senatum
conuocabo EP 159 at iam crepabunt mihi
manus, malae tibi MI 445 iam ego hunc decipiam probe AM 424 iam hercle ego decumbam solus ST 646 ad trisuiros iam ego deferam nomen tuom AU 416 hanc praedam..
iam(*B om CD*) ad quaestorem deferam BA 1075
fusti defloccabit iam illic homo lumbos meos
CAS 967 iam hic deludetur AM 998 iam ille
hic deludetur probe AM 1005 demam hercle
iam de hordeo tolutim AS 706 de me hanc
culpam demolibor iam BA 383 meas.. de
ara capillo iam deripiam RU 784 iam illa
animum despondebit MI 1053 uos.. ego iam
detrudam ad molas POE 1152 deturbabo iam
ego illum de pugnaculis MI 334 magis iam
faxo mira dices AM 1107 certumst iam dicam
patri BA 382(*v. secl RgSL*) iam ipsa res dicet tibi EP 713 te iam(iam iam *RgLy*).. hic
pipulo te differam AU 415 iam ego te differ-
ram dictis meis Ps 359 colaphis.. tuom iam
dilidam caput POE 494 iam tibi istuc cerebrum dispercutiam CAS 644 atqui (aurum)
iam dabis BA 824 malum tibi magnum dabo
iam BA 1172 iam ius iurandum dabo MER 790
iam hercle ego illunc excruciandum totum carnufici dabo POE 1302 (nunc iam *add R*) dabo
insidias Ps 594 dormiam ego iam Mo 344
iam ad regem recta me ducam AM 1042 iam
hercle ego illam uxorem ducam POE 1220 iam
edicam omnibus Ps 506 iam edes aliquid CU
320 istas iam ambas educam foras RU 725
credo ecferet iam secum (aurum) AU 664 Philippos iam intus ecferam BA 1050 eloquar
iam AU 820 uxorei rem omnem iam.. eloquar
MEN 519 iam(*om C*) iurgio enicabit MER 557
iam facile enabit RU 170 nam iam(nunciam
PyRgl) ex hoc loco ibo AS 130 iam quidem
hercle ad illam hinc ibo AS 817 iam domum
ibo BA 507a ad cenam iam ibo(*BugRg* ibone
Aψ om P) ST 428 iam quidem hercle ibo ad
forum TRU 313 iam ibo(*Rs* modo *CDψ* mo B)
ex hoc loco TRU 443 quem.. uita(iam *add R*)
euoluam sua MEN 903 iam hercle euocabo
hinc hanc RU 479 iam hercle ego.. ex cerebro
exuellam TRU 287 iam is exhibebit hic mihi
negotium RU 556 iam ego ad te exibo foras
MI 537 iam ego faxo exibit senex RU 1351
iam(lā *C*) exibit TRU 198 iam ego ex corpore exigam.. maculas CAP 841 iamne(*add
U solus*) exîmes? RU 232 iam.. tuom exornabo uilicum POE 425 iam illorum ego animam.. exsorbebo BA 869 iam nunc ego illic
.. sanguinem exsugem POE 614 extexam ego
illum pulcre iam BA 239 iam ego te hic..
exurgebo RU 1008 faciam (iam *add LuchsLy*)
ex tragoedia comoedia ut sit AM 54 at iam
faciam ut uerum dicas dicere AM 345 compen-
pendi uerba multa iam faciam tibi BA 183
rem meae erae iam faciam palam CAS 506
iam ego te faciam ut.. differant CU 576 iam
iam faciam ut iusseris CU 707 ego iam sementem in ore faciam MEN 1012 iam hercle
ego faciam ploratillum POE 377 iam pol ego
illam.. faciam ut sit merulea POE 1289 iam
ego te hic agnum faciam TRU 614 iam hercle

ego tibi . . ludos faciam Tru 759   id quoque iam fiet Au 644   iam hercle tibi messis in ore fiet Ru 763   mera iam(meram *A*) mendacia fundes Ps 943   iam(*CD* sciam *B*) . . gubernabunt doctius Mi 1091   iam hercle ego uos pro matula habebo Mo 386   tu autem in neruo iam iacebis Cu 718   iam pol illic me inclamabit Tru 672   iam inclinabo me Per 737   iam in uos incursabimus Ba 1148   iam pol ego huic . . iniciam metum Cas 589   iam illic hic nos insectabit Cap 593   iam ubi liber ero . . instruam agrum Ru 930   illi . . interstringam gulam Au 659   intro rumpam iam huc in Veneris fanum Ru 570   quin tu iam (*Bri* eam *P*) inuenies . . Au 758   iam(*om CD*) inuestigabo Ru 1210   iam ipse uitam meam tibi largiar As 609   quoi sortem accipere iam licebit Mo 599   nunc dehinc Latine iam loquar Poe 1029   iam ergo haec madebunt faxo Men 326   iam ille . . narrabit Am 466   iam hercle ego illum nominabo Mo 586   iam pol ego occidam patrem Mo 384   pater iam hic me offendet Mo 378   iam hercle ego te hic . . offigam Tru 613   mihi iam intus . . onerabo gulam St 639   iam meas opplebit aures Ru 905   iam manufesto hominem opprimet Ba 858   manufesto faxo iam opprimes Men 562   iam(ah *J* ha *E*) ego parabo . . fidicinam Ep 371   Mo 870(iam parebo *R pro* imperabo)   tu iam, scio, patiere As 378   iam pol ego hunc . . percutiam Ps 603   persequar iam illum intro Ci 651   si is est iam scire potero As 399   quoi ego iam linguam praecidam Au 189   iam ego illuc praecurram Au 678   iam(*om J*) . . ego collos praetruncabo Cap 902   iam istic rei praeuortemur Mi 1093   at ego iam intus promam . . minas Ps 1241   iram ex pectore iam(pector etiam *CD* iam *om Rs*) promam Tru 603   iam hercle ego hic te . . proteram Tru 268   pultabo ianuam iam(*L* ita *Pψ*) Poe 739   iam quidem hercle te ad praetorem rapiam Au 760   has . . iam ambas rapiam Ru 796   iam ego domum me recipiam Per 405   iam illi remittam nuntium Tru 848   ego illam requiram iam ubiubist Ep 492   restituam iam ego te Mer 885   iam ego(*Mue§* huc *WagnerRg om Pψ*) ad te reuortar Au 203   iam ego reuortar intro Cap 251   iam reuortar Mo 338   iam isto(*Stud* istuc *P*) ego(ego istuc *BoRylLLy* ego *om U*) reuortar Poe 615   iam reuortar ad te Ps 1159   ergo iam(*FZ* nam *APLy†*) reuortar St 292   faxo iam scies Ba 831   tu iam . . scies Ci 496   iam scies Cu 75, Poe 169   iam sciam si quid titubatumst Men 142   iam scibo utrum . . amet Men 386   id . . iam sciam Men 772   iam ego ex hoc . . scibo Men 808   stabo ad me intro: iam scies Mi 520   uerum iam scibo Mo 997   iam faxo scies Poe 173   iam faxo scibis Poe 1227   ex tabellis iam faxo scies Ps 49   uerum iam scibo magis Tru 550   iam ego sequar Am 544   iam ego te sequar Ci 773   iam sequar te Men 431   litteris signabo iam(*om CD*) usque quaque Ru 1294   pede ego iam illam huc tibi sistam in uiam Mi 344   collo rem soluam iam Poe 1354   iam ego tacebo Am 381   at iam posthac temperabo Tri 1187   ego hanc(*A et Prisc* 330 iam *P* iam hanc lepidam *Rs duce Fl*) tenebo Cas 840

iam hercle ego . . transibo St 437   iam ecastor uapulabis Mo 240   uidebis iam illic nauem Tri 1104   omen iam(*A* omne *CD* omniam *B*) ego usurpabo domi Per 736

iam hic ero Am 969, Cas 526, Ps 331, 561, Ru 444, 1224, Tru 208   iam ego hic ero Au 89, 104, Men 225   ego iam hic ero Tri 582   iam egomet hic ero St 67   iam hic erit Cas 274   iam faxo hic erit Ep 156, Mi 463, Per 439   iam hic nos erimus Men 214   iam hic erunt Men 954   iam faxo hic erunt Ba 715   iam ego illic faxo erit Men 956   iam(*Bo* itam *B* ita *CD*) ego illi ero Mi 1279   iam isti(*A* eam istic *P*) ero Mo 741   ego iam intus ero Cas 746   iam ego apud te ero St 537   iam (iiam *C*) hercle apud . . magistratus faxo erit nomen Tru 761   iam nihil erit Cap 921   iam ut uoles . . ita ero Ps 240

b. *infin.*: iam hic credo eum adfuturum As 398   credo . . iam hic adfuturum Per 91   iam hic adfuturum aiunt eum Tru 205   iam(*add RRs*) dari . . iube Mer 777   illum . . scio iam (*Z* nam *B* non *CD*) exiturum esse intus Mi 1197   iam postulabas te . . deuoraturum insulam Ru 543   iam illo uenturum dicito St 265   melius iam(eam *A*) fore spero ubi te uidebit Tru 190

5. *cum fut. exacto*: iam hic me abegerit suo odio As 446   ego pol istam iam . . tragulam decidero Cas 297   aliud (iam *add L*) perfugium elegerit Tru 870   †tui properet suaue iam ut satis lauerit Tru 330   hunc fames iam occiderit Ps 350   saluos domum si rediero(: *L ULy*) iam Am 584(iam *om Rgl*)   iam ego huc reuenero Ba 1066   iam(ian *D*) huc reuenero Mi 863   iam ego(*om U*) reuenero Ru 779

iam ista quidem absumpta res erit Mo 235   iam igitur amota ei fuerit omnis consultatio Ep 282   si mihi non iam huc . . oleum deportatum erit . . Ps 212   iam ego hoc ipsum oppidum expugnatum faxo erit Ps 766   iam qui dem . . quicque . . nisi erit mihi situm supellectilis . . St 62

6. *cum imperativo*: abi iam intro Mer 677 (*R solus* abi tu intro *P aliter Rg*)   abi intro iam(nempe *R*) Mi 857   abi iam(iam *CD* abi: iam *R*) Mi 1372   iam abi Per 215   abi iam Per 223   (iam *add MueRg*) intro abi Ps 890   abi ad thensaurum iam confestim Tri 798   abstine iam sermonem de istis rebus Mo 898   hominem . . adducite ad me iam Ps 757   iam (*om ARRgL*) tandem ades ilico(† *§Ly*) Mi 1030   iam animum aduorte Cap 967   igitur animum aduorte iam(*om B*) Ci 511   nunc iam(*om Fl Rgl*) huc animum . . aduortite Am 38   nunc (iam *add MueU* uos *PyRglLLy*) animum aduortite Am 95   age iam Ba 1191, Mo 1175   iam ab isto aufer te Ru 1383(*Rs in loco dubio*)   iam ausculta Au 820(*U*)   cedo iam(*add R solus*) mihi Ps 387   iam, amabo, desiste ludos facere Men 405   dic iam(*L* dicam *AVEψ* diciam *B*) nostro erili filio Ep 164   dissolue iam me Mer 166   iam iam, Paignium, da pausam Per 818   stasne? #I tu iam(*U* etiam? i *Pψ*) sis Cas 749.   iam(*RRg* tum *Pψ*) uos date bibat St 757   ite iam, ite iam(*altera om BU* ite: iam *LLy*) Cas 834   iam(*add Rs*) exsurge

Mo 376 face iam nunc(*PU* nunciam *Linge*)
tu As 4 sermoni iam finem face tuo As 605
iam facite..accubitum eatis BA 754 iam obsecro hercle habete uobis.. MER 988 age,
iam infla buccas ST 767 iam omitte ista As
578 iam omitte iratus esse PER 431 iam de
istoc rogare omitte PER 642 propera iam quantum potest POE 567 redde mihi iam(*PyRgl
Ly* r. etiam*Pψ* †𝔖) argentum aut uirginem CU
612 iam(*add R solus*) remitte Mo 1169(*R*)
iam hoc mihi. responde CI 489 iam(*LULy:
post* iam *interpungunt ψ*) sequere sis AM 584
iam sic sine(*Bri* sino *PRLLy*) Ps 477 supersede istis rebus iam EP 39 iam tace MER 491,
TRU 791 iam ualete CAS 834(*LLy supra sub
ite*) iam uale MI 1352 iam hercle..tu uapula
TRU 945 iam(*ins R solus*) utere PER 817 fac
(iam *ins Ly*) Amphitruonem (iam *add Lamb
RglU*)..ut abigas AM 978

7. *cum gerundivo:* iam deuorandum censes,
si conspexeris? As 338 scio..tibi uxorem ducendam iam(*om L em KiesU*) TRU 866 com-
morandumst iam mihi(i. m. *add R solus*) PER
203 iam(*R* mihi *Pψ*) amatori seni coquendast
cena MER 741

8. *cum partic.:* iam hoc opus est exasciato
As 360 iam istoc magis usus factost RU 398
iam properatost opus TRI 807 iam mihi(*R
tum me et APψ*) Calidorum seruatum uolunt
esse Ps 906

9. *verbo omisso:* quoi, ego iam(iam iam *SpU*)
hoc scipione - - AM 520 at cum cruciatu iam
(lam *B¹J*) nisi apparet tuo AM 793 malo
hercle iam magno tuo ni.. As 471 et quidem
ego dehinc iam - - MER 1000

E. = *etiam:* 1. *cum affirmativis:* uel iam
otiumst CAP 183 iam duo restabant fata tunc
BA 959

2. *cum negativis* = οὐκέτι: iam ab isto auferre haud potis sim(*L* haud ausim *U* aut sim
P𝔖† aliter RsLy) RU 1383 neque..mihi iam
quicquam creditur MEN 699 iamne nihil(quian
'nihili' *SpRsU* †𝔖) dico? TRU 696 neque ridiculos iam(tam *B¹DJ*) terrunci faciunt CAP
477 iam non facio auctionem ST 384 PER
782(iam *ins R solus*) non uenalem iam(*A
om B²CD am B¹*) habeo Phoenicium Ps 325
id iam.. haut(*R aliter Pψ*) intellego BA 344
nihil morantur iam Lacones CAP 471 si ta-
cuisses, iam istuc 'taceo' non gnatum foret
POE 262 enim [uero] iam nequeo(uero hau
queo *Rs*) contineri CAP 592 nequeo.. risu
meo iam(*U* risum ac *B* risu meo *CD var em ψ*)
moderari MI 1073 iam(*ins Rs*) nolo CAS
544(*var em ψ*) iam nolo argentum PER 127
nihil iam me oportet scire BA 790 nihil me
paenitet iam MI 740 neque iam Salus seruare..me potest CAP 529 iam non possum
MI 1360 neque iam umquam optigere possum
Mo 164 nec Salus nobis saluti iam esse..
potest Mo 351 nihil iam mihi noui offerri
potest PER 270 non edepol bibere possum iam
TRU 365 ego mihi iam(*om CD*) nihil credi
postulo MI 302 iam(*om J*) hercule..non queo
labori suppeditare As 423 neque iam..queo
comminisci AU 74 iam(tam *SciopR*) nihil sapit BA 820 senex..iam nec sentit nec sapit

MER 295 non iam(*add R omPψ* †𝔖) tibi uenit
(*om FlRg*) in mentem? BA 1193 iam(*PRRgU
om Briψ*) non uereor MER 380 non paedagogum iam me..uocat BA 138 iam me tuom
oculum non uocas? TRU 881 iam non(*P𝔖†
nos R* it ad nos *Briψ*) uolt te MI 1282

neque ullast confidentia iam in corde AM
1054 nihil moror discipulos mihi esse iam
(*om RRg𝔖*) plenos sanguinis BA 153 nullast
spes (iam *ins U*) iuuentutis CAP 104 tibi (iam
add R solus) amicam esse nullam nuntio MER
966(*R*) hoc quidem haud molestumst iam(tam
D) CAP 357(*Ly* ante iam *interpungunt ψ*) id
non tam aegrest iam CAS 429 neque tibi
iamst(*HermR* tibist *B²* tibi si *P*) ulla mora
intus MEN 366 nihil est iam quod tu mihi
suscenseas MER 317

nihil reliqui quicquam aliud iam esse intellego MER 666 scio.. nullo pacto iam esse
posse haec clam senem Mo 1054 neque (iam
add BoL) illi (iam *add RU*) sum iratus Mo
1163 quid est? #Iam — #Quid iam(*P* quid
iam quid est *A*)? #Nihil est quod metuas Ps
1066 ibi iam neque esse alium alii odiosum
Ps 1264(*L solus vide ψ*) iam — #Quid iam?
#Non sunt nostrae aedes istae TRI 1080 iam
non sum truculentus TRU 674 nec mihi adeost
tantillum(ad illum *P𝔖†*) pensi iam.. TRU 765
iam(tam *BoRRg* nam *U* †𝔖) si nihil usus esset
iam non dicerem MER 731 nescio quid credam egomet mihi iam MI 402

numquam abducet mulierem iam Ps 1088
hic iam non audebit aurum abstrudere AU 663
iam numquam audibis uerba tot tam suauia
POE 310 hodie polluctura praeter nos iam
(*CaR* iactura *P𝔖† om LU*) dabitur(datur *Ly*)
nemini ST 688

similiter: uix ex gratulando miser iam eminebam CAP 504

iam nunc irata non es? AM 937

F. *vi confirmativa* 1. *apponitur adverbiis,
sim.:* a. *de tempore vel spatio:* iam inde a principio CAS 4, Ps 970 salutem..iam a principio
propitiam MEN 1 iam in principio id mihi
placet POE 1106 iam principio(in *praem B*)
in aedibus turba istic nulla tibi erit AU 339
inde a principio iam inpudens epistulast BA
1006 iam inde ab adulescentia BA 1207(*cf*
Kellerhoff, p. 73) matura iam inde(*AP* iam
inde a m. *LuchsRg*) aetate MER 521 hic sodalis Pistoclero iam puer puero fuit BA 460
Philocrates iam inde usque amicus fuit mihi
a puero puer CAP 645 iam(*om U*) a(*GuyRRg
inde iam a Pψ*) pausillo puero ridiculus fui
ST 175 bonus uolo iam ex hoc die esse PER
479 iam ad umbilicum est..mortuos MEN 155
dehinc iam(*A* deinde hinc *P*) certumst
otio dare me TRI 838 nemost quem iam
dehinc metuam As 111 ego dehinc iam —
MER 1000

b. *aliis adverbiis:* iam ante EP 31, TRI 828
nunc iam AM 38, 95(*supra* E. 6), As 4, AU 451
(*om LingeRg𝔖Ly*), CAP 266, EP 135, Ps 594(*R*)
nunc..iam MI 738, ST 188, 763 iam nunc AM
937, As 496, CU 216, MEN 47 iam num POE
258(*Rgl*) adminiclum is danunt tum(†𝔖, tum
𝔖Rg) iam,(*LLy* comma *om ψ*) aliquem cogna-

tum Mo 130   iam hinc olim Mer 357   iam
. . primulum Mi 1004

quasi non cras iam (*B* gras iam *B* gratia *CD*)
commeream aliam noxiam Mo 1178   heri iam
Ps 148   iam heri Ps 549   heri . . iam St 516
iam semul tecum Mer 788, Mo 930

iterum iam Am 742, Mo 677   iam bis Ba 1128
iam actutum Per 653(*om Guyω*)   citius iam
Per 442   iam confestim Tri 798   continuo
iam As 170   iam . . continuo Ci 214   minus
grauate iam St 763   iam inde Mer 651   iam
modo Tru 443(*supra* D. 3)   omnino iam As 233
iam tandem Mi 1030, Mi 1312(en iam *R pro*
†mum)

iam quantum potest As 607, Men 875, Per
142, Poe 567, St 232, Tri 765   iam quantumst
Mer 663

enim iam magis(†𝔖 insto *add Rs*), iam(*om
BoLULy*) adpropero, magis iam lubet inruere
Cas 891-2

uideo nimio iam multo plus quam uolueram
Ba 150   nimiam iam(*om GuyRRgL*) tinnis Ps
889   illa nimio iam fieri ferocior Ru 606

plus iam medico mercedest opus Au 448
plus iam uiginti (annos) mortuom esse oportuit Ba 819   plus iam sum libera quinquennium Ep 498   oculeis . . etiam plus iam uideo
quam prius Mer 299   iam illud mali plus uiuit
. . quam Ru 453

satis iam Mer 1002, Per 214, Poe 1248(*supra*
B. 3)   iam satis As 446, Per 171, Ps 687   iam
. . satis Men 825   satis . . iam St 628

2. *adiectivis vel substantivis:* breue iam relicuom uitae spatiumst Mer 547   iam maritumi omnes milites opus sunt tibi Cap 164
multos iam lucrum lutulentos . . reddidit Cap
326   nam iam omneis sycophantias instruxi
Per 325   me omnium iam laborum leuas Ru
247   omen quantiuis iamst(*R* tam est *A* est
P) preti Per 625   uetus iam istaec militiast
tua Per 23

non paedagogum iam me sed Lydum uocat
Ba 138   iam(*om R*) arbitri uicini sunt? Mi 158
iam serui hic amant? Per 25   naso pol iam
haec . . plus uidet quam oculis Mi 1259

iam alterum mirumst magis Am 829   nunc
iam alia cura impendet Ep 135   iam minoris
. . facio Mo 1146

3. *pronominibus:* mihi iam uideo . . uictitandum . . Poe 397   ei mihi, iam tu quoque . .
Am 798

hic iam aedibus uitium additur Mo 107   iam
hoc tibi dico Per 653   hoc iam uolupest Tru
704   iam hisce ambo . . frustra sunt duo Am
974   iam(nam *R*) hic quoque scelestus est Ps
893

. . ut ea iam(*L* ut faciam *APΣ*† *var em ψ*) . .
crepundia Mi 1399   id quoque iam(set quoniam
RU) Men 107(*LLy vide ψ*)

iam illuc non placet principium Am 801
iam istuc gaudeo Am 1100   iam istoc es melior As 717   iam istoc probior es Ep 111   oratorem uerberas. #Iam istoc magis Poe 384
iam istoc morai minus erit St 537   iam istuc
non benest Mer 300   iam istaec insipientiast
Ps 448   iam istuc mihi molestumst Ru 387
iam istoc magis usus factost Ru 398   animus

iam istoc dicto plus praesagitur mali Ba 679
iam istuc 'taceo' non gnatum foret Poe 262
iam isti sunt decem Men 222

quid iam, amabo Am 810, Tru 132   quid
iam? aut quid negotist Mi 277   quid iam? aut
quid est? Ep 56, Mi 469   quid est? #Iam —
#Quid iam?(*P* q. iam q. est *A*) Ps 1066   iam —
#Quid iam? #Non sunt nostrae aedes Tri 1080
nam quid iam? #Quia . . St 38   *Vide* Mi 542,
ubi quid iam *R pro* quid obsecras

quid iam? *sequente affirmatione:* Am 810, Ep
56, Mi 818, 1203, Mo 460, 1081, Per 19, Poe
413, 875, Ps 1161(*PRU* quidam *Aψ*), Tru 195
(*A* eam *B*)   *sequitur* quia: Ba 50, Cas 260,
Ep 407, 551, Mi 322, 472, 834, Per 29, 233,
317, 562, Poe 760, 880, 981, Ps 325(quidam
A quid ais *Rs*), 953, 1142, St 38, Tru 132,
746(*vide edd*)   *sequitur* ne: Ep 288

quid(*JRgLLy* qui *BEΣ*†) ego iam nisi . .
intellego? Ep 281

G. *cum coniunctionibus coniungitur:* iam . .
quom . . aduenerit narrabit Am 466   iam perducebam . . quom amplexast Ci 566   *Cf* Ba 417

iam ut me collocauerat exoritur uentus Cu
646   suade iam ut satis lauerit Tru 330(*Ca
LLy var em ψ*)

iam postquam . . commeo dicax sum factus
Tru 682

iam ubi liber ero . . instruam Ru 930   iam
(*om Guyω*) . . ubi me sciet uenisse hoc, ipse
aderit Per 653

prius iam conuiuae ambulant . . quam . . redeo
Men 276   iam prius quam sum elocutus scis
Mer 155

iam si opsignatas non feret dici hoc potest
Tri 793

H. iam *iteratum:* Am 520(iam iam *SpU pro*
iam); *fr* IV(iam iam *U pro* unam)   illam expilare †iam emone As 826(#iamiam.   ne mone *Ly*
[*Journ. Phil.* 26, 293] *collato* Mi 1083, iam iam,
sat amabo est *ubi omnes* iam iam *cum* sat
coniungunt; cf Lindström, p. 43)   iam iam
noui Cu 233   iam iam faciam ut iusseris Cu
707   iam iam sat amabo est Mi 1083, 1379
(iam iam *U* iam *CaRg pro* nam)   iam iam,
Paegnium, da pausam Per 818   iam iam(*Bo
Ly* iam ego *RRg pro* iam) non facio auctionem St 384

iam iamque(iam tam diu *R*) semper numeras
Ps 225(*cf* Langen, *Beitr.* p. 94)

quem ego offatim(*BLyU* affatim *CD om
Bueψ*) iam iam iam(iam *U* iam iam *FZLLy*)
concipulabo Tru 621

I. *loci lacunosi:* ***iamiam(em clauim *SeyU*)
optume praeceptis paruisti Mo 420   iam ****
unde conducam mihi? Vi 48

IANITOR - - heus, ecquis hic est **ianitor**?
Men 673   ita haec moratast ianua: extemplo
ianitorem clamat procul si . . As 390

IANITRIX - - anus hic solet cubare custos
ianitrix Cu 76

IANUA - - I. Forma **ianua** As 390, Mo
444, Tru 352   **ianuae**(*dat.*) Tru 255(-ue *P*)
ianuam As 273, Au 89, 442, 666, Ba 368, Per
758a, Poe 739, St 308   **ianua** As 424, Cas 462,
Men 127, Mo 8(iuua *B*[1]), 512   **ianuae**(*nom.*)
As 241(-ue *E*)

II. Significatio 1. *nom.*: ita haec moratast ianua: extemplo ianitorem clamat procul si.. As 390(*cf* Goldmann, I. p. 21)   num.. ianuast mordax mea? Tru 352(*cf* Inowraclawer, p. 15)   occlusa ianuast interdius Mo 444
   portitorum simillumae sunt ianuae lenoniae: si adfers tum patent As 241
   2. *dat.*: ecquis huic tutelam ianuae gerit? Tru 255
   3. *acc.*: aperite propere ianuam hanc Orci Ba 368   tam indiligenter obseruauit ianuam As 273   occlude ianuam Au 89   occlusam ianuam uideo St 308   pultabo ianuam Poe 739   si ad ianuam huc accesseris.. Au 442   huc ego ad ianuam concessero Au 666   hic uolo ante ostium et ianuam.. bene accipere Per 758 a
   4. *abl.*: iussin.. ab ianua hoc stercus hinc auferri? As 424   uxorem abegi ab ianua Men 127   abscede ab ianua Mo 8*, 512   me.. facere atriensem uoluerat sub ianua Cas 462
   IANUS - - itaque me Iuno, itaque Ianus(*A* Iuno et Saturnus *PU*).. Ci 520
   IASON - - meque ut (ciuitas) praedicet lenone ex Ballione regem Iasonem Ps 193   *Cf* Egli, III. pp. 18, 30
   IBI - - I. Forma *corrupta:* Am 350, ibi *J*, 1092, ibi *P pro* ubi   Au 198, ibi *J* uibi *BD pro* ubi(*Hermolaus*); 673, ibi *J pro* ubi   Ba 17, ibi *Serv pro* ubi   Cas 245, ibi *Non* 135 *pro* ubi, 778, ibi *J pro* cibi   Ci 14, ibi *Varr pro* ille; 631, sunt ibi *VE pro* sum tibi   Cu 60, ibi *E¹J pro* ubi   Ep 39, ibi *B¹ pro* ubi; 247, post ibi *P pro* postquam id(*A*); 714, ibi *B pro* abi   Mer 222, ibi *B pro* ibo   Mi 268, ibi *B¹ pro* ibo; 450, uoluptatĕ(*B* -te *CD*) ibi *P pro* uoluntate ibis(*Ca*); 591, ibi *D¹ pro* ibo; 631, ibi *B²CD om B¹ pro* ab(*Non*)   Mo 529, ut ibi *P pro* tibi(*D³*); 540, ibi *C pro* ibo; 930, *add B²*; 1133, ibi *B¹ pro* ibis   Per 230, ibi *B pro* ubi; 417, -arem et ibi ut *P pro* -are me ut tibi(*A*)   Poe 123, ibi *BCD² pro* ibo(*D¹*)   Ps 71, intestauit ibi est *P pro* in test aut tibist(*A*); 631, ualet ibi *A pro* uae tibi (*P*); 654, ibi//// *B pro* ibis; 1245, ibi *BC* tibi *D pro* ibo(*A*); 1263, *om* ω   Ru 505, ibi *P pro* tibi(*F*); 1101, ibi *PL*† cibit *Acψ*   Tri 995, ibi id *P pro* ibo ad(*FZ*)   Tru 198, operire ibi *P pro* opperimino(*A*); 313, ibi *P pro* ibo ad(*A*); 519, quiquĕ ibi *PLy*† *pro* uimque mihi(*FZ*); 781, ibi linguis *P pro* bilinguis(*FZ*)
   II. Significatio 1. *proprie de loco:* puer inter homines ibi(*add RsU*) aberrauit a patre Men 31   ibi (aulam) abstrudam probe Au 583   crebri ibi(*add RRgl*) ad terram accidebant Poe 485   ibi(*Guy* id *P*) ubi tibi erat negotium ad focum si adesses.. Au 439   Ba 142(praesens ibi.. una *Rg* p. i. ullus *U pro* praesentibus illis) ibi(ubi *E¹*) aderat una Apoecides Ep 612   pater.. ibi ilico adsit Mer 362   tanta ibi copia uenustatum aderat Poe 1178   praeco ibi adsit Fr I. 91(*ex Festo* 306)   speculabor quid ibi agatur Tru 708   (ambulant) in medio propter canalem ibi ostentatores Cu 476   ibi(*add RRg*) ne quid animae forte amittat Au 305   ibi (*Grut* abii *P*) amare occepi.. mulierem Mer 13   quid.. si ibi(*CD* sibi *B*) amare forte occipias? Mer 650   ibi ego(*A* ego illam *B* ego

illic *CD* ego illi *LLy* illi *R*) aspicio.. mulierem Mer 260   (uidi) intra nauem ut(nam ibi *Rg*) prope astitit Mer 187   ibi amplius †quam satis fuerit biberis Mo 967   ibi bibisti Tri 1019   credo.. capturum spolia ibi(*om U*) illum.. Tri 724   ibi cenaui Am 732   ibi uoster cenat cum uxore St 664   ibi de diuinis atque humanis cernitur Tri 479   ibi(*R* ii *PU* i *Osannψ*) se cognoscunt Men *Arg* 10   ibi(*Py* abi *P* habi *D¹*).. filium concastigato Ba 1175   ibi concrepuit foris Per 404   ibi.. nisi cottidiano sesqueopus confeceris.. Cap 724   ibi eos conspicias Poe 585   ibi(*ARRgU* atque *Pψ*) ego conspicor nauem Mer 256   sermonem ibi nobiscum copulat Poe 655   ibi . cenam coquas Ps 854   ibi me conruere posse aiebas ditias Ru 542   .. ut ibi cruciere currens As 709   maioreque opere ibi seruiles nuptiae.. curari solent Cas 73   ibi meo arbitratu potero curare hominem Men 949   . nostrum tam diu ibi desidere Ba 238   metuerem ne ibi diffregisset crura Mi 722   ibi nunc statuam uolt dare.. faciundam Cu 439   ibi me toxico morti dabo Mer 472   ibi tibi adeo lectus dabitur ubi.. Ps 215   ibi tu.. dormitasti in otio As 253   ibi alcedo pullos educit suos Poe 356   ibi scrobes effodito Am *fr* VI.(*ex Prisc* I. 168, 320, *Non* 225)   ibi eludit anulo riualem Cu *Arg* 2 ibi(*RRgl* i *PS*† *om LULy*) emptum adoptat hunc senex Poe *Arg* 2   ibi.. sese exercebant Ba 428   ibi consilia exordiar As 115   ibi exquirit facta Iliorum Ba 951   ibi uix me exsolui Ba 962   ibi suam aetatem extendebant Ba 430(*v. secl GuyRgSU*)   ibi quae relicua alia fabulabimur Poe 718   ibi.. plura fabulabimur Tri 711   quid ibi faceres? Mer 884   intumum ibi se miles apud lenam facit Mi 108   faciam ubi tu laueris ibi ut.. faciat.. Poe 703   quid ibi(tibi *B*) faciunt? Poe 1132   ibi festinamus omnes St 677   Mo 723(tu ibi *U pro* iam)   dicit potesse ibi eum fieri diuitem Ru 55   ibi fouebo senectutem meam St 568   neque ab iuuentute ibi(in ibi *A* inibi *LLy*) inridiculo habitae Poe 1183   ibi habitant Poe 585   est aequom.. ibi te usque habitare Ru 715   .. quis habeat si ibi(*om CaU*) indaudiuerit Mer 941   Men *Arg* 3(ibi indit illi *R pro* illi indit)   infit ibi(sibi *J*) postulare Au 318   ibi.. regnum magnum instituam Ru 935 b   loquere tu quid ibi in[fu]erit Ci 734   ibi .. quicquid inerit Ru 1134   meministi in uidulo . quid ibi infuerit(*Bent* inf. ibi *FZ* infuere tibi *P*)? Ru 1310   ibi(ibo *C*) multo primum sese.. laborauisse.. Mer 69   Ba 433(ibi librum quom *R pro* cum librum)   me ibi uideo ludificarier Cap 490(*v. secl FlRsSU*)   ibi manebo apud argentarium As 126   ibi manere iussit Ep 69   ibi nunc meus pater memorat.. Am 135   hic natust ibi Men 1097   ibi opulentus tibi par forte obuenerit Tri 469   occurrebant suis quaeque (ibi *ins MueRsU*) amatoribus Ep 214   sedens ibi opperibere Ba 48   ibi ego me ostendi uolo Poe 340   perdidi quicquid erat miser ibi omne Ru 1308   ibi si perierit quippiam.. Au 344   ibi.. piscabar Vi 100   egon ubi filius corrumpatur meus ibi potem? Ba 1190   atque ibi potat Men 792   et

ibi (em: tibi *Rs*) audacius licet . . proloqui CAS
872   ibi quieui in naui AM 732   ibi ego te
replebo . . POE 701   ibi(ubi *J*) uix requieui
CAP 505   occepit ibi scalpurire ungulis AU 467
ibi . . condignam te sectaris simiam MI 505
ubi tu profusu's, ibi ego me peruelim sepultam CU 102   ibi sedulo sua uestimenta seruat
RU 383   ibi mei sunt maiores siti MI 373   ibi
(*R* ille *B* illi *CDψ*) . . sistebant cadi MI 850
. . ibi . . noctem totam stertere AS 872   ibi
sumam locum AU 675   ita me ibi(*B²CDRL
om B¹ψ*) male conuiui . . taesumst MO 316   ibi
torreto me pro pane rubido CAS 310   uendit
. . praesenti (ibi *ins MueRgl*) argento POE 89
ibi uenibit MER 462   an te ibi uis inter istas
uorsarier? POE 265   uideo ibi(ubi *D*) hospitem
MER 940   ibi osculantem meum hospitem . .
uidisti? MI 555   istum e naui (ibi *add Rgl*)
exeuntem . . uidemus POE 651   quoduis genus
ibi hominum uideas POE 831   ibi tu uideas . .
epistulas POE 836   satiust . . ibi uiuere MER
656   . . ibi sex menses uixerit TRI 543

cadus erat (ibi *add MueRgl*) uini AM 429
ero . . ibi si quid opus fuerit AS 117   ibi (*i. e.*
ad tresuiros) nomina faxo erunt AS 131   uise,
estne ibi? BA 901   illic ibi demumst locus
ubi . . CAP 1000   tam tenebrae ibi erant quam
in puteo CAS 882   nec . . apud te fuit quicquam
ibi quin mihi placeret CI 18   ubi sum ibi(ubi *V*)
non sum; ubi non sum ibist animus CI 211-2
sub ueteribus ibi(ubi *J*) sunt qui dant . . faenore CU 480   pone aedem Castoris ibi(ubi *J*)
sunt . . quibus . . CU 481   in Tusco uico ibi
sunt . . qui CU 482   ubi uoles pater esse ibi
(pater *A*) esto EP 595   Epidamniensis quidam
ibi mercator fuit MEN 32   ibi mihi negotiumst
MER 326   satiust . . ibi (*i. e.* ruri) esse MER
656   ubi mores deteriores increbrescunt, . .
ibi . . non cupitast ciuitas MER 841   si quis
ibi(sibi *B*) est odiosus . . MI 655   ubi triduom
(ibi *add BoR*) . . fuerit . . MI 742   ibi erat bilibris aula MI 854   ibi(*R* in *A om Ly lac P*)
omnibus ire dormitum odiost MO 704   MO 764
(ibi uictum *R pro* aestate)   nec mihi umbra
ibi(*R* hic *Aψ om P*) usquamst MO 769   ibi
mercatum dixit esse PER 260   ibi tibi parata
(mala res) praestost PER 288   tantus ibi clientarum erat numerus POE 1180   piscium quidquid
ibist(*R* est *P* sit *BriRgU*) . . PS 169   . . neque
ibi (*om Ly* + *S* ibi iam *L*) esse alium alii odio
ibi (*om RRg* + *S* odiosum *L*) nec molestum . .
PS 1264(*v. secl U*) . . ibi esse homines uoluptarios: . . ibi esse quaestum . . meretricibus RU
54-6 sumne ibi? RU 865   aliud quicquid ibist
habeat sibi RU 1121   ibi matris nomen in securiculast RU 1159   si ibi(*Ac* tibi *PLLy*) nullast aegritudo ST 524   tecum ubi autemst mecum ibi autemst(*B* a. i. *CD* ea itidemst *RRg*)
ST 733   ibi(*SeyLU* eri *PS*+ heri *FRs* fere *Ly*)
plus scortorum esse . . TRU 69   ibist ibus(*Ca*
ibisib; *BL*+*Ly*+ ibi usibus *CD* ibust ibi *Rs*)
pugnae . . praedam capere TRU 110(*cf* Walder,
p. 30)   ubi amici ibi demum esse(*Rs* ibidem
CD bildē *B* sunt *add CaLU*) opes TRU 885

2. *translate:* a. ubi se adiuuat, ibi me adiuuat PER 304   ibi leno sceleratum caput . .
alligabit EP 369   ut dixeram nostro seni men-

dacium . . ibi signum . . iam abstuli BA 958
certast res ad frugem adplicare animum, quamquam ibi . . labos . . capitur TRI 271   ubi pudendumst ibi eos deserit pudor EP 166(ibi . .
pudor *om E*) sine gratiast . . ibi(*Ly* tibi *Pψ* +*L
v. secl WeiseRg*S) recte facere AU 338   ubi uoluptatem aegritudo uincat quid ibi inest amoeni?
MER 359   uter ibi(utrobi *B*) melior bellator
erit inuentus cantharo . . MEN 187   mercatum
ire iussit: ibi hoc malum ego inueni MER 358
quo in commeatum uolui . . proficisci, ibi nunc
. . opsaeptast uia PS 425   ubi tabellas . . detuli, ibi occidi Troilum BA 960   ubi manum
inicit benigne, ibi onerat . . zamiam AU 197
numquid ego ibi(tibi *E*¹), pater, peccaui? EP
593   stultitia . . sit . . ibi(*RLy* tibi *Pψ*) meam
operam pollicitari MI 878   ibi(*Bo* ubi *P*) de
pleno promitur AS 181   ubi me fugiet memoria, ibi tu . . subuenias BA 36   ibi . . si uidisses quendam in somnis AM 621   ibi (*i. e.* in
sortiendo) ego te . . ulciscar CAS 299   cras iam
commeeram aliam noxiam: ibi utrumque . .
poteris ulcisci MO 1179

ego ibi sum esse ubi miserum . . decet BA
1107   ibi ei(*R* eae ibi *BugU* ea *BDψ* eea *C*)
sibi inmortalis memoriast MI 888   nec sumptus
ibi(*PLy* sibi *Pyψ*) sumptui esse ducunt MO
125(*i. e. in educatione puerorum*)   i in malam
rem. #Ibi(ubi *D*) sum POE 295

b. = tum, deinde, inde: ibi illarum altera
dixit EP 240   ibi ego dicam quicquid inerit
RU 1134   continuo (ibi *add HermRRg*) . . hospitem . . sibi . . aduocauit BA 261   ibi(*Bo* ubi
Pψ) appello 'Casina' inquam CAS 916(*BoLy*
vide *ψ*)   ibi nescioquis . . exclamat AM 1063
ibi me inclamat Alcumena AM 1068   'est' . .
ibi(*Serv ad Buc* V. 58 iuuit *P* innuit *B²D³*)
illarum altera . . inquit MI 62   ibi(*P* abi *A*)
ille cuculus: ocelle mi, fiat TRI 245   ibi me
interrogat CU 340   ibi illa interrogat illam EP
250   ibi illa nominat Stratippoclem EP 245

ibi nostris animus additust AM 250   ibi me
nescioquis arripit CU 648   ibi ad postremum
cedit miles AU 526   ibi(*ARRgU* atque *Pψ*)
ego conspicor nauem MER 256   ibi continuo
contonat AM 1094   ibi extemplo leno errabit
POE 733   ibi illa(*BD* ibilla *C* ibi illam *A*)
pendentem ferit TRI 247   ibi dominus . . reddere alias neuolt MO 108   ubi nolui . . ibi os
pandebat CAP 912b(*add in lac GepU*)   spec-
tacla ibi(*B* specta** *E* spectatores *E*) ruont
CU 647   ubi exempla conferentur . . ibi tibi
erit cordolium si . . POE 298   ubi . . abierit ibi
tu ilico(*A* tibi tuilico *CD* tibi uilico *B*) . . uenias MI 1176   ibi ego . . uideor . . arripere simiam RU 608   ibi(*AcR* is *APψ*) odos . . uolat
PS 841

3. *definitur locus:* ad focum AU 439   apud
argentarium AS 126   lenam MI 108   te CI 18
in medio foro CU 476   naui AM 732   securicula RU 1159   somniis AM 621   Tusco uico
CU 482   uidulo RU 1310   intra nauem MER
187(*Rg*)   pone aedem CU 481   propter canalem
CU 476   sub ueteribus CU 480

IBIDEM - - 1. *proprie de loco:* ille palam
ibidem adsiet PS 924   ibidem(uibidem *B*) una
aderit mulier PS 948   ibidem in cercuro in

stega in amicitiam . . conuortimus St 413   defodit hospitem ibidem in aedibus Mo 482
Menarchus emit ibidem in Alide Cap 26   ibidem ilico manete Ru 878   erus meus . . ibidem gnatust Poe 902   ubi . . nouisti? #Ibidem
. . in Epidamno Men 379   ibidem obdormissemus Ru 591   ibidem ubi nunc sunt lecti strati
potetis Ba 756   numquam . . istoc uinces quin
ego ibidem pruriam St 756   reliqui . . meum
scortum ibidem Ps 1271   ibidem nunc sedent
Ru 847   ibidem publicitus seruant Ba 313
uidi . . ibidem . . illum Cap 874

intus ibidem uxor tuast Ci 780   ibidem erunt
scorta exoleta Cu 473   fuit (cistellula) ibidem
in naui Ru 391   argentum fuit lenonis omne
ibidem Ru 396   ibidem erus est noster St 665
ubi amici, ibidem(bildē B ibi demum Rs)
opes Tru 885

2. *translate:* ibidem(itidem R) mihi etiam
nunc adnutat Mer 436   tibi ibidem das ubi
tuom amicum adiuuas Per 614   ibidem ego
meam operam perdidi ubi tu tuam Ba 134
me adeo cum illis una ibidem traho Tri 203
(*cf* Graupner, p. 14) quid quod dedisti scortis? #Ibidem una traho Tri 412   ibidem(ALy
ibidea P itidem FZψ) tibi distractio . . uenit
Ps 69

si redierit illa ad . hunc, ibidem loci res erit
Ci 529(*cf* Schaaff, p. 18)

3. *locus definitur:* in aedibus Mo 482   Alide
Cap 26 naui Ru 391   Epidamno Men 379   in
cercuro in stega St 413   in public celoce Cap 874

4. *corrupta:* Mo 502, ibidem *add* P *om* Bent
Tru 40, ibidem PS† itidem FZ; 738, ibidem
D¹ *pro* itidem

IC *** Ci 435

ICO - - pectus mihi **icit**(A abit P) non cubito uerum ariete Cas 849   feruit femur dexterum, ita uehementer eicit(A *om* P icit LU)
Mi 205(*aliter* R)   ei, colapho me(Ac duce
Lamb -phum P) icit Per 846   dentibus frendit, icit femur Tru 601   Campans icit lingua
Tru 942(Rs campas dicit abaui Pψ†)   uolnus
tibi **icam**(Rs iam PLLy iniciam U) Tru 943
pacem feci foedus **ici**(OttoRgl feci Pψ) Am 395
ibi ut piscabar, fuscina ici(vidi *codd*) uidulum
Vi 100(*ex Non* 123)   quemque **icero**(PySLU
iecero PLy quem adiecero Rs) ad terram
dabo Cap 797   at indiligenter **iceram**(A hic
eram P) Mi 28   catapulta hoc **ictum**(iectum
B) est mihi Cu 394

ICTIS - - i modo uenare leporem: nunc
ictim(Erasmus irim PSLLy) tenes Cap 184
Cf Schneider, p. 7; Wortmann, p. 19

ICTUS - - uno **ictu** extempulo cepi spolia
Ba 968   ni hebes machaera foret, uno ictu
occideras Mi 53   istos . . amasios hoc ictu(Z
itu P) exponam Tru 659   perfacile ego **ictus**
(utus D) perpetior argenteos Mo 621   eos
ego . . contruncabo duobus solis **ictibus** Ba 975

IDCIRCO - - hoc pauciloquium rursum id-
circo(sumit circo B) praedico quia . . Mer 34
suspiciost . . uos suspicarier me idcirco haec . .
promittere quo uos oblectem Ps 563(*cf* Kienitz,
p. 554)   idcirco moneo uos ego haec Ru 28
neue idcirco nobis uitio uortas si quippiamst
minus . . Ru 700

IDEM - - **I. Forma idem** Am 447, 568, 578,
862, 945(LindU isdem Pψ), 1085, As 324, Au
567, Ba 946, 1111, Cap 864, Cas 461 (*vide*
eidem), Ep 654, Mer 853, Mi 643(U itec PL
itidem R), Poe 115, Ps 18, 162(id D¹ ide D²
itidem R), 1277(*om* R), St 134, Tru 48, 368,
728(item BoRs *om* U), 814(?)   **eidem** Cas 461
(LambL et idem Pψ), Mi 1207(RibL et idem
CD et ille B idem LyS† et quidem Rg item R
etiam U)   **isdem** Am 945(idem LindU; *cf* Jordan, *Beitr.* p. 295)   **eadem** Am 77, 1079, As
144, 147, 177, Ba 421, Men 1069(eadem urbs et
BueL eadem pol RU et mihi illi Rs ea domus et PS†Ly), Mer 10, 823, 842(*om* [B]),
Mi 152, 520, 530, 889(eadē BD aðe C eaedem
R eisdem L eo de- Ly), 966(D² adem C as-
dem D idem B), Ps 304, Ru 547, 983, St 263,
434(eade A), Tri 445(eade A *ut vid*), Tru 81,
185   **idem** Ba 1109, Cas 181(id ē E id ÷ V),
Ci 120, Ep 654, Men 48 (ide C), 184, Mer 651
(RRg item Pψ), Mi 755, Mo 296(id B²Rs), Per
675(PRU id Aψ), Poe 1340(id dem CD)   **eiusdem** Poe 235(Rgl eius Pψ), Vi 94(*ex Prisc* II.
300)   **eidem**(*masc.*) As 120(fidem D), Mi *Arg*
I. 4, Mo 481(R et P ei Salmψ), Ps 768(idem C
quom R)   **eundem** Ci 183, Mer 856, Mi 702,
Mo 220, Poe 161, Tru 806(alia e. Rs alie undē
B alię unde CD illa unde CaU)   **eandem**
Am 54, Cas 61, Ci 140, 178, 313(U *in lac*), Men
690, 730(FZ eadem P), 1090, Mi *Arg* II. 3(ea-
dem B¹) Mi 387, 530, 808, 1071(eadem BR),
1228(tandem CD), Ps *Arg* II. 3, Tri 121   **idem**
Am 165, As 256, Au 141, 175(id ē E), 249, 478,
Ba 47, 985, Cas 187, Ci 27(*secl* U), *ib.* (*om* Ly),
Cu 493, 541, 675(dotem Rg), Ep 32, Men 43,
484, 569, 716, 751, 1094(itidem BoRs item SeyL),
Mer 79, 71 (GuyL eidem P item Guyψ), 621,
Mi 246, 776(item BoR), 838(FZ diem P itidem
BergkSRg), 1040, 1273, Mo 202, 1052, 1087,
Per 43, 239, 433, Poe 409(itidem BoRgl), Ru
1074, St 474, 644, Tri 54(P fidem A item Bo
RRs), 1163(itidem RRs), Tru 145(idest C), 740,
811(ide BD), 815(idem istuc Kies de istoc P
Ly)   **eodem** Am 614, 805 *bis*, 808, Au 597, Men
749, Mer 38, Poe 895, Ru 1337   **eadem** Am
532, As 201, 640, Ba 60(eandem B), Cap 450,
Cas 318, Cu 705, Mo 1039, Per 699, Ps 1006
eodem Cap 42, 778, Cas 933, Men 44(eoðe C),
Mer 263, Mi 612, Per 429, Ru 577 *bis*, Tri 710,
Tru 779   **idem** As 342   **eidem** Mi 758(R idem P)
eaedem Mi 889(*vide* eadem)   **eadem** Ba 63,
Mi 393   **eosdem** Ci 596, Tri 292, 1090   **eadem**
Am 945, As 422, 613(tandem EJ), 641, Ba 1018,
Cap 293, 296, 317, Ep 663, Mi 606, Poe 921(ę-
C)   **eisdem** Mi 889(L vide eaedem)   **isdem**
Am 55(his. B²), 945(idem LindU)   **adverbia:**
eodem As 139, Cu 506, Mer 674(eo iam R)
eadem Ba 49 *bis*, 521, Cap 293(?), 459, Ci 652,
Men 428, Mer 802, 1007, Mi 303, Per 445(ad-
est B), Poe 617, 719, Ps 333, Ru 61(Rs eo Pψ),
329, St 438, 451, Tri 581

corrupta: As 178, ut idem J *pro* itidem;
375, idem J *pro* item; 764, eandem J *pro* eam
Au 118, post idem P *pro* postidea(Ca); 292,
ut idem J *pro* itidem Ba 738, atque idem PL†
at quidem MueRgSULy; 949, illic eidem P
pro illi itidem(A)   Cu 489, idem E¹ *pro* it

EP 124, idem *P pro* fidem(*Lamb*); 163, at eundem *B pro* adeundum; 259, idem *J pro* id est; 260, eadē *J pro* eam MER 3, idem *BD* idest *C pro* item(*Muret*); 315, tam idem *B pro* tantidem MI 88, idē *B pro* ille; 359, eundē *B* eundum *CD pro* pereundum (*ex A*); 543, idem *B¹* dem *CD¹ pro* demum(*AB²D²*; 676, est eundem *Non* 415 *pro* est te unde Mo 238, isdem *CD²* is *D¹* is dec *B pro* his decem PER 120, domi idē *CD* domideste *BŠ*† *var em* ψ; 188, eodem *CD pro* egon dem(*AB*) Ps 620, idem *A* quidem *C pro* equidem(*BD*); 740, idem *Plin N. H.* XIV. 13, 15 *pro* indidem; 1221,,dem *B* idem *CD pro* de me(*Ca*) RU 659, idem *Non* 291 *pro* itidem ST 350, eademne *A pro* itidemne TRI 747, eadem *A pro* nam hercle; 1036, idem *CD pro* quidem(*B*); 1179, idem *P pro* item(*Bo*) TRU 749, idem *P pro* item(*Ritterhuys*); 842, eundem *BC* eum *D¹ var em edd*; 843, idem *CD* dē *B pro* dum(*Ca*); 941, idem *PŠ*† dem *Palmer*ψ

II. Collocatio *ante substantivum stare solet, nonnumquam tamen post substantivum ut* Sosia idem AM 578 homo idem AM 568 patre eodem AM 614 sententia eadem TRI 445 *Si aliud vocabulum inter pronomen et substantivum intercedit ordo variari potest. Cf* Niemoeller, pp. 37-54 *Si cum pronominibus coniunctum est, ordo variatur ut* idem hoc As 165, Cas 187, eadem haec EP 663, *sed* hoc idem BA 47, haec.. eadem CAP 296, hoc eodem CAS 933; *eodem modo* idem istuc *scribi solet sed* istuc idem MI 776, Mo 1087

III. Significatio 1. *solum* a. *attributive:* nec potest fieri.. homo idem duobus locis ut simul sit AM 568 eidem* homini si quid recte curatum uelis mandes As 120(*cf* Weissenborn, p. 20) eidem* hominis numquam dicunt.. MI 758 similiorem mulierem magisque eandem ut pote quae non sit eadem non reor deos facere posse MI 530 eademst amica ambobus ST 434 aurum.. eidem* ademit hospiti Mo 481(*R*) facilius alia quam alia eundem* puerum unum parit TRU 806 eandem* (Venerem).. et oro et quaeso ut.. MI 1228 apud te adsum Sosia idem AM 578 eosdem (deos) ego — CI 596

eundem animum oportet nunc mihi esse Mo 220 idem animus nunc est Ps 18 eadem nos disciplina utimur As 201 eadem (fabula) Latine Mercator (uocatur) MER 10 eadem nos formido.. terrore impulit AM 1079 in eandem tute accederes infamiam TRI 121 in eodem lecto? #In eodem AM 805 in eodem lecto (cubui) AM 808 eademst mihi lex Ps 304 eadem (lingua) nunc nego CU 705 haec eadem (lingua) dicit tibi ST 263 eodem (loco *add U*) CU 506 in eundem rusum restitues locum MI 702 eadem (manu) malam rem mittunt Ps 1006 eodem modo seruom ratem esse.. censeo AU 597 idem mihi morbus in pectorest BA 1111 eodemst auos uocatus nomine MEN 44 idemst ambobus nomen MEN 48 eadem* opera tuo sodali operam dabis BA 60 eadem opera a praetore sumam syngraphum CAP 450 MEN 428(opera *add FlU*) eadem.. opera haec tibi narrauero Mo 1039 eodem.. pacto fratrem

seruabit CAP 42 eodem pacto sine malo fateamini TRU 779 eandem (pallam) nunc reposcis MEN 690 nunc eandem* ante oculos attines MEN 730 eandem patriam et patrem memorat MEN 1090 eadem tandem res uidetur RU 983 eiusdem* seminis nos sumus POE 245(*Rgl*) mihi sententia eademst TRI 445 .. forma persimilem tui, eadem statura PER 699 eodem (tegillo) amictus, eodem tectus esse soleo RU 577 comoedia ut sit omnibus isdem uersibus AM 55 eadem* urbs et patriast mihi MEN 1069(*L vide* ψ)

b. *substantive:* eadem erit uerum alia esse adsimulabitur MI 152 similis.. si quidem non eademst MI 520 eadem* eueniet obliuiosa ut fiat MI 889(*RRg*) eadem postquam alium repperit.. immouit loco TRU 81 aufugies.. illinc si idem* euenerit MER 651 omnibus amicis meis idem* unum conuenit POE 1340 eiusdem* Bacchae fecerunt nostram nauem Pentheum VI 94(*ex Prisc* II. 300) quoi seruitutem di danunt.. atque eidem* si addunt.. Ps 768 facis .. eundem ex confidente.. diffidentem MER 856 .. iurauerit eandem se amare CI 313(*U in loco lacunoso*) miles in eandem* incidit MI *Arg* II. 3 propter eandem suspicionem.. sum uisa sustinere MI 387 eandem miles (deperibat) Ps *Arg* II. 3 idem ego arbitror AU 141 idem ego spero AU 175 idem.. post sero cupit AU 249 si idem faciant ceteri.. AU 478 et idem* me.. facere atriensem uoluerat CAS 461 si idem* imitemur CI 27 et nunc idem dico CU 493 iam ante alii fecerunt idem EP 32 idem hercle dicam MEN 751 ego idem* spero fore MEN 1094 tibi seres, tibi idem* metes MER 71 .. me idem decere MER 79 idem ego dicam MI 246 tu hercle idem* faceres MI 838 tibi idem futurum credo Mo 202 idem*.. Venerem credo facturam tibi POE 409 idem ego nunc facio ST 644

idem te hinc uexerunt uinctum rus As 342 eaedem*.. obliuiosae ut fiant MI 889(*R*) eadem in usu.. aculeata sunt BA 63 eisdem* ueniat.. MI 889(*L*) eadem si isdem* purgas mihi.. AM 945 centiens eadem imperem As 422 omnia eadem.. suauia esse scito As 641

c. *praedicative* = item, itidem, *sim.:* ego sum ille Amphitruo, .. idem Mercurius AM 862 eadem si isdem* mihi purgas.. AM 945 faciam tu idem ut aliter praedices AM 1085 tu idem optumumst loces efferundum AU 567 ego Agamemno, idem Ulixes Lartius BA 946 sum.. Iuppiter, idem ego sum Salus CAP 864 sororem in libertatem idem.. concilio EP 654 egomet sum mihi imperator, idem egomet mihi oboedio MER 853 eidem* ego te liberabo MI 1207(*L*) pater harunc(; *ins LLy*) idem huic patruos adulescentulost POE 115 tu argentum eluito, idem* exstruito Ps 162 nolui idem(*ins LU*) amicae dabam me meae Ps 1277 sin alter alteri odiost idem* (a fide *ins Rs*) perit TRU 48(*Rs*) perit hercle: ego idem* *** TRU 728 eadem nunc.. me.. ignoras As 144 mater tu, eadem era's As 147 uin dare malum illi? #Cupio. #Em eundem me dato POE 161

d. *adverbia* **eodem**: et eodem* accedit ser-

uitus Mᴇʀ 674   eodem (loco *add U*) hercle uos
pono et paro Cᴜ 506

eadem: eadem duo greges uirgarum..adegero
Pѕ 333   eadem mulieres iam..apparebunt domi
Pᴏᴇ 617   eadem biberis Bᴀ 49   eadem haec
confirmabimus Tʀɪ 581   eadem dedero tibi..
sauium Bᴀ 49   eadem illi insidias dabo Mɪ 303
eadem symbolam dabo Sᴛ 438   eadem exorabo
..pater ne noceat..Bᴀ 521   eadem ego ex
hoc..exquaesiuero Cᴀᴘ 293   eadem haec sacerdos..si..scit..exquisiuero Rᴜ 329   eadem
(opera *ins FlU* ea *R*) ignorabitur(dign. *Rs*)
Mᴇɴ 428   eadem licebit mox cenare rectius
Mᴇʀ 802   eadem narrabo tibi res Spartiaticas
Pᴏᴇ 719   eadem percontabor ecquis..nouerit
Cᴀᴘ 459   eadem referam opsonium Sᴛ 451(*v.
secl RRgSLU*)   ut haec ex me sciat eadem
Cɪ 652   eadem* istaec facito mulier ad me
transeat Pᴇʀ 445   eadem* ad prandium uocauit adulescentem Rᴜ 61(*Rs*)   eadem breuior
fabula erit Mᴇʀ 1007

2. *cum pronominibus:* idem hic: eademne
erat haec disciplina tibi? Bᴀ 421   eandem
hanc (fabulam) faciam ex tragoedia comoedia
ut sit Aᴍ 54   ut senex hoc(*om Rs*) eodem poculo quo ego bibi biberet Cᴀѕ 933

nonne idem hoc luci me mittere potuit Aᴍ
165   dic idem hoc(*om AL*) Cᴀѕ 187   idem hoc
hominibus sat erat decem Mɪ 755   ego spondeo idem* hoc Tʀɪ 1163   hoc idem apud nos
rectius poteris agere Bᴀ 47   spondeo. #Et ego
hoc idem* unum: spondeo Cᴜ 675   haec tu
eadem si confiteri uis..Cᴀᴘ 296   eadem haec
intus edocebo quae..Eᴘ 663

idem ille: eadem illa (ballaena) quae..Rᴜ
547   eidem illi militi dono datust Mɪ *Arg* I. 4
seruolum iubet illum eundem persequi Cɪ
183   filium sensit suom eandem illam amare
Cᴀѕ 61

idem iste: eadem istac opera suauiust complexos fabulari Aѕ 640   eadem istaec uerba
dudum illi dixi omnia Bᴀ 1018

si idem istud nos faciamus..Cɪ 27(*omnia
secl U*)   idem ego istuc..credidi Cᴜ 541   idem
istuc aliis adscriptiuis fieri..solet Mᴇɴ 184
multae aliae idem istuc cupiunt Mɪ 1040   uiri
..armati idem istuc faciunt Mɪ 1273   idem
istuc (metuo) quod tu Pᴇʀ 239   idem ego istuc
scio Sᴛ 474, Tʀᴜ 811*   idem istoc delatum
scio Tʀᴜ 740   idem* istuc..experta intellego
Tʀᴜ 815   credo ego istuc idem* Mɪ 776   dixi
ego istuc idem illi Mᴏ 1087

idem omnes: comoedia ut sit omnibus isdem
uersibus Aᴍ 55   omnia eadem quae..Aѕ 613
non omnia eadem Aѕ 641   eadem istaec uerba
..omnia Bᴀ 1018

idem unum: hoc idem* unum Cᴜ 675   idem
unum Pᴏᴇ 1340

3. *spectat ad relativum* (*cf* Fuhrmann, XCVII.
p. 844): **a.** idem qui: *relativum antecedit:* qua
nocte ad me uenisti eadem abis Aᴍ 532   quae
amanti parcet, eadem sibi parcet parum Aѕ
177   fortiter malum qui patitur, idem post
potitur bonum Aѕ 324   quod tibist aegre, idem*
mihist diuidiae Cᴀѕ 181   quae te uolt eandem*
tu uis Mɪ 1071   quod tibi lubet idem* mihi
lubet Mᴏ 296   quae audiuistis..si eadem hic

..iterem, inscitiast Pᴏᴇ 921   amicis quod mihist cupio esse idem* Tʀɪ 54

relativum sequitur: idem animust in paupertate qui olim in diuitiis fuit Sᴛ 134   eadem
illa (ballaena)..quae meum marsuppium Rᴜ
547   eodem consilio quod intus meditati sumus gerimus rem? Mɪ 612   eodem die illum
uidi quo te Mᴇɴ 749   eodem quo amorem Venus mihi hoc legauit die Mᴇʀ 38   mala's atque eadem quae soles illecebra Tʀᴜ 185   eadem
histrioni sit lex quae summo uiro Aᴍ 77   utinam lex esset eadem quae uxorist uiro Mᴇʀ
823   eodem (modo) quo soror illius altera
Pᴏᴇ 895   eosdem (mores) lutitant quos conlaudant Tʀɪ 292   idem quod alteri nomen fuit
Mᴇɴ 43   eodem pacto quo huc accessi apscessero Tʀɪ 710   prognatum patre eodem quo ego
sum Aᴍ 614   ut senex hoc eodem poculo quo
ego bibi biberet Cᴀѕ 933   eodem mihi pretio
sal praehibetur quo tibi Pᴇʀ 429   eandem
puellam peperit quam a me acceperat Cɪ 140
idem mihist quod magnae parti uitium mulierum Cɪ 120

idem sum qui semper fui Aᴍ 447   idem es
mecastor qui soles Tʀᴜ 368   mihi par idemst
quod tibi Bᴀ 1109   duxit uxorem..eandem
quam olim uirginem hic compresserat Cɪ 178
nempe eandem quae dudum constitutast Mɪ 808
caue tu idem faxis alii quod serui solent Aѕ
256   metuo ne idem cantent quod priores Bᴀ
985   (age) idem quod semper Mᴇɴ 569   idem
faciebat..quod tu nunc facis Mᴇɴ 716   (fac)
idem quod me uides Mᴇʀ 621   facio idem quod
plurumi alii Mᴏ 1052   tu fac idem quod rogas me Pᴇʀ 43   (metuo) idem istuc quod tu
Pᴇʀ 239   idem mihi faceres quod..faciunt
argentarii Pᴇʀ 433   tu idem mihi uis fieri quod
erus consueuit tibi? Rᴜ 1074   plerique idem*
quod tu facis faciunt Tʀᴜ 145   (litigo) cum
eadem qua tu semper Cᴀѕ 318   eadem uigilanti expetunt quae in somnis uisa memoras?
Mɪ 393   disperii..propter eosdem quorum
causa fui..exercitus Tʀɪ 1090   certumst efficere in me eadem* quae tu in te facis Aѕ 613
eadem ego ex hoc quae uolo exquaesiuero Cᴀᴘ
293   faterin eadem quae hic fassust mihi Cᴀᴘ
317   eadem haec..edocebo quae ego scio
Eᴘ 663   eadem quae illis uoluisti facere illi
faciunt tibi Mɪ 606

b. idem ubi: argentum daturum eo die tui
uiduli ubi sis potitus Rᴜ 1337   idem ut: eodem
pacto ut comici serui solent coniciam Cᴀᴘ 778
(amo) eodem pacto ut insanei solent Mᴇʀ 263
eodem unde: te redigam eodem unde orta's
Aѕ 139

c. quicquid - - idem: mulier quicquid dixerat
idem ego dicebam Mᴇɴ 484   siquid idem: si
quid bonis boni fit, esse idem* et graue et
gratum solet Pᴇʀ 675

4. *cum coniunctionibus coniungitur:* idem..
(et)..et: quo pacto potis nupta et uidua esse
eadem*? Mɪ 966   esse idem* et graue et gratum solet Pᴇʀ 675   idem atque: diuom atque
hominum quae superatrix atque·era eadem* es
omnibus Mᴇʀ 842   uel..uel..idem: uel cauillator facetus uel conuiua commodus idem* ero
Mɪ 643

5. *dubia:* et tibi quidem hercle †idem (*uir
add GuyU*) attulit magnum malum Tʀᴜ 814
quid ita amabo est quod idem †dictum super
feri Tʀᴜ 941   †eundem pul te iudicasse..in-
tellego Tʀᴜ 842

IDENTIDEM - - uolt..rem accipere iden-
tidem(den. *P*) Tʀᴜ 738 quaeso identidem(-clem
B itidentidem *CD²* itidendidem *D¹*) circumspice Tʀɪ 147 cogitato identidem(*FZ* den. *P*)
Mɪ 1364 nisi identidem(itidem *C*) manus ferat
ad papillas Bᴀ 479 plenam atque inanem fieri
uidi identidem(*U* fieri plena maxuma *P de A
dub: varie em ψ*) Mɪ 855 respecto identidem
(*om B*) Cᴀs 886 respectas identidem Mᴇɴ 161

IDEO - - nullum perdidi, ideo quia numquam ullum habui As 622 iuuentus nomen
fecit Peniculo mihi ideo quia mensam..deter-
geo Mᴇɴ 78 hoc ideo(eo *RU*) fit quia quae
nihil attingunt..amator profert Mᴇʀ 31 orauit ut..praehiberem locum ideo(*PRgLULy*
idecfeci *A* id feci *Sey§*) quia uxor domist Mᴇʀ
543 Mɪ 708(ideo ut liberi *R solus* hi[*AB* li
CD licet *B* ei *BueL* i *Ly*] apud me aderunt
[*A* ederunt *P*]) te uelle uxorem aiebat tuo nato
dare: ideo aedificare..aiebat Mo 1028 sic esto:
ideo (*Ly* sic estu ideo *P* sic est: hodie *Uψ*)
cenabis foris Poᴇ 1400

IDONEUS - - uidetur..**idoneus** danista qui
sit? Mo 622 uideo..ego te me arbitrari..
hominem **idoneum** quem..ludos facias Aᴜ 252
nos potuisti adducere homines magis ad hanc
rem **idoneos** Poᴇ 583 *Vide* Mᴇʀ 333, *ubi* idoneo *D pro* ei dono *Cf* Gimm, p. 21

IECUR - - pulmones distrahuntur cruciatur
iecur Cᴜ 237

IEIUNIOSUS - - neque **ieiuniosiorem**
(diem) nec magis ecfertum fame uidi Cᴀᴘ 466

IEIUNITAS - - ieiunitatis(*Non* 231 iam etatis *BD²* ianutatis *CD¹* iaiunitatis *Skutsch§Ly*)
plenus, anima foetida Mᴇʀ 574   mihi **ieiunitate**(*Rs* inanitate *PU* iam minitate *A* iaiuni-
tate *Ly*) iam dudum intestina murmurant Cᴀs
803

IEIUNIUM - - numquam edepol **ieiunium**
ieiunumst(*Lamb* inunumst *A* ieiunium est *BVE
om J*) aeque atque ego te ruri reddibo Cᴀs
128-9 *Cf* Egli, I. p. 23

IEIUNUS - - ieiunum Cᴀs 129(*vide priorem
titulum*)

IGITUR - - I. **Collocatio** *postponi solet,
antecedit autem* Aᴍ 301, 473, As 252, Aᴜ 817,
Bᴀ 517, 1108, Cᴀᴘ 871, Cᴀs 216, Cɪ 511(*Rg§*),
Mɪ 765, Mo 689, Pᴇʀ 456, Ps 1326, Sᴛ 57 *Cum
particulis coniunctum aliquando sequitur, aliter
antecedit, ut* tum igitur *15ies* igitur tum Mo
132, 689 igitur demum *quater,* demum igitur
Mᴇʀ 552 *Etiam* igitur deinde Sᴛ 86

II. **Significatio** A. *vi demonstrativa* 1. *in
apodosi:* **a.** sin aliter sient animati, ..sese igitur..eorum oppidum oppugnassere Aᴍ 210
hoc si ita fiat, ..nulla igitur(ergo *U*) dicat..
Aᴜ 498 mox magis quom otium mihi..erit,
igitur tecum loquar Cᴀs 216 quando habebo,
igitur rationem..dabo Mɪ 772 quoniam nihil
processit igitur(*R* -sit at ego *AU var em ψ*)
adiero Sᴛ 484(*R*)

b. *protasis nullam particulam habet:* quin

ego illi me inuenisse dico hanc praedam?..
igitur orabo ut manu me emittat Aᴜ 817 decretumst renumerare iam omne aurum patri:
igitur(gitur *C*) mihi inani..subblandibitur Bᴀ
517(*cf* Dousa, p. 282) ..ut aliquo ex urbe
amoueas..: iam igitur amota ei fuerit omnis
consultatio Eᴘ 282 surgedum huc(hinc *R*):
est consulere igitur(*PRU* s. d. h. igitur: est
Langenψ)..Mo 1102(*cf* Langen, *Beitr.* p. 312)

2. *additur:* **a.** olim: igitur olim si aduenissem, magis tu tum istuc diceres Cᴀᴘ 871
b. tum: ubi emeritumst stipendium, igitur
tum specimen cernitur Mo 132 igitur(itur *CD*)
tum accedam huc quando quid agam inuenero
Mo 689 tum tu igitur demum..dabis ubi erit
locata uirgo Tʀɪ 781 tuom incendes genus:
tum igitur tibi aquae erit cupido Tʀɪ 676
c. demum: erroris ambo ego illos..com-
plebo..usque satietatem dum capiet pater:
..igitur demum omnes scient Aᴍ 473 miserumst opus igitur demum fodere puteum ubi
sitis fauces tenet Mo 380 ubi liber ero, igitur
(*Ca* erigitur *B* ero *om CD*) demum instruam
agrum Rᴜ 930 Tʀɪ 781(*supra* b.) demum
igitur, quom seis iam senex, tum in otium te
conloces Mᴇʀ 552
d. post: post igitur demum faciam res fiat
palam Aᴍ 876
e. deinde: perpauefaciam pectora: postid
agam igitur deinde ut animus meus erit faciam palam Sᴛ 86
f. igitur ut: *huc* Handius *refert* As 252,
iam diust factum quom discesti..ad forum,
igitur inueniundo argento ut fingeres fallaciam,
ubi totum versum igitur..fallaciam *secl GuyRg
§L, cum sequente coniungit U*; Eᴘ 385, non oris
causa..aequom fuit sibi habere speculum..
sed qui perspicere possent cor sapientiae, igitur perspicere ut possint cordis copiam, *ubi
uerba* cor..possint *secl GepRg§LyU*, igitur.
copiam *L*; Aᴍ 339, certumst..conloqui igitur
qui possim uideri huic fortis, *ubi* igitur *del
Caω*

B. *in conclusionibus:* sunt asseres? #Sunt pol.
#Sunt igitur ligna Aᴜ 358 ibi sum esse ubi
miserum hominem decet. #Igitur pari fortuna
..utimur Bᴀ 1108 captus est? #Ita. #Non
igitur nos soli ignaui fuimus Cᴀᴘ 262

nexu leviore: hic auscultet quae loquar: igitur..maiorem in sese concipiet malum Aᴍ
301 ego illi me inuenisse dico hanc(praedam):
igitur orabo ut manu me emittat Aᴜ 817 decretumst renumerare iam omne aurum patri: igi-
tur(gitur *C*) mihi..subblandibitur Bᴀ 517
(habito) hic. #Vicinus igitur es mihi Vɪ 55

C. *vi transitionali:* 1. abeo ad forum igitur
Bᴀ 902 abeo igitur Poᴇ 1150 eo ego intro
igitur Mɪ 812 ergo intro eo igitur sine perductore Mo 848 eo ego (ergo *add RRs*) igitur
intro ad officium meum Tʀɪ 818 ibo igitur,
parabo Aᴜ 263 ibo igitur intro Mɪ 1121, Tʀᴜ
206 ibo intro igitur Mo 849 tuo ego istaec
igitur dicam illi periculo Bᴀ 599 curram igitur aliquo Poᴇ 293 faciam igitur male potius
Cᴜ 122 *Vide* Cᴜ 603, *ubi* ergo igitur *U* uois
BE¹L† tuus *J* tuos *E³§* uero is *Ly*
ego (aduectus sum). #Te uolo igitur Mᴇɴ 1086

igitur (rem) prouenturam bene confido mihi Per
456   igitur id quod agitur .. praeuorti decet
Mi 765   bene igitur ratio .. inter nos conuenit Mo 304   reddeturne igitur faenus? Mo
580   igitur .. ibi tu .. dormitasti As 252(U:
vide supra A. 1. f.)   igitur quaeramus nobis
quid facto usus sit St 57(*om A secl* LULy)
   2. *cum imperativis:* abi(†S abeo Rs) igitur
Ru 1327   animum aduortito igitur Ba 992
igitur(*ad priorem interr. referunt* ULLy) animum aduorte Ci 511   animum aduortite igitur
ambo Mer 968   age igitur Ba 89, Mer 377
age sane igitur .. Men 154   age igitur(agite B)
intro abite Mi 928   agite igitur .. rem expedite Poe 555   age accumbe igitur Mo 308
asta igitur As 703   cape igitur speculum Mo
265   cedo manus igitur Ep 694   curate igitur
familiarem rem St 145   dic igitur me(me i.
BoLULy) passerculum As 666   dic igitur med
aniticulam As 693   dic igitur quis habet Au
720   deic igitur .. quoia sum? Mer 529   dic
igitur. #Dicam? Mer 727   dic igitur ubi illast?
Mer 901   da mihi igitur operam Cu 259   ite
igitur intro Poe 1356   exue igitur si non saltas Men 199   iube igitur .. prandium accurarier Men 208   iube me omittere igitur hos St
335   olfacta igitur hinc Men 169   propera
igitur(om Ly) fugere hinc Ep 515   redde igitur
spinter Men 534   age sane. #Igitur(*cum prioribus* BriRgLU) redi Ps 1326   sequere hac
igitur me Am 628   sequere hac igitur me intro
Ba 108   sequere hac me igitur Cap 293, Mo
857   sic sine igitur Men 1028   soluite uosmet
igitur Mo 637   surgedum huc igitur: consulere quiddamst(*Langen* huc est c. i. q. PRu)
quod tecum uolo Mo 1102(*vide supra* A. 1. b).
bene uale igitur Mi 1373, Poe 568
   3. *in interrogationibus* a. quid igitur?: non
par arbitror. Quid igitur? quoniam hic seruos
quoque partis habet faciam sit .. tragicomoedia
Am 62   resciscet .. Amphitruo rem omnem.
quid igitur(agitur B)? nemo id probro .. ducet
Alcumenae Am 492
   quis tibi erust? #Quem tu uoles. #Quid igitur? qui nunc uocare? Am 382   ut dudum ..
me praemisisti domum... #Quid igitur? #Prius
multo ante aedis stabam Am 602   non est
puero grauida. #Quid igitur? #Insania Am 719
Similiter: Cu 316, Ep 52(JRg²LULy reddigitur
B¹VE¹ reddigetur B² quid uis igitur Rg¹),
Men 170, Mi 532, Mo 668, 911, Per 528, 852,
Ru 1041, St 624, 722(*Sarac* qui dicitur [P]
quid agitur PU), Tri 333
   quid agis igitur(*ad responsum referunt* RgS)?
Ci 511   quid tu agis hic igitur? Ru 347   quid
illa fiet fidicina igitur? Ep 151   quid id est
igitur quod uis? Mer 159   quid ueis me igitur
dicere? Mer 484   quid tibi negotist meae domi
igitur? Ep 499   quid modo igitur (fecisti)? Mo
525   quid est igitur boni? Ps 1067
   b. quid igitur ego dubito? Am 409   quid igitur, stulte(? an tu ins L) .. sic hoc .. sumebas? Ba 673   nam quid te igitur retulit beneficum esse? Ep 116   quid ego igitur cesso infelix lamentarier? Per 742   quid nunc igitur
stamus? Ps 756   quid tu, malum, in os igitur
(A ergo P om R) mihi .. inructas? Ps 1295

quid igitur me uolt? St 253   quid tu igitur
rogitas? Tri 69
   c. quis erus est igitur tibi? Am 362   quis
igitur nisi uos narrauit mihi? Am 744   quis
igitur tibi dedit? Am 794   quis igitur opsecrost?
Ba 840   dic mihi, quis illic igitur est? Cap
624   quis ego sum igitur si hunc ignoras?
Mi 427   quis igitur uocare? Mi 436   quis erat
igitur? Mi 1431   quis mihi igitur drachumam
reddet? Ps 91   quis ego sum igitur si quidem
is non sum qui sum? Tri 978
   quam uos igitur filiam nunc quaeritatis alteram Ci 602   quem (curare oportet) obsecro
igitur? Mo 283   quem ament igitur? Poe 860
   d. qua forma esse aiebant (igitur *add* RRg
L)? Mer 638   quo modo igitur, obsecro, haec
est prior? Ci 608   quo modo igitur post Menaechmo nomen est factum tibi? Men 1126
   cur igitur praedicas te heri me uidisse? Am
730   cur igitur poscis meam gnatam tibi? Au
224   quor nunc a me igitur petis? Cu 542
cur me igitur patrem uocabas? Ep 587   cur
igitur me tibi iussisti coquere dudum prandium? Men 388
   unde haec igitur est nisi abs te? Am 790
unde haec igitur gentiumst? Ep 483
   propterea igitur tu mercatu's? Mer 976   spon-
desne igitur? #Spondeo Poe 1157
   e. quid si igitur: quid si igitur reddatur illi
unde emptast? Mer 419   quid si igitur cenam
faciam? Mer 578   quid si igitur abeamus hinc
nos? Mo 393   quid si igitur ego accersam homines? Mo 1093
   f. *interrogatio ironica:* igitur(†S dico *Stu
RgU cum prioribus coniungentes*) hocinest
amare? Mer 355
   4. *additur:* a. tum: redimam. #Tum tu igitur aliud cura As 107   tum igitur tu diues es
factus? As 330   tum tu igitur loquere quidlubet As 626   tum igitur .. quid diuitiae?
Cap 280(*v. del U*)   tum igitur ego deruncinatus .. sum miser Cap 642   tum tu mihi igitur
erus es Cap 857   tum igitur ego sortis utrimque iam** Cas 374   tum tu igitur, mea matercula! Ci 452   tum te igitur morbus agitat
hepatiarius Cu 239   tum tu igitur(iugitur J)
calide . age Ep 284   tum tu igitur cedo
purpurissum Mo 261   tum tu igitur sine me
ire Per 189   tum tu igitur die bono .. addice
tuam mihi meretricem Poe 497   tum uos animum aduortite igitur Poe 591   tum (tu *add
BU*) igitur mane Ps 715   tum tu igitur qua
causa missus es .. expedi St 363
   b. *additur* nunc: nunc igitur primum quae
ego sim .. dicam Tri 6
   c. *additur* ergo: ergo intro eo igitur sine
perductore Mo 847   quo pacto ergo(om A)
igitur clam dos depromi potest? Tri 756   eo
ego (ergo *add* RRs) igitur intro Tri 818

IGNARUS - - 1. ait se peregrinum esse
huius **ignarum**(signarum B) oppidi Poe 656(*cf*
Blomquist, p. 108; Schaaff, p. 29)   an
nescis quae sit haec res? #Iuxta cum **ignarissumis**(-imis BD -imus C) Ps 1161
   2. *corrupta:* Cap 262, ignari B¹DE igitari J
pro ignaui(B²)   Poe 47, siti signa rures P
sitis ignari ires D⁴ *pro* sitis gnarures(*Turn*)

IGNAVIA - - quom inmigraui ingenium in meum . . uenit **ignauia**: ea mihi tempestas fuit Mo 137　haec pretia sunt **ignauiae** Men 976　ipsus hercle ignauiorem potis est facere **Ignauiam** Poe 846　adulescenti . . qui exaedificaret suam incohatam ignauiam(*FZ* -ium *BC* ignitium *D*) Tri 132(*cf* G r a u p n e r, p. 7; I n o w r a c l a w e r, p. 34)　sibi ne inuideatur ipsi **ignauia**(*HermRLU* -ui *Pψ v. secl LachRg§*) recte cauent Ba 544　mea factum omnes dicent esse ignauia(-iae *C*) Mer 662　mea ignauia(*** *add R* mea mi abducta ign. *Rs* meam ignauiam *SpU pro uocativo habent LLy*) tu nunc me(*om SpU*) inrides? Per 850

IGNAVUS - - I. **Forma ignauos** Tri 165 (-us *P*)　**ignauom**(*masc.*) Mi 1045(-um *PL*), Mo 856(*A* -um *P*)　**ignaue** Cas 240(-ę *V*) **ignaui** Ba 544(-ia *HermRLU v. secl LachRg§ om A*), Cap 262(*B* ignari *BDE* igitari *J*), Ps 133, Ru 829(†*Ly* signa ut *L*)　**ignauis**(*dat.*) Men 973　**ignauior** Mer 133　**ignauiorem** Cas 244, Poe 846　**ignauissumus** Poe 1282 (-imus *ACD¹* ignaui simus *B*), Tri 926(*B* -imus *CDU*)　**ignauissumum** Ba 556(-imum *APL*) **ignauissume**(*voc.*) Men 924(-ime *P*)　**ignauissumis**(*dat.*) Cas 534(-mas *J*)

II. **Significatio** *de personis nisi* Mer 133 (*cf* Poe 846 *et* G i m m, p. 22)　1. *adiective:* tu me locustam censes esse, homo ignauissume? Men 924　ut potest ignaui* homines satis recte monent Ru 829　(scio) te sene omnium †senem neminem esse ignauiorem Cas 244　quid is preti detur ab suis eris ignauis improbis uiris Men 973　ne illis ignauissumis* liberi loci potestas sit uetulis uerbecibus Cas 534　ipsus hercle ignauiorem potis est facere Ignauiam Poe 846

nusquamst disciplina ignauior Mer 133(*cf* G i m m)

2. *praedicative:* me esse dicito ignauissumum Ba 556　non igitur nos soli ignaui* fuimus Cap 262　molestum uis uideri te atque ignauom Mo 856

3. *substantive:* meam fidelitatem . . paene ille ignauos funditus pessum dedit Tri 165　uiden tu ignauom, ut sese infert? Mi 1045　sibi ne inuideatur ipsi ignaui* recte cauent Ba 544 (*v. secl Lach Rg§*) is etiam me . . abduxit ignauissumus* Poe 1282　quid ergo ille ignauissumus mihi latitabat? Tri 926

unguentatus per uias, ignaue, incedis? Cas 240　agite exite, ignaui Ps 133

IGNIS - - 1. *nom.:* si **ignis** uiuet tu extinguere Au 93(*cf* I n o w r a c l a w e r, p. 13)　datur ignis tam etsi ab inimico petas Tri 679

2. *acc.:* ego dabo **ignem** si quidem in capite tuo conflandi copiast Ru 765　date mihi huc stactam atque ignem in aram Tru 476　diem (ignem *add Rgl*) aquam . . non emo As 198　extingue ignem si cor uritur caput ne ardescat Per 801　ignem magnum hic faciam Ru 767　Bacchidem habet secum ille olim ut habuit ignem qui signum daret: nunc ipsum exurit Ba 939　nullum habemus ignem Ru 764　inde ignem in aram Mi 411　. . ut inferremus ignem(*AD⁴* signem *P*) in aram Poe 319　semper petunt aquam hinc aut ignem Ru 134　ibo

hercle aliquo quaeritatum ignem Ru 766　quod quispiam ignem quaerat extingui uolo Au 91　ignem restingunt aqua Cas 774

iubeo ignem et sarmen arae . . circumdari Mo 1114　iube . . ignem ingentem fieri. #Ignem ingentem? Cap 843-4

te . . in ignem coniciam Ru 769

3. *adiectiva:* ingens Cap 843, 844　magnus Ru 767

4. *corruptum:* Ru 194, sibi igni *CD§*† sibi *U* sibigni *B* sibi signi *LLy* sibi inpii insigne *Rs*

IGNOBILIS - - quando ego sum (Sosia), uapulabis ni hinc abis, **ignobilis** Am 440　quis hic est qui oculis meis obuiam ignobilis(*A* ignorabilis *P*) obicitur? Ps 592　peregrina facies uidetur hominis atque ignobilis Ps 964

IGNORABILIS - - Ps 592, ignorabilis *P pro* ignobilis(*A*)

IGNORO - - I. **Forma ignoras** As 144, Cap 566, Mi 427(-os *D*)　**ignorat** Cap 560, Ci 483 (*L fortasse A*)　**ignorant** Am 37, 1047　**ignorabit** Am 461(-bat *E*)　**ignorabitur** Men 428 (*BD* gno. *C* dignorabitur *Rs*), 468　**ignores** Cap 434　**ignorans** Cap 50(*v. secl URs§*)　**ignorandus** Tri 264(*ACD* -um *B*)

II. **Significatio** 1. *de personis:* nisi etiam is quoque me ignorabit* Am 461　me quoius operast ignoras As 144　ne tu me ignores Cap 434　eo te** ignorat fides Ci 483(*L ex A*) quis ego sum igitur, si hunc ignoras*? Mi 427 (ego) quem omnes mortales ignorant Am 1047　quem uides eum ignoras Cap 566　*similiter:* mille modis Amor ignorandust* Tri 264 a

2. *de rebus:* eadem (palla) ignorabitur* ne uxor cognoscat te habere Men 428　non faxo eam esse dices: ita ignorabitur Men 468

quin suom ipse interdum ignorat nomen Cap 560　quippe illi iniqui ius ignorant Am 37

3. *absolute:* ita nunc ignorans suo sibi seruit patri Cap 50(*v. secl URs§*)

IGNOSCO - - I. **Forma ignosco** Mo 840, Poe 1413　**ignoscam** Mi 570　**ignoscet** Mi 1252　**ignoscas** Au 739, 793, Ba 1186, Cas 1004 (*add Rs*), Ep 729(-cans *A*), Men 1073, Mi 543, Mo 1157(-cat *B¹* cognoscas *C¹*), Poe 1412, Tru 828　**ignoscat** Mer 997　**ignoscamus** Am 257 **ignosce** Am 924, Mi 568(*A* -cam *P* -cas *B²D³*) **ignoscito** Poe 144　**ignoscere** Mer 319(*PRL Ly aliam lect. habet Aψ*), Poe 141, Ru 703(*B* noscere *cum lac CD*)

II. **Significatio** 1. *absolute:* age iam, mitto: ignosco Mo 840　censeo . . ueniam dandam: ignoscas* Cas 1004(*Rs*)　da mihi hanc ueniam, ignosce Am 924　humanum amarest, humanum autem ignoscerest(*P* atque id uei optingit deum *A*) Mer 319(*duos uersus facit Ly*)

b. *in apodosi:* quaeso ignoscas si quid stulte dixi Men 1073　per amorem si quid fecero, clementi animo ignoscet Mi 1252　si quid dixi iratus . . id uti ignoscas quaeso Poe 1412　mihi ut ignoscas* si quid . . peccaui Ep 729　*Cf* L i n d s k o g, p. 66

2. *seq. acc.:* orant ignoscamus peccatum suom Am 257　id uti ignoscas Poe 1412(*supra* 1. b)

3. *seq. acc. et dat.:* . . ut eis delicta ignoscas Ba 1186　ignoscere id te mihi aequomst Poe

141 hoc mihi ignosce*, quaeso Mɪ 568 ignoscam tibi istuc Mɪ 570
4. *cum dat.* **a.** *personae:* oratum aduenio ut animo aequo ignoscas mihi Aᴜ 739 te obtestor . . ut mihi ignoscas Aᴜ 793 oro te . . mihi ut ignoscas* Eᴘ 729 tu mihi amanti ignoscito Poᴇ 144 ignoscere* his te conuenit Rᴜ 703 ignosco et credo tibi Poᴇ 1413
b. *rei:* te obsecro stultitiae adulescentiaeque eius ignoscas* Mo 1157 ora ut ignoscat delictis tuis atque adulescentiae Mᴇʀ 997 inscitiae meae et stultitiae ignoscas Mɪ 543
5. *cum dat. et* quod*:* obsecro . . mihi . . ut . . ignoscas quod animi inpos uini uitio fecerim Tʀᴜ 828
IGNOTUS · · I. Forma ignotus Rᴜ 1044 **ignota** Tʀɪ 768(*pro abl. habent SaracRRsLU*) **ignoto**(*dat.*) As 494(igneto *E*), Mᴇɴ 293, 495 (*B²* noto *P*) **ignotum** Cᴀᴘ 344, Mᴇɴ 374, Rᴜ 1043 **ignotam** Tʀɪ 64 **ignoto**(*abl.*) Cᴀᴘ 542, Tʀᴜ 175(*EZ* ignato *P*) **ignoti** Cᴜ 280 **ignotissumus** Rᴜ 1044(-imus *PL*)
II. Significatio 1. *attributive:* ad ignotum arbitrum me adpellis Rᴜ 1043 mihi molestu's homini ignoto Mᴇɴ 293 hominem ignotum conpellet me Mᴇɴ 374 mihi male dicas homini hic ignoto* Mᴇɴ 495
ignota facies(facie *SaracRRsLU*) quae non uisitata sit Tʀɪ 768 ego nunc si ignotam (rem) capiam quid agam nesciam Tʀɪ 64
2. *substantive:* etsi ignotust, notus: si non, notus ignotissumust Rᴜ 1044 . . ut tibi credam hoc argentum ignoto* As 494 nihil est ignotum ad illum mittere Cᴀᴘ 344 te dicam . . pro . . ignoto me aspernari Cᴀᴘ 542 cur . . ante ostium pro ignoto* alienoque astas? Tʀᴜ 175 date uiam mihi noti ignoti Cᴜ 280
ILIAS · · ubi dies decem continuos (hospes) sit, east odiorum Ilias(*A* ite astodorum illas *P aliter R*) Mɪ 743 *Cf* Egli, III. p. 17; Inowraclawer, p. 46
ILICET, ILICEBIT · · 1. *proprie:* intro eo igitur sine perductore. #Ilicet(i, licet *RU*) Mo 848 *similiter:* ut huc ueniat obsecra. #Ilicet Tʀᴜ 592 nimium saeuis. #Ilicet(*Rs* ic *P⌀*† *lac ψ*) Tʀᴜ 896
2. *de re perdita vel finita:* actumst: ilicet (*BJ* illic et *VE*). (*punctum om LLy cum seq. coniungentes*) me infelicem et scelestam Cɪ 685
ilicet(illic et *B* illic ei *EJ* illicuᵐ *D*): mandata eri perierunt Aᴍ 338 ilicet: pariter hos perire amando uideo Cᴜ 186 ilicet: iam(*A* ilico et *P*) meo malost quod maleuolentes gaudeant Sᴛ 394
colliga. #Ilicet: uadimonium ultro mihi hic facit Eᴘ 685
3. *ut verbum construitur:* uel extra(*Bo* ire tra *B¹* ire extra *B²DEJLULy*) portam trigeminam ad saccum ilicet(*Bo* licet *PLULy*) Cᴀᴘ 90 ilicet(*BD* licet *EOJ*) parasiticae arti maxumam malam crucem Cᴀᴘ 469 i in malam crucem. #Ilicebit(*StuRg* ire licebit *Pψ*) tamen tibi Ps 1182
ILICO · · I. Forma illico *inuenitur* Aᴍ 714 *DE*; 799 *BDE*; 865 *DE* Cᴀs 721; *ib.V*; 885 *EJ* Cɪ 160 *V* Cᴜ 363 *VE*; 687 *VE* Mᴇʀ 200 *B* Mo 434 *P*; 1064 *P* Rᴜ 328 *B* Tʀɪ 244 *B* Ps 1105 *BC*

corrupta: Bᴀ 945, ilico *A pro* Ilio Mo 337, ilico *P pro* illi ego(*Ca*) Sᴛ 394, ilico et *P pro* ilicet iam(*A*)
II. Significatio (*Cf* Kane, p. 68; Langen, *Beitr.* p. 157) 1. *de loco:* ilico errat intra muros ciuicos Bᴀ 4(*ex Char* 201: *pro corrupto habet* Langen) ilico ambae manete Bᴀ 1140 tu mea Palaestra et Ampelisca ibidem ilico manete Rᴜ 878 quid mihi meliust quam ilico hic opperiar erum dum ueniat? Rᴜ 328 manesne ilico, impure parasite? Mo 887 ilico intra limen isti astate Mo 1064
2. *de tempore:* **a.** . . quin incommodi plus malique ilico adsit, boni si optigit quid Aᴍ 636 nec sacrum . . quicquamst quid ibi ilico adsit Mᴇʀ 362 de odore adesse me scit, aperit ilico Cᴜ 81 liberos se ilico esse arbitrantur ex conspectu eri si sui se abdiderunt Ps 1105 qui nisi adsint quom citentur, census capiat ilico Mᴇɴ 454 commuto ilico(llico *CD¹*) pallium Ps 1281 numquid causaest ilico quin te in pistrinum condam? Ps 533 ipse hinc ilico conscendit nauem Rᴜ 62 quasi dicas si quid crediderim tibi, 'pax' perisse ilico Tʀɪ 891 rogo syngraphum: datur mihi ilico(*ante rogo collocat Rs*) Cᴀᴘ 506 dabin mihi argentum quod dem lenoni ilico? Ps 536 ilico hinc imus haud longule ex hoc loco Rᴜ 266 inde exeo ilico(*Bri duce Guy* ex eo loco *PLU†Ly*) Aᴜ 709 illae autem armigerum ilico(*ALy* in cubiculo armigerum *Pψ*) exornant Cᴀs 769 hau causast, ilico . . quin facias mihi Mo 434 eaepse sese feruefaciunt ilico Ps 833 quom extemplo aduentum adporto, ilico Amphitruo fio Aᴍ 865 ilico omnes meretrices . . inuenit Poᴇ 106 ilico equites iubet dextera inducere Aᴍ 243 ilico res foras labitur Tʀɪ 243 oculi (ilico *add Rg*) . . mutent Mɪ 1234 ego ilico(*B¹* illas *B²* ila *CD* illi *R* hic *Rg*) obseruo(*FZ* obserui *B¹⌀*† aui *B²* -uis *CD*) foris Mɪ 328(*vide RRg*) ubi sese sudor cum unguentis consociauit ilico itidem olent quasi . . Mo 276 perquirunt quid siet causae ilico Sᴛ 202 castris ilico producit omnem exercitum Aᴍ 217 nauem conscendo, proficiscor ilico Mᴇʀ 946 quod tetigere ilico rapiunt Cᴀs 721 reuocat me ilico(illi *E*) Cᴜ 349 inde ilico reuortor(prae. *DJLLy*) domum Cᴀᴘ 508 (*vide Rs*) sacruficas ilico Orco hostiis Eᴘ 176 si eas ereptum, ilico scindunt Cᴀs 721 tristes ilico(uico *D*) . . subducunt lembum Bᴀ 303 omnes ilico me suspicentur Aᴜ 109 insti*i . . ut sim ad uos index ilico Mᴇʀ 17(*FZRRg* sum uos sumque inde exilico *P⌀†L†Ly†* aliter *U*)
b. ilico res exulatum ad illam clam abibat patris Mᴇʀ 42 ut quisque acciderat eum necabam ilico Poᴇ 486
c. leno ad se accipiet auri cupidus ilico Poᴇ 179 ne sic fueris: ilico ego non dixero As 839 ad praetorem ilico ibo Mᴇʀ 664 ilico hinc ibo(*Abraham* illic ibo huic *CD* ilico hinc *B* illic: ibo *BoRLULy*) huic puero obuiam Mɪ 1381 ubi primum potero ilico (ibo) Poᴇ 1420 ilico retinebit, rogitabit unde illam emeris Mᴇʀ 220 si pecassis multam hic retinebo ilico Sᴛ 727 *verbo omissis:* malo maxumo suo hercle ilico, ubi tantillum peccassit Cᴀs 825
d. abii illim ilico iratus Poᴇ 455 quam

dudum istuc aut ubi actumst? #Ilico hic ante
ostium Tri 608   dicit capram .. uxoris dotem
ambedisse (ilico *add Rg*) oppido Mer 239 (*cf*
Mo 136)   quor haec tu ubi resciuisti ilico celata me sunt? Ps 490   nihil cessarunt ilico
osculari Mi 1432   tardus esse ilico coepi Cas
885   ilico huc commigrauit Ci 176 .. qui ilico
ubi ille poscit denegarit dare se St 557   haec
uerecundiam .. detexit .. a me ilico Mo 140
priusquam plane aspexit ilico eum esse dixit
Ru 1131   dicit .. eam se seruo ilico dedisse
exponendam Ci 181   exinde me ilico protinam
dedi Cu 363   imperatum bene bonis factum
ilicost Ba 726   ubi mihi potestas primum euenit ilico feci eius .. copiam Ci 137   exinde
inhiauit ilico (*Rs* immouit loco *P§*†*Lt† Ly varie
em ψ*) Tru 81   iussi ilico hunc exsolui Cap
514   ilico occucurri Mer 200   ilico eandem puellam peperit Ci 139   ubi malam rem scit se
meruisse ilico .. perfugium peperit Ci 160   perdidi operam fabrorum ilico oppido Mo 136
ubi primumst licitum ilico properaui abire Men
599   ilico et salutaui et .. Am 714   adueniens
.. ilico me salutauisti Am 799   sciui equidem in
principio ilico nullam tibi esse .. copiam Ep
324   non mihi forte uisum ilico (in loco *C*
iloco *D¹*) fuit .. Mo 694   ilico uixit amator
ubi lenoni supplicat Ps 311

ordine inuoluto: postquam audiui ilico (*ad*
dedi *pertinet*) .. illam esse captam continuo
argentum dedi Ep 563

e. isti asta (*Sey§ duce Ca* istinc sat *P* istic
sta *Caψ*) Mer 912   illic astate ilico Ru
836   heus tu, asta ilico Tri 1059   iam tandem
ades ilico (*P§*†*Ly† similiter RRg* illim *U* re-
meligo *L*) Mi 1030   mane tu atque adsiste
ilico Mo 885   et uos ambae: ilico agite (et
uos i. ag. *RRg*) adsidite St 90   ibi tu ilico
(*A* tibi tuilico *CD* tibi uilico *B*) facito uti
uenias Mi 1176 (*cf* Loch, p. 9)   occludite aedis
.. repagulis ilico ubi (*UL* ibo *PLy* quom extemplo *MueRRs*) .. Ci 650   sta ilico (*A* asta
Ly stalicio *B* talitio *V* talicio *J*) Cas 959   sta
sis ilico Cu 687   ilico sta Mer 866   sta ilico
Mer 872, 887 (*v. post 872 transp RRg emendat
U*), Mer 912 (*supra sub* asta) Tri 627

ILIUM - - nostro seni huic stolido ei profecto nomen facio ego **Ilio** (ilico *A*) Ba 945
nunc facio obsidium Ilio Ba 948   Ilio (illi *A*)
tria fuisse audiui fata quae illi forent Ba 953
paria item tria eis tribus sunt fata nostro huic
Ilio Ba 956   nunc adest exitium Ilio Ba 987
quo pacto hoc **Ilium** accedi (*GertzLU* I. appelli
Ly cilium *P§*† consilium *D³* accepi *B* apeli
CD dudum accepi *CaR* abs te ac. *RibRg*) uelis Mi 1025   alteris ducentis (nummis) usus
est qui dispensentur **Ilio** capto Ba 972   *Vide*
Ba 965, *ubi* ilio *BC* pro illo   *Cf* Inowraclawer, p. 46

ILIUS - - immo Hector **Ilius** (*Palmer e Serv
Dan ad Aen* I. 268 ecastor *A* hectore illius *P*
extorrem illius *Rs* ecastor prius *U*) te quidem
oppressit Cas 994   ibi exquirit facta **Iliorum**
(*Gul* fata illorum *AB²CD²* facta illorum *B¹D¹*)
Ba 951   *Vide* Mi 1005, *ubi* iliā *P pro* illam
(*FZ*)

ILL*** Ci 282, Vi 16

ILLABES - - Per 408, inlabes *CD pro* labes
(*B* tabes *A*)

ILLE - - *cf* Luchs, *Genetivbildung der Lateinischen Pronomina*, pp. 319-386; Schmidt,
de pronominum demonstrativorum formis, pp. 66-
86; Skutsch, *Plautinisches und Romanisches*,
pp. 97-140

I. Forma ille (*de scansione, cf* Skutsch,
p. 97; Enger, p. 15) 269 *exempla sine uaria
lectione. Addenda:* Am 46, *add ULy*; 148, *U*
illic *PRgl§L* illi *Ly*; 598, me ille *§* ille *PU*
illic *Lindψ* As 357, *om Non* 194   Au 599, eri
ille *WagnerLy* eri ita *MueRgU* herile *P§*†
erili *Lt*; 655, *ReizRg* illic *Pψ*   Ba 191, *om
BentRg*; 384, *ins FlU*; 532, *ins HermR*; 550,
B ipse *CD*; 1077, *ins HermR*   Cap 11, illic
Ly; 39, *FlRs* illic *Pψ*; 275, *ins CaU* hominis
NiemeyerLy nimium *Rs* †*§L*; 288, *Ca* illic *BD*
illi *VEJ*; 912 a, *ins L*   Cas 432, illic *BoRs*
Ci 14, ibi *Varr* V. 72; 95, et ille me *om U*; 706,
illae *E*   Cu 27, illi *VEJ*; 340, *Rg* me *P med
R*; 667, illic *FlULy*; 682, uel ille *L* uel hic
U pro uelut   Ep 90 a, ille amabat *GuyRg¹
pro* ipse amat; 541, hic illest *CaU pro* hicinest;
620, illic *U*   Men 42, ille ei *R pro* illi; 1042,
uel ille qui *U ex uersu* 1027 b *pro* etiam hic
Mer 379, ille a me *Angel* illa me *CD* mea me
B; 457, *om A*   Mi 82, tille *CD*; 88, illest
Sey idē *B om CD* inde *LipsR*; 136, *PiusU*
illi *Pψ*; 262, *ADBras* illem *C* ille *B* ill' *Ly*;
832, ille hic *P* illic *BoRLULy*; 924, ille te
nam *Bo* illa et aenam *C* illa eam *B* illa et
ęnam *D*; 1430, *PLU* illic *Aψ*   Mo 496, ille
inquit mortuos *R* in *cum lac PRs§LLy*; 624,
add U; 804, ille eccumst *R pro* illic est; 951,
pridem ille *RU pro* iam diu; 1040, ille ludificatus *RU pro* eludificatus; 1074, *om R*   Poe
620, illic *BoRgl*   Ps 241, ille *ins R* tu *FlRg*
om Pψ; 394, *GuyR* illic *Pψ*; 422, *Ly* illi *Pψ*;
597, illic *R*; 910, illic *BoR*; 923, illa *D* uolo
R; 1071, illae *D* illic *PyU*   Ru 143, ille qui
FZ illic tui *P* ita qui *Rs* ill' qui *Ly*; 147,
illic *LuchsRsL*; 889, neruom ille *Ca* neruo
mille *P*   St 24, illic *R*; 391, ille *add A om P*
illi *RRg*; 560, quam ille *R* ille *U pro* illae
Tri 137, *CD* ill' *Ly* illi *B*   Tru 309, illic
BoRs; 487, *ins R*; 509, illic *SpRsU* illic
(*vide supra*) Am 148 (*supra*), 149, (qui *Rgl*), 263,
294, 317, 323, 327, 598 (*supra*), As 266, 272,
288, 676, Au *Arg* II. 8, Au 185, 265 (illinc *D*),
460, 610, 655 (*supra*), Ba 453, 913 (*Ald* ille *P*),
916; Cap 11 (*supra*), 38, 39 (*supra*), 277, 550,
593, 624, 654, 751, 829, 901, 1000, 1014 (illi *Ly*);
Cas 48 (*RRs* hic *Pψ*), 432 (*supra*), 967, Ci 173,
Cu 274, 667 (*supra*), Ep 45, 81, 101 (illec *A*),
435 (*Sey* hic *PL*), 620 (*supra*), 666 (illic homo
Bo ille hic h. *B* ille huic h. *EJ*), 671 (illi *BE¹*),
672, Men 98, 125, 333 (*BachL* abiit *Grutψ om
P*), 602, 839 (*P* illinc *LLy*), 992, 994, 1087,
Mer 313, 439, 458 (*PLy* illi *Aψ*), 866, 881 (*RL
ULy* illic *B§*† illi *CD* mi *RRg*), Mi 22 (is *R*),
228, 242 (illanc *BoR*), 271, 334, 346 (illio *C*),
350, 586 (illinc *C¹*), 832 (*supra*), 1274 (*add RRg
LU*), 1381 (*CD* ilico *BRg§*), 1388, 1430 (*supra*),
Mo 610 (ille *B² aliter CD*), 615 *bis*, 804 (*supra*),
979, Per 13, 200 (ilie *B*), 711, Poe 445, 468, 613,
620 (*supra*), 680, 809, 917 (*A* llinc *P*), Ps 381,

394 (*supra*), 444 (illuc *R*), 597 (*supra*), 615 (illi *CD*[1]), 645, 667, 707, 908, 910 (*supra*), 954 *bis*, 1071 (*supra*), 1096, 1120, 1243, Ru 79, 147 (*supra*), 584, 762, 810, 851, 887, 1058, 1259, 1297, 1298, St 24 (*supra*), 605 (ille *R*), 719, 764, Tri 276, 615, 862 (ni illic *CD* nillinc *B*), Tru 122, 256, 309 (*supra*), 509 (*supra*), 513 (*Rs* illa *P*ψ), 593, 596 (pueri illic est *om CD*), 599 *bis*, 672, 917, Vi 65, 73, 113   **illa** 106 *exempla sine varia lectione. Addenda:* Am *Arg* II 9, BoRgl *Ly pro* alcumena †$ As 768, illam *J*; 784, ulla *Non* 439   Ba 6, *om R*; 519 a (*v. om A*) Cas 484, illuc *J*; 542, illam *A*; 921, illa *JLU* illa tamen *RsLy* illam *BVE*   Ci 691, *PL om Guy*ψ   Ep 245, *R* illi *A om P*; 295, illaec *LuchsRg*[1] *in alio loco*; 506, *A lac P*; 653, *add RgU*   Men 810, illā *BD*[3]   Mer 102, illi *B*; 399, horunc illa *ACD* horum ancilla *B*; 428, illaec *MueRgL*; 734, illaec *BoR*   Mi 308, illa ex *RRg* illac hec (*vel* haec) *P* illaec ψ; 323 *Rg Lt Ly* illam *P$tU*; 391, illam *B*[1]; 1003, milia *B*; 1274, *add RRgLU*   Per 232, tua *Rs* †$; Ps 95, ila *D*   St 159, illam *CD*   Tri 247, illam *A om HermRRs*; 809, ille *B*; 1002, illae *MeierRRs*   Tru 513, illic *Rs*; 804, illo *Rs*; 806, illa unde *CaU* alie undē *B* alię unde *CD* alia eundem *Rs*   **illaec** Am 766, 891, As 295 (illa aec *E* illa *Non* 232), 775 (illaęc *E*), Au 249 (illex *D*), Ba 409, 770, Cap 799 (ille *E om FlU*), 829, 927 (*Bach* huius *BoLU* hec *J* haec *ABVERsLy*), Cas 114, 794, Ci 269 (?), 290, 537 (illic *E*), 556, 558, 585, 629 (illic *J*), 654, Ep 295 (*LuchsRg* illane *P*ψ), 533, Mer 240 (ancilla et *B*), 276 (*A longe aliter P*), 428 (*MueRgL* illa *P*ψ), 607, 734 (*BoR* illa *P*ψ), 935, Mi 210 (*A* illam *P* illa *B*[2]), 308 (*supra sub* illa), 361, 492, 1031 (hęc *B*), 1045 (*R* illic *P*), 1046 (*Py* illic *P*), 1071 (*R pro* te), 1122, Mo 935, Poe 975 (illa *Serv ad Aen* VIII. 724), 1299 (illace *B*), Ru 177, 676, St 266, Tri 6 *scriptum est* illęc *in B semel, in C ter, in D semel, in P semel, in E bis, in J quinquies*; illec *in B ter, in C sexies, in D novies, in E ter, in J quater; in-uenimus etiam* illa haec (*vel* hec *vel* hęc *vel* ħ) *decies*   **illud** Am 431, 891, Au 547, 741, Ba 518 (illut *ins R in v. dubio*), Cap 152, 516, Cas 152, 376 (*U* illuc *P*ψ), Ci 634 (*acc. Ly*), Cu 15, Ep 609 (*U* illuc *P*ψ), Men 9 (illut *R* illuc *D*), 860, 958 (illuc *Ly*), Mer 129 (*BD* illuc *CRRg Ly*), 240, 274 (*AB* illuc *CDRRgU*), 971, Mi 757 (*B* illut *CD* illuc *BoRg$*), Mo 73 (illuc *C Ly* illut *R*), 108, 191 (domi illud *Ca* domillum *P*), 280 (*PLU* illut *R* illuc *SeyRs$Ly duce Gell* XX. 16, 12), 626 (*PU* illuc *R*ψ), Per 96, Poe 288, *ib.* (*RRgl in loco dubio*), 435 (*ALU* illuc *P*ψ), 684 (*AP* illuc *AcRgl*), 927, Ps 281, 502 (quia illud *Ac* qui aliud *BD* quid aliud *C*), 503 (*secl R*), Ru 453, 806, 966 (illut *B*), 1069 (*CaU* id *CD*ψ it *B* mea *ins Rs*), 1194, 1395, Tri 36, 259, 414, 429, 439, 575 (*PRU* illuc *Gep*ψ), 1003, Tru 192, 686 (ita illud *U* istud *L* ita ut *P*ψ †$), 894, Fr I. 76   **illuc** Am 270, 801, As 265, Au 485 (*B* illec *DVJ*), Cas 376 (*supra*), 460 (*om J*), *ib.*, 620, Ep 609 (*supra*), 714 (pol *MueR*), 715, Men 606, 958 (*supra*), Mer 120 (illud *B*), 129 (*supra*), 274 (*supra*), 364, 379, Mi 36 (illuo *D*), 757 (*supra*), Mo 73 (*supra*), 280

(*supra*), 600, 610 (*A* illud *P*), 626 (*supra*), Poe 281 (*PyU* illic *P$t* id *Bo*ψ), 435 (*supra*), 538, 684 (*supra*), 829, Ps 444 (*R* illic *P*ψ), Ru 148, 559, 1258, Tri 575 (*supra*), Tru 548, 820 (*FZ* illac *P*)

illius (*de scansione cf* Luchs, p. 366; Skutsch, p. 102; Leo, *Pl. Forsch.*, p. 289; Ahlberg, *de correptione*, p. 91) Am 473, 896, As 77 (*v. secl omnes praeter Ly*), Au 35, Ba 487, 494, 601, 851, 1044, Cap 39, Cas 550, 995 (*PRs lacuna indicata: em* ψ), Ci *Arg* 8, Ci 515, 745 (illiusc *B*[1] illi pusae *Rs*), 766, Cu 413, 716 (huius *LuchsRg* †*L*), Ep 447 (de illius *P* duellis *RibRg* prae huius *U*), 717, Men 42, 45, 904, Mer *Arg* II. 11, 14, Mer 48 (illorum *RRg*), 236, 276 (*PL longe aliter A*ψ), 443, 534, 657, Mi 111, 589, 986, 987, 1170 (eius *R*), 1172, 1238, 1299, Mo 242 (illuis *B*), 612, Per 36, Poe 158, 895, Ps 1091, 1169, Ru 51, 77 (uiuas *Rs*), 1094, Tri 157, 163, 965, Tru 657

illi 175 *exempla sine varia lectione. Addenda:* Am 752, *om E*; 894, *Py* ille *BDE om J*; 1002, *Lamb* ille *P*   As 767, illa *E*   Au 671. *PLU* illic *Bo*ψ; 816, illi me *Py* illum *P*   Ba 524, ei *A*; 799, *PLU* illic *Rg$Ly*; 987, *add Ly solus*; 1012, *om D*[1]   Cap 148, illi *Bo* ille *P*; 912 b, *ins GepU in lac*; 995, *ins LindU*   Cas 205, illic *Ly*; 666, illi *APL* illic *Sp*ψ   Ci 740, illa *J*; 745, illi pusae *Rs* illius *P*ψ   Ep 19, *P$Rg*[2] illae (*pl.*)   ALLy *aliter* ψ; 535, illius *A ut vid* illic *Rg*[1]; 606, *om A*; 609, illi caperrat *ANon* 8 illic aperrat *BE*[1] i. asperat *J* Men 42, ille ei *R*; 304, *PU* illic *R*ψ; 796, *add R*   Mer 245, *PLULy* illud *Bo*ψ; 458, illic (*nom.*) *PLy*; 530, *add RRg$*; 596, ei *R*; 989, *LLy pro* filio   Mi *Arg* II. 6, illic *B*   Mi 110, *Scut* illis *B*[2]*CD* illos *B*[1]; 136, ille *PiusU*; 303, *om CD*; 351, illic *Ly*; 1045, *Ly* illic *P* sic *R*ψ; 931, ei *R*   Mo 205, *om R*; 337, illi ego *Ca* ilico *P*; 619, obici illi *FZL* obi *P var em* ψ; 810, illic *Rs* ducĕ *Fl*; 1107, *add LLy* ei *RRs* ita *FZU om P$t*; 1163, illic *RsLy*;   Per 841, illi *ReizR* ei *WeiseU* id *P$LLy* nil *Rs*   Poe 294, illic *MueRgl*; 614, illic *RRglLy*; 840, illic *Luchs$*; 1233, dicet illi *P* deicetis *A*   Ps 447, *A* ille *P*; 783, illi *RRg* ille *P* illae *Grut*ψ; 1291, *add R solus*   St 542, ei *ARg om D*; 555, *add L*   Tri 365, multa illi *A* multas *P*; 743, illi et *AP* ei sed *RRs*; 776, illic *RRs*; 907, illi *Ca* ille *P*   Tru 200, illic *MueRs$*; 441, illi ut *Ca* illud *P*; 512, illic *Rs* solus; 591, illi *Bo* illū *BC* meumq' *D*; 848, illic *Rs solus*   **illic** (*vide* illi) Am 263 (*Fl* illi *P*), Au 671 (*supra*), Ba 799 (*supra*), Cas 205 (*supra*), 666 (*supra*), Ep 535 (*supra*), Men 304 (*supra*), 828 (*R* illi *P*), 842 (*R* illi *P*), Mi 351 (*supra*), Mo 810 (*supra*), 1163 (*supra*), Poe 294 (*supra*), 614 (*supra*), 840 (*supra*), Ru 1354 (*Fl* illi *P*), Tri 776 (*supra*), Tru 28, 200 (*supra*), 512 (*supra*), 848 (*supra*)   **illae** Mi 323 (illa quidem illae *Ly* illam q. illa [*om D*] *P var em* ψ), Ps 783 (*Grut* ille *P* illi *RRg*), St 560 (illę *P* ille *PiusRU*)

illum 219 *exempla sine varia lectione. Addenda* Am 150, *PLU* illunc *Ca*ψ; 922, illud *FZLU*; 980, illunc *ParLU*   Ba 887, *PLULy* illunc *Ca*ψ; 329, eum *J*   Ba 397, illud *U*; 747, ullum *D*[1]; 856, ego illum *om HermR*; 1083, *clausulam ins R* Cap 167, nam illum *BEJ* nallum *D*; 359, illim *B*[1] Cas 864, ne illum *ABE* ne ullum *VJ* nil *Rs* nisi *Ly* Ep 323, *WagnerU* illam *Pψ*; 454, eum *A ut vid et Rg*[1]; 486, qui illum *A om P cum lac* Men 897, eum *KaempfLLy*; 1123, illunce *R* Mer 486, illum *R* illunt *C* illunc *Dψ* illuc *B*; 562, illam *D*[1] Mi 858, *ALy* erum *A*(?) *Pψ*; 1248, *FlRgLU* illuc *P* illunc *FZψ*; 1379, illunc *R* militem *MueRg* Mo 586, *AD*[1] illunc *BCD*[2]; 1089, cum illo *L duce Buggio*; 1155, *BoLU*; 1172, illum ut mittam *RRs in loco perdito* Per 738, *APLU* illunc *Caψ* Poe 377, plorantem illum *PRglU* ploratillum *Aψ*; 695, *APLy* illud *Fψ*; 864, perdant illum *AD*[4] perde nullum *BD* per hercle nullum *B*; 988, illum *A* hunc *PU* illunc *Ly*; 1302, *APL* illunc *Boψ* Ps 1019, illunc *RRg*; 1233, illunc *BoRU* St 513, *A* illud *CD* illut *B*; 557, *clausulam om R* Tru 150, illum alii *KiesU pro* illi alii sunt; 559, eum *LLy* Fr I. 94, illunc *SpRgLy* **illunc**(*vide* illum) Am 150(*supra*), 980(*supra*), As 887(*supra*), Au 71, Ba 766(*Ca* illum *P*), Cap 593(illuc *B*[1]), Cu 590, Men 952(*Ca* illum *P*), 1123(illunce *R* illum *Pψ*), Mer 272(illunc hircum *ACD* illū circū *B*), 436(*supra*), Mi 1248 (*supra*), 1379(*supra*), Mo 586(*supra*), Per 738 (*supra*), Poe 988(*supra*), 1121, 1302(*supra*), Ps 1019(*supra*), 1233(*supra*), Ru 1184(*Ca* illuc *P*), Tri 520(*AB* illum *CD*), Fr I. 94(*supra*) **illam** 181 *exempla sine varia lectione. Addenda:* Am 1017, illa *E* As 826, illum *J* Au 27, eam *J*; 737, illa *D*; 766, luā *E* Ci 191, illa *D*[1]; 735, illa *V*; 738, illanc *U* Ep 323, illum *WagnerU*; 492, illa *B*[1] Men 681, illanc *BoR* Mer *Arg* II. 4, *insRRg* Mer 251, conquiri *B pro* illam aegre pati; 259, *ins RRg*; 380, eam *GuyRU om Rg*; 426, aliquam *RRg* olim *AcU* †§; 428, aliquam itidem ancillam *R pro* ut ad illam faciem; 706, *add RRg Ly* illa *U*; 909, *FZ* illa *P*; 959, ellam *CD*[1] Mi 323, illam quidem illa *P* nam illam q. uidi *ZU var em ψ*; 1005, *FZ* iliā *P* illanc *BoR*; 1006, illa *RibRgLy* mullo *R*; 1189, *AB* nihil iam *CD* Mo 855, illa *A* Per 530, illa mandauit *CD pro* illam a naui; 636, illa *B* Poe 1220, illum *B* Ru 470, *clausulam om CD*; 1405, illanc *MueU* Tru *Arg* 10, *Ca* litam *P* istam *Rs* Tru 485, post illam illi *PU* postilla mille *Sarac et Caψ*; 811, uir illam *Ca* uiri iam *P* **illanc**(*vide* illam *supra*) Am 668(*Ca* illam *P*), Ci 123(*Ca* illam *BVE* illa *J*), 738 (*supra*), Men 681(*suṛra*), 853, Mi 242 (*BoR* illic *Pψ*), 1005(*supra*), Mo 1158, Ru 807 (*CaLU* illinc *BCψ* illin *D*), 1405(*supra*), Tri 9 (*RRs* hanc *Pψ*) **illud** Am 772, 824, 922(*FZ LU* illum *Pψ*), Ba 123(*PL* illuc *Boψ*), 244, 724, Au 257, 635(illū *B*), Ba 326, 341(illuc *D*[1] illum *C*), 397(*U* illum *Pψ*), 503(id *A*), 525(illut *Herm R* ei *Aψ om P*), 528, 897, 1046(illum *B*), Cas 702, Ci 535, 614, 634(*Ly nom. ψ*), Cu 364, Ep 115, Men 193, 682, Mer 245(*Bo* illi *PLULy*), 610, 763, 771, Mi 27, 572, 757(*BLULy* illut *CDR* illuc *Boψ*), 759(illut *CR*), 819, Mo 133, 618(illud iube *L* iubi *P var em ψ*), 830, 1179, Per 519, 782(*add R in adn et U*), Poe 695(*F* illum *APLy*), 767(*A* illuc *PRglULy*), 1109(illum *A*), 1231, Ps 403(*ACD* illut *B*), 780, 786, 1281,

Ru 423, 1195(*add BoL* istuc *Rs v. secl Langen RsⒼ*), St 589, 679, Tri 36, 211, 340(illut *B*), 414, 760, 1005, 1054, 1160, Tru 418, 734(ob illud *Loman duce Ca* oblit *B* oblit' *CD*), Fr I. 86 **illuc** As 123(*supra*), Au 46, Ba 137, 870(*L* illoc *Pψ*), Cas 673, 972, Mer 258(*A* illud *CD om B*), Mi 200(*B*[2] illius *B*[1] illus *D*[2] iliis *CD*[1]), 659, 757(*supra*), Poe 767(*supra*), 1378, Ps 954, Tri 351(*A* illud *P*), Tru 162 **illoc** Ba 870(illuc *L*)

illo Am 95, 176, 254, 828, As 293, 515, 870, 918, Au 206, 333, Ba 196(*PU* illoc *Rψ*), 488, 496(*PⒼLU* hoc *ARg* illoc *Ly*), 802, 836, 865, 1056, 1192a, Cap 354, Cas 810, Ci 391(*LLy* *llo *Aψ*), 471(*LLy* *llo *Aψ*), Cu 336, 343, 349, 452, 458, Ep 325, 522, Men 783, 856, Mer 455 (cum illo *PⒼLLy* cum alio *CaU* quicum *RRg*), 536a, 536b(*v. secl omnes praeter Ly om A*), 642, Mi 65(*ARU* isto *Pψ*), 970(ilo *CD*[1]), 1241, Mo 564, 1069(*A* illoc *P*), 1089(cum illo *L duce Buggio* illum *Pψ*), 1121(ullo *C*), Poe 1052, Ps 376, 616, Ru 498, 1076, 1228, 1256, Tri 134, 371, 376, 428, Tru 419, 804(*Rs pro* illa) **illoc** Ba 196(*supra*), 311(*supra*), 496(*supra*), 870(*supra*), Men 317(*B* illo *CD*), 568(*CD* illo *B*), Poe 679(illuc *CD*), 1061(*A* illo *P*) **illa** Am 112, 114, As 22, 229, 783, Au 256, Ba 564, 860, 891, 896, 1079(*om C*), Ci 420, Cu 47, 63, 534, Ep 71, 151, 219, 289(illo *J*), 368, 370, 706, Mer 383, 384, 405, 413(*clausulam om R*), 791, 806, 899 (*Ac* ulla *B* ullā *CD*), *ib.*, Mi 973(illā *B*), 989, 1006(*RibLy duce Buggio* mullo *R* illam *Pψ*), 1046(illā *B* illac *BoR*), 1048, 1049(*ins Bugge Rg*), 1115, 1116(alio *B*), 1192, 1202, Mo 256, Poe 334, 1159, Ps 1071(illac *RRg*), Ru 605(illā *B*), 1187, 1408, St 643, Tri 812, Fr I. 115 **illac** Am 432, 818, Ba 577(*Bo* illa *P*), Mi 1046(*supra*), Poe 292(ea *Eugraphius in Eun* 601), 471(illa *A Prisc* 109), Ps 1071(*supra*) **illo** Ba 311(*PLU* illoc *Pyψ*), 865(ilio *BC*), Ci 689(*dub* †§), Cu 538(illa *EJ*), Mer 146, Mo 548, Ru 1253, 1410, Tri 959 **illoc** Ep 109, Men 251 **illi** Am 37(*D*[2] nulli *B* inilli *D*[1]*E hiat J*), 183, 1134, Ba 295, 303, 403, Cap 2(iugati *Rs* †§; *pro adv. habent BriL*), 479, 481, 653(illisce *MueU*), Ci 782, Cu 264, 450(*FlRg om Pψ*), Ep 619, Men 768, 832, 962, 984, Mer 715(urbani *Rg*), 751, 778(*P* illei *ARgⒼLy*), Mi 604 (*Rg* sci *P* hi *A ut vid* §† qui *Tyrrellψ*), 606 (*A om P*), 714(ille *C*[1]*D*), Mo 860, 884, 1050, 1095, 1098(illic *R*), Per 64, 569, 844, Poe 689, 1141(silli *U; fortasse punicum*), 1143, Ps 205b, 769, 780, 1133, 1276(*ins R solus*), Ru 150, 368, 1253, St 34, 43, 391(*R de A errans*), 393, Tri 30, 209, Tru 103, 150b, 153, 156, 488, 492(ille *Rs*) **illisce** Cap 653(*supra*), Men 997(*Bri* illic *PR*), Mo 510(perii: i. *D*[3] per *P*), 935(*A* illisc *P* illic *B*[2]) **illae** Au 483, 489, Ba 1149, Cas 769, 775, Ci 423, Ep 19(*A ut vid et LLy* illi *PRg*[2]Ⓖ illa ac *Rg*[1] id mi *U*), 447, Men 537(*B*[2] iclae *B*[1]*C* clae *D*[1] ercle *D*[3] hercle *R*), Mer 828(*FZ* illa *P*), Mi 59, 65, Poe 1284(illac *B*), Ru 719, Tri 3, 1002(*MeierRRs* illa *Pψ*) **illaec** Ba 1154, Cas 804, Cu 398, Poe 1136(illa et *P* illae *AD*[4]*L*) (*pro ae vel e vel ę saepe exhibent mss praeter A*) **illa** As 560, Ep 30, Ps 451, 976 **illaec** As 196 (illa *Non* 76 illęc *DJ* illaę *E*)

illorum Ba 545, 869, 951(*APU* lliorum *Gulψ*),

Cas 445, Men *Arg* 2(*ins R*), Mer 48(*RRg* illius
Pψ), Mi 1350, Mo 128, 883, Ru 66, 384, St
542(illorum uni *R* minori illi *AP*[ei]*ψ*), Tri
204, Tru 158   **illarum** Cas 775, Ep 240, Mi
62, 1047, Poe 104(*FZ* illi im *B* illi in *CD*),
1117, Ru 181   **illorum** Ba 409, 1012

illis Am 80, 209, Au 378, Ba 1136, 1199,
Cap 650, 752, Cas 398(Hercule illis *U* herculei
BVE[1] herculeis *E*[2]*JLLy aliter Rs* †$, 505,
534(ne illis *Koch om P*), Cu 374, Ep 228, Mi
168, 595(illis sortitus fuat *RRg* multae sortitae
fiat *A$†Ly†* multi sortito[fortita *D*] fuã *PU†*
aliter L), 606, 747(*A* illius *P*), 896, Mo 231,
Per 205(illis lubet *Ly in lac var supp ψ*), Poe
747(*ACD om B*), 1162(*A* illi *P*), Ps 797, 817,
1134, 1273(*PLLy om U* illi *RRg$*), Ru 152,
182, 219(*A* his *B* iis *CD*), 658, 729, 1120,
Tri 255a, 1048, Tru 154, 745

illos Am 470, 1123(illas *Ly*), As 268, 527,
Ba 1187, Cap 453(illo *E* illum *J*), Men 21, 23,
308, 833, Mi 1351(*PLy* alios *Baψ*), 1361, Mo
467, 990(*add L*), Poe 52, 482(eo illos *Ca* eos *A*
ego *P* eos in *U*), Ps 1270, Ru 168, 697, 856,
1251, St 137, 350(*A* illas *PRRg*), 401, Tru
580(fere *P$†*)   **illas** Am 1123(*Ly* illos *Pψ*),
As 243, 637, Au 87, Cas 754, 778, Ci 638, Ep
247, 248, Mi 669(ad illas *B*[2]*D*[3] ad tillas *CD*[1]
attollas *B*[1]), 1109, 1232, Mo *Arg* 10, Poe 896,
898, 1149, Ps 280(*add R*), Ru 759, 774, 793,
810, 831, 848, St 350(*PRRg* illos *Aψ*), 351
(cape illas *P* capellas *A*), Tri 867   **ollas**(?) Ru
fr(*ex Diom* 380 ollas *B* ullas *AM* aullas *KLy*)
illa Am 916, As 715, 896(*Bo duce Dousa* ille
P illaec *Dousa*), Ba 165, 1079, Ep 19(illa ac
Rg[1] id mi *U* illi *PRg*[2]$ illae *A ut, vid et ψ*),
138(*Non* 499 illas *P*), Mi 1126(illa eae *U* illaec
A illęc *D*[3] illa haec *C* illa hae *B* illa hęc *D*),
Poe 391, Ps 602(illaec *Ly*)   **illaec** Am 416(-ę-
J -aę- *E*), Ci 290, Men 852(illa hec[*vel* hęc] *P*),
Mi 1126(*supra*), Poe 368(-e- *CD*), Ps 602(*supra*), Ru 1348(illaec aduorsum *Mue* illa negat
uorsum *P*), Tru 544(-e- *P*)

illis As 271, Au 255, *fr* L.(*ex Non* 538), Ba 142
(praesentibus illis *P$†LLy* -te ibus una *ScalR*
-sens ibi *Rg* -sens ibi ullus *U*), 301, Cap 487,
Ci 629, Cu 322, Ep 238, Men 586, 934, Per 561,
Poe 95, Ps 392, Ru 369, St 75(cum illis *P* illi
A), 421, Tri 203, Tru 113   **illisce** Am 97, Cas
36, Men 307, 820, Poe 78(illis cae *B*). St 131

adverbia **illi** Am 133, 148(*Ly* ille *U* illic *Pψ*),
249(*Lamb* illic *P*), 253(*ELy* illic *BDJψ*), 534
(*Ac* illic *P*), 594(*Par* illic *P*), 744(illid *J*),
761(illic *D*[2]*J*), 766(*ELy* illic *BDJψ*), 780(illic
DJ), Au 816(illi me *Py* illum *P*), Ba 949(illi
itidem *A* illic eidem *P*), Cap 2(iugati *Rs* †$
pro nom. habet Ly), 24(*ins Rs*), 60(*Ly* illic *Pψ*),
93(*ins Rs*), 94(*Ly* illic *Pψ* †$), 278(*Bo* illic
PRs), 323, 334, 341(illic *J*), 1014(illi hic *Ly*
illic *Pψ* †$), Ep 217(illic *B*[2]), Men 98(*ins Rs*),
308(*Ly* illic *Pψ*), 996, 1069(*ins Rs*), Mer 97,
260(*R* ego illi *Ly* ibi ego *Aψ* ego illam *B* ego
illic *CD*), 511(*BoR* illim *APψ*), 584(*CD* illic
B), 706(*ins U*), Mi 24(*RRgU* apud illa *P om*
A), 288(*Ac* illic *CD* illas *B*[1]), 328(*R* hic *Rg*
ilico *B*[1]*ψ* ila *CD* illas *B*[2]), 851(*CD* ille *B*),
1279, Mo 315, 327(illic *B*[2]), 787(*BoRsU* illic
Pψ), 792(*B*[1]*ULy* illic *ACDB*[2]*ψ*), Per 190(illic

B), 191, 746(*Ca* illic *P*), Poe 336, 337, 343, 1176
(*Bue* illic eo *A*[*fortasse* illi ego] illic ego *P$†*
illic *WeiseU* illi ego *Ly*), Ps 758(*Bent* illic *P*),
890(*R* illic *APψ*), 1273(*R* illis *PLLy om U*),
Ru 541(*A* illic *P*), St 471(*P* illic *A*), 675(*R*
illic *Pψ*), Tri 530(*P* illis *A*), 554(*Ly* illic *A*
Pψ‘, 555(*P* illic *A*), Tru 150 b(illi alii sunt *P*
illum alii *KiesU*), 152(*BoRsU* illic *Pψ*), 339
illic(*vide* illi) Am 138, 148(*supra*), 253(*supra*),
417(illi *E*), 431, 432, 457, 766(*supra*), 969, Ba
307, 1154, Cap 60(*supra*), 94(*supra*), 261, 278
(*supra*), 279, 314, 330, 366, 496, Cas 380, Ep
420, Men 68(is illic *B*[2] istic *B*[1]*D* istilic *C*),
308(*supra*), 793, 956, Mer 387, Mi 151(*LambR*
illinc *APψ*), 350, 1388, Mo 605, 787(*supra*),
792(*supra*), 836, 1120(*LingeU* hinc *P* huc *Pyψ*),
Poe 78, 830, 1176(*supra*), Ps 890(*supra*), Ru 33,
836, 848, 1034, 1188, St 675(*supra*), Tri 360,
554(*supra*), 1104, 1109, Tru 28 *bis*, 152(*supra*),
819, Vi 37   **illo** Am 197, 203, 603, Au 329(illuc
RgLy), 705(*Ca* illuc *DEU* illic *B*), Cap 359,
1002, Ci 700(*LLy* illuc *Pψ*), Cu 337, 340, 646,
Ep 287, Mer 462, 567(*R* illuc *P*), 570(*CD* illuc
BRRgL), Mi 1193, Mo 105, Per 575, Poe 263
(*B* illic *CD*), 1083, Ps 880(tu illo *AcRLy* tu
illos *AP* tuos *Lorenzψ*), St 185, 250(*P* illuc
ARRgU), 265, Tri 495(*A* illum *P*)   **illuc** Am
466, 527, 1000, As 31(illic *D*), Au 46, 329(*supra*),
607, 678, 705(*supra*), Ba 325, 341, 359, Cap 342,
345, 370, 377, 954, Cas 519, Ci 700(*supra*), Men
29, 56, 616, Mer 39, 329, 570(*supra*), 649, 881,
Per 467, 727, Ru 786, St 250(*supra*), Tru 38
illoc Tru 647   **illa** Mi 67(*B ras* illam *A* illac
ZRg illã *P*), Mo 1045(*AP* illac *BriRRLy*),
Tru 248(*ALy* illac *Pψ*)   **illac** As 742, Cas
968, Ci 679, Mer 1009, Mi 67(*supra*), Mo 931
(*A* illa *P*), 1045(*supra*), Per 679(*A* illa *P*), Ru
213, Tru 248(*supra*)   **illim** Au 377(*BoRg* illinc *Pψ*), Ba 310(*add RRgLy*), 320(quantum
illim *BoRRg* quantulum *P* quantillum *Pyψ*),
963(*SeyR pro* olim), Men 799(*P* illinc *B*[2] illius
D[3]), Mer 511(*AP* illi *BoR*), Mi 1030(*U duce*
Sey ilico *P$†Ly†* var em ψ*), 1207(item illinc
ego te *R* eidem ego te illim *RibL* illè agotelli
il *B* idem ago tel *CD var em ψ*), Mo 467(*BoR*
illinc *Pψ*), Poe 455, 987(*B* illum *CD*), 1058(*Ly*
illinc *APψ*), St 355(*R pro* hinc)   **illinc** Am 229,
Au 377(*supra*), Ba 447, Ep 273(*BE*[3] illic *E*[1]*J*),
Men 413, 839(*LLy* illic *Pψ*), Mer 651, 911, Mi
151(illic *LambR*), 1207(*supra*), Mo 467(*supra*),
565, Poe 682(*P* illic *A*), 1058(*supra*), Ps 392
(*L ex* illis *A* illis *Pψ*), Ru 807(*BC* illinc *D*
illanc *CaU*), 973, Tru 853

corrupta: Am 338, illic et *B* illic ei *EJ* illicŭ
D pro ilicet   Au 330, illuc *P pro* ite huc(*Koch*)
Ba 481, illa *Char* 198 *pro* alia; 938, illum *CD*
pro ellum(*B*)   Cap 215 b, illis *D pro* istis; 885,
ille *E*[1] *pro* uae(ue)   Cas 120, illam *P pro* uillam(*A*); 273, illum *J pro* eum   Ci 657, puer
illi *J* puer ill- *BVE pro* puerile; 685, illic et
VE pro ilicet; 689, illo *BDJ$†U†* illos *V*[1]*E*[1]
ita *Rsψ*   Cu 349, illi *E*[1] *pro* ilico   Ep 357, *pro*
illa *B*[2]*J* pelia *B*[1]*E pro pro* filia (*Ac*); 413,
illam *E*[3]*J* la *E*[1] *pro* ita; 629, illius *J pro*
istius   Men 186, *pro* illo *D*[3] *pro* proelio; 342,
post ille *P pro* postilla(*Gul*); 594, illum *A*
pro ullum; 685, dost illac *P pro* postillac

Mer 435, ecce illum *B pro* eccillum; 524, ecce illam *CD* ancillam *B* millam *Bugge*ß bellam *Gertz U* eccillam *Bo*ψ; 730, io illa *D²* iohia *P*ß†*L*†*U*†*Ly*† ohe iam satist *RRg* Mɪ 324, illa *add D¹*; 708, li *CD¹* illi *D³ pro* hi; 743, illas *P pro* Ilias(*A*); 789, hec illã *BD pro* eccillam(*A*); 1291, illo *CD pro* alio(*Ca*); 1348, pro illa *B pro* alla *CD pro* propalam (*Ca*) Mo 263, illum *D pro* ullum; 362, ille *add P om Py*; 795, illud *A pro* eccum; 808, illam *B pro* ullam; 979, illud *B pro* istud; 1064, astate illic *P* istastate *A* ista state *R* isti astate *U*ψ Per 300, illum *P pro* istum(*A*); 392, ecce illum *CD pro* eccillum; *ib.*, illum *ins A* Poe 750, post illam *B pro* postilla(*ACD*) Ru 576, ec(*vel* eo) illud *P pro* eccillud Sт 175, pausi illo(*B* illos *CD*) *pro* pausillo; 261, eccam illam *P pro* eccillam; 536, ex(*vel* hec *vel* hic) illa *P pro* eccillam Tri 472, illi *P pro* tibi(*A*); 678, nesciunt illam *CD pro* ne scintillam(*B*) Tru 157, quae in nos illis *P*ß† *var em* ψ; 273, me illi *P pro* mihi(*A*); 309, ille *P pro* item (*A*); 371, me illi *P pro* melle(*A*); 485, post illam illi *PU*† *pro* postilla mille(*Ca et Sarac*); 596, illic *CD* ilitic *P*ß† hic *Sp*ψ; 736, argentari (i)lliceam *P var em* ω; 765, ad illum *P*ß† tantillum *Casaubon*ψ

II. Collocatio *substantivum* ille *pronomen antecedere solet; sequitur tamen circiter sexagies, aliquando metri causa, ut videtur, aliquando emphasis causa. Nonnumquam causa latere uidetur. De collocatione* ille *pronominis cum pronomine personali cf* Kaempf*, p. 22*

III. Significatio *de eo qui iam ante nominatus est, qui bene notus est, vel de eo quod iam dictum est; raro ad id quod sequitur pertinet; pronomini* hic *oppositum: A. cum correlativo* 1. hic - - ille: a. illic uocatur Philocrates, hic Tyndarus; huius illic*, hic illius hodie fert imaginem Cap 38-9   illic seruom se assimulabat hic sese autem liberum Cap 654   ut ille amicam haec quaerebat filiam Ep *Arg* 7 metuo ne ille . . Harpax aduenat prius quam . . hic Harpax abierit Ps 1030 si ille te comprimere solitust, hic noster nos non solet Ru 1075   neque ille adest neque hic . . subuenit Sт 399   illum* laudabunt boni: hunc etiam ipsi culpabunt mali Ba 397 si . . mutet suom — illum captiuom: hunc suom esse nescit qui domist Cap 29   illam extrudet, quom hanc uxorem . . ducet Cɪ 530   haud male illanc amoui: abigam nunc hunc inpurissumum Men 853 boni miserantur illum, hunc inrident mali Vɪ 111 (*ex Non* 138)   hos . . captiuos duos, illi quia astant, hi stant ambo Cap 2(*Ly*)   et illud paueo et hoc formido Cɪ 535

hic meus pater, illic autem Soterinis est pater Vɪ 113(*ex Prisc* I. 317) quis haec est muliercula et ille* grauastellus? Ep 620   potest prius haec in aedis recipi quam illam amiserim Mɪ 1096 utrumque et hoc et illud poteris ulcisci Mo 1179   et hoc docte consulendum . . et illud autem inseruiendumst consilium Poe 927   neque hoc neque illuc* neque — Poe 435 nihilo pol pluris tua hoc quam quanti illud refert mea Ru 966

fugituos ille . . huius patri . . uendidit Cap

17   si . . ille huc conciliari potest, uel carnificinam hunc facere possum perpeti Cap 131 ille reprehendit hunc priorem pallio Tri 624 illa te, ego hanc mihi educaui Cɪ 39   is illam deperit . . et illa hunc contra Cɪ 193   redierit illa ad hunc . . Cɪ 529   illa hanc corrumpit mulierem Mo 213   illum restituam huic, hic . . me meo patri Cap 588   illud* (malum) erat praesens, huic erant dieculae Ps 503(*v. secl R*)

hic illi subparasitatur Mɪ 348   hic quidem illic . . uerba facit emortuo Poe 840(*Luchs*ß) haec illum nominauit Cɪ 320   haec . . illius* (est) soror Cu 716   ad sapientiam huius ille* . . nugator fuit Cap 275(*U*)   huic proxumum illud ostiumst Cu 15   hoc illum me mutare confido pote Cap 171   hic(is *BriL*) emet illam Ep 301

b. faenus illic faenus hic, nescit . . nisi faenus fabularier Mo 605   illic sum atque hic sum Tri 1109   et illic* et hic peruorsus es Tru 152

sum profecto et hic et illi* Am 594   iam hic ero quom illic censebis esse me Am 969   ut nos hic, itidem illic apud uos meus seruatur filius Cap 261   ego hic esse et illic* simitu hau potui Mo 792

hinc ego et huc et illuc potero quid agant arbitrarier Au 607   uel ego huc uel illuc uortar Cap 370   dum huc dum illuc rete †or impedit Tru 38   hinc illuc* exiit Cɪ 700

imperator utrimque hinc et illinc Ioui uota suscipere Am 229   et hinc* et illinc* mulier feret imaginem Mɪ 151   et hinc et illinc mihi exhibent negotium Mo 565

hac iter faciundumst nam illac lumbifragiumst obuiam Cas 968   utrum hac an illac iter institerit Cɪ 679

2. ille - - is: is amore proiecticiam illam* deperit Cɪ 191   Ep 301(*BriL supra* 1. a)   is quidem . . illi* uerba facit emortuo Poe 840 (*Rgl*)   hominem catum eum esse declaramus, stultum autem illum quoi . . Ps 682   is illi Poeno . . hospes fuit Poe 120

3. ille - - iste: illud* malum aderat istuc aberat longius Ps 502   hoc neque isti usust et illi miserae suppetias feret Ru 1083   illic isti . . morbus . . uenit Cap 550

B. *iteratum* 1. ad eandem personam pertinet (*cf* Raebel*, p. 14*): illic* . . aduenit: abigam . . illunc* aduenientem Am 149-50   illic huc iturust, ibo ego illic* obuiam Am 263   . . me illi dicere ea quae illa autumat Am 752   illum orare meliust, illic dedit As 675   ita fore illi dum . . cum illo nupta eris As 870   uorsabo ego illunc* : . . frictum ego illum reddam Ba 766   quid illi molestu's? quid illum morte territas? Ba 885   unde illum sumere censes nisi quod tute illi dederis? Ba 1198   si ille huc non redeat uiginti minas mihi des pro illo Cap 353-4   illic hic nos insectabit lapidibus, nisi illunc* iubes conprehendi Cap 593   ego illum fame, ego illum siti . . ulciscar Cas 153-4 nihilo magis ille unicust mihi filius quam ego illi pater Cas 264   ego quae illi dedi et illa quae . . accepit Cɪ 145-6   ut illam censes? ut quaeque illi occasiost subripere . . Cu 59   postquam id illas audiui loqui coepi . . ad illas . . accedere

EP 247-8 apage illum .. nam ille .. Volcani ..
est filius EP 673 illius nomen memini .. quia
illum .. uidi flagitarier MEN 45-6 si ille .. deliquerit .. illum accusabo MEN 799 inter nos
coniurauimus ego cum illo et ille mecum MER
536a .. nisi cum illo aut ille mecum MER
536b(*v. om A secl RRgSUL*) puer est ille quidem: nam illi quidem .. dentes exciderunt MER
540-1 si .. dixisset .. se illam amare, numquam .. illam .. abducerem MER 994 quae illis
uoluisti facere, illi* faciunt tibi MI 606 nisi
tu illi fers suppetias, iam illa animum despondebit MI 1053 illum exspectes .., atque illi morem .. geras MO 188 illum tibi aeternum putes
fore amicum: .. te ille deseret MO 195-6 minoris pendo tergum illorum: illi erunt bucaedae
MO 883 quid illum miserum memorem? nunc
illum Miserum .. aequomst nominarier PER 646-7
cum illoc* te mellust .. loqui: illic est .. probus POE 679-80 uidulum .. ille inuenit: illud
mancipium meumst RU 1395 illa puerum me
gestauit .. quo minus laboris cepisse illam existumo ST 161-2 ni me ille et ego illum nossem TRI 957 egone illam ut non amem? egone
illi* ut non bene uelim? TRU 441 illam saluta et gratulare illi TRU 512

2. *pertinet ad duas personas vel ad personam
et rem:* mos numquam ille* illi fuit patri meo
AM 46(*ULy*) illa illum censet uirum suom
esse AM 134 illaec autumare illum audio AM
416 latuit intus illic in illac hirnea AM 432
ille illuc ad erum quom .. aduenerit AM 466
ille adeo illum mentiri sibi credet AM 468
illaec illic* me donatum .. sciat AM 766 faciundumst mihi illud fieri quod illaec postulat
AM 891 neque ille scit quod det ...: illi rei
studet AS 182 ille qui illas perdit saluos est
AS 637 illa illum nescit AU 30 abi intro
illuc* et uos illum* sequimini AU 329 illic
pulcram praedam agat si quis illam inuenerit
aulam AU 610 illa inuentast quam ille* amat
BA 191 ille .. sit .. carior si me illoc* auro
circumduxerit BA 310 illuc .. capiundumst
iter ut illud reportes aurum BA 325 habeas
illud* quo die illuc ueneris BA 341 ut illi
illius inspectandi mihi esset .. copia BA 487(*R*)
ne illa illud* hercle cum malo fecit suo BA 503
alium illa amat non illum BA 593 .. illum
cubantem cum illa opprimere BA 860 ille
cum illa neque cubat BA 896 olim(illim *SeyR*)
ille se blanditiis (ab illa *ins R*) exemit BA 963
quid illaec illic in consilio .. consultant BA
1154 illum illic curauerit CAP 314 tu illum*
si illo's missurus .. CAP 359 illaec .. laetitia
quam illic .. largitur CAP 829 ille .. postquam
filium sensit .. eandem illam amare CAS 60-1
illa illi dicit CI 180 ille .. extemplo seruolum
iubet illum eundem persequi CI 182-3 an meretrix illast quae illam sustulit? CI 564 potius
inibo gratiam ab illis quam illaec* me indicet
CI 629 ille .. laetus est .. qui illam habet CI
690 neque illa* illi quicquam usuist CI 691
illa quaedam quae illam cistellam perdidit ..
CI 737-8 erit illi illa res honori EP 33 illam
illi* uideo praestolarier EP 217 ibi illa interrogauit illam EP 250 fidicinam illam .. quae
illum corrumpit tibi EP 268 illum ab illa*

prohibeas EP 289 de illius* illae (pugnae) fiunt
sordidae EP 447 illius nomen indit illi* qui
domist MEN 42 Epidamniensis ille .. geminum
illum puerum qui surrupuit MEN 57-8 illi*
illic homo homines non alit MEN 98(*Rs*) di
illos homines qui illic* habitant perduint MEN
308 istuc ille scit qui illam apstulit MEN 649
.. ut ad illam faciem, ita ut illast*, emerem MEN
428 fiet ille senex insanior .. quam ille adulescens MER 446 ille illam accipiet MER 449 communis mihi illast cum illo* MER 455(*vide RRg*)
nescio .. uelit ille* illam necne MER 457 suspicatur illam amicam esse illi MER 925 ille ..
illam sese ancillam matri emisse dixerat MER
975 illae sunt fortunatae quae cum illo* cubant MI 65 illa illum (amabat) contra MI 101
illa* quidem illae* domi MI 323 fit pol illuc*
ad illuc* exemplum MI 757 haec illaec* est
ab illa* MI 1046 et illa uolt et ille autem
cupit MI 1149 ille .. illam* hortabitur MI 1189
ille iubebit me ire cum illa MI 1192 illa illas
spernit MI 1232 iube illos illinc* ambo abscedere MO 467 quod illuc* est faenus .. quod
illic* petit? MO 610 ille illi rursus iniciat manum PER 71 is illic adulescens habitat in illisce* aedibus POE 78 ille qui adoptauit .. is
illi Poeno .. hospes fuit POE 119-20 neque
ego illud possum quod illi ... solent PS 780
si ille* hodie illa* sit potitus muliere PS 1071
si hercle illic illas .. tetigerit .. RU 810 qui
illas nunc illic seruat RU 848 uerbo illo modo
ille uicit RU 1076 nullus erat illo pacto ut
illi iusserant RU 1253 illic .. et ipsum sese et
illum furti adstringeret RU 1260 illa* (*i. e.*
mater) med .. gestauit .., at ego illam (*i. e.*
famem) .. gesto ST 159-60 senex ille illi dixit ..
ST 545 ille illi pollicetur ST 556 .. non fuisse
illum nequam .. qui .. ubi ille poscit denegarit
ST 557-8 ille .. uorsutus fuit qui seni illi ..
dare .. noluit ST 561-2 postulabat ille senex
.. filiae illae* dederat .. ST 559-60 illud ..
perdit et illi prodit uitam TRI 340 ille illam
.. dabit? TRI 605 quid illum putas natura
illa atque ingenio? TRI 812 ille pectus pungit
aculeus quid illi negoti fuerit TRI 1000 epistula illa* .. et illud mille nummum TRI 1002-3
uel illud .. perdas uel illum amicum amiseris
TRI 1054 ubi illud .. habebo ab illo TRU 418-9

C. *semel positum* 1. *attributive* a. *de personis:* Epidamniensis ille quem dudum dixeram
MEN 57 metuo ne ille huc Harpax aduenat
PS 1030 illic .. Lemnius propinquam uxorem
duxit CI 173 illum Persam .. di .. perdant PER
783 quo de genere natust illic Philocrates?
CAP 277 illi Poeno .. hospes fuit POE 120 ille
Surus cor perfrigefacit PS 1215 Amphitruonis
illic* seruost Sosia AM 148 ego sum Sosia ille
quem .. AM 387 Sosia ille egomet .. fecit AM
598 Sosia ille .. is .. contudit AM 618 Sosia ..
ego ille AM 625 illum nosces seruom Sosiam
AM 627 de illo subditiuo Sosia AM 828 illum
ulciscar .. Thessalum ueneficum AM 1043
illic homo .. uolt AM 294 illic homo me
interpolabit AM 317 i. h. superstitiosust AM
323 i. h. .. malam rem accessit AM 327 i. h.
aedis compilauit AS 272 i. h. socium .. quaerit
AS 288 illum .. hominem semper sum frugi

ratus As 861 illunc h. intemperiae tenent Au 71 illic h. aurum scit me habere Au 185 illum..h. proripuisse foras se.. Cap 533 defloccabit iam illic h. lumbos Cas 967 quot i. h. animos habet? Ep 45 satine illic* h. ludibrio nos..habet? Ep 666 quot illic* h. hodie me modis ludificatust? Ep 671 i. h. homines non alit Men 98 i. h. se uxori simulat male loqui Men 125 illic* homini dimminuam caput Men 304 di illos h...perduint Men 308 facite illic homo..ablatus..siet Men 992 quid illisce* homines ad me currunt Men 997 illic homo..est frater tuos Men 1087 liberabit ille te homo Mer 532 magnam illic h. rem incipissit Mi 228 meus illic homost Mi 334 quid illisce* homines quaerunt? Mo 935 ego illunc* h. perdo Per 738 illi homines..consulunt Per 844 illic homost..leno Poe 613 illum..h. adlexero Poe 671 nouistin tu illunc ..h.? Poe 1121 illic h. meus est Ps 381 conseruauit me i. h. Ps 667 interii homo si ille* abiit Ps 910 ego illum* h. metuo Ps 1019 ne illic h. me ludificetur Ps 1120 deludificauit me ille* homo Ru 147 ubi illic est h.? Ru 851 i. h. uidulum scit qui habet Ru 1297 adeundust mihi i. est h. Ru 1298 illos h. expello St 401 illic* h...indicat St 605 quo i. h. foras se penetrauit? Tri 276 illic* h. est ..dormitator Tri 862 quisnam i. h. est? Tru 593 quis i. est h.? Tru 917 illi conlubitum siet meo uiro Am 858 ego illum..meum uirum ueniat uelim Cas 559 ego te ad illum duco..uirum Ps 1040

is adulescentis illius est auonculus Au 35 adulescens ille..perit Mer 444 (est insanus) ille adulescens Mer 447 erant minori illi* adulescenti fidicina.. St 542 inquit i. ad. St 550 non fuisse illum nequam adulescentem St 557 ille..ad. docte uorsutus fuit St 561 ille inquit a. St 565 pro illo adulescente quem.. Tri 428 uidi..illum adulescentulum Cap 874 filiae illae* dederat dotem St 560 adduxtin illum..filium captiuom? Cap 1016 iam ille* felat filius Ps 422(Ly) commendauit ..illum..filium Tri 114 di tibi illum faxint filium saluom Vi 86

egone ut illam mulierem..non perdam? Ba 489 uir hic est illius mulieris Ba 851 ..eum esse cum illa muliere Ba 891 uidi exeuntem mulierem - #Illam quae..? Ci 547 illi* quoidam mulieri nulla opera gratuitast Ci 740 euenit illi..mulieri Ep 243 mulierem alius illam adulescens deperit Ep 299 hic emet illam (mulierem) Ep 301 quis illaec est mulier? Ep 533 mecum illa* (mulier) fuit Mer 102 uidisse credo mulierem illam* in aedibus Mer 706 quoia illa m. intust? Mer 719 inuestigo ..de illa m. Mer 806 quis illaec est m.? Mi 361 illi instruxti mulieri Mi 981 sensi amari ..ab illa m. Mi 1202 illa..peius..muliere Mo 256 illa m. lapidem..subigere..potest Poe 290 illa sit potitus m. Ps 1071 ne illa m. mihi insidias locet Ru 474 quanti illam* emisti.tuam alteram mulierculam? Ru 1405 pro illa altera..dimidium tibi sume Ru 1408

mos numquam illi fuit patri meo Am 46

ille* ueniam..pater dedit Ba 532(R) ualet ille (pater) Mo 375

puer ille..ut magnust Am 1103 conspexit angues ille alter puer Am 1114 illos (pueros) pepererat Men 21 ego illos (pueros) non uidi Men 23 geminum illum puerum..surrupuit Men 58 adoptat illum puerum Men 60 emit ..puerum illum Poe 76 illi dem..insidias seni Au 662 senem illum tibi dedo ulteriorem Ba 1150 hic illest senex doctus Cap 787 puellam illic* senex amat Cas 48(RRs) ita illest ..senex Mer 442 (perit) ille..senex Mer 445 fiet ille senex insanior Mer 446 apponite..illi seni Mer 780 hic illest lepidus.. senex Mi 155 senex illic* est Mo 804 illi seni..ei filius surripitur Poe 64 ille erat caeleps senex St 543 senex ille illi dixit St 545 tum senex ille..inquit St 553 uidelicet parcum illum fuisse senem St 555 aequom postulabat ille senex St 559 seni illi..dare ..noluit St 562 illum*..adrasi senem Fr I. 94(ex Varr l. L. VII. 68)

reuortar ad illam puellam Cas 79 illanc* ..p...sustuli Ci 123 illam..p. paruolam emi Cu 528 mihi illam uendidit..Cu 529 haecine illast furtiua uirgo? Per 545 is illius laudare infit formam uirginis Ru 51 illa autem uirgo atque..desuluerunt Ru 74 illam.mercatust ..u. Ru 81 perque illam..uxorem tuam As 19 illum amatorem tibi proprium futurum Mo 225 noui ego illas ambestrices Cas 778 denumeraui pro illa tua amica Ep 368 ..nescire ..de.illa amica Mer 383 ego hunc adgredior de illa Mer 384 qui sceis esse amicam illam meam? Mer 480 insinuat sese ad illam a. Mi 105 uideo i. a. erilem Mi 122 illum amicum amiseris Tri 1054 uisam ancillam (illam ins RRg) deperit Mer Arg II. 4 matri te ancillam tuae emisse illam Mer 202 subigitare occepit. #Illamne? Mer 203 putet matri ancillam emptam esse illam:..si..illam mihi me emisse indico.. Mer 351-2 ..atque illam abstrahat Mer 354 horunc illa* nihilum..facere poterit Mer 399 illam emi dono quam darem Mer 400 neque illa matrem..sequi poterit Mer 404 illam sese a. matri emisse dixerat Mer 975 illaec ted anus..uocat Ci 556 illam anum inridere me ut sinam.. Ci 662 illam a. interfecero Mo 193 deuortor..apud anum illam Ps 659 dum illi agant ceteri cleptae Tru 103 quid illa* faciemus concubina? Mi 973 illam iube abs te abire Mi 974 illam amiserim Mi 1096 demonstrauit mihi ille conductor meus Tri 866 cocus ille nundinalest Au 324 fortasse te illum mirari coquom Mer 782 illi*..meliust famulo Mi 351 quid illa fiet fidicina? Ep 151 illam tramittas sibi Ep 155 fidicinam illam..liberare Ep 268 ames uehementer tu illam Ep 276 illaec* quanti emi potest minumo? Ep 295 praestost fidicina (illa add RgU) Ep 653 illam me emisse.. fidicinam Ep 704 me ludos fecisti de illa.. fidicina Ep 706 quis..est..ille* grauastellus? Ep 620 hospitem illum nominas hostem? Ba 253 ubi nunc illest hospes? Per 529 ipse aduenit hospes ille Per 544 ubi ille meus est hospes? Ru 491 sublinit os illi* lenae

Mɪ 110 is illius filiam conicit in nauem Mɪ 111
ego ille doctus leno .. decidi Peʀ 594 ubi
ille* habitet leno Ps 597 ille..leno..uoluit
Ru 839 illic.. leno uortitur Ru 887 illud
mancipium meumst Ru 1395 illi mastigiae cerebrum excutiam Cap 600 ego illi mastigiae
exturbo oculos Poe 381 si possiet meretricem
illam inuenire Cɪ 186 res.. ad illam.. abibat
Meʀ 43 eidem illi militi Mɪ Arg I. 4 donatur
illi* captus militi Mɪ Arg II. 6 ille*st miles
meus erus Mɪ 88 ubinam illic restitit miles?
Poe 468 esne tu.. ab illo militi? Ps 616 inter me atque illum militem conuenerat Ps 1093
hic illest parasitus Sт 196 illi patruo.. fuere
filiae Poe 83 ..illi* pusae Cɪ 745(Rs) ille
clam obseruauit seruolus Cɪ 168 seruolum iubet illum eundem persequi Cɪ 183 illum nosces seruom Am 627 lippi illic* oculi seruos
est simillumus Ba 913 mihi illum reddas seruom Cap 938 illi seruo nequam des Cas 257
irridere nos illum .. sinam seruom Ep 328 illi
(serui) qui nihil metuont.. Men 984 ubi ille
seruos.. aduenerit.. Ru 818 illi socienno tuo
.. interstringam gulam Au 659 tu in illis es
decem sodalibus Peʀ 561 tibicinam illam ..
ea circumducam.. lenonem Ps 528 apud trapezitam situmst illum Cu 346 uerbero illic ..
dedit Vɪ 65 ubi illi (uilico) bene sit Cas 255
illi (di) inter se congruont Cu 264 ne illi
(di) aerumnas danunt Ps 769

illi* amanti .. morem gerit Mɪ 136 illa*
ausculata .. soror .. esset Mɪ 391 satine me
illi*.. capti ceperunt? Cap 653 ..qui mutet
suom, illum captiuom Cap 29 ego illis captiuis aliis documentum dabo Cap 752 ego uidi
.. captiuom illum Cap 880 ille* chlamydatus
quisnamst? Poe 620 fugitiuos ille.. uendidit
Cap 17 ille geminus.. uenit Men 69 meam
fidelitatem .. ille ignauos .. pessum dedit Tʀɪ
165 ille ignauissumus mihi latitabat Tʀɪ 926
illis impuris.. adii manum Au 378 illi* si resciuere inimici.. Mɪ 604(Rg) illi* iniqui ius
ignorant Am 37 ut.. ille insanus dixit.. Men 336
illa hanc corrumpit.. malesuada Mo 213 placet ille meus·mihi mendicus Sт 133 illam minorem.. uolt emere miles Poe 102 quid illam
miseram animi excrucias? Mɪ 1068 quid illum
miserum memorem? Peʀ 646 illi drachumissent miseri Ps 808 illi miserae suppetias feret
Ru 1083 ea illi miserae miseriast Tru 466
ait uenisse illum.. mortuom Mo 490 ait illum
.. dixisse mortuom Mo 492 mortuom illum
credidi expostulare Mo 520 hic solus illis
(mortuis) coquere.. potest Ps 797 illam educunt huc nouam nuptam Cas 798 aequo mendicus atque ille opulentissumus censetur Tʀɪ 493
amore.. illius proiecticiae Cɪ Arg 8 serua illam pulcram Mɪ 1054 illos scelestos.. ulciscare
Ru 697 scelesti illius est hic.. uidulus Ru
1094 hic fuerat alitus ille surrepticius Men
Arg 7 coniunx illius uicini Meʀ Arg II. 11
negat.. ille* ultimus Cap 11 ueneficae illi
fauces prehendam Mo 218

iubet illum eundem persequi Cɪ 183

illi quoidam mulieri nulla opera gratuitast
Cɪ 740

Sosia ille* egomet Am 598 Sosia.. ego ille
Am 625 ille ego similest mei Am 601 sibi
ille quidam uolt dari mercedem. #At pol illa
quaedam.. negat... #At enim ille quidam..
expetessit Cɪ 737-9 illi* quoidam.. emetur
Meʀ 458(vide Ly) ego hoc uerbum.. illi quoidam dico Tʀɪ 342

illum reliquit alterum Men 28 illum.. dilexit.. alterum Men 41

b. de animalibus: illos* anguis uicerit Am
1123 quae illaec* auis est? Poe 975 eadem
illa (ballaena) uorauit Ru 547 illa.. rabiosa
femina adseruat canis Men 838 illam* (canem)
aspice Mo 855 illius opera.. caprae Meʀ 236
una illaec* capra.. ambederit Meʀ 240 ..ni
properem illam.. abducere Meʀ 243 abductam
illam* aegre pati Meʀ 251 capram illam suspicor.. inuenisse Meʀ 253 haec illast capra
Meʀ 268 illum coruom ad me ueniat uelim
Au 670 ibi ille cuculus Tʀɪ 245(translate)
propter operam illius hirqui Cas 550 illic*
hircus squalus Men 839(Rs similiter RU) ego
illunc hircum castrari uolo Meʀ 272 illa (mustela) uitam repperit Sт 462 te illum (palumbem) meliust capere Poe 677(translate) simia
illa.. malum adportant Meʀ 269 illius haec
nunc simiae partis ferat Meʀ 276(PL) ego
cum illa (simia) Ru 605 illa nimio iam fieri
ferocior Ru 606 haec illast simia Ru 771 ne
illis*... potestas sit uetulis uerbecibus Cas 534

c. de rebus: non illa (Arabia) ubi tus gigni-
tur Tʀɪ 934 adest exitium illi* Ilio Ba 987(Ly)
ille pectus pungit aculeus Tʀɪ 1000 in illis(ce)
habitat aedibus Am 97, Cas 36, Poe 95 non
tu in illisce aedibus habes? Men 307 ais habitare med i. i. a.? Men 820 habitat i. i. a.
Poe 78 inspectat illas Mo Arg 10 illae* sunt
aedes Tʀɪ 3 apud illas aedis Tʀɪ 867 non
placet.. mihi illaec* aedificatio Mɪ 210 illaec
aetas si quid illorum facit.. Ba 409 fui ego
illa* aetate Ba 1079 scis solere illanc aetatem.. ludere Mo 1158 ne tu illunc* agrum
tuom siris.. fieri Tʀɪ 520 .. quoius ille ager
fuit Tʀɪ 533 cupit illum ab se abalienarier
Tʀɪ 557 si illum amiserit Tʀɪ 561 unde illum
habeas anulum? Cu 629 illum (anulum)..
perdidit Tʀɪ 792 araneas.. illas seruari uolo
Au 87 illos* itidemne esse censes? Sт 350
illuc* argentum.. paratum.. scio As 123 illud
perdo a. As 244 illoc* (argento) pacisce Ba 870
(melius acc.) illud (ar.) sumpsi faenore Ep 115
illud* iube obici illi* argentum Mo 618 quod
illuc* argentumst? Mo 626 non tibi illud (ar.)
apparere.. potest Tʀɪ 414 illud (ar.) perierit
Tʀɪ 429 illa (arma) ad hostis transfugerunt
Ep 30 ubi illae* armillae sunt? Men 537
quid ad illas* artis optassis? Mɪ 669 si quis
illam inuenerit aulam Au 610 illam*.. cedo
Au 766 si me illoc* auro.. circumduxerit Ba
311 ut illud reportes aurum Ba 326 habeas
illud* Ba 341 illaec catapultae.. commeant
Cu 398 illa causa.. uenit Sт 643 lepidast
illa* causa Tʀɪ 809 illam (cistulam) habet Cɪ
690 illam* ait se scire ubi sit Cɪ 735 illam*
c. perdidit Cɪ 738 accipe illanc* alteram clauam! Ru 807 illa mea sunt cognomenta Ps
976 uincunt illud conducibile gratiae Tʀɪ 36
illud.. consilium uernaculum Poe 927 per

illam* tibi copiam copiam parare aliam licet
Ep 323   pro illis corcotis Au *fr* I.(*ex Non* 538)
illo die impransus fui Am 254   hic illest dies
quom.. Cap 518   at die illa ✶✶ Ci 420   in carcere illo.. cubuissem die Ru 498   pro illo
dimidio.. Ru 1410   illa quidem illae* domi
Mi 323(*Ly*)   uenire illaec posse credo dona
Tru 544   illam mihi dotem duco esse Am 839
cum illa dote quam.. Au 256   quae illaec*
eminatiost? Cap 799   macrum illud epicrocum
Per 96   illam epistulam.. attulit Ps 1209   ep.
illa*.. concenturiat metum Tri 1002   ad illuc*
exemplum Mi 757   meum illuc* facinus Tru 820
inimicos.. illoc facto repperi Ep 109   .. ad
illam* faciem Mer 428   quid illuc* est faenus?
Mo 610   illam (famem).. gesto St 160   illaec*
repertast fides firma Cap 927   illud* flagitium
.. dispalescere Ba 1046   si illos fluctus deuitauerint Ru 168   pulta illas fores! Ci 638   illa
forma matrem Mer 405   quid illuc est genus! Poe 829   illos* (globos).. iussi funditarier Poe 482   latuit.. in illac hirnea Am 432
illud* (hospitium) possum.. dare Poe 695   te
.. macto.. eopse illo* (infortunio) Cu 538   iratus.. eapse illa (iracundia) qua.. Cu 534   quae
illaec est laetitia quam..? Cap 829   ubi illa
altrast furtifica laeua? Per 226   illa laus est
.. educare Mi 703   sunt in lecto illo altero
Ba 836   lembus ille mihi laedit latus Ba 281
(despondeo) illis legibus.. Au 255   illic ibi
demumst locus ubi.. Cap 1000   locum.. illum
omnem.. comederit Tri 753   uenales logi sunt
illi St 393   it ad me lucrum. #Illud*.. quorsum Poe 684   quid maceria illa ait? Tru 303
mendacium illud* dixit Ba 525(*R*)   noui ego
illas malas merces Cas 754   possum illo mille
.. circumducere Tri 959   concenturiat metum..
illud mille Tri 1003   inuenio illas.. minas As
243   Ps 280(illas *ins R*)   ex illis multis miseriis.. eleutheria capere St 421   .. queri illo
modo seruitutem Am 176   ad illum modum sublitum os Cap 783   plurumi ad illum* modum
periere Poe 988   ✶✶llo modo Ci 391   solet iocare.. illoc* modo Men 317   illic isti.. morbus
.. uenit Cap 550   illo morbo quo dirrumpi cupio
Cas 810   illos.. mores monstrabant Ru 1251
mos.. umquam ille* illi fuit Am 46(*ULy*)   illi
(mores) aegrotant Tri 30   quid illum putas natura illa? Tri 812   ad illam* nauem deuehor Mer
259(*RRg*)   capiunt.. nauem illam Mi 118   inter
illud.. negotium St 679   ne numerum augeam
illum Am 307   nummum illum quem.. Men 311
occasio illaec periit Au 249   nunc est illa occasio inimicum ulcisci Per 725   percide os tu
illi odio Cas 404(*translate*)   aufer illam offam
Mi 760   nec omen illud* mihi.. placet Mer 274
cupio illam operam.. surripere Cas 892   illud
.. optingit optatum piis Ru 1194   illaec interemit me.. oratio Mer 607   quae illaec oratiost?
Ru 676   huic proxumum illud ostiumst Cu 15
nullus erat illo pacto ut illi iusserant Ru 1253
pallam illam quam.. dederas Men 426   illam..
abstulisti Men 604, 649(-it)   illam non condonaui
Men 657   pallam illam.. mihi eam redde Men
678   tibi dedi.. illam* Men 681   illam dudum
tibi dedi Men 684   illud (pallium) posiui Ps
1281   illam alteram (partem).. apponito Tri

1067   haec habet pateram illam Am 773   illam*
(patriam) quaero quae fuit Per 636   illa (paupertas) artis omnis perdocet St 178   quicquid
est pauxillulum illuc nostrum, id.. intus est
Poe 538   illo* extuli e periclo Ba 965   quae
illaec* praedast? As 295   illa (praeda) mihi
tam turbulenta tempestate euenerat Ru 1187
illuc non placet principium Am 801   illae
(pugnae) fiunt sordidae Ep 447   de illac* pugna
Poe 471   ego illi puteo.. animam.. intertraxero Am 673   illum puteum.. fodimus Ru 436
illum* (publicum habent) alii Tru 150(*KiesU*)
illam* quaestionem.. amittere Am 1017   illis
(reliquiis) conuentis.. opus est Cu 322   illaec
remorantur remeligines Cas 804   illi rei studet
As 182   illaec res est.. diuidiae.. Ba 770   ut
illae res? Ep 19(*LLy*)   erit illi illa res honori
Ep 33   illaec mihi res ne malo fuat Mi 492
quae illaec res est? Mo 935   solet illa (res)
.. succedere Per 450   illae* rei ego.. sum paruolus Ps 783   illum saltum uideo opsaeptum
Cas 922   illud satiust 'satis' Poe 288(*SLy
vide RRgl*)   cape illas* scopas St 351   illa*
scripta mittebam Ep 138   comminuam illo scipione Men 856   si tu illum solem sibi solem
esse diceres se illum lunam credere esse Ba
699-700   illi speculo dimminuam caput Mo
266   dedi.. illud spinter Men 682   illuc* est
'spondeo' natum Tri 575   haec illast tempestas mea Mo 162(*translate*)   illa.. turbulenta
tempestate euenerat Ru 1189   illam.. tempestatem conciet Tri 399   illud quidem edepol
tinnimentumst auribus Ru 806   illud (tintinnabulum) tractat Tri 1005   illud mihi uerbum
non placet Au 547   permutaui ego illuc nunc
uerbum uetus Cas 972   illoc.. uerbo esse me
seruom scio Men 251   de illis uerbis caue tibi
Men 934   uerum illud u. esse experior uetus
Mer 771   uerbo illo modo ille uicit Ru 1076
nequam illud uerbumst Tri 439   illud uerbum
.. inueneris Tri 760   me illis.. uerberat uerbis
Tru 113   illunc* hodie excepi uidulum Ru
1184   de illo uidulo Ru 1228   quidquid in
illo uidulost Ru 1256   uidulum illum.. inuestigauero Ru 1339   illum reddiderit u. Ru 1353
uae illis uirgis Cap 650
.. quom illo (bono) uti uoles Mer 146   quod
malum uorsatur.. illud*? Mo 191   illud* malum aberat.. illud* erat praesens Ps 502-3
illuc*.. habeas malum Tri 351
    d. *locutio:* flagitium illud hominis! Cas 152
    e. *idem est quod* bene notus; *sim.*: ego sum
ille Amphitruo Am 861   ille, quoius huc iussu
uenio, Iuppiter Am 26   quod ille faxit Iuppiter
Am 461   nec me ille* sirit Iuppiter Cu 27   ita
ille faxit Iuppiter Mo 398, Ps 923b*   Hercule
illis*.. prognatis Cas 398(*U*)   ego sum ille
rex Philippus Au 704
    f. *vim habere videtur nostri articuli definiti:*
ille alter puer Am 1114   in lecto illo altero
Ba 836   (geminum) illum.. alterum Men 28
illum dilexit.. alterum Men 41   illa altrast..
laeua Per 226   uiden alteram illam? Ru 171
alteram illam.. uisam Ru 1286   illam emisti
tuam alteram mulierculam Ru 1405   pro illa
altera Ru 1408   partem.. illam alteram.. Tri
1067

quid illis faciat ceteris Mɪ 168   quid illis futurumst ceteris? Mo 231   dum illi agant ceteri cleptae Tʀᴜ 103

iubet illum eundem persequi Cɪ 183   eidem illi militi .. datust Mɪ *Arg* I. 4   eadem illa (ballaena) Rᴜ 547

fortasse etiam hi loci:

illud conducibile Tʀɪ 36   quo illae nubent diuites? Aᴜ 489   Epidamniensis ille Mᴇɴ 57 fugitiuos ille Cᴀᴘ 17   illi* iniqui Aᴍ 37   ille insanus Mᴇɴ 336   illic .. Lemnius Cɪ 173   geminum illum puerum Mᴇɴ 58   ille geminus Mᴇɴ 69   ille opulentissumus Tʀɪ 493   illam minorem Poᴇ 102   illius proiecticiae Cɪ *Arg* 8   proiecticiam illam Cɪ 191   ille surrupticius Mᴇɴ *Arg* 7   adoptat illum puerum surrupticium Mᴇɴ 60   negat hercle ille ultimus Cᴀᴘ 11   ille conductor meus Tʀɪ 866   ille hospes Pᴇʀ 529, 544 (h. i.)   locum .. illum omnem Tʀɪ 753   nunc est illa occasio Pᴇʀ 725   ille .. seruolus Cɪ 168

ille oblongis malis mihi dedit .. malum Mᴇʀ 643   nempe illum dicis cum armis aureis Mɪ 16

2. *substantive:* a. ille, illic: hic illest qui .. Ep 541 (*U*), Tʀɪ 43   quis illic est? Aᴜ 655*, Bᴀ 453, Cᴜ 274, Eᴘ 435*, Mo 615, Pᴇʀ 13, Tʀᴜ 256 quis illest (qui ..)? Bᴀ 844, 850   quis illic igitur est? Cᴀᴘ 624   non .. curo qui sit ille* Mo 624 (*U*) ubi illest? Aᴍ 1045   ubi illest quem ..? Mᴇɴ 357   ubi illic est? Ps 908   quisquis illest qui .. Ps 924 b   quid ille qui praedem dedit? Mᴇɴ 593 (*dub.*)   is est: illest ipsus As 379 ille .. saluos est As 637   meus ille quidemst Bᴀ 103   ille hercle mihi sit .. carior Bᴀ 310 ni illic .. hic foret Bᴀ 916   ille edepol Ephesi .. mauellem foret Bᴀ 1047   ille demum antiquis est adulescens moribus Cᴀᴘ 105   .. quoi illest unicus Cᴀᴘ 147   tibi ille unicust Cᴀᴘ 150 ille* nugator fuit Cᴀᴘ 275 (*U*)   ille* quidem Theodoromedes fuit Cᴀᴘ 288   illest miserior qui .. Cᴀᴘ 462   ille miserrumust qui .. Cᴀᴘ 463 ille unicust mihi filius Cᴀs 264   ille nunc laetus est .. qui .. Cɪ 690   atque ipse illic* est Eᴘ 101   doctust illest Eᴘ 378   ille quidem Volcani .. est filius Eᴘ 673   uter eratis tun an ille maior? Mᴇɴ 1119   em illic est (amator) Mᴇʀ 313   puer est ille quidem Mᴇʀ 540   estne illic Charinus? Mᴇʀ 866   gloriarum pleniorem quam illic* est Mɪ 22   illic est Philocomasio custos Mɪ 271   ille fastidiosust Mɪ 1233   illic* .. nauta non erat Mɪ 1430   ille .. hospes fuit Poᴇ 119 itane illest cupiens? Poᴇ 660   illic est .. probus Poᴇ 680   illic* est pater Ps 444   illic nunc negotiosust Ps 645   illic homost Ps 707 numquam .. erit ille potior Harpax quam ego Ps 925   illicinest? #Illic est Ps 954, Tʀᴜ 599 nimis illic mortalis doctus Ps 1243   seruos illic est Rᴜ 79   uir scelestus illic est Rᴜ 1058 apud me eritis et tu et ille Sᴛ 515   an ille tam esset stultus qui .. Tʀɪ 954   dum ille ne sis quem .. Tʀɪ 979   ille itast ut esse nolo Tʀɪ 1170   Diniarchusne illic est? Tʀᴜ 122 huius pater pueri illic* est? Tʀᴜ 596   illic* est adulescens quem .. Vɪ 73   illic .. Soterinis est pater Vɪ 113

.. qui sit pluris quam illest As 435   haud consimili ingenio atque illest qui .. Bᴀ 454

subiectum verbi: abducet Bᴀ 90, 634   est abductus Cᴀᴘ 751   abducturus est Ps 82   abduxit Tʀɪ 853   abiit Aᴜ 265*, 460, 708, Cᴀᴘ 507, 573, 901, Eᴘ 81, Mᴇɴ 333 (*BachL*), Mɪ 481, Pᴇʀ 200*, 711, Poᴇ 445, 917*, Ps 394*, Tʀɪ 717, 998, Tʀᴜ 654 (*om B*), 884   abit Ps 241 (*R*)   abierit Mᴇʀ 662   abscessit Mɪ 586*   abest Aᴍ 640   accipiet Mᴇʀ 449   accepit Tʀɪ 421   accurauit Eᴘ 565   adsimulabat Cᴀᴘ 654   aderit Eᴘ 257, Pᴇʀ 89   adsiet Ps 924   adest Sᴛ 399   aduenit Aᴍ 149*, As 873   aduenerit Aᴍ 466   affert As 360   agat Aᴍ 954, Aᴜ 610   aiebat Bᴀ 1096, Sᴛ 391*   ait Mᴇɴ 1042 (*U*)   amiserit Pᴇʀ 403   amat Bᴀ 191, 719, Mᴇɴ 790   amet Mo 209   amabat Eᴘ 90 (*Rg*[1])   amabit Mo 210   est amotus Bᴀ 905   arguet Aᴍ 1003   auehit Poᴇ 72   biberit Sᴛ 719   bibit Sᴛ 764   capessat Bᴀ 1077 (*R*)   capitur Mɪ *Arg* II. 14   capiat Tʀᴜ 524   censebit Poᴇ 182   coepit Cɪ 95*   coegit Tʀᴜ 309*   comedit Cᴜ 560   compellet Tʀɪ 672   concriminatus sit Mɪ 242*   congeret Rᴜ 889*   congressus foret Rᴜ 1259   coniurauit Mᴇʀ 536 a, 536 b *bis* (*v. om A secl RRg falso interpretati*)   sit contechnatus Ps 1096   contemnat Pᴇʀ 603   consuluit As 409   contudit Aᴍ 624   credet Aᴍ 468, Mᴇʀ 210   credit Tʀᴜ 487 (*L*)   cubat Bᴀ 896   cupit Cᴀᴘ 399, Mɪ 1149   cupiet Mɪ 801   curare Aᴜ 18 (*infin. histor.*)   deliquerit Mᴇɴ 799   deludetur Aᴍ 1005   deseret Mo 196   destitit Mᴇɴ 777   dixit Cɪ 14*, Mᴇɴ 22, Poᴇ 899   dicit Cᴜ 634, Sᴛ 549   dixerat Mᴇʀ 975   dicat Mɪ 162   dedit As 676, Eᴘ 336 (?), Mᴇʀ 643   dat Mɪ 120   dederat Sᴛ 560 (*RU*)   dabit Tʀɪ 605   dormit Ps 921   ducat Aᴜ 33   ductitauit Rᴜ 564   ebibit Cᴜ 359, Mɪ 832*   ediscat Aᴜ 599 (*Ly*)   eliciat Bᴀ 384 (*FlU*)   elocutus est As 350   emerit Mo 1026 e   emigrauit Mo 951 (*RU*)   iturust Aᴍ 263, As 357*   it As 864, Rᴜ 762   eradicabit Pᴇʀ 819   exaudiat Tʀɪ 754   exclamat Mo 488   exenterauit Eᴘ 672   exierit Mɪ 1169   exemit Bᴀ 963   exornauit Tʀɪ 857   expetessit Cɪ 739   expugnauit Ps 1172   exquirit Mᴇʀ 120   exsequitur Bᴀ 475   facit Aᴍ 185   faciat Aᴍ 889, Mᴇɴ 789, Mɪ 436*, Sᴛ 69   faceret Cᴀᴘ 912 a (*L*)   fecit Cᴀᴘ 1014*, Cɪ 176, Eᴘ 411   feriit Cᴀs 407   fert Cᴀᴘ 39   festinet Tʀɪ 615   gerit Mɪ 136 (*U*)   gesserit Mo 1017   habeat Bᴀ 45, Pᴇʀ 156   habuit Bᴀ 550*, 939   habebit Mᴇʀ 460   hortabitur Mɪ 1189   impediuit Mɪ 1388   inclamabit Tʀᴜ 672   ineat Cɪ 736   iniciat Pᴇʀ 71   inquit Mo 496 (*R*), Sᴛ 552   insectabit Cᴀᴘ 593   interit Bᴀ 950   interrogat Cᴜ 340 (*Rg*)   inuenit Rᴜ 1395   iubet Cɪ 183   iubebit Mɪ 1192   iudicat Rᴜ 19   iurauit Cɪ 98   largitur Cᴀᴘ 829   limaret Mᴇʀ 536 b (*LLy*)   loquitur Mᴇɴ 602, Ps 615*   liberauit Mo 204   ludificatus est Mo 1040 (*RU*)   mactamus Bᴀ 886   meruit Pᴇʀ 832   mereat Sᴛ 24*   minitetur Mᴇɴ 994   est natus Mɪ 1083, Tʀᴜ 509*   negat Cᴀᴘ 11 (?), Mo 1081   negabit Poᴇ 563   nolet Mᴇʀ 459   nouerit Mᴇɴ 337   nouit Mɪ 924*   norit Pᴇʀ 132   nosset Tʀɪ 957   nuntiat Aᴍ 988   obiciet Eᴘ 664   obiecit Mᴇʀ 881*   obscaeuauit As 266   obtrudit Poᴇ *Arg* 5   est oneratus Bᴀ 349   opposiuit Cᴜ 356   orauit Mᴇʀ 530   pariet As 283   perdat Eᴘ 35   perdidit Eᴘ 57, Mo 979, Sᴛ 49   petit Mo 610*, 615, 763   pollicitust Mᴇʀ 439   pollicetur Sᴛ

556 poscit S⊤ 558 potest C⊿ᴘ 131 potuit M⊿ 262*, Mo 442 possit Pᴏᴇ 893 postulat Pᴏᴇ 809 sit potitus Ps 1071 potabit Mᴇɴ 792 quaerat Bᴀ 1002 quaerit Cᴜ 303, M⊿ 1381* quaerebat Eᴘ *Arg* 7 rebitet C⊿ᴘ 696 redierit C⊿ᴘ 339 redeat C⊿ᴘ 353 redit C⊿ᴘ 683 refert Aᴜ *Arg* II. 8 retur M⊿ 713 reprehendit Tʀ⊿ 624 repromisit Cᴜ 667* respondit M⊿ 179 reuenit Tʀ⊿ 156 reuortitur Aᴍ 660 scit As 182, C⊿ 706, Mᴇɴ 649, Pᴇʀ 714, Rᴜ 16 sciat Tʀ⊿ 518 sedeat M⊿ 82 sensit Cᴀs 60 sentiat M⊿ 1217 seruit C⊿ᴘ 312 seruat Bᴀ 898 seruauit Bᴀ 952 seuocat Mᴇʀ 379* solitust Rᴜ 1075 spernit M⊿ 1232 suppilabat As 888 suppilat Mᴇɴ 803 suscenseat S⊤ 600 suspicabitur Bᴀ 61 tetigerit Rᴜ 810 temptat Aᴍ 661 transiit Cᴜ 682(*L*) trepidabat Cᴀs 432* trudetur As 533 turbat Aᴜ 656 ueniet Bᴀ 603 ueniat Mo 1074* uenit Rᴜ 143* S⊤ 646 uereatur M⊿ 1168 uetuit Eᴘ 67, M⊿ 830 uotet Tʀ⊿ 474 uetat Tʀ⊿ 672 uidet Aᴜ 710 uideat Bᴀ 77 uicit Rᴜ 1076 uocatur C⊿ᴘ 38 uocat Cᴜ 683 uocauerat S⊤ 516 uolt Cᴀs 354, C⊿ 737, M⊿ 1274* uelit Mᴇʀ 457* uoluit Pᴏᴇ 100 uorat Tʀᴜ 42

∗∗ ille ∗∗ C⊿ 359 ille qui ∗∗ Mo 1059

b. illa, illaec: haec illast..quam.. Eᴘ 621, M⊿ 1046 scis quae sit illa*? Mᴇʀ 734 ..quae illaec siet Tʀ⊿ 6 ubi illast quam..? Eᴘ 156 ubi illast? Mʀʀ 901 ..ubi sit illaec Mᴇʀ 935 ubi illa*..est quae? Tʀᴜ 513 illa mecum fuit Eᴘ 178 illa apud me erit Mᴇʀ 585 illa* quidem illae* domi M⊿ 323 illa quidem..intus est M⊿ 483 usui est C⊿ 691(*PL*) quoiast? illa — illa edepol — uae mihi... illast — ista quidem illast — #Quae illast? #Illa — Mᴇʀ 721-730

illa* mea cognominis fuit Bᴀ 6(*ex Serv ad Aen* VII. 383) mea praedast illa. #Tua illaec praeda sit? Cᴀs 113-4 illaec..moderatrix linguae fuit C⊿ 537 illaec tibi nutrix est C⊿ 558 meretrix illast? C⊿ 564 illaec est (excruciabilis) C⊿ 654 illast pudica Cᴜ 57 an libera illast? Eᴘ 506(*A*) ad illam faciem, ita ut illast Mᴇʀ 428 communis est illa mihi Mᴇʀ 451 quicum mihi communist illa? Mᴇʀ 455(*R vide ψ*) Charini amicast illa? Mᴇʀ 974 illa una dignast M⊿ 968 illa* ipsast nimium lepida M⊿ 1003 mala illa bestiast Pᴏᴇ 1293 estne illaec* mea amica? Pᴏᴇ 1299 peius moratam..quam illa fuit S⊤ 110

quam illa .. fiat grauior Bᴀ 519 a quanti emi potest minumo? #Illane*? Eᴘ 295

abductast Cᴜ 569 abiit Bᴀ 900, Cᴀs 794 aduorsatur Cᴀs 276 abalienatur Ps 95* aibat C⊿ 585 amat Bᴀ 593, M⊿ 101 amet Pᴏᴇ 289 autumat Aᴍ 752 bitet Cᴜ 141 censet Aᴍ 134 conlaudat M⊿ 1045* credidit Mᴇɴ 1145 cubabit Cᴀs 484* detulit C⊿ 635 deperit C⊿ 193 despondebit M⊿ 1053 destitit Mᴇɴ 810* dicat As 761 dicet Cᴀs 134 dicit C⊿ 180 daretur Cᴀs 366 edit M⊿ 308* educauit C⊿ 39 emptast Eᴘ 467 enititur Aᴍ *Arg* II. 9* ibit As 195 errabit Rᴜ 177 exit Cᴜ 22 existumet As 821 extimuit C⊿ 551 fecit Bᴀ 503, Tʀᴜ 804* facit Cᴀs 921 , C⊿ 290 ferit Tʀ⊿ 247* ferat Mᴇʀ 276* fiat Bᴀ 512 habuit Tʀᴜ 143

indicet C⊿ 629 interrogabat Eᴘ 250 inuentast Bᴀ 191 iusserit S⊤ 266 manet Cᴀs 542* militatur Pᴇʀ 232* narrat M⊿ 1031* negat C⊿ 737 nescit Aᴜ 30 nominet As 757 nominat Eᴘ 245* nuptast Bᴀ 852 nubet Cᴀs 301 nupserit M⊿ 1007 nutet As 784* obiectast Eᴘ 179 occupassit As 818 pariet Aᴍ 480 peperit C⊿ 162, Tʀᴜ 410 parit Tʀᴜ 806* pergit M⊿ 1267 placet Tʀ⊿ 1159 postulat Aᴍ 891 praedicet As 758 premat As 775 prodeat M⊿ 1122 redierit C⊿ 529 sacruficauit S⊤ 252 sapiat As 773 sciat Aᴍ 510, 766 scit C⊿ 146 sequitur Cᴀs 936 simulet As 796 uidetur S⊤ 125 uocet As 768* uolt M⊿ 183, 972, 1071(*R*), 1149, 1274, Tʀᴜ 738

illaec adsi ∗∗∗ C⊿ 269 illa ta ∗∗∗ C⊿ 460

c. illius: amicum Mᴇʀ 534 ancillula M⊿ 987 auia C⊿ 515 domino Pᴏᴇ 158 filiam Eᴘ 717, M⊿ 111 filiae Tʀ⊿ 157 internuntia M⊿ 986 libertus Cᴜ 413 mater C⊿ 745* matre M⊿ 1299 patrem Mᴇʀ *Arg* II. 14 pater Mo 612 seruos Ps 1091, 1169 soror Cᴜ 716, Pᴏᴇ 895 oues Tʀᴜ 657

capite Mo 242*, Pᴇʀ 36 corporis Bᴀ 601 manu Tʀ⊿ 965 oculi M⊿ 589

forma M⊿ 1170* formam M⊿ 1172 imaginem C⊿ᴘ 39

amori As 77(?) amore Mᴇʀ 443 animum Bᴀ 494 cupiditas Mᴇʀ 657 gratiam C⊿ 766 ira Aᴍ 896 opinione M⊿ 1238 sapientiam Tʀ⊿ 163 satietatem Aᴍ 473

nomen Mᴇɴ 42, 45 pugnae Eᴘ 447* uillam Rᴜ 77* uitam Mᴇɴ 904 rem Mᴇʀ 48* miseret me illius Bᴀ 1044

illius inspectandi mihi esset maior copia Bᴀ 487(*v. secl Ug̃*)

extorrem illius ∗∗∗ Cᴀs 995(*Rs lacuna assumpta var em ψ*)

d. illi, illic: anulum adferet Bᴀ 329 custodem addidit M⊿ 305 aduorsari Cᴀs 205 apparari prandium Mᴇɴ 174 me conlaudat M⊿ 1045(*Ly*) quae uolo concedere Cᴀs 265 neque..concedam quicquam Tʀ⊿ 477 congestae sint epulae Tʀ⊿ 471 quod .. congestum siet Tʀ⊿ 472 me consulere Bᴀ 524* consulerem C⊿ᴘ 720 consulas C⊿ 97 credis Aᴍ 756 crederem Bᴀ 283 debetur Mo 618 debentur Mo 630 debeo Rᴜ 1354* denumerauero Mo 921 dicam Aᴍ 197, Aᴜ 671*, Bᴀ 599, 600, M⊿ 1075, 1191 dicere Aᴍ 752* dico Aᴜ 816* dici Bᴀ 464 dixerim Bᴀ 1012* dixi Bᴀ 1018, Mo 1087 dicit C⊿ 180 dixit Eᴘ 241, 417, S⊤ 545 dixeris Mo 240 dicito Mo 422 dicet Pᴏᴇ 1233* dixerit S⊤ 555(*L*) dederis Bᴀ 1198 dedi C⊿ 145, Mᴇɴ 535 des C⊿ 250 dare Mᴇɴ 796(*R*) dabo M⊿ 931* da Mo 344, Pᴇʀ 801 daturum Rᴜ 1213 dare Tʀ⊿ 369 det Ps 570, Tʀ⊿ 776* dato Ps 647, 652 darem Tʀ⊿ 1144 doleat C⊿ 110 emetur Mᴇʀ 458* emo Mᴇʀ 459 eripuit C⊿ᴘ 311 euenerunt Mᴇɴ 67 exhibuit Aᴍ 894* foetet Ps 422(*RgL*) gratulare Tʀᴜ 512* indit Mᴇɴ *Arg* 3, Mᴇɴ 42 inquit Eᴘ 245, Mo 496(*R*) instruxi C⊿ 487 instrui C⊿ 488 instruxisti M⊿ 1100, 1127 irasci Aᴜ 699 largiri Tʀ⊿ 742 lubitumst M⊿ 826 lubet Pᴇʀ 277 nuberet Cᴀs 431 obiectumst Cᴀs 666* obiectes Mo 810* obici Mo 619(*FZL* obtrudi *PyU*) obsequar Mᴇʀ 84 obessent C⊿ᴘ

705   obtempero Am 449   optigit Ru 1232
offecit Per 841*   ostendam Mo 1070   permittat Cas 270, 271   placeam Cas 227   placeat
Mo 773, Tri 476   pollicitos Au 470   pollicetur
St 556   praebet Cas 865   praebeas Men 90
praedicat Mo 496(U)   praestat Ba 973   promisi Ci 539 bis   prompsisti Mi 829   redimam
Men 673   redemi Mer 530*, Tri 182   reddatur Mer 419   redde Mer 989(LLy)   redderem Tri 133   remittam Ps 46, Tru 848*   remittere Ps 48   renumeret Ba 46   subblandie-
bar Mo 221   subolet Ps 422(R)   subparasitatur Mi 348   uenear Fr II. 44
    ibo obuiam Am 263*   seditionem in tranquil-
lum conferet Am 478   me exspectatum uenturum scio Am 658   sufferet .. poenas Am 1002*
turbas concias As 824   constringe manus Ba
799*   maculari corpus Cap 595   morem gerere
Cap 912 b(U)   m. geras Mo 188   m. gere Per
605   male feci Cap 994   plus minusue feci
Cap 995(U)   percide os Cas 404(?)   hospitio
usus uenit Ep 535*   caperrat frons seueritudine Ep 609*   oculos uirere Men 828   oculos
exuram Men 842   insidias dabo Mi 303*   inuolem in oculos Mo 203   bene uelle Mer 245*
optume uolo Mo 337*   bene uolo Ps 1024   bene
uelim Tru 441*   dentes exciderunt Mer 541
fers suppetias Mi 1053   honorem habeo Mi
1075   h. habere Tru 591*   gratiam referre
Mo 214   uerba dare Mo 1073   iniciat manum
Per 71   nequam dare Poe 159   dare malum
Poe 161   malam rem dare Poe 1098   limem
caput Poe 294*   sanguinem exsugam Poe 614*
uerba facit Poe 840*   os oblitumst Poe 1195
dacrumis fleueris argenteis Ps 100   uim facere
Ps 1291(R)   bene .. facere Tri 328   prodit uitam Tri 340   decedam de uia Tri 481   columem te sistere Tri 743*   uterum extumere
Tru 200
    ne illi* sit cera As 767   sunt uirgae ruri
Ba 365   si quid super fuerit .. Cu 85   quid
esse morbi dixeras? Men 889   id uitium maxumumst Mer 596*   suspicatur illam amicam
esse illi Mer 925   ecqua ancillast? Mi 794
suppromu's Mi 825   nihil illi* quaesti sit Mo
1107   fuimus inlices Poe 745   hic illist* paedagogus Ps 447   amica opus sit St 573   multa
illi* opera opust Tri 365   soror est Tri 374
illi* — edepol — illi — illi .. (est nomen) Tri
907   quid negoti fuerit Tri 1001   miseriast
Tru 466
    occasiost Cu 59   ut illi res? Ep 19(Rg³)   quid
reditio .. huc fuit? Mo 377   quid .. ex utero
exitiost? Tru 511   ego (sum) pater Cas 264
istuc scio ita fore illi As 870   bene sit Cas
255   multo .. potius bene erit Tru 446
    aequomst Mer 454   ego alienus illi*? Cap 148
non est commodum Mer 918, 919   exitiabilem
ego illi* faciam ut fiet diem Ep 606   sum iratus Mo 1163*   fidelis .. fueris Au 618   fuisti ..
fidelior Cap 716   molestu's Ba 885   esse obsequentem Mo 205*
    uae illi qui .. As 273   uae misero illi quoius ..
Cap 806   uae illi Per 270
    duo dativi: forent exitio Ba 953   exspecta-
tioni Mi 1279(BoR)   erit honori Ep 33   morae sim Ru 412   damno .. esse Tri 586   mor-

bost Tru 466   seniost Tru 466   usuist Ci 691
uitio uortere Ep 431
    illi ** Ci 477
    e. illum, illunc: abigam Am 150*   acciebo Mi
935   accusabo Men 800   adducam Mer 562*,
Mi 858*   adiutabo Tru 559*   adlegauit Ps 1233*
amat Ba 593   amare Ci 95, Mi 127, Tru 590
amabat Mi 101   amas Mi 1263   amo Tru 581
angam Cas 156   apage Ep 673   adstringeret
Ru 1260   audin Am 755   cita Mo 1089(R)   comessurus es Ps 1126   commostret Cu 590
compellarem Au 523   conciliauerunt Poe 769
caedundum conduxi Au 567   conducunt Ps 806
conspexeris Tri 950   contemplo Am 441   conueniam Ba -348(FlU), Ep 294, Mi 930, 1379*
conueni Mo 547   conuincam Mo 1089(U)   corrumpit Ep 268   curauerit Cap 314   curabo
Men 897*   decipiat St 603   dedam Cu 627
deferant Men 952*   deludam Am 295   deperire Mi 932   deridere Men 746   deseram Am
888   deserere Tri 344   deturbabo Mi 334
dicis Mi 16   excruciandum dabo Poe 1302*
corruptum duco Mo 29   in timorem dabo Ps
927   euoca Mi 1248*   euocem Tri 1172 ·ex-
optauit Ba 502   exoptaui Ci 77   exossabo
Ps 382   expetessunt Mi 1231   extexam Ba 239
expectes Mo 188   exanimalem faxo Ba 848
sanum facias Men 893   facit heredem Poe 70
faciam plorantem Poe 377(RglU)   fleam Cap
139   formidaui Cap 913   arte habet As 78
miserum habebo As 869   haberem rectum Ba
412   infelicent Mer 436*, Poe 449   inice manum Mo 1089(Rs)   inhiant Tru 339   inseruibis Mo 216   laudabunt Ba 397   macto Ba 364
mactat Mer 20   maneo Men 423   memorem Per
646   metuo Men 861, Ps 1114   miserantnr Vi 111
es missurus Cap 359   mittam Mo 1172(RRs)
mittere St 151   mutare Cap 171   nescit Au 30
nominas Cap 566   nominauit Ci 320   nominabo
Mo 586*   nosces Ba 786   nouistin Men 748
noui Ru 967, St 23   nosti Ru 967   nossem
Tri 957   oblectabo As 370   opprimere Ba 860
orare As 675   perduint Au 785, Men 451   perdidit Ba 411   perdant Cas 279, Men 596, Poe
864*, Fr I. 21   pendam Mo 215   persequar
Ci 651, Mer 669   praedicem Ru 653   praestolabatur Ep 221   praestolabor Mo 1066   prendero Ep 326   produxit Ba 455   prohibeam Am
1008   prohibeas Ep 289   quaero Ep 454*
quaeram Ep 678   quaerere Men 233   quaeritatum Mer 857   quaerit Ps 805   rapere As
868   recipit Cap 103   reconciliassere Cap 167*
frictum reddam Ba 767   reliqui Tri 928   rescisces Ba 826   restituam Cap 588   sectari Ep
486*   sequimini Au 329   sequar Per 717
student Tru 337   subegero Mo 1174   tangam
Am 313   tetigi Ps 1238   territas Ba 885   uerberes Ba 747*   uorsabo Ba 766*   uorsarem
Ci 94   uiderit Am 1010   uidere Ba 452   uidi
Men 749   ulciscar Cas 153 bis   uocabant Men
1123   uocabo Mi 816   uoces Ru 104
    per prolepsin: illum* scio quam doluerit cordi
meo Am 922   nosces tu illum .. qualis sit Ba
786   illum rescisces .. quanto in periclo ..
siet Ba 826   illum* inuenturum te qualis sit
Ba 856   illunc ubi sit commostret Cu 590
ego illum scio quam carus sit Men 246   ego

illum metuo .. ne quid male faxit Men 861 (*cf.*
Ps 1019) scin tu illum quo genere natus sit?
Tri 373 *Cf* Mer 782

post praepositiones: eo (ibo) ad illum Ba 348,
Tri 995 (*S̸*) ad illum mittere Cap 344 rectumst ingenium .. ad illum Cap 369 uorti ad
illum Mer 434 ad illum deferat Mi 131 ad
illum* promittere St 513 ad illum renuntiari
St 599, Tri 995 (-abo: *vide S̸*) in illum dicere
iniuste Ba 463 in illum bene .. loqui Mo 239
mutatio inter me atque illum Cap 367 erga
illum (malus) fuit Ps 1020 nihil potest clam
illum haberi Mer 361 per illum* copiam tibi
parare aliam licet Ep 323 (*U*)

verbi infinitivi subiectum: uirum suom esse
Am 134 minumi mortalem preti As 858 esse
amicum Cap 141 esse seruom Cap 675 nequiorem esse Cas 864* aeternum fore amicum
Mo 195 fore amicum sempiternum Mo 247
stultum esse Ps 682 subditiuom fieri Ps 752
adiisse Au 815 adsuetum esse As 887* autumare Am 416 capturum Tri 724 conlocare
Per 8 conprehendi Cap 593 concedere Cas
265 corrumpi Ba 419, 1040 curari Men 895
deludi Am 980* operam dare Ba 1083 (*R*) uerba
dare Ps 1058 exiturum esse Mi 1196 expectare Ru 922 facere Ba 481, Cap 440, Tri 811 (*?*)
ferre Ep 329 flagitarier Men 46 bene gerere
Tri 773 haerere Ep 191 immutari pote Tru
317 indaudisse Au 266 inuenisse Ba 390 esse
inuentum Tri 455 mentiri Am 468 nominarier Per 647 perisse Ba 485 prodire Mo 1155*
promptare Ba 465 quaerere Per 670 rapi
Poe 369 sumere Ba 1198 uenisse Mo 490

f. illam, illanc: abalienarier Mer 457 abducerem Mer 994 abduxit Ps 1098 (add. *Ly*)
accepi Mer 449 accipiet Mer 449 adducit
Ep 608 adducam Mi 1085, Per 609 animum
adiecisse Mer 334 adempsit Ep 362 amo As
899, Ba 505 amare Cas 61, Ci 274 (*?*), Mer
380*, 994, Per 303 amabam Ep 135 ames
Ep 276 amem Mi 1006*, Tru 441 amoui
Men 853 amouere Mi 979 amplexarier Am
465 arcesse Cas 587 arcessiuit Per 530* adserito Per 163 augeam St 304 censes Cu 59
cogam Ba 508 complectar Ru 1278 concriminatus sit Mi 242 (*BoR*) sunt conspicatae
Ep 242 deperit Poe 103 desponderas Tru 825
destinas Per 542 nuptum daret Au 27* dedisset Ci 574 perdoctam dabo Mi 258 dabit
Tri 605 darem Tru 843 ducas Cas 111, Ci
485 duxero Ci 498 ducam Poe 1220* ducat Tru *Arg* 10* eiecit Ru 171 emisse Mer
208, 975 emeris Mer 221 emerem Mer 426*
emit Mer 604 emisset Mer 623 enicasso Mo
212 euoca (uoca *GuyLy*) Poe 1116 excrucias
Mi 1068, 1280 (-es) exoret Cas 705 expilare As
826* exponebat Cas 42 extrudet Ci 530 facere libertam Ep 465, Poe 163 (l. f.) faciat l.
Per 82 tranquillam facis Poe 355 praegnatem fecit Tru 811* habebit Mer 460 habet
Mer 898 hortabitur Mi 1189* interrogauit
Ep 250 inuenit Ru 1270 inuestigent Mer 664
offendat Mer 587 onerare Ci 556 (*RsLLy*)
oscularier As 895 ausculer Cas 133 perdant
Ci 481 perducebam Ci 566 quaerere Mer 858
recipere Am 892 redde Ci 505 reddidi Cu

581 reliqui Am 668* remissura's Ci 507 remittis Ci 527 reperiam Ep 602 requiram Ep
492* saluta Tru 512 serua Mi 1054 seruem
Tru 347 sistam Mi 344 stuprauit Au 36 sustulit Ci 564 tractet Ba 201 tramittas Ep
463 uendat Mer 332 uendere Mer 424, 429,
450, Per 134 uendas Per 135, Ps 284, 322
uenditurum Ps 352 uidi Ep 600, Mer 393, Mi
323 (*ZU*), 533 uidero Mer 909* uideas Mer
937 uidit Mi 199, 275 uidisti Mi 1005 (*Reiz
RgU*) uideo Ru 470* uisam Ru 1286 uisse
Tru 198 uoco Ru 236 diruptam uelim Cas
326 conuentam esse uolt Poe 1119

per prolepsin: illam .. faxo .. dicat Ba 863
illam* ait se scire ubi sit Ci 735 illam .. faciam ut sit merulea Poe 1289

post praepositiones: ad illam .. ibo As 817
ad illam* inlexit Au 737 ad illam (duco) Ba
406 ad illam eam Mi 1276 duce me ad illam
Ru 386 apud illam dixero Per 185 propter
illam* in fermento iacet Mer 959
atque illam in ∗∗∗ Cas 926 (*?*)

subiectum infinitivi: tuam esse Au 754 meam
esse Au 758 meretricem esse Ba 838 esse
amicam Mer 688, 925 (a. e.) esse (malam) Per
153 gnatam esse Tri 9 (*RRs*)
abire Mi 974 amare As 208 amplexarier
Tru 925 esse captam Ep 564 conuenire Ba
530 egere Tri 683 emi Mer 490 facere Mi
990 habere As 789 lamentari Mi 1032 maturare Mi 1093 moueri As 788 peperisse Am
1070 praestolarier Ep 217 ualere Tri 52

g. illo, illoc: illo .. prohibeor As 515 neque
illo quisquamst alter .. parcior Au 206 plus
uiderem quam .. illo aequom foret Pa 488
quid illo* .. fecit? Tru 804 (*Rs*) illo praesente
Mo 564, 1121*

post praepositiones: ab: attigisset nuntius Ba
196* litteras accepi Ba 802 mihi caueo Ci
471 (*LLy in lacuna*) abeo Cu 336, 349 credo
te esse Cu 452 ludibrio habeor Men 783 cupit
abire Mi 970* quid acceperis Tri 371 inibis
gratiam Tri 376 quod uolo habebo Tru 419
cum: fabulam agam Am 95 nupta eris As 870
hac frui As 918 i Au 333 me relinqueres Ba
496* pacisci Ba 865 pignus dare Ba 1056 accubet Ba 1192 mittas uirginem Cu 458 quid
agam Men 568* communis mihi illast Mer 455
(*PSLLy*) coniurauimus ego cum illo Mer 536 a
(536 b) cubant Mi 65 (*ARU*) captandumst
Mo 1069* i in ius Mo 1089 (*L*) rem loqui Poe
679* mihi tessera fuit Poe 1052 perdidero
fidem Ps 376 de: emi uirginem Cu 343 numquid dicas Mer 642 mitto Poe 1061* quicquam emeres Tri 134 in: nullam esse copiam
Ep 325 prae: me minoris facio Ep 522 pro:
lingua perierat As 293 minas mihi des Cap
354 sine: scio me non posse Mi 1241

h. illa, illac: quid illac inpudente audacius?
Am 818 illa uiua .. pestem oppetas As 22 illa
absente Mi 1006 (*RibRgLy*) quid illa* nunc
fiet? Mer 413

post praepositiones: ab: illam prohibeas Ep
289 haec illaec est Mi 1046 ab illa quae ..
Mi 1046, 1088 ab illa tui cupienti Mi 1049
(*Rg* ab tui *ψ*) cum: cubat Am 112 uoluptatem
capit Am 114 haberes rem Ba 564 usque ist

semul Ba 577* cubantem opprimere Ba 860 cubat Ba 896 facere mutuom Cu 47 ibant Ep 219 me numquam quicquam - - - Mer 791 uerba facere Mi 1115 congruit sermo Mi 1116* ire Mi 1192 numquam. limaui(t) caput Poe 292*, Fr I. 115(ex Non 334) fabulabor Poe 1159 de: quaero Mer 899* de illa dico Mer 899 prae: pithecium haec est Mi 989 pro: quid .. dare As 229 ores As 783 poscit minas Cu 63 argentum debetur Ep 71 argentum acceperit Ep 370 spondeo Poe 334

i. illi, illisce: quid illi postea? Ba 295 cedo, quid illi? Ba 303 erunt bucaedae Mo 884 haudones illi Poe 1141* sunt alio ingenio Ps 1133 improbi sint St 43 alii sunt.publicani Tru 150(?) periuriosi Tru 153 sunt improbi Tru 156

abnuont Cap 481 abstinent Men 768 aegrotant Tri 30 agant Tru 103(loc dub) aiunt Men 962 aiebant St 391(RRg) allegent Am 183 audeant Ps 205b inter se certant Mi 714* clamitant Ps 1276(R) colunt St 34 forent conclusi Cu 450(FlRg) confugiant Mo 1098* conturbabunt Mo 510* dixerunt Poe 689 eloquuntur Am 1134 exeant Ci 782 expetunt Mo 860 faciunt Mer 715*, Mi 606* iusserant Ru 1253 iusserunt Mer 751 laudant Tru 488 locuti sunt Poe 1143 occentabunt Per 569 placent Per 64, Tru 492* ponunt Mer 778* possint Mo 1095 praedicant Men 832 sciunt Tri 209 sciscerent Ba 302 segregant Mo 1050 seruabunt Ep 619 solent Ps 780 tacent Cap 479 timent Ru 368 sunt uocati Ru 150

k. illae, illaec: sunt fortunatae Mi 65 huius sunt filiae Poe 1136* suntne ancillae tuae? Ru 719

abeunt Ba 1149 amant Mi 59(?) consultant Ba 1154 cupiunt Cas 775 exiguntur Mer 828* exornant Cas 769 metuant Au 483 nubent Au 489 redeunt Poe 1284* illae ✱✱✱ Ci 423

l. illorum: alter Cas 445, Men Arg 2(R) quem Ru 384 uice St 542(R)

animam Ba 869 fata Ba 951(APU) mores Ba 545 nauis Ru 66 res Mer 48(RRg), Mi 1350 tergum Mo 883 uerbis Tri 204

et nostram et illorum uicem Tru 158

alii sibi esse illorum similis expetant Mo 128

m. illarum: altera Ep 240, Mi 62 qua ab illarum Mi 1047

nutrix Poe 1117 pater Poe 104*

oratu faciunt Cas 775 de illarum cenatura's Ru 181

n. illis, illisce: creduam Poe 747* dare Am 209 datur Tru 154 curandum esse Ru 182 faciat Mi 168 facere Mi 606 inuides Ps 1134 inuidetur Tru 745 lubet Per 205 (i. l. ins Ly in lac) pendi Ep 228(agentis)

profuit Ru 219* reddo Cu 374 reddere Ru 1120 subueni Ru 658

illis fides est quibus .. Am 80

quid futurum est? Mo 231 aegrest Mi 747* comis est Tri 255

fructus iam decidit Ba 1136 ueniam .. exorem Ba 1199 comparem .. malam Cas 505 sortitus fuat Mi 595(RRg) obuiam ire Mi 896 eamus o. Poe 1162* oculi ut extillent facit Ps 817 me intuli Ps 1273* confracta nauis

Ru 152 adferre uim Ru 729 abrogant fidem Tri 1048

o. illos: apsterream Men 833 erroris complebo Am 470 derides As 527 emi Cap 453* parui facio Mi 1351* lubentiores faciam As 268 exspectatis St 137 quaeritemus Mo 990 (L) reliqui Ps 1270 sequere Mi 1361 ulcisci Ba 1187

post praep.: licebit per illos Poe 52

infinitivi subiectum: abscedere Mo 467 ire obuiam Ru 856 ferre Tru 580ᵃ

p. illas: aduexit Mi 1109 attigeris Ru 793 ollas abstulas Ru fr(an aulas?) emit Poe 896, 898 monstrabit Poe 1149 perdit As 637 serues Ru 774 seruat Ru 848 spectas Ru 759 spernit Mi 1232 tetigerit Ru 810

post praep.: ad illas accedere Ep 248 adire ad illas Ru 831

infinitivi subiectum: loqui Ep 247

q. illis, illisce: praesentibus illis Ba 142*, 301(i. p.) illisce apsentibus St 131

post praepositiones: ab: abeo Cap 487 inibo gratiam Ci 629 abscessi Ep 238 differt Ru 369 cum: praediam partiam As 271 principium occipiam St 75* me una traho Tri 203 ex: exquire unum Ps 392 pro: loquantur Men 586

r. illuc, illud(nom.): quid illuc est? caelum aspectat Am 270 quid illuc quod dico? Mi 36 in maxumam illuc* populi partemst optumum Au 485 uerum illuc* est Mo 280 illud est merum magis Mer 971 non illuc temerest Ep 714* nihil illuc* quidemst Poe 281(PyU) illud satiust Poe 288(RRgl) illud est dulce, esse et bibere Tri 259 ut illud acceptum sit .. quod .. Tru 894 neque hoc neque illuc neque - - - Poe 435 *Vide* Ps 444, *ubi* illuc *R pro* illic

fit pol illuc* ad illuc exemplum Mi 757 illud saepe fit: tempestas uenit Mo 108 mihi illud uideri mirum ut .. Mer 240

conducat Ci 634(acc. Ly) dicitur Tru 192 differt Tru 686(U) dolet Cap 152 eueniet Cas 376* fertur Ps 281 factumst illud, ut .. Am 431 faciundumst mihi .. quod .. Am 891 factumst: fieri infectum non potest Au 741 illuc primum, faenus, reddundumst Mo 600 ad suam rem refert Ba 518(R) refert mea Ru 966 refert Ru 1069(CaU) praecauendumst Men 860 celerius uenire Mo 73* graecum uideatur Men 9*

nunc illud est quom .. Cap 516 illuc* est, illuc quod .. Cas 460, Ru 1258, Fr I. 76 quid illuc (est) quod .. As 265, Ep 609*, Men 958*, Mer 120*, 364, 379

illuc, illud *cum genitivo* (cf Blomquist, pp. 43, 54; Schaaff, p. 16): quid illuc est .. hominum secundum litus? Ru 148 quid illuc clamoris .. in nostrast domo? Cas 620 quid illuc est negoti? Ep 715, Men 606 quid illud* sit negoti lubet scire Men 129 quid illuc .. negotist? Ru 559(ordinem mutat Fl i. e. n. P) *hos omnes genitivos cum* quid *coniungit Blomquist*

illud mali plus nobis uiuit Ru 453 quid illuc nouist? Tru 548

s. illuc, illud(acc.): adsentiant Am 824 cedo

Au 635* consulam Ci 634* credidi Ru 1195(L) dicere Cas 673, 702, Mi 27, 819, Mo 830, Poe 1231, Ru 423, Fr I. 86 dixi Mer 763 *similiter:* illud quidem (*sc.* uolui dicere) St 589 effecero Cu 364 exoptem As 724 fecit Ba 503* faciat Poe 1109* facit ueri simile Ps 403 (facere) possum Ps 780 neque illud (facit?) Ba 897 feres Tri 1160 habeo Per 782(U) habebam Tru 162 habebo Tru 418 laudabunt Ba 397(U) mementote Poe 767* miror Am 772 miratur Ba 528 metui Poe 1378 nesciueris Mi 572 nuntias Mer 610 pacisce Ba 870(*an abl.?*) paueo Ci 535 perdit Tri 340 perdas Tri 1054 quaero Ci 614 scio Am 922* sciant Tri 211 uide Au 46, Ba 137, Mi 200*, Ps 954 uidet Men 193 uisere Mer 258* ulcisci Mo 1179 uelle uisus sum Mer 245*

cum genitivo (*vide supra* r): illuc aetatis qui sit .. Mi 659(*cf* Kane, p. 91)

post praep.: ad illud frugi Mo 133 ad illud uenies quod refert tua Per 519 ob illud* quod dant Tru 734

infinitivi subiectum: facito ut memineris conuenisse ut .. Au 257 iube demi Mi 759 aiunt fieri Ps 786

t. illo(*abl.*): illo sunt homines misere miseri Ci 689(*dub.*) numquid dixisti de illo quod dixi tibi? Mo 548

u. illa, illaec(*nom.*): ubi illaec quae dedi ante? As 196 sint illa necne sint quae .. Ps 451 illa edepol .. memorari multa possunt As 560

v. illorum: minus mirandumst illaec aetas si quid illorum facit Ba 409 nihil est illorum quin ego illi dixerim Ba 1012

w. illa, illaec(*acc.*): audio Men 852 autumare Am 416 dixeram Am 916 feci Ba 1079 facit Ci 290 funditat As 896* missa habeo Ps 602* memorares Poe 391 mitte Ep 19(*Rg¹*) dato Mi 1126* statuis As 715

post praep.: docilior ad illa quae te docui Ba 165 illaec* aduorsum si quid peccasso Ru 1348

infinitivi subiectum: ego illaec patiar .. dici? Poe 368

D. *adverbia* 1. illi, illic: a. ego fui illi* Am 249 illic censebis esse me Am 969 illic faxo erit Men 956 praesto ero illi Men 996 illic fui Mer 387 illic noster est Mi 350 iam ego illi ero Mi 1279 te esse illi* censeam Per 190 .. quom illi censeas Per 191 illi ubi fui inde effugi Mo 315 et hic esse et illic simitu hau potui Mo 792 sunt illi aliae quas .. Poe 337 illi* erimus Ps 758 illic sum Tri 1109 illic sacerdos est Ba 307 Amphitruonis illi* est seruos Sosia Au 148(*Ly*) illi* itidem Ulixem audiui .. fuisse .. malum Ba 949 quod genus illi* est unum pollens Cap 278 quo honorest illic? Cap 279 turba nunc illist Poe 336 et illic* et hic peruorsus es Tru 152(*translate*) illi alii sunt publicani Tru 150 b(?)

illi* ut fuerit proelium Am 744 est illim mihi una spes cenatica Cap 496 mihi illi patriast domus Men 1069(*Rs*) promittebas .. illi* esse quaestum Ru 541 illist animus omnibus Tru 339 meo illic nunc sunt capiti comitia Tru 819 faenus illic, faenus hic Mo 605 quot

illic blanditiae, quot illic iracundiae sunt! Tru 28

accubas Mo 327* ambulo Mer 97 aspicio Mer 260(R) me adsimilabam Ep 420 astate Ru 836 belligerant Cap 24(*Rs*), 93(*Rs*) astant Cap 2(*an nom.?*) captust Cap 94(*Ly*) cenem illi* apud te? St 471 consultant Ba 1154 copulas Poe 343 curauerit Cap 314 deamaui Poe 1176* destitisti Mo 787* dicam Per 746* dona sunt data Am 138 dono datast Am 534* dedit Cap 1014(*Ly*) donatum esse Am 761* me donatum esse Am 766* donatu's Am 780* ebiberim Am 431 estur Mi 24(*RRgU*), Vi 37 (*dub.*) educat Men 98(*Rs*) facta sunt Am 133 feret Mi 151(*R*) fient Cap 60* fiunt Poe 830 sunt res gestae Am 417* habitat Men 68*, Poe 78, Ru 33, Tri 360 habitant Men 308* habito Ps 890*, Ru 1034, St 675* impediuit Mi 1388 incedere Mo 1120(U) me intuli Ps 1273* insit Cas 380 inesse Ru 1188 intuor Mo 836 inuenias Au 816* inuenies Mer 584* latuit Am 432 obseruasso Mi 328(*R*) aspicio osculantem Mi 288* potabit Men 793 est pugnata pugna Am 253* praestolarier Ep 217 minus (messis) redit Tri 530* redimatur Cap 341* redimat Cap 366 reliqui Am 457 reperias Tri 554*, 555* seruit Cap 330, 334 seruatur Cap 261 seruat Ru 848 sistebant Mi 851* bene esse solitumst Mer 511(*BoR*) uidisse Mer 706(U) uidebis Tri 1104 uiuere Cap 323

b. *locus accuratius definitur per praep.:* ad legionem Am 133 apud uos Cap 261 apud me Poe 343 apud te St 471 apud praetorem Per 746 extra scaenam Cap 60 in illac hirnea Am 432 in consilio Ba 1154 in Alide Cap 94(*Ly*) in portu Mer 97 in illisce aedibus Poe 78 in agro Ru 33 in campis ultumis Ru 1034 sub aqua Cas 380

2. illo, illuc: a. abi Au 329* apscede Per 467, 727 accessero Per 575 aduenero Am 197 aduenimus Am 203 aduenerit Am 466, Poe 1083 adueneram Am 603 adueni Au 705*, Cap 1002 aduenisse Cu 337, 340 arbitrarier Au 607 capiundumst iter Ba 325 circumuortit Tru 38(*BueL*) deferat Ep 287 ducis As 31* ibo Mer 329 ire Mer 462 intro eam Mer 567* intro ieris Mer 570* eo St 250 escendero Am 1000 excucurrisse Ba 359 exiit Ci 700 feras Tri 495* immigrat Mo 105 misero Cap 342 es missurus Cap 359 perferat Cap 377 ponito ad compendium Cas 519 praecurram Au 678 procede Cap 954 properas Poe 263* iube recedere Ru 786 recipiam me Mer 881 redeo Men 56 redi Men 616 redeundumst Am 527 regredere Au 46 reuorti Mer 39 ueneris Ba 341, Mer 649, Mi 1193 uenerit Cap 345 uentumst Cu 646 uenit Men 29 ueni St 185, Tru 647 uenturum St 265 uortar Cap 370 uortit Tru 38(*SpU*) uocas Ps 880(*AcRLy*)

b. *additur alter terminus:* ad cenam St 185 ad erum Am 466 e conspectu Per 467, 727 *similiter* ad compendium Cas 519

3. illa, illac: abii per angiportum Mo 1045* per hortum circumit As 742 me per posticum conferam Mo 931* eam Ru 213 iter institerit Ci 679 praeterducerem Mi 67* te recipito per

hortum Per 679* lumbifragiumst obuiam Cas
968   per hortum transibimus Mer 1009   per
hortum transiluit Tru 248*

4. illim, illinc: abeo Au 377   abii Poe 455
accipe Ru 807*   abscedere Mo 467   ades Mi
1030(*U*)   attulerit Ba 320*   auferimus Ba 301*
aufugies Mer 651   deiciam St 355(*R*)   causam
dicis Men 799*   ecferte Mer 911   itur Ba 447
exhibent Mo 565   exemit Ba 963(*SeyR*)   feret
Mi 151*   inspectabimus Poe 682*   liberabo
Mi 1207(*RL*)   perierim Poe 987*   postulat
partem Ru 973   cor pungit Tru 853   bene esse
solitumst Mer 511*   surruptus sum Poe 1058*
uenit Ep 273*, Men 413   illinc hircus * alus
Men 839(*LLy*)   *partitive:* exquire illinc* unum
Ps 392(*L*)

E. *relativi pronominis antecedens est* **1.** *enun-*
tiatum relativum praecedit: qui ero suo seruire
uolt* . . ne illum edepol multa in pectore suo
conuocare oportet Per 8

2. *enunt. rel. sequitur:* **a.** si illis fides est
quibus est ea res in manu Am 80   me illuc
ducis ubi lapis lapidem terit As 31   hic illest
dies quom . . Cap 518   *Similiter:* Am 134, 387,
473, 618, 640, 660, 839, 861, 891, 1043, As
31, 196, 273, 724, 817, Au 33, 35, 255, 670,
785, Ba 165, 191, 406, 454, 464, 485, 524, 564,
850, 897, Cap 342, 370, 462, 463, 516, 566, 600,
650, 705, 787, 806, 829, 938, Cas 257, 376,
460(?), 550, 864(?), Ci 14, 77, 146, 186, 274(?),
498, 547, 564, 635, 745, Cu 374, 534, 538, Ep
57, 156, 219, 241, 242, 243, 336, 368, 370, 435,
454, 465, 522, 541(*U*), 608, 620, 621, Men *Arg* 3,
Men 22, 41, 42, 56, 336, 357, 451, 536, 593(?),
649, 746, 783, 839, 856, Mer 272, 419, 434, 447,
459, 460, 610, 669, 715, 751, 828, 919, 937, Mi
16, 36, 59, 65, 82, 88, 118, 122, 127, 131, 271,
713, 973, 1046, 1048, 1085, 1276, Mo 73, 162,
231, 442, 547, 548, 610, 1059(?), 1095, Per 13,
132, 156, 519, 529, 544, 636, 646, 714, 819, Poe
52, 288, *ib.* (*RRgl*), 449, 468, 620, 975, Ps 205,
281, 403, 451, 570, 597, 602, 682, 780, 805, 806,
924, 1040, 1215, 1233, Ru-219, 491, 547, 771,
818, 856, 967 *bis*, 1232, 1253, St 69, 125, 137,
393, 545, 555, 557, 600, Tri 204, 365, 724, 934,
951, 954, 959, 979, 995, 1048, Tru *Arg* 10, Tru
256, 303, 410, 446, 487(*L*), 488, 492, 513, 544,
593, 894, Fr I. 21, 76

b. ille si quis: illic pulcram praedam agat
si quis illam inuenerit aulam Au 610

c. ille quisquis: ille nunc laetus est quisquis est . . Ci 690   illum diui infelicent quisquis est Mer 436   illic ductitauit quisquis est
Ru 584

3. *enunt. rel. inclusum est:* **a.** ille quoius huc
iussu uenio, Iuppiter . . formidat Am 26   illi
ubi minume honestumst mendicantem uiuere
Cap 323   *Similiter:* Am 114, 824, 1103, As 19,
515, 637, 715, Au 635, 766, Ba 863, Cap 550,
573, Cas 376, 810, Ci 97, 123, 162, 634(?), 706,
737, Cu 346, 364, Ep 228, 268, 362, Men 57,
69, 193, 308, 426, 1042(?), Mer 20, 442, 444,
458, Mi 120, 572, 1126, 1430, Mo 327, 860,
1059(?), Per 64, 782(*RU*), Poe 72, 613, 689,
899, Ps 780, 817, 1134, Ru 697, 1094, 1286, 1339,
Tri 6, 211, 340, 351, 672, 753, 792, 853, 1054,
1067, 1160, Tru 162, 192, 418, 734, 804

b. *per attractionem:* illos qui dant eos derides As 527   illi qui astant i stant Cap 2(*dub.*)
Epidamniensis ille quem dudum dixeram . . ei
liberorum nihil erat Men 57   nummum illum
quem mihi dudum pollicitu's dare . . iubeas . .
porculum adferri tibi Men 311   pallam illam
. . quam tibi dudum dedi, mihi eam redde Men
678   illi qui nihil metuont . . ei metuont Men
984(*dub.*)   illim unde huc aduecta sum malis
bene esse solitumst Mer 511   illuc quo nunc
ire . . si ibi amare occipias Mer 649   illi ubi
fui inde effugi foras Mo 315   illi seni qui mortuost ei filius . . Poe 64   ille qui adoptauit . .
is hospes fuit Poe 119   illa quae dicebas tua
esse ea memorares mea Poe 391   tibicinam
illam tuos quam gnatus deperit ea circum-
ducerem lenonem Ps 528   ille qui uocauit
nullus uenit? Ru 143(?)   illum quem dudum
*** lenonem extrusti, hic eius uidulum ** Ru
1065   ille qui . . cauet, diutine uti . . licet Ru
1240   ille qui mandauit eum exturbasti Tri
137   ille qui aspellit is compellit Tri 672
illum quem ementitus es ego sum Tri 985   illis
quibus inuidetur i rem habent Tru 745

F. *spectat ad sequens enuntiatum:* **1.** *oratio*
recta: illuc sis uide: . . Lydum uocat Ba 137
illud saepe fit: tempestas uenit Mo 108   illud
mihi uerbum non placet 'quod nunc habes' Au
547   nequam illud uerbumst 'bene uolt' Tri
439   ne tu illud uerbum actutum inueneris:
'mihi quidem hercle non est quod dem mutuom' Tri 760   *exclamatio:* illuc sis uide, ut
incedit Au 46   illuc sis uide: ut transuorsus . .
cedit Ps 954   illuc sis uide, quem ad modum
adstitit Mi 200   *correctio:* illud quidem dicere
uolebam: nostro uilico Cas 702   illud dicere
uolui: femur Mi 27   illud 'stertit' uolui dicere
Mi 819   illud quidem 'ut coniuent' uolui dicere
Mo 830   illud quidem 'subaquilum' uolui dicere Ru 423   illud quidem 'ambos ut uocem'
St 589   illud uolui dicere 'fraterculabant' Fr
I. 86   it ad me lucrum. #Illud* quidem, quorsum asinus caedit calcibus Poe 684

2. *infinitum:* illaec res est . . diuidiae mihi,
subterfugisse . . Chrysalum Ba 770   illa laus
est, magno in genere . . liberos hominem educare Mi 703   illud est dulce, esse et bibere
Tri 259   lepidast illa causa . . dicere apud portitores esse inspectas Tri 809   uerum illud
uerbum esse experior uetus: aliquid mali esse
propter uicinum malum Mer 771

3. *quod:* quid illuc quod exanimatus currit
huc Leonida? As 265   quid illuc est quod illi
caperrat frons? Ep 609   quid illuc est quod
me hi . . insanire praedicant? Men 958   quid
illuc est quod ille . . exquirit? Mer 120   quid
illuc est quod solus secum fabulatur filius?
Mer 364   quid illuc est quod ille . . seuocat?
Mer 379   quid illuc . . negotist quod duae mulierculae . . tenent? Ru 559   illuc est, illuc quod
hic hunc fecit uilicum Cas 460   illuc est quod
nos nequam seruis utimur Ru 1258   illud est
quod 'responsum Arretini' . . dicitur Fr I. 76

4. *quom:* nunc illud est quom me fuisse
quam esse . . mauelim Cap 516   hic illest dies
quom nulla . . spes sperabilist Cap 518

5. *ut, ne:* mos ille* . . ut exprobraret Am 46

(*ULy*) factumst illud ut ego illic.. ebiberim Am 431 illud.. conuenisse ut nequid dotis.. afferret Au 257 illud uideri mirum ut.. ambederit Mer 240 illuc ego metuei semper, ne cognosceret Poe 1379

6. *interrogatio obliqua:* illud animus meus miratur.. quid remoretur Ba 528 ille.. pungit aculeus quid illi negoti fuerit Tri 1000 illud quaero confragosum quo modo prior posterior sit Ci 614 Ru 1069(*U*) *fortasse* Mer 240

7. si: illud.. miror maxume sic haec habet illam Am 772

8. quia: huic illud dolet quia nunc remissus est edendi exercitus Cap 152

9. dum: ad illud frugi usque.. fui, in fabrorum potestate dum fui Mo 133

G. *pronomen* ille *per aliud pronomen excipitur* (*vide supra* E. 3. b *et cf.* Seyffert, *Stud. Pl. p.* 17): 1. is: quod ab illoc attigisset nuntius, non.. ei redderem? Ba 196 illi qui astant, i stant Cap 2(?) adit ad mulierem quae illam exponebat: orat ut eam det sibi Cas 42 reuortar ad illam puellam.. ea inuenietur.. Cas 79 illa illi dicit eius se ex iniuria peperisse Ci 180 perducebam illam.. anus ei quom amplexast genua Ci 566 illam illi uideo praestolarier et cum ea.. Ep 217 abscessi.. paulum ab illis: dissimulabam earum operam sermoni dare Ep 238 an libera illast? quis eam liberauerit uolo scire Ep 506 adoptat illum puerum .. eique uxorem.. dedit Men 60 neque ego illum maneo.. neque.. eum uolo intro mitti Men 423 communis est illa.. uenirene eam uelit Mer 451 ad illum deferat.. ut is huc ueniret Mi 131 hic illi subparasitatur: hic eae proxumust Mi 348 emit.. puerum illum eumque adoptat Poe 76 pater illarum Poenus postquam eas perdidit.. Poe 104 quicquid est pauxillulum illuc nostrum †id omne intus est Poe 5.8 duas illas et.. nutricem earum Poe 898 estne illaec mea amica..? Et east certo Poe 1299 si ille hodie illa sit potitus muliere siue eam.. dabit Ps 1071 ille hodie nidamenta congeret: uerum tamen ibo ei aduocatus ut siem Ru 889 alteram illam.. uisam.. ut eam abducam Ru 1286 illum bene gerere rem... et eum rediturum Tri 773 Diniarchusne illic est? atque is est Tru 122

2. iste: si hercle illic illas.. tetigerit.., nei istunc.. inuitassitis.. Ru 810 egone illi ut non bene uelim:.. ego isti non munus mittam? Tru 441 *Similiter:* non tu scis quae sit illa? #De istac sum iudex captus Mer 734

3. hic: quis illic est... #Quis hic est? Per 13

H. ille *aliud pronomen excipit:* 1. is: is est, illest ipsus As 379 is scit..: illa illum nescit Au 29 quem uides eum ignoras: illum nominas quem non uides Cap 566 reddo eis quibus debeo: si reddo illis quibus debeo.. Cu 374 is amabat meretricem.. et illa illum contra Mi 101 Mi 136(*PiusU*) si eae meae sunt filiae, si illarum nutrix.. Poe 1116 catum eum esse declaramus, stultum autem illum.. Ps 682 spes est cum melius facturum: noui ego illum St 23

2. iste: ubi tibi istam emptam esse scibit.. orabit ultro ut illam tramittas sibi Ep 155

I. *additur particula:* quidem Ba 90, 103, 634, Cap 288, 573, Cas 702, 864, Ci 737, Ep 257, 673, Mer 540, 541, 975, Mi 323, 483, 1430(*U*), Mo 830, 1081, Per 714, Poe 281(*U*), 684, 1231, Ps 1098, Ru 423, St 252, 561, 589, Tri 717, Tru 113, 509, 884 quidem edepol Ru 806 edepol Am 182, As 560, Ba 1047, Cas 354, Men 721, Per 8, Tri 907 hercle Ba 310 ecastor As 896 mehercle St 250 autem Ba 900, Cas 276, Men 67(*Rs*), Tri 683 demum Cap 105 tamen Cas 921(*RsLy*)

ILLECEBRA - - eccam **inlecebra** (ill. *J*) exit As 151 mali damnique inlecebra salue Ci 321 munditia inlecebra (incelebra *CD*[1]) animost amantum Men 355 mala's atque eadem quae soles inlecebra(*A* -bru *BD* -brii *C*) Tru 185 ego tibi, inlecebra, ludos faciam Tru 759 ✱✱✱ **inlecebram**(*B*[2] incelebram *VEJ* incelebrem *B*[1]) Cas 887 spero inmutari pote.. **illecebris** (*KiesU* ceteris *Pψ*) meretricis Tru 318

ILLECEBROSUS - - istoc **inlecebrosius**(*B* ill. *CD*) fieri nihil potest, ...adulescentulo Ba 87

ILLECTUS - - magis **inlectum** (ill. *PRL*) tuom quam lectum metuo Ba 55

ILLEPIDUS - - inamabilis, **inlepidus** uiuo Ba 614 istoc pacto tam lepidam **inlepide** appelles Ba 1169

ILLEX(*contra legem*) - - inpure, inhoneste, iniure, inlex, labes popli Per 408

ILLEX(*illecebra*) - - escast meretrix, lectus **inlex**(illex *J*) est amatores aues As 221(*cf* Wortmann, p. 36) ne.. te emisse dicas me inpulsore aut **inlice**(*A* suasu atque impulsu meo *PL*) Per 597 malae rei.. fuimus **inlices** (*CD* inlyces *B* inlix *Non* 446) Poe 745

ILLICIO - - **inliciebas**(ill. *J* illit. *E*) me ad te blande As 206 is me ad illam **inlexit** (ill *EJ*) Ba 737 is me in hanc inlexit(ill. *CD* iniexit *A*) fraudem Mi 1435 eum **inleciatis**(*A* inic. *P* inli. *LULy*) in malam fraudem Tru 298 si possumus nos hosce intro **inlicere**(ill. *CD*) huc Ba 1151 amorem multos **inlexe**(*Ca* inlexit *B* illexit *CD*) in dispendium Mer 53 *corrupta:* Per 70, inlexi *P pro* iniexit (*Ca*) Poe 919, inlectum *P pro* iniectum Ru 1216, inlicet *B pro* ·n licet(*Ca*)

ILLOCABILIS - - uirginem habeo grandem .. **inlocabilem**(ill. *J*) Au 191

ILLUCEO - - pix atra.. tuo.. capiti **inluceat** Cap 597

ILLUCESCO - - hic tibi dies **inluxit**(*AD* ill. *BC*) lucrificabilis Per 712 pessumus hic mihi dies hodie **inluxit**(ill. *B*) corruptor Per 780 aurora inluxit(*B* ill. *CD*) Poe 218(*v. secl Acω*) Volcanus, Luna, Sol, Dies, dei quattuor scelestiorem nullum **inluxere**(*B* ill. *CD* -xuere *B*[1]) Ba 256 mortales **inlucescas**(*B* ill. *DEJ* -cat *DLy*) luce clara et candida Am 547

ILLUCIDUS - - Men 168, inlucido *PS*†*L*† inlutibili *Non* 394 *et U* inlutili *RRsLy*

ILLUDO - - Cu 296, inludunt *J pro* ludunt

ILLUSTRIS - - illustriores (tegulas) fecit Ru 88 *Vide* Ba 743, *ubi* illustris *D*[1] *pro* in lustris

ILLUSTRO - - Cas 242, 243 illustra *E*[1] *pro* in lustra

ILLUTIBILUS, ILLUTILIS - - spurcatur

nasum odore **inlutili**(*RRsLy* inlucido *PS†L†* inlutibili *Non* 394 *et U*) Men 168

ILLUTUS - - tu huius oculos **inlutis**(illotis *PyU*) manibus tractes? Poe 316   *Vide* Poe 232, *ubi* inluta *CaLLy* inlusta *BS†* iniusta *CD var em* ψ

ILLUVIES - - germana **illuuies**(ill. *CD³* illiiuuies *D¹*) rusticus hircus hara suis Mo 40 (*v. secl Ly*)

IM *** Cas 923

IMAGO - - 1. *nom.:* **imago**st huius in me Am 265   amicine anne inimici sis imago . . mihi sciam Cas 515   tuast imago Men 1063 epistula atque imago me certum facit Ps 1097

2. *acc.:* in Amphitruonis uortit sese **imaginem** Am 121   ego serui sumpsi Sosiae mihi imaginem Am 124   seruos quoius ego hanc fero imaginem Am 141   hic . . omnem imaginem meam . . possidet Am 458   huius illic hic illius hodie fert imaginem Cap 39   et hinc et illinc mulier feret imaginem Mi 151   reliquit symbolum, expressam in cera ex anulo suam imaginem Ps 56   qui argentum adferret atque expressam imaginem(mag. *B*) suam Ps 649 nosce imaginem Ps 986

3. *abl.:* epistulam . . mittit . . **imagine**(*Gul -nem AP* inma. *D*) obsignatam quae inter nos duo conuenit olim Ps 1000   dedi . . symbolum . . eri imagine obsignatam epistulam Ps 1202

IMBER - - 1. *nom.:* tam hoc quidem tibi in procliui quam **imber**(ymb' *E*) est quando pluit Cap 336(*cf* Schneider, p. 33)   nubis ater imberque(in. *B*) instat Mer 879 (*translate*) uenit imber, lauit parietes Mo 111   satis esse nobis non magis potis quam fungo imber St 773   amoris imber grandibus guttis . . permanauit Fr III. 1(*ex Front* II. 2, p. 27 N)

2. *acc.:* **imbrem** perpetiar, laborem sufferam, solem, sitim Mer 861   mihi aduentu suo grandinem imbremque(*om L* que *om BoLy*) attulit Mo 138   non pluris refert quam si imbrem(-im *ALy*) in cribrum legas(*A* geras *PRgLU*) Ps 102(*cf* Egli, II. p. 60; Schneider, p. 29)

3. *abl.:* continuo pro **imbre** amor aduenit Mo 142

4. *nom. plur.:* **imbres** fluctusque atque procellae . . frangere malum Tri 836

IMBITO - - meam domum me **inbitas** Ep 145

IMBREX - - meas confregisti **imbricis**(in. *BRRg*-ces *RRgU*) et tegulas Mi 504   tempestas uenit, confringit tegulas imbricesque Mo 109

IMBRICUS - - hic fauonius serenust, istic auster **imbricus** Mer 876

IMBUO - - hisce ego de artibus gratiam facio, ne colas neue **inbuas**(im. *LLy*) ingenium Tri 294

IMITOR - - I. Forma **imitatur** Cas 657, Ci 728   **imitabor** As 372, Cas 443, Ru 932 **imiter** Cas 954(uniter *V*)   **imitemur** Ci 27 (*Ca* -amur *P*)   **imitari** Cap 209, Cas 397(uni. *VE*)   **imitarier** Cap 485   *corruptum:* Tru 317, imitari *B pro* inmutari

II. **Significatio** *cum acc.:* Sauream imitabor As 372   imitabor Stratonicum Ru 932   haud nos id deceat fugitiuos imitari Cap 209   quia tute es fugitiuos, omnis te imitari* cupis Cas 397   . . improbos famulos imiter* Cas 954

imitatur nequam bestiam . . inuoluolum Ci 728   ne canem irritatam uoluit quisquam imitarier Cap 485   imitabor nepam Cas 443 imitatur malarum malam disciplinam Cas 657   si idem istud nos faciamus si idem imitemur* . . Ci 27

IMMANIS - - Neptune . . te omnes . . commemorant spurcificum **inmanem**(im. *L*) . . Tri 826

IMMATURUS - - metuo ne **inmaturam**(*ACD* imm. *BL*) secem (uomicam) Per 315

IMMEMOR - - nibilist . . qui officium facere **inmemor** est Ps 1104(*cf* Votsch, p. 32)   satis fuit indoctae **immemori**(*AB* inm. *CDRRsULy*) insipienti dicere totiens Per 168   memorem **inmemorem**(imm. *ABL* -ram *B*) facit qui monet Ps 940   nolo ego . . me credi esse inmemorem(imm. *BL*) uiri St 48(*cf* Blomquist, p. 107; Schaaff, p. 29)

IMMEMORABILIS - - (anus) moderatrix linguae fuit atque **immemorabilis**(*B* inm. *V EJULy*) Ci 538(*active*)   neque spuridici insunt uersus **immemorabiles**(inm. *RsULy*) Cap 56 (*passive*)

IMMENSUS - - Men 212, inmensam *Rs pro* in mensam

IMMERCATUS - - Cap 258, immercatus *D* in mercatus *E pro* mercatus

IMMERENS - - male mereri de **inmerente** (*BE* imm. *J* -ti *U*) inscitiast Cu 185

IMMERGO - - in contionem mediam me **inmersi**(*D* imm. *CDL*) Men 448   tute errasti quom parum **immersti** ampliter Ba 677   **inmersit**(*BC* imm. *BLLy*) aliquo sese credo in ganeum Men 703   credo aliquem **inmersisse** (imm. *LLy*) atque (uidulum) excepisse Ru 397

IMMERITUS - - 1. *dat.:* **inmerito**(imm. *L*) tibi iratus fui Ba 629   uiris . . facit iniurias inmerito(*A* imm. *PL*) St 16   neque id immerito(inm. *ULy*) eueniet St 28

2. *abl.:* cur tu . . **inmerito**(imm. *DJL*) meo me morti dedere optas? As 608   tu . . immerito (inm. *RsU*) meo mihi haec facis Cas 920   Venus me uoluit magnificare: neque id haud inmerito(imm. *BL*) tuo Men 372   *Cf* Wueseke, p. 15

IMMIGRO - - illo **inmigrat**(imm. *BLLy*) nequam homo Mo 105   **inmigraui** (emi. *B* imm. *CDRLLy*) ingenium in meum Mo 135 *Vide* Per 347, immigrant *Fest* 294 *pro* admigrant

IMMINUO - - nec pudicitiam **imminuit** (inm. *U*) meam mihi alius Ci 88   *Vide* Mo 266, imminuat *CD pro* dimminuam

IMMITIS - - Ba 500, immitiorem *P pro* inimicitiorem(*A*)

IMMITTO - - neque ego id **inmitto**(*B* imm. *EJLy*) in(*om Rg*) aures meas Ep 335(*cf* Ulrich, *de verb. comp. structura*, p. 27)   ne tu quod istic fabuletur auris **immittas**(inm. *RsU*) tuas Cap 548   quid offirmasti occultare quo te immittas(inm. *CRRsU*)? Per 222   *corruptum:* Men 40, immitat *D pro* immutat

IMMIXTUS - - malum maerorem metuo ne **inmixtum**(*Grut* minixtum *BDV¹* mixtim *J* mixtum *V²LULy* inmixtim *GrutRg*) bibam Au 279

IMMO - - *Cf* Specht, *De immo particulea apud priscos scriptores usu.* Diss. Ienae 1904; Ramsay *ad Most. Excursus* IV. **I. Collocatio** *ab initio enuntiati stare solet. In secundo loco stat* Au 765, Cap 354, Ru 1232 *(Rs) Cum aliis particulis coniuncta* immo *antecedere solet, ut* immo hercle, immo edepol; *cf* Kellerhoff, p. 63; Kuklinski, p. 39, *sed praecipue* Specht, p. 5-7

II. Significatio *ad corrigendum aliquid (vel sententiam sententiae opponendam) usurpatur non solum ab altero colloquentium ut alterius dicta corrigat sed etiam ab aliquo loquente ut sua ipsius verba mutet uel corrigat. Cum autem corrigendi vim habeat, haec vox et negat et confirmat, idque sub specie negationis. - -* Specht. *In nostra collocatione* Spechtium *sequimur* A. *respondet interroganti* 1. *indicatur quale responsum exspectetur:* a. num: num non uis me interrogare te? #Immo si quid uis roga Au 161 si seruos est, num quid refert? #Immo multo mauolo Ps 728 num medicus, quaeso's? #Immo edepol una littera plus sum quam medicus Ru 1305

numquid Tranio turbauit? #Immo exturbauit omnia Mo 1032 num mucci fluont? #Immo etiam cerebrum..emunxti Mo 1110 numquid peccatum est? #Immo (imo B) maxume Ps 495 num quae causast quin faciamus hodie? #Immo edepol optuma Au 262 num quae causast quin..uiginti minas mihi des..? #Optuma immo Cap 354

b. non: non meministi..? #Mane: immo equidem memini Men 535 non tu scis quae sit illa? #Immo iam scio Mer 734 non mihi credis? #Immo credo Mer 1014 non in loco emit perbona? #Immo in optumo Mo 673 non adest? #Immo (iammo B) uenisse eum simitu aiebat ille St 391 non ego sum salute dignus? #Immo salue Tri 1153 non tu Cyrenensis es? #Immo Athenis natus Ru 741 non cenabis? #Immo ibo domum Vi 53

2. *non indicatur quale responsum exspectetur:* a. ne: egone quom haec cum illo accubet inspectem? #Immo equidem pol tecum accumbam Ba 1192 a satine illic homo ludibrio nos ..habet? #Immo (ymmo J) edepol..me habes Ep 667 tun meo patre's prognatus? #Immo equidem..meo Men 1079 Mer 490 (immo add ParR) hicine Achilles est? #Immo eius frater..est Mi 62 iamne in hominem inuolo? #Immo etiam prius uerberetur fustibus Mi 1401 tun illam uendas? #Immo alium adlegauero qui uendat Per 135 tune es Ballio? #Immo uero ego eius sum subballio Ps 607 conuenistin hominem? #Immo ambo simul Ps 1079 Ru 1232 (immo melior Rs) mene ut ab sese petam? #Immo †ut a uobis mutuom..dares St 255 ueni. #Hucine? #Immo in carcerem St 621 nihilne attulistis .. auri? #Immo etiam Ba 316 tenaxne pater est eius? #Immo edepol pertinax Cap 289

uisanest ea esse? #Immo edepol plane east Mi 462 ualetne? #Immo edepol melius iam fore spero Tru 190 ain tu eam me amare? #Immo unice unum Tru 194 dan sauium? #Immo uel decem Tru 373

b. *interrogatio geminata:* mittis an non mittis? #Immo ui..rapiam Mi 449 dic utrum Spemne an Salutem te salutem..? #Immo utrumque Ps 710

c. an: an..meretrix illast..? #Immo meretrix fuit Ci 565 an etiam es ueneficus? #Immo (inmo B) edepol uero hominum seruator Ps 872 an etiam in caelum escendisti? #Immo horiola aduecti sumus Tri 942

d. quis, quid: quid tu me..sic salutas..? #Immo equidem te .. nusquam..uidi Am 686 quid ad me? #Immo ad te attinent Per 497 quid si hic manebo..? #Immo abi domum Mo 583 quid si hic non uolt me una adesse? #Immo i modo Per 613 quid Bacchae? #Immo (U sin Aψ in BE om J mid V) id fieri non potest Cas 981

e. ecquid: ecquid amas nunc me? #Immo edepol me quam te minus Cas 456 ecquidnam meminit Mnesilochi? #Immo .. plurumi pendit. #Papae! #Immo ut eam credis? misera ..desiderat. #Scitum istuc. #..Immo..non intermittit tempus quin eum nominet Ba 207-10 tanto hercle melior #Immo - - - Ba 211

f. cur, quin: cur tu operam grauare mihi..? #Immo etiam tibi..faciam omnia Ru 441 quin inhumanum exuras tibi? #Immo hasce..comburam Ru 768

g. *nulla particula interrogativa:* in somnis fortasse (tu uidisti)? #Immo uigilans Am 726 hoc ut faceret (patrem exorasti)? #Immo tibi ne noceat Ba 690 Pistoclero nulla amicast? #Immo adest Ba 718 propter diuitias inditum id nomen? #Immo edepol propter auaritiam Cap 287 ego istuc feci? #Immo Hector Ilius te..oppressit Cas 994 (LLy vide ψ) in carnario fortasse dicis? #Immo in lancibus Cu 324 'dedisti tu argentum?' inquam. #Immo apud trapezitam situmst Cu 345 indignus uideor? #Immo dignus Mer 172 etiam fatetur de hospite? #Immo pernegat Mo (549 b =) 553 potius in subsellio..accipimur quam in lectis? #Immo enim hic magis est dulcius St 704 etiam male dicis? #Immo..di te perdant si.. Tri 991 negas? #Pernego immo Au 765

h. *'interrogatio vertitur in interrogantem':* quid..negoti est tibi? #Immo quid tibist? Am 350 ubi loci sunt spes meae? #Immo edepol meae? Ru 1161

B. *'aliquid fieri se velle dicenti respondetur':* 1. *per imperativum:* comprime istum. #Immo istunc Cas 362 da sodes aps te... #Immo (imo D¹) cedo aps te Men 546 age prior prompta (perde MueLy) aliquid. #Immo tu prior perde Tru 951

emito sepiolas - - #Immo triticeias Cas 494 sine experiri. #Immo (immō B) opperire Tru 753

2. *per alias verbi formas:* i in crucem. #Immo (eamus Rgl) intus potius - - As 941 tene hanc lampadem. #Immo ego hanc tenebo Cas 840 adserua tu istunc... #Immo ibo domum Men 954 lege uel tabellas redde. #Immō enim pellegam Ps 31 non adest. #At tu cita. #Immo ego tacebo Ps 33 iubedum recedere istos. #Immo ad te accedent Ru 787

tu illunc euoca foras... #Immo opperiamur Mi 1249 puerum redde. #Immo amabo ut

hos dies aliquos sinas eum esse apud me Tru
872

    sortem accipe. #Immo faenus Mo 592   cer-
tumst(#Immo *add RL*) mihi hominem cedo.
uel hominem iube..poscere. #Immo hoc primum uolo Mo 1090-91 ambula ergo cito. #Immo
'otiose' uolo Ps 920

    quin tu audi-- #Immo(hem *R*) ingenium
auidi haud pernoram hospitis Ba 276   apage,
haud nos id deceat fugitiuos imitari. #Immo
edepol..haud dehortor Cap 209   de illis uerbis
caue tibi. #Immo Nestor nunc quidemst Men 935
quin tu tuam rem cura potius quam Seleuci.
#Immo omnis res posterioris pono Mi 953

    3. *'petenti per* quaeso, obsecro *respondetur'*:
te quaeso aestumatum hunc mihi des. #Immo
(initio *J*) alium potius misero Cap 341   sine
respirem, quaeso. #Immo(imitio *J*) adquiesce
Ep 204

    obsecro ut per pacem liceat te alloqui...
#Immo indutiae..fiant Am 389   opsecro te..
operam mihi ut des... #Immo et operam
dabo et.. Men 1009

    4. *respondetur subiunctivo aut formulae* volo,
ut: istic itidem uinciatur. #Immo enim uero..
istic..uinciatur Cap 608   eamus intro. #Immo
dicamus Mer 1015   abeamus intro. #Immo
interuisam domum St 147

    dimidium uolo ut dicas. #Immo hercle etiam
plus (aequomst dari) Ru 960

    di me..infelicent si ego..guttam indidi.
#Immo age ut lubet bibe Cas 248   itaque me
Ops opulenta, illius auia-- #Immo mater quidem Ci 515   Iuppiter te mihi seruet. #Immo
mihi Ps 934

    quod bonum..mihi sit. #Et mihi. #Non.
#Immo hercle. #Immo mihi hercle Cas 403

    uae tibi. #Immo uae tibi sit Cas 634   uae
miserae mihi. #Immo mihi Mer 708

    disperii. #(Immo *add Rg*)..perii Mer 709
fortasse: uae capiti tuo. #(Immo *add R*) tuo..
Mi 326

    C. *'alteri loquenti respondetur':* 1. *alterius
sententiam reicit:* tu amicam habebis? #Quom
uidebis tum scies. #Immo neque habebis neque sinam Ba 146   immo--- #Immo hercle
abiero Ba 211   ted..intro hinc auferam.
#Immo ibo Ba 571   ita nugas blatis. #Immo
etiam porro..dicam Cu 453   eloquar. #Immo
ego eloquar Ru 1061

    aduenisti..consutis dolis. #Immo equidem
tunicis consutis Am 368   ecastor condignum
donum..! #Immo sic(: *SL*) condignum donum..
Am 538   hinc profectus sum... #Immo mecum
cenauisti Am 735   haec sola sanam mentem
gestat... #Immo omnes sani sunt Am 1084   ut
miser est homo qui amat. #Immo hercle uero
..miserior As 616   nullus sum. #Immo es..
nequissumus As 922   neque..res structast
domi. #Immo est Au 545   ego sum miser.
#Immo ego sum et misere perditus Au 731
illum nominas quem non uides. #Immo iste
eum sese ait Cap 567   tu mihi igitur erus
es. #Immo beneuolens Cap 857   numquam referre gratiam possim. #Immo potes Cap 933
te nolo, si occupatast. #Immo(*add IsendijkU
om Pψ*) otiumst Cas 544   credam... #Immo ut

illam censes? Cu 59   sum deus. #Immo homo
haud magni preti Cu 167   perdis me... #Immo
seruo Cu 335   ..nisi quid tua secus sententiast. #†Immo docte Ep 280   quasi stolidum..
me faciebam. #Immo ita(em istuc *L*) decet Ep
421   reor peccatum largiter. #Immo haec east
Ep 485   in insidias deueni. #Immo in praesidium Men 136   adiuro..non dedisse. #Immo
hercle uero nos non falsum dicere Men 656
nego hercle uero. #Immo(inmo *B* nimio *BoR*)
hercle(hec *PS*† hoc *BoR*)..negas Men 821
mihist Menaechmo nomen. #Immo edepol mihi
Men 1068   nullus sum. #Immo es--- Mer 164
tu in consilium istam aduocauisti tibi. #Immo
sic(: *LLy*) sequestro mihi datast Mer 737   non
ego sum qui te dudum conduxi... #Immo hercle
tu istic ipsus Mer 759   nimiast miseria...
#Immo itast(*A ut vid om P*) Mi 68   tecum
loquor. #Immo(inmo *B*) edepol tute tecum Mi
422   mala's. #Immo ecastor stulta Mi 443
hau celo. #Immo et celas et non celas Mi 1014
nempe domum eo comissatum. #Immo uitam
quidem Mo 335   uitam * colitis. #Immo uita
antehac erat Mo 731   umbram audiuit esse..
perbonam. #Immo edepol uero..sol semper hic
est Mo 766   Mo 803(immo tu *R in lac*) nisi
tibist incommodum. #Immo commodum Mo 807
ei perdis. #Immo suom patrem illic perdidit
Mo 979   haud negat. #Immo edepol negat Mo
1082   (dolet) mihi quidem hercle. #Immo mihi
Poe 151   paenitet exornatae ut simus. #Immo
uero sane commode Poe 284   oculi..splen-
dent mihi. #Immo etiam in medio oculo paullum sordet Poe 315   perii hercle. #Immo(inmo
B) haud multo post Poe 1360   quasi te dicas
atriensem. #Immo atriensi ego impero Ps 609
neque dum rettulit. #Immo adest Ps 625   quasi
tu dicas... #Immo uero quasi tu dicas.. Ps
635   is..Harpax ego sum. #Immo edepol esse
uis Ps 1199   meum potissumumst. #Immo hercle haud est Ru 986   nullus est. #Immost profecto Ru 994   haud iniquom dicit... #Immo
hercle insignite inique Ru 1097   istuc (*i. e.* te
gaudere) facile non credo tibi. #Immo hercle,
ut scias gaudere me.. Ru 1367   benigne edepol facis. #Immo tu quidem hercle uero Ru
1369   opera mea haec tibi sunt seruata. #Immo
hercle mea Ru 1390   non..satis erae morem
geris. #Immo res omnis relictas habeo St 362
stans obtrusero aliquid strenue. #Immo unum
hoc potest St 593   miseria una uni quidem
hominist adfatim. #Immo huic parumst Tri
1185   aduentum expetit. #Immo..iam hic adfuturum aiunt eum Tru 204   tecum..usque
ero adsiduo. #Immo hercle uero accubuo mauelim Tru 422   ad te quidem. #Immo istuc
ad uos uolo ire Tru 752   ut distinxi hominem. #Immo ego uero Tru 957

    deridebitis. #Non..faciemus. #Immo si pla-
cebit utitor.. Ep 263   (uenis) ut tibi ex me
sit uolup. #Immo edepol pallam illam..redde
Men 678   eo ego... #Immo mane Mer 385
nempe quas spopondi. #Immo 'quas dependi'
inquito Tri 427 a

    magis non potest esse ad rem utibile. #Immo
(†*Ly* face *Rg*) ** quid tibi? Mi 613(*perdub.*)
hercle occasionem lepidam..! #Immo uin tu

lepide facere? Mɪ 978 euge... #Immo uein
etiam te faciam..laetantem magis? Ps 324

2. *'alterius sententiam confirmat sub specie
negationis':* ab eo licebit quamuis subito sumere. #Immo em tantisper numquam te morabitur Bᴀ 340 benignitas..huius..adulescen-
tulist. #Immo..magis nosces meam comitatem
Mɪ 635 placet consilium. #Immo etiam..ma-
gis hoc..dices Poᴇ 188 di deaeque uobis
multa bona dent quom..datis. #Immo..portat
Poᴇ 669 lepide accipis me. #Immo..magis
id dicas Ps 949 mihi reddi ego aequom esse
..censeo. #'Immo duas dabo' inquit 'una si
parumst' Sᴛ 550

mihi te..aequomst..credere. #Immo equidem credo Aᴜ 307 filiam ex te tu habes.
#Immo eccillam domi Aᴜ 781 iam opust.
#Immo etiam prius Bᴀ 221 sentio suspicio
quae te sollicitet: eum esse cum illa muliere.
#Immo est Bᴀ 892 (eo intro) ut eum..casti-
gem... #Immo oro ut facias Bᴀ 909 ab hoc
certe exorabo. #Immo ego te oro.. Bᴀ 1177
rectam institit. #Immo ipsus illi dixit.. Eᴘ 417
aiunt solere eum..repuerascere. #Immo bis
tanto ualeo Mᴇʀ 297 non malitiose tamen feci.
#Immo indigne Mɪ 563 credidi gratum fore
beneficium... #Immo equidem gratiam..tibi..
habeo Pᴇʀ 719 dudum dimidiam petebas partem. #Immo etiam nunc peto Rᴜ 1123 nisi
tu neuis. #Immo haud nolo Tʀɪ 1157

3. **immo si audias, immo si scias:** quam malum facile..! #Immo si audias quae dicta
dixit Bᴀ 698 nempe quem in adulescentia
memorant..ineptum? #Immo si audias meas
pugnas.. Eᴘ 451

certum quam aliquid mauolo. #Immo si scias
reliquiae quae sint Cᴜ 321

scelestissumum me esse credo. #Immo (imino
E) si scias dicta quae dixit Cᴀs 668 bene
hercle factum et gaudeo. #Immo si scias..Mᴇʀ
298 probus homost.. #Immo si scias Ps 749

D. *'particula utitur aliquis ad sua ipsius
verba mutanda':* 1. *'ex alterius verbis aliquid
iterat':* tu auri dempsisti parum? #Quam malum parum? immo uero..minus quam parum
Bᴀ 672 scio. #Scis? immo hodie uerum factum
faxo..dices Mɪ 1367 ecquid placent? #Ecquid
placeant me rogas? immo hercle uero per-
placent Mo 907 te sensi sedulo mihi dare bonam operam. #Tibine ego? immo sedulo († 𝕾
ero meo *U* seruolae *R*) Pᴇʀ 721

2. *sua verba corrigit:* huic - - immo hercle
mihi Cᴀs 369 iam scio - - immo (imo *E*) mulier audi Cɪ 521 eamne ego sinam inpune?
immo..perdam potius Eᴘ 518 (om *A Rg*𝕾*LU*)
di istum perduint - - immo (inmo *D*) istunc
potius Mo 669 illud quidem uolui deicere:
immo hercle dixi Poᴇ 1231 si istuc facinus
audeam: immo sic: si sumus conpecti.. Ps 542
ego isti non munus mittam? immo (*MueULy*
iam mo *B* iam modo *CD* iam ibo *Rs*).. iubebo..perferri minas Tʀᴜ 443

me hoc aetatis ludificari: immo edepol sic
ludos factum Bᴀ 1100 (*v. secl RRg*𝕾*L*) seruos
..in morbo cubat - - immo (imo *E*) hercle uero
in lecto Cᴀs 38 neque illi sum iratus..: immo
me praesente amato Mo 1164 mi liberte, mi

patrone, immo potius mi pater Rᴜ 1266 caue
tu istuc dixis: immo etiam argenti minam..
iam ego adferam Vɪ 83

E. *dubia:* immo ego hunc..teneo Aм *fr* X
(*ex Non* 331 & 456) **** immo maxum *** Cɪ
279 ..uidisse..amplexantem atque osculantem. #Immo ut († 𝕾 *om U* ut *om BoRRgLLy
et Specht,* p. 43) optume Mɪ 245 adsido immo
hercle uero Tʀᴜ 423 b (*versum corruptum ex
v. 422 iteratum secl Caω*) immo id quod...
Vɪ 112 (*ex Prisc.* I. 317) *corruptum:* Tʀᴜ 586,
immo pudet *P pro* impudens (*Z*)

F. *vis particulae augetur per alias particulas:* immo edepol Aᴜ 262, Bᴀ 1100, Cᴀᴘ 209,
287, 289, Cᴀs 456, Eᴘ 667, Mᴇɴ 678, 1068, Mɪ
422, 462, Mo 1082, Ps 1199, Rᴜ 1161, 1305,
Tʀᴜ 190 immo edepol uero Mo 766, Ps 873
immo equidem Aм 368, 686, Aᴜ 307, Mᴇɴ 535,
1079, Pᴇʀ 719 immo equidem pol Bᴀ 1192
immo hercle Cᴀs 369, 403 *bis,* Bᴀ 211, Mᴇɴ 821,
Mᴇʀ 759, Poᴇ 1231, Rᴜ 960, 986, 1097, 1367,
1390 immo hercle uero As 616, Cᴀs 38, Mᴇɴ
656, Mo 907, Tʀᴜ 422 immo tu quidem hercle
uero Rᴜ 1369 immo uero Bᴀ 672, Ps 607,
635 immo ego uero Tʀᴜ 957 (*cf* Kaempf, p. 40)
immo enim (*cf* Clement, p. 12) Ps 31, Sᴛ 704
immo enim uero Cᴀᴘ 608 immo etiam (?)
Poᴇ 188, 315, Rᴜ 441

IMMODESTIA - - haec eri **inmodestia** (imm.
JL) coegit me Aм 163 amori accedunt...
incogitantia, (*comma om LLy*) excors (, *add LLy*)
inmodestia (imm. *L*) Mᴇʀ 27

IMMODESTUS - - hocine fieri ut **inmodestis**
(imm. *J*) hic te († 𝕾 imm. tuis *SeyRg* hic *om U*)
modereris moribus? Cᴜ 200 amant stulte atque **inmodeste** atque inprobe Cɪ 280 amo inmodeste (imm. *BL*) Poᴇ 153 hoc mihi indecore inique inmodeste datis di Rᴜ 193

IMMOLO - - ut deo mihi hic **immolas** (inm.
RglU) bouem As 713 (*cf* Egli, III. 4) deis
meis..sex **immolaui** (inm. *U*) agnos Poᴇ 453
qui..leno ullam Veneri umquam **immolarit**
(inm. *U*) hostiam Poᴇ 450

IMMORTALIS - - I. Forma **immortalis**
Mɪ 888 (*BL* inm. *CDψ*), Pᴇʀ 355 (*AC* inm. *BD
RRs*), Tʀɪ 55 (*AP* inm. *RRs*) **inmortale** (*acc.*)
Tʀɪ 415 (imm. *L*) **inmortali** Aм 1140 (imm. *L*)
immortales Aᴜ 785 (inm. *Rg*), Cᴀᴘ 195 (inm. *Rs*),
242 (inm. *Rs*), Eᴘ 13 (inm. *Rg*[1]), Poᴇ 917, 1255,
Ps 905 (di im. *A* dii mor. *P*), 937 (di im. *FZ*
dii [*vel* dum] mor. *P*) **immortalium** Pᴇʀ 675
(inm. *Rg*) **immortales** (*acc.*) Aм 1093 (*DJL*
inm. *BEψ*), Bᴀ 906 (inm. *RRg* -is *Ly*), Poᴇ 276
(*CD* -is *Bω*), Rᴜ 499 (inm. *Rs*) **immortalia**
Mo 777 (*AL* inm. *Pψ*) **immortalium** (*voc.*) Aм
455 (*L* inm. *Pψ*), 822 (*L* inm. *Pψ* -es *BE* -is
DJ), Aᴜ 265 (inm. *Rg*), 460 (*J* inm. *Rg* immortes
BD), 616 (inm. *Rg*), 808 (inm. *Rg* imor. *J*), Bᴀ
181 (*BL* inm. *CDψ*), 244 (*BRL* inm. *CDψ*), 414
(inm. *Rg*), Cᴀᴘ 697 (*BL* inm. *EJψ*), 891 (*BL*
inm. *EJψ*), 902 (inm. *Rs*), 974 (*BVL* inm. *EJψ*
-is *E*), Cᴜ 274 (inm. *Rg*), Eᴘ 56 (inm. *Rg*), 196
(inm. *VRg*[1] imor. *E*[1]), 341 (inm. *Rg*), 627 (inm.
Rg), Mᴇɴ 474 (*ABC* inm. *D*), 1001 (di imm. *B*
dum mor. *CD*), 1062, 1081 (di imm. *B* dŭ mor.
CD), Mᴇʀ 537, Mɪ 361 (di imm. *B* dŭm. *CD*),
529 (*BLU* inm *CDψ*), Mo 77 (*BL* inm. *CDψ*),

206, 530, 912, Per 565(*AB* inm. *CDRs*), Poe 275(mortales *B*), 608(di imm. *F* dii mort. *P*), 923(*AD* inm. *CDRgl*), 967, 988, Ps 667(mortales *B*), 688(inm. *BR*), 736, Ru 83(inm. *Rs*), 148(*CDL* inm. *Bψ*), 421(inm. *Rs*), 458(inm. *Rs*), 1161(inm. *Rs*), 1191(inm. *Rs*), 1293(inm. *Rs*), 1360(inm. *Rs*), St 625(em. *A*), 657, Tri 160(*L* inm. *Pψ*), 501(*L* inm. *Pψ*), 1030(*L* inm. *Pψ*), Tru 434(inm. *Rs* -is *Bω*), 770(inm. *Rs*), 864(inm. *Rs*)   Inm. *Ly semper, U plerumque. Vide* Am 495, *ubi* immortalem *E pro* in mortalem

II. Significatio A. di immortales: 1. nostram pietatem adprobant decorantque d. i. Poe 1255   tantum tibi boni d. i.* duint Ps 937 d. i. te infelicent Ep 13   d. i. animum ostenderunt suom Cap 242   illum d. i. omnes deaeque quantumst perduint Au 785   d. i. id uoluerunt . . Cap 195   d. i. meum eum seruatum uolunt Poe 917   si quemquam d. i.* uoluere esse auxilio adiutum . . Ps 905

2. . . plus quam in caelo deorumst immortalium mihi nunc . . adiutores sunt Ep 675

3. inuocat deos im. Am 1093   deos . . im. quaeso . . uti . . tui similes hospites habeas Ru 499   per te, ere, opsecro deos im. Ba 906   qui mage immortales uos credam esse quam ego siem? Poe 276(*cf* Egli, II. 30)

4. **di immortales!** *hanc exclamationem sequitur:* **a.** *declaratio* Au 460*, Ba 414, Cap 891, 902 Per 565, Ps 667*, 688, 736, St 625*, Tri 1030 **b.** *exclamatio* Au 616, 808*, Ep 56, Mo 912, Poe 923, Tru 864   **c.** *precatio* Ep 196*, Men 1081*   d. i., obsecro uostram fidem Am 455 d. i., obsecro, aurum quid ualet! Au 265 **d.** *interrogatio* Ep 627(*loc dub*), Mer 537, Ru 1161   d. i.* omnipotentes, quid est apud uos pulcrius? Poe 275   quaeso, di imm.*- - - Poe 608 o di immortales! Ru 1360

pro di immortales! *sequitur interrogatio* Am 822, Ba 244, Cu 274, Men 474, 1062, Ru 148, 1191   *declaratio* Ba 181, Cap 697, 974, Ep 341, Mi 361*, 529, Poe 988, Ru 421, 458, 1293, Tru 434, 770   *exclamatio* Mo 206, Ru 83, St 657, Tri 160, 501   pro d. i.*, obsecro, quid ego . . aspicio? Men 1001   pro d. i., obsecro uostram fidem Mo 77, 530, Poe 967

B. *de aliis:* tua uxor quid agit? #Immortalis est Tri 55(*cf* Egli, II. 28)

tu immortale rere esse argentum tibi Tri 415   solus facio facinora immortalia Mo 777 suis factis te immortali adficiet gloria Am 1140 hominum immortalis est infamia Per 355(*cf* Egli, II. 64)   ea sibi inmortalis memoriast meminisse et sempiterna Mi 888(*cf* Votsch, p. 32)

IMMORTALITAS - - saluos sum: **immortalitas**(*L* inm. *Pψ*) mihi datast: hic emit illam Mer 603   *Cf* Egli, II. 31

IMMUNDITIA - - meretrix repperit odium ocius sua **inmunditia** (-cia *C*) St 747

IMMUNDUS - - immigrat nequam homo - - **inmundus**(imm. *L*) Mo 106   sicine **inmunda** (imm. *L*), obsecro, ibis? #**Inmundas**(imm. *L*) fortunas aequomst squalorem sequi Ci 113-4 (dixit) multo opere **inmundo**(imm. *CDLU*) rustico se exercitum Mer 65

IMMUNIS - - is est **immunis**(*AP* inm. *Rs ULy*) quoi nihil est qui munus fungatur suom Tri 354(*cf* Dousa, p. 543)   amicum castigare . . **inmoenest**(*Bo ex Placido* inmune est *A* inmene est *P* imm. *L*) facinus Tri 24(*cf* Dousa, p. 536 *et Cic. de Inv.* I. 50, 95; *ad Her.* II. 23, 35; *Fest* 109)   ciui **inmuni** scin(*A* imm.*AL* inmimi *C*; *pro* scin *legit* inmunificos scis *P*) quid cantari solet? Tri 350

IMMUNIFICUS - - Tri 350, inmunificos *ins P falso*

IMMUTABILIS - - uestitum atque ornatum **immutabilem**(inm. *U*) habet haec Ep 577

IMMUTO - - I. Forma immuto Am 866(*R LLy* inm. *BDJψ*)   **immutat** Men 40(inm. *U* immittat *D*), Tru 639(tam immutat *L* auarum ut ad *PS*† *var em ψ*)   **inmutantur** Am 846 (imm. *ELLy*)   **immutabo** Ep 647(inm. *RgU*)   **inmutassis** Au 585(*Ac* in me mutassis *PL* imm. *Ly*)   **inmutauerit** Mi 432(*B* imm. *CDL*)   **immutare** Tri 72 b(*v. om Aω*)   **inmutari** Tru 317(imutari *CD* imitari *B*)   **inmutatus** Am 456(imm. *JLy*)

II. Significatio 1. *de hominibus:* ubi inmutatus sum Am 456   ne clam quispiam nos . . inmutauerit Mi 432   ego illum . . spero inmutari* pote Tru 317   ita nunc homines inmutantur Am 846

2. *de rebus:* sin immutare uis ingenium moribus Tri 72 b(*v. om Aω*)   num quippiam tam immutat* mores mulierum? Tru 639(*L*)

si quid erit dubium, immutabo Ep 647   ne tu inmutassis* nomen Au 585   immutat* nomen auos huic Men 40 uestitum inmuto meum Am 866

IMMUTATUS - - ego te uideo **inmutatis** (imm. *JLy*) moribus esse Cu 146

IMPACTOR - - As 551, inpactores *U pro* inductores(indoctores *PL*†)

IMPARATUS - - ex parata re **imparatam** (in. *RsU*) omnem facis Cap 538   facies tu hanc rem mihi ex parata imparatam(in *U*) Cas 827 *Cf* Grimm, p. 23

IMPEDIMENTUM - - filium sensit . . esse **impedimento**(in. *U*) sibi Cas 61

IMPEDIO - - dum huc dum illuc rete †or impedit(in. *U*) piscis Tru 39   uxorem meam impudicitia impediuit(in. *Rgl*) Am *fr* X(*ex Non* 331 & 456; *cf* Schroeder *de fragmentis*, p. 32) ipsus illic sese iam inpediuit(im. *L*) in plagas Mi 1388   dum alios seruat, se inpediuit(im. *BDL* inpediunt *C*) Ru 37   quo modo me expeditum ex impedito(in. *Rg¹U*) faciam Ep 86 *Vide* Au 18, *ubi* impedio *Non* 128 *pro* impendio

IMMOVEO - - mihi exinde **immouit**(*PLy S*†*L*† inhiauit *Rs* me mouit *Abraham U*) loco Tru 82(*vide RsLU*)

IMPELLO - - impellit(in. *CRU*) militem Palaestrio omissam faciat concubinam Mi *Arg* I. 10   eadem nos formido timidas terrore **impulit**(in. *SU*) Am 1079   hoc non uoluntas me impulit(in. *CRU*) Mer 321   serui . . officium . . non . . quo incumbat eo **inpellere**(im. *JLLy*) Au 594

IMPENDEO - - nunc iam alia cura **impendet**(in. *RgU*) pectori Ep 135   tantae in te **inpendent**(im. *BLLy*) ruinae Ep 83   molluscam

nucem super eius dixit **impendere** tegulas F<small>R</small>
I. 48 (*ex Macr* III. 18, 9)

IMPENDIOSUS - - nimio **inpendiosum**(im.
Ly inpendi usū *CD*¹) praestat(*Herm* p. i. *P*)
te quam ingratum dicier B<small>A</small> 396

IMPENETRABILIS - - M<small>ER</small> 605, impenetrabilior *C pro* impetrabilior

IMPENDO - - non hoc **impendet**(*BLy* in.
*CD*ψ -it *CLRg*) publicum? S<small>T</small> 717(*loc perdub*
† *⸬U* nam *pro* non *RRg* tuo fit sumptu *ins L
post* hoc) ad alias res est **inpense**(*A* im. *PL*)
inprobus E<small>P</small> 566(*cf* Gehlhardt, p. 35) ingrato homine nihil **inpensiust**(im. *Ly* infen-
siust *U*) B<small>A</small> 394 *Vide* C<small>AP</small> 806, *ubi* impensior
EJ pro imperiosior(*B*)

IMPENDIUM - - ille uero minus minusque
inpendio(*BD* im. *EJL* impedio *Non* 128) curare..me A<small>U</small> 18

IMPERATOR - - 1. *nom.:* summus **imperator**
non adest ad exercitum A<small>M</small> 504 uoce clara
exclamat..summus imperator diuom atque hominum Iuppiter A<small>M</small> 1121 uterque imperator
(*BoRgl* utrique imperatores *P*ψ) in exercitum
exeunt A<small>M</small> 223 audire iubet uos imperator
(in. *U*) histricus P<small>OE</small> 4 imperator utrimque..
Ioui uota suspicere A<small>M</small> 229 hic qualis impe-
rator(in. *U*) nunc priuatus est C<small>AP</small> 166 ipse
fui imperator(in. *U*) familiae C<small>AP</small> 307 impe-
rator(in *RgU*) quis est? C<small>U</small> 113 egomet sum
mihi imperator(in. *U*) M<small>ER</small> 853 Bumbomachides..erat imperator summus M<small>I</small> 15 ego eram
domi imperator(in. *U*) summus in patria mea
Ps 1171 quist imperator diuom atque hominum Iuppiter R<small>U</small> 9
    2. *voc.:* di te seruassint..amoris..imperator
(in. *RglU*) As 656 impetrabis, imperator(*ABD*
in. *CRRg*) quod ego potero M<small>I</small> 1160
    3. *acc.:* o imperatorem(in. *U*) probum! B<small>A</small>
759 dicto me emit audientem, haud impera-
torem(in. *U*) sibi M<small>EN</small> 444
    4. *nom. pl.:* utrique imperatores in medium
exeunt A<small>M</small> 223(*vide supra* 1)
    5. *adiectiua apponuntur:* summus A<small>M</small> 504,
1121, M<small>I</small> 15, Ps 1171 probus B<small>A</small> 759 histricus P<small>OE</small> 4 *genetivi:* amoris As 656 familiae
C<small>AP</small> 307 diuom atque hominum A<small>M</small> 1121, R<small>U</small> 9

IMPERATRIX - - M<small>ER</small> 842, *U ubi* speratrix
P(*P*)*Ly* spectatrix *FZRRgL* superatrix *Rib⸬*

IMPERCO - - atque **inperce**(*Ca* im. *Ly* at
quin perge *P*) quaeso A<small>M</small> 500 integrae atque
imperitae huic impercito(in. *U* imperacito *B
VJ* ipera atq; *E*) C<small>AS</small> 833

IMPERIOSUS - - nimis **imperiosus**(in *Rgl
U*) As 410 ita erus meus est imperiosus(in.
U) Ps 996 basilicas ediectiones atque **imperiosas**(in. *U*) habet C<small>AP</small> 811 quoius cibo iste
factust **imperiosior**(in. *U* impensior *EJ*) C<small>AP</small>
806

IMPERITIA - - S<small>T</small> 299, imperitiam *C pro*
impertiam

IMPERITO - - te rogo, qui **imperitas**(in.
BRU) Pseudolo Ps 703 antehac pro iure
imperitabam(in. *U*) meo C<small>AP</small> 244

IMPERITUS - - ego ad uos nunc **imperitus**
(in. *CRRgULy*) rerum et morum mulierum..
uenio S<small>T</small> 104(*cf* Blomquist, p. 108; Schaaff,
p. 29) **imperito**(in. *RsULy*) plagas minitaris

mihi C<small>AP</small> 963 meque mihi haud imperito eueniet P<small>ER</small> 535 integrae atque **imperitae**(in. *U*
-c⸬ *B* -ce *EJ*) huic impercito C<small>AS</small> 832 adsunt
fabri architectique ad eam haud **inperiti**(im.
D) M<small>I</small> 919(*loc dub*) *Vide* T<small>RI</small> 665, *ubi* imperitum *D*² imperium *P pro* ingenium(*A*)

IMPERIUM - - I. **Forma imperium** A<small>U</small>
588, C<small>AS</small> 821(in. *E*), M<small>I</small> 611, 1197, P<small>ER</small> 343
imperi As 505(*U* -ii *P⸬*† inperio *LuchsRglL
Ly*), M<small>EN</small> 1030(-ii *P*) **imperio** A<small>M</small> 991, As 147
(in. *RglU*), 505(*LuchsRglLLy* inperi *U* imperii
P⸬), C<small>AP</small> 199(in. *U*), 306(in. *U*), P<small>ER</small> 842 **imperium** A<small>M</small> 262, 631(*v. secl U⸬L*), 956, As 87
(in. *RglU*), 416(in. *RglU*), 508(in. *RglU*), A<small>U</small>
588, 599(in. *RgU*), B<small>A</small> 448(in. *U*), C<small>AS</small> 409(in *U*
-ii *VE*), M<small>EN</small> 871(in. *U*), 980(in. *U*), 990(in. *U*),
Ps 698(in. *U*), 1103(in. *U*), S<small>T</small> 141(in. *U*), 700
(in. *LU*) **imperio** A<small>M</small> 21, 192, 196, As *Arg* 2
(in. *RglU*), C<small>I</small> 235(in. *U*), P<small>OE</small> 44(in. *U*), T<small>RI</small>
303(in. *RRs*), T<small>RU</small> 92(*CDLULy* in. *BRs⸬*) **im-
peria**(*nom.*) T<small>RU</small> 29(subeunda i. *U* sui perclamanda *P⸬*†*Ly*† *var em* ψ) **imperiis** B<small>A</small> 459
(in. *U*), T<small>RI</small> 302(in. *RRs*), T<small>RU</small> 125(*A* in. *Rs*
inperis *P*) **imperia** A<small>M</small> 622, A<small>U</small> 168(in. *U*),
T<small>RI</small> 299(in. *Rs*) *corrupta:* C<small>AP</small> 839, imperio
VE pro impero T<small>RI</small> 665, imperium *P* imperitum *D*² *pro* ingenium(*A*)

II. **Significatio** 1. *nom.:* tua uox superet
tuomque imperium C<small>AS</small> 821 facilest imperium
in bonis M<small>I</small> 611 celebre apud nos imperium
tuomst M<small>I</small> 1197 meum..imperium in te non-
in me tibist P<small>ER</small> 343 quot subeunda imperia!
T<small>RU</small> 29(*U*)
    2. *gen.:* ..ut qui matris(†⸬) expers imperii*
sies As 505(*U⸬*†) ..si quid imperist in te
mihi M<small>EN</small> 1030
    3. *dat :* morigerari mos bonust..erili im-
perio C<small>AP</small> 199(*aliter Rs* †⸬) nunc altrius imperio obsequor C<small>AP</small> 306 tuo imperio paret A<small>M</small>
147 ..tuo ut imperio pareant P<small>ER</small> 842 eius
dicto imperio sum audiens A<small>M</small> 991
    obsequens oboediensquest mori atque impe-
riis patris B<small>A</small> 459 tuis seruio atque audiens
sum imperiis* T<small>RU</small> 125 tuis seruiui seruitutem imperiis praeceptis T<small>RI</small> 302
    4. *acc.:* imperium meum contempsisti? As
416 imperium tuom demutat M<small>EN</small> 871 non
ego cum uino simitu ebibi imperium tuom As
631(*v. secl U⸬L*) †erile imperium ediscat A<small>U</small>
599 me uiuo mea uxor imperium exhibet C<small>AS</small>
409 pergam eri imperium exsequi A<small>M</small> 262
impera, imperium exequar A<small>M</small> 956 eri imperium exsequor M<small>EN</small> 980 nihili eri imperium
sui seruos facit Ps 1103 ne morae molestiaeque imperium erile habeat sibi A<small>U</small> 588 imperium meum sapienter habeatis curae M<small>EN</small>
990 hocine hic pacto potest inhibere imperium magister? B<small>A</small> 448 utrum Fontine an
Libero imperium te inhibere mauis? S<small>T</small> 700
hocinest pietatem colere matri imperium minuere? As 508 certumnest neutram..persequi
imperium patris? S<small>T</small> 141 seruas imperium
probe Ps 698 dote imperium uendidi As 87
    haec tibi si mea imperia capesses.. T<small>RI</small> 299
dotes dapsiles, clamores, imperia..nihil moror
A<small>U</small> 168 non soleo ego somniculose imperia persequi A<small>M</small> 622

5. *abl.*: expugnatum oppidumst imperio atque auspicio eri mei Am 192 ut gesserit rem publicam ductu, imperio, auspicio suo Am 196 matris expers imperio* sies As 505(*LuchsRgl LLy*)

legatus..hinc cum publico imperio fui Tru 92 ne tu exponas pugnos tuos in imperio meo Ci 235 pro imperio uobis quod dictum foret scibat futuros Am 21 haec..imperata sunt pro imperio histrico Poe 44 pro imperio tuo meum animum..seruire aequom censui Tri 303 filio auxiliarier sub imperio uiuens uolt senex uxorio As *Arg* 2

IMPERO - - I. Forma impero Au 251, Ba 702, Cap 839(-io *VE*), Men 991, Mi 1159, Ps 609 **imperas** Men 841(*LangenRs* -at *Pψ*), 862, 855(in. *Non* 191), Mer 494, Mi 1162, Ps 383(in. *B*), 713 **imperat** As 671, Cu 3(*P* -ant *Rg*), Men 841(-as *LangenRs*), Poe 1148, Tru 584(*D* in. *BCS*) **imperatis** Cu 497 **imperant** Cu 3(*Rg* -at *Pψ*), 6(*ex Festo* 314 -at *P*), Men 192(*U* impetrant *Pψ*), St 54 **imperabat** Mi 849(-auit *B* -auat· *CD* in. *CD*) **imperabo** Mer 507, Mi 1175(in. *CD*), Mo 870(iam parebo *R* semper parebo *U*), Ru 658 **imperabitis** Cap 370(-bis *D* impeabitis *E*) **imperaui** Am 629, Men 991, 1051 **imperauisti** Ba 725, Cas 358(*B²J* -trauisti *B¹VE*) **imperauit** Am 291, 586, Au 278, Ps 697, Ru 403, 412 **imperem** As 422(imparem *B¹*) **imperes** Am 630, Ci 377, Men 1033, Mer 505, Tri 1061 **imperet** Am (160 =) 173(-geret *E priore loco*), Cap 308, Per 12 **imperetur** Mer 504 **imperarent** Mi 746 (inpar- *P*) **imperauerim** Tri 1105 **impera** Am 956, Au 143, 193, Cap 978, Ci 722(*FZ* -tra *P* inpetrabis *U* impetratumst *L*), Men 425(-ro *CD*), Mi 1031, Poe 1040, Ru 1333(*FZ* -at *P*), Tri 277, Tru 676(*FZ* incipera *P* clare *U*) **imperato** Men 52 **imperare** Am 881, Cap 155, 306, Ci 58, Cu 299, Per 19 **imperatus** Ep 227 **imperatum** Ba 726, 733, Men 445, Mo 314, Ps 1113(-tratum *B*), Tru 676 **imperata**(*nom.*) Poe 44 (*acc.*) Ps 386(-at *CD*) **corrupta:** Cap 102, imperet *BVE pro* impetret(*J*); Cas 306, imperauerit *E pro* impetrauit; 833, impera cito (*vel* atq;) *P pro* impercito Ep 48, imperatum *E¹ pro* impetratum Mi 1214, imperatum *P pro* impetratum(*FZ*) Mo 220, imperauit *C pro* impetrauit Per 606, impera *CD* in proe *B pro* in proelium Inp. *habet U semper Rs in Tri et Tru modo, Rg in prioribus fabulis*

II. Significatio 1. *absolute:* si quid opus est, impera Am 956 si quid opust impera Au 193 si quid est opus dic impera* Ci 722 si quid opus est..dic atque impera Poe 1040 si quid me uis impera Cap 978 impera si quid uis Au 143, Mi 1031 si quis quid..curari..uelit, audacter imperato Men 52

imperare insueram Cap 306 quid ego gaudeam? #Quia ego impero* Cap 839 si quidem imperes pro copia Ci 377(*ex Prisc.* I. 107) si ..imperare possit Cu 299 imperare oportet Per 19 iterum haud imperabo Ru 658 *Vide* Men 192, *ubi* imperant *U pro* impetrant

2. *sequitur acc.*: a. ecquid imperas? Ps 383 centiens eadem imperem atque ogganiam As 422 quod tibi lubet, id mihi impera Ru 1333

erus quod imperauit Alcumenae nuntiem Am 291 erus quod imperauit neglexisti persequi Am 586 ut quod imperatumst ueniam aduorsum Men 445 ..ut quod imperetur facias Mer 504 item quod(*LLy* †S quid *D* atque *RRg* atque ut *U*) tu mihi is imperes ego faciam Mer 505 fac quod imperat Poe 1148 ego quod mihi imperauit sacerdos id faciam Ru 403 faciendum id nobis quod parentes imperant St 54

..ut quae imperes compareant Am 630 efferantur quae imperaui iam omnia Am 629(*v. secl USL*) ..ut erus quae imperauit facta.. sient Au 278 nimis bellust atque ut esse maxume optabam locus. #Quae imperauisti Ba 725(†*U*) adsunt quae imperauisti* omnia Cas 358 habeatis curae quae imperaui atque impero Men 991 tibi..quae imperabo ea discito Mi 1175 haec quae imperata sunt pro imperio histrico.. Poe 44 iubeto..quae imperauerim curare ut efferantur Tri 1105 haec quae iam imperat Tru 584(*loc dub*)

Mercurium iussi..consequi si quid uellem imperare Am 881 quiduis egestas imperat As 671 impera* quiduis Men 425, Tri 277 dic impera* mihi quid lubet Tru 676 multa mihi imperas Men 862

nec aequom anne iniquom imperet cogitabit Am (160* =)173

b. ..qui posset..remissum quem dixti imperare exercitum Cap 155 noli..lacrimis tuis mihi exercitum imperare Ci 58 laboriossi nihil tibi quicquam operis imperabo Mer 507 hanc tibi ego impero prouinciam Mi 1159 tributus..quom imperatus est Ep 227 uoluptatem..mihi imperas Mi 1162

3. *sequitur dativus personae* a. *solum:* non uerear ne iniuste aut grauiter mihi imperet Cap 308 Apollo mihi..imperat*.. Men 841 tibi imperatumst Mo 314 si huic imperabo*.. Mo 870 ne minus imperes mihi Men 1033 non qui mihi imperarent* Mi 746 mihi imperabat* Mi 849 mihi imperet Per 12 Pseudolus mihi ita imperauit..Ps 697 mihi audacter imperas Ps 713 ut mihi imperatumst* Ps 1113 ..unde mihi imperauit Ru 412 ..qui mihi imperatumst Tri 600

emere meliust quoi imperes Tri 1061 alienis..imperatis Cu 497 atriensi ego impero Ps 609 muto imperas Mer 494

b. *dat. et acc.* (*uide supra* 2): mihi Ci 58, Mer 505, Ru 403, 1333, Tru 676 tibi Mer 507, Mi 1159, 1175

4. *cum adverbio rel.*: ego..uortar quo imperabitis* Cap 370 quo Venus Cupidoque imperat* Cu 3 est eundum quo imperant* Cu 6 ibo huc quo mihi imperatumst Tri 600 petam hinc aquam unde mihi imperauit Ru 412

5. *seq.* ut: impero auctorque ego sum ut tu me..castrandum loces Au 251 ut ametis impero Ba 702 Apollo mihi..imperat* ut ego illic oculos exuram Men 841 ita mihi imperas ut ego huius membra..comminuam Men 855 aduorsum mihi imperaui ut huc ueniras Men 1051 Pseudolus mihi ita imperauit ut aliquem ..adducerem Ps 697

**6. *participium substantive usurpatum* (*cf* Wueseke, p. 31): imperatum bene bonis factum ilicost Ba 726 iam imperatum in cera inest Ba 733 imperata* ecfecta reddat Ps 386

7. *adverbia apponuntur:* audacter Men 52, Ps 713 iniuste, grauiter Cap 308

IMPERTIO - - **I. Forma impertio** Ps 456 (*CDLLy* in. *ABψ*) **impertit** Ep 127 (in. *Rg¹U*), Ps 43 (*A* mittit *PRL* in. *ARgSU*) **impertiam** St 299 (*ACD* in. *BRRgU* impercitiam *C*), Tru 598 (*Rs* pernam *P var em ψ*) **impertias** Vi 39 (in. *Rg*) **inperte** Mi 232 (in. amice *GuyR* participare *Buggeψ* in parte mici pare *P*) **impertiturus** Mi 1060 (*CDLLy* in. *ψ* inpertitus *B*) **impertire** Au 19 (*BEJ* in. *DRgSU*)

II. **Significatio** 1. *cum acc. rei:* salutem inpertit* Ps 43

2. *cum acc. personae*: si quid superfit uicinos inpertio Ps 456

3. *cum acc. personae et abl. rei:* ille .. minusque me inpertire honoribus Au 19 Stratippoclem impertit salute seruos Epidicus Ep 127 non hic suo seminio quemquam porcellam inpertiturust* Mi 1060 opsecret se ut nuntio hoc impertiam* St 299 obseruauit quemnam amore inpertiam* Tru 598 (*Rs*)

4. *dubium:* inperce, amice, me quod commentus Mi 232 (*R*) quod abs te *** quaeso ut mihi impertias Vi 39

IMPETRABILIS - - non potuit uenire orator magis ad me **inpetrabilis** (*B* im. *CDLLy*) Mo 1162 mihi hunc diem dedistis .. ut facilem atque **impetrabilem** (in. *U*) Ep 342 **impetrabilior** (in. *BRgU* impenetrabilior *C*) .. nullus est Mer 605

IMPETRASSO - - istuc confido a fratre me **impetrassere** (-trare *J* in. *RgU*) Au 687 hoc credo impetrassere (*BV* -trasse *J* -trascere *E*) Cas 271 credo te facile impetrassere (impetras fere *C*) Mi 1128 gratiam .. spero ab eo impetrassere (-trasse *CD* -in. *U*) St 71

IMPETRIO - - **inpetritum** (im. *DLLy*) inauguratumst As 259 *Cf* Lindström, p. 39

IMPETRO - - **I. Forma impetro** As 918, Cas 269, 270 **impetras** Cas 213 (-ans *VJ*), Ep 302, Mi 1214 (sum petras *C*), Per 245 **impetramus** Cas 339 **impetrant** Cap 234, Men 192 (inperant *U*), Ru 18 **impetrabis** Cap 942, Ci 722 (*U* impetra et tu *PSt var em ψ*), Mi 1160 (*A* in. *P*) **impetrabit** Tri 1161 **impetraui** Ba 533, 691 (in. *D*), Mer 544, Mi 1200, 1204 (*B²* in. *B* -uit *P*), Mo 220 (-auit *B* imperauit *C* in. *D*), Tri 591 **impetrasti** As 721 (in. *B*) **impetrauit** Cas 306 (imperauerit *E*), Mi 1199 (in. *B*) **impetrauimus** Poe 815 (in. *BC*) **impetrarunt** Poe 1135 (in. *B*) **impetrauero** Cas 106 (in. *E*) **impetres** Cap 515, Cas 311, 714, Men 1100 **impetret** Cap 102 (*J* imperet *BDE*), Cas 56 **impetrare** Cas 233, 298, 364, Cu 65, Mi 231 (in. *CD* -rĕ *CD*), 1208 (inpetraret *B*), 1240 (in. *B*), Poe 974, St 726, Tri 1167 **impetrari** Am 35, As 947, Mo 1170, Ru 702 **impetratum** (*nom.*) Ci 722 (*L* impetra et tu *PSt var em ψ*), Ep 131 (*acc.*) Au 695, Ba 197, Ep 48 (imperatum *E¹*), Mi 1214 (*FZ* imperatum *P*), Mo 786 (ini- *D*) **impetrandi** Mi 1226 *corrupta:* Au 687, impetrare *J pro* impetrassere Cas 358, impetrauisti *B¹VE pro* imperauisti

Mi 1128, impetras fere *C pro* impetrassere Ps 1113, impetratum *B pro* imperatum In. *habet U semper exceptis quinque locis, Rs et Rg saepe, Rgl semper*

II. **Significatio** 1. *absolute:* opto .. mihi huius operas. #Impetrasti As 721 ni impetro, regem perdidi As 918 remur impetrari posse As 947 aegre impetraui Ba 691 intro abi. #Impetras*: abeo Cas 213 nolo ames. #Non potes impetrare Cas 233 si non impetrauit*, specula .. in sortitust mihi Cas 306 face ut impetres Cas 714 si quid est opus dic: impetratumst* Ci 722 (*L* inpetrabis *U*) deos quidem oro. #Impetras Ep 302 superior sis mihi quam quisquam qui impetrant* Men 192 promeruisti ut nequid ores .. quin impetres Men 1100 hilarus est, impetrauit Mi 1199 postremo impetraui* ut uolui Mi 1204 libertatem .. dabo si impetras* Mi 1214 uix fuit copia .. impetrandi Mi 1226 si non quibo impetrare, consciscam letum Mi 1240 animum oportet .. mihi esse gratum ut impetraui* Mo 220 nolo ames. #Facile impetras Per 245 incipere multost quam impetrare facilius Poe 974 impetrare oportet qui aequom postulat St 726 ius hic orat. #Impetrabit Tri 1161

2. *sequitur acc.:* aliud quiduis impetrari a me .. perferam Mo 1170 si hoc impetramus ut .. Cas 339 censui aps te posse hoc me impetrare .. ut .. Cas 364 sine me hoc abs te impetrare quod uolo Tri 1167 dum id impetrant boni sunt Cap 234 et id et aliud .. impetrabis Cap 942 si id impetret .. Cas 56 ego impetrare* dico id quod petis Mi 231 id .. impetrauimus ut .. Poe 815 decet abs te id impetrari Ru 702 quod .. cupio fieri ut impetret* Cap 102

neque quicquam queo aequi bonique ab eo impetrare Cu 65 iniusta ab iustis impetrari non decet Am 35 res falsas .. impetrant apud iudicem Ru 18 nihil impetrare potero Cas 298 satis .. impetrarunt Poe 1135

3. *seq. enunt. rel.:* ut quod me orauisti impetres, .. ut .. Cap 515 ego huc quod ueni in urbem .. impetrauero .. ut Cas 106 a me impetres quod postulas Cas 311 quod mandauisti mihi impetratumst Ep 131 impetrabis .. quod uoles Mi 1160 quod uolui .. impetraui .. a Philocomasio Mi 1200

4. *seq.* ut (ne) *vel subiunct.:* impetraui ut nequid ei suscenseat Ba 533 .. eum hominem ut conuenias Cap 515 (*supra* 3) .. uxorem ut istam ducam Cas 106 (*supra* 3) quid si impetro atque exoro a uilico .. ut eam illi promittat? Cas 269 quid si ego .. ab armigero impetro ut eam illi permittat? Cas 270 .. ut ego cum Casina cubem Cas 339 (*supra* 2) .. Casina ut uxor mihi daretur Cas 364 (*supra* 2) impetraui ut egomet me corruperem Mer 544 .. impetrare* ut abiret ne te abduceret Mi 1208 .. ut perderemus corruptorem Poe 815 (*supra* 2)

tandem impetraui abiret Tri 591

5. *participium substantive usurpatum:* quod me oras impetratum ab eo auferam Au 695 non impetratum id .. redderem? Ba 197 id ei impetratum* reddidi Ep 48 reddam impetra-

tum* Mɪ 1214   quod me miseras adfero omne impetratum Mo 786

6. *origo indicatur per* a, ab: a me Cᴀs 311, Mo 1170   abs te Cᴀs 364, Rᴜ 702, Tʀɪ 1167   ab eo Cᴜ 65   ab armigero Cᴀs 270   ab iustis Aᴍ 35   a Philocomasio Mɪ 1200   a uilico Cᴀs 269

IMPETUS - - 1. *acc.:* facit recta in anguis **impetum**(in. *BDɛRglU*) Aᴍ 1115   non in arcem uerum in arcam faciet impetum(in. *U*) Bᴀ 943   timui ne in me faceret impetum(in. *U*) Cᴀᴘ 912a   ✱✱✱impetum Cᴀᴘ 912b(*ex A* lambitum *Rs* improbum *GepU*)   me iubes facere impetum(*L* in. *Pψ*) in eum Mᴇɴ 869

2. *abl.:* cum clamore inuolant, **impetu**(in. *RglU*) alacri (ruont *add HermRglU*) Aᴍ 245

3. *corruptum:* Cᴀs 589, inpetus *V pro* in pectus

IMPIETAS - - quamquam inuita facio, **impietas** sit nisi eam(*L duce Bo* omni pietas scio[sit eo *CD*] chant *Pɛ†*) Mɪ 1319   eius me impietas male habet Rᴜ 198(in. *RsULy*)

IMPIGER - - ego nunc mihi qui **inpiger** (*A* im. *PL*) fui repperi ut piger . . siem Rᴜ 924b   de nocte multa impigreque(in. *DRsLy*) exurrexi Rᴜ 915

IMPINGO - - **inpinge**(im. *LLy*) pugnum si muttiuerit Bᴀ 800   pugnum in os inpinge(im. *BLLy* inpunge *CD* inpige *U*) Rᴜ 710   iubete huic crassas compedes **inpingier**(im. *LLy*) Cᴀᴘ 734   iusserit compedes **inpingi**(im. *ALLy* imponi *CD* inpono *B¹*) Pᴇʀ 269   ferreas tute tibi inpingi(im. *LLy*) iubeas Pᴇʀ 573

IMPIO - - **impias**, ere, te(*AB* impia secrete *CD*) Poᴇ 384   si erga parentem aut deos me **impiaui**(in. *RsULy*) . . Rᴜ 191

IMPIUS - - **impiast**(*Pius* impla est *P* in. *U*) habitatio Mo 504   uni satis populo **impio**(pipulo improbo *R duce Bo* in. *ULy*) merui mali Mɪ 584   hominem ego hic quaero malum . . atque **impium**(*A* improbum *PRLy* impp. *C* in. *U*) Ps 975   quid habebunt sibi igni(*PUɛ†* signi *LLy*) **impii**(sibi inpii insigne *Rs* in. *Ly*)? Rᴜ 194   . . ne **impiorum**(in. *RsULy* ineptorum *Non* 155) potior sit pollentia Rᴜ 618   malaque in me dixistis **impia**(*GepU* tamen *A* mihi *Pψ*) . . Ps 372   *corruptum:* Poᴇ 384, impia secrete *CD pro* impias, ere, te(*AB*)

IMPLEO - - I. **Forma implebo** Cᴀs 123 **impleui** Aᴍ 429(in. *RglU*) **impleuisti** Aᴜ 454 (in. *RgU*), 552(*J* in. *BDRgɛU* inpreuisti *D*) **impleuit** Mᴇʀ 795   **impleantur** Mᴇʀ 409(in. *RU*)

II. **Significatio** 1. *cum acc.:* inde impleui hirneam Aᴍ 429

2. *addito gen.:* impleuisti fusti fissorum caput Aᴜ 454(*cf* Egli, I. p. 5)   mihi omnis angulos furum impleuisti* Aᴜ 552   *Cf* Blomquist, p. 13; Schaaff, p. 40

3. *addito abl.:* ego te implebo flagris Cᴀs 123   impleantur elegiorum meae fores carbonibus Mᴇʀ 409   suspicione impleuit me indignissume Mᴇʀ 795(-num *DousaRRg*) *Cf* Leo, *Pl. Forsch.* p. 279, adn. 4

IMPLICISCO - - ubi primum tibi sensisti . . **impliciscier**(in. *RglU* implicier *J*)? Aᴍ 729

IMPLICO - - inuoluolum, quae in pampini folio intorta **inplicat**(im. *VELLy*) se Cɪ 729

id inplicabit hominem furto(*U* duplicauit omne furtum *Pψ*) Poᴇ 564   eam(*i. e.* mulierem: ea *LambRLU*) ut sim **inplicitus**(im. *CDLLy* -tas *D¹*) dicam Mᴇʀ 14(*de amore*)

IMPLORO - - uostram ego **imploro**(in. *Rs U*) fidem Rᴜ 615, 622(iterum *pro* ego)

IMPLUO - - malum quom **impluit**(in. *U*) ceteris ne **impluat**(in. *BCɛLyU*) mihi Mo 871 *Cf* Inowraclawer, p. 53

IMPLUVIATUS - - quid erat induta? an regillam induculam . .? ✣**Inpluuiatam**(*P* -ta *A* im. *JLy*) Eᴘ 224

IMPLUVIUM - - *acc.:* utin **inpluuium**(*BE* im. *Ly* utinpluuium *A* utimpluuium *J*) induta fuerit? Eᴘ 225

deuolant angues iubati deorsum in(ut *J*) inpluuium(im. *JLLy* com. *Non* 191) duo Aᴍ 1108 per inpluuium(im. *LLy*) intro spectant Mɪ 159 inspectauit . . per nostrum inpluuium(im. *LLy*) intus . . osculantis Mɪ 175   per inpluuium(im. *CDLLy*) huc despexi Mɪ 287   scin tu . . neque hortum nisi per inpluuium(*CDLLy*)? Mɪ 340 me despexe . . per inpluuium(im. *DLLy*) tuom fateor Mɪ 532   *Cf* Östermayer. p. 57; Siewert, p. 27

IMPONO - - I. **Forma impono** Bᴀ 499(*Z* **impone** *CD* inpone *B* in. *Fψ*) **inponis** As 659 (im. *EJLLy*)   **inponit** Mᴇɴ 26(in. *CDLLy*), Mᴇʀ 88(in. *CDLLy*)   **inponitur** Rᴜ 1237(in. *CDLLy*)   **imponentur** Aᴜ 386(*V²J* -neuntur *BDV²* in. *RgU*)   **inposiuit** Rᴜ 357(*Ca* -uit *P* im. *LLy*)   **inponam** Mo 430(im. *CDLLy* **imponas** Mo 782(*AC* in. *BDRU*) **inponat** Bᴀ 69(im. *LLy*)   **impone** Pᴇʀ 692(in. *U*)   **inponito** As 239(im. *EJLLy*), Mɪ 928(inpu. *D¹* im. *LLy*)   **imponere** Rᴜ 490(in. *RsU*)   **inposisse** Mo 434(im. *D³LLy*)   **inponi** Mɪ 1187 (in. uelit *A* im. *ALLy* inponunt *B* impono *CD*), Poᴇ 1026(*ABD* im. *CLLy*)   *corrupta:* Pᴇʀ 269, imponi *CD* inpono *B pro* impingi(*A*) Tʀɪ 739, inponat *D¹ pro* ponat

II. **Significatio** 1. *cum acc.: a. proprie:* ut iubeat ferri in nauim, si quid inponi* uelit Mɪ 1187   quicquid imponas, uehunt Mo 782 (*cf* Egli, I. 32; Ramsay *ad Most,* p. 272) quicquid domi fuit in nauem inposiuit* Rᴜ 357   hunc in collum (argentum) . . impone Pᴇʀ 692 inponat in manum . . mihi pro cestu cantharum Bᴀ 69(*v. secl BueRgɛL*) istam (cruminam) inponis in me As 659   in eas (transennas) . . esca inponitur Rᴜ 1237   iubeas . . eo lapides inponi multos Poᴇ 1026   in te ego hoc onus omne inpono* Bᴀ 499   parata naui inponit Mᴇʀ 88   me pedem latum modo scies inposisse in undam Mo 434   numquam pedem uoluisti in nauem . . imponere Rᴜ 490   aduenienti sarcinam inponam seni Mo 430

inponit geminum alterum in nauem pater Mᴇɴ 26

b. translate: haec imponentur* in foro nostro Lari Aᴜ 386(= sacrare)   culpam omnem in me inponito Mɪ 928   nobis legem inponito As 239

2. *additur a. dat.:* nobis As 239   seni Mo 430   naui Mᴇʀ 88

b. in *cum acc.:* me As 659, Mɪ 928   te Bᴀ 499 eas Rᴜ 1237   collum Pᴇʀ 692   manum Bᴀ 69 nauem Mᴇɴ 26, Rᴜ 357, 490   undam Mo 434

c. in *cum abl.*: foco Au 386
d. *adverbium:* eo Poe 1026
IMPORTO - - ..ut **importem**(in. *U*) in coloniam hunc auspicio commeatum Er 343
IMPORTUNITAS - - * **inportunitas**(im. *BL*) tantaque iniuria ***(facta in *Valla* orta in *TurnLy*) nos Ru 669
IMPORTUNUS - - leno **inportunus**(im. *C DL*), dominus eius mulieris..quicque..rapiebat domum Mer 44   fateor eam esse **inportunam**(im. *JL*) atque incommodam As 62   spes est..aliquando inportunam exigere ex utero famem St 387   illam inportunam(im. *L* oportunam *D*) tempestatem conciet Tri 399
IMPOS - - sum..incredibilis **imposque**(in. *ULy*) animi Ba 614   suist impos animi Cas 629   ni (sis) indomita imposque(in. *ULy*) animi Men 110   ..animi inpos(im. *L*) uini uitio fecerim Tru 828   Tru 832(animi inpos *Rs pro* improbust)   ..dare..argentum amanti homini adulescenti animi **impoti**(*B* in. *RU Ly* a poti *B* eadem manu iampoti *CD*) Tri 131   *Cf* Blomquist, p. 20; Schaaff, p. 29; Gimm, p. 23
IMPRANSUS - - illo die **inpransus**(im. *EJ*) fui Am 254   is adeo inpransus(im. *J*) ludificabitur Am 952   miles inpransus(im. *J*) astat Au 528   inpransus ego sum St 533   nimiast stultitia sessum **inpransum**(im. *L*) incedere Poe 10   nullumst periclum te hinc ire inpransum domum Ru 144   *Cf* Hofmann, p. 8
IMPRESSO - - As 661, crumina impressatum *J pro* -am pressatum
IMPROBO - - ..genus ingenio quom(*R* ingenium *P* ingenio *sine* quom *L*) **improbant**(*B* probant *C¹D¹* inp. *C²D²RLy*) Mer 970   araneorum..texturam **improbem**(*B* -bam *ACDU* in. *ULy*) St 348   meum opus ita dabo expolitum ut **inprobare**(im. *DL*) non queas Mi 1174
IMPROBUS - - I. **Forma improbus** Ba 602(*PL* -bum *Lamb* ψ), 656(in. *CDU*), Cas 119 (in. *VU v. secl GuyRsŞU*), Ep 566(*PL* in. *A* ψ), Mi 802(*CDL* in. *B* ψ), Per 762(in. *CRLy*), Tru 333(*L* -be *P* ψ), 832(*FZ* in. *ULy* iam probus *P* animi inpos *Rs*), 833(in. *BCRsULy*)   **improba** Au 53, Mi 729(in. *P*)   **improbum** Ba 602(in. *P*)   **improbi** Ba 573(*B* in. *CD*), Cas 550(in. *V* interpolis *Rs*), St 13(in. *AP*)   **improbo** Cas 257, 268   **improbum** Ba 552(*CD* in. *B*), Cu 469, Ps 975(*BDRLy* impium *AC* ψ), Tri 1035(in. *P*)   **improbam** St 348(*CD* -em *AB*)   **improbum** Cap 912 b(os pandebat i. *GepU* **impetum *A* ψ, Ep 32(*EJ* in. *B*)   **improbe** Am 571, Mer 981(*Rg in v. a se ficto*) Tru 333(-us *L*), 612   **improbo** Poe 1406(in. *P*)   (*neut.*) Mi 584(*R duce Bo* impio *P* ψ), Ps 149(*CD* in. *B* improbi *ALULy*)   **improbi** Ba 425(*BC* in. *D*), Mi 732(*B* in. *CD*), Mo 873(*D* -bis *BCŞ* in. *D*), Ps 149(*vide* -o), 1128, 1129(*P* in. *A* damnosi *RRg*), St 43, Tru 156(*CD* in. *B*)   **improbae** Ps 183(*C* in. *ABD* -be *P*), Ru 374(in. *P*)   **improbis** Ba 656(*B* in. *CD abl. RgŞU*)   **improbos** Cas 953   **improba** Tru 555(-be *SpRsULy*)   **improbis**(*masc*) Ba 620(*FZ* -bris *P*), Men 973, Ps 1225(*AB* -bris *CD*), Tri 275(in. *P*), 281(*BC* in. *AD*)   (*fem.*) Ps 1110, Tru 553(im. se *Ca* inprouisse *P*)   (*neut.*) Au 213   **improbior** Ba 1201,

Ps 802(-bo or *B*), Tri 692   **improbiores** Mo 824   **improbissumum** (*nom.*) Mo 623(*CD* in. *B* -imum *P*)   **improbissumo** (*dat.*) Ru 662(*FZ* -uissimo *P* in. *C* -imo *L*)   **improbe**(*adv.*) Cr 280, Tri 95, Tru 555(*SpRsULy* -ba *PŞ†L* in. *P*) *corrupta:* Poe 69, improbum *B pro* in morbum Tri 320, improbus *D¹ pro* probus
II. **Significatio** 1. *attributive* a. *de personis:* ..nequam des armigero atque improbo Cas 257   ego sum factus improbior* coquos Ps 802   ..ut improbos famulos imiter Cas 953   parasitus ego sum hominis nequam atque improbi Ba 573   hominem ego hic quaero..improbum* Ps 975   improbissumo* homini malas edentauerint Ru 662   quid iam reuocabas(? *L*) inprobe(-u's *L*) nihilique homo? Tru 333   ..detur..seruo improbo Cas 268   ..probris quae improbis uiris digna sunt Ba 620   quid is preti detur ab suis eris ignauis improbis uiris Men 973   boni me uiri pauperant, improbi augent, populo strenui, mihi improbi* usui sunt Ps 1128-9   de improbis:* uiris auferri praemium..decet Ps 1225   inprobi uiri officio utier St 13   nolo ego cum improbis te uiris..sermonem exsequi Tri 281   *similiter:* propter operam illius irqui improbi* edentuli Cas 550
b. *de rebus, sim.:* improbis se artibus teneant Ps 1110   improbis* se artibus expoliat Tru 553   (*longe aliter Rs*) edepol facinus improbum! Ep 32   quid factis? #Neque malis neque improbis Au 213   facit improba* facta Tru 555   uos estis..ingenio improbo* Ps 149   morem inprobum! Tri 1035   Cap 912 b(os pandebat improbum *GepU* ** impetum *A*) Mi 584(pipulo inprobo *R duce Bo pro* populo impio)   operam ..araneorum perdam et texturam improbam* St 348
2. *praedicative:* a. cui tu integumentum improbu's* Ba 602(*L*)   improbis..improbus sit (*om Ly*) Ba 656(*loc du*^{b}) tua sum opera..improbior Ba 1201   improbus nihilique sis Cas 119(*v. secl GuyRsŞU*)   ad alias res et inpense inprobus Ep 566   ..qui inprobi essent et scelesti Mi 732   rei nulli aliaest inprobus Mi 802   uos estis..ingenio improbi* Ps 149 (*ALLyU*)   si illi improbi sint St 43   quis me improbior perhibeatur esse? Tri 692   illi sunt improbi Tru 156   qui improbust*..tamen ab ingenio improbust Tru 832-3
et discipulus et magister perhibebantur inprobi Ba 425   improbum istunc esse oportet hominem Ba 552   improbus est homo qui.. Per 762   improbi* sunt (serui)..Mo 873(*loc dub*) danista qui sit, genus quod improbissumumst Mo 623
b. quoi tam(scutum: *Ly*) integumentum inprobumst Ba 602(*vide supra* a) (merx) quae inprobast* Mi 729   si quae inprobae sunt merces iactat omnis Ru 374   multum improbiores (postes) sunt Mo 824
3. *substantive:* rogasne, improbe. ? Am 571   oculos..istos, improba, ecfodiam tibi Au 53   etiam quaeris, inprobe? Mer 981(*Rg solus*) quid mi domi nisi malum uostra operast hodie, inprobae? Ps 183   tu, improbe, ..male dicere audes? Tru 612
improbus cum improbis sit Ba 656   si quem

conuentum uelit . . uel probum uel improbum
Cu 469　　diiunge inimicitias cum inprobo Poe
1406　　cum improbis uiuere uanidicis Tri 275

4. *adverbium:* amant stulte . . atque improbe
Ci 280　　scis me fecisse inscite aut inprobe Tri
95　　facit inprobe* facta Tru 555 (*vide supra*
1. b)

IMPROVISUS - - tantum adest boni **inpro-**
uiso(im. *J*) As 310 (*cf* Sidey, p. 46) inprouiso
filiam inueni Ru 1196 (*v. secl LangenRgⅢ*) ita
mi ex improuiso (*R solus* ita mihi *Pψ*) mala res
. . obicitur Mer 339　　ex inprouiso (prouiso *C*)
filiam inueni meam Ru 1192　　*corrupta:* Ru 662,
improuissimo *P pro* improb.　　Tru 553, inpro-
uise(-uisse *B*) *P pro* inprobis se (*Ca*)

IMPRUDENS - - 1. *nom.:* si quid ego erga
te **inprudens**(im. *J*) peccaui . . Au 792　reducem
. . faciet liberum . . inprudens (im. *J*) Cap 44　eo
sororem destinat inprudens iuuenis Ep *Arg* 5
ibi leno . . caput . . imprudens alligabit Ep 369　si
quid inprudens (*A* im. *P*) culpa peccaui mea Ep
729　tibi non inprudens (*B* im. *CD*) aduorsabar
Men 420　si quid stulte dixi atque inprudens
(*BC* im. *D*) tibi Men 1073　　emit hospitalem
is filium inprudens senex Poe 75　adulescens
alteram . . perit suam sibi cognatam inprudens
Poe 97　ea in clientelam suipte inprudens
patris . . deuenit Ru *Arg* 4　deuoraui nomen
inprudens Tri 908

2. *dat.:* ne mihi . . uerba inprudenti (im. *J*)
duit Au 62　ne inprudenti (im. *C*) huc ea se
subrepsit mihi Mi 333

3. *acc.:* **a.** ne te opprimeret **inprudentem**
(im. *C*) Mer 224　tu, credo, me inprudentem
(*A* mihi inprudenti *P*) obrepseris Tri 61

b. ne clam quispiam nos uicinorum inprudentis (im. *CD*¹ -es *C*) aliquis inmutauerit Mi 432

4. *corrupta:* inprudens Tru 263, *P*; 764, *C pro*
impudens

IMPUDENS - - I. Forma **impudens** Am *fr*
XX (*ex Festo* 169), Au 746 (*J* in. *BDE*), Ba 1006
(*D* in. *BC*), Cas 97 (*A V J* in. *BE*), Men 710 (in. *P*),
Mi 89 (in. *P*), 1402 (*ACD* in. *B*), Per 40, 412
(in. *P*), 422 (*BC* in. *AD*), 827, Ru 652, 747 (*A*
in. *P*), 977 (*D* in. *BC*), 981 (*D* in. *BC*), Tru 263
(*A* inprudens *P* in. *A*), 586 (*Z* immo pudet *P*),
764 (*D* in. *B* imprudens *C*), Fr II. 21 (= *Am fr*
XX)　**impudenti** Ru 620　**impudentem** Men
713 (in. *P*), Ru 115 (*CD* in. *B*), Tru 587 (in. *P*)
impudente Am 818 (*EJ* in. *BD*)　**impudentius**
(*nom.*) As 543 (*DEJ* in. *B*)　　**inpudenter** Ru
977　*corruptum:* Cu 52, impudentior *J pro* inpudicior

II. Significatio 1. *praedicative: naualis scriba,*
columbar, impudens! Am *fr* XX (= Fr II. 21 *ex*
Festo 169)　te . . huc ad me adire ausum, inpudens! Au 746　quid ais, impudens? Cas 97
etiamne, inpudens, muttire . . audes? Men 710　ad
forum abiit, gloriosus, inpudens Mi 89　cur es
ausus subigitare . . impudens? Mi 1402　rogare
. . audes, impudens? Per 40　accipe sis argentum, inpudens! Per 412　du mihi argentum,
inpudens! Per 422　etiam muttis, impudens?
Per 827　legirupa, impudens, inpurus! Ru 652
itane, inpudens? Ru 747　quid ais, inpudens?
Ru 981　eram . . comprime, inpudens* Tru 263
haec pro substantivis habent nonnulli

esne inpudenter inpudens Ru 977　impudens* mecastor, Cuame's Tru 586　fio inpudens* Tru 764　tun me ais inpudentem esse?
Tru 587　te quidem . . nihil est inpudentius
As 543

2. *attributive:* o hominis inpudentem audaciam! Men 713　inde a principio iam inpudens epistulast Ba 1006　et inpudicum et inpudentem hominem addecet . . aduenire Ru 115

3. *substantive:* quid illac inpudente audacius?
Am 818　statuite exemplum impudenti Ru 620

4. *adverbium:* esne inpudenter inpudens Ru
977

IMPUDENTIA - - quae haec, malum, **inpu-**
dentiast (*A om P*)? Ep 710, Men 793 (*B* im.
CD)　compendium . . fecisti quom istanc nactu's **inpudentiam** Ba 160 (*v. secl LangenRgⅢ*)

IMPUDICITIA - - scio fide hercle erili ut
soleat **inpudicitia** (-cia *BC*) opprobrari Per
193　tu si me **inpudicitiai** (*Grut* -tię *BEJ* -cię
D) captas, capere non potes Am 821　uxorem
meam **impudicitia** impediuit Am *fr* X (*ex Non*
331 *et* 456)

IMPUDICUS - - I. Forma **impudicum** (*nom.*)
Mi 282 (*CD* in. *B*)　**impudicum** (*acc. masc.*) As
475, Ru 115 (*CD* in. *B*)　**impudicam** Am 834,
905 (*J* in. *BDE*), 913 (*J* in. *BDE*)　**impudi-**
cum Ru 393 (*C* in. *BD*)　**impudice** As 475
(*EJ* in. *B*), Ps 360 (*BC* in. *AD*)　**impudicis** Am
926 (*BDJ* in. *E*), 927 (*BDJ* in. *E*)　**inpudici-**
tior Cu 52 (*B* impudicitur *E* impudentior *J*)

II. Significatio 1. *attributive:* ab impudicis
dictis auorti uolo Am 927　factis me impudicis abstinei Am 926　quod id est facinus? #Im-
pudicum Mi 282　o facinus impudicum! Ru 393
et inpudicum et inpudentem hominem addecet . . aduenire Ru 115

2. *subst. vel praed.:* age, inpudice, sceleste! As
475　te differam dictis meis, inpudice! Ps
360　. . me impudicam faceret Am 834　. . quam
tu impudicam esse arbitrere Am 905　non . . te
esse inpudicam crederem Am 913　ni istum
impudicum percies As 475　est osculando quippiam inpudicior* Cu 52

IMPUGNO - - Men 1054, uel inpugnando *B*
pro uel pugnando

IMPULSOR - - deus mihi **impulsor** fuit Au
737　me suasore atque **inpulsore** id factum
. . dicito Mo 916　ne . . hanc te emisse dicas me
inpulsore aut inlice (*A* suasu atque inpulsu
meo *PL*) Per 597

IMPULSUS - - me iniuriam fecisse fateor
. . **inpulsu** (im. *J* -sū *D*) adulescentiae Au 795
ne . . hanc te emisse dicas suasu atque inpulsu
meo (*PL* me inpulsore aut inlice *Aψ*) Per 597
. . intro ierit inpulsu meo Tri 10

IMPUNGO - - Ru 710, inpunge *CD pro* im-
pinge (*B*)

IMPUNE - - ebrio atque amanti **inpune** (im.
EJ) facere quod lubeat licet Au 751　eamne
ego sinam inpune (im. *J*)? Ep 518　. . sinam
me inpune (im. *J*) irrisum esse Ep 520 (*vv. om*
ARgⅢLU) eloquere: inpune non erit Men
621　id si resciuit uxor inpunest uiro Mer
820　neque me quidem patiar probri falso inpune (im. *CD*) insimulatam Mi 396　age abi
abi inpune (im. *CD*) Mo 1180　eo istuc male

dictum inpune(im. *B*) auferes Per 276   do Iouem testem tibi te aetate inpune(im. *B*) habiturum Ps 515   *vide* St 344 *ubi* impune *post*
istum *ins R in adn. et* U

  2. **inpunissume**(*ABD* im. *C* -ime *A*) tibi quidem hercle uendere hasce aedis licet Poe 411

IMPURATUS - - impurate .. nos nostras
aedis postulas comburere? Au 359   postulabas
te, **inpurata**(*P* im. *A*) belua, .. deuoraturum
insulam? Ru 543   scio probiorem hanc esse
quam te, **inpuratissume**(im *B* -ime *P*) Ru 751

IMPURITIA - - trecentis uersibus tuas **in-
puritias**(*A* im. *P*) transloqui nemo potest Per
411

IMPURUS - - I. Forma impurus Ru 652
(*BD* in. *C*)   **impura** Cu 126(*J* in. *BE*)   **im-
purae** Mo 619(*BD* in. *C*)   **inpurum** Ps 975
(*A* implum *P* impium *FZRLy*)   **impure**(*voc.*)
As 472, Ba 884(*CD* in. *B*), Mo 887b(in. *D*), Per
408(*A* in. *P*), 687, Ps 366(*BD* in, *AC*), Ru 990
(*C* in. *BD*)   **impuris**(*dat.*) Au 378(in. *E*)
impurissimum(*acc.*) Ba 12(*ex Festo* 169), Men
853(in. *P*)

  II. Significatio 1. *attrib.*: iube obicere argentum ob os inpurae beluae Mo 619   manesne ilico, impure parasite? Mo 887b   impure leno! Ps 366   hominem ego hic quaero
malum .. inpurum* Ps 975

  2. *subst.*: **a.** quid nunc, inpure? Ba 884   impure, nihili, non uides irasci? As 472   oh, lutum lenonium .. inpure! Per 408   id metuendus
miser, impure, auare! Per 687   piscatorem te
esse, inpure, postulas? Ru 990

  periuri plenissumus, legirupa .. inpurus Ru 652
b. hoc uide ut ingurgitat inpura in se merum Cu 126   illis impuris omnibus adii manum Au 378   ecquis euocat .. istum inpurissumum? Ba 12 (*ex Festo* 169)   abigam hinc
hunc inpurissumum Men 853

IN - - *Cf* Kampmann, *de* IN *praepositionis
usu Plautino*, Breslau 1845. *Praeter coniectu-
ras inuenitur praepositio cum abl.* 895*ies, cum
acc.* 711*ies. Emendationes in textus varios ad-
missae sunt* 65*ies*

  I. Forma *Assimilatur ad sequentem litteram
ut sequitur*(cf Dorsch, p. 32): illustris Ba
743(*B*)   illustra Cas 242(*E*), 243(*E*)   īmanum
Ba 69(*C*), Cu 354(*B²*)   īme Am 265(*B*)   īmellina
Ep 23(*B*)   īmorbo Cas 37(*B*)   immalam Per
288(*B*)   immanu Poe 52(*B*)   immanibus Poe
980(*B*)   immaxumam Poe 347(*B*)   immedio As
100(*BDJ*)   immemoria Poe 1418(*B*)   immen-
tem Poe 1086(*B*), Tri 1050(*B*)   immirum Am
Arg I. 7(*D*)   immortalem Am 495(*E*)   īplura
Cas 183(*E*)   īpublicum Per 68(*C*)   impectore
Am 1053(*D*)   imperpetuom Cap 441(*BD*)   im-
petaso Am 143(*D*)   impersas Per 718(*CD*)
impraeda Ep 108(*A*)   improelio Am 415(*J*)   im-
puluere Ci 698(*V*)

  corrupta: Am 73, in *ins P om Scal;* 838 in
PŠ† L† Ly† enim *LachRgl* id tu *U*   As 200,
in noū *E pro* uinum   Au 339, in *add B;* 462,
in *add J;* 561, in *add Non* 455   Ba 1185, isne
in *B pro* in   Cap *Arg* 6, in *E pro* is; 258, in
add E; 317, frater in *VE pro* faterin; 408,
qui in *VE pro* quin   Cas 679, in *B²J* sin *B¹VE
pro* sinere; 981, in *BE pro* sin(*A*)   Ci 679,

in te *VE¹J pro* iter(*B²*); 740, in ulla *P pro*
nulla(*Mue*)   Cu 287, qui in *B¹VE pro* quin;
723, in *J pro* ni   Ep 328, in ultimum *P pro*
inultum(*FZ*); 455, quo in *E* quin *BJ pro* proin
(*A*); 503, in mulierem *A pro* fidicinam(*P*); 679,
in *add J*   Men 230, in *add B;* 310, aut in *P
pro* audin; 748, -ti in *B¹ pro* -tin   Mer 806,
in uestigio *C pro* inuestigo   Mi 232, aut in *P
pro* auden; 466, du it in *B* diuit ut *CD var
em ω;* 472, in *P pro* ex(*A*); 533, uidisti in *CD
pro* uidistin; 648, in imula *P pro* animula; 882,
ego in *B* egom *CD pro* egomet; 1151, in die
P pro inde(*A*); 1313, audistis in *B pro* audin
Mo 10, in *C pro* em; 369, tui in *CD* tu in *B
pro* tutin(*Fl*); 445, perit in *P pro* aperitin;
620, *add B²CD;* 642, in *CD pro* scin; 694, in
loco *C pro* ilico; 704, in *A lac P pro* ibi(*R*);
742, in cor meum *add BLy†* om *Boψ;* 821, aut
in *P pro* audin   Per 2, in *Ps Serv ad Buc* X.
69 is *Ly* om *Pψ;* 467, in conspectum *P pro* e
conspectu(*Dou*); 619, miraris in *P pro* mirari
si(*A*); 765, *add P* om *Ca;* 834, in concilia ut *P
pro* inconciliat(*Py*)   Poe 104, illi in *CD* illi
im *B pro* illarum(*FZ*); 302, in *P pro* id(*A*) om
BoU; 999, audin in *A pro* audi; 1141, sulli in
P sillae *AŠLU var em ψ;* 1183, in ibi *A pro*
ibi(*P*) inibi *LLy;* 1276, in *P pro* et(*A*); 1282,
in *A pro* ad   Ps 97, quo in ec(haec *C* hec *D¹*)
P pro quoi nec; 317, in *A pro* id; 372, in me
ins AP om *R;* 499, *add Char* 201; 552, *add A;*
1108, in omen *B pro* ei nomen; 1145, *add CD*
Ru 88, *add CD¹;* 223, *add P* om *A;* 251, *Macr
pro* cum; 483, in p *D* in pro *BC pro* intro; 934b,
in dam(p)no *CD pro* indam nomen(*B*); 1140,
in me *PŠ†* anne *VallaRsLU* idne *Ly;* 1169,
in sicula *CDŠ† var em ψ;* 1216, omnia in *P
pro* omnium   St 72, aduersariis in dedecore *P
pro* utram; 446, *add A;* 502, qui in *C pro* quin;
656, foedar in *CD pro* foedarim; 905 nouisti in
B pro nouistin; 1004, in nabulum *B pro* tintinnabulum; 1016, cursur in *B pro* cursurám
Tru 194, an in *P pro* ain; 273, me illi uel in
(*B* uelim *CD*) mentiri *P pro* mihi inclementer
(*A*); 303, qui in *P pro* quid(*A*); 528, in me
(imme *B*) in meum *P pro* mel meum; 541, in
CD pro hinc; 673, in his *D pro* minus; 756,
mitte in *P pro* mittin; 791, accepisti in *P pro*
accepistin(*FZ*); 856, *add P* om *Ca;* 875, in eam
rem *PŠ† var em ψ;* 958 in *P pro* i(*Z*)

  II. Collocatio 1. qua in Cas 183(ặq̂ î *E* quam
J)   fugam in Am 23ϭ(in fugam *Rs in versu
bacchiaco*)

  2. ingenium in meum Mo 135(*Bo* in ing m.
P)   rem .. in nostram Per 609   rebus in dubiis Cap 406

  3. hoc in equo Ba 941   hoc .. in loco St 685
hisce in aedibus Mo 950, Vi 58   ea in opificina Mi 880   quo in periclo Ba 830   quas in
aedis Ci 169   quo .. in loco Cu 467   quo in
loco Am 699, Cu 711, Ep 81, St 243   quem
in locum Men 823   qua in regione Mo 659
qua in patria Per 596   quam .. in urbem Poe
106   quam in partem Ru 667(*Valla in lac*)
aliquam in arborem Au 678   ullo in saeculo
Au 126   ullum in forum Ru 988

measque in aedis Mer 786 meo..in loco
Per 843 meo in pectore Ps 575 tuam in
prouinciam Cas 103 tuam in rem Ci 634
tuam..in rem Ps 253

quanto in periclo Ba 827 quanta in pernicie Ba 827

uno in saltu Cas 476 uno..in loco Men
56 singula in subsellia Am 65

omnibus in locis Men 982 omnibus in extis
Poe 464 omni in aetate Poe 228

antiquam..in concordiam Am 475 antiquam
in gratiam Am 1141 deteriorem in uiam Tri
680 expuncto in manipulo Cu 585 laevo in
femine Mi 203 lignea in custodia Poe 1365
maxumum in malum Mi 279 magno in genere
Mi 703 magno in populo Tru 74 medio in
mari Ep 679 pauca in uerba Per 661 postrema
in comoedia Ci 787 summam in crucem St
625 ueram in uiam Cas 369

4. populi in conspectum Am *fr* VIII huius
modi in palaestram Ba 66 tergi..in rem Men
985 b

5. tam in angustum..locum Ru 1147 tam
in amici hospitium Mi 741

III. Significatio A. *cum ablativo:* 1. *de loco
et trans.:* a. *cum verbis habitandi, manendi,
sim.:* ego accubui simul. #In eodem lecto? #In
eodem Am 805 in lupanari accubat Ba 454
facite in biclinio..accubitum eatis Ba 754 non
in busto Achilli sed in(*B om CD*) lecto accubat
Ba 938 ne prius in(ui *C*) uia accubas Mo
326 tu..accumbe in summo Per 767 hau
postulo..med in lecto accumbere St 488 tune
..cubitare solitu's in cunis puer? Ps 1177 ubi
tu cubuisti? #In eodem lecto tecum una in
cubiculo Am 808 seruos in morbo(imorbo
B) cubat — immo in lecto Cas 37-38 in
lecto cubat Mi 470 cubare in naui..naucle-
rus dixit Mi 1108 in cera cubat(adcubat *U
falso*) Ps 36 utinam in carcere illo potius cubuissem die Ru 498 cubando in lecto..ob-
durui Tru 916 rure incubabo usque in praefectura mea Cas 110 leno..incubat in Aesculapi fano Cu 61 dormibo placide in tabernaculo Tri 726 tu..in neruo iam iacebis Cu
718 glandium sumen..in aqua iaceant Ps
166 iaceam ego asinus in luto Au 230 in
occulto iacebis Tri 664

in eopse adstas lapide Ba 815 meretricem
adstare in uia . Ci 331 uno adsto in loco
Men 56 (Iuppiter) in columine astat summo
Tri 85 stant thylacistae in atriis Au 518
standumst in lecto Men 103 in istoc portu
stat(instat portu *U*) nauis praedatoria Men
344 in statu stat senex Mi 1389 in hoc iam
loco..constitit Ci 699

in illis(ce) habitat aedibus Am 97, Cas 36,
Poe 95 in i. ae. habitas(habes *SeyRsŠ*) Men
307 ais habitare med in i. ae.? Men 820 habitat in i. ae. Poe 78 ..intus nemo in ae. habitet Mo 402 habitat hisce in ae. Mo 950(*A*
his cedibus *P*) in hisce habitat ae. Tri 12
(habitamus) h. in ae. Vi 58 in superiore..
habito cenaculo Am 863 erus in hara haud
aedibus habitat As 430 habitat hic in proxumo Ci 100 in his dictust locis habitare
Ep 534 in urbe hac habitant Men 261 in

ore habitas meo Poe 413 in hisce habitare
monstratust regionibus Poe 959 illic habitat
..in agro Ru 34 (habito) porro illic..in campis ultumis Ru 1034 in hac uilla habitat Ru
1035 in his regionibus ubi habitet Tri 873
(habitat) hic in hoc posticulo Tri 1085 sciunt
..te unum in terra uiuere Mi 56 in proxumo
deuortitur Mi *Arg* II. 8 in proxumo hic deuortitur Mi 134 quasi mus in medio pariete
uorsabere Cas 140 uorsabatur mihi in labris
primoribus Tri 910

in foro infumo boni .. ambulant: in medio
propter canalem ibi ostentatores Cu 475-6 in
portu illi ambulo Mer 97 ambulaui..in tegulis Mi 272 ambulo in terra dius(*Rs* interdius *Pψ*) Ru 7 obambulabant in foro Cap 491
perreptaui..in macello, in palaestra atque in
foro, in medicinis, in tonstrinis Am 1012-3

in ara hic adsidam sacra Au 606 adsedi in
stega Ba 278 in sella apud magistrum adsideres Ba 432 adsedistis..in festiuo loco Mi
83 adsidite hic in ara Ru 688 in tonstrina
ut sedebam As 343 sedeant in subselliis Poe 5
ne quis in proscaenio sedeat Poe 17 cur sedebas in foro? Ps 800 ambo in saxo..sedent
Ru 72 mulierculas uideo sedentis in scapha
Ru 163 in ara..sedebant mulieres Ru 846
ego sedero in subsellio St 93

latuit intus illic in illac hirnea Am 432 cocleae in occulto latent Cap 80 parasiti..latent
in occulto miseri Cap 83 summa ingenia in
occulto latent Cap 165 mihi in mari acipenser latuit Fr I. 19(*ex Macr* III. 16, 1) ut in
luto haeream Per 535

Syracusis perhibere natus esse in Sicilia Men
409 in Sicilia te Syracusis natum esse dixisti
Men 1096 qua in patria nata sit Per 596
(nata sum) in culina, in angulo, ad laeuam
manum. #Natast in calido loco Per 631-2 in
mari non natumst Ru 992

signum..tempore exoritur suo hic atque
in caelo Ru 5 quid hic in Veneris fano meae
uiciniae clamoris oritur? Ru 613

cenauin ego heri in naui in portu Persico?
Am 823 apud fratrem ceno in proxumo St
612 prandi in naui Men 401 bibitur estur
quasi in popina Poe 835

face ut oculi locus in capite appareat Men
1014 oculis in uestigiis(*Rs* -ges *B* -ies *VE*
inuestiges *BLy*) astute augura Ci 694 senex
in culina(uicula *E*) clamat Cas 764 si tu in
legione(*ZL* ad legionem *Ca* el l. *P* Bellonae
Rs legioni *Ly*), ego in culina(*CD* culinae *RsLy*
in cubilina *B*) clueo Tru 615 bene ut in scutris concaleant Per 88 uerum in manibus
consenescit Ru 1302 nec uobiscum quisquam
in foro frugi consistere audet Cu 502 uideo
currentem..in platea ultima Cu 278 et
currendum et pugnandum et autem iurigandumst in uia Mer 119 durare nequeo in aedibus Am 882 ipse eges in patria Cap 581 ludunt..serui scurrarum in uia Cu 296 (uirgae) in tergo morientur meo Cap 650 in quincto
quoque sulco moriuntur boues Tri 524 nisi
si te..in(*om CRs*) machaera et hunc uis mori
Tru 927 in aqua summa natet Cas 385
mihi obsistat in uia Cu 284 in collo pende-

ant crepundia Mɪ 1399   uos ambo in robusto carcere ut pereatis Cᴜ 692   periisse ambos.. censebam in mari Rᴜ 452   malo cruciatu in Sicilia perbiteres Rᴜ 495   (fortasse Tʀᴜ 50, in aedibus *post* perit *construendum est*) noctem in stramentis pernoctare perpetim Tʀᴜ 278   iubeas una opera me piscari in aere As 99   hi saltem in occultis locis prostant, uos in foro ipso Cᴜ 507   bene iuuent pugnantem in acie Cᴜ 575   ego in casteria.. quiesco As 519   ibi quieui in naui As 732   quid in urbe reptas? Cᴀs 98   seruiuisti in Alide Cᴀᴘ 544   in medio oculo paullum sordet Poᴇ 315   uolo hic in fano supplicare Cᴜ 527   quid hoc hic in collo tibi tumet? Pᴇʀ 312   ego me uideo uenire in meo foro Mo 1051 (*v. om B vide RU*) iubeas.. uenari.. iaculo in(im. *BDJ*) medio mari As 100   te placido.. usus sum in alto Tʀɪ 827

tranquillitas euenit quasi naui in mari Poᴇ 753   ego aio id fieri in Graecia.. et hic in nostra terra in Apulia Cᴀs 71-2   tibi messis in ore fiet Rᴜ 763   monstra dicit fieri in aedibus Mo *Arg 4*   pingues fiunt auro in barbaria boues Poᴇ 598

esse *et composita:* non mihist lanterna in manu? Aᴍ 406   ubi patera nunc est? #In cistula Aᴍ 420   hic patera nulla in cistulast Aᴍ 792   (gubernator) in mea naui fuit Aᴍ 950   (Naucrates) in naui non erat Aᴍ 1009   nempe in foro (eris)? As 117   quasi.. pulli in ore ambae usque eratis As 209   in ludo..fuisti tam diu As 226   stimulus in manu mihi sit As 418   scis.. neque.. esse seruom in aedibus.. As 435   ne epistula.. ulla sit in aedibus As 762   in aedibus turba istic nulla tibi erit Aᴜ 339   rapacidarum.. tantum sit in aedibus Aᴜ 370   in aedibus quid tibi.. erat negoti? Aᴜ 427   sunt..aliae multae in magnis dotibus incommoditates Aᴜ 532   esse in uado salutis res uidetur Aᴜ 803   ubi id est aurum? #In arca apud me Aᴜ 823   quod modo fassu's esse in arca Aᴜ 830   quom erus in conuentu (*U* cum haec intus intus *PS†var em ψ*) sit Bᴀ 140   in Ephesost Ephesiis carissumus Bᴀ 309   ecquis in aedibust? Bᴀ 581   qui sunt in lecto illo altero? Bᴀ 836   si ego in istoc sim loco.. Bᴀ 1039 (*translate*)   senex optume, quantumst in terra(*BD* intereā *C*) Bᴀ 1170   nunc senex est in (*B²J* bi *DE*) tostrina Cᴀᴘ 266 (*translate*)   neque.. in Alide ullus seruos istoc nominest Cᴀᴘ 590   ..fuisse hunc seruom in Alide Cᴀᴘ 638   Philocrates in libertatest ad patrem in patria Cᴀᴘ 699   non enim es in senticeto Cᴀᴘ 860   ego fui in lapidicinis Cᴀᴘ 1000   pons.. erat ei in(*P om A*) itinere Cᴀs 66   quin ruri es in praefectura tua? Cᴀs 99   quid illuc clamoris. in nostrast domo? Cᴀs 620   tenebrae ibi erant tamquam in puteo(*A om P*) Cᴀs 882   (nuntio) scelestiorem in terra nullam esse alteram Cɪ 660   east.. hic in proxumo Cɪ 752   qui me in terra aeque fortunatus erit? Cᴜ 141   ego te..sinam in domo esse istac Cᴜ 209   quos.. uideas bibentes esse in thermipolio Cᴜ 292   in carnario (esse) fortasse dicis? #Immo in lancibus Cᴜ 324   in Tusco uico ibi sunt homines Cᴜ 482   in Velabro uel pistorem

(esse..) Cᴜ 483 (*v. secl UrlichsRgSLU*) utcumque in alto uentust.. Eᴘ 49   quo in loco haec res sit uides Eᴘ 81(*translate*)   meretricum numerus tantus quantum in urbe omni fuit Eᴘ 213   nullum esse opinor ego agrum in agro Attico aeque feracem Eᴘ 306   duodecim deis plus quam in caelo(*B* q. placeo *EJ*)deorumst.. Eᴘ 675   in manust (stimulus) Mᴇɴ 865   ero ut omnibus in locis sim praesto Mᴇɴ 982   rectest obsignatum in uidulo marsuppium Mᴇɴ 1036   me iam censebam esse in terra atque in tuto loco Mᴇʀ 197   ..ambae in uno(ambo nunc *B*) essent loco Mᴇʀ 231   nunties negotium mihi esse in urbe Mᴇʀ 280   nescioquaest mulier intus hic in aedibus Mᴇʀ 684   ubi illast? #In nostris aedibus Mᴇʀ 901   iam machaerast in manu Mᴇʀ 926   intus hic in proxumost Mɪ 301   ego in tegulis sum Mɪ 308   quis homo in terra te alter est(*Rs duce Ac* h. interemat est alter *P*) audacior? Mɪ 313   ea sit in his aedibus Mɪ 332   illi in(*A om P*) nostra meliust famulo familia Mɪ 351   quid hic tibi in Ephesost negoti? Mɪ 441   illa quidem hic nunc intus est in aedibus(est pedibus *B¹*) Mɪ 483   in cella erat paulum.. loculi Mɪ 853   ea in (*Ca* eam *P*) opificina nesciam .mala esse Mɪ 880   .. nisi si in puteo (umbra) quaepiamst Mo 769   non.. ullam (porticum) in publico esse maiorem hac existumo Mo 909   ostium quod in angiportost horti Mo 1046   utinam uades desint in carcere ut sis Pᴇʀ 289   boues bini hic sunt in crumina Pᴇʀ 317   Lucridei nomen in patria fuit Pᴇʀ 624   animus iam in nauist mihi Pᴇʀ 709   dum histrio in scaena siet Poᴇ 20   Collabiscus nunc in urbest Poᴇ 170   neque quantum aquaist in mari Poᴇ 432   neque stellae in caelo — Poᴇ 434   tardiores quam corbitae sunt in tranquillo mari Poᴇ 507   hic latro in Sparta fuit Poᴇ 663   si.. poɪes esse te pati in lepido loco, in lecto lepide strato Poᴇ 696-7   in totis aedibus tenebrae (sunt) Poᴇ 834   signum esse oportet in manu laeua tibi Poᴇ 1073   quibus nunc in terra melius est Poᴇ 1270   is mihi thensaurus iugis in nostra domost Ps 84   in aedibus sunt fures, praedo in proxumost Ps 895   in foro uix decimus quisquest qui.. Ps 973   nunc homo in medio lutost Ps 984   sumbulust in epistula Ps 1001   mihi animus in tuto locost Ps 1052   in pistrino credo..fore Ps 1060   ego eram domi imperator summus in patria mea Ps 1171   noctu sum in caelo clarus Rᴜ 6   in uadost Rᴜ 170   iam in litorest Rᴜ 175   in locis nesciis.. sumus Rᴜ 275   in caeno(*Rs* incenati *PLLy* cenati *Reizvψ*) sumus Rᴜ 304   ubinam ea fuit cistellula? #Ibidem in naui Rᴜ 391   ecquis in uillast? Rᴜ 413   ut in ocellis hilaritudost! Rᴜ 422   quae indoles in sauiost Rᴜ 424   marsuppium.. fuit in sacciperio Rᴜ 548   ubi istaec sunt..? #Hic in fano Veneris Rᴜ 564   in columbari collum .. erit Rᴜ 888   ecquem esse dices in mari piscem meum? Rᴜ 971   ..in eo ensiculo litterarum quid sit Rᴜ 1157   ibi matris nomen in securiculast Rᴜ 1159   in ensiculo quid nomen est paternum? Rᴜ 1160   matris nomen hic quid in(†S) securicula siet Rᴜ 1163   quidquid in illo uidulost Rᴜ 1256   ambo in uno

portu fuimus St 416   mihi in sinu tunicae
(*LoeweRg in lac aliter* ψ) nihil est St 591   tot
quot digiti tibi sunt in manu St 706   utra
in parte(*i. e.* in amore *an* in re) plus sit uoluptatis Tri 231   in portast locus Tri 423
Acheruntis ostium in nostrost agro Tri 525
an etiam Arabiast in Ponto? Tri 934   neque
esse quemquam hominem in terra(*Ca* interdum *P*) arbitror Tri 1125   musca nulla feminast in aedibus Tru 284   maceria..in horto
quaest.. Tru 303   dico (patrem) esse in urbe
Tru 650   in peregre est Fr I. 40(*ex Char* 212)
    meo adest in portu cibus Cap 826   (in portu
iam *RU lac P* ubi is est *Ly*) adest Mo 366
inest lepos ludusque in hac comoedia As 13
uiginti minae hic insunt in crumina As 653
iam imperatum in cera inest Ba 733   hoc in
equo insunt milites Ba 941   inest spes nobis
in hac astutia Cap 250   ..grex uenalium in cistella infuerit una Ci 733   ecqua in istac pars
inest praeda mihi? Men 135   in istoc adeo
aurum inest marsuppio Poe 782   inest lepos
in nuntio tuo Ru 352   in aqua numquam credidi uoluptatum iuesse tantum Ru 458   isti in
ista cistula insunt quae isti inest in uidulo Ru
1082   cistellam isti inesse oportet..in isto
(*D* in *om B* in i. *om C*) uidulo Ru 1109, 1133
meministi in uidulo..quid ibi infuerit? Ru
1310   nummi octingenti..in marsuppio infuerunt, praeterea..Philippia in pasceolo sorsus Ru 1313-4   talentum..magnum inerit in
crumina Ru 1318
    similiter: in latebris situmst Au 609   in tuo
luco et fanost situm Au 615   in abstruso sitast Poe 342   istic est thensaurus stultis in
lingua situs(i. l. s. *om B*) Poe 625   copia..
aderat in suo quique loco sita Poe 1178   ..si
qua in hoc spes sitast mihi Ps 1292   in suo
quieque loco..erit mihi situm supellectilis
St 62   in melle sunt linguae sitae.., facta in
felle(*A* belle *B* bella *CD om* in) sunt sita Tru
178-9
    b. *cum verbis agendi, sim., proprie et trans.:*
...se aulam..abstrusisse hic intus in fano Fide
Au 617   in cerebro colaphos apstrudam tuo Ru
1007   alicubi in solo abstrusi loco Ru 1185
in loco festiuo sumus festiue accepti Ps 1254
potius in subsellio..hic accipimur quam in
lectis St 703-4   gynaeceum aedificare uolt hic
in suis Mo 755   aedificare hoc uelle aiebat in
tuis Mo 1028   nisi si in uidulo aut si in(ī *B*)
meliina attulisti Ep 22-3   in libello hoc..at-
tuli Ps 706   rem agunt quasi in Velabro olearii
Cap 489   quid agis tu..in tegulis(*A* in t. *om
P*)? Mi 178   uel in lautumiis uel in pristino
mauelim agere aetatem Poe 827   non pudet
puellam amplexari..in media uia? Poe 1301
appende in umeris pallium Fr II. 64(*ex Isid Or*
XIX. 24, 1)   madida quae mihi adposita in
(*om B*) mensa (*LambRLU* -am *P*ψ) immensam
Rs) Men 212   adponam..urnam..hanc in
media uia Ru 471   in ea lege adscribier..
Per 69   in conspicillo adseruabam pallium Fr
I. 102(*ex Non* 84)
    ..ut is in(*om J*) cauea pignus capiantur to-
gae Am 68   illic est captus in (*om BriLy*)
Alide Cap 94   uno in saltu lepide apros ca-

piam duos Cas 476   ipsus captust in mari Mi
Arg I. 3   cepere urbem in Arabia Per 506
dicant in mari communi captos Ru 981   numnam in balineis circumductust pallio? Poe 976
hic istam colloca cruminam in collo As 657   in
meo collo..cruminam collocauit Ep 360   hasce
ambas hic in ara..comburam Ru 768   quodque in lustris(ill. *D*[1]) comedim Ba 743   comessum..in balineis Tri 406   in publico omnis
porticus sumus commensi Mo 910   neque se
septentriones quoquam in caelo commouent Am
273   (horia) in mari fluctuoso..me..compoti-
uit Ru 910   isque hic compressit uirginem..
in uia(mina *E*) Ci 159   quam in Epidauro..
memini comprimere Ep 540   in cauea si forent conclusi.. Cu 449   in eapse aede Dianai
conditumst Ba 312   in capite tuo conflandi
(ignis) copiast Ru 765   confracta nauis in marist illis Ru 152   (confractast) nobis uilla et
tegulae Ru 154   in mari..confractast nauis
Ru 1307(*vide LURs*) in tabellis..consignaui
..latrones Mi 73   scrofam in publico conspexero Cap 809   in uia petronem publica conspexero Cap 821   si (te) in uia conspexerit
Men 429   nec quemquam conspicor alium in
uia Ci 656   in pistrino aetatem conteras Ba
781   in tergo meo..contriuisti bubulos Poe
138   ibidem in cercuro in stega in amicitiam
..conuortimus St 413   in puteo cenam coquant Au 365   meo ego in loco sedulo curabo
Per 843   *fortasse:* ne quis in hac platea (*PLy*
hanc plateam *Bo*ψ) negoti conferat quicquam
Cap 795

    quid tibi istic in istisce(*Sey* insce *B*[1] in
hisce *B*[2]*CD* hisce in *CaR*) aedibus debetur?
Mi 421   quid debetur hic tibi in nostra domo
(*AU* nostrae domi *P*ψ)? Tru 261   decipitur in
transenna auaritia sua Ru 1239   ouis in crumina..detuli Tru 655   pecua..in crumina ego
obligata defero Tru 956   in medio foco defodit (thensaurum) Au 7   hic defodit hospitem
ibidem in(*B*[2]*D*[3] en *P*) aedibus Mo 482   me defodit..in hisce aedibus Mo 502   usque in foro
dego diem Mo 534   Ps 351(in terra degit *LipsR
pro* terram tetigit)   thensaurum demonstrauit
mihi in hisce aedibus, hic in conclaui quodam
Tri 150-1   erum meum hic in pacato oppido
luci deripier in uia! Men 1005-6   uerbum in
cauea dixit histrio Tru 931   in barbaria quod
dixisse dicitur Fr I. 72(*ex Festo* 372)   in alto
distraxissent..satellites tui me Tri 832   in
senatu dare operam..cluentibus As 871   ..ne
mihi damnum in Epidamno duis Men 267
conquistores det mihi in uicis omnibus Mer
665   in foro operam amicis da ne in lecto(*A*
intellecto *P*) amicae Tri 651   efficientur homines noctu hic in uia St 606   an te paenitet
in mari quod elaui, ni hic in terra iterum eluam?
Ru 579   Menarchus emit ibidem in Alide Cap
26   qua in regione istas aedis emit filius?
Mo 659   non in loco emit perbono? #Immo
in(*A om PU*) optumo Mo 673   illas emit in
Anactorio Poe 896   apud me te in neruo enicem Au 743   me..in uinclis enicet Ru 476·
quemne ego excepi in mari Ru 1019   in cubiculo armigerum(*P* ar. ilico *ALy*) exornant Cas
769   ne tu exponas pugnos tuos in imperio

meo Cɪ 235   expressam in cera . . imaginem
Ps 56   neque in uia neque in foro . . sermonem exsequi Tʀɪ 282   aetatem extendebant . .
in latebrosis locis Bᴀ 430 (*v. secl GuyRgSU*)

quod egomet solus feci . . in tabernaclo Aᴍ
424   quid in tabernaclo fecisti Aᴍ 428   tanta
mira in aedibus sunt facta Aᴍ 1057   in multis locis plus insciens quis fecit . . boni Cᴀᴘ 44
sementem in ore faciam Mᴇɴ 1012 ˙ uos in
cella uinaria bacchanal facitis Mɪ 857   Diodorus (saltum) olim faciebat in Ionia Pᴇʀ 826
iniuria hic factast fitque in Veneris fano Rᴜ 644
meministis . . facere in aedibus Sᴛ 61   ludos
faciam clamore in uia Tʀᴜ 759

in hac cistellula . . fertur Aᴍ 773   in uidulo
saluom fero Mᴇɴ 286   hoc quod fero hic in
rete Rᴜ 913   ferte fustes priuos in manu Fʀ
II. 35 (*ex Ps-Acr ad Hor serm* II. 5, 11)   labra
in labris ferruminat Mɪ 1335 (*LorenzR* l. ab labellis *P var em* ψ)   flagitare saepe clamore in
foro Ps 1145   forat . . parietem in (*om SciopR*)
aedibus Mɪ *Arg* I 6   Volcanum in cornu conclusum geris Aᴍ 341   omnem in tergo thensaurum gerit As 277   bene rem gerebat . . in
Seleucia Tʀɪ 901   in manibus gestant copulas
Eᴘ 617   illa med in aluo menses gestauit decem, at ego illam in aluo gesto . . Sᴛ 159-60
ego non pausillulam in utero gesto famem Sᴛ
163

habebo usque in (im *D*) petaso pinnulas Aᴍ
143   (saluom erit) dum . . ipse in manu habebo
As 463   in occipitio quoque habet oculos Aᴜ 64
istic homo rabiosus habitus est in Alide Cᴀᴘ
547   habet . . in uentre confidentiam Cᴀᴘ 812
conclusos uos me habere in carcere Cɪ 275
geminos in uentre habere uideor filios Cᴜ 221
. . pallam quam ego habeo (in manu *add Brill*)
Mᴇɴ 1139   nixus laeuo in femine habet laeuam
manum Mɪ 203   aliquantum habeo umoris . .
etiam in corpore Mɪ 640   hic haberet regnum
in caelo Mɪ 1083   palliolum habeas . . in umero
laeuo Mɪ 1180   quot . . habeas digitos in
manu Pᴇʀ 187   digitos in (im *B*) manibus non
habent Pᴏᴇ 980   huius oculos in oculis habeas
tuis Ps 857   bonos in aliis tabulis exscriptos
habet Rᴜ 21   offerumentas habebis . . in tergo
tuo Rᴜ 753   mergi aciem in (*Rs* erga aedem
PLy var om ψ) sese habet Tʀᴜ 406 (*Rs*)   in
mari solet hortator remiges hortarier Mᴇʀ 695
in pampini folio intorta inplicat se Cɪ 729
haec imponentur in foco nostro Lari Aᴜ 386
iube(n) hunc in (*LLy om Fulg*) culleo ˉ insui
Vɪ 109 (*LLy ex Fulg de abst serm* XXII *et* XXIV)
neque in urbe inuenio quemquam Aᴍ 1010   commonstrabo quo in quemque . . inueniatis loco
Cᴜ 467   ubi . . Curculionem inueniam? #In tritico
Cᴜ 586   in mari inuentust communi Rᴜ 977
quodne ego inueni in mari? Rᴜ 1231   in (*om
EJ*) proscaenio hic Iouem inuocarunt Aᴍ 91
meministin . . in Epidauro . . uirgini . . me leuare paupertatem? Eᴘ 554   nihil . . in aedibus
linquet Tʀᴜ 50 b (*U in loco dubio vide Ly*)

quid longissume meministi . . in patria tua?
Mᴇɴ 1111   in epistula nullam salutem mittere
˙. solet? Ps 1002   **uos in loco monitum**
Vɪ 12   uerum in cubiculo — deme istuc: equidem illam moueri gestio As 787

ecquem in Epidauro Lyconem . . nouerim Cᴜ
341   ubi . . nouisti? #In Epidamno. #In Epidamno? Mᴇɴ 380   ecquem in angiporto hoc hominem tu nouisti? Ps 971   ecquem in heis locis nouisti? Rᴜ 1033   argentum . . numeratum,
illius in mensa manu Tʀɪ 965

in thermipolio condalium es oblitus Tʀɪ 1013
ancillam . . obtruncabo in aedibus Aᴍ 1050
noctu (amica) in lecto occentet senem Sᴛ 572
centum in Cilicia . . centum in Scytholatronia
. . sunt quos tu occidisti Mɪ 42-3   quid in
Cappadocia ubi . . occideras? Mɪ 52   si te
umquam in urbe offendero . . Rᴜ 789

pugnis me uotas in huius ore . . parcere Mᴇɴ
848   mihi in (*om E* [1]) Epidauro . . pudicitiam
pepulit Eᴘ 541   in digitis hodie percoquam
quod ceperit Rᴜ 902 (*cf* Dousa, p. 500)   is nauem . . perdidit in mari Rᴜ 199   galeam in naui
perdidi Rᴜ 801   uidulum . . in naui perdidi
Rᴜ 1339   in eo conclaui ego perfodi parietem
Mɪ 142   tu uidisti tabulam pictam in pariete
Mᴇɴ 143   quasi sit signum pictum in pariete
Mᴇʀ 315   eccam in tabellis porrectam Ps 36
omnibus in extis aibat portendi mihi malum
Pᴏᴇ 464   . . quod in extis nostris portentumst
Pᴏᴇ 1205   in (*om L*) pellibus periculum portenditur Fʀ II. 33 (*ex Porph ad Hor serm* I. 6, 22)
decorumst . . onus in uia portare As 690   locus
non praeberi potis est in Capitolio Cᴜ 269
piscibus in alto . . praebent pabulum Rᴜ 513   elephanto in India (inuidia *C*) . . praefregisti bracchium Mɪ 25   praestringat oculorum aciem in
acie hostibus Mɪ 4   ipse in domo senis prehensus . . Mɪ *Arg* I. 13   in mari reti prehendi
Rᴜ 1071   in mari prehendi rete Rᴜ 1291   prata
in patinis proferunt Ps 811   promistin . . redditurum? #Quo in loco? Cᴜ 711

ecquem uidisti quaerere hic . . in hac regione
cistellam? Cɪ 708   Lampadionem me in foro
quaesiuisse aiunt Cɪ 775   sum defessus quaerere . . in gymnasio atque in foro . . Eᴘ 198
quaeras . . uel medio in mari Eᴘ 679   in scirpo
nodum quaeris Mᴇɴ 247

hoc recipimur in loco Sᴛ 685   reliqui in
uentre cellae uni locum Cᴜ 387   eam reliqui
ad portum in naui Mᴇʀ 108   me reliquit . . in
aedibus Pᴏᴇ 1283   illum reliqui ad Rhadamantem in Cecropia insula (*om GuyRRsLy* Cercopia
MeursiusRRs) Tʀɪ 928   in mari repperi As
135   quod pueri clamitant in faba se repperisse
Aᴜ 819   hoc ego in mari . . repperi Rᴜ 924 c
risi te hodie . . . #Quo in loco? Sᴛ 243

in foribus scribat occupatam esse se As 760
in libro . . scribuntur calamo litterae Ps 544   simiam . . sum sectatus . . in horum tegulis Mɪ
284   omnis se . . sectari in Epheso memorat
mulieres Mɪ 778   litis sequar in alieno oppido
Pᴏᴇ 1403   quemne ego seruaui in Campis Cur-
culionieis Mɪ 13   me in locis Neptuniis . . seruauit Mɪ 413   nemo in aedibus seruat Mᴏ 451
in taberna (*B* inter berna *CD*) usque adhuc si-
uerat Syrus Ps 1116   capite sistat in uia Cᴜ
287   istum in tranquillo . . sistam Mᴇʀ 891
(nauis) subducta erat tuto in terra Mᴏ 739
occeperunt ratem tardare in portu Bᴀ 293   in
gremio mulierem teneat Bᴀ 478   quamne in
manibus tenui . . cistellam Cɪ 675   in manibus

exta teneam Ps 266   hic in fano Veneris signum
.. tenent Ru 560   quod in manu teneas.. id
desideres Tri 914   meamne hic in uia(*Ca* inuita *P* inuitam *AB²LLy*) hospitam.. tractatam!
Mi 488

ut in(*om CD¹* uti *LLy*) naui uecta's.. Ba 106
uecta mecum in scaphast Ru 201   eum.. uendidi.. Theodoromedi in Alide Cap 973   gnatum.. ait se uendidisse.. in Alide Cap 979   in
in foro palam omnes uendo Ru 974   te uidi.
#Quo in loco? #Hic in aedibus Am 699-700
in aedibus.. nimia mira uidi Am 1080   plus
plaustrorum in aedibus uideas Au 505   in portu
Philopolemum.. uidi in publica celoce Cap
872-3   socci uideo uestigium in(im *V*) puluere
Ci 698   uidisse credo mulierem in aedibus Mer
706   quemque in tegulis uideritis Mi 156
quemque.. uideritis hominem in nostris tegulis
Mi 160   .. uidisse eam hic in proxumo osculantem Mi 264   quam in(*om D⁵*) proxumo uidisse aibas te osculantem Mi 319   tun me uidisse in proxumo hic.. ais osculantem? Mi 366
uiden coagmenta in foribus? Mo 829   quid ego
.. uideo procul in litore? Au 450   muriaticam
.. uideo in uasis Fr II. 18(*ex Festo* 166)   uorsor in amoris rota Ci 207

    c. *de personis:* α. imagost huius in(ī *B*) me
Am 265   in me aerumnam obseuisti grauem Ep
557   inuidia in me numquam innatast neque
malitia Poe 300   .. nisi quae mihi in test aut
tibist(*A* intestauit ibi est *P*) in me salus Ps 71
.. quod in te uno fuit Cap 670   caue in te sit
mora mihi Cu 461   nisi quid tibi in tete auxilist.. Ep 82   nec sodali tuo in te copiast Ep
330   .. sit spes in te unost Mi 1051   ecquid
.. est.. in te speculae? Per 310   nisi quid mihi
in test auxili.. Ps 61 Ps 71(*supra*) in te nunc
omnes spes sunt aetati meae Ps 111   boni consili ecquid in te mihist? Ru 950   si in(*om A*)
te pudor adsit St 322   in te aegrotant artes
antiquae tuae Tri 72 a   caue.. ne bubuli in te
cottabi crebri crepent Tri 1011   quod in se
fuit.. Ba 550   o lepidum senem in se(*L* semine *BS*† semisemne *CD* var em *ψ*) si.. uirtutis habet Mi 649   haec huius saecli mores in se
possidet Tru 13   in uobis resident mores pristini
Tru 7   inest in hoc emussitata sua sibi ingenua
indoles Mi 632   sciui.. nullam tibi esse in illo
copiam Ep 325   in eost indoles industriae Tri
322   nec boni ingeni quicquam in is(*B* his *CD*)
inest Ps 1109   neminem amo.. magis quam
te nec †qua in(ī *E* quam *J*) plura sint mihi
quae ego uelim Cas 183   neque in ero quicquam auxili siet Am 157   negoti quantum in
muliere unast! Poe 225 Mi 393(in uigilante
R de A errans; in *om APψ*)

    similiter: in hoc(*i. e.* uino: *om RU*) omnes
uenustates sunt Ps 1257   uirtus omnia in sese
habet Am 652

    β. si quid imperist in te mihi Men 1030
meum opinor imperium in te, non in me tibist
Per 343   facilest imperium in bonis(-os *AcRg*)
Mi 611   *omnia haec ad acc. referunt plerique.*

    d. *de animo, corde, sim.:* quibus ingenium in
animo utibilest Ba 7(*ex Non* 342, *Char* 206)
mihi aegritudo auctior est in animo Cap 782   quicquid incerti mihi in animo.. fuit Ps 759   quod

quisque in animo habet.. sciunt Tri 206   quantast cura in animo Tru 455   aliter in animo habent Fr I. 56   neque ullast confidentia iam in
corde Am 1054   in cordi est(*P* mihi cordist *Ca
RsS*) Ci 109   acerba facere in(faceret *Rs* lace-
ret *U*) corde Ci 240   satin istuc tibi in corde
certumst? Ci 509   senatum conuocabo in corde
Ep 159   haec res mihi in pectore et corde curaest Men 761   mihi ulla spes in corde certast Mer 363   in pectore atque in corde facit
amor incendium Mer 590   quod uolutas tute
tecum in corde Mi 196   in meo corde.. eam
rem uolutaui Mo 87   madent iam in corde
parietes Mo 165   Cupido in corde uorsatur
Poe 196   iam tenes praecepta in corde? Poe 578
concenturio in corde sycophantias Ps 572   in
corde instruere.. coepit pantopolium Ps 742
multas res simitu in meo corde uorso Tri
223   epistula illa mihi concenturiat metum in
corde Tri 1003   eam rem in corde agito Tru
451   spes.. meae iacent sepultae in(im *D*) pectore Am 1053   sitne aceto tibi cor acre in pectore? Ba 405   multa mala mihi in pectore..
eueniunt Ba 628   quam magis in pectore meo
foueo.. Ba 1076   idem mihi morbus in pectorest
Ba 1111   in pectore hanc rem.. uoluto Cap
781   animi decem in pectore incerti certant
Mer 345   quoi nulla in pectorest audacia Mo
409   mihi in pectore consili∗∗∗ Mo 866   multa
in pectore suo conlocare oportet Per 8   inest
amoris macula huic homini in pectore Poe 198
animus.. est non in pectore Ps 34   meo in
pectore conditumst consilium Ps 575   ego in
meo.. pectore paraui copias Ps 578   ecquid
.. habet aceti in pectore? Ps 739   in pectore
condita sunt Ps 941   mihi multae in pectore
sunt curae Ru 221   suspiciost in pectore alieno
sita Tri 82   multa bona in pectore consident
Tri 300   conruspare tua consilia in pectore
Fr II. 9(*ex Paulo* 62)

    habeo in memoria Per 381   facito in me-
moria habeas.. despondisse Poe 1278   facito
in(im. *B*) memoria habeas Poe 1418

    e. *de scriptis, sim.:* neque in hac (fabula)
subigitationes sunt Cap 1030   alios in tragoediis Am 41   (Iuppiter) prodit in tragoedia
Am 93   poetam audiui scripsisse in tragoedia
Cu 591   (decedit) seruolo in comoediis Am 987
inest lepos ludusque in hac comoedia As 13   is
.. in hac comoedia in urbem non redibit Cas
64   neque quidquam stupri faciet.. in hac..
comoedia Cas 83   date plausum postrema in
comoedia Ci 787   hoc poetae faciunt in comoediis Men 7   alios in comoediis.. uidi.. facere Mer 3   frustrationes dederis in comoediis Mo 1152   uerba.. in comoediis solent lenoni dici Ps 1081   alio pacto.. quam in aliis
comoediis fit Ps 1240

    scriptum in poematis As 174

    eccum tibi lupum in sermone St 577   male
dictitatur tibi uolgo in sermonibus Tri 99
manibus duella praedicare soleo haud in(ego
haud *Rs*) sermonibus Tru 483

    f. *cum nominibus, sim.:* omnis angulos fu-
rum inpleuisti in aedibus Au 552   dabo et
anulum in digito(-tum *MueL*) aureum Cas 711
nihil moror mihi fucum in alueo Fr I. 93(*ex*

Prisc II 522) prodesse' nobis .. potest ... signum in fano hic intus Veneris Ru 689   neque stellae in caelo — Poe 434   quanti te emit? #Suarum in pugna uirium uictoria Ps 1170

accessi ad adulescentes in foro Cap 478   senis huius uxor Periplicomeni in (*CaRU om P$t e Bach*ψ) proxumo Mi 969   miles Lyconi in Epidauro .. salutem dicit Cu 429   perditissumus ego sum omnium in terra Au 723   nec quoiquam in naui (credere) uoluit Ba 319

2. *de tempore* (*cf* Kane, p. 62): prodigum te fuisse oportet olim in adulescentia Am 1031 feci ego istaec itidem in adulescentia Ba 410   uixissent olim in adulescentia Ep 387   malefacta mea essent solida in adulescentia Ep 392   egomet .. factitaui in adulescentia (i. a. *om EJ*) Ep 432   quem in adulescentia memorant .. diuitias .. indeptum Ep 449   amaui .. ego olim in adulescentia Mer 264   ne faceres tale in adulescentia Ps 437   omnium in senecta (*Rs* senem *om* in *P$t Lt var em* ψ) neminem esse ignauiorem Cas 244   pudet me tibi in senecta obicere sollicitudinem Mi 623   in senecta male querere Mo 217   quoique comparatumst in aetate hominum Am 634   in hominum aetate multa eueniunt Am 938   saepe aetate in sua perdidit ciuem Men 839   noctes diesque omni in aetate .. ornantur Poe 228   in aetate hominum plurumae fiunt transennae Ru 1235   inmoenest facinus uerum in aetate utile Tri 24 utrumque .. in aetate hau bonumst Tri 462 quid mihist in (im *A*) uita (mihi sustinuit *B*) boni? Mer 471   illum amatorem tibi proprium futurum in uita Mo 225   nec mutam .. dicunt mulierem ullo in saeculo Au 126

Alcumenae in tempore auxilium feram Am 877   in tempore auenis Cap 836   quis deus obiecit hanc .. in tempore ipso? Ci 670   aduenisti .. in ipso tempore Poe 1138   obrepsisti in eapse occasiuncula Tri 974   *cf* Abraham, p. 202 rerin ter in anno tu has tonsitari? Ba 1127 scrobes effodito plus sexagenos in die (*RglL ex schol Luc* dies *codd*) Am *fr* VI (*ex Prisc* I. 168 *et* 320; *Non* 225)   ego ecfodiebam in die denos scrobes Au *fr* III (*ex Non* 225)   suspirabo plus sescenta († $Ly) in die (*LambRRsL* dies *P*ψ) Men 896   ea saepe deciens complebatur in (*Scal om P*) die Mi 855 a (uidi eam *pro* in die *LLy*) eapse deciens in die mutat locum St 501   confido .. in his diebus me reconciliassere Cap 168   dicat me in diebus pauculis crudum uirum esse Tru 643   (nummos) reponam in (*om GuyR*) hoc triduo aut quadriduo Per 37   ego in hoc triduo .. euoluam id argentum tibi Ps 316   ni in quadriduo abalienarit .. As 764   quattuor fructus ebibere in hora una Ps 1304   quo in tempore (*U* quom interea ψ quom [cum *CD*] intereum *P*) .. Per 172

3. *de occasione, situ, condicione:* a. inuitauit sese in cena plusculum Am 283   in prandio nos lepide .. accepisti apud te Ci 10   inuocatus soleo esse in conuiuio Cap 70   scortum in conuiuio (inuiuio *J¹*) sibi amator .. inuocat Cap 72   neque ego oblocutor sum alteri in conuiuio Mi 643   scortum subigito in (*Ca* min *CD* sub digito meo *B*) conuiuio Mi 652   ex me exoritur discidium in (*om B*) conuiuio Mi 654

.. ut solet in istis fieri conciliabulis Ba 80 ambas uidere in uno .. concilio uolet Mi 249   quid in consilio consuluistis? Ba 40   quid illaec illic in consilio .. consultant Ba 1154

cras mane .. in comitio estote obuiam Poe 807   in tribu .. sontes condemnant reos Cap 476   dico omnibus pube, praesenti in contione Ps 126

in re diuina dudum dicebant mihi Poe 748 ut fit in bello .. Cap 25   optruncauit regem .. in (im. *J*) proelio Am 415   in eo uterque proelio potabimus Men 186   saucius factus sum in Veneris (inuenires *B*) proelio Per 24   perii in primo proelio Ru 1154   captust in pugna Cap *Arg* 1   suarum in pugna uirium uictoria Ps 1170   in singulis stipendiis is .. exuuias dabit Ep 38   ego in insidiis ero Ps 959 miles .. centuriatus est expuncto in manipulo Cu 585

ibi tu .. dormitasti in otio As 253   neque desidiae in otio operam dedisse Mer 62   dabitur opera, atque in negotio Ru 121

exta inspicere in sole ei uiuo licet Au 565 (*cf* Kane, p. 72)

si uidisses quendam in somnis Am 621   in somnis fortasse (tu uidisti)? Am 726   in somnis uisus sum uiderier Cu 260   di .. somnia in somnis danunt Mer 226, Ru 594 (*v. secl RRs$L*) in somnis egi satis Mer 228   in somnis mea soror .. est .. uisa uenisse Mi 383   arguere in somnis me meus familiaris uisust Mi 389   in somnis uisa memoras Mi 393   ait uenisse illum in somnis ... #Nempe ergo in somnis Mo 490-1 ait .. dixisse mortuom — #In somnis? Mo 493 quod ego in somnis somniaui Ru 773   quod in quiete tibi portentumst Cu 272   illi in (quiete praedicat *add U*) Mo 496 (*aliter* ψ) ne quid sui membri commoueat quicquam in tenebris As 786   in tenebris conspicatus si sis me .. Ps 981

.. in morte id (id post mortem *R*) euenturum esse umquam Ba 1195   post mortem in morte nihil est quod metuam mali Cap 741   in morte regnum Hieroni tradidit Men 411   mea bona in (*Lind* mea *P*ψ) morte cognatis didam Mi 707 (*vide R*) filiae in (*BDVU* filiae *J* filiai *Scal*ψ) nuptiis Au 295   te .. habebo in nuptiis miserum meis Cas 116   ego te adiuuabo in nuptiis communibus Cas 807

b. .. ut sis apud me lignea in custodia Poe 1365   in custodia esset semper Ru 380   in libertatest ad patrem in patria Cap 699   in seruitute expetunt multa iniqua Am 174   .. ut in seruitute hic ad suom maneat patrem Cap 49   me seruom in seruitute .. hic reliqueris Cap 435   in seruitute hic filias habuit tuas Poe 1334, 1383   me iure in uinclis enicet magistratus Ru 476

illa laus est magno in genere et in diuitiis maxumis liberos .. educare Mi 703   idem animust in paupertate qui olim in diuitiis fuit St 134   non conuenit me .. in ditiis esse Tri 682   in munditiis, mollitiis deliciisque aetatulam agitis Ps 173   aliquantum .. in deliciis disperdidit Tri 334   uitam oblectabas pane in pannis As 142

esset aetatem exactura mecum in matrimonio
Ci 243   egone hic me patiar∗in matrimonio?
Men 559

neque istic in tantis periclis umquam committam ut siet Au 450   quanto in periclo et
quanta in pernicie siet Ba 827   dic quo in
periclost meus .. filius? Ba 830   res in periclo
uertitur Mer 122

(sum) in malis plurimis Ru 238

sapit in uino ad rem suam Tru 854

in(om C) re aduorsa animo auscultes Ps 237
scitne in re aduorsa uorsari? Ps 745   deserere illum .. in(ni C) rebus aduorsis pudet Tri
344   nugare in re capitali mea Mer 183   auspicaui in(-uin B) re capitali mea St 502   .. neque med umquam deseruisse te .. rebus in dubiis egenis Cap 406   amicus .. in re dubia re
iuuat Ep 113   homo timidus erit in rebus dubiis Mo 1041   in re mala animo .. bono utare
Cap 202   bonus animus in mala re dimidiumst
mali Ps 452   neque est melius morte in malis
rebus Ru 675 b   in re perdita .. factus est frugalior Tri 609   in re populi placida .. non decet tumultuari Poe 524   in re salua .. factus
est frugalior Tri 610   ne in re secunda nunc
mihi obuortat cornua Ps 1021   rebus in dubiis, egenis Cap 406(supra)

ego fui illi in re praesenti Am 249   in re
praesenti .. consulere .. potero Cas 499

nihil in ea re capt iost Ep 297   boni malique in ea re pars tibist Tri 1066   si quoi in
re tali iam subuenisti .. Au 396   quid me in
(GepRglL med BoSLy me PU) hac re facere
deceat .. Poe 1402   in rebus multis opstant
Tri 37   uoltis .. me .. adiuuare in rebus omnibus Am 3

c. caue tu illi obiectes nunc in aegritudine ..
Mo 810   bene .. ero gessisse morem in tantis
aerumnis tamen Cap 404   in benignitate repperi negotium Tri 389   .. in gaudio antiquo
ut sies Mer 885(LuchsRgLULy)   hoc euenit
in labore atque in dolore .. Ps 686   etiam in
maerore .. miseriam Poe adiungerem Cas 441
quo euadat sum in metu As 51   tota sum misera in metu Ci 535   in metu sum maxumo
Ps 1025   in metu nunc sumus ambae Ru 668
mens est in querellis Men 584(FZRRsU var
em ψ)   ne me in stultitia si deliqui deseras
Ba 1014

3. de actionibus: a. parua res est uoluptatum
in uita atque in aetate agunda Am 633(cf Herkenrath, p.102)   in cogitando maerore augeor
St 55   multum in cogitando dolorem indipiscor Tri 224   uos in uostris uoltis mercimoniis
emundis uendundisque me .. lucris adficere Am 1
(cf Sidey, p.59)   tibi auxilio in iure iurando
fuit Cu 267   ego hic in(nunc BoR diem SeyRg
U) lamentando pereo(perdo SeyRgU) Mer 218
(cf Abraham, p.227)   mihi in monendo ne
defuerit oratio Ba 37   in opserendo possint
interfieri Tri 532   in sortiendo sors deliquerit
Cas 399   linguam in tussiendo proserat As
795(cf Sidey, p.57)

b. in adulterio .. (pallium) perdidit Cas 976
elusi militem .. in alea Cu 609   istoc probior
es .. cum in amore temperes Ep 111   ea .. in
amoribus(L mori sui B mores uidi CD amoris

ui Caψ) diffunditari Mer 58   mihi in cursu
opstiterit Cap 801   ne quem in cursu capite
.. offendam Cu 282   paene in cursu concidi
Ep 200   in cursu rotula circumuortitur Per
443   in(add Ly †U) dolis(doli AcRRg) ego deprensus sum Ba 950   in furto ubi sis prehensus As 563, 569(u. p. in f. sies)   mihi Lauerna
in(Scal militaueram nam Non) furtis celebrassit
manus Fr I. 66(ex Non 134)   (in iure ins Rs)
Men 105   aut in iure aut ad iudicem rest Men
587(v. secl URS)   ne quis mihi in iure abiurassit Per 478   in iure abiurant pecuniam Ru
14   in iure causam dicito Ru 866   (in itinere
ins R) Men 39   hoc euenit in labore .. Ps
686   perge .. ludo in istoc(LLy ludin istos
PSt var em ψ) Tru 718   homo in mercatura
uortitur Mo 639   me in mercimoniis iuuit St
404   in huius modi negotio diem .. terere segnities merast Tri 795   educatum in nutricatu
Venerio Mi 650   erum in obsidione linquet As
280   quot admoeniui fabricas .. in quaestione
Ci 541   (qua opus erat in quaestione U in lac)
Ci 725   uide in quaestione ne(L uide [-ē B]
quesomnem PSt var em ψ) facias iniuriam Tru
836(L)   te in quaestu tuo Venus eradicet Ru
1345   specula etiam in sortitust(sortist CaSL)
mihi Cas 306   hunc .. cepi in uenatu meo Ru
970   eadem in usu .. aculeata sunt Ba 63
ego sum in usu factus nimio nequior Mo 145
fortunae minus miserae memorantur quam in
usu(SeyLy ex Turn om Pψ) .. datur acerbum
Ru 186(dub)

5. variae locutiones: quibus est ea res in manu
Am 80   istuc tibist in manu Am 564   .. quoi
plus in manu sit quam tibi As 86(proprie?)
ten ego defrudem quoi ipsi nihil est in manu?
As 94   quo eueniat dis in manust Ba 144
illi suam rem esse aequomst in manu Mer
454   tibi in manust quod credas: ego quod
dicam id mihi in manust Mer 628   .. hoc quod
mihi in manust Mo 328   agas quod in manust
Mo 594   licebit per illos quibus est in(im B)
manu Poe 52   istic tibi et tuost ero in manu
Poe 912   in manu non est mea Ru 983   est
atque non est mihi in manu Tri 104

ea in potestatest uiri Au 534   quae in potestate habuimus ea amisimus Cap 143   hunc
conspicor in potestate nostra Cap 926   in fabrorum potestate .. dum fui Mo 134   in patris
potestatest situm St 53

eius haec in tutelast fabula Tru 967

mihi in mundo sunt uirgae As 264   hariolari .. occeperunt sibi esse in mundo malum As
316   .. quod amet in mundo siet Cas 565   .. quoi
libertas in mundo sitast Ep 618   habeo in
mundo Per 45   id quidem in(Scal om P)
mundost tuae (aetati) Poe 783   pistrinum in
mundo(Ca ex Char mundum om in P) scibam
.. mihi. #Non a me scibas pistrinum in mundo
tibi? Ps 499-500   nescioquid .. habeo in mundo
St 477

descendam .. in procliui As 710   tam hoc ..
tibi in procliui quam imber est Cap 336

insipientiast iram in promptu(propromptu Ly
duce A) gerere Ps 449

tibi ne in(B² om P) quaestione essemus cautum intellego Cap 253   tu caue in quaesitione

(*Valla* inquisitione *P*) mihi sis Cᴀs 530　ne in quaestione(*Ca* quaestionem *omisso* in *P*) mihi sit Cɪ 593　caue fuas mihi in quaestione Pᴇʀ 51 uide sis ne in quaestione sis Ps 663

uide ne sies in exspectatione(*F* inspectatione *CD* exspec. *B*) Mɪ 1279　misera in(*A om P*) ex⁸pectationest Epignomi aduentum Sᴛ 283

neque tibi ero in mora Tʀɪ 278

parsimoniae potius in maiore honore(*Loman* maiori honori *P om* in) hic essent quam mores mali Tʀɪ 1029

qui in(*P* quin *A*) tantis positus sum sententiis.. Eᴘ 517

in aliquo tibi gratiam referam loco Rᴜ 575 in fermento totast Cᴀs 325　mea uxor..tota in fermento iacet Mᴇʀ 959 *Cf* Egli, II. p. 18⁚ Graupner, p. 11

hoc..mihi in mandatis dedit Aᴍ 81

ne in suspicione ponatur stupri Aᴍ 489

me in culpa(*SalmRRg* meam culpam *P*) habeto Sᴛ 436

manufesto teneo in noxia inimicos meos Cᴀs 507　manufesto (te) teneo in noxia Mᴇʀ 729 nos..in pretio sumus As 61　tu in(*omLU*) secundo(*unum voc. Ly*) salue pretio(*Stud* in p. *APLULy*) Pᴏᴇ 331

subrupiam in deliciis pallam quam habet As 885

est tibi in(*om Rg*) mercede seruos quem des quispiam? Vɪ 25

in mala uxore..si quid sumas, sumptus est, in bono hospite..quaestus est quod sumitur, et quod in dinis rebus sumat sumpti sapienti lucrost Mɪ 673-5　minus..in istis rebus sumptumst sex minis Tʀɪ 411

mihi credidit nequest deceptus in eo As 501 factast pugna in gallo gallinacio Aᴜ 472(*v. secl GuyRgЅL*)

sciui..in principio ilico.. Eᴘ 324　iam in principio id mihi placet Pᴏᴇ 1106　numquid in(*om GuyRU*) principio cessauit uerbum docte dicere? #Hau potui etiam in primo uerbo perspicere sapientiam Pᴇʀ 551-2

omnem in(*om JL* mi *Rs*) ordine(*FZRsLU* -nem *PLy*) rem(*om Ly*) fateri..aequomst Cᴀs 895　rem..demonstraui in(*PLULy om PyRsЅ*) ordine Mɪ 875(*cf* Becker, p. 298, *adn* 2)　ut in(*BU om CDψ*) ordine omnem rem tenet Pᴇʀ 91 sciunt negoti quid sit. #Omne(*A* omnem *P*) in(*om D⁴Rgl*) ordine(-nem *Ly*) Pᴏᴇ 590　ornata cuncta in(mi *R*) ordine animo(in animo *BriRg*) ut uolueram (ordine *add BriRg*) Ps 676

in ambiguost..quid ea re fuat Tʀɪ 594　in abstruso sitast Pᴏᴇ 342　res omnis in incerto sitast Cᴀᴘ 536　cocleae in occulto latent Cᴀᴘ 80　parasiti..latent in occulto Cᴀᴘ 83　summa ingenia in occulto latent Cᴀᴘ 165　in occulto iacebis Tʀɪ 664　nihil ego in occulto agere soleo Tʀɪ 712　in proxumo(*vide supra* 1a *et* b) Cɪ 100, 752, Mɪ *Arg* II. 8, Mɪ 134, 264, 301, 319, 366, 969(?), Ps 895, Sᴛ 612　in publico(*supra* 1a *et* b) Cᴀᴘ 809, Mᴏ 909, 910　res adhuc..in tutost Mᴇʀ 382

6. = inter: in ibus(*Gul* inibi *PLLy*) emit olim amissum filium Cᴀᴘ *Arg* 5　uos probastis qui estis in senioribus Cᴀs 14　tu in illis es decem sodalibus Pᴇʀ 561(*cf* Blomquist, p. 68)

quos..quam ad rem dicam in argentariis referre habere..nescio Tʀᴜ 70　*similiter:* quoius modi is in populo habitust? Pᴇʀ 648　†id magno in populo(* *L*) mulier(multis *CaLy* innumeris *BergkU aliter Rs*).. Tʀᴜ 74(*vide edd*)　captiuam..in(*PLy* im *A* de *Stuψ*) praeda's mercatus Eᴘ 108

quom in Aleis tanta gratiast.. Cᴀᴘ 280(*dub: vide edd*)　Ephesi sum natus non †enim in Apulis Mɪ 648　in(*om U*) Epidamnieis(*A* epidamnia *sine* in *P*) uoluptarii (sunt) Mᴇɴ 258

B. *cum* acc. 1. *de loco cum verbis intrans.:* a. *eundi, veniendi, sim.:* ut conquistores singula in subsellia eant Aᴍ 65　hinc..ieram in exercitum Aᴍ 401　cur non intro eo in nostram domum? Aᴍ 409　intro ire in aedis numquam licitumst Aᴍ 617　ille in balineas iturust As 357　..ire adsuetum esse in ganeum As 887 ibo in Piraeum Bᴀ 235　senex in Ephesum ibit Bᴀ 354　in mare it Bᴀ 458　hinc in Elatriam hodie eat Bᴀ 591　in(*Rs om Pψ*) concilium iere(*Rs* iniere *Pψ*) Cᴀᴘ 493　inde ibis porro in latomias Cᴀᴘ 723　Curculio..it (in *add Py Rg*) Cariam Cᴜ *Arg* 1　ito in comitium Cᴜ 470　ibo in tabernam Mᴇɴ 1035　eire occepi in ludum litterarium Mᴇʀ 303　ouis si in ludum iret.. Pᴇʀ 173　in exilium(*P* exulatum *Rg om* in) quom iret.. Mᴇʀ 980　te in exilium hinc ire oportet Pᴇʀ 562　uereatur intro ire in alienam domum Mɪ 1168　nunc in tumultum ibo Mɪ 1393　ego ire in Piraeum uolo Mᴏ 66　nolo in uesicam quod eat, in uentrem uolo Pᴇʀ 98　quasi eas prorsum in nauem Pᴇʀ 677　ego in aedem Veneris eo Pᴏᴇ 190　irem in carcerem Pᴏᴇ 692　ego eo in macellum Ps 169　noctu in uigiliam..ibat miles Ps 1180 eat in Siciliam Rᴜ 54　quin tu in paludem is? Rᴜ 122　it lauatum in balineas Rᴜ 383　i sane in Veneris(inuenerit *B¹*) fanum huc intro Rᴜ 386　iube illos in urbem ire..ad portum Rᴜ 856　propera ire in urbem Rᴜ 1223　ibo lautum in pyelum Sᴛ 568　dixi equidem in carcerem ires Sᴛ 624　hinc iturust ipsus in Seleuciam Tʀɪ 112　ibit..latrocinatum aut in Asiam aut in Ciliciam Tʀɪ 599　eam perpetiar ire in matrimonium Tʀɪ 732　poterat ire in proelium Tʀᴜ 511　te iubeo..intro ire in aedis Tʀᴜ 642

hinc abiit ipsemet in exercitum Aᴍ 102 abiit hinc in exercitum Aᴍ 125　hinc in Ephesum abii Bᴀ 171　in Ephesum hinc abii Bᴀ 388　in arcem abiit Bᴀ 900　abierunt hinc in communem locum Cᴀs 19　abi..tuam in prouinciam Cᴀs 103　hinc (in Thebas *add Rg¹*) abiit domo Eᴘ 46　eum..scilicet abisse pessum in altum Rᴜ 395　abeo hinc in Veneris fanum Rᴜ 586　uos in aram abite sessum Rᴜ 707　aqua abeat in mare: nam hoc in mare abit Tʀᴜ 564-5　imperatores in medium exeunt Aᴍ 223(*cf* Wueseke, p. 29)　eximus intus.. huc in uiam Cᴀs 856　pudet prodire me ad te in conspectum Bᴀ 1007　non te pudet prodire in conspectum meum? Mᴇɴ 708　illum prodire pudet in conspectum tuom Mᴏ 1155　non prodibo in publicum Sᴛ 614　in urbem non redibit Cᴀs 65　redii uix ueram in uiam Cᴀs 369 (*translate*)　in rectam redii semitam Cᴀs 469 *(translate)* redi sis in cubiculum Cas 965 (*A om P*) is redit in patriam Ci *Arg* 2 in castra redeo Ep 381 in Epidamnum .. redeundumst mihi Men 49 in patriam redeamus Men 1152 redeo in senatum Mi 592 *(translate)* uos in patriam domum rediisse uideo St 506 gaudeo peregre te in patriam rediisse St 585 in nauim (*Ac* naui *PS*†) subit (*Ac* super *PS*† intra uisus est *U*) Mer 194 ego huc transeo in proxumum ad meam uicinam Cas 145

in castra ex urbe ad nos ueniunt Am 256 Libanum in tonstrinam .. iusseram uenire As 408 cur non uenisti .. in tonstrinam? As 413 ad Bacchas ueni in Bacchanal coquinatum Au 408 in palaestram ueneras Ba 424 liber in diuitias .. uenies Cap 1010 *(translate)* huc .. ueni in urbem Cas 106 quae in tergum (integrum *VE*) meum ne ueniant .. formido Ci 673 uenimus in (enim *U*) Cariam ex India Cu 438 (uenire) ad Chaeribulum iussit huc in proxumum Ep 68 in Epidamnum uenit Men 70 soror .. uisa uenisse Athenis in Ephesum Mi 384 iube in urbem ueniat Mo 930 heri in pertum noctu nauis uenit Per 577 huc in portu..ı naui uenit uesperi Poe 114 quid in (hin *B*) hanc uenistis urbem? Poe 1009 Plautina longa fabula in scaenam uenit Ps 2 quam dudum in portum uenis? St 528 ueni! #Hucine? #Immo in carcerem St 621 si in aedem ad cenam ueneris .. Tri 468

ecquae aduenerit in portum ex Epheso nauis Ba 236 clades .. in (*om AbrahamRs*) nostram aduenit domum Cap 911 aduenis in Epidaurum Cu 562 .. in urbem aduenerit Ep 271 peregrina nauis in portum aduenit Men 340 in urbem .. aduenimus Tru 282 conueniebatne in uaginam tuam machaera militis? Ps 1181 in insidias deuenero As 105 (*v. secl U*) . in insidias deueni. #Immo in praesidium Men 136 perueni in Cariam Cu 329 in portum .. peruenit St 369 in scaenam prouenit Ps 568 in eum haec reuenit (de. *GertzU*) res (res uenit *L*) locum ut .. Ba 606 *(translate)*

illorum nauis longe in altum abscesserat Ru 66 in eandem tute accederes infamiam Tri 121 *(translate)* in medium ego .. hodie pessume processerim Cap 649 ait se metuere in conspectum sui patris procedere Mo 1125

de uia in semitam degredire Cas 675 *(translate)* pudet .. populi in conspectum ingredi Am *fr* VIII (*ex Non* 453) ingressus est .. in Amoris uias Per 1 in proelium (*B* impera *CD*) uide ut ingrediare Per 606 ubi quamque in urbem est ingressus .. Poe 106 ingredere in uiam dolose Ps 959 *(translate)* quam in partem (*Valla* ***artem *BS* ***rtem *CD*) ingredi persequamur Ru 667 in plateam ingreditur Tri 840 a

quo fugiamus? #In patriam Cap 208 quid ego cesso fugere in fanum? Ru 454 nisi fugissem in (*Winter* inquit *codd om Ly*) medium Fr I. 120 (*ex Gell* vi. 9, 7) in Lemnum aufugit Ci 161 istuc quid confugisti in aram? Mo 1135 .. in aram ut confugiamus Ru 455 uos confugite in aram Ru 1048

arbores in te cadent Men 376 omnia in cassum (*LU unum voc ψ*) cadunt Poe 360 *(translate)* in genua in undas concidit Ru 174 in

foueam decidi Per 594 deciderint uobis femina in talos uelim. #At .. tibi in lumbos linguam atque oculos in solum Poe 570-1 miles in eandem incidit Mi *Arg* II. 3 *(translate)* in fraudem incidi Tri 658 omnes in te istaec recident contumeliae Men 520 *(translate)*

in nauem ascendit Ru 326 auderem tecum in nauem ascendere Ru 538 in nauem conscendimus Ba 277 conscendit (in *add MueRs*) nauem Ru 63 susum escendam in tectum Am 1008 in currum escendi (cons. *FZRRgU*) Mer 931 in caelum escendisti? Tri 942 in lectum inscendat As 776 inscendam aliquam in arborem Au 678 iubes .. me .. in (*om D*) currum inscendere Men 863 inscendo in (*A* ascendi in *CD* escendū *B*) lembum Mer 259

in (*add BentRs*) nostros aedis arietat Tru 256 in genua ut astiti .. Cas 930 adstiti in currum Men 865 conlapsus est hic in corruptelam suam Tru 671 (*trans.*) in urbem crebro commeo Tru 682 huc commigrauit in Calydonem Poe 94 multa in unum locum confluont Ep 527 *(translate)* quid nunc supina susum in (*add PyRsL*) caelum conspicis? Ci 622 meliust te in neruom conrepere Ru 872 forte in uentrem (*Ca* inuenirem *P*) filio conrepserit Tri 424 currite huc in Veneris fanum Ru 622 curre in Piraeum Tri 1103 de naui .. desuluerunt in scapham Ru 75 desiluit .. altera in terram e scapha Ru 173 huc despexi in proxumum Mi 287 deuolant angues .. deorsum in (ut *J*) inpluuium Am 1108 num hinc exmigrastis? #Quem in locum? Men 823 in medullam fluit Fr III. 2 (*ex Frontone* 2, 2) immigraui ingenium in (*Bo* in ing. *PU*) meum Mo 135 tantae in te impendent ruinae Ep 83 *(translate)* saepe in speculum inspexi Am 442 inuadam .. in oppidum Ba 711 inuaserunt .. in genua flemina Ep 670 quid tu .. in os .. mihi ebrius inructas? Ps 1295 in te irruont montes mali Ep 84 *(translate)* ego in caelum migro Am 1143 quam mox nauigo in Ephesum? Ba 776 pergam in aedis Am 1052 amor .. in pectus permanauit Mo 143 Cupido in pectus perpluit meum Mo 164 in exercitum profectu's Am 1137 properem in praefecturam Cap 907 (*U*) pergin ructare in os mihi? Ps 1300 redauspicandum in catenas denuo Cap 767 saliam in puteum Fr I. 59 (*ex Prisc* II. 280)

b. cum verbis transitivis: capiam coronam mihi in caput Am 999 fustem cepero .. in manum Au 48 iam lora in manus cepi meas Mer 931 rursum in portum recipimus Ba 294 tua dicta nunc in auris recipio Ci 510 (*v. om A*) potest .. haec in aedis recipi Mi 1096 recipe me in tectum Ru 574

ei tabellas dem in manum Ba 769 argentum dedi .. adulescenti ipsi in manum Tri 126 quid interest dare te in manus argentum amanti? Tri 130 e manibus dedit mihi ipse in manus Tri 902 *similiter:* talos poscit sibi in (*EJ om B¹ ī B²*) manum Cu 354 te in caueam dabo Cap 124

in latebras abscondas (stultitiam) Ci 63 in cunas conditust Am 1107 in puteum condite Au 347 in lapidicinas conpeditum condidi Cap 944 in furnum calidum condito Cas 309

condamus alter alterum..in neruom Poe 1269   te
in pistrinum condam Ps 534   uim..condidisti
in corpus Tru 520   minas .condo in cruminam Tru 654   uidulum intro condam in arcam
Vi 59   in nostras scapu as cicatrices indiderunt As 552 (*v. secl BoRgSU*)   in os meum hodie uini guttam indidi Cas 247   in aquam indideris salem Mer 205   inde ignem in aram
Mi 411   in fundas uisci indebant..globos Poe
481   ego cicilendrum..in patinas indidi Ps 831
quoius ego latus in latrebas reddam Fr I. 20
(*ex Macr* III. 16, 1)   ipsi ..tradas in manum
Mer 278   te in pistrinum scis actutum tradier Mo 17

   me in aedem uos dixissem ducere Poe 529
in tabernam ducor Tru 697   illic est abductus recta in phylacam Cap 751   nuptam..in
conclaue (*A* clauem *P om* in) abduxi Cas 881
abduc istos in tabernam Men 436   uoluit in
cubiculum abducere me anus Mo 696   in neruom abducere Poe 1399   †in Sicyonem ex urbe
abduxit Ps 1098   amicam adduxit intro in
aedis Mer 813   scortum sibi ..adduxerit in
aedis Mer 924   in fanum Veneris..mulierculas
..adduxit Ru 128   in aedis me ad te adduxisti Ru 497   Malam Fortunam in aedis te
adduxi Ru 501   in lapidicinas facite deductus
siet Cap 736   in aedis me ad se deduxit domum Mi 121   hunc hominem..in transennam
..deducam Per 480   paucis in uiam deducam
Tri 4 (*translate*)   ex opsidione in tutum eduxi
maniplaris meos Mo 1048   in regionem astutiarum mearum te in duco Mi 233 (*translate*)
redduxit me usque ex errore in uiam Ps 668
(*translate*)   subducam nauim rusum in pului-
naria Cas 557 (*translate*)

   in caueam latam oportuit Ci 732   huc in
hanc urbem pedem ..numquam intro tetulit
Men 380   iubeat ferri in nauem Mi 1187   in
hasce aedis pedem nemo intro tetulit Mo 470
ted auferam..in Fidei fanum Au 583   facite
illic homo iam in medicinam ablatus ..siet
Men 992   leno..nos hinc auferre uoluit in Siciliam Ru 357   eam seditionem..in tranquillum conferet Am 478 (*translate*)   ne quis in hanc
plateam (hac platea *PLy*) negoti conferat quicquam Cap 795   in pristinum conferas (*Ly in lac*
proieceris *U*) Ep 145   in uicinum hunc proxumum rem conferam (r. c. *RU* mendacium *P lac*
RsSLLy A n. l.) Mo 663   quas in aedis haec
puellam deferat Ci 169   ouis..in urbem detuli Tru 655   neque meum pedem huc intuli
..in aedis Am 733   neges te umquam pedem
in eas aedis intulisse? Men 819   ut inferremus ignem in aram Poe 319   meretrix meum
erum..intulit in (ui *D*) pauperiem Tru 572 (*translate*)   in macellum pisces prolati sient Ru 979
piscatorem uidisti ..uidulum piscem ..protu-
lisse ullum in forum? Ru 988   aestus te in
portum refert As 158

   caue quemquam..in aedis intro miseris Au
90   in aedis meas..neminem uolo intro mitti
Au 98   mihi intro misti in aedis..cocos Au
553   eum hinc in Ephesum miseram Ba 249
te..in Alidem mittam ad patrem Cap 379   hinc
parasitum in Cariam misi Cu 67   parasitus..
missust in (*om Rg*) Cariam Cu 276   nolo mihi

oblatricem in aedis intro mittere Mi 681   dum
misit nardum in (*UL* dormisit a arclimin *B* domi
sitam amardiminam *CD var em* ψ) amphoram
Mi 824   barbarum ..mihi in aedis (*sc* intro
mitti?) nihil moror Ru 583   istest ager..malos
in quem omnes publice mitti decet Tri 548
demisisti gladium in iugulum Mer 613   neque
ego id inmitto in (*om Rg*[1]) aures meas Ep 335
ego remittam ad te uirum..in urbem Cas 438

   montes..mali in me ardentis..iacis Mer 617
(*translate*)   coniciam in collum pallium Cap
779   coniciam sortis in sitellam Cas 342
palliolum in collum conice Ep 194   filiam conicit in nauem Mi 112   me in tricas coniecisti
Per 796 (*trans.*)   te ..in ignem coniciam Ru
769   amor..hominem postulat se in plagas
conicere Tri 237 (*translate*)   me ..in incertas
regiones..eiectam Ru 187   in horum familiam
frustrationem..iniciam Am 874 (*trans.*)   huic
aliquem in pectus (inpetus *V*) iniciam metum
Cas 589 (*translate*)   tragulam in te inicere adornat Ep 690   pallium inice in me (*om C*)
Tra 479

   tu locere in luculentam familiam Ci 560
me conlocaui in arborem Au 706   in tabernam uasa..conlocaui Men 986

   in Aegyptum hinc modo uectus fui Mo 994
in portum aduecti sumus Am 731   in portum
huc..sum aduectus Mer 388   huc..mulierem
in Ephesum aduehit Mi 113   in Pontum aduecti Arabiam terram sumus Tri 933   in Epidamnum auehit Men 33 (*R*)   in terras solas..
sum circumuectus Mo 995   eas..in Anactorium deuehit Poe 87   sumus prouecti in altum Mi 117

   odos..omnes abigit in forum Cap 815   quo
te agis? #In aedem (medem *D*[1]) Veneris Poe
333   te gratiam in nostram domum uideo adlicere Tri 382   madida..mihi adposita in mensam (-sa *LambRLU* inmensam *Rs* in m *om B*)
Men 212   miror ..non arcessi in proxumum
uxorem Cas 539   te in altum (in a. *om Non* 381)
capessis As 158   coge in obsidium perduellis
Mi 222   canes compellunt in plagas..lupum
Poe 648   tresuiri me in carcerem compegerint
Am 155   (pallam) in loculos conpingite Men
691   in carcerem conpingi est aequom..te Ru 715
parentis tam in angustum tuos locum compegeris Ru 1147   in nauem conportat domo Ru
58   concludere in fenestram Cas 132   in aediculam istanc..concludi uolo Ep 402   conclusit..in uidulum Ru 392   conclude in uincla
bestiam Ru 610   metuis in manum concredere
Per 441 (*v. om CD*)   herbas..in suom aluom
congerunt Ps 823   in neruom ..nidamenta
congeret Ru 889   te..defigam in terram Per 294
faciam ut deportere in pergulam Ps 214   in altum (*LLy ex cod Brux om* ψ) deportari Vi 109
(*ex Fulg de abst serm* XXII *et* XXIV)   deturba
in uiam Mer 116   (eum) huc deturbatote in
uiam Mi 161   huc in proxumum mihi deuortisse uisi sunt Mi 385   nullus tam in amici
(*A* inimici *P*) hospitium deuorti potest ..Mi
741   ..deuortatur ad me in hospitium Poe 673
deuortor extra portam huc in tabernam Ps
658   in id angiportum me deuorti iusserat Ps
961   malumst in hospitium (-tio *MueRsS om*

in) deuorti ad Cupidinem Tri 673   effunde hoc
cito in barathrum Cu 121b   heminas octo exprompsi in urceum Mi 831   figam palum in
parietem Mi 1140   perpeti potis .. parasitus
frangi aulas in caput Cap 89   in(om Ly cum
A ut put) contionem medium me inmersi Men
448   inmersit aliquo sese in ganeum Men 703
sese iam inpediuit in plagas Mi 1388   pugnum
in os inpinge Ru 710   quin tu .. istam inponis in me? As 659   inponat in(ī C) manum
alius .. cantharum Ba 69 (v. secl BueRgℬL)   in
te ego hoc onus .. inpono Ba 499   inponit
geminum.. in nauem Men 26   culpam .. in me
inponito Mi 928 (translate)   me pedem .. scies
inpoisse in undam Mo 434   hunc .. in collum
.. inpone Per 691   quicquid domi fuit in nauem inposiuit Ru 357   numquam pedem uoluisti in nauem .. imponere Ru 490   in eas ..
esca inponitur Ru 1237   importem in coloniam
hunc .. commeatum Ep 343   tu te in laqueum
induas Cas 113   infringatur aula cineris in
caput Am fr III (ex Non 543)   ne postules matulam unam.. infundi in caput Am fr IV (ex Non
543)   in pertussum ingerimus dicta dolium
Ps 369 (translate)   ingurgitat inpura in se merum Cu 126   expeto .. inuergere in me liquores tuos Cu 108   imbrem in cribrum legas(A
geras PRgLU ingeras SalmR) Ps 102   dantur
duo talenta argenti numerata in manum As 193
nuntiare hinc te uolo in patriam ad patrem
Cap 384   nec.. patiar.. meas. in aedis sic scorta
obductarier Mer 786   penetrem me .. huius
modi in palaestram? Ba 66   procellunt se in
mensam Mi 762 (dub)   .. me istanc capillo
protracturum esse in uiam Mer 798   ego te
in neruom .. hinc rapiam Cu 723   tu in neruom rapere Ru 876   me a peccatis rapis deteriorem in uiam Tri 680 (translate)   metuo ut
possim reicere in bubile Per 319   hic (restituet) in Alidem me meo patri Cap 588   in eundem rusum restitues locum Mi 702 (translate)
intro rumpam in aedis Am 1048   intro rumpam recta in aedis Mi 460   intro rumpam iam
huc in Veneris fanum. #In barathrum mauelim
Ru 570   sequere hac .. me intro in pyelum
(Sey lectum PLLy lotum BeckerRU om i) Ba
108   sequimini .. in proxumum me huc Cas
165   quo illum sequar? in(im CD) Persas? Per
718   illam huc tibi sistam in uiam
(A inuitam P) Mi 344   huc in uentrem sumpsit
confidentiam Cap 805   sumpsero cassidem in
caput Tri 726   in celonem(Ly ex A in calones L var em ψ) sustolli solent Poe 1168   tollam ego ted in collum Ba 571   iuberes hunc
praecipitem in pistrinum trahi Ps 494   uisam
huc in Veneris fanum Ru 1286   quo me in sil-
uam uenatum uocas? Men 836   is odos .. in
caelum uolat Ps 841
    c. periphrases: reducem faciet liberum in pa-
triam ad patrem Cap 43, 686 (fecisse)   suis
me ex locis in patriam .. reducem faciunt Tri
823   hunc reducem in libertatem feci Cap 931
in popinam .. inruptionem facite Poe 41   huc
in plateam cursuram incipit Tri 1006   quidue
in nauem inscensio? Ru 503
    d. in crucem, cruciatum, malam rem, sim.:
i in crucem As 940   abi intro in crucem Per

856   in crucem excucurrerit Mo 359   si in
crucem uis pergere .. Cas 93   ego ferare faxo
in crucem Mo 1133   sustollat .. hunc in(om
CD) crucem Mi 310
    i in(B in AVEJRs om i) malam crucem Cas
641, 977 (A in P om i), Cu 611 (is), Men 915 (is),
Poe 271, 495 (is), 496 (ibo: in ins GoelRgl), 511 (ite
hinc), 873 (i in FRglLU in B i Aψ), 1309 (i in
DRglLU i A in BCψ), Ps 335 (i om P), 839
(i in A in P), 846 (i om C), 1182 (i in BD ein A
in CLy), 1294 (i in A ut vid in PR), Ru 176 (it),
1162 (ite)   uel (abi) in malam crucem Ba 902
abin hinc in(om CD) m. c. Mo 850   abscedat
in malam (in, mala, in Rs) magnam c. Men 849
fugite hinc in m. c. Men 1017, Poe 789 (dubito
fugere)   abduce istum in m. c. Cu 693   apstraxit .. hominem in maxumam m. c. Men 66
eas in max. m. c. Cas 611, Men 328 (B in om Pψ
post max. ins FZR), Per 352 (eant in PRU in
om Aψ), Poe 347 (im B), Ru 518 (ibit), Tri 598
(eis)   summam in crucem .. perduci potest
St 625
    abi in malum cruciatum ab aedibus Au 459
i in m. c. Per 574   maxumum in malum cru-
ciatumque insuliamus Mi 279   quem in cr. atque in compedis cogam Per 786   dedisti hodie
in cr. Chrysalum Ba 687
    i in(P in A om i) malam rem Poe 295, Tru
937 (in ins AcRsU om Pψ)   loquere porro aut
ei in(U p. aliam Pψ) m. r. Mer 615   abi in
m. r. Cap 877, Per 288 (abin D¹ im B)   abi in
m. r. maxumam a me Ep 78
    2. = adversus, contra, erga, sim. saepe ad-
dita vi hostili: a. facit recta in anguis impetum
Am 1115   metui ne in me faceret impetum Cap
912a   me iubes facere inpetum in eum Men
869   similiter: hic equos non in arcem uerum
in arcam faciet impetum Ba 943
    in uos incursabimus Ba 1148   uolui inicere
tragulam in nostrum senem Ps 407   intendam
ballistam in senem Ba 709   in hunc intende
digitum Ps 1144   in oculos inuadi optumumst
As 908   iamne in hominem inuolo? Mi 1400
inuolem illi in oculos Mo 203   lubet in Casinam inruere Cas 891   perge in uirum Men 611
in me (Amor) peculatum facit Ci 72   metuo
in commune ne quam fraudem frausus sit As
286
    b. cum facere, efficere, sim.: bene .. in me
fecerunt Am 184   certumst efficere(facere Lℬ)
in me omnia eadem quae tu in te facis As 613
quod posset mali faceret in me Ba 551   ne
quid in te mali faxit Cas 628   neu sinas in
me .. fieri tantam in uriam Men 1008   me si
sciam (in uos ins L) fecisse .. sceleste .. Ru 196
tantaque iniuria (facta in VallaRsℬLU orta in
TurnLy) nos est Ru 670   .. quam hunc pati
(male facere ins Rs saeuire LLy duce Schoellio
grassari FlU duce Ca) lenonem in me Ru 684
aliter (in ins PiusRgU) nos(† Ly nobis GuyL)
faciant .. St 44   similiter: fecisti furtum in
aetatem malum Ba 166
    c. cum dicere, sim.: hic in me inclementer
dicit Am 742   nec recte .. tu in nos dicis As
155   ne istuc .. dixeris .. dictum in me As
698   tu istuc .. dixisti in me As 902   conpesce in illum dicere iniuste Ba 463   caue

parsis in eum dicere BA 910 quod in se(*B* ipse *VEJ*) possit uere dicier CU 479 haec quom audio in te dici.. TRI 103 pergin tu autem(in me *U* hia *CDS*† huc *B* heia *Zψ*)..inuehier(*U* -here *Pψ*)? MER 998 male quae in nos ais (*Ly* illis *PS*† dicis *SpU* uis *L aliter BueRs*).. TRU 157 nolle esse dicta quae in me..protulit AM 890 dicta in me ingerebas AS 927 tu in illum bene uoles loqui Mo 239 *similiter:* ne nosmet in(*PLLy om FZψ*) nostra etiam uitia eloquamur POE 251

d. *varia:* quae..neque ego in me admisi arguit AM 885 homo culpam admisit in se AU 790 quid tandem admisi in me? MEN 712 adsimulabo quasi quam culpam in(ad *R de A errans*) sese admiserint ST 84 admisit in se culpam castigabilem TRI 44

uidere commeruisse..in te aliquid mali EP 62 ..quae in se culpam(in sculpam *B*) commerent MER 828 ..indaudiuerim eas in se meruisse culpam ST 78

uide..ne posterius in me culpam conferas AM 788 in mutuam culpam confers TRU 829 suam..culpam expetere in mortalem(imm. *E*) ut sinat AM 495 *similiter:* quoius ego hodie in tergum faxo ista expetant mendacia AM 589 insonti mihi illius ira in hanc et male dicta expetent AM 896

si in me exercituru's (pugnos), quaeso in parietem ut primum domes AM 324

in te..certumst..ut sim parcus experiri Mo 237

exempla..faciam in te(*B* inter *D* inf *C*) Mo 1116

ne tu in me mutassis(*PL* inmutassis *om* in me *Acψ*) nomen AU 585

quasi numquam quicquam in eas simulem (*PLU* q. adeo adsimulem *Aψ*) ST 77

si uocat me qui in me potest plus quam potes.. TRU 755

maiorem in sese concipiet metum AM 301

facilest imperium in bonos(*AcRg* -is *Pψ*) MI 611(*vide supra* A, 1, c, *β*)

in erum matura in se sera condecet capessere AU 590

in maxumam illuc populi partemst optumum, in paucioris auidos altercatiost AU 485-6

non aequos in me's POE 359 inimicos ipsi in sese omnis habent BA 547

mores quibus uideo uolgo in(*Sey om PR*) gnatos esse parentes BA 1081

3. *de mente, animo, corde:* a. **in mentem uenire:** *absolute vel cum dat.:* in mentem uenit AM 293 modo hercle in m. u. AS 588 qui tibi..istuc in m. uenit(mentemst *LindRglLLy*) AM 666 unum u. in(*om E*) m. modo CAS 379 quod quidem nunc ueniat in m. mihi EP 638 in m. uenit modo Mo 334 festiuom facinus u. mihi in(im *B*) mentem modo POE 1086 scin quid mihi in m. u.? PS 538 nimium lepide in m. u. ST 703 omnia istaec ueniunt in m. mihi TRI 747 hoc qui in(im. *B*) m. uenerit mihi? TRI 1050

cum pron. rel.: uenitne in m. tibi quod ueruum in cauea dixit histrio? TRU 931

cum gen.: miserae quom uenit in m. mihi mortis RU 685

cum de: ut lepide..in m. u. de speculo malae Mo 271

seq. orat. obl.: uenit hoc mihi..in m. ted esse ..diuitem AU 226 in m. uenit te bouem esse AU 228 non tibi u. in m...id..esse haud perlonginquom? BA 1193 ueniat in m. tibi me esse indotatam PER 388 contiost ubi eum hietare nondum in m. uenit FR II. 43(*ex Diom* 345)

seq. infin.: qui in m. uenit tibi istuc facinus facere? BA 682 q. in m. u. t. istaec dicta dicere? TRI 77

seq. ut: uenit in m. mihi..argentum ut petam CU 558 hoc non in m. u. dudum ut..dicerem(*LLy in lac var em ψ*) MER 900 ..quorum numquam quicquam quoiquam uenit in m. ut recte faciant PS 134

seq. interr. obliq.: in m. uenit quid tu diceres MER 294 uenit mihi in m. ut mores mutandi sient MI 1358

b. **in mentem esse:** istuc in mentemst(*LindRgl LLy* mentem uenit *Pψ*) AM 666 mihi in m. fuit dis..gratias..agere AM 180 qui istuc in m. est tibi ex me..percontarier? AM 710 ecquid in m. est tibi patrem tibi esse? BA 161 unum in m. est mihi nunc, satis ut commode..concuret cocus BA 130

c. senatum consili in cor conuoco Mo 688 mihi consilia in animum conuoco MI 197 induxi in(*om B*) animum ne oderim MI 1269 in (si *Rs*) animum inducunt suom Iouem se placare posse RU 22 argumenta in pectus(i. p. *om C*) multa institui Mo 86 magnas res hic agito in mentem instruere RU 936a

4. *de condicione, statu:* a. redeunt rursum in gratiam AM 940 antiquam in gratiam redi AM 1141 rursum..reuentum in gratiamst AM 942 reueni ex inimicitia in gratiam ST 409 in amicitiam atque in gratiam conuortimus ST 414

inde in amicitiam insinuauit CI 92 Alcumenam Iuppiter rediget antiquam coniugi in concordiam AM 475 iam uos redistis in concordiam? AM 962

b. illum audiui in amorem(iuniorem *E* morem *B¹VE¹*) haerere EP 191(*cf* Abraham, p. 223) qui in amorem praecipitauit.. TRI 265 restituam te in gaudia antiqua(*R var em ψ*) MER 885 ..me in maerorem rapi CI 61 in timorem dabo..aduenam PS 928

c. nunc demum in memoriam redeo CAP 1022 (*v. om A secl RsSLU*) nunc edepol demum in memoriam regredior CAP 1023 ne suarum se miseriarum in memoriam inducat PER 643 (*cf* Blomquist, p. 106)

d. huius huc reconciliasso in libertatem filium CAP 576 eam te in libertatem dicas emere EP 278 sororem in libertatem..opera concilio mea EP 654 in seruitutem..redigunt uiros AU 169 ..ad hunc deuenerim in seruitutem MI 97

in clientelam..patris..deuenit RU *Arg* 4 uisus sum in custodelam simiae concredere MER 233 in tuam custodelam me..trado Mo 406 Veneri..in custodelam suom commiserunt caput RU 625 in custodelam nos tuam..recipias RU 696 is..in potestatem meam peruenerit RU 1341 uidulum hunc redegissem in potestatem eius Ru 1379 mores leges perduxerunt..in potestatem suam Tri 1037

e. dedunt se..in dicionem atque in arbitratum Am 259 auris meas..dedo in dicionem tuam Mi 954 eam perpetiar ire in matrimonium? Tri 732 erit locata uirgo in matrimonium Tri 782

f. in otium te conloces Mer 552 homines ..in soporem collocastis nudos Am 304

g. is in diuitias homo adoptauit hunc Poe 904 filiam suam despondit in diuitias maxumas Ci 601 ..eum sororem despondisse suam in tam fortem familiam Tri 1133 ille illam in tantas diuitias dabit? Tri 605 ..eam in se dignam condicionem conlocem Tri 159

h. in ruborem te totum dabo Cap 962 iussin in splendorem dari bullas? As 426 rediget..in splendorem compedes Au 602

i. conicitur ipse in morbum(improbum *B*) Poe 69

5. *de actionibus:* **a.** ambula in ius Cu 621, 625, Per 745, Ru 860 cita illum in ius Mo 1089 (*R*) i cum illo in ius Mo 1089(*L duce Buggio*) ite in ius Poe 1229 eamus in ius Poe 1342 in ius eas(*AD*[4] inluseas *P*) Poe 1349 eamus tu in ius(*Sarac intus P*). #Quid uis in ius(*Sarac intus P*) me ire? Tru 840 lenonem in ius rapit Cu *Arg* 6 rapiamus in ius(*A* intus *P*) Poe 1336 hunc scelestum in ius rapiam Ru 859 in ius si ueniat Mo 1089(*RsU*) in ius(uis *B*) uenerit Poe 185 in ius(*A* intus *P*) ueneris Poe 1360 in ius uoco te As 480(*v. secl URgl*S*L*) ego in ius uoco Per 746 in ius uos(*A* lutuos *B* lisos *CD*) uoco Poe 1225, 1232 in ius te uoco Poe 1343 ille in ius me uocat Cu 683 quid me in ius uocas? Per 745 in ius uocat me Ru 608 quid in ius uocas nos? Poe 1233

b. sed fugam in(in f. s. *LindRgl*†S*) se tamen nemo conuortitur Am 238 dabo protinam(me in fugam *CaRs pro* et fugiam) Cas 959 perduelles penetrant se in fugam Am 250 *similiter:* me continuo contuli..in pedes Ba 374 mene uis dem ipse in pedes? Cap 121(*v. secl Rs*) prouocat me in aleam Cu 355

amorem multos inlexe in dispendium Mer 53 is me in hanc inlexit fraudem(*A* hinc ill. fraude *CD* inl. fraude in *B*) Mi 1435 eum inleciatis in malam fraudem et probrum Tru 298 age nunciam insiste in dolos Mi 357 ingrediuntur docte in sycophantiam Poe 654

stultitia..sit me ire in opus alienum Mi 879 in opus ut sese collocauit quam cito! Vi 75 in uigiliam..ibat miles Ps 1180

ille a me solus se in consilium seuocat Mer 379 tu in consilium istam aduocauisti tibi Mer 736 quid..in consilium huc accessiost? Tri 709

6. = *secundum:* tu mihi amicus es in germanum modum Cas 615 uterque deluduntur in (im *D*) mirum modum Am *Arg* I. 7 hic nostra. agetur aetas in malacum modum Ba 355 ornatus in nouom incessi modum Am 119 ..ornatam..in peregrinum modum Per 158 exornetur..in peregrinum modum Tri 767 perii plane in perpetuom modum·Mo 536 deludificatust me..in peregrinum modum Mo 1035

7. *de tempore* (*cf* Kane, p. 25; Leers, p. 38):

a. auspicaui in hunc diem Per 689 in h. d. tuos sum mercennarius Poe 503 in h. d. a me ut caueant Ps 128 da in(dam *C*) hunc diem operam Ps 547 ..eum circum ire in h. d. Ps 899 in(tibi *R*) h. d. te nihil moror St 424 alium conuiuam quaerito tibi in h. d. St 478 me iam uocauerat in h. d. St 517 ad forum procedere in eum diem quo.. Cas 565 in crastinum uos uocabo Ps 1335 numquam..me uiuom..in crastinum inspiciet diem St 638 tu in perendinum paratus sis ut ducas Tri 1189 in nonum diem solet ire coctum Au 324 non unum in diem(*RyLU* diem *om* in *BoLy* quidem diem modo *P*S*t), uerum hercle in omnis quantumst Ps 534-5 uolo in uesperum parare piscatum Mo 67 res paratast mala in uesperum huic seni Mo 700 serua tibi in (im *BD*) perpetuom amicum Cap 441 in perpetuom ut placeat munditia St 747 in reliquom(*U* relinque *om* in *Pψ*) Athenas..colamus St 671

b. malum si promptet in dies faciat minus Ba 466(*v. secl AnspachRg*S*) mores deteriores increbrescunt in dies Mer 838 maceria illa.. in noctes singulas latere fit minor Tru 303

argentum..sumpsit faenore in dies minasque argenti singulas nummis Ep 53 in dies singulas escas edint Men 456 compendi feci binos panes in dies Per 471

scrobes effodito plus sexagenos in dies(die *RglL* et *cod G*, *schol Luc*) Am *fr* VI(*ex Prisc* I. 168, 320 *et Non* 225) suspirabo plus sescenta (*P*S*†*Ly*† -tos *R*) in dies(die *BambRsRL*) Men 896

c. hoc in diem(*Ca* die *P*) extollam malum Mi 861(*cf* Abraham, p. 230) res serias omnis extollo ex hoc die in alium diem Poe 500 spes prorogatur militi in alium diem Au 531 ..uiri uitam sinere in diem(*Rs om APψ*) crastinum protolli Cas 679

8. *cum verbis mutandi:* in faciem uorsus Amphitruonis Iuppiter Am *Arg* I. 1 in Amphitruonis uortit sese imaginem Am 121 in anginam ego nunc me uelim uorti Mo 218 credo alium in aliam beluam hominem uortier Ru 886 illic in columbum..leno uortitur Ru 887 Iuppiter mutauit sese in formam eius coniugis Am *Arg* II. 2 ego me conuortam in hirundinem Ep 188 in uidulum te piscem(in tuom..te *Rs*) conuortes Ru 999 si quid per iocum dixi, nolito in serium conuortere Poe 1321 *similiter:* formam cepi huius in med et statum Am 266

9. in rem esse, conducere: quae..in rem uostram communem sient Am 10 quod in r. esse utrique arbitremur Au 129 quod in rem tuam optumum esse arbitror Au 145 in rem hoc tuamst Au 154 istuc in rem utriquest Cap 398 ita ut in r. esse ducunt Men 981 tergi ut in r. esse arbitror Men 985b quae in r. sint suam Mer 36 magis in uentris r. uidebitur Per 342 ut rem esse in nostram putas Per 609 in r. quod sit praeuortaris Ps 237 sin tuamst quippiam in rem? Ps 253 quid in r. sit..noscere Ps 684 quid magis in remst quam..? Ru 220 si in r. tuam.. esse uideatur.. Tri 628 satis in r. quae sint

meam.. Tri 636   uide si hoc..in r. deputas
Tri 748   in rem meamst(*Lamb* iure mea *P*)
Tru 873   *fortasse:* in eam (*P§*† *var em ψ*) rem
si quid habebo.. Tru 875
   quod in rem recte conducat tuam Cap 386
illud quam tuam in rem bene conducat consulam Ci 634
   10. *de pignore, condicione:* in leges meas dabo
As 234   mecum pignus.. dato in urnam mulsi
Cas 76   si uis tribus bolis uel in(uelim *J*)
chlamydem Cu 611   ni matris filiast, in meum
nummum, in tuom talentum pignus da Ep 701
da pignus, ni nunc perieres, in sauium Poe 1242
   11. *vi finali:* ut accipias.. obsonium.. in nuptias Au 352   uxor uocabit huc eam ad se in
nuptias Cas 481
   date mihi.. ignem in aram Tru 476   illam
minorem in concubinatum sibi uolt emere Poe
102   ..me.. sororem in concubinatum tibi.. dedisse magis quam in matrimonium Tri 690-1
quo in(*A* quin *P* qua in *ScalR*) commeatum
uolui argentarium proficisci Ps 424   eam te
in libertatem dicas emere Ep 278   deferri..
praeterea unam (minam) in(una mina *L*) obsonatum Tru 740   quasi in orbitatem liberos
produxerim Cap 763   quasi in piscinam rete
qui iaculum parat Tru 35   mures.. praedicat
in pompam ludis dare se uelle Poe 1012   neque ille hic calidum exhibit in prandium Mi
832   ad regem in saginam erus sese coniecit
Tri 722   argentum.. quo..(opus in sumptus
fuit *ins CaRLU in lac*) Mo 538
   parant sedulo in firmitatem et ut in usum
boni et in speciem populo sint sibique Mo 122-3
   dabo et anulum in digitum(*MueL* -to *Pψ*)
Cas 710   non meministi me.. afferre.. anellum
aureolum in digitum? Ep 640
   vide Mo 129, *ubi* in comitia *Rs* comita *P§*†
var em ψ
   12. *variae locutiones:* uerba in pauca conferam As 88   in pauca confer Cas 648, Poe 1224
in uerba conferam paucissuma Men 6   pauca
in uerba confer Per 661   in pauca .. confer
quid uelis Ps 278
   omnia in cassum(*LU unum voc. ψ*) cadunt
Poe 360   *vide* Poe 1405, *ubi* in cassum *Rgl* ac
massum *P§*† *Ly*† *var om ψ*
   qui damnet det in publicum Per 68 b
   de istac re in oculum utrumuis conquiescito.
‡Utrum? anne in aurem? Ps 123-4(*cf* Leo,
Analecta Pl. I. p. 43)
   meum cor coepit.. in pectus emicare Au 627
   sciunt id quod in aurem rex reginae dixerit
Tri 207
   quin, pedes, uos in curriculum conicitis in
Cyprum recta? Mer 932
   reperiam qui quaeritet argentum in faenus
As 429
   diuidere argenti dixit nummos in uiros Au
108
   tu in(tuam *FlRgl*) partem nunciam hunc delude As 679   in partem(*Lamb* -te *P*).. liceat
ei potirier As 916   is .. in aliam partem palmam possidet Mo 32
   haec duarum hodie (in *add AcR*) uicem.. feret
imaginem Mi 150
   omnem in(*om JL* mi *Rs*) ordinem(*P§*†*Ly*

-ne rem *FZψ*) fateri.. aequomst Cas 895(*Ly
vide supra* A. 5)
   ubi in lustra(illustra *E* [1]) iacuisti? ‡Egon in
lustra(illustra *E*)? Cas 242
   ne quid tibi hinc in spem ponas Ep 339
   eo condixi in symbolam(*PLy* in *om ψ*) ad
cenam St 432
   te in crimen(*D* incremen *P*) populo ponat
atque infamiam Tri 739
   C. additur adverb. vel praep.: 1. hic Am 91, 143
(*RglLy*), 700, 792, As 653, 657, Au 606, 617,
Cap 49, 435, Cas 72, Ci 100, 159(?), 708, 752, Cu
61*, 527, Men 1005, 1006, Mer 684, Mi 134, 264,
301, 366, 441, 483, 488, Mo 482, 755, 950, Per
312, Poe 1383, Ru 560, 564, 579, 613, 644, 689,
768, 913, 1163, St 606, 704, Tri 151, 1085, Tru
261(*AU*), 916   illi(c) Am 432, Ba 1154, Cap
94, Mer 97, Ru 34   isti(c) Au 339, Mi 421,
Poe 625, Ru 1082 *bis*, 1109, 1133   ibi Am 621,
732, As 253, Cu 476, Ru 1159, 1310   ibidem
Cap 26, Men 380, Mo 482, 502(?), Ru 391, St 413
ubi Tri 873   intus Am 432, Au 617, Mer 684,
Mi 301, 483, Mo 402, Ru 689   domi Ps 1171
rure Cas 99, 110
   Syracusis Men 409, 1097   meae uiciniae
Ru 613
   ad patrem Cap 49, 699   ad Rhadamantem
Tri 928   apud me Au 743, 823, Poe 1365
apud te Ci 10   apud fratrem St 612   apud
hospitem Mi 134   apud magistrum Ba 432
propter canalem Cu 476
   de tempore: olim Am 1031, Ep 387, Mer 264 itidem Ba 410
   2. hinc Am 102, 125, 401, Ba 171, 249, 354
(*CaRRglLy*), 388, 591, 900(?), Cap 384, Cas 19,
Cu 67, 723, Men 1017, Mo 850, 994, Per 562,
Poe 511, 789, Ru 357, 518, 586, Tri 112   huc
Am 733, Cap 576, Cas 106, 145, 165, 481, 856,
Ep 68, Men 380, Mer 388, Mi 113, 161, 287, 385,
Poe 94, 114, Ps 658, Ru 386, 570, 622, 1286, Tri
1006, Tru 479   istuc Mo 1135   aliquo Men
703, Tri 598   quo Ps 424   intro Am 409, 617,
1048, Au 90, 98, 553, Mer 813, Mi 460, 681, 1168,
Per 856, Ru 386, 570, Tru 642, Vi 59   intus
Cas 856   inde Cap 723   domum Mi 121, St
506   peregre St 585   Arabiam Tri 933   domo
Ru 58   Athenis Mi 384
   a me Cas 641, Ep 78, Ru 518   ab aedibus
Au 459   de naui Ru 75, 366   de uia Cas 675
ex errore Ps 668   ex inimicitia St 409   ex
Epheso Ba 236   ex India Cu 438   suis ex locis Tri 823   ex opsidione Mo 1048   e scapha
Ru 173   ex urbe Am 256, Ps 1098   *de tempore:* ex hoc die Poe 500
   ad me Poe 673   ad nos Am 256   ad se Cas
481, Mi 121   ad te Cas 437, Ru 497   ad hunc
Mi 97   ad Bacchas Au 408   ad Chaeribulum
Ep 68   ad Cupidinem Tri 673   ad meam uicinam Cas 145   ad cenam Tri 468   ad patrem Cap 43, 379, 384, 686   ad portum Ru 856
extra portam Ps 658
   D. dubia: Am 838, in uerbis *P§*†*Ly*† *ubi pro*
in *legunt* enim *LachRgl* id tu *U* Cas 895,
omnem in ordinem *P§*† in *om RL var em ψ*;
925, ut in eam in***; 926, in*** *A* Ep 642,
***in(*om JRglLULy*) alia matre Men 584,
†mensae in quo ire *P* mens est in quo* *LLy*

mens est in querellis *FZRRs* Mer 194, donec
in †naui super *P§* intra uisus est *U* in nauim
subit *AcRLLy;* 547, decurso in(*om L*) spatio
breue quod uitae reliquumst *PL longe aliter Aψ*
Mo 496, illi in∗∗∗ *P var suppl RU* Ru 599b,
aͅt (in om\ṇiḅuṣ ru(ca) siͅt *A* ; 1140, in me *P§*†
anne *VallaRsLU* idne *Ly* Tri 625, haut in
euscheme(*Ca* in eusce mea *P* ei euscheme *RRs*
ineuscheme *LULy*) Tru 875, in eam rem si
quid *P§*† sine me habere; si quidem *BueRs
LLy aliter U*

INAEQUOS · · *vide* iniquos

INAMABILIS · · **inamabilis,** inlepidus uiuo
Ba 614

INAMBULO · · **inambulandum**st: nunc mihi
uicissim supplicabunt As 682

INANIA · · **inaniis** (*Py* inanis *PNon* 123)
sunt oppletae (aedes) Au 84   *Cf* Egli I. p. 5;
II. p. 55

INANIMENTUM · · **inanimentis** explementum quaerito St 173

INANILOGIS'IA · · surdus sum profecto(†*§L*)
inanilogistae(-te *BD* #Proh! #Inanilogista's
Rg inaniloquos es *R* sum inani. logi istaec *U*)
Ps 255

INANILOQUOS · · Ps 256, inaniloquos es *R*
vide titulum priorem

INANIS · · I. **Forma** **inanis** Am 330, As
660, Ba 531, Mo 571, Per 354, Ps 308, Tri 701
inani Ba 517, Ps 255 (i. logi istaec *U pro* profecto inanilogistae)   **inanem** Mi 855 b(-nē *P*),
Ps 371, Ru 418(*BRs* manem *CDL var suppl lac ψ*),
St 231, 526   *corruptum:* Au 84, inanis *PNon*
123 *pro* inaniis(*Py*)
    II. **Significatio** 1. *adiective:* hic homo ina-
nis est Mo 571   parasitum inanem quo re-
condas reliquias St 231(*cf* Graupner, p. 12)
ten amatorem esse inuentum inanem Ps 371
    ea plenam atque inanem fieri (aulam) Mi 855 b
v. secl RRg)   mensa inanis .. apponatur mihi
Per 354
    2. *subst.:* surdus sum inani∗ Ps 255 (*U*)
    3. *praed.:* inanis sum Ba 531   inanis cedis
Ps 308   effugias ex urbe inanis Tri 701   dominum ante me ito inanis As 660   uix incedo
inanis Am 330
    mihi inani atque inopi subblandibitur Ba
517   omnium me exilem atque inanem fecit
aegritudinum St 526 (*cf* Blomquist, p. 20;
Schaaff, p. 29)   nihil est qui te inanem∗ ec-
ferciam(*add Rs in lac var suppl ψ*) Ru 418

INANITAS · · Cas 803, inanitate *P* iam nuni-
tate *A ut vid pro* ieiunitate

INAUDIO · · *vide* indaudio

INAUGURO · · inpetritum, **inauguratum**st
(*D* -tūst *B* -tust *E*) As 259

INAURES · · **inauris** da mihi Men 541

INCANUS · · ecquem tu hic hominem crispum **incanum** uideris ? Ru 125

INCASSUM · · omnia **incassum**(*duo uocab
LU*) cadunt Poe 360   ne quid tibi quom istoc
rei sit incassum(*BriRgl* siet **ac** massum *P§*†
Ly† *var em ψ*) Poe 1405

INCEDO · · I. **Forma** **incedo** Am 330, Cu
533, Mo 998(inte *D*), Tru 463(-ẹ *C*)   **incedis**
As 705(uidebis *E*), Cas 240, Mer 367   **incedit**
Am 335, As 403, 405(*BEJL* incidit *D* cedit *Scal*

ψ), Au 47, 473, Cap 997, Cas 562, Cu 676, Ep
102, 608, Men 888, Mer 600(*PL* cedit *Bo*ψ), 671,
Mi 92, 872, 897(*PRglL* ducis *R* cedis *BoLy* du-
cit *§U*), 1281, Mo 310, 311(-at *C¹*), Per 200,
Poe 470, 577(*PL* cẹdit *A*ψ), 647(-det *BRglLy*),
Ru 492, St 527, Tri 1151   **inceduut** Au 521,
Cu 289(qui in. *B²E³J* quin cedunt *B¹VE¹*),
291, 294(abscedunt *BoRg*), Poe 619. 981   **in-
cedam** Ru 693   **incedet** Poe 647(*BRglLy* -dit
*CD*ψ)   **incessi** Am 119, Ps 1275   **incessisti**
Cas 726(*APLULy* cessisti *Mue*ψ)   **incedas**
Cu 31   **incedat** Mer 406   **incedant** Ep 226
incederem Ba 1069(*PLU* cederem *Scal*ψ)   **incedere** Ba 393(*v. secl LangenRgLULy*), 403,
Mi 1286, Mo 1120, Poe 10, Ps 411, 1299(*P* ingrediri *A§Ly*)   *corruptum:* Mi Arg II. 3, incedit *B¹* pro incidit   *De scansione cf* Leo,
*Pl. Forsch.*² p. 259, 270
    II. **Significatio** (*cf* Feyerabend, p. 92)
A. *pertinet ad scaenam:* 1. *praemonstrat intran-
tem:* a. *absolute:* eccum incedit Cas 562, Men
888, Poe 470, Ru 492   eccam incedit tandem
Mer 671   eccum lenonem, incedit Cu 676
eccum incedit Epidicus Ep 608   nescio quis
eccum incedit Mi 1281
    eccum fratrem Pamphilippum, incedit cum
socero St 527
    eccum uideo incedere Ba 393 (*v. secl Langen
RgLULy*)   eccos uideo incedere Ba 403
quassanti capite incedit As 403   minis ..
expletus incedit∗ As 405   tristis incedit∗ Mer
600   quam digne ornata incedit Mi 872   lepide hercle ornatus incedit∗ Mi 897(*PRgL*) basilice ornatus incedit∗ et fabre Poe 577(*PL*)
cum Chaeribulo incedit Ep 102   Callidamates
cum amica incedit∗ Mo 311
    b. *additur indicatio loci:* Megadorus .. eccum
incedit a foro Au 473
    eccum incedit huc ornatus .. Cap 997   ec-
cum .. sodalem uideo huc incedere Mo 1120
eccum uideo huc Simonem .. cum suo uicino ..
incedere Ps 411
    estne hic meus sodalis qui huc incedit cum
amica? Mo 310   quid huc tantum hominum
incedunt? Poe 619
    quis haec est quae med aduorsum incedit?
Per 200
    2. *persona antea in scaena uersata erat:* op-
tume eccum incedit ad me Am 335   quis hic
est qui huc ad nos incedit? Tri 1151
    3. *persona intrans non praemonstratur:* a. *ab-
solute:* ornatus in nouom incessi modum Am
119   non .. mediocri incedo iratus iracundia
Cu 533   uidetis ut ornata incedo Tru 463
lepide excuratus incessisti∗ Cas 726   uix incedo inanis Am 330   .. me amoris causa hoc
ornatu incedere Mi 1286   incedunt cum anulatis auribus Poe 981   te .. cum corolla ebrium
incedere∗! Ps 1299
    ut tu incedis∗! As 705   illuc sis uide ut in-
cedit Au 47
    de persona non intrante: euenit ut ouans
praeda onustus incederem∗ Ba 1069
    b. *locus indicatur:* unde incedis? Mer 367
unguentatus per uias .. incedis Cas 240   a foro
incedo domum Mo 998
    4. *non ad scaenam spectat* a. *absolute:* ince-

dunt infectores Au 521   incedunt* suffarcinati
Cu 289   obsistunt, incedunt cum suis sententiis Cu 291   tristes atque ebrioli incedunt* Cu
294   est stultitia sessum inpransum incedere
Poe 10   palliolatim amictus sic incessi ludibundus Ps 1275
   b. *locus vel via indicatur:* caute ut incedas
uia Cu 31   fundis exornatae multae incedant
per uias Ep 226   .. incedat per uias Mer 406
deridiculost quaqua incedit omnibus Mi 92   cum
praeda .. incedit* uenator domum Poe 647
translate: malitiae lenonis contra incedam Ru
693
   INCELEBER - - Cas 887, incelebram *VEJ*
incelebrem *B*¹ *pro* inlecebram(*B*²) Men 355,
incelebra *CD*¹ *pro* inlecebra
   INCENATUS - - *cf* Hofmann, p. 8   1. it
incenatus cubitum Ps 846   an incenatus (-ce.
C -coe. *D*) cum opulento accubes? Tri 473
   2. per hanc tibi cenam **incenato** .. esse hodie
licet St 611
   3. senem cupiunt extrudere **incenatum** (since-
nam *BV* incenem *EJ*) ex aedibus Cas 776   incenatum senem foras extrudunt Cas 788
   4. superi **iucenati** sunt et cenati inferi Au
368   dormimus incenati (-ce. *CD*) Ru 302   incenati (-ce. *CD* cenati *ReizSU* in caeno *Rs*) sumus Ru 304
   INCENIS - - Cas 776, incenem *EJ* incenam
BV pro incenatum(*A*)
   INCENDIUM - - ex amore tantumst homini
incendium As 919   mihi in pectore atque in
corde facit amor **incendium** Mer 590(*cf* Egli,
II., p. 58; Graupner, p. 8)   si istuc.. facis in-
cendio (*NitzschRRs* indicium tuom *PUStLt*
Lyt) incendes genus Tri 675
   INCENDO - - quam mox **incendo** rogum(i.
r. *om B*¹)? Men 154   semper me ira **incendit**
As 420   nimis sermone huius ira **incendor**
Ps 201   tuom **incendes** genus Tri 675(*cf* incendium *et* Graupner, p. 8)   me.. tuan causa
aedis **incensurum** censes? Cap 845   **incendite**
odores Men 354
   corrupta: Am 450, incendas *J pro* ins.   Mi
116, incendo *CD pro* insc.
   INCEPTO - - numquid tu .. **inceptas** (-coe. *B*
-tus *EJ*) facinus facere? Cu 24(*cf* Walder,
p. 19)   magnum inceptas Cu 144   dic quo iter
inceptas? Tru 130   basilica hic quidem facinora **inceptat** loqui Tri 1030   quasque incepistis res quasque **inceptabitis** Am 7
   INCERTO - - longa dies meum **incertat**
animum Ep 545
   INCERTUS - - I. Forma **incertus** Ep 439,
Tru 785   **incerta** Ru 213(*B* -tam *CD*)   **incertum** Au 729, Ba 501   **incerti** Ps 759   in-
certo (*dat.*) As 466   **inc rtam** Cap 245   in-
certum (*neutr.*) Mer 655(*RRgU* certum *PSt L*
Ly)   **incerto** Cap 536, Ps 965   **inc rti** Mer
345   **incertas** Ru 187a   **incerta** Ps 685
incertis Poe 1164   **incertiorem** St 500   *adverbia:* **incerto** Ps 962(*P* -te *A U*)   **incerte**
Ep 505(*AE*³*J* -to *BE*¹), 545(*A* -to *P*)   *corruptum:* Ba 733, incerta *C pro* in cera
   II. Significatio A. *proprie:* 1. *attrib.:* animi
decem in pectore incerti certant Mer 345   te
oro per precem per fortunam incertam Cap

245   restitue certas mihi ex incertis .. opes
Poe 1164   incertiorem nullam noui bestiam
St 500
   2. *praed.:* incertus tuom caue .. rettuleris pedem Ep 439
   b. *seq. interr. obl.:* hac an illac eam incerta*
sum consili Ru 213(*cf* Blomquist, p. 98;
Schaaff, p. 29)   quid sit negoti falsus incertusque sum Tru 785   mihi incertumst quid
agam, abeam an maneam Au 729   utrum credam .. incertum admodumst Ba 501
   3. *subst.:* pro certo incertum* si habes Mer
655(*RRgU*)   quicquid incerti mihi in animo
.. aut ambiguom fuit.. Ps 759   certa mittimus dum incerta petimus Ps 685(*cf* Schneider, p. 27)   res omnis in incerto sitast Cap
536   ex incerto faciet mihi quod quaero certius Ps 965
   B. = ignotus(*cf* Langen, *Beitr.* p. 92): ego
certe me incerto scio hoc daturum nemini homini As 466   me hoc ornatu ornatam in incertas regiones .. eiectam Ru 187a
   C. *adverbia:* ubi habitet dicere admodum incerte* scio Ep 505   .. sei east quam incerte*
autumo Ep 545   quotumas aedis dixerit id ego
admodum incerto* scio Ps 962
   INCESTO - - neque eam **incestauit** umquam
Poe 1096
   INCIDO - - ui Veneris uinctus, otio aptus in
fraudem **incidi** Tri 658   ei derepente tantus
morbds **incidit** Men 874   miles in eandem in-
cidit(incedit *B*¹) Mi *Arg* II. 3   *Vide* As 405,
ubi incidit *D* incedit *BEJL* cedit *Scalψ*
   INCIPERO - - Tru 676, incipera *P pro* in-
peru(*FZ*) *aliter U*
   INCIPIO - - I. Forma **incipit** As 448, Au 460,
Cap 793, 980, Tri 1006   **incepi** Cas 164(-e. *B*),
Men 435   **incepit** Tru 465, 467   **incepistis**
Am 7   **inceperam** As 125(-oe. *P*)   **inceperim**
Ru 462(-oe. *C occ. Rs*)   **incipe** Cas 817(*A* -pere
P),   Mi 1219(*U* incipiū *B* initium *CD* principium
Caψ)   **incipere** Cap 753, Poe 974   **incepta**
(*nom*) Cap 227(-oe. *B*)   **inceptum** (*acc. neut.*)
Mer 913 (-oe. *C* -e. *D*)   **incepta** (*acc. pl.*) Ba
1068   *corrupta:* Cu 24, inceptus *EJ pro* inceptas   Mi 228, incipis sed *P pro* incipissit;
970, incipit *B pro* cupit   Ps 407, incipere *P
pro* inicere(*A*)   Tri 884, incipis sic *CD pro*
incipissis(*B*)
   II. Significatio 1. *absolute:* incipere multost quam impetrare facilius Poe 974   *intrans.*
de tempore: hic annus incipit uicensumus Cap 980
   2. *cum acc.:* huc in plateam cursuram incipit
Tri 1006   facinus audax incipit Au 460   ne
tale quisquam facinus incipere audeat Cap 753
iter huc mihi incepi Cas 164   sospes iter incipe* hoc Cas 817   inceptum hoc itiner perficere exsequar Mer 913   tantum incepi operis
Men 435   tu tuom opus incipe* Mi 1219(*U*)
hic homo pugilatum incipit Cap 793   quas .
incepistis res .. Am 7   tanta incepta res est
Cap 227
   3. *cum infin.*(*cf* Walder, p. 19): hodie amare
inceperim* Ru 462   quid ego cesso ire .. quo
inceperam? As 125   male quod mulier facere
incipit .. bene si facere incipit .. Tru 465-7
.. prius quam incipit tinnire As 448

4. *subst.:* hoc est incepta efficere pulcre Bᴀ 1068

INCIPISSO - - nugas ineptias incipisso(*Ca* -ce. *OJ* -se *PŞ*t *Ly*) Cᴀᴘ 532(*vide edd*) sic rationem incipisso(*Bugge* -som *BC* -pis /// *D* -pis eam *CaR*) Mɪ 237 magnum facinus incipissis (*B* -pis sic *CD*) petere Tʀɪ 884 quid hic homo tantum incipissit facere? Cᴀᴘ 802 magnam illic homo rem incipissit(*Salm* -pis sed *P* -pis sis *GrutR*) Mɪ 228 breuem orationem incipisse(-pesse *BD²E*) Cᴀᴘ 214

INCITAE - - ad incitas lenonem rediget Poᴇ 907 hic..ad incitas redactust Tʀɪ 537 *Cf* Gimm, p. 23; Graupner, p. 20; Inowraclawer, p. 38; Schneider, p. 21

INCLAMITO - - etiam inclamitor(ind. *B*) quasi seruos? Eᴘ 711

INCLAMO - - me inclamat Alcumena Aᴍ 1068 uoce clara inclamat(*DousaRgl* exc. *Pψ*) uxorem Aᴍ 1120 illic me inclamabit(*Bo* -uit *P* imp. *B*) Tʀᴜ 672 hospitem inclamauit quod ..mihi fidem habere noluisset As 582 tuos inclama Sᴛ 328 me inclamato quia..uolgem Mɪ 1035 nolito acriter eum inclamare Cɪ 109

INCLEMENTER - - hic in me inclementer dicit Aᴍ 742 qur inclementer(clementer *C*) dicis lepidis litteris? Ps 27 inclementer dicat homini libero Rᴜ 114 mihi audes inclementer dicere? Rᴜ 734 mihi inclementer(*A* me illi uel in[*B* uelim *CD*] mentiri *P*) dicis Tʀᴜ 273 cur ausu's mihi inclementer dicere? Tʀᴜ 604 qui tibi lubidost..loqui inclementer(inde. *C* indenemter *B*) nostro cognato? Poᴇ 1323 qui lubet patruo meo loqui inclementer? Poᴇ 1373

INCLINO - - inclinabo me cum liberta mea Pᴇʀ 737

INCLUTUS - - ut tu inclutu's(-itus *B* inditus *D* mdytus *C*) apud mulieres! Mɪ 1227 Ioui opulento incluto(*AB* induto *CD*).. Pᴇʀ 251 Tʀᴜ 74, inclutam *Rs pro* hominibus *in loc dubio* uos..aetatulam agitis..inclutae(-tę *B* -itę *C* -ite *D*) amicae Ps 174 *Cf* Gimm, p. 23

INCOCTUS - - quicquid est, incoctum non expromet, bene coctum dabit Mɪ 208(*cf* Graupner, p. 10) ne mihi incocta detis Pᴇʀ 93

INCOGITABILIS - - scio me fuisse excordem, caecum, incogitabilem Mɪ 544

INCOGITANS - - amorem multos inlexe . . intemperantem, incogitantem(*RRg* non modestum *Pψ*) Mᴇʀ 54

INCOGITANTIA - - amori accedunt..temeritas, incogitantia.. Mᴇʀ 27

INCOGITATUS - - iracundo animo, indomito, incogitato..sum Bᴀ 612

INCOHO - - .. hanc incohatam(incoa. *BD* incho. *EJ*) transigam comoediam Aᴍ 868 exaedificaret suam incohatam(*Fl* incho. *PU*) ignauiam Tʀɪ 132

INCOLA - ⫶ incolae(-lę *DJ*), accolae, aduenae omnes, date uiam Aᴜ 406 si incolae bene sunt morati.. Pᴇʀ 554

INCOLO - - (Neptunus) salsis locis incolit pisculentis Rᴜ 907 *Cf* Dousa, p. 501

INCOLUMIS - - diu ut essem incolomis (-umis *DLU*) uobis Tʀᴜ 168 neque..incolumem(*AR* columen *BC* colum̄ *D* columem *ψ*) te sistere (dotem) illi Tʀɪ 143 me.. in patriam urbem usque incolumem(*R* u. u. columem *Rs* u. saluom inc. *SpU* urbis cummam *PŞ*t *Ly*t *aliter L* inc. *iam Gronov*) reducem faciunt Tʀɪ 823 omne argentum tibi hoc actutum incolume redigam Pᴇʀ 324

INCOMITIO - - hoc .. mihi quod insigne habeo, quaeso ne me incomities(-cies *J*). #Licetne inforare, si incomitiare(-ciare *BJ*) non licet? Cᴜ 400-1 *Cf* Merklin, p. 8; Saltau, p. 17

INCOMMODESTICUS - - (sumus) odiosicique et multum incommodestici(-omo. *P*) Cᴀᴘ 87

INCOMMODITAS - - incommoditate abstinere me..commemini Mɪ 644 haec sunt atque aliae multae in magnis dotibus incommoditates Aᴜ 533

INCOMMODUS - - I. Forma incommodus Bᴀ 401(-omo. *B* commodus inc. *PŞ*t comis inc. *BuggeRglLU* tristis com. *HermR* cominc. *Ly*), Poᴇ 401(*A* -dis *P*) incommodum Mo 807 incommodi Aᴍ 636, Mᴇʀ 773(si tibi *Rg*), Mo 418 incommodam As 62 incommodum Cᴀᴘ 146 incommodis(*abl.*) Cᴀs 156 incommode (*adv.*) Tʀɪ 1124 *corruptum:* Mo 1152, incommodus *D²* pro in comoediis

II. Significatio(*cf* Langen, *Beitr.*, p. 254) 1. *attrib. vel praed.:* malignus, largus, commodus, incommodus* Bᴀ 401 ne incommodus* nobis sit Poᴇ 401 fateor eam esse inportunam atque incommodam As 62 nisi tibist incommodum Mo 807 illum..incommodis dictis angam Cᴀs 156

2. *subst* (*cf* Wueseke, p. 13): incommodi plus malique ilico adsit Aᴍ 636 incommodi* si quid tibi euenit.. Mᴇʀ 773 neque quicquam nobis pariant ex se incommodi Mo 418 eius incommodum tam aegre feras Cᴀᴘ 146

3. *adverbium:* fores hae..mihi moram obiciunt incommode Tʀɪ 1124

INCONCILIO - - non inconciliat(*Py* -auit *U* in concilia ut *P*) quom te emo Pᴇʀ 834 inconciliastin eum qui mandatust tibi? Tʀɪ 136 inconciliaret(*R* -re *P*) copias omnis meas Bᴀ 551 ne inconciliare quid nos porro postules Mo 613 *Cf* Langen, *Beitr.*, p. 181

INCONSULTU - - inconsultu(-to *Non* 525) meo aedis uenalis hasce inscribit litteris Tʀɪ 167

INCONSULTUS - - bene consultum inconsultumst si id inimicis usuist Mɪ 600

INCONTINENS - - scito illum .. madidum, nihili, incontinentem As 859

INCREBRESCO - - mores deteriores increbrescunt in dies Mᴇʀ 838

INCREBRO - - sin (noctes) increbrauit(*D* crebrauit *B* increpauit *CD²* crebras ducit *Sp RsLU*), ipsus gaudet Tʀᴜ 50 a *Cf* Studemund, p. 302

INCREDIBILIS - - incredibilis imposque animi..uiuo Bᴀ 614 miro..modo atque incredibili(*B* -le *CD*) hic piscatus mihi lepide euenit Rᴜ 912

INCREMEN - - Tʀɪ 739, incremen *P pro* in crimen(*D²*)

INCREPITO - - numquid increpitauit(*CD* -pauit *BRLU*) filium? Mo 750

INCREPO - - ferociter legatos nostros in-

crepaut Am 213 **increpui** hibernum et fluctus moui Ru 69 totus timeo, ita me **increpuit** Iuppiter Am 1077 numquid **increpauit**
(*B* -pitauit *CDSLy*) filium? Mo 750 *Vide* Tru
50a, *ubi* increpauit *CD*² *pro* increbrauit
INCUBITO - - uideo ego te: iam **incubitatus** es Per 284
INCUBO - - hic leno aegrotus **incubat** in
Aesculapi fano Cu 61 rure **incubabo** usque
in praefectura mea Cas 110 **incubare** satius
te fuerat Ioui.. #Si quidem incubare uelint
qui periurauerint.. Cu 266-8 *Vide* St 493, *ubi*
incubabunt *A pro* acc.
INCULTUS - - fundum alienum arat, incultum familiarem deserit As 874 (*cf* Inowraclawer, p. 55) *Vide* Poe 232, *ubi* inculta *U* inlusta *PS†* iniusta *CD var em* ψ
INCUMBO - - gladium faciam cuicitam eumque **incumbam** Cas 308 .. non enim quo **incumbat** eo inpellere Au 594
INCUNABULA - - neque eum quisquam colligare quiuit **incunabulis** Am 1104 fasciis
opus est, puluinis, cunis, **incunabulis** (-ilis *C*¹)
Tru 905
INCURIA - - Mer 29, recti incuria *AcU pro*
†residia iniuria
INCURSO - - is me.. uerberat **incursat** pugnis calcibus Poe 819 uiuos homines mortui
incursant (*BEJ* -sam *D*) boues As 34(*cf* Ulrich, *de verb com.* p. 25) te.. pendentem **incursabo** pugnis Ru 722 iam in uos **incursabimus** Ba 1148(ut arietes: *cf* Egli, II. p.10)
asini me mordicibus scindant, boues **incursent**
(-ant *J*¹) cornibus Au 234
INCUS - - haec mihi **incus** est: procudam
.. hinc multos dolos Ps 614(*cf* Egli, II. p. 53;
Inowraclawer, p. 69; Ramsay *ad Most.*
p. 274) quasi **incudem** me miserum homines
octo ualidi caedant Am 159
INCUSO - - alterum **incusat** probri Tru 159
(*cf* Blomquist, p. 102; Schaaff, p. 40) **in-
cusant** publicanus Tru 146 te ipse iure optumo merito **incuses** (*B*² -is *P* -cusses *AS* -cu-
sites *R*) licet Mo 713 aduentores meos non
incuses Tru 616 me **incusato** (*A* tu excusato
CD tu excusatio *B*)! Mer 464
INCUTIO - - palla pallorem **incutit** Men
610 amicis morbum incuties(-cies *B* inculti-
es *A*) grauem Tri 75
INDAGATOR - - blandus inops celatum **indagator** Tri 241
INDAGO - - neu rem ipsam **indaget** (*A* -cet
P) Tri 755 quin percontatu's.. eo si pacto
posset **indagarier** mulier? Mer 623
INDAUDIO - - I. Forma **indaudiui** Mi 211
(*Bo* ina. *P* audiui *AU*), 442(*Bo* ina. *CD* audiui
B), St 167(ita ind. *R* auditaui *AS†Ly†* var
em ψ) **indaudiuit** Cap 30(*Gul* inde au. *BDE*
inde audiunt *J*) **indaudiuerim** St 77(*Par*
inau. *A* inde au. *P*) **indaudiueris** Tri 538
(*U* me[*B* mea *CD*] audiueris *P* var em ψ)
indaudiuerit Mer 941(*Ca* inde au. *P*), Mo 542
(*Bo* inau. *P*) **indaudisse** Am 266(*Goel* inau.
P inauduiisse *LambRgLU v. secl L*) Mer 944
(-diuisse *R* -diisse *D* inauduiisse *C* inaudisse *B*)
II. **Significatio** 1. *absolute:* rogito.. quis habeat si ibi indaudiuerit* Mer 941

2. *seq. acc.:* metuo ne de hac re quippiam
indaudiuerit* Mo 542 quasi quid indaudiuerim* eas in se meruisse culpam St 77 .. si
omnia indaudiueris* Tri 538(*U*)
3. *seq.* de *cum abl.:* de amica se indaudiuisse*
autumat hic Athenis esse Mer 944 de hac
re Mo 542(*supra* 2)
4. *seq. infin.:* credo ego illum iam indaudisse*
mihi esse thensaurum domi Au 266 indaudiuit*.. captum esse equitem Aleum Cap 30 Mer
944(*supra*) os columnatum poetae esse indaudiui* barbaro Mi 211 geminam.. hic sororem esse indaudiui* Mi 442 meruisse St 77
(*supra* 2) ita indaudiui* saepe.. dicier St
167(*R*)
INDE - - I. Forma *saepe* (Am 156, Au 366,
Cap 128, Cas 902, Mo 744, Poe 902, 1055, 1153,
St 67, 175) ind' *metri causa exhibet Ly. Cf etiam*
Enger, p 11; Skutsch, p. 76. *De collocatione* iam inde a *cf* Kellerhoff, p. 73
corrupta: Cap 30, inde audiuit *P pro* indau-
diuit(*Gul*) Mer 941, inde audiuerit *P pro* in-
daudiuerit(*Ca*) Poe 1170, inde uenturum *B
pro* id euenturum Ps 1069, inde *P pro*
est(*A*) St 77, inde audiuerim *P pro* indau.
(*Par*)
II. **Significatio** 1. *de loco:* a. *cum verbis
intrans.:* inde abimus Cap 282 ubi pulcerrime
egi aetatem inde abeo(*R* uideo ab eo *B* habeo *D*
abeo *C*) Mi 1312 iam inde porro aufugies?
Mer 651 inde nunc aufugit Poe 665 periclum inde esse(*A* in die [dono *B*] esset *P*) ab
summo ne.. cadas Mi 1151 .. quom descendat inde As 777 illi ubi fui inde effugi foras
Mo 315 inde ibis porro in latomias Cap 723
inde suam quisque ibant.. domum Ru 1252 quo
inde isti porro? Tri 939 inde huc sum egressus Men 401 dicit.. inde.. emigratum Mo *Arg* 5
inde exeo ilico(*Bri* ex eo loco *PLU†Ly*) Au
709 inde foras.. exeo Cas 932 inde(*ins U*)
exeo Ep 650 inde.. exspectabam aurum ubi
abstrudebat Au 707 nunc redeo inde(*iterat
OJ*) Cap 490(*v. secl Fl RsSU*) inde huc ueniet postea As 357 inde de hippodromo.. ubi
reuenisses domum Ba 431 *fortasse:* inde hic
bene potus primulo crepusculo Fr l. 107(*ex
Varr l. L.* VII. 77) *Vide* Mi 88, *ubi* inde *Lips
R* idē *B om CD* illest *Seyψ*
b. *cum verbis trans.:* lanios inde accersam
Ps 332 inde.. me accersas Ps 660 duo greges uirgarum inde.. adegero Ps 333 nihilne
attulistis inde auri domum? Ba 315 inde
optume aspellam uirum Am 1000 .. me deerrare a patre atque inde auehi Men 1113
inde extra portam ad.. Cordalium in lapidicina
facite deductus siet Cap 735 inde cras quasi
e.. cella depromar ad flagrum Am 156 detrudam ad molas, inde porro ad puteum Cap
1153 neque eas eripere quibat inde Ru 600
inde.. exigi solitum e patre Mer 67 Per
760(inde *AcR pro* unde) inde(*in lac ins
SkutschLy*) insidias dedit Vi 65 inde inspectauisti meum.. hospitem Mi 506 inde.. obseruabo aurum ubi abstrudat senex Au 679
inde.. uideo recipere se senem Au 709(*LU†Ly*)
inde me continuo recipiam.. domum Cap 128
inde..(cenam) subducemus Au 366 inde(*i. e.*

ad praetorem) rem soluo Cu 722   inde surruptus (est) Poe 902   si quis me quaeret,
inde(*om Rg*) uocatote aliqui St 67
  2. *de origine*, *aliquando vi partitiva:* bene
merens hoc preti inde abstuli Mo 879   dum
id quod cupio inde aufero Tru 887   deprome
inde auri .. quod sat est Tri 803   dant inde
partem mihi maiorem quam,sibi Mi 711   dabuntur dotis tibi inde sescenti logei Per 394
quid inde aequomst dari mihi? Ru 960   inde
(*i. e.* ex aureis) .. machinabor machinam .. Ba
232   sibi quisque inde exemplum expetunt Mo
103   cadus erat uini: inde impleui hirneam
Am 429   inde me .. praeda onerabo atque opplebo Ps 588   Mo 865(thensaurum inde[*CaRU*
***de *P*] parant) decumam partem(inde *add*
MueRg) Herculi polluceam St 233   ab eo quo-
iumst(*RgLy* quiquam est *P*§†*var em ψ*) inde
posces(*PRg* indipisces *Non* 129 *et ψ*) Au 775
fortasse rem soluo Cu 722(*supra* 1. b)   *Vide*
Mer 17, *ubi* per mea conata doctus quae sum
inde (*i. e.* ex amore) *U in loco perdito* per mea
perconatus sum uos sumque inde *P*§†*Lt Ly*†
aliter em RRg
  inde a principio iam inpudens epistulast Ba
1006   ut uos mihi esse aequos iam inde a
principio sciam Cas 4   iam inde a principio
probe! Ps 970   inde mihi principium capiam
ex ea tragoedia Poe 2
  3. *de genere:* inde(*AP* unde *FRgl*) sum
oriundus Poe 1055   uidere inde esse Ps 623
  4. *de tempore, sim.:* **a.** senes nisi fuissent nı-
hili iam inde ab adulescentia .. Ba 1207   Philocrates iam inde usque amicus fuit mihi a puero
puer Cap 645   inde(*om GuyRRg*) iam(*om U*)
pausillo puero ridiculus fui St 175   matura
iam inde(iam inde a. m. *Luchsłg*) aetate .. scis
facere officium tuom Mer 521   cum animo
inde ab ineunte aetate depugnat suo Tri 305
  haec illic est pugnata pugna inde(*Rgl* usque
Pψ) a mane usque(*Rgl om Pψ*) ad uesperum
Am 253
  b. =deinde, tum, postea. inde exeo ilico
Au 709(*supra* 1. a)   inde huc exii Ps 1282
inde ilico reuortor(praeu. *DJRsLLy*) domum
Cap 508   eo protinus ad fratrem inde(*om Py
LU*) Cap 510   postquam decubuisti, inde uolo
memorare Cas 902   inde in amicitiam insinuauit cum matre Ci 92   inde usque ad diurnam
stellam crastinam †poterimus Men 175   **cor
tenditur: inde ferriterium Mo 744
  INDECORUS - - hoc mihi **indecore,** inique,
inmodeste datis, di! Ru 193
  INDEMNATUS - - hocine pacto **indemnatum**
atque intestatum me abripi? Cu 695   noli hunc
indemnatum(*Pius* condempnatum *PLLy*) perdere Cu 697   quae pendent **indemnata**e(-te
BE -mpn.*J*) pernis auxilium .. feram Cap 908
  INDEX - - Mer 17, **index** ilico *FZRRg* inde
exilico *P*§†*Lt Ly*† inde explico *U*   Tri 644,
index *ScalU pro* uindex   Tru 817, necesse indice *P pro* nec se indicat(*Sey*)
  INDIA - - uenimus in Cariam ex **India** Cu
439   Elephanto in India(-am *A* inuidia *C*) ..
praefregisti bracchium Mi 25   *Cf* Koenig, p. 6
  INDICATIO - - tua mers est: tua **indicatio**st Per 586

  INDICIUM - - 1. *acc.:* anus .. huic **indicium**
(-t- *BE*) fecit de auro Au 188   indicium(-t-
BDE) fecit Au 671   illic indicium(-t- *E*) fecit Cap 1014   facite indicium(-t- *VE*) Ci 678
si indicium(-t- *B*) facio .. Mi 306   ne indicium
(-t- *P*) ero facias meo Mo 745   sapienti quid
uelim indicium(-t- *CD*) facit Ru 431, 432   indicium domino non faciam Ru 959   si .. facis
indicium tuom(facis, incendio *NitzschRRs†*§*L
Ly aliter U*), incendes genus Tri 675
  2. *abl.:* **indicio** (-t- *E*) quoius alium agnoscit
filium Cap *Arg* 9
  INDICO - - I. **Forma indico** Mer 352   **indicat** Tru 817(nec se in. *Sey* necesse indice *P*)
indicant Au 373   **indicabo** Mer 534(incabo
A)   **indicabis** Au 774   **indicabit** Ci 588(*Ca
-uit P*)   **indicasso** Poe 888   **indicem** As 811,
Tri 750   **indices** Mer 170   **indicet** Ci 629,
Per 575(quanti in. *BC* -tim dic& *D*), Ru 1322
indicetis Men 881   **indicassis** Au 608(*D corr
-ses P*), Ru 1028   **indica** Per 586(-cai *A*), 588,
590, 661, 664, Tru 719   **indicare** Au 10(iu. *J*),
Tri 175(idi. *C*)
  II. **Significatio** 1. = demonstrare, prodere:
me indicabit* Ci 588   illaec me indicet Ci 629
neque tu me quoiquam indicassis Ru 1028   adest nec se indicat* Tru 817
  istaec inuestiget indicetque Ru 1322   indicare* me ei thensaurum aequom fuit Tri 175
adulescenti thensaurum indicem Tri 750
  rogito pisces: indicant caros Au 373
  2. = dicere, memorare: **a.** *absolute, vel cum
dat.:* quando amicum te scio esse illius, indicabo* Mer 534   quis est iste, indica, qui perit?
Tru 719
  si scies qui abstulerit, mihi indicabis? Au
774   ero meo uni indicasso Poe 888
  b. *cum acc. et dat.:* haec non eius uxori indicem As 811   numquam indicare* id filio uoluit suo Au 10(*an supra sub* 1 *referendum?*)
  c. *cum infin.:* illam mihi me emisse indico
Mer 352   caue quoiquam indicassis* aurum
meum esse istic Au 608
  d. *seq. interr. obl.:* ni me(ei iam *R*) indicetis
qua platea hinc aufugerim Men 881(*de prolepsi
cf* Redslob, p. 8, *adn.*)   istuc quid sit actutum indices Mer 170
  3. *de pretio:* ut sciam quanti indicet* Per
575(*cf* Schaff, p. 37)   qui datur tanti indica
Per 661   indica*, fac pretium Per 586   age
indica prognariter Per 588   ındica minumo
daturus qui sis Per 590   eloquere actutum atque indica Per 664
  INDICO - - .. quoi potissumum **indicatur**
bellum Ep 160   **indice** ludos nunciam Ps 546
Vide Ci 633, *ubi* indicam *B¹VE pro* inducam
(*B²J*) Poe 1337, *ubi* indici *A pro* induci Ru
22, *ubi* indicunt *P pro* inducunt(*FZ*)
  INDIDEM - - indidem unde oritur facito ut
facias stultitiam sepelibilem Ci 62   scias iuxta
mecum mea consilia. #Salua sumes indidem
Mi 234   hilarıssumum conuiuam hinc indidem
(*Ca* -am *P*) expromam tibi Mi 666   .. ut dulce
promat indidem(idem *Plin N. H.* XIV. 13, 15)
Ps 740
  INDIGEO - - uolunt .. sui .. omnium rerum nos
indigere Ci 31(*cf* Blomquist, p. 19; Schaaff,

p. 32, 40) tui sermonis sum **indigens** Ru 943 mulieres .. intus hic sunt tui **indigentes** auxili Ru 642 suarum opum nos uolunt esse **indigentes**(-is *Ly*) Ci 29 (*omnia om U*)
INDIGNUS - - I. Forma indignus As 697 (-os *J*), Mer 172, Ru 522 **indignum** As 669 **indignum**(*acc. masc.*) Poe 1140, Tri 213 **indignam** Poe 456 c (*v. om A secl* ω) **indignum** As 698, Cu 23, Men 1004, Mi 498, Mo 459, Ru 700 (ne in. id *TLy* ne*** *A lac P* ne inuisas *Caψ*) **indigno** Ru 749 **indigna** Ci 557 (*U in lac aliter ψ*) **indigna**(*nom.*) Cap 200 **indignis** Cu 513, Poe 1252 **indignos** As 247 (*om Non* 296), St 205 **indigna** Poe 1252 **indignis** Mo 1033 (-is modis *B*² -nidis *P*), Ru 147, 672 **indignior** Ba 617 *adverbia:* **indigne** Ba 470, 1090, Ci 563, Mi 563, Ru 645 **indignissume** Men 1002 (-ime *PL*), Mer 795 (-ime *BDL*)
II. Significatio 1. *attrib.:* dixeris tam indignum dictum in me As 698 o facinus indignum et malum! Men 1004 facinus tantum tamque indignum feceris Mi 498 indignum facinus fecisti et malum Mo 459 fortuna .. indigna Ci 557 (*U in lac*) deludificatust me hodie indignis* modis Mo 1033, Ru 147 (-auit me ille homo) sacerdotem .. propulit perquam indignis modis Ru 672 facerent .. indignum genere quaestum corpore Poe 1140 liberos .. indigno quaestu conteres Ru 749
2. *subst.:* indignis si male dicitur male dictum id esse dico Cu 513 indigna indignis dei darent Poe 1252 dignos indignos adire .. certumst mihi As 247
indigna digna habenda sunt Cap 200 (*cf* Wueseke, p. 33)
3. *praed.:* quam uero indignus* uideor As 697 tandem indignus uideor? Mer 172 ego indignus sum tu dignus qui sies (miser) Ru 522 nequior nemost neque indignior quoi di bene faciant Ba 617 eos .. haud indignos iudico qui multum miseri sint St 205 deam esse indignam credidi Poe 456 c (*v. om A secl* ω) hunc aiebant Calliclem indignum ciuitate ac sese uiuere Tri 213
b. quam uero indignum uisumst? As 669 numquid tu quod te aut genere indignum sit tuo facis? Cu 23 ne indignum* id habeas Ru 700 (*Ly*)
4. *seq.* qui *cum subiunc.:* quoi di bene faciant Ba 617 qui sies (miser) Ru 522 qui .. miseri sint St 205
5. *seq. abl.:* te aut genere .. tuo Cu 23 genere Poe 1140 ciuitate Tri 213
6. *adverbium:* sacerdos Veneria indigne adflictatur Ru 645 meretricem indigne deperit Ba 470 non malitiose .. feci. #Immo indigne Mi 563 hocine me aetatis ludos bis factum esse indigne? Ba 1090 tute tibi indigne dotem quaeras corpore Ci 563 erum meum indignissume .. sublimen ferunt Men 1002 suspicione impleuit me indignissume Mer 795
INDIGUS - - Calidorus .. nummorum indigus Ps *Arg* Il. 2 *Cf* Blomquist, p. 20; Schaaff, p. 29
INDILIGENS - - uide .. ne quis tractet illam **indiligens** Ba 201 illo inmigrat nequam homo,

indiligens Mo 105 dominus indiligens reddere alias neuolt Mo 110 **indiligenter** obseruauit ianuam As 273 at indiligenter(hau di. *R*) iceram Mi 28
INDILIGENTIA - - perfidia .. et auaritia si exulant .. septumum periurium, octaua **indiligentia** .. Per 557
INDIPISCO - - *Cf* Hoffmann, p. 40 multum in cogitando dolorem **indipiscor**(indispicor *A* indisp. *D*¹) Tri 224 largiter mercedis **indipiscar** Ru 1315 neque partem tibi ab eo .. **indipisces**(*ex Non* 129 -cis *Non* 293 tede posces *PRg*) Au 775 (*vide U*) numquam (tempus) .. **indipiscet**(indisp. *B*) postea As 279 senex .. uoluit .. **indipisci** de cibo St 563 memorant .. diuitias magnas **indeptum**(*A ut vid* indeptum *B* adeptum *E* ademptum *J*) Ep 451
INDO - - I. Forma indit Men *Arg* 3, Men 42 **indunt** Cap 820, Men 80, Ps 814 **indebant** Poe 481 (*A* uindebant *P*) **indam** Ru 934 (i. nomen *B* in dampno *C* in damno *D*) **indetur** Cap 726 (uidetur *J*) **indidi** Cas 247, Ps 831 (patinas i. *A* patina scindidi *P*) **indidit** Cap 69, Ru 88, St 174, Tri 8 **indidistis** Cap 984 **indiderunt** As 552 (*v. secl Bo et* ω *praeter Ly*), St 332 (*AC* -ri *B* -r̄ *D*) **indas** Per 571 **indideris** Mer 205 **inde** Ep 632, Mi 411, St 708, 761 **indito** Cap 112 **inditum**(*nom.*) Cap 286, Men 263 (*D*³ -us *AP*), Mer 517 *corruptum:* Mi 1227, inditus *D* mdytus *C pro* inclutus
II. Significatio 1. *proprie: a. absolute:* decumum a fonte tibi tute inde St 708
b. *cum acc. solo vel seq. dat. vel* in *cum acc. vel adv.:* indunt coriandrum Ps 814 tegulas inlustriores fecit fenestrasque indidit Ru 88 ferreas aedis commutes, limina indas ferrea Per 571
is indito catenas Cap 112 seruis indunt compedes Men 80
in nostras scapulas cicatrices indiderunt As 552 (*v. secl Bo et* ω *praeter Ly*) in os meum .. uini guttam indidi Cas 247 in aquam indideris salem Mer 205 inde ignem in aram Mi 411 in fundas uisci indebant* .. globos Poe 481 cicilendrum .. in patinas indidi* Ps 831
tene cruminam: huc inde Ep 632 inde huc aquam St 761
2. nomen indere: a. *absolute:* propter diuitias inditum id nomen Cap 286 ex forma nomen inditumst Mer 517
b. *cum dat. personae:* iuuentus nomen indidit Scorto mihi Cap 69 sescentoplago nomen indetur* tibi Cap 726 petroni nomen indunt uerueci Cap 820 post uos indidistis Tyndaro Cap 984 nomen surrupti illi indit qui domist Men *Arg* 3 illius nomen indit illi qui domist Men 42 huic urbei nomen Epidamno inditum*st Men 263 ei ego urbi Gripo indam* nomen Ru 934 Gelasimo nomen mihi indidit paruo pater St 174 istuc indiderunt* nomen maiores mihi St 332 mihi Plautus nomen Luxuriae indidit Tri 8
INDOCTUS - - indoctus quam docte facis Tri 631 nimis sum stultus, nimis fui indoctus(inductus *A*) Ps 205 satis fuit indoctae (*A* indotę *vel* -e *P*), immemori insipienti dicere totiens Per 168 senem hodie indoctum(*HermR*

doctum $P\psi$) docte fallas BA 694　　is me . . attondit dolis doctis indoctum BA 1095　　ego omnis . . antideo . . moribus indoctis(moris HermR)
BA 1089　uerba . . haud indocte fecit PER 563
Vide POE 581, ubi indoctior D pro condoctior
　INDOLES - - inest in hoc emussitata sua sibi
ingenua indoles MI 632　　quae indoles in sauiost! RU 424　in eost indoles industriae TRI
322　noui indolem nostri ingeni MI 921
　INDOMABILIS - - tu si equos esses, esses
indomabilis CAS 811
　INDOMITUS - - ni stulta sis, ni indomita
(nund. C) imposque animi . . MEN 110　adulescenti thensaurum indicem, indomito TRI 751
iracundo animo indomito . . sum BA 612　uidi
equom ex indomito domitum(WeiseL equidem
exinem intum domito PŜt Lyt ex indomitis domitas GoelU) fieri TRU 319　equos iunctos iubes
capere me indomitos MEN 863　oculis indomitis fui BA 1015
　INDOTATA - - quae indotatast, ea in potestatest uiri AU 534　uirgo indotata soror istius
poscitur TRI Arg 5　uolt hanc Megadorus indotatam ducere AU Arg II. 4　ueniat in mentem tibi me esse indotatam PER 389　ne te
indotatam dicas PER 391　egone indotatam te
uxorem ut patiar (ducere)? TRI 378　opulentiores pauperiorum filias . . indotatas ducant
uxores AU 480　Cf Koehm, p. 73
　INDUCO - - I. Forma induco MI 233　inducit TRU 549(ducit BoRsLU)　inducunt RU
22(FZ indicunt P)　inducam BA 1191, CI 633
(indicam B^1VE), EP 550, PER 480(GrutR deducam $A\psi$ ducam P), POE 877, ST 346　induces
AS 494, BA 1186(i. animum haec RRgU in lac
quam om LLy)　inducet MER 1001　induxi
MI 1269　induxerunt MO 115　inducas PER
643(PLULy -cat Dousaψ)　inducat PER 643
(DousaŜRRs-cas $P\psi$)　inducatur MI 588(quine
in. BoU quin[A quod P] id[A in P] adimatur
AP var em ψ)　inducamus MI 254　induceres AM 915　induxis CAP 149(D^2 eduxis D^1
-xisti EV -xti J)　induxeris TRI 704　inducere AM 243(inuadere SalmRg), AS 832　induci MER 350, PER 66, POE 1337(indici A dici
LipsU)　inducti MO 827　corrupta: AU 595,
inducitur J et Donatus inductur BD pro induitur　EP 225, inducta E^1 pro induta　Ps 205,
inductus A pro indoctus
　II. Significatio A proprie: ilico equites
iubet dextera inducere* AM 243　quis hic homost qui inducit* pompam tantam? TRU 549
　(post- s) satis boni sunt si sunt inducti pice
MO 827
　B. translate 1. consuetudine animus rursus
te huc inducet MER 1001　in regionem astutiarum mearum te induco MI 233(cf Graupner, p. 23)　hunc hominem ego hodie in transennam . . inducam* PER 480(R)
　magna pars morem hunc induxerunt MO 115
　2. = persuadere seq. ut: numquam hodie induces ut tibi credam AS 494　nec pater potis
uidetur induci ut putet . . MER 350　hunc . .
inducamus uera ut esse credat MI 254　quine
inducatur* ne id quod uidit uiderit MI 588
(BoU)
　3. animum inducere(cf Abraham, p. 219, 231):

a. absolute: numquam istuc dixis neque animum induxis* tuom CAP 149
　b. seq. ne vel ut: possum . . inducere animum
ne aegre patiar AS 832　(induces* animum
haec) ut eis delicta ignoscas? BA 1186　animum ego inducam* tamen ut illud . . consulam
CI 633　animum inducam ut tu noueris EP 550
animum inducam facile ut tibi istuc credam
POE 877　animum inducam ut istuc uerum te
elocutum esse arbitrer ST 346
　c. cum infin.(cf Votsch, p. 30): facere inducam an. BA 1191　id me commissurum ut patiar fieri ne an. induxeris TRI 704　animus induci potest eum esse ciuem PER 66
　omisso animum: periclitatus sum an. tuom
. . quo pacto id ferre induceres AM 915
　d. inducere in animum: induxi in(om B) an.
ne oderim item ut alias MI 1269　hoc scelesti
in(si Rs) an. inducunt* suom Iouem se placare
posse donis RU 22
　5. ne suarum se miseriarum in memoriam
inducat* PER 643　Cf Blomquist, p. 106
　6. iniuriarum multo induci* satius est POE
1337　Cf Blomquist, p. 103
　INDUCTOR - - aduorsum . . pedicas boias in-
ductores(-doc. PL inpactores U)que acerrumos gnarosque nostri tergi . . AS 551　Cf
Knapp, Class. Phil., XII. 151, adn. 2
　INDUCTUS - - auspicio meo atque inductu.
(PU ductu FZψ) AM 657
　INDUCULA - - quid erat induta? an regillam induculam(indut. A tuniculam indulam
Non 539)? EP 223
　INDUO - - I. Forma induitur AU 595(Fest
166 et 330 inductur BD inducitur J et Donatus)
induam(fut.) CAS 695　induas CAS 113(ABV
uiduas E^1 ne duas E^2J)　indutus MEN 190
(-ta B^2 intuta B^1)　induta CI 490, EP 223, 225
(inducta E^1), RU 207　indutum(acc. masc.)
MEN 512, 515　corrupta: AM 191, indui J pro
id ui CU 43, induti VE^1 pro id uti PER 251,
induto CD pro incluto TRU 758, induit CD
incluit BŜt var em ψ
　II. Significatio(cf Hofmann, p. 23) 1. active: pueri qui nare discunt scirpea induitur*
ratis AU 595　tu te in laqueum induas* CAS
113　loricam induam CAS 695
　2. medialiter: nequis quin eius aliquid indutus* sies MEN 190　***induta*** CI 490　quid
erat induta? an regillam induculam? EP 223
utin inpluuium induta* fuerit? EP 225　hoc
quod induta sum summae opes RU 207　non
ego te indutum foras exire uidi pallam? MEN
512　tun med indutum fuisse pallam praedicas? MEN 515
　INDUSIARIUS - - stat fullo . . caupones patagiarii indusiarii AU 509
　INDUSIATUS - - tunicam spissam . . indu-
siatam(int. Varr) EP 231　Cf Jordan, Beitr.
p. 119
　INDUS - - uidi equidem elephantum Indum
domitum(Rs exinem intum domito PŜt Lyt var
em ψ) fieri TRU 319
　INDUSTRIA - - 1. gen.: qui ipsus se contemnit, in eost indoles industriae TRI 322
　2. acc.: quasi ob industriam(E^3 -ia P) mihi
aduorsatur CAS 276　quasi ob industriam . . pro-

cedit minus Cas 805 ob eam industriam (-tiã
B) hodie ducam scortum Men 123 ob istanc
industriam..amabit amplius Men 791 ob senum..industriam uos aecumst clare plaudere
Mer 1026

3. *abl.*: de **industria** fugiebatis As 212 quoi
ego de industria amplius male plus lubens faxim Au 420 armigero dat operam de industria Cas 278 ex industria ambae numquam
concessamus lauari Poe 219

educauit magna industria Cas 45 fretus
mea industria Ps 582 haec celamus..†mina
(magna *LLy var em ψ*) industria Tru 57 (homo) cibi..minumi maxumaque industria Vi 42

4. *pl. abl.*: Iuppiter..summis opibus atque
industriis (-tris *B¹*) me perisse..cupit Mo 348
INDUSTRIUS - - quo neque **industrior** de
iuuentute erat Mo 150
INDUTIAE - - **indutiae** (*B* -tie *E* -ciae *D* in-
d////icia *J*) parumper fiant Am 389 (*cf* E g l i, II.
p. 14) alium potius misero hinc ubi erunt indutiae illuc Cap 342 *Vide* Cu 43, *ubi* indutiae
E ³J pro id uti
INDUVIAE - - quid hoc est? #**Induuiae** tuae
atque uxoris exuuiae Men 191 *Cf* I n o w r a-
c l a w e r, p. 93
INEBRIO - - Tri 169, inebriauit *CD¹ pro* in-
hiauit(*BD²*)
INEDIA - - tenebrae oboriuntur, genua **inedia** succidunt Cu 309
INEO - - I. Forma **inis** Poe 698 (*U solus pro*
is) **initis** As 59 **init** Fr II. 14 (*ex Paulo* 110)
inibo Ci 628, Ep 441 **inibis** Cu 405, Tri 376 **inibitur** Cas 758 (*PU* em ibitur *A*) **iniius** Ps
543 (*Bo* inimus *P*) **iniistis** Ci 7 (*LLy* inistis
Pψ) **iniere** Cap 493 (iere *Rs*) **inierit** Tru 37
(si in. *Bue* siniecit *B* sinietit *CD* si iniecit *Ly
post Lamb*) **ineat** Ci 736 **inire** St 514
ineunte Tri 301, 305 (-ti *B*) *corrupta:* Cas
221, inierit *P pro* inerit(*FZ*) Ci 700, iniit
VEJ pro iit Tru 673, inisse uos *BC pro* minus
saeuos(*FZ*)

II. **Significatio** 1. *proprie:* si tu iubes inibitur* tecum Cas 758 (*PU*) si inierit* rete
piscis ne effugiat cauet Tru 37 inis*, leno,
uiam Poe 698 (*U*) *similiter:* init te umquam
febris? Fr II. 14 (*ex Paulo* 110) *Cf* F e y e r-
a b e n d, p. 60

2. *de tempore:* usque ad hanc aetatem ab
ineunte adulescentia Tri 301 inde ab ineunte*
aetate Tri 305

3. *translate:* a. qui concilium (*PŜ†* in c. *Rs*
consilium *BosschaL ULy*) iniere* . . Cap 493
seu consilium umquam iniimus* Ps 543

b. a me initis gratiam As 59 a me magnam
inistis* g. Ci 7 hanc inibo g. Ci 628 si eam
monstret, g. ineat Ci 736 inibis a me solidam et grandem g. Cu 405 ecquam abs te
inibo g.? Ep 441 me g. abs te inire uerbis
nihil desidero St 514 ab illo summam inibis
g. Tri 376
INEPTIA - - amori accedunt..**ineptia** stultitiaque Mer 26 **ineptias** (*PŜ† U* -iam *Ly* insidias ineptas *Rs* ineptus *L*) incipisse (*PLy* -so
Caψ) Cap 532
INEPTUS - - **ineptus** (*L* -tias *PŜ† U* -iam *Ly*
insidias ineptas *Rs*) incipisso (*Ca* -se *PLy*) Cap

532 quid ego ineptus..solus sto? Tri 1149
nimis **inepta**'s Ru 681 nimis paene inepta
atque odiosa eius amatiost Ru 1204 **ineptum**
(*Rs duce R* tu *PŜ†* eu *Caψ*) hercle hominem
multum! Men 316 (*post h. ins R*) **ineptus** Cap
532 (*Rs vide supra*) haud etiam quicquam in-
epte feci Mer 381 interdum inepte stultus es
Mo 495 *Vide* Ru 618, *ubi* ineptorum *Non* 155
pro impiorum
INERMUS - - cum magnifico milite urbes
uerbis qui **inermus** capit conflixi Ba 966
INERS - - multi uiuont..lingua factiosi inertes opera Ba 542 *Vide* Ep 333, *ubi* iners *add*
Rg¹ post tibi
INERTIA - - Mer 29, inertia *L pro* inhaeret
vel inerit
INEUSCHEME - - haud **ineuscheme** (*Ca* in
eusce [eiusce *D*] mea *P* in euscheme *Ŝ†* ei euscheme *RRs*) astiterunt Tri 625
INFAMIA - - hominum immortalis est **infamia** (imf. *B*) Per 355 (*cf* G o l d m a n n, *Ueber die
poet. Person.* p. 9) in eandem tute accederes
infamiam Tri 121 istaec pollicitatio te in
crimen populo ponat atque infamiam Tri 739
adfinis tuos tua **infamia** fecisti gerulifigulos
flagiti Ba 381 ad paupertatem si admigrant
infamiae (*A* -antim famiae [fame *CD*] *P* immigrant *Fest* 294 accessit infamiam *Non* 177) . .
Per 347
INFAMIS - - ut inops **infamis** ne sim Tri 689
INFANS - - tu meum ingenium fans atque
infans nondum etiam edidicisti Per 174 nutrices pueros **infantis** minutulos domi procurent Poe 28 *Cf* K o e h m, *Alt. Forsch.* p. 121;
S j ö g r e n, p. 39
INFECTOR - - incedunt **infectores** corcotarii Au 521
INFECTUS - - (mulier) bene quom lauta . .
fictast, **infecta**st tamen St 745 factumst illud:
fieri **infectum** non potest Au 741 quod male
feci crucior: modo si infectum fieri possiet Cap
996 speras te..potesse..**infectum** hoc reddere Mo 1015 illum uides quaerere ansam infectum ut faciat Per 671 **infecta** dicta re
eueniant tua Am 632 facta infecta (*PLy* ut
facta *Spψ*) ne (uti *CaR*) sient Mi 227 ea quae
sunt facta **infecta** re esse (*Lind* infectare est
[*om J*] *PŜ† Ly†* inf. ut reddat *L* inf. esse instat *U*) occlamitat (*Sarac* clamitat *LULy*) Am
884 uolunt haec ut infecta faciant Cas 828
infecta dona facio Mo 184 facta infecta facere uerbis postules Tru 730 *Vide* Cas 676,
ubi infecta *J pro* infesta
INFECTO - - Am 884, infectare *BDE* infac-
tare *J var em RglLU* †*ŜLy*
INFELICO - - Hercules istum **infelicet** cum
sua licentia Ru 1225 di me et te **infelicent**
(*Pius* infi. *B* infilicem *VEJ*) Cas 246 di illum
te **infelicent** omnes qui . . Poe 449 di te infelicent Ru 885
INFELIX - - 1. *nom.*: ne ego homo **infelix**
fui Am 325 auri tantum perdidi infelix Au
786 omnia patior iure infelix (*LLy* iur*** *A*)
Ci 457 pergin, infelix? Mi 300 sumne infelix qui non curro? Mo 362 quid ego..cesso
infelix lamentarier? Per 742 ego hodie infelix deis..sex immolaui agnos Poe 452 quid

ego hic asto infelix uuidus? Ru 585 **que
infelix fui .. qui .. Vi 63
2. *acc.:* edepol hominem **infelicem** qui .. As
292 me infelicem et scelestam! Ci 685
INFENSUS - - procellae (ferri *add SpU*) **infensae**(·se *B*) (fremere *add RRs*) frangere malum Tri 836 *Vide* Ba 394, *ubi* infensiust *U
pro* inpensiust
INFERO - - I. Forma **infert** Mi 1045 (*Ac* -rat
CD -rant *B*), Ps 911 **infertur** Fr III. 4 (*ex
Serv ad Aen* I. 480) **inferam** Per 307 **intuli**
Am 733, Ps 1273 (*FZ* -lit *P*) **intulisti** Per
806 **intulit** Tru 573 (intudit *Rs*) **inferret**
Mi 141 **inferremus** Poe 319 **inferre** Cu 72
intulisse Men 819 (*FZ* -leris *B²* -lis *P*) **inferri** Mer 423 (*GuyR* ecferri *CDLy* exferri *Bψ*)
II. Significatio 1. *proprie:* .. ut inferremus
ignem in aram Poe 319 me inferre Veneri
uoui iaientaculum Cu 72 numquam ad ciuitatem uenio nisi quom infertur peplum Fr III. 4
(*ex Serv ad Aen* I. 480)
neque meum pedem huc intuli .. in aedis Am
733 neges te umquam pedem in eas aedis
intulisse*? Men 819 quo nemo nisi eapse inferret pedem Mi 141
2. *translate:* facere damni mauolo quam ..
flagitium .. inferri domo Mer 423 (*R*) haec
meretrix meum erum .. blanditia intulit* in
pauperiem Tru 573
3. *de personis:* subnixus alis me inferam atque amicibor gloriose Per 307 ad hunc me
modum intuli* illi satis facete Ps 1273 basilice te intulisti et facete Per 806 uiden tu
ignauom, ut sese infert*? Mi 1045 ut it, ut
magnifice infert sese Ps 911
INFERUS - - I. Forma **inferum** (*nom. neut.*)
Mer 830 **inferi** (*nom. pl.*) Au 368, Ci 512 **inferiorem** Au 304 **infumus** St 493 (·imus *AP
SL*) **infumum** Cap 305 (-imum *PLU*), St 236
(-imum *ACDL* infirmum *B*) **infumo** As 891
(·imo *PL*), Cu 475 (-imo *PL*), Mo 825 (-imo *PL*)
imi (*gen.*) Cap 471 (*FZ* uni *PULy*), St 489 (*Pius*
uni *APLULy*) **ime** (*voc.*) Cap 577 (*ins Rs solus*) *De formis* imi, ime *cf* Gimm, p. 22
II. Significatio 1. *subst.:* si autem deorsum
comedent, superi incenati sunt et cenati inferi
Au 368
tu interibi ab infumo da sauium As 891
ambo (postes) ab infumo tarmes secat Mo 825
2. *adiective, vel attrib. vel praed.:* a. summi
accubabunt, ego infimatis infumus St 493 me
.. fecit e summo infumum Cap 305 te, gnatum
ime (*i. e.* hominum infumus), memoras liberum?
Cap 577 (*Rs falso*)
ita me di deaeque superi atque inferi .. Ci 512
b. *de rebus vel locis:* in foro infumo boni homines .. ambulant Cu 475 limen superumque
inferumque, salue Mer 830
etiamne obturat inferiorem gutterem? Au
304 adhaesit homini ad infumum* uentrem
fames St 236
nihil morantur iam Lacones imi* subselli (unisubselli *LLy*) uiros Cap 471 scis tu med esse
imi* subselli (unisubselli *LULy*) uirum St 489
INFESTUS - - tibi **infesta** (infecta *J*) solist
plus quam quoiquam Cas 676 quem **infestum** (*FZLy* qui manifesta ac *P* quem ante-

hac *BueRsSLU*) odiosum sibi esse memorabat
Tru 83
INFICETUS - - quid tam **inficetu's** (facetus
A) .. qui tuae non des amicae .. sauium? Tru 355
INFICIO - - tibi insuaso **infecisti** propudiosa
pallulam Tru 271
INFIDELIS - - .. ero **infidelis** fueris As 561
mihi infidelis non est Tri 528 Iouem .. testem
do .. me **infidelem** non futurum Philocrati Cap
427 ostendit .. se mihi infidelem numquam
.. fore Tru 440 qui **infideles** sint nequeas
pernoscere Mer 839 **infidelior** mihi ne fuas
quam ego sum tibi Cap 443
INFIDUS - - fideli **infidus** (inuidus *D*) fueris
As 568 **infida** Tru 814 (*ins Rs post* hercle)
fidem .. das mihi te non fore **infidum** Ru 953
fidus fuisti: infidum esse iterant Tri 832 **infidos** celas Mi 1015
INFIMATIS - - summi accubabunt, ego **infimatis** (infu. *RRgLy*) infumus St 493
INFIRMUS - - St 236, infirmum *B pro* infumum
INFIT - - me **infit** percontarier As 343 infit ibi postulare Au 318 infit dicere Ba 265 infit mihi praedicare Mer 249 laudare infit formam uirginis Ru 51 infit lenoni suadere Ru
53 *Vide* Per 168, *ubi* infienti *B pro* insipienti
Cf Walder, p. 19
INFITIAE - - infitias ire: 1. *absolute:* infitias (-c- *D*) ire coepit filio Ba 259 nemo it
infitias (-c- *B* facio *J*) Cu 489 tamen infitias
(-c- *C*) eat Mi 188 ne ire infitias (-c- *BD*
ifuias *C*) postules Mo 1023 quique infitias
(-c- *P*) non eat Ps 1086 infitias (-c *P*) non
eo Tru 792 ne mox infitias (-c- *P*) eat Tru 850
2. *seq. enunt. rel.:* quae dudum fassast mihi
quaene infitias (-c- *EJ*) eat? Ci 654 qui lubet
.. ire infitias (-c- *CD*) mihi facta quae sunt?
Men 396 quae fecisti infitias (-c- *C*) eas Men 1057
INFITIOR - - tu qui quae facta i **fitiare**
(·c- *J*) Am 779 omnia **infitiare** (*infin.*) (-c- *J*
-ri *U*) iam quae dudum confessant mihi Ci 661
INFLECTO - - cursu celeri facite **inflexa**
(*Dousa* -xu *P*) sit pedum perni·itas Men 867
INFLEO - - Mi 1342, infleat *D¹ pro* fleam
INFLEXUS - - Men 867, inflexu *P pro* inflexa (*Dousa*)
INFLO - - -age iam, **infla** buccas St 767
INFORO - - licetne **inforare** (infe. *J*) si († *S*)
incomitiare non licet? #Non **inforabis** me quidem Cu 401-2
INFORTUNATUS - - (ago) unde homo miser
atque **infortunatus**. #At pol ego ibi sum esse
ubi miserum hominem decet atque **infortunatum** (-tuat. *C*) Ba 1106-7
INFORTUNIUM - - I. Forma **infortunium**
Mer 165, Mi 865 (*Sverdsioeus* -tinum *P* -tinii *D³*),
Ru 118 **infortuni** Poe 201 **infortunium** Am
286, 451 **infortunio** Am 1034 (*BD om EJ*),
Ba 364, 595 (-no *D¹*), 886, Ci 239, Cu 298 (*Popma*
-na *B¹E¹* -nia *B²E³J*), 537 (infu. *J*), Mer 21,
Poe 25, 517, Ps 1143 (-niū *A*), Ru 654, 828, 833,
Tri 993
II. Significatio 1. *nom.:* quid istuc est mali?
#Maxumum infortuniumst Mer 165 infortunium* si diuidetur .. Mi 865 quid opust ..?
#Istic infortunium Ru 118

2. *gen.:* quoi iam infortuni intenta ballistast
Poe 201 *Cf* Inowraclawer, p. 90
3. *acc.:* uix poteris effugere infortunium Am
451 modo sis ueni huc, inuenies infortunium
Am 286
4. *abl.:* te macto infortunio Am 1034*, Tri
993 macto ego illum infortunio Ba 364 ego
te et ille mactamus infortunio Ba 886 non..
ego te mediocri macto infortunio Cu 537 diuitem .. solemus mactare infortunio Poe 517
   haec .. illum quem amat .. magno atque solido multat infortunio Mer 21
   caue sis infortunio Ru 828 uitent infortunio* Cu 298 uitent ancipiti infortunio Poe 25
   caue sis tibi a curuo infortunio* Ps 1143
(caue) **a** erasso infortunio Ru 833
   haud longest os ab infortunio* Ba 595
   dignus hercle's infortunio Ci 239 infortunio hominem .. donabilem Ru 654
   INFRA - - Tru 36, infra *CD pro* lineam;
351, infra *BCD*² *pro* intra(*D*¹)
   INFRACTUS - - clunes **infractos**(desertos
Non 196) fero Fr II. 5(*ex Pauli* 61)
   INFREQUENS - - ubi nihil det, pro **infrequente** eum mittat militia domum Tru 230
Cf Gronov, p. 357
   INFRINGO - - infringatur aula cineris in
caput Am *fr* III. (*ex Non* 543)
   INFUNDO - - ne tu postules matulam unam
tibi †aquam (aquae *Hoffmann L* aquae hinc
Rgl aquai *Ly*) **infundi** in caput Am *fr* IV (*ex
Non* 543 *aliter U*)
   INFUSCO - - raro nimium dabat quod bi-
berem, id merum **infuscabat** Ci 19 ego metuo
ne quid **infuscauerit** Mi 526
   INGENIATUS - - qui lepide **ingeniatus** (*A*
-uatus *P*) esset uitam ei longinquam darent
Mi 731
   INGENIUM - - I. Forma ingenium Am 899,
Ba 7, 462, Cap 368, Mi 1071, Poe 302, St 626,
744 **ingeni** Am 899(*ins Sey§Ly*), Mi 921, Mo
814(*FZ* -io *PR*), Ps 1109(-ii *P*), St 126(*A* -ii
P) **ingenio** As 81, Ba 91 **ingenium** As 255,
257, Ba 276(-ii *C*), 412, 494, Cap 419, Mer 85,
668, Mi 639, 1055, Mo 135, Per 174, 261, Poe
1198, 1404, St 126, Tri 72 b(*v. secl ω om A*), 73
(*v. secl ω praeter Ly*), 294, 665, 1049 **ingenio** As
577, 944, Au 9, Ba 454, 546, 615, 1086, Cap 99,
350, 371, 402, Cu 146, Mer 969, 970(ingenio quom
R ingenium *P*), Mi 185 b, 1051, Mo 156, 206, 318,
814(*PR* -ni *FZψ*), Per 212, Poe 301, Ps 137,
149, 803, 1133, St 116, Tri 303(ingeo *D*), 367,
812, 1049, Tru 453, 780, 833 **ingenia**(*nom.*)
Cap 165, Ci 213 **ingenia**(*acc.*) Tri 92 **ingeniis** Cap 199, Poe 1185(-mis *B*) *corruptum:*
Cap 977, ingenium *P pro* genium (*F*)
   II. Significatio 1. *nom.* **a.** *sing.:* ita ingenium meumst Am 899(ingeni in. *Sey§Ly*), St
626 itast ingenium muliebre St 744 quibus ingenium in animo utibilest, modicum et
sine uernilitate Ba 7(*ex Char* 206, *Non* 342)
ingenium plus triginta annis maius quam alteri
Ba 462 utroque uorsum rectumst ingenium
meum, ad te atque ad illum Cap 368 non insulsum huic ingeniumst Mi 1071 aurum id
fortuna inuenitur, natura ingenium bonum
Poe 302(*v. secl Rgl§*)

b. *pl.:* saepe summa ingenia in occulto latent Cap 165 ubi sum ibi non sum, ubi non
sum ibist animus: ita mihi omnia sunt ingenia
Ci 213
   2. *gen.:* ita ingeni* ingenium meumst Am 899
(*Sey§Ly*) lepide temptaui uostrum .. ingenium
ingeni St 126(*cf* Raebel, p. 17) noui indolem nostri ingeni Mi 921 nec boni ingeni
quicquam in is inest Ps 1109
   esse existumo humani ingeni* Mo 814
   3. *dat.:* me habere honorem eius ingenio decet As 81 sumne .. nihili qui nequeam ingenio moderari meo? Ba 91
   4. *acc.* **a.** *sing.:* ingenium adlaudat meum
Mer 85 demutant mores ingenium tuom Tri
73(*cf v.* 72 b; *v. secl omnes praeter Ly*) tu
meum ingenium .. nondum etiam edidicisti Per
174 exprome benignum ex te ingenium Mi
1055 feci(flexi *U*) ego ingenium meum Mer
668(*i. e.* secundum in. m.) ad eri fraudationem callidum ingenium gerunt As 257 ingenium patris habet Poe 1198 neue inbuas ingenium (his artibus) Tri 294 sin immutare
uis ingenium moribus .. Tri 72 b(*cf v.* 73: *v. om
A secl ω*) nisi qui ipse amauit aegre amantis
ingenium inspicit Mi 639 mihi .. quoius ingenium nouerat Per 261 ingenium* auidi haud
pernoram hospitis Ba 276 pernoui .. ingenium
tuom ingenuom(*A* imperium [-itum *D*] tuum
ingenium *P*) admodum Tri 665 eorum ex ingenio ingenium horum probant Tri 1049 illius animum atque ingenium regas Ba 494
temptaui St 126(*supra* 2)
   per prolepsin: quantum audiui ingenium et
mores eius quo pacto sient Poe 1404
   exclamationis: hominum ingenium liberale!
Cap 419
   post praepp.: ad ingenium uetus uorsutum
te recipis tuom As 255 ego illum haberem
rectum ad ingenium bonum Ba 412 quom inmigraui ingenium in meum perdidi operam fabrorum Mo 135
   b. *pl.:* sunt quorum ingenia atque animos
nequeo noscere Tri 92
   5. *abl.* **a.** *sing.* α. *cum verbis vel adiect.:* meque teque .. atque ingenio nostro decuit As
577 ita nos estis praediti .. ingenio inprobo
Ps 149 fretus ingenio eius .. Cap 350 quaestum .. maxume alienum ingenio suo Cap 99
   β. *qualitatis:* ita auido ingenio fuit Au 9 spectatur mulier quae ingeniost bono St 116 uos
colubrino ingenio ambae estis Tru 780 dicito .. inter nos fuisse ingenio haud discordabili Cap 402 nec quisquamst tam ingenio
duro .. As 944 esse humano ingenio* existumo Mo 814(*R vide supra* 2) te uideo inmutatis moribus esse .. atque ingenio Cu 146
si sunt ingenio malo .. Mer 969 mulierem
lepidam et pudico ingenio! Mo 206
   haud consimili ingenio atque illest qui .. Ba
454 eo enim ingenio hi sunt flagritribae Ps
137 illi sunt alio ingenio atque tu Ps 1133
quid illum putas natura illa atque ingenio?
Tri 812
   maleuolente ingenio natus Ba 615(*cf* Gronov, p. 177) eost ingenio natus Ba 1086
   γ. *instrumenti:* tibi tuopte ingenio prodes

plurumum Cap 371 genus ingenio*..improbant
Mer 970 id..meopte ingenio repperi Mo 156
bono med esse ingenio ornatam..mauolo Poe
301 hominum auaritia ego sum factus improbior coquos non meopte ingenio Ps 803 non
aetate uerum ingenio apiscitur sapientia Tri 367
    δ. limitationis: minus perhibemur malae quam
sumus ingenio Tru 453
    ε. modi: nos hilari ingenio et lepide acci-
pient Mo 318
    ζ. post praepp.: ne utiquam ab ingeniost se-
nex Mi 631 ab ingenio improbust Tru 833
ne quoquam de ingenio degrediatur muliebri
Mi 185 b ex ingenio malo malum inueniunt
suo Ba 546(*v..om A*) tuo ex ingenio mores
alienos probas Per 212 eorum ex ingenio ingenium horum probant Tri 1049 pro ingenio
ego me liberum esse ratus sum Tri 303
    b. pl.: (seruitutem) ingeniis uostris lenem
reddere Cap 199(*dub*) quom ingeniis* quibus
sumus atque aliae gnosco.. Poe 1185
    6. *adiectiva apponuntur:* auidum Au 9 be-
nignum Mi 1055 bonum Ba 412, Poe 301,302,
Ps 1109, St 116 callidum As 257 colubri-
num Tru 780 discordabile Cap 402 durum
As 944 hilare Mo 318 humanum Mo 814
improbum Ps 149 ingenuom Tri 665 insulsum Mi 1071 liberale Cap 419 maius (natu)
Ba 462 maleuolens Ba 615 malum Ba 546,
Mer 969 modicum Ba 7 muliebre Mi 185 b,
St 744 pudicum Mo 206 rectum Cap 368
summum Cap 165 uetus As 255 uorsutum As
255 utibile Ba 7 sine uernilitate Ba 7
    INGENS - - iube..ignem **ingentem** fieri.
#Ignem ingentem? Cap 843-4 lucrum **ingens**
facio Mer 95 ut..ista **ingenti** militem tangat bolo.. Tru *Arg* 3
    INGENUUS - - **I. Forma ingenua** Cas 82,
Mi 632, 961, Poe 894 **ingenuo** Ru 1198 **ingenuam** Mi *Arg* II. 1, Mi 490(*A* -ua *P*), 784(*F*
-um *P*) **ingenuom** Tri 665(-uum *A* imperium
P imperitum *D²*) **ingenuis** Mi 964 **ingenuas** Cu 620, Poe 900, 962, 1240, 1345 **ingenuis** Ru 738(*Ca* in e*** *B* sine*** *CD*)
    II. Significatio 1. *de personis:* a. *attrib. vel
praed.:* eam..adulescenti dabo ingenuo Ru
1198 filias meas celauistis..atque..ingenuas
liberas Poe 1240 hasce aio liberas ingenuasque esse filias..meas Poe 1345 meamne..
hospitam..ludificatam, ingenuam* et liberam!
Mi 490 meretricem ingenuam deperibat..
iuuenis Mi *Arg* II. 1 ecquam tu potes reperire
..mulierem..? #Ingenuam*ne an libertinam?
Mi 784 haec est nata Athenis ingenuis pa-
rentibus(*Ca* in e[*B* sine *CD*] ***tibus *P* ***is
parentib. *A*) Ru 738 scis mercari furtiuas atque ingenuas uirgines Cu 620
    ea inuenietur..ingenua Atheniensis Cas 82
Adelphasium..ingenuast Poe 894 ingenuas
Carthagine aibat esse Poe 900 ain tu tibi dixe
Syncerastum..eas esse ingenuas? Poe 961 ingenuan an festuca facta e serua liberast? Mi 961
    b. *subst* : ingenuis satis responsare nequeas
Mi 964
    2. *translate:* inest in hoc emussitata sua sibi
ingenua indoles Mi 632 pernoui..ingenium
tuom ingenuom* admodum Tri 665

    INGERO - - in pertussum **ingerimus**(-rri-
mus *C*) dicta dolium Ps 369 dicta in me
ingerebas As 927 omnia mala **ingerebat**
quemquem aspexerat Men 717 ut tibi mala
multa **ingeram** Ba 875 ..si imbrem in cribrum **ingeras**(*SalmR* geras *PRgLU* legas *ALy*)
Ps 103(*cf* Schneider, p. 29) tu qui urnam
habes aquam **ingere**(igere *A*) Ps 157 ingere
mala multa Ps 359
    INGRATIIS - - 1. *subst.:* tuos pater uolt
uendere..tuam amicam — #Nimium multum scis.
#tuis ingratiis(*BCL* -tus *D* -tieis *Aψ*) Mer 479
uobis inuitis atque amborum ingratiis(*B in
ras et J* -tus *V* -t' *E* -tis *B¹ ante ras*) una libella liber possum fieri Cas 315
    2 *adverbium:* hirundines..uolt eripere in-
gratieis(*A* -iis *BLU* -tus *CD²* gratis *D¹*) Ru
772 est eundum..ingratiis(*B* -tus *VEJ*) Cu 6
te˙..eripio ui pugnando ingratiis (-ciis *C*) Men
1054 a portu (me) ingratiis(*Par* -tis *PU*)
excitauit Am 164 faciundumst cum malo atque
ingratiis(-tis *B* mingratis *CD*) Mi 748 ingra-
tiis(*A* tis *P*)..nubet hodie Cas 700 ancillulam ingratiis(*cod Lang* -tis *P*) postulat Cas
193 ui atque inuitam ingratiis(*CD* -tis *B*)..
rapiam te Mi 449 profecto ingratiis(*Py* -tis *P*)
(uapulabis) As 371 mihi bonae necessust esse
ingratiis(*Py* -tis *P*) Ci 626 **ingratiis censen
iuss** Ci 267
    3 *corruptum:* Cap 106, tranquilla ingratiis
DE pro tranquillaui gratiis
    INGRATUS - - *cf* Persson, pp. 25,29 1. *de
personis:* grato **ingratus** repertust Per 841
ingrato homine nihil inpensiust Ba 394 inpendiosum praestat te quam **ingratum** dicier Ba 396
nihil amas quom ingratum amas Per 228
    2. *de rebus:* hoc quidem herclest **ingratum**
(-ust *B*) donum Tru 535 miserumst **ingratum**
esse homini id quod facias bene Ep 136 bene
quae in me fecerunt **ingrata** ea habui atque
inrita Am 184 ingrata atque inrita esse omnia
intellego quae dedi As 136 tua (dona) ingrata
(habeo) Tru 617 (militis dona) odiosa ingrataque habita Tru 705
    3. *corruptum:* Cap 715, ingratus *J pro* iratus
cf etiam ingratiis(*supra*)
    INGREDIOR - - **I. Forma ingreditur** Tri
840 **ingrediuntur** Poe 854 **ingrediare** Per
607 **ingredere** Ps 959 **ingredi** Am *fr* VIII
(*ex Non* 453, Ru 667 **ingrediri** Ps 1299(*AS*
Ly incedere *Pψ*) **ingressus** Am 429, Men 64,
Per 1, Poe 106
    II. Significatio 1. *proprie:* nihilne te pudet
..populi in conspectum ingredi? Am *fr* VIII(*ex
Non* 453) ubi quamque in urbem est ingressus.. Poe 106 te sic interdius cum corolla
ebrium ingrediri*! Ps 1299 quis hic est qui
in plateam ingreditur? Tri 840 a(*cf* Feyerabend, p. 87) ingressus fluuium rapidum ab
urbe haud longule.. Men 64
    2. *translate:* ingressust uiam Am 429 ingres-
sus est princeps in Amoris uias.. Per 1 in
proelium uide ut ingrediare auspicato Per 607
(*cf* Inowraclawer, p. 89) ingrediuntur docte
in sycophantiam Poe 654 ingredere in uiam
dolose Ps 959 **artem(quam in partem *Valla
RsLLyU*) ingredi persequamur Ru 667

INGRUO - - nostri contra **ingruont**(-unt *PU*) Aᴍ 236

INGURGITO - - hoc uide ut **ingurgitat**. in se merum auariter plenis faucibus Cᴜ 126

INHAEREO - - inhaeret(inhęret *C* inheret *D*³ ineret *BD*¹ inerit *Ly* inertia *L*) etiam auiditas. Mᴇʀ 29

INHIBEO - - hocine hic pacto potest **inhibere** imperium magister? Bᴀ 448 utrum Fontine an Libero imperium te inhibere mauis? Sᴛ 700

INHIO - - *semper translate* (*cf* Wortmann, p. 16) **inhiat** aurum ut deuoret Aᴜ 194(*cf* Inowraclawer, p. 84) id (thensaurum) inhiat Aᴜ 267 inhiat quod(mihi atque *B*) nusquamst Mɪ 1199 illic homo tuam hereditatem inhiat quasi esuriens lupus Sᴛ 605(*cf* Gʀaᴜpner, p. 26) bona mea **inhiant** Mɪ 715 illum inhiant(iniant *P*) omnes Tʀᴜ 339 adesuriuit et **inhiauit**(*BD*² inebriauit *CD*¹) acrius lupus Tʀɪ 169 *Vide* Tʀᴜ 82, *ubi* inhiauit *Rs* immouit *PS*† *var em* ψ

INHONESTUS - - da tametsi **inhonestu's** Mo 63(data es inhonestis[ino. *BS*] *PS*† date aes inhonestis *Ly aliter RLU*) occepit quaestum hunc .. **inhonestum** Cᴀp 99 inpure, **inhoneste,** iniure, inlex! Pᴇʀ 408 multos multa admisse acceperim **inhonesta**(-tū *B*) Mɪ 1288 (*v. om A*) **inhonestis** Mo 63(*Ly supra*)

INHUMANUS - - quin **inhumanum** exuras (*A* ut humanum exurias *P*) tibi? Rᴜ 767 *Cf* Hoᴜsman, *Cl. Rev.*, XXXII. 162

INIBI - - et inibi(*PLLy* in ibus *Gulψ*) emit olim amissum filium Cᴀp *Arg* 5 soccos pallium marsuppium habeat: inibi paulum praesidi Pᴇʀ 125 neque ab iuuentute(ab i. *om Rgl*) inibi(*LLy* in ibi *A* ibi *Pψ*) inridiculo habitae Poᴇ 1183

INICIO - - I. Forma inicio Cᴀs 225(*BJ RsS*† initio *V* ïnitio *E* niteo *GulLLy* nimio *SpU*) **inicit** Aᴜ 197(-ii- *U*) **iniciam** Aᴍ 875 (*DJ* initium *BE*), Cᴀs 589 (-t- *VE*), Ps 589 (*ins PyR*), Tʀᴜ 762(*Z* -t- *P*), 943(*U* iam *PL LyS*† icam *Rs*) **iniecisti** Mo 570(inl. *B*¹) **iniecit** Tʀᴜ 37(si in. *LambLy* siniecit *B* sinietit *CD* si inierit *Buev*) **iniexit** Pᴇʀ 70(*Ca* inlexi *P*) **inicias** Cɪ 340 **iniciat** Pᴇʀ 71(*FZ* -t- *BCD*² itiat *D*¹, **inice** Mo 1089(illum inice *Rs* et illum *PS*† *var em* ψ), Pᴇʀ 88(*FZ* nice *P*), Tʀᴜ 479(*Z* nice *P* -ii- *U*) **inicite** Cᴀp 659 **inicere** Cᴀp 267, Ep 690, Ps 407(*A* incipere *P*), 643(*ACD* in ∥∥∥∥ *B*) **iniectum** (*nom.*) Poᴇ 919(inl. *P* -tu *D*) *corrupta:* Aᴍ 1056, inicier *B* inicer *E pro* enicer (*D*) Mɪ 747, inicit *B pro* id Tʀᴜ 268, iniciatis *P pro* inleciatis (*A*)

II. Significatio 1. *proprie:* **a.** calamum inice* Pᴇʀ 88 quam amo 'Casiam' magis inicio* Cᴀs 225(*Rs*) ne id quidem inuolucrum inicere uoluit Cᴀp 267 inicite huic manicas Cᴀp 659 pallium inice* in me huc Tʀᴜ 479 si iniecit* rete, piscis ne effugiat cauet Tʀᴜ 37(*Ly*) non licet huc inicere* ungulas Ps 643(*cf* Wortmann, p. 15)

b. manum inicere (*cf* Romeijn, p. 85; Ulrich, *de verb. comp.* p. 26): ubi manum inicit benigne, ibi onerat aliquam zamiam Aᴜ 197

illum inice* in ius si ueniat manum Mo 1089 (*Rs*) ubi quadrupulator quempiam iniexit* manum, tantidem ille illi rursus iniciat manum Pᴇʀ 70-1(*cf* Blomquist, p 104; Schaaff, p. 44) ego te manum iniciam quadrupuli Tʀᴜ 762

c. uomus tibi iniciam* Tʀᴜ 943(*U*)

2. *translate:* **a.** continuo adueniens pilum iniecisti* mihi Mo 570(*cf* Inowraclawer, p. 86) priusquam unumst iniectum* telum iam instat alterum Poᴇ 919 tragulam in te inicere adornat Ep 690(*cf.* Gʀaᴜpner, p. 18) uolui inicere* tragulam in nostrum senem Ps 407

b. in horum familiam frustrationem hodie iniciam* maxumam Aᴍ 875 ego huic aliquem in pectus iniciam metum Cᴀs 589 metum et fugam perduellibus meis iniciam* Ps 589(*PyR*)

3. *dubium:* ∗∗∗inicias: malum aufer Cɪ 340

INIMICITIA - - eorum inuentu res simitu pessumas pessum dedi, iram **inimicitiam** Mᴇʀ 848 cum .. eo reueni ex **inimicitia**(-iā *B* inmititiam *C*) in gratiam Sᴛ 409 non ego **inimicitias**(-t- *D*) omnis pluris existumo quam .. Pᴇʀ 353 diiunge inimicitias(-cias *C*) cum inprobo Poᴇ 1406

INIMICUS - - I. Forma inimicus Cᴀs 329, Mᴇɴ 675(-cias *D*), Mɪ 599a, 599b(*om ALy*), Pᴇʀ 582, Poᴇ 1091, 1213, Tʀɪ 115, Tʀᴜ 231, Fʀ II. 41(*ex Char* 197) **inimica** Cᴀs 329, Poᴇ 393 **inimici** Cᴀs 515, Tʀɪ 47, 93 **inimico** Cᴀs 442, Pᴇʀ 853, Poᴇ 1090 **inimicum** Cᴀp 773, Pᴇʀ 726, 756, Poᴇ 559, 772, 879, Ps 584, 1238, Tʀɪ 1052, 1056 **inimico** Cᴀp 557, Mɪ 673, Tʀɪ 679 (*RRs* -cos *P*) **inimici** Cᴀs 330, Mɪ 604, Pᴇʀ 351(-is *D*), Tʀᴜ 741(*FZ* iniemci *BC* iniemcy *D*) **inimicorum** Vɪ 3(*L hiatus* ψ) **inimicum** As 280 **inimicis** Cᴀs 426, Mᴇʀ 136a, Mɪ 223, 600(-cusuist *A pro* -cis u.), 601, Ps 878, Tʀᴜ 743 **inimicos** Aᴍ 900, 901, Aᴜ 580, Bᴀ 547, 618, Cᴀs 507, Ep 109, 678, Mɪ 230, Ps 763, 8 0, Tʀɪ 61⁸, 654, Tʀᴜ 743(*FZ* -cus *BC* -c' *D*) **inimicis** Mɪ 314, Mo 563 **inimiciorem** Bᴀ 500 (*A* immitiorem *P*) *corrupta:* Mɪ 741, inimici *P pro* in amici(*A*) Tʀɪ 620, inimicum *P pro* amicum(*FZ*)

II. Significatio 1. *attrib.:* quis magis deis inimicis natus quam tu atque iratis? Mɪ 314 natus deis inimicis omnibus Mo 563

quam inimico uoltu intuitur Cᴀp 557(*cf* Wueseke, p. 16)

2. *praed.:* inimicast tua uxor mihi, inimicus filius, inimici familiares Cᴀs 329-30 sibi inimicus* magis (quist *add RRs*) quam aetati tuae Mᴇɴ 675 hunc inimicum .. esse sciuerunt mihi Poᴇ 772 .. qui quidem inimicum non siet Poᴇ 1213 si mihi inimicus esset .. Tʀɪ 115 amator .. qui rei inimicust suae Tʀᴜ 231 inimicus esto Fʀ II. 41(*ex Char* 197) inimiciorem* .. utrum credam magis sodalemne esse an Bacchidem Bᴀ 500

inimicos ipsi in sese omnis habent Bᴀ 547 ciues .. quos tu inimicos habes Tʀɪ 654 omnes inimicos mihi illoc facto repperi Ep 109

3. *subst.:* **a.** *nom :* huius .. amica, mea inimica et maleuola Poᴇ 393(*voc.*) inimicus ne quis nostri spolia capiat consili Mɪ 599a, 599b(no-

stra sp... auribus) tu mihi's inimicus certus
Per 582 inimicus herclest huius Poe 1091
inimici* famam non ita ut natast ferunt Per
351 resciuere inimici consilium tuom Mi 604
.. ut inimici* mei bona istic caedent? Tru 741
b. *gen.*: amicine anne inimici sis imago ..
sciam Cas 515 nequeo noscere ad amici partem an ad inimici peruenant Tri 93 uox .
inimici atque irati tibi Tri 47 inimicum animos
auxerit As 280 potentiam inimicorum Vi 3 (*L*)
3. *dat.*: inimico nostro miseriam hanc adiungerem Cas 442 sciunt referre probe inimico
gratiam Per 853 potin tu fieri subdolus?
#Inimico possum Poe 1090
meis inimicis uoluptatem creauerim Cas 426
principium inimicis dato Mer 136 utrum tu
amicis.. an inimicis tuis daturu's cenam ? Ps
878 intercludite inimicis commeatum Mi 223
(*vide U*) ..mihi inimicos* inuidere quam me
inimicis.. Tru 743 ..si id inimicis usuist..
Mi 600*, 601
4. *acc.*: α. talento inimicum mihi emi Tri
1056 inimicum .ego hunc communem meum
et uostrorum omnium .. exballistabo Ps 584
inimicum amicum beneficio inuenias tuo Tri
1052 possum .. inimicum perdere Cap 773
bene.. seruos (tetigit) inimicum suom Ps 1238
nunc est illa occasio inimicum ulcisci Per 726
probe sum ultus meum inimicum Per 756 scin
tu erum tuom meo ero esse inimicum capitalem? Poe 879
philippos.. deferret huc ad lenonem inimicum tuom Poe 559
β. apolactizo inimicos omnis Ep 678 multos
inimicos habes Au 580 inimicos quam amicos
aequomst med habere Ba 618 inimicos semper
osa sum optuerier. #Heia autem inimicos? Am
900-1 confidentiast inimicos meos me posse
perdere Ps 763 confidentiast nos inimicos profligare posse Mi 230 teneo in noxia inimicos
meos Cas 507 inimicos tuos ulciscare Tri
618 quin tuos inimicos .. uocas? Ps 880
mihi inimicos* inuidere mauelim Tru 743
(*supra* 3)
5. *abl.*: in mala uxore atque inimico si quid
sumas, sumptus est Mi 673 datur ignis tam
etsi ab inimico* petas Tri 679
6. *sequitur dat.*: mihi Cas 328, Ep 109, Per
582, Poe 772, Tri 115 tibi Tri 47 (?) sibi
Men 675 aetati tuae Men 675 meo ero Poe
879 rei suae Tru 231 *gen.*: huius Poe 1091
uostrorum omnium Ps 584 *praep.*: in sese Ba
547 *pron poss.*: meus Cas 426, 507, Per 756,
Poe 393, Ps 584, 763 tuos Poe 559, Ps 878,
880 (?), Tri 618 suos Ps 1238 nostor Cas 442
INIQUUS - - I. **Forma iniquom** Cap 61 (in-
quom *VE*), Cas 378 (-quù *B* -cus *VE* unicus *J*),
Mo 554 (*U* ∗∗ quom *PŝLy var suppl* ψ) **iniqui**
Ru 647 (-q̄ *D*) **inaequom** (*masc.*) St 557 (*Rg pro
nequam*) **iniquom** (*neut.*) Am 160 (*U* -um *Pψ
v. secl Hermolaus* ω), 173 (-um *P*), Ru 1096 (-um
P) **iniquo** (*masc.*) Ru 1259 (*Rs quo Pψ*) **iniqui**
Am 37 **iniqua** (*nom.*) Am 174 **iniqua** (*acc.*) Ru
710 **iniquius** Poe 504 (*C* -ę- *D*¹ -e- *B* -i- *D*⁴
nequius *Ly*) **iniquiore** Au 232, Mer 818 (-res
D) **inique** (*adv.*) Cas. 617 (-ę *V*), Ci 368 (*LLy
∗eque A neque Rsŝ*), Ep 551, Mer 904 (*Pŝ†L*

RU inque tu *Ly* hem quid id *Rg*), Ru 193
(iniq' *B*), 1097 *corruptum*: Cap 586, iniquam
V pro utiquam
II. **Significatio** 1. *attrib. vel praed.*: uiuont mulieres multo .. iniquiore* (lege) miserae
quam uiri Mer 818 te utar iniquiore Au 232
uidelicet inaequom* fuisse illum (*Rg* non fuisse
illum nequam *PŝLy var em* ψ) adulescentem
St 557
hoc paene iniquom*st .. conari .. agere nos
tragoediam Cap 61 quid scriptumst? #Unum.
#Iniquom*st quia.. Cas 378 quam sit iniquom
cogita Mo 554 (*U*) tardo amico nihil est quicquam inaequius* Poe 504
2. *subst.*: a. illic seruos si cum iniquo* congressus foret.. Ru 1259 (*Rs*) illi iniqui ius
ignorant neque tenent Am 37
b. quid is iniqui fit? Ru 647 nec aequom
anne iniquom imperet cogitabit Am (160 =) 173
haud iniquom dicit.. ut ostendatur uidulus.
#Immo .. insignite inique Ru 1096 in serui-
tute expetunt multa iniqua Am 174 iniqua
haec patior Ru 710
3. *adverbium*: quod ego .. erga Venerem inique fecerim Cas 617 potin operam inique*
.. malam∗∗∗d∗∗ (des *RsL*) innocenti Ci 368
inique iniuriu's Ep 551 inique* rogas Mer 904
hoc mihi indecore inique inmodeste datis, di!
Ru 193 dicit Ru 1097 (*supra* 2. b)
∗∗∗**INIS** - - Ci 273
INITIUM - - Am 875, initium *BE pro* iniciam
Cap 341, initio *J pro* immo Cas 225, initio *V*
initio *E pro* inicio (*BJ*) Mi 1219, initium *CD*
incipium *B pro* principium
INIURATUS - - **iniurato** scio plus credet
mihi quam iurato tibi Am 437
INIURIA - - I. **Forma iniuria** Cas 1010,
Mer 29 (incuria *U*), Per 558, Ru 643, 669 **iniuriae** (*dat*) Ru 626 **iniuriam** Au 643, 794,
Ba 59, Cas 950 (*Sey ex Non* 397 ∗∗∗riam *P*),
Men 471, 1008, Mer 979, 991, Mi 438, 548 (aio
in. *AB²D³* alo mi uiria *CD* al ////// iniuria *B*¹),
560, Mo 899, Poe 809, Ru 414, 1050, 1138 (*Ca
lac P* malitiast *Rs*), Tri 630, Tru 836 (*AB²D³*
-ria *P*) **iniuria** As 497, Au 330, Ba 443, Ci
180, Ep 176, 715, Mi 58 (-iam *A*), Poe 37, Ru
1069, 1152 (*Rs* -iu's *Pψ*), Tru 167 **iniuriarum**
Poe 1337 **iniurias** St 16
II. **Significatio** 1. *nom* : si exulant.. octaua
indiligentia, nona iniuria .. Per 558 inhaeret
etiam auiditas.. iniuria* Mer 29
mihi .. insignite factast magna iniuria Cas
1010 quibus.. insignite iniuria hic factast Ru
643 tanta.. iniuria facta (orta *TurnLy*) in nos
Ru 669
2. *gen* : iniuriarum multo induci satius est
Poe 1337 (*vide sub induco*)
3. *dat.*: praetorquete iniuriae prius collum
quam ad nos peruenat Ru 626 *Cf* Goldmann,
Ueber die poet. Person. p. 19; Inowraclawer, p. 20
4. *acc.*: a. *sing.*: ecquis hic est maxumam
his qui iniuriam foribus defendat? Mo 899 (*cf
Ba 443, infra* 5) iniuriam* Ru 1138 iniuriam
illic insignite postulat Poe 809 ..ni hanc
iniuriam meque ultus pulcre fuero Men 471

iniuriam facere: *absolute:* quoniam ego adsum faciet nemo iniuriam Ru 1050 uide quaeso magnam ne facias iniuriam Tru 836 paterer.. eam fieri apud me tam insignite iniuriam Mi 560 *seq. dat.:* facin iniuriam mihi an non? Au 643 ego me iniuriam fecisse filiae fateor tuae Au 794 huic mihique haud faciet quisquam iniuriam Ba 59 filio suo.. innocenti fecit tantam iniuriam Mer 979 meo ero facis iniuriam Mi 438 tuae fecisse me hospitae aio iniuriam* Mi 548 facis.. amico iniuriam Tri 630 tam proterue foribus facit iniuriam Ru 414 *seq.* in *cum acc :* neu sinas in me insignite fieri tantam iniuriam Men 1008

sufferam.. ei meum tergum ob iniuriam* Cas 950 supplici sibi sumat quod uolt ipse ob hanc iniuriam Mer 991

b. *acc. pl.:* uiris.. nostris facit iniurias St 16

5. *abl.:* a. te poteris defensare iniuria Ba 443 dicit eius se ex iniuria peperisse gnatam Ci 180 scibam.. te.. facturum satis pro iniuria As 497

maxuma hercle iniuria uinctus adsto Ep 715 uostra hercle factum iniuria quae properauistis olim Tru 167

b. *adverbium:* amant ted omnes mulieres neque iniuria* Mi 58 iniuria dispertiuisti Au 330 sacruficas.. Orco.. neque adeo iniuria Ep 176 ne palma detur quoiquam.. iniuria Poe 37 quo modo habeas.. iurene anne iniuria Ru 1069 Ru 1152, iniuria *Rs pro* iniuriu's

INIURIUS - - iniuriu's(*Ca* -um est *P*) qui .. petas Cu 65 ubi te uisitaui? #Inique iniuriu's Ep 551 haud te orat: nam tu iniuriu's (-a's *Rs*) Ru 1152 Diceae nomen est. #**Iniuria's**(*Dousa* -a ē *P* -ia *BoR*): falsum nomen possidere.. postulas Mi 436 (dixit) **iniurium** trahere exhaurire me quod quirem ab se domo Mer 54 me illi irasci **iniuriumst** Au 699 nihil Amori iniuriumst Ci 103 (*cf* Dousa, p. 232) me respondere postulas? iniuriumst Ci 374

INIURUS - - inpure, inhoneste, **iniure**(*P* periure *A*).. labes popli Per 408

INIUS - - Ru 1138, inius merum *SeySonnenschein in lac* iniuriam *Caψ*

INIUSTITIA - - obiurigare pater haec..: perfidiam **iniustitiam**(-ciā *B*) lenonum expromere Mer 47

INIUSTUS - - sitne necne ut esse oportet: iustus, **iniustus** Ba 401 proterunt hostium eo ias iure **iniustas** Am 247 **iniusta** ab iustis impetrari non decet, iusta autem ab **iniustis** petere insipientiast Am 35-6 *Vide* Poe 232, *ubi* iniusta *CD* inlusta *Pβ*† *var em ψ*

conpesce in illum dicere **iniuste** Ba 463 dicis iniuste alteri Ps 612 istum patior dicere iniuste mihi St 344 non uereor ne iniuste (iniust *E*) aut grauiter mihi imperet Cap 308 nec tuom.. est amicis per iocum iniuste loqui Poe 573 meis consanguineis nolo te iniuste loqui Poe 1037

INNASCOR - - non mihi auaritia umquam **innatast**(*CD* nata ē *B*) Mi 1063 quando istaec (uomica) innatast tibi? Per 314 inuidia in me numquam innatast(*BD* ignata *RRgl* gnata *A*¹) neque malitia Poe 300

INNOCENS - - innocens suspicionem hanc sustinet causa mea Ba 436 si id Alcumenae **innocenti**(†*Ly* innocentiae *LachRgl*) expetat Am 872 quot.. innocenti ei dixit contumelias! Ba 267 ***d**innocenti Ci 368 filio suo.. innocenti fecit tantam iniuriam Mer 979 decet **innocentem** seruom atque innoxium confidentem esse Cap 665 perdidit ciuem innocentem falso testimonio Men 840 probri me maxumi innocentem falso insimulauit Mi 364 decet innocentem.. atque innoxium seruom superbum esse Ps 460 mulieres duae **innocentes** intus hic sunt Ru 642 ne impiorum potior sit potentia quam **innocentum** Ru 618

INNOCENTIA - - Am 872, innocentiae *Lach Rgl pro* innocenti

INNOXIUS - - scio, **innoxiu's** Mer 726 .. ut inopem atque **innoxium** abs te atque abs tuis me inrideas Au 221 decet innocentem seruom atque innoxium confidentem esse Cap 665 decet innocentem.. atque innoxium(*Bo* -ius *AP*) seruom superbum esse Ps 460 prosilui amicum castigatum innoxium Tri 216 ad hunc modumst **innoxiis**(-us *C*) honor apud uos Ru 195

INNUBILUS - - Mer 880, uide sis atque innubilum *R in loco dubio*

INNUMERUS - - Tru 74, innumeris *BergkU pro* mulier *in loco dubio*

INNUO - - ubi ego **innuero**(*A ut vid* inuero *P*) uobis, ni ei caput exoculassitis.. Ru 731 *Vide* Mi 62, *ubi* inuit *P* innuit *B²D³ pro* est ibi

INOPIA - - 1 *nom :* quom apud me **inopiast** (*Rgl* apud me inopiae *Pψ om* quom) excusatio As 534 quid.. exoptem amplius nisi illud quoius inopiast? As 724 inhaeret etiam auditas.. inopia Mer 30 si ibi amare.. occipias atque item eius sit inopia Mer 650 quom inopiast cupias Tri 671 inopia (*an abl.?*) seruom*** Vi 26

2 *gen.:* hic dies summust apud me inopiae (†*β* -e *D* -e *E*) excusatio As 534(*supra* 1)

3. *dat.:* ferte opem inopiae Ru 617

4. *acc :* respondit.. sibi esse magnam argenti inopiam Cu 334 quid fers? #Vim . iurgiumque atque inopiam Mer 162 res.. pessumas pessum dedi, iram,.. exilium, inopiam Mer 848 maestast sibi eorum euenisse inopiam Ru 398 hanc mihi gnatam esse uoluit Inopiam Tri 9(*cf* Goldmann, *Ueber die poet. Person.* p. 6) ne omnino inopiam ciues obiectare possint tibi Tri 653 inopiam, luctum.. Vi 95 (*ex Prisc* II 235)

5. *abl.:* sordido uitam oblectabas pane in pannis inopia (*abl. causae*) As 142 mori me malim excruciatum inopia Ba 519c(*v. om ARU secl RgL*) et amore pereo et inopia argentaria Ps 300 qur (me) conducebas? #Inopia: alius (coquos) non erat Ps 799

INOPIOSUS - - res multas tibi mandaui.. dubias egenas **inopiosas** consili Poe 130 *Cf* Blomquist, p. 20; Schaaff, p. 31

INOPS - - Amor (est) hominum corruptor blandus **inops**(†*β* b. i. *om HermRRs* b. *om L* i. *om BriU*), celatum indagator Tri 241 fit ipse .. inops amator Tri 255 ut inops infamis ne sim Tri 689 mihi inani atque **inopi** subblandibitur Ba 517 mihi qui uiuam copiam inopi

facis Vɪ 87 **inopem** . . optauit potius eum relinquere quam . . Aυ 11 ut inopem atque innoxium . . me inrideas Aυ 221 opem mihi ferre
putem posse inopem te? Bᴀ 637 haec pauperes res sunt **inopes**que puellae Rυ 282 . . nos
ex hac aerumna eximat miseras, **inopes**(-is
SL) Rυ 257 iuuentus iam ridiculos inopes
(opes *E*) ab se segregat Cᴀᴘ 470

INPARTꞮ - - Sᴛ 339 *de A dubium est, em*
RRgU †*SLLy*

INQUAM - - 1. *iterat atque confirmat:* inquam
parenthetice: hanc fabulam, inquam, Iuppiter . .
ipse aget Aᴍ 94 hic, inquam, habito Aᴍ 356
haecine tua domust? #Ita, inquam Aᴍ 362(imq.
E) quoius es? #Amphitruonis, inquam Aᴍ 378
deciens dixi: domi ego sum, inquam Aᴍ 577
nihilo, inquam, mirum magis tibi istuc quam
mihi Aᴍ 596 ego nunc . . dico: Sosiam . . alterum, inquam, adueniens faciam ut offendas
Aᴍ 613 quis istic Sosiast? #Ego, inquam: quotiens dicendumst tibi? Aᴍ 619 quis homo?
#Sosia, inquam Aᴍ 625 Aᴍ 627(inquam me
Rgl quom *SeyLLy* inquam *J* quam *BDE*) tu
me . uidisti? #Ego, inquam Aᴍ 725 longe aliam
(orationem), inquam, praebes As 205(*v. secl Fl
RglSU*) ne nega. #Quin promitto, inquam, hostire As 377 ohe, inquam, si quid audis As 384
da, inquam As 461 ain uero? #Certe, inquam
As 722(inqua *J*) exi, inquam, age exi Aυ 40
quin tu iam inuenies, inquam, . . Aυ 758 aulam
auri, inquam, te reposco Aυ 763 quadrilibrem,
inquam, aulam Aυ 821 redde, inquam(*om
WagnerR*) Aυ 829 quamne Archidemidem?
#Quam, inquam, Ar. Bᴀ 257 quid, uir? #Vir,
inquam Bᴀ 852 animum aduortito. #Nolo, inquam. #At uolo, inquam Bᴀ 993 nolo, inquam,
aurum concredi mihi Bᴀ 1064 te negas Tyndarum esse? #Nego, inquam Cᴀᴘ 571 tun te
. . ais? #Ego, inquam Cᴀᴘ 572 quin nihil, in-
quam(im. *B*), inuenies . . Cᴀᴘ 644 manum?
#Manum, inquam, cedo Cᴀᴘ 838 quin, inquam,
intus hic est Cᴀᴘ 1017 exi, exi, exi, inquam,
ocius Cυ 276 ex priore muliere nata, inquam,
. . filia Cɪ 606 quotiens dicundumst? elusi militem, inquam Cυ 609 serione dicis tu? #Se-
rio, inquam, hostes habent Eᴘ 31 quin tu
huc producis fidicinam . . ? #Haec, inquamst.
#Non haec, inquamst Eᴘ 480 hanc, inquam,
filius meus deperibat Eᴘ 481 age, inquam,
colliga Eᴘ 691 satin hoc, inquam(*Rs* in.
s. h. *Pψ in loco dubio* quid uis[ais *GoldbacherLy*], inquam *LLy*) . . opsonatumst? Mᴇɴ
319 tace, inquam, ** Mᴇɴ 438 palla, inquam,
periit domo Mᴇɴ 648 quis is Menaechmust?
#Tu istic, inquam Mᴇɴ 651 egon dedi? #Tu
tu istic, inquam Mᴇɴ 653 quas fabulas! non,
inquam, patiar Mᴇɴ 725 insanus, inquam
Mᴇɴ 937 at ego — #Quin ego, inquam — Mᴇʀ
431 quiesce, inquam Mᴇʀ 448 nescio, inquam,
uelit tibi Mᴇʀ 457 me hinc abire uis. #Volo,
inquam Mᴇʀ 776 non opus est, inquam, nunc
intro te ire Mᴇʀ 917 uigila, inquam, expergiscere, inquam, lucet hoc, inquam(*B²* inqua *P*)
Mɪ 218 exi, inquam Mo 5 egomet, inquam,
uidi Mo 367 pater, inquam, tuos uenit Mo
366 tutin uidisti? #Egomet, inquam. #Certe.
#Certe, inquam Mo 369 pater, inquam, aderit

Mo 383 tetigi, inquam Mo 457 quin pultando,
inquam, . . confregi Mo 456 scelus, inquam,
factumst Mo 476 nihil me curassis, inquam
Mo 526 dixtin . . ? #Dixi, inquam Mo 552 negat? ****quom(#Negat, inquam . . *RU* scelestus? #Negitat inquam *L*) Mo 554 promitte,
age, inquam Mo 635 ain tu aedis? #Aedis, inquam Mo 642 ain tu istic potare solitum . . ?
#Hic(aio *Ly duce A*), inquam Mo 965 libe-
rauit? #Liberauit, inquam(*U* ualde *Pψ*) Mo 974 a
nolo, inquam, ores Mo 1176 nescio, inquam
Pᴇʀ 278 argentum, inquam, cedo Pᴇʀ 423 credo
edepol, credo, inquam, tibi Pᴇʀ 484 libera
inquamst Pᴇʀ 488 ain? apud mest? #Aio, inquam; apud test, inquam Pᴇʀ 491 ex tuo, inquam, ussust Pᴇʀ 563 quin laudo, inquam,
consilium tuom Pᴇʀ 598 nosne tibi? #Vos, inquam Poᴇ 1238 praedico ut caueas: dico, inquam, ut caueas: caue Ps 517 omnia, inquam,
tu . . fac ut sciam Ps 696 c(*v. om ARRgLU*)
egone? #Tu istic ipsus, inquam Ps 723 Macedo-
nius? #Admodum, inquam Ps 1153 ne, inquam,
timete Rυ 688 ite, inquam, domum Rυ 1051
uolo, inquam, fieri Sᴛ 187 uenit, inquam Sᴛ
373 sic fac, inquam Sᴛ 473 accipe, inquam
Sᴛ 717 ipsus, inquam, Charmides sum Tʀɪ
988 rus abierunt, inquam Tʀυ 285 quid tibi
hanc notiost, inquam (-um. *B*), amicam meam?
Tʀυ 623 mater, inquam, filiae dono dedit Tʀυ
802(inquē *BD* inquem *C*) mitte me, inquam
Tʀυ 912

2. *orationem rectam affert:* inquam: 'saluete',
inquam(im. *E*), 'quo imus', inquam(im. *E*),
'ad prandium?' Cᴀᴘ 479 'quis profitetur?' in-
quam(im. *E*) Cᴀᴘ 480 'ubi cenamus?' inquam
(im. *E*) Cᴀᴘ 481 'decumbe' inquam Cᴀs 882
Cᴀs 916(inquam *BoLy pro* inquit) Cᴀs 917
(*add Rs post* uxorcula) 'ubi east?' inquam
Cɪ 572 'ubi habitat?' inquam 'dic ac demonstra mihi' Cɪ 578 'dedisti tu argentum?'
inquam Cυ 345 'immo eius frater' inquam
'est' Mɪ 62 'heus, quid agis tu' inquam 'in
tegulis?' Mɪ 178

inquit: 'exsurgite' inquit(*J* -d *BVE*) Aᴍ
1066 ubi appello Casinam ('abi' *add Rs om
PS*†*Lt* †*UtLy*) inquit(-d *VE* inquam *Ly*) Cᴀs
916 'istanc quam quaeris' inquit(-d *V*) 'ego
amicae meae dedi et uiuit' inquit(-d *V*) Cɪ 570-2
'auectast' inquit 'peregre hinc habitatum'
Cɪ 579 'salue' inquit(-d *E*) mihi Cυ 338
Cυ 345(inquit *ins PyRg post* immo) 'quid si
abeamus, decumbamus?' inquit(-d *E¹*) Cυ 351
'quisnam is est?' inquit altera illi Eᴘ 245 'hicine Achilles est?' inquit(-d *C* inque id *U*) mihi
Mɪ 61 'ergo mecastor pulcer est' inquit(-d *BC*)
mihi Mɪ 63 'auo donni' inquit(minquit *A*) hic
tibi(mihi hic tibi inquid *BC* hic m. t. inquit *D*)
uerbis suis Poᴇ 1001 'immo duas dabo' in-
quit(-d *A*) ille adulescens Sᴛ 550 'et si duarum paenitebit' inquit(-d *C*), addentur duae Sᴛ
551 ille quasi ego 'si uis' inquit 'quattuor
sane dato' Sᴛ 553 'fiat' ille inquit adulescens.
'facis benigne' inquit(-d *B*) senex. 'habeon rem
pactam?' inquit. 'faciam ita' inquit(-d *BC*)
'ut fieri uoles' Sᴛ 565-6 'tam modo' inquit
Praenestinus Tʀɪ 609 *Vide* Mo 496, *ubi* ille
inquit mortuos *R* in *cum lac P*(inqt *B²*)

inquies: ʻcur dixisti?ʼ inquies Am 912

inque: ʻdabuntur' inque: responde Ba 883 ʻdabo' inque Ps 538   *Vide etiam* Mer 904, *ubi* inque *Ly* inique *PS*† *var em ψ*; Mi 61, *ubi* inque id *U pro* inquit, *utrumque falso*

inquito: ʻita di faxint' inquito Au 788 ʻtum ego huic Gripo' inquito et me tangito Ru 1342 immo ʻquas dependi' inquito(*A -t CD -d B*) Tri 427

3. *corrupta:* Cap 586, inquam *J pro* utiquam; 592, in quid *VE pro* audin quid Mer 313, inquam *C pro* umquam Mi 1325, in quit *P pro* quid; 1343, inquit *C pro* sed quid Tru 803, inqua *P om Bo ω* Fr I. 120, inquit *codd* in *Winter om Ly*

INQUINO - - ne id quidem inuolucrum inicere uoluit, uestem ut ne **inquinet** Cap 267 iam paene **inquinaui** pallium Ps 1279   mihi sunt manus **inquinatae**(-te *P* -tẹ *B²*) Mi 325 (*cf* Dousa, p. 340)

INQUISITIO - - Cas 530, inquisitione *VEJ* -ni *B pro* in quaesitione(*Valla*)

INQUISITUS - - istam rem **inquisitam** certumst non amittere Am 847   me quam illam quaestionem inquisitam . . amittere mortuom satiust Am 1017

INS*** Ci 490, instruxisti *LLy*

INSANIA - - quid cessas dare potionis aliquid priusquam percipit **insania**? Men 921 huius adiuuas **insaniam** Am 798 quid ego ero dicam meo malae rei euenisse quamue insaniam? Au 68   hoc . . expurigare tibi uolo, me insaniam neque tenere . . Cap 620   non est puero grauida. #Quid igitur? #**Insania** Am 719(*cf Serv in Aen* IV. 229) laruae hunc atque intemperiae **insaniae**eque(-ie *DE* - iẹ *BJ*) agitant senem Au 642 *Vide* Am 1084, *ubi* insaniam *D pro* insanum

INSANIO - - I. Forma **insanio** Men 960, Mer 265 **insanis** Am 753, Au 653, Ep 575, Men 937(*FZU* insanisti *R* insanus *Pψ*) **insanit** Cas 667, Ci 286, Men 309, 873, Mer 325 **insaniunt** Cu 187, Men 831, 962 **insaniuisti** Mi 755 **insaniam** Men 877(†*SLU* uesaniam *BoRs*) **insanire** Men 831, 832, 833, 916, 934, 947 953, 958, 962, 1046

II. Significatio 1. *absolute:* neque ego insanio neque . . Men 960 amaui . . numquam ut nunc insanio Mer 265 id meum . . redde. #Insanis Au 653 tu homo insanis... #Cur? #Quia.. Ep 575 insanit! Cas 667 hercle hic insanit miser Ci 286 hic qui insanit quam ualuit paulo prius! Men 873 pariter hos perire amando uideo: uterque insaniunt Cu 187 insanire me aiunt ultro quom ipsi insaniunt Men 831 illi perperam insanire me aiunt, ipsi insaniunt Men 962 insaniuisti hercle Mi 755 me ui cogunt ut ualidus insaniam* Men 877 quando illi me insanire praedicant, ego med adsimulem insanire Men 832-3 iam . . occeptat insaṉire primulum Men 916   nunc homo insanire occeptat Men 934   non uides hominem insanire? Men 947 (eum) insanire uideo Men 953 me . . insanire praedicant Men 958   socer et medicus me insanire aiebant Men 1046

2. *seq* qui: insanit hic quidem qui ipse male dicit sibi Men 309 insanis*.. qui mihi.. mini-

tatu's prosternere Men 937   quom: insanis quom id me interrogas Am 753 quia: Ep 575(*supra* 1)

3. *seq.* ex: hic homo ex amore insanit Mer 325

INSANUS - - I. Forma **insanus** Men 282, 336, 937(-is *FZU* -isti *R*), Tru 950 **insana** Cas 691 (*ins Rs solus*), Men 373 **insanum**(*nom.*) Cu 177 **insanum**(*acc. masc*) Am 1084(-niam *D*), Cap 556, 559, 601, 605, 613, Men 292 **insanum** (*neutr. adverb.*) Ba 761, Mi 24(estur insanum bene *A* estur insanum insane bene *R* esuriens ane[ame *C*] bene *P*), Mo 761(*Stud* has sane *PR*), 908, Tri 673, Fr I. 99(*ex Non* 107) **insane** (*voc*) Cu 19, Tru 286 **insano** Men 927, Mi 371 **insana** Am 704 **insani** Mer 263(-nei *A*), Mo 450 **insanior** Mer 446 **insaniorem** Am 704 **insanis**ume(*voc*) Men 517(*A* -ime *P* ues. *Rs*), 819(-ime *PL*) **insane**(*adv.*) Cu 176, Mi 24(*ins R*) *corrupta:* Am 971, insane *E pro* i sane Mer 951, insanus *B pro* non sanus

II. Significatio 1. *attrib.:* totum insanum amare hoc(†*S*) est(hoc stultumst *Rg*) quod meus erus facit Cu 177 te piari iube, homo insanissume* Men 517(*cf. v* 819)

2. *praed.:* certe hic insanust homo Men 282 insanus*.. tu istic qui.. Men 937   habet nunc Casina insana* gladium Cas 691(*Rs*) haec mulier aut insana aut ebriast Men 373   me uxor insanum* facit Am 1084 huic credis . . insanum esse me? Cap 556   credidi esse insanum Cap 559   me insanum uerbis concinnat suis Cap 601   neque pol med insanum . . creduis Cap 605   insanum esse te certo scio Men 292 quid uos, insanin estis? Mo 450   ex insana insaniorem facies Am 704   neque fiet ille senex insanior ex amore Mer 446

3. *subst.:* ut ille insanus dixit .. Men 336 stultus atque insanus damnis certant Tru 950 quid si adeam hunc insanum? Cap 613   hau pro insano uerbum respondit mihi Men 927 . . quae cum hoc insano fabuler Mi 371   ex insana insaniorem facies Am 704   amo .. ut insanei solent Mer 263

quid tu ergo, insane, rogitas? Cu 19   quid clamas, insane? Tru 286   sanun es qui istuc exoptes .. insanissume? Men 819

4. *adverbia*(*cf* Gehlhardt, p. 42) bonumst pauxillum amare sane, insane non bonumst Cu 176 epityrum estur insanum insane* bene Mi 24(*R*)

insanum atque magnum molior negotium Ba 761 epityrum estur insanum* bene Mi 24   laudauisse . . ait . . nescioquem exaedificatas insanum* bene Mo 761 quid porticum? #Insanum bonam Mo 908   insanum malumst hospitio deuorti ad Cupidinem Tri 673   insanum ualde uterque deamat Fr I. 99(*ex Non* 127)

INSATIETAS - - animis auidis atque **insatietatibus**(insac. *B*) neque lex . . capere est qui possit modum Au 487 *Cf* Langen, *Beitr.* p. 110

INSCENDO - - *vel absolute vel seq.* in *cum acc., semel modo acc. solo*(*cf* Ulrich, *de verb. comp.* p. 25) **inscendo** in(*A* ascendi in *CD* escendū *B*) lembum Mer 259 inscendo(incendo *CD*) ut eam rem . . nuntiem Mi 116 in nauem **inscendimus**(*R consc. Pψ*) Ba 277 **inscendam** aliquam in arborem Au 678 quadrigas si nunc

inscendas(incendas *J*) Iouis .. Aᴍ 450 in lectum **inscendat** proxumum As 776 si .. est
decorum erum uehere seruom, **inscende** As 702
inscende actutum As 705 iubes . me .. in currum **inscendere** Mᴇɴ 863

INSCENSIO - - quidue in nauem **inscensio**?
Rᴜ 503

INSCIENS - - plus **insciens** quis fecit quam
prudens boni Cᴀᴘ 45 mihi male dicas homini
hic ignoto insciens(insiens *B*¹ sciens *R*) Mᴇɴ
495 peccaui insciens(-ietis *D*) Ps 842 ego ..
insciens(*A* -ius *P*) prosilui amicum castigatum
Tʀɪ 215 me apsente atque **insciente** .. aedis
uenalis .. inscribit Tʀɪ 167 **inscientes** sua sibi
fallacia .. confinxerunt dolum (ᴀᴘ 46 (*v. secl RS*)

INSCITIA - - male mereri de inmerente **inscitiast**(inscia *B*¹*E* -cia *BJ*) Cᴜ 185 si eadem
hic iterum iterem inscitiast(-cia *C*) Poᴇ 921
inscitiae(-iaᴇ *D*) meae et stultitiae ignoscas
Mɪ 542 sex talenta magna dotis demam pro
istac inscitia(*FZ* -cia *CD*² inscia *D*¹) Tʀᴜ 845

INSCITUS - - quam se ad uitam .. **inscitus**
capessat Bᴀ 1077 sed ego inscitus(*D*³ insitus *P*
inscius *B*²) qui . postulem Mᴇɴ 443 qui deorum consilia culpet, stultus inscitus(*AD*³ in-
sictus *P*)que sit Mɪ 736 mulier haec stulta
atque **inscita**(*D*³ insita *P* inscia *B*²) est Mᴇɴ
440 inscita(*FZ* inciste *P*) ecastor tu quidem
es Mo 208 **inscitum** arbitrabimur .. qui suom
prodegerit Mᴇʀ 1019 mirum atque **inscitum**
somniaui somnium Rᴜ 597 uerum esse **insciti**
credimus Tʀᴜ 193 quid confugisti in aram **in-
scitissumus**(-imus *PL* -u's *FergerRs*) Mo 1135
si quid sceis me fecisse **inscite** aut inprobe ..
Tʀɪ 95

INSCIUS - - Mᴇɴ 440, inscia *B*² *pro* inscita;
443, inscius *B*² *pro* inscitus Tʀɪ 215, inscius *P*
pro insciens(*A*) Tʀᴜ 845, inscia *D*¹ *pro* inscitia

INSCRIBO - - aedis uenalis hasce **inscribit**
(-bsit *Non* 525) litteris Tʀɪ 168 corpus tuom
uirgis ulmeis **inscribam**(-itur *C*¹) Fʀ II. 52(*ex
Serv ad Aen* I. 478; *cf* Inowraclawer, p. 43)

INSECTOR - - **insectatur** omnis domi per
aedis Cᴀs 662 illic hic nos **insectabit**(-bitur
*V*²*J*) lapidibus Cᴀᴘ 593(*cf* Hofmann, p. 40)
nos populus pro cerritis insectabit(inscetabit
D) lapidibus Poᴇ 528 ego quasi canem hominem **insectarer**(*FZ* inspec. *P*) lapidibus? Rᴜ
843 istic hastis **insectatus** est domi matrem
et patrem Cᴀᴘ 549 me .. **insectatum** esse hastis
meum memoras patrem? Cᴀᴘ 552

INSECUNDUS - - secunda tu **insecundo**(*Ly*
in s. *PRglS* in *om LU*) salue in(*PLULy om
Studψ*) pretio Poᴇ 331

INSECUS - - Mɪ 446, alteris insecus *B pro*
altrinsecus

I. SEGESTUS - - istuc **insegesti** tergo(is
duci se gestit: ergo *Rs* huius scelesti tergo *U*)
coget examen mali Tʀᴜ 314 *Cf* Buecheler,
Archiv, I. p. 113

INSEPULTUS - - me defodit **insepultum**
clam in hisce aedibus Mo 502

INSEQUOR - - Mᴇɴ 216, insequar *U pro* te
sequar

INSERO - - Cɪ 227, insere *V pro* uisere Mᴇɴ
440, insita *P pro* inscita; 443, insitus *P pro*
inscitus

INSERVIO - - si illum **inseruibis**(-uiis *B*¹)
solum .. Mo 216 matronae non meretriciumst
unum **inseruire** amantem Mo 190 illud ..
inseruiendumst consilium uernaculum Poᴇ 927

INSIDIAE - - 1. *nom.:* sinite me prius prospectare ne uspiam **insidiae** sient Mɪ 597
paratae insidiae(-ie *B*) sunt Mɪ 1389 huic insidiae paratae sunt probe Pᴇʀ 481 ei paratae
ut sint insidiae de auro Poᴇ 549 consulto id
factumst mihi ut **insidiae**(-ie *CD*) fierent Poᴇ
788

2 .*acc.:* .. quam non ego illi dem hodie **insidias** seni Aᴜ 662 is lembus nostrae naui
insidias dabat Bᴀ 286 hinc ex insidiis hisce
ego insidias dabo(in. d. *om J*) Cᴀs 436 illi insidias dabo Mɪ 303 huic quam rem agat hinc
dabo insidias Ps 594 mihi certumst .. Pseudolo
insidias dare Ps 1239 Pseudolo insidias dabo
Ps 1245 ✱✱✱insidias dedit Vɪ 65 insidias(-ans
D) seruos facit Aᴜ *Arg* I. 10 uidemus auro
insidias fieri Bᴀ 299 filiis fecere insidias Bᴀ
1206 insidias ineptas(*Rs* ineptias *PS*† in-
eptiam *Ly* ineptus *L*) incipisso(-se *PS*) Cᴀᴘ
532 tu pudicae quoipiam insidias locas Cᴜ
25 illa mulier mihi insidias locet Rᴜ 474
dum ero insidias paritem .. Poᴇ 884

in insidias deuenero As 105 in insidias deueni Mᴇɴ 136

3. *abl.:* aucupemus ex **insidiis** clanculum
As 881 ex insidiis aucupat Cɪ *Arg* 4 ex in-
sidieis(*A* -iis *P*) aucupa Mᴇɴ 570 ne mihi ex insidiis uerba .. duit Aᴜ 62 hinc ex insidiis hisce
ego insidias dabo Cᴀs 436 ex insidiis uiderat
Cɪ 187 ego hic in insidiis ero Ps 959
ubi percontoris me ✱✱✱✱✱✱✱✱✱(*lac sign om
LLy*) insidiis hostilibus Ps 1048

3. *corruptum:* Mᴇʀ 62, insidiae *B pro* desidiae

INSIDIOR - - in aliis comoediis .. cum stimulis aut flagris **insidiantur** Ps 1241 *Vide*
Aᴜ *Arg* I. 10, *ubi* insidians *D pro* insidias

INSIGNE - - hoc intus mihi quod **insigne**
habeo, quaeso me incomities Cᴜ 400(*cf* Soltau, p. 17) pro galea scaphium, pro **insigni**
sit corolla plectilis Bᴀ 70 *Vide* Cᴀs 1010, *ubi*
insigne te *P pro* insignite(*A*) Rᴜ 194, *ubi*
inpii insigne *Rs* igni impii *PS*† *var em* ψ

INSIGNITUS - - mihi **insignitos** pueros pariat postea aut uarum aut ualgum Fʀ I. 118
(*ex Festo* 375)

mihi .. **insignite**(*A* insigne te *P*) factast
magna iniuria Cᴀs 1010(*cf* Gehlhardt, p. 35)
neu sinas in me insignite fieri tantam iniuriam Mᴇɴ 1008 insignite(*R* dicat ei et *PS*†
var em ψ) meo ero facis iniuriam Mɪ 438(*R*)
.. uicino meo eam fieri .. tam insignite(-tam *A*)
iniuriam Mɪ 560 iniuriam illic insignite postulat Poᴇ 809 quibus .. insignite(-tae *P*) iniuria
hic factast Rᴜ 643 haud iniquom dicit ..
#Immo .. insignite inique Rᴜ 1097

INSILIO - - de naui timidae ambae in scapham **insiluimus** Rᴜ 366 in malum crucia-
tumque **insuliamus**(*CD* insi. *BR* -m' *D* -m *C*)
Mɪ 279 (*cf* Egli, I. p. 36)

INSIMULO - - I. Forma **insimulas** Aᴍ 820,
Aᴜ 288, Mɪ 297, Pᴇʀ 129(*F* inst. *P*) **insimu-
lat** Mᴇʀ *Arg* II. 12 **insimulabit** Aᴍ 477(*J* -uit
BDE) **insimulauit** Mɪ 365(*P* inst. *A*) in-

simules Am *fr* XIII(*BrandU ex Non* 237 sim. *codd*), Men 806(inse. *CD¹*) **insimulare** Am 859, Mi 508 **insimulari** Per 358 **insimulaturus** Am 902(*J* -mil- *BDE* iusimilitaturus *E*) **insimulatam** Am 888, Mi 3ı2, 396(-a *CD*)

II. **Significatio** 1. *absolute vel seq. acc criminis:* .. istuc facinus quod tu insimulas Am 820 aliuorsum dixeram non istuc quod(*PU Ly* quo *Boψ*) tu insimulas Au 288 non metuo, uerum insimulari nolo Per 358 ad istuc quod tu insimulas* Per 129

2. *seq. acc. personae:* insontem insimules Men 806 falso insimulas Philocomasium Mi 297

3. *cum acc. personae et rei:* sic me insimulare falso facinus tam malum! Am 859 id me insimulatam perperam falsum esse somniaui Mi 392

4 *cum acc. et gen.(cf* Blomquist, p. 102; Schaaff, p. 40): insimulabit* eam probri Am 477 neque me perpetiar probri falso insimulatam Am 888 quin uero insimules* probri Am *fr* XIII(*ex Non* 237) probri me maxumi innocentem falso insimulauit* Mi 365 neque me .. patiar probri falso inpune insimulatam* Mi 396 concubinam erilem insimulare ausus es probri pudicam meque summi flagiti Mi 508

5. *seq. infin.:* hoc falso dici insimulaturus* es Am 902 eam .. coniunx illius uicini scortum (esse) insimulat Mer *Arg* II. 12

INSINUO - - **insinuat**(insu. *C*) sese ad illam amicam eri Mi 1ı5 quo is homo **insinuauit** pacto se ad te? Ci 89 inde in amicitiam insinuauit cum matre .. blanditiis Ci 92

INSIPIENS - - non taces, **insipiens**? Ba 627 a insipiens, semper tu huic uerbo uitato .. Cas 210 ego insipiens noua nunc facio Cas 878 quamueis insipiens poterat persentiscere Mer 687 sumne ego homo insipiens qui .. Ps 908 satis fuit indoctae immemori **insipienti** (infienti *B*) dicere totiens Per 168

quis homost me **insipientior**(-ier *D*) qui .. Tri 929 sed ego sum insipientior qui .. Tri 936(*v. secl RRs*), 1057

a me **insipienter** factum esse arbitror Mi 561 tu istuc insipienter (-ent̂ sipient̂ *B*) factum sapienter feras Tru 827

INSIPIENTIA - - iusta .. ab iniustis petere **insipientiast**(est in. *BrugRg l*) Am 36 stultitia atque insipientia †mfalsta(-tiā falstal[falsa *B*] *P* insap. *C*) haec sit .. Mi 878 inimico possum(fieri subdolus): amico insipientiast(est ins. *PyRg lLy*) Poe 1090 istaec insipientiast(*A* -cia si *B*) iram .. gerere Ps 448

INSISTO - - I. **Forma insistis** Poe 972 **institi** Mer 16, Mi 774(*FlRg* -tui *Pψ*), St 430 (*R* instit *P* instite *A*), Fr II. 50(*ex Serv Dan ad Aen* IV. 533) **institit** Ep 416, Cas 845(*P* insistit *A*) **insistas** Cap 584, Mi 794(-tias *C*) **insistant** Cap 794 **institerit**(*E²* -tuerit *J²* instuerit *VJ¹* instituit *E¹*) **insiste** Mi 357 **insistite** Mi 929 *Vide* insto

II. **Significatio** 1. *proprie:* institit* planta (*Fl* -tam *APLULy*) quasi luca bos Cas 845 omnes itinera insistant sua Cap 794 utrum hac an illac iter institerit* Ci 679

2. *translate:* a. *absolute:* quin tu insistis fortiter? Poe 972

b. *cum acc.:* α. erro quam insistas* uiam Mi 793 rectam(*Lamb* recte *B²Ly*) institit Ep 416(*add B² v. om P*)

β. hoc parum .. more maiorum institi Mer 16 insistite hoc negotium sapienter Mi 929 accipe .. rationem doli quam institi* Mi 774 sic hanc rationem institi* St 430 hunc sermonem institi Fr II. 50(*ex Serv Dan ad Aen* IV. 533)

c. *cum in et acc.:* age nunc iam insiste in dolos Mi 357

d. *cum infin.:* ne quid tu huic temere insistas credere Cap 584 (*Cf* Walder, p. 18)

INSOLESCO - - Men 461, credideram insoluisse(*R* credo datum uoluisse *PŞ†L†Ly* var em *RsU*)

INSOMNIA - - amori accedunt .. **insomnia,** aerumna .. Mer 25

INSONS - - illi dudum meus amor negotium **insonti**(insoniti *J*) exhibuit: nunc autem insonti(-niti *J*) mihi illius ira in hanc . expetent Am 895 Alcumenae quam uir **insontem** Amphitruo accusat Am 869 .. dicta quae in me insontem protulit Am 890 tu Pistoclerum falso atque insontem arguis Ba 474 male facis quae insontem insimules Men 806 **insontis**(-es *J*) miseras cruciabam As 889

INSONITUS - - Am 895, insoniti *J bis pro* insoniti

INSPECTATIO - - Mi 1279, inspectatione *CD pro* in exspectatione(*F*)

INSPECTO - - I. **Forma inspecto** Ru 869 **inspectat** Mo *Arg* 10 **inspectabimus** Poe 682 (-uimus *B¹*) **inspectaui** Ci 620, Ru 1019, 1021 **inspectauisti** Mi 506 **inspectauit** Mi 174 **inspectauero** Ru 755 **inspectem** Ba 1102 a (-peote *C*) **inspectes** Poe 710 **inspectet** Cap 65 **inspectaret** Ru 1168 **inspectato**(*impera.*) Cas 871(*Rs* spectato *B²ψ post lac* ectato *B* etato *VE* ecato *J*) **inspectans** Ba 110(*Herm RU* spectans *P* exspectans *Weiseψ*) **inspectantibus**(*abl.*) Am 998(*Py* sp. *PU*) **inspectandi** Ba 487(*v. secl UŞRg*) **inspectata**(*abl.*) Au *Arg* II. 7(*MueRgŞ* inspecta *Pψ*) *corrupta:* Per 171, inspectatam *D³ pro* tibi sp.(*A*) Ru 843, inspectarer *P pro* insectarer(*FZ*)

II. **Significatio** 1. *absolute:* uideo atque inspecto lubens Ru 869 alia mulier sustulit, ego inspectaui Ci 620 ego inspectaui e litore Ru 1019 egon quom haec cum illo accubet inspectem*? Ba 1192 a .. ne quis inspectaret Ru 1168 hic deludetur .. uobis inspectantibus* Am 998

2. *sec. acc.:* illinc procul nos istuc inspectabimus* Poe 682 inspectato* hinc omnia,(: *Ly*) intus quid agant Cas 871 inspectat illas(aedis) Mo *Arg* 10 ego tuom (tergum) inspectauero Ru 755 faciam ut pugnam inspectet non bonam Cap 65 re omni inspectata* Au *Arg* II. 7 illius inspectandi mihi esset maior copia Ba 487(*v. secl URgŞL*)

3 *seq variae constructiones:* ut tute inspectes aurum lenoni dare(-ri *BentLU*) Poe 710 ego qui inspectaui procul te hunc habere Ru 1021 inspectans* quas tu res .. geras Ba 110 inspectato* hinc omnia intus quid agant Cas 871 inspectauit .. intus apud nos Philocomasium

atque hospitem osculantis Mɪ 174 inde inspectauisti meum apud me hospitem amplexam
amicam quom osculabatur suam Mɪ 506

INSPERATUS - - o salue, **insperate**(inspiratio *D¹*) Mᴇɴ 1132 salue, insperate nobis pater
Pᴏᴇ 1259 salue, mi pater insperate Rᴜ 1175
o mi ere, salue Hanno, **insperatissume**(-ime *A*
insperastis sume *P*) mihi tuisque filiis, salue
Pᴏᴇ 1127(*cf* G i m m, p. 23) spem **insperatam**
date mihi Mᴇɴ 1081 spem insperatam..(*Bri
RgU* speratam *Pψ* sperat[*B*] sperata[*C*])..op-
tulisti..mihi Mᴇʀ 843 illam augeam **insperato** opportuno bono(*Gul* modo *PLy*) Sᴛ 304
(*an adv.?*) (aulam) insperato inuenit Aᴜ *Arg* I.
14(*adv.*) **insperata**(-tā *C*) accidunt magis saepe
quam quae speres Mᴏ 197(*cf* W u e s e k e, p. 36)

INSPICIO - - I. **Forma inspicio** Mᴇɴ 254
inspicit Mɪ 639 **inspiciam** Cᴜ 427(-tiam *E*),
Pᴏᴇ 1075(*Ca* inspici iam *BU* inspice iam *CD*)
inspiciet Sᴛ 638(*AB* prosp. *CDR*) **inspicietis** Rᴜ 1288 **inspexi** Aᴍ 442, Mᴇɴ 597(inspexi
meis *B²* inspeximus *C²D* inspicimus *C¹* inspexim.. *B¹* inspexim meis *R*), Mɪ 129, Sᴛ 454,
Fʀ I. 90(*ex Varr l. L.* VII. 63) **inspiciam** Cᴜ 654
(-tiam *E*) **inspiciat** Mᴏ 772 **inspexissent**
Eᴘ 386 **inspice** Aᴍ 774, Bᴀ 723, Mᴏ 807
inspicite Pᴏᴇ 597 **inspicere** Aᴍ 787 Aᴜ 39,
565(inspincere *J*), Mᴇɴ 141, Mᴏ 674, 753, 772,
806(-re te *B²* -ren te *B¹* -rent *CD*), Pᴇʀ 316,
Pᴏᴇ 595 **inspecta**(*abl.*) Aᴜ *Arg* II. 7(*PLULy*
inspectata *MueRgS*) **inspectas** Tʀɪ 795, 810
corruptum: Aᴍ 778, inspice *J pro* aspice

II. **Significatio** 1.*absolute:* saluom signumst?
*Inspice Aᴍ 774 certumst aperire atque in-
spicere Aᴍ 787 intro inspice Bᴀ 723

2. *seq. acc.:* cupio..inspicere hasce aedis Mᴏ
674 ..ut sibi liceret inspicere hasce aedis
tuas Mᴏ 753 inspicere uolt. *Inspiciat Mᴏ 772
inspicere* te aedis has uelle aiebat mihi..: i
intro atque inspice Mᴏ 806-7 cedo (anulum)
ut inspiciam Cᴜ 654 aurum inspicere uolt
Aᴜ 39 nos inspicere oportet istuc aurum.
Agite inspicite Pᴏᴇ 595-7 exta inspicere in
sole ei uiuo licet Aᴜ 565 libros inspexi Sᴛ
454 apud portitorem eas (litteras)..inspectas
..esse Tʀɪ 795 ..dicere apud portitores esse inspectas Tʀɪ 810 ostende (manum), inspiciam*
Pᴏᴇ 1075 .inspicio marsuppium Mᴇɴ 254 uide
uiuices quantas. *Iam inspexi Fʀ I. 90(*ex Varr
l. L.* VII.)

aegre amantis ingenium inspicit Mɪ 639 inspexi mulieris sententiam Mɪ 129 inspicere
morbum tuom lubet Pᴇʀ 316

forum.. oculis inspexi* meis Mᴇɴ 597

ubi id(*i. e.* cordis copiam *an* speculum*?*) inspexissent.. Eᴘ 386 uin tu facinus luculentum inspicere? Mᴇɴ 141 re omni inspecta*
Aᴜ *Arg* II. 7

numquam.. hodie ad uesperum Gripum inspicietis uiuom Rᴜ 1288 numquam..me uiuom
quisquam in crastinum inspiciet* diem Sᴛ 638

3. *seq. in cum acc.:* saepe in speculum inspexi Aᴍ 442(*cf* U l r i c h, *de verb. comp.*, p. 21).

4. *seq. interr. obl.:* inspiciam quid sit scriptum Cᴜ 427

INSPIRATIO - - Mᴇɴ 1132, inspiratio *D¹pro*
insperate

INSPUTO - - illic isti qui **insputatur**(*Py*
spu. *PULy*) morbus interdum uenit Cᴀᴘ 550
..ut qui med opus sit **insputarier** Cᴀᴘ 553
multos.. quibus **insputari** saluti fuit atque is
profuit Cᴀᴘ 555

INSTAR - - Cᴀs 341, instar *P pro* instat(*B²*)

INSTIMULO - - Mɪ 365, instimulauit *A* Pᴇʀ
129, instimulas *P pro* insim.

INSTIPULOR - - minae.. hodie quas aps
ted est **instipulatus**(*PLULy* stip. *Aψ*) Pseudolus Ps 1069 ni dolo malo instipulatus sis
Rᴜ 1381 *Cf* R o m e i j n, p. 99

INSTITUO - - I. **Forma instituam** Mɪ 237
(-tū *B¹* -tuā *B²*), Rᴜ 935(*an subiu.?*) **institui**
Bᴀ 1082, Eᴘ 363, Mɪ 774(-ti *FlRg*), Mᴏ 86(-tiui
ReizR), 779 **instituit** Mɪ 466(*SeyRg* diuit ut
CDSt du it in *B* diuisit *MueLULy*) **insti-
tuere** Aᴍ 959(instruere *J*) **institutum**(*nom.*)
Pᴏᴇ 925 **instituta**(*acc.*) Ps 676(-tam *A*) *cor-
ruptum:* Cɪ 679, instituerit *VE pro* institerit

II. **Significatio** 1. *seq. acc.:* ego astutiam
hanc institui Eᴘ 363 hanc instituam* astutiam Mɪ 237 argumentaque in pectus multa
institui* Mᴏ 86 iam instituta* ornata cuncta
..habebam Ps 676 ita negotium institutumst
Pᴏᴇ 925 orationem docte haec instituit* suam
Mɪ 466(*SeyRg*) nouicium mihi quaestum institui non malum Mᴏ 779 accipe..rationem
doli quam institui* Mɪ 774 ibi qui regnum
magnum instituam Rᴜ 935

ita seruom par uidetur frugi sese instituere*
Aᴍ 959

2. *cum infin.:* ego dare me meo gnato institui ut animo obsequium sumere possit Bᴀ 1082
Cf W a l d e r, p. 18

INSTO - - I. **Forma insto** Cᴀs 890(*add Rs
solus*) **instas** As 54, Mᴇʀ 725 **instat** Aᴍ 884
(esse instat *U* -re est at *BSt Lyt aliter ψ*), Cᴀs
341(*B²* instar *P*), Mᴇɴ 344(*U* stat *Pψ*), Mᴇʀ 879
(-ant *Rg*), Pᴏᴇ 918, 919, Tʀᴜ 713(*RsU* iusti iubet
PSt isti lubet *FZLLy*) **instabunt** Cᴜ 376
instant Pᴇʀ 492 **institerat** Aᴍ 1063 **instes**
Mᴇʀ 177 **instet** Pᴇʀ 514 **instare** Cɪ 583,
Mᴇʀ 242

II. **Significatio** A. *absolute* ubi quisque
institerat, concidit crepitu Aᴍ 1063 iam magis insto* Cᴀs 890(*Rs*) nubis ater imberque
instat* Mᴇʀ 879 *Vide* Mᴇɴ 344, *ubi* instat
portu *U pro* in istoc portu stat

cum acc. cognato: rectam instas uiam As 54

B. *translate:* 1. imminere: *cum. acc. vel dat.
personae:* si magis me instabunt (ii quibus debeo), ad praetorem sufferam Cᴜ 376 ob istanc
rem tibi multa bona instant a me Pᴇʀ 492 nescis quid te instet boni Pᴇʀ 514 tantum eum
instat exiti, satine priusquam unumst iniectum
telum, iam instat alterum Pᴏᴇ 918-9

2. = urgere: non hercle hoc longe destiti
instare usque adeo donec .. adiurat Cɪ 583
non possum (dicere), ita instas Mᴇʀ 725 dum
instat*..tempus ei rei secundumst Tʀᴜ 713

3. = flagitare: ita uxor acriter tua instat* ne
mihi detur Cᴀs 341 si boni quid ad te nuntiem, instes acriter, qui nunc.. flagitas me ut
eloquar Mᴇʀ 177

4. = affirmare: instare factum simia Mᴇʀ
242 *Vide* Aᴍ 884, *ubi* instat *U var em ψ*

INSTRENUUS - - nequam homo .. inmundus, **instrenuos**(*FZ* strenuus *P*) Mo 106

INSTRUO - - I. **Forma instruit** Ru 529 **instruont** Am 222(-unt *PU*) **instruontur** Men 107(-struntur *B¹C* -struuntur *B²DU*) **instruam** Ru 930 **instruxi** Ci 487, Mi 745(*A* introduxi *BD* introuxi *C*), Per 325 **instruxisti** Ci 490(*LLy* ins**t* *A*), Mi 1100, 1127(*v. secl OsannR*) **instruxti** Mi 981(*Ca* -xit *P*) **instruxit** Mi 1147(-xi *A*) **instruximus** Am 221 **instruere** Ps 742, Ru 936 **instrui** Ci 488 **instructa**(*fem.*) Ba 373 *corruptum:* Am 959, instruere *J pro* instituere

II. **Significatio** 1. *de militibus:* nos nostras more nostro et modo instruximus legiones: item hostes contra legiones suas instruont Am 221-2 cari qui instruontur* deserunt Men 107(*cf* Graupner, p. 19)

2. = comparare: seruiendae seruiuti ego seruos instruxi* mihi Mi 745(*cf* Herkenrath, p. 69) ubi liber ero .. instruam agrum atque aedis mancipia Ru 930 omneis sycophantias instruxi et comparaui Per 325 magnas res hic agito in mentem instruere Ru 936 *similiter:* omnis ad perniciem instructa domus opime atque opiparest Ba 373

3. = instituere: in corde instruere quondam coepit pantopolium Ps 742(thermi- *PiusRRg*) ne thermipolium .. ullum instruit Ru 529

4. = praebere, *cum dat. personae:* instruxi illi aurum atque uestem Ci 487 ***illi instrui Ci 488(*dub*) aurum atque ornamenta quae illi instruxti* mulieri Mi 981 aurum ornamenta quae illi instruxisti ferat Mi 1127(*v. secl OsannR*) aurum atque ornamenta quae ipsi instruxit* mulieri Mi 1147 *fortasse* instruxisti Ci 490(*LLy*)

INSUASUS - - tibi **insuaso**(*quidam apud Festum* 302 resuasu *P* suaso *AFest et LULLy*) infecisti propudiosa pallulam Tru 271

INSUESCO - - qui imperare **insueram** nunc altrius imperio obsequor Cap 306 *Cf* Walder, p. 24

INSULA - - postulabas te .. totam Siciliam deuoraturum **insulam** Ru 544 illum reliqui ad Rhadamantem in Cecropia **insula**(*em Guy RsLy †SL aliter em U*) Tri 932 apud iustitudinas fericrepinas **insulas** As 33 quasi mare omneis circumimus insulas Men 231 fortunatorum memorant insulas Tri 549

INSULSIIAS - - stultitia atque insipientia **insulsitasque**(*RRg* -tiã falsta[falsa *B*] *PSt* var *em ψ*) haec sit .. Mi 878

INSULSUS - - non **insulsum** huic ingeniumst Mi 1071 coqum .. multilocum, gloriosum, **insulsum**(*B²D³* sins. *P om U*), inutilem Ps 794 te ex **insulsum** salsum feci opera mea Ru 517 mulieres .. **insulsae**(- se *C* -se *D*) admodum Poe 246 *Vide* Men 316, *ubi* insulsum *U pro* multum

INSULTURA - - ego istam **insulturam** (-rã *BC*) et desulturam nihil moror Mi 280

INSUM - - I. **Forma inest** As 13(id est *EJ*), Ba 733, Cap 250(est *Rs*), Ep 346, Men 135, Mer 359, Mi 632, Per 321(est *D*), Poe 198, 782, Ps 671, 1109, Ru 352(inest *D*), 924c(est *Rs secl Fl LU*), 925(est *Rs*), ib. (*CaU* quidemst *Pψ*), 1078, 1082, St 321(*A* est *P*) **insunt** As 653, Ba 941,

Cap 56, Ci 635, Poe 837, Ru 1082, 1362 **inerat** Ru 1318(*FZRsLU* inerit *Pψ*) **inerit** Am 144, Cas 221(*FZ* inierit *P* infuerit *MueU*), Ci 734 (*Rs* infuerit *PLy*), Mer 29(*Ly* ineret *BD¹* inheret *CD³* inertia *L* inhaeret *ψ*), Ru 1134, 1136, 1140(*Mue* insit *PL*), 1318(*P* inerat *FZRsLU*) **inerunt** As 734, Fr II. 6(*ex Paulo* 60) **infuit** Ru 1359(*FlLU* infuere *PSt Lyt* fuit *Rs*) **infuerunt** Ru 1313(fuerunt *D¹*) **infuere** Ru 1359 (*vide* infuit) **insit** Cas 380(*B²* cum *Prisc* I. 320 sit *B¹DJ* sint *V*), Ru 1140(*PL* inerit *Mueψ*), 1149 **infuerit** Cas 221(*MueU* inierit *P* inerit *FZψ*), Ci 733, 734(*PLy* inerit *Rsψ*), Per 78 (*PLyt* is fuerit *R* afuerit *Hauptψ*), Ru 1310 (*FZ* infuere *P*) **inesse** Am 783(-se *E*), Ru 459, 926, 1109, 1130, 1133(*Ca* esse *P*), 1188 *corrupta:* Mer 36, insit *BC pro* sint; 598, inest *P pro* isnest(in est *L*) Mo 1167, tam inest si *P pro* tamen etsi

II. **Significatio** *et proprie et translate* 1. *absolute:* neque spurcidici insunt uorsus Cap 56 ubi amor condimentum inerit*.. Cas 221 inerit* etiam auiditas Mer 29(*Ly*) num infuerit* febris Per 78 nomina insunt cubitum longis litteris Poe 837 quicquid inest* graue quidemst (inest *CaLU*) Ru 925 omnia quidquid inerit* uera dicet Ru 1140 dicito quid insit Ru 1149 omnia ut †quicquid infuere* ita salua sistentur tibi Ru 1359 omnia insunt salua Ru 1362 tene cruminam, inerunt triginta minae Fr II. 6 (*ex Paulo* 60)

2 *seq. in cum abl.:* in aqua numquam credidi uoluptatem inesse tantam Ru 459 inest* spes nobis in hac astutia Cap 250 iam imperatum in cera inest Ba 733 .., grex uenalium in cistella infuerit una Ci 733 crepundia isti in ista cistula insunt Ru 1082 inest* lepos ludusque in hac comoedia As 13 uiginti minae hic insunt in crumina As 653 talentum argenti .. inerit* in crumina Ru 1318 hoc in equo insunt milites Ba 941 in istoc adeo aurum inest marsuppio Poe 782 nummi octingenti .. in marsuppio infuerunt* Ru 1313 inest lepos in nuntio tuo magnus Ru 352 centum .. Philippia (infuerunt) in pasceolo Ru 1313 inest amoris macula huic homini in pectore Poe 198 ecqua in istac pars inest praeda mihi? Men 135 (cistula) isti inest in uidulo Ru 1082 cistellam isti inesse oportet .. in isto uidulo Ru 1109, 1133* meministi in uidulo .. quid ibi infuerit* Ru 1310

inest in hoc .. ingenua indoles Mi 632 nec boni ingeni quicquam in is inest Ps 1109

3. *seq. sub cum abl.:* ne qua illic insit* alia sortis sub aqua Cas 380 meo patri .. sub petaso Am 144(*infra* 5)

4. *additur adv.:* hic: pateram hic inesse oportet Am 783 As 653(*supra* 2) hic inerunt uiginti minae As 734 hic crepundia insunt Ci 635 quantum hic inest? Ep 346 argentum hic inest* Per 321 quicquid hic inest Ru 924c (*om FlLU*) aurum hic ego inesse reor Ru 926

illic: illic..sub aqua Cas 380(*supra* 3) credo ..ego illic inesse argenti et auri largiter Ru 1188

isti(c): isti inest cistellula Ru 1078 isti in ista cistula, isti .. in uidulo Ru 1082(*supra* 2) isti .. in isto uidulo Ru 1109 (*supra* 2), 1133 (*supra* 2) istaec quidquid istic inerit uobis habebitis Ru 1136 quid istic inest*? St 321

ibi: loquere tu quid ibi infuerit* Ci 734 quid ibi inest amoeni? Mer 359 ibi ego dicam quicquid inerit nominatim Ru 1134 in uidulo .. ibi Ru 1310 (*supra* 2)

ubi: cornu copiaest ubi inest quidquid uolo Ps 671 uidulus ubi cistellam tuam inesse aiebas Ru 1130

5. *cum dat.:* meo patri .. torulus inerit aureus sub petaso Am 144 huic homini in pectore Poe 198 (*supra* 2)

INSUO - - hunc †iuuenem **insui** culleo (in c. *LLy*) atque deportari iussi Vi 108 (*ex Fulg de abst serm* XXII & XXIV: *vide edd*)

INSUPER - - hoc addam insuper Tru 894 etiam in maerore insuper .. miseriam hanc adiungerem Cas 441 satis faciat mihi ille atque adiuret insuper Am 889 (*cf* Ballas, I. p. 33) etiam laborem ad damnum apponam epithecam insuper Tri 1025 insuper deducas Tru 534 (*Rs* men super adducas *PS*† examen s. a. *Hauptψ*)

parumne est .. ni sumptuosus insuper etiam siet? Mer 693

INTEGER - - I. Forma **integer** Mer 550 **integra** Ps 203 **integrae** Cas 832 (-r̨e *B* -re *VEJ*) **integrum** Ba 1071, Tru 725 **integram** Cas 626, Tru 821 **integro** Per 754 **integris** (*abl.*) Tru 245 *corruptum:* Ci 673, integrum *VE pro* in tergum

II. Significatio (*cf* Gimm, p. 23) ubi latent quibus aetas integrast? Ps 203 tum quomst sanguis integer Mer 550

(uidi) nouam atque integram audaciam Cas 626 de thensauris integris .. danunt Tru 245 integrum et plenum adortast thensaurum Tru 725

domum reduco integrum omnem exercitum Ba 1071 integro exercitu et praesidiis Per 754

integrae atque imperitae huic impercito Cas 832 loquere filiam meam quis integram stuprauerit Tru 821

INTEGO - - uillam **integundam** intellego totam mihi Ru 101

INTEGUMENTUM - - *translate* (*cf* Graupner, p. 18; Inowraclawer, p. 31) illius sum **integumentum** (-i- *P*) corporis. #Nequam esse oportet quoi tam (tu *PL* o. scutum: *Ly*) integumentum improbumst (*Lamb* -us es *P* -u's *L*) Ba 601-2 et tu, integumentum (intu. *C²*), uale Ba 605 istaec ego mihi semper habui aetati **integumentum** (*A* teg. *P*) meae ne penetrarem me usquam Tri 313

INTELLEGO - - I. Forma **intellego** Am 667 (-igo *J*), 670 (-igo *J*), As 84 (-igo *J*), 136, 263 (-igo *J*), Au 355 (uideo *Fest* 364 *et Macr Sat* III. 11), Ba 50, 218, 344, 390, 449, Cap 253, 766, Cas 284 (-igo *EJ*), 343 (-igo *EJ*), Ci 274, 627 (-igo *J*), Ep 9 (-igo *J*), 249 (-igo *J*), 278 (-igo *J*), 281 (-igo *J*), 721 (-igo *J*), Men 497, 506, 667 (-igo *D*), Mer 80, 666, 737, Mo 475, 813, Per 376, 803, Poe 172, 1104, 1388, Ps 459, 467, Ru 101, 331, 702, Tri 456, 613, Tru 545, 815, 842, Vi 34 **intellegis** Am 625 (-igis *J*), 982 (-igis *J*), Cap 958, Mo 650, Per 333 (-igis *D*), Poe 171, 1103 (*D*⁴ inp. *BD*¹ im . *C*), Ru 1122 **intellegit** Mo 280

intellegimus Cap 142 (intellimus *E*¹) **intellegitis** Mi 877 **intellegunt** Tru 17 **intellegetis** Vi 11 **intellexi** Cap 141, Ci 624, Mi 867 **intellexisti** Tru 681 (-lix. *D*) **intellexti** Ru 1103 **intelleximus** Cas 11 **intellexerat** Am 22 **intellegam** As 609 (-igam *EJ*), Au 648 (-igam *EJ*) **intellegas** Ep 456 (-igas *J*), Mo 278 **intellexes** Ci 625 (-xisses *E*) **intellegere** Am 626 (-igere *J*), Tri 1145 *corruptum:* Tri 651, intellecto *P* (-u *B*) *pro* in lecto

II. **Significatio** *et de oculo et de mente:*
1. *absolute:* frugi hominem iam pridem esse arbitror. #Intellego Cas 284 Ep 9 (*Rg²: infra* 3) quasi retruderet hominum me uis inuitum. #Intellego Ep 249 ut eam te .. dicas emere. #Intellego Ep 278 sequestro mihi datast. #Intellego Mer 737 noli facere mentionem te emisse. #Intellego Mo 813 quid est? non intellego Mo 475 (*vide LU*) *ab initio scaenae:* intellego: hanc .. pulsare iussisti Ru 331

nonne intellegis? #Qui .. intellegere quisquam potis est? Am 625-6 quasi filiae tuae sint ambae. intellegis*? #Intellego hercle Poe 1103-4 hunc sumpsit .. satin intellegis? Mo 650 eum hic non nouit leno. satin intellegis? #Intellego hercle Poe 171-2 uerum illuc est: maxima .. pars .. intellegit Mo 280 satis si intellegitis .. Mi 877 nunc intellexi. #Ni intellexes* numquam credo amitteres Ci 624-5 si parum intellexti dicam denuo Ru 1103

b. *paratactice* (*cf* Weissenhorn, p. 7): intellego, †duae unum expetitis palumbem Ba 50 sanumst .. sinciput (ut *ins CaRsU*), intellego Men 506 (*vide R*) ludos me facitis intellego Per 803 mihist irata: sentio atque intellego Tru 545

2. *seq. acc.:* huius dicta intellego Ba 449 homines nostra intellegimus* bona Cap 142 rem ipsam posset intellegere, thensaurum tuom me esse penes Tri 1145 idem istuc ipsa .. reapse experta intellego Tru 815

ego quantum ex augurio auspicioque intellego .. As 263

3. *seq. infin. vel acc. cum infin* (*cf* Votsch, p. 35, 37; Walder, p. 38, 46): temeti nihil allatum intellego* Au 355 (uideo *Fest* 364, *Macr Sat* III. 11) bene confidenterque adstitisse intellego Ps 459 exemplum adesse intellego (adest. #Intel. *GrutRg²*) Ep 9 illam quam te amare intellego Ci 274 se amari intellegunt Tru 17 ego istam rem ad me attinere intellego Tri 613 .. ut ne abstulisse intellegam Au 648 ne in quaestione essemus cautum intellego Cap 253 te commentum nimis astute intellego Ep 281 cupis id quod cupere te nequiquam intellego As 84 .. quam si intellegam deficere uita As 609 te dedisse intellego Men 497 .. ut rationem te ductare (*LambS* dictare *PLy* putare *URglU*) intellego Am 670 ex hac familia me plane excidisse intellego Men 667 qualis (*de voc.* talis *ludit*) exercendas nunc intellego Vi 34 intelleximus studiose expetere uos Plautinas fabulas Cas 11 uillam integundam intellego totam mihi Ru 101 illum intellego inuenisse Ba 390 ferentarium esse amicum inuenisse intellego Tri 456 ego me .. in uisum meo patri esse intellego Mer 80 te

iudicasse .. istam rem intellego TRU 842 (*dub*)
mihi haud .. licere intellego BA 344   per me
licere intellego PER 376   meruisse (*PSt Ly var
em ψ*) intellego EP 721   ut hanc rem natam
intellego BA 218   ita rem natam intellego CAS
343   .. ut male olere intellegas Mo 278   aequom has petere intellego RU 702   nunc intellego redauspicandum esse in catenas denuo
CAP 766   Alcumenam .. stare saturam intellego
AM 667   intellexerat uereri uos se et metuere
AM 22   .. ut uelle med intellegis AM 982

    ingrata .. esse omnia intellego AS 136   illum
(esse amicum) intellexi tibi CAP 141   rem palam esse intellego CI 627   mihi nihil relicui
.. esse intellego MER 666   cognatum .. tuom
esse iutellego POE 1388   paruam esse apud te
mihi fidem ipse intellego PS 467   ius meum
esse intellegis RU 1122   .. thensaurum tuom
me esse penes TRI 1145 (*supra* 2)

    4. *seq. interr. obl.:* ubi loci fortunae tuae sint
facile intellegis CAP 958   modo intellexi quam
rem mulier gesserit MI 867   quoi rei opera
detur scis tenes intellegis PER 333   intellexisti
lepide quid ego dicerem TRU 681   intellegetis potius quid agant quando agent VI 11

    5. *seq. enunt. obiec.:* animum aduorte ut quod
ego .. aduenio intellegas EP 456

   INTEMPERANS - - (dixit) **Intemperantem,**
non modestum, iniurium trahere, exhaurire
me quod quirem ab se domo MER 54

   INTEMPERIES - - clades calamitasque **intemperies** modo in nostram aduenit domum
CAP 911 (*proprie secundum* Langen, *Beitr.*
p. 107)   laruae hunc atque **intemperiae** (-ię *BJ*
-ie *DE*) insaniaeque agitant senem AU 642
nescio pol quae illunc hominem intemperiae (-ię
J -ie *E*) tenent AU 71   quae te intemperiae
tenent? EP 475 (-ię *BJ* -ie *E*), MI 434

   INTEMPESTIVUS - - nostrae aetati **intem-
pestiuae** (*SpRs* tempestiuo *Pψ*) temperint TRU
61   **intempestiuos** (-tius *A*) excisos (postes)
credo Mo 826

   INTENDO - - de ducentis nummis .. **intendam** ballistam in senem BA 709 (*cf* Inowraclawer, p. 90)   pendebit hodie pulcre, ita **intendi** tenus (*Non* 6 intendit erus *P sed* eruus *D¹*
enus *B²*) BA 793   in hunc **intende** digitum Ps
1144 pergin, sceleste, **intendere** (*A et ins B²CD*)
hanc (-ret hec *B¹*) arguere? MI 380 (*cf* Walder,
p. 18)   Lycus quoi iam infortuni **intenta** ballistast probe POE 201

   INTER - - I. Collocatio *semper praecedit
substantivum nisi* MER 752, quos inter *de correptione cf* Enger, p. 12

   II. **Significatio** 1. *de loco: pendet ex verbis:*
puer inter homines aberrauit a patre MEN 31
uel inter cuneos ferreos (accubare possum) ST
619   inter mortales ambulo interdius RU 7
inter uolturios duos cornix astat Mo 833   inter homines me deerrare MEN 1113   mihi inter patinas exhibes argutias Mo 2   ne inter
tunicas (aulam) habeas AU 647   inter labra
atque dentes latuit uir TRI 925   hominem inter uiuos quaeritamus mortuom MEN 240   inter eosne homines condalium te redipisci postulas? TRI 1022   inter ancillas sedere iubeas
MEN 797   ego inter sacrum saxumque sto CAP

617 (*translate*)   an te ibi uis inter istas uorsarier prosedas? POE 265

    ego inter sacrum saxumque sum CAS 970
(*translate*)   facite inter terram atque caelum
ut sit MI 1395   noctu sum in caelo clarus atque inter deos RU 6   inter murtos locust VI
65 (*SkutschLy in lac*)

    abripite hunc intro actutum inter manus Mo
385

    egomet mecum cogitare inter uias (*unum voc
SLLy*) AU 379   ne inter uias (*unum voc LLy*)
praeterbitamus metuo POE 1162 (*v. om BrachmannRgl*)   *Cf* Jordan, *Beitr.* p. 272

    2. *de tempore* (*cf* Kane, p. 74; Leers, p. 38):
prandia .. inter continuom perdidi triennium
ST 214   inter (intra *Buelis*) tot dies .. iam aliquid actum oportuit TRU 510

    inter (aufer *UL †S*) istaec uerba — CI 52 (*cf*
Kane)   inter nouam rem uerbum usurpabo
uetus CI 505   quid lenonem uis inter negotium? POE 1398   inter illud .. negotium meis
curaui amicis .. ST 679   ego accipiam te hodie
lepide .. unguentis et inter pocula pulpamentis
Ps 947

    inter rem agendam istam erae huic respondi
CI 721   *Cf* Herkenrath, p. 83; Krause,
p. 39; Sidey, p. 59

    3. *translate de personis:* irae si quae forte
eueniunt huius modi inter eos AM 942   pax
est inter uos duos AM 957   conscripsisti syngraphum inter me et amicam et lenam As 747
mutatio inter me atque illum ut nostris fiat
filiis CAP 367   ita conuenit inter me atque
hunc CAP 378   ego aliquid contrahere cupio
litigi inter eos duos CAS 561   item genus est
lenonium inter homines CU 499   .. si possum
hoc inter uos componere CU 701   haec illi tibi
iusserunt ferri quos inter (interii *B*) itdex datu's MER 752   bene .. ratio accepti atque expensi inter nos conuenit Mo 304   quod hic
inter nos liceat - - POE 440   nos hodie inter
alias praestitimus pulcritudine POE 1193   istic
symbolust inter erum meum et tuom de muliere Ps 648   imagine .. quae inter nos duo
conuenit olim Ps 1000   (symbolus) inter me
atque illum militem conuenerat Ps 1093   haud
aequomst te inter oratores accipi ST 494   inter te atque nos adfinitatem ut conciliarem TRI
442   nescioquid non satis inter eos conuenit
TRI 623   adfinitatem inter nos nostram adstrinxeris TRI 699   discordiam inter nos parem
TRU 420

    mea bona .. inter eos partiam MI 707   inter
participes diuidam praedam PER 757   eo me
priuent atque inter se diuidant POE 775   *Cf*
AM 1035

    4. **inter se, nos, uos: a.** bis tanto amici sunt
inter se AM 943   inter se commutant uestem et
nomina CAP 37   uideas corde amare inter se CAP
420   sunt hic inter se quos nunc credo dicere
CAS 67   decet .. hunc esse ordinem beneuolentis
inter se CI 23   amicitiam .. iunctam bene habent inter se CI 26   illi inter se congruont
CU 264   conferunt sermones inter sese dispu-
tae CU 290   occepere .. fabulari inter sese EP
237   amantis una inter se facerem conuenas
MI 139   illi inter se certant donis MI 714

capita inter se nimis nexa hisce habent Mɪ
1334　　nihil cessarunt..amplexari inter se Mɪ
1434　　diuidant Poᴇ 775(*supra* 3)　quid illi
locuti sunt inter se? Poᴇ 1143　alter alterum
.. inter se(*Ca* inters *B* inter *CD*) prehendunt
Ps 1260
　hisce..inter se hunc confinxerunt dolum Cᴀᴘ
35　quid si hisce inter se consenserunt? Ps 539
　haec facetiast amare inter se riuales duos
Sᴛ 729
　b. dicito (nos) inter nos fuisse ingenio haud
discordabili Cᴀᴘ 402　quousque .. inter nos
amore utemur semper subrepticio? Cᴜ 205　inter nos coniurauimus Mᴇʀ 536a　si de ea re
umquam inter nos †conueniamus(conierauimus
Rg conuenimus *FZLLy*) Ps 543b　nosmet inter nos ministremus Sᴛ 689　nos uolo ludere
inter nos Sᴛ 702　inter(int *C*) nos sordebamus
alter alteri Tʀᴜ 381
　c. uos inter uos partite Aᴍ 1035　nomina
inter uos permutastis Cᴀᴘ 677　nescio quid uos
uelitati estis inter uos duos Mᴇɴ 778　bene
quaeso inter uos dicatis Mɪ 1341　quid est qua
de re nunc inter uos litigatis? Rᴜ 1060　ne
inter uos significetis ego ero paries Tʀᴜ 788
　5. *corrupta*: Cᴀᴘ 951, inter ibo *P pro* inter-
ibi(*FZ*)　Cɪ 679, inter *B*[1] *pro* iter　Mo 1116,
inter *D* int *C pro* in te　Ps 1116, inter berna
CD pro in taberna
　INTERATIM - - id quoque interatim furtim
(*Ly* interim futatim *PS*† *Lt dubitant RsU*) nomen commemorabitur Tʀᴜ 882
　INTERBIBO - - mihi **interbibere** sola .. Pirenam potest Aᴜ 558　*Cf* Egli, I. p. 17
　INTERBITO - - quid .. attinet quo tu **inter-
bitas**(*R. Mue et Rg*[1] intereas *Pψ*)? modo Eᴘ 76
praesidebo, ne **interbitat** quaestio Mo 1096
　INTERCEDO - - si status condictus cum hoste
intercedit dies .. Cᴜ 5　si quis **intercedat**(*B*[2]
-as *P*) tertius pereat fame Mo 1106　*Cf* Feyerabend, p. 104
　INTERCIPIO - - epistulam modo hanc intercepi et sumbolum Ps 716　tun redimes me
si me hostes **interceperint**(-peʳt *J*)? As 106
res perit **intercepta**(*Ly* duce *Sch* iteca *BDS*† *Lt*
v. om *Rs* aliter em *U*) in aedibus lenonis Tʀᴜ
50b
　INTERCLUDO - - **interclude**(*FZ* -dite *PS*†
-dudite *C*) inimicis commeatum(iter inimicis
BugU) Mɪ 223
　INTERCUS - - num eum ueternus aut aqua
intercus tenet? Mᴇɴ 891　is mihi erat bilis,
aqua intercus (a. i. om *Fest*) Fʀ I 79(*ex Festo*
257; *Prisc* II. 271)
　INTERDICO - - dum pereas nihil **interdico**
(interdo *U* intererit *L*) aiant uiuere Cᴀᴘ 694
quotiens hoc tibi .. ego interdixi .. ne .. Mɪ
1057　seruitus mea mihi interdixit ne quid
mirer meum malum Pᴇʀ 621　nequeon ego ted
interdictis facere mansuetum meis? As 504(*cf*
Romeijn, p. 9; Wueseke, p. 16)
　INTERDIUS - - esse negotiosum interdius
uidelicet Solonem As 599　interdius quasi claudus sutor domi sedet totos dies Aᴜ 72　noctu
..custodibitur, interdius(inter diu *EJ*) sub terra
lapides eximet Cᴀᴘ 730　occlusa ianuast interdius Mo 444　.. te sic interdius cum corolla

ebrium ingrediri Ps 1298　noctu sum in caelo
clarus.., inter mortalis ambulo interdius(in terra
dius *Rs*) Rᴜ 7　*Cf* Kane, p. 43
　INTERDO - - dum pereas nihil **interdo**(*U*
interdico *PRsS*† *Ly* intererit *L*) aiant uiuere
Cᴀᴘ 694　ciccum non interduo Fʀ II. 2(*ex Varr
l. L.* VII. 91)　eluas tu an exunguare ciccum
non **interduim**(*A* -dum *P*) Rᴜ 580　qui sis..
floccum non interduim(*Ca* -dum *P*) Tʀɪ 994
　INTERDUM - - interdum fio Iuppiter quando
lubet Aᴍ 864　illic isti qui insputatur morbus interdum uenit Cᴀᴘ 550　suom ipse interdum ignorat nomen Cᴀᴘ 560　deliramus interdum senes Eᴘ 393　interdum mussans conloqui Mᴇʀ 49　interdum(intdū *D*) inepte stultus
es Mo 495　*corrupta:* Rᴜ 580, interdum *P pro*
interduim(*A*)　Tʀɪ 994, interdum *P pro* inter-
duim(*Ca*); 1125, interdum *P pro* in terra(*Ca*)
　INTEREA - - 1. interea *solum:* huic ducendi
interea abscesserit lubido Tʀɪ 745　nec quemquam interea alium admittat As 236　dum
haec aguntur interea uxorem tuam neque gementem .. audiuimus Aᴍ 1098　interea magister .. uolt .. commentari Tʀᴜ 737(*RgU*)　interea .. concedite istuc As 645　neque .. quemquam interea conuenio Rᴜ 226　interea ut decumbamus suadebo As 914　tibicen nos interea
(*CDU* -ra *B* -ribi *A ut vid et ψ*) hic delectauerit Ps 573　interea senex .. gnatam deposcit
sibi Aᴜ *Arg* I. 5　dari potest interea dum illi
ponunt Mᴇʀ 778　hic uos dormitis interea domi
As 430　interea(*A* interiam *B* inter[*C* int *D*]
iam *CD*]..potuisset iam fieri.. Pᴇʀ 172　nunc
tamen interea .. inuisam domum Mᴇʀ 555(*v. om
RL*), 555b(*sed* interea tamen: *v. om AULy*)
nullumne interea nactu's qui ..? Cᴀᴘ 154　age
tu interea huic somnium narra Cᴜ 255　ego
illum interea hic oblectabo As 370　interea a
portu nostra nauis soluitur Bᴀ 288　dum in-
terea(*Lamb* intereas *BD* intreas *C*) sic sit istuc
'actutum' sino Mo 71　quid erit interea ma-
gistrae? Tʀᴜ 737(*BueRsLLy*)　interea tace Mɪ
810　tu hunc interea hic tene As 379　interea
ad me haedus uisust adgredirier Mᴇʀ 248　neque licitum intereast meam amicam uisere Cɪ
227　ipsi interea uiuant .. neque participant
nos Sᴛ 31
　2. interea loci(*cf* Blomquist, p. 62; Schaaff,
p. 18): interea loci numquam quicquam facinus
feci peius Mᴇɴ 446　interea loci si lucri quid
detur potius rem diuinam deseram Ps 266　interea loci †aut ara(aera *FLy*) aut(auctarium
orat *RsU*) uinum aut oleum Tʀᴜ 32
　3. *corruptum:* Cᴜ 448, interea *P pro* intra
(*E*[3])
　INTEREO - - I. Forma **interit** Bᴀ 950(*R
pro perf. habens* -iit *APLU*), Cᴀᴘ 690, Poᴇ 635
(id beneficium i. *P* aetatem expetit *AU*)　**interii** Aᴍ 299(-ri *Non* 361), 1076, As 243 Aᴜ 713
728(*B*[2] interi *P*), Bᴀ 836, 853, 1093, Cᴀs 665
(*ABEJ* interi *V* -riui *SpRgs*), Cɪ 576, Eᴘ 56,
325, Mᴇʀ 751, Mɪ 306, *ib.*(*post int. add ULy post
taceo Caψ om P*), Mo 1031(*B* interi *CD*), Pᴇʀ
780, Ps 910(interi *A*)　**interiit** Bᴀ 950(*APLU*
-rit *Rψ pro perf. habentes*), Ps 295(*B* -rit *CD*),
Sᴛ 183(*A* -rit *P*)　**inteream** Mɪ 311(int eā *C*)

intereas Ep 76(-bitas *R. Mue et Rg¹*) **inter-ierim** Tru 707(*WeisULy* uriem *BSt* urient *post spat CD* perierim *GoelRsL*) **interire** Ci 663 (-rere *J*), Poe 870 **interiisse** Cap 693(-risse *U*) *corrupta:* Ba 1170, intereâ *C pro* in terra Mer 752, interii *B pro* inter; 833, interitus *Non* 449 *pro* interemptus Mi 104, interiuit *P pro* interibi hic(*Ac*) Mo 71, intereas *BD pro* interea *De* interit *perf. cf* Fleckeisen, *Exer. Pl.* p. 24 *seq.*

II. **Significatio** 1. *proprie, vel de personis vel de rebus:* ille mendicans paene inuentus interit* Ba 950 qui per uirtutem †peritat non interit Cap 690 uel te interiisse uel perisse praedicent Cap 693 satiust mihi quouis exitio interire* Ci 663 mussitabo potius quam interream male Mi 311 ut ego hanc familiam interire cupio Poe 870

malo si quid bene facias, id beneficium interit* Poe 635 nomen quoque iam interiit* 'mutuom' Ps 295 oratio una interiit* St 183 2. *translate* a. *obstupefacti exclamatio:* perii! #Surge! #Interii Am 1076 perii, interii, occidi Au 713 occidi atque interii* Cas 665 sed interii Mer 751 perii, interii* Mo 1031, Per 780 interii hercle ego (oppido *add Rg¹U*) Ep 325 oppido interii* Am 299 oppido ego interii* Au 728 interii miser Ba 836 oppido interii miser Ba 853 interii∗∗∗(oppido *suppl PyRsLULy*) Ci 576 omnibus exitiis interii Ba 1093 ut ego interii basilice Ep 56 interii si non inuenio..minas As 243 si indicium facio, interii: si taceo, interii* tamen Mi 306 tum pol ego interii* homo si ille abiit Ps 910 si non peream plane interierim* Tru 707 quid istuc ad me attinet quo tu intereas* modo? Ep 76

INTERFICIO - - fuere (homines uolatici): uerum ego **interfeci** Poe 476 salue qui me **interfecisti** paene uita et lumine Tru 518 di deaeque omnes me pessumis exemplis interficiant nisi ego illum annum **interfecero** siti Mo 102-3(*cf* Egli, I. p. 28) ..si in opserendo (mores mali) possunt **interfieri** Tri 532 usus.. harum aedium interemptust **interfectust** .. Mer 833 **interfectis** hostibus non decet tumultuari Poe 524

INTERIBI - - tu interibi adorna ceterum quod opust Ru 1224 interibi hic(*Ac* interiuit *P* interim ut *B²* interim iuit *D²*) miles forte Athenas aduenit Mi 104 interibi attulerint exta Poe 617 interibi(*A ut vid* -im *P*) Epignomum conspicio St 371 tibicen nos interibi (*A ut vid* -ea *CDU* -a *B*) hic delectauerit Ps 573b age tu interibi ab infumo da sauium As 891 interibi(*FZ* inter ibo *P*) ego ex hac statua uerberea uolo erogitare Cap 951 uos lauate interibi Cap 953 istuc cura: interibi(*Ac* curam metibi *P*) ego puerum uolo mittere Per 165 ego interibi hic praestrigiis(*Rs* in. h. tricis tuis *U* interim hic restiti [*B* resti *CD*] tricis *PSt var em ψ*) praesidebo Tru 715

INTERIM - - 1. ego hinc abscessero aps te huc interim (-rū *CD¹*) Mi 200 nec mater lena ad uinum accedat interim As 799 nunc interim si illas attigeris.. Ru 792 sed interim ..cur hic cessat cantharus? St 705 id quo-que interim(† *SL*) futatim(interatim furtim *Ly*) nomen commemorabitur Tru 882 Mi 73(interim *R pro* hic heri) conspicatus sum interim cercurum St 367 sed interim(iterum *J*) fores crepuere Cu 486 nunc interim spatium ei dabo exquirendi Au 806 age tu interim da ..cantharum circum Mo 347 quom interim (tamen *Rs*) tu(in. tu *om R*) meum ingenium.. nondum .. edidicisti Per 174 Ep 47(interim *add RibRg¹ post* mihi) ire hercle meliust te interim(intro iam *R*) Men 329 nunc interim eamus intro Men 1153 ego intus interim.. tuom exornabo uilicum Poe 424 nec quemquam interim istoc.. intro mittam Tru 717 interim nequis quin..indutus sies Men 190 in labore atque in dolore ut mors obrepat interim Ps 686 ego interim hanc aram occupabo Mo 1094 ego interim hic apud uos opperibor Tru 209 hoc ponam interim Men 349 ego interim hic(*PSt* hic in. *TurnLLy* interibi *RsU*) ..praesidebo Tru 715 nunc tu te interim.. hic procuras? Tru 413 tu hic ante aedis interim speculare Mi 1121 huic argumento antelogium hoc fuit (interim *add RsS ex Aus ep.* XVI *om Pψ*) Men 13 interim ille hamum uorat Tru 42

2. **interim** - - **dum**: dum percontor portitores .. conspicatus sum interim St 367(*supra* 1) interim..da mihi suauium dum illic bibit St 764 dum alios seruat se impediuit interim Ru 37 dum quoquetur..interim potabimus Men 214 dum te obtuetur interim(*om CD*) linguam oculi praeciderunt Mi 1271 dum occasio ei rei reperiatur interim .. argentum rogem Tri 757 dum illi aegrotant..interim mores mali.. succreuere Tri 30 dum praedam habere se censeret, interim praeda ipsus esset Ru 1261

3. *corrupta:* Mi 104 interim ut *B²D²*(iuit) *pro* interibi hic St 371, interim *P pro* interibi (*A ut vid*) Tru 738, interim *add P om Bo*

INTERIMO - - illaec **interemit** me modo oratio Mer 607 uitam tuam ego **interimam** Ep 594 interimam(-emam *B¹*) hercle ego te Mo 1168 patierin ut ego me **interimam**? Ep 148 (gladio) me atque te **interimat**(*A* inuitat *P*) Cas 722 accurrite ne se interemat (-imat *BJ*) Ci 644 accurrimus ad Alcesimarchum ne se uita **interemeret**(-remit *E*) Ci 711 **interemere**(-imere *AJ*) ait uelle uitam Cas 659 (*vide RsU*) cultus iam mihi harunc aedium **interemptust**(emtus *BD* -us est *D²* interitus *Non* 449) Mer 833 *Vide* Mi 313, *ubi* interemat est alter *P pro* in terra te alter est

INTERIOR - - 1. interior: salus **interioris** (*PSt* Ut *RglL* interior *BoLy*) hominis (*B* corporis *DEJRglLLy*) amorisque imperator As 656 2. intimus: **intumum**(-i- *PL*) ibi se miles apud lenam facit Mi 108 me fuisse huic fateor summum atque intumum Tru 79 nosque ab signo **intumo**(-imo *PL*) ui deripuit sua Ru 673 traxit ex intumo(-imo *PL*) uentre suspiritum Tru 600

INTERIPLIO - - St 691, interiplio *PSt* Ut *Lt* intripillo *Ly ex A* in tryblio *TurnR* intubulo *Rg dubitanter*

INTERLUO - - **interluere** mare id est ebibere et eluere *Isid Orig* V. 26, 18(Fr II. 87)

INTERMINOR - - eminor, **interminor**que †ne quis mihi obstiterit obuiam CAP 791 uiro .. suo **interminatur**(-etur *vel* -atur *A* etur *L Ly*) uitam (: uitam *ULy om AcU*) CAS 659 mihi tibique **interminatust** nos futuros ulmeos ni .. As 363 interminatus est .. eum cras .. per bitere Ps 776

INTERMITTO - - non tantulum umquam **intermittit** tempus quin .. BA 210 triduom unumst haud **intermissum** hic esse et(es. in. h. *R*) bibi Mo 959

INTERMORIOR - - plerique omnis (mores) iam sunt **intermortui** TRI 29

INTERNECO - - reueniunt domum .. **internecatis** hostibus AM 189

INTERNOSCO - - **internosse** ut uos possitis facilius .. AM 142 .. ut mater sua non internosse posset(p. dignoscere *Serv ad Aen* VIII. 632) MEN 20

INTERNUNTIUS - - egone ut ad te ab libertina esse auderem **internuntius**(-cius *D*)? MI 963 haec celox illiust .. **internuntia**(int. *B* -cia *D*) MI 986 .. siue ipse ambisset seu per **internuntium**(-cium *BD*) AM 71

INTERPELLATIO - - quid tibi **interpellatio** .. est? TRI 709

INTERPELLO - - ilico occucurri atque in**terpello** MER 201 si **interpellas**, ego tacebo MEN 1121 ne **interpella** AM 803

INTERPOLIS - - propter operam illius hirqui **interpolis**(*Rs* improbi *PSt† LULy*) edentuli CAS 550(*Rs*) istae ueteres .. **interpoles**, uetulae, edentulae .. Mo 274

INTERPOLO - - illic homo me **interpolabit** meumque os finget denuo AM 317(*cf* Graupner, p. 15) noua pictura **interpolare** uis opus lepidissimum? Mo 262

INTERPRES - - quasique ego rei sim inter**pres**(*C* in͂t pes *B* in͂tpres *D*) MI 798 Oedipo opust coniectore qui Sphingi interpres fuit POE 444 quasique ea res per me **interpretem** (interpetē *CD*) .. †eiceretur MI 910 condicio noua .. fertur per me interpretem(-aetem *C* in͂t p̃ ter *B* in͂t praetē *D*) MI 952 te praesente isti egi teque interprete(-aete *J*) CU 434 per ceram et linum litterasque interpretes(-is *B* -aetes *A*) salutem inpertit Ps 42

INTERPRETOR - - ego huius uerba inter**pretor** BA 597 dicta huius interpretor CI 316 peruorse interpretaris(-prae. *A* -p̃taris *P*) TRU 143 tuae memoriae **interpretari** me aequom censes EP 552 has (litteras) .. credo .. interpretari(-prae. *A*) alium posse neminem Ps 26

INTERPRIMO - - sacerdoti scelestus faucis **interpresserit** RU 655

INTERROGO - - I. Forma interrogo AM 438, CI 577(obsecrans *Rs* †S̷), MER 185 (*PLy* rogo *Bentψ*), TRU 650 in**terrogas** AM 753, MEN 786, 917(rogas *omisso* me *BoRU*) **interrogat** CU 340 **interrogauit** EP 250 **interrogem** POE 730 **interro**ᵹare AU 161, Mo 990(*U de A dubitans*) *Vide* POE 707, *post quem sequitur v.* 730 *in A suo loco recurrens* Ps 6, interrogandi *Non* 501 *pro* rogandi

II. Significatio 1. *cum acc. personae vel rei vel amborum:* id me interrogas AM 753 num

non uis me interrogare te? AU 161 men interrogas? MEN 786 hoc quod te interrogo* responde MER 185 (Mo 990, est quod te interrogare uolo *confinxit U*)

2. *seq.* **a.** *oratio recta:* quis ego sum .. ? te interrogo AM 438 ego continuo anum(*om AcL ULy*) interrogo* 'ubi habitat?' inquam CI 577 ibi illa interrogauit illam 'qui scis? EP 250

b. *interr. obliqua:* ibi me interrogat ecquem .. nouerim CU 340 quin tu me interrogas* purpureum panem .. soleam ego esse MEN 917 censen hominem interrogem .. ad eum ueneritne? POE 730 interrogo quid eum uelit TRU 650

INTERRUMPO - - pontem **interrumpit** qui erat ei in itinere CAS 66 sermonem uereor in**terrumpere** TRI 1149

INTERSTRINGO - - illi socienno tuo iam **interstringam**(*duo voc. BDE*) gulam AU 659

INTERSUM - - triduom non **interest** aetatis ut maior siet BA 461 pluma haud interest patronus an cliens †probrior siet Mo 407(*loc perdub*) quid secus est aut quid interest(a q. i. *secl Rs*) dare te in manus argentum amanti? TRI 130 dum pereas nihil **intererit:** dicant (*L* interdico aiant *FlRsS̷Ly* interdo aiant *U* interdico dicant *P*) uiuere CAP 694

INTERTRAHO - - ego illi puteo .. animam omnem in**tertrax**ero AM 673

INTERTURBO - - ne **interturba!** BA 733

INTERVALLUM - - sed mihi **interuallum** iam hos dies multos fuit MEN 104, RU 137(nunc *pro* sed mihi)

INTERVELLO - - ego homo infelix fui qui non alas **interuelli** (uoci) AM 326

INTERVENIO - - **interuenit** lucripeta .. faenerator Mo *Arg* 5 irae **interueniunt**, redeunt rursum in gratiam AM 940 ne **interueneris**, quaeso, dum resipiscit MI 1333 *Cf* Feyerabend, p. 84

INTERVENTUS - - proelium id tandem diremit nox **interuentu** suo AM 255

INTERVERTO - - non hercle istoc me inter**uortes** RU 1400 uenientem caculam inter**uortit**(-uertit *B ante corr*) symbolo .. Pseudolus Ps *Arg* I. 4 unde sumam (argentum)? quem **interuortam**(-tiam *E*)? As 258 istuc ago quo modo argento interuortam .. Sauream As 359 me (*om LambR* †S̷Ly) **interuortant**(*FlRgLU* -uer- *L* circumuortant *PS̷t Ly†*) Ps 541 .. ut me si posset muliere **interuorteret** Ps 900 *Cf* Ramsay, *Excurs ad Most* XVI. 6

INTERVIAS - - egomet mecum cogitare interuias(*duo voc. RgU*) occepi AU 379 ne interuias(*duo voc. S̷U* -uiis *A v. om Brachmann Rgl*) praeterbitamus metuo POE 1162 *Cf* Jordan, *Beitr.* p. 271

INTERVISO - - nunc **interuiso** iamne a portu aduenerit ST 456 **interuisam** domum AU 202, ST 147 ego interuisam quid faciant coqui AU 363 uolo **interuisi** ST 154 *Vide* MER 555 b, *ubi* interuisam *R pro* inuisam

INTESTABILIS - - semper curato ne sis in**testabilis** CU 30 .. ut uiuam semper intestabilis MI 1417 *Cf* Romeijn, p. 34

INTESTATUS - - **intestatus** uiuito CU 622 (v. *secl GuyRgU*) si intestatus non abeo hinc bene agitur pro noxia MI 1416 hocine pacto

indemnatum atque **intestatum**(*active*) me abripi! Cu 695   *Cf* Hofmann, p. 15   *Vide* Ps
71, *ubi* intestauit ibi est *P pro* in test aut ti-
bist(*A*)

INTESTINA - - 1. *nom.*: mihi ieiunitate iam
dudum **intestina** murmurant Cas 803(*cf* Inowraclawer, p. 24)   intestina exputescunt tibi
Cu 242   enumquam intestina tibi crepant?
Men 925

2. *acc.*: condiunt .. strigibus uiuis conuiuis
intestina quae exedint Ps 821

3. *abl.*: uenire poteris **intestinis** uilius Cu
244   uendidi .. sine ornamentis cum intestinis
(tes. *B*) omnibus Ps 343

INTINGUO - - buccas rubrica, creta omne
corpus **intinxti**(*Scal* -xit *B* inteai *A*) tibi Tru
294

INTOLERABILIS - - haec sunt .. in magnis
dotibus incommoditates sumptusque **intolera-
biles**(-ll- *D*) Au 533

INTOLERANDUS - - te omnes .. commemorant spurcificum, inmanem, **intolerandum**(-dam
B), uesanum Tri 826   *Cf* Herkenrath, p. 41

INTORQUEO - - inuoluolum quae in pampini folio **intorta** inplicat se, itidem haec exorditur sibi **intortam** orationem Ci 729-30

INTRA - - *semper praepositio, nisi fortasse*
Mer 194, *ubi* intra uisus est *U* in naui super
PSt var em ψ

1. *de loco:* errat intra muros ciuicos Ba 4(*ex
Char* 201)   scit .. futurum quod amat intra
praesepis suas Cas 57   ad meum erum arbitrum uocat me hic intra(*iterat Non* 218) praesepis meas Ru 1038   si ego intra aedis huius
umquam .. penetraui pedem .. Men 816   non
placet qui amicos intra dentes conclusos habet
Tri 909   obsorbent quicquid uenit intra(*D¹*
infra *BCD²*) pessulos Tru 351

hanc ego tetulero intra limen Ci 650   periisti si intrassis intra limen Men 416   cohibete
intra limen etiam uos parumper Mi 596   ilico
intra limen isti astate Mo 1064   neque huc
umquam .. intra portam penetraui pedem Men
400   ubi eam uidit? #Intus intra nauem Mer
187   ea .. intra pectus se penetrauit potio
Tru 44

2. *de tempore*(*cf* Kane, p. 74; Leers, p. 39):
Persas .. subegit solus intra(*E* interea *P*) uiginti dies Cu 448   intra(*BueRs* inter *Pψ*) tot
dies .. iam aliquid actum oportuit Tru 510

3. *corruptum:* Mi 1385, intra *B pro* intro

INTRICO - - **intricatum**(-chatum *BD* inthri-
chatū *C*) ludit potans Dordalum Per *Arg* I. 5
ego lenonem .. hodie intricatum dabo Per 457

INTRO(*verbum*) - - periisti si intrassis intra
limen Men 416   *Cf* Jordan, *Beiträge* p. 299
Vide Ci 330, *ubi* intrabo *Ly* intro abeo *Boψ
ex Nonio*   Mo 422, *ubi* intraret *LangenU pro*
intro iret

INTRO(*adv.*) - - I. **Forma** *bis*(Tru 97, 210)
Rs intero *pro* intro *scribit metri causa   Vide*
Ci 330, *ubi* intrabo *Ly* intro abeo *Boψ ex Nonio;* Mo 422, *ubi* intrarit *LangenU pro* intro iret
ubi intro *antecedit verbum nullo intervallo,
multi editores ambo vocabula arte coniungunt
per unum voc. scribentes, sed non inter se consentiunt hoc facientes*

corrupta: Mi 745, intro duxi *BD* introuxi
C pro instruxi(*A*)   Poe 922, intro *A pro* intus
Ps 160, intro *C pro* utor

II. **Collocatio** *nonnumquam antecedit vel
sequitur nullo intervallo, sed plerumque nonnullis vocabulis intercedentibus vel antecedit vel
sequitur*

III. **Significatio** cur non intro eo in nostram domum? Am 409   intro eo(eo i. *BriRg*)
atque exeo Ep 650   intro(*om R*) eo igitur Mo
847   quin intro is? Mi 1387   quin tu intro is?
Per 672(*A ut vid* is i. *PLULy*)   quin intro
imus huc? Mo 469(*R* quin eloquere *PSt var
em ψ*)   huc intro ibo Per 77   intro ibo Poe
929   hinc intro ibo Ru 1263   quid eo intro
ibis(*unum voc Ly*)? Ba 907   domum numquam
intro ibis(*unum voc. SLLy*) Men 662   si illo
intro ieris(*unum voc. SLy*) .. Mer 570   ✶✶intro
ad uxorem eam(*Sey* i. e. a. u. meam *Rs* i. a. u.
meam *ALLy aliter P*) Cas 949   intro quin
eam Ci 117   .. ut illo intro eam Mer 567   itane
uero? .. intro eas? Mer 567   intro(intra *B*)
te ut eas obsecrat Mi 1385   ne intro eat Mo
390   intro eamus As 941(*Rgl* immo intus *PS¹
ULy* immo intro *FlL* immo i tu *SpechtS²*)
ne intro iret(intraret *LangenU*) ad se Mo 422
qui non extemplo intro ieris(*Bri* ire si *P*) Tru
666   quid intro(introd *R*) ierit(*unum voc. LLy*)
Tri 10   propere .. intro ite Cas 744   intro ire
in aedis numquam licitumst Am 617   non opus
est .. nunc intro te ire Mer 917   ne ille .. uereatur intro ire(*unum voc. Ly*) in alienam domum Mi 1168   quo intro ire metuas Tru 353
uoto intro ire in aedis Tru 642   tempus non
est intro eundi Mer 916   te huc .. intro ituram Mi 454   isto me intro ituram Mi 455

eo intro Mi 1248   ego eo intro Ru 403   eo
ego intro igitur Mi 812   eo ego igitur intro
ad officium meum Tri 819   intro ego hinc eo
Am 1039   quin tu is intro? Ep 303, Mo 815
quin .. is intro? Men 382   ibo intro Am 1007,
Au 278, 659(*Non* 172 hinc i. *P*), 700(hinc i.
BriRg), 802, Cap 192, Cas 511, 557, Ep 164
(*AStULy* i abi i. *PL* ibo *R.MueRg*), 319, Men
331, Mi 595, Poe 920, St 87   nunc ibo intro
Ps 903, 1245   ibo intro igitur Mo 849   ibo
igitur intro Mi 1121, Tru 206   sed ego ibo
intro St 567   ibo ad uxorem intro Am 1145
ibo intro ad libros St 400   nunc ibo intro ad
hanc meretricem Men 1048   ibo hinc intro Au
620, Mi 1376(*add* nunciam)   huc .. haud ibis
intro Ps 654   quin eam intro(i. e. *R*) Mi 1250
ut eam intro Ru 399   uin eam intro(*Rs* sine
e. i. *Ly* sine amitto i. *PSt var em ψ*) Tru 751
quis eat intro Tru 708   eamus intro Cap 1027,
Men 387, 431, 1154, Mer 1005, 1015, Mi 1427,
Tri 1078   eamus intro omnes Ru 1182(i. e.
ReizLy)   age eamus intro Poe 491, 717   nunc
.. eamus intro Men 422   eamus nunc intro Cu
365   eamus intro huc ad te Ep 157   eamus
nos quoque intro Cas 422   eamus hinc intro
Ba 105(i. e. h. *RU*)   nunc hinc eamus intro
(inro *B*) Poe 502   i intro Au 800, Mo 807, St
396, Tru 176, 197, 329, 696(lintro *P*), 958
i mecum .. (intro *add PalmerU*) Mo 1037   i intro
(lintro *P*) nunciam Tri 3   i intro .. ad cenam
Per 849   ei hac intro mecum .. ad fratrem

meum Au 694   i hac mecum intro Ba 1175, 1181,
1185(in)   i sane in Veneris fanum huc intro
Ru 386   i, obsecro, intro Ru 657   i in crucem.
#Immo intro(FlL intus PŠ†ULy i. eamus Rgl)
As 941   ite intro cito As 745   ite intro accubitum Ba 1203   uos ite intro Cap 951   ite intro
Ep 158   ite igitur intro Poe 1356   ite sane
nunc intro(nunciam L) omnes Au 451   ire intro
audacter licet Mo 852   sine me ire intro Tru
751(U vide sub eam supra)   sine me .. ire huc
intro ad filium Ba 906   propera ire intro huc
(i. h. om J) ad adfinem tuom Ci 779   te ire..
meliust intro iam(R interim Pψ) Men 329   Cf
Feyerabend, p. 60
   **intro abeo(Bo .ex Non intrabo Ly) Ci 330
postquam intro abii.. Ci 683   intro(intero Rs)
abiit(A abit Kiesψ ex P) Tru 210   intro abiit
oratum Mi 1145   hinc intro abeam Men 603,
Ru 1189   intro ut abeas Mi 259   priusquam
(hinc intro add R) abeamus Men 1016(R)   intro
hinc abeamus nunciam St 774   intro abi As
543, Cas 214, 295, 419, 421, Ci 591, 770, Ep
601, Ps 890   intro abi nunc Am 545(i. ins Rgl)
huc intro abi ad nos Au 334   tu intro abi Cap
452   intro abi ergo Mi 255   intro abi et tu
Mo 397   intro abite Au 455(om D), Mer 677
(Rg pro abi tu intro), Ps 168   age igitur intro
abite Mi 928   agite intro abite Poe 604
   abeo intro Cas 142, Ep 665   abiit intro Ci
528, Men 698, Tru 758(hinc add Rs)   intro
edepol(me in ultus E) abiit Am 1045   iamne
abiit intro(intro abiit Ly)? Men 550   illic hinc
abiit intro huc Per 200   huc quae abiit intro
dicam Tri 7   .. ubi intro haec abierit Mi 1176
abeam iam intro(ituro J) Am 970   abeamus
intro Ci 772, Poe 194   nunc .. abeamus intro
St 147   abeamus intro hinc ad me Ep 379
abeamus ergo intro Mi 944   abi intro Au
89, 103, Ba 227(abintro C), Ci 119, Ep 164(PL
vide supra ibo), 655, Mi 394, Mo 411 b(v. secl
Acω =) 425(hinc add PRU), Ps 161(abintro B),
Ru 1254   nunc tu abi intro .. ad Bacchidem
Ba 714   abi modo intro Ep 604, 714   abi intro
tute Mi 302   abi intro ad uos domum Mi 535
abi, abi intro(ab lintro CD¹) iam Mi 857   sed
abi intro Mi 1129   abi intro(om SchmidtRs) in
crucem Per 855   abi intro ad me St 533   abi
intro ad nos Au 328(LLy in lac)   abi intro illuc
Au 329   abi tu intro(intro abite Rg) Mer 677
ab hinc intro Mer 930   abi tu hinc intro Mo
294   abite intro Cas 832   uos abite hinc intro
Mi 1196   uos modo hinc abite intro Mo 391
   me intro abducas Ba 1177   me ad te intro
abducas Ba 1178   abducite hunc intro Ba 823
tu istanc intro iube sis(BriRg hanc lubens
intro P var em ψ)   abduci Ep 398   abduc intro Poe 720(PLULy duc me intro Rgl ex A)
abduce intro Poe 1173   tu abduc hosce intro
Poe 1147   age abduc(e) hasce intro St 418, 435
   abripite hunc intro Mo 385
   abscedam hinc intro Poe 805
   intro accipitur Tru 750
   amicam adduxit intro in aedis Mer 813
   intro aduenerunt Tru 102   ego intro aduenero Per 86, Ru 1206(om ego)
   manus attulerit sterilis intro(intero Rs) ad
nos Tru 97

intro(add Rs solus) adgerunda .. est aqua
Ru 484
   mecum huc intro ambulas Mer 942
   †sine amitto intro Tru 751(P var em ω)
   agite amolimini hinc uos intro nunciam Ps 557
   iubeas .. haec hinc(om PL) intro auferrier
Mer 801   intro hinc auferam Ba 571   iube
auferri intro (ad me add Rs) Tru 583   auferto
intro Tru 914
   cogantur quidem intro Ba 1133(imro D¹)
   concedite hinc uos intro Tru 386   concedere
.. hinc mihi intro(AD² inro P) lubet Ps 571
   argentum intro condidi Ps 354   ego uidulum
intro condam in arcam Vi 59   condidi intro
quod dedisti Tru 920
   ego intro huc .. propero currere Au 393(v.
secl ŠUL)   curre intro(D introm C intr ē B)
Mi 1332
   intro hanc .. nuptam deduxi .. Cas 881
   intro deuortor domum St 534
   quin intro ducis me ad eam Mer 915   nunc
si eo ted intro ducam . Mer 927   intro duxi-
stis(unum voc. ω) fidicinam Ep 473   †etiam intro
duce(unum voc. U) .. uel gregem Au 452   has
nunciam duc intro Mi 930   duc hos intro Am
854   duc istos intro Am 362   duce istam intro
mulierem Ep 399   duc me intro Poe 720(Rgl)
me intro .. ducite Tru 631   .. intro(om Rg) ad
uxorem ducturum meam Mer 244
   huc in hanc urbem pedem .. numquam intro
tetulit Men 381   neque .. huc intro tetuli pedem Men 630   in hasce aedis pedem nemo intro tetulit Mo 471   (urna) intro(Lamb inpro P)
ferendast Ru 483   huc .. pedem intro non feres
Men 692   hunc .. fer intro uidulum Ru 1177
   fugiam intro Au 405
   possumus nos bosce intro(om C) inlicere huc
Ba 1151
   intro inspice Ba 723
   huc intro(om R) ad me inuisam domum Mer
555 b(v. om AULy)
   mittin me intro? Tru 756   huc autem nemo
intro mittit(unum voc. ω) Men 964   ad se omnis intro mittit(unum voc. RsŠLLy) Tru 944
nec quemquam .. istoc ad uos .. intro mittam
(m. i. SpU) Tru 718   ad noctem .. intro mit-
tar(unum voc. ω) domum Men 965   mihi intro
misti(unum voc. RgŠU) in aedis .. cocos Au 553
alium hominem intromittat neminem As 756
quo intro mittar(unum voc. ω) .. locum Men
669   non ego nunc intro ad uos mittar? Tru
732   ne intro mittatur(unum voc. RgŠU) cauet
Au 101   caue quemquam alienum in aedis
intro miseris(unum voc. RgŠU) Au 90   ne intro
miseris(unum voc. RgŠU) Au 100   mitte intro
Tru 751(L)   nolo .. oblatricem in aedis intro
mittere Mi 681   in aedis meas .. neminem uolo
intro mitti(unum voc. RgŠU) Au 99   eum uolo
intro mitti(unum voc. ω) Men 424   ego intro
mitti(unum voc. RsŠUL) uotuero Per 568   quid
si me iubeat intro mittier? Tru 766   es intro
missus Tru 733
   persequar iam illum intro Ci 651
   intro redii Au 208   .. si intro rediero Mer
557   redeo intro Ci 704   redi nunciam intro
Au 81   redi modo huc intro Cas 998   redire
me intro ut liceat Cas 706

meum intro refero(ire fero *B*) pedem MER 1010

remeabo intro Ep 662

iam ego reuortar intro CAP 251 reuortamur intro BA 1140a

quid me intro reuocas? RU 1299

intro rumpam(*unum voc. 𝔖*) in aedis AM 1048 intro rumpam recta in aedis MI 460 intro rumpam iam huc in Veneris fanum RU 570

sequere intro As 809, MEN 676, POE 1366, TRU 687 quin sequere me intro POE 720(𝔖 *ex v.* 706a ergo *Pψ*) tu sequere me intro POE 808 sequere hac igitur me intro in pyelum BA 108 sequere hac .. me intro CAP 953 sequere me hac intro Cu 370 sequere tu intro Ep 305 quin sequere ergo intro Ps 1016 sequere ergo hac me intro ST 669 sequere tu hac me intro TRI 1109 sequimini intro RU 1418

per inpluuium intro spectant MI 159 quid intro spectant(*unum voc. Rs𝔖*)? Mo 936

intro hunc subsequar Au 805

Aristophontes hic qui intro uenit modo(*Ca* u. m. i. *PL†U* m. q. u. i. *Ly*) CAP 527 quin uenis .. intro? AM 972

uise intro Ep 712 uise intro(*CaU* uise *P* i ueisse *Aψ*) RU 567 uise ad me intro MI 520

2. *additur vel adv. vel praep :* a. *adv :* hinc AM 1039, Au 620, 700(*add BriRg*), BA 105, 571, MEN 603, MER 801(*RULy*), 930, MI 1196, Mo 294, 391, 425(*PRU*), PER 200, POE 805, Ps 557, 571, RU 1189, 1263, ST 774, TRU 386, 758(*Rs*) huc Au 334, 393, 452(*Ca*), BA 906, 1151, CAP 953, CAS 998, Ci 779, Ep 157, 379, MEN 381, 630, 964, MER 555b, 942, MI 454, PER 77, 200, Ps 654, RU 386 hac Au 694, BA 108, 1175, 1181, 1185, ST 669 illuc Au 329 illo MER 570 eo BA 907, MER 927 isto(c) MI 455, TRU 718 quo MEN 669

b. ad: me Ep 379, MER 244, 555b, MI 520, ST 533, TRU 583(*Rs*) te BA 1178, Ep 157 se As 756(*add PyRgl*), Mo 422 nos Au 328(*LLy in lac*), 334, TRU 97 uos MI 535, TRU 732 eam MER 915 adfinem Ci 779 Bacchidem BA 714 filium BA 906 hanc meretricem MEN 1048 uxorem AM 1145,· MER 244 libros ST 400 cenam PER 849 officium meum TRI 818

in: aedis AM 617, 1048, Au 90, 98, 553, MER 813, MI 460, 681, TRU 642 hasce aedis Mo 471 nostram domum AM 409 alienam domum MI 1168 hanc urbem MEN 381 Veneris fanum RU 386 arcam VI 59 crucem PER 855

domum(*sine praep.*): MEN 662, MER 244, 555b, MI 535, ST 534

INTRODUCO, -EO, -MITTO, -RUMPO, -SPECTO - - *vide sub* intro *et variis verbis*

INTUBULUM - - ST 691, intubulo *Rg* dubitanter interiplio *P𝔖†U* intripillo *Ly†* ex *A* in tryblio *Turn* tryblio *R* Cf Ryhiner, p. 35

INTUEOR - - timeo ubi oculis intueor mare RU 449 nullam .. illic cornicem intuor(*A* -ueor *B* -ues *CD*) Mo 836 uiden tu hunc quam inimico uoltu intuitur(*Bent* -etur *PL*)? CAP 557 me intuetur(*CD* -itur *GuyRsU* tuetur *B*) TRU 599 uiden limulis .. ut intuentur(*BD²* -ent *CD¹* cont. *BoRRg*)? BA 1130 ubi uoltum aegre intuebar(*Rs* uoltus ** sur *** CAP 912b se eumpse intueri(*BoU* se ipsum in. *FZ* sumpsit

seniteri *P𝔖†* sumpse. enitere *BergkRsLLy*) oportet TRU 159 *corruptum:* RU 1384, intueor *CD* inteor *B pro* fateor

INTUNDO - - miserum sua blanditia **intudit** (*Rs* intulit *Pψ*) in pauperiem TRU 573

INTUS - - *de correptione cf* Enger, p. 11 A. = *in aedibus:* 1. se aulam .. abstrusisse hic intus in fano Fide Au 617 ego intus .. uolo accurare CAS 587 perspicito .. quid intus agatur CAS 756 spectato .. intus quid agant CAS 871 quid intus agitur? CAS 896 lenonem quid agit intus uisam RU 592 sinito ambulare si foris si intus uolent CAP 114 intus clamorem audio MI 1393 hic senex iam clamat intus Au 37 filiam tuam iam cognosces intus: ibidem (*LLy* : in. ib. *ψ*) uxor tuast Ci 780 intus conficient negotium Ci 783 intus hic cum illa cubat AM 112 tu intus cura CAP 894 curate isti intus PER 405 quid tu intus .. desedisti? Ps 1044 tu intus dicito .. Bacchidi BA 227 oblitus intus dudum tibi sum dicere TRI 1137 intus bolos quos dat! TRU 724 an dormit Sceledrus intus? MI 822 oblitus sum intus .. edicere PER 722 haec intus edocebo Ep 663 uide intus .. ut tuom (officium) item efficias TRU 711 thensaurum effodiebam intus TRI 1100 uascula intus .. elue Au 270 malum .. hic modo intus apud nos .. exordiri coepit CAS 650 ego intus .. exornabo uilicum POE 424 ego hic med intus expleui Cu 386 eam rem nunc exquirit intus MER 926 filii uos exspectant BA 1204 ego rem diuinam intus faciam AM 966 neque te tui intus puditumest factis quae facis? BA 379 paululum praedae intus feci POE 803 iniuria facta(orta *TurnLy*) in nos est modo hic intus RU 670 omnes festinant intus totis aedibus CAS 763 intus alii festinant CAS 792 hic intus fiunt ludi CAS 761 quod solet fieri hic intus(*A om cum lac P*) Mo 723 iam intus uentris fumant focula PER 104 intus suo animo morem gerit AM 131 gladium Casinam intus habere ait CAS 751 ob rem publicam hoc intus(†𝔖) mihi quod insigne habeo .. Cu 399(*translate*) intus natus nemo in aedibus habitet Mo 402 ea intus — #Quid intus ..? #Imitatur malarum .. disciplinam CAS 656 latuit intus illic in illac hirnea AM 432 intus non licitumst mihi (loqui) As 152 perge ut lubet ludere intus(*Rs duce Dousa* ludin istos *P𝔖† var em ψ*) TRU 718 intus illa te .. manet CAS 542 (consilium) intus meditati sumus MI 612 intus caue muttire quemquam siueris Mo 401 opera haec(intus *add R*) tibi narrauero Mo 1039 (*R*) intus narrabo tibi et hoc et alia TRI 1101 mihi iam intus .. onerabo gulam ST 639 orta est RU 670(*supra sub* facta) inspectauit .. intus apud nos Philocomasium .. osculantis MI 175 arguo eam me uidisse osculantem hic intus MI 338 quemque hic intus uidero .. osculantem MI 460 intus para MEN 352 paraui hic intus magnas machinas MI 138 et intus paueo et foris formido Ci 688 meus med intus gallus .. perdidit Au 465 cetera intus .. percontabor TRI 1077 signum in fano hic intus Veneris (prodest) RU 689 nam intus potate hau .. minus Mo 394(namentus *C* nāmertus *D*) te tui intus puditumst factis quae facis BA 379

hic intus reliqui (palliolum) Cas 934　cellas
refregit omnis intus Cap 918　quid..intus remorantur remeligines? Cas 804　intus serua
Au 81　ego ıntus seruem? Au 82　seruate istum
..intus Cap 456　intus subducam ratiunculam
Cap 192　ille nunc intus turbat Au 656　..quae
ego intus turbaui Cas 880　umbra mea hic
intus uapulat Per 298　mira..intus uidi Cas
626　intus intra nauem (eam uidit) Mer 187
ego te hic intus(hicinus B^1) uidi Mɪ 379　lenonem quid agit intus uisam Ru 592

pater intus nunc est eccum Iuppiter Am 120
ecquis alius Sosia intust? Am 856　minor hic est
intus As 329　sist intus euocato huc As 383
nihilo mage intus est As 394　negat esse intus
As 452　iam dudumst intus As 741　perspexi
salua esse intus omnia Au 80　strepitust intus Au 389　quis hic intus alter erat? Au 655
quom haec intus($PS\dagger Ly\dagger$ om BRg qui emit L)
intus(q. erus in conuentu U) sit Ba 140　intus
hic est Cap 1017　quid intus tumulti fuit?
Cas 649　ego iam intus ero Cas 746　quod futurumst intus id memorabimus Cas 1012　intus
ibidem uxor tuast Cɪ 780(supra sub cognosces)
neque tibist ulla mora intus Men 366(vide Rs
LLy) nescioquaest mulier intus(inthus B) hic
in aedibus Mer 684　quoia illa mulier intust?
Mer 719　etiam nunc mulier intust? Mer 816
hic est intus filius apud nos tuos Mer 1008
intus hic in proxumost Mɪ 301　hic usque
fuerit intus Mɪ 406　hic nunc intus est in
aedibus Mɪ 483　uide sitne istaec uostra intus
Mɪ 536　tam intus fuisse te..diu.. Mɪ 1201
non est intus Mɪ 1255　..sentiat si intus sit
Mɪ 1256　ecquis intust(L ist $PLy\dagger$ var em ψ)?
Mo 445　nemo intus est(instust B^1) Mo 988
sunt tibi intus aurei..nummi? Poe 165　sunt
mihi intus(om A) nescioquot nummi Poe 345
$\dagger$id omne intus est(o. non tuomst BentL) Poe
538　ero..intus(intro A) ero odio Poe 922
neque intus nummus ullus est Ps 81　si intus
esset euocarem Ps 640　quasi non sit intus Ru
340　meas oportet intus esse hic mulieres Ru
568　mulieres..intus hic sunt Ru 642　estne
intus nunc Phronesium? #Tibi quidem intust
Tru 189　Tru 557(ni intus ins SeyU) ecquis
intust(LULy inulla est)? Tru 663(vide Rs)　i in
crucem. #Immo intus potius—(Ly qui citat
Quint I. 5, 50 intro FlL aliter Rg $\dagger S$) As 941
2. nemo horum (intus add RRgl) familiarium
uidere poterit Am 146　..salua esse intus omnia
Au 80(i. e. omnia quae intus sunt?)

3. duas ergo hic intus eccas Bacchidas Ba
568　eccum hic captiuom..intus(Rs om PULy)
Aleum Cap 169　intus eccum fratrem Cap 1015
Philocomasium eccam intus Mɪ 545　eccam
hic intus Daedalis Ru 1174

B. = ex aedibus: seruos arcessit intus Ba
796　argentum iubebo iam intus ecferri foras
Ba 95　Philippos iam intus ecferam Ba 1050
ecfer mihi machaeram huc intus Mɪ 459　ecferte huc intus omnia Mɪ 1338　clauem..iube
efferri intus Mo 405　abs te sum egressus intus Ep 380　egredimur intus Per 301　ipse egreditur intus(Ac penitus AP) Ps 132　euocate
intus Cylindrum..foras Men 218　euoca aliquem intus Mo 675　intus euocabo aliquem

foras Ps 604　aliquem euocem hinc intus Ps
1121　Philaenium..intus exit As 585　eccum
exit foras Chalinus intus Cas 351　eximus intus Cas 855　ille exierit intus istinc..Mɪ 1169
illum hinc($PRgS$ huc Luchsψ) sat scio iam
exiturum esse intus Mɪ 1197　ecquis intus exit?
Tru 255　fer huc uerbenam intus(Bue mihi tus
PU mi intus LLy) Tru 480　aurum mihi intus harpagatumst Au 201　aliquis intus prodeat Cɪ 639　quin tu fidicinam produci intus
iubes? Ep 477　intus pateram proferto foras
Am 770　Simo progreditur intus(A ipsus PRU)
Mo 687　me huc prolicit (intus add Rg) Cu 97
ego iam intus(A inultus BCR -tiis D) promam..minas Ps 1241　uxori intus pallam surrupui Men 130

C. additur praep. vel adv.: 1. a. in aedibus
Mer 684, Mɪ 483, Mo 402　in fano Fide Au
617　in fano Veneris Ru 689　in proxumo Mɪ
301　in illac hirnea Am 432　intra nauem Mer
187　apud me Men 366(Rs)　apud nos Cas 650,
Mer 1008, Mɪ 175　praep. omissa: totis aedibus
Cas 763

b. hic Am 112, As 329, Au 617, 655, Ba 568,
Cap 169, 1017, Cas 650, 761, 934, Cu 386, Mer
684, Mɪ 138, 301, 338, 379, 406, 460, 483, Mo
723, Ru 568, 642, 670, 689, 1174　illic Am 432
isti Per 405　illic Am 432　ibidem Cɪ 780

2. a. abs te Ep 380
b. huc Cu 97(Rg), Mɪ 459, 1197(LuchsRLU
Ly), 1338, Mo 675(add RRs), Ps 1121(RRgU),
Tru 480(Rs)　hinc Mɪ 1197, Ps 1121　istinc
Mɪ 1169　foras Am 770, Ba 95, Cas 351, Men
218, Mo 687, Ps 604

D. corrupta: Ba 140, intus CDS$\dagger Ly\dagger$ om $B\psi$
qui emit L　Cas 871, intus add VEJ falso
Mɪ 1314, qui intus B pro quin tu　Poe 1336,
1360, Tru 840 bis, intus P pro in ius Tri 454,
sat intus P pro satin tu's Tru 319, intum CD
intu B var em ω

INVADO - - recta porta **inuadam**..in oppidum antiquom et uetus Ba 711　eum morbus
inuasit grauis As 55　hic nimium morbus mores inuasit bonos Tri 28　lassitudine **inuaserunt** in genua flemina Ep 670　equites iubet
dextera **inuadere**(SalmRgl) inducere $P\psi$) Am
243　in oculos **inuadi** optumumst As 908　Cf
Ulrich de verb. comp. p. 25

INVALESCO - - Mo 449, usque inualuisti P
pro usquin ualuisti(ex gloss Pl)

INVEHO - - pergin tu autem? $\dagger$hia(CD huc
B heia ZRRgLLy autem in me U) superbe
inuehere(-hier? U) Mer 998

INVENDIBILIS - - **inuendibili** merci(A -le
mers P[merce CD]) oportet ultro emptorem
adducere Poe 341

INVENIO - . I. Forma **inuenio** Am 1010,
1014, As 243, 287, Cas 972(uerum i. U permutaui $A\psi$), Ep 606, Mɪ 266, 1375(Pius inuento
P), Ps 45, 80(inueno B), Ru 225, Tru 419(BRs
SLy -iam CDLU)　**inucnis** Men 1093(-ntus D)
inuenit Au Arg I. 3, 14, Cap 461, 462, Mer Arg
I. 8(repperit RRs), Poe 107, St 522, Tru 494
inueniunt Ba 546, Ep 229　**inuenitur** Poe 302,
Ru 687　**inueniam** Ep 603, Mo 1089(RL si
ueniam PS$\dagger U$ var em ψ), Ps 405, Tru 419(CD
LU -io $B\psi$)　**inuenies** Am 286(-iens J), Au

758, Cap 639, 644, Mer 584, Mi 659, St 109 **inueniet** Ru 27 **inueniemus** Ep 291 **inue- nietis** Ps 724 **inuenietur** Mer 493 **inueni** As 313(*BD* -io *EJ v. secl US*), Ci 759, Ep 455 (i. nam *R.Mue* inueniam *P*), 717(i. et *B²E³J* -niet *B¹E¹*), Mer 358, Per 81, Ru 1001, 1192, 1196(*v. secl LangenRsS*), 1363, 1411, Tri 764 **inuenisti** Au 654, Ba 200, Poe 1·12 **inuenit** Ep 732, Ru 965, 1270, 1395 **inuenimus** Mo 477, Poe 236 **inuenero** Cas 781(cenam in. *Rs* cenauero *Pψ*), Mo 689(*A* enuenero *B¹C* enuero *D¹*) **inueneris** Ru 766, Tri 760 **inueniam** Au 620, Cu 586, Ru 228(ueniam *D¹*), St 449 **inuenias** Tri 1052(-ioas *B*) **inueniat** Au 609, Tri 663, Tru 473, 849 **inueniatis** Cu 467(-at *Rg*) **inueniant** Mer 664, Ru 874 **inueniantur** Poe 1171 **inuenires** Ba 562, Mer 636, Ps 286 **inueniret** Ba 390 **inueneris** Ba 840 **inuene- rit** Au 610, Cas 201(-nit *E*), Ru 1312 **inue- nisses** Men 239 **inuenisset** Mer 57(*B* -isse *C* -ise *D*) **inuenissemus** Men 241 **inueni** Cap 441 **inuenito** Men 695 **inuenire** Cap 101, Ci 186, Cu 328, Mer 253, Mo 227, Ps 773, 851, Vi 60 **inuenisse** Au 816. Ba 391, Ep 717, Mer 254 **inueniri** Cap 582(*Ca* -re *P*), Mi 686(-re *B²R*) **inuenturum** Ba 856(uenturum *D*), Men 11υ2(*Lamb* -ros *P*), Ps 105 **inuentus** Ba 950, Cap 569, Cas 449, Men 187, Ps 631(inue. *B* iu *C*), Ru 964(*Ac* -um *CD* -ũ *B*), 977(*B²C* -um *D* -ũ *B¹*) **inuenta** Ba 19ı, 192, Ep 716, Ru 1364 **inuentum**(*masc.*) Cap 441(† *S* -tu *Rs*), Men 1134, Ps 371, Tri 456, Tru 857 **inuentam** Ci 775 (-tã *J*) **inuentum** Ps 569(*om DousaR*) **in- uentã** As 312(*v. secl US*), Ba 367, Ep *Arg* 8 **inuento** Ba 219, Ps 50 **inuenta**(*nom. neut.*) Tru 774(*Ac* -ia *B* -iam *CD*) **inuentis**(*abl.*) Ps 732 **inueniundo** As 252 **inuentu** Cap 441(*Rs* -tum *Pψ* †*S*), Tri 679 *corrupta*: As 728, inue- nuendo *Serv ad Aen* XI. 361 *pro* reperiundo Ep 535, inuenit *P pro* uenit(*Pius*ı Mer 806, inuenisti *g*ᴼ *B pro* inuestigo Per 24, inueniris *B pro* in Veneris Ru 226, inuenio *P pro* con- uenio(*A*); 386, inuenerit *B¹ pro* in Veneris Tri 424, inuenirem *P pro* in uentrem(*Ca*)

II. Significatio 1. = reperire: **a.** *de homi- nibus:* an inuenisti Bacchidem? Ba 20υ hanc fabricam dabo super. amica .eius inuenta Bac- chide Ba 367 ubi nunc Curculionem inueniam? #In tritico Cu 586 si inuenio (Epidicum) . Ep 606 perii .. nisi Libanum inuenio iam As 287 nusquam inuenio Naucratem Am 1014

neque ego amatorem mihi inuenire ullum (*Py* u. i. *P*) queo Ps 773 uix aegreque ama- torculus inuenimus Poe 236 . amicam ut mihi inueniret Bacchidem. illum intellego inuenisse Ba 390-1 .. ut mihi (amicam) inuenires Ba 562 amicam inuenit* Mer *Arg* I. 8 res amicos in- uenit St 522 an tu inuenire postulas quem- quam coquom .. Ps 851 filiam inueni meam Ci 759 fabulantur .. mihi esse filiam inuen- tam* Ci 775 inuentast filia Ep 716 ain tu te illıus inuenisse filiam? #Inueni* Ep 717 istas inuenisti filias Poe 1412 ex inprouiso filiam inueni meam Ru 1192, 1196(ex *om: v. secl LangenRsS*) hodie filiam inueni meam Ru 1363 frater . . quem .. ego esse inuentum gau-

deo Men 1134 inuenta gnata Ep *Arg* 8 ego gnatam inueni Ru 1411 commonstrabo quo in quemque hominem facile inueniatis* loco Cu 467 quem hominem inueniemus .. utilem? Ep 291 inuenissemus (hominem) iam diu Men 241 mihi hominem inuenietis propere Ps 724 si possiet meretricem illam inuenire Ci 186 om- nes meretrices ubi quisque habitant inuenit Poe 107 uis inuenire tibi patronum Vi 60 ubi ea (uxor) possit inueniri* Mi 686 facile inuenies et peiorem (uxorem) St 109

similiter: capram illam suspicor iam me in- uenisse quae sit Mer 254 (*per prolepsin: cf* Redslob, p. 8)

si queat aliquem inuenire .. Cap 101 aliam posthac inuenito quam .. Men 695 non inue- nies alterum lepidiorem Mi 659 hunc inuen- tum* inueni Cap 441(*cf* Raebel, p. 19) si illa inuentast quam ille amat Ba 191 si non in- uenta est .. Ba 192 dixin tibi ego illum in- uenturum* te qualis sit? Ba 856(*per prolepsin*) ille mendicans paene inuentus interit Ba 950 inueniam (illam) Ep 603 illam inuestigent .. inueniant Mer 664 percontatus (illam) non in- ueni Mer 938 ibo(sine *BugL*) inueniam* Mo 1089(*RL duce Buggio*) illam inuenit Ru 1270 quis igitur .. est? #Inueneris Ba 840 neque eam usquam inuenio Ru 225 neque .. eam .. quin inueniam* desistam Ru 228 tu inuentu's .. qui conuincas Cap 569 (te) inuenire possum Cu 328 tu inuentu's uero meam qui furcillis fidem Ps 631 ne inueniat te honor Tri 663 neque in urbe inuenio quemquam Am 1010

b. *de rebus:* acum inuenisses .. iam diu Men 239 inueniundo argento ut fingeres fallaciam As 252 argento mihi usus inuento siet Ps 50 argentum nusquam inuenio* mutuom Ps 80 inuenires mu- tuom Ps 286 aulam inuenit Au *Arg* I. 3 quom perdidisset aulam, insperato inuenit Au *Arg* I. 14 si quis illam inuenerit aulam onustam auri Au 610 non metuo ne quisquam (aurum) in- ueniat Au 609 si inueniam uspiam aurum Au 620 aurum id fortuna inuenitur Poe 302(*v. secl RRglSLU*) spero .. me tibi inuenturum esse auxilium argentarium Ps 105 ego ruri cenam inuenero* Cas 781(*Rs*) quid quom (ignem) in- ueneris? Ru 766 (ignis) facilest inuentu Tri 679 inuenies tu locum illi Mer 584 interii si non inuenio ego illas uiginti minas As 243 uiginti minas .. inueniam Ps 405 quinque in- uentis* opus est argenti minis Ps 732 solet pecuniam inuenire Mo 227 (peculium) stupro inuenerit* Cas 201 ego illi me inuenisse dico hanc praedam Au 816 quo pacto inuentust* (uidulus) scio Ru 964 qui inuenit hominem noui Ru 965 in mari inuentust* communi Ru 977 quid si ego sciam qui inuenerit? Ru 1312 uidulum istunc ille inuenit Ru 1395 tu uidulum (inuenisti) Ru 1411

unde animus mihi inuenitur? Ru 687 aliam condicionem filio inueniat suo Tru 849 facile sibi facunditatem uirtus .. inuenit Tru 494 in- uenies* infortunium Am 286 .. potius quam inuidiam inueniam St 449 libertatem malitia inuenit sua Ep 732 timeo ne male facta anti- qua mea sint inuenta* omnia Tru 774 ex in-

genio malo malum inueniunt suo Bᴀ 546   ibi
hoc malum ego inueni Mᴇʀ 358   quod scelus
hodie hoc inueni! Rᴜ 1001   salutem nusquam
inuenio Ps 45   inueniet ueniam sibi Rᴜ 27
ne tu illud uerbum actutum inueneris Tʀɪ 760
    id aegre inuenit Cᴀᴘ 461   id quod quaerant
inueniant sibi Rᴜ 874   quod des inuentost opus
Bᴀ 219   quodne ego inueni in mari? Rᴜ 1231
ea quae ipsus . . inuenisset* . . Mᴇʀ 57   neque
tui me quicquam inuenisti penes Aᴜ 654   nihil inuenit Cᴀᴘ 462
    2. = excogitare: nunc audacia usust nobis
inuenta et dolis As 312 (v. secl U𝕾)   scitum . .
consilium inueni Tʀɪ 764   tantum facinus modo
inueni* ego As 313   quotannis nomina inueniunt noua Eᴘ 229   nouom aliquid inuentum*
adferre addecet Ps 569   omnem rem inueni ut
. . faciat Pᴇʀ 81   ego inueni lepidam sycophantiam Mɪ 767
    3. additur praed.: omnis inueniri* similis
tui uis Cᴀᴘ 582   numquam hoc inuenies secus
Cᴀᴘ 639   nihil . . inuenies magis . . certius Cᴀᴘ
644   ea inuenietur et pudica et libera Cᴀs 81
ut tibi ego inuentus sum obsequens Cᴀs 449
uerum inuenio* ego illuc nunc uerbum uetus
Cᴀs 972 (U)   uter ibi melior bellator erit inuentus cantharo Mᴇɴ 187   spes mihist uos inuenturum* fratres germanos Mᴇɴ 1102   argentum nusquam inuenio* mutuom Ps 80   inuenires mutuom Ps 286   ten amatorem esse inuentum inanem! Ps 371   ea filia inuentast mea
Rᴜ 1364   illum tibi ferentarium esse amicum
inuentum intellego Tʀɪ 456   inimicum amicum
beneficio inuenies* tuo Tʀɪ 1052   eam nunc
malitiam accuratam miles inueniat uolo Tʀᴜ
473   dixit meum Diniarchi puerum inuentum
filium Tʀᴜ 857
    4. seq. infin. (cf Walder, p. 46): huius rei
esse (om L) me mendacem inueneris As 855
inuenis* hunc meum fratrem esse Mᴇɴ 1093
eum fidelem mihi esse inuenio* Mɪ 1375   id
adeo nos nunc factum inuenimus Mᴏ 477   haec
inueniantur hodie esse huius filiae Pᴏᴇ 1171
tu iam inuenies . . meam illam esse oportere
Aᴜ 758
    5. seq. interr. obl.: quis igitur . . est? #Inue-
neris Bᴀ 840   dixin tibi ego illum inuenturum*
te qualis sit? Bᴀ 856   ut fallatur pater . . inueni* Eᴘ 355   quam ad rem credam pertinere
somnium nequeo inuenire Mᴇʀ 253   capram
illam suspicor iam me inuenisse quae sit Mᴇʀ
254   ubi habitaret inuenires Mᴇʀ 636   si inuenio qui uidit . . Mɪ 266   quid agam inuenero* Mᴏ 689   omnem rem inueni ut . . faciat
Pᴇʀ 81   ubi quisque habitant inuenit* Pᴏᴇ
107   inuenio* quo modo . . discordiam . . parem
Tʀᴜ 419
    6. additur locus quo: ibi Mᴇʀ 358   ubi Cᴜ
586   nusquam Aᴍ 1014, Ps 45, 80   uspiam Aᴜ
620   in urbe Aᴍ 1010   quo in loco Cᴜ 467
in tritico Cᴜ 586   in mari Rᴜ 977   me penes
Aᴜ 654   locus unde: ex ingenio malo Bᴀ 546
    7. inuenio et reperio: Bᴀ 562, Cᴜ 586, Eᴘ 17
    INVENTUS - - hunc inuentu (Rs -tum Pψ
†𝕾) inueni Cᴀᴘ 441   eorum inuentu res (Bo inuenturus C inuentu st B inuenturus D) simitu
pessumas pessum dedi Mᴇʀ 847 (cf Kane, p. 58)

INVENUSTAS - - (mulieres) insulsae admodum atque inuenustate ** (lac sign Herm𝕾 -tatis
plenae Rgl -ustae Zψ) Pᴏᴇ 246 (v. secl U)
    INVENUSTUS - - mulieres insulsae admo-
dum atque innenustae (Z -tate P𝕾 cum lac
-tatis plenae Rgl) Pᴏᴇ 246 (v secl U)
    INVERECUNDUS - - legirupa . . innerecun-
dissumus (-imus PL) Rᴜ 652
    INVERGO - - ipsum (i. e. Liberum) expeto
tangere, inuergere in me liquores tuos . . ductim Cᴜ 108
    INVERUS - - Mᴇɴ 821, hercle inuere negas
Ly hec eludere negas (neg& CD) P𝕾†
    INVESTIGO - - nihil inuestigo (D in uesti-
gio C inuenisti $\overset{O}{g}$ B) quicquam de illa muliere
Mᴇʀ 806   ubiubist gentium innestigabo (D²
inb. P -auero MueRg) Mɪ 1380   ubiubi erit
iam inuestigabo Rᴜ 1210   non concedam . .
prius . . quam aut amicam aut mortem inuestigauero Mᴇʀ 863   si uidulum . . cum auro atque
argento saluom inuestigauero . . Rᴜ 1340   oculis inuestiges (B -ies $\overset{}{V}E$ in uestigiis Rs𝕾) Cɪ
694   quid dare uelis qui istaec tibi innestiget
indicetque Rᴜ 1322   qui illam inuestigent Mᴇʀ
664   nequeo cum animo certum inuestigare
Aᴜ 715   hominem inuestigando (A -os P -do
sume B) operam huic . . dabo Mᴇʀ 260
    INVICEM - - inuicem raptant pro moechis
Aᴍ Arg II. 6   i se cognoscunt fratres postremo
inuicem Mᴇɴ Arg 10
    INVICTUS - - inuictae (-tẹ C -te B) prae-
mium ut esse sciam pietati Pᴏᴇ 1190   Pyrgopolinicem . . uirtute et forma et factis inuictissumum (R -tis sumis B²D inuietis sumis C
-tissimis A -umis RLy) Mɪ 57
    INVIDEO - - I. Forma inuideo Tʀᴜ 257
(non ī. te Rs nonne ego uideor Pψ)   inuides
Mɪ 839, Ps 1134   inuidet Pᴇʀ 776, Sᴛ 733
inuident Eᴘ 109, Mᴏ 307, Tʀᴜ 745   inuidetur
Tʀᴜ 745   inuideat Mᴏ 307 (-iat CD)   inuideant
Bᴀ 543 (Scal -eat P), Cᴀᴘ 583 (uideant B)   inuideatur Bᴀ 544 (v. secl LachRg𝕾 om A)
inuidere Cᴜ 180, Mᴏ 51, Tʀᴜ 743 (FZ -rẽ BD
-rem C), 744   inuisum (masc.) Mᴇʀ 80 (uisum
RRg)   inuisas Rᴜ 700 (ne i. Ca lac P ne cum
lac A ne indignum id TurnLy)   corruptum:
Mᴏ 622 audi inuidet C pro audin uidetur
    II. Significatio (cf Langen, Beitr. p. 255)
1. absolute: qui inuident, omnes inimicos mihi
. . repperi Eᴘ 109   nunc inuides Mɪ 839   qui
inuident, ne umquam quisquam inuideat* . . commodis Mᴏ 307   qui inuident egent Tʀᴜ 745
    2. cum dat.: a. personae: mihi abstineant
inuidere Cᴜ 180   bene ei qui inuidet mihi Pᴇʀ
776   mauelim mihi inimicos inuidere* quam
me inimicis Tʀᴜ 743   sibi ne inuideatur . . cauent Bᴀ 544 (v. om A secl LachRg𝕾) illis quibus est (bene) inuides Ps 1134   illis quibus
inuidetur i rem habent Tʀᴜ 745   neuter † utri
(alteri CaRg neutri Guyψ) inuidet Sᴛ 733   est
miserorum ut . . inuideant* bonis Cᴀᴘ 583
    b. rei: ne umquam eorum quisquam inuideat*
. . commodis Mᴏ 307 (v. secl LangenRsU𝕾)
    3. additur acc. vel sim.: non inuideo* te tibi
Tʀᴜ 257 (Rs)   inuidere mihi hoc uidere . . quia
mihi benest Mᴏ 51

4. *infin.*: nullus est quoi non inuideant* rem secundam optingere Ba 543(*v. om A*) inuidere alii bene esse, tibi male esse miseriast Tru 744 (*v. secl Rs*)

5. *partic.*: ego me ubi inuisum* meo patri esse intellego .. Mer 80 ne inuisas* habeas (nos) Ru 700

INVIDIA - - peculatus ex urbe et auaritia si exulant, quarta **inuidia** Per 556 inuidia in me numquam innatast Poe 300 potius quam **inuidiam**(*A* indiuidiam *P*) inueniam .. St 449 **inuidia** nos minore utamur quam utimur Au 482 uix uiuimus cum inuidia summa Ci 28 minus quo cum inuidia ei det dotem Tri *Arg* 6 stultum est inuidia perire (*U* stultus quid est aperire *P$†Lt* var em *ψ*) Tru 746 *Vide* Mi 25, *ubi* inuidia *C pro* in India

INVIDUS - - miscent mores mali, rapax, auarus, **inuidus** Tri 285 pecunias accipiter auide atque **inuide!** Per 409 *Vide* As 568, *ubi* inuidus *D pro* inf.

INVISO - - ad fratrem modo (eo *add Rs* ibo dum *U* ad *add FlLy*) captiuos alios **inuiso** (*BoJ* -su *DE* -sum *Rs*) meos Cap 458 ad eum inuiso Men 108 ad meam maiorem filiam inuiso modo(*A* domum *PR*) St 66 ad med huc **inuisam** domum Mer 555a(*v. om RL*), 555b (sed huc intro ad me: interuisam *R v. om AU Ly*) cras.. poenicio corio **inuises**(-sus *A*) pergulam Ps 229 namst quod **inuisam**(*R* uisam *PLU*) domum Au 203 **inuisum**(*sup.*) Cap 458 (*Rs vide supra*) *Cf* Ulrich, *de verb. comp.* p. 22

INVITO - - mira sunt nisi **inuitauit** sese in cena plusculum Am 283 Neptunus magnis poculis hac nocte eum inuitauit Ru 362 si me tu hodie inuitaueris.. Fr I. 57(*ex schol Ver in Verg Aen* II. 670) ni istunc istis **inuitassitis** (clauis).. Ru 1841(*translate*) inuitus ni id me **inuitet** ut faciam fides Tri 27 bau maligne uos **inuitassem** domum ad me St 590(*A solus*) si **inuitare** nos paulisper pergeret ibidem obdormissemus Ru 590 *Vide* Cas 752, *ubi* inuitat *P pro* interimat(*A*); Mi *Arg* II. 4, *ubi* inuitat *B²CD pro* inuitatam

INVITUS - - I. Forma **inuitus** Au 106, 179, Ba 212, 215, Cas 302, 957, Ep 730, Mi 744(*AD³* uitus sit *CD* uitiis sit *B*), Mo 1113(inuitus *U*), Poe 535, Ru 1329, Tri 27 **inuita** Ci 633, Men 424, Mi 1319(-tã *B*), St 140 **inuitum** Ep 249, Mer 357 **inuitam** Mi *Arg* II. 4(*Sarac* -ta *B¹* -tat *B²CD*), Mi 113, 449(*FZ* uita *P*), 488(*AB²Lt Ly* -ta *P* in uia *Caψ*), Mo 213(in. lena *R* uitilena *BD²$†Lyt Lt* utti lena *CD¹* var em *ψ*) **inuito** Au 744(-ta *E*), 756, 757, Cap 739, Poe 1207, Ru 712, 783, 796, Fr I. 35(*ex Char* 202) **inuita** Am 663, Ba 215 **inuiti** Am 287, Poe 622a **inuitas** Ru 811, St 139 **inuitis** Cas 315 **inuitior** Ci 310 **inuitissumus** St 158a (-imus *AP v. secl SeyRg$L*) *corruptum:* Mi 344, inuitam *P pro* in uiam(*A*)

II. Significatio 1. *nom.*: nimis .. inuitus abeo Au 106 abibam inuitus Au 179 hinc abibo inuitus* Mo 1113(*Rs*) quo nihil inuitus addas.. Ru 1329 num inuitus rem bene gestam audis eri? Ba 212 inuita te carebo Ci 633 concastigabo.. inuitus ni id me inuitet .. fides Tri 27 soli inuiti cubant Am 287 in-

uitus desistam Mo 1113(*L* designaueris *R duce Ac* destinant *P$†Lyt*) inuitus do hanc ueniam tibi Ep 730 hostis est uxor inuita quae.. datur St 140 haud inuita fecero Men 424 inuita* facio Mi 1319 hanc salutem ferimus inuiti tibi Poe 622 dominus non inuitus* patitur Mi 744 matri meae (gratiam) refero inuitissumus St 158a(*v. secl SeyRg$L*) quod tu inuitus numquam reddas domino Poe 535 sola nulla inuitior solet esse Ci 310 nullam (fabulam) aeque inuitus specto Ba 215 uapulo hercle ego inuitus Cas 957 inuitus me uides Cas 302

2. *acc.*: quasi retruderet hominum me uis inuitum Ep 249 me inuitum domo extrusit ab se Mer 357 deportat Ephesum (eam) inuitam* Mi *Arg* II. 4 eam.. huc inuitam mulierem.. aduehit Mi 113 inuitam* ingratiis.. rapiam te domum Mi 449 meamne hic inuitam* hospitam.. tractatam! Mi 488 corrumpit mulierem .. inuitam* lena Mo 213(*R*) si hercle illic illas .. tetigerit inuitas Ru 811 stultitiast.. uenatum ducere inuitas canes St 139

3. *abl.*: med haud inuita se domum recipit Am 663 quid tibi ergo meam me inuito* tactiost? Au 744 tun habeas me inuito meam? Au 756 meas mihi ancillas inuito me(*B* an. mihi in. *CD et Gimm pro dat. habens*) eripis Ru 712(*de collocatione cf* Gimm, p. 3) haud te inuito postulo Au 757 cur ego te inuito me esse saluom postulem? Cap 739 meas quidem te inuito.. deripiam Ru 783 has te inuito iam ambas rapiam Ru 796 hac inuita tamen ero matris filia Ep 585 nos fore inuito domino .. liberas Poe 1207 uobis inuitis atque amborum ingratiis.. liber possum fieri Cas 315 neque eam inuito a me umquam abduces Fr I. 35(*ex Char* 202)

INULTUS - - numquam .. me **inultus** istic ludificabit Am 1041 faxo haud inultus(*A* -um *B* multum *CD*) prandium comedereis Men 521 Mo 1113(inultus mihi dedisti nam *U* inuitus destinant *P$†Lyt var em ψ*) numquam irridere nos illum **inultum**(in ultimum *B¹EJ*) sinam seruom Ep 328 *Vide* Am 1045, *ubi* me inultus *E pro* intro edepol Ps 1241, *ubi* inultus *BCR pro* intus(*A*) *Cf* Gimm, p. 24; Hofmann, p. 14

INVOCATUS - - **inuocatus** soleo esse in conuiuio Cap 70(*cf v.* 74) *Vide* Cu 563, *ubi* inuocata *U pro* locata(*Fl* uocata *P*)

INVOCO - - **inuoco** almam meam nutricem Herculem Cu 358 inuoco uos, Lares uiales, ut me bene tutetis Mer 864 Hercules, ted inuoco Mo 528 deos sibi **inuocat** Am 1061 inuocat deos inmortales ut sibi auxilium ferant Am 1093 scortum inuocat Cap 73 parasiti.. quos numquam quisquam neque uocat neque inuocat Cap 76 inuocat(-ca *B¹*) Planesium Cu 356 tu istaec hodie cum tuo magno malo **inuocasti** (-auisti *CaRgl*) As 910 histriones.. Iouem **inuocarunt**(-auerunt *J*) Am 92 deam **inuocet** sibi quam lubebit propitiam As 781 fuge atque Herculem **inuoca**(*Bent* -abi *P* -abis *B²D³*) Mo 528 estne **inuocatum** scortum(*Bent om PL*) an non? Cap 74(*cf v.* 70) *Vide* Mi 1400. *ubi* inuoco *P pro* inuolo(*Pius*)

INVOLO - - iamne in hominem **inuolo**(*Pius*
-co *P*)? Mɪ 1400   equites .. ab dextera maxumo
cum clamore **inuolant** impetu alacri Aᴍ 245
inuolem illi in oculos stimulatrici Mo 203   *Cf*
Egli, II. p. 58; Wortmann, p. 39

INVOLUCRUM - - ne id quidem, **inuolucrum**(*Turn* -cre *PLy* -cri *LindU*) inicere uoluit uestem ut ne inquinet Cᴀᴘ 267

INVOLVOLUS - - imitatur nequam bestiam
et damnificam .. **inuoluolum**(*BVE* -lulum *J*
-lutam in *Isid* 12, 5, 9) quae in pampini folio
intorta inplicat se Cɪ 729   *Cf* Egli, II. p. 22;
Ryhiner, p. 33; Wortmann, p. 49

INUTILIS - - si qua **inutilis** pictura sit
eam uendat Aѕ 763   coqum .. multilocum, gloriosum, insulsum, **inutilem** Pѕ 794

IO - - quondam **Ioni** Iuno custodem addidit
Aᴜ 556

IO - *exclamatio* - - io hymen hymenaee hy-
men! Cᴀѕ 799(*U* hymen hymenaee io *SpRs* himeneo meio hymen *P* hymenaeo *MIΩ A var
em ψ* io *om*)   io, io(*om A*) te(te io *U*) te(te
add P om A), turanne, te rogo Pѕ 702-3   *Vide*
Cᴀѕ 809, *ubi* io *U duce Leone pro* licet Mᴇʀ
730, io illa *D²* iohia *P vide edd* Rᴜ 358, *ubi*
io *Rs pro* oh   *Cf* Richter, p. 583

IOCOR - - scio, **iocaris** tu nunc †tu(istuc
RsLy prius tu *om B²RL v. om U*) Mo 1081
eundem me dato. #**Iocare**(*D* locare *BC*) Pᴏᴇ
163   solet **iocari**(*D³* locari *P*) saepe mecum
illoc modo Mᴇɴ 317   iam uero .. satis **iocatu's**
(*B²D³* lo. *P*) Mᴇɴ 825   *Vide* Cᴀѕ 846, *ubi* quasi
iocabo *P pro* quasi luca bos(*A*)

IOCULUS - - 1. *acc.*: commorandust apud
hanc ob **ioculum**(*Rs duce Langeno* obieci *P
ЅtLt* obicem *RLy* obiecit *U*) gradus Pᴇʀ 203
oenus eorum aliqui ioculum(*RsU* -quis oculum
PЅt -qui osculum *CaLLy*) amicae usque oggerit Tʀᴜ 103   custodem oblectent: per(obl.
per *R*) ioculum et ludum(; *L*) de nostro saepe
edunt Tʀᴜ 107(*FZLLy* sepe aedunt *PЅt*)   *Cf*
Ryhiner, p. 43

2. *abl.*: **ioculo**(*FZ* loculo *P*) dixisset mihi
se illam amare Mᴇʀ 993   egone te ioculo(*B*
lo. *B²D* celoculo *C*) modo ausim dicto .. fallere? Mo 923   occipito modo illis adferre uim
ioculo(occulo *D*) pausillulum Rᴜ 729   ioculo
istaec dicit Sᴛ 23

IOCUS - - 1. *nom.*: quis istic habet? #Amor
.. **Iocus**, Ludus .. Bᴀ 116   nostri amores ..
iocus(loci *A* locus *D*), ludus .. Pѕ 65(*v. secl L*)

2. *acc.*: si quid dictumst per **iocum** non
aequomst id te serio praeuortier Aᴍ 920   scis
haec dudum me dixisse per iocum Aᴍ 963
.. te mihi dixe per iocum Aᴍ *fr* XI(*ex Non*
105)   haec uobis dixi per iocum. #Pᴇʀ iocum
itidem dicta habeto Pᴏᴇ 541-2   nec tuom quidemst amicis per iocum iniuste loqui Pᴏᴇ 573
opino .. quod ego dixi per iocum id euenturum
esse et seuerum .. Pᴏᴇ 1170   si quid per iocum dixi nolito in serium conuortere Pᴏᴇ 1320
.. quod promisi per iocum Pѕ 1224

offers mihi laudem lucrum ludum iocum ..
Cᴀᴘ 770   sex sodales repperi: uitam .. ludum
iocum Mᴇʀ 846

3. *abl.*: cum ea tu sermonem nec **ioco**(*D²J*
loco *BD¹E*) nec serio tibi habeas Aᴍ 906

ioco illa dixeram dudum tibi Aᴍ 916   an id
ioco dixisti? Aᴍ 964   utrum ego istuc iocon
adsimulem an serio? Bᴀ 75   hau uostrumst
iracundos esse quod dixi ioco Pᴏᴇ 572

4. *acc. pl.*: quot ego uoluptates fero, quot
risiones, quod **iocos**(locos *B*) Sᴛ 657

5. *corrupta*: Aᴜ 664, iocum *DE pro* locum
Bᴀ 519, dicat iocum *P pro* narret logos(*A cf*
Dousa, pp. 76, 282)   Mɪ 702, iocum *B² pro*
locum   Pᴏᴇ 891 iocus *CD pro* locus(*AB*)

IOHIA - - quae illast? #Illa - - - #Iohia(*PЅ
Lt Lyt* io illa *D²* ohe iam satist *RRg*) Mᴇʀ 730

IONIA - - me .. uolo reddere(*i. e.* saltatum)
Diodorus quem olim faciebat in **Iona** Pᴇʀ
826   *Cf* Koenig, p. 6

IONICUS - - qui cinaedicust qui
hoc tale facere possiet? Sᴛ 769   ego qui probe
Ionicam(*Sp* -ca *BRLULy* leonica *D* lenonica
C) perdidici Pѕ 1274

IPSE - - *Cf* Niemoeller, *De pronominibus
ipse et idem apud Plautum* et *Terentium. Diss.*
Halis Saxonum 1887. *De correptione cf* Enger,
p. 11; Ahlberg, p. 91

I. Forma ipse Aᴍ 18, 71, 88, 94, 102, 170,
202, 960, Aѕ 28, 69, 146, 463(ipsus *MueRglU*),
502, 609, 644, 714(ipsum *U*), Aᴜ *Arg* I. 11(*om
E*), Bᴀ 417, 565(*add R*), 633 quom ipse ueniet
add L), 789, 1160(*PU* -sus *Rψ*), Cᴀᴘ 121, 292,
307, 309, 422, 461(*PLULy* -sus *Boψ*), Cᴀᴘ 560,
580, 581, 777(-sus *BoLU*); Cᴀѕ 400, Cɪ 187, Cᴜ
254, 694, Eᴘ 39, 40, 47, 58, 90(ille *GuyRg¹*),
97(*add Rg¹*), 101, 359, 360, 487, Mᴇɴ 62, 309
(*FZ* id se *P* ipsus *LuchsRs*), 567(*add MueRs*),
643, 856, 969, Mᴇʀ 89(*PЅ* -sus *Caψ*), 466, 991,
Mɪ *Arg* I. 13, Mɪ 155, 639, 844, 1081, 1145, 1147,
Mo 686(*add Rs*), 713, 774(ispe *B¹*), 910, Pᴇʀ
327, 543(-sę *C*), 600, 654(*A ut vid* **se *A* huc
PRU), Pᴏᴇ 69, 71, 77, 664, 669, 1060, 1283,
1381, Pѕ 132, 220, 467, 978, 1010(*om R*), Rᴜ 62,
392, 815(dpse *B*), Sᴛ 195, 208 b(*P* ipsus *Ly
v. om omnes praeter Ly*), 373(ipse ego *U pro*
lubens\, 552, Tʀɪ 96(*om Rs*), 109, 255, 309, 401,
639, 667, 858, 901, 902, 928, 929, Tʀᴜ 233, 334
(*U* quae *PЅt om Rs* tute *LLy*) 553(pari a ipse
SaracRs partibus *P* artibus *Caψ*), 891(*PЅt* eumpse *LULy*), Vɪ 26(*Rg in lac*)   **ipsus** Aᴍ 252
(-sius *J*), 415(-sius *J*), 754(-sius *J* -sos *B¹D¹E*),
Aѕ 379(-sius *J*), 459(-sius *J*), 463(*MueRglU* ipse
Pψ), Aᴜ 356, 412, 530(-sius *J*), 814(-sius *J*), Bᴀ
194(-sius *C*), 448, 476(-sius *C*), 478(-sius *CD*),
493, 549, 1160(*R* ipse *PU*), Cᴀᴘ *Arg* 7, Cᴀᴘ 279,
461(*Bo* ipse *PLULy*), 640, 777(*BoL* ipse *Pψ*),
990(-sius *J*), Cᴀѕ 195, 470, Cɪ 602, Cᴜ *Arg* 7,
Cᴜ 107, 170(isus *J*), 437(-sius *J*), Eᴘ 69(-sius *J*),
417, Mᴇɴ 44, 100, 309(*LuchsRs* ipse *FZ* idse *P*),
313, 638(eam ipsus *B²LULy* eam dus *B¹* eampsus ei *CDЅt* eampse *R* eampse sis *Rs*), Mᴇʀ
56(-sius *B*), 89(*Ca* ipse *PЅ*), 481, 598, 759, Mɪ
Arg I. 3, Mɪ 1061(-sius *B*), 1388, Mo 634, 687
(*PRU* intus *Aψ*), 795(*A* ipse *P*), Pᴇʀ 42. 458,
650, Pᴏᴇ 708(*A* ipse *P*), 846, 1046, Pѕ 263(*BD*
-sius *C* ipse *A*), 439, 723, 884(*Dousa* ipsos *P*
ipse *A*), 929(*A* ipse *P*), 930, 954(*add RRgU*),
973(*A* ipsu *P*), 989, 1142, 1168, 1209, 1221,
Rᴜ 730, 1262, Sᴛ 208 b(*Ly* ipse *Pψ v. om omnes
praeter Ly*), 373(tutin ipsus *A* tun eum *P*), Tʀɪ
112(*Herm* ipse *P*), 262(*A* ipse *P* ipsi *U*), 321

(-sius *B*), 322, 363(*A* ipse *P*), 433, 611(isus *C*), 985, 987, *ib.*(*om C*), 988, *ib.*, 1070(*A* ipse *P*), 1071(hic *A*), Tru 45, 50, 559, 593, 602, 891 (ipsus est *ins LULy*), Vi 9 **eapse** Cas 163 (*Bo* ea ipsa *P* ipsa *A*), 602(e. ultro *Bo* eapsaltro *A* ea ipsa ultro *P*), 604(*A* ea ipsa *P*), Ci 136(capse *VEJ*), Cu 161, Men 180(*Ac* ab se *P*), 360(eapse ad *add Rs*), Mi 141(*Turn* ea se *P*), 940(*AcRgU* ab si *PS†* ab se *RLLy*), Ru 411 (*Ugoletus* ea spe *P*), 478(*B* ab se *CD*), St 501 (quaene eapse *SU* quaen eapse *RRgLLy* quaene atest *A* quaenet ipsa *P*), Tru 24(ab se *B* absq' se *CD* ea ipsa *Prisc*), 496(*Sciop* ab se *CD* apsa *B*), 513(*RsLLy* eabse *PS†* ubi ea se *U*), 851 (*Sey* ipsa et *P*), 852(eapse eccam *Bo* ecce ab se *P*) **ipsa** Am 637, Au 101, 421, Cas 492, 790, Ci 315, Ep 241, 534, 713, Men 31, Mer 924, Mi 312(quae ipsa *FZ* que issa *CD* quesisse *B¹* que ista *B²*), 1003, 1221(*ReizRg* ipse *P* ipsae *USLy* ipsi *BergkL om BoR*), 1236, Per 153, Poe 1112, Ps 669, Ru 237(ipsa sum *U duce Sp in lac*), 681, St 296, Tru 587(aipse *B* eapse *RsU*), 815, Fr II. 54(*ex Serv ad Aen* VI 205) **ipsum** Ba 284, Ps 766

ipsius Cap 287, Mer *Arg* II. 6   **ipsipte** Ru *Arg* 4(*Rs* suspte *B* suscepte *CD* suipte *Caψ*)

ipsi Am 756, As 94, 146, 433, 634, Au 312(*om J* ipse *Non* 152, 273), Cas 323(ipse *B¹*), Cu 465, Mer 278, Mi 803, Per 196, Poe 712, Ps 641, 644, 755, St 591(*Stud in lac aliter RgU*), Tri 126 **ipsae** Mi 1221(*USLy* ipse *P* ipsa *ReizRg* ipsi *BergkL om BoR*)

eumpse Men 898(*MueRs* ipsum *Pψ*), Mo 346 (*Grut* eum ipse *P*), Per 603(*R* eumse *A* eum ipse *P*), Tri 950(*Lind* eum ipsum *P*), Tru 114 (*Bo* eum ipsum *A* ego um sum *P*), 133(*Bo* eum ipsum *AP*), 159(*BoU* sumpsit *PS†* sumpse *Bergψ*), 842(*SeyU* eundem *BCS†LRs* eum *D¹* eam dem *PalmerLy*), 890(*Bo* eum ipse *P*), 891 (sine eumpse *LULy* sineum ipse *PS† aliter LRs*) **ipsum** As 114, 349(isum *E*), 403, 438, 714(*U* ipse *Pψ †S*), 876, Au 712, Ba 214, 940, Cap 615, Cu 107, Ep 186, Men 109, 898(eumpse *MueRs*), Mi 1219, Per 295, 739, 744, Ps 953, 987, 1142 (*BaierRgLU* coram *Pψ*), Ru 777, 1260, St 287, 373, Tri 749(*A* ut *PLU*), 860   **eampse** Au 815 (*B²* eam apse *B¹DE* eam adse *J*), Ci 170(eam ipse *VE*), Men 638(*RRs vide* ipsus), 772(*P* eam ipse *B²D³*), Mi 1069(*Ritterhuys* eam ipse *P*), Poe 272(*Ca* eam ipse *P*), Ru 1278, Tri 800(*R* ipsam *PSU*), Tru 133(*Ca* eam ipsã *A* ea ase *P*), 467(*Rs* eius e *P* eius re(i) *SpSLLy* eius eam *MueU*), Fr I. 51(*Fl ex Prisc* I. 516 ipsam *PriscL*)   **ipsam** Mi 1215(ipsa *BriU*), Poe 323, Ps 214, Tri 755, 800(eampse *RRsLLy*), 1145, Tru 864(rem i.*CDLULy* rempsam *BRsG* rempse *BugR*), Fr I. 51(*L ex Prisc* I. 516 eampse *Flψ*)

eopse Ba 815(*R* eo ipso *P*)   **ipso** Cu 712 (*om J*), 714, Mi 1220, Tri 902, 966   **eapse** Ba 312(*R* ipsa *PL*), Cu 534, Ep 254(*Kamp* ase *P*), Tri 974   **reapse** Tru 815(*Ca* re ab *P*) **ipsa** Ba 312(*PL* eapse *Rψ*), Ci 764, Mi 1292, Tri 1050   **eopse** Cap 836(*add Rs*), Cu 538(eopso *B* eapse *EJ*)   **ipso** Ci 670, Cu 507, Men 15, Poe 1138

ipsi Au 367(*ins Rg*), Ba 397, 544(*v. secl Lach RgS*), 547, 1206(*om C*), Cap 474, 475(isi *E*), Cu

479, 482, 484, Ep 193, Men 831(*B²D²* ipse *P*), 962, Mo 96, Ru 1247, St 31, Tri 262(*U* ipse *P* ipsus *Aψ*), Tru 112 *bis* **eaepse** Ps 833(eaepse sese *Bug* eae ipsae *P* ipsae se *GuyRsU*)   **ipsae** Cas 777(*ABV* -se *EJ*), Per 499(ipsae *P*), Poe 30(-se *C* -se *D*), Ps 833(*sub* eaepse), Ru 663 **ipsarum** St 677(*Ewald* istarum *PRL*)   **ipsis** St 200, Tru 154   **ipsos** As 341, St 637   **ipsas** Poe 1166   **ipsis** Cap 810 Per 499

corrupta: Am 73, si similem rem ipse *P pro* sirempse(*Fruter*) Ba 550, ipse *CD pro* ille Ci 764, ex ipsa *add J*   Cu 479, ipse *VEJ pro* in se(*B*)   Men 288, ipso nature *CD pro* opsonatu; 969, ipsi *B¹ pro* si; 1044, ipse *B² pro* id   Mi 639, ipsi *B om CD pro* nisi(*Grut*) Ps 914, ipsus *CD* ipsu *B pro* istud(*A*)   Tri 874, ipsam *Non* 73 *pro* istanc

II. Significatio 1. *solum* a. *nom. cum prima persona:* eapse* ad eum adibo Men 360(*Rs*) me .. qui ipsus* equidem .. istanc tecum conspicio simul Am 754   mene uis dem ipse in pedes? Cap 121   ipse eloquar nomen meum Am 18   non ipse emam sed Lysimacho .. mandabo Mer 466   paruam esse apud te mihi fidem ipse intellego Ps 467   idem istuc ipsa .. reapse experta intellego Tru 815   dum .. ipse* in manu habebo As 463   iam ipse uitam meam tibi largiar As 609   ipsa de me scio Am 637   ut ipse scibo, te faciam ut scias As 28   sentio ipse quid agam Tri 639   ipse amoris teneo omnis uias Tri 667   .. ipse ut uenditem St 195 ipse mecum etiam uolo hic meditari Am 202   quem esse amicum ratus sum atque ipsus sum mihi Ba 549   proinde ut ipse fui imperator familiae Cap 307   ipse ego is sum .. quem tu quaeris Ps 978   ego, Palaestra, ipsa* sum Ru 237(*U*)

b. *nom. cum secunda persona:* ipse* me adgredere As 714   ipsus male dicas tibi Men 313   proinde istud facias ipse As 644   te ipse .. merito incuses licet Mo 713   nisi forte ipse non uis Cap 309   neque uis .. ipse profiteri Men 643   ipsa* quae sis stabulum flagiti Tru 587   ubi's ipsus? Cu 107

ipse* aedificato Mo 774   eam ipsus* roga Men 638   ipse itidem roga Per 600   loquere ipse Ep 40(*LLy*)

c. *nom. cum tertia persona:* nauclerico ipse ornatu .. abduxit .. mulierem As 69   abiit ipsemet in exercitum Am 102   ipse abiit ad Acheruntem Poe 71   ipse abiit foras, me reliquit Poe 1283   eapse* abiit? Tru 513(*LLy*)   ruri ipsa abest Mer 924   eapse* me adlegauit Cas 604 ultro ipsi aggerunt ad nos Tru 112   ipsus* neque amat .. Ba 476   ipsus eam amat Cas 195   fidicinam emit quam ipse* amat Ep 90 nisi qui ipse amauit .. Mi 639   siue ipse ambissit seu per internuntium Am 71   ipse* sua adnumerat manu Mer 89   rem eri diligenter tutetur, quam si ipse adsit Men 969   eapse* .. aquam calefactat Ru 411   eapse* cantat quoia sit Ru 478   ipsus captust in mari Mi *Arg* I. 3   ipsi* .. comedent Au 367(*Rg*) ipsus se comest Tru 593   conclusit ipse in uidulum Ru 392   eapse merum condidicit bibere Cu 161   conicitur ipse in morbum Poe 69 ipse hinc ilico conscendit nauem Ru 62   ut ipsa se contemnit! Mɪ 1236   qui ipsus se contemnit.. Tʀɪ 322   quoii..ipsus* semper credit As 459   ipsus sese cruciet aegritudine Bᴀ 493 †sineum ipse adire ut cupit.. Tʀᴜ 891(*PS var me ψ*)   ipsus* ultro debet argentario Aᴜ 530(*v. secl CaRg*)   ipsus illi dixit Eᴘ 417   qui ipse* male dicit sibi Mᴇɴ 309   ipse nobis dixit Poᴇ 664, 669   ipsae solae uentres distendant suos Cᴀs 777   ipse ultro det argentum Pᴇʀ 327 dedit mihi ipse in manus Tʀɪ 902   eapse* eccam egreditur foras Cᴀs 163, Tʀᴜ 852   ipse egreditur intus Ps 132   ipsi* de foro.. eunt Cᴀᴘ 475   ipse ibit pothus Cᴜ 694   quicum ipsa ibat Eᴘ 241   hinc iturust ipsus* in Seleuciam Tʀɪ 112   ipsus perditum se it Tʀᴜ 559 ipsus* se excruciat qui.. Cᴜ 170   eapse* eccam exit Mᴇɴ 180   ipse exit Mɪ 155   ..quom ipse exponebat Cɪ 187   parta ipse* exspoliet Tʀᴜ 553(*Rs*)   eapse* ultro..fecit omnem rem palam Tʀᴜ 851   fugat ipsus* se ab suo contutu Tʀɪ 262   ipsus gaudet Tʀᴜ 50   inimicos ipsi in sese omnis habent Bᴀ 547   qui ipsi sat habent.. Cᴜ 479   scipione quem ipse habet Mᴇɴ 856   ipse si nihil habeat..det locum Tʀᴜ 233   suom ipse interdum ignorat nomen Cᴀᴘ 560   ipsus illic sese iam inpediuit in plagas Mɪ 1388   nemo nisi eapse* inferret pedem Mɪ 141   ipsi insaniunt Mᴇɴ 831*, 962   ornamenta quae ipse instruxit mulieri Mɪ 1147   ea quae ipsus* optuma(ratione) inuenisset..Mᴇʀ 56   ipse ..poenas.. luit Mɪ *Arg* I. 13   ipse mandauit mihi.. ut Eᴘ 47   ipse meritust ut laudetur Cᴀᴘ 422   ipsa se miseratur Eᴘ 534   ipse ad me ..epistulas mittebat Eᴘ 58   quaene eapse* deciens in die mutat locum Sᴛ 501   eapse ultro mihi negauit.. Cᴀs 602   ipsus* sese ut neget esse eum qui siet Ps 929   ipsus sese qua se expediat nesciat Pᴇʀ 458   .. qui ipsus* sese nouerit Ps 973   ipse obiit diem Mᴇɴ 62, Poᴇ 77   ipse obsecrat..sibimet cedere Aᴜ *Arg* I. 11   ipsi obsonant Cᴀᴘ 474   sese etiam ipse oderit Bᴀ 417   quantum ipse* a diuis optat Cᴀᴘ 777   ipse*.. peperisti moram Tʀᴜ 334(*U*) si ipse animum pepulit.. Tʀɪ 309   ipsus probe perdidust Pᴇʀ 650   et ipsus periit et res Tʀᴜ 45   qui ipsus* sibi satis placet.. Tʀɪ 321   ipsus plectitur Cᴀᴘ *Arg* 7   dabitur quantum ipsus* pretii poscet Mɪ 1061   quae alios conlaudare eapse* sese uero non potest Tʀᴜ 496 ipsus* sibi..digitos praerodat suos Ps 884   qui ipsus* sibi quod edit quaerit Cᴀᴘ 461   ipsus sororem..repperit Cᴜ *Arg* 7   eccum ipse* optume reuortitur Mᴇɴ 567(*Rs*)   nunc qui sit ipsus* sciat Ps 263(se s. *LLy*)   ipsus sese ludos fieri senserit Ps 1168   qui ipsus sitiat Pᴇʀ 42   ipsae sitiant Poᴇ 30   ipse ornamenta.. haec sumpsit Tʀɪ 858   ..natum eapse* quod sibi supponeret Cɪ 136   ..ipsus*.. mulierem teneat Bᴀ 478   ipsus primus uapulet Bᴀ 448   qui ipsi sese uenditant Cᴜ 482   quae ipsa* sese uenditat Mɪ 312   quom ipse* ueniet quid faciam? Bᴀ 633(*L*)   eo uenturust ipsus* Eᴘ 69 qui ipsus se uerberat Tʀᴜ 602   qui ipsi uortant Cᴜ 484   uidet..ipse..prostratum esse se Tʀɪ 109   ipsi uident eorum..bona Tʀᴜ 112 ipsi interea uiuant ualeant Sᴛ 31   ipsus se uolt maxume Cᴀᴘ 640   supplici sibi sumat

quod uolt ipse Mᴇʀ 991   sin ipse* abitere hinc nolet.. Rᴜ 815

proinde eri ut sint ipse item sit Aᴍ 960. ipsus* est nequam et miser Bᴀ 194   molliculas escas ut ipsa molliculast Cᴀs 492   non modo ipsa lepidast.. Cɪ 315   itast adulescens ipsus: escae maxumae Mᴇɴ 100   ter tanto peior ipsast.. Pᴇʀ 153   ut ipsus* testis sit sibi Poᴇ 708 quasi ipse sit frugi bonae qui ipsus..potis est Poᴇ 845-6   Demarcho item ipse fuit adoptaticius Poᴇ 1060   esse probiorem quam ipsus fuerit Ps 439   me .. esse autumet qui ipsus est Ps 930 ..ne conscii sint ipsi malefici suis Rᴜ 1247   interim praeda ipsus esset Rᴜ 1262 nosce signum. ⁑Noui: ubi ipsest? Bᴀ 789   ubi ipsust*? Cᴜ 437   ubi ipse erat? Tʀɪ 901   ipse ubist? Tʀɪ 928

ipsus est Aᴜ 814*, Mᴇʀ 598, Tʀᴜ 891(*LULy*), Vɪ 9   is ipsust Cɪ 602   is herclest ipsus Tᴘɪ 433   is ipsusne's? ⁑Aio. ⁑Ipsus es? ⁑Ipsus.. Charmides sum. ⁑Ergo ipsusne's? ⁑Ipsissumus Tʀɪ 987-8   estne ipsus* an non est? Tʀɪ 1071 atque ipse illic est Eᴘ 101

d. *gen.*: propter auaritiam ipsius atque audaciam Cᴀᴘ 287   ab adulescente matri emptam ipsius Mᴇʀ *Arg* II. 6   nuntiatumst ipsarum* uenturos uiros Sᴛ 677

e. *dat.*: (minas) Diabolus ipsi(*i. e.* matri) daturus dixit As 634   ipsi* pridem tonsor unguis dempserat Aᴜ 312   magis erit solutum quasi ipsi(*i. e.* ero) dederis Ps 641   quo quicque pacto faciat ipsi(*i. e.* Simiae) dixero Ps 755   neque ipsis (quibus datur) apparet quicquam Tʀᴜ 154

f. *acc.*: ipsum adeo contuor As 403   eccum ipsum Aᴜ 712   nunc ipsum exurit Bᴀ 940 ipsum expeto tangere Cᴜ 107   eccum ipsum ante aedis conspicor Eᴘ 186   eampse*. . sis roga Mᴇɴ 638(*RRs*)   tute ipsum conuenisti? Mɪ 1219 sic sine eumpse* Mo 346   te malo ..eumpse* adire Pᴇʀ 603   eccum ipsum ante aedes Pᴇʀ 739 tute ipsus ipsum*. . uides Ps 1142(*RgLU*) tutin ipsus ipsum uidisti? Sᴛ 373   eumpse* ad nos .. adducam Tʀᴜ 114   te adducturam huc dixeras eumpse* non eampse* Tʀᴜ 133 sine eumpse* adire huc Tʀᴜ 890(*Rs*)   sine eumpse* adire Tʀᴜ 891(*LULy*)   eampse* uos audistis confiterier Cɪ 170   eccam eampse* ante aedis..uideo Mᴇɴ 772   iube eampse* exire huc ad nos Mɪ 1069   eccam ipsam* egreditur foras Mɪ 1215   quasi eampse* reges ductitent Poᴇ 272   eampse* nimis cito odium percipit Tʀᴜ 467(*Rs*)   eccas uideo ipsas Poᴇ 1166

g. *abl.*: ex ipsa..exquaeritote Cɪ 764   audiuisse ex eapse* atque epistula Eᴘ 254   cum ipso..sum locuta Mɪ 1220   ab ipson istas accepisti? Tʀɪ 902   percontare ex ipsis Pᴇʀ 499

2. *cum subst.*: Aiacem, hunc quom uides, ipsum uides Cᴀᴘ 615   ipsus* Amphitruo regem ..obtruncauit Aᴍ 252, 415(o. r.)   ego nisi ipsi Ballioni nummum credam nemini Ps 644   ut sciam te Ballionem esse ipsum Ps 987   si forte eumpse* Charmidem conspexeris.. Tʀɪ 950   ab ipso id accepisti Charmide? Tʀɪ 966   ego sum ipsus Charmides Tʀɪ 985   ipsus..Charmides sum Tʀɪ 988   ipsum* uero se nouisse callide Demaenetum As 349   ipsi Lemniseleni

fac des Per 196   ipse exit Lesbonicus Tri 401
ipsum* adeam(†§) Lesbonicum.. Tri 749   Menaechmum eccum ipsum uideo Men 109   ipsi
Phaedromo credidi Cu 465   ipsus* ultro uenit
Philto oratum Tri 611   Pisto ipsi facito ut
coram tradas Mer 278   Polymachaeroplagides
purus putus est ipsus Ps 989   Pseudolus fuit
ipsus Ps 1221   quoi datumst? #Sticho uicario
ipsi tuo As 433   ipse ubist Stratippocles? Ep
40 (vide LLy, supra 1. b)

tun es is Harpax? #Ego sum atque ipse* harpax quidem Ps 1010   ipsus uerus Harpax huc
ad me attulit Ps 1209

ipse hanc acturust Iuppiter comoediam Am
88   hanc fabulam.. hic Iuppiter hodie ipse
aget Am 94   negaui enim ipsi* me concessurum Ioui Cas 323   Venerem ipsam e fano fugent Poe 323   eam rationem eapse*.. educet
Venus Tru 24   ne ipse Genius surripiat Cap
292 .. si ipsi Soli quaerendas dares Mi 803
mulier.. natast ex ipsa Mora Mi 1292   ipsa
Opportunitas non potuit mihi opportunius aduenire Ps 669

argentum dedi.. adulescenti ipsi in manum
Tri 126   fit ipse.. inops amator Tri 255   credo
ego illum.. eampse* anum adiisse Au 815   ipsus
eodemst auos uocatus nomine Men 44   iam
ipse cautor captust Ep 359   ipse dominus..
posse retur Am 170   ex ipsis dominis exculcabo furfures Cap 810   eccum (ipse add Rs)
aedium dominus foras Simo progreditur intus
(A ipsus PRU) Mo 686-7   uix ipsa domina hoc
.. exoptare ab deis audeat St 296   eapse* fauea ubist? Tru 513 (Rs)   ipsum hominem.. opprimas As 876   eccum ipsum* hominem Men 898
quis.. mentionem facit homo hominis optumi?
#Ipsus* homo optumus Tri 1070   eccum ipse
aduenit hospes Per 543   aurum ipsi lenoni
dabit Poe 712   ipsum lenonem euomunt Ps
953   hoc ipsus magister me docet Au 412
neque adeo mater ipsa quae illos pepererat Men
21   ipse miles.. intro abiit Mi 1145   datne
eapse* mulier operam Mi 940 (RgU)   eccas
ipsae huc egrediuntur.. mulieres Ru 663   ipse
in meo collo tuos pater cruminam collocauit
Ep 360   meus pater.. ipse* aderit Per 654 (vide
RU)   ea in clientelam ipsipte*.. patris.. deuenit Ru Arg 4   regem ipsum prius peruor-
tito St 287   uiden ridiculos.. ipsos parasitarier? St 637   senex ipsus*.. eccum opperitur
Mo 795   uidi huc ipsum adducere trapezitam
As 438   neque mihi uiro ipsi credis Am 756
uxorem quoque ipsam* hanc rem.. celes Tri 800
ipsi ignaui recte cauent Ba 544 (v. om A secl
LachRg§)   hunc etiam ipsi culpabunt mali
Ba 397   sapiens.. ipsus* fingit fortunam sibi
Tri 363

nempe eos asinos praedicas..? #Ipsos qui..
As 341   ipsa sibi auis mortem creat Fr II 54
(ex Serv ad Aen VI. 205)

in eapse* aede Dianai conditumst Ba 312
secundum eampse* aram aurum abscondidi Fr
I. 51 (ex Prisc. I. 516)   uos in foro ipso (pro-
statis) Cu 507   demensum dabo non modio..
uerum ipso horreo Men 15 (v. secl OsannRs§)
in eopse* adstas lapide Ba 815   mihi ipsum
nomen.. clamaret Ba 284   obrepsisti in eapse

occasiuncula Tri 974   hoc ipsum oppidum expugnatum .. erit Ps 766   eaepse se patinae (Ly
eaepse se p. A eae ipsae p. P ipsae se p. Guy
RU eaepse sese BugRs) feruefaciunt Ps 833
res ipsa testist Au 421   iam ipsa res dicet
tibi Ep 713   neu rem ipsam indaget Tri 755
re ipsa modo commonitus sum Tri 1050   rem
ipsam posset intellegere Tri 1145   reapse* experta intellego Tru 815   rem ipsam (rempsam
BRs§ rempse BugR) attigit Tru 864   percontare ex ipsis (tabellis): ipsae* tibi narrabunt
Per 499   in tempore (eopse add Rs) aduenis
Cap 836   quis deus obiecit hanc.. in tempore
ipso? Ci 670   aduenisti.. in ipso tempore Poe
1138   quae uis uim mihi afferam ipsa adigit
Ru 681

3. cum pronominibus: ego ipsus* quid sit..
scire puto me Ba 1160   ego ipse et Philolaches.. sumus commensi Mo 910   ego sum ipsus
quem tu quaeris Poe 1046   num ipse ego (om
U) pulmento utor? Ps 220   ipse ego is sum
.. quem tu quaeris Ps 978   ipse* egomet quam
ob rem auctionem praedicem.. St 208 b (v. om
ARRgLU)   tutin ipsus.. uidisti? #Ipse* ego
St 373 (U)   qui ipse egomet ubi sim quaeritem
Tri 929   ipse* tibi ego me loco Vi 26 (Rg in
lac)   sum locuta placide ipsae* dum lubitumst
mihi Mi 1221   mihi ipsi* domi meae nihil est
St 591 (vide RgU)   fabulam aeque ac me ipsum
amo Ba 214   me esse ipsum plane sycophantam sertiat Tri 860   ipsum* me adgredere
As 714 (U)   me ipso praesente et Lycone Cu
712*, 714

tu quoque ipse.. crederes As 502   tu ut liquescas ipse Cas 400   tu ipse ubi lubet finem
face Ep 39   immo hercle tu istic ipsus (es) Mer
759   tu ipse me dixisse delices Mi 844   egone?
#Tu ipsus Mo 634   egone? #Tu istic ipsus Ps
723   tu ipsus te ut non noueris Ru 730   te
quoque ipsum facio haud magni As 114   te
cruci ipsum adfigent.. aliei Per 295   te quoque etiam ipsum ut lamenteris Per 744   te
ipsam.. faciam ut deportere Ps 214   eumpse*
ultro te iudicasse.. intellego Tru 842 (U)

occiperes tute (ipse add R) etiam amare Ba
565 (R)   tute ipse eges in patria Cap 581
tute ipse.. ad me refers Cu 254   tute te ipse
(Rg¹ tute B¹EJRg² tu tete B²Vψ) deseris Ep
97   tute hercle ipsus mihi narrasti Mer 481
tute ipse periisti Poe 1381   tute ipsus.. uides
Ps 1142   tutin ipsus ipsum uidisti? St 373
tute ipse* obiurgandus es Tri 96   Cf Kuklinski, p. 15

hoc uosmet ipsi.. dicetis Mo 96

et ipsum sese et illum furti adstringeret Ru
1260   se eumpse* intueri oportet Tru 159 (BoU)

hic ipsus Casinam deperit Cas 470   quot hic
ipse annos uiuet Mi 1081   hunc quoque adserua ipsum Ru 777   lepide ipsi* hi sunt capti
Ba 1206   ipsi hi quidem mihi dant uiam Ep
193   quid ipsus hic? Cap 279   hoc ipsum oppidum Ps 766

illest ipse* As 379   ipse illic est, tristis
est Ep 101   illa ipsast nimium lepida.. femina
Mi 1003   illic ipsus* est Ps 954 (RRgU) (complectar) eampse illam? #Non censeo Ru 1278
non.. mediocri iratus iracundia sed eapse illa

qua . . Cu 534   non . . mediocri . . infortunio sed eopse* illo quo Cu 538

ea ipsa . . ne intro mittatur cauet Au 101   is est seruos ipse Cap 580   is ipsust Ci 602   is ipse hanc destinauit fidicinam Ep 487   ipsa east Poe 1112   is ipse quasi tu St 552   is herclest ipsus Tri 433   is ipsusne's Tri 987   is ipsus est Mer 598 (*RRg*)

istic ipsust* Tyndarus tuos filius Cap 990   isti quod succenseam ipsi nihil est As 146 (*vide L Ly*)   immo hercle tu istic ipsus Mer 759   Egone? #Tu istic ipsus Ps 723

ego . . quoi ipsi nihil est in manu As 94   . . quibus ipsis nullast res quam procurent sua St 200   qui ipsus Am 754, Per 42, Poe 846, Ps 930, Tri 321, 322, Tru 593, 602   qui ipse Mi 639, Tri 929   qui . . ipse As 69   quaene eapse* St 501   ipsa* quae Tru 587   qui ipsi Cu 479, 482, 484   *Vide supra*

4. *cum pronominibus non in eodem casu:* mene . . ipse Cap 121   ipsa de me Am 637   ipse mecum Am 202   te ipse Mo 713   ipsus . . tibi Men 313   tu ipsus te Ru 730   sese . . ipse Ba 417   ipsus se Cu 640, Cu 170, Ps 263 (*Ly*), Tri 262, 322, Tru 593, 602   ipsus . . se Tru 559   ipsus sese Ba 493, Per 458, Ps 929, 973, 1168   ipsus . . sese Mi 1388   ipsa se Ep 534, Mi 1236   ipsa* sese Mi 312   eapse sese Tru 496   ipsi sese Cu 482   ipsus sibi Cap 461, Ps 884, Tri 321   ipsus . . sibi Poe 708, Tri 363   ipse . . sibi Men 309   eapse . . sibi Ci 136   ipsa sibi Fr II. 54   sibi . . ipse Mer 991   ipsi in sese Ba 547   ipse uitam meam As 609   ipsi . . suis Ru 1247   suom ipse . . nomen Cap 560   ipse . . suo periculo Tri 858   ipse sua . . manu Mer 89   ipsus . . sua . . manu Am 252   ipse . . nomen meum Am 18

5. *indicat erum vel dominum* (*cf* Koehm, p. 173); *sed aliquando dubium est utrum hac significatio apta sit:* . . si a foro ipsus redierit Au 356   ipsus est! Au 814   ego eo quo me ipsa misit Cas 790   ex ipsa . . exquaeritote, ego serua sum Ci 764   eo uenturust ipsus Ep 69 (?)   magis erit solutum quasi ipsi dederis Ps 641

IPSISSUMUS - - ergo ipsusne's? #Ipsissumus (-imus *PPriscL*) Tri 988

IRA - - **1.** *sing. nom.:* insonti mihi illius **ira** in hanc et male dicta expetent Am ⸶96

2. *acc.:* res . . pessumas pessum dedi: **iram,** inimicitiam Mer 848   matris iam iram neglego Mer 938   matris iram sibi esse sedatam sciat Mer 962   non ego illi extemplo iram (*R* itamum *B*[1] ita meum *B*[2]*CD* hamum *Aψ*) ostendam Mo 1070   istaec insipientiast iram (*AP* iras *BugRgU* ⸷ *&*) in promptu gerere Ps 449   comprime sis eiram (*Gep* iram *AU et Sacerdos* 493 comprime spero *P*) Tru 262 (*cf* Fay, *Stratulax Scenes*, p. 162)   eiram (*Gep* iram *APU*) dixi Tru 264   meam . . iram ex pectore iam promam Tru 603

3. *abl.:* semper me **ira** incendit As 420   ne quid in te male faxit ira percita Cas 628   nimis sermone huius ira incendor Ps 201   ne ut ⸷as (iusta *BugL* astu *Rs*) utamur (ne aestuamur *U*) ira Tru 193 (⸷*Ly*)

4. *pl. nom.:* **irae** (ire *E*) interueniunt Am 940   irae (irę *E* ire *DJ*) si quae forte eueniunt

huius modi inter eos Am 941   dum haec . . irae leniunt Mi 583

5. *acc.:* plumbeas **iras** gerunt Poe 813   Ps 449 (*BugRgU vide supra* 2)

6. *corruptum:* Tru 796, ira *P pro* era (*FZ*)

IRACUNDIA - - ita **iracundia** obstitit oculis As 451   non ego nunc mediocri incedo iratus **iracundia,** sed eapse illa qua . . Cu 533   quot illic **iracundiae** (-ie *B*) sunt Tru 28

IRACUNDUS - - I. Forma iracundus Ba 594, Men 269 (-dis *P*), St 322 (*AP* -tu's ω) **iracunda** Am 903 (*Lamb* uerecunda *PLy et Non* 183) **iracundo** (*masc. abl.*) Ba 612, Mi 663 (*BD* furacundo *C*) **iracundi** Poe 541   **iracundos** Poe 572   **iracundiorem** Mer 141   **iracunde** (*adv.*) As 470, Ba 594, Mer 696

II. Significatio **1.** *adiective* a. *attrib.:* opusne erit tibi aduocato iracundo* Mi 663   ego autem (sum) homo iracundus* Men 269   hominem ego iracundiorem quam te noui neminem Mer 141   petulans, propteruo, iracundo animo . . sum Ba 612

b. *praed.:* scin quam iracundus siem? Ba 594   quid tam iracundu's? St 322   nimis iracunda's* Am 903   nimis iracundi estis Poe 541   hau uostrumst iracundos esse quod dixi ioco Poe 572

2. *adverbium:* nimis iracunde! As 470, Ba 594   nimis iracunde hercle tandem! Men 696

IRASCOR - - I. Forma irascor Cu 608 **irascere** Cu 186 (-are *LambRgU*)   **irascar** Men 271   **irascare** Cu 186 (*LambRgU* -ere *Pψ*) **irasci** Am 522, 540, As 472, Au 699, Mer 37, St 27, Tru 769   **irascier** Cap 840 (*v. secl AcRs &L* gaude modo *GertzU*), 845   **iratus** Am 392, 934, As 406 *bis*, Au 377, Ba 608, 629, 684, 772, 1164, Cap 431, 715 (ingratus *J*), 943, Ci 528, Cu 533, Men 777, Mer 992, Mi 577, Mo 1163 (////ratus *B*[1]), Per 431, Poe 445, 456, 645, 1411, Ps 478, 1084, 1330, Ru 609   **irata** Am 924, 937, Cas 1007 (irr. *E*), *ib.*, Ci 101, Men 600, 623, 624, 810 (*Dousa* -tam *P*), Mer 800, 923, 954, Poe 334, 353 *bis*, 371, 395, 404 (arata *B*), Tru 545 **iratum** Tru 46   **irati** Am 988, Ep 673, Tri 47   **irato** As 150, 404, Poe 1288   **iratum** Ps 1151, 1165, Ps 474   **iratam** Am 911   **irato** Ci 652, Ps 474   **irati** Am 1022, Per 666   **iratos** Cu 557, Poe 465, Ru 1146   **iratis** Mi 314 (*Ca* irat *P*)   **iratissumis** Poe 452 (*ABD*[4] -mus *CD*[1])

II. Significatio **1.** *absolute:* non uides irasci? As 472   noli irascier Cap 840*, 845   irascere* si te edentem hic a cibo abigat Cu 186   enim uero irascor Cu 608   minume irasci decet St 27   de nihilo nihil est irasci Tru 769   ignosce, irata ne sies Am 924   iam nunc irata non es? #Non sum Am 937   non irata*'s? #Non sum irata Cas 1007   nŭnc est (eist *Rg*) irata Mer 954   . . ne iratus esset Mi 577   omitte iratus esse Per 431   eho an iratast? Poe 334   si non irata's . . Poe 371   non sum irata*. #Non es? #Non sum Per 404   merito esse iratum arbitror quom . . paruast ei fides Ps 476   iratus sit Ps 478   haud iratus fui Ps 1084   iratus est senex Ba 772

2. *cum dat.:* a. non te mihi irasci decet Am 522   uos mihi irasci ob multiloquium non decet Mer 37 tibi Iuppiter dique omnes irati certo sunt Am 1022 neue ego irascar tibi Men 271 si mihi dat operam, me illi irasci iniuriumst Au 699 noli..irasci..Sosiae causa mea Am 540

b. audiui ted esse iratam mihi Am 911 horunc uerborum causa caue tu mihi iratus fuas Cap 431 cur ergo iratus* mihi's? #Quia.. Cap 715 mea mater iratast mihi quia.. Ci 101 iratast..nunc mihi Men 600 num mihi's irata saltem? Men 624 tu iratus* mihi Mer 800 oro ut ne mihi iratus siet Mer 992 qur mihi haec iratast? Poe 353 numquid iratus es aut mihi aut filio propter has res? Ps 1330 uehementer nunc mihist irata Tru 545 aibat.. deos esse iratos mihi Poe 465 inmerito tibi iratus fui Ba 629 tranquillum facere ex irato mihi Ci 652 qur haec iratast tibi? Poe 353 uox..irati tibi Tri 47 tibi hercle deos iratos esse oportet Ru 1146

certe familiarium aliquoi irata's Men 623 tu huic irata ne sis Poe 395 neque illi sum iratus* Mo 1163 quoi homini di sunt propitii ei non esse iratos decet Cu 557 ei Mer 954 (Rg: supra 1) ei Mars iratust Poe 645

si iratum scortum fortest amatori suo.. Tru 46 meo filio non sum iratus neque te tuost aequom esse iratum Ba 1164-5 Ps 1330 (supra sub mihi) mater iratast patri uehementer quia.. Mer 923 Amphitruoni ut semper iratus sies Am 934 Mercurius Sosiae iratus siet Am 392

3. praed. a. cum uerbis: abeo iratus illinc Au 377 abiit intro iratus Ci 528 abii illim ilico iratus Poe 456 si quid dixi iratus.. Poe 1411 ob eam rem omne aurum iratus reddidi Ba 684 si med iratus tetigerit iratus uapulabit As 406

b. cum pronominibus: ..quod ego iratus ei feci male Cap 943 non ego nunc mediocri incedo iratus iracundia.. Cu 533 ibi ego.. iratus uideor..arripere Ru 609 qu'd ille.. iratus destitit? Men 777 quid illa. irata*.. destitit? Men 810 illic hinc iratus abiit Poe 445 qui iratus renumerauit omne aurum patri Ba 608

mea amica nunc mihi irato obuiam ueniat uelim Poe 1288 cauendumst mihi aps te irato Ps 474 quisque obuiam huic occesserit irato.. As 404 ego ad hunc iratum adgrediar Ba 1151 me dignum esse existumat..quoi.. irato supplicet As 150

c. cum subst.: di deaeque te agitent irati Per 666

4. attrib.: quis magis deis inimicis natus quam tu atque iratis*? Mi 314 ego..deis meis iratissumis* sex immolaui agnos Poe 452 nuntiat..irati aduentum senis Am 988 ille quidem Volcani iratist filius Ep 673

5. subst.: si possum tranquillum facere ex irato mihi Ci 652 uox..inimici atque irati tibi Tri 47

6. causa additur: causa mea Am 540 horunc uerborum causa Cap 431 ob multiloquium Mer 37 ob eam rem Ba 684 propter istanc Mer 954 propter has res Ps 1330 de nihilo Tru 769 si mihi dat Au 699 (cf Lindskog,

p. 66) quom.. Ps 476 quia.. Cap 715, Ci 101, Mer 923

IRCOSALUS - - Men 839: uar em ω

IRIS - - i modo uenare leporem: nunc irim (PLLy ictim Erasmusψ) tenes Cap 184

IRRADO - - di te ament cum inraso (a. semiraso U) capite Ru 1303

IRRIDEO - - I. Forma inrides Mo 1132 (B²D³ -dens B¹D¹ v. om C), Per 850 (irr. B), Tri 446 inridet Ps 1316 inrident Vi 111 (ex Non 138) inridebit Ba 515 (AB irr. CD), Cap 657 (RsU irr. Pψ) inridebor Cap 785 (irr. E) inrideas Au 221 (irr. D¹JU), Poe 1031 (irr. C om A) irrideat Au 232 (P inr. RgSL Ly), Poe 1202 (inr. Pω) inridere Ci 662 (-redire B¹ irr. E²J), Cu 241 (irr. J), Ep 327 (Rg¹ LULy irr. Pψ), Mer 250 (-ri A irr. P), Mo 180 (B irr. CD), 812 (B²D² irr. B¹C), Per 807 irrisum (acc. masc.) Ep 520 (inr. Ly) inrisum (sup.) Am 587 (irr. J)

II. Significatio 1. absolute: inridere ne uideare et gestire admodum Mo 812 etiam inrides*? Mo 1132

2. cum acc.: meus med ordo irrideat Au 232 numquam..uiua me inridebit Ba 515 hic.. me numquam irridebit Cap 657 per urbem inridebor Cap 785 illam anum inridere* me ..sinam Ci 662 ..sinam me inpune irrisum esse Ep 520 coepit inridere* me Mer 250 mea ignauia tu nunc me inrides? Per 850 (meam ignauiam om me SpU) me inridet Ps 1316 numquam irridere nos illum inultum sinam Ep 327 hunc inrident mali Vi 111 (ex Non 138) uenis etiam ultro inrisum dominum Am 587 hominem peregrinum atque aduenam..inrideas* Poe 1031 inopem atque innoxium..inrideas Au 221 hunc inridere lenonem lubidost Per 807 facilest miserum inridere Cu 241 ..ut deceat nos facere quicquam quod homo quisquam inrideat Poe 1202 bonis tuis rebus meas res inrides malas Tri 446 laudari..malo quam..meam speciem alios inridere Mo 180

IRRIDICULUM - - inridiculo (A -lum P) sumus ambo Cas 877 ..fuimus neque ab iuuentute (ab. i. om Rgl) inibi (LLy in B ibi Pψ) inridiculo habitae Poe 1183

IRRIGO - - ubi tu Leucadio Lesbio..uetustate uino edentulo aetatem inriges Poe 700 ego hominem irrigatum (inr. Rg¹Ly) plagis pistori dabo Ep 121 (cf Egli, I. p. 36; Inowraclawer, p. 55)

IRRIGUUS - - mores mali quasi herba inrigua succreuere uberrume Tri 31

IRRITO - - inritabis (irr. J et Non 31) crabrones Am 707 te faciam si tu me inritaueris confossiorem soricina nenia Ba 888 hisce ego si tu me irritaueris (inr. RglULy) placidum te hodie reddam Cu 726 iam ego tibi si me inritassis (irr. B) Persam adducam denuo Per 828 si me inritassis (BE irr. B irritase sis J ut uid), hodie lumbifragium hinc auferes Am 454 praeterhac si me inritassis — St 345 ne canem quidem irritatam (inr. Rs) uoluit quisquam imitariter Cap 485

IRRITUS - - bene quae in me fecerunt ingrata ea habui atque inrita Am 184 ingrata atque inrita (irr. J) esse omnia intellego quae

dedi et quod bene feci As 136   ego istaec
feci uerba uirtute irrita(inr. *RglULy*) Am 925
Vide Cas 1007, *ubi* irrata *E pro* irata   *Cf*
Hofmann, p. 15
  IRROGO - - is diem dicam, **irrogabo**(inr. *Rs*
ULy) multam Cap 494   *Cf* Romeijn, p. 23
  IRRUCTO - - quid tu, malum, in os igitur
mihi ebrius **inructas**(incrutias *D*¹)? Ps 1295
  IRRUO - - in te **irruont**(-unt *BU* inr. *RL*
Ly) montes mali Ep 84   magis iam lubet in
Casinam **inruere**(irr. *J*) Cas 891
  IRRUPTIO - - dum ludi fiunt in popinam,
pedisequi, **inruptionem** facite Poe 24
  IS - - *cf* Bach, *de usu pron. demonst. apud
pr. scrip. Lat.* (Stud. stud. II) pp. 344—375
  I. **Forma is** 221 *exempla sine varia lectione.
Addenda:* Am 81, *add Ly* As 511, es *J* Au
29, i *E* id *J*; 411, is est *ins Rg*; 566, *om Prisc*
I. 50; 602, *add MueRg* Ba 17, est is *add
U in lac*; 123, i *B in ras*; 948, his *BR*; 1115,
is *BoRRgU* id *PLLyℰ†*   Cap *Arg* 6, is
*E*¹ Cap 19, is *Fl* hic *P*; 335, is *Fl* hic *PU*;
337, is homo *PLULyℰ†* citissume *Rs*; 1025, is
A om P Cas 55, is *A om P*; 64, is *AJ* his
BVE; 767, is *A* hic *PRsU* Ci 233, is tum
A ut vid istuc *LLy*; 372, *A ut vid* id *L*; 698,
sed is *om U* Cu 436, *add MueRgU*; 603, uero
is *Ly* uois *BE*¹ tuos *E*³ℰ *var* ψ; 639, *U* iste
P var em ψ; 700, *B om VEJL* Ep 22, ubist
is *A* ubi est is *B²U* ubi estis *P*; 38, *om Py
RgU*; 301, *BriL* hic *P*ψ; 330, *B* his *EJ* ais
*Rg*¹ amicis *U*; 487, *A om P*; 566, ut *add
Stud ex A om P* is ad *Rg*¹*U*; 705, is te *Z* iste
P istam *ParReg'* ista *A*ℰ†; 732, sis *A* Men
35, eaque is *D*³ eaquis *P*; 65, *add R*; 68, is
illic *B*² istilic *B*¹*D* istillic *C*; 650, is *Bri* hic
PRU; 1125, is *add Rs* Mer 344, neque is *CD*
nequis *B*; 434, ubinamst is *CD* ubi nastis *B*;
467, is se *CD* esse *B*; 598, *A* in *P*; *ib.*, is *add
AcRRg*; 632, mandare is *Ca* mandaris *P* mandare *U* Mi *Arg* I. 9, ridicule is *SeyU* ridiculis
*P*ψ; *Arg* II 2, Naupactum is domo *Py* naupactis
domum *P* Mi 22, hercle is quidem *R pro* quam
illic est; 133, his *P corr B²D²*; 134, uenit is
et *Rib* uenietis *B* uenit eius *C* uenit et is *D
LLy*; 136, itaque is ℰ *duce R* itaque *PLy* isque *MueL* atque is *RRg*; 144, feci is *B²D²*
fecitis *CD*¹ fecisti *B*¹; 176, quis is *A* qui sis
erit *B²CD* quinis erit *B*¹; 187, is se *A* esse *P*
iste *R*; 777, isque *LLy* itaque *P*ℰ† atque is
R atque *RibRgU*; 1110, his *B*; 1111, his *B*;
1179, is *A* isis *CD* sic *B*; 1282, *add R duce
Ca* Mo 284, us *B*¹*C*; 366, ubi is est *add Ly
in lac* Per *Arg* I. 3, ut is emat *R post Py* et
Pium ui emeret *PLULy* sed ut *LU* ui emere
*Rg*ℰ Per 2, *Ly* in *Ps-Serv ad Buc* X. 69 *om P*ψ;
363, tunicam is *R pro* tunicas; 511, quae is *D*³
qua eis *P* qua is *A* Poe 106, *add PyRgl*; 479,
add U; 560, isque *om L*; 840, *AcRgl* id *PLU
Ly* hic *Luchs*ℰ; 959, is *A om P*; 1059, emit et is
ACD emittetis *B*; 1070, his *B*; 1282, is *A om P*
Ps 248, sit ussust *Bursian* situs sus est *B* si-
uissus est *CD* qui esti is uiuost *HermR*; 263,
qui sit *A* qui estis *P* qui is est *BoR* quis est
Ly; 700, *add R*; 701, is *A* his *P*; 739, ecquid
is homo *Lorenz* equidem homo *A* ecquid habetis
homo *P*; 841, ibi *AcR*; 978, is sum,*Grut* is *cum*

lac A istum *P om* ℰ; 1010, is Harpax *A* saphax
P; 1119, his *D* Ru 556, is exhibebit *A* sexhibe-
tit *B* se exh. *CD*; 1056, is ṣum *B* istum *CD*;
1317, *add MueU* St 59, is *P* his *A*; 121, is
uitet *R duce Bo* uitiis *P*ψ; 330, ubi is est *P*
ubi isst *A* ubist *Rg*ℰ; 415, is *A* si *P*; 582,
his *D*; 681, is *L* id *PRgLy*ℰ† *om RU* Tri
398, is *BC* his *D om ARs*; 547, is est *BoRRs
pro* istest; 595, si is *BergkRRs* sed id si *PLy*
sed si *Ca*ψ; 669, is *A* his *P*; 850, is *P om AR
Rs*; 895, Lesbonici is *Par* Lesbonicis *BC*¹*D* -ci
*C*²; 976, non tu is *HermRRs pro* tu non; 985,
ementitu's es *FlRRs pro* -tus es; 986, quaeso
an tu is *Par duce Ca* quescam tuis *B* quẹs *cum
lac CD*; 1072, is est *om A* Tru *Arg* 7, et is
CD edis *B* Tru 31, annua is *B* annuus *CD*;
172, is *Rs* omini *P*ℰ† homini *StudLLy*; 304,
is *A* isti *P* istoc *L duce Sey* isto *SeyLy*; 314,
neque is duci se gestit *Rs* neque istuc insegesti
*P*ℰ*LLy*; 340, is est *P* is *FZLULy* iste *Ca*ℰ;
474, is hic *Weise* istic *PRs*; 514, ubi is est *Z*
nubilis est *P*; 549, is *BoU* hic *Sey*ψ *om P*; 597,
isque adeo eum *U* usque adiectaculem *P*ℰ† *var
em* ψ; 721, *ins BueRsU*; 816, quiui ut is *Ca*
ut quiuis *P*; 826, his *B*   Fr I. 26, is te *LLy*
iste *P*ℰ† is *Rg*
  ea 96 *exempla sine varia lectione. Addenda:*
Am 420, ea *ins PyRgl* As 844, ea res *BDJ*
fares *E*   Au 668, eam *J*; 807, anu ea rem *Ca*
an ueram *BDE* an uera *J* Ba 471, ea *add
RRg* Cas 47, ea *A om P*; 59, ea *add CaRs*;
81, eam *V* Ci 306, ea ornatula *U pro* exornᾱ-
tulam; 742, eam *J* Cu 597, *add Rg* Ep 532,
*om JRg*¹; 538, east *Bo et A ut vid* est *P*; 543,
om Non 473; 699, ni ea sit *B* mea sit *EJ* ni
east *Bri*ℰ   Men 428, *add R*; 1069, ea domus
*PLy*ℰ† eadem *BueRLU* et mihi *Rs*; 1139,
haec east *add VahlenRsLLy* Mer 858, *add R*
Mi 417, ei *B*; 419, eam *B*¹; 532, eanest *B²CD*
eamst *B*¹; *ib.*, ea est *D*³ aest *P*; 685, suaue *A*
si ea *RU* sua *P*; 743, sit east odiorum *A* ite
astodorum *P* restans odio *R*; 910, ea res *R*
aeres aest *C* aeres res ẽ *B* heres aest *D*; 1089,
si east hic *R* si est hic *CDLU* est hic *B* sist
istic *Bri*ψ; 1095, *add R* Mo 114, *add Herm*;
171, *add R* Per 559, ea urbs *A om P* Poe
1265, ea *A om P* Ps 226, *ABD* ca *C* quae
RRgU; 921, est *R* St 733, ea itidemst *RRg
pro* ibi autemst; 748, *add R* Tri 10, ea *AB
om CD* Tru 68, fa *B*; 513, ea se *U* eabse
*P*ℰ† eapse ψ; 564, ea aqua *CaLLy* ea qua *P*
aeque aqua *Sp*ψ; 857, ea dixit *P*ℰ†*LLy* edixe
et *U* extinxe et *Rs* Fr I. 117. †*Ly*
  id 177 *exempla sine varia lectione. Addenda:*
Am 191, id ui *BDE* indui *J*; 642, id solaciost *om
HermRgl*; 776 *add MueRgl*; 893, *om LindRglU*;
1003, id *Ca* ẽ *E om BDJ* As 224, *Ca Rgl om
P*ψ Au 450, isti id *SeyLULy* istud *P* istic
*BriRg*ℰ Ba 314, *R pro* hic; 732, it *D*; 1115,
*PLLy*ℰ† is *Bo*ψ Cap 208, *B* di *DE om JRs*;
558, *Rs* sit *VE* fit *BJ*ψ Ep 259, idem *J pro*
id est; 270, *v. om EJ* Men 107, set *RU*; 765,
om BoR Mer ḷ59, *add Bent om P*; 319, *A
alium v. habet PRLLy*; 454, id mea *CD* e
me *B*; 553, ames id iam *A* aue sidiam *CD*
uersidiam *B*; 783, *A om PRL*; 840, que id
eripiatur *Sciop* qui deripiatur *P*; 845, *add R*;

966, seruo id B^2CD seruid B^1 Mɪ 37, om B^1;
58. add *PyR*; 199, *A* it *P*; 298, it B^1; 360,
add R; 406, *A* hic *P* hoc *R*; 419, id tibist *R*
id est *B* tibist *CD*ψ; 475, *A* it *PR*; 588,
quoin id *RibLLy* quin id *A𝕊t* quod B^1 quod
ei B^2 qđ in *CD var em RU*; 600, AB^1 fit
CD sit B^2; 683, tete id *A* ut B^1D^1 id B^2D^3
it *C*; 747, *A ut vid 𝕊Ly* inicit *B* incit *C* meit
*D om FZ*ψ; 892, it *C*; 947, it *CD*; 1211, id
add GuyR Mo 296, B^2Rs idem *P*ψ; 475, *add*
BoRRs; 866, *add R* Pᴇʀ 102, id hau *R pro*
haud te; 362, *P et A corr om RRs*; 469, id
erit *B* id aderit *CD* aderit *Rs*; 553, *om R*; 675,
A idem *P* Poᴇ 145, *add RRgl*; 281, *Bo* illic
P𝕊t; 302, *A* in *P om BoU*; 305, *add Ly duce*
Leone; 610, *Ac om P*; 635, om *BentRglLLy*;
793, *v.praebet Non* 392 *om P*; 840, *P is AcRgl*
hic *Luchs𝕊*; 892, qui id *ACD* quid *B* Ps 473,
om A; 715, *PiusRgl om P* mihi *A*ψ; 1165, *om*
R; 1182, id *U pro* ire Rᴜ 292, *D* it *BC*; 576,
id aret *A* aret it *P* aret id *Paul* 366; 664, ide
B pro id est; 1069, it *B* illud *CaU*; 1106, *Bo*
ita *B* ista *CD*; 1257, it *BC* Sᴛ 189, id *RRg*
pro st Tʀɪ 385, *om A*; 595, *PLy is BergkR*
*Rs om Ca*ψ; 637, idd *A*; 889, *add FlU* Tʀᴜ
170, tam id *Sp* amit *B* amat *CD*; 746, *add Rs*
var em ψ; 888, id multum *U duce Sey var em* ψ;
941, id amabost *Palm* ita alabo est *P𝕊t*

eius (*de correptione* cf Ahlberg, p. 82) 114
exempla sine varia lectione. Addenda: Aᴍ *Arg*
II. 2, absentis *Rgl* Aᴍ 347, iussu, eius *add L*
As 263, eius pici *GertzLULy* auspicii *BJ* au-
spitii *DE* auspicioque *MerulaRgl𝕊*; 531, demetrius E^1 demeneti si E^3J *pro* dum eius; 908,
add Rgl Aᴜ 775, adeo numquam eius *U* abeo
(habeo *VE*) euiquam est *P𝕊t var em* ψ Ba
366, eius *PU om FZ*ψ; 480 *add Rg* ei *L*; 1201,
eius *U* is *P𝕊tLyt var em* ψ Cas 659, eius
add Rs ei *U* Cɪ 101, us *A*; 756, numerus eius
*U ***us A𝕊* numerus *Ca*ψ Cᴜ 639, *add U*
Ep 110, eius *B* et *VE om J* Mᴇɴ 590, pro
eius AB^2 proliis *P* Mᴇʀ 105, dicens *Non* 137
pro dico eius Mɪ 960, BD^3 eis CD^1; 976, *FZ*
aeuius *BC* aeui uis *D*; 1010, *add SpLLy*; 1170,
R illius *AP*ψ; 1274, eius *L* melius *P om Gul*ψ
Mo 957, *P* eiius *A𝕊Ly*; 975, *CD* ei B^2 in ras
eiius *AR𝑠𝕊*; 981, *L* eum tu *U* eum merito *R*
meum B^1D me B^2 eū *C* eiius *A*ψ Pᴇʀ 552,
add R Poᴇ 245, eiusdem *Rgl*; 823, euis *B*;
1177, iius *A* Ps 651, ieius *D*; 986, *PRRglU*
eiius *A*ψ Rᴜ 161, eius *add L in app crit*;
392, *PLULy* ei *Luchs*ψ; 888, *add U duce Fl*
Sᴛ 50, eius *BachL* huius *P*ψ; 433, *A* elus *P*
Tʀɪ 242b, *add RRs*; 338, *APLULy* ei *R*ψ; 430,
PLULy eiius *A*ψ; 967, eiius *B* Tʀᴜ 48, animus eius est *U* alteri potius est *P𝕊t var em* ψ;
93, quidem eius *SeyLULy* quibus melius est
P𝕊t aliter Rs; 467, eampse *Rs*; 888, multum
eius *LLy* mutu *P𝕊t* muttum *Rs* id multum *U*;
967, huius *B* Vɪ 118, eius *MercerRgL* (s)atus
vel aius *vel* auis *Non* 332 *si prima syllaba*
ictum habet, eiius *scribit Ly*

ei 128 *exempla sine varia lectione. Addenda.*
Aᴍ 106, si ei quid *BoxhornRgl* siet quod *BD*
Ly siet *E* sit quod *Lind*ψ As 916, *om J* Aᴜ
565, *Grut* e *BD* et *J* uel *BrugmannRg* etiam *ZU* Ba 480, *add L* eius *Rg var em* ψ;

522, eo *A*; 525, *A om P* illut *HermR*; 806,
add MueRg; 1083, et nequitiae illam operam
dare *R* ei dare ludum *P*ψ t𝕊; 1098, eis *D ante*
ras Cap 198, & *D*; 266, eist *Rs pro* est; 940,
ut ei *FZ* uti ei *Rs* uti *P* Cas 58, *add MueU*;
63, ei mater *A* eius mater ei *P*; 66, *ABJ* et
VE; 514 id *U*; 572, ei *Sey𝕊Ly om APLU*
aliter Rs; 659, *add U* eius *Rs om P*ψ; 950,
et *Non* 397; 1004, *add U* Cᴜ 581, *add Gep*
RgU Ep 422, eum *B*; 521, ei seic *A* eis sic *P*
Mᴇɴ 85, ei *Ly* i *CD om BLU* aut *RRs*; 231,
ei rei *Grut* ire hi *P* ire hinc B^2 hinc rei D^3;
735, ei B^2 i B^1 e *CD*; 881, ei iam *R pro* me
Mᴇʀ *Arg* I. 8, *add R* Mᴇʀ 333, idoneo *B pro*
ei dono; 596, ei *R pro* illi; 954, eist *RRg* est
*P*ψ Mɪ *Arg* I. 11, B^2 celi *P* Mɪ 23, habeto
ei *Wagner* h. et *CD* habetot B^1 habeto *ARL*;
26, *A om PU*; 77, ei rei *R* rei *BC pro* regi
(*D*); 93, *Ly duce Fulg* eum *P*ψ; 185a, hoc ei
A hic *P*; 298, tu ei *CD* tui *B*; 728, mers pretium ei statuit *KlotzLULy in lac*; 731, *A om*
P; 765, ei rei *SeyRg* hic *P𝕊tLt* ei hic *BoLy*
huic rei *BriU* huice *R*; 798, *add RRgLU*;
800, ei dabo *A* dabo *P* ut eum ibo *R* dabo
eum ero *SeyU*; 910, ei curetur *RibL* eiceretur
B𝕊t -ceretur *CD var em* ψ; 1070, *add Ly*;
1088, cor ei saliat *CD* curas aluit *B*; 1126,
add R; 1205, te quoque ei *Py* quoque *B* quodque *CD*; 1304, ei ferat *R* ut ferat *CD* auferat
*AB*ψ; 1395, uestem ei *add PalmRg* Mo 250,
ei usus *Ca* elusa *P*; 287, *Py* e B^1 te B^2CD
id ei *RL*; 481, *Sciop* et *P* eidem *R*; 549a, *add*
RRs; 650, *B om CD*; 701, ei male *A* ni trahis *P*; 1046, *add Rs*; 1107, quaesti sit ei *R*
Rs𝕊 qua estis id *P* illi q. sit *LLy* q. sit ita
FZU; 1163, *add R* Pᴇʀ 180, *P* et *A*; 256, ei
egenti *Weise* legenti *P* egenti *A ut vid var em*
RRs; 841, ei *WeiseU* id *PLLy* illi *ReizR* om
Rs; ib, om *GuyR* Poᴇ 49, eius *Non* 11; 64,
Ac om P; 174, *FZ* et *P*; 1416, *CD* eim *B*
Ps 53 *R* et *P*ψ; 374, summa ei *A* summę *B*
summe *CD*; 477, paruast ei *RRg𝕊L* paruomst
ei *Ly* parumste *P* parum est ei *FlU*; 719, eius
A pro ei os; 899, *om* B^2; 1085, *B om CD* te
ei *Ly* Rᴜ 68, *FZ* et *P* et *A*; 392, *Luchs*
eius *PLULy*; 934b, ei ego *Z* elego *P* Sᴛ
513, *om R*; 542, *ARg* uni *R* illi *P*ψ; 653, *add*
RRg Tʀɪ 14, ei qui *AB om CD*; 15, *A* e *B*
om *CD*; 338, *R* eius *APLLy*; 371, *Ca* e *A* et
P; 741, *P* et *A*; 743, ei scd *RRs* illi et *AP*ψ;
813, probari ei *RRsU* probare *P*ψ Tʀᴜ 216,
P om A; 222, aequom *A* equō *B* aequum me
CD; 228, *A om P*; 739, om *Rs* t𝕊 Fʀ I. 44,
add RRgLy ex Char 219 **eae** Mɪ 348, *A* ea
P ei B^2; 888, eae ibi *BugU* ibi ei *R* ea *BD*ψ
eea *C*; 1126, illa eae quae *U pro* illaec quae

eum 158 *exempla sine varia lectione. Addenda:*
Aᴍ 507, *add BoRglL* ut *Ly*; 680, suom *Rgl*;
1050, *add FlRgl* As 398, *om D*; 465, cum *J*;
758, *add Ly* Aᴜ 315, *RgU pro* esse; 328, eum
cape *U in lac*; 329, hunc *LebretonLy*; 598, *add*
HariusRgL; 773, *add LangenLLy* Ba 266,
et non eum *P* et non suum *U* non uerum *GuyR*;
384, gnatum *RRg*; 440, puerum *R*; 968, cum
B^1C Cap 512, B^2OJ om B^1Rs; 821, eorum
BriRs Cas 273, illum *J*; 864, *add Rs in lac*
Cɪ 132, om B^2 cum *J*; 248, *U falso*; 697, ec-

cum locus PS† est eum locum L duce Bo eccum eum locum U eccam: locum Ly eccam loca PyRs Er 252, om U; 294, UL pro te; 454, Rg¹ ex A ut vid illum Pψ Men 33, Epidamnum eum Sey epidamnium PLLy epidamnum auehit R; 188, eum leges R tuest legio PS†L var em ψ; 897, KaempfLLy illum Pψ loc dub Mer Arg I. 6, cum CD Mer 698, n˜ C Mi 93, ei Ly duce Fulg; 799 b, ad eum ibo R dabo eum ero SeyU ei dabo Aψ dabo P; 801, mecum B; 927, add U; 934, ad eum missa Py admissa P; 1247, mulier eum SeyRg uiuere BS† muuete CD; 1392, mulier eum CaLLy mulierem BS† mulieres eum CD; 1424, eum R pro iam Mo 377, add R; 704, eum hominem R pro neminem; 981, CRU meum B¹D eius Aψ; 1002, enī C nouom R; 1050, quom eum R pro quoniam; 1154, BoLU illum Pψ Per 67, om R; 600, adi eum R pro adi sis tute; 696, A tum P; 790, add R Poe 171, cum D; 903, A tum P; ib., ABD cum C; 918, tantùmeum B pro tantum eum; 958, ad eum A deum P Ps Arg II. 9, RU pro hunc Ps 778, tum P; 899, om BoR; 844, cum B¹ Ru 55, demum Rs; 362, cum C; 395, Reiz eam PLLy; 779, U pro dum St 373, tun eum ipsus R tun eum P tutin ipsus Aψ; 444, iam U; 560, add R Tri 137, om RRs; 687, om Rs; 700, om BentRRs; 789, PL Ly tum Boψ; 944, add HermRRsU; 1141, usquam RRs; 1146, om BoRRs; 1170, add RRs Tru 87, cum P; 230, eum mittat A cum mittas P; 559, LLy illum Pψ; 595, quid? eum U nequid est PS† var em ψ; 597, adeo eum U adiectaculem PS† var em ψ; 857, PLLy meum Boψ

eam 201 *exempla sine varia lectione. Addenda:* Am 478, B iam DEJ As 62, ea J; 764, eandem J Au 383, eam mihi U meam Pψ; 782, BD iam VEJ; fr IV, seruabam eam L eam *libri* eram Boψ Ba 208, Ac eum P; 565, eam ut *add* URg eam Ly etiam SeyS †L Cap 372, *add* RsLy Cas 109, om A; 544, Goetz duce A om P; 555, ea V; 671, Rs falso ut vid eum APψ; 1002, eam BJ e A eea VE Ci 168, qui eam proiecerat ins CaLULy; 661, eam U ea BVE om J iam Schoellψ; 711, eam mihi opinor L ***more ARgSLy aliter U Ep 52, eam emit add U; 65, add Rg ei R. MueU var em ψ; 177, eum ServDan ad Aen XI. 160; 260, eade J; 279, add LuchsRg; 294, eamque Rg² om J atque BEψ; 518, eum B; 537, U pro me var em ψ; 580, BJL om E me Aψ; 705, ob eam Rg² eam ob L ab ore PSLy† ob rem ParRg¹ fateor U Men 468, eum CD; 497, istam VahlenU; 508, add RRsU; 235, eam ipsus B²L ULy eam plus B eampsus CDS† eampse RRs; 942, 1055, eatā B¹ Mer 14, ea LambRLU; 106, add ReizR; 181, quid eam CD quidā B; 190, add BentRgSU; 211, meae LomanRRgU; 243, eam U pro meam; 342, me eam RRg pro me; 380, GuyRU om Rg pro illam; 712, ad eam LangenRg pro adeam; 888, P meam amicam MueRg; 892, propere eam ins Rg; 989, add Rg Mi 243, FZ eum P; ib., osculari eam CD osculari B² om B¹ osculier RgLU; 263. om B¹; 341, sedeam B¹; 407, uidi eam Ca uideam P; 484, cubantem eam modo A cubante mea domo B

-tem ea domo CD; 560, AB² em P; 785, eeam C; 855, uide eam LLy die ea PS† var em ψ; 919, ad eam rem haud Py a te amant B a te amea ut C a te ama ut D aliter U; 971, tui FZR; 1337, uis eam R uisam P; 1405, ad eam ut irem Rib et Sey ad te uenire B ad te amuttire CD var em RU Mo 141, PLU ea SeyRsS me LambL; 599, accipere eam licebit Rs ***cebit P aliter R; 833, R pro nam; 926, eam ambis Rs eambis A eam dehis P eam debes B²R eam dis Ly e. mihi des L e. habebis U Per 129, eam uis FZ eamus P; 493, ea Non 110; 524, om A; 651, add R; 662, eam U pro ut emas Poe 1115, uin eam A uinam P; 1290, add Rgl Ps 1156, add FlR Rg Ru 225, neque eam AD³ nequeā P; 395, PLLy eum Reizψ; 862, add Rs St 290, atque eam add R; 502, AcRRg eam ego CD ea ego Bψ ego A; 698, add U Tri 1184, et eam Bo etiam P Tru 21, Rs eum Pψ†; 24, eam rationem Prisc II. 421 ea ratione P; 131, A om PLLy; 194, tu eam me A tume B tute CD; 262, ARsLLy meam P eram Spψ; 312, Kies ea ALLy em P; 462, add GepU; 467, re nimis cito Sp eni scito(B cito CD) P eam n. c. MueU aliter Rs; 842, eam dem PalmLy eundem BCD³S†Rs eum D¹ eumpse SeyU; ib., qui admisti eam L quidem istam Pψ; 875, in eam PS† var em ψ Fr II. 65, perge ad eam L ex Isid Or XIX. 24. 1 pergat cod S† Ly† aliter Rs

id 336 *exempla sine varia lectione. Addenda:* Am 89, add FlRgl; 552, add SpRgl; 838, id tu U enim LachRgl in Pψ †LyS; 1051, om J As 10, add Rgl; 98, is id J sit DE si B si tu id URgl; 337, qui id ω q////d B² quid B¹D qui EJ; 755, add MueRgl; 785, DEJLy om Bψ Au 199, Non 199 om PRgLU; 623, om U; 637, Par di P; 749, post id L postid Pψ; 773, quis id BoRg qui PS†; 776, id si Valla it B¹D id B²EJ quid si CaLU Ba 19, add RLy; 75, R pro istuc; 393, add R; 716, id mihi dice P dic mihi dic Rg; 1157, nihili's id Becker nihili sit B nihile sit CD nihili es RLLy; 1191, ad C om R; 1195, om UL Cap 6, iid D; 209, B di DVE om JRs; 337, te id om Rs; 387, semper BriU pro id per-; 630, qui id B quid EJ; 941. id quod P aequom Rs Cas 33 post id L postid Pψ; 58, add Rs; 71, A hoc P; 120, post id L postid ψ; 130, post id U postid ψ; 287, quo id Ioergensenius U; 828, add ALy; 1012, om J Ci 219, add ReizLULy; 293, post id L postid ψ; 311, om LLy; 372, id L is Aψ Cu 43, id uti BS†Ly induti VE¹ indutias E³ inducias J sed ita ut ReizRg aliter LU Ep 19, ut id mi U ut illi P ut illae A ut vid var em RgLLy; 108, qui id AB quid VE; 247, postquam id A post ibi BJ; 250, is J Men 561, RsU om P hinc R ea Aψ; 821, hercle id Rs hec PS† var em ψ; 892, id om B¹; 980, om B¹; 982, om L; 1044, ipse B² Mer 136a, add Lach om PS†; 338, esse id Rg pro euenire; 543, SeyS ideo Pψ ideç A; 548, add Rg; 655, sin R pro si id; ib., certum id PLULyS† incertum RRg; 744, add U; 886, D om B it CR; 889, id quoque Rg quo BR om CDψ; 904, hem quid id Rg inique PS† var em ψ; 1013, PSLy sed Rgψ Mi Arg I. 2, lid B¹ Mi 61, inque id U inquit

$P\psi$; 176, id uidit A tuidit CD^1 uidit BD^2; 214, it P; 345, it B^1; 352, it B^1 ad D; 365, PLR om $A\psi$; 392, A ita B^2CDR itē B^1; 400, it B^1; 403, me id iam A meeam B^2CD meam B^1 men iam R; 554, add $MueRg$; 888, id R pro et; 1026, $GertzULy$ ut $B\mathcal{S}$† sit CD var em ψ; 1158, it CD; 1180, it C et D; 1252, add $LorenzU$; 1277, qui it D quid id C quid B; 1415, iureque id Ca iureque B mihi id eque CD; 1429, add $BentRRg$ Mo 98, om R duce $Herm$; 211, om R; 287, hic ei RL te B^2 CD e B^1 ei $Py\psi$; 305, di CD'; 625, add Ly; 810, add R; 869, id mihi add R; 1012, om A ut vid Per 47, ago ego id U ego item $P\psi$; 108, add $MueU$; 380, ut ui A id ut P ut L id, ut U; 554, A om PLU; 644, P om $BoLULy$ transp RRs; 700, nosti id Rs in lac; 843, in loco sedulo P id in loco R Poe 169, qui id Guy quid $PRgl\mathcal{S}$; 291, it P in quidem P equidem $ARglU$; 840, $PLLyU$ is $AcRgl$ hic $Luchs$ $\mathcal{S}$; 860, Ly fortasse cum A om $GepRglLU$ eo A(teste Stud)$\mathcal{S}$; 896, P om A; 1170, id euenturum ACD inde uenturum P Ps 12, om AR; 16, om A; 284, id hic A hic it P hic id L; 317, in A; 336, add R; 375, A is P; 421, P hoc A; 456, id uicino R uicinos $P\psi$; 533, add R; 567, quo id A quo BD^3 cum CD^1; 570, om A; 598, qui id C quid ABD; 635, P om AR; 949, R om PLy; 1224, auferen tu id A auferentur B^1 auferetur id B^2CD Ru 192, it BC; 299, post id LU postid ψ; 397, it P; 404, it B; 538, add Rs; 700, ne indignum $TurnLy$ ne . . A om P ne inuisas $Ca\psi$; 922, add $SeyLy$; 1084, it B; 1119, ut id P ita ut Rs; 1140, idne Ly in me $P\mathcal{S}$† anne $Valla\psi$; 1326, nunc id Ca nungit P; 1333, it B; 1335, it B om $BentULy$ St 73, equidem id factura $Bri\mathcal{S}L$ Ly e. is f. A ego factura sum P ego id sum f. $RRgU$; 82, A om P; 86, post id RLU postid ψ; ib., est id $FlRgU$ erit $P\psi$; 106, id $RRgU$ sed $P\psi$ osed d; 297, A hoc P; 363, A om P; 555, add $LomanRRgULy$ illi istaec L; 579, it quod BoU quod P ut $Lamb\psi$; 681, $P\mathcal{S}$†Ly transp RRg is L aliter U Tri 207, it quod $AP\mathcal{S}$† LLy quid $Reiz\psi$; 362, it A; 699, CD it B; 850, P it A Tru 23, hic Prisc I. 421; 221, qui id A quid ita P; 235, id oblitust A iobi atus B iobatus CD; 399, id ncn necarem Sch ide carem P; 454, add $SeyRs$; 465, add Ca om $P\mathcal{S}$; 554, it B; 661, post id LU postid ψ; 858, ubi id $CD\mathcal{S}$†L ubi it B var em ψ

eo Am 713, 1023, As 435, Au Arg II. 9, Au 695(ab eo ω habeo DE abeo BJ), 709(ex eo ELU†Ly exeo $BDJ\psi$), 775(ab eo B abeo DJ habeo VE adeo Non 293 et U), Ba 263, 339, 739, 937, 969(ab eo add R), Cap 721(ab eo BE habeo J), 947, Cas 220, Ci 85, Cu 65, 66, 302 ($BriRg$ hoc $P\mathcal{S}$$Ly$ om $FlLU$) Ep 55, Men 188 (cum eo ut Rs cum utro $P\mathcal{S}$†$LULy$), Mer 1019, Mi 97, 823, 1309(RU om $CD\psi$ quem B), Mo 549c(B^2D^2 meo P), 557(homine $BugU$), Per 164, 818(tu eo add RU), Poe 294, 477, 482 (eo Ca eos AU ego P), 526, 588(cum eo A quo meo P), Ps 59, 346(ab eo add $BriRg$), 650, 751(add $RRgU$), 1011, 1012, 1087, 1227, Ru 59, 487, 1157, St 71, 409, Tri 157, 322, 614, 827(clementem eo $HermRRs$ -enti meo $P\psi$), 849(ab

eo CD habeo B), 852, Tru 19, 204, 475(eo Rs eum $P\mathcal{S}$†Ly† sum $BueL$)', 741, 799, 800(quid eo Ca quiitco B cui te CD), 873(add Sp om P) ea Am 763, 906(ea tu Ca fatu P), 1087, As 231, Au 32(BDJ eam E), 267, 464, 799, Ba 710(eta CD), Cas 18, 673, 683, 935(ab ea add Rs), Ci 84 (gessit morem oranti A de ea re g m. PLU), 565, 611, 763, Cu 250, Ep 218, 297, 698, Men 35, 37, 482, 892, 1060, Mer 14($LambRLU$ eam $P\psi$), 74(atque ea BD atquea C), 76(R eam $B\mathcal{S}$† eā CD), 102, 188, 223(quin ea Ca quine B quin CD), 400, Mi 248, 298(pro ea Rg eo AcL om $P\psi$ * $\mathcal{S}Ly$), 459, 790(quid ea usus A qui te[te quid B] ausus P), 795, 880(ea in Ca eam P), Mo 360, Per 69, 181(AP mea FZU), 194, 335, 756 (ea re R eas $P\psi$), Poe 2, 99, Ps 55, 62, 88(quid ea A quidem a P), 92, 160, 529, 543b(istac Ly), St 312, 327, 502(B om A eam $CDRRg$), Tri 594(Sciop dea B de hac CD), 742, 1066, Tru 94(FZ ergo P), 278(A ita P) eo Am 225, 345, 756, As 501, 620(BD ego EJ), 844, Au 133, 185, 240, 376(eae D), 725($PLLy$ adeo $SeyU$ ergo $MueRg\mathcal{S}$), Ba 77, 95($Herm$ ego PU), 221, 298, 319, 636(eo quod ames add L), 1086, 1133, Cap 70, 837, 860, 994, Ci 7(B et VEJ), ib., 237, 299, 483(LLy ex A ut vid), 492, Cu 61, Ep Arg 4, Ep 704(B^2 ego P), Men 92, 151(R o B oh CD), 186(in eo BC inec D), 266, 434(Py ego P ergo B^2), 985b(eo ego Sp ego P eoque R nam eo Rs eo U), Mer 31(RU ideo $P\psi$), 411, 623(CD eos B), 971, Mi 142, 298(Ac L pro ea Rg * $\mathcal{S}L$), 926, 1080, Mo 241(R bo $B^1\mathcal{S}$† uiuo B^2E ioui C probo Rs boui eo L boues..eo U bono Ly), 636, 763(AP ex R), 821, 902b, 1116(placeo eo R quia p. $P\psi$), Per 276, 532, 639($ALLy$ equidem $P\psi$), 785, 834 (om R †$\mathcal{S}$ transp $RsLLy$), Poe 288, 294, 457, 775, 860(A ut vid et $\mathcal{S}$ id Ly fortasse cum A om $P\psi$), 883, 1186, 1194, 1201, Ps 137, 184, 317 (in A), 590(P quo R), 655(A om P ex CaR RgU), Ru 24, 93, 1114, St 177, 588, Tri 274, 341(ego C), 364, 371, 372(ego C), 379, 405, 856, Tru 85, 180(A om P), 272, 457, Vi 70

i Ba 548(R ii BU hi CD), Cap 2(Ca hi PL Ly), Cu 394(Ca hi P ei CaL), Men Arg 10 Osann(ii PU ibi R), Men 85(ei add Ly), 983 (metuont i B^2 metuo ni B^1 i om CDL ei Rs), 221(U ei R isti Rs hic A ut vid ψ), 983(ei Rs i $\mathcal{S}Ly$ hi B^2 om PL v. secl $Herm$ ω), 984(-que ei P tum aeque Rs † $\mathcal{S}Ly$ em ψ), Mer 869(ei $P\omega$: dissyl.), Mi 385(ei R et A hi P i Ly), 708 (ei $BueL$ i Ly hi $AB^2\psi$ li CD^1 licet B^1), 753 (i R ii CDU hii B ei L), Mo 121(ei Gul et P i Ly), 859(ei Sey i Ly hii BD hu C hi R ii U), 862(i Sey hii BD hu C hi FZR ii U ei L), 876(ei add R), Per 684(ei $AP\omega$), Ps 819 (ei $P\omega$), 1107(ei P i ULy), Ru 156(LU ei Ly om $CDRs$ hi $B\psi$), St 201(P si A i Ly), 490 (ei A ii P), Tri 17(A ii B hi CD ei L), 625 (ei euscheme RRs in euscheme $Ca\psi$ in cusce [eiusce D] mea P), Tru 745(i $P\omega$) eae As 553(hae J), Ep 216(haeę J), Men 86, Mi 60(R ere P), Mo 681(eē CD^1 ee D^2), Poe 86($RRgl$ ea $P\psi$), 223(Py ea P ee D^4), 322(A aeae P), 1116(eae C), 1248(aee CD), 1346(A te R), 1393 (add $GepRglLy$), Ru 646(eę D), St Arg II. 1(eę D aeae B heae C), St 540(aeę C aee D), Tri

1039(ea *P* eę *Z*) **ea** As 143, 196, Cap 415, Cas 880, Ci 455(si ea *Ly* sịta *ARsS lac UL*), 1399(ea iam *L* faciam *Pψ*), Mo 841, Per 560 (*ALLy om Pψ*), Poe 1015, Ps 60, 396(ubi sunt **ea** *APSt LLy* lubentias *RRgU*), 433, 497 (-tan ea *BoRRg* -ta mea *Pψ*), Ru 358, 1081, 1086, Tru 798

eorum Am 210,483,1139, As 553(*Ca* forum *P*), 769(*Ca* forum *P*), Cap 161, 809, 821(*Bri* eum *P LU*), Ci 632, Cu 295, Ep 188(horum *Non* 102), Mer 847, Mi 756, 761, Mo 307, Poe 61, Ps 140, 142, Ru 15, St 4(*U* quorum *Pψ* † *S*), 349(earum *R*), Tri 32, 215(de eorum *P* deorum *A*), 643, 1023 (hercle *RRs*), 1049, Tru 103, 112 **earum** Ep 238 (*A* harum *P*), Mi 186(ne hercle usquam *R*), Poe *Arg* 4, Poe 96, 898, 1095, 1111(sed earum *ACD* se te harum *B*), 1139, St 85, 349(*R* eorum *Pψ*), Tru 532(*MueLLy* uerum *PSt v. secl U Rs*) **eorum** Ru 398

iis Am 68(is *F* iis *BDEU* hiis *J*), 92(is *B DEω* his *J*), As 269(is *Ly* eis *Pψ*), Ba 956(is *Ly* his *A* eis *Pψ*), 1186(eis *Pω*), Cap 112(eis *L* is *Seyψ* his *P*), 494(is *B¹DE* his *B²J*), 555 (is ω iis *B¹V¹E* his *B²V²J*), 816(eis *Pω*), 908 (pernae eis *U* pernae, is *Ly* perne eis *B* pernies *E* pernis *AJψ*), Cas 806(is *Rs* si *PSt var em ψ*), Cu 250(eis *Pω*), 373(eis *Pω*), 551(is *B* iis *E* his *JRgl om U*), 552(nonne is *BL*[eis] nonne iis *E* non eis *JRgl* non is *U*), Men 585 (eis *A* lis uiris *B* iuris *DRRsU* uiris *C*), 972 (is *S* iis *BDU* uis *C* eis *RsLLy*). Mi 732(-te is *A* hi sus *P*), 735(is *P* iis *A* his *B²*), Mo 129 (is *Ly* eis *Pψ*), 826(is *Ly* eis *Pψ*), 1151(is *S Ly* iis *PRRsU* eis *L*), Per 60(is *RLy* iis *BU* hus *CD* eis *ψ*), 78(is fuerit *R* infuerit *PLy*† fuerit *U* afuerit *HauptRsS*), 205(eis lubet *U* in lac aliter *ψ*), Poe 215(eis *Pω*), 770(is *Sey* eis *Rgl* his *ALLy* hisce *CD om B*), 1190(is *BCL Ly* his *DS om RglU aliter A*), Ps 206(is *add R*), 1111(is *CD* iis *BU* eis *R*), Ru 73(eis ω iis *P*), 186(eis *PL* eis uis *Rs* is ω), 647(q diis *B* qui diis *C* quid his *D* quid is ω), 1250(iis *P* eis *L* is ω), Tri 1038(que is *SpRsULy* quis *PiusRRs* qui *PSt*) **ibus** Mi 74(latrones ibus *corr ex Non* 486 *et Plac* 57 latronis bus *CD¹* latronibus *BD³* l. hibus *FR*), Ru 219(*Rs* iis *CD* his *B* illis *Aψ*), Tru 110(ibist ibus *Ca* ibisib; *B* ibi usibus *C* ibi usib; *D* ibi sibus *L†Ly†* ibust ibi *Rs*)

eos Am 205, 657, 942, 1116, As 73, 339, 527, Ba 287, 1146, Cap 473, Cas 220, 561, Ci 461, Cu 294, 548, Ep 166, 215, Men 459, Mer 270(hoc *R*), Mi 240, 707, 710, 737(*secl RRg*), 996, Mo 882, Per 59, Poe 482(eos in *U* eos illos *A* eo illos *Caψ* ego illos *P*), 585, Ps 207, 269, St 49(*om BoR*), 101(eos nos *AD⁴* enos *P*), 205(*A* eo *P*), 407, Tri 74, 238 *bis*, 623, 879, 1022 **eas** As 805, Ba 143, Ci 33, 244, Cu 604, Men 819, Mi 1104, Mo 646, 664(eius *R*), Per 756 (ea re *R*), 785, Poe 87, 88, 104(*FZ* meas *P*), 330(ad eas *GepU* adeas *APψ*), 899, 905, 907, 962(*A* as *B* has *CD*), 964, 1102(*ReizRglU* ambas *Pψ*), 1223, 1254, 1379, 1392, Ps 10, 148 (suas *RRg*), 578, 813, Ru 76, 519, 600, 649 *bis*, 714(*om Rs*), 1237, St 77(in eas simulem *PLU* adeo adsimulem *ASLy* adsimulem *Rg*), 78, Tri 775, 794, 1033 **ea** Am 9, *ib.*(*om LangeRgl*),

138, 146, 184, 197, 525, 752, 884, 948, As 846 (exopto ea *U pro* exoptem), 860, Au 601, Cap 143, 217(consili *Rs*), 329, 970, Ci 13, Ep 265, Men 561(*A om P* hinc *R* id *RsU*), 614, 900, Mer 33(*RRg* tam *Pψ*), 56, Mi 620(ea te *CDL Ly* aeate *B²* atate *B¹* a te *Rψ*), 621(a *B¹*), 888(eea *C* ibi *R* eae *BugU*), 982(auferre ea *Rg* auferret *PSt var em ψ*), 1175(*A* non *P*), Mo 141(*Sey* eam *PULy* me *LambL*), 1156(propter ea *RRsSt* propterea *ZLULy*), Per 172, 305 (satin ea *P* satine *A*), 766, Poe 391(*ACD* eam *B om GuyRgl*), 456b, Ps 182, 501(eu mussitabas *FZ* eamus scitabas *P*), 828, Tri 296(*A* et *P*), 641, 1168, Tru 157, 757(*add GuyLLy*) **eis** As 437(*LLy* iis *DE* his *BJ* is *Parψ*), Ep 705(is te *L* iste *P* ista *ASt* istam *ParRg¹*), Mi 1157(*add R*), Per 26(*A* dis *P* is *Ly*), Poe 167(*Ly* iis *Pψ*), Ps 1109(is *B* his *CD*), St 17 (*A* his *CD* is *B*), 81(*APLy* meis *Lomanψ*), Tri 103(dici is *Vahlen* dicis *PLy*† dici *RRsL*), 294 (inbuas eis tuom *RRs pro* colas neue inbuas), Tru 531(is te ω iste *B* istas *CD*), 533(is te *P* his te *ZLLy*) **ibus** Ba 142(praesente ibus *ScalR* praesentibus *PSt LLy aliter Rg*), Cap *Arg* 5(in ibus *Gul* inibi *PLLy*)

adverbia: **ea** Au 305(*add GertzU*), Cap 371 (*add PU om Flψ*), Mo 131, 1047, St 451(*om A*) **eo** Au 494, Ba 235(*add MueRg*), 907, Cas 518 (coaddito *GulU pro* eo addito), Ci 380, 580, Cu 344(eo accedunt *Ly* duce *Guy* accedunt *Guy Rg* coaccedunt *Pψ*), Ep 7(coadsolet *AcRg pro* eo adsolet), 69, 304, Mer 674(eo iam *R pro* eodem), 927(si eo *CD* scio *B*), 940, Mi 889(eo deueniunt *Ly* eadē[*BD* aơe *C*] ueniunt *P var em ψ*), Per 235, Poe 333, 340, 561, 1026, 1175, Ps 332, 816, 858, Ru 61(eadem *Rs*), 876, St 432, 625

corrupta: Am 38, de ea *EJ pro* omnes; 649, ante id *D¹E pro* anteit; 338, illi ei *EJ pro* illic et; 735, id *P om Ald*; 783, eam solue *B DJ* ea solue *E pro* exsolue(*Mue*) As *Arg* 8, eius trisrae *BDE¹* eius triste aget *E³J pro* e lustris rapit(*Ca*) As 13, id est *EJ pro* inest (*BD*); 440, ei iam *E pro* etiam; 503, quo id *BD²* quid id *D¹ pro* quod; 649, ei *E pro* et; 725, eius *Non* 266 *pro* huius; 785, post id *D EJ pro* post(*B*); 915, post cum *J pro* poste Au 27, eam *J pro* illam; 175, id ê *E pro* idem; 329, eum *J pro* illum; 413, eo *B¹ pro* ego; 439, id *P pro* ibi(*Guy*); 690, ea *Non* 232 *pro* te; 594, eum *J pro* enim; 702, eos *Non* 152 *pro* ego; 758, eam *P pro* iam(*Bri*); 815, eam apse *P*[adse *J*] *pro* eampse(*B²*); *fr* IV, eam *libri Nonii pro* eram(*Bo*) Ba 355, mala eū *C pro* malacum; 398, ea cum *P pro* aequom(*Bo*); *ib.*, eum *P pro* cum; 446, id *B pro* it(*FZ*); 503, id *A pro* illud; 524, ei *A pro* illi(*P*); 745, dum id *D pro* quid; 815, eo ipso *P pro* eopse(*R*); 1203, id *D pro* it Cap 265, id *J pro* si; 545, is si te *V²O²J* iste *EO¹V¹* si *B² pro* si te(*B¹*);
580, eū q̊ *E* eum quisquam *J* eum quam *V pro* se umquam; 800, eius *B pro* huius; 890, ei *add E¹* Cas 83, eius mater ei *P pro* ei mater(*A*); 163, ea ipsa *P pro* eapse(*Bo*); 338, opinionem eius *P pro* -ne melius(*Sarac*); 361, eo dico *P pro* fodico(*Bent*); 465, iis *BVE* is *J pro* hi (*Lamb*); 531, id *add P om Ca*; 602, 604, ea(m)

ipsa *P pro* eapse; 819, -tū eius *BVJ* -tu eius
E pro -tu meus(*A*); 749, is *EJ pro* i; 787, hab
ei ero *E*¹ *pro* habuero; 800, himenaee eo *J*
hymen et eo *VE pro* hymenaee o; 949, ea *P
pro* eam; 964, siue is *P pro* si uis(*A*) Ci 37,
eū *VE* eum *J pro* eunt; 102, eam *P pro* hanc
(*A*); 170, eam ipse *pro* eampse; 266, 387, **is
A; 525, p̄ ea *J pro* poste; 602, eo *BVE pro*
eho; 643, eo quid *E pro* ecquid; 713, ea *B*¹
eam *VE om Guyω*; 739, quo id amo *VE pro*
quoidam Ep 105, eorum *VEJ pro* meorum;
384, si id *B*¹ sibi id *EJ pro* sed(*B*²); 400, eū
B pro cum; 484, eam *P pro* meam(*A*); 650, ea
eo *B pro* exeo; 684, ea *A ut vid pro* ego; 688,
eo quid *E pro* ecquid; 722, eius *add J* Men
94, ea *Non* 338 *pro* ita; 242, quid id *A pro*
qui; 309, is *se P pro* ipse; 493, ea quae *P pro*
aeque; 673, eius·*P pro* heus; 769, quo id *B*²
pro quoad; 772, eam ipse *B*²*D*² *pro* eampse(*P*);
849, eam iis *C pro* a meis; 872, eo *C pro* eu;
948, ut id eferatur *CD pro* uti deferatur; 1146,
iustis eam *P pro* iusti siem(*A*) Mer 3, id est
C idem BD pro item; 628, ea *add P om Bo*;
843, sperata eum(*C*) *pro* speratam quom; 844,
eo quis *C pro* equis; 936, id *CD pro* hic; 946,
ea *P pro* iam(*FZ*) Mi 141, ea se *P pro* eapse
(*Turn*); 158, eum *D pro* sunt; 253, quantū is
P pro quantum uis; 301, eo *B*¹ *pro* eho; 316,
ea ipsit *P pro* empsim; 384, eo *B*¹ *pro* suo:
419, id est *B pro* tibist; 438, dicat ei *PS*† *δικαία SpLULy aliter RRg*; 501, madida eae *B
pro* me di deae; 533, eā *B pro* istam; 588, quin
id *A* quod *B*¹ quod ei *B*² *var em edd*; 725,
media eaeque *D*¹ media eaque *C medietaq' B
pro* me di deaeque; 772, earum *P pro* mearum;
855b, ea *PS*† *om LULy v. secl RRg*; 866, id
uidetur *B pro* diuidetur; 924, illa eam *B pro*
ille te nam; 1041, earum *B pro* carum; 1069,
eam ipse *P pro* eampse; 1312, ab eo *P pro*
abeo; 1319, sit eo *CD pro* scio (*B*); 1367,
eorum *B pro* uerum(*Ca*) Mo 194, ei *B*² mei
PRs mi *K* mihi *Zψ*; 238, is dec *B* isdem *CD
pro* his decem(*Bent*); 104, uo si *PS*† *var em ψ*;
247, id *P pro* si(*Ca*); 297, eam *P pro* em(*B
ras*); 346, eum ipsa *P pro* eumpse(*Grut*); 722,
is *add A ut vid*; 741, eam *P pro* iam(*A*); 896,
neq'eas *PU*† *pro* nequeas; 907, eo quid *C pro* ecquid; 1041, dubii is *P pro* dubiis(*Prisc* I. 204)
Per 174, eum *CD pro* meum; 312, id *D pro*
hic; 399, audi eas *P pro* audiens(*A*); 406, eo
P pro oh; 603, eumse *A* eum ipse *P pro* eumpse; 620, id *P pro* hic(*A*); 798, ea *P pro* et
(*Ca*) Poe *Arg* 2, i *PS*† ibi *RRgl om ψ*; 272,
eam ipse *P pro* eampse; 292, ea *Eugraphius
pro* illac; 348, eam *add Isidorus*; 364, eo quid
CD pro ecquid; 376, eo *C pro* ero; 385, eo quid
CD pro ecquid; 392, eius *A pro* huius; 660,
me ea *B pro* mea; 967, quo id omisit *BD pro*
quoi domi sit; 925, id *P pro* ita(*A*); 1153, apud
eum *P pro* ad puteum(*A*); 1176, eo *A pro* ego;
1199, eo *add A*; 1340, id dem *CD pro* idem
Ps 4, et eam *D* eam *C pro* te tam; 162, id *D
pro* idem; 163, eo *P pro* ego(*A*); 432, ea *P
pro* an(*A*); 727, eum *add P om A*; 784, eum
PL pro malum(*R*); 643, eae ipsae *AP pro*
eaepse; 846, id *P pro* it; 914, me eum *B pro*
meum; 1131, at eum *CD pro* quom; 1273, me

id *P pro* med(*Ca*) Ru 106, eo *B pro* ego; 309,
eo cons *D pro* eccos; 411, ea spe *P pro* eapse
(*Ugoletus*); 411, magistra eius *D*³ *pro* magistratus; 576, eo illud *CD pro* eccillud; 789, eum-
quam *CD pro* te umquam; 796, eas *P pro* has;
811, ne iis tunc *P pro* ni istunc; 920, is est *B
pro* quist; 1030, eo quid *D pro* ecquid; 1093,
is *add CD*; 1310, eo quid *CD pro* ecquid St 20,
ei eu *C pro* neu; 222, eo qui *C pro* ecqui; 312,
eum *D*¹ *pro* erum; 435, eas *P pro* hasce(*A*); 571,
id iam *CD* it iam *B pro* etiam Tri 10, inpul-
sum eo *P pro* inpulsu meo; 297, fac eos *P pro*
faeceos (*A*); 306, id *add P om A*; 625, eiusce
me *D pro* euscheme; 926, loquar ea p̄senti *D pro*
loquere apsenti; 943, eo *P pro* eho; 950, eum
ipsum *P pro* eumpse(*Lind*); 995, id *P pro* ad;
1174, quod eū *B pro* et Lesbonicum Tru 7,
eum *P pro* eu; 24, ea ipsa *Prisc pro* eapse;
69, eam *P pro* iam(*FZ*); 74, id *PS*† *var em ψ*;
114, eum ipsum *A pro* eumpse; 128, astat eū *B
pro* Astaphium; 133, eum ipsum *AP pro* eumpse;
ib., eam ipsam *A pro* eampse; 151, id *add P
om Gep*; 167, -it is olim *P pro* istis olim; 195,
eam *add P om A*; *ib.*, eam *P pro* iam(*A*); 220,
eum *P pro* istum(*A*); 254, is item *P pro* itast
(*A*); 272, eas *PS*† *var em ψ*; 316, ut is est *P
pro* uisust(*A*); 340, is est *P pro* iste(*Ca*); 503,
id *P pro* it; 551, muliere i *P pro* muli erei;
555, domis idq' *CD pro* domist qui; 558, ex eo
CD pro ἔξω; 564, ea qua *P pro* aqua; 714, per
eis *PS*† *var em ψ*; 723, ea *P pro* mea(*FZ*);
736, illic eam *P pro* -ri liceat; 802, ea *P pro*
ex(*Bo*); 858, id *CDS*† it *P var em ψ*; 875, in
eam rem *PS*† *var em ψ*; 890, eum ipse *P pro*
eumpse(*Bo*); 893, eo *BS*† o *CD var em ψ*; 925,
me eos *P pro* meosne Fr I. 73, eo *Fest pro*
ego(*Scal*)

II. Collocatio *si cum substantivo coniunctum est antecedere solet. Sequitur:* Am 255, proelium id; 994, uoluptae ea; Cap 358, gratia ea;
Cas 55, filius is; Cas 767, uilicus is; Cu 603,
pater .. is(*Ly*); Men 85, compediti ei(*Ly*); Mer
136, principium id; Mo 338, 'iam' id; Poe 302,
aurum id; 479, uiscus is(*U*); Ru 1091, lenonis
eius; St 59, seruos is(?). *Praepositio inserta
est:* ea in opificina Mi 880

III. Significatio A. *attributive:* 1. *de personis:* is nunc Amphitruo praefectust legionibus Am 100 tun es is Harpax? Ps 1010 is ..
Harpax ego sum Ps 1199 is* quidem hic apud
nos est (*punctum ins U*) Strabax Tru 693 quis
is Menaechmust? Men 651 is* ego sum Sosi-
cles Mer 1125(*Rs*) eorum sunt aliquot genera
Pistorensium Cap 161 is (Poenus) hodie huc
ueniet Poe 120
is* scit adulescens .. quam conpresserit Au
29 is illic adulescens habitat Poe 78 erant
minori ei* adulescenti St 542(*ARg*) nonne
arbitraris eum* adulescentem .. signum nosse?
Tri 789 is .. compressit uirginem adulescentulus Ci 158 si eam senex anum praegnantem .. fecerit .. Au 163 saepe is cautor captus
est Cap 256 compediti ei* anum lima
praeterunt Men 85(*Ly*) is danista aduenit Ep
55 ego de eorum* uerbis famigeratōrum .. prosilui Tri 215 filius is* autem armigerum adlegauit suom Cas 55 is* illic habitat geminus

surrupticius Men 68   aurumque ei* ademit hospiti eumque hic defodit hospitem Mo 481-2
is eam huc..leno aduexit uirginem Ru 41   is
leno..flocci non fecit fidem Ru 47   hic lenonis eius est uidulus Ru 1091   is illius filiam
conicit in nauem miles Mi 111   eum* esse simulat militem puero patrem Tru 87   ubi ea
mulier habitat? Ba 472   quis east mulier? Ep
702   leno inportunus dominus eius mulieris
Mer 44   ea ut uidetur mulier? Mer 391   eamque huc inuitam mulierem..aduehit Mi 113
eae mulieres quae sunt? Ru 646   is* ad hos
nauclerus..deuortitur Mi 1110 quis east nam
optuma? Au 136   pater uero is* rusum mihi
(dederat) Cu 603(Ly)   ego is sum qui te produxit pater Ru 1173   eam puellam hic senex amat
Cas 48   eam puellam a med accepit Ci 139
dat eam puellam ei seruo exponendam Ci 166
dat eam puellam meretrici Ci 171   eam nunc
puellam filiam eius quaerimus Ci 621   ..simulat
..eum isti suppositum puerum Tru 88(†𝔖)   quid
eo fecisti puero? Tru 799   quid eo* puero tua era
fecit? Tru 800   ..eum* Diniarchi puerum inuentum filium Tru 857   emit..is filium inprudens senex Poe 75   emitteresne necne eum
seruom manu? Cap 714   essetne apud te is
seruos acceptissumus? Cap 715   neque eum seruom umquam repperi Cap 761   is seruos..adit
extemplo ad mulierem Cas 39   ei seruo Ci 166
(supra)   seruos is* habitu hau probust St 59
uilicus is*..ambulat Cas 767   ..te eam com-
pressisse..uirginem Au 689   is eam..leno aduexit uirginem Ru 41   ea uxor diem obiit Ci 613
ubi is homost? As 338   ..eum sese non nosse
hominem qui siet As 348   tum etiam hominem in senatu dare operam As 871   ubi nunc is
homost? Ba 47   eum ego..reppuli reieci hominem Ba 632   fac is* homo ut redimatur Cap
337(aliter Rs)   ut is homo redimatur illi Cap
341   ..eum hominem ut conuenias Cap 515
uiuitne is(, add L) homo? Cap 989   quo is
homo insinuauit pacto se ad te? Ci 89   celeriter
mihi eo* homine conuentost opus Cu 302(Rg)
quis is est homo? Cu 581   ubi is est homo
qui..Cu 652, Tru 826*(homost)   ..qui monstret eum mihi hominem Ep 536   hic is* homost
qui..Ep 732   quis is homost? Men 650*, Mi
176*, Tru 135   quoius modi i* homines erunt?
Men 221(RU)   ubinamst is* homo gentium?
Mer 434   eos nunc homines metuo mihi ne obsint Mi 996a   eum* hominem sollicitat sopor
Mo 704(R)   quid ei* homini opus uitast? Per
180   eum mihi uolo demonstretis hominem Poe
593   is in diuitias homo adoptauit hunc Poe 904
ecquid is* homo habet aceti in pectore? Ps 739
ecquid is homo scitust? Ps 748   ei homines..
non condimentis condiunt Ps 819   quid est ei
homini nomen? Ps 977   quis is homost qui..
Ps 984, Tru 549*   ubi sunt i* homines? Ru
156   is homo exornetur graphice Tri 767
hasce epistulas dicam ab eo* homine me accepisse quem..Tri 849   inter eosne homines condalium te redipisci postulas? Tri 1022
   2. de animalibus: praeter eos agnos meus
est istic..canis Ba 1146   tu nempe eos asinos
praedicas uetulos..As 339   eum*..petronem
..conspexero Cap 821   quantum ex augurio

eius* pici intellego As 263(ULLy)   ea simia
..ad me uenit Mer 234
   3. de rebus: a. ..quibus est ea res in manu
Am 80   iam ea res me horrore adficit Am 1068
ea* res me male habet As 844   hic eam rem
uolt Au 201(ad sequens spectat)   ea re repudium remisit Au 799   ei rei operam dabant
Ba 297   ei rei primum praeuorti uolo Cap 460
gratulantur..eam rem Cap 501   nimis lepide
ei rei dant operam Cas 773(ad sequens spectat)
obsecutast de ea* re Ci 84   ei rei· nunc suam
operam..dat si..Ci 184(ad seq. spectat)   ille
eam rem..frugaliter accurauit Ep 565   ei*
rei operam damus Men 234   eam rem nunc
exquirit intus Mer 926   ei* rei..operam decretumst dare Mi 77(R)   eam rem Naupactum ad erum nuntiem Mi 116   ei* rei primum praeuorti decet Mi 765   quasi..ea*
res..†eiceretur Mi 910   eam rem uolutaui Mo
88(v. secl RRs𝔖 ad seq. sp.)   ei rei argumenta
dicam Mo 92, Tri 522   ei rei operam do ne..
Per 372(ad seq. sp.)   ea res me domo expertem facit Per 509   ea* re uobis habeo grates
..quia..Per 756(ad seq. sp.)   ei* rei ego finitor factus sum Poe 49   ei rei dies haec praestitutast Ps 58   ei rei operam dabo Ps 1115,
Tri 865   eam rem iudicatam iudicat Ru 19
ei rei operam dare te fuerat..aequius si..
Tri 119(ad seq. sp.)   in ambiguost..quid ea*
re fuat Tri 594   dum occasio ei rei(Ca om AP)
reperiatur..Tri 757   ei rei fundus pater sit
potior Tri 1123   eam rem in corde agito Tru
451   bene si facere incepit eius* re nimis cito
odium percipit Tru 467(vide RsU)   tempus ei
rei secundumst Tru 713   ..qui admisti eam*
rem Tru 842(L)   easque res agebam commodum Ru 519
   tu poeta's prosus ad eam rem unicus As 748
occasio ad eam rem fuit..parta Ba 673(ad seq.sp.)
consilium..ad eam* rem conducibile Ep 260   hominem..ad eam rem utilem Ep 291   ad eam
rem otiosos homines decuit delegi Men 453
ut me defrudes ad eam rem adfectas uiam
Men 686   architectique ad eam* rem(add Py
om Ly) haud inperiti Mi 919   ad eam rem habeo omnem aciem Mi 1028   domi esse ad eam
rem uideo siluai satis Mi 1154   ad eam rem
facere uolt nouom gynaeceum Mo 759   ad eam
rem usus est tua mihi opera Per 328   ad eam
rem nos esse testis uis tibi Poe 565   ad eam
rem testis habeam Poe 971   ad eam rem usust
hominem astutum Ps 385   ..quaerere argentum ad eam rem Ps 420   iudex sim reusque
ad eam rem Tri 234   grauius..uerbum ad
eam rem Tri 388   sescentae ad eam rem causae possunt conligi Tri 791   sol est ad eam
rem pictor Vi 36   an hoc ad eas res opsonatumst? Ba 143
   de ea re signa..eloquar Am 1087   de ea re
gessit morem(PLU g. m. oranti Aψ) Ci 84   ut
sit de ea re eloquar Ci 565   Syracusas de ea
re rediit nuntius Men 37(ad seq. sp.)   si de ea*
re..inter nos †conueniamus Ps 543b
   nihil in ea re captiost Ep 297   boni malique
in ea re pars tibist Tri 1066   Vide Tru 875,
ubi in eam rem si quid P𝔖† quod var em ψ
ob eam rem Am 113, Ba 58(ad seq. sp.), 684,

690, Cap 947, Cu 416, Ep 253, 596(*ad seq. sp.*),
705(ob rem te *ParRg* ab ore *APLy*† eam ob
rem *L*), 730, Men 942*, 1055*(*ad seq. sp.*), Mi
1033, Per 757, Ps 795(*ad seq. sp.*)., Tri 324(*ad
seq. sp.*), 652(*ad seq. sp*) propter eam rem
Cas 278, 1005(*ad seq. sp.*)

b. adulescens.. qui id* argentum attulit As
337 id adeo argentum ab danista.. sumpsit
faenore Ep 53 id argentum quod debetur..
dinumerauerit Ep 71 id.. occupatum tibi erit
argentum Ep 298 eo* argento illam me emisse
amicam Ep 704 eo* argento Mo 241(*R*) quid
eost argento factum? Mo 636 euoluam id* argentum tibi Ps 317 haec est praestituta summa
ei* argento dies Ps 374 id*.. quod dedit perdiderit tantum argenti Mo 211

mihi id aurum credidit Au 15 tu id aurum
non surripuisti? Au 772 ubi id est aurum?
Au 823 id aurum Theotimo datumst Ba 335
diuiti homini id aurum seruandum dedit Ba
338 (dixi) me id aurum accepisse Ba 686
id pollicetur se daturum aurum mihi Ba 742
mihi id aurum reddidit et te dixisti id aurum
ablaturum Ba 804-5 aurum id* fortuna inuenitur Poe 302(*v. secl. RRglSLU*) idque in
istoc adeo aurum inest marsuppio Poe 782
dicat patrem.. id iussisse aurum tibi dare
Tri 779 haben tu id aurum quod..? Tri 964
quid ea* drachuma facere uis? Ps 88 is* te
ob eam* rem tetigi.. minis Ep 705(*Rg² vide ψ*)
quid ei nummi sciunt? Per 684
.. se.. ea* pecunia nauem.. parasse Mer 74
qui emisset eius essetne ea pecunia? Tri 178
.. quam eum thensaurum commostraret filio Au
12 is mihi thensaurus iugis in nostra domost
Ps 84

c. is ea causa misit hoc qui.. Au 464 ea te
causa duco ut.. Men 892 nihilo hercle ea
causa magis facietis.. Men 1060 ea caussa..
illam emi.. Mer 400 ea caussa.. te exornaui
ego Per 335 ea caussa miles hic reliquit symbolum.. ut.. Ps 55 tu ea causa uis.. suspendere ut.. Ps 92 uellem nae fores erum fugissent ea causa ut haberent †manum St 312
ob eam causam huc abs te auorti Mi 1074

id ea* faciam gratia quo.. Au 32 ea affinitatem hanc obstinauit gratia Au 267 ea gratia
domo profectast Ci 763 numqui minus ea gratia tamen omnium opera utor? Ps 160 ean
gratia foris effringis? St 327

d. neges te umquam pedem in eas aedis intulisse Men 819 eas* emisse aedis huius dicam
filium Mo 664 eaque is aegritudine.. emortuost Men 35 ea adoleuit ad eam aetatem
Cas 47 eum* agrum me habere.. Tri 687
eum* agrum dederis Tri 700 .. senem ei* amori
operam dare Cas 58(*U*) in id angiportum me
deuorti iusserat Ps 961 ea* aqua abeat in
mare Tru 564 ea* ballista.. peruortam turrim
Ba 710 id* beneficium interit Poe 635 is mihi
erat bilis Fr I. 79(*ex Festo 257, Prisco* II. 271)
ubinam ea fuit cistellula? Ru 391 eam.. cistulam ut iubeas hunc reddere illis Ru 1119 is*
colos thalassicust Mi 1179 in eo conclaui ego
perfodi parietem Mi 142 ea condicio huic uel
primariast Tri 748 .. eos eo condimento uno
non utier Cas 220 ea culpes condimenta Ps

828 id* fero(*Ly* refero *GertzU*) ad te consilium Mi 1026(*ULy*) eam* copiam sibi potestatemque facias Mi 971 id undest tibi cor? Ci
65 ea* iam.. pendeant crepundia Mi 1399(*L*)
ea quae olim parua gestauit crepundia . insunt Ru 1081 in eum diem quo.. siet Cas
565 oles eam* unde es disciplinam Tru 131
†ea* domus et patriast mihi Men 1069 ea dona
quae.. sunt data abstulimus Am 138 in eo
ensiculo litterarum quid sit Ru 1157 .. eamque euenturam exagogam Capuam Ru 631 eo*
ego exemplo seruio.. ut.. Men 985b ad id*
exemplum somnium.. somniauit Mi 400 id repperi iam exemplum Mo 90 quod id est facinus? Mi 282 ea* te facere facinora quae..
Mi 621 ne enuntiet id esse facinus ex ted
ortum Poe 889 ut illi id factum sciscerent
Ba 302(*an verbum?*) reum eius facti nescit
qui siet Ci 164 pro ea fide habeant iudicem
Per 194 qua fiducia?.. #Lubuit: ea fiducia
Ep 698 ain tu.. id facere flagitium patrem?
As 853 eo sumus gnatae genere ut.. Poe 1186
non eo genere sumus prognatae.. ut.. Poe
1201 nimisque id genus odi Ru 920 id genus
hominum.. male facit Tri 1046 eo sum genere gnatus Ps 590(*ad seq. sp.*) gladium ...
#Quid eum gladium? Cas 660 eas* uobis ha-
beo grates.. quia.. Per 756 gratia ea grauidast bonis Cap 358 eam* ambis gratiam? Mo
926 *RsS vide* ψ) eas deis est aequom gratias
nos agere sempiternas quom.. Poe 1254 eas
herbas herbis aliis.. condiunt Ps 813 eos* honores mihi quos habuit perdidit St 49 ego id
quaero hospitium ubi ego curer mollius Poe
693 ob eam industriam hodie ducam scortum
Men 123 eost ingenio natus Ba 1086 eo enim
ingenio hi sunt flagritribae Ps 137 . eam*
fieri . iniuriam Mi 560 eae* nunc legiones..
fugae potiti As 554 is lembus nostrae naui
insidias dabat Ba 286 atque ea lege: si.. As
231 sed ea lege ut offigantur Mo 360 .. in
ea lege adscribier Per 69 ex eo* loco uideo
recipere se senem Au 709 in eum haec reuenit res locum ut.. Ba 606 eum* locum signat ubi ea excidit Ci 697(*UL*) mihi eas machinas molitust Per 785 eam nunc malitiam
accuratam miles inueniat uolo Tru 473 id ego
male malum metuo Men 977 quid eo mihi
opust est mercimonio? Per 532 id merum infuscabat Ci 19 quid ea messis attinet ad meam
lauationem? Mo 160 quo modo? #Eo modo
ut.. Am 1023 eius modi homini.. Ba 676
aliquid ad eum modum Men 211 eius modist
Mi 801 propter eius modi uiros Ru 127 amicum cum eius modi uirtutibus Tri 337 te..
eo* usque modo ut uolui usus sum Tri 827
(*RRs*) .. eum morbum mihi esse ut.. Cap 553
eo more expertem te factum.. offendi Am 713
eos me decretumst persequi mores patris As
73 commune quacum id esset sibi negotium
Ci 587 eam nobilitatem amittendam uideo Mi
1324 propter diuitias inditum id nomen quasist Cap 286 Tri 889(id *add FlU post* quid)
id.. nomen commemorabitur Tru 882 ea nocte
mecum illa.. fuit Mer 102 neque censebam
eam fore mihi occasionem Per 258 haec ea*
occasiost Ps 921 is* odos.. in caelum uolat

Ps 841 eum* odorem cenat Iuppiter cottidie Ps 844 ad eam operam facere sumptum de suo Ba 98 .. libera ea* opera ocius ut sit Per 181 si ea* in opificina nesciam .. mala esse Mi 880 eoque ab opere maxume te abire iussi Vi 70 (?) id* ui .. expugnatum oppidumst Am 191 neque id* haud subditiua gloria oppidum arbitror Ba 19 (*ex Don ad And* I. 2, 34) nec magis id ceperam oppidum Ba 959 mera ea* oratiost St 748 (*R*) eo ornatu aduenit Tri 852 †eumque ornatum Tru 475 (*Ps* †*Ly*† *U* eoque ornatu *Rs aliter BueL vide U*) eo* si pacto posset indagarier mulier Mer 623 eo pacto .. adii manum Poe 457 eo pacto addideris .. famam familiae Tri 379 ubi ea* patera nunc est Am 420 (*Rgl*) .. ut ea .te patera donem Am 763 haec east profecto patera Am 781 id periclum adsimilo .. Ba 962 di eam potestatem dabunt Cap 934 (*ad seq. sp.*) ea .. se penetrauit potio Tru 44 ea conportatur praeda Per 508 auferen tu id praemium a me quod ..? Ps 1224 eo pretio empti fuerant olim Mo 821 principium id* inimicis dato Mer 136 a uicti utri sint eo proelio .. Am 225 proelium id tandem diremit nox Am 255 in eo* uterque proelio potabimus Men 186 dederamque eas* prouincias Ps 148 eam* cape prouinciam St 698 (*U*) eum quaestum facio Ci 376 eam* mecum rationem puto Cas 555 neque eam* rationem .. educet Venus Tru 24 id rus hic erit Cas 485 eam* seditionem illi in tranquillum conferet Am 478 eius* seminis mulieres sunt Poe 245 ad eam* mihi (*U* ad meam *Pψ*) sententiam Au 383 ea omnes stant sententia Cu 250 id signum Amphitruoni non erit Am 145 ea signa nemo . uidere poterit Am 146 eam pudet me tibi .. obicere sollicitudinem Mi 623 eam* non peto sortem Mo 599 (*R*) ea spes elapsast Cap 759 quae east supellex? Poe 1146 ob eam suspicionem Ep 290 infit dicere .. non eum* esse symbolum Ba 266 is* tabellis crederes Cu 551 ea tempestate flos poetarum fuit Cas 18 principium capiam ex ea tragoedia Poe 2 quid id esse dicam uerbum nauci nescio Mo 1042 reppererunt iam ei uerbo uicarium St 188 St 189 (uerbum id *RRg pro* uerbumst) ei hercle ego uerbo lumbos diffractos uelim St 191 id ui uerum uincitur Am 591 eam adfectat uiam Au 575 huius est is* uidulus Ru 1317 (*U*) eum .. uidulum reposcito Ru 1352 .. dum eo uinclo uincies Men 93 ne ad fundas uiscus is* adhaeresceret Poe 479 (*U*) id* uisum ut ne uisum siet Mi 199 id eis uitium nocet Mo 826 uoluptas ea mihi multo maxumast Am 994 ea* urbs moenita muro sat erit simplici Per 559 ei* ego urbi Gripo indam nomen Ru 934 b

e. id 'actutum' diust Am 530 fac ergo id 'facile' noscam ego Poe 893 diust 'iam' id mihist Mo 338 quid id autem 'unum'st St 427 quid id* est autem 'unum'? Tri 385 haud id 'multum' apparet Tru 888 (*U*)

4. *praedicative:* is cliens frugi habetur Men 577 da pignus ni ea*st filia Ep 699 si is est homo Ep 543 hominem catum eum esse declaramus Ps 682 ubi dies decem continuos sit, ea*st odiorum Ilias Mi 743

is* est ager profecto .. in quem Tri 547 is*

primus bolust Tru 31 ea* haud est fabri culpa Mo 114 id hic est Veneris fanum Ru 61 id flagitium meum sit .. te .. operam dare mihi Ba 97 is est fundus nouos Tru 727 is est honos .. meminisse officium Tri 697 malum quod minumumst id minumest malum St 120 non satis id est mali? Tri 248 ea illi miserae miseriast Tru 466 mora minor ea uidetur Mi 1294 id est nomen mihi Ci 465, Ps 637, Tri 889 non id est nomen mihi St 239 id fuit nomen tibi St 240 nugae sunt eae Men 86 neque id uiri officium arbitror St 297 id uiri doctist opus .. ut .. Mo 412 peccatan ea* sunt? Ps 497 is* quaestust mihi As 511 ea res est As 55 ea* nimiast ratio Tru 68 ea sapientiast Ep 60 b id signumst cum Theotimo Ba 329 spectamus bono seruo id* est qui .. Men 966 ea stultitiast .. credere Ps 576 ea mihi tempestas fuit Mo 137 id* erit adeundi tempus Per 469 id illi uitium maxumumst quod .. Mer 596

B. *substantive:* 1. *spectat ad antecedentem personam:* a. *deos:* is (deus) me .. inlexit Au 737 is .. illum illic curauerit Cap 314 stultus .. sit qui .. eos* uituperet Mi 737 cum eis* belligerem? Per 26 Per 205 (eis lubet *add U in lac*) eos minumi facit Ps 269

neque eum (Aesculapium) ad me adire .. uisumst Cu 262 is (Argus) numquam seruet Au 557 ad matrem eius (Amoris) deuenias domum Ci 301 ei (Dianae) .. Arabico fumificem odore Mi 412 ea* (Fides) subleuit os mihi Au 668 decumam partem ei (Herculi) dedit Ba 666 ea* (Inopia) huc quid intro ierit .. accipite Tri 10 Mercurius ei (Ioui) subseruit Am *Arg* II. 4 hoc .. in mandatis is* dedit Am 81 (*Ly*) eius iussu huc me adfero Am 989 is se dicit .. consuetum Am 1122 si .. is precator adsiet .. As 415 si is mecum oraret .. Cas 324 Saturnus eius patruos Ci 514 nihil ei acceptumst .. supplici Ps 25 eum* alii di isse .. aiebant Tri 944 is (Mercurius) aduenientis .. frustra habet Am *Arg* II. 5 si quis cum eo (Neptuno) quid rei commiscuit .. Ru 487 Hercules .. ei* (Palaemonis) socius Ru 161 (*L*) neque contempsi eius* (Veneris) opes Poe 1177 eius* haec in tutelast fabula Tru 967 is (Volcanus) Venerist aduorsarius Ru 761

b. *homines (nomina propria):* immo eius (Achillis) frater .. est Mi 62 nolito acriter eum (Alcesimarchum) inclamare Ci 109 Iuppiter mutauit sese in formam eius* (Alcumenae) coniugis Am *Arg* II. 2 usuram .. eius corporis cepit Am 108 grauidam fecit is eam Am 109 east (Ampelisca) Ru 336 is .. (Amphitruo) .. grauidam Alcumenam .. fecit Am 102 omnes .. eum esse censent serui Am 122 cum .. eo (Antiphone) reueni .. in gratiam St 409 is* hodie apud me cenat St 415 is (Apoecides) apud forum manet me Ep 358 ad eum (Archidemidem) ut ferret Ba 264 quid ubi ei ostendit symbolum? Ba 265 is est (Argyrippus) As 586 is (Aristophontes) me nouit: is sodalis Philocrati .. est Cap 528 cum ea* (Astaphio) .. fuit commercium Tru 94 ubi ea (Bacchis) nunc est? Ba 203 ut eam* credis? Ba 208 me misit miles ad eam Ba 589 ego eius (Ballionis) sum Subballio Ps 607 ego enimuero is sum Ps 979 tun is es? Ps 1143 is (Blepharo).. ludificabitur Am 952 is (Callicles).. huc commigrauit Tri 1084 ego eam* (Casinam).. abduxero Cas 109 ..ut eam illi permittat Cas 270, 271 ne ea mihi daretur Cas 431 satin lepide ab ea* aditast nobis manus? Cas 935(Rs) ne ut eam* amasso Cas 1002 ea..nubet Euthynico Cas 1014 tu eum* (Chalinum) orato Cas 273 amicam ei* (Charino) inuenit Mer Arg I. 8 hic eius (Charmidis) rem confregit filius Tri 108 si quid eo fuerit.. Tri 157 mirum quin ab auo eius*.. acciperem Tri 967 neque..tu is es neque hodie is umquam eris Tri 971 prius non tu is* eras Tri 976(HermRRs) is non sum qui sum Tri 978 prius non is eras qui eras, nunc is factu's qui tum non eras Tri 980 an tu is* es? #Is enimuero sum. #Is ipsusne's? Tri 986-7 is propere conueniundust ut quae cum eius filio egi.. Tri 1122 neu quid ei (Chrysalo) suscenseat Ba 522*, 533(ne) ab eo ut caueas tibi Ba 739 te ei habere gratiam aequom sit Ba 1022 is me..attondit Ba 1095 ei (Collabisco) dabitur aurum Poe 174 is (Curculio) mihi anulum subripuit Cu 584 me eius (Demaeneti) seruom praedico esse As 345 quid? eius atriensis? As 393 hac..ut liceat ei* (Diabolo) potirier As 916 atque is (Diniarchus) est Tru 122(is est iterat Rs) iube eum* (Dordalum) adire Per 790(R) ei (Epidamniensi) liberorum..nihil erat Men 59 ..fuero elocutus ei (Epidico) postremam syllabam Ep 123 ubi is est? Ep 127 tun eum* ipsus (Epignomum) uidisti? St 373(R) eius (Euclinis) filiam Lyconides uitiarat Au Arg I. 4 ab eo donatur auro Au Arg II. 9 eius cupio filiam..desponderi Au 172 ei..dimidium iussit dari Au 291 ab eo argentum accipi, cum eo simitu mulierem mitti uolo Ps 1011-2 id ei* (Eutycho) uitium maxumumst Mer 596 (R) is*nest quem currentem uideo? Mer 598 is* (Hegio) ego sum Cap 1025 egestatem ei* (Lesbonico) tolerabis? Tri 371 ei poteris auxiliarier Tri 377 tute ad eum adeas Tri 386 ..eum sororem despondisse Tri 1133 eum conuentum uolo Tri 1175 is (Libanus) nullus uenit As 408 is (Luscus) Summanum se uocari dixit: ei reddidi Cu 544 quid eum (Lyconem) nunc quaeris Cu 407 ..ut has tabellas ad eum ferrem Cu 412 tune is es, Lyco trapezita? Cu 419 is* (Lysimachus) se ad portum dixerat ire Mer 467 is (Megadorus) ea causa misit.. Au 464 is speculatum huc misit me Au 605 is (Menaechmus) germanum.. quaeritat Men Arg 5 eum..appellant meretrix uxor Men Arg 9 ad eum inuiso Men 108 parasitus eius Men 222 is* (Menarchus).. huius est cliens Cap 335 ..quin eum (Mnesilochum) nominet Ba 210 eum hinc in Ephesum miseram Ba 249 quot..ei dixit contumelias Ba 267 adulterare eum aibat Ba 268. ..ut eum..adducam Ba 527 ..ibo ut uisam huc ad eum Ba 529 is* Helenam auexit Ba 948 sic ut eum..scio fecisse Ba 1086 is (Naucrates) si denegat facta.. Am 850 despondebit eam (Palaestram) mihi? Ru 1269 matri eius (gratulabor)? Ru 1271 etiamne eam..sallutem? Ru 1275 post eius matrem? Ru 1276 etiamne..complectar eius patrem? Ru 1277 triobolum..ob eam ne duis Ru 1368 is (Palaestrio) me in hanc inlexit fraudem Mi 1435 uenisse eum (Pamphilippum)..aiebat St 391 atque is* est St 582 eo (Pelagone) praesente ..ostendit symbolum Ba 263 nos eius (Penelopes) animum..noscimus St 2 ei (Periplecomenc) mandaui mulierem Mi 870 hic eius (Persae) geminust frater Per 830 hoc ei* (Philocomasio) dicito Mi 185a concrominatus sit..eam* uidisse hic..osculari, eam* arguam uidisse.. Mi 243 ..si exquiret ex ea miles Mi 248 tu ei* custos additus (pro ea ins Rg) perieris Mi 298 hinc huc transire ea possit Mi 329 ..quin ea sit in hisce aedibus Mi 332 ne..huc ea se subrepsit mihi Mi 333 suspicatus es eam uidisse Mi 401 non uidi eam* Mi 407 estne..Philocomasium an non est ea*? #Ea uidetur Mi 417 ..si quidem east. #An dubium tibist eam esse hanc? #Ea* videtur Mi 419 alia eius similis sit? Mi 448 uisanest ea esse? #Immo..east Mi 462 ut hic eam abducat Mi 770 si ea* est hic Mi 1089(R) te quoque ei* dono dedi Mi 1205 omnia..quae donaui ei* Mi 1304(R) si magis uis eam* omittam Mi 1337 †ei (Philocrati)..in Aleis tanta gratiast Cap 280 tenaxne pater est eius? Cap 289 nec me secus umquam i facturum Cap 428 exclamauit eum sibi esse sodalem Cap 512 dico eum* esse apud me Cap 512 eum sibi ut liceat uidere Cap 514 ubi is nunc est? Cap 640 fateor..abiisse eum Cap 679 mihi eius facias conueniundi copiam Cap 748 ne eius (Philolachis) causa uapulem Mo 246 is* ne quid emat Mo 284 hinc peregre eius* pater abiit Mo 957 eius* hinc pater sit profectus..Mo 975 quid is? aedis emit? Mo 977 patrem eius* miserum praedicas Mo 981 eius patris me..miseret Mo 985 a patre eius conciliarem pacem Mo 1127 is (Philto) herclest ipsus Tri 433 haec quidem eius* (Phronesii) ..est ancillula Tru 93 ain tu eam* me amare? Tru 194 ubi is* (Pinacium) est? St 330 is (Pistoclerus) quam techinam..fecit! Ba 392 ab eo haec (tabellae) sumptae Ba 937 antiquam eius (Plauti) edimus comoediam Cas 13 is* (Plesidippus) exhibebit hic mihi negotium Ru 556 eum roga ut relinquat alias res Ru 1212 dicito..patrem eius me nouisse Ru 1214 quid agit is (Polymachaeroplagides)? Ps 992 Simiae..mulierem quem is (Pseudolus) supposiuit tradidit Ps Arg I. 7 is* mihi haec sese ecfecturum dixit Ps 701 ab eo tibi ut caueres Ps 1227 obuiam ei ultro feram Ps 1242 eum* (Sagarinum)..abducant domum St 444 is (Sagaristrio) est profecto Per 15 si is (Saurea) est.. As 399 non potuit pictor rectius describere eius formam As 402 si is est eum* esse oportet As 465 lepide ea (Scapha) omnes mores tenet Mo 171(R) meretrix ei (Selenio) dedit Ci 716 eius (Seleuci) regnum tutarentur Mi 960 eum (Sosiam) fecisse ille hodie arguet Am 1003 ei (Stalagmo) ..uxor datast Cap 889 is (Stasimus) mihi dixit..aduenisse Charmidem Tri 1121 ..ad cenam ad eius* conseruom St 433 ei ut di-

ceret me hodie uenturum St 653 Sticho man-
daueram salutem ei* (Stephanio) ut nuntiaret
St 653 . . neque eo (Sticho) esse . . qui sit pluris As 435 is* adlegauit St 681 (L) ut eum
(Strabacem) inleciatis in malam fraudem Tru
298 is* . . damni permensust uiam Tru 304
is . . apud nos est Tru 693 (U) is est fundus
nouos Tru 727 alia apportabunt ei (Stratippocli) Nerei filiae Ep 36 is* ad hostis exuuias
dabit Ep 38 id ei impetratum reddidi Ep 48
. . eum* argentum sumpsisse Ep 252 ubi is*
(Stratophanes) est? Tru 514 eum (Syrum) esse
me dicam Ps 637 is* non uenit Ps 1119 is
(Theodoromedes) . . huius est pater Cap 974
eum (Toxilum) esse opinor Per 15 eius aureis
. . onerabo Per 182 ei fidem non habui argenti Per 785 si . . erus redierit eius . . Per
787 is (Trachalio) est Ru 336 is (Tranio)
. . conterere quaestum potest Mo 984 tute is
(Tyndarus) es Cap 589
    de Coculitum prosapia te esse arbitror, nam
i* sunt unoculi Cu 394 eos (Graecos) si offendero . . Cu 294 eorum (Teloboarum) oppidum
oppugnassere Am 210 eosque ut uicimus Am
734
    c. *homines (nomina communia):* condigne
pater est eius (adulescentis) moratus Cap 107
is redit in patriam Ci *Arg* 2 ei uiuit pater:
is . . deperit mulierculam: . . eum* haec deperit
Ci 130-2 ei uiuit pater: is . . illam deperit Ci
190-1 ei dominus aedium suam clientam . .
subornat Mi *Arg* II. 12 is amabat meretricem
Mi 100 is publice legatus . . fuit Mi 102 eum
leno macerat Poe 98 ego eum adeo accessi
. . uolo iussique exire huc seruom eius Ru 1199-
1200 nondum egressum esse eum, id miror
Ru 1201 St 560 (R) is rem paternam . . perdidit: quoniam ei* . . nihil uideo esse relicui
dedi ei* meam gnatam Tri 14-5 quin eum
restituis? Tri 118 malumque ut eius cum tuo
misceres malo Tri 122 dedistine . . ei gladium?
Tri 129 indicare me ei thensaurum aequom
fuit aduorsum quam eius me opsecrauisset
pater Tri 175-6 quid is? egetne? Tri 330
tolerare ei* egestatem uolo Tri 338 eum
uidi miserum et me eius* miseritumst Tri
430 salutem ei nuntiet Tri 772 oenus eorum
. . usque oggerit Tru 103 ibist ibus* pugnae
. . praedam capere Tru 110 is . . transiluit ad
nos: eum uolo conuenire Tru 248-50 cur eam
(adulescentulam) emit? Ep 45 quid ea* usus
est? #Ut ad te eam deducas domum, itaque
eam . . adducas Mi 790-1 is (amator) habet sucum, is suauitatem: eum quouis pacto condias
As 179 is dare uolt is se aliquid posci As
181 sauium . . sumere eum licet As 225 aibat
suppositionem . . eius facere gratia Ci 144 eos
captabant Ep 215 quisnam is est? Ep 244
quid opust . . ei* ultro ostentarier? Mo 287 aliter
aɴimus eius est Tru 48 (U alter alteri potius
est P§† *var em* ψ) is* optumust amicae Tru
172 (U aliter Pψ) eum* mittat . . domum Tru
230 eum* adiutabo Tru 559 (LLy) arbitror
. . nisi deos in (amico) nihil praestare Ba 387
me ire iussit ad eam Ba 575 manum ea* arripuit Cu 597 (Rg) ei* uolo ire aduocatus Ep
422 tuam amicam - - #Quid eam*? #Vidit

Mer 181 ubi eam uidit? Mer 187 cum ea
confabulatast Mer 188 . . ne eam uideret Mer
189 quin eam* abstrudebas ne eam conspiceret? Mer 190 Mer 342 (me eam *RRg pro*
meam) mater . . eam offendit domi Mer 814
tuam amicam - - #Quid eam*? #Ubi sit ego
scio . . sanam et saluam. #Ubi eam saluam?
Mer 888-9 eloquere propere eam* (add Rg),
ubi sit, ubi eam uideris Mer 892 quis eam
adduxit ad uos? Mer 904 deos orato ut eius
faciant copiam Mer 908 quin intro ducis me
ad eam? Mer 915 rogito quis eam auexerit
Mer 941 Mer 989 (eam *ins Rg*) occepit eius
matri subpalparier Mi 106 . . sese uidisse eam*
Mi 263 ain . . eam manu emississe? Mo 975
. ut ei* egenti opem adferam Per 256 replebo atra atritate eam* Poe 1290 (Rgl) et
east certo Poe 1300 ubi east? Ps 35 uideor
cum ea fabularier Ps 62 mecum ea* itidemst
St 733 (RRgl) ea saltabit St 736 uiso . .
quid ea agat Tru 498 eam (ancillam) . . scortum insimulat Mer *Arg* II. 12 ea molet Mer
416 neque propter eam quicquam eueniet . .
flagiti Mer 417 perit eius amore Mer 445
. . uenirene eam uelit an non uelit Mer 452 ea*
quoque opus est Mi 795 eae* nos lauando .
operam dederunt Poe 223 eas* esse oportet
liberas Ru 714 is* te dono Tru 531, 533 earum*
patriam ego excidi Tru 532 (MueLLy) ipsus
eam (ancillulam) amat Cas 195 unde ea tibist
Cas 198 eam uolt meretricem facere: ea me
deperit Cu 46 iamne ea fert iugum? Cu 50
ei (anu) promisi dolium uini dare Ci 542 omnia
infitiari eam* . . Ci 661 (U) eaque . . adesse me
scit Cu 80 eine hic . . sinus fertur? Cu 82
iam hic credo eum* (atriensem) adfuturum As
398 is (auonculus) me nunc renuntiare repudium iussit tibi Au 783 is (auos) quoniam
moritur . . uoluit Au 9
    eum* (calatorem) dolo adgreditur Ps *Arg* II.
9 (RU) pudicitiae eius* (captiuae) numquam . .
uitium attuli Ep 110 in ibus* emit . . olim
amissum filium Cap *Arg* 5 ab eo (castigatore)
consilium petam Tri 614 ei (chlamydato)
Mars iratast Poe 644 is (cliens) cliens frugi
habetur Men 577 eis* ubi dicitur dies . . Men
585 pro eius* factis . . deixei causam Men 590
inter eos (cognatos) partiam Mi 707 ei* apud
me aderunt Mi 708 eos pro liberis habebo
Mi 710 (v. secl GuyRs§L) cognatae duae nutrixque earum raptae Poe *Arg* 4 qui sunt ei
(comites)? Mer 869 spectaui . . is (comicis)?
plaudier Ru 1250 arguo eam (concubinam) me
uidisse Mi 338 . . ea domist: si facio ut eam*
exire hinc uideas Mi 341 faciat . . ut ea sit
domi Mi 346 tam east quam potis nostra . .
concubina Mi 457 soror eius huc gemina uenit
Mi 975 accersuntque eam Mi 975 aduenit
Ephesum mater eius*? Mi 976 nullo ea* modo
potest . . recipi Mi 1095 (R) uidi hic sororem
esse eius. #Conuenitne eam? Mi 1105 Mi 1126
(U) eis (coniectoribus) respondi Cu 250 ei
(conseruo) . . glaucumam . . obiciemus eumque
ita faciemus ut . . Mi 147-8 neque eam* usquam inuenio Ru 225 eam . . quin inueniam
desistam Ru 228 ad eorum* (conuiuarum) ne
quem oculos adiciat suos As 769 eum* (coquom)

demiror non uenire Mer 698   ei* (curiosi)..
adeunt St 201 eos* omnis..nihil moror St 205
ridicule is* (custos)..luditur Mi *Arg* I. 9
..quod is (dominus) uelit Cap 363   cum eo
cum quiqui.. Poe 536
eius* (eri) sum seruos Am 347(*L*)   is quoque
me ignorabit Am 461 ..ut eum* toleret Au
598 ...quam is perire Cap 688   ut is* huc
ueniret: is non spreuit nuntium, nam uenit is*
Mi 133-4   is*que..praestare praedicat formam
suam Mi 777   is me..uerberat Poe 819   qui
homo eum norit..peruorti potest Poe 874
..faciat male eius merito Poe 882   is me..
Crurifragium fecerit Poe 886   ei quoque (indicasso) Poe 888   qui eum* surrupuit huc deuexit meoque ero eum*..uendidit Poe 903   eum
esse censebo domi Ps 646   eius me impietas
male habet: is nauem..perdidit Ru 198-9a
haec bonorum eius sunt reliquiae Ru 199b   opinor..eam* (eram)..oratores mittere St 290(*R*)
gustare ego eius sermonem uolo Mo 1063
ea (fauea) porro mihi (dederit) Mi 797 ..ut
is* (fauitoribus) in cauea pignus capiantur togae Am 68   ubi east? (femina) Au 136   eius*
hunc anulum..ancilla..dedit Mi 960
quid ea? Mi 961   quis east? Mi 969   ea demoritur te Mi 970   Acroteleutium ancillula
eius Mi 1133   eam (fidicinam) te in libertatem
dicas emere Ep 278   ex urbe eam* amoueas
Ep 279(*Rg*)   eam*que adducam huc ad te Ep
294(*Rg² dubitanter*)   conducetur atque ei praemonstrabitur Ep 317 ..ne tibi eius copia esset
Ep 356   ea iam domist pro filia Ep 357   eam
ducet simul Apoecides Ep 374   eam permeditatam..mittam Ep 375   fides ei quae accessere tibi addam Ep 474   haec non est ea Ep
482   immo haec east Ep 485   eam (filiolam)
unam perdidi Ru 106   eum (filium) morbus
inuasit grauis As 55   is me dignum..habuit
As 80   me habere honorem eius ingenio decet
As 81   inopem..optauit..eum relinquere Au
11   agri reliquit ei..modum Au 13   eius
(honorem) habuisset pater Au 17   amica..eius
inuenta Bacchide Ba 367 ..ut eum..casti-
gem Ba 907   cauo parsis in eum dicere Ba
910   eos..omnis contruncabo Ba 975   adformido ne is pereat Ba 1078   is* perit Ba 1115
is*..ut amittatur fecit Cap *Arg* 6   is reduxit
captum.. Cap *Arg* 8   eum si reddis mihi .
Cap 331   is priuatam seruitutem seruit? Cap
334 ..ut eum redimat Cap 397   eum uendidi Cap 972   is..in illisce habitat aedibus,
est ei quidam seruos Ca- 36-7   ei* mater dat
operam Cas 63   is*..hodie..non redibit Cas
64   pontem interrupit qui erat ei* in itinere
Cas 66   ubist is? *Aduenit simul. *Ubi is ergost? Ep 22   i* se cognoscunt fratres..in-
uicem Men *Arg* 10   is..redimit ancillam hospitis Mer *Arg* II. 2   sodalis eius es Mer 995
si ei forte fuisset febris Mi 720   Mo 1046(porro
ei *Rs pro* horti)   sermoni omnibust eum uelle
amicam liberare Ps 419   ea (filia) mihi cotidie..supplicat Au 23   eius honoris gratia feci
..Au 25   eam compressit..adulescens
Au 28   eam..faciam ut hic senex..uxorem
poscat Au 31 ..quo ille eam facilius ducat
Au 33   poscet eam sibi uxorem senex Au 34

eam desponde mihi Au 238   eam..nuptum
huic Megadoro dari Au 604   eam* tu despondisti..meo auonculo Au 782   eam..iussit paruam proici: ego eam proieci Ci 618-9   eam
uolt suae matri..reddere Ci 718   filiam - -
*Quid eam? *Eductam perdidi Ep 561   ciuis
eam emit Atticus Ep 602   eius tristem uirum uideo Men 774   quid eam* uis? Per 129
periere eae* Poe 86(*Rgl*)   eas qui surripuit
..deuehit Poe 87   uendit eas omnis Poe 88
manu liberali causa eas* adseras Poe 1102
(*RglU*)   earum* nutrix qua sit facie.. Poe
1111   eae meae sunt filiae Poe 1116   earum
mutarentur nomina Poe 1139   ubi sunt eae?
Poe 1248   eae* sunt surruptae..paruolae Poe
1346   ea in clientelam..patris..deuenit Ru
Arg 4   eam..uir mercatur Ru 40   eam uidit ire..domum Ru 43   eam..adulescenti
dabo Ru 1197   eae uiros..tam perseuerent..
sustinere St *Arg* II. 1   quasi numquam quicquam in eas* simulem an quasi quid indaudiuerim eas..meruisse culpam St 77-8   earum
hodie perpauefaciam pectora St 85   eae erant
duobus nuptae fratribus St 540   uidet..eius
matrem..mortuam Tri 111   eam in se dignam
condicionem conlocem Tri 159   ego ducam..et
eam* et siquam aliam iubebis Tri 1184   hoc
est eorum (flagritribarum) ut.. Ps 139   faciem
quom aspicias eorum.. Ps 142   impetratum
ab eo* (fratre) auferam Au 695   eum* ego ut
requiram..uolo Per 696   eorum alter uiuit
alter est emortuos Poe 61   dixit qui eum pol-
linxerat Poe 63 ..nisi nollem ei* aduorsarier
St 513   feroque ei (furi) condicionem Ru 957
is mihi nihil etiam respondit Ru 959   ipsi
uident eorum quom agerimus bona Tru 112
eam (gnatam)..uxorem mihi des Au 793   eam
se seruo ilico dedisse exponendam Ci 181
egone ei* istuc dixi? Ba 806(*Rg*)   neque ea*
ubi sit scio Ep 532   eam* dem Tru 842(*Ly*)
ei (gnato) facta cupiam quae is uelit Ba 778   nimis nolo ei* dare ludum Ba 1083(†§)   uiso
ecquid eam ad uirtutem..compulerit Ba 1085
eius incommodum tam aegre feras Cap146   quid
erat ei nomen? Cap 983   fidicinam illam..is
uolt liberare Ep 268   amota ei fuerit omnis
consultatio nuptiarum Ep 282   is adit me, nam
eum* prodire pudet.. Mo 1155(*LU*)   stultitiae
..eius ignoscas Mo 1157 ..unde ad eum
id posset permanascere Tri 155
quid ei (haruspici) diuini..aequomst credere? Poe 466   auxilio is* (histrionibus) fuit
Am 92   eum* (hominem) obtruncabo Am 1050
(*FlRgl*)   quod illa amicai eum* amatorem
praedicet.. As 758(*Ly*)   is dum ueniet..op-
peribere Ba 48   ab eo licebit..sumere Ba 339
quis is est? Ba 553   orarem ut ei..faceres
Ba 554   si non fecero ei male.. Ba 556   eius
nomen eloquar Ba 559   insputari..is* profuit
Cap 555 ..deicat scire eum esse emortuom
Men 243   eos oportet contioni dare operam
Men 459   ad eum erit delatum Poe 738   eum
ausculto lubens Poe 841   quid eo* facturus
es? Ps 751(*RRgU*)   tute eius nomen memorato
mihi Ps 986   scias posse eum gerere..em-
pedes Ps 1176   **experiundo is* datur acerbum
Ru 186   quid is scit facere postea? Tri 766

(v. secl BriRRs§L), 769 (*A solus v. secl U§*)
natus necne is* fuerit.. scio Tʀɪ 850   quid eos
quaeris? Tʀɪ 879   quid est ei nomen? Tʀɪ
906   †quorum eorum* unus surrupuit.. solum
Tʀɪ 1023   is est Tʀɪ 1071   certe is* est, is est
profecto Tʀɪ 1072   condecet.. ei* aut malum
aut damnum dare Tʀᴜ 228   dico eius* (hospitis) pro meritis gratum me.. fore Mᴇʀ 105   is
.. me defodit Mᴏ 501   eum fecisse aiunt sibi
quod faciundum fuit, eius filium .. esse .. Agorastoclem; ad eum*.. tesseram fero: is* in hisce
habitare monstratust regionibus Pᴏᴇ 958-9   is*
me sibi adoptauit filium Pᴏᴇ 1059   is illius
laudare infit formam uirginis Rᴜ 51   eos ..
primo coetu uicimus (hostes) Aᴍ 657   estne
hic hostis..? is est Bᴀ 535
   eum (iudicem) uideto ut capias qui .. Mᴏ
549 d   Naupactum is* (iuuenis) domo legatus
abiit Mɪ *Arg* II. 2
   eorum* (laniorum) ego si.. petronem.. conspexero Cᴀᴘ 821   uiginti minas ei (lenae) det
As 916   ei (lenoni) ancillulast Cᴜ 43   is me
excruciat Cᴜ 62   neque quicquam queo aequi
.. ab eo impetrare Cᴜ 65   quod lenoni nullist
id ab eo petas Cᴜ 66   quod enim uis? Cᴜ 343
is* huic det uirginem Cᴜ 436 (*Rg*)   eum docebo
si qui ad eum adueniant ut.. Eᴘ 364-5   ut
is* emat uirginem Pᴇʀ *Arg* I. 3 (*R*)   extemplo
ab eo abduxero Pᴇʀ 164   eum furto alligat
Pᴏᴇ *Arg* 6   is.. huc commigrauit Pᴏᴇ 93   is
in illisce habitat aedibus Pᴏᴇ 95   seruos ueneritne ad eum tuos Pᴏᴇ 181   ei paratae ut sint
insidiae Pᴏᴇ 549   eum qua sit facie nescio
Pᴏᴇ 592   meus seruos ad eum ueneritne Pᴏᴇ
731   tantum eum* instat exiti Pᴏᴇ 918   ei
duae puellae sunt Pᴏᴇ 1094   is* etiam me..
ad se abduxit Pᴏᴇ 1282   ei*.. quindecim miles
minas dederat Ps 53   ei erat hospes Rᴜ 49
eius erant mulierculae Rᴜ 52   potesse ibi eum*
fieri diuitem Rᴜ 55   puellam ab eo emerat
Rᴜ 59   is huc erum.. uocauit Rᴜ 327   Neptunus.. eum* inuitauit Rᴜ 362   eius* in columbari collum.. erit Rᴜ 88×(*U*)   ei aduocatus ut siem Rᴜ 890   hic eius uidulum.. habet
Rᴜ 1066   adminiclum eis (liberis) danunt Mᴏ
129   eos (libertos) deserunt Cᴜ 548
   neque edacitate eos (maiores) quisquam poterat uincere †neque eis* cognomentum erat..
Pᴇʀ 59-60   uirtute eorum anteparta.. perderes
Tʀɪ 643   dum* eius (matris) exspectamus mortem As 531   haec multa ei esto.. As 801
eamque exores ne tibi suscenseat Cɪ 303   ei*
dono aduexe audiui Mᴇʀ 333   eas (matronas)
si adeas.. Cɪ 33   ei (mendico) dat quod edit
Tʀɪ 339   is (mercator) argentum huc remisit
As 336   isque hic compressit uirginem Cɪ 158
is.. malam rem scit se meruisse Cɪ 160   ei..
mors optigit Mᴇɴ *Arg* 2   is puerum tollit Mᴇɴ
33   atque ea* (meretrix) acerrume aestuosa
Bᴀ 471 (*RRg*)   eam* ut occiperes.. amare Bᴀ
565 (*URg*)   .. eam sibi hunc annum conductam Bᴀ 1097   .. ei* stultissumus homo promisissem Bᴀ 1098   feci eius ei quod me orauit copiam Cɪ 138   ea.. educauit eam pro filia
Cɪ 172   pleraeque eae* sub uestimentis secum
habebant retia Eᴘ 216   differor cupidine eius
Pᴏᴇ 157   ubi ei (militi) dederit operas Bᴀ 45

Bᴀ 969 (ab eo *add R*)   ei subduco anulum Cᴜ
360   is* emeret illam Eᴘ 301 (*BriL*)   ei*.. cupiat
uxor nubere Mɪ *Arg* I. 11   is derídiculost.. omnibus Mɪ 92   meretrices.. ductant eum* Mɪ 93
(*vide Ly*)   quasique ei (*add RU*) ego (ei *add Rg*
L) rei sim interpres Mɪ 798   ad eum *ibo Mɪ
799 b (*R*)   ei* dabo Mɪ 800   .. ut sese ad eum*
conciliarem Mɪ 801   Mɪ 910 (ei curetur *RibL*
vide ψ)   ludificata lepide eum* ero Mɪ 927
(*U*)   quasi clanculum ad eum* missa sit Mɪ
934   quasi regem adiri eum aiunt Mɪ 1225
oculi eius sententiam mutent Mɪ 1234   eius
elegantia.. speciem spernat Mɪ 1235   ab eo*
habeo minas Ps 346   eius seruos.. ei* os
subleui Ps 718-9   rem ab eo auerrat Tʀᴜ 19
is nunc dicitur uenturus peregre Tʀᴜ 84   ab
eo ut nuntiatumst iam hic adfuturum aiunt
eum Tʀᴜ 204-5   ubi is* huc uenerit Tʀᴜ 340
is* hic.. aderit Tʀᴜ 474   eam (mulierem)..
poscam Aᴜ 160   unde esse eam aiunt? Bᴀ
472   manus †ferat (ei *add L*) ad (eius *add Rg*)
papillas Bᴀ 480   dissimulabam earum* operam sermoni dare Eᴘ 238   adlatae tabellae
sunt ad eam Eᴘ 251   eam ex hoc exoneres
agro Eᴘ 470   quasi res cum ea esset mihi
Mᴇɴ 482   eam uidit Mᴇʀ *Arg* I. 3   eam*
ut sim implicitus dicam Mᴇʀ 14   emi eam*
Mᴇʀ 106 (*R*)   eam me aduexisse.. Mᴇʀ 107
eam reliqui ad portum in naui Mᴇʀ 108   neque.. credet. forma eximia mulierem eam*
me emisse.. Mᴇʀ 211   uidistine eam? Mᴇʀ 719
quoia ea sit rogitas? Mᴇʀ 720   quid eae*
dixerunt tibi? Mɪ 60   earum*que artem.. optineat colere Mɪ 186   eam iube cito domum
transire atque haec ei dice Mɪ 255-6   eanest?
#Etsi east, non est ea Mɪ 532   eanest? Mɪ
534   eae* ibi inmortalis memoriast Mɪ 888 (*U*
vide R)   speculo ei* usus est Mᴏ 250   utrum
eae* uelintne an non uelint Mᴏ 681   neque eis
ulla ornandi sitis satietas est Pᴏᴇ 215   siue
eam tuo gnato.. dabit Ps 1072   .. eam uenisse
militi Ps 1090   Phoenicium eam* esse dixit?
Ps 1156 (*Rg*)   quid is* iniqui fit? Rᴜ 647
eas deripere uolt: eas ambas esse oportet liberas Rᴜ 649   eam* auexisti Rᴜ 862 (*Rs*)   .. qui
ad eam* aduenient Tʀᴜ 21 (*Rs in loco perdito*)
eam* nimis cito odium percipit Tʀᴜ 467 (*Mue*
U)   eam (mulierculam) meae ego amicae dono
.. dedi Cɪ 133   ea* ornatula si sit.. Cɪ 306 (*U*
solus)   dico ei quo pacto eam.. uiderim Cɪ
549   .. tam mulier eum* (mortalem) ut amaret
Mɪ 1247 (*Rg*)   heureta is* mihist Ps 700 (*R*)   is*
mihi.. dixit Ps 701   modo eum* (mortuom)
uixisse aiebant Mᴏ 1002

   quid is* (nauclerus)? ecqui fortis? Mɪ 1111   is
(nugator) mille nummum se.. ferre.. aibat Tʀɪ
1139   neque eum*.. conspexi prius Tʀɪ 1141
ne quis eam (nuptam) abripiat Cᴀs 784   ea*
(nutrix) rem nouit Aᴜ 807   ea me spectatum
tulerat Cᴜ 644   ipsa east Pᴏᴇ 1112   uin eam*
uidere? Pᴏᴇ 1115   ubi ea*.. est? Pᴏᴇ 1265
   is (parasitus) hodie hic aderit Cᴜ 207   neque.. eum uolo intro mitti Mᴇɴ 424   ei* (parentes) fundamentum substruont liberorum Mᴏ
121   si ei* (patri) quid complacitumst Aᴍ 106
(*Rgl*)   is amare occepit Alcumenam Aᴍ 107
grauidam fecit is eam Aᴍ 109   obseruatote

eum* Am 507   eum sequor eius dicto .. sum audiens Am 991   eius studio seruire addecet Am 1004   neque puduit eum .. As 71   is ex se hunc reliquit .. filium Au 21   eum ludificatus est Ba 523   mendacium ei* dixit Ba 525   is promittet tibi Ba 877   is* .. dedit eum huic Cap 19   ad eum pergam Cap 108   quid erat ei nomen? Cap 285   neque quemquam fideliorem .. potes mittere ad eum Cap 347   is te mihi .. dedit Cap 1012   is sperat si ei sit data .. Cas 53   mater ei utendum dederat Cu 603   is .. mihi dedit Cu 637   is* me heredem fecit Cu 639(U)   is adornat .. ut maritus fias Ep 361   eaque is* aegritudine .. emortuost Men 35   ei* narrabo tua flagitia Men 735   is resciuit Mer 343   neque *is quom roget .. Mer 344   nunc ei*st irata Mer 954(MueRg)   ubi is est, obsecro? ubi is* est? Mo 366   iube eum* abire Mo 377(R)   is tibi .. sortem dabit Mo 612   patrem eum* .. miserum praedicas Mo 981(RU)   amburet ei .. corculum carbunculus Mo 986   quoius modi is in populo habitust? Per 648   in urbem is* est ingressus Poe 106 (Rgl)   is omnis linguas scit Poe 112   is heri huc .. uenit uesperi Poe 114   pater tuos is erat frater Poe 1069   is* me heredem fecit Poe 1070   patrem tuom .. eum nunc inprobi uiri officio uti St 13   spes est eum melius facturum St 22   gratiam .. spero ab eo impetrassere St 71   is est ecastor St 89 ·nuntiet .. eum rediturum Tri 774   is* mihist amicus Tri 895   suomque is repetit .. subditum Tru Arg 11   is*que adeo eum iussit ali Tru 597(U) interrogo quid eum uelit Tru 651   sine si is est modo Tru 890   ni ei* (patrono) offecit ni ei* male dixit Per 841(U)   mulieres .. eum (patruom) sequntur Poe 1374   eis (piscatoribus) ego ora uerberabo Cap 816   eorum (pistorum) si quoiusquam scrofam .. conspexero Cap 809   peculium .. partum ei (probae) haud commodest Cas 200   iussit accersi eam (proieciciam) domum Ci 196   i* (proletarii) solent .. dicere Mi 753   quod eorum caussa obsonatumst culpant Mi 756   neminem eorum haec adseuerare audias Mi 761   orat ut eam (puellam) det sibi Cas 42   orat ut eam curet Cas 44   ea* adoleuit Cas 47   sibi eam uxorem poscat Cas 56   ea* inuenietur .. libera Cas 81   eam sublatam meretrix alii detulit Ci Arg 5   eam meae ego amicae .. dedi Ci 133   is eam proiecit Ci 167   qui eam proiecerat Ci 168 (LULy)   eaque educauit eam Ci 172   memini .. eamque me mihi supponere Ci 553 eorum (puerorum) Amphitruonis alter est Am 483   neque eum quisquam colligare quiuit Am 1104   eorum alter .. te .. adficiet gloria Am 1139   si attingas eum* manu .. Ba 440 eumque .. uendidit .. patri †huiusce Cap 9 auehitque Epidamnum eum* Men 33   pater eius .. animum despondit Men 34   eique uxorem dedit eumque heredem fecit Men 61-2 eius cognatae duae .. raptae Poe Arg 3   uendit eum domino Poe 73   eumque adoptat sibi .. eumque heredem fecit Poe 76-7   eum nunc non illa peperit Tru 410   is*que adeo eum* iussit ali Tru 597(U)   cur eum accepisti? Tru 797   puerum reddat si quis eum petat Tru

839   sinas eum esse apud me ... #Quid eo* opust? Tru 873
is (riualis) rem omnem uxori .. nuntiat As Arg 7   eum (regem) .. dictis deleniam St 457 quom eum* (senatum) conuocaui .. Mo 1050 (R)   censen uero adeo eum* (senem) parcum .. uiuere? Au 315(RqU)   pulmentum .. ei eripuit miluos Au 316   erili filio eius* hanc fabricam dabo Ba 366(PU)   ei tabellas dem in manum Ba 769   ei .. nomen facio ego Ilio Ba 945   eum* ego adeo uno mendacio deuici Ba 968   is nunc ducentos nummos .. dabit Ba 969-70   ei subicitur pro puella seruolus Cas Arg 4   eist filius Cas 35   is mihi et filio aduorsatur Cas 150   pro amica ei subiecit filii Ep Arg 3   is suo filio fidicinam emit Ep 89 ei sunt natei filii Men 18   .. ni ei* iam indicetis .. Men 881(R)   aiunt solere eum .. repuerascere Mer 296   eum* putat uxor sibi obduxe scortum Mer Arg I. 6   itaque is* .. hospiti morem gerit Mi 136(R vide L)   is* consilium dedit Mi 144   is piscatores habet Mi 1183 eum* oderunt qua uiri qua mulieres Mi 1392 (CaLLy)   cubandumst ei* male Mo 701   illi seni .. ei* filius .. surripitur Poe 64   is praesensit prius Ps 408   neque is .. patria caret Ru 36 seruos illic est eius Ru 79   is dedit operam optumam: is nunc .. seruat Ru 849-50   ei filiae duae erant St 539   is ipse quasi tu (inquit) St 552   qui eum cibum poposcerit St 556(v. secl U)   senes qui .. uenient i* rem .. aperient Tri 17   neque is* duci se gestit Tru 314(Rs) nec .. is* (seruos) rediget in splendorem compedes Au 602   pro bene factis eius ut ei* pretium possim reddere Cap 940   ego iratus ei feci male Cap 943   libellam pro eo argenti ne duis Cap 947   is eam proiecit Ci 167   is* ipse hanc destinauit fidicinam Ep 487   is* .. est inpense inprobus Ep 566(Rg¹U)   serui qui .. metuont, i* solent esse .. Men 983   †promeritumque ei* metuont Mer 984   is ait se .. adlaturum .. marsuppium Men 1043   eum fidelem mihi esse inuenio Mi 1375   serui qui .. metuont .. ei* solent esse. Mo 859   i* si reprehensi sunt faciunt .. Mo 862   aduorsum ei* ut eant uocitantur ero Mo 876(R)   castigabit eos Mo 882   dum tunicam is* ponit .. Per 363(R)   seruos qui .. accersebat .. ei* os subleui Ps 719   .. ne fidem ei* haberem: nam eum* circum ire .. Ps 899   eum promissse .. .. dixit Ps 901   is secum abduxit mulierem Ps 1094   et is* tamen mollitur Tru Arg 7 certe is (sodalis) est Ba 535   ei ego amorem .. concredui: is mihi se locum dixit dare Cas 479   quid eius uxor? Cas 480   eorum inuentu .. pessum dedi Mer 848   is est Mo 311 eam (sororem) ueni quaesitum Mi 442   eam .. osculantem hic uideras Mi 474   palamst eam esse ut dicis Mi 475   qui tu scis eas adesse? Mi 1104   Giddeninem nutricem earum Poe 898 ille qui eas uendebat .. Poe 899   manu eas adserat Poe 905   .. si eas abduxerit Poe 907 earum hic alteram efficitim perit neque eam incestauit Poe 1095-6   eumque (sycophantam) .. mittam Tri 817
ibi eos (testis) conspicias Poe 585   utrum ei* (tibicinae) maiores buccae .. sient Poe 1416

ea circumducam .. lenonem Ps 529   ea* (tonstrix) dixit .. inuentum filium Tru 857   ei (trapezitae) mandaui .. ut .. Cu 346   quid eum nunc quaeris? Cu 407

eorum* (uetulorum) exsugebo sanguinem Ep 188   si ei (uilico) sit data .. Cas 53   eum* hic non nouit leno Poe 171   ei* dabitur aurum Poe 174   is* .. se ut adsimularet peregrinum Poe 560   ubi is detulerit .. Poe 561   eos (uiros) legat Am 205   is repente abiit Am 639   perferam .. abitum eius Am 646   .. ut eum ludificem Cas 560   interemere eius* ait uelle uitam Cas 659   ueniam hanc ei* dandam Cas 1004(U)   si quid eum uelim Ci 593   ad eum †duco te Ps 1042   eorum* nos negotiis .. sollicitae St 4(U)   nosque ab eis* abducere uolt St 17   acceptaque eius*st benignitas St 50(L)   ut is* quis esset diceres Tru 816   neque eam (uirginem) queo locare quoiquam Au 192   eam te uolo curare ut .. ueneat Per 523   . qui eam* mercabitur Per 524   iubedum ea hac accedat Per 605   emam eam* Per 651(R)   te uelle uideo eam* Per 662(U)   earum .. alteram efflictim perit Poe 96   neque .. cum ea fecit .. stupri Poe 99(v. secl Guy)   eas* perdidit Poe 104   tetuli ei* auxilium Ru 68   .. ei det dotem Callicles Tri Arg 6   iuxta .. eam curo cum mea Tri 197   eam cupio .. ducere uxorem Tri 374   eam perpetiar ire in matrimonium Tri 732   eius rem penes me habeam domi Tri 733   eam .. nuptum conlocet Tri 735   dotem dare te ei dicas: facere id eius ob amicitiam patris Tri 737   datam tibi dotem ei* quam dares eius a patre Tri 741   columen te sistere ei* (dotem) .. autument Tri 743   insimulabat eam (uxorem) probri Am 477   fateor eam* esse inportunam As 62   ea* una consentit cum filio Cas 59(Rs)   mea uxor uocabit huc eam Cas 481   ea lingulacast nobis Cas 498   .. ut eam .. mitterem Cas 543   sine eam* Cas 544   molesta ei esse nolo Cas 545   ea se eam negat morarier Cas 553   ait .. dixisse te eam non missurum Cas 602   negauit eius operam se morarier Cas 603   sufferamque ei* meum tergum Cas 950   ea diem suom obiit Ci 175   filiam eius quaerimus Ci 621   licitumst eam* tibi uiuendo uincere Ep 177   nequis quin eius aliquid indutus sies Men 190   eam* ipsus roga Men 638(LULy)   haec east Mer 766   .. ea possit inueniri: .. eam ducam domum Mi 686   si ea* duci potis est .. Mi 685(RU²)   oratus sum ad eam* ut irem Mi 1405   praedicabo .. eamque .. illum deperire Mi 932   odiosa eius amatiost Ru 1204

triumphum eis (Libano et filio) adfero As 269   ut eis (filio et Chrysalo) delicta ignoscas Ba 1186   i* se cognoscunt fratres .. inuicem Men Arg 10   eos (Philocomasium et amatorem) hic deuortier dicam Mi 240   ei* (soror cum amatore) .. mihi deuortisse uisi sunt Mi 385   qui tu scis eas (matrem et sororem) adesse? Mi 1104   dicito is (Deiphilo et Philemoni) .. Mo 1151   naui confractast eis (lenoni et hospiti) Ru 73   eas (uirginem et ancillulam) ab saxo fluctus .. ferunt Ru 76   non satis inter eos (generum cum adfini) conuenit Tri 623   haud ei* euscheme astiterunt Tri 625(RRs)

d. *repetit pronomen praecedens:* spatium ei (huic) dabo exquirendi Au 806   ibo ad eum Ba 625   sed is quo pacto seruiat .. Cap 5   postquam hunc emit, dedit eum .. Cap 19   huius experiar fidem fretus ingenio eius Cap 350   satius fuerat eam uiro dare nuptum Ci 42   haec herclest .. quae ..: suspiciost eam esse Ci 317   hanc eam esse opiniost Ci 320   si is* ualuisset .. mitteret Cu 700   uideor .. uidisse prius eam* Ep 537(U)   hic qui insanit .. ei .. morbus incidit Men 874   hi qui .., id nunc is* cerebrum uritur Poe 770   eum adlegarunt .. Poe 773   Poe 810   (is quidem *AcRgl* id quidem illi *PLLy var em ψ*) audiui .. mores eius quo pacto sient Poe 1404   qui is* est ipsus sciat Ps 263(BoR)   eum* non sinam hinc abire Ru 779(U in lac)   si uidulum hunc redegissem in potestatem eius .. Ru 1379   ei* consiliarius hic amicust Tru 216   dona .. ei dedi Tru 544   †ob rem laborem eum ego cepisse censeo Tri 1114(v. om U)

is (ille) .. corruptelaest liberis As 867   is .. corrumpit filium As 875   .. quin eam ego habeam Au 755   non inpetratum .. ei redderem? Ba 197   ipsum nomen eius .. clamaret Ba 284   i· .. frustrari alios .. existunant Ba 548   ab eo* petito gratiam istam Cap 721   tu eius potior fias Cas 112   quid cum ea negoti tibist? Cas 673   ab .. ea caueas Cas 683   ei nunc alia ducendast domum Ci 99   eum pater eius* subegit Ci 101   resciuerim eum uxorem ducturum esse aliam Ci 103   illa illi dicit eius ex iniuria peperisse gnatam Ci 180   anus ei .. amplexast genua Ci 567   eam suam esse filiam seque eam peperisse .. adiurabat Ci 568-9   cum ea tibicinae ibant Ep 218   ea praestolabatur illam Ep 221   eam posse emi .. Ep 296   an liber illast? quis eam liberauerit ..? Ep 506   is .. sese sapere memorat Ep 524   eum adibo Men 360   num eum ueternus .. tenet? Men 891   ita ego eum* .. curabo Men 897(LLy)   ne eam* me amare hic potuerit resciscere Mer 380(GuyRU)   is hic nunc non adest Mer 455   quoquo ea* hinc abductast Mer 858(R)   hic eae* proxumust Mi 348   cubantem eam* modo offendi domi Mi 484   .. ut cor ei* saliat Mi 1088   illaec quae dixi ei* dato Mi 1126(R vide U)   prae eius* forma quasi spernas tuam quasique eius opulentitatem reuerearis Mi 1170-1   uir eius me deprehendat Mi 1276(dub.)   uideas eam .. me amare Mo 243   dixi .. ei* omnia Mo 549 a(RRs)   cape .. cum eo* una iudicem Mo 549 c, 557   ei* suscenseo Mo 1163(R)   ille qui adoptauit .. is .. hospes fuit Poe 120   ea deorsum cadit Ru 179   leno ademit cistulam ei Ru 389   ne copia esset ei* Ru 392   consolerque eam Ru 399   quod mihi opust .. cum eis* gerere bellum? St 81(Ly)   uir abiit eius St 268   eccum Pinacium eius puerum St 270   ille qui mandauit eum* exturbasti Tri 137   quiduis probari ei* potest Tri 813(RRsU)   ille itast ut eum* esse nolo Tri 1170(Rs)   ubi ea* se abstulit? Tru 513(U)   †ei quinque .. deferri minas Tru 739   tu bona ei custos fuisti Tru 812

quoiatis est is (is)? Ba 17(U in lac)   eum pater eius subegit Ci 102   Ci 756(U)   eos si offendero ex uno quoque eorum †exciam .. Cu

295 eum rem..perdere..aiunt Cu 504 certo
east Ep 540 isnest quem .. uideo? is* ipsus
est Mer 598(Rg) ne is* se uiderit Mi 187
eas liberali..adseres causa manu Poe 964 tolerare ei* egestatem uolo Tri 338

is (iste) est seruos ipse neque..ei seruos fuit
Cap 580 is mecum..educatust Cap 991 ..
quae educaret eam pro filiola Ci 571 ubi east?
Ci 572 is ipsust Ci 602 quanti eam emit?
Ep 51 quot minis eam* emit? Ep 52(U)
deperit eam* Ep 65(Rg²) uestem ei* discindite Mi 1395(Rg) cura quae is* uolet, nam
is mihi honores..habuit Per 511-2 ..si qui
eas assereret manu Poe 1392 meae eae* prosum non sunt Poe 1393(RglLy) aequom ei*
factumst Tru 222

dic me ei* (ipsi) omnia quae uolt facturum
Mi 1070(Ly)

ei (eidem) aduorsum ueneram Cas 461
ei (alieni) oratores sunt populi St 490
quid sit ei (alii) animi.. Mer 452

neque eam (alteram) umquam tetigit Poe
98 ..ut eam abducam Ru 1287

aliquid contrahere cupio litigi inter (os (hunc
..alterum) duos Cas 561

nos uolt is (nescioquis) Mi 1282(R) quin
pessume ei (quoiquam) res uorterit Tri 534

is (ego) explicaui rem Poe 750 is..filiam
inueni Ru 1196(v. secl LangenRsS) ego qui
..prehendi..ei darei negatis quicquam Ru 1292

e. animalia: eum* (agnum) cape Au 328(U
in lac) eum* sume Au 329 exta inspicere..
ei* uiuo licet: ita is* pellucet Au 565-6 prehendit eos (anguis) manu Am 1116 deiciam..
eorum* (araneorum) omneis telas St 349 cum
..ea* (boue) noctem..pernoctare Tru 278
ei (caprae) ne noceret Mer 230 Mer 244
(eam U pro meam) uideo eam* (cornicem)
Mo 833(R) ea uolturios uellicat Mo 834
ei* (elephanto) pugno praefregisti bracchium
Mi 26 eius ex semine haec certost fames St
169 neque eas (hirundines) eripere quibat Ru
600 ea* (mustela) ego auspicaui in re..mea
St 502 eam (ouem) si curabeis perbonast Mer
526 eos* (simiam atque haedum) esse quos
dicam hau scio Mer 270 ut ea (ligulae et nuces) ueneant Poe 1015

2. *spectat ad rem prius memoratam:* eas (aedis)
quanti destinat? Mo 646 quis eas emit? Tri
1083 eum (agrum) dabo dotem sorori: nam
is..solus superfit Tri 508-9 is is* alienatur
..Tri 595(RRs) eam (amicitiam) iunctam
bene habent Ci 26 is (amor)..in pectus permanauit Mo 143 is* mores..morosos efficit
Tri 669 quando eius copiast tum non uelis
Tri 671 qui eum (anulum) illi adferet.. Ba
329 ut eum eriperet.. Cu 597 me heredem
fecit eius* Cu 639(U)

face id (argentum) ut paratum iam sit As
89 tu id nunc refers? As 398 ..daturum
id me hodie mulieri Ba 1029 eo sororem destinat Ep Arg 4 ..id paratum et se ob eam
rem id ferre Ep 253 ne sane id multum censeas. #Paulum id quidemst? Mo 628 id esse
absumptum praedico Mo 1140 si id domi esset
mihi iam pollicerer Per 45 si id* non adfert..
Ps 375 id ego..huic dabo Ru 1388 quid

eo tibi opust? St 588 id (aurum) surpit Au
Arg II. 8 ..ut id seruarem sibi Au 8 numquam indicare id filio uoluit Au 10 id inhiat Au 267 Au 450(isti id SeyLULy pro istic)
neque scis quis id* abstulerit? Au 773(BoRg)
id si scies qui abstulerit.. Au 773 neque partem..ab eo*..indipisces Au 775(eius U) eo..
iam opust Ba 221 nimio id* (aurum) priuatim
seruaretur rectius Ba 314(R) uideo id* reddere
Ba 393(R) neque id unde efficiat habet Poe 185
..ut eo me priuent Poe 775 ab ipso id accepisti Charmide? Tri 966 allatum id crederet Tri 1144

eius (argumenti) nunc regiones..determinabo
Poe 48 ne inbuas eis* (artibus) tuom ingenium Tri 294(RRs) ..quis eam (aulam) abstuleris Au 716 ea saepe deciens complebatur
Mi 855a uidi eam* plenam..fieri Mi 855 a
(LLy) id (auxilium) futurum unde..dicam
nescio Ps 106

adsunt ad eam* (carinam) Mi 919(Ly) id
(carnarium) tibi..taurus fiet Ps 201 ubi ea
(cistella) sit nescio Ci 676 ..quis eam abstulerit Ci 679 ..ubi ea excidit Ci 697 eam*
mihi opinor excidisse Ci 711(L in lac) ..si
eam monstret Ci 736 ubi ea nunc est? Ci
742 eam (cistulam) ueretur ne perierit Ru
390 ..ne copia esset eius* Ru 392(PLULy)
eam*..scilicet abisse pessum Ru 395 ob eam
..(merces) dabitur Ru 1120 oportet..neque
eas (compedes) umquam ponere Ci 244 ubi
id* (consilium) est? Ep 259 si id* (consultum)
inimicis usuist.. Mi 600, 601 ubi id (cor an
speculum?) inspexissent Ep 386 ut id* (corium)
uotem uerberare Mo 869(R) Venerine eas (coronas) det an uiro As 805 quid si ea (crepundia) sunt aurea? Ru 1086

ubi sunt ea* (dicta)? Ps 396(APS†LLy) si
sint ea uera..maxume.. Ps 433 decet eum
(diem) omnis uos concelebrare Ps 165 cras ea
(Dionysia) sunt Ps 60 si id (i. e. doli) palam
prouenit Cap 222 oppidum..uidetur posse
expugnari eis* Mi 1157(R) ex ea (dote) largiri te illi.. Tri 742

eas (epistulas) nos consignemus Tri775 apud
portitorem eas resignatas Tri 794 neque ea
(exta) †picere uolui Poe 456b
quis id (facinus) coxit coquos? Men 141 ea*
te expetere Mi 620(LLy) faenus, id primum
uolo Mo 592 paria..tria eis* (fatis) tribus
sunt fata Ba 956 id (fel) mel faciet Cas 223
unde ea (fides) sit mihi? Ps 1095 raptori pueri
is* (fluuius) subduxit pedes Men 65(R) ea ipsa
(fortuna)..ne intro mittatur cauet Au 101 noram dominum id (furtum) quoi fiebat Ru 956
eumque (gladium) incumbam Cas 308 cur
eum habet? Cas 661 eos* (globos) in uolan-
tis iussi funditarier Poe 482(U) priusquam
id (gratum) extudi Mo 221
eam (hirneam)..uini eduxi meri Am 430
sedate seruo id* (imperium) Men 980 ea*
(inopia) huc quid intro ierit..accipite Tri 10
eam* (iram)..tu..conprime Tru 262 id (ius
iurandum) si fallo.. Am 933
is (lembus) erat communis Ba 282 eae* (leges)
..ad parietem sunt fixae Tri 1039 quid eo
(limo) opust? Poe 294

quid facies ea (machaera)? Mi 459 tametsi id* (malum) non futurumst Per 362 id* totum tuomst Ps 1165 quid eo (marsuppio) uis? Men 266 id tibi iam huc adferam Men 1037 id* si attulerit.. Men 1044 id* (mendacium) hau decet Per 102(R) ob eam (mercedem) tres noctes dantur Tru 32 eorum (morum) licet iam metere messem Tri 32 neque eos antiq- uos seruas Tri 74 magisque is* sunt obnoxio- sae (leges) Tri 1038

eo (naso) magnum clamat Mi 823 quid ei (naui) nomen siet Men 341 ea* se mercis uec- tatum undique Mer 76 quo nos uocabis no- mine? #Libertos. #Non patronos? #Id potius As 653 id nos Latine gloriosum dicimus Mi 87 id usu perdidi St 241 eam (noctem).. haec uicit longitudine Am 281 propter eas (nugas) uiuo Cu 604 nugae sunt eae Men 86 quod iis facturu's (nummis)? Poe 167

de eo (obsonatu) nunc bene sunt Tru 741 neque censebam eam fore mihi occasionem: ea ..decidit de caelo Per 258 eo* (oculo) tam- quam hoc uterer Mi 1309(RU) quid id (of- ficium) est? Ps 376 neque id magis facimus quam.. St 7 nec uoluntate id facere memi- nit St 59 id (oliuom) uendito Ps 301 si id (oppidum) capso.. Ba 712 id* pulcre muni- tum arbitror Per 554 .. auferre ea* (orna- menta) abs te quo lubeat sibi Mi 982(Rg) id (otium) sum operitus Mo 788 nunc id* (os) frigefactas Ru 1326

eadem ea* (palla) ignorabitur Men 428(R) non faxo eam* esse dices Men 468 eam meae uxori surrupuisse.. Men 480 eam* dedisti Ero- tio Men 508 quis eam surrupuit? Men 649 mihi eam redde Men 679 dedisti eam dono mihi Men 689 eam dedi huic Men 1139 haec east? Men 1139(VahlenRsLLy in lac) id* (palliolum) conexum in umero laeuo Mi 1180 eam (pateram) huic dedisti Am 796 nisi eam (pecuniam) mature parsit.. Cu 381 eam* (pic- turam) uendat As 764 eum (pileum) ad cae- lum tollit Cap fr = Fr III. 3(ex Non 220) id eis (postibus) uitium nocet Mo 826 ad ami- cam id (pretium) fertur As Arg 5

si eum (quaestum) sumptus superat.. Poe 287 num is* (relliquiis) fuerit febris? Per 78(R) eam* (malam rem).. te dedisse intellego Men 497 eam* (rem) narrabo Per 493 ..ut eas magni facias Ps 578 qui eam perdidit? Tri 320 eam* uos estis Tru 312 ..nisi astute eam*.. exsequare Tru 462(U)

quid id* (scelus) est? Mo 475(RRs) id adeo nos nunc factum inuenimus Mo 477 quis id fecit? Mo 478 utere tu eo* (scipione) Per 817(U) ei* (seruituti) uos morigerari mos bonust eamque.. lenem reddere Cap 198-9 fers ut eam* ferri decet Cap 372(RsLy) amore id* (spatium) delectauero Mer 548(RRg) ubi id (speculum?) perspexissent.. Ep 389 si ea (spes) decolabit.. Cap 496 ..qui eum (sym- bolum)..adferat Ps Arg I. 3 qui huc adfer- ret eius similem symbolum Ps 57 exemplum reliquit eius* Ps 651

nonne is (tabellis) crederem? Cu 552 eas lacrimis lauis Ps 10 mihi unum id* (tegil- lum) aret: id..dabo Ru 576 in eas (transen- nas)..esca inponitur Ru 1237 eum* (thensau- rum) a me.. posceret Tri 1146

ubi is* (uenter) te monebat esse.. Fr II. 26 (ex Gell III. 3, 5) tria dixti uerba: atque ea* mendacia Tru 757(GulLLy) optigere eam* (uerecundiam) neglegens fui Mo 141 eum* (uidulum).. scilicet abisse pessum Ru 395 credo aliquem.. eum excepisse Ru 397 is est Ru 1130 ilico eum esse dixit Ru 1132 is- que in potestatem meam peruenerit Ru 1341 perlucet ea (uilla) Ru 102 pro is* (uinis) satis fecit Sticho? As 437 eo uos †uostros.. made- factatis Ps 184 eius amor cupidam me huc prolicit Cu 97 eo (uisco) praesternebant folia farferi Poe 477 eo* illos.. iussi funditarier Poe 482

haec quom audio in te dici is* excrucior Tri 103(S) istuc cura. #Curatum id quidemst Mi 1123 si quis quid.. curari sibi uelit.. det unde curari id possit sibi Men 53 uir com- pilet.. quicquid domist atque ea* ad amicam deferat Men 561 nihil.. tam paruist quin me id pigeat perdere Per 690 tantillum loculi .. id mihi †sater est loci St 620

3. *pertinet ad personam quam quis in scaena indicat uel in animo tenet:* quis hic est? is est, illest ipsus As 378 perii.. miser: is est Au 411(Rg) isne est id arbitratus? Ci 372(AL: loc dub) sed is* hac iit Ci 698 sed is hac abiit Ci 702 tune is est? Ep 641 tun es qui.. abiisti? #Ego is* sum Ru 1056 east+** Ci 756 ..si haec ea*st Ep 543 ea*nest? #Etsi ea*st, non est ea Mi 532 east profecto Ru 1172 ea se.. peperisse.. simulat Tru 18 ea (†Ly).. pueros pariat Fr I. 117(ex Festo 375) ..haec non eius uxori indicem As 811 in oculos eius* inuadi optumumst As 908(Rgl) scio spiritum eius maiorem esse Ba 15(ex Prisc I. 575) nosce signum: estne eius? Ba 986 ne eius* (opera) quam mea mauellem Ba 1201 date, di, conueniundi eius..copiam Mer 850 ne tu mirere eius* mulierem Mi 1274(L) hau po- tui.. perspicere eius* sapientiam Per 552(R) mihi dixit dare potestatem eius Per 602 tute eius* nomen memorato mihi Ps 986 labor le- uior esset hic mihi eius opera Ru 203 sermo- nem eius* sublegam Vi 118(R ex Non 332) ..quanto eius fundus est Fr I. 38(ex Char 211) super eius.. impendere tegulas Fr I. 48(ex Macr III. 18, 9)

senex eist* in tostrina Cap 266(Rs) sitque ei* paratum Cas 514 hinc sumpsit (minas) quae ei* dedimus Mo 650 ei aduorsum ueni- mus. #Quoi homini? Mo 947 apud te paruast ei* fides Ps 477 ..ni ei caput exoculassitis Ru 731 membra ei* exsecemus serra Fr I. 44 (ex Char 219)

eum* salutat magis haud quicquam quam canem Am 680 male dictis te eam ductare postulas As 189 seruabam eam* Au fr IV(L ex Non 98) ut eum*.. hinc eliciat foras Ba 384 ..eum esse cum illa muliere Ba 891 eam sauium posco Cas 887 surgo ut in eam in** Cas 925 eam*ne ego sinam inpune? Ep 518(v. om A secl RgSLU) ne ego eam* no- uisse** Ep 580(L) ..ut ad eam* adeam Mer

712(*Rg*) si inuenio qui uidit ad eum uineam ..agam Mi 266 Venus fecit eam ut diuinaret Mi 1257 .. an eum* amittis? Mi 1424(*R*) adi eum* Per 600(*R*) eum uos meum esse seruom scitis? Poe 724 neque eum sibi amicum uolunt dici Tri 263(*v. secl RRs*) ubi eam ui∗∗ Ci 270 ∗∗eam∗ ce Ci 490 ad eum habenti erce teritur Tru 21(*corruptum*) neque eam..abduces Fr I. 35(*ex Char* 202) eum hietare nondum in mentem uenit Fr II. 42(*ex Diom* 345) perge ad eam* Fr II 65(*L ex Isid Or* XIX. 24. 1) quod non metuas ab eo.. Ps 1087 satin lepide ab ea* aditast uobis manus? Cas 935 (*Rs*) cum eo* cum quiqui.. benigne facitis Poe 588

uigilante Venere si ueniant eae*.. Poe 322 copiae exercitusque eorum*..fugae potiti As 553 ad eorum* ne quem oculos adiciat suos As 769 .. sibi eorum euenisse inopiam Ru 398 eorum ex ingenio ingenium horum probant Tri 1049

quid si etiam is* occentem hymenaeum? Cas 806(*Rs*)

irae..eueniunt.. inter eos Am 942 occepi ego opseruare eos Ba 287 adeamus ad eas* Poe 330(*U*) ain'tu tibi dixe..eas* esse ingenuas Poe 962 astu sum adgressus ad eas Poe 1223 ..ne cognosceret eas aliquis.. Poe 1379 faciant aduorsum eos quod nolunt Ps 207(*v. secl RgS*) eos (cupidos homines) cupit eos consectatur Tri 238

praesente ibus*(*i. e.* multis hominibus) Ba 142(*R*)

4. = *talis*: is adeo tu's Ep 167 *nonnulla exempla sunt ubi* is *pronomen substantivo additum vim* talis *vocabuli habere potest; alias ad clausulam spectat quae, plerumque praecedens, asyndetice ponitur (infra F. 9), alias ad clausulam consecutivam per* ut *coniunctam (infra F. 1):* Am 1023, Ba 606, 1086, Cap 553, 994, Mi 801, Poe 1186, 1201, Ps 137, 590, Tri 852; *fortasse* As 231, Mo 360, 821

5. *neut. pron. ad priorem sententiam vel notionem pertinet*: id: gratum arbitratur esse id a uobis sibi Am 48 quid id* admirati estis? Am 89(*Rgl*) postquam id actumst.. Am 227 quid id exquiris tu? Am 342 nemo id probro ..ducet Alcumenae Am 492 nam quam id* ob rem? Am 552(*SpRgl*) ..si non id ita factumst Am 572 id dici uolo Am 593 ego id nunc experior domo Am 637 id* solaciost Am 642(*om HermRgl*) in me inclementer dicit atque id sine malo Am 742 an etiam id tu scis? Am 745 insanis quom id me interrogas Am 753 id* edepol qui factost opus Am 776 (*Rgl*) an etiam credis id? Am 773 id* tu uerbis probas Am 838(*U*) id me susque deque esse habituram putat Am 886 ..quo pacto id ferre induceres Am 915 an id ioco dixisti? Am 964 dum id modo fiat bono Am 996 quid id* mea? Am 1003 neque di omnes id* prohibebunt Am 1051 ego me id facere studeo As 67 id ego percupio obsequi gnato As 76 .. si id* hodie effeceris As 98 neque conari id facere audebatis As 213 haud id* est ab re aucupis As 224 uapula. #Id quidem tibi hercle fiet As 478 neque id me facere

fas existumo As 514 id uirtute huius collegai..factumst As 556 quid id est, quaeso? As 735 addone id*? As 755(*MueRgl*) existumet..id fecisse te As 822 id ea faciam gratia Au 32 id si relinquo.. Au 109 ..neque occultum id haberi Au 131 quid est id, soror? Au 147 etsi taceas palam id quidemst Au 421 merito id tibi factumst Au 440 ..si id palam fecisset Au 471 ego id cauebo Au 577 id te quaeso ut prohibessis Au 611 id adeo tibi faciam: uerum..bibam ubi id* fecero Au 623 id* quidem pol te datare credo consuetum Au 637 id quoque iam fiet Au 644 quid id est? Au 761 id si scies.. Au 773 id* si fallis-- Au 776 id uolo noscere Au 780 id..huic caueas Ba 44 iocon id* simulem? Ba 75(*R*) quin tu id me rogas? Ba 258 habetin aurum? id mihi dici uolo Ba 269 id mihi haud utrum uelim licere intellego Ba 344 id opera expertus sum esse ita Ba 387 id quom optigerat.. Ba 424 id equidem ego certo scio Ba 437 id isti dabo Ba 507b(*v. om A secl RU*) quid mihi id prodest? Ba 633 id non ausit credere Ba 697 ..ne id nequiquam dixerit Ba 701 quid nunc es facturus? id* mihi dice Ba 716(*Rg*) quid id exquaeris? Ba 721 id* erit rectius Ba 732 potaui, dedi..donaui: at enim id raro Ba 1080 (*v. secl UL*) magis quam id reputo.. Ba 1091 minus..id mihi damno ducam Ba 1103 id* ut ut est..patiar Ba 1191 ..id..esse haud perlonginquom Ba 1194 neque..in morte id* euenturum es e umquam Ba 1195 quid tu id quaeris? Cap 174 decet id pati animo aequo: si id facietis, leuior labos erit Cap 196 si erit occasio id* haud dehortor Cap 209(*MueRs*) quidnam id est? Cap 210 te meminisse id gratumst mihi Cap 414 id ut scias.. Cap 426 ..postquam id actumst Cap 509 scio te id nolle fieri, ecficiam tamen ego id Cap 587 id* tam audacter dicere audes Cap 630 id nunc suscenses mihi? Cap 680 cum cruciatu.. id factumst tuo Cap 681 malene id factum arbitrare? Cap 709 neque id perspicere quiui Cap 784 unde id? Cap 898 quam diu id factumst? Cap 980 certumst principio id praeuortier Cap 1026 .. si id impetret Cas 56 ego aio id* fieri in Graecia Cas 71 id ni fit.. Cas 75 quid id* est? Cas 243 quin id uolo Cas 285 quo id* uelis Cas 287(*U*) si id factumst.. Cas 305 quid id refert tua? Cas 330, Cu 459, Ru 178 mihi enim-- ah-- non id uolui dicere Cas 366 quid tu id curas? Cas 385 ..quoii id paratumst Cas 513(*Rs vide L Ly*) id quoque illuc ponito ad compendium Cas 519 quid est id? Cas 653(id ē *V*), Per 814 id quaerere occepi Cas 908 sin id fieri non potest.. Cas 981 id mihi hodie aperuistis Ci 2 id duae nos solae scimus Ci 145 facile id quidem..possum Ci 234 non id∗inis est amor Ci 273(?) isne est id* arbitratus Ci 372 quid id est? Ci 546, Cu 129, 671 quid id? Ci 725 ubi id erit factum.. Ci 784 id eo fit quia.. Cu 61 cum cruciatu magno dixisti id tuo Cu 194 numquam id potius persequar Cu 211 si id feceris.. Cu 243 ambula: id lieni optumumst Cu 240 male dic-

tum id esse dico Cu 513   quid id mea refert?
Cu 530, Mer 454*   quid id tu quaeris? Cu 596
id .. expertus sum Cu 680   haud uoluntate id
sua Cu 698   quidnam id est? Ep 41   id ei
impetratum reddidi Ep 48   quis erit uitio qui
id* uortat tibi? Ep 108   id ego excrucior Ep
192   id adeo .. animum aduorterim Ep 215
id lubidost scire Ep 240   postquam id* illas
audiui loqui .. Ep 247   quis id* dixit tibi?
Ep 250   atque id quoque habeo Ep 314   neque id inmitto in aures meas Ep 335   id ego
experior .. Ep 527   hodie id fiet Men 186
neque id haud inmerito tuo Men 371   sei id
ita esset .. Men 460   id haud quaeritant Men
574   quid id est? Men 639, 642, Mi 37*, 1348,
Mo 723, Poe 863, 865, 1087, Ru 874, 948, Tri
325, 630, 1167, Tru 384, 746 (Rs)   id .. nunquam erit Men 665   id quam mihi facile sit..
Men 755   nec quid id* sit mihi certius facit
Men 763   immo hercle id* haud uere negas
Men 821 (Rs)   .. ut id* dicas mihi Men 892
perfacile id quidemst Men 893   id mihi prodest Men 981   metum id mihi(id mihi si U
id om L) adhibeam Men 982   qui id potest?
Men 1120   tibi sortito id optigit Mer 136 b
uisun est tibi credere id? Mer 202   id* uei
optingit deum Mer 319   id est profecto Mer
372   id* feci, quia uxor rurist Mer 543   si
id* fore ita .. acceptumst .. Mer 655   certum
id* pro certo si habes Mer 655 († S)   dicam id*
quid est Mer 783   id si resciuit uxor .. Mer
820   id* quoque ego scio Mer 891 (Rg)   hem
quid id* rogas? Mer 904 (Rg)   id*, quaeso hercle,
etiam uide Mer 1013 (PS)   id* .. seruos nuntiare
uolt·Mi Arg I. 2   neque id* iniuria Mi 58(R)
inque id* mihi Mi 61(U)   quis homo id* uidit? Mi 176 Philocomasio id praecipiundumst
ut sciat Mi 247   .. si id* uerumst Mi 298
quamnam id* ob rem? Mi 360(R)   hic mihi
id* dixit Mi 365(R)   id* me insimulatam ..
esse somniaui Mi 392   planumst id* quidem
Mi 406   .. malitiose factum id .. arbitrer Mi
569   id quidem experior ita esse Mi 633   quid
meminisse id refert? Mi 809   .. quo pacto
id fieri possit Mi 1098   qui id* facere potuit?
Mi 1277   si id facies .. Mi 1365   .. iureque
id* factum arbitror Mi 1415   quid si id non
faxis? Mi 1417   magis id* dicas si .. Mi 1429
uirtute id factum tuo Mo 33   id faciam ita
esse ut credatis Mo 94(v secl RRsSL)   haud
aliter id* dicetis Mo 98   neque id faciunt Mo
116   id .. meopte ingenio repperi Mo 156
id cur non additumst? Mo 184   egone id exprobrem qui mihimet cupio id opprobrarier?
Mo 301   merito id* fieri .. existumat Mo 305
ubi id erit factum .. Mo 361   quis id ait? Mo
367   quapropter id uos factum suspicamini?
Mo 483   quid id curas? Mo 889   me suasore
.. id factum .. dicito Mo 916   †multo id* minus Mo 1012   quidnam id est? Per 32 b, Tri
1169   .. quiquomque id facit Per 65   si id
fiat .. Per 73   id tuos scatet animus Per 177
quid id ad te attinet? Per 235   quid id attinet ad te? Per 284   atque id fiat nisi .. Per
293   quid id est ergo? Per 664   ni id* efficit .. Per 841 (LLySt var em ψ)   meo ego id*
in loco curabo Per 843(R)   si id facere non

queunt .. Poe 24   si uoluptati id* tibist Poe
145(RRgl)   qui id* facturu's Poe 169   nihil
id* quidemst Poe 281   id* quidem hau mentire Poe 291   qur ego id curem? Poe 354
.. si id fieri non potest Poe 395   perfacile id
quidemst Poe 423   id duplicauit omne furtum
Poe 564   scio .. nec Fortunam id situram fieri
Poe 624   hau dubium id quidemst Poe 737
id quidem in mundost tuae Poe 783   aliquem
id* dignus qui siet Poe 860(Ly)   qui id* potest? Poe 892   qui id* credam? Poe 896   ..quo
id facilius fiat Poe 905   frugi si id facit
Poe 1098   in principio id mihi placet Poe
1106   id scire expeto Poe 1131   id ego..qui
sperem hau scio Poe 1208   id ego euenire
uellem Poe 1252   quoniam id fieri non potest
Ps 7   id te Iuppiter prohibessit Ps 13   id
quidem hercle ne parsis Ps 79   illine audeant
id facere? Ps 206   et id et hoc quod te reuocamus Ps 277   id* ego dicam tibi Ps 336(R)
qur id ausu's facere? Ps 348   id* iam pridem
sensi Ps 421   tibi mirum id* uidetur? Ps 473
.. si id faxem Ps 499   si id* non faxis.. Ps 533
(R)   potius quam id non fiat .. Ps 554   quo
id* sim facturus pacto nihil .. scio Ps 567   si
id* facere nequeat .. Ps 570   quasi tu id (add
R) dicas quasique ego autem id* suspicer Ps 635
molestumst id* quidem Ps 715(RgU)   tun id
mihi? Ps 939a   tum faxo magis id* dicas Ps
949   id ago Ps 997   id audire expeto Ps
1087   id* licebit .. tibi Ps 1182(U)   id fuit
naenia ludo Ps 1278b   id eo fit quia .. Ru
24   quid tu id quaeritas? Ru 110   id* si parate curaui ut cauerem .. Ru 192   decet abs
te id impetrari Ru 702   metus has id ut faciant subigit Ru 703   hasce .. ut uiuas comburam, id uolo Ru 768   ut id* occepi dicere ..
Ru 1119   id*ne habebit hariola? Ru 1140
(Ly)   neque id immerito eueniet St 28   neque equidem id* factura .. St 73   .. quam ob
rem id* faciam St 82   ne id faciat temperat
St 117   num ultro id* deportem? St 297
.. qui id* dixerit St 555   quid id ad te attinet? St 667   ego curam do: id* adlegauit St
681(Ly vide RRg)   id abest St 711   .. ni id
me inuitet ut faciam fides Tri 27   si id nou
feceris atque id .. mihi lubeat suspicarier, qui
tu id prohibere me potes ne suspicer? Tri 85-7
si id non me accusas ..   Tri 96   id ita esse
ut credas .. Tri 107   id .. obsecrauit suo ne
gnato crederem Tri 153   .. unde ad eum id
posset permanascere Tri 155   nisi id appareat .. Tri 218   id* nunc facis haud consuetudine Tri 362   factum id quoquest Tri 429
si id nequeas .. Tri 487   sed id* si alienatur
Tri 595(PLy)   .. facere id eius ob amicitiam
patris Tri 737   quid id ad me attinet? Tri 978
credidi aegre tibi id..fore Tri1086   si id mea uoluntate factumst .. Tri 1166   quis id ait? Tri
1179   omnis id faciunt Tru 17   tam id* optumumst amicae Tru 170   stultus sit qui id*
miretur Tru 221   id* ego .. domo docta dico
Tru 454(Rs)   id ita esse experta's Tru 529
quid id est, amabo? Tru 684   .. quam ut id
patiar Tru 742   †ubi id audiuit .. Tru 858(loc
dub)   quid id* amabost? Tru 941(loc dub)
postid: As 785, DEJLy(duo voc.) post Bψ;

Au 749, *duo voc. L*; Cas 33, *L duo voc.* ψ; 120,
L duo voc ψ; 130, *LU duo voc.* ψ; Ci 293, *duo
voc. L*; Poe 144. *duo voc. LU*; Ps 1275, *Rg
sed PŚLLy sed ego R om U*; Ru 299, *duo
voc. LU* p' *id B*; 1169, *Rs pro post*; St 86,
duo voc. RLU; Tri 529, *duo voc. L*; Tru 421,
661, 762

ea: ea..quo modo illi dicam.. Am 197 ea
tibi omnia enarraui Am 525 ea si erant, magnam habebas..dis gratiam As 143 si ea
durarent mihi mulier mitteretur As 196 qui
ea curabit.. Au 601 merito tibi ea euenerunt
a me Cap 415 ea subterfugere potis es pauca
Cap 970 sine dicam..(uera #Si ea *Ly* uer
**s ita *A*) sunt Ci 455(*Ly*) optigere ea* neg-
legens fui Mo 141 ..quom ea memoret Per
152 ubi ea* aderunt, centumplex murus..
parumst Per 560 ..quom ea* mussitabas Ps
501 ea nunc perierunt omnia Ru 358 ..ut
ea missum facias omnia Tri 1168 ea omnia
tibi dicis Tru 157 ..eaque ut celarentur omnia
Tru 798

eius: si quid eius(*cf* subolet iam hoc huic
v. 554) esset esset mecum postulatio Cas 556
si ibi amare forte occipias atque item eius sit
inopia.. Mer 650

eo: quid eost opus? Am 345 quid eo mihi
opus est? Ba 77 haud scio quid eo opus sit
Ba 1133 quid eo* opust? Men 434 nam
quid eost opus? Mer 411 quid factumst eo
(*i. e.* minis quadraginta)? Tri 405 credidit
nequest deceptus in eo As 501 ..aliquem eo*
dignus qui siet Poe 860

eo* (= ea causa) alii laetificantur meo malo
Au 725(*PLLy*) eo* tibi argentum iubebo..
ecferri Ba 95 eo exanimatus fui Ba 298 eo*
ego uos amo et eo a me magnam inistis gratiam Ci 7 eo te magis uolo monitum Ci 299
eo te **ignorat fides Ci 483(*L ex A*) eo* mihi
abs te caueo cautius Men 151 eo illud est
uerum magis Mer 971 tu ei custos additus
eo* perieris Mi 298(*L*) eo †potiuerim lepidius
pol† fieri Mi 926 eo magis cautost opus Mo
902b(*cf* Langen, *Beitr.*, p. 289) placeo: eo*
exemplum expetis Mo 1116(*R*) eo istuc male
dictum inpune auferes Per 276 atque eo* miseret tamen Per 639(*ALLy*) eo mihi eas machinas molitust Per 785 eo illud satiust 'satis' Poe 288 eo facilius facere poterit Poe 883
eo* hoc nomen mihist Ps 655 eo uos..detinui
diutius Ru 93 eo mihi magis lubet cum probis..uiuere Tri 274 eo non multa..eueniunt
Tri 364 eo conductor melius..nugas conciliauerit Tri 856 eo nunc commentast dolum Tru 85 eo* lingua dicta dulcia datis
Tru 180(*v. secl GuyRsŚL*)

C. *antecedens est pronominis rel.(vel sim.):*
1. **qui:** a. *enunt. rel. praecedit:* quod bonis bene
fit beneficium gratia ea grauidast bonis Cap
358 quod eis respondi, ea omnes stant sententia Cu 250 quoi homini dei sunt propitii
lucrum ei..obiciunt Cu 531 quos consignaui
hic heri latrones ibus* dinumerem stipendium
Mi 74 quae probast (mers pretium ei statuit
add KlotzLULy) Mi 728 qui homines probi
essent, esset is* annona uilior Mi 735 quoius

causa foras sum egressa, eius* conueniundi
mihi potestas euenat Mi 1010 mane quod
tu occeperis negotium agere, id totum procedit
diem Per 115 qui manet..seruos homo..ser-
uos is* habitu hau probust St 59 malum quod
minumumst id minumest malum St 120 qui
homo cum animo..depugnat suo utrum itane
esse mauelit ut eum animus aequom censeat an
ita potius ut parentes eum..uelint Tri 306-7
similiter: ornamenta quae illi instruxti mulieri
..auferre ea? Mi 982(*Rg*)

haec unde aberunt ea urbs moenita muro
sat erit simplici Per 559 qua causa missus
es ad portum id* expedi St 363 lenones qui
sedent cottidie ea* nimiast ratio Tru 68
qui sibi mandasset delegati ut plauderent..
eius ornamenta..uti conciderent Am 85 hodie
qui fuerim liber eum nunc potiuit pater seruitutis Am 178 bene quae in me fecerunt ingrata ea habui Am 184 quod..neque alius
(opinatus est)..sibi euenturum id contigit ut
salui poteremur domi Am 187 quod mihi praedicas uitium id tibist Am 402 quod didicit
id dediscit Am 688 ego quod feci factum id*
Amphitruoni offuit Am 893 male quod potero
facere faciam meritoque id faciam tuo As 138
quem ego sapere..censui..is* stultior es quam..
Ba 123 quae uolumus nos copia est: †ea facitis nos compotes Cap 217 qui(*om Rs*) frangant foedera, eos *** Ci 461 quo nemo adaeque est habitus parcus..is nunc palmam possidet Mo 32 *similiter:* hunc pudet quod tibi
promisit quaque id promisit die Ps 279
quo incumbat eo inpellere Au 594 *similiter*
Ci 580

numquam quisquamst quoius ille ager fuit
quin pessume ei res uorterit Tri 534

similia exempla sunt: Am 426, 872, 906*, 948,
As 10(*Rgl*), 876(*U*), Au 210, 534, 734, Ba 197,
330, 989(*R*), 990c, 1200, Cap 112*, 137, 143, 234
bis, 272, 387, *ib.**, 461, 494*, 566, 801, 908(*ULy*),
Cas 101, 200, 206, 223, 253, 450, 513, 514(*LLy*),
868, 1012*, 1018, Ci 13, 85, 214, 219*, 220, 611,
Cu 66, 425, 433, 503, 552, 557, Ep 651, Men 614,
900, 972*, Mer 33(*RRg*), 143, 628, 744*, *ib*, 886*,
936, Mi 190, 403*, 731*, 732*, 947*, 1050, 1175*,
Mo 242, 296*, 307, 1100, Per 2(*Ly*), 305*, 644*,
766, 799, 832, Poe 628, 1170*, 1190(*LLy*), Ps 12*,
58, 248(*R*), 650, 1107, 1111*, Ru 2, 10, 15, 158,
322, 404*, 1035, 1333*, 1364, St 121(*R*), 407, Tri
144, 178, 242*, 296*, 322, 337, 398*, 502*, 634,
714, 914, 961, 1131, Tru 157(*Ly*), 235*, 399*,
465*, 466*bis*, Fr I. 73(*ex Festo* 372)

b. *enunt. rel. sequitur:* ea dona quae..sunt
data abstulimus Am 138 id pollicetur se daturum aurum mihi quod dem scortis Ba 742
eos eo condimento uno non utier omnibus quod
praestat Cas 220 in eum diem quo quod amet
in mundo siet Cas 565(*aliter ALLy*) ubi is
est homo qui te surripuit? Cu 652 id argentum quod debetur..dinumerauerit Ep 71 ea*
te facere facinora quae istaec aetas fugere..
solet Mi 621 auferen tu id* praemium a me
quod promisi per iocum? Ps 1224 ea quae
olim parua gestauit crepundia.. Ru 1081 ille
eos* honores mihi quos habuit perdidit St 49
is* est ager..malos in quem omnes publice

mitti decet Tri 547   haben tu id aurum quod
accepisti? Tri 964   is* ego sum ipsus Charmides quem .. Tri 985   id quod proxumumst
meo tergo tutelam geram Tri 1058

eo* ego exemplo seruio tergi ut in rem esse
arbitror Men 985b   te .. eo* usque modo ut
uolui usus sum Tri 827(*HermRRs*)   oles eam*
unde es disciplinam Tru 131

id mihi adimitur qua causa uitam cupio uiuere Mer 473   id quod agitur ei* rei primum
praeuorti decet Mi 765   ecquid id(*add MueU*)
meministi here qua de re..mentionem feceram?
Per 108   id quoi re operam dedimus impetrauimus Poe 815   eius necglegere gratiam
quoi homini erus est(quo hi homini erus et
PSt vide Rgl) consimilis Poe 824   neque id
processit qua nos duxi gratia Ru 90

quid id sit hominis quoi Lyco nomen siet
Poe 94

ea adferam ea* uti nuntiem quae .. in rem
uostram .. sient Am 9   id dicere audes quod
nemo .. antehac uidit Am 566   quis te prohi-
buit? #Sosia ille quem iam dudum dico, is qui
me contudit Am 618   audiuistin .. me illi dicere ea quae illa autumat? Am 752   quid ego
audio? #Id quod uerumst Am 793   meritissumo
eius .. faciemus qui hosce amores .. conpulit
As 737   da mihi operam .. id* quod te uolo
.. appellare Au 199   isne istic fuit quem uendidisti meo patri? Cap 987   non .. ego is sum
qui sum Men 471   isnest quem currentem uideo? is* ipsus est Mer 598(*RRg*)   minor ea
uidetur quam quae propter mulieremst Mi 1294
haec peculiarist eius quo ego sum missus Per
201   quid id* quod uidisti? Per 553   ipse
ego is* sum..quem tu quaeris Ps 978   sed id*
quod occepi narrare uobis St 579(*U*)   is qu*∗∗
Vi 8   id quod haec nostrast patria ..? Vi 112

pergin seruom me exprobrare esse id quod
ui hostili optigit? Cap 591   spectamen bono
seruo id est qui rem erilem procurat Men 966

adducam hunc ad eum* quoiast fidicina Ep
294(*UL*)

similia exempla sunt: Am 1123, As 84, 720,
723, 860, Au 15, 170, 735, 773(*LLy*), Ba 615,
791, 1096, Cap 473, 567, Cas 282, 572, *ib**, 671*,
701, 864(*Rs*), 880, 921, Ci 79, 138, 179, 752, Cu
144, 373, 428, 581(*RgU*), Ep 55, 113, 136, 171,
417, 454(*Rg¹*), 538 *bis**, 540(*dub.*), 542*, 545, 554,
556, Men 397, 774, 869, 1040, Mer 158, 159*,
338(*RRg*), 478, 598, 840*, 845(*R*), 897, Mi 97*,
231, 370, 554(*MueRg*), 588*, 617, 686, 710, 747*,
785*, 892*, 1005*, 1229, Mo 287(*RL*), 359, 549d
(*v. secl ω*), 558, 1156(*RRsδ*), Per 179, 524, 638,
700(*Rs in lac*), 777 *bis*, 823*, Poe 281, Ps *Arg*
I. 3, Ps 83, 206(*R*), 617, 639, 929, 1085*, Ru
219(*Rs*), 392(*PLULy*), 678b, 1084*, 1091, St
20, 54, 101*, Tri 35, 136, 207*, 320, 354, 638,
641, Tru 14, 218, 235, 296, 595(*U*), 712, 888*
(*vide edd*)

c. *enunt. rel. insertum est:* quisque id quod
quisque .. ualet edit Am 231   id quod neque
est neque fuit .. mihi praedicas Am 553   id
quod mali promittunt praesentariumst Poe 793
(*ex Non 7*)

id* quod tibi dixi, gliscit rabies Cap 558(*Rs*)
neque partem tibi ab eo* quoiumst indipisces

Au 775(*RgLy*)   eorum quoiam esse oportet te
sis Ci 632

similia exempla sunt: Am 698, 884, Au 740,
775(*L*), Ba 993, Cap 231, 329, Cas 511, 513*,
514(*U*), Cu 29, 136, 529, Ep 265, 507, Men 1105*,
Mer 56, 256*, Mi 187, 214*, 315, 345*, 588, 748,
1014, Mo 211*, Poe 458, Ps 182, 281, Ru 874,
1335*, Tru 40, 262*, 887

2. **si quis:** si quid dictumst per iocum, non
aequomst id te serio praeuortier Am 921   si
quid patri uolupest uoluptas ea mihi multo maxumast Am 994   si quid nescibo, id nescium
tradam tibi Cap 265   si quae(*SeyU si om Pψ*)
habet, partum ei haud commodest Cas 200   si
quid super illi fuerit id nobis sat est Cu 85
si quid tibi euenit id non est culpa mea Mer
774   si quem scibimus..scortarier cum eo nos
hac lege agemus Mer 1019   si quis uiderit..
hercle is(*R*) quidem me sibi habeto, ei* ego
me mancupio dabo Mi 23   si quid faciendumst
mulieri..male, ea* sibi inmortalis memoriast meminisse (id *add R*) Mi 888   per amorem id quid
fecero .. id*.. ignoscet Mi 1252(*U*)   si quid tu
.. uoles loqui id loqui licebit Mo 239   si quis
intercedat .. nihil quaesti sit ei* Mo 1107(*RRs
S*)   ago ego id* sedulo si quid erit Per 47
(*U*)   si quid bonis boni fit esse id*.. gratum
solet Per 675   per amorem si quid feci..igno-
scere id te mihi aequomst Poe 141   si quid
dixi iratus .. id uti ignoscas quaeso Poe 1412
si quid superfit id* uicino inpertio Ps 456(*R*)   si
quis non .. misisset .. eum*.. cruciatu.. perbitere Ps 778   suom si quid sumet id tu sinito
sumere Ps 861   si quem hominem exspectant
eum solent prouisere St 642   an eo egestatem
ei* tolerabis si quid ab illo acceperis? #Eo*
Tri 371-2   si quid stulte fecit, ut ea missum
facias omnia Tri 1168   si qui non usust nobis
is* molestus Tru 721(*Rs*)

ne indignum id* habeas .. si quippiamst ..
Ru 700(*Ly*)

3. **quisque:** quemque hic intus uidero .. osculantem eum ego obtruncabo Mi 461   ut quisque rem accurat suam sic ei procedit Per 452
ut quisque acciderat eum necabam Poe 486   proinde ut quisque fortuna utitur .. sapere eum
omnes dicimus Ps 680

4. **quicumque:** quiquomque id facit .. eum*
esse ciuem .. bonum Per 67

5. **quisquis:** quicquid est, iam ex Naucrate..
id cognoscam Am 860   quicquid domist..id*
ad amicam deferat Mer 561   quidquid dei dicunt, id decretumst dicere Mo 667   quicquid
est pauxillulum illuc nostrum †id omne intus
est Poe 538(*vide Ly*)   quicquid est domi id*
sat est habendum Ru 292   quicquid in illo
uidulost . omne id* ut fiat cinis Ru 1257   huic
quisquis est gurguliost exercitor, is hunc hominem cursuram docet Tri 1016   quemquam
hominem attigerit profecto ei .. damnum dare
Tru 228

loquere id negoti quicquid est Mer 137   lucri
quicquid est id domum trahere oportet Mo 801
id meum quicquid habes redde Au 653   id
quicquid(*Bo q. id PU*) est iam sciam Men 772
quoquo hic spectabit eo tu spectato simul
Ps 858

6. quiuis: facere cupio quiduis dum id fiat modo Ep 270(*solus B*)

7. uter: uter ibi melior bellator erit inuentus cantharo, eum* leges Men 188(*R vide etiam Rs*)

8. ubi: bene ubi quod scimus consilium accidisse hominem catum eum esse declaramus Ps 682 tantillum loculi ubi catellus cubet id mi †sater est loci St 620

9. is *otiose usurpatum, praecipue cum relativo pronomine coniunctum*(cf Seyffert, St. Pl. p. 17): a. hic qui poscet..senex, is..est auonculus Au 35 cocos..demiror qui utuntur condimentis eos eo condimento uno non utier.. Cas 220 tua ancilla quam tu tuo uilico uis dare uxorem ea intus - - - Cas 656 plerique homines quos..pudet..ibi eos deserit pudor Ep 165b mercator Siculus quoi erant gemini filii ei..mors optigit Men *Arg 2* serui, qui..metuont i* solent esse eris utibiles Men 983, Mo 859 mulier quae se..spernit, speculo ei* usus est Mo 250 illi seni qui mortuost, ei* filius..surripitur Poe 64 hunc chlamydatum quem uides ei Mars iratust Poe 645 deos quidem quos maxume aequomst metuere, eos minumi facit Ps 269 eius seruos qui hunc ferebat..ei* os subleui modo Ps 719 pallam illam..quam tibi dudum dedi mihi eam redde Men 678 *similiter:* nostro seni huic stolido ei profecto nomen facio ego Ilio Ba 945 pater tuos is erat frater patruelis meus Poe 1069 Libanum..ut iusseram uenire, is nullus uenit As 408 illos qui dant eos derides As 527 †illi qui astant, i* stant ambo Cap 2 tu illos captiuos duos..is* indito catenas Cap 112 istanc quam emit, quanti eam emit? Ep 51(*Rg*) ille qui adoptauit hunc..is illi Poeno..hospes fuit Poe 120 hi qui illum dudum conciliauerunt mihi id nunc is* cerebrum uritur Poe 770 ille qui mandauit eum* exturbasti ex aedibus Tri 137 ille qui aspellit is compellit Tri 672(*v. secl BergkRsSLU*) illis quibus inuidetur i rem habent Tru 745

hoc quod ago id* me agere oportet Mi 352 haec quae possum ea mihi..placent Mo 841 omnia illa quae dicebas tua esse ea* memorares mea Poe 391 hoc quod est id necessariumst perpeti Ru 252

b. id *iteratum:* id quod in rem tuam optumum esse arbitror te id monitum aduento Au 144 id* quod postulas et id et aliud quod me orabis impetrabis Cap 941-2 id enim quod tu uis id aio atque id nego Men 162 *similiter:* id quod agitur, ei* rei primum praeuorti decet Mi 765

10. *cum persona prima uel secunda coniungitur:* hodie qui fuerim liber, eum nunc potiuit pater seruitutis Am 178(*cf* Person, p. 55) qui in tantis positus sum sententiis..ei* seic data esse uerba! Ep 521(*dub*) ego me credidi homini docto rem mandare, is* lapidi mando maxumo Mer 632 ego hodie †neque speraui neque credidi, is..filiam inueni tamen Ru 1196 ego qui in mari prehendi rete..ei darei negatis quicquam Ru 1292 qui..dicebant mihi malum..portendier, is explicaui meam rem.. lucro Poe 750 *Vide etiam* Ru 1173, Tri 978 quem ego sapere nimio censui plus quam

Thalem, is stultior es barbaro poticio Ba 123 qui, tibi quoi diuitiae domi maxumae sunt, is* nummum nullum habes Ep 330 quae..argentum..semper numeras ea* pacisci modo scis Ps 226 *Vide etiam* Tri 980 *bis*

D. *spectat ad infinitivum:* audes mihi praedicare id, domi te esse? Am 561 hic eam rem uolt..mecum adire ad pactionem Au 201 id flagitium meum sit mea te gratia..operam dare Ba 97 di..id uoluerunt uos hanc aerumnam exsequi Cap 195 haud nos id* deceat fugitiuos imitari Cap 208 ne id quidem, inuolucrum inicere, uoluit Cap 267 planum id quidemst non nouisse Cap 564 senis uxor sensit id* uirum amori operam dare Cas 58(*R*) id non tam aegrest iam, uicisse uilicum Cas 429 de ea re rediit nuntius..puerum surruptum alterum Men 37 sanum futurum, mea ego id promitto fide Men 894 qui amat quod amat si habet id habet pro cibo: uidere amplecti Mer 744(?) an dubium id* tibist, eam esse hanc? Mi 419(*BoR*) id* quidem palamst eam esse ut dicis Mi 475 liberum esse tete id* multo lepidiust Mi 683 Mo 810(id *add R*) id consilist praecauere Mo 866(*R*) id demum lepidumst, triparcos homines..bene admordere Per 266 magisque id* meretricem pudorem quam aurum gerere condecet Poe 305(*Ly*) id nunc is* cerebrum uritur me esse..facturum lucri Poe 770 ea stultitiast facinus magnum timido cordi credere Ps 576 id* misera maestast sibi eorum euenisse inopiam Ru 397 id* auderem tecum in nauem ascendere Ru 538 (*Rs*) nondum egressum esse eum id miror Ru 1201 id ne uos miremini homines seruolos potare St 446 is est honos homini pudico meminisse officium suom Tri 697

E. *spectat ad interr. obliq.:* a. *cum subiunctivo:* id se uolt experiri suom abitum ut desiderem Am 662 quid uelim id tu me rogas? Am 1025 is quo pacto seruiat..id* ego..proloquar Cap 5 uiuatne necne id Orcum scire oportet Cap 283 quid uelis modo id uelim me scire Cas 287 cur amem me castigare id ponito ad compendium Cas 517 ut sit de ea re eloquar Ci 565 quid id refert mea an aula quassa..effossus siet? Cu 395 bonine an mali sint id haud quaeritant Men 574 quid id ad me tu te nuptam possis perpeti an..? Men 722 quid ille faciat ne id obserues Men 789 recordetur id..quid is* preti detur Men 972 id uolo uos scire quo modo ad hunc deuenerim Mi 96 eam rem uolutaui(*haec omnia secl R RsS*)..hominem quoius rei..similem esse arbitrarer Mo 88 scis..id* ut surrupta fueris? Per 380(*U*) quid id ad me..Persae quid rerum gerant Per 513 licet me id* scire quid sit Ps 16(*per prolepsin*) quotumas aedis dixerit id..incerto scio Ps 962 quo modo habeas id* refert Ru 1069 quid id* ad uidulum pertinet seruae sint istae an liberae? Ru 1106 quo pacto..occipiam id ratiocinor St 75 neque natus necne is fuerit id* solide scio Tri 850 quid id ad me attinet bonisne seruis tu utare an malis? Tri 1065 dum id* perdiscat quot pereat modis Tru 23(*v. secl Rs*) hoc qui sciam ne quis id* quaerat Tru 554

b. *cum indicativo:* qui nihili's id* memora Ba 1157 quid ego usquam male feci tibi .. id edisserta Ci 364 ut id* mihi responses probe, quid erilis noster filius (agit)? Ep 19 (*U*) id(id, id *Ly*) uolo mihi dici, id me scire expeto quod illuc argentumst? Mo 625 uelim certum qui id* mihi faciat Ballio leno ubi .. habitat Ps 598 id tu modo me quid uis facere fac sciam Ps 696a quid est quod non metuas ab eo, id audire expeto Ps 1087 ut animus meus est id* faciam palam St 86(*Rg U*) quibus matronas moribus .. esse oportet id* utraque ut dicat mihi St 106(*RRgU*) qua caussa missus es ad portum id expedi St 363

F. *spectat ad coniunctionem:* 1. ut *explicativum, finale, consecutivum:* id contigit ut salui poteremur domi Am 187 quo id .. pacto potest nam .. fieri nunc uti tu et hic sis et domi? Am 592 id modo si mercedis datur mihi ut meus uictor uir belli clueat Am 646 id huc reuorti ut me purgarem tibi Am 909 quo modo? #Eo modo ut .. uiuas aetatem miser Am 1023 uapula! #Id quidem tibi hercle fiet ut uapules As 478 eo .. te huc foras seduxi ut tuam .. rem .. loquerer Au 133 ut me deponat uino eam adfectat uiam Au 575 id adeo te oratum aduenio ut .. ignoscas mihi Au 739 cur id ausu's facere ut id .. tangeres? Au 740 id signumst .. ei aurum ut reddat Ba 329 in eum haec reuenit res locum ut quid consili dem .. nesciam Ba 606 eum morbum mihi esse ut qui med opus sit insputarier Cap 553 di eam potestatem dabunt ut beneficium .. muneres Cap 934 id huc missa sum tibi ut dicerem ab ea ut caueres tibi Cas 682 id quaerunt, id(*ALy*) uolunt haec ut infecta faciant Cas 828 id* uolo ego agere ut tu agas aliquid Ci 311 id modo uidendumst ut materies suppetat scutariis Ep 38 ut me defrudes ad eam rem adfectas uiam Men 686 ea te causa duco ut id dicas mihi atque .. ut sanum facias Men 892 eo* deueniunt obliuiosae .. uti fiant Mi 889(*Ly*) uirtute formae id euenit te ut deceat quicquid habeas Mo 173 id tu mihi ne suadeas ut illum minoris pendam Mo 215 nescias nisi id unum ut male olere intellegas Mo 278 ea lege ut offigantur bis pedes Mo 360 id uidendumst, id uiri doctist opus .. cuncta .. ut proueniant Mo 412 id maxume uolo ut illi istoc confugiant Mo 1098 lenonem ut periurum perdas id studes Poe 575 id .. inpetrauimus ut perderemus corruptorem ciuium Poe 815 id euenturum esse .. ut haec inueniantur hodie esse huius filiae Poe 1170 eo sumus gnatae genere ut deceat nos esse .. castas Poe 1186 non eo genere sumus prognatae .. ut deceat nos facere .. Poe 1201 ea caussa miles hic reliquit symbolum .. ut .. me mitteret Ps 55 an tu te ea caussa uis sciens suspendere ut me defrudes? Ps 92 ob eam rem Orcus recipere .. hunc noluit ut esset hic qui .. Ps 795 id uoltis ut me .. aliquis tollat Ps 1247 ut uiuas comburam id uolo Ru 768 quid id est? #Ut id .. inueniant sibi Ru 874 merito ut ne dicant id (in manu) est Tri 105 id optumum esse tute uti sis optumus Tri 486 an id* est sapere ut qui .. repudies? Tri 637 (cf Walder,

p. 30) ob eam rem enixe expeto ut tibi sit .. Tri 652 id* agis ut .. effugias Tri 699 id me commissurum ut patiar fieri ne animum induxeris Tri 704 ut *omisso:* id iam scitis concessum et datum mihi esse .. nuntiis praesim et lucro Am 11(*v. secl Ly*)

2. ne: eo dico ne me thensauros repperisse censeas Au 240 id expetiuisse .. senem ne ea mihi daretur Cas 430 ei rei dant operam ne cenet senex Cas 773 propter eam rem .. hanc .. longiorem ne faciamus fabulam Cas 1005 id utrumque .. cauero ne tu delinquas neue ego irascar tibi Men 270 quin ea* .. praecucurri gratia ne te opprimeret Mer 223 eo minus dixi ne haec censeret me .. mentiri Mi 1080 ei rei operam do ne alii dicant Per 372 ne non sat esses leno id metuebas? Per 686 si id fieri possit ne indigna indignis dei darent id ego euenire uellem Poe 1251 id* hic metuit ne illam uendas Ps 284 si modo id liceat uis ne opprimat Ru 680

3. quia *causale:* eo fit quia mihi plurumum credo Am 756 quia oculi sunt tibi lacrumantes eo* rogaui As 620 .. non eo quia tibi non cupiam quae uelis As 844 apud me te esse ob eam rem .. uolo quia .. haud faciet quisquam iniuriam Ba 58 quia Mnesilochus .. deuenit ad Theotimum .. eo ego nescio Ba 319 nomen indidit .. eo quia inuocatus soleo esse Cap 70 eo miser sum quia male illi feci Cap 994 ego primum eo quia .. abesse auderem .. sum nihili? Ci 237 eo facetu's quia tibi aliast sponsa Ci 492 id eo fit quia hic leno aegrotus incubat Cu 61 ob eam rem haec emisti quia tuam gnatam es ratus? Ep 596 ob eam* rem quia te seruaui me amisisti liberum Men 1055 hoc eo* fit quia .. Mer 31(*R U*) ille eo* .. maiore hinc opere sibi exemplum petit .. quia .. audiuit .. Mo 763 quia ei fidem non habui argenti eo .. machinas molitust Per 785 eo* credo quia non inconciliat Per 834 id eo fit quia nihil ei acceptumst .. supplici Ru 24 eo tacent quia tacitast bona mulier Ru 1114 nomen repperi eo quia paupertas fecit .. St 177 ob eam rem haec .. autumaui quia res quaedamst quam .. Tri 324 an eo bella's quia accepisti armillas? Tru 272(*dub: v. secl UL*) an eo's ferox? Tru 272(*add Rs solus*) eoque ab opere maxume te abire iussi quia me miserebat tui Vi 70(?)

explicativum: idne pudet te quia captiuam .. es mercatus? Ep 107 id tibi suscensui quia te negabas credere argentum mihi Per 431 ad id doles .. quia illi suom officium non colunt? St 34

4. quod *causale:* eo quod amas tamen(*omnia add L*) nunc sat agitas .. Ba 636a si quidem istius gratia id remoratu's quod ista uoluit .. Ep 630 mater dicta quod sum eo magis studeo uitae Tru 457

explicativum: sat habeas id .. quod Chrysalus me obiurgauit Ba 1019 filium tuom quod redimere se ait id ne utiquam mihi placet Cap 586 id* iam lucrumst quod uiuis Mer 553 id illi uitium maxumumst quod nimis tardus est Mer 596

5. quom: id* uolup est quom ex uirtute for-

mae euenit tibi Mi 1211   quom bene nos . .
iuuisti . . ea* re habeo grates Per 756 (*R*)   eas
deis est aequom gratias nos agere . . quom nostram pietatem adprobant Poe 1254   nunc id*
est quom omnium copiarum . . uiduitas nos tenet Ru 664   quom ille itast ut esse nolo id*
crucior Tri 1170

6. **quin:** non eo* dico quin quae tu uis ego
uelim Tri 341   quin accedat faenus id non
postulo Vi 88

7. **dum:** non enim illum exspectare id* oportet dum erus se . . suscitet Ru 922 (*Ly*)

8. **si:** te id exspectare oportet si quis promittat tibi As 528   id* nos ad te si quid uelles
uenimus Mi 1158   ei rei nunc suam operam
. . dat si possiet meretricem illam inuenire Ci
184   ei rei operam dare te fuerat aliquanto
aequius si qui probiorem facere posses Tri 119
    an tu eo pulcra uidere . . si tibi illi non os
oblitumst fuligine? Poe 1194   si papillam pertractauit haud id* est ab re aucupis As 224 (*Ca
Rgl*)   id ne tu mirare si patrissat filius Ps 442

9. *coniunctione omissa:* atque ea lege: si alius
ad me prius attulerit tu uale As 231   illic
homo aurum scit me habere eo me salutat Au
185   eo* fuerunt cariora, aes non erat Au 376
(*cf* Langen, *Beitr.* p. 289)   eum . . scio fecisse: eost ingenio natus Ba 1086   quid tibi . .
aegrest? #Scies: id*, perit cum tuo Ba 1115
(*Ly*)   te id* oro, Hegio — #Quiduis . . faciam. #Ausculta, tum scies Cap 337   nescio
quem ad portum nactus es ubi cenes: eo fastidis Cap 837   non enim es in senticeto: eo non
sentis Cap 860   uideo ego te Amoris ualde
tactum toxico: eo te magis uolo monitum Ci
299   ad cubituram . . magis sum exercita . . :
eo sum tardiuscula Ci 380 (*ex Non* 198)   id*
ut occepi dicere, ei ancillulast Cu 43   plus
scire satiust quam loqui seruom hominem: ea
sapientiast Ep 60   id* quoque iam, cari qui
instruontur deserunt Men 107 (*LLy*)   id* quaeso
hercle: etiam uide Mer 1013 (*PLy*)   uenit ignauia: ea mihi tempestas fuit mihi . . imbrem . . attulit Mo 137   non uideor uidisse postes pulcrio-
res. #Pol mihi eo pretio empti fuerant olim Mo
821   id* quidem, illi ut meditatur uerba facit
emortuo Poe 840 (*LLy: uide U*)   eo enim ingenio hi sunt flagritribae . . : ubi data occasiost,
rape, clepe, tene Ps 137   eo* sum genere gnatus: magna me facinora decet efficere Ps 590
sed id* qua occepi narrare nobis: quom hic
non adfui . . St 579 (*U*)   Hilurica facies uidetur hominis: eo ornatu aduenit Tri 852

ille - - - eius modist - - - cupiet miser Mi
801 (*cf* Weissenhorn, p. 15)

10. **qui** *finale:* ne id quidem me dignum esse
existumat quem adeat As 149   id ea faciam
gratia quo ille eam facilius ducat Au 32 (*cf*
Fraesdorff, p. 34; Kienitz, p. 555)   is ea
causa misit hoc qui surriperent misero mihi
Au 464   ea caussa . . illam emi dono quam
darem matri Mer 400   id quaero hospitium
ubi ego curer mollius Poe 693   eum adlegarunt
suom qui seruom diceret Poe 773

G. **id** *cum genetiuo* (*cf* Blomquist, p. 54;
Schaaff, p. 15): neque puduit eum id aetatis
sycophantias struere As 71

memorat . . relicuom id auri factum quod
ego . . promisissem Ba 1098   mihi in pectore
id* consilist Mo 866 (*R*)   quid id* est flagiti?
Poe 610   quid id furtist? Poe 1238   id quod
mali promittunt praesentariumst Poe 793   non
satis id est mali Tri 248 (?)   post id (*unum
uoc. R RglLy*) locorum tu mihi . . ignoscito Poe
144 (*cf* Kane, p. 91)   post id locorum *etiam*
Cas 120, Tru 661

quid id sit hominis quoi Lyco nomen siet
Poe 92

H. *pronomen bis positum ad res uel personas
diuersas pertinet:* grauidam fecit is eam Am
109   id . . ea gratia Au 32   eum id aetatis
As 71   is . . id Au 9   is ea causa Au 464
inpetratum id . . ei redderem Ba 197   eum
(anulum) . . ei Ba 329   ob eam rem . . pro eo
Cap 947   ea* adoleuit ad eam aetatem Cas
47   is sperat si ei sit data . . Cas 53   eos eo
condimento uno non utier Cas 220   ea se eam
negat morarier Cas 553   feci eius ei . . copiam
Ci 138   dat eam puellam ei seruo Ci 166
is eam proiecit Ci 167   ea . . educauit eam Ci
172   dico ei quo pacto eam . . uiderim . . sustollere Ci 549   eam puellam filiam eius quaerimus Ci 621   id eo fit quia Cu 61, Ru 24   id
ab eo petas Cu 66   id ei impetratum reddidi
Ep 48   se ob eam rem id ferre Ep 253   is*
. . ob eam* rem . . Ep 705 (*Rg²*)   eaque is* aegritudine . . emortuost Men 35   id* ei* Mo 287
(*RL*)   id eis uitium nocet Mo 826   is eam
. leno aduexit uirginem Ru 41   ad eum id
posset permanascere Tri 155   eius essetne ea
pecunia? Tri 178   eum . . cum eius modi uirtutibus Tri 337   eo egestatem ei* tolerabis?
Tri 371   facere id eius ob amicitiam patris
Tri 737   is* adeo eum* iussit ali Tru 597 (*U*)

I. *aduerbia* 1. **eo:** a. *proprie:* uisam eo* ecquae aduenerit . . nauis Ba 235 (*MueRg*)   dico
quid eo aduenerim Mer 940   tu eo quaesitum
. . aduentares Poe 561   quo agas te? #Ad uos . .
#Quid eo? Per 235   quo te agis . . ? #In aedem
Veneris. #Quid eo? Poe 333   eo conuenimus
mercatores Poe 340   extra portam mihi etiam
currendumst prius. #Quid eo? Ps 332   si eo*
ted introducam . . Mer 927   quid eo intro
ibis? Ba 907   eo quoque ibo St 625   eo lapides imponi . . Poe 1025   hoc serui esse officium reor . . non . . quo incumbat eo impellere
Au 594   quo auectast eo sequemur Ci 580
eo me obsecras ut te sequar? Ru 876   quoquo hic spectabit eo tu spectato simul Ps 858
eo uenturust ipsus Ep 69   eo ueni Ep 304   ornatum eo uisere uenit Poe 1175   eo* ad prandium uocauit adulescentem Ru 61

eo lasserpici libram pondo diluont Ps 816
fortasse: eo condixi St 432 (*Ca: loc dub*)
b. *translate:* decem eo* accedunt minae Cu
344 (*Ly*)   eo* iam (*R* eodem *Pψ*) accedit seruitus Mer 674 (*R*)   eo* addito ad compendium
Cas 518   quod eo* adsolet (*sc* addi) Ep 7   eo*
deueniunt obliuiosae . . uti fiant Mi 889 (*Ly*)

2. **ea:** ne ea* quid animae forte amittat dormiens Au 305 (*U*)   tute tibi ea* . . prodes plurumum Cap 371 (*PU*)   eaque eduxi omnem
legionem Mo 1047   ea* ibo obsonatum St 451
ea* tenus abeunt a fabris Mo 131 a

Vide Allardice *et* Junks, *Index of the Adverbs of Plautus*, p. 14, *ubi multi alii loci ad adverbia relati sunt*

ISSULA - - meae **issula** sua aedes egent . . ad me sine ducam Cı 450(*LLy* mea ut issula sciat mis egens ad me recipere *Rs* mea ✳✳ssula s✳✳✳✳✳✳ ad me✳✳ *A*)

ISTE - - *cf* Bach, *de usu pron. demonst. apud pr. scriptores Lat.* (Stud. Stud. II), pp. 217 —286.

I. Forma(*de mensura cf* Skutsch, *Pl. u. Rom.*, p. 140; Enger, p. 15) **istic** Aᴍ 366, 575, 619, 747, 1041, Bᴀ 308, 331, Cᴀᴘ 421, 547(*Luchs* hic *PLULy*), 548(istuc *E*), 549, 606, 608, 609, 623, 987, 990(istuc *J*), Cı 600, 720, Cᴜ 86, Eᴘ 488, 641, Mᴇɴ 146(iste *MueL*), 651, 653, 937(tu istic *FZ* istuc *B* tustic *D* custic *C*), Mᴇʀ 759(*Py* istuc *P*), 876(*B* hic *CD*), Mı 1397 (*CD* istuc *B*), Mo 983, Pᴇʀ 137(istuc *D*[1]), Poᴇ 625(iste *BoU*), Ps 648, 699(*A* istinc *P*), 712, 723(tu istic *A* tute ego *P*), 737(*Z* isti *P* iste *Ly*), 864, 1193(quis istic *ACD* quisti *B*), Rᴜ 650, 1063, 1125(si istic *BD* sustic *C*), 1291, 1357, Tʀı 923, Tʀᴜ 474(*PRs* is hic *Weisey*), 521(*Ca* iste *P*), 716(*Bo* iste *P𝔖*†) **iste**(*vide* istic) Aᴍ 609, As 603, Aᴜ 410, Cᴀᴘ 554, 563, 567, 579, 806, Mᴇɴ 391, Mᴇʀ 72(*CD* isti *B*), 877, 945, Mı 364, 1233(*B* istus *CDRU*), Mo 480 (isti *Rs*), 806(*add LorenzRsU*), 944, Pᴇʀ 520, Poᴇ 513, 779, 1085, Ps 195, 863, 1053, Rᴜ 687 (*add Ly*), 1040, 1126, 1317(istest *Rs* est is *MueU* est *Py*), Sᴛ 272(*Rg* iste *P* neste *Non* 292), 529, Tʀı 1547(is *BoRRs*), 1099, Tʀᴜ 218(*A* istic *Rs* istinc *P*), 220(*A* isti *P*), 340(*Ca* isē *B* is est *CD* is *FZLULy*), 719(*FZ* iste ea *P* istic *Rs*), Fʀ I. 26(ubi iste *Gell* III. 3, 5 usque is *Rg* is te *L Ly*) **istus** Mı 1233(*CDRU* iste *B*ψ) **istaec** Aᴍ 590, As 843, Aᴜ 765, Bᴀ 411, 583, Eᴘ 573, 587, 701(*Bri* istic *U* iste *BE* istę *J*), Mᴇɴ 413, 618(ista et *C*), Mᴇʀ 207, 523, 561, Mı 46(istic *A*), 474(*A* ista *PR*), 516, 536, 622, 878(mea i. *LLy* mfalsta haec *BD𝔖*† mfalsa haec *C var em* ψ), 1002, Mo 184(ita haec *RU*), Pᴇʀ 23, 314, 344 (*A* ista et *B*), 445, 516(ista & *B*), Poᴇ 354, Ps 44 , 1298, Rᴜ 355, 688(*Ca* ista *CD* ista[h] *B*), 1144, 1178(ista *B*), 1242, 1365, Tʀı 413(*A* ista *PU*), 738, Tʀᴜ 627(*Rs* istam *P*ψ) (istec *B ter*, *C* octies, *D* 11ies; *E* quinquies; istęc *B semel*, *C quinquies*, *D bis*, *J ter*; ista haec *BC bis*; ista hec *B quinquies*, *C bis*, *D ter*; ista hęc *BC bis*, *D ter*) **ista**(*vide* istaec) Aᴍ 843, As 227, 323(istaec *LuchsRglLy*), Bᴀ 1162(iusta *C*), Cᴀs 384, 399(*om Non* 334 *et RsLULy*), 454(*add U*), Eᴘ 630, Mᴇʀ 730(istaec *BoRgU*), Mı 448(istas *B*[1]), 516(uisa *StudRRgU*), 519(itast ista *CD* istas *B*[1] ista *B*[2]), 552(*AB* histham *C* histuam *D*), Mo 235, Ps 1008, Rᴜ 1138, Sᴛ 628(*ARg* isti *P*ψ pro acc. habet *L*), Tʀᴜ *Arg* 3, Tʀᴜ 204, 754 (tres ista *Rs* resistat *P𝔖*† *var em* ψ), 853

istuc 113 *exempla sine varia lectione. Addenda:* Aᴍ 692, *om D*; As 32 b, *DJ* istud *BE*; *ib.*, *om BoRgl*; 308, *GuyRglLy* istud *P*ψ Aᴜ 418, *DRgULy* istud *BJ*ψ; 490, *Ly* istud *P*ψ Cᴀᴘ 398, *om ReizU*; 638, *om J* Cᴀs 634, *PU Ly* uae *A*ψ Cı 20, *FRsULy* istud *P*ψ; 75, *Bo* istud *P*; 233, *LLy* is tu *cum lac A aliter Rs*; 779, istud *J* Eᴘ 276, istoc *J*; 421, em

istuc *L* immo sta *B*[2]*EJ* immo stat *B*[1] immo ita *Py*ψ Mᴇʀ 896, *Par* istunc *P* Mı 1210, *B* istud *CD* Mo 517, quid istuc est *R in lac* Pᴇʀ 139, *om D*[1]; 359, istud *D* Rᴜ 398, *MueRs* istoc *P*ψ; 534, qui istuc *add Rs*; 1054, istum *C*; 1086, *B* istic *CD* Sᴛ 118. istiuc *C* Tʀı 88, istud *D*; 889, istuc est *RRs* est tibi *P*ψ Tʀᴜ 394, *B* istic *CD*; 704, *BoRs* illuc *BachLLy* hoc *P𝔖*†*U* **istud** *vide* istuc) As 308 (*P* istuc *GuyRglLy*), Aᴜ 490(istuc *Ly*), Cı 20 (istuc *FRsULy*), 106(istuc *SchmidtRsLy*), Mo 185(perit istud *U pro* peristi). Tʀᴜ 686(*L* ita ut *P* ita illud *U* †*𝔖*)

istius(*cf* Luchs, *Genetivbildung*, p. 370; Leo, *Pl. Forsch.*[2], p. 320; *de correptione*, *cf* Ahlberg, *de correp.*, p. 91) Aᴜ *Arg* II. 3, Bᴀ 252, Eᴘ 119, 629, Mᴇʀ 144, 738, Mı 1163, 1164, 1165, Mo 746, Rᴜ 321, Tʀı *Arg* 5, Tʀı 552, 894 **isti** Tʀᴜ 930

istic Mᴇɴ 1011(*Ly* isti *P*ψ), Mı 1093, Rᴜ 118 (*Fl* isti *PU*), 1083(*FlRs* illi *P*ψ), Tʀᴜ 203 (*Stud* isti *APLU*), 910(*BC om D* istuc *CaL Lyt* istoc *SpU*), 942(*Rs* istuc *P*ψ†) **isti** Aᴍ 674, As 141, 146, 471, Bᴀ 44, 507 b(*v. om AR*), Cᴀᴘ 550, 667, Cᴀs 378, 410, 629, Cı 73, 770(*om E*), Cᴜ 83(isti hunc *BoU* istunc *P*ψ). 129, 311, 517, 639(*Bo* iste *P* istae *Ly* ita *Rg* is *U* isto *L*), 655, Mᴇɴ 616(me isti *Py* mei si *BD* mei si *BD* mei su *C*), *ib.*(*Ly* istis *P𝔖*† isto *Bo*ψ), 813, 827, 911, 1011(istic *Ly*), Mᴇʀ 378, 921(isti credam *FZ* istic reddam *CD*), 987, Mı 1314, 1338, Mo 655, 918, Pᴇʀ 510, Poᴇ 443, Ps 316, 744, Rᴜ 118(*PU* istic *Fl*ψ), 717, 885, 1014, 1059, 1083(istic *FlRs*), 1398, Tʀᴜ 40(*BueRs* est *P*ψ), 88, 203(*APLU* istic *Stud*ψ), 443(ego isti *P* egone ut *Rs*), 448, 713(*FZLLy* iusti *P𝔖*† instat *RsU*), 898, 938 **istae** Cᴜ 639(*Ly* iste *P* ita *Rg* is *U* isto *L* isti *Bo𝔖 an gen.?*), Tʀᴜ 790 (*Z* iste *P*)

istunc(*vide* istum) Aᴍ 320(*Dousa* istuc *P*), 699, As 456(istuc *EJ*), 714, Bᴀ 43(*HermRLLy* istoc *F*ψ istoch *P*), 552, 584, 749, Cᴀᴘ 301(istuc *VE*), 351(*Ca* istum *P*), 728(istuc *B*[1]), 919(istuc *J*), Cᴀs 362(istuc *B*[1]), 406, Cı 93(*A* istum *PU*), Cᴜ 83(his. *J* isti hunc *BoU*), 601(istuc *J*), 702 (istuc *B*), Eᴘ 440, 496(i. hominem *APRgLLy* istuc nomen *Bo*ψ), Mᴇɴ 851, 954, 1007(mittitis tunc *B*[1]*C pro* mittite istunc), 1013, Mᴇʀ 899 (curo istunc: de illa *R duce Ac* curam de istuc ulla [-ā *CD*] *P*), 907(*FZ* istuc *P*), Mı 771, 988, 1425(*FZ* istuc *B* istum *CD*), Mo 663(i. percitem *Rs in lac*), 669(*A* istuc *P*), Poᴇ 1267(*TLy* istuc *P*ψ), Ps 282(*A* -t istum *P* istum *Non* 423), 652(*A* istum *P*), Rᴜ 271, 811(ne iis tunc *P pro* nei istunc), 1001, 1041(*Rs* istuc *P*ψ), 1249, 1383, 1395(*Dousa* istic *P*), Tʀᴜ 302(istunc non *A* nunc *P*), 939(etsi istunc *L* si *P𝔖*†*Lyt var em* ψ) **istum**(*vide* istunc) Aᴍ 621, As 159, 467, 475, 746, Aᴜ 49, 165, 401, Bᴀ 12(*ex Festo* 169), 862, Cᴀᴘ 354, 456, 546, 551, 565(*om J*), 733, Cᴀs 362 (*Py* istunc *PLy*), 785, Cᴜ 193(quid? istum *Rg* quodquidem *P𝔖*†*Lt*+*Ly* talem *U*), 419, 521, 602, 626, 633, 693, Eᴘ 448, 714, Mᴇʀ 891(istunc *AcR*), Mı 128, 1394, Mo 372, 387, 668(*AB*[2]*CD* is tuum *B*[1]), 816 b(i. perductorem *om R*), 843, 845, 964, 1171, 1172(quaeso istunc *Ca* que sis tum *P*), Pᴇʀ 298(*A* istunc *PLU*), 300(*A* illum *P*), 672,

Poe 649, 651, 1214, Ps 1212, 1315 (isto *R*), Ru 963, 1070, 1106 (*Rs* pertinet *Pψ*), 1127, 1208, 1225, 1296, 1376, St 344 (*AP* istunc *RRg*), Tri 262 (*add U*), 433, 537 (*A* istunc *P*), 652, 923, Tru 220 (*A* eum *P*), 712 (*Ca* ē um *B* est um *C* estun *D*), 892, 929 (pote istum *Rs* potest *PŞ*† *var em ψ*) **istanc** (*vide* istam) Am 754 (istane *B*¹), 775, As 53 (istant *D*), 686 (*BDJ* istam nunc *E*), 831, Ba 160 (*v. secl RRgŞ*), 507 b (*v. om AR*), Cas 53 (*A* istam *P*), 453, 548 (*A* istam *PU*), Ci 570 (istā *J*), 766 (istanc esse *Ca* istam necesse *P*), 767, Cu 151, 598, 651 (memini istanc *Gul* meministin hanc *P*), 663, Ep 51, 398 (i. intro iube sis *Rg*¹ hanc lubens|iubes *EJ*] intro *PŞ*† *var em ψ*), 402 (istae *J* istac *E*), 575 (*MueRgU* hanc *Pψ*), 586, 596 (*BriRg* hanc *Pψ*), Men 508, 791, Mer 427, 448, 626, 768, 798 (istac *B*), 955, Mi 751, 770, Mo 175 (*B* hanc *CD*), 263, Per 192 (*AB* tam *CD*), 492 (*A* istā *PL*), 660, Poe 1308 (*PyRgl* hanc *Pψ*), Ps 160, Tri 874 (*FZ* istane *P* ipsam *Non* 73), Tru 936 (*BoRs* hanc *Pψ*) **istam** (*vide* istanc) Am 311, 348, 556, 718, 768, 784, 847 (istanc *B*²), As 141, 320 (istanc *BoRgl*), 657, 659, 845, Cap 374, 721, Cas 107 (*A* istanc *BJ* istant *VE*), 275, 297, 311 (qua istam *Ly* duce *Bri* quam istam *P* qua istuc *Briψ*), 548, 604, 785, Ci 49 (istanc *U*), 71, 721, Cu 224, 518, 659, 719, Ep 64, 154, 399, 406, 705 (istam ob rem te *ParRg*¹ ista [*A* iste *P*] ab ore *APŞ*† *var em ψ*), Men 205 (*AŞ* stanc *P* istanc *ψ*), 497 (istam *VahlenU* pol eam *AŞ*†*L*† post eam *PLy*), Mer 736, Mi 280 (istanc *R*), 293, 318, 451, 533 (uidistin i. *D*³ -ti in istā *CD* -ti in eā *B* aliter *Rg*), 701 (*A* ista *P*), 983 (istanc *Ly*), 1245, Mo 183, 222, 854 (istanc *Ly*), 1166, 1168, Per 622, Poe 1006 (*P aliter A: loc Pun*), 1078, Ps 292 (*om Diom* 339), 524, 1011, Tri 372, 385, 613, Tru *Arg* 10 (*Rs pro* illam), Tru 444, 535 (*om Rs*), 627 (istaec *Rs*), 842 (istanc *Rs* eam *L*), 879 (istanc *Rs*)

istuc 168 *exempla sine varia lectione. Addenda:* Am 747, istud *D* As 358, istud *J*; 901, istac *E* Au 257, *PLy om Angelψ*; 263, istuc fiet *BDŞ*† *U* i. siet *J* festina et *Rg* istuc ei et *MueLLy*; 687, istoc *J* Ba 75, id *R* Cas 267, istud *Non* 308; 311, *Bri* istam *PLy*; 347, *VJ* istud *BE* hoc *Fulg* Ep 31 a, *GrutRgU* tu *Pψ*; 51, istac *J*; 150, ego istuc *P* istut *A*; 496, istuc nomen *Bo* istunc hominem *APRg*²*LLy* Men 242, istunc *B*² Mer 484, istis *D*¹; 880, istuc uorti iubent *L in loco perdito* Mi 236, *B in ras* istue *CD*; 570, istut *A*; 776, *FZ* istunc *P*; 784, istunc *D*; 827, istic *B*; 1125, *AB* istud *CD*; 1350, *LuchsRg* hoc *Pψ* Mo 252, itu *D*¹; 1008, *AB*² iste *P*; 1081, *RsLy* tu *Pψ* †*Ş* Per 129, istoc *D* Poe 153, istu *C*; 518, *om MueU*; 1267, istunc *TLy*; 1347, istŏs *B* Ps 313, istunc *A*; 391. istunc *A* Ru 1041, istunc *Rs*; 1195, *add Rs*; 1383, *add U* Tru 314, is duci *Rs*; 787, istud *D*; 815, idem istuc *Kies* de istoc *PLy* i**stud** (*hanc formam repudiat* Schmidt, *p.* 81) As 644 (istuc *SaracRglLy*), 827 (*BDE* istuc *JRglU*), Au 418 (*BJ* istuc *DRgULy*), Cap 898 (istuc *Ly*), Cas 375 (istuc *Ly*), Ci 27 (istuc *Bo RsLy*), Mo 979 (illud *B*), Ps 914 (*AŞ* ipsuc *CD* ipsu *B* istuc *FZψ*) **istoc** As 306 (*WeisRgl* hoc *Pψ*), Cap 317, Mo 174 (*Ly* istuc *BriLU* hoc *Pψ*†), Tru 740 (istuc *DL* istioc *C*)

istoc Am 829, As 506 (*ex Non* 151 isto *P* istuc *Non* 375), Au 56, 310, Ba 43 (*F* istoch *P* istunc *HermRLLy*), 87, 1039, Cap 178, 186, 302, 551 (stoc *J*), Cu 2 (isto *B*¹), 465, Men 168 (isto *Non* 394), 344 (instat *U pro* in istoc), 709, 835, Mi 754 (*Fl RRg* hoc *Pψ*), 1308 (*CaR* hoc *Pψ*), Mo 320, 346 (*SkutschLy* hoc *Pψ*), 1014, Poe 157, 514 (-s istoc grassari *Lamb* sis occrassari *P*), 1405, Ru 718, 1077, 1383 (*Ly* isto *Pψ*), St 770, Tri *Arg* 3, Tru 161, 718 (ludo in istoc *LLy* ludin istos *PŞ*† *var em ψ*), **is**1o Ba 540, Cu 639 (*L* iste *P var em ψ*), Mi 65 (*P* illo *ARU*), 779, Ru 1109 (in isto *om C*), 1133, 1383 (istoc *Ly*) **istac** As 640, Au 142, 746 (istacine *BDE* istac *J*), Ba 28, 445 (istā *D* et *Non* 75), 1163, Cas 372, 612, Ci 770, Cu 209, 618, Ep 79, Men 135, Mer 629, 735, 972, 982, 983 b, Mo 392, 1148, Per 652, Poe 1306 (quo misi ac *B pro* cum istac), Ps 123, 543 b (*Ly* hac *Pψ*), 551, 847 (istacine), Ru 316, St 111, Tri 1162, Tru 845 (istac inscitia *FZ* istas cinscitia *B* istast insciacia *CD* [inscia *D*] ista *Caψ*), 861, 944 **ista** As 603, Cas 627, Mi 555 (*P* istac *A*), 581, 1115, Ru 1082, Tru 845 (*Ca* istasc *B* istast *CD* istac *FZŞ*) ista As 389, 454, 673, 717, 850, Ba 220 (istic *FZRRgU*), 679 (stoc *Non* 476), 687, 1169, Cap 590, Ci 118, 667 (*J* i×t hoc *BE* iest hoc *V*), Cu 212 (istuc *J*), 409, 492, Ep 111, Mer 420, Mi 359 (*A* istuc *P*), 852 (istic *GuyR*), Mo 464 (*Z* isto *P*), 915, Per 642, Poe 381, 782 (istoc adeo *B* isto caedo *CD*), 1218 (*A* isto *PU*), Ps 83 (istocine), 265, 356, Ru 398 (istuc *MueRs*), 1400, St 537, 756, Tri 567 (*P* isto *A*), Tru 151, 373, 798, 815 (de istoc *PLy* idem istuc *Kiesψ*) **isto** As 673, Ci 8 (*Luchs* istoc *BVEU* istuc *J*), Men 616 (*Bo* istis *PŞ*† isti *Ly*), Ps 798, 1315 (*R* istum *Pψ*), Ru 1234

istic (*de formis pluralis numeri cf* Schmidt, *p.* 66) As 702 (*Ly* istuc *P* isti *Lambψ*) **isti** Am 287, As 702 (*Lamb* istuc *P* istic *Ly*), Au 331, Ba 649, Cap 252, Cu 288 (*E*³ istic *P*), 296, Men 221 (*FlRs* hic *A ut vid* ei *R* i *U*), 222, 876, Mo 356, 357, Per 73, Poe 590, 811, Ps 179, 296, 1333, Tri 893 **istaec** Cap 969 (istaęc *E*), Men 520 (istec *D*), 766 (istęc *D*), Per 498 (*A* istae *P* haec *BoRsL*), Ps 238 (istec *C* ista hęc *D*), Ru 563 (istec *P* istae *A*) **istae** Cas 333 (iste *VE*), Ep 224 (*A et Non* 548 istaec *BJLRg*²*Ly* istec *E*), 229 (i×tę *B*² iste *B*¹*VE*), Men 145, Mo 274 (*Z* iste *B*²*CD* istes *B*¹ istaec *AldRs*), 943, Per 497 (*BueRsL* hae ψ hę *BC* he *D*), 499 (istę *CD* istaec *Rs*), Poe 214 (satis hae[hę *C* he *D*] *P* sat istae *HermRglLy*), 872 (*add U*), Ru 752, 1106 (istaec *Rs*), 1113, Tri 1080 (*LLy* ste *BŞ*† *om CD* staec *RRs* istaec *U*), Tru 531 (iste *B om CD v. secl RsU*), 801 (*C* iste *B* istę *D*) **istaec** (*neut.*) Am 815 (istaęc *E*), 1105 (istec *E*), Ba 62 (istęc *B*), 1197 (istec *P* etsi haec *L*), Cap 429 (istec *BDE*), 969 (istaęc *E*), Ep 510 (istec *J*), Men 94 (ea *Non* 108), Mer 764 (istęc *C*), Mo 395 (ista haec *B* ista hec *D*), 987, Ps 255 (inani logi istaec *U pro* inanilogistae) 362 (*A* ec ista *P*), 430 (*A* istae *B* istę *CD*), 432 (*A* ea *P*), Tri 747 (istec *BC*) **ista** Am 589 (istaec *SchmidtLy*), As 860 (istaec *SchmidtRglLLy*)

istorum Poe 584 **istarum** Mer 815, Ru 814, St 677 (*PRL* ipsarum *Ewaldψ*) **istorum** As 153, Cap 582, Ru 1128, Tri 333 (storum *B*), Fr I. 25 (*ex Gell* III. 3, 5)

istis Aᴍ 510(si istis *BD* fustis *E* furtis *J*), Cᴜ 39, Eᴘ 39, Mᴇʀ 982(*v. secl RRg*), Poᴇ 414, Tʀɪ 1043(*FZ* isti *P*), 1045

istoscine As 932 **istos** Aᴜ 53(tibi *Non* 360), 198, 362, 702, Bᴀ 1052, Cᴀᴘ 110, Cᴀs 332, Mᴇɴ 436, 726(*R* tuos *Pψ*), Mᴇʀ 277, 871, Mo 47(hos *Gram de dub nom* 592 obustos *Serv ad Verg Buc* I. 38), 465, Poᴇ 1172. Ps 1333, Rᴜ 786, Tʀɪ 297, 920, Tʀᴜ 184, 287(*A* istoc *P*), 349, 658, 718(*P Uℱ†* intus *Rs* in istoc *LLy*) **istas** Aᴍ *fr* V (*ex Non* 473), As 684, Aᴜ 167, Bᴀ 164, 372, Cᴀᴘ 113, 1027, Cɪ 25, Cᴜ 525, 579, Mᴇɴ 438, Mᴇʀ 942, 1000, Mɪ 342, Mo 445(*CaRU* ista *P* intus *L* ist *Ly†* hic est *Rsℱ*), 516, 572, 659, 798(ista *C*), 800, 939, 988(*A* ista *P* istuc *B²*), 1026b(*add L in lac*), Pᴇʀ 460, 516, Poᴇ 265, 680, 1348, 1391, 1412, Rᴜ 725, 726, 803, 1024, Tʀɪ 871, 902, 951, Tʀᴜ 290(istas buccas *PL* bucculas *Aψ*), 531, 838 **istaec**(*neut.*) Aᴍ 757(ista et *DEJ*), 834, 925, 1030, 1033, 1101, As 187, 909(tu i. *Ca* tuis haec [hᴇc] *P*), Bᴀ 163(ista et *C*), 167, 410, 599(istic *D¹*), 1018, Cᴀᴘ 890, 964(*Schmidt* ista *PL*), Cᴀs 209(*Bo* ista *B* istā *EJ* ista omnia *U*), 996, Cɪ 52, 295, 510, Cᴜ 131(*add Rg*), 245(ista *FlRgU*), Mᴇɴ 375(ista et *C*), 605(ista et *C*), 719, 721, 738, Mᴇʀ 147, 477(iste *C*), 577, Mɪ 31, 195, Mo 388, 519, 961, 985, Pᴇʀ 32, 800, Poᴇ 233, 550(staec *B*), 574, 726, 1317, Ps 531, Rᴜ 578, 1100, 1136 (istaeec *B*), 1265, 1322, Sᴛ 23, 555(illi istaec *ins L*). Tʀɪ 77, 313(istᴇ *B*), 655(*A* istic *CD* ista *B*), 1098, Tʀᴜ 183, 684(siste *Rs*) **ista** As 578(istaec *SchmidtRgl*), Cᴀᴘ 414(ita *BoLy*), Mo 1134(istaec *RLy*), Sᴛ 628(*ARRgL* isti *Pψ*) (*pro istaec has formas invenimus:* ista hec *B novies, C quater, D ter*; ista hᴇc *C semel, D bis*; ista haec *B bis, C bis, D semel*; ista h' *E semel*; istᴇc *B ter, C octies, D ter, E semel, J bis*; istec *A semel, B sexies, C novies, D 15ies, E septies, V semel*)

istisce Mɪ 421(*Sey* sce *B¹* hisce *B²CDR*), Rᴜ 745 **istis** Aᴍ 285, Bᴀ 80, 749, Cᴀᴘ 215b (illic *D*), Cᴜ 195, Eᴘ 471, Mᴇɴ 616(*Pℱ†* isti *Ly* isto *Boψ*), Mɪ 658(*B²* histis *P*), 737(*A* isti *P*), 914, Mo 609(tuis *D*), 749, 823, 898, 913, Ps 101, 310, 518, 838(*A om P*), Rᴜ 811, Tʀɪ 411(histis *D*), 711, Tʀᴜ 871

adverbia: **istic** Aᴜ 56, 340(*Taub* istuc *P*), 348(istuc *D*), 450(*vide* isti), 608, 663(*Rg* hic *Pψ*), Bᴀ 114, 220(*FZRRgU* istoc *Pψ*), 729, 788, 1023, 1049, 1052, 1145, 1146, Cᴀs 546(*PLU* isti *Aψ*), 957(*A* istuc *P*), Cɪ 599(*B²* istuc *P*), 753, Cᴜ 61 (*Rg* hic *Pψ*), 277, 425(istuc *E'*), 433(hic *J*), Eᴘ 141, 265, 701(*U* istaec *Briψ* istae[*vel* iste] *P*), Mᴇɴ 185, 335(istih *C*), Mᴇʀ 906(*Ac* istuc *P*), 912 (*F* isti Seyℱ istinc *P*), 1004, Mɪ 337(isti *AcR*), 421, 558(es tu *BriU*), 852(*GuyR* istoc *Pψ*), 1089 (*Bri* hic *P*), 1169(*PR* istinc *Aψ*), Mo 372, 939, 964(*A* istuc *P*), 1144, Pᴇʀ 85, 249, 523, Poᴇ 625 (iste *BoU*), 1225, Ps 34, 1137, 1139, 1159, Rᴜ 110(isticine), 132, 572, 821, 1082(*PLy* isti *Boψ*), *ib.*(*PLy* isti *Boψ*), 1136, 1331, Sᴛ 90(*ARg* istinc *R om Pψ*), 93, 321(*A* istinc *P*), Tʀɪ 531, 573, Tʀᴜ 285(*A* istinc *P*), 742, 910(*RCRsℱ†* om *D* istuc *Caψ*) **isti** Aᴜ 450(isti id *SeyLULy* istud *P* istic *Briψ*), Cᴀs 546(*A* istic *PLU*), Cᴜ 434(*Ca* istic *P* hic *Serv Dan ad Aen* IV. 608), Eᴘ 721 (istis *B*), Mᴇɴ 616(*PradelLy* istis *Pℱ†* isto *Boψ*), Mᴇʀ 912(*Seyℱ* istic *Fψ* istinc *P*), Mɪ 182(si istist

Lorenz Rg istis *A* sis *P* si est *R* i sis *Gepψ*), 255 (istic *B²D²*), 337(*AcR* istic *Pψ*), Mo 480(*Rs* iste *Pψ*), 741(*A* istic *P*), 764(*A* hic *PU*), 1064(isti astate *U* istastate *A* astate illic *P* ista state *R*), 1143, Pᴇʀ 405(*A* istic *B* istuc *CD*), Rᴜ 1078, 1082(*Bo* istic *PLy*), *ib.*(*Bo* istic *PLy*), 1109(*Bo* istic *P*), 1133(isti inesse *Bo* isticine esse *P*), 1136, Sᴛ 628(*P* ista *ARRgL*), Tʀᴜ 40(*BueRs* est *Pψ* †ℱ) **istuc** As 646, 925, Aᴜ 288, Cᴀs 178(isto *Ly*), 543(*APL* isto *Spψ*), 614, Cɪ 623(*B²* istunc *B¹* VE istinc *J*), Mᴇɴ 149, Mᴇʀ 691, 874, 906(*R* istac *PLLy*), Mo 335, 1135, Pᴇʀ 609(*A* sis iam *CD* si suā *B*), Poᴇ 615(isto *Studℱ*), Ps 335(*A* istic *P*), Rᴜ 1401(*om BriRs* isto *Ly* †ℱ), Tʀᴜ 910 (istic *BCRs om D* istuc *CaLLy†* istoc *SpU*) **istoc** Bᴀ 382, Mo 837(*FlRU* isto *Pψ*), 1098, Pᴇʀ 504(*A* isto *P*), Poᴇ 615(*Studℱ* istuc *Pψ*), Tʀɪ 551(*P* istuc *A*), Tʀᴜ 304(istoc ad *L duce Sey* isto ad *SeyLy* isti *P* is aput *A* is ad *Rsℱ duce Prisc* I. 189), 613, 717, 752, 910(*SpU vide* istic) **isto** Cᴀs 178(*Ly* istuc *Pψ*), 543(*Sp* istuc *APL*), Mɪ 455, Mo 837(istoc *PlU*), Poᴇ 615, Ps 1315(*R* istum *Pψ*), Rᴜ 1401(*Ly* istuc *P om BriRsL* †ℱ), Tʀᴜ 304(*Ly vide* istoc) **istac** Bᴀ 168 (istec[*B*]), Eᴘ 660, Mᴇɴ 219, 906(*PLLy* istuc*R*), Pᴇʀ 444(*CD* istrac *B*), Tʀɪ 383, 598(statim *Bri RRs*†ℱ) **ista** Mo 1064(ista state *R* isti astate *Uψ* istastate *A* astate illic *P*) **istinc** Cᴀᴘ 603, 658, Eᴘ 567, Mɪ 343(est hinc *B¹*), 1169(*A* istic *PR*), Mo 851, Poᴇ 796, 1319, Ps 33(*A* hinc *P*), 1164, 1196, Rᴜ 656, 808, 814, 1077, 1148, 1362, Sᴛ 90(*R* istic *ARg om Pψ*), Tʀᴜ 846

corrupta: Aᴍ 36, ista *E pro* iusta; 406, isto *BD pro* sto(*E*); 575, ista *E pro* ita; 1035, istᴇc *add J* Cᴀᴘ 545, iste *VEO* si *B² pro* si te; 549, istis *E pro* hastis; 658, iste *VE pro* ite; 745, isti *add E* Cɪ 49, istā *add E¹* Eᴘ 622, ista *A om P pro* ita Mɪ 156, ista los *CD pro* -is talos; 276, iste *B* ste *CD pro* te(*A*); 312, ista *B² pro* ipsa; 1129, ista de *B pro* stare Mo 986, ista esse *A pro* ita Poᴇ 1319, iste *C pro* ite Ps 543, de istac re *add P om Bow*; 657, ista *A pro* ita; 978, istum *P pro* is sum(*Grut* is∗∗∗ *A*) Rᴜ 131, istos *Schol ad Verg Aen* X. 557 *pro* hos; 796, istas *add P om A*; 1056, istum *CD pro* is sum(*B*); 1106, ista *CD* ita *B pro* id(*Bo*) Tʀɪ 1170, ista *P pro* ita(*Z*) Tʀᴜ 130, istic *P pro* dic(*A*); 166, istunc *P pro* nunc; 531, iste *B* istae *CD pro* is te; 690, dic ista *P pro* dicis(*ALamb*); 801, iste *B pro* nisi; 904, opus istic non *CD* opustic no *B pro* opust ligno (*Guy*)

II. **Collocatio** *antecedere solet si cum substantivo coniunctum est. Sequitur:* onus istuc As 658   malum istoc Bᴀ 382   more isto Bᴀ 540   copiam istam Cᴀᴘ 374   gratiam istam Cᴀᴘ 721(*Py* i. g. *P*)   maledictis pro istis Cᴜ 195   domu . . istac Cᴜ 209   marsuppium . . istuc Mᴇɴ 385   pallam istanc Mᴇɴ 508   opsonium istuc Mᴇʀ 780   anulum . . istunc Mɪ 771, 988   canem istam Mo 854   Philolachem istum Mo 964   pietatem istam Ps 292   epistula ista Ps 1008, 1011   uidulum istum Rᴜ 963, 1106   homini . . isti Rᴜ 1059   puero isti Tʀᴜ 448   *Antecedere solet si cum pron. poss. coniunctum est; sequitur* Ps 838   *De coniunctione cum pron. person. cf* Kaempf, p. 22; *de* 'iste' *et* 'ipsa' (*vel* 'idem') *coniunctis cf* Niemoeller, p. 36, 44

III. Significat.o *plerumque demonstrat personam vel rem quae in scaena est, rarius spectat ad aliquid vel aliquem iam ante memoratum, numquam fere contemnentis esse videtur* (*cf* Lindstrom, p. 101)

A. *adiective* 1. *attributive* a. *de deis vel personis:* unus tibi hic dum propitius sit Iuppiter, tu istos* minutos caue deos flocci feceris Cas 332 quae istaec lucriferast Fortuna? Per 516 de istoc Amphitruone iam alterum mirumst magis Am 829 de istac Casina huic nostro uilico gratiam facias Cas 372 quis istest Peniculus? Men 391 ain tu istic potare solitum Philolachem istum? Mo 964 istic* Pseudolus nouos mihist Ps 699 quis istic* Pseudolust? Ps 1193 neque istum Pseudolum mortalis qui sit noui Ps 1212 iste qui sit Sosia hoc dici uolo Am 609 quis istic Sosiast? Am 619 .. istum si uidisses quendam .. Sosiam Am 621 quis istic Theotimust? Ba 308 istic Theotimus diuesnest? Ba 331 quid istum remoramini .. Trachalionem? Ru 1208 istic* ipsust Tyndarus Cap 990

pater istius adulescentis dedit has .. epistulas Tri 894 ego istunc* non noui adulescentem uostrum Tru 302 ego istos mundulos amasios .. eiciam foras Tru 658 repudia istos comites Mer 871 ita sunt isti nostri diuites Poe 811 istas inuenisti filias Poe 1412 similior .. quam haec est atque ista* hospita Mi 552 osculantem meum hospitem cum ista* hospita uidisti? Mi 555 .. ni istum inpudicum percies As 475 euocat .. istum inpurissumum Ba 12 (*ex Festo* 169) istic* leno .. huc .. commigrauit Per 137 lenone istoc Lyco .. non lutumst lutulentius Poe 157 ubi istic lenost? Ru 1357 ubi istas uideas .. matronas .. Ci 25 scio iam filius quod amet meus, istanc meretricem As 53 non tu istas meretrices nouisti Men 438 ut hominem reperiam ab istoc* milite Ba 43 (*loc perdub: vide edd*) .. neque peius quemquam odisse quam istum militem Mi 128 apage istum* perductorem Mo 816 b (*v. secl SeyRsU*) apage istum a me perductorem Mo 845 ego pol istum portitorem priuabo portorio As 159 uis inter istas uorsarier prosedas Poe 265 istic* est puero pater .. miles Tru 203 puero isti date mammam Tru 448 istic scelestus liber est Ru 1291 censen talentum .. exorari pote ab istoc sene? Au 310 ita me iste habuit senex gymnasium Au 410 iste nos defrustratur senex Mo 944 unus istic seruos est sacerrumus Mo 983 quid nomen esse dicam ego isti seruo? Ps 744 exquaero .. ex istac tua sorore St 111 sic isti* solent superbi subdomari As 702 ubi sunt isti .. uiri Mo 356

istius hominis ubi fit quomque mentio Ba 252 inprobum istunc esse oportet hominem Ba 552 istic* homo rabiosus habitus est Cap 547 ne tu istunc* hominem perduis Cap 728 mihi istunc* uellem hominem dari Ci 93 istic homo te .. concidit Ep 488 fando ego istunc* hominem numquam audiui Ep 496 quoius

modi isti* homines erunt* Men 221 (*Rs*) homini ego isti talos subfringi uolo Ru 1059 duce istam intro mulierem Ep 399 ubi habitet istaec mulier Mer 561 eadem istaec facito mulier . transeat Per 445

b. *de animalibus:* apage istanc caniculam Cu 598 (*de muliere dicit*) canem istam* a foribus aliquis abducat Mo 854 tu tibi istos* habeas turtures Mo 47 tu istum gallum .. glabriorem reddes Au 401

c. *de rebus, sim.:* quid tibi istic in istisce* aedibus debetur? Mi 421 istas aedis emit filius Mo 659 quid istas aedis frangitis? Mo 939 meae sunt istae aedes ubi statis Mo 943 ne istac aetate me sectere Ba 28 (*ex Char* 200) amator istac fieri aetate audes? Ba 1163 te istac aetate haud aequom .. fuerat .. eripere Mer 972 temperare istac aetate istis decet ted artibus Mer 982 uacuom esse istac ted aetate his decebat noxiis Mer 983 b istaec aetas fugere facta .. solet Mi 622 non istanc aetatem oportet pigmentum .. attingere Mo 263 sapere istac aetate oportet Mo 1148 quae istaec audaciast te .. ingrediri? Ps 1298 istam exturbes ex animo aegritudinem Cu 224 apage a me istum* agrum Tri 537 ego istum agrum tibi relinqui .. expeto Tri 652 alterum ad istanc* albitudinem Tri 874 unde iste* animus mihi inuenitur? Ru 687 (*Ly*) rogita unde istunc* habeat anulum Cu 601 ego mihi anulum dari istunc tuom uolo Mi 771 quid istaec* ara prodesse nobis .. potest? Ru 688 temperare .. istis decet ted artibus Mer 982 (*v. secl RRg*) missas iam ego istas artis feci Mer 1000 istaec illum perdit assentatio Ba 411 neque istaec aula quae siet scio Au 765

istic argentum .. si uis denumerare As 453 tibi eme hunc isto argento As 673 da istuc argentum nobis As 692 istoc* fortasse aurost opus Ba 220 nos inspicere oportet istuc aurum Poe 595 cedodum istuc aurum mihi Tri 968

redime istoc beneficio te ab hoc As 673 istas* buccas tam belle purporissatas habes Tru 290 (*PLy*)

isti capiti dicito Ru 885 istacine causa tibi hodie nummum dabo? Ps 847 tu istam cenam largire .. esurientibus Am 311 iam tibi istuc cerebrum dispercutiam Cas 644 istanc cistellam .. reddas mihi Ci 767 istas compedes tibi adimam, huic dem Cap 1027 ut solet in istis fieri conciliabulis Ba 80 abi in malam rem .. cum istac condicione Ep 79 cur istuc coeptas consilium? Mer 648 omnes in te istaec recident contumeliae Men 520 copiam istam mihi et potestatem facis Cap 374 istos* fictos .. concinnos tuos .. exuellam Tru 287 hic istam colloca cruminam in collo As 657 tua istaec culpast, non mea Ep 587 uide ut istic* tibi sit acutus .. culter Mi 1397 qui istaec magis meast curatio? Poe 354

istuc delictum desistas .. ire oppugnatum Ba 1171 te istis tuis pro dictis .. accipiam Am 285 istaec .. dicta dicantur mihi Am 815 quem .. ob istaec dicta faciam feruentem Am 1030 dono te ob istuc dictum ut .. As 43 ne istuc nequiquam dixeris .. dictum As 698 ani-

mus iam istoc* dicto plus praesagitur mali Ba
679   istoc dicto dedisti..in cruciatum Chrysalum Ba 687   feci ego istaec dicta quae uos
dicitis Cas 996   em tibi male dictis pro istis..
Cu 195   isti dicto solida et perpetuast fides
Mer 378   istaec blanda dicta quo eueniant
madeo metu Mo 395   eo istuc male dictum
inpune auferes Per 276   mihi..cum istis dictis mortuost Ps 310   fors fuat an istaec* dicta
sint mendacia Ps 432   qui in mentem uenit
tibi istaec dicta dicere? Tri 77   te..num-
quam sinam in domo esse istac Cu 209   ego
istam domum neque moror neque.. Mi 451

quid epistula ista narret Ps 1008   epistulam istam fert Ps 1011   tibi istas dedisse
commemoras epistulas Tri 951   neque istuc*
..coget examen mali Tru 314   si istoc exemplo
..respondebis As 389   credo ego istoc* exemplo
tibi esse pereundum Mi 359

tu istam.. temere hau tollas fabulam Mi
293   quae istaec fabulast? Ru 355   ad istam
faciemst morbus Ci 71   illam..ut emerem ad
istanc faciem Mer 427   nullum istac facie..
uenisse huc scimus Ru 316   non ego istuc
facinus mihi..conducibile esse arbitror Ba 52
..istuc facinus facere tam malum Ba 682 ..si
istuc facinus audeam Ps 542   istas magnas
factiones..nihil moror Au 167   em istoc me
facto tibi deuinxti As 850   tu istuc insipienter factum sapienter feras Tru 827   ista* satis
spectatast..tua felicitas St 628(RRg)   si istam
firmitudinem animi optines.. As 320   istaec
flagitia me celauisti Ba 167   clanculum te
istaec' flagitia facere censebas potis? Men 605
non ego istaec flagitia possum perpeti Men
719   iam ego aperiam istaec tua flagitia Men
733   si istas pepulissem fores Am fr V(ex
Non 473)   serua istas fores Mi 342   ecquis
istas* aperit mihi foris? Mo 445(RU)   neque
ego istas percussi fores Mo 516   ego istuc
furtum scio quoi factumst Ru 958

istoc in genere natus Ps 356   testudineum
istum..grandibo gradum Au 49   iste..gra-
dus succretust cribro pollinario: nisi..condi-
dicistis istoc* grassari gradu Poe 513-4   ab
eo petito gratiam istam Cap 721   illius ego
istanc* esse malo gratiam Ci 766   fac istam
cunctam gratiam Mo 1168   non abire certumst istac gratia Ps 551   adde ad istam
gratiam unum Tri 385

istanc nactu's impudentiam Ba 160   si istuc
..facis indicium.. Tri 675(vide RRs)   ob istanc
industriam..amabit amplius Men 791   sex
talenta..demam pro istac* inscitia Tru 845
istam* insulturam et desulturam nihil moror
Mi 280 ..si istud* ius pauperibus ponitur Au
490

ego istum..laborem demam Au 165   iste*
pariet laetitiam labos Mer 72   tibi obuenit
istic* labos Tru 521   tu istis lacrumis te probare postulas Ps 101   estne empta mihi istis
legibus? Ep 471   neque ego istas uostras leges urbanas scio Ru 1024   istac lege filiam
tuam sponden mihi..dari? Tri 1162   si istam*
semel amiseris libertatem.. Mi 701   ego tibi
istam..comprimam linguam Am 348   ego tibi
istam..linguam abscidam Am 556   non tu tibi

istam praetruncari linguam .. iubes? Mi 318
si hercle tu ex istoc loco..excesseris.. Au
56   si ego in istoc sim loco.. Ba 1039   ex
istoc loco spurcatur nasum Men 168

istam* machaeram longiorem habes Tru 627
istuc..ut mihi malum facias palam Mer 179   istis
..manibus argentum dabis Ps 518   idque in
istoc* adeo aurum inest marsuppio Poe 782
in tergum..ista expetant mendacia Am 589   te
..di..perdant..cum tuis istis* omnibus mendaciis Ps 838   bene res nostra conlocatast istoc
mercimonio Mo 915   ego istum lepide medicabo metum Mo 387   uetus iam istaec militiast
tua Per 23   da mihi istas uiginti minas As 684
istas minas decem..des Cu 525   quadraginta
istas(L in lac)..debebat(L in lac) Mo
1026 b   istas tuas magnas minas non pluris
facio quam.. Cu 579   neque tibi istuc mirum
mirum magis uidetur Am 595(Ly)   ad istunc modum..uiris tuas extentes Ba 584   istis ad istunc
usust conscriptis modum Ba 749   malim istius
modi mihi amicos.. mersos Ep 119   apage
istius modi salutem Mer 144   semper istoc
modo moratus.. uitae debebas Mo 320   nihil moror mihi istius modi clientis Mo 746   istoc
speras te modo potesse..reddere Mo 1014   ad
istunc modum non ueniri solet Ru 271   cum
istius modi uirtutibus..natus.. Ru 321   spectaui.. comicos ad istunc modum..dicere Ru
1249   maleficos..qui quidem istius sit modi
Tri 552   haud istoc modo solita's me..appel-
lare Tru 161   ames hominem isti modi Tru
930   multos iste morbus homines macerat
Cap 554   erit isti morbo melius Ci 73 ..quan-
tum isti morbo.. facias mali Men 911 ..si
istoc* more moratam tibi postulem placere As
506   istocine patrem aequomst mores liberis
largirier? As 932   multi more isto atque exemplo
uiuont Ba 540 ..quam istos* mores perferam
Men 726(R)   cedo tris mihi homines .. cum
istis* moribus Mi 658   istis malam rem magnam
moribus dignumst dari Tri 1045

numquam..ex ista nassa..escam petam Mi
581   tu proreta isti naui's Ru 1014   repromittam istoc nomine solutam rem futuram As 454
neque.. ullus seruos istoc nominest Cap 590
neque ego istuc nomen umquam audiui Cap
634   istoc nomine..expleui totas ceras quattuor Cu 409   istuc* nomen numquam audiui
Ep 496(BoRg¹SU)   tibi istuc credo nomen actutum fore Mo 70   istuc indiderunt nomen
maiores mihi St 332   quid istuc* est nomen?
Tri 889(RRs)   quin tu istas omittis nugas?
Mer 942   opta ergo ob istunc* nuntium quid
uis tibi Mer 907

oculos..istos*..exfodiam tibi Au 53   istoc*
ego oculo utor minus Mi 1308(R)   meumst
istuc magis officium quam tuom Poe 427   ob
istuc omen..capies quod te condecet Am 722
di te..faxint cum istoc omine.. Mo 464   istuc
..omen iam ego usurpabo domi Per 736   nolo
ego te..onus istuc sustinere As 658   eadem
istac opera suauiust complexos fabulari As
640   haud censebam istarum esse operarum
patrem Mer 815   apponite opsonium istuc ante
pedes illi seni Mer 780   siquidem istaec opera
..perfeceris.. Ps 531 ..istuc exefficias opus

Tru 909 cum istacin te oratione..adire ausum!
Au 746 quin tu istanc orationem hinc ueterem..amoues? Mi 751 ..ni ob istam orationem te liberasso Mo 222 isti..orationi Oedipo
opust coniectore Poe 443 quo ted..dicam
proficisci..cum istoc ornatu? Cu 2 qui istic*
est ornatus tuos? Men 146 non te pudet prodire..cum istoc ornatu? Men 709 quis istest
tuos ornatus? Tri 1099

istoc pacto tam lepidam inlepide appelles
Ba 1169 si mihi alia mulier istoc* pacto dicat.. Ci 667 istocine pacto me adiuuas? Ps
83 si me arbitrare isto pacto ut praedicas..
Ps 798 surrupuistin..pallam istanc? Men
508 quae istaec* pallast? Men 618 ego istuc
accedam periclum Ep 149 cedo tu mihi istam*
..perulam Tru 535(dub) Philippos..ecferam
et militi quos..promisi..et istos Ba 1052
quid istae picturae ad me adtinent? Men 145
pietatem ergo istam* amplexator Ps 292 ..ne
istaec pollicitatio te in crimen populo ponat
Tri 738 in istoc* portu stat nauis Men 344
ecqua in istac pars inest praeda mihi? Men
135 mihi istaec uidetur praeda praedatum
irier Ru 1242 isto* quidem nos pretio facile
†est frequentare Ci 8 istoc* pretio tuas nos
facile feceris Poe 1218 respiciam istoc pretio
Ps 265 numquam..reperies tu istuc probrum
penes nos Poe 1241 istam pugnam pugnabo
Ps 524 quae istaec est pulsatio? Ba 583

istos rastros uilico..tradas Mer 277 dari
istanc rationem uolo Mi 770 istam uolo me
rationem edoceas Tri 372 em istaec* ratio
maxumast Tri 413 si istis* rebus te sciat
operam dare.. Am 510 alium ego isti rei allegabo Am 674 istam rem inquisitam certumst
non amittere Am 847 nec tibi aduorsari certumst de istac re Au 142 nimiost tu ad istas
res discipulus docilior Ba 164 ob istanc rem
..te deosculer Cas 453 inter rem agendam
istam..respondi Ci 721 deos uolo bene uortere istam rem uobis Cu 659 istam rem iudicasti perfidiose Cu 719 supersede istis rebus
iam Ep 39 istam* ob rem te tetigi Ep 705
(Rg¹) istanc rem ego recte uidero Mer 448
de istac re argutus es Mer 629 rei agendae
isti..operam dare Mer 987 nunc istis* rebus
desisti decet Mi 737 iam istic rei praeuortemur Mi 1093 uerba facere de istac re uolo
Mi 1115 iam ista quidem absumpta res erit
Mo 235 iam de istis rebus uoster quid sensit
senex? Mo 749 abstine iam sermonem de istis
rebus Mo 898 ob istanc* rem ego aliqui te
peculiabo Per 192 ob istanc rem tibi multa
bona instant a me Per 492 Poe 214(sat istae
HermRglLy pro sitis hae) istam rem uobis
bene euenisse gaudeo Poe 1078 de istac re
..conquiescito Ps 123 Ps 543b(istac Ly pro
ea) istaec* res male euenit tibi Ru 1178 istaec
res tibi ex sententia pulcre euenit Ru 1365
minus..in istis rebus sumptumst sex minis
Tri 411 istam rem ad me attinere intellego
Tri 613 de istis rebus plura fabulabimur Tri
711 iudicasse..istam* rem intellego Tru 842
(dub) nihil..de istac re ago Tru 861 de
istis rebus tum amplius tecum loquar Tru
871 multum amo te ob istam* rem Tru 879

istaec* ridicularia cauillationes uis..dicere
Tru 684

istum* mihi..sermonem serat? Cu 193(Rg)
num ista aut populna sors..tua? Cas 384
ista*..sors deliquerit Cas 399(dub) quanta
istaec* hominum summast? Mi 46 quid opus
fuit tibi istoc* sumptu? Mi 754(RRg) istic
symbolust inter erum meum et tuom Ps 648
dato istunc* sumbolum ergo illi Ps 652

istic est thensaurus stultis in lingua situs Poe
625 istam..tragulam decidero Cas 297 quin
tu istas mittis tricas? Mo 572 istud* mihi
erit molestum triduom Ci 106 memini istanc*
turbam fieri Cu 651

†istam (das add RRsU) ueniam Mo 1166
(post i. u. MueLLy) ego istaec feci uerba uirtute irrita Am 925 cum cruciatu tuo istaec..
uerba funditas Am 1033 unum quodque istorum
uerbum..non potest auferre hinc As 153 eadem
istaec uerba..dixi omnia Ba 1018 tu mihi
istaec uerba dixisti Cap 890 non ego istuc*
uerbum empsim titiuillicio Cas 347 †inter
istaec uerba— Ci 52(vide UL) spissum istuc
amantist uerbum 'ueniet' Ci 75 ob istuc unum
uerbum dignu's.. Ci 248 non..istaec tua uerba
..in auris recipio Ci 510(v. om A) em istoc*
uerbo uindictam para Cu 212 em istuc unum
uerbum dixisti uerissumum Mer 206 ob istoc*
uerbum te..donabo..aliqui Mo 174 ob istuc
uerbum..dabo aliquid Mo 252 em istuc uerbum uilest Mo 297 non..tu..me istis* uerbis
territas Mo 609 supersede istis uerbis Poe
414 miserum istuc uerbum..'habuisse' Ru
1321 si istoc me uorsu uiceris.. St 770 istoc
me adsiduo uictu delecto domi Cap 178 uidulum istum quoius est noui.. Ru 963 Ru 1041
(istunc Rs pro istuc) neque partem posco..
de istoc uidulo Ru 1077 Ru 1106(istum Rs
pro pertinet) cistellam isti inesse oportet..
in isto uidulo Ru 1109*, 1133 cedo modo mihi
istum uidulum Ru 1127 Ru 1317(istest Rs
pro est) uidulum istunc* ille inuenit Ru 1395
istaec* nimis lenta uincla sunt escaria Men
94 uitium tibi istuc maxumumst Cas 584
quae ista* uoluptas tua? Cas 454(U)

qui istuc potis est fieri..'iam dudum, modo'?
Am 693 iam istuc 'aliquid fiet' metuo Mer
494 istuc 'actutum' sino Mo 71 mihi istuc
'temperi' serost Per 768 istuc 'taceo' non
gnatum foret Poe 262

2. praed.: istic frater qui te mercatust tuost
Ep 641 Calchas iste quidem Zacynthiust Mer
945 an ista* non sit Philocomasium Mi 448
istae* reginae domi suae fuere ambae Tru
531 ..quin soror istaec* sit gemina huius Mi
474 ..seruae sint istae* an liberae Ru 1106
istest huius uilicus Poe 779

non sunt nostrae aedes istae* Tri 1080 iste*st ager..malos in quem .mitti decet Tri
547 hic fauonius serenust istic* auster imbricus Mer 876 em istaec* captiost Ep 701
captiost istaec* Tru 627(Rs) istic mihi cibus
est quod fabulare Ci 720 tua ista culpast As
227 di sciunt culpam meam istanc non esse
ullam Mer 626 istaec dicta Cap 429(S attrib.
ψ) istaec insipientiast..gerere Ps 448 si
istuc ius est.. Au 747 si istuc iuus est..

scortari Mer 985   si istuc ius sit quod memoras.. Ru 978 istuc* esse ius meum certo scio
Ru 1041   istaec miseriast seruo bono .. si ..
Am 590   nugae istaec sunt Cap 969, Ps 238
nugae sunt istae magnae Cas 333   tua istaec
potestas est Per 344   em istaec hercle res est
Mer 523   stultitia istaec est Mer 207   ista*
uirtus est.. qui .. As 323

B. *spectat ad praecedentem vel personam vel
rem:* 1. *personam:* id isti (Bacchidi) dabo: ego
istanc.. ulciscar Ba 507 b(*v. om AR secl U*)
suscita istum (Callidamatem) Mo 372   istoc
(Charmide) absente Tri *Arg* 3   em istic erit:
qui istum di perdant Tri 923   erus istunc*
(Demaenetum) nouit As 456   Lyconides istius
(Euclionis) uitiat filiam Au *Arg* II. 3   ne ego
istum (Philtonem) uelim meum fieri seruom
Tri 433   isti* (Planesio, *i. e.* Phoenicio) me heredem fecit Cu 639(*Ly*)   †eum isti (Phronesio)
suppositum puerum Tru 88   iste* (Pinacium)..
uinum.. exanclauit St 272

.. me istanc* (amicam) capillo protracturam
esse Mer 798   est irata propter istanc Mer 955
pro istac (ancilla) rem solui Cu 618   istas iam
ambas educam Ru 725   .. si istas amas Ru
726   argentum ego pro istisce ambabus .. dedi
Ru 745   †tuae istae sunt? Ru 752   adduce hoc
tu istas Tru 531   utque istam* (compressam)
ducat.. conuenit Tru *Arg* 10(*Rs*)   .. te de isto
(ero).. non mentirier Mi 779   duae sunt istae
Tru 801   tibi istam (fidicinam) emptam esse
scibit Ep 154   istam (filiam) adii atque.. animum meum isti dedi As 141   isti quod succenseam ipsi nihil est As 146   soror istius (filii)
poscitur Tri *Arg* 5   .. quod istic* (homo) fabuletur Cap 548   istorum nullus nefastust Poe
584   isti iam sciunt Poe 590   istum malim
quam malum Poe 1214   egone istum* onerem?
Ps 1315   properate istum (maritum) atque istam
(nuptam).. emittere Cas 785   istae* (meretrices)
faciunt uestimentis nomina Ep 224   adsimulate
me amoris istius (militis) differri Mi 1163   istius
causa amoris Mi 1164   .. cupiens istius nuptiarum Mi 1165   .. ubi iste* huc uenerit Tru
340   istic*.. aderit Tru 474   ista* (mulier) mala
(est) Ba 1162   istanc* sorsum concludi uolo
Ep 402   istam .. sumus praemercati Ep 406
ista* quidem illast Mer 730 (*dub*)   de istac sum
iudex captus Mer 735   istam aduocauisti tibi
Mer 736   ne istam* amittam Mi 983   utque
ista .. militem tangat Tru *Arg* 3   cum istoc
(nugatore) mihi negoti nihil est Cu 465   istum
(patrem).. conficiam fallaciis Tru 892   .. posceret sibi istanc* (puellam) uxorem Cas 53   me
isti (spectatores) hau solent uocare neque ego
ergo istos Ps 1333   tum istam (uxorem) conuenibo: nunc atque atque istanc* iube Cas 548
.. istam arcesserem Cas 604

ego et Menaechmus et parasitus eius. #Iam
isti sunt decem Men 222

quid isti (huic) caueam Ba 44   hanc cures
ut bene sit isti Cu 517   bene ego istam eduxi
Cu 518   ego isti* non munus mittam? Tru 443
iubebo ad istam perferri minas Tru 444   .. ni
istunc* (illum) istis (clauis) inuitassitis.. Ru 811
isti* (ei) hunc qui fert.. Cu 83(*U*)   non curo

istunc* (is qui illam habet) Mer 899   .. te atque
istos (omnes tuos) expiare ut possies Mo 465
2. *rem:* male istis (aedibus) euenat Cu 39
ut istas* remittat sibi Mo 798   nobis istas redhibere haud liceret Mo 800   .. ferat sex talenta
.. pro istis.. Mo 913   istae* (alae).. uolucres
tibi erunt Poe 872(*U*)   fugant ipsi istum (amorem) Tri 262(*U*)   ego istum* (animum) in tranquillo.. sistam Mer 891   pater istum (anulum)
meus gestitauit Cu 602   et isto* me heredem
fecit Cu 639(*I*)   commune istuc (argentum)
esse oportet Ps 1165   egone isto* onerem? Ps
1315(*R*)   idem istoc* delatum scio Tru 740
iste (auster) omnis fluctus conciet Mer 877
ut dei istuc* (caelum) uorti iubent Mer 880(*L
in loco dubio*)   si canum seu istuc (caput) ..
atrumst amo Mer 306   istaec (cistella) est Ru
1144   quid ego istam (cistulam) exsoluam? Am
784   ni istunc* istis (clauis) inuitassitis Ru
811   quin.. istam (cruminam) inponis in me?
As 659   ab ipson istas (epistulas) accepisti?
Tri 902   istoc (fluuio) inlecebrosius fieri nihil
potest Ba 87   quid istas (foris) pultas? Tri
871   istam* (malam rem).. te dedisse intellego
Men 497(*U*)   istuc (malum) quid sit.. indices
Mer 170   istuc aberat longius Ps 502   neque
istis* (moribus) quicquam lege sanctumst Tri
1043   mihi trade istuc (onus) As 689   ego emi
istam* (pallam) Men 205   tris minas pro istis
(postibus).. dedi Mo 823   uenter erat solarium
.. istorum optumum Fr I. 25   hoc est (spinter)
quod illi dedei. #Istuc Men 536   quid istis
(tabellis) .. usus conscriptis? Ba 749   istae*
quid ad me? Per 497   ex Persia sunt istaec*
allatae Per 498   quid istae* narrant? Per 499
istuc* (talentum) auferre ausim Ru 1383(*U*)
non hercle istoc me interuortes Ru 1400   ubi
iste* (uenter) monebat esse Fr. I. 26(*ex Gell.*
III. 3, 5)   tu istaec (uestimenta) mihi dato Ru
578   numquam istoc (uictu) uinces me Cap
186   tu istunc (uidulum) hodie non feres Ru
1004   istum cepi Ru 1070   non feretis istum
Ru 1296   quando istaec (uomica) innatast tibi?
Per 314

et istuc (hoc) et si amplius uis dari dabitur
Tri 246

C. *substantive:* 1. *ad personam vel rem spectat
quae quamquam non adest, tamen mentem occupat* (*cf* Martins *Qu. Pl.* p. 30 *adn.*): iste
dum sic faciat.. exagogam Tru 716   †nisi istaec
non est haec neque istast* mihi . Mi 516(*dub*)
itast ista* huius similis Mi 519   uide sitne
istaec uostra intus Mi 536   ista aduentum expetit Tru 204   tres ista* amet? Tru 754(*Rs*)
.. quod isti dedimus arraboni Mo 918   ama..
rem tuam: istum* exinani: nunc dum isti* lubet.. prome Tru 712-3   di istum* perduint Mo
668   nos diuitem istum* meminimus Tru 220
.. qua istam* opera a me impetres Cas 311
(*Ly*)   uidistin istam*? Mi 533   eas .. in .. crucem cum hac cum istac.. Cas 612   cum hac
cum istac eris Mo 392   nuntiatumst istarum*
uenturos uiros St 677   tu perge.. ludere istos*
Tru 718(*U* in istoc *LLy*)   .. neminem uenire
qui istas adsereret manu Poe 1348

2. **istuc** (**istud**) *spectat ad praecedentem sententiam vel notionem:* utinam istuc pugni fecis-

sent tui Am 386   experiri istuc mauellem me
Am 512   istuc tibist in manu Am 564   qur
istuc dicis? Am 580   neque tibi* istuc mirum
magis uidetur quam mihi uidetur Am 595   nihilo..mirum magis tibi istuc quam mihi Am
596   istuc primum exquisitost opus Am 628
qui tibi..istuc in mentem uenit? Am 666   quam
dudum istuc* factumst? Am 692   qui istuc in
mentemst tibi..percontarier? Am 710   tua istuc*
refert Am 741   egone istuc dixi? Am 747   quis
istuc tibi dixit? Am 763   opus mihist istuc exquisito Am 791   cur istuc..audio? Am 812
ego istuc curabo Am 949   iam istuc gaudeo
Am 1100   quid istuc est aut ubi istuc est terrarum loci?. As 32a   quid istuc sit aut ubi
istuc* sit nequeo noscere As 32b   neque hercle
ego istuc dico As 37   posterius istuc dicis As
63   istuc percipimus lingua dici As 162   quo
argumento istuc? As 302   istoc* testamento Seruitus legat tibi As 306 (Rgl)   qui pro istuc (accepisset)? As 397   quisnam istuc adcredat tibi?
As 627   deme',istuc As 788   ego istud* curabo
As 827   credam istuc si.. As 837   ne dixis istuc
As 839   ego istuc scio ita fore illi As 869   ne
tu istuc*..dixisti in me As 901   istuc* di bene —
Au 257 (Ly)   numquid me uis? #Istuc* Au 263
(MueLLy)   istuc..aliouorsum dixeram Au
287   istuc* confido..me inpetrassere Au 687
ne istuc dixis Au 744   ut tu istuc excusare
possies.. Au 747   istuc quoque bona (fide dico)
Au 773   istuc* iocon adsimulem? Ba 75   istuc
uolebam..percontarier Ba 189   ut istuc est
lepidum Ba 205   scitum istuc! Ba 209   quid
istuc est? Ba 561, 1160, Ci 779*   ego istuc illi
dicam Ba 600   hoc ubi egero tum istuc agam
Ba 708   egone istuc dixi? Ba 806   ..dicat me
dixisse istuc Ba 807   estne istuc istic scriptum? Ba 1023   istuc iam pridem scio Ba 1157
satin ego istuc habeo offirmatum? Ba 1202
numquam istuc dixis Cap 149   em istuc mihi
certum erat Cap 215a   em istuc si potes..
meminisse.. Cap 249   memini ego istoc Cap
317   istuc ne praecipias Cap 393   istuc* in
rem utriquest Cap 398   haud istuc rogo Cap
627   si istuc faxis.. Cap 695   certumnest tibi
istuc? Cap 732   ..magis tu tum istuc dixeris
Cap 871   sponden tu istud*? Cap 898   istuc expeto scire quid sit Cas 184   credo ego istuc
tibi Cas 234   quid istuc tam cupide cupis?
Cas 267   optumum..istud* esse iure iudico
Cas 375   immo istuc* tibi sit Cas 634 (PULy)
possum scire ego istuc ex te? Cas 654   istuc
expeto scire Cas 669   ego istuc feci? Cas 994
hicine istud* decet? Ci 20   si idem istud* nos
faciamus.. Ci 27   satin istuc tibi in corde
certumst? Ci 509   teneo istuc satis Ci 613
haud uoluisti istuc* seuerum facere? Ci 646
istuc ago Ci 720   quam ob rem istuc? Cu 442,
667   quid istuc ad uos attinet? Cu 631   qui
credam ego istuc? Cu 641   serione dicis istuc*?
Ep 31a (RgU)   haud istuc* te rogo Ep 51   at
enim — bat enim: nihil est istuc Ep 95   tam
tibi istuc credo quam mihi Ep 128   facile tu
istuc..fabulare Ep 146   scin tu istuc? Ep 207
quid istuc tam mirabilest? Ep 225   quid istuc
dubitas dicere? Ep 260   quam ad rem istuc*
refert Ep 276   ego istuc faciam sedulo Ep 293

em istuc* decet Ep 421 (L)   facile istuc erit
Ep 659   idem istuc aliis..fieri..solet Men 184
istuc* quaero certum qui faciat mihi Men 242
ego istuc cauebo Men 265   et istuc et aliud..
me curaturum dicito Men 528   non mihi istuc
satis placet Men 622   istuc ille scit Men 649
quid istuc autemst? Men 782   qui ego istuc..
cauere possum? Men 786   male facit is istuc
facit Men 805   sanun es qui istuc exoptes?
Men 818   iam istuc non benest Mer 300   caue
tu istuc* deixis Mer 484   satin istuc mandatumst? Mer 495   em istuc censeo Mer 580
nec tibi istuc magis diuidiae est quam.. Mer
619   em istucinest operam dare bonum sodalem? Mer 620   qui ego istuc credam tibi? Mer
627   egone istuc dixi? Mer 761   longum
istuc* amantist Mer 896   qui ego istuc credam? Mer 903   noli istuc..dicere Mer 934
istuc uxor faciet Mer 1003   istuc..nihil est
Mi 19   dixi ego istuc Mi 185a   ego istuc* scio
Mi 236   te istuc aequomst..eloqui Mi 286
medicum istuc tibi meliust percontarier Mi 292
tuo capiti istuc..promitto fore Mi 326   narrandum ego istuc militi censebo Mi 395   ignoscam
tibi istuc Mi 570   credo ego istuc* idem Mi
776   aequi istuc* facio Mi 784   non te istuc*
rogito Mi 827   istuc metuo Mi 891   istuc quidem multae (faciunt) Mi 1017   teneo istuc Mi
1026   multae aliae idem istuc cupiunt Mi 1040
istuc illi dicam Mi 1075   istuc tibi credo Mi
1076   istuc* caue faxis Mi 1125   facile istuc
quidemst Mi 1149   uiri..idem istuc faciunt
Mi 1273   nequis tibi istuc* uitio uortat Mi
1350 (Rg)   caue istuc feceris Mi 1368   an tibi
istuc eueniat? Mo 58   non me istuc curare oportet Mo 283   scio equidem istuc Mo 754   neque
istud* aio Mo 979   ne istuc*..postulo Mo 1008
iocaris tu nunc istuc* Mo 1081 (RsLy)   dixi
ego istuc idem illi Mo 1087   sine me dum
istuc iudicare Mo 1143   posterius istuc* tamen
potest Per 139   abi et istuc cura Per 165
ego istuc placidum tibi ut sit faciam Per 178
istuc marinus passer..solet Per 199   meo
modo istuc* potius fiet Per 359   caue sis tu
istuc dixeris Per 389   scio istuc Per 536   mea
..†istuc nihil refert Per 537   istuc mauelim
Poe 151   egone istuc ausim facere? Poe 149
meae istuc* scapulae sentiunt Poe 153   iam
pridem..istuc ex te audiui Poe 156   sat est
istuc alios dicere nobis Poe 250   neque istuc
usquam apparet Poe 363   si istuc lepide
ecfexis.. Poe 428   si..istuc umquam factumst
.. Poe 488   quid istuc ad me attinet? Poe 637
capiti uostro istuc quidem! Poe 645   illinc procul nos istuc inspectabimus Poe 682   ..ut tibi
istuc credam Poe 877   istuc tibi..(est) in manu
Poe 912   istuc tibi sit Poe 1002   quid istuc
ad me? Poe 1021   istuc quidem iam certumst
Poe 1172   malim istuc aliis uideatur Poe 1184
ago istuc Poe 1197   nolo ego istuc* Poe 1267
ego scio istuc* Ps 391   qua istuc ratione? Ps
803   istud* ego satis scio Ps 914   istuc rogitas
Ps 931   ego istuc aliis dare condidici Ps 945
bonan fide istuc dicis? Ps 1095   istuc magis
magisque metuo Ps 1214   cur tu istuc dicis?
Ru 382   ut iam istuc mihi molestumst Ru 387
nempe nescio istuc Ru 565   optume: istuc uo-

lueramus Ru 708   fiat istuc Ru 1042   quid
istuc* tua? Ru 1086   nunc demum istuc dicis
Ru 1122   uolup est quom istuc . . uobis contigit Ru 1176   minume istuc faciet noster Daemones Ru 1245   istuc facile non credo tibi
Ru 1366   caue sis audiam ego istuc posthac ex
te St 37   hau male istuc* St 118 . . istuc uerum te elocutum esse arbitrer St 346   idem ego
istuc scio St 474, Tru 811   quis istuc dicit? St
549   quis istuc? St 552   non istuc meumst Tri
123   istuc uolebam scire Tri 195   tua istuc
refert Tri 319   scio equidem istuc ita solere
fieri Tri 353   credo ego istuc . . ita esse Tri 545
quo modo tu istuc . . dixti? Tri 602   quam dudum istuc . . actumst? Tri 608   tu istuc age
Tri 819   istuc ne mihi responsis Tru 606
istuc primum experiar Tru 609   plane istuc est
Tru 618   istud* pauxillum differt a cauillibus
Tru 686   em sic, istuc* uolo Tru 787   idem
istuc* . . intellego Tru 815   istuc habeo, hoc expeto Tru 960   quid tu istuc curas? Vi 23
caue tu istuc dixis Vi 83

istaec: scio istaec* facta Am 757   uera istaec
uelim Am 834   mitte istaec Am 1101   si istaec
uera sunt . . Am 1105   perdidici istaec esse uera
As 187   iam omitte ista* As 578   pol ni uera
ista* essent . . As 860   tu istaec* . . inuocasti As
909   istaec lepida sunt memoratui Ba 62   magister te istaec docuit Ba 163   feci ego istaec
itidem Ba 410   ego istaec* . . dicam illi Ba 599
istaec* fiunt Ba 1197   feci ego ista* Cap 414
tandem istaec* aufer Cap 964   nugae istaec sunt
Cap 969 (?)   aduorsus tuam istaec* rem loquere
Cas 209   dixin ego istaec? Ci 295   nolo istaec*
Cu 131 (Rg)   aufer istaec* Cu 245   perii . . si
istaec uera sunt Ep 510   dixin ego istaec* heic
solere fieri? Men 375   nescio ego istaec Mer
147   omnia ego istaec* auscultaui Mer 477
istaec praemonstras mihi Mer 577   nolo istaec
hic nunc Mi 31   ego istaec . . nuntiabo Mi 195
qui istaec sedem meditabor Mo 388   quicum
istaec loquere? Mo 519   quis istaec faciebat?
Mo 961   istaec sciet facta ita Mo 985   si quidem istaec uera sunt Mo 987   age mitte ista*
Mo 1134   te istaec audiui loqui Per 32   posterius istaec te magis par agerest Per 800   miror . . te istaec sic fabulari Poe 233   omnia
istaec scimus iam nos Poe 550   mittite istaec
Poe 574   istaec uolo . . uos commeminisse omnia
Poe 726 . . dum istaec loquere Poe 1317   logi
istaec* Ps 255 (U solus)   sunt mea istaec* Ps
362   omnia ego istaec facile patior Ru 1100
mihi istaec omnia itera Ru 1265 . . istaec tibi
inuestiget Ru 1322   ioculo istaec dicit St 23
. . qui illi istaec* dixerit St 555 (L)   non nego
(L ego APψ) ista* — St 628   omnia istaec
ueniunt in mentem mihi Tri 747   credo omnia
istaec Tri 1098   non istaec . . decuit te fabulari Tru 183

nihil hercle **istius** quicquamst Mer 738
iam **istoc** es melior As 717   de istoc quietus
esto Cu 492   credit iam tibi de isto* Men 616
nihil istoc opust Mer 420   non hercle tam
istoc* ualide cassabant cadi Mi 852   iam de
istoc rogare omitte Per 642   oratorem uerberas. #Iam istoc magis Poe 384   iam istoc morai minus erit St 537   liuorem . . scapulis istoc

concinnas tuis Tru 793   de istoc* . . intellego
Tru 815 (PLy)

nominandi istorum tibi erit . . copia Cap
852   si istorum nihil sit . . Ru 1128   nihil istorum Tri 333
credit iam tibi †de **istis*** Men 616

3. *demonstrat aliquem (vel aliquid) qui (vel
quod) in scena est (vel agitur):* istic me . . laudat
Cap 421   istic hastis insectatus est domi matrem Cap 549   una opera mihi sunt sodales
qua iste Cap 563   iste eum sese ait qui non
est esse Cap 567   iste te ludos facit Cap 579
. . neque esse morbum quem istic automat Cap
606 . . dum istic itidem uinciatur Cap 608   istic
Philocrates non . . est Cap 623   cibo iste factust imperiosior Cap 806   inspicere iste* aedes
te has uelle aiebat Mo 806 (Rs U)   mea quoque
iste habebit Poe 1085   satin magnificus tibi
uidetur? #Pol iste Ps 195 a   quis istic est? Ps
712   si iste ibit, ito Ps 863   si conquiniscet
istic . . Ps 864   iste hinc abiit Ps 1053   ne iste
haud scit . . Ru 1040   utin istic prius dicat?
Ru 1063   si istic* tacet ego tacebo: si iste loquitur . . Ru 1125-6   iam istest tranquillus tibi?
St 529   iste* id habet quod nos habuimus
Tru 218   iste* pauperes nos (meminit) Tru 220
ne ista . . examussimst optuma Am 843   istaec
est tecum As 843   remoratu's quod ista uoluit
Ep 630   quidquid istaec de te loquitur . . Mi
1002   quid istaec* me? Mo 184   quid si ista
. . hariolast? Ru 1139
si **istius*** gratia . . remoratu's . . Ep 629

isti nec recte dicis As 471   illic isti . . morbus interdum uenit Cap 550   adstringite isti . .
manus Cap 667   iniquomst quia isti †prius-
quam mihist Cas 378   tam huic loqui licere
oportet quam isti Cas 410   eripite isti gladium
Cas 629   da isti* cistellam Ci 770   dic isti Cu
129   datin isti sellam? Cu 311   sanan se quae
isti committas? Cu 655   adiuro . . me isti* non
nutasse Men 616   credit iam tibi de 'isti'*
Men 616.   †tibi aut adeo isti quae . . Men 827
eripe oculum isti* Men 1011   ego stultior qui
isti* credam Mer 921 . . efferri omnia isti quae
dedi Mi 1314, 1338 (ecferte)   malum . . isti di
. . duint Mo 655 . . si isti formidas credere Ps
316   hoc neque isti* usust et . . Ru 1083   nihil
hercle ego sum isti daturus Ru 1085 . . quod
isti sum iuratus Ru 1398   istae* dedi Tru 790
atque isti* etiam parum (succenseo) Tru 898
quid isti debes? Tru 938   caue ui consulam
istic Tru 942 (Rs in loco desp)

et istunc et te uidi Am 699   erus istunc* nouit et erum hic As 456   istum di omnes perduint As 467 . . ni istum inpudicum percies
As 475   istunc amoues abs te As 714   exsoluite istum Ba 862   non ego istunc* . . metuere
aequom censeo Cap 301   mittam . . istunc*
aestumatum tua fide Cap 351   soluite istum
nunciam Cap 354   seruate istum . . intus Cap
456   istum appelles Tyndarum Cap 546, 565*
ultro istum a me Cap 551   abducite istum Cap
733   adseruate istunc* Cap 919   comprime istum*.
#Immo istunc* qui . . Cas 362   quid tibi istunc
tactiost? Cas 406, Cu 626 (istum)   sequere istum
Cu 521   mitte istum Cu 633, 702 (istunc*)
abduce istum in malam crucem Cu 693   ad-

serua istum Ep 714, Men 851(istunc), 954(tu istunc) mittite istunc* Men 1007 istunc fertis Men 1013 ducite istum Mi 1394 soluite istunc* Mi 1425 quid .. agam nisi ut .. istunc* percitem? Mo 663(*Rs*) di istum* perduint — immo istunc* potius Mo 668-9 istum .. circumduce hasce aedis Mo 843 .. ut non ego istum .. pessum premam. #Mitte .. istum* Mo 1171-2 ut istum di deaeque perduint Per 298 istum* abiisse gaudeo Per 300 serua istum Per 672 nescimus .. istum qui siet Poe 649 istum e naui exeuntem uidemus Poe 651 nolo ego istunc* enicari Poe 1267(*Ly*) non dedisse istunc* pudet Ps 282 Hercules istum infelicet Ru 1225 quod tu istum talentum poscis? Ru 1376 .. si istunc condemnauero Ru 1383 iam dudum ego istum* †patior dicere iniuste mihi St 344 .. istum* ne amem Tru 929(*Rs*) etsi istunc* amas Tru 939(*L*)

speraui ego istam tibi parturam filiam Am 718 istanc tecum conspicio simul Am 754 neque istam uidi Am 768 quin tu istanc iubes .. circumferri? Am 775 istanc* tantisper iube petere As 686 ego istanc amo As 831 istam amo As 845 Hercules dique istam perdant Cas 275 tu istanc desponde huic Cu 663 istanc* intro iube sis abduci Ep 398(*Rg*[1]) ego istanc* quae sit neque scio .. Ep 575(*RgU*) non med istanc cogere aequomst meam esse matrem Ep 586 istanc* emisti? Ep 596(*Rg*) metuis tu istanc Mer 768 ita ego istam amarem? Mi 183 di istam perdant Per 622 uin uendere istanc? Per 660 quid tibi istanc* digito tactiost? Poe 1308(*Rgl*) si istanc* tecum esse speras .. Tru 936(*Rs*)

cum istoc fecit meas opes aequabiles Cap 302 ab istoc* procul recedas Cap 551 concede huc .. ab istoc Men 835 .. quae cum isto* cubant Mi 65 quid ego istoc* faciam? Mo 346 (*Ly*) ne quid tibi cum istoc rei sit Poe 1405 iam ab isto* †auferre Ru 1383

ab ista non pedem discedat As 603 apscede ab ista Cas 627 intro abi cum istac semul Ci 770 diuitias tu ex istac facies Per 652 quid tibi negotist .. cum istac*? Poe 1306 abstine istac tu manum Tru 944

pinguiorem agnum isti habent Au 331 istae mutae sunt quasi .. fabulari non queant? Ru 1113

uos respondete istinc istarum uicem Ru 814 duc istos intro Au 362 abduc istos in tabernam Men 436 tu istos .. abduce intro Poe 1172 iubedum recedere istos Ru 786 istas sciui esse liberas Poe 1391 licet .. istas mihi appellare? Ru 803 soluite istas Tru 838

abite ab istis Cap 215 b

hem quid istuc est? ut tu incedis! As 705 quid istuc est? seruiles nuptiae? Cas 68 quid istuc est? quicum litigas? Cas 317 sed quid istuc est? Ci 779, Mer 1011, Ps 716 hem quid istuc est? Mi 420 quaeso quid istuc est? Mo 517(*R in lac*)

quid istuc? Ba 583, Ci 233(*LLy in lac*), Ep 50(*aliter Rg*[1]), Mi 1306, 1331, Tru 394*, 665 qui istuc? Ru 534(*add Rs*), Tru 158

istuc quidem nec bellumst nec memorabile Cu 8(*cf* Weissenborn, p. 15)

C. *relativi pronominis antecedens est:* 1. *attrib.:* a. *rel. sequitur:* ubi sunt isti scortatores qui .. cubant? Am 287 meae sunt istae aedes ubi statis Mo 943 quid istas* (aedis) pultas ubi nemo intus est? Mo 988 me arbitrabare isto pacto ut praedicas Ps 798 *Similia exempla:* Au 198(polypi), 581(aurum), Ba 372(sorores), 649(Parmenones), Cas 995(dicta), Cu 86(fluuius), 288*(Graeci), Men 385(marsuppium), 413(mulier), 721(flagitia), 813(mulier), Mi 364(seruos), 988(anulus), 1245(gloria), Per 460(tabellae), 516 (tabellae), Poe 680(res), Ps 296(uiri), 737*(seruos), Ru 353(periclum), 1082(cistula), Tri 297 (mores), 893(homines), 920(homines)

numquam .. me .. istic ludificabit quisquis est Am 1041

b. *rel. insertum est:* istuc facinus quod tu insimulas .. non decet Am 820 istuc facinus quod tam sollicitat animum id ego feci Au 733 istos captiuos .. quos ..: is indito catenas Cap 110 istas(𝔖) maiores (catenas) quibus sunt uincti demito Cap 113 istum quem quaeris Periphanem .. ego sum Ep 448 *similiter:* Ep 440(hominem)

istum ostende quem conscripsti syngraphum As 746 istam* quam nunc habes aetatulam optinebis Ci 49 isti qui ludu.t datatim serui Cu 296 istuc quod das consilium mihi Mi 1114 ubi istaec sunt quas memoras mulieres? Ru 563 istos qui .. belligerant parcepromi Tru 184

2. *subst.:* a. *rel. seq.:* ultro istunc* qui exossat homines Am 320 iste .. non pedem discedat .. qui nunc festinat As 603 istud* facias ipse quod .. suades As 644 istic est qui .. despondit Ci 600 quid istanc quam emit? Ep 51(*vide Rg*[1]) flere omitte: istuc quod nunc agis Mer 624 *similia exempla:* Au 546, Cap 252, 987, Cas 107*, 311*, 362*, Ci 720, Cu 128, 151, Ep 64, 150*, 229, 573, Men 766, 809, 827, 876, 1011, Mi 914, 1123, Mo 175*, 185 (*U*), 274*, 357, 480*, Per 73, 129*, 239, 510, Poe 779, Ps 179, 972, Ru 118, 650, 792, 978, 1113, St 26, Tri 567*, 582, Tru 719*, 853

adverbium: istuc .. alio uorsum dixeram non istuc quo tu insimulas Au 288 ei nunc istuc* quo properabas Ci 623

b. *rel. insertum est:* istuc quid sit quod scire expetis eloquere As 27 istic qui uolt uinciatur Cap 609 istum quem quaeris ego sum Cu 419 quid(*?Rg*) istanc quam emit?(*? om Rg*) quanti eam emit? Ep 51 istic frater qui te mercatust tuost Ep 642 istaec* quae tibi renuntiantur .. istaec* dicta sunt mendacia Ps 430 istic ubi uis condormisce Ru 572 *similia exempla:* As 234, 331, 612, Au 695, Ci 570, Cu 83* Per 520, Ps 313*, Ru 718, Tri 655*, Tru 349

uos tamen †istaec quidquid istic inerit uobis habebitis Ru 1136

D. *spectat ad sequentem sententiam vel enuntiatum:* em ista uirtus est quando usust qui malum fert fortiter As 323 em istuc rectius: meministin? Ep 553 istuc: ubi illae armillae sunt? Men 536(*vide supra* B. 2) ne istuc mecastor: iam patrem accersam Men 734 em istaec hercle res est: ouem tibi millam dabo

Mer 523   neque speraui neque istuc* credidi,
.. filiam inueni tamen Ru 1195 (Rs)   miserum
istuc uerbum et pessumum est 'habuisse' Ru
1321   istac iudico: tibi permitto Tri 383   fieri
istuc solet: quod in manu teneas .. id desideres Tri 913   em istoc pauper es: plus pollicere quam .. postulo Tru 373

E. *cum genetivo coniunctum* (*cf* Blomquist,
p. 54; Kane, p. 91; Schaaff, p. 15): me tibi
istuc aetatis homini facinora puerilia obicere?
Mi 618   modo percepi .. quid istuc sit loci As
35 (?)   quid istuc est mali? Mer 165   quid
istuc est .. negoti quod .. ? Am 502   nescio
quid istuc negoti dicam Am 825   quid istud
negotist? As 308, Ci 745 (istuc), Mer 812 (istuc)
quid negotist .. istuc? Mer 967 (?)   quid istuc
est negoti? Mi 1346, Ru 627   mihi istuc dicas
negoti quid sit quod .. Ru 638   istuc* negoti
cupio scire quid siet Tri 88   quid istuc nouist? As 50   quid istuc e*t prouinciae? St
699   quid istuc est sceleris? Mo 478   quid
istuc tumultust? Poe 207   quid istuc est uerbi?
Ci 605, Cu 32, Ep 350   quid istuc uerbist? Ps
608   *aliquando gen. ad* quid *potius pertinere
videtur*

ubi istuc est terrarum loci? As 32 a

F. *spectat ad coniunctionem vel infin., vel ad
interr. obliquam:* 1. *coniunctionem:* a. quando:
ne attigas puerum istac causa quando fecit
strenue Ba 445   em istuc* optume, quando
tuost Ru 1054, 1057 (*om* em)

b. quia: istoc magis quia uaniloquo's uapulabis Am 378 (*cf* Fraesdorff, p. 35)   istud
male factum arbitror quia non latus fodi Au
418   istuc* mihi acerbumst quia ero te carendumst Mi 1210

c. quod: quid istuc est .. negoti quod tu ..
abeas? Am 502   quid istuc est quod meos te
dicam fugitare oculos? Cap 541   istuc quid
est tibi quod commutatust color? Mer 368
mihi istuc dicas negoti quid sit quod tumul-
tues? Ru 638   quid istuc est quod huc .. uenis? St 107

d. quom: istuc sapienter saltem fecit filius
quom .. dedit Ba 337   istoc probior es .. cum
in amore temperes Ep 111 (*v. om A secl Rg'§
U*)   isto tu pauper es quom nimis sancte piu's
Ru 1234   em istoc pol tu otiosu's quom ..
peruorsus es Tru 151

e. quin: numquam edepol med istoc uinces
quin ego ibidem pruriam St 756

f. si: istaec miseriast seruo bono .. si id ui
uerum uincitur Am 590

g. ut: istuc ius est ut tu istuc excusare possies Au 747   istuc curaui ut opinione illius
pulcrior sis Mi 1238   quae istuc cures ut te
ille amet Mo 208   numquam .. istuc exterebrabis tu ut sis peior quam ego siem Per 237
quanti istuc unum me coquinare perdoces?
#Quid? #Ut te seruem Ps 875   iam istoc* ma-
gis usus factost ut eam intro Ru 398 (?)   non
hodie isti rei auspicaui ut cum furcifero fabuler Ru 717

h. ne: istoc ergo auris .. obtundo tuas ne quem
ames Ci 118   iste* metus me maceret .. ne oculi
eius sententiam mutent Mi 1233   istaec .. ha-

bui aetati integumentum meae ne penetrarem
.. Tri 313

2. *infin.:* istuc procliuest quo iubes me ..
conlocare As 663   satin istuc* mihi exquisitumst fuisse hunc seruom? Cap 638   matronae
magis conducibilest istuc .. unum amare Ci 78
idem ego istuc .. credidi te nihil esse redditurum Cu 541   em istucinest operam dare bonum sodalem? Mer 620   palam istaec fiunt te
me odisse Mer 764   istuc iuus est senecta
aetate scortari senes Mer 985   stultitia atque
insipientia mea istaec* sit .. me ire .. Mi 878
(*LLy*)   istuc crucior a uiro me tali abalienarier Mi 1321   istuc facito ut ueniat in mentem tibi me esse indotatam Per 388   istuc*
sciui .. neminem uenire .. Poe 1347   istaec
quae tibi renuntiantur filium te uelle .. circumducere. Ps 432   iam istaec insipientiast iram
in promptu gerere Ps 448   quae istaec audaciast te sic .. ingrediri Ps 1298   haud tuom
istuc est te uereri St 718   istuc* nimis magnae
mellinae mihi militis odiosa .. habita (esse) Tru
704 (*Rs*)

3. *interr. obl.:* em istuc* ago quo modo argento interuortam As 358   quid istuc ad me
attinet quo tu intereas modo? Ep 75   non ego
istuc curo qui sit Mo 624   nec tibi nos obnixi sumus istuc* quid tu ames Poe 518
omnia ego istaec .. scio .. u t rem patriam .. foedarim Tri 655

G. *adverbia:* 1. **istic, isti:** a. istic* iam non
audebit aurum abstrudere Au 663 (*Rg*)   ego
isti adsedero Mo 1143   istic* adsidite St 90
(*Rg*)   istic* te procul ita uolo adsimulare Mi
1169 (*R*)   quod te praesente isti* egi .. Cu
434   quid istic agitis? Mo 939   istic .. adparari iussi .. proelium Men 185   istic astato Au
56   isti* asta ilico Men 912 (*§ Ly*)   intra limen isti* astate Mo 1064   bona istic caedent
Tru 742   agnos conclusos istic esse aiunt Ba
1145   istic ubi uis condormisce Ru 572   curate istic uos Per 85   curate isti* intus Per
405   quid tibi istic in istisce aedibus debetur? Mi 421   quid istic debetur tibi? Ps 1137,
1139   nugas istic* dicere licet Cas 957   quis
istic dormit? Mo 372   istic* emi uirginem Cu
433   horum tibi istic* nihil eueniet Au 348
quid istic (? *add U*) uerba facimus? Ep 141   quis
istic habet? Ba 114   quis istic* habitat? Ci
599   istic .. habitat gener Ci 753   istic ..
credo habitare mulierem Men 335   isticine uos
habitatis? Ru 110   nullan istic* mulier habitat? Tru 285   istic* leno .. incubat Cu 61 (*Rg*)
isti inest cistellula Ru 1078   isti* in ista cistula insunt quae isti* inest in uidulo Ru 1082
cistellam isti inesse oportet .. in isto* uidulo
Ru 1109, 1133   quidquid istic inerit .. Ru
1136   quid istic* inest? St 321   mane istic
Ba 1052   mane modo istic Ps 1159   mihi
istic nec seritur nec metitur Ep 265   istic fana
mutantur cito Ru 821   hospes necauit hospitem isti* Mo 480 (*Rs*)   istic oportet opseri mores malos Tri 531   non ornatis isti* apud uos
nuptias? Cas 546   quid isti* oratis? Ep 721
ain tu istic* potare solitum? Mo 964   non ..
istic* ualide cassabant cadi Mi 852 (*R*)   quod
iubebo scribito istic Ba 729   quod istic esset

scriptum.. Ba 788   estne istuc istic scriptum?
Ba 1023   quod istic* scriptumst .. Cu 425
quid istic scriptum? Per 249   non..quemquam
istic uidi sacruficare Ru 132   non sedeo istic
St 93   seritur Ep 265(supra)   istic est thensaurus stultis in lingua situs Poe 625(an nom.
masc.)   istic* sta Mer 912(CaRRgLU)   quid
istic clamorem tollis? Cu 277   .. ut istic ueneat Per 523   non ego isti* apud te — St 628
(SULy loc dub)
    in aedibus turba istic* nulla tibi erit Au
340   neque istic* in tantis periclis .. ut siet
Au 450   .. aurum meam esse istic Au 608
istic* fortasse aurost opus Ba 220   meus est
istic .. canis Ba 1146   em istic* captiost Ep
701(U)   .. dum istic* siet Mer 906   si istist*
iube transire Mi 182(Rg)   si istist mulier ..
Mi 255   tu istic ais esse .. concubinam? Mi
337   dic sist istic* domum ut transeat Mi
1089   iam isti* ero Mo 741   isti* umbram
audiuit esse Mo 764   enim istic captiost Mo
1144   istic meus animus nunc est non in pectore Ps 34   itidem isti* amator Tru 40(Rs in
loco perdub)   omnest maucum istic* Tru 910
(Rs)
    b. tu istic: ne tu istic hodie malo tuo .. ad-
uenisti Am 366   optas quae facta. #Egone?
#Tu istic Am 575   egone istuc dixi? #Tu istic
Am 747   quis is Menaechmust? #Tu istic, inquam Men 651   egon dedi? #Tu tu istic, inquam Men 653   insanus inquam- - #Egone?
#Tu istic* qui .. minitatu's Men 937   non ego
sum qui te dudum conduxi. #Immo hercle tu
istic* ipsus Mer 759   amplexabere. #Egone?
#Tu istic* ipsus, inquam Ps 723   plurimi edi-
tores hos locos ad nominatiuum referunt, fortasse recte
    c. quid istic? quid istic? uerba facimus Ep
141(U? om ψ)   quid istic? non resciscet Mer
1004   quid istic? quod faciundumst cur non
agimus? Poe 1225   quid istic? necessumst Ru
1331   quid istic? quando ita uis .. spondeo
Tri 573   quid ego istic? (? om RRg) quod
perdundumst properem perdere Ba 1049
    d. ratusne istic me hominem esse omnium
minumi pretei? Mi 558
    2. i tuc, istoc, isto: abscede ergo paululum
istuc As 925   .. ut illi istoc confugiant Mo
1098   istuc quid confugisti in aram Mo 1135
istoc detrudi maleficos aequom uidetur Tri
551   concedite istuc As 646   concede istuc*
Per 609   ego istuc* (ibam) ad te Cas 178   ei
nunciam istuc quo properabas Ci 623   istuc
eo quantum potest Mer 691   isto me intro
ituram quo iubes Mi 455   domum eo comissatum. #Immo istuc quidem(#add LULy) iam
memini Mo 335(loc dub: uide RRs)   istuc*
(ibit) Iuppiter lenonius Ps 335   istoc ad uos
uolo ire Tru 752   .. eam isto* ad te adiutum
mitterem Cas 543   neque quemquam interim
istoc .. ad uos..intro mittam Tru 717   tu isto*
ad uos optuere Mo 837   .. isto* ad uos damni
permensust uiam Tru 304(LLy)   .. ut istuc
properas Mer 874   neque istoc* redire .. possum Per 504   iam isto ego reuortar Poe 615
iussero meam istuc transire uxorem ad uxorem
tuam Cas 614   .. quicum istuc* uenerit Mer 906

priusquam malum istoc addis Ba 382   ecquid audes de tuo istuc addere? Men 149
uerbum si addes †istuc* unum Ru 1401   uerbum unum adde istoc Tru 613   addam etiam
unam(a. minam alteram SpU) minam istuc*
Tru 910(LU in loco perdub)
    ego istuc .. aliouorsum dixeram, non istuc
quo tu insimulas Au 288
    3. istac: istac* tenus tibi .. libertas datast
orationis Ba 168   exi istac per hortum Ep
660   si istac ibis.. Mer 219   ..quicum istac*
uenerit Mer 906   abi istac* trauorsis angiportis ad forum Per 444   intra limen ista* state
Mo 1064(R)   etsi aduorsatus tibi fui istac iudico Tri 383   ibit †istac* aliquo in .. crucem
Tri 598
    4. istinc: abi istinc Mo 851   non tu istinc abis?
Ps 1196   istinc* abscedite St 90(R)   istinc*
te procul ita uolo adsimulare Mi 1169   alter
istinc alter hinc adsistite Ru 808   tu istinc*
ex cera (animum) cita Ps 33   istinc procul
dicito quid insit Ru 1148   memento .. dimidium istinc mihi de praeda dare Ps 1164   ite
istinc Cap 658, Poe 1319   .. uideant te ire
istinc foras Poe 796   ite istinc foras Ru 656
una istinc cistella exceptast Ru 1362   istinc
loquere si quid uis Cap 603   neque partem
posco mihi istinc de istoc uidulo Ru 1077
eho istinc .. iube Telestidem huc prodire filiam
ante aedis Ep 567   filium istinc tuom te meliust repetere Tru 846   uos respondetote istinc
istarum uicem Ru 814   .. ne tibi clam se subterducat istinc* Mi 343
    H. corrupta uel incerta: audin tu? rufeen
nuco istam Poe 1006   †ad omnae manuc istic
poste Tru 910   †campas dicit abaui consultam istuc mihi homo Tru 941
    ITA - - cf Braune, Observationes gram .. ad
usum ita sic tam .. particularum .. spectantes.
Diss. Berolini 1881; Langen, Beitr., pp. 210,
231, 330
    I. Forma corrupta: Am 1068, ita J pro iam;
1137, ita EJ pro item   As 438, et rapere ita
EJ pro trapezitam   Au 451, ita P pro ite
(FZ)   Mi 392, ita B²CDR itè B¹ pro id(A);
560 ita P pro tam(AB²D³); 571, hercles ita
B¹ pro hercle si te; 1279, ita CD itam B pro
iam   Mo 956, hem ita B¹ pro habitat; 1070,
ita meum(mum) P pro hamum(A)   Ru 1106,
ita B pro id   St 373, ita ego add P om A;
453, ita P pro ite(A)   Tri 539, fulgur ita CD
pro fulguritae(B); 768, uis ita P pro uisitata
(A); 954, ita CD pro tam   Tru 50b, ita et
C iteca BDS†L† ita nihil omnino U v. om Rs
em Ly; 221, quid ita P pro qui id(A); 278,
ita P pro ea(A); 336, presto ita(da D) lata
est P pro praestolatast; 941, quid ita alabo(ab
auo CD) est PS† quid id amabost Palmψ
    II. Significatio A. spectat ad praecedentem
sententiam: 1. interrogantis uel confirmantis est
(cf Langen, Beitr., p. 210) a. interrogantis:
itane? Mer 919, Mi 1278, Mo 1026e(Schoe et
Stud ex A emit L), Per 291, Poe 557(? add L
om ψ), 660(? add L om ψ), Ru 747, 1003(add
SeyLy uar em RsU†SL†), Tru 292   itanest?
#Itanest Per 220   itane uero? #Ita hercle uero
Cu 725   itane uero? Mer 567, Mi 844(itan R

RgU ita Pψ), Ru 971, 1003 (KampU ita enimuero
P§†Lt *aliter RsLy*) itane aibant tandem? Mi
66 itane censes? Men 948 itan(*Fl istane
P*) tu censes Mi 1120, St 598(itane *U pro* utrum)
quid ita? #Quia.. Au 150, Ba 87, 680, Cu 48,
Mi 1260, Per 592, Poe 691, 705, Tri 884 quid
ita, opsecro? #Quia.. Ba 101, 253(op. hercle)
quid ita? #Dicam: quia.. Ep 69 *sequitur enunt.
declar.*: quid ita? Cas 527, Ep 12, Mo 365, 1094,
Ps 77 quid ita, amabo? Ci 19 quid ita, obsecro? Mo 267 eloquere, quid ita? Mo 472
tu peristi. #Ah, perii? quid ita? Cas 633
nam quid ita? #Quia.. Ep 58, 349, Mo 645
(*seq. enunt. declar.*) Mo 967(ita nam *add R*)
b. *confirmantis est* α. *interr. respondet*: ita
solum Au 775, Ba 806, Cap 262, 1016(*add Rs*),
Cu 422, Mo 491, 972, Poe 789(*an declar.?* ito
AsRgl iam L), Ps 487, 1156, Ru 143(*Rs* illu
P ille *FZψ*), Tri 375 ita, rogo Am 1026
ita enim uero Am 410, As 339 ita hercle
uero Cu 725 ita pol Mi 1278, St 35 ita uero
Men 1108
itast Per 133(si itast *R*), Tri 196 aha, non
itast Tri 649 res itast Am 569
ita dico Cap 844, Ps 1152 ita loquor Am
1021, Mo 946, Ps 1152, Tri 969 ita inquam
Am 362 anne oportuit? #Ita te quidem Tru
667 mihi ita lubet Ba 751 ita(*add R*) lubet
Ps 1299
β. *enunt. declar. respondet*: ita Am 1024, Mi
1262 ita enim uero Mo 920, Ru 1003(†§L
var em ψ) ita hercle uero Per 448 ita uero
Cas 402, Men 1096 ita profecto Am 370
itast Cas 197, Mo 72(†§ ita fit *R* ita's *Rs*),
Poe 237, Ps 360, 466(quid ais? *R*), Ru 152
immo itast Mi 68(*A ut vid om P*) non itast
Ps 657 ita profectost Poe 555 ita(*add Rg in
lac*).. ut siet Au 545(*Rg*) itanest? #Itanest
Per 220 itane? #Ita enim uero Ru 1003(*Ly
vide supra* a) scilicet(*punctum add LLy*) ita
res est As 490 ita res est As 596 non ita
res est Cu 143 haud itast res Tru 194 res
itast Ba 721(*an infra sub* B), Cu 592(*eiusdem
personae*), Per 130, Tru 754(*SpLULy* resistat
P§† *aliter Rs*) ita certa rest Per 223 id
opera expertus sum esse ita Ba 387 et ego
ita esse arbitror Ba 552 scies hoc ita esse
Cas 115, Ep 713 id faciam ita esse ut credatis Mo 94 multi ita esse sciunt Per 211 id
ita esse ut credas.. Tri 107 credo ego istuc
.. ita esse Tri 545 id ita esse experta's Tru
529
ego istuc scio ita fore illi As 869 id fore
ita sat animo acceptumst Mer 655 spero ita
futurum† Mi 1231
ita uosmet aiebatis Cas 676 itaque ancilla
.. dicebat mihi Mi 1410 ita dico Mo 968, Poe
1309, Tri 941 ita deico quidem Poe 474
ita loquor Au 831(*fortasse melius sub* B) ita
mihi renuntiatumst Poe 764
nemo homo ita arbitratust Per 211 alii ita
arbitrentur Ps 633 accersit hanc. #Ita(*BoRg*
itam hic *BC§†* itā hic *D*), credo Mi 1283(iam
LLy pro ita) ita pol spero Per 618 itan tu
censes? #Quid ego ni ita censeam? Mi 1120
immo ita(*Py* sta *B²EJ* stat *B¹* haud *U* em
istuc *L*) decet Ep 421 ita uos decet Mi 896

ita tibi lubet Ci 116 ita placet Tri 235 tibi
quidem edepol ita uidetur Cas 360 ecastor
ita uidetur Ci 727 ubi ita uisum(*RRg* me
ubi inuisum *Pψ*).. esse intellego Mer 80 mihi
quoque ita pol(*R pro* m. quidem edepol) uisast Mer 393 mihi quoque pol ita uidetur
Mi 362 ita uolo Mer 368, Tri 576 ita Venus uolt Mi 1227 ita uelim quidem hercle
Per 629 ita nos uelle aequomst Poe 800
quando ita uis.. Tri 573
ita facito As 488 ita scilicet .facturam As
787 .. ita faceres Au 736 ita faciam Cu 88,
Tri 235, 806 ego ita factum esse dico Ep
207 consiliumst ita facere Mi 344 ita facere certumst Mi 522, 574, Tri 1063 pol ita
decet hunc facere Mi 616 istaec sciet facta
ita(ista esse *A*) Mo 986 me scias esse ita(*A
om P*) facturum Per 496 ita non facient Ps
943 ita fit ubi.. expetas Cas 370 ita fieri
oportet Cas 439 ita fieri iussi Per 107 ita
hoc fiet Poe 915 scio.. istuc ita solere fieri
Tri 353 ita paratumst Poe 909 ita praecipiundumst Mi 793 ità solent omnes Cas 174
ita ego soleo Men 140 Neptunus ita solet
Ru 373
si itast.. Poe 1005(*Ca* est P§† *Ly*†), 1047,
1072(*infra* C. 2. a) uer**s(uiri etsi *Rs*) ita
(uera. #Si ea *Ly*) sunt.. Ci 455 sei id ita
esset.. Men 460 si ita arbitrare.. Cas 285
.. si non id ita(*om B¹U*) factumst Am 572 hoc
si ita fiat.. Au 492, Tri 220(si ita)
ita.. nomina.. permutastis Cap 676 Aesculapi ita sentio sententiam Cu 217(*infra* C. 2 e)
ita ego consilium dedi Mi 1148 ita haec res
postulat Mo 546 ita intricatum ludit.. Dordalum Per *Arg* I. 5 ita uinariorum habemus
.. dilectum Poe 838
γ. ita sum Ba 1180, Per 284 fatear si ita
sim Per 215 ita's Mo 72(*Rs* ita est P §†L
LyU ita fit *R*) ni ita esset.. Ba 554 utinam ita(ista *E*) essem Am 575
non uidere ita tu quidem Cap 120 ita uidere Ps 611
si ita sententia esset.. Mi 1356 mitto si
ita sententiast Poe 1397 ita sunt gloriae meretricum Tru 889
2. *indicat causam vel statum rerum ex quo
enuntiatum praecedens pendet; nonnumquam
adv. ad unum vocabulum pertinere videtur sed
raro et vix recte*: **a.** *arto nexu*: omnesque eum
esse censent serui qui uident: ita uorsipellem
se facit Am 123 qui.. intellegere quisquam
potis est? ita nugas blatis Am 626 caue sis
ne tu te usu perduis: ita nunc homines immu-
tantur Am 846 uae mihi..: ita mihi animus
etiam nunc abest Am 1081 interea uxorem
tuam neque gementem.. audiuimus: ita profecto sine dolore peperit Am 1100 accubitum
eatis: ita negotiumst Ba 755 hancine aetatem exercere mei amoris gratia? #Quid ais tu?
itane(tam *NonRy§*) tibi ego uideor.. Acherunticus? Mi 627(*cf Non* 4)
similia: ita me probri.. argutam Am 882 ita
mihi uidentur omnia.. consequi Am 1055 ita
tanta mira in aedibus sunt facta Am 1057 ita
erae meae hodie contigit Am 1061 ita tum
(aedes) confulgebant Am 1067 ita me incre-

puit Iuppiter Aᴍ 1077 ita iracundia obstitit oculis As 451 ita me miserum ad hunc modum .. extrudit Aᴜ 69 ita inaniis sunt oppletae (aedes) Aᴜ 84 ita me miserum .. contuderunt Aᴜ 409 ita me iste habuit senex gymnasium Aᴜ 410 ita fustibus sum mollior quam .. Aᴜ 422 ita cura macet Aᴜ 564 ita is pellucet Aᴜ 566 ita probe in latebris situmst Aᴜ 609 ita mihi .. malae res .. se adglutinant Aᴜ 801 ita erat gloriosus Bᴀ 18 (ex Prisc I. 575; Non 474) ita me uadatum .. adtines Bᴀ 180 ita bellus hospes fecit Bᴀ 345 ita dentifrangibula haec .. gestiunt Bᴀ 596 ita intendi tenus Bᴀ 793 ita uinclis .. circummoeniti sumus Cᴀᴘ 254 ita malignitate onerauit .. mortalis Cᴀᴘ 465 ita iuuentus .. segregat Cᴀᴘ 470 ita mihi .. os subleuere Cᴀᴘ 656 ita mihi exemisti Philocratem Cᴀᴘ 674 ita hic me amoenitate .. onerauit dies Cᴀᴘ 774 ita frendebat dentibus Cᴀᴘ 913 ita turget mihi Cᴀs 325 ita uxor acriter tua instat Cᴀs 340 ita nunc pudeo atque ita nunc paueo atque ita (P om A) inridiculo sumus Cᴀs 877 ita ridicula auditu iteratu ea sunt Cᴀs 880 ita .. grande erat Cᴀs 914 ita disperii Cᴀs 940 **ita manufesto faucibus teneor Cᴀs 943 (?) ita .. mihi frequentem operam dedistis Cɪ 6 ita hodie hic acceptae sumus Cɪ 16 ita nostro ordini palam blandiuntur Cɪ 33 ita properauit .. proloqui Cɪ 151 ita nubilam mentem animi habeo Cɪ 210 ita me Amor .. ludificat Cɪ 215 ita meum frangit amantem animum Cɪ 222 ita pater apud uillam detinuit me Cɪ 225 Cɪ 318 (ita pol quom U de A errans) ita tota sum misera in metu Cɪ 535 ita (add Mue Rs om Pψ) animus audire expetit Cɪ 554 ita nunc .. metus me agitat Cɪ 688 ita nunc .. obiectumst mihi negotium Cᴜ 283 ita res subitast Cᴜ 302 ita .. uenio lassis lactibus Cᴜ 319 ita (L nam ita Pψ) nugas blatis Cᴜ 452 trepidas Epidice †ita uoltum tuom uideor .. Eᴘ 61 (loc perdub) ita res subito haec obiectast tibi Eᴘ 161 ita (illam E³J la E¹) ridibundam .. adduxit Eᴘ 413 frugi — ita (U frugi es APψ) pugnasti Eᴘ 493 (U) ita .. inuaserunt .. flemina Eᴘ 670 ita mensas exstruit Mᴇɴ 101 ita omnem mihi rem necesse eloquist Mᴇɴ 117 ita ignorabitur Mᴇɴ 468 ita med attinuit ita detinuit Mᴇɴ 589 ita mihi hunc hodie corrumpit diem Mᴇɴ 596 ita rem esse dicito Mᴇɴ 737 ita illa me .. adseruat canes Mᴇɴ 838 ita .. curabo tibi Mᴇɴ 897 ita mihi mala res aliqua obicitur Mᴇʀ 339 ita animi decem .. certant Mᴇʀ 345 ita illest quoi emitur senex Mᴇʀ 442 ita (AB om CD) edepol deperit Mᴇʀ 532 ita instas Mᴇʀ 725 ita per inpluuium intro spectant Mɪ 159 ita abripuit repente sese subito Mɪ 177 ita (-m ita P micat R) uehementer eicit Mɪ 205 ita dorsus totus prurit Mɪ 397 ita .. non uidisse arbitror Mɪ 402 itast ista (CD istas B¹ ista B² ita istast R) huius similis Mɪ 519 ita negotiumst Mɪ 523, Pᴇʀ 693, Ps 993 ita apud omnis conparebo .. frequens Mɪ 662 ita me mea forma habet sollicitum Mɪ 1087 ita animus .. defit Mɪ 1261 ita (R om Pψ) forma (Py formam P§† formaque om ita U) .. animum attinere hic

tuom Mɪ 1327 (R) ita te forabunt .. stimulis Mo 56 ita me .. taesumst Mo 316 ita mali maeroris (B² itam aliam erroris [eroris B¹] P) montem .. conspicatus sum Mo 352 ita .. mihi exhibent negotium Mo 565 ita mea consilia perturbat Mo 656 ita mea consilia .. oppugnas Mo 685 ita oppido occidimus Mo 733 ita ubi nunc sim nescio Mo 996 ita (FZ id PLLy) mali hercle ambo sumus Mo 1107 ita prosum credebam omnibus Pᴇʀ 477 ita catast et callida Pᴇʀ 622 ita mihi supellex squalet Pᴇʀ 732 ita me Toxilus perfabricauit itaque meam rem diuexauit Pᴇʀ 781 ita misero Toxilus haec mihi conciuit Pᴇʀ 784 ita eum leno macerat Poᴇ 98 ita ego (U itaque Pψ) .. ostreatum tergum ulceribus gestito Poᴇ 398 ita pauxillast Poᴇ 566 ita (itae B) uostrast benignitas Poᴇ 643 itane illest cupiens? Poᴇ 660 ita (Sey iut B ut CDLy qui Fψ) meum erum .. macerat Poᴇ 818 ita stupida .. asto Poᴇ 1250 ita supercilium salit Ps 107 ita plagis costae callent Ps 136 ita miser .. pereo .. inopia argentaria Ps 300 ita in aedibus sunt fures Ps 895 ita erus meus est imperiosus Ps 996 ita militaris disciplinast Ps 1004 ita uictu excurato, ita magnis munditiis .. itaque in loco festiuo sumus .. accepti Ps 1253-4 ita omnis .. deturbauit tegulas Rᴜ 87 ita hic sola solis locis (*** ins §) compotita sum Rᴜ 205 ita .. incerta sum consili Rᴜ 212 ita male uiuo atque ita mihi .. sunt curae Rᴜ 221 ita hic lepidust locus Rᴜ 255 ita res suppetit subito Rᴜ 457 ita salsam praehibet potionem Rᴜ 530 non licet: ita (Lamb ULy n. l. memb Turn non l.- A lac P) est lex apud nos Rᴜ 724 ita nunc mihi utrumque saeuit Rᴜ 825 ita fluctuare uideo uehementer mare Rᴜ 903 ita meas repleuit auris Rᴜ 1226 ita omnes mortales .. gaudent Rᴜ 1285 ita .. tenuis fit Rᴜ 1301 ita in manibus consenescit Rᴜ 1302 (v. secl GuyRs§LU) ita me mancupia .. adfecerunt male Sᴛ 210 ita celeri curriculo fui Sᴛ 337 ita cuncti .. decidunt Tʀɪ 544 ita .. in fraudem incidi Tʀɪ 658 ita .. circumstabant nauem Tʀɪ 835 ita commoda quae cupio eueniunt Tʀɪ 1117 ita gaudiis gaudium suppeditat Tʀɪ 1119 ita subitost .. quod eum conuentum uolo Tʀɪ 1175 ita paene nulla tibi fuit Phronesium Tʀᴜ 197 itast (A is item est P) agrestis Tʀᴜ 254 ita animo malest Tʀᴜ 365 ita dolet itaque .. neque etiam queo .. ambulare Tʀᴜ 526 ita illud (U ita ut PRsLy §† istud L) pauxillum differt a cauillibus Tʀᴜ 686 (U) ita ad me magna nuntiauit .. gaudia Tʀᴜ 702 ita lora laedunt bracchia Tʀᴜ 783 ita miser cubando .. obdurui Tʀᴜ 916 fortasse: itane nos nostramque familiam habes exercitam Mɪ fr (ex Fulg de abst serm XX ed. L.)

praecedit nam (cf Langen, Beitr., p. 231): credo hercle te esse ab illo: nam ita nugas blatis Cᴜ 452 (vide L) nam ita mustulentus aestus nares attigit Cɪ 382 (ex Non 63)

b. nexu laxiore: neque uergiliae occidunt: ita statim stant signa Aᴍ 276 litterae hoc in equo insunt milites .. : ita res successit mihi Bᴀ 942 is me scelus auro usque attondit dolis .. : ita miles memorat meretricem esse eam

Bᴀ 1096   meus rex est potitus hostium: ita
nunc belligerant Aetoli cum Aleis Cᴀᴘ 93
decipitur dolis: ita ei subicitur pro puella seruolus Cᴀs *Arg* 4   pauor territat mentem animi
. .: ita(† *U*) gnata mea hostiumst potita Eᴘ
532   nescio quid male factum . . est quantum
audio: ita hic senex talos elidi iussit Mɪ 167
ita fio miser quaerendo argento mutuo Pᴇʀ 5   ita
ancilla mea quae fuit hodie sua nunc est Pᴇʀ
472   ita nunc per urbem solus sermoni omnibust Ps 418   ita duo destituit signa hic . .
senex Rᴜ 823

c. = hoc modo, hac ratione, ad hunc modum: ita illis impuris omnibus adii manum Aᴜ
378   quor ita fastidit? Bᴀ 333   ita feci ut
auri quantum uellet sumeret Bᴀ 352   ita
me miserum restitando . . reddiderunt Cᴀᴘ 502
cesso magnifice . . amicier atque ita ero meo
ire aduorsum Cᴀs 724   et ita(*Rg* iste *P* isti
Boᵴ is *U* isto *L* istae *Ly*) me heredem fecit
Cᴜ 639   Mᴇɴ 67(ita *add R*)   ita istaec solent
(facere) Mᴇɴ 766   ita peculium conficio grande
Mᴇʀ 96   ita sublinetur os custodi mulieris Mɪ
153   an me ita tu nescis(*U* anheriatus uestis
PLy† *var em ψ*) . . Mɪ 217(*U*)   si ita non reperio . . Mɪ 268   ad legionem cum ita paratos
mittunt(*L* comita *Pᵴ*† *om BugU* in comitia *Rs*
quom itur *FR* quom ita∗∗∗ *Ly*) Mo 129   ita
alliciam uirum Pᴇʀ 84   ita(itae *B*) eum furto
alligat Poᴇ *Arg* 6   ita docte . . filias quaerit
suas Poᴇ 111   ita decipiemus fouea lenonem
Poᴇ 187   itane(? *add L*) temptas an sciamus?
Poᴇ 557   ita nos adsimulabimus Poᴇ 599   malim istuc aliis ita(*PU om Aψ*) uideatur quam
ut ita te(*Rgl* uti tate *B* ut tute (*DS* uti tute
ψ) . . conlaudes Poᴇ 1184   ita hanc canem faciam . . tranquilliorem Poᴇ 1236   opemque erili
ita tulit Ps *Arg* I. 6   quid ita(*add R*) uideo
ego? Ps 1287(*R*)   ita meae animae salsura
euenit Sᴛ 92   iero apertiore magis uia; ita:(*Rg*
ac *R*) plane loquar Sᴛ 485(*supra* 2. d)   ita
nihil omnino(*U* iteca *BDᵴ*† *L*† ita et *C* intercepta *Ly* duce *Sch*) Tʀᴜ 50 b   itaque adeo iam
oppletum oppidumst solariis Fʀ I. 28(*ex Gell*
III 3. 5)

d. = itaque: ita(et *Rgl*) . . hospitio publicitus accipiar Aᴍ 161   ita(*Taub* ut *P*) aequomst
. . mihi te consulere Aᴜ 129   ita(*LeidolphRg*
et *C* id *B* fit *DR* it *FZLLy*) magister . . agitur Bᴀ 446(*Rg*)   ita nunc ignorans suo sibi
seruit patri Cᴀᴘ 50(*v. secl URsᵴ*)   ita(*Py* itaque *PLy*)   uenter gutturque resident . . ferias
Cᴀᴘ 468   ita omnis sub arcis . . mussitant Cᴀs
664   ita . . duplici damno dominos multant
Cᴀs 722   os sublitum esset itaque (*i. e.* et ergo)
me . . derideret filius Eᴘ 429   ita me ludificant
Mɪ 488   ita nunc seruio nihilo minus Poᴇ 363
ita:(: *Rg* ac *R*) plane loquar Sᴛ 485   ita plerique
omnis iam sunt intermortui Tʀɪ 29   ita uincunt illud conducibile gratiae Tʀɪ 36

e. = adeo, †tam: Mᴇʀ 134(ita *add R*)   quid
ais tu? itane(*P* tam *NonRgᵴ*) tibi ego uideor
oppido Acherunticus? tam capularis? Mɪ 627
castigat filias quod eae uiros tam perseuerent
pauperes ita sustinere Sᴛ *Arg* II. 3(*haec omnia
dubia sunt*)

B. *spectat ad id quod sequitur:* ita ingeni
ingenium meumst: inimicos semper osa sum
optuerier Aᴍ 899   ita seruom par uidetur frugi
sese instituere: proinde eri ut sint, ipse item
sit Aᴍ 959   ita haec moratast ianua: extemplo
ianitorem clamat As 390   ita auido ingenio
fuit: numquam indicare id filio uoluit suo Aᴜ 9
ita mihi pectus peracuit: capio fustem Aᴜ
468   ita esse arbitror: homini amico quist
amicus . . ei nihil praestare Bᴀ 385   res itast:
dici uolo Bᴀ 721   ita rem natam intellego,
necessumst . . depugnarier Cᴀs 343   ita mihi
omnia sunt ingenia: quod lubet non lubet Cɪ 213
ita(*RsLLy* illo *Pᵴ*† illos *V¹E¹*) sunt homines:
misere miseri Cɪ 689   ita nunc mos uiget, ita
nunc seruitiumst: profecto modus haberi non
potest Cᴜ 299-300   ille ita repromisit mihi . .
omne argentum reddere Cᴜ 667   †ita uoltum
tuom uideor: uidere commeruisse . . Eᴘ 61(*loc
perdub*)   ita illum dilexit: illius nomen indit
illi Mᴇɴ 41   ita istaec nimis lenta uincla sunt
escaria: quam magis extendas tanto adstringunt artius Mᴇɴ 94   itast adulescens: ipsus escae
maxumae Mᴇɴ 100   itast haec hominum natio:
in Epidamnieis uoluptarii Mᴇɴ 258   ita sunt hic
meretrices: omnes elecebrae argentariae Mᴇɴ
377   ita tres(itres *B*) simitu res agendae sunt
. .: et currendum et pugnandum et . . iurigandumst Mᴇʀ 118   ita mihi . . facit amor incendium: iam ardeat . . caput Mᴇʀ 590   ita respondit: se sectari simiam Mɪ 179   ita . . eam huc
ornatam adducas: ex matronarum modo Mɪ
791   ita me occursant multae: meminisse
haud possum Mɪ 1047   ita haec tigna †tumide
putent: non uideor mihi sarcire posse aedis
Mo 146   ita nunc uentus nauem nostram deseruit —— Mo 737   ita sunt Persarum mores:
longa nomina contorplicata habemus Pᴇʀ 707
ita pars libertinorumst: nisi patrono qui ad-
uersatust . . Pᴇʀ 839   ita sunt turpes . . Venerem ipsam e fano fugent Poᴇ 323   ita res diuina mihi fuit: res serias omnis extollo Poᴇ
499   ita illi dixerunt . . te quaeritare a muscis
Poᴇ 689   ita †sunt isti nostri diuites: si quid
bene facias . . Poᴇ 811   ita(*A* id *P*) negotium
institutumst: non datur cessatio Poᴇ 925   ita
(ut *Rg*) animati estis uos: uincitis duritia hoc
atque me Ps 151   mihi ita dixit erus meus
miles: septumas esse aedis a porta Ps 596
ita res gestast: angiporta haec certumst consectarier Ps 1235   ita res se habent(*A* dent
cum spat P): uitae hau parco Rᴜ 222   ita
(*add BergkRRgU* atque *L*) auditaui saepe . .
dicier: solere elephantum . . Sᴛ 167   ita me
mancupia . . adfecerunt male: potationes plurumae demortuae Sᴛ 210   ita . . rem uxor curauit meam: omnium me exilem . . fecit aegritudinum Sᴛ 525   ita ingenium meumst: quicumuis depugno Sᴛ 626   itast ingenium muliebre:
bene quom lauta . . infectast tamen Sᴛ 744
ita tu nunc dicis: non esse aequiperabiles uostras . . opes? Tʀɪ 466   ita nunc adulescentes
morati sunt: quinei aut senei adueniunt Tʀᴜ
99   ita sunt praedones: prorsum parcunt nemini Fʀ I. p. 39(*ex Char* 211)

haec ita me orat, sibi qui caueat aliquem
ut hominem reperiam Bᴀ 42

C. *in sententiis correlativis:* 1. *comparativis:*
a. ita - - ut: metuere ita ut aequomst Iouem
Am 23   negotiis absentum ita ut aequomst
(*A* ut est aequum *P*) sollicitae .. sumus St 4
faciam ita ut uis Am 541, Poe 1422, Tri 883,
1172   faciam ita ut te uelle uideo Per 662,
Tri 948(f. ita ut *SpRs* ***aut *P* Catamitum
haud *BugRU*)   mandata ita ut uelis.. perferat Cap 343   si .. ita eris ut uolo Ci 48
tibi ita ut uoluisti quidem Ci 491   haec
si ita ut uolo conficio St 535   faciam ita ..
ut fieri uoles St 566   si ita's ut ego te uolo
Tri 46   itane esse mauelit ut eum animus censeat an ita potius ut parentes .. uelint Tri 307
ille itast(*Z* istast *P*) ut esse nolo Tri 1170
non abiisti .. ita uti dudum dixeras Am 691
ain tandem? #Ita esse(itast *AcRg*) ut dicis Au
298   ita ut dicis Cap 124   fateor omnia facta
esse ita ut tu dicis Cap 678   est hercle ita ut
tu dicis Cu 50   adulescens, itast(*AB²* -centiast
B¹ -cens est *J* -cens ntiast *E*) ut dicis Ep 459
estne ita(*Mue* ista *A om P*) ut tibi dixi? Ep
622   credo ita esse factum ut dicis Men 1130
ita esse ut dicis teneo Mi 780   aedis ita erant
(*D⁸* interant *P*) ut dixi tibi Mo 640   ita ut
dicis facta hau nego Mo 735   est ita ut tu
dicis Tri 1132
itast ut obsignaui Am 775
faciam ita(*om J*) ut iubes Am 1144
.. sitne ita aurum ut condidi Au 65
itast ut praedicas Au 688   sitne ita(*iterat D*)
ut ego praedico Au 800 id .. experior ita esse
ut praedicas Mi 633   profecto esse ita(*Bent*
ita esse *PL*) ut praedico uera uincam Mo 95
an huius sunt illaec filiae? #Ita ut praedicas
Poe 1136 .. si itast(*PS* ita sunt *Rψ*) ut praedicas Tri 1098
est amicus ita uti nomen possidet Ba 386
ita fers ut ferri decet Cap 372   agitis aetatem ita ut uos decet Mo 729   facis ita ut te
facere oportet Cap 388 †aliis esse ita(*PS* alii
ut esse *R* alii sese *Rs* alii ita *LambLU* alii
sei ita *Ly*) ut in rem esse ducunt sint: ego ita
(*om CD*) ero ut me esse oportet Men 981
feci ego ita(*BoLy* ista *Pψ*) ut commemoras
Cap 414
o mi lepos! #Nempe ita ut tu mihi's Cas 235
sed ita ut(*ReizRg* s. i. uti *L* s. ut tibi *U*
induti *VE* inducias *J* id uti *BS†Ly*) occepi
dicere Cu 43   ita ut occepi dicere .. Poe 470,
Ru 1065, 1119(ita ut *Rs pro* ut id)   sed ita
ut(id quod *BoU*) occepi narrare St 579   ita
ut occepi .. Tri 897
saluom tibi ita(*P* item (*P*)*R*) ut mihi dedisti reddibo Men 1038
non ita amo ut sanei solent Mer 262
ad illam faciem ita ut illast Mer 428
erus meus ita magnus moechus mulierumst
ut neminem fuisse aeque .. credo(-dam *CaR*)
Mi 775
non (incubitatus) sum ita ut tu, gratiis Per 285
famam non ita ut natast ferunt Per 351
ita sum ut uidetis splendens stella Ru 3
.. me miseram esse ita(*B om CD*) uti sum
Ru 216 b
hic tertiust annus — #Ita ut memoras St 30
si sint ita ut ego aequom censeo St 112   itane

esse mauelit ut eum animus aequom censeat
Tri 306
ita rem gessistis ut .. addecet St 518
ita sis ut nomen cluet Tri 496   amicum ita
ut nomen cluet Tri 620
itast amor ballista ut iacitur Tri 668
neque ita ut sit data columem te sistere illi
Tri 742
Athenis †tracto ita ut hoc est proscaenium
Tru 10
†ita ut(† *S* ita illud *U* istud *L*) pauxillum
differt(differam te *Rs*) a cauillibus Tru 686
b. ita-proinde ut: hoc ita factumst proinde
ut factum esse autumo Am *fr* XIII(*ex Non* 237)
c. ita-itidem ut: ita te neruo torquebo itidem
(*om Non* 552) ut catapultae solent Cu 690
d. ita-quasi: ita quasi incudem .. caedant Am
159   ita is pellucet quasi lanterna Punica
Au 566   ita quasi saetis labra mihi conpungit
barba Cas 929   ita(at *E²*) .. adsimulato quasi
.. quae siueris Ep 195   ita adsimulatote quasi
ego sim peregrinus Poe 600   *cum subiunctivo:*
ita adsimulauit se quasi Amphitruo siet Am 115
ita uolo adsimulare prae illius forma quasi
spernas tuam Mi 1170
e. ut ita: profecto ut loquor res itast Am 569
ut iusseris .. ita fiet As 829   de me ut meruisti ita uale Cap 745   ut dicis ita futura's
Ci 47   ut iusserat ita uenio aduorsum Men
987(*infra* 4) ut adhuc fuit ita(*R om Pψ*) mihi
corium esse oportet Mo 868   ut serui uolunt
esse erum ita solet Mo 872   ut esse addecet
nequam homines ita sunt Mo 902   ut uoles
med esse ita ero Ps 240   ut †quicquid infuere
ita salua sistentur tibi Ru 1359   satiust ut
opust te ita(ita ted *RRs*) esse Tri 311   ut ego
aequom censeo ita nuptum datur Tri 713   ut
ille me exornauit ita sum -ornatus Tri 857
similiter: ut multi fecit ita probe curauit Plesidippus Ru 381   ut dudum dixi ita esse oportet liberas Ru 1104
f. quasi-ita: quasi aquam feruentem frigidam esse ita uos putatis leges Cu 511   quasi
in mari solet hortator .. hortarier, ita hortabatur Ru 697
g. proinde ut ita: proinde ut quisque fortuna
utitur ita praecellet Ps 680
h. quo modo-ita: necessest quo tu me modo
uoles esse ita esse Ci 46
i. utcumque ita: utcumque(ut quaequest *Rg*
ut quaequomque *RU*) res sit, ita animum habeat Ba 661
2. *consecutivis, finalibus, substantivis, sim.:*
a. ita-ut: ita quoique comparatumst .. ita diuis est placitum ut maeror comes consequatur
Am 634-5   ita animatus fui itaque nunc sum
ut ea te patera donem Am 762-3   delenitus
sum profecto ita ut me qui sim nesciam Am
844   ita me obstinate adgressus ut non
audeam .. As 25   eri ita(*Mue* herile *PS†* erile
Lt eri ille *WagnerLy*) imperium ediscat ut ..
oculi sciant Au 599   itane oportet rem mandatam agere amici sedulo ut ipsus .. teneat?
Ba 477   ita compararunt .. dolum itaque hi
commenti(*v. secl GuyRgS*)..ut in seruitute maneat Cap 47-8   ita conuenit .. ut te .. mittam
ad patrem Cap 378   ita faciam ut tute cupias

facere sumptum Cap 856   ita te..curuom..
faciam probe ut postilena possit ex te fieri
Cas 124   ita..nos lepide..accepisti..ut semper meminerimus Ci 10   ita curetur..ut seruiat Ep 269 ita forma simili puerei ut mater
sua non internosse posset Men 19   an mos hic
itast peregrino ut..narrent fabulas Men 723
ita mihi imperas ut ego huius membra..com-
minuam Men 855   non edepol ita promeruisti
de me ut pigeat.. Men 1067   ita sum coactus..ut nesciam.. Mi 514   erus meus ita magnus moechus mulierumst ut neminem fuisse
(ad)aeque..credam(CaR -do Pψ) Mi 775   ita
praecipito mulieri..ut simulet se tuam esse uxorem Mi 795   opus ita dabo expolitum ut inprobare non queas Mi 1174   Mo 389(infra b)
ita(om R) uolo te currere(A te: curre Ly curare PR ire L) ut domi sis.. Per 190   lenonem ita..intricatum dabo ut ipsus..nesciat
Per 457 si itast ut tu sis Iahonis filius.. Poe
1072 ita replebo atritate atrior multo ut siet
Poe 1290   ita ego uostra latera loris faciam
ut ualide uaria sint Ps 145   ita uos estis..
ingenio inprobo..ut..cogatis commonerier Ps
149   ita paraui copias..facile ut uincam Ps
579 ita imperauit ut..hominem..adducerem
Ps 697   ita conuiuis cenam conditam..dabo atque ita suaui suauitate condiam ut..praerodat
Ps 881-2 mihi auctores ita sunt amici ut uos
hinc abducam domum St 128   ita..auctionem
praedicem ipse ut uenditem St 195   ita mihi
auctores fuere ut egomet me..iugularem St
581 itan tandem hanc maiiores famam tradiderunt..ut..perderes? Tri 642   ita ego illam
..seruem itaque parce uictitem ut nulla faxim
..siet Tru 347   sumque ornata ita ut aegra
uidear(BueL eumque ornatum ut grauida PSt†
Ly† aliter RU) Tru 475
       ita di faciant ut tu potius sit Am 380   ita
ille faxit Iuppiter ut ille palam ibidem adsiet
Ps 923   ita dormitet seruom se esse ut cogitet
Au 591
       b. ita-ne: ueniat..ita ne mihi sit morae
Ba 224   hunc me uelle dicite ita curarier ne
qui deterius huic sit.. Cap 737   ita tuom conferto amare semper ne id..tibi sit probro Cu
28   ita iudices ne quisquam a me argentum
auferat Cu 704   ita patrem faciam tuom non
modo ne intro eat uerum etiam ut fugiat Mo
389   ita dei faxint ne apud lenonem hunc seruiam Poe 909   ita te aliorum miserescat ne
tis alios misereat Tri 343
       c. proinde ita-ne: proinde ita(Fl ut BDES
Ly utut J) omnes itinera insistant sua ne
quis..negoti conferat quicquam Cap 794
       d. ita ut ne: ita suasi seni..ut..ne tibi
eius copia esset Ep 355   eumque ita faciemus ut..ne uiderit Mi 148
       e. ita-ut non: ita ego te hinc ornatum amit-
tam tu ipsus te ut non noueris Ru 730
       f. ita ut qui: in ita tu's animatus ut qui..
sies As 505   Aesculapi ita sentio sententiam
ut qui me nihili faciat Cu 217
       3. conditionalibus: a. si-ita: quadrigas si
nunc inscendas Iouis..ita uix poteris effugere
infortunium Am 451 si idem imitemur, ita tamen uix uiuimus Ci 27   si forent conclusi..

ita non potuere..circumirier Cu 451   si undecim deos..adducat Iuppiter, ita non..pot-
erunt eximere Epidicum Ep 611
       b. ut-ita: haec ut me uoltis adprobare..ita
huic facietis fabulae silentium itaque aequi..
eritis omnes arbitri Am 15-6
       c. ita-ut: tuas possidebit mulier..ferias, at-
que ita profecto ut eam ex hoc exoneres agro
Ep 470   dicito..sed ita ut det unde curari id
possit sibi Men 53
       d. sic ut ita: sic ut tuom uis..gnatum..
superesse..ita ted obtestor As 18
       4. temporalibus: ut quemque conspicor, ita
me ludificant Men 523   postquam in tabernam
uasa..conlocaui ut iusserat, ita uenio aduorsum Men 987(ita interpungit S fortasse recte:
vide supra e)
       5. in obstestationibus: a. confirmantis est: ʿita
di faxintʾ inquito. #Ita di faciant. #Et mihi
ita di faciant Au 788-9   ita di faxint Au 149,
257, Per 652, Poe 911   ita di deaeque faxint
Cap 172   ita ille faxit Iuppiter Mo 398
       b. ita-ut: ita me di ament ut Lycurgus..
uidetur Ba 111   ..ut..tibi multa bona instant
a me Per 492   ..ut illa me amet malim quam
di Poe 289   ..ut mihi uolup est Poe 1413
ita me di bene ament ut ego uix reprimo labra Cas 452   ..ut mihi uolup est St 505   ita
me di amabunt ut ego hunc ausculto lubens
Au 496   ..ut ego..illam uxorem ducam Poe
1219   ita me Iuppiter, Iuno, Ceres..dique omnes ament ut ille..cubat Ba 892   ita me bene
amet Lauerna uti te..differam Au 445   ita
me Venus amet ut ego..sinam Cu 208   ita
me Venus amoena amet ǀut ego..exissem St
742   ita te amabit Iuppiter ut tu nescis Au
761   ita me amabit Iuppiter .ut ego illud
numquam deixi Mer 762   ita me amabit sancta
Saturitas, itaque..condecoret..ut ego uidi Cap
877-8   ita me amabit quam ego amo ut ego
haud mentior Cu 326
       ita me amabit sarculum ut ego..mauelim
Tru 276   ita me uolsellae·..bene me amassint
ut ego..facio Cu 577.
       ita me rex deorum..faxit patriae compotem
ut istic Philocrates non..est Cap 622
       ita me dei(Gep me ita dei APLy) seruent
ut hic pater est uoster Poe 1258
       ita tu me ames, ita Philolaches tuos te amet
ut uenusta's. #Quo modo adiurasti? ita ego
istam amarem? quid? ita haec(RU ista haec
P istaec B²ψ) me, id cur non additumst? Mo
182-4
       c. ut omisso: ita me di ament, credebam
primo mihimet Sosiae Am 597   ..ultro uentumst ad me Mi 1403   ..lepidast Scapha Mo
170   ..tardo amico nihil est quicquam inaequius Poe 504   ..uel in lautumiis..mauelim
agere aetatem Poe 827   ..lepide accipimur
St 685   ..numquam enim fiet St 754   ..gra-
phicum furem! Tri 1024
       ita me di ament — #Ita non facient Ps 944
ita me di bene ament, sapienter! Per 639
       ita me di deaeque omnis ament..faciam
Mi 501   ita me di deaeque ament aequom
fuit.. Mi 725
       ita me di amabunt mortuom illum credidi

expostuläre Mo 520   ita me di amabunt — Poe
439

ita me Iuppiter bene **amet**, bene factum!
Poe 1325   ita me amabit Iuppiter neque te
derisum uenio Tri 447   ita me Iuppiter —
Poe 440

ita me di deaeque . . itaque me Iuno . . itaque
me Saturnus . . itaque me Ops — Ci 512-5   ita
me Iuppiter itaque me Iuno itaque Ianus(*A
et Saturnus PU*) ita — quid dicam nescio Ci
Poe 519-20

ita me machaera et clypeus . . bene iuuent . .
faciam Cu 574

ITALICUS - - orasque **Italicas** omneis qua
adgreditur mare sumus circumuecti Men 237

ITAQUE - - *cf* Bosscher, *de Plauti Curcu-
lione disp.* (Diss. Lug.-Bat. 1903), *cap.* 5., *qui
contra Brixium ad* Mi 108 *contendit hanc particulam pro* et ita, *numquam pro* ita *solo usurpari: cf etiam* Lindström, *p.* 137

1. **= et ita**: itaque me malum esse oportet
Am 268   itaque . . pretium Saureae numerari
iussit As *Arg* 3   itaque . . non queo labori suppeditare As 422   itaque abibam inuitus Au 179
itaque inter se commutant uestem Cap 37   ita-
que(*'productum'* LULy †*S*) . . Alcesimarchus . .
possidet Ci *Arg* 10   itaque me . . meus derideret
filius Ep 429(*an sub* ita *ponendum? vide* ita II.
A. 2. d)   itaque . . iure coepta appellarist Canes
Men 718   itaque hic meretricis . . maiorem partem uideas ualgis sauiis Mi 93   itaque intumum
ibi se . . facit Mi 108   itaque(atque *RRgU* isque *MueL* is *add RS*) illi amanti suo hospiti
morem gerit Mi 136   itaque ego paraui . . machinas Mi 138   itaque(† *S* isque *LLy* atque is *R*
atque *RibRgU*) Alexandri praestare praedicat
formam suam: itaque omnis se ultro sectari . .
memorat mulieres Mi 777-8   itaque in totis
aedibus tenebrae Poe 834   itaque . . paene inquinaui pallium Ps 1279   itaque nos uentis . .
iactatae Ru 369   itaque aluom prodi sperauit
nobis Ru 589

2. *loci disputati* (*cf* Bosscher *et* Lindström):
itaque omnis exegit foras Au 414   itaque(itque
C) tondebo(ita detondebo *RU*) auro Ba 242
itaque(*PLy* ita *Pyψ*) uenter gutturque resident . .
ferias Cap 468   itaque petulantia mea me animi
miseram habet Ci 672   itaque in te irruont montes mali Ep 84   itaque(itaq; *A*) huic insidiae
paratae sunt Per 481   itaque(itaq; *A*) hic est
quod me detinet negotium Per 505(*hunc locum
non defendit* Bosscher, *sed emendat* itaque
in vel ita *vel* namque)   itaque hic scelestus est
homo leno Lycus Poe 200   itaque(ita ego *U*)
iam quasi ostreatum tergum ulceribus gestito
Poe 398   itaque(itaq; *A* atque *D*[1]) onustum
pectus porto laetitia St 276

3. *corrupta:* Mi 777(*vide supra* 1) Tru 553,
nihilis itaq; inprouisse(*D* inpuise *C* inpuisse *B*)
P quod var em ω

ITEM - - *pertinet vel ad sententiam totam
vel ad unum vocabulum; nonnumquam dubium
est utrum uerius sit*

1. *ad sententiam totam pertinet:* nos . . instruximus legiones: item(l. i. *om URgl*) hostes contra legiones suas instruont Am 222   tu (Alcu-

menam) grauidam item(*B D* ita *EJ*) fecisti Am
1137   item a me contra factumst: nam item
obiit diem Au 20   . . tibi proxumam me mihique esse item(*Bent* i. e. *P*) te Au 128   . . ted
esse hominem diuitem . . me item(*P autem Bri
RgLU*) esse hominem pauperum pauperrumum
Au 227   item se ille seruauit dolis Ba 952   si
ego item memorem . . Cap 416   item alii parasiti frustra obambulabant Cap 491(*v. secl Rs*)
senex amat efflictim †et(*om LULy*) item contra
filius Cas 49   . . ea ut item (*add Rs solus*) expetessam Ci 13   ego item uolo Cu 27   item
alios deos facturos scilicet Cu 263   tute tibi
odio (*om R*) habeas (item *add R*) Men 111   item
hinc ultro fit ut . . Men 359   si . . item eius sit
inopia, iam inde porro aufugies? deinde item
illinc si item(idem *RRg*) euenerit? Mer 650-1
itemque impellit militem Palaestrio Mi *Arg* I.
10   item illinc ego te(*R* illē agrotelli il *B*
idem ago tel *CD*) liberabo Mi 1207(*R var em ψ*)
item(*RRgl* deinde *L om Pψ*) eius cognatae
duae . . raptae Poe *Arg* 3   item nos sumus(*PL
omnia om Spψ*) . . insulsae Poe 244(*vide L*)
quin tibi qui bene uolunt bene uis item? Poe
373   Demarcho item ipse fuit adoptaticius Poe
1060   item his discipulis priuos custodes dabo
Ps 865   item ego te faciam Ps 872   hanc me
iussit Lesbonico . . dare epistulam et item hanc
. . Callicli iussit dare Tri 899

2. *pertinet ad vocabulum unum:* decet et facta
moresque huius habere me similes item Am 267
neque ego hac nocte longiorem me uidisse censeo nisi item(itidem *FlRgl*) unam, uerberatus
quom pependi Am 280   patitor tu item(idem *J*)
quom ego te referiam As 375   uolo scire ego
item . . Au 432   petunt treceni item alii(*Rg
t. cum PS†ULLy*[quom]) Au 518   paria item
tria . . sunt fata Ba 956   inponit geminum item
(*add MueRs*) alterum in nauem Men 26   et
ego item(*SeyL* itidem *BoRs* idem *Pψ*) spero
fore Men 1094   huic item Menaechmo nomen
est Men 1096   tibi item(*Guy* eidem *P* idem *L*)
metes Mer 71   mihi quidem item(*add BugU*)
edepol uisast Mer 393   credo ego istuc item
(*BoR* idem *Pψ*) Mi 776   ego item(ago ego id *U*)
sedulo . . te faciam ut scias Per 47   me quidem
item addecet(*R* m. q. haud decet *PRsSLy
aliter LU*) Per 220   propero.   #Et pol ego item
(*Ca* ite *B* ire *CD*) Per 224   quin tu meis contra item dictis seruis? Per 813   mihi item
gnatae duae . . sunt surruptae Poe 1104   sunt
alii puniceo corio, magni item(magnitem *P*)
atque atri Ru 998   et ego item esse aio meum
Ru 1025   quot potiones mulsi, quae item(*BriR
autem Pψ*) prandia! St 213   distraxissent . .
me . . bonaque omnia item(i. o. *GuyRRg*) una
mecum Tri 834(*vide LU*)   Lesbonicum . . quaero
. . et item alterum Tri 874   et tute item(*Bo
idem P*) uideas licet Tri 1179   . . ut tu tuom
(officium) item efficias Tru 711   perii(*FZRs
perit Pψ*) hercle ego item(*BoRs om U* idem
Pψ) Tru 728

3. *cum correlativis*: **item-ut, ut-idem**: ut filium
bonum patri esse oportet item(*Lind* itidem *P
LLyS*[2]) ego sum patri Am 992   ut olim ille se
. . exemit . . item(itaē *B*) ego dolis me . . extuli
Ba 965   ut tute's, item omnis censes esse? Ru

1099   ut illa uitam repperit hodie sibi item me spero facturum St 463

scio esse (aetatem) grandem item(itidem *J*) ut pecuniam Au 214   non pertractate (fabula) factast neque item ut ceterae Cap 55   (urbes) item(ite *E*) asperae sunt ut tuom uictum autumabas esse Cap 884   mihi item ut parentes lucis das tuendi copiam Cap 1008   peperit..item (itidem *J*) ut aliae pariunt Ci 142   item genus est lenonium..ut muscae Cu 499   saluom tibi item((*P*)*R* ita *P*ψ *et Non* 476 itē tibi (*CD*)) ut mihi dedisti reddibo Men 1038   non ego item (*Muret* idem *BD* idest *C*) facio ut alios..uidi ..facere Mer 3   si huc item properes ut istuc properas.. Mer 874   induxi in animum ne oderim item ut alias(odorē mutares *B*) Mi 1269 hic..neque conuiuarum sonitust item(*Bo* itidem *APLy* icidē *D*) ut antehac fuit Mo 933 sine te uerberem item ut tu mihi fecisti Poe 143   item ut nos..male quaerunt rem Ps 197 non ego item(itaem *B*) cenam condio ut alii coci Ps 810   sorbitione faciam ego hodie te mea item ut Medea Peliam concoxit senem Ps 869 ne malus item erga me sit ut erga illum fuit Ps 1020 (te) accipiam hospitio..item(iterum *U*) ut adfectam Ru 418 (nos) item ut..anseres clamore absterret abigit Tru 253   estne item (*A* ille *P*) uiolentus ut tu? Tru 309   utinam (item *add A*) a principio rei item(*om ARs*) parsisses meae ut nunc repercis sauiis Tru 375 meretricem ego item esse reor mare ut est Tru 568   item(*Ritterhuys* idem *P*) ut †Acherunti hic ratio accepti scribitur Tru 749

proinde..ut..item: proinde eri sint ipse item sit Am 960

quasi-item, item-quasi: quasi..cocleae..suo sibi suco uiuont..item parasiti..latent Cap 82   cogita..item nos perhiberi quam si..autumantur Poe 240   cras te quasi Dircam..memorant..item ego te distringam Ps 200   quasi murteta iuncis item ego (uos) uirgis circumuinciam Ru 732

item *cum relativo*: forma, aetate item qua ego sum Am 614   respondit..quod tibist item sibi esse Cu 334   item †quod(*AP* †*om LLy* atque *RRg* atque ut *U*) tu mihi si imperes ego faciam Mer 505   omnibus amicis quod mihist cupio esse item(*BoRs* idem *P*ψ fidem *A*) Tri 54

item-atque: Mer 505(*vide supra*)

si-item: si res firma item(*Stud om APU* itidem *R*) firmi amici sunt St 521

uel-uel-item: uel cauillator facetus uel conuiua commodus item(*PL* itidem *R* idem *U*ψ) ero Mi 642

item-pariter: ut uos †item(*P om MahlerRgl* ut *LLy* †*om U*) alias pariter nunc Mars adiuuet As 15

4. *corrupta*: Au 474, item *D*[1] *pro* iam Mer 463, melius itē *B pro* meliust te Mi 392, itē *B*[1] ita *B*[2]*CDR pro* id Poe 1077, item *C pro* iterum Ru 1158, item *P pro* itidem(*Prisc.* I. 280) St 195, me ueni item *P pro* uenditem(*A*) Tri 208, item *add A* Tru 254, is item est *P pro* ita est(*A*); 669, rurier item *P pro* rure erilem(*F*)

ITER, ITINER - - I. Forma iter Ba 325, Cas 968   iter(*acc.*) As 386, Cap 352(iter eat *Rs* cedere *BDE*ψ credere *J* †𝔖), Cas 164, 817,

Ci 679(*B*[2] inter *B*[1] a te *VEJ* ite *E*[2]), Mi 223 (*add BugU*), Per 221, Tru 130   itiner Mer 913(itinere *P*), 929(*CDNon* 482, *Prisc* II. 229 iter *B*)   itinere Cas 66, Men 39 (in i. *R* tarenti *P*𝔖†*LULy*['*suspectum*'] maerendo *Rs*) itinera(*acc.*) Cap 794, Tri 882   *corrupta*: Ba 461, iter *D* uter *BCLy* ut *Herm*ψ   Ps 704, quo iter *P pro* quoi ter

II. Significatio 1. *post verba*: tibimet illuc naui capiundumst iter Ba 325   hoc iter* eat Cap 352(*Rs*) quin tu ergo itiner* exsequi meum me sinis? Mer 929   hac iter faciundumst Cas 968 ..quo iter facias Per 221   huc..habeas iter As 386   dic quo iter inceptas Tru 130 non pol per tempus iter huc mihi incepi Cas 164   sospes iter incipe huc Cas 817(*translate*) interclude iter* inimicis Mi 223(*U*) ..ut omnes itinera insistant sua Cap 794   utrum hac an illac iter* institerit Ci 679 ..inceptum hoc itiner* perficere exsequar Mer 913   mea..itinera ego faxo scias Tri 882

2. *cum praep.*: pontem interrupit qui erat ei in itinere Cas 66 ..patrem..pueri in itinere* esse emortuom Men 39(*R*)

ITERATIO - - Am 386, fugit iteratio *J pro* fugit te ratio

ITERO - -   *significat* iterum memorare(*cf* Langen, *Beitr.* p. 282); *cum acc. construitur vel cum infin.*(*semel*): operam date dum mea facta itero Cas 879   fidus fuisti: infidum esse iterant Tri 832(*cf* Votsch, p. 38)   haec ubi Telobois ordine iterarunt.. Am 211   si eadem hic iterum iterem(*A om P*), inscitiast Poe 921 ..ne periure iteret St 192(*R in loco dubio* ni uere perierit *A*𝔖†*LLy* ni uere perlerit *vel* pleuerit *P aliter RgU*) iterum mihi istaec omnia itera Ru 1265   tua quoque male facta iterari multa et uero possunt As 567   nolo bis iterari Ps 388   ita ridicula auditu iteratu(int. *V*) ea sunt Cas 880   *corruptum*: Mo 640, iterant *P pro* ita erant(*D*[3])

ITERUM - - 1. *cum verbis*: iterum huc adfecta uiam Ru 418(*U* item ut adfectam nam *P*ψ) Amphitruonem memet..iterum(*add Fl Rgl*) esse adsimulabo Am 874   numquam..iterum defraudabis me Ru 1416   ecce autem iterum(*add RsLU*) hic deposiuit caput Mo 382 iterum iam hic in me inclementer dicit Am 742 in terra iterum(*AB om CD*) eluam Ru 579 iterum ut fallatur pater.. Ep 354   uideo me iterum(*add R solus*) ad saxa ferri Mer 198   iterum iam ad unum saxum me fluctus ferunt Mo 677   iterum haud imperabo Ru 658   uostram iterum imploro fidem Ru 622   si eadem hic iterum(*om U*) iterem, inscitiast Poe 921 iterum mihi istaec omnia itera Ru 1265   iterum ille eam rem iudicatam iudicat Ru 19 omnia iterum uis memorari Ru 1107   iterum gnatus uideor Cap 891   iterum(item *C*) mihi gnatus uideor Poe 1077   iterum te saluto Ru 1055   conducticiam iterum..ei subiecit Ep *Arg* 3

2. *in serie*: rex Agathocles regnator fuit, et iterum Pintia, tertium Liparo Men 410   primumdum..hoc perieris, iterum..perieris Mi 298

3. *corrupta*: Ba 75, iterum *C pro* utrum Cu

486, iterum *J pro* interim Mo 676, iterum *P pro* perii(*A*) Poe 919, iterum *P pro* alterum(*A*)

ITIDEM - - *vel ad sententiam vel ad vocabulum pertinet: saepe dubium est utrum probabilius sit:* 1. *pertinet ad sententiam:* itidem habet petasum Am 443 itidem(ititieem *BD*) hic apud nos As 220 feci ego istaec itidem in adulescentia Ba 410 itidem haec exorditur sibi intortam orationem Ci 730 mihi contra itidem ut (te) sistas suadeo Cu 163 .. si itidem plectantur uiri Mer 826 .. et meam partem itidem tacere.. Mi 646 minume sputator, screator sum, itidem minume muccidus Mi 647 tu hercle itidem(*BergkRg*§ diem *P* idem *FZ*ψ) faceres Mi 838 itidem(*Rgl* ettsmen *A om P* et tamen *Sey*ψ) quaestus non consistet.. Poe 287 itidem(*BoRgl* idem *AP*ψ) edepol Venerem credo facturam tibi Poe 409 per iocum itidem dicta habeto.. Poe 542 itidem uos quoque estis (retunsae) plagis Ps 159 tu argentum eluito, itidem(*R* idem *P*ψ) exstruito Ps 162 te mihi benigne itidem addecet.. bene referre gratiam Ru 1391

2. *ad unum uocabulum pertinet:* .. nisi itidem (*FlRgl* item *P*ψ) unam (noctem).. Am 280 .. cocum alterum itidem(ut idem *J*)que alteram tibicinam Au 292 .. ne quid turbae hic itidem(*om Non* 525) fuat Au 405 .. dum istic itidem uinciatur Cap 608 et ego itidem(*BoRs* item *SeyL* idem *P*ψ) spero fore Men 1094 huic itidem(utidĕ *C*) fuit Men 1098 est itidem tibi? Men 1107 itidem(*R* ibidem *P*ψ) mihi etiam nunc adnutat Mer 436 adi sis tute atque ipse itidem roga Per 600 mihi.. atque itidem(*FZ* ibidem *ALy* ibidea *P*) tibi distractio.. uenit Ps 69 laudare infit formam uirginis et aliarum itidem.. Ru 52 illa.. uirgo atque altera itidem ancillula.. Ru 74 securicula ancipes, itidem(*Prisc* I. 280 item *P*) aurea Ru 1158 et ego spondeo itidem(*RRs* idem *P*ψ) hoc Tri 1163 uolt illa itidem(ididem *P*) commentari Tru 738

3. *cum correlatiuis:* itidem-ut: me solebas.. appellare itidem(-de *E*) ut pudicae suos uiros.. solent Am 712 illi itidem(*A* illic eidem *P*) Ulixem audiui ut ego sum fuisse.. malum Ba 949 faciet.. inprudens itidem ut saepe.. insciens quis fecit Cap 44 .. conclusi itidem ut pulli Cu 450 itidem ut tempus anni aetatem aliam aliud factum condecet Mer 984 hic.. neque conuiuarum sonitust itidem(*APLy* icidĕ *D*¹ item *Bo*ψ) ut antehac fuit Mo 933 iube oculos elidere itidem(idem *Non* 291) ut sepiis faciunt coqui Ru 659 adfligam.. te itidem ut piscem soleo Ru 1010 tute itidem ut charmidatus es rursum recharmida Tri 977 *similiter:* ita te neruo torqueto itidem(*om Non* 552) ut catapultae solent Cu 690 mandauit aliquam itidem ancillam(*R* m. (ut) ad illam faciam *P*ψ) ita ut illast emerem Mer 428

ut-itidem: ut filium bonum patri esse oportet itidem(*PLLy* item *Lind*ψ) ego sum patri Am 992 ut nos hic itidem illic apud uos.. Cap 261

simulter itidem ut: exossabo ego illum simulter itidem ut muraenam coquos Ps 382

sicut-itidem: sicut merci pretium statuit.. agoranomos.. itidem diuos dispertisse.. aequom fuit Mi 730

quasi-itidem: quasi piscis itidemst(ut idemse *E*) amator lenae As 178 quasi patriciis pueris .. coturnices dantur.. itidem mihi.. upupa.. datast Cap 1004 quasi in piscinam rete qui iaculum parat.. itidem(*FZ* ibidem *P*§†) est(isti *BueRs comma add Ly*) amator Tru 40

item-quasi: itidem olent quasi quom una multa iura confudit cocus Mo 277 proripite hominem.. itidem quasi occisam suem Ru 660 ego te hic itidem quasi peniculus nouos exurgeri solet.. exurgebo Ru 1008 illos itidem(*P* eadem *A*) ne esse censes quasi te? St 350

uaria: si res firma itidem(*R* item *P*ψ) firmi amici sunt: sin res laxe labat, itidem amici conlabascunt St 521-2 tecum ubi autemst mecum ea itidemst(*RRg* ibi autemst *P*ψ) St 733 uel cauillator.. uel conuiua.. itidem(*R* item *PL* idem *U*ψ) ero Mi 643

4. *corrupta:* Au 214, itidem *J pro* item Ba 479, itidem *C pro* identidem Ci 142, itidem *J pro* item Mi 1003, itidĕ *B pro* ψ nitida

IU∗∗ Cas 990, *Rs ex A aliter* ψ

IUB∗∗∗ Ci 462

IUBA - - Mi 1278, iubam *B* iuuam *CD pro* iube

IUBATUS - - deuolant angues iubati(*DJ* iuuati *BE* iubatae *Non* 191 *et Ly*) deorsum in inpluuium Am 1108

IUBEO - - I. **Forma iubeo** Am 930(*Rgl* ibo *P*ψ), As 291, 296, Ba 989a(*B*²*CDLy* iubebo *B*¹§ *v. om* ψ), 990c, 993, 1043, Cas 1, 969, Cu 145, 568(*J* iubebo *BE*), Men 148, 1030, Mi 521 (*D*² iuueo *CD*¹ uiueo *B*), Mo 396, 568, 635, 1114(*Sarac* iubeo *B* lubo *C* iube *D* iubebo *Py LULy*), 1128, Per 189(iubebo *C*), Poe 369, Ps 1327, Tri 984, Tru 577, 583(*Rs* iube *P*ψ), 641 **iubes** Am 775(iube istam *Non* 261), 857, 929, 1144, As 92, 369, 526, 535, 593, 663, 790, 868, Au 160, 446, Ba 228, 861(ubes *D*), Cap 593, 834, 846, Cas 419, 758, 1004, Ci 292, Ep 477, 573, Men 776(iubet *C*¹), 850, 858, 862, 869, 1030, Mi 318, 455, 1314, Mo 929(*A* uoles *P*), Poe 971(iubes *B*), Ps 710(*U* taces *R* times *P*ψ), Tri 1064(*P* mones *ARRsU*) **iuben** Am 929, As 939, Cap 846, Mi 315(*D*² iubent *P*), Mo 620 (*B*¹*L om R* iube in *B*²*CD* iube *P*ψ), St 598 (*P* iubesne *A*), Vi 108(iuben hunc *L* hunc iuueuem *codd Rg*§† iube hunc *Ly*) **iubet** Am 205, 243, Au 153, Ci 183, Mer 435, 713, Mo 693, Poe 4(lubet *B*), 447(lubet *B*), 607(*Ald* lubet *P*), Tri 435, Tru 401, 556 **iubemus** Ru 262 **iubent** Au 793(*J* iubeant *BDVE*), Ba 809, Mer 880(*L* uides *P*§†*Ly var em* ψ), Mi 70 **iubebo** Ba 95(*Char* 201 iubeo *P*), 729(iubeo *C*), 989a (*B*¹§ iubeo *B*²*CDLy om RgLU*), Men 174 (iubeo *B*), Men 781, Ru 1264, 1334(*B* iubeo *CD*), St 439(lubebo *B*), Tru 444 **iubebis** Tri 1184, Tru 911 **iubebit** Mi 1192(iussit *B*)

iussi Am 880, As 410, 424, 425, 426, Au 244, 815, Cap 125, 252, 514, Cas 170(iussin *Bo* lussin *V* lusin *E* iussi *J*), 280(*B*²*J* iussit *B*¹*VE*), 483(issi *E*), Ci 289, Ep 627(sicin[sic te *U*] iussi ad me ires[ire *BriURg*²] *LULy* socio iussi admirer *P*§† *aliter Rg*¹), Men 185(iussim *AcR*), 389, 598, 1058, 1137, Per 105, 107, 196, Poe 386, 482(iussit *B*), Ru 1200, Tri 582, Tru 597(*L* iussit *P*§†*U* uissit *Ly aliter Rs*), 625, 739(*Sp om*

PS†), Vɪ 71, 109(suis ut *L* si uis *Ly loc dub*) **iussisti** Bᴀ 727, Mᴇɴ 365, 367(*B²* iuss////sti *B¹* iusst sti *CD*), 388, Mɪ 899(iusisti *CD¹*), 1267, Rᴜ 332 **iusti** Mᴇɴ 1146(iusti siem *AD³* iustis eam *P*) **iussit** Aᴍ 25, 64, 73, 452, 1102(ut *Non* 503), As *Arg* 4, As 365, 524, 594, 732, 735, Aᴜ 291, 353, 783, Bᴀ 575, 787, 985, Cᴀs 406, 408, Cɪ 196, 254, 618, 714, Cᴜ 421; 422, Eᴘ 68, 69, 314, Mᴇʀ 358, Mɪ 167, 971, Mᴏ 420, 752, Pᴇʀ 280, 613, Ps 597, 642(*U ex A* misit *Pψ*), 983, 984(qui iussit *ABD* quis sit *C*), 1150, Rᴜ 308, 433, Sᴛ 248, 267, Tʀɪ 898, 899, 955, Tʀᴜ 129, 579, 582(*Ca* amolussit *P*), 597(*ULy* iussi *PS†L aliter Rs*), 645, 796 **iusserunt** Mᴇʀ 752, Mɪ 1316 **iusseram** As 211, 408, 413, Aᴜ 428, 697, Cᴜ 560, Mᴇʀ 698 **iusseras** Cᴀs 580, Cᴜ 42 **iusserat** Aᴍ 469, As 715, Aᴜ 680, Cᴀs 147(iusseât *E*), Cᴜ 425, Mᴇɴ 986, Ps 961(*A* iusseras *BD* uisseras *C*), 1117 **iusserant** Rᴜ 1253 **iussero** Aᴜ 58, 442(iusso *Guy Rg*), 570, Cᴀs 613, Eᴘ 657, Sᴛ 607 **iusso** Aᴜ 442(*GuyRg* iussero *Pψ*) **iusseris** Aᴍ 382, As 828, Cᴜ 707, Mᴇɴ 157(iusero *B¹*), Pᴏᴇ 853, Sᴛ 624, Tʀᴜ 360(*A* luseris *P*) **iusserit** As 488, 804, Pᴇʀ 269(iussirit *B*)

iubeam Cᴀᴘ 843, Mɪ 319(*B²* iubeat *P*), 1368, Mᴏ 620, Tʀɪ 720 **iubeas** As 99, Bᴀ 1003(si i. *BD* siubeas *C*), Cᴀᴘ 949, Mᴇɴ 314, 527, 797 (iubes *Varro*), Mᴇʀ 801, Pᴇʀ 314, 570, 573(iuibeas *B¹*), Pᴏᴇ 1025, Rᴜ 1120, Tʀᴜ 528 **iubeat** Aᴜ 600, Mɪ 1187(ut i. *A ut vid* adiubeat *B* adiuuet *CD*), Tʀᴜ 766 **iuberes** Ps 494(lub. *P* -en *RRgU*) **iusserim** Cᴀᴘ 599 **iussim** Mᴇɴ 185(*AcR* iussi *Pψ*) **iusseris** Cᴀᴘ 343 **iusserit** Sᴛ 266 **iusses** Pᴇʀ 106(*U* meliust *R* satiust *Rs* ius est *Pψ*)

iube Aᴍ 946, 1126(iuue *D¹E*), *fr* XII(*ex Non* 44 & 247 iube *vel* iure *vel* iuuem *vel* iuuenem *libri Nonii*), As 662, 686(*B²* iubes *P*), 736, 890, Bᴀ 857, 1118, Cᴀᴘ 607, 668, 843, 860, Cᴀs 548, Cɪ 592, Eᴘ 398(iube sis *Grut* iubes *EJ* lubens *BS†* iube si *SeyRg²*), 568, 655, Mᴇɴ 208, 225 (iube ire *AB²D³* iubire *P*), 291, 517, 955(lube *CD*), Mᴇʀ 777, Mɪ 182, 255, 759, 974, 981(iubi *B*), 1034, 1069(iube eampse *Ritterhuys* iub eam ipse *P*), 1093, 1268, 1278(*Weis* iubam *B* iuuam *CD*), Mᴏ 371, 377(i iube *Rs* iube *Pψ*), 405, 426, 467, 618(iubi *P*), 620(*Py* iube in *B²CD* iuben *B¹L*), 930(*A* ubi iube *P*), 1091, Pᴇʀ 605, 790, Pᴏᴇ 1148, Ps 666(lubes *B*), 1054(*A* libet *PR*), Rᴜ 659, 708, 786, 856, 1095, Sᴛ 335, 396 (lube *B*), 602, 608, Tʀᴜ 583(iubeo *Rs*), 585(*Bue* iubet *P*), Vɪ 108(*Ly* iuben *L vide supra sub* iuben) **iubete** Cᴀᴘ 734 **iubeto** Cᴜ 526, Pᴇʀ 303, Tʀɪ 1105(*Pius* uideto *P*) ˙

iubere Mᴇʀ 663(lubere *CD*), Rᴜ 141(lubere *CD¹*) **iussisse** Tʀɪ 779

corrupta: Cᴀᴘ 887, quo iusserat *B¹E pro* quoius erat(*B²*) Eᴘ 301, iubeas *P pro* lubens (*Grut*) Mɪ 1272, iubent adirē *B* uiden ut tremit *CD* ut tremit *Hermω*; 1273, iube domum ire *add P om Aω* Pᴇʀ 377, iubeat *B* lubeat *CDLy* liceat *Aψ*; 635, iussit *B pro* lusit Pᴏᴇ 1232, honest iussi *B pro* honestiust Rᴜ 477, magistra iussi *CD pro* magistratus si(*B*) Tʀɪ 211, iubeant *A pro* lubeat Tʀᴜ 360, promis iube *P pro* promisi ubi(*A*); 713, iusti iubet

PS† instat *RsU* isti lubet *FZLLy*. *Pro formis* lubet *verbi saepe formas* iubeo *verbi exhibent libri:* iubet *pro* lubet: Aᴍ 123 *EJ*, 864 *E*, 1047 *E*; As 107 *E*, 180 *E*, 232 *E*, 626 *E*; Aᴜ 647 *V¹E*, 657 *E*; Bᴀ 995 *D¹*; Cᴀᴘ 304 *VE*, 833 *E*; Cᴀs 262 *V¹E*; Cɪ 214 *bis VE*; Cᴜ 130 *ter VEJ*, 135 *VEJ*, 708 *E*; Eᴘ 150 *VE*, 309 *E*, 696 *BE*; Mᴇɴ 368 *D*, 1106 *D*; Mɪ 974 *P*; Mᴏ 20 *B¹D¹*, 36 *BD*; Pᴇʀ 316 *A*; Pᴏᴇ 1309 *B*, 1351 *A*; Ps 1125 *B*; Sᴛ 277 *A*; Tʀɪ 311 *AP*, 519 *BC*, 522 *BC*, 900 *C*; Tʀᴜ 718 *P* iubens *pro* lubens As 645 *E*, Aᴜ *Arg* II. 5 *E*, Cᴜ 147 *VE* iubenti *pro* lubenti Cɪ 12 *VE* iubentes *pro* lubentes Cɪ 681 *VE* iubenter *pro* lubenter Cᴜ 123 *VE*; Mᴏ 157 *B¹* iubente *pro* lubente Cᴜ 665 *BEJ*, Mᴇɴ 272 *P*, Sᴛ 474 *B*, Tʀᴜ 361 *B* iubeat *pro* lubeat Aᴜ 153 *EJ*, 751 *VE*, Mɪ 982 *B*, Tʀɪ 86 *C*, 211 *A*, Tʀᴜ 234 *P* iubeant *pro* lubeant Aᴜ 491 *B²DVJ* iubentiores *pro* lubentiores, iubentia *pro* lubentia As 268 *E*

II. Significatio 1. *absolute:* adicit oculum, iussit, adit Tʀᴜ 597(*Ly* adiectaculem iussit alii *PS† var em ψ*) ego iussi* et dixit se facturum uxor mea Cᴀs 483

faciam ut iubes As 369, Bᴀ 228, Cᴀs 419, 1004(tu iubes *U*), Mᴏ 929*, Tʀɪ 1064* faciam ita ut iubes Aᴍ 1144 iamiam faciam ut iusseris Cᴜ 707 ergo ut iubes tollam As 790 credo ego illum ut iussi eampse anum adiisse Aᴜ 815 omne paratumst..ut iussisti* Mᴇɴ 365 prandium ut iussisti* hic curatumst Mᴇɴ 367 ..quin ego liber ut iusti* siem Mᴇɴ 1146 ut iussisti eram meam eduxi foras Mɪ 1267 cur non uenisti ut iusseram in tonstrinam? As 413 eum demiror non uenire ut iusseram Mᴇʀ 698 arcessiui ut iusseras Cᴀs 580 neque credet huc profectum ut iusserat Aᴍ 469 seruos conlocaui ut iusserat Mᴇɴ 986 mansi ut iusserat Ps 1117(*vide edd*) nullus erat ullo pacto ut illi iusserant Rᴜ 1253 ut iusseris..ita fiet As 828(*v. secl ω praeter Ly*) eam..uxorem mihi des ut leges iubent* Aᴜ 793

abeo si iubes Aᴍ 857 ego non laturus sum si iubeas* maxume Bᴀ 1003 si tu iubes, em ibitur tecum Cᴀs 758 si iusseris eo quoque ibo Sᴛ 624 quid tibi..nam erat negoti..nisi ego iusseram? Aᴜ 428 si ad ianuam huc accesseris nisi iussero*.. Aᴜ 442

si respexis donicum ego te iussero.. Aᴜ 58 quid tibi istunc tactiost? #Quia Iuppiter iussit meus Cᴀs 406 quid tibi tactio hunc fuit? #Quia iussit haec Iuno mea Cᴀs 408

ego neque iubeo neque ueto neque suadeo Bᴀ 1043 neque ueto neque iubeo Cᴜ 145 promitte age inquam: ego iubeo Mᴏ 635

2. *seq. acc.:* a. nonne..nuntiare quod erus meus iussit licet? Aᴍ 452 quod ego iusseram ..faciebatis As 211 hoc face quod te iubet soror Aᴜ 153 quod iubeat..properet persequi Aᴜ 600 quod iubebo* scribito istic! Bᴀ 729 uolo ut quod iubebo* facias Bᴀ 989 a (*v. om UL*) quod iubeo id facias Bᴀ 990 c id quod te iubeo facias Bᴀ 993 dic modo hoc quod ego te iubeo Mᴇɴ 148 si ullum uerbum faxo nisi quod iusseris*.. Mᴇɴ 157 faciam quod iubes Mᴇɴ 850, 858, Pᴏᴇ 971* facias quod iubeo Mᴏ 396 facite quod iubet* Pᴏᴇ 607 fac

quod te iubeo Ps 1327   quid iurem? #Quod
iubebo* Ru 1334   tu istuc cura quod (te *add*
RRsU) iussi Tri 582   fac quod iussi Tru 625
tuo arbitratu quod iubebis dabitur Tru 911
etiamne tu.. illa sibi quae hic iusserat mihi
statuis? As 715   cura quae iussi Cap 125   ubi
sunt quae iussi? Ci 289   quae iussi nuntiato!
Per 196 *similiter:* tua quae tu iusseris mandata.. perferat Cap 343
   iube — #Quid iubeam? Cap 843   quid iubes*? Ps 710(*U*)
   b. *personae, verbo omisso:* fortuna quod tibi
nec facit nec faciet me iubes Cap 834   quod
te iubeo Ba 993, Ps 1327(*supra a*)   quod ego
te iubeo Men 148(*supra a*)   quod te iussi Tri
582(*supra a*)   ego te iussero Au 58(*supra 1*)
   similiter: qui nunc uocare? #Nemo nisi quem
iusseris Am 382   huic operam dem hospiti quoi
erus iussit Per 613   ego ducam.. et eam et
si quam aliam iubebis Tri 1184
   c. *post adverb. rel., verbo omisso:* tibi reddam operam.. ubi iusseris Poe 853   ubi cenabis? #Ubi tu iusseris* Tru 360
   do fidem.. isto me ituram quo iubes Mi 455
sine me ire era quo iussit Tru 129
   3. *seq. infin. vel activi vel passivi* (cf Votsch,
p. 40; Walder, p. 38): tu istanc intro iube*
sis *abduci* Ep 398(*Rg¹ vide ψ*)   liberum ego te
iussi *abire?* Men 1058   tu illam iube abs te
abire quo lubet Mi 974   i iube* *abire*(eum a.
R ab-abire BriU) rursum Mo 377   nutricem
.. iube hanc *abire* hinc ad te Poe 1148   eoque
ab opere maxume te *abire* iussi quia.. Vi 71
iuben hanc hinc *abscedere?* As 939   iube illos
illinc ambo *abscedere* Mo 467   ultro ad te *accersi* iubes As 526   quaeso hominem ut iubeas
arcessi Cap 949   iussit *accersi* eam domum Ci
196   saluen *accersi* iubes*? Men 776   ad sese
arcessi iubent Mi 70   demiror quid illaec me
ad se *arcessi* iusserit quae numquam iussit me
ad se *arcessi* St 266-7   iube.. apud te prandium *accurarier* Men 208   iubet quinque me
addere.. minas Mer 435   adsunt quas me iussisti* *adducere* Mi 899   iube *adire* Mi 1034
iube ergo *adire* Mi 1268   quin iube *adire* Per
790   iube.. uasa pura *adornari* Am 946,
1126*   iube *aduenire* As 736   ego iussero cadum.. a me *adferrier* Au 570   equm me adferre iubes Ci 292   iubeas.. porculum adferri
tibi Men 314   eum iussit* *ali* Tru 597(*U*)   iube
haec hinc omnia *amolirier* Mo 371   iube sis
actutum *aperiri* fores Ba 1118   iube uasa tibi
pura *apparari* Cap 860   tibi atque illi iubebo*
iam adparari prandium Men 174   ego istic
mihi hodie adparari iussi*.. proelium Men 185
iussi adparari prandium Men 598   hic mihi
hodie iussi prandium adpararier Men 1137 per-
uam.. iusses* *adponi* Per 106(*U*)   iuben an
non iubes *astitui* aulas? Cap 846   *audire* iubet*
uos imperator histricus Poe 4   iussin.. hoc
stercus hinc *auferri?* As 424   iubeas.. haec
hinc intro *auferrier* Mer 801   iube* (uasa *add
L*) auferri intro Tru 583
uerberibus (me) *caedi* iusserit* Per 269   iube
huic aquam *calefieri* Ep 655   calefieri iussi reliquias Per 105   equos iunctos iubes *capere*
me Men 862   cibo *carere* me iubes* As 535

iubeo* ignem. *circumdari* Mo 1114   quin tu
istanc iubes* pro cerrita *circumferri?* Am 775
istuc procliuest quo iubes me plane *conlocare*
As 663   .. illunc iubes *conprehendi* Cap 593
quid si hunc conprehendi iusserim*? Cap 599
tu tibi iubeas *concludi* aedis foribus ferreis
Per 570   mane me iussit senex *conducere*..
fidicinam Ep 314   certumst praeconum iubere*
iam quantumst conducier Mer 663   hic apud
me hortum *confodere* iussi Au 244   Mercurium
iussi me continuo *consequi* Am 880   cur.. me
tibi iussisti *coquere* dudum prandium? Men 388
egon te iussi coquere? Men 389   iubebo nobis
cenam continuo coqui Ru 1264   iubebo* ad
Sagarinum cenam coqui St 439   iuben* domi
cenam coqui? St 598, 602(iube c. d. c.)   iube
domi mihi.. cenam coqui St 608   iubeto* Sagarionem.. *curare* ut efferantur Tri 1105
   me aurum *deferre* iussit ad gnatum suom
Tri 955   ei(iussi ei *SaracLULy*) quinque argenti (iussi *add SpRs*) deferri minas Tru 739
iussit.. nos atriensem.. *defraudare* As 365   iussin columnis *deici* operas araneorum? As 425
iube illud *demi* Mi 759   quid *deportari* iussit
ad nos? As 524   uasa.. *desiccari* iube* Tru
585   nudo *detrahere* uestimenta me iubes As
92   in id angiportum me *deuorti* iusserat* Ps
961   multam me tibi salutem iussit Therapontigonus *dicere* Cu 421   materque et soror tibi
salutem me iusserunt dicere Mi 1316   iussin
in splendorem *dari* bullas? As 426   .. nisi me
dare iusserit Demaenetus As 488   has (minas)
tibi nos.. dare iussit As 735   iube dari uinum
As 890   ei adeo obsoni hinc dimidium iussit
dari Au 291   tibi me (tabellas) iussit dare Ba
985   ***dari iussit pater** Ci 254   has tabellas dare me iussit Cu 422   dari (drachmam)
.. iube Mer 777   hanc (epistulam) me tibi ius
sit dare. #Quis.. iussit*? Ps 983-4   dicat patrem.. id iussisse aurum tibi dare Tri 779
hanc me iussit Lesbonico.. dare epistulam et
item hanc alteram.. Callicli iussit dare Tri
898-9   qui dare te huic puerum iussit? Tru 796
   tibi argentum iubebo*.. *ecferri* foras Ba 95
(*vide Char* 201)   quin tu iubes *efferri* omnia?
Mi 1314   clauem.. iam iube efferri intus Mo
405   iuben* tibi oculos *exfodiri* quibus.. Mi
315   senex talos *elidi* iussit conseruis meis Mi
167   iube oculos elidere Ru 659   iuben mihi
ire comites?.. si non iubes ibo(iubeo *Rgl*) egomet Am 929   domum ire iussit As 594   me ire
iussit ad eam et percontarier Ba 575   sic te
iussi ad me ire? Ep 627(*U*)   iube* ire accubitum Men 225   mercatum ire iussit Mer 358
ille iubebit* me ire cum illa Mi 1192   iube*
domum ire Mi 1278   dormitum iubet me ire
Mo 693   sine me ire. #Et iubeo* et sino Per
189   iube illos.. ire obuiam ad portum mihi
Ru 856   plureis.. ire aduorsum iussero St 607
mater ancillas iubet.. aliam aliorsum ire..
Tru 401   nec te iubeo neque uoto intro ire
in aedis Tru 641   rus.. hinc ire me iussit pater Tru 645   iube* eampse *exire* huc Mi 1069
iussi.. exire huc seruom eius Ru 1200   iube
sis me *exsolui* cito Ba 857   quin tu me exsolui
iubes*? Ba 861   iussi ilico hunc exsolui Cap 514
   me iubes *facere* inpetum in eum Men 869

pater nos *ferre* hoc iussit argentum ad te As 732 si coronas..iusserit ancillam ferre Veneri.. As 804 has tabellas ferre me iussit tibi Ba 787 iussin* colum ferri mihi? Cas 170 tu osculum mihi ferre iubes Ep 573 haec illi tibi iusserunt ferri? Mer 752 ..ut iubeat* ferri in nauem si quid inponi uelit Mi 1187 ..quoi iussit* sumbolum me ferre Ps 597 hoc tibi erus me iussit ferre Ps 1150 bona sua..foras iubet ferri Tru 556 erus meus..ad te ferre me haec iussit tibi dona Tru 579 iube — #Quid iubeam? #Ignem ingentem *fieri* Cap 843 ita fieri iussi Per 107 eo illos..iussi* *funditarier* Poe 482

iube* sibi aurum..dono *habere* Mi 981 linguam liberam erus iussit med habere Per 280 iubeto habere animum bonum Per 303

iubete huic crassas compedes *inpingier* Cap 734 ferreas tute tibi inpingi iubeas..conpedis Per 573 equites iubet dextera *inducere* Am 243 hunc(iuben *L* iube *Ly*) †iuuenem *insui*..iussi(suis ut *L* si uis *Ly*).. Vi 108-9 (*ex Fulg de abst serm* XXII & XXIV)

pueros *lauere* iussit** nos Am 1102

hic *manere* me erus sese iusserat Au 680 ibi manere iussit Ep 69 ..te manere iubeam Mi 1368 iube *maturᵃⁿᵃ* illam exire huc Mi 1093 aduenienti morbo *medicari* iube* Am *fr* XII(*ex Non* 44 & 247 Megadorus iussit Euclioni haec *mittere* Au 353 quid si me iubeat intro mittier? Tru 766 ego hic te iubeo *mulcari* male Tri 984

pretium Saureae *numerari* iussit As *Arg* 4 tu iube* *obicere* argentum ob os..beluae Mo 618 *obloqui* me iusseras Cu 42 iube me *omittere*..hos St 335 iube* sis te *operiri* Ps 666 ..quem ego me iusseram hic *opperiri* Au 697 uir tuos si ueniet iube domi opperirier Ci 592 iubere* meliust prandium *ornari* domi Ru 141 hoc me *orare* a uobis iussit Iuppiter Am 64 id te orare iusserat..ut faceres Cu 425 te orare atque obsecrare iussit ut.. Mi 971 iussit.. orare ut patrem..absterreres Mo 420 te hoc orare iussit..ut.. Mo 752 sicine ego te orare iussi? Poe 386 iussit* orare ut haec grata haberes tibi Tru 582 *ostendere* his iube Ru 1095 ..quae *parari* tu iussisti omnia Ba 727 prandium iusserat* senex sibi parari Cas 147 iubebo ad istam quinque *perferri* minas Tru 444 seruolum iubet illum eundem *persequi* Ci 183 hoc *petere* me precario a uobis iussit Am 25 hanc iube petere atque orare mecum As 662, 686*(istanc) cras peti iubeto Cu 526 haec uassa aut mox..iubebo abs te peti Mer 781 haec sacerdos Veneris hinc me petere aquam †iussit Ru 433 ex medio mari sauium petere tuom iubeas Tru 528 iube te *piari* de mea pecunia Men 291 te piari iube Men 517 iubeas..me *piscari* in aere As 99 eam si iubes ..tibi me *poscere*, poscam Au 160 uel hominem iube aedis †mancipio poscere Mo 1091 tu has..uel *praecidi* iube Cap 668 non tu tibi istam *praetruncari* linguam..iubes? #Quam ob rem iubeam*? Mi 318-9 iube Telestidem huc *prodire* Ep 568 ubi sunt isti quos..iussi huc *produci* foras? Cap 252 quin tu fidicinam produci intus iubes? Ep 477 iussit paruam

proici Ci 618 uillam..*pulsare* iussisti atque aquam rogare Ru 332

quin tu illum iubes ancillas *rapere* sublimen domum? As 868 ego illum iubeo..ad carnificem rapi Poe 369 iubedum *recedere* istos Ru 786 iubeas..spinter nouom *reconcinnarier* Men 527 ..nisi *reddi* mihi uasa †iubes.. Au 446 reddere hoc. erus me iussit* Ps 642(*U ex A*) cistulam..iubeas hunc reddere illis Ru 1120 is me nunc *renuntiare* repudium iussit tibi Au 783 Panegyris *rogare* iussit te ut.. St 248

iubeo te *saluere* As 296, Cas 969, Mo 1128 hodie saluere iussi Libanum libertum? As 410 saluere me iubes As 593 saluere iubeo spectatores Cas 1 iusseram saluere te Cu 560 iubet saluere suos uir uxorem suam Mer 713 saluere iubeo te..bene Mo 568 iubemus te saluere Ru 262 erum atque seruom plurumum Philto iubet saluere Tru 435 iubeo uos saluere Tru 577 *secari* (uomicam) iubeas Per 314 inter ancillas *sedere* iubeas* Men 797 quae me..*seruare* iussit.. Ci 714 fulmentas iubeam *suppingi* soccis Tri 720 sub cratim ut iubeas se *supponi* Poe 1025

quin ego hanc iubeo *tacere*? As 291 iuberes* hunc..in pistrinum *trahi* Ps 494 ego..iussero meam istuc *transire* uxorem Cas 613 ego ad uos Thesprionem iussero huc transire Ep 657 iube transire huc Mi 182 eam iube cito domum transire Mi 255

uale atque istanc iube Cas 548 *uapulare* ego te uehementer iubeo* Cu 568 Libanum in tonstrinam..iusseram *uenire* As 408 ad Chaeribulum iussit huc in proxumum (uenire) Ep 68 iube uenire nunciam Mo 426 iube* nunc uenire Pseudolum Ps 1054 me huc obuiam iussit sibi uenire Ru 308 iubeam —? #Iube* homini argento os *uerberarier* Mo 620 Mer 880(atque ut dei istuc *uorti* iubent *L* ex aduorso uides *PRgSLy aliter RU*) em hae te *uinciri* iubent Ba 809 iube me uinciri Cap 607 te iubeo* (*uisere*) Mi 521 ego enim *uocari* iussi* Cas 280

sirempse legem iussit *esse* Iuppiter Am 73 nempe iubes (liberum me esse)? #Iubeo hercle Men 1030 amor iubet* me oboedientem esse seruo Poe 447

4. *seq.* ut(*cf* Persson, p. 10): Telobois iubet sententiam ut dicant suam Am 205 hoc tibi erus me iussit ferre..atque ut mecum mitteres Phoenicium Ps 1150

5. *seq. subiunct.:* sicin iussi ad me ires? Ep 627(*Bri*[ire]*LLyRg²* socio iussi admirer *PS*†) tu seruos iube* hunc ad me ferant Men 955 curriculo iube in urbem ueniat Mo 930 iubedum ea hoc accedat ad me Per 605 iube modo accedat prope Ru 708 iube* famulos rem diuinam mihi apparent St 396 iussi* abiret Tru 597(*L* iussit alii *PS*† *var em* ψ)

IUCUNDUS - - nugae istaec sunt: non **iucundum**st(io. *CR*) nisi amans facit stulte Ps 238 ..si uis uidere ludos **iucundissumos**(uic. *C* -imos *PL*) Poe 206

IUDEX - - 1. *nom.*(*vel voc*): a. mecum pignus..dato in urnam mulsi Poenus dum **iudex** siet uel Graecus adeo uel..Apulus Cas 76 de

istac sum iudex captus. #Iudex? Mer 735
etiame haec illi tibi iusserunt ferri quos inter
iudex datu's? Mer 752 ..ut utramque rem simul
exputem, index sim reusque ad eam rem Tri 234
  b. ualete iudices iustissumi Cap 67
  2. *acc.:* cape .. cum eo una iudicem Mo
(549 c =) 557 cedo iudicem Ru 712 (*Rs in lac*)
.. pro ea fide habeant iudicem Per 194 habe
iudicem Ru 712 (*Ly in lac*) cedo quicum habeam iudicem Ru 1380
  aut ad populum aut in iure aut ad iudicem
(*P* apud aedilem *ARL v. secl URs*₰*L*) rest
Men 587 nescis quam metuculosa res sit ire
ad iudicem Mo 1101 apud iudicem hunc argenti condemnabo Mo 1099 res agitur apud
iudicem Ps 645 .. res falsas qui impetrant
apud iudicem Ru 18
  3. *corruptum:* Mi 475, iudicis *B*¹ *pro* ut dicis
  IUDICIUM - - tu huic argentum redde: hoc
iudicium meumst Cu 717 nihil hoc Iouis ad
iudicium (-tium *D*) attinet Ps 14 *corrupta:* St
205, iudicio *P*, Tri 383, indicio *CD pro* iudico
  IUDICO - - I. Forma iudico Cas 375, Ep
707, Mi 1435, St 205 (*A* -cio *P*), Tri 383 (*B* -cio
CD) iudicat Ru 19 iudicasti Cu 719 iudices Cu 704 (iude. *B*) iudicato Men 188 (tu iu.
R ac iu. *U* adiu. *Pψ*) iudicare Mo 1143 iudicasse Tru 842 iudicatus Men 97 iudicata
Vi 98 (reiu. *codicum pars* diiu. *Prisc* II. 7 *et Rg*)
iudicatum (*masc.*) As 937 iudicatam Ru 19
iudicandas Mer 281 *corruptum:* Au 10, iudicare *J pro* indicare
  II. Significatio 1. *seq. acc.* a. *rei:* istam rem
iudicasti perfidiose Cu 719 iterum istam rem
indicatam iudicat Ru 19 te iudicasse .. istam
rem intellego Tru 842 .. donicum res iudicata* erit haec Vi 98 (*ex Prisc* I. 224 *& 226*, II.
7 *et Gloss Plaut*) sine me dum istuc iudicare
Mo 1143 tris hodie leiteis iudicandas deicito
Mer 281
  b. *personae:* iudicatum me uxor abducit domum As 937 .. quo iam diu sum iudicatus
Men 97 (*vide infra* 2)
  2. *cum infin., aliquando verbo omisso* (*cf* Walder, p. 47): optumum .. istud esse iure iudico
Cas 375 recte factum iudico Ep 707 iure factum iudico Mi 1435 eos omnis tam etsi hercle
haud indignos iudico*. . nihil moror St 205
ego ad Menaechmum hunc eo quo iam diu sum
iudicatus Men 97 *cum interr. obliqua:* Men
188 (*RU*)
  3. *cum adverb.:* etsi aduorsatus tibi fui, istac
iudico* Tri 383 dum quidem hercle ita iudices* ne quisquam .. auferat Cu 704
  IUGERUM - - non potest haec res ellebori
iugere (*ZU* iungere *P*₰†*L*†*Ly* iunguine *B* unguine *LachR* iumento *Rs*) optinerier Men 913
(*vide U et Ly in app. crit.*)
  IUGIS - - is mihi thensaurus iugis in nostra
domost Ps 84
  IUGO - - hos quos uidetis stare hic captiuos duos iugati (*Rs* illi *Pψ* †₰) qui (quia *Ly*)
astant i stant ambo, non sedent Cap 2
  IUGULAE - - nec iugulae (*B*² Iug. *LLy* -lẹ
J -le *E* uigulae *B*¹*D* [-le] iugula *Varr de l. L.*
VIII. 3) neque uesperugo neque uergiliae occidunt Am 275 *Cf* Ryhiner, p. 14

  IUGULO - - ita mihi auctores fuere ut egomet me hodie iugularem (ung. *C*) fame St 581
vide Poe 322, *ubi* iugulante *C pro* uig. *Cf* Ryhiner, pp. 14, 53
  IUGULUM - - demisisti gladium in iugulum
(*Ca* gulum *P* gulam *D*²) Mer 613
  IUGUM - - iamne ea fert iugum? Cu 50 (*in
malam partem*)
  IUMENTUM - - illic homo a me sibi malam
rem arcessit iumento suo. #Non equidem ullum
habeo iumentum Am 327-8 (*cf* Graupner, p. 26;
Wortmann, p. 34) non potest haec res ellebori iumento (*Rs* iungere *P*₰†*L*†*Ly* [*ex* iungus]
iugere *ZU* iunguine *B*² unguine *LachR*) optinerier Men 913 arma referunt et iumenta
ducunt Ep 209
  IUNCEUS - - mihi iam intus potione iuncea
(*AC* uincea *BD*) onerabo gulam St 639
  IUNCTIO - - *vide titulum* unctio
  IUNCUS - - uos adeo .. quasi myrteta iuncis
(*Z* iu. m. *BoU* luncis *P* iunci *LLy*) item ego
(uos *add PLULy om Guyψ*) uirgis circumuinciam Ru 732 *Cf* Inowraclawer, p. 57
  IUNGO - - cognoscitur suoque amico Plesidippo iungitur Ru *Arg* 6 .. ut amicitiam colunt atque ut eam iunctam bene habent inter
se Ci 26 istas maiores (catenas) quibus sunt
iuncti (*BD*₰*LLy* uincti *EJψ*) demito Cap 113
equos iunctos iubes capere me indomitos Men
862 mihin equis iunctis minare? Men 868
mihi .. me iunctis quadrigis minitatu's prosternere Men 938 *corrupta:* Men 913, iungere *P*
₰†*L*†*Ly* [*ex* iungus] iunguine *B*² var em *ψ* Tri
658, iunctus *C pro* uictus (*ABD*) Tru 289,
iuncta *P pro* uncta (*A*): 924, iuncte *D* uincte
BC pro uin te (*FZ*)
  IUNGUEN - - *vide titulum* unguen
  IUNGUS - - non potest haec res ellebori
iungere (*PLy ex* iungus = ξεύγος *derivans* †₰*L*
iugere *ZU* iunguine *B*² unguine *LachR* iumento
Rs) optinerier Men 913
  IUNIOR - - *vide titulum* iuuenis
  IUNO - - *cf* Hubrich, p. 35; Keseberg,
p. 25 1. *nom.:* (Argum) quondam Ioni **Iuno**
(*om Non* 487) custodem addidit Au 556 Iuno
Lucina, tuam fidem Au 692 ita me Iuppiter,
Iuno, Ceres . . ament Ba 892 heia, mea Iuno,
non decet esse te tam tristem tuo Ioui Cas 230
(*cf* Egli III. p. 4) iussit haec Iuno mea Cas
408 itaque me Iuno (iunc *V*) regina et Iouis
supremi filia .. Ci 513 itaque me Ops opulenta, illius auia .. Iuno filia (f. I. *A*) .. Ci 516
ita me Iuppiter itaque me Iuno .. Ci 520 .. ut
uideas semel tuam Alcumenam paelicem, Iuno
mea Mer 690 . . quom propitiast Iuno Ioui
Mer 956 sciunt quod Iuno fabulatast cum
Ioue Tri 208 (*cf* Schneider, p. 29)
  2. *acc.:* per supremi regis regnum et matrem
familias **Iunonem** (iu nouem *J*) . . Am 832 ni
nanctus Venerem essem hanc Iunonem dicerem
Ba 217 si sim Iuppiter, . . Iunonem extrudam
foras Poe 1220
  IUPPITER - - *vide* Diespiter, Dius *et cf*
Hubrich, p. 6. I. Forma Iuppiter Am *Arg* I.
1, 10, II. 1 (-p- *D*), Am 26 (-p- *D*), 64, 73, 86, 88, 94,
120, 461, 474, 569, 780, 791 *bis,* 864, 933, 1021,
1051, 1073, 1074, 1077, 1121, 1134, Au 85 (-p- *D*),

241, 658, 761, 776, Ba 892, Cap 768, 863, 868, 976, Cas 331, 335(-p- *B*), 406, 407, Ci 516(*AP ULy* iupit⁻ *B* pater *Bentψ*), 519, Cu 27, 317, 622(*v. secl GuyRgSU*), 638, 655, Ep 66, 610, Men 412(-p- *D*), 728, 933, 957, 1114, Mer 762, 865, Mi 231, 1082, 1133, Mo 38, 191, 348(-p-*D*), 398(-p- *D*), Per 99, 755(-p- *B*), Poe 440, 488, 1122(-te *B*), 1163, 1187, 1191, 1219(lipplppiter *B*), 1325, Ps 13, 250(-p- *D*), 328(iupit⁻ *D*), *ib.* iuppit⁻ *D*), 330, 335(iopp.*B*), 574, 836(-p-*D*), 844 (-p- *B*), 845(-p- *D*), 923 b(-p-*D*), 934, Ru 9, 569, 1112(-p- *B*), Tri 447(-p- *BD*), Tru 372 **Iouis** Am 19, 30, 450, 483, 1127, 1146, Ci 513, Men 941 (iouis scio *PyRy*[ioui'] iouis *BD*³ lo iouis *CD*¹ aio iouis *ParU* ioui scio *CaRsSL*), Ps 14, 15, 199, 628(*AB* ioui *CD*), Ru 1361, St 274, Tri 820, 940, 941 **Ioui** Am 229, 739, 989, Cap 922, Cas 230, 323, Cu 266, Men 941(*vide* Iouis), Mer 956, Mo 241, Per 251, Ps 265, 327, 334, Tri 84 **Iouem** Am 23, 90, 92, 152, 435, 436, 511, As 414, Cap 426, Men 615, 655, 811, 1025, Mi 1414(*AD*⁴ idu *B* ida *D*¹ idam *C*), Ps 514, Ru 15, 23, Tri 943 **Ioue** Am 111, 1125, Ru 783, Tri 208 **Ioues**(*nom.*) Cas 334 *corruptum:* Ep 147, ioui *VEJ pro* noui

II. Significatio A. deus 1. *proprie a. nom.* (*vel voc.*): Iuppiter! Mer 865 summe Iuppiter! Am 780, 933 magne Iuppiter! Poe 1163 Iuppiter supreme! Cap 768, Men 1114 Iuppiter, pro Iuppiter! Am 791(*cf* Ferger, p. 23, *adn.*) pro Iuppiter! 1074, Au 241, Cu 638, 655, Men 412, 957, Mi 1133, Mo 191, Ps 574 pro supreme Iuppiter! Poe 1122

serua, Iuppiter supreme, et me et meum gnatum mihi Cap 976 bene nos, Iuppiter, iuuisti Per 755 Iuppiter, .. da diem hunc sospitem.. Poe 1187 hoc tuis fortunis, Iuppiter, praestant meae Tru 372

summus imperator diuom atque hominum Iuppiter Am 1121, Ru 9 (*omisso* summus)

tibi Iuppiter dique omnes irati certo sunt Am 1021 neque me Iuppiter neque di omnes id prohibebunt Am 1051

numnam hunc percussit Iuppiter? Am 1073 ita me increpuit Iuppiter Am 1077

tua me causa faciat Iuppiter Philippum regem aut Dareum? Au 85 si undecim deos praeter sese secum adducat Iuppiter.. Ep 610 usque dum regnum optinebit Iuppiter Men 728 Iuppiter ex Ope natust Mi 1082 Iuppiter supremus summis opibus atque industriis me perisse.. cupit Mo 348 omnia faciet Iuppiter faxo Poe 1191 eum odorem cenat Iuppiter cottidie Ps 844 quidnam cenat Iuppiter? Ps 845 at te Iuppiter bene amet Mi 231, Poe 1325(me) Iuppiter te perdat Am 569, Ps 250, Ru 569 Iuppiter te perduit Ep 66 Iuppiter te male perdat Cu 622(*v. secl GuyRgSU*) Iuppiter te dique perdant Au 658, Cap 868, Cu 317, Ru 1112 qui te Iuppiter dique omnes.. perduint Men 933 at te Iuppiter dique omnes perdant Mo 38, Ps 836

id te Iuppiter prohibessit Ps 13 nec me ille sirit Iuppiter Cu 27 Iuppiter te mihi seruet Ps 934 tum me faciat quod uolt magnus Iuppiter Au 776 tum me Iuppiter faciat ut.. Poe 488

ita me Iuppiter Iuno.. dique omnes ament Ba 892 itaque me Iuppiter, itaque me Iuno, itaque Ianus Ci 519 ita me Iuppiter — Poe 440 ita me di deaeque.. Iuno filia.. et summus Iuppiter* — Ci 516 ita te amabit Iuppiter.. Au 761, Mer 762(me), Tri 447(me) ita ille faxit Iuppiter.. Mo 398, Ps 923 b(*cf* Siewert, p. 30)

b. *gen.*: quadrigas si nunc inscendas Iouis.. Am 450 .. ut Iouis supremi multis hostiis pacem expetam Am 1127 Iouis summi causa clare plaudite Am 1146 itaque me Iuno regina et Iouis supremi filia.. Ci 513 nihil hoc Iouis ad iudicium attinet: sub Veneris regno uapulo non sub Iouis Ps 14-15 Dicram.. duo gnati Iouis deuinxere ad taurum Ps 199 si .. supremi promptas thensauros Iouis*.. Ps 628 si .. Iouis fuit meus est tamen (uidulus) Ru 1361 Mercurius Iouis.. nuntius perhibetur St 274 Iouis fratri et Nerei Neptuno.. Tri 820 (amnis) exoritur sub solio Iouis. #Sub solio Iouis? Tri 940-1

c. *dat.*: imperator utrimque hinc et illinc Ioui uota suscipere Am 229 te prodigiali Ioui ..comprecatam oportuit Am 739 ego sum Ioui dicto audiens Am 989 Ioui deisque ago gratias Cap 922 negaui enim ipsi me concessurum Ioui Cas 323 incubare satius te fuerat Ioui Cu 266 ego te sacram coronam surripuisse Ioui* scio Men 941 propitiast Iuno Ioui Mer 956 si summo Ioui.. argento sacruficassem Mo 241 Ioui opulento, incluto, Ope gnato, supremo, ualido, uiripotenti.. Per 251 si sacruficem summo Ioui.. Ps 265 te surripuisse suspicer Ioui coronam de capite Tri 84(*cf* Egli, III. p. 7; Keseberg, p. 24)

d. *acc.*: intellexerat.. uos.. metuere.. Iouem Am 23 etiam histriones Iouem inuocarunt Am 92 per Iouem iuro Am 435 iuro tibi Iouem non credere Am 436(*ambigue dicit*) faxim ted Amphitruonem esse malis quam Iouem Am 511 si .. summum Iouem te dicas detinuisse.. As 414 Iouem supremum testem †do Cap 426 per Iouem deosque omnis adiuro Men 615, 655 summum Iouem deosque do testis Men 811 per Iouem adiuro patrem.. Men 1025 iuro per Iouem* et Mauortem me nociturum nemini Mi 1414 do Iouem testem tibi Ps 514 eorum referimus nomina exscripta ad Iouem Ru 15 .. Iouem se placare posse donis hostiis Ru 23 eho an tu etiam uidisti Iouem? Tri 943

e. *abl.*: si licet.. mihi diuidere cum Ioue Am 1125 te inuito et Venere et summo Ioue.. deripiam Ru 783 sciunt quod Iuno fabulatast cum Ioue Tri 208(*cf* Schneider, p. 29)

2. *translate ad hominem pertinens:* ego tibi nunc sum summus Iuppiter Cap 863 mea Iuno, non decet esse te tam tristem tuo Ioui Cas 230 .. anus tibi hic dum propitius sit Iuppiter Cas 331(*cf* Egli, III. p. 4) quid tibi istunc tactiost? #Quia Iuppiter iussit meus. #Feri malam .. rursum. #Perii: pugnis caedor, Iuppiter Cas 406-7 si tu Iuppiter sis mortuos.. Cas 335 quasi tu nescias repente ut emoriantur humani Ioues Cas 334 o mi Iuppiter terrestris! Per 99 ego si sim Iuppiter.. Iunonem extrudam foras Poe 1219 ut ego huic sacruficem summo Ioui, nam

hic mihi nunc est multo potior Iuppiter quam
Iuppiter Ps 327-8   audin quid ait Iuppiter?
Ps 330   istuc ibitIuppiter lenonius(cf Inowraclawer, p. 45) Ps 335   ut hodie ad litationem huic suppetat satias Ioui Ps 334
  B. *dramatis persona:* in faciem uorsus Amphitruonis Iuppiter . . Alcumenam uxorem cepit
usurariam A<small>M</small> *Arg* I. 1 adulterum se Iuppiter
confessus est A<small>M</small> *Arg* I. 10   amore captus Alcumenas Iuppiter mutauit sese in formam eius
coniugis A<small>M</small> *Arg* II. 1 Iouis iussu uenio A<small>M</small>
19 ille . . Iuppiter . . formidat malum A<small>M</small> 26
ego . . Iouis sum filius A<small>M</small> 30 hoc me orare a
uobis iussit Iuppiter A<small>M</small> 64   sirempse legem
iussit esse Iuppiter A<small>M</small> 73 . . quapropter Iuppiter nunc histriones curet A<small>M</small> 86 ipse hanc
acturust Iuppiter comoediam A<small>M</small> 88 quasi
uero nouom nunc proferaturIouem facere histrioniam A<small>M</small> 90 hanc fabulam . . hic Iuppiter hodie ipse aget A<small>M</small> 94 utrimquest grauida et
ex uiro et ex summo Ioue A<small>M</small> 111 pater intus nunc est eccum Iuppiter A<small>M</small> 120 erit operae pretium hic spectantibus Iouem et Mercu-
rium facere histrioniam A<small>M</small> 152 . . quod ille
faxit Iuppiter ut ego . . A<small>M</small> 461 Alcumenam
Iuppiter rediget antiquam coniugi in concordiam
A<small>M</small> 474 eorum Amphitruonis alter est alter
Iouis A<small>M</small> 483 interdum fio Iuppiter quando
lubet A<small>M</small> 864 ego sum Ioui dicto audiens A<small>M</small>
989 eloquar multo adeo melius quam illi,
quom sum Iuppiter A<small>M</small> 1134
  IUR*∗∗∗ C<small>I</small> 457
  IURATOR - - census quom sum **iuratori**
recte rationem dedi T<small>RI</small> 872   uos **iuratores**
estis P<small>OE</small> 58
  IUREUS - - quasi **iuream**(*BCU*†*SLLy* sisuram *R* tyrium *Rs*) esse (iure se amesse *D*)
ius decet collyricum P<small>ER</small> 97
  IURGATOR - - A<small>S</small> 565, iurgatores *J pro*
uirgatores
  IURGIUM - - *cf* Skutsch, *Phil.*, LIX, 501
hinc **iurgium** tumultus uxori et uiro A<small>M</small> *Arg*
I. 8 nisi aut quid commissi †aut **iurgi**(-ti
B²D uirgi *C* uigis *B¹* uiti iurgi *Rs*)st causa
(est causa iurgi *LingiusR* est iusta causa *L*)
M<small>EN</small> 771 quid fers? dic mihi. #Vim metum . .
iurgiumque atque inopiam M<small>ER</small> 162 iurgium
hinc auferas P<small>ER</small> 797 **iurgio** . . uxorem abegi
ab ianua M<small>EN</small> 127 iurgio enicabit si intro
rediero M<small>ER</small> 557
  IURGO - - et currendum et pugnandum et
autem **iurigandum**st(*B* iurg. *CD*) in uia M<small>ER</small>
119
  IURO(R) - - *cf* Hofmann, p. 7 **I. Forma**
iuro A<small>M</small> 435, 436, 831, M<small>I</small> 1414(luro *D*), **iuras**
A<small>M</small> 836, C<small>AP</small> 884 **iurat** E<small>A</small> 898 **iurabo** R<small>U</small>
1373 **iurauisti** P<small>OE</small> 361(*A* iura uis te *P*), Ps
352 **iurauit** C<small>I</small> 98(*alibi deponens usurpatur:*
C<small>U</small> 459, 566, P<small>ER</small> 401, R<small>U</small> 1373, 1376, 1379, 1398)
iuraueris R<small>U</small> 1347 **iurem** C<small>AP</small> 892(urem *J*),
R<small>U</small> 1334, T<small>RU</small> 767(uerbis iurem *Z* ueru*i* sirem
P) **iures** C<small>I</small> 302 **iuret** R<small>U</small> 1355 **iuraue-**
rit C<small>I</small> 313(sancte i. *U solus in lac*) **iura** M<small>I</small>
1411, P<small>ER</small> 490 **iurare** M<small>EN</small> 1060(uirare *D*),
R<small>U</small> 1377 **iuratus** C<small>U</small> 459, 566, P<small>ER</small> 401, P<small>OE</small>
736, Ps 792, R<small>U</small> 48, 1372, 1373, 1376, 1379, 1398
iurato(*dat.*) A<small>M</small> 437, A<small>S</small> 23, P<small>ER</small> 416   **iuran-**

dum C<small>I</small> 472, R<small>U</small> 1334, 1374   **iurandi** R<small>U</small> 1414
iurando C<small>AP</small> 893, C<small>I</small> 502   **iurandum** A<small>M</small> 931,
936, B<small>A</small> 1028, C<small>I</small> 470, 495, M<small>ER</small> 790, M<small>O</small> 1084,
P<small>ER</small> 403, P<small>OE</small> 1394   **iurando** C<small>I</small> 471, C<small>U</small> 267,
M<small>I</small> 190, Ps 197(*om D¹*), R<small>U</small> 46   *corruptum:*
A<small>M</small> 889, at iuret *BD pro* adi.
  II. Significatio A. *verbum finitum* 1. *abso-*
lute: mulier es, audacter iuras A<small>M</small> 836   ut
iurat: seruat me ille suis periuriis B<small>A</small> 898 dubium habebis etiam sancte quom ego iurem*
tibi? C<small>AP</small> 892 expurges iures ores blande C<small>I</small>
302 abi, ne iura, satis credo P<small>ER</small> 490 tecum hoc habeto tamen ubi iuraueris R<small>U</small> 1347
(*v. secl URs*) non tu iuratu's mihi? #Iuratus
sum et nunc iurabo R<small>U</small> 1372-3 lubet iurare
R<small>U</small> 1377
  2. *cum acc. pronom.:* quid quod iuratus sum?
C<small>U</small> 459 quod fui iuratus feci C<small>U</small> 566 meus
arbitratust lingua quod iuret mea R<small>U</small> 1355
feras quod isti sum iuratus R<small>U</small> 1398 quid
iurem? R<small>U</small> 1334
  3. *seq. per cum dei nomine:* per Iouem A<small>M</small>
435(*infra* 4, a) per Mercurium A<small>M</small> 436(*infra*
4, a) per supremi regis regnum iuro et ma-
trem familias Iunonem A<small>M</small> 831 quid tu per
barbaricas urbes iuras? C<small>AP</small> 884(*infra* 4, a) si
uoltis per oculos iurare* . . M<small>EN</small> 1060 iuro*
per Iouem et Mauortem M<small>I</small> 1414(*infra* 4, b)
per Venerem hanc iurandumst R<small>U</small> 1334
  4. *seq. infin.:* a. *pres.:* ut qui sancte iurauerit* eandem se amare semper C<small>I</small> 313(*U solus*)
ego per Mercurium iuro tibi Iouem non cre-
dere A<small>M</small> 436 per Iouem iuro med esse neque
me falsum dicere A<small>M</small> 435 mihi iuratust sese
hodie argentum dare P<small>ER</small> 401 iuratust mihi
dare R<small>U</small> 1376 iuratust dare mihi talentum
magnum argenti R<small>U</small> 1379 liberare iurauisti*
me haud semel sed centiens P<small>OE</small> 361
  b. *fut.*(*cf* Walder, p. 50): ille conceptis iurauit uerbis . . me uxorem ducturum esse C<small>I</small> 98
conceptis me non facturum uerbis iurem* T<small>RU</small>
767 iura te non nociturum esse homini M<small>I</small>
1411 iuro* per Iouem et Mauortem me nociturum nemini M<small>I</small> 1414 iurauistin te illam
nulli uenditurum nisi mihi? #Fateor. #Nempe
conceptis uerbis? #Etiam consutis quoque Ps 352
  B. 1. **iuratus**: *absolute:* iniurato scio plus
credet mihi quam iurato tibi A<small>M</small> 437 iurato
mihi uideo necesse esse eloqui quicquid roges
A<small>S</small> 23 nisi iurato mihi nihil ausu's credere
P<small>ER</small> 416 denegabit. #Iuratus quidem P<small>OE</small> 736
ego si iuratus peiorem hominem quaererem . .
Ps 792 flocci non fecit . . quod iuratus adulescenti dixerat R<small>U</small> 48
  2. **ius iurandum:** *vide titulum* ius II. 4
  IUS(ζωμός) - - tum nisi(†*SL* stet *GuyRRsU*)
cremore crassost(crasso *GuyRRsU*) **ius**(sotius
PS) collyricum *PS*) quasi iuream(*BCS*†*L*†
Ly†*U* sisuram *R* tyrium *Rs*) esse(iure se am-
esse *D*) ius(uis *C*) decet collyricum P<small>ER</small> 97(*cf*
Inowraclawer, p. 31; Lindström, p. 118)
item olent quasi quom una multa **iura** confu-
dit cocus M<small>O</small> 277 *translate:* similest ius iuran-
dum amantum quasi ius confusicium C<small>I</small> 472(*cf*
Lindström, p. 119)
  IUS(*δίκη*) - - **I. Forma ius** A<small>M</small> 490(*V* uis *P*),
A<small>U</small> 747, C<small>I</small> 20, 472, M<small>ER</small> 495(*LU* iuus *CDψ* uius

B), Per 106(ius est *P* meliust *R* satiust *Rs·*
iusses *BugU*), Ru 711, 978, 1374   **iuris** Men
585(*DRRsU* lis uiris *B* uiris *C* eis *Aψ*), Poe
586(*AB* om *CD*), Ru 1414   **iuri** Cap 893, Ci
502(iuris *A* tuo *P*)   **ius** Am 37, 931, 936, As
480(*v. secl omnes praeter Ly*), Ba 1028, Cap 492,
907, Cas 190(*v. om A*), 192(*v. om A*), Ci 470,
495, Cu 621, 625, 683, Ep 25, Mer 790, Mo 1084,
1089, Per 403, 745 *bis*, 746, Poe 185(uis *B*), 1225
(ius uos *A* lusuos *B* lisos *CD*), 1229(uis *C* iurs
B), 1232, 1233, 1336(in ius *A* intus *P*), 1342,
1343, 1349(in ius eas *AD*⁴ inluseas *B*), 1360
(in ius *Py* intus *P*), 1394, Ps 537, 1313(uis *C*),
Ru 608, 643, 859, 860, 1041(uis *C* iure *Rs*), 1122
(uis *C*), 1138(uis *C*), 1152, 1393, St 423(uis *C*),
726(uis *C*), Tri 1161(*D* lus *B* uis *C*), Tru 840
bis(in ius *Sarac* intus *P*)   **iure** Am 247, *fr* III
(*ex Non* 543), XIII(*U pro uero ex Non* 237), Ba
447, 613, Cap 244, Cas 371, 375, Ci 457(*LLy*
iur**ˣ *Aψ*), 471, Cu 267, Men 105(in iure *add
Rs solus*), 587(*v. secl US*), 718, Mi 190, 1415
(iure que id *Ca* iureque *B* mihi id eque *CD*),
1435, Mo 658(lucre *C*), 713, Per 478, Ps 197,
Ru 14, 46, 476, 537, 866, 1041(*Rs* ius *BDψ* uis
C), 1069, 1393   **iurum** Ep 292(*AB* uirum *J*)
iura Ep 292, Mo 126(*v. secl RRsŠ*)   *corrupta:*
Am *fr* XII, iure *libri aliqui pro* iube   Cap 121,
ius *E* tuis *D pro* ais   Cas 110, iure *BV* dure
E pro rure; 272, ius *VE* uis *BJLy* uin *Gepψ*
Men 178, et ius *D pro* metuis; 310, ius *D pro*
uis   Per 83, quo mihi ius *pro* quoius mihi
Poe 565   Ru 680, ius *D pro* uis   St 750, ius
C pro uis   Tru 129, ius *B pro* uis; 873, iure
mea *P pro* in rem meamst(*Bo*)

II. Significatio 1. *generaliter* a. iusque fasquest Ci 20   iuris* ubi dicitur dies Men 585
hodie iuris* doctiores non sunt qui lites creant
quam hi.. Poe 586   illi iniqui ius ignorant
neque tenent Am 37   aduorsum ius legesque
insignite iniuria hic factast Ru 643   legum atque iurum* fictor condictor cluet Ep 523   iura..
et leges tenet Ep 292   docent litteras iura leges Mo 126(*v. secl RRsŠ*)
    itur illinc iure dicto Ba 447   .. ut pro prae-
fectura mea ius dicam larido Cap 907
    b. ambula in ius Cu 621, 625, Per 745, Ru
860   i cum illo in ius Mo 1089(*L*)   ite in
ius* Poe 1229 eamus in ius Poe 1342   in ius*
eas Poe 1349   eamus, tu, in ius*. #Quid uis
in ius* me ire? Tru 840   lenonem in ius rapit Cu *Arg* 6   rapiamus in ius* Poe 1336   ego
hunc scelestum in ius rapiam Ru 859 .. in
ius si ueniam(*PŠ†Ly†U* ueniat *Rs*) Mo 1089
..ubi in ius* uenerit Poe 185 .. si in ius*
ueneris Poe 1360
    cita illum in ius Mo 1089(*R solus: vide supra*)
in ius uoco te As 480(*v. secl omnes praeter Ly*)
ille in ius me uocat Cu 683   quid me in ius
uocas? Per 745   ego in ius (te) uoco Per 746
in ius uos uoco Poe 1225*, 1232   quid in ius
uocas nos? Poe 1233   in ius te uoco Poe 1343
in ius uocat me Ru 608
    aut ad populum aut in iure aut ad iudicem
rest Men 547(*v. secl US*)   nec metuo..ne quis
mihi in iure abiurassit Per 478   in iure abi-
iurant pecuniam Ru 14   in iure causam dicito
Ru 866   domitus sum usque in iure* Men 105(*Rs*)

    c. ..si istud ius* pauperibus ponitur Au 490
is istuc ius sit quod memoras.. Ru 978   si
istuc ius est ut tu istuc excusare possies.. Au
747   si istuc iuus* est senecta aetate scortari
senes.. Mer 985   *similiter:* pernam quidem
ius* est adponi frigidam postridie Per 106
    2. *specialiter:* antehac pro iure imperitabam
meo Cap 244   barbarica lege certumst ius
meum omne persequi Cap 492   nec mihi ius
meum optinendi optiost Cas 190   ius meum
ereptumst mihi Ru 711   istuc esse ius* meum
certo scio Ru 1041   ius* meum esse intellegis
Ru 1122   nempe pro meo iure oras? Ru 1393
te uterque tuo pro iure ego atque hic oramus
Cas 371   mirum quin tuom ius meo periclo
..expetam Ru 1393   uiri ius suom ad mulieres optinere haud queunt Cas 192(*v. om A*)
    3. = aequom, rectum, recte, *sim.:* a. ius di-
cis Ep 25   bonum ius* dicis St 726   ius bonum orat Pseudolus Ps 537   ius bonum oras
Ru 1152   ius* merum oras Ru 1138   ius* hic
orat Tri 1161   ius* petis Ps 1313   et ius* et
aequom postulas St 423
    b. non causam dico quin iure* insimules pro-
bri Am *fr* XIII(*U ex Non* 237)   omnia patior
iure* infelix Ci 457(*LLy*)   iure coepta appellarist -canes Men 718   iure*que id factum arbitror Mi 1415   iure factum arbitror Mi 1435
istuc esse iure* meum certo scio Ru 1041(*Rs*)
quo modo habeas..iurene anne iniuria Ru 1069
petulans .. sine bono iure atque honore ..
uiuo Ba 613   nullum..genus est hominum..
minus bono cum iure* quam danisticum Mo
658   optumo iure infringatur aula cineris in
caput Am *fr* III(*ex Non* 543)   te ipse iure optumo merito incusses licet Mo 713   nempe
optumo me iure in uinclis enicet magistratus
Ru 476   iure optumo me lauisse arbitror Ru 537
    propter similitudinem sonus: aequissumum
istud esse iure iudico Cas 375   proterunt hostium copias iure iniustas Am 247
    4. **ius iurandum:** a. *nom.:* similest ius iuran-
dum amantum quasi ius confusicium Ci 472
(*Stud ex A*)   ius iurandum rei seruandae non
perdendae conditumst Ru 1374
    b. *gen.:* iuris iurandi uolo gratiam facias
Ru 1414
    c. *dat.:* parua iuri iurandost fides Cap 893
iuri* iurando tuo sat satias subsidi Ci 502
    d. *acc.:* ille ius iurandum amiserit Per 403
hau metuo ne ius iurandum nostrum quisquam
culpitet Ci 495   arbitratu tuo ius iurandum
dabo me meam pudicam esse uxorem arbitrarier Am 931   ius iurandum uerum te aduorsum dedi Am 936   ego ius iurandum uerbis
conceptis dedi daturum id me hodie mulieri
Ba 1028   dabo ius iurandum*** Ci 470   conceptis uerbis iam ius iurandum daoo me numquam quicquam cum illa — Mer 790   ius iurandum pollicitust dare se..mihi neque se hasce
aedis uendidisse.. Mo 1084   ius iurandum
dabo me malitiose nihil fecisse Poe 1394
    e. *abl.:* **iure iurando Ci 471(*dub*)   iure
iurando (se) alligat Ru 46   iurando* iure malo
male quaerunt rem Ps 197   eum contra uincat
iure iurando suo Mi 190   tibi auxilio in iure
iurando fuit Cu 267

IUSS* Cı 268
IUSSUS - - quoius iussu uenio . . dicam Aм
17 Iouis iussu uenio Aм 19 ille quoius huc
iussu uenio Iuppiter Aм 26 huc eo mei eri
iussu, eius(*L* eo eri *Pψ*) sum seruos Aм 347
eius iussu nunc huc me adfero Aм 989 tuo
facit iussu, tuo imperio paret As 147 tuo
iussu profectus sum Cu 329 ea nocte mecum
illa hospitis iussu fuit Mer 102
IUSTUS - - I. Forma iustus Aм 34, Ba 401,
Ps 306(*APLLy* usui *Fψ*) iusta Au 688, Cap
257, Men 771(*L* iurgii *BDψ*[-gi] uirgi *C*), Poe
533(iuxta *B*) iustum Ba 994 iustae(*gen.*)
Aм 34 (*Ly* iuste *P*§ iusta *Boψ*) iustam Au
33, Mı 645 iusta Tru 193(*BugL* ut †as §
uias *ALy* inesta *P var em ψ*) insto Ba 349
iusti Aм 16 iusta(*acc.*) Aм 34(*Bo* iuste *P*§
iustae *Ly*), 36(ista *E*), Cı176 iustis (*masc.*) Aм
34, 35, Cı 200(*B* uistis *VEJ*) iuste(*adv.*) Aм
34(*P*§ iustae *Ly* iusta *Boψ*) iustissumi Cap
67(-imi *PL*) corrupta: As 687, iuste *BDE*
pro uis te(d)(*B²J*) Ba 1162, iusta *C ut uid*
pro ista Cap 895, iuste *E pro* uis te Ep 472,
concilia iusti *BE pro* conciliauisti Men 1146,
iustis eam *P pro* iusti siem(*AD³*) Tru 713,
iusti iubet *P*§† instat *RsU* isti lubet *FZLLy*
II. Significatio 1. *attrib.*: non est iustus*
quisquam amator nisi qui perpetuat data Ps
306 aequi et iusti hic eritis omnes arbitri
Aм 16 ualete iudices iustissumi Cap 67 iuste
ab iustis iustus sum orator datus Aм 34
causa iustast si quidem itast ut praedicas
Au 688 an uero non iusta causast ut uos seruem sedulo Cap 257 . . aut est iusta* causa
Men 771(*L vide titulum* iurgium) an uero non
iusta* causast quor curratur celeriter ubi bibas,
edas de alieno? Poe 533 . . ut iusta* utamur
ira Tru 193(*L*) augete auxilia uostris iustis*
legibus Cı 200 commemini . . meae orationis
iustam partem persequi Mı 645 iustam rem
esse oratam a uobis uolo, nam iustae* ab iustis
iustus sum orator datus Aм 33-4
2. *subst.*: iuste* ab iustis iustus sum orator
datus, nam iniusta ab iustis impetrare non decet: iusta* autem ab iniustis petere insipientiast Aм 34-6 ille uxori iusta fecit Cı 176
plus iusto uehit Ba 349
3. *praed.*: sisne necne ut esse oportet . . iustus
iniustus Ba 401 iustumst ut tuos tibi seruos
tuo arbitratu seruiat Ba 994(*cf* Votsch, p. 20)
4. *adv.*: iuste* ab iustis iustus sum orator
datus Aм 34
IUVENIS - - 1. eo sororem destinat inprudens iuuenis Ep *Arg* 5 meretricem ingenuam
deperibat mutuo Atheniensis iuuenis Mı *Arg*
II. 2 Calidorus iuuenis*** ecflictim deperibat Ps *Arg* II. 1
hunc †iuuenem(iu. h. *alius cod* iuben hunc *L*
insui culleo Vı 108(*ex Fulg de abst serm* XXII
& XXIV)
2. iuniorum qui sunt non norunt Cas 15
3. *corrupta*: Aм *fr* XII, iuuenem *aliqui libri*
pro iube Ep 191, iuniorem *E pro* in amorem
Mı 304, iuuenis *P pro* iuuenix(*Sarac*) Ps 202,
iuuenem *C pro* iuuentutem

IUVENIX - - quam mox horsum ad stabulum iuuenix(*Sarac* iuuenis *P* iunix *SaracU*) recipiat se a pabulo Mı 304 *Cf* Graupner,
p. 24; Wortmann, p. 34
IUVENTUS - - 1. *nom.*: iuuentus nomen indidit Scorto mihi Cap 69 iuuentus iam ridiculos inopes ab se segregat Cap 470 iuuentus nomen fecit Peniculo mihi Men 77
2. *gen.*: iuuentutis mores . . sciam Aм 154
nullast spes iuuentutis Cap 104
3. *acc.*: huncine hic hominem pati colere iu-
uentutem(*B* iuuenem *C* iuuentem *D*) Atticam?
Ps 202
4. *abl.*: dum ted abstineas . . iuuentute et
pueris liberis, ama quidlubet Cu 38 nemo
adaeque iuuentute ex omni Attica antehac est
habitus parcus Mo 30 neque industrior de
iuuentute erat Mo 150(*vide Ly*) . . neque ab
iuuentute(ab iu. *om Rgl*) ibi inridiculo habitae Poe 1183
5. *corruptum*: Ps 631, iuuentutis *C pro* inuentus
IUVO - - I. Forma iuuas Ps 732(*A* lubas *P*)
iuuat Cap 136(uiuat *J*), Ep 113(uiuat *V*), Mı
137(uiuat *CD*) iuuabo Ps 19(iubabo *A*) iuuisti Per 755(uiuisti *CD¹*) iuuit St 405(*ACD*
luuit *B*) iuuere Cas 417(*Sp* uiuere *P*) iuues
Mo 1036(uiues *C*), Tri 189 iuuetis Mer 865
(*CaRg* uiuetis *B* tutetis *CDψ*) iuuent Cu 575
(uiuent *E*) iuuerit Mo 691(me i. *A* meruerit *P*), Tru 429(*Rs* ait uierit *P* attulerit *Briψ*)
iuuare Ba 619 *corrupta*: Aм 1108, iuuati *BE*
pro iubati(*D²J*); *fr* XII, iuuem *aliqui libri pro*
iube Cas 403, iuues *V pro* uiues Cı 116, iuuet *VJ pro* lubet(*B²*) Cu 664, iuuat *E¹ pro*
uiuat Tri 309, iuuit *C pro* uiuit Tru 324,
iuuant *B pro* lauant
II. Significatio 1. *absolute*: is est amicus
qui in re dubia re iuuat* Ep 113 iuuabo* aut
re aut opera aut consilio bono Ps 19 bene
iuuas* Ps 732 sic facito: quiduis iuuerit* Tru
429(*Rs*)
2. *seq. acc.*: neque umquam quicquam me iuuat* quod edo domi Cap 136 ita me machaera
et clypeus . . bene iuuent* pugnantem in acie Cu
575 inuoco uos, Lares uiales, ut me bene
iuuetis* Mer 865(*Rg*) . . una esca me iuuerit*
magis Mo 691 te obsecro ut me bene iuues*
operamque des Mo 1036 (Mercurius) me in
mercimoniis iuuit* St 405 te quaeso ut me
opera et consilio iuues Tri 189
quom nos di iuuere* . . gaudeo Cas 417 nosque opera consilioque adhortatur iuuat* Mı 137
bene nos, Iuppiter, iuuisti* Per 755
malos quam bonos par magis me iuuare Ba
619
IUXTA - - iuxta mecum rem tenes Au 682
. . ut scias iuxta mecum mea consilia Mı 234
iuxta tecum si tu nescis nescio Per 249 iuxta
tecum aeque scio Per 545 iuxta cum his(*R*
quom haec metuo *Pψ*) metuo Ps 1030 an nescis
quae sit haec res? ≠Iuxta cum ignarissumis Ps
1161 iuxtaque eam curo cum mea Tri 197
corruptum: Poe 533, iuxta *B pro* iusta

K.

KAI - - καὶ τοῦτο ναὶ γάρ Ps 484(*Bent* cetuton kaito itone gras *B* ceu ton kaito ito
negaris *CD*[negars])   dic καὶ τοῦτο ναί. #*Καὶ
τοῦτο ναί* Ps 488(*Bo duce Ca* dichaytoyna chai
[y *D*] toyionai *P*)

KAKOΣ - - dabo tibi μέγα κακόν Cas 729
(*A* me cacacon *E* me cacaon *V* meo acacon *B*
meca cachon *J*)

KALENDAE - - uos meministis quot kalen-
dis(*AD* cal. *BCSULy*) petere demensum cibum
St 60(*unum voc RRsSLy*)

KAPXHΔONIOΣ - - Poe 53, *Ly pro* car-
chedoneus

KOΛΛΥPAI - - gerrae germanae αἰ(*Palmer*
σαὶ *L*) δὲ κολλῦραι λύραι(*Palmer* hae[hẹ *CD*]
decollyrae[-irae *C* -irẹ *D*] lyrae[-re *B* lire *C*
lirẹ *D*] *PS*† hercle et collyrae escariae *RRgl*)
Poe 137

KOΠPΩN - - Mo 41, caeno κοπρων commixte *L* canem capram commixtam *PS*† *Ly*†
var em ψ

KOPA - - ναὶ τὰν Kóραν(korā *P*) Cap 881

L.

L*** Ci 251, 351, 404, 418, 476

LABASCO - - saluos sum leno, **labascit** Ru
1394

LABEA - - refer ad **labeas** tibias St 723

LABEFACTO - - di me adiuuant: **labefacto**
paulatim Mer 403

LABELLUM - - 1. *nom.*: meus ocellus, meum
labellum, mea salus! Poe 366 (*cf* Ryhiner,
p. 25)   huius mel, huius cor, huius labellum!
Poe 388

2. *acc. a. sing.*: tu **labellum** abstergeas As
797   em cor! em labellum! em salutem! Poe
383   etiam ocellum addam et labellum et linguam Poe 385(*v. secl L*)

b. *plur.*: compara **labella** cum labellis As
668   ubi labra ad labella adiungit Ps 1259

3. *abl. plur.*: As 668(*supra* 2, b)   labra ab
labellis(*FZ* labram[-a *D*¹] ab lauellis *P* labra
in labris *R*) aufer, nauta(*Bri* ferinautace *CDS*†
fer ad *B* ferruminat *R*) Mi 1335   teneris labellis molles morsiunculae Ps 67 a

LABES - - quanta pernis pestis ueniet, quanta
labes larido! Cap 903(*cf* Egli, I. p. 18)   iniure, inlex, labes(*BNon* 10 inlabes *CD* tabes *A
ut vid*) popli Per 408(*cf* Blomquist, p. 161)

LABIUM - - exporgebat **labia** lambitum(*Rs*
∗ntis∗∗∗ impetum *A ut vid aliter GepU om Pψ*)
Cap 912 b   meretricis, **labiis**(labris *Char* 103)
dum ductant eum, . . uideas Mi 93

LABO - - sin res laxe **labat**(*AB* labant *CD*)
itidem amici conlabascunt St 521

LABOR(*subst.*) - - **I. Forma labos** Cap 196,
Mer 72(*B* babos *C* habes *D*), Tri 271, Tru 521
labor Cu 219, Ru 202   **laboris** Am 170(*v. secl
FuhrmannRglS*), 172(*v. secl FuhrmannS*), St
162, Tri 1181   **labori** As 423, Ps 5, Ru 190
laborem Au 165, Mer 146, 861, Ps 695, Ru 190,
Tri 1114(†*LLy*)   **labore** Am 175, 488, As 659
(-rae *D*), 872, Au 14, Cap 1001, Cas 415, Ep 426,
Mo 127, Ps 686, Ru 461, 1ọ20(laborare *Non* 533
om *Prisc* II. 332), Tru 415(lauore *B*), 807(lauare
B)   **laborum** Ru 247, Tri 1025   **labores** Cap
946, Mer 57, Tri 1112, Tru 537(lauo res *B*)
laboribus Men 1133

II. Significatio A. *proprie et translate* 1 *nom.*:
ualetudo decrescit, adcrescit labor Cu 219   certast res ad frugem adplicare animum, quamquam ibi animo(*om ARRsLy*) labos grandis
capitur Tri 271   tibi obuenit istic labos Tru

521   iste pariet laetitiam labos* Mer 72   si
id facietis, leuior labos erit Cap 196   quae
mihi si foret salua, saltem labor leuior esset
hic mihi Ru 202

2. *gen. a. sing.*: dominus diues operis et laboris expers Am 170(*v. secl FuhrmannRglS*)
minus laboris cepisse illam existumo St 162
(*fortasse infra sub B. ponendum*)   non reputat
laboris quid sit Am 172(*v. secl FuhrmannS*)   si
quid tibi, pater, laboris Tri 1181

b. *plur.*: ut me omnium iam laborum leuas!
Ru 247   laborem ad damnum apponam epithecam insuper Tri 1025

3. *dat.*: duorum labori ego hominum parsissem lubens Ps 5   clamore ac stomacho non
queo labori suppeditare As 423   hoc mihi haud
laborist laborem hunc potiri Ru 190

4. *acc. a. sing.*: . . ne laborem capias Mer
146   †ob rem laborem eum ego cepisse censeo Tri 1114(*v. om U*)   ego istum . . laborem
demam(degam *Ly ex E*³ *et Non* 278) Au 165
. . laborem hunc potiri Ru 190(*supra* 3)   scis
laborem scis egestatem meam Ps 695   laborem
sufferam, solem sitim Mer 861

b. *plur.*: propter meum caput labores homini
euenisse optumo Cap 946   omnis labores inuenisset perferens Mer 57   hocine mihi ob
labores* tantos tantillum dari! Tru 537   quamquam labores multos∗∗∗ Tri 1112

5. *abl. a. sing.*: . . labore delassatum noctem
totam stertere As 872   expoliunt(: *ins Ly*) docent litteras . . sumptu suo et labore: nituntur
(l. n. *sine puncto Ly*) . . Mo 127   labore lassa-
tudost exigunda ex corpore Cap 1001   excepi
. . mea opera labore* et rete et horia Ru 1ọ20
quin tu labore liberas te? As 659
ferundum hoc onust cum labore Am 175   . . cum
labore magno et misere uiueret Au 14   de labore pectus tundit Cas 415   hoc euenit in labore atque in dolore Ps 686   sine tuo labore
quod uelis actumst tamen Ep 426   ut sine labore hanc extraxi! Ru 461

b. *plur.*: quem ego multis miserieis, laboribus . . quaesiui Men 1133

B. *de puerperio:* uno labore absoluet aerumnas
duas Am 488   sine labore* res geri pulcre potest Tru 415   haec labore* alieno puerum peperit Tru 807   *Cf* Kane, p. 58

LABOR(*verbum*) - - ilico res foras **labitur**

(dabitur *D*), liquitur Tꜰɪ 243 (*cf* Dousa, p. 542)
Vide Cɪ 215, *ubi* lapsum *E pro* lassum

LABORIOSUS - - laboriosa .. uitast rustica
Vɪ 31 **laboriossi** (*A* -ose *B* -osi *PiusRLU*)
nihil tibi quicquam operis imperabo Mᴇʀ 507
Cf Gimm, p. 24

LABORO - - *et proprie et translate:* quid me
quaeris? quid laboras? Eᴘ 680 concrepuit digitis, **laborat** Mɪ 206 multum **laboret**, paullum
mereat Vɪ 49 pueris .. scirpea induitur ratis qui
laborent minus Au 596 hic ne laborent (*R* hic
albo uere *PS*† *LULy aliter Rs*) aliena oppugnant boni Pᴇʀ 74 qui multum miseri sint, laborent nihil moror Sᴛ 206 .. ibi multo primum sese familiarium **laborauisse** (labor agisse
B) Mᴇʀ 70 *corruptum:* Ru 1020, laborare *Non*
533 *pro* labore

LABRAX - - *leno. in supersc.* Ru *act.* II. *sc.* 6;
act. III. *sc.* 4, 5; *act.* V. *sc.* 1, 2, 3 *nom.* Ru 344,
361 *voc.* Ru 492, 521 *Cf* Schmidt, p. 370

LABRUM - - 1. *acc. sing.:* cape cultrum ac
seca digitum .. uel **labrum** Mᴇʀ 310

2. *nom. plur.:* sura, pes, .. uel **labra** (-am *E*),
malae, mentum Aᴍ 444

3. *acc.:* **labra** ad (*Ca* ad l. *PULy*) labella adiungit Ps 1259 labra a labris nusquam auferat Bᴀ 480 labra (*D* -am *BCD*) ab labellis
(in labris *R*) aufer, nauta (*Bri* ferinantace *CDS*†
fer ad *B* ferruminat *R*) Mɪ 1335 quasi saetis
labra (*Z* -am *P*) mihi conpungit barba Cᴀs 929
ego uix reprimo labra Cᴀs 452

satin inter labra atque dentes latuit uir minumi preti? Tʀɪ 925 (*cf* Schneider, p. 13)

4. *abl.:* a **labris** Bᴀ 480 (*supra* 3) (filium
reliqui) cum pedibus .. oculis, labris Mo 1118
in labris Mɪ 1335 (*R supra* 3) modo uorsabatur mihi in labris primoribus Tʀɪ 910 (*cf*
Egli, I. p. 19)

5. *corruptum:* Mɪ 93, labris *Char* 103 *pro*
labiis

LAC - - 1. *nom.:* neque **lac** (lact' *Ly*) lactis
(*Colerus* lacti *PU*) magis est simile Aᴍ 601 (*cf*
Egli, I. p. 5) sicut lacte lactis (-ti *RU*) similest Bᴀ 13 (*ex Cledonio* 48) neque aqua aquae
neque lactest lactis (*R* -ti *PPrisc* I. 212) .. usquam similius Mᴇɴ 1089 tam similem quam
lacte (lac *B*) lactist Mɪ 240 (*cf.* Raebel, p. 15)

2. *gen.:* **lactis** Aᴍ 601 (*Colerus* lacti *PU*),
Bᴀ 13 (-ti *RU*), Mᴇɴ 1089 (*R* -ti *PPrisc* I. 212),
Mɪ 240 (-ti *PU*) *Vide supra* 1

3. *dat.:* Aᴍ 601 (*PU* -tis *Colerus ψ*), Bᴀ 13
(*RU* -tis *Probus, Pompeius, Cledonius et ψ*)
Mᴇɴ 1089 (*PPrisc* I. 212 -tis *Rω*), Mɪ 240 (*PU*
-tis *ψ*) *Vide supra* 1

4. *acc.:* (oues) nec **lac** (*Sp* lacte *LambRRgU*
lact' *Ly* lactem *BD* lactaē *C*) nec lanam ullam habent Bᴀ 1134 opus nutrici lact ut (*Sey*
lact' ut *Ly* acutete *CD* attut *B* lacte ut *RsU*)
habeat Tʀu 903

LACERO - - *et proprie et translate:* ego hunc
lacero diem Sᴛ 453 (*cf* Wortmann, p. 14) quin
ego hanc iubeo tacere quae loquens lacerat
diem? As 291 hi male suadendo et lustris lacerant homines Cu 508 Chrysalus med hodie
lacerauit (del. *RRgU* laz. *D*) Bᴀ 1094 .. ut
tua iam uirgis latera lacerentur probe Bᴀ 780
.. lacerari ualide suam rem Mᴇʀ 48

LACERTA - - Mɪ 1006, haec lacerta *R* cum
haec elocutam *PS*† *var em ψ*

LACESSO - - meo me **lacessis** (*AD* lacc. *BC*)
ludo Poᴇ 296 utrum ego perplexim **lacessam**
(las. *C*¹ lascescam *D*) oratione ad hunc modum
Sᴛ 76

LACHANA - - *fortasse imprecatio Punica.* la-
chanam (*P* -anna *ALLy* -anan *U*) uos Poᴇ 1152
vide Punica Vocabula ad finem huius uoluminis

LACINIA - - tu edepol sume **laciniam** atque absterge sudorem tibi Mᴇʀ 126 lacrumam-
tem **lacinia** tenet lacrumans As 587

LACO - - nihil morantur iam **Lacones** imi
subselli uiros Cᴀᴘ 471 (*cf* Egli, III. p. 22)

LACONICUS - - cani quoque etiam ademptumst nomen. #Qui? #Vocant **Laconicum** (*AB*
-num *VE* iaconum *J*) Eᴘ 234 (*cf* Egli, III. p. 22)
clauem mihi harunc aedium **Laconicam** (*Ca* iac.
P) iam iube efferri intus Mo 404

LACRUMA - - 1. *acc. sing.:* pumiceos oculos
habeo: non queo **lacrumam** (-i- *BCU*) exorare
ut expuant unam modo Ps 76 (*cf* Graupner, p. 6)

2. *nom. pl.:* ni ex oculis **lacrumae** (-e *BD*
-ę *C* oculi lacrumis *RRg*) defendant .. Mᴇʀ 591
non amittunt hi me comites .. lacrumae (-e *D*
-ime *C* lacrum uel *B*), lamentatio Mᴇʀ 870
prae laetitia lacrumae (-i- *PS* -ę *BC* -e *D*) prosiliunt mihi Sᴛ 466

3. *gen.:* ille ecastor hinc trudetur largus **lacrumarum** (-i- *BE*) foras As 533 lacrumarum
(*KochRg* os amarum *PU* gramarum *Bueψ*) habeo dentes plenos Cu 318

4. *acc.:* **lacrumas** (-i- *E*) excutiunt mihi Cᴀᴘ
419 mihi exciuisti lacrumas (*B*²*J* -i- *PL* -mis
*B*²*VE*) Cɪ 112 res .. pessumas pessum dedi:
iram .. lacrumas Mᴇʀ 848 uix uidetur continere lacrumas (*Rs* -i- *Pψ*) Mo 822 lacrumas
(*RsLLy* -i- *Pψ*) haec mihi .. eliciunt Tʀɪ 290
ad lacrumas (-omas *D*¹ luc. *CD*¹) coegi hominem
castigando Bᴀ 981

5. *abl.:* satis me **lacrumis** maceraui Cᴀᴘ 928
noli .. lacrumis (-i-) tuis mihi exercitum imperare Cɪ 58 Mᴇʀ 591 (*RRg vide supra* 2) eas
(tabellas) lacrumis (-i- *PServ NonDiom Prisc*
-imas *Non* 503) lauis Ps 10 nisi tu illi dacrumis (*Meursius* drachmis *ACD* dracmis *B*
drachumis *Ly* lacrumis *Boψ*) fleueris argenteis,
quod tu istis lacrumis (*A* -i- *P*) te probare postulas .. Ps 100

LACRUMO - - I. Forma **lacrumo** Mɪ 1382
(*Rib* -mum *P* -mem *PiusRU*) **lacruma** Poᴇ
1191 (*A* lacrime *P*), Sᴛ 20 (*P* -i- *A*) **lacrumans**
As 587 (-i- *E*), Bᴀ 983, Ps 44 (*A* -i- *P*) **lacrumantem** Aᴍ 529 (-i- *PL*), As 587 (-i- *E*), Mɪ 1032
(*RRgU* -i- *Pψ*) **lacrumantes** As 620 (*JRglL*
-tis *BDEψ* -i- *J*), Ru 695 (-i- *D*) **lacruman-
tibus** Cᴀᴘ 201 (oculis haud l. *L* o. multa miraclitis *PS*† *Ly*† *var em ψ*)

II. **Significatio** 1. *de personis:* lacrumo* quia
diiungimur Mɪ 1328 ne lacruma*, patrue Poᴇ
1191 ne lacruma, soror Sᴛ 20

lacrumantem lacinia tenet lacrumans As 587
lacrumans tacitus auscultabat Bᴀ 983 salutem inpertit .. lacrumans Ps 44 lacrumantem
ex abitu concinnas tu tuam uxorem Aᴍ 529
ait illam .. lacrimantem se adflictare Mɪ 1032
ambae te obsecramus .. lacrumantes Ru 695

2. *de oculis:* oculi sunt tibi lacrumantis As 620 opus est oculis haud lacrimantibus* Cap 201(*L*)

LACTES - - cibi uaciuitate uenio lassis **lactibus** Cu 319 .. alligem fugitiuam canem agninis lactibus(tac. *A*) Ps 319 *Cf* Egli, II. p.56; Keseberg, p.3; Schneider, p.6

LACTO - - ita me Amor .. ludificat .. **lactat** (*Sciop* iactat *P*), largitur Ci 217 egomet **lactor**(*Rs* laetor *Pψ* †S̄) Ci 249

LACUS - - confidentes .. et maleuoli supra **lacum** (ambulant) Cu477(*cf* Vissering, I. p.60) curram .. ad lacum, limum petam Poe 293 *Vide* Au 674, *ubi* lacus *BDE pro* lucus

LAEDO - - lembus ille mihi **laedit**(ledit *P*) latus Ba 281 lora **laedunt**(le. *P*) bracchia Tru 783 memini quom dicto haud audebat, facto nunc **laedat**(*J* ledat *BDE*) licet Cap 303

LAETIFICO - - alii **laedificantur**(le. *P*) meo malo et damno Au 725 ego omnis hilaros ludentis **laetificantis**(lę. *D* le. *B*) faciam Per 760

LAETITIA - - 1. *nom :* quae illaec est **laetitia** quam illic laetus largitur mihi? Cap 829 idem ego sum Salus, Fortuna, Lux, Laetitia (le. *BE* -cia *B*) Cap 864(*cf* Egli, III. p. 4)

2. *acc.:* hanc **laetitiam**(le. *BE* -ciam *B*) accipe a me quam fero Cap 872 tibi denique iste pariet laetitiam labos Mer 72 sex sodales repperi: .. laetitiam(le. *BD* lę. *C* -ciam *B*) ludum iocum Mer 846

3. *abl.:* abundat pectus **laetitia**(lę. *BC* le. *D* -cia *B*) meum St 279(*cf*Inowraclawer, p. 53) hac me laetitia(lę. *C* le. *D* -cia *CD*) adfecistis tanta Poe 1275 ego cesso hunc Hegionem onerare laetitia (le. *BE* -cia *BJ*) Cap 827 onustum pectus porto laetitia lubentiaque St 276

ego laetus sum et laetitia(le. *P* -cia *B*) differor Tru 701(*cf* Gimm, p. 24)

mea nunc laetus laetitia(lę. *C* le. *B*) fuat Mer 844 .. ut mea laetitia(lę. *D* le. *B* -cia *P*) laetus promiscam siet Ps 1062

ut prae laetitia(lę. *C* le. *B* -cia *BC*) lacrumae prosiliunt mihi St 466

4. *acc. pl :* artibus tribus ter demeritas dem **laetitias**(lę. *D* le. *BC* -cias *BD*) de tribus fraude partas Ps 705

5. *corruptum:* Ci *Arg* 8, pro letitie *V*(lę.)*EJ pro* proiecticiae

LAETOR - - egomet **laetor**(†S̄ lactor *Rs*) Ci 249(*cf* Lindström, p. 82) retinete porro post factum ut **laetemini**(lę. *B* le. *CD*) Ru 30 te faciam ex laeto **laetantem** magis Ps 324 eos nunc **laetantis**(lę. *C* le. *D*) faciam aduentu meo St 407

LAETUS - - 1. *nom.* a. *masc.:* ille nunc **laetus**(le. *B* lę. *V*) est .. qui .. Ci 690 .. mea nunc laetus(lę. *C* le *B*) laetitia fuat Mer 844 (*cf* Gimm, p. 24) .. ut mea laetitia laetus promiscam siet Ps 1062 ego laetus(le. *P* laete laetus *SpULy*) sum Tru 701

Amphitruo uxorem salutat laetus(le. *P*) Am 676 laetus(lę. *BE*) .. natam conlocat Lyconidi Au *Arg* I. 15 illic laetus(le. *E*) largitur mihi Cap 829 laetus(le. *BD*) lubens laudes ago Tri 821

b. *fem.:* ego **laeta**(le. *B*) uisa quia .. Mi 387

quam **laetast**(le. *BD*) quia ted adiit Mi 1222 Dianae **laeta**(*Par* latas *P* lata *B¹*) laudes .. agam Mi 411

2. *acc.:* uoltis .. me **laetum**(lę. *B* le. *E*) lucris adficere Am 2

3. *abl.:* te faciam ex **laeto** laetantem magis Ps 324

4. *adv.:* Tru 701, **laete** *add SpULy* nunc *Rs vide supra* 1, a

5. *corruptum:* Am 1106, laete *D pro* latae

LAEVUS - - I. **Forma laeua** Per 226(le. *CD*) **laeuom**(*acc. masc.*) Mi 1307(le. *D* -uō *B*), 1430(*add L solus*), Per 794(tuom l. odium *Rs* tuum *PRL†S̄†ULy*) **laeuam** Au 650(le. *E* lę. *J*), Men 555(le. *P*), Mi 203(le. *P*), 361(le. *B*), 1216(le. *P*), Per 631(*A* le. *P*), Poe 418(le. *C*) **laeuo** Mi 203(*A* le. *P*), 1180(*AP ut vid*) **laeua** As 260(lę. *D* le. *J*), Au 624(le. *P*), Ci 641(*B* le. *VEJ*), Men 838(le. *P*), Mi 607(*A* le. *P*), Poe 1073(le. *CD*)

II. **Significatio**(*cf* Gimm, p. 25) 1. *de manu* a. ubi illa altrast furtifica laeua? Per 226 ostende huc manum dexteram. ≠Em. ≠Nunc laeuam ostende Au 650 nixus laeuo in femine habet laeuam manum Mi 203

coronam .. abiciam ad laeuam manum Men 555 (nata sum) in culina, in angulo ad laeuam manum Per 631 coruos cantat mihi nunc ab laeua manu Au 624 signum esse oportet in manu laeua tibi Poe 1073

b. picus et cornix ab laeua, coruos parra ab dextera consuadent As 260 utrum hac me feriam an ab laeua latus? Ci 641 illa me ab laeua .. femina adseruat canis Men 838 ne quis aut hinc aut ab laeua aut dextera .. adsit Mi 607 respicedum ad laeuam Mi 361 eccum praesto militem..ad laeuam Mi 1216 opsecro te .. hanc per dexteram perque hanc sororem laeuam Poe 418

2. *cum aliis subst.:* nixus laeuo in femine Mi 203(*supra* 1 a) habeo .. oculum. ≠At laeuom dico Mi 1307 ob oculum habebat lanam laeuom* Mi 1430(*L*) tibi ego..cyatho oculum excutiam tuom laeuom* Per 794(*Rs*) id conexum in umero laeuo Mi 1180

LAGOENA - - quasi tu **lagoenam**(*BE* lagae. *Rg* lagynam *Verg interp* lagę. *J*) dicas ubi uinum Chium solet esse Cu 78

LALIA - - uendo uel **lalias**(*Bergk* alias *PLy* puluillos *R*) malacas crapularias St 227

LALO - - illi apud me mecum palpas et **lalas**(*ALy* lallas *A* m. caput et corpus copulas *Pψ* apud me *om BoS̄†L*) Poe 343

LAMBERO - - lepide .. meo me ludo **lamberas** Ps 743 *cf* Wortmann, p. 15

LAMBO - - exporgebat labia **lambitum**(*Rs in lac aliter ψ*) Cap 912b

LAMENTA - - Tru 29, superbiae lamentae *Rs in loco corrupto*

LAMENTARIAE - - aedes **lamentariae** mihi sunt, quas quotiensquomque conspicio fleo Cap 96 *Cf* Egli, I. p. 18

LAMENTATIO - - hi me comites .. tenent .. lacrumae, **lamentatio** Mer 870

LAMENTOR - - istuc quod nunc **lamentare** (*A* clametare *BD* dametare *C*), non **esse** argentum tibi .. Ps 313 tibi .. quod rideas ma-

gis est quam ut **lamentere** Mer 502 te faciam
.te quoque ipsum ut **lamenteris** Per 744 ego
hanc machaeram mihi consolari uolo ne **lamen-**
tetur Mi 6 lubet **lamentari** dum exeat Ba 932
lamentari ait illam miseram..quia tis egeat
Mi 1031 quid ego..cesso infelix **lamentarier**
minas sexaginta? Per 742 quid ego hic in
lamentando pereo(hic diem l. perdo *SeyRgU*)?
Mer 218 Thetis..lamentando †lausum fecit
filio Tru 731

LAMMINA - - aduorsum stimulos **lamminas**
(iam minas *E*) crucesque.. As 549

LAMPADA - - Men 842, *vide titulum* Lampas

LAMPADIO - - *servus. In supersc.* Ci *act.* II.
sc. 2, 3; *act.* IV. *sc.* 1, 2; *act.* V. *ubique* Lampadiscus) *nom.* Ci 594, 658, 768 **Lampadio-**
nem Ci 775(*B*[2]*J* padictonem *B*[1] paditionem *VE*
lăp. *BJ*) *Cf* Schmidt, p. 192

LAMPADISCUS - - *vide priorem titulum.*
Lampadisci Ci 544(-dici *J*)

LAMPAS - - tene hanc **lampadem** Cas 840
eccum progreditur cum corona et **lampade** Cas
796 tam crepusculo fere ut amant(*interpun-*
git L) **lampades** accendite Fr I. 60(*ex Varr de*
l. L. VII. 77) .. ut ego illic oculos exuram
lampadibus(*P* lampadis *GepLy*) ardentibus Men
842

LANA - - aduexit.. **lanam** purpuramque multam St 376 inter ancillas (uiros) sedere iubeas
lanam carere Men 797 ego oues et lanam(*Ca*
etia nã *BD* etia nam *C*).. dabo Tru 947 eme,
mi uir, lanam(*Z* ianam *A* tanam *CD om B*[1]
nã *B*[2]) unde tibi pallium .. conficiatur Mi 687
ego tibi ancillas penum lanam .. bene praebeo
Men 121 illic..ob oculum habebat lanam
Mi 1430 (oues) nec lac nec lanam ullam habent Ba 1134

LANARIUS - - stat fullo phrygio aurifex
lanarius(*B*[2]*DJLLy* linarius *B*[1]ψ) Au 508

LANEUS - - causiam habeas ferrugineas et
scutulam ob oculos **laneam**(*FZ* lanea *BCD*[2]
lanta *D*[1]) Mi 1178

LANGUOR - - saepe ad **languorem** tua duritia dederis octo ualidos lictores As 574 ibi
tibi adeo lectus dabitur ubi tu .. usque ad languorem — Ps 216

LANIENA - - sum defessus quaerere..per
myropolia et **lanienas** Ep 199

LANIFICIUM - - de **lanificio** neminem metuo una aetate quae sit Mer 520

LANIOSUS - - Ps 327, laniosus tego(te ego
C) *P pro* lanios ut ego(*AD*[4])

LANIUS - - 1. *acc. sing.*: in Velabro uel pistorem uel **lanium** Cu 483(*v. secl UrlichsRgᶲ*)
2. *nom. pl.*: tum **lanii**(lanu *B*[1] lanü *E* lanum
VJ) autem qui concinnant liberis orbas oues
..eorum ego.. Cap 818 piscator pistor abstulit, lanii, coqui Tri 407
3. *dat.*: quanta pernis pestis ueniet..quanta
laniis(lan' *E*) lassitudo! Cap 905
4. *acc.*: amicos tibi habes lenonum aemulos
lanios qui.. Ps 197 ei, arcesse hostias uictumas lanios ut ego(*AD*[4] laniosus tego[te ego
C] *P*) huic sacruficem summo Ioui Ps 327 lanios inde accersam duo cum tintinnabulis Ps 332

LANTERNA - - non mihist **lanterna**(*D*[1] la-
terna *BD*[2]*EJ*) in manu? Am 406 ita is pellucet quasi lanterna(lat. *J*) Punica Au 566(*cf*
Egli, I. p. 16) a portu illic nunc cum **lan-**
terna(lat. *B*) aduenit Am 149

LANX - - sumen sueris, glandium. #In carnario fortasse dicis. #Immo in **lancibus** Cu 324

LAPICIDINA - - in **lapicidinas** facite deductus siet Cap 736 in lapicidinas conpeditum
condidi Cap 944 ego fui in **lapicidinis** (lapri.
E -dinas *B*) Cap 1000

LAPIDARIUS - - inde ibis porro in latomias **lapidarias** Cap 723

LAPIDEUS - - **lapideus** sum: commouere
me..non audeo Tru 818(*cf* Graupner, p. 27)

LAPIS - - I. **Forma lapis** As 31, Mi 236
lapidi Mer 632(lep. *B*), Mo 1073(-e *D*) **lapi-**
dem As 31, Au 195, Cap 600, 602, Cu 197, Mo
266, Poe 290, Ru 842 **lapide** Ba 815, Men 86,
Poe 291, St 613 **lapides** Fr I. 42(*ex Char* 219
lapes *BueLy collato Prisc* I. 250) **lapides**(*acc.*)
Au 152, Cap 724, 730, Poe 1026 **lapidibus** Cap
593, Poe 528, Ru 843 *corruptum*: Mi 1159,
lapide *B pro* lepide
II. **Significatio** *et proprie et translate*:
1. *nom.*: a. me illuc ducis ubi lapis lapidem
terit As 31(*cf* Raebel, p. 15) neque habet
plus sapientiai quam lapis Mi 236
b. summouentur hostes, remouentur lapides*
Fr I. 42(*ex Char* 219)
2. *dat.*: ego me credidi homini docto rem
mandare, is lapidi* mando maxumo Mer 632
uerba illi non magis dare hodie quisquam
quam lapidi* potest Mo 1073
3. *acc.*: a. caperes aut fustem aut lapidem
Ru 842 altera manu fert lapidem Au 195 crucior lapidem non habere me ut .. Cap 600
audin lapidem quaeritare? Cap 602 illa mulier
lapidem silicem subigere ut se amet potest
Poe 290 lapis lapidem terit As 31(*supra* 1. a)
noli.. uerberare lapidem, ne perdas manum Cu
197(*cf* Schneider, p. 33) nimis uelim lapidem
qui ego illi speculo dimminuam caput Mo 266
b. alii octonos lapides effodiunt Cap 724
interdius sub terra lapides eximet Cap 730
eo (iubeas) lapides inponi multos Poe 1026
lapides loqueris Au 152(*cf* Egli, I. p. 31; II.
pp. 27, 49)
4. *abl.*: a. lapide excutiunt clauom Men 86
te hodie lapide percussum uelim St 613
tu's lapide silice stultior Poe 291(*cf* Egli,
II. p. 70; Schneider, p. 11)
in eopse adstas lapide, ut praeco praedicat
Ba 815(*cf* Schneider, p. 14)
b. illic hic nos insectabit lapidibus Cap 593
nos populus pro cerritis insectabit lapidibus
Poe 528 ego quasi canem hominem insecta-
rem lapidibus? Ru 843

†**LAPTILES** - - aliquod aut electus(*B* lectus *CD*) laptiles Tru 54(*Pᶲ*†*L*†*Ly*† *var em*
RsU)

LAQUEUS - - ..ut esset aliquis **laqueus**(*Ca*
aliqui si aqueust *B* aliqui si aquę usq; est *CD*)
et redimiculum reuorsionem ut ad me faceret
denuo Tru 395 proin tu te in **laqueum**(laǫum
E) induas Cas 113 paratum oportet esse iam
laqueum(laǫum *E*) tibi Cas 392 ..unam faciam litteram longam meum **laqueo** collum
quando obstrinxero Au 78

LAR · · *cf* Hubrich, p. 76; Keseberg, p. 41 ego **Lar** sum familiaris ex hac familia unde . . Au 2(*cf* Wolff, *Prolegomena ad Plauti Aululariam,* p. 35) di penates meum parentum, familiari Lar pater! Mer 834 nunc saluto te, Lar(*Bo om P*) familiaris Mi 1339 haec imponentur in foco nostro **Lari** Au 386 ego mihi alios deos penatis persequar, alium **Larem** Mer 836 Larem corona nostrum decorari uolo Tri 39 inuoco uos, **Lares** uiales(diales *Non* 476), ut me bene tutetis Mer 865 . . ut rem diuinam faciam . . **Laribus** familiaribus Ru 1207

LARGILOQUUS · · non tu tibi istam praetruncari linguam **largiloquam** iubes? Mi 318 ubi suburratae sumus **largiloquae**(-loq. *VJ* -e *B¹E* -ȩ *B²*) . . sumus Ci 122

LARGIOR · · I. Forma **largior** As 290 **largitur** As 277, Cap 829(lag. *B¹*), Ci 217(lag. *B*) **largiar** As 610(lag. *J*), Per 265 **largibere** Ba 828(lag. *B¹*) **largiere** Mi 1243(*D* larguere *C* largiri *B*) **largire**(*impera.*) Am 311 **largirier** As 932 **largiri** Tri 742(l. te *A* largitate *P*) **largitus** Ps 396(largius *A*)
II. **Significatio** 1. *absolute:* quid ego . . concesso pedibus, lingua largior? As 290 ita me Amor . . ludificat . . lactat, largitur* Ci 217
2. *seq. acc.:* tu istam cenam largire . . esurientibus Am 311 (laetitiam) illic laetus largitur mihi Cap 829 libertatem Chrysalo largibere Ba 828 largitur peculium As 277 istoscine patrem aequomst mores liberis largirier? As 932 uitam meam tibi largiar* As 610 tu te uilem feceris si te ultro largiere* Mi 1243
3. *seq. dat. cum abl. vel ex et abl.:* amico homini binis domitis(boues domitos *SpLU*) mea ex crumina largiar Per 265 dicant . . ex largiri te illi Tri 742 erili filio largitu's dictis dapsilis(*pro nom. habet L*) lubentias Ps 396(*cf* Dousa, p. 391)

LARGITAS · · Tri 742, largitate *P pro* largiri te(*A*)

LARGUS · · 1. *adiectivum:* ne ille ecastor hinc trudetur **largus**(-os *B*) lacrumarum As 533 (*cf* Blomquist, p. 18; Schaaff, p. 29) audin hunc opera ut largus est nocturna? As 598 sisne necne ut esse oportet . . malignus, largus Ba 401
2. *adverbia:* a. **large**: nemini credo qui large blandust diues pauperi Au 196
b. **largiter**(*cf* Gehlhardt, p. 35; Schaaff, p. 17) peccatum largiter Ep 485 peccauisti largiter(lag. *D¹*) Mo 438 credo . . illic inesse argenti et auri largiter Ru 1188 largiter mercedis indipiscar Ru 1315 habeat ueteris uini largiter(*FZ* lag. *P*) Tru 903
3. *corruptum:* Ps 396, largius *A pro* largitus

LARIDUM · · 1. *dat.:* quanta pernis pestis ueniet, quanta labes **larido** Cap 903(*cf* Egli, I. p. 18; Inowraclawer, p. 17) ibo, ut . . ius dicam larido Cap 907
2. *acc.:* iuben . . **laridum**(-darum *E* †*L*) atque epulas foueri Cap 847(† *S̄ aliter em RsLy*) iube . opsonarier . . suillam laridum(lardum *B²*) Men 210

LARTIUS · · miles Menelaust ego Agamemno, idem Ulixes Lartius(*A* le. *P* -cius *B*) Ba 946

LARUA · · (*cf* Hubrich, p. 83; Keseberg, p. 43) etiam loquere, **larua**? Mer 981(e. quaeris, inproba *Rg*), 983 me atque uxorem ludificatust larua Cas 592 **laruae**(ȩ *BJ* -e *DE*) hunc atque intemperiae . . agitant senem Au 642 laruae(-e *B¹E* -ȩ *B²V*) stimulant uirum Cap 598 haec . . **laruarum**(larumarum *E* larumharum *J*) plenast Am 777

LARUATUS · · **laruatus**(-tu's *Rgl LLy*): edepol hominem miserum! Am *fr* VII(*ex Non* 44) tu certe aut laruatus aut cerritus es Am *fr* XII(*ex Non 44 & 247*) num laruatus aut cerritus? Men 890 an laruatus est? Mi 217(*Rg* anheriatus uestis *PLy*† *var em ψ*) pro **laruato** te circumferam Fr II. 55(*ex Serv ad Aen* VI. 229)

LASCIVIA · · o uirgarum **lasciuia** Aś 298 (*cf* Blomquist, p. 161) adulescenti . . pleno amoris ac **lasciuiae**(-ie *B*) Tri 751

LASCIVIBUNDUS · · quidnam dicam Pinacium **lasciuibundum** tam lubenter(*A* tam lixabundum *om* lasc. *ScalR* tam l. *om BoU*) currere? St 288

LASERPICIUM · · eo **laserpici**(lasar. *PR* lasser. *AŚ*) libram pondo diluont Ps 816 si speras tibi hoc anno multum futurum sirpe et **laserpicium** Ru 630(*cf* Vissering, I. p. 83)

LASSITUDO · · 1. *nom.:* quanta pernis pestis ueniet . . quanta laniis **lassitudo**(-tado *J*) Cap 905 locus ubi labore lassitudost exigunda ex corpore Cap 1001 recordetur id . . quid is preti detur . . uerbera, compedes . . lassitudo (lascituto *B*) . .: haec pretia sunt ignauiae Men 975 omnia membra lassitudo mihi tenet St 336 medullam lassitudo peribibit St 340
2. *acc.:* sequere . . me intro in pyelum ut sedes **lassitudinem** Ba 108 abige abs te lassitudinem Mer 113 numquam . . omnes balineae mihi hanc lassitudinem eximent Mer 127 lassitudinem . . uerba tua mihi addunt Mer 157
3. *abl.:* genua inedia succidunt. #**Lassitudine** hercle credo Cu 310 lassitudine(*A* -nem *P*) inuaserunt misero in genua flemina Ep 670 mihi . . prae lassitudine opus est ut lauem Tru 328

LASSUS · · **lassus** sum hercle e naui Am 329 ille opere foris faciendo lassus noctu aduenit As 873 quom lassus fueris et famelicus . . Cas 130 lassus ueni de uia Ps 661 lassus iam sum durando miser Tru 327 Thetis . . lamentando **lassa** hau fecit filium(*Rs* lausum f. filio *PŚ*† pausam f f. *Vallaψ*) Tru 731 qui malum tibi **lasso** lubet foris cenare? St 597 me miserum restitando retinendoque **lassum** (assum *Rs*) reddiderunt Cap 503 me Amor lassum(lapsum *E*) animi ludificat Ci 215(*cf* Schaaff, p. 29) cibi uaciuitate uenio **lassis** lactibus Cu 319 *corruptum:* St 521, lassa *B* lassȩ *C* lasse *D pro* laxe(*A*)

LATEBRAE · · in totis aedibus tenebrae, **latebrae**(-re *C*) Poe 835 in **latebras** abscondas (stultitiam) pectore penitissumo Ci 63 quoius ego latus in latebras reddam meis dentibus Fr I. 20(*ex Macr* III. 16, 1) probe in **latebris** situmst Au 609 omnibus latebris perreptaui quaerere conseruam Ru 223

LATEBRICOLA - - **latebricolarum** hominum corrumptor! Tri 240
LATEBROSUS - - huic aetati non conducit
. . **latebrosus** locus Ba 56   ibi suam aetatem
extendebant non in **latebrosis** locis Ba 430
(*v. secl GuyRgSU*) neque **latebrose** me aps
tuo conspectu occultabo Tri 278a   *cf* Gimm,
p. 25
LATEO - - I. Forma **lates** Mo 5   **latent**
Cap 80, 82, 165, Ps 203   **latebis** Tri 663   **la-**
tuit Am 432, Tri 925, Fr I. 19(*ex Macr* III. 16,1)
lateam Cas 875   **late** Tri 289   **latentes** Cas
664
II. Significatio 1. *absolute:* exi, inquam . . .
quid lates? Mo 5   cetera (: *Ly*) rape, trahe,
fuge, late Tri 289
2. *additur locus quo:* neque quo fugiam, neque ubi lateam . . scio Cas 875   ubi latent quibus aetas integrast? Ps 203   intus illic Am 432
(*infra*)
cum praep. in: mira sunt nisi latuit intus
illic in illac hirnea Am 432   mihi in mari acipenser latuit Fr I. 19(*ex Macr* III. 16, 1)   quasi
. . cochleae in occulto latent . . item parasiti . .
latent in occulto Cap 80-2   saepe summa ingenia in occulto latent Cap 165   **sub:** omnis
sub arcis sub lectis latentes metu mussitant
Cas 664   **pone:** tute pone te latebis facile ne
inueniat te honor Tri 663   **inter:** satin inter
labra atque dentes latuit uir minumi preti?
Tri 925
LATER - - is clam **laterem**(*Rs* patrem *Aψ*
pater *P*) etiam hac nocte illac . . transiluit Tru
248   in pristino mauelim agere aetatem praepeditus **latere**(*ita interpretatur L* catulo *Mue*
U ad latus *referunt ψ*) forti ferreo Poe 828
maceria . . in noctes singulas latere(*A et Prisc*
I. 189 -ri *P*) fit minor Tru 304   . . **lateres** si
ueteres ruont Tru 305   ain tu uero ueteres lateres ruere? Tru 306
LATERCULUS - - ut mulsa loquitur. #Nihil
nisi **laterculos** Poe 325(*cf* Ryhiner, p. 30)
**LATI - - Ci 261
LATINUS - - Clerumenoe uocatur haec comoedia Graece, **Latine**(-ę *V*) Sortientes. Deiphilus hanc Graece scripsit . . Latine(-ę *V*) Plautus . . Cas 32-4   Graece haec uocatur Emporos
Philemonis, eadem Latine Mercator Macci Titi
Mer 10(*v. secl OsannRgS*)   Alazon Graece huic
nomen est comoediae: id nos Latine gloriosum
dicimus Mi 57   Carchedonius uocatur haec comoedia †Latine platus(Plautus *LLy*) graece
Latine *RRgl*) patruos Pultiphagonides Poe 54
ut scias nunc dehinc latine iam loquar Poe 1029
LATITO - - omnis res palamst (nec **latitat**
add Rs) Cap 525   quid . . ille ignauissumus mihi
latitabat? Tri 927   *Vide* Tri 292, *ubi* latitant
AP pro lut.(*R*)
LATOMIAE - - inde ibis porro in **latomias**
lapidarias Cap 723
LATONA - - ita me Iuppiter Iuno Ceres Mi
nerua **Latona**(*PS*† luna *BergkRg* Lato *Ly ex*
Varr de l. L. VII. 16) Spes(S. L. *GuyRU*) . .
ament Ba 893
LATRINA - - istas tuas magnas minas non
pluris facio quam ancillam meam quae **latri-**
nam lauat Cu 580   *Cf* Egli, I. p. 14

LATRO(*verbum*) - - etiam me meae **latrant**
(adla. *FRgl*) canes? Poe 1234(*cf* Wortmann,
p. 21)   Plautus cum **latranti** nomine Cas 34
(*cf* Dousa, p. 184)   *Vide* Ep 334, *ubi* latras
B² *pro* blatis
LATRO(*subst.*) - - *praecipue de militibus*(*cf*
Dousa, p. 175, 435; Tartara, p. 55) hic **la-**
tro in Sparta fuit Poe 663   **latronem**(latro
LLy) suam qui auro uitam uenditat Ba 14(*ex*
Serv Dan ad Aen XII. 7)   nimis lepide de **la-**
trone, de Sparta optume! Poe 666   facis sapientius quam **latronum** pars(*FlRg* pars lenonum[leonum *J*] *Pψ* †*L*) . . qui . . Cu 548   . . ut
in tabellis quos consignaui hic heri **latrones**
ibus(*ex Non* 486 *et Plac* 57, 21 latrones bus
*CD*¹ latronibus *BD³* l. hibus *FR*) dinumerem
stipendium Mi 74   Seleucus . . orauit . . ut sibi
latrones(latranes *CD*¹) cogerem et conscriberem
Mi 76(*cf* Serv ad Aen XII. 7: me Seleucus misit ad conducendos latrones)   . ut latrones
quos conduxi hinc ad Seleucum duceret Mi 949
uosne latrones et mendicos homines magni
penditis? St 135(*v. secl U*)
LATROCINOR - - (*cf* Dousa, p. 434; Fay,
Cl. Rev. XVIII. 351; Goldmann, I. 18)   an
quia **latrocinamini** arbitramini quiduis licere
facere uobis? Mi 499   haec **latrocinantur** quae
ego dixi omnia, quia aurum poscunt praesentarium Poe 704   ibit †istac aliquo in maxumam
malam crucem **latrocinatum** aut in Asiam . .
Tri 599   regi **latrocinatus**(-tu's *LLy*) decem
annos Demetrio Fr I. 63(*ex Varr de l. L.* VII.
52: *cf Non* 134)
LATUS(*adiect.*) - - si hercle tu ex istoc loco
digitum transuorsum aut unguem **latum** excesseris . . Au 57   comesse panem tris pedes
latum potes Ba 580   si posthac me pedem latum modo scies inposisse in undam . . Mo 433
latius(-cius *C*) demumst operae pretium iuisse
Mo 842   *corrupta:* Ep 334, latis *B¹E¹ pro* blatis Mi 411, latas *B²CD* lata *B¹ pro* laeta(*Par*)
Poe 109, quo latis *P pro* quoiatis(*Z*) Tru 336
praesto ita lata est *P pro* praestolatast(*FZ*)
LATUS(*subst.*) - - 1. *acc. sing.*: utram hac
me feriam an ab laeua **latus**? Ci 641   non latus fodi Au 418   lembus ille mihi laedit latus
Ba 281   quoius ego latus in latebras reddam
meis dentibus Fr I. 20(*ex Macr* III 16,1)   uide
. . ulmeae catapultae tuom ne transfigant latus
(-fagan datus *B*) Per 28
2. *abl.:* mauelim agere aetatem praepeditus
latere(catulo *MueU*) forti ferreo Poe 828(*vide*
supra titulum later)
3. *nom. pl.:* ut tua iam uirgis **latera** lacerentur probe Ba 780
4. *acc.:* **latera** conteram tua As 419   uostra
crura aut latera nihil penditis Men 993   ego
uostra faciam latera lorea Mi 157(*cf* Egli, I.
p. 35)   ego uostra latera loris faciam ut ualide
uaria sint Ps 145
LAVATIO - - quid ea messis attinet ad meam
lauationem? #Nihilo plus quam **lauatio** tua
ad messim Mo 160-1
LAUDABILIS - - Per 673, laudabilem *CD*
pro adl.(*B* adiutabilem *ColerR*)
LAUDO - - I. Forma laudo As 704, Cap
151, 426(*Non* 335 do *PS*† do laudo *Rs*), Cu

364, 670, Ep 150, 190, Mi 241, Per 157, 548, 598, Ru 523, Tri 830 **laudas** Mo 720(me l. *B* mel audis *CD*) **laudat** Cap 422, Mi 1000 **laudant** Au 477, Mo 103, Tri 292, Tru 488, 491 **laudabis** Per 195 **laudabitis** Poe 1154(lad. *B*) **laudabunt** Ba 397 **laudauit** Cap 420(*P̂S†Rs†Ly†* laudibus *B²U* lautus laudibus *L*) **laudem** As 718 **laudetis** Ep 259 **laudent** Tri 210 **laudetur** Cap 422 **laudato** Cu 364 **laudare** Ru 51 **laudasse** Mo 175 **laudauisse** Mo 760 (*A ut vid* laudasse *P*) **laudari** Mo 179 **laudatus** Vi 4 **laudandus** Tru 487(*FZ* -dū *P* -dum *U*) *corrupta:* Cu 326, laudas *J pro* ludas Tri 1148, qui nunc laudo *CD pro* quin claudo (*B*) Tru 198, laudabit *D pro* lauabat(*A*)

II. **Significatio** 1. *absolute:* abi, laudo As 704, Tri 830 laudo. #Laudato quando illud quod cupis effecero Cu 364 eamus ad lenonem. #Laudo Cu 670 quasi sit peregrinus. #Laudo Per 157 ego laudabis faxo Per 195

2. *seq. acc.:* **a.** istic me .. laudat Cap 422 laudari multo malo quam .. Mo 179 amice facis quom me laudas* Mo 720 nunc ego te laudo Ep 150 illum laudabunt boni Ba 397 ipse meritust ut laudetur laudibus Cap 422 neque patiar te istanc gratiis laudasse Mo 175 laudant fabrum Mo 103 Euclionis filiam laudant Au 477

b. sibi laudauisse* hasce (aedis) ait architectonem nescioquem exaedificatas insanum bene Mo 760 laudo commentum tuom Mi 241 laudo consilium tuom Ep 190, Per 548, 598 dederim uobis consilium catum quod laudetis Ep 259 is illius laudare infit formam uirginis Ru 51 licet laudem Fortunam .. As 718 scirpe, laudo fortunas tuas Ru 523 ego faxo hospitium hoc leniter laudabitis* Poe 1154 hi mores maiorum laudant Tri 292 meam laudat speciem Mi 1000

c. falson an uero laudent culpent quem uelint Tri 210 non laudandust* quoi plus credit .. Tru 487(*v. secl BriKsŜULy*) non placet quem illi plus laudant qui Tru 488(*v. secl Guy RsL*) non placet quem scurrae laudant Tru 491

3. = nominare(*cf Non* 335): Iouem supre mum testem laudo* Cap 426

4. *seq.* **quom:** laudo malum quom amici tuom ducis malum Cap 151

5. *dubia et corrupta:* quantis †laudauit .. Cap 420 laudatus ia*** Vi 4

LAVERNA - - ita me bene amet **Lauerna** Au 445(*cf* Hubrich, p. 86) mihi Lauerna in (*Scal* militaueram nam *Non*) furtis celebrassit manus Fr I. 66(*ex Non* 134) sequemini me hac sultis, legiones omnes **Lauernae**(-ne *Fest* Lauernulae *Rg*) Fr I. 80(*ex Fest* 301)

LAVO - - I. **Forma lauis** Ps 10(laui *Non* 466) **lauat** Au 308, Cu 580, Mi 251, Tru 323 **lauit** Tru 902 **lauant** Tru 322, 324(*FZ* iuuant *B* uiuant *CD*) **lauantur** Poe 229 **lauabat** Tru 198(*A* -bit *BC* laudabit *D*) **lauabo** Au 612 **laui** Am 802, 1103, Mo 157 **lauisti** Am 802 **lauit** Mo 111(perlauit *RL*) **lauerunt** Ru 151 **lauero** St 569 **lauem** Tru 328(ut l. *Ca* laue *P*) **laues** Ba 105 **lauemus** Ru 411 **laueris** Poe 702 **lauerit** Tru 330 **laua** St 533(iaba *A*) **lauate** Cap 953 **lauare** St 668 (*v. secl GoelRRgU*), Tru 323(*C* lauere *BD* **lauari** *Varr de l. L.* IX. 105: *cf* Seyffert, *Stud. Pl.* p. 6) **lauere** Am 1102(*ex Non* 503 lauare *P*) **lauisse** Ru 537(elauisse *FlLU* †*Ly*) **lauari** Poe 220 **lauatum** Au 579(*B²V²J* labatum *B¹DV¹*), Ru 382 **lautum** St 568(*Fl* lauatum *P*), 595 **lotum** Ba 108(*BekkerRU* lectum *PLLy* in pyelum *SeyRsŜ*) **lauando**(*dat.*) Poe 223, 231 **lautus** Cap 420(l. laudibus *L* laudauit *P̂S†Ly†Rs* laudibus *B²U*), Cas 768 (*A* laute *PU v. om B*) *v. secl GoelRRgU*) **lauta** Mi 787(*FZ* -tā *P*), Poe 232(quae l. *Py* qua clauata *P* quae lauata *D⁴U* quae elauta *CaRgl*), 1198, St 745, Tru 378(l. es *A* lauiaiisse *P*) **lautum**(*acc. masc.*) Per 90 **lautam** Mi 787 **lautum** Ru 701(l. tu *Ca* lautu *P*) **lauti** Ru 301, Fr I. 109(*ex Fest* 1161) **lautae** Ru 699(*A ut vid* **aut hae *B* **aut ae *CD* elautae *CaRsUL*) **lauta** Ps 164 **laute** Cas 768(*PU* lautus *Aψ v. om B*), Mi 1001(laudē *B*), 1161(*aliter R*) *corrupta:* Ru 1386, lenon(*B* lenoni *CD*) lauti *P pro* lenonia uti(*FZ*) Tru 378, lauta *A pro* iam pol(*P*); 415, lauo re *B pro* labore; 537, lauo res *B pro* labores; 807, lauare *B pro* labore

II. **Significatio**(*cf* Langen, *Beitr.*, p. 297; Seyffert, *Stud. Pl.* p. 6) 1. = **se lauare: a.** *medialiter:* noctes diesque omni in aetate semper ornantur lauantur Poe 229(*v. secl RU*) numquam concessamus lauari aut fricari Poe 220

b. *active:* aquam .. plorat quom lauat profundere Au 308 ornatur lauat Mi 251 piscis .. qui usque dum uiuont lauant minus diu lauare* quam haec lauat Phronesium: si proinde amentur mulieres diu quam lauant* .. Tru 322-4 iam exibit nam lauabat* Tru 198 lauabo ut rem diuinam faciam Au 612 lauisti. #Quid postquam laui? Am 802 frigida non laui magis lubenter Mo 157 post cenam .. lauerunt heri Ru 151 ubi lauero otiosus uos opperiar accubans St 569 mihi .. prae lassitudine opus est ut lauem* Tru 328 eamus hinc intro ut laues Ba 105 aquam calefactat ut lauemus Ru 411 .. ubi tu laueris Poe 702 .. iam ut satis lauerit Tru 330 abi intro ad me et laua* St 533 uos lauate interibi Cap 953 tu lauare propera. #Lautus sum St 668 lauare* Tru 323(*supra:* cf Varr de l. L. IX. 105) iure optumo me lauisse* arbitror Ru 537 eo lauatum* ut sartiicem Au 579 it lauatum in balineas Ru 382 ibo lautum* in pyelum St 568 sequere .. me intro lotum* Ba 108(*Becker RU*) neque umquam lauando et fricando scimus facere neniam Poe 231

2. *cum acc.:* **a.** *verb. fin.:* eae nos lauando eluendo operam dederunt Poe 223 pueros lauere* iussit nos Am 1102 puer ille quem ego laui .. Am 1103 .. quae puerum lauit Tru 902 .. ancillam meam quae latrinam lauat Cu 580 uenit imber lauit* parietes Mo 111 eas (tabellas) lacrumis lauis* Ps 10 uenias — uasa lautum, non ad cenam dico St 595

b. lautus, 'clean', 'rein gewaschen': *et proprie et translate:* uestitus lautus* exornatusque ambulat Cas 768 lautus luces cereum Cu 9 lautus sum St 668 lautam uis an quae non-

dum sit lauta*? Mɪ 787   quae lautast* nisi
percultast . . Poᴇ 232   est lepida et lauta Poᴇ
1198   bene quom lauta . . infectast tamen Sᴛ
745   iam lauta's*? Tʀᴜ 378   lautum credo e
balineis iam hic adfuturum Pᴇʀ 90   si quippiamst minus quod bene esse lautum* tu arbitrare Rᴜ 701   salsi lautique pure domum redimus Rᴜ 301   lautae* ambae sumus opera Nep-
tunei noctu Rᴜ 699   tersa strata lautaque . .
omnia uti sint Ps 164

quantis lautus* laudibus suom erum seruos
conlaudauit! Cᴀᴘ 420 (L)   ambo magna laude
lauti Fʀ I. 109 (ex Fest 166)

uestitus laute* . . Cᴀs 768 (PU)   loquitur laute*
et minume sordide (loquitur nihil attrectat sordidi A ut vid) Mɪ 1001   militem lepide et facete et laute ludificarier (aliter R) uolo Mɪ 1161

LAUREUS - - parite laudem et lauream Cɪ
201   Vide Poᴇ 345, ubi laurei A pro aurei

LAURUS - - da sane hanc uirgam lauri
Mᴇʀ 677

LAUS - - 1. nom.: illa laus est magno in
genere . . liberos hominem educare Mɪ 703 (cf
Walder, p. 51)

2. gen.: domum laudis compos - reuenit Aᴍ
643

3. acc.: a. offers mihi laudem lucrum ludum . . Cᴀᴘ 770   parite laudem (J laudeam B
VE) et lauream Cɪ 201   nunc tibi potestas
adipiscendist gloriam laudem decus Sᴛ 281   non
uideor meruisse laudem Tʀɪ 1129

b. perfidiae laudes gratiasque habemus As
545   . . ut Ephesiae Dianae laeta laudes gratesque agam Mɪ 411   salsipotenti . . laetus lubens laudes ago et grates Tʀɪ 821

4. abl.: a. . . dum modo laude parta domum
recipiat se Aᴍ 645   ambo magna laude lauti
Fʀ I. 109 (ex Fest 166)

b. quantis laudibus (B²U lautus l. L laudauit Pψ†) suom erum seruos conlaudauit Cᴀᴘ
420   meritust ut laudetur laudibus Cᴀᴘ 422

5 corruptum: Mɪ 1001, laudē B pro laute

LAUSUM - - Tʀᴜ 731 PS̸† var em ψ

LAUTUMIAE - - uel in lautumiis (BD² -mis
D¹ -mus C) uel in pristino mauelim agere
aetatem Poᴇ 827   Cf latomiae

LAXUS - - sin res laxe (A lassę C lassa B
lasse D om R) labat . . . Sᴛ 521

LEAENA - - anus. In supersc. Cᴜ act. I. sc. 2;
Cᴜ 113 (Fl lena P)   nomen Leaenest (Fl est
leene P) Cᴜ 71   Cf Schmidt, p. 192

LECTISTERNIATOR - - tu esto lectisterniator, tu argentum eluito Ps 162

LECTICA - - Sᴛ 704, lecticis PLy† pro lectis
(Pius)

LECTO - - Tʀᴜ 508, lectat CD letat BRsS̸
var em ψ

LECTULUS - - Tʀᴜ 54 (cleptus lectulus Rs
[electus B lectus CDLULy] laptiles PS̸†Ly†
aliter em U) statuite hic lectulos Pᴇʀ 759 a   Cf
Ryhiner, p. 31

LECTUS - - I. Forma lectus As 221 (pectus
Paul 113), Bᴀ 54, 72, Mo 327, Ps 215, Tʀᴜ 54
(CD electus B lectus Rs)   lectūs (gen.) Aᴍ
513   lectum As 776, Bᴀ 55, 108 (in l. PLLy
lotum BeckerRU in pyelum SeyRgS̸), Tʀᴜ 963
lecto Aᴍ 805, 808 (om E), Bᴀ 836, 938, Cᴀs 38,

931, Cᴜ 361, Mᴇɴ 103, Mɪ 470, Poᴇ 697, Sᴛ 488,
572, Tʀɪ 651 (in l. A intellectu B intellecto CD),
Tʀᴜ 916   lecti Bᴀ 756   lectis Pᴇʀ 765, Sᴛ 678
lectos Mᴇɴ 353, Sᴛ 357, 377   lectis Cᴀs 664
(lect' E), Sᴛ 358, 704 (Pius lecticis PLy†)   corruptum: Aᴍ 676, lectus Non 439 pro laetus

II. Significatio 1. nom.: a. escast meretrix
lectus* inlex est As 221   metuis ne tibi lectus
malitiam apud me suadeat? Bᴀ 54   . . ubi mihi
pro equo lectus detur Bᴀ 72   . . ubi lectus est
stratus Mo 327   ibi tibi adeo lectus dabitur
ubi tu hau somnum capias Ps 215   aut uasum ahenum †aliquod aut lectus* laptiles
Tʀᴜ 54

b. ibidem ubi nunc sunt lecti strati potetis
Bᴀ 756

2. gen.: prius abis quam lectus ubi cubuisti
concaluit locus Aᴍ 513

3. dat.: quin lectis nos actutum ꞓommenda-
mus? Pᴇʀ 765   lectis sternendis studuimus Sᴛ
678

4. acc.: a. magis inlectum tuom quam lectum metuo Bᴀ 55   meum . . te lectum certe
occupare non sinam Tʀᴜ 963

neque . . in lectum inscendat proxumum As
776   sequere hac me igitur intro in lectum*
Bᴀ 108

b. aduexit . . lectos eburatos auratos Sᴛ 377
sternite lectos Mᴇɴ 353   uos lectos sternite
Sᴛ 357

5. abl.: a. decido de lecto praecipes Cᴀs 931
deduco pedes de lecto clam Cᴜ 361   ego accubui simul. #In eodem lecto? #In eodem Aᴍ
805   ubi tu cubuisti? #In eodem lecto* tecum
Aᴍ 808   non in busto Achilli sed in lecto accubat Bᴀ 938   in morbo cubat — immo hercle
uero in lecto Cᴀs 38   in lecto cubat Mɪ 470
hau postulo . . med in lecto accumbere Sᴛ 488
miser cubando in lecto hic expectando obdurui
Tʀᴜ 916   in foro operam amicis da ne in lecto*
amicae Tʀɪ 651   amica noctu quae in lecto
occentet senem Sᴛ 572   standumst in lecto . .
Mᴇɴ 103   qui sunt in lecto illo altero? Bᴀ 836
potes esse te pati in lepido loco in lecto lepide strato? Poᴇ 697

b. principium placet de lectis Sᴛ 358   potius
in subsellio cynice hic accipimur quam in lec-
tis* Sᴛ 704   sub arcis sub lectis latentes Cᴀs 664

LEGATIO - - Eᴘ 46, legationē B¹ pro legionem

LEGATUS - - vide sub titulo lēgo

LEGIO - - I. Forma legio Aᴍ 527, Mᴇɴ
188 (P†L†Ly legioni Rs leges R aliter U)
legioni Aᴜ 560 (B² beoni P), Mᴇɴ 188 (Rs leges
R legio PS̸†L†Ly†), Poᴇ 477, Tʀᴜ 615 (Ly vide
infra), Fʀ II. 1 (ex Varr de l. L. VII. 38)   legionem Aᴍ 133, 947, Cᴀᴘ 451, Mᴇɴ 184, Eᴘ 46 (legationē B¹), Mo 129, 1047, Tʀᴜ 508, 615 (ad l. Ca
uel l. P in legione ZL Bellonae Rs legioni Ly)
legione Aᴍ 523, Eᴘ 58, 91, 206, Tʀᴜ 615 (L vide
supra)   legiones Aᴍ 188, 427, As 554, Fʀ I.
80 (ex Fest 301) . legionibus Aᴍ 100, 363   legiones Aᴍ 136, 218, 222 (om URgl duce Bo), ib.,
414, 691, 737 (legumes E), Cᴀs 50, Mɪ 17 (Non
97 -is A ut vid egionis P), 224 (-is PS̸), Ps 586,
587 (R exercitum APψ), 761 (v. secl U)   corruptum: Cᴀᴘ 776, legionem E pro Hegionem

II. Significatio A. *proprie de militibus et militia:* 1. *nom.:* **a.** ne legio persentiscat Am 527

b. uictores uictis hostibus legiones reueniunt domum Am 188 legiones .. pugnabant maxume Am 427

2. *dat.:* **a.** uel legioni* sat est (obsonium) Au 560 (*cf* Egli, I. φ. 17) uiscum legioni dedi fundasque Poe 477 Epeum fumificum qui legioni nostrae habet coctum cibum Fr II. 1 (*ex Varr de l. L.* VII. 38) si tu legioni* bellator clues.. Tru 615 (*Ly*) *vide* Men 188, *ubi* tuae legioni *Rs* tuest legio *P⟨S⟩†* *var cm* ψ

b. Amphitruo praefectust legionibus Am 100 Amphitruo .. nunc praefectust Thebanis legionibus Am 363

3. *acc.:* **a.** iam †ne (*om Rs*) letat (*B* lectat *CD* iit ad *BueLLy* ductat *U*) legionem? Tru 508 quae illi ad legionem facta sunt Am 133 quem hic ferat secum ad legionem Cap 451 hinc ad legionem* abiit domo Ep 46 istuc .. fieri ad legionem solet Men 184 ad legionem †comita .. danunt Mo 129 si tu ad legionem* bellator clues Tru 615 .. quae apud (ad *MueRgl*) legionem uota uoui Am 947

b. legiones Teloboarum ut pugnando cepimus Am 414 tu legiones* difflauisti spiritu Mi 17 Teloboae ex oppido legiones educunt Am 218 memorat legiones hostium ut fugauerit Am 136 nos nostras more nostro et modo instruximus legiones* item hostes contra legiones suas instruont Am 222

non abiisti ad legiones Am 691 primo diluculo abiisti ad legiones* Am 737 .. cibatus commeatusque ad .. legionis tuas tuto possit peruenire Mi 224

4. *abl.:* clanculum abii a legione Am 523 cottidie ipse ad me ab legione epistulas mittebat Ep 58 si sibi nunc alteram ab legione abduxit .. Ep 91 a legione omnes remissi sunt domum Thebis Ep 206 si tu in legione* bellator clues.. Tru 615 (*L: vide supra 2 et 3 a*)

B. *translate:* tua est legio* (tuae legioni *Rs*) adiudicato cum utro .. Men 188 (*Ly*) eduxi omnem legionem et maris et feminas Mo 1047 eae nunc legiones .. ui pugnando periuriis nostris fugae potiti As 554 sequimini .. legiones omnes Lauernae Fr I. 80 (*ex Fest* 301) huc meas legiones adducam Ps 586 omnes ordine sub signis ducam legionis meas Ps 761 (*v. secl U*) Ps 587 (legiones *R pro* exercitum) sibi uterque contra legiones parat Cas 50

LEGIRUPA - - periure! #Vetera uaticamini. #Legirupa (lege. *ALy*)! Ps 364 legirupa (lege. *Ly*), impudens, impurus! Ru 652 hominem ego hic quaero malum, **legirupam** (*CD* -pum *A* lege rupam *B* lege. *Ly*), inpurum Ps 975 *vide* Per 68, *ubi* sed si [*om CD*] lege rumpam *P⟨S⟩†* sed legirupam *FZU* si lege. *Ly* sed ** si 1. *BriL* sed ni 1. *R*

LEGIRUPIO - - tun **legirupionem** (*F* lege. *Ly* lege rupionem *P*) hic nobis cum dis facere postulas? Ru 709

LEGO - - I. **Forma** legat Am 205, As 306 legauit Mer 38 legatus Mi *Arg* II. 3, Mi 102, Tru 92 legatum Cas 100 legato (*dat.*) Mi *Arg* I. 3 legati Am 216, St 491 legatos Am 213

II. **Significatio** A. = *cum mandato mittere:*

1. continuo Amphitruo delegit uiros .. : eos legat Am 205 quin potius quod legatumst tibi negotium id curas? Cas 100 *fortasse etiam* Mer 38 *huc referendus est*

Naupactum is domo legatus abiit Mi *Arg* II. 3 is publice legatus Naupactum fuit Mi 102 .. legatus quo hinc cum publico imperio fui Tru 92 ero amanti seruos nuntiare uolt legato peregre Mi *Arg* I. 3 Ambracia ueniunt huc legati publice St 491

2. haec ubi legati pertulere .. Am 216 superbi nimis ferociter legatos nostros increpant Am 213 (*cf* Wueseke, p. 16)

B. *de testamento:* hoc testamento Seruitus legat tibi As 306 *similiter:* eodem quo amorem Venus mihi hoc legauit die Mer 38

LEGO - - I. **Forma** legis Ps 40 **leges** Men 188 (eum 1. *R* tuest legio *P⟨S⟩†* *var em* ψ) **legeris** Am 316 (tetigeris *RglU*) **legerit** Ps 25 **legam** Ps 414 **legas** Ps 102 (*A* geras *PRgLU Ly* ingeras *SalmR*) **legat** Ba 730 **legeres** Ba 433 **lege** Ps 31, 63 **lectus** Mi 603 (*A* lectum *B²CD* lect//// *B¹ v. secl WeisRgS*) **lectae** Ps 1149 (*A* -te *P*) **lectos** Ba 974 *corrupta:* Am 520, quo lego *B²DEJ pro* quoii ego *C₁* 533, leget *P pro* licet (*B²*) Men 116, legerim *PU†* *pro* egerim (*B²*) Per 256, legenti *P pro* ei egenti (*Weis*) Ru 73, lecti *P pro* eiecti (*Z*) Tru 898, legon *P⟨S⟩†* *var em* ψ

II. **Significatio** 1. *proprie:* **a.** eum leges* Men 188 (*R solus in loco perdub*) alia forma esse oportet quem tu pugno legeris* Am 316 (= leuiter tangere — *Palmer*) minus cum cura .. locus loquendi lectus* est Mi 603

Priamus .. quadringentos filios habet atque equidem omnis lectos sine probro Ba 974 (*proprie de filiis* — Dousa, p. 292; *de nummis alii*) hic sunt quinque argenti lectae numeratae minae Ps 1149

non pluris refert quam si imbrem in cribrum legas* Ps 102

2. *translate:* .. unde horum sermonem legam Ps 414

3. *de litteris:* **a.** *absolute:* te uolo scribere ut pater cognoscat litteras quando legat Ba 730 lege uel tabellas redde Ps 31 ergo quin legis? Ps 40 lege: dulce amarumque .. misces mihi Ps 63

b. *cum acc.:* cum librum legeres .. Ba 433 (*vide L*) has (tabellas) .. nisi Sibulla legerit .. Ps 25

ΛΕΓΟ - - χαίρειν τοῦτον λέγω Ps 712 (*U pro* χάριν τούτῳ ποιῶ)

∗∗LEM frus∗∗∗ Cas 990 ∗∗lem atque Fr I. 7 (*ex Fest* 165)

LEMBUS - - 1. *nom.:* **lembus** ille mihi laedit latus Ba 281 is lembus nostrae naui insidias dabat Ba 286

2. *acc.:* ego **lembum** conspicor longum .. exornarier Ba 279 subducunt lembum Ba 305 ducit lembum (*Z* limbum *BC* limpum *D*) dierectum nauis praedatoria Men 442 (*translate: cf* Graupner, p. 32) inscendo in lembum (limbum *B*) Mer 259

3. *abl.:* dixeram nostro seni mendacium .. de **lembo** Ba 958 lembo (-po *C*) aduehitur tuos pater pauxillulo Mer 193

LEMNIENSIS · · ducendast domum sua cognata **Lemniensis**(leni. *V* leniě. *E*) quae habatat hic in proxumo Cɪ 100

LEMNISCUS · · unguenta atque odores **lemniscos**(*B* lentiscos *CD*) corollas dari dapsiles Ps 1265 *Cf* Ryhiner, p. 28

LEMNISELENIS · · *meretrix.* **Lemniseleni** Peʀ 196(lemniss. *CD*) **Lemniselenem** Peʀ 248 (lemniss. *D*) *Cf* Schmidt, p. 370

LEMNIUS · · comprimit adulescens **Lemnius** (*E²* lemnus *P*) Sicyoniam Cɪ *Arg* 1 mercator uenit huc ad ludos Lemnius(lenius *J*) Cɪ 157 illic . . Lemnius propinquam uxorem duxit Cɪ 173 tibi aliast sponsa locuples **Lemnia**(lenia *J*) Cɪ 492 hanc uxorem **Lemniam**(lenian *J*) ducet domum Cɪ 530 *vide* Cɪ 161, *ubi* lemnium *VE pro* lemnum(*BJ*)

LEMNUS · · in **Lemnum**(*BJ* -nium *VE*) aufugit Cɪ 161(*cf* Goerbig, p. 33; Koenig; p. 5) **Lemni**que natam spondet adulescentulo Cɪ *Arg* 7(*cf* Goerbig, p. 28) **Lemno** post rediens ducit quam compresserat Cɪ *Arg* 6 Lemno aduenio Athenas nudius tertius Tʀu 91 Lemno adueniens . . tuae non des amicae . . sauium? Tʀu 355 *vide* Cɪ *Arg* 1, *ubi* lemnus *P pro* Lemnius(*E²*)

LENIO · · . . dum haec consilescunt turbae atque irae **leniunt** Mɪ 583 senem illum tibi dedo . . lepide ut **lenitum** reddas Bᴀ 1150

LENIS · · **I. Forma** lenis Tʀu 776(sim l. *Ly* similes *P* sim mitis *Caψ*) **lenem** Cᴀᴘ 198, Cᴀs 223, Eᴘ 562(leuem *J*) **leni**(*abl.*) Mɪ 664 **lenior** Ru 203(l. esset *BD³* leniores sed *CD¹*) **leniorem** Mɪ 664 **leniter** Aᴍ 25, Bᴀ 408, Poᴇ (622b =) 639, 1154, Sᴛ 78(*B* leuiter *CD* saeuiter *L*) *corrupta:* Cɪ 157, lenius *J pro* Lemnius; 492, lenia *J pro* Lemnia Poᴇ 909, lenem *A pro* lenonem

II. Significatio 1. *adiect.:* opusne leni (aduocato)? leniorem dices quam mutumst mare Mɪ 664 prope modum expertae estis quam ego sim lenis* tranquillusque homo Tʀu 776(*Ly*) faciet . . hominem ex tristi lepidum et lenem Cᴀs 223

habe animum lenem* et tranquillum Eᴘ 562 labor lenior* esset hic mihi Ru 203 mos bonust . . (seruitutem) lenem reddere Cᴀᴘ 199

2. *adv.:* ego faxo hospitium hoc leniter laudabitis Poᴇ 1154 hoc petere me . . iussit leniter . . Aᴍ 25 leniter qui saeuiunt sapiunt magis Bᴀ 408 an potius temptem leniter* an minaciter? Sᴛ 78 bene uolumus leniter lenonibus Poᴇ(622b =) 639

LENA · · **1.** *nom.:* ubi **lena** bene agat cum quiquam amante As 175 horrescet faxo lena (leno *D*) leges quom audiet As 749 nec mater lena ad uinum accedat interim As 799 *Vide* Cu 113, *ubi* lena *P pro* leaena Mo 213, *ubi* inuitam lena *R* utti lena *CD¹* uitilena *BD² S†L†Ly†* *aliter* ψ

2. *dat.:* quasi piscis itidemst amator **lenae** (laene *B* lene *E* lęne *D* lenę *J*) As 178 Diabolus . . Cleaǫretae lenae(laenae *B* laene *J* lenę *D* lene *E*) dedit dono . . minas As 752 argentum obicias lenae(lenę *BJ* lene *D* lenę *E*) As 815 sublinit os illi lenae(*D* laenae *B* laenę *C*) Mɪ 110

3. *acc.:* non uideor uidisse **lenam** callidiorem Mo 270 bonis esse oportet dentibus lenam probam Tʀu 224

huc cras adducam ad lenam As 915 intumum ibi se miles apud lenam facit Mɪ 108 conscripsisti syngraphum inter me et amicam et lenam As 747

4. *nom. pl.:* omnes sunt **lenae** leuifidae Peʀ 243

LENO · · **I. Forma leno** Cᴀᴘ 57, Cu 33, 61, 233, 455, 461, 525, 572, 666, 686, 702(*om VEJ*), 715(*om J*), Eᴘ 352, 369, Mᴇɴ 75, Mᴇʀ 44, Peʀ *Arg* l. 2. II. 14(*dub*), Peʀ 82, 131, 137, 425, 497 (*add Rs solus*), 565, 594, 634, 686, 688, 745, 809, 824, 845, 857, Poᴇ 89, 98, 171, 179, 184, 200, 450, 462, 564, 605, 613, 698, 723, 730, 733, 744, 751, 761, 779(loeno *B*), 798, 1093, 1097, 1284(nec leno *CD* nedeno *B*), 1333, 1342, 1349, 1359, 1382, 1385, 1398, 1401(leno tris res *Lip* lenostris re *P*), 1407, 1409, 1414(*om PyU †Ŝ*), Ps *Arg* I. 3, 7, Ps 51, 58(*add R solus*), 366, 597, 599, 977, 1118, 1122, 1144, 1146, 1155, 1213, Ru 41, 47, 59, 72, 325, 356, 361, 389 456, 653, 661, 780, 839(*B* lenoni *CD*), 887, 1357, 1385, 1394, 1403, 1417, Vɪ 117(*ex Non* 332) **lenonis** Cu 39, Peʀ 213, Poᴇ 155, 803, 822, Ps *Arg* II. 11, Ps 130(leonis *C*), 690(a lenone *DousaR*), 951 (os l. *Bri* ostenonis *P* lenonis *SchmidtRgŜ*), Ru 396, 693, 1091, Tʀu 50b(*Ly duce Schoellio* lenosis *PŜ†L†Rs†*) **l. noni** Cu *Arg* 5, Cu 44, 58, 66, 436, Peʀ 52, 156, Poᴇ *Arg* 6, Poᴇ 710, 712, 1280, 1327, Ps 311, 536(lenon *B*), 618, 636, 675(-nis *A*), 753, 775, 781, 998, 1082, Ru 53 (l. suadere *CD* -is uadare *B*), 68(lenononi *B*), 794, 1285 **lenonem** Cu *Arg* 6, Cu 342, 515, 670, 676, Eᴘ 364(lonenem *J*), Peʀ 457, 808, Poᴇ 168, 174, 187(-ne *C*), 423, 559, 575(leonem *B*), 591, 742, 818, 829, 907, 909(lenem *A*), 918, 924, 1330, 1369, 1398, Ps *Arg* II. 5, 14, Ps 529(lepide l. *Ac* lepidele[*B* lepidule *CD*] nomen[-m *B*] *P*), 691, 906, 953, 1140, Ru *Arg* 3, Ru 44, 65, 91, 376, 451, 592, 684, 790, 851, 1066 **lenone** As 70, Cu 348, 494, 614, 619, Eᴘ 47(-nem *E¹*), 495, Mᴇʀ *Arg* II. 16(*v. secl Piusω*), Peʀ 163 (*FZ* lenon *P* le ñ *C*), 326, 468, 728, Poᴇ 157, 548, 1092, Ps 193, 203, 526, 690(a l. *DousaR* lenonis *Pψ*), 754, Ru 81(lelone *C*) **lenones** Ru 1349, Tʀu 67 **lenonum** Cu 548(leonum *J* latronum *FlRg*), Mᴇʀ 47, Ps 196, Ru 346, Tʀu 63a, 64 **lenonibus** Poᴇ(622b =) 639 **lenones** Bᴀ 1210, Cᴀᴘ 475(-is *Rs*), Cu 505, Ru 1284 *corrupta:* As 749, leno *D pro* lena Mᴇɴ 553, lenonis *P pro* lenoniis(*B²*) Poᴇ 1343, leno *add P om A* Ps 1041, qui lenonem *CD* qui le nunc *B pro* qui te nunc(*Ca*) Ru 1386, lenoni[*CD* lenon *B*] lauti *P pro* lenonia uti(*FZ*)

II. Collocatio *anteponitur substantivo quocum coniunctum est duobus exceptis locis,* Peʀ 845 *et* Ps 599, *ubi edd nonnulli em* — Asmus, p. 47

III. Significatio 1. *nom. vel. voc.:* **a.** *sing.:* leno, salue! Cu 455 leno, caue in te sit mora mihi Cu 461 numquid uis, leno? Cu 525 heus tu, Leno: te uolo Cu 686 quid nunc, sceleste leno! Poᴇ 798 fraudulente! ‡Inpure. leno! ‡Caenum! Ps 366 utrum tu leno cum malo lubentius quiescis? Ru 780 *similia exempla:*

Cu 702*, 715*, Per 497 (add Rs), 745, 809, 824, Poe 698, 751, 761, 779, 1342, 1349, 1359, 1385, 1398, 1401*, 1407, 1409, 1414*, Ps 1213, Ru 1385, 1403, 1417

b. leno *abit* scelestus exulatum Ru 325 leno ad se *accipiet* .., celabit hominem et aurum Poe 179 leno .. aurum accepit Poe 723 leno argentum hoc uolo a me accipiat atque amittat mulierem Ps 1122 .. Veneri ut *adierit* leno manum Poe 462 leno *ademit* cistulam Ru 389 huc Cyrenas leno *aduexit* uirginem Ru 41 modo hic *agitat* (*GrutRU* hic habitat *RsLy* nicaditat *PS†Lt*) leno Men 75 ibi leno sceleratum caput suom imprudens *alligabit* Ep 369 leno omne argentum *abstulit* Ep 352 istic leno .. Megaribus huc .. *commigrauit* Per 137 quicquid erat .. *conportat* domo leno Ru 59 .. ne hic uos mecum *conspicetur* leno Poe 605 *curat* leno uι emittat manu Per *Arg* I. 2 leno hic *debet* nobis triginta minas Cu 666 ego ille doctus leno paene in foueam *decidi* Per 594 .. ut Phoenicium ei *det* leno Ps *Arg* I. 3 leno *egreditur* foras Vi 11·7 (*ex Non* 332) ibi extemplo leno *errabit* Poe 733 si *exierit* leno, censen hominem interrogem? Poe 730 illam *faciat* leno libertam suam Per 82 is leno .. flocci non fecit fidem Ru 47 leno hic *habitat* Cu 33 Men 75 (*supra sub* agitat) leno hic habitat (habet *SeyRgl*) uicinus Poe 1093 .. ubi ille habitet leno Ps 597 .. Ballio leno ubi hic habitet (*vide RRg*) Ps 599 leno .. Veneri .. *immolarit* hostiam Poe 450 hic leno aegrotus *incubat* in Aesculapi fano Cu 61 leno *labascit* Ru 1394 hunc leno *ludificatur* Poe 1097 eum leno *macerat* Poe 98 leno *minitatur* mihi Cu 572 cum eo simul me leno* *mitteret* Ps 58 (*R*) hic leno neque te *nouit* .. Per 131 eum hic non nouit leno Poe 171 .. ne nos leno nouerit Poe 744 leno pugnis *pectitur* Ru 661 leno *periit* Per 857 leno te argentum *poscit* Per 425 leno inportunus .. ui summa quicque .. *rapiebat* domum Mer 44 nec leno* neque illae *redeunt* Poe 1284 ambo in saxo leno atque hospes simul *sedent* eiecti Ru 72 .. nisi quid leno hic *subuenit* tibi Ps 1146 Simiae leno mulierem .. *tradidit* Ps *Arg* I. 7 leno me peregre militi .. *uendidit* Ps 51 scelestus leno *ueniat* nosque hic opprimat Ru 456 leno clanculum nos hinc auferre *uoluit* Ru 356 meamne ille amicam leno* ui .. deripere .. uoluit? Ru 839

leno addicetur tibi Poe 564 tactus lenost qui rogarat .. Per 634 illic in columbum .. leno uortitur Ru 887

hic neque periurus lenost .. Cap 57 lenost Cappadox Cu 233 nullus leno te alter erit opulentior Per 565 ne non sat esses leno .. Per 686 quando lenost nihil mirum facit Per 688 hicin Dordalus est leno? Per 845 .. homini si lenost homo Poe 89 dupli tibi auri et hominis fur leno siet Poe 184 hic scelestus est homo leno Lycus Poe 200 illic homost qui egreditur leno Poe 613 (*vide RRgl*) utrumuis est uel leno uel λύχος Poe 1333, 1382 quid est ei homini nomen? #Leno Ballio Ps 977 leno ubi esset domi .. Ps 1118 hic lenost Ps 1144 si tu quidem es leno Ballio Ps 1155, ubist leno Labrax? Ru 361 uno uerbo absol-

uam, lenost Ru 653 ubi istic lenost? Ru 1357 ***tue leno*** Per *Arg* II. 14 (*ex A*)

b. *pl.*: ueneror te ut omnes miseri lenones sient Ru 1349 circum argentarias scorta et lenones qui sedent cottidie Tru 67 (*dub*)

2. *gen.*: a. *sing.*: lenonis hae sunt aedes Cu 39 ut decet lenonis familiae Per 213 .. lenonis huius meretricem maiusculam Poe 155 .. dum lenonis familia dormitat Poe 803 Syncerastum, lenonis seruom Poe 822 hunc dolo adgreditur .. Pseudolus tamquam lenonis atriensis Ps *Arg* II. 11 ostium lenonis* crepuit Ps 130 ** me esse dixi Ps 690 propera mihi monstrare ubist lenonis* ostium (os le. aedium *BriLULy*) Ps 951 aurum et argentum fuit lenonis omne ibidem Ru 396 praesidio Veneris malitiae lenonis contra incedam Ru 693 hic lenonis eius est uidulus Ru 1091 intercepta in aedibus lenonis* Tru 50 b (*Ly duce Schoellio: loc dub*)

b. *pl.*: facis sapientius quam pars lenonum* libertos qui habent et eos deserunt Cu 548 .. perfidiam iniustitiam lenonum expromere Mer 47 amicos tibi habes lenonum aemulos lanios Ps 196 lenonum more fecit Ru 346 faxim lenonum et scortorum †plus est Tru 63 a (*v. om RsU*) · nunc lenonum et scortorum plus est fere quam olim muscarumst Tru 64

3. *dat.*: a. *sing.*: pretium lenoni dedit Cu *Arg* 5 argentum des lenoni Cu 436 tute inspectes aurum lenoni dare Poe 710 tuos seruos aurum ipsi lenoni dabit Poe 712 minam .. quam lenoni dedi Poe 1280 dabin mihi argentum quod dem lenoni* Ps 536 argenti meo ero lenoni quindecim dederat minas Ps 618 uerba quae in comoediis solent lenoni dici Ps 1082 .. dum excoxero lenoni †malam Per 52 symbolum hunc ferat lenoni Ps 753 tetuli ei auxilium et lenoni* exitium simul Ru 68 .. nisi lenoni munus hodie misero Ps 781 miles lenoni Ballioni epistulam .. mittit Ps 998 si quid lenoni optigit magni mali .. Poe 1327 ille cum auro uilicum lenoni obtrudit Poe *Arg* 6 infit lenoni* suadere ut .. eat in Siciliam Ru 53 .. ut lenoni* surruperem mulierculam Ps 675 amator .. lenoni supplicat Ps 311 .. hanc lenoni huic uendat Per 156

ei ancillulast. #Nempe huic lenoni qui hic habitat? Cu 44 credam pudor si quoiquam lenoni siet Cu 58 iniuriu's qui quod lenoni nullist id ab eo petas Cu 66 seruos est huic lenoni Surus Ps 636 huic lenoni hodiest natalis dies Ps 775 malum .. quantum lenoni sat est Ru 794 omnes mortales si quid est mali lenoni gaudent Ru 1285

b. *pl.*: bene uolumus leniter lenonibus Poe (622 b =) 639

4. *acc.*: a. *sing.*: ea circumducam lepide lenonem* Ps 529 decipiemus fouea lenonem* Lycum Poe 187 tris deludam erum et lenonem et .. Ps 691 totum lenonem tibi cum tota familia dabo hodie dono Poe 168 ipsum lenonem (aedes) euomunt Ps 953 .. quem dudum.*** lenonem extrusti Ru 1066 lenonem fallit sycophanta cacula Ps *Arg* II. 14 hunc inridere lenonem lubidost Per 808 ego mancipem te nihil moror nec lenonem alium quem-

quam Cu 515 dico me nouisse. #Quid? lenonem Cappadocem? Cu 342 hunc uos lenonem Lycum nouistis? Poe 591 ..ego hunc lenonem perdam Poe 423 ..lenonem* ut periurum perdas Poe 575 studeo hunc lenonem perdere Poe 818 neque quiui ad portum lenonem prehendere Ru 91 aedium dominum lenonem Ballionem quaerito Ps 1140 Lyconem miles ac lenonem in ius rapit Cu *Arg* 6 ad incitas lenonem rediget Poe 907 quid .. uideo? .. meum erum lenonem .. quos periisse .. censebam in mari Ru 451 lenonem quid agat intus uisam Ru 592 quid lenonem uis inter negotium? Poe 1398

numquam hercle quisquam me lenonem dixerit .. Ru 790 ego lenonem ita hodie intricatum dabo ut .. Per 457 di .. uolunt .. hunc disperditum lenonem Poe 918 di .. uolunt .. lenonem extinctum Ps 906

adulescenti alii narrant .. lenonem abisse Ru 65 foras egredier uideo lenonem Lycum Poe 742 sciui lenonem facere hoc quod fecit Ru 376 .. hunc pati ***(male facere *Rs* saeuire *LLy* duce *Schoellio* grassari *FlU*) lenonem in me Ru 684

eccum lenonem incedit Cu 676 eccum lenonem optume Poe 1330

eamus ad lenonem Cu 670 deueniam ad lenonem* egomet solus Ep 364 ei dabitur aurum ut ad lenonem deferat Poe 174 Philippos .. quos deferret huc ad lenonem Poe 559 quanta aduenit calamitas hodie ad hunc lenonem Poe 924 malum .. omne ad lenonem reccidit Poe 1369 scortum reliquit ad lenonem ac symbolum Ps *Arg* II. 5 dominum ad lenonem .. subrepta uenerat Ru *Arg* 3 ad lenonem deuenit .. puellam destinat Ru 44 duc me ad lenonem recta Ru 851 .. quam apud lenonem hunc seruitutem colere Poe 829 ne apud lenonem* hunc seruiam Poe 909

b. *pl.*: lenones meo animo nouisti .. lepide Cu 505 lenones ex Gaudio credo esse procreatos Ru 1284 ipsi de foro .. aperto capite ad lenones eunt Cap 475 .. ut apud lenones riuales filiis fierent patres Ba 1210

5. *abl. sing.*: lenone istoc Lyco .. non lutumst lutulentius Poe 157

abduxit ab lenone mulierem As 70 .. ut mulierem a lenone cum auro .. abduceret Cu 348 (uirginem) ab lenone adduxisti hodie Cu 614 mulierem ab lenone abducat Ps 754 egon ab lenone quicquam mancipio accipiam? Cu 494 tu illam a lenone* adserito manu Per 163 pecuniam quadruplicem abs te et lenone auferam Cu 619 quo pacto ab lenone auferam hoc argentum Per 326 mandauit mihi ab lenone* ut fidicina .. emeretur sibi Ep 47 a lenone* me esse dixi Ps 690 (*DousaR*) amat a lenone hic Poe 1092 ubi sunt .. qui amant a lenone? Ps 203 ab hoc lenone .. tibicinam illam .. ea circumducam lepide lenonem* Ps 526 absente cum lenone perfido Mer *Arg* II. 16 (*v. secl Piusco*) cum lenone me uidebis conloqui Per 468, 728 mercatus te hodiest de lenone Apoecides? Ep 495 rem narraui nobis .. de lenone hoc qui .. Poe 548 illam mercatust de

lenone* uirginem Ru 81 .. meque ut praedicet lonone ex Ballione regem Iasonem Ps 193

6. *adiectiua:* aegrotus Cu 61 doctus Per 594 importunus Mer 44 impurus Ps 366 miser Ru 1349 opulentus Per 565 perfidus Mer *Arg* II. 16 (*secl Piusco*) periurus Cap 57, Poe 575 scelestus Poe 798, Ru 325, 456

LENOCINIUM - - nisi lenocinium forte collubitumst tibi Ba 26 (*ex Char* 200 : *negotium meretricis —* Baar, p. 12) ego lenocinium facio qui habeam alienas domi? Ep 581 uxori meae mihique obiectent lenocinium (-num *C* -cium *D* facere Mer 411

LENONES GEMINI - - *fabulae titulus apud Prisc* I. 231 *et Festum* 249 *citatae*

LENONICUS - - Ps 1274, lenonica *C* leonica *D pro* ionicam

LENONIUS - - I. Forma lenonius Ps 335 **lenonia** Per 244 **lenonium** Cu 499 (leonium *J om Fest* ·210), Per 406, Ps 289 (-ūst *A* -us est *P*), 766 **lenonio** (*dat*) Per 582 **lenonium** Ps 767, Fr II. 15 (*ex Paulo* 143) **lenonia** Ru 1386 (l. uti *FZ* lenon [lenoni *CD*] lauti *P*) **lenoniae** As 241 (-ę *JE*) **lenoniis** (*abl.*) Men 553 (*B*² -nis *P* -nieis *ARs§Ly*)

II. **Significatio** non periclumst ne quid recte monstres. #Non lenonium*st Ps 289 (*cf* Gimm, p. 25)

istuc ibit Iuppiter lenonius Ps 335 oh, lutum lenonium! Per 406 item genus est lenonium* inter homines .. ut muscae, culices Cu 499 generi lenonio numquam ullus deus tam benignus fuit qui fuerit propitius Per 582

neque tippulae leuius pondust quam fides lenonia Per 244 ne tu .. postules te hic fide lenonia* uti Ru 1386 portitorum simillumae sunt ianuae lenoniae As 241 neque muneralem legem neque lenoniam rogata fuerit necne flocci aestumo Fr II. 15 (*ex Paulo* 143) datur mihi occasio tempusque abire ab his locis lenoniis* Men 553 ego hoc ipsum oppidum expugnatum faxo erit lenonium Ps 766 (*cf* Egli, II. p. 9) quoi seruitutem di danunt lenoniam puero .. Ps 767

LENOSUS - - Tru 50 b, lenosis *P em U et Ly* †ψ

LENTUS - - ut multa uerba feci ut **lenta** materies fuit! Mi 1203 ita istaec nimis **lenta** uincla sunt escaria Men 94 (*cf Non* 108) ad languorem .. dederis octo ualidos lictores, ulmeis adfectos **lentis** uirgis As 575

LENULLUS - - ita ut occepi dicere, **lenulle** (*Prisc* I. 109 -lo *A* lennutte *B* lenuite *CD*) .. Poe 471 *Cf* Ryhiner, p. 38

LENUNCULUS - - aere militari tetigero **lenunculum** (lemn. *CD*) Poe 1296 *Cf* Ryhiner, p. 38

LEO - - ut ego hunc proteram **leonem** uetulum olentem edentulum Men 864 audiui feminam ego leonem semel parire Vi 116 (*ex Philarg ad Verg Buc* II. 63) cum **leone**, cum excetra .. deluctari mauelim quam cum Amore Per 3 *corrupta:* Au 560, leoni *P pro* legioni (*B*²) Cu 548, leonum *J pro* lenonum Poe 575, leonem *B pro* lenonem Ps 130, leonis *C pro* lenonis

LEONICUS - - Ps 1274, leonica *D* lenonica *C pro* Ionicam

LEONIDA - - *servus. In supersc.* As *act.* II. *sc.* 2, 4; *act.* III. *sc.* 2, As 58, 265 **Leonidae** (*dat.*) As *Arg* 4(-dẹ *EJ*) **Leonidam** As 101 **Leonida**(*voc.*) As 566, 665, 672, 740 **Leonida** (*abl.*) As 368 *Cf* Schmidt, p. 193

LEONINUS - - concede audacter ab **leonino** cauo Men 159 *Cf* Egli, II. p. 18; Wortmann, p. 25

LEONIUS - - Cu 499, leonium *J pro* lenonium

LEPAS - - *vide titulum* lopas

LEPIDUS - - I. Forma **lepidus** Ba 81, 93, Cap 956, Cu 94, 114, Mi 155, Per 474, Poe 914, Ru 255, Tri 390, Tru 247, 949 **lepida** Ci 315, 367, Cu 120, 167 *bis*, Mi 1003(-dam *B*), Mo 168 (la. *C*), 170, 323, Per 463(*RLULy ex Prisc* I. 200 -de *Pψ*), Poe 1198(lepp. *C*), Ps 948, Ru 420, 489, Tri 809 **lepidum** Ba 205, Cap 954, Cas 226, Ci 313(eandem se *U*), Men 132, Mi 682(l. est opus *A* -dus sonus *P* -dissumŭst *B*), Per 266 **lepidi**(*neut.*) Mo 912 **lepidum** As 580, Au 704, Ba 84, 1178, Cas 223, Cu 462, Mi 135, 649(-dissumum *RRg*), 998, Poe 661(lepp. *C*), Ps 435, 931, St 275, Tru 505 **lepidam** Ba 1169, Cas 840(*add Rs duce Fl*), Mi 767(*Ca* -dē *P* de *D³*), 977, Mo 206, Per 463(*AcR* -da *PriscU* -de *Pψ*), Poe 697, 849, 850, St 760, Tri 379 **lepidum** Mi 725, Poe 209, 308, 901(-dem *CD¹*) **lepido**(*masc.*) Mo 318'*R* -de *Bψ* -da *CD*), Poe 696, Ps 947 **lepida** Ba 81, Ep 43, Mi 782, 967 (de *B*), Per 130, Ps 28, Ru 415 **lepide**(*voc.*) Ru 358(*om Rs*) **lepidi** Poe 307 **lepida**(*nom.*) Ba 62 (lae. *CD*) **lepidis** Mi 739, Mo 168, Ps 27, 28 **lepidius**(*nom.*) Mi 683 **lepidiorem** Cas 1008, Mi 660 **lepidiores**(*acc.*) Mi 804(*RRg* -is *Pψ*) **lepidissumum**(*acc. masc.*) Men 147(-i- *PL*), Mi 649(*RRg* lepidum *Pψ*) **lepidissumam** Mi 788 (-i- *PL*) **lepidisissumum** Mo 262(-i- *PL*) **lepidissume**(*voc.*) Men 148(-i- *PL*), Mi 1382(-i *PL*), Per 791(-i- *C*), Ps 323(*A* -ime *CD* -didissume *B*) **lepidissuma**(*acc.*) Poe 1176(lepp. *D* -ima *APL*) **lepide** (*adv.*) Am 952(*LindRg om Pψ*), Au 497, 827(lepp. *E*), Ba 35, 68, 83, 642, 988, 1150, 1152, 1181, 1206, Cas 476, 480, 491, 558, 726, 748, 771(*AB²* ledi *VEJ* lidi *B¹*), 773, 935, Ci 10, 312, Cu 385, 462, 505, 675, Ep 222, Men 169, 467, Mi 241, 615, 731, 739, 873, 897, 907, 925, 927(-ẹ *D*), 947, 978, 1091, 1142, 1159(*A* -is *CD* lapide *B*), 1161, Mo 171, 252, 260, 271, 318(et l. *B* elepida *CD* et *om Rs* lepido uictu *R*), 387, Per 154, 158, 393, 463(*P* -da *U ex Prisc* I 203 lepidam l. *AsR*), 446, 635, Poe 297, 428, 648, 666, 697, 861(*A* -due *B* -dum e- *CD*), 1106, 1223(lepp. *C*), Ps 529(l. lenonem *Ac* lepidele[-ule *CD*] nomen[-m *B*] *P*), 574, 585a, 743, 946, 949, 1274(*Rg* nime *Pŝ*† nimis *LLy* nempe *RU*), Ru 305, 360, 408, 912, St 126, 685, 703, 712, 748, Tri 560, Tru 111, 668, 679, 681, 711, 964 **lepidius** Mi 926 **lepidissume** Mi 941(*Grut* lepidi sum et *P*), St 660(lip. *C*) *corrupta:* Cas 493, lepidas *PPrisc* I. 108 lepadas *CaLULy* lopadas *RsŜ om J* Mer 632, lepidi *B pro* lapidi

II. **Significatio** A. *adiectivum* 1. *attributive* a. *de personis:* imperator quis est? #Vini pol-

lens, lepidus Liber Cu 114 oh, Neptune lepide*, salue! Ru 358 lepidam Venerem! Poe 849 o lepidam Venerem denuo! Poe 850 em tibi, anus lepida Cu 120 sum lepidus ciuis Per 474 illa ipsast nimium lepida* nimisque nitida femina Mi 1003 dic hominem lepidissumum esse me. #Dico: homo lepidissume! Men 147-8 o lepidum †semine(*B* semisemne *CD* semisenem *FLy* senicem omnis *BugU* senem in se *L* lepidissumum senem *R* l. hominem *BriRg*) Mi 649 amat hunc hominem nimium lepidum Mi 998 Dordale, homo lepidissume, salue! Per 791 euge, homo lepidissume*! Ps 323 o hominem lepidum! Ps 931 nimis pol mortalis lepidus Tru 247 lepidus mecastor mortali's Tru 949 (mulierem) quam lepidissumam potis (reperire) Mi 788 mulierem lepidam! Mo 206 potes esse te pati in lepido loco, in lecto lepide strato et lepidam mulierem complexum contractare Poe 697 ibidem una aderit mulier lepida Ps 948 nugatorem lepidum lepide hunc nactust Phaedromus Cu 462 peperit puerum nimium lepidum Tru 505 semisenem Mi 649(*Ly: supra sub* hominem) . . apud suom paternum hospitem lepidum senem Mi 135 hic illest lepidus..senex Mi 155 senem Mi 649(*supra sub* hominem) lepidum senem! Ps 435 salue, uir lepidissume! Mi 1382 lepidiorem uxorem nemo . . habet Cas 1008

bone uir, lepidum mancupium meum Cap 954 di immortales, mercimoni lepidi! Mo 912 *similiter:* o lepidum caput! Mi 725

b. *de rebus:* lepidam et suauem cantionem aliquam occupito cinaedicam St 760 lepidast illa causa Tri 809 o lepidum diem! Au 704 addideris nostrae lepidam famam familiae Tri 379 uin tu facinus facere lepidum et festiuom? Poe 308 nimium lepidum* memoras facinus Poe 901 . . forma lepida et liberali captiuam adulescentulam Ep 43 ecquam tu potis reperire forma lepida mulierem? Mi 782 mulierem nimis lepida forma ducit Mi 871 lepida* et liberali formast Mi 967 forma lepida et liberalist Per 130 qur inclementer dicis lepidis litteris, lepidis tabellis, lepida conscriptis manu? Ps 27-8 ego ubi bene sit tibi locum lepidum dabo Ba 84 locum lepidum dabo Poe 661 in lepido loco Poe 696(*supra* a) ita hic lepidust locus Ru 255 lepida . manu Ps 28(*supra sub* litteris) lepidast materies Ci 367 moribus lepidis .. lepida tute's Mo 168 lepidi mores turpem ornatum facile factis comprobant Poe 307 deamaui..lepidissuma munera meretricum Poe 1176 numquam aeque patri suo nuntium lepidum attulit St 275 hercle occasionem lepidam! Mi 977 procreare liberos lepidumst* opus Mi 682 noua pictura interpolare uis opus lepidissumum? Mo 262 edepol specie lepida mulierem! Ru 415 hoc mihi optulisti tam lepidum spectaculum Poe 209 ego inueni lepidam* sycophantiam Mi 767 lepidis tabellis Ps 28(*supra sub* litteris) tiara ut lepidam* lepide(-da *Prisc* I. 200 *et LULy*) condecorat schemam Per 463(*R*) te . . accipiam benigne lepide et lepidis uictibus Mi 739 lepido* uictu accipient Mo 318(*R*) ego accipiam

te hodie lepide . . lepido uictu, uino . . Ps 947 ubiquomquest lepidum unguentum unguor Cas 226
2. *praedicative:* tibi dedo operam. #Lepidu's Ba 93 fui ego bellus, lepidus Cap 956 lepidu's quom (me) mones Poe 914 lepidus uiuis Tri 390 ipsa lepidast Ci 315 est lepida. #Nimis lepida Cu 167 moribus lepidis . . lepida* tute's Mo 168 lepidast Scapha Mo 170 lepida's Mo 323 est lepida et lauta Poe 1198 Libertas, lepida's Ru 489 edepol senem Demaenetum lepidum fuisse nobis As 580 (faciet) hominem ex tristi lepidum et lenem Cas 223 non inuenies alterum lepidiorem ad omnis res Mi 660 non potuit reperire . . lepidioris duas ad hanc rem Mi 804
lepidum te! Ba 1178
num muttit cardo? est lepidus Cu 94
ut istuc est lepidum Ba 205 lepidumst* amare semper Ci 313 hoc facinus pulcrumst . . hoc lepidumst Men 132 id multo lepidiust Mi 683 id demum lepidumst Per 266 istaec lepida sunt memoratui Ba 62
3. *substantive:* . . ut lepidus cum lepida accubet Ba 81 . . istoc pacto tam lepidam inlepide appelles Ba 1169 ego iam hanc lepidam* tenebo Cas 840 quid ais, mea lepida, hilara? Ru 420
B. *adverbium* 1. *solum, probandi causa:* quid si hoc potis est ut tu taceas ego loquar? #Lepide: licet Ba 35 apud te eos hic deuortier dicam hospitio. #Euge, euge, lepide Mi 241 nimis lepide de latrone, de Sparta optume! Poe 666 quid fit? #Euge, Sagarine, lepidissume! St 660
2. *apponitur verbis* (cf Gehlhardt, p. 39): in prandio nos lepide ac nitide accepisti Ci 10 te . . meae domi accipiam benigne lepide Mi 739 nos hilari ingenio et lepide* accipient Mo 318 ut ego accipiam te hodie lepide Ps 946 lepide accipis me Ps 949 ut lepide ut liberaliter . . timidas . . accepit ad sese Ru 408 lepide accipimur quom hoc recipimur in loco St 685 meum pensum ego lepide accurabo Ba 1152 si hoc adcurassis lepide . . Per 393 lepide hercle adiuuas Per 466 nos (Venus) lepide adiuerit hodie Ru 305 ut astu sum aggressus ad eas. #Lepide hercle atque commode Poe 1223 lepide hoc actumst St 712 lepide hercle adsimulas Poe 1106 lepide ecastor aucupaui Tru 964 lepide ipsi hi sunt capti Ba 1206 ego uno iu saltu lepide apros capiam duos Cas 476 circumducam lepide* lenonem Ps 529 ego tibi hanc hodie probe lepideque concinnatam referam Men 467 canes compellunt in plagas lepide λύχον Poe 648 tiara ornatum lepide* condecorat tuom Per 463 (*vide RU*) lepidissume* et compsissume confido confuturum Mi 941 ut lepide deruncinauit militem! Mi 1142 lepide . . de agro ego hunc senem deterrui Tri 560 . . ne nequiquam . . tam lepide dixeris Mo 252 lepide dictum de atramento atque ebure! Mo 260 lepide hercle dicis Per 154 nimium lepide* dissumulant Cas 771 nimis lepide ei rei dant operam, ne cenet senex Cas 773 ego hoc effectum lepide tibi tradam Cu 385 si istuc lepide ecfexis . . Poe 428 lepide

efficiam meum ego officium Tru 711 lepide omnia prospereque eueniunt Ps 574 hic piscatus mihi lepide euenit Ru 912 Ballionem exballistabo lepide Ps 585 a nimis lepide exconcinnauit hasce aedis Alcesimarchus Ci 312 lepide excuratus cessisti Cas 726 nimis lepide fabulare Mi 925 nimium lepide fabulatast St 748 lepide facis Cu 675, Tru 668 uin tu lepide facere? Mi 978 lepide factumst Mi 1091 lepide* facitis Mi 1159 lepide(: *interpungit U*) ut(ut l. *Rs*) fastidis! Men 169 potiuerim(*P St*†*L†* potuerit *Ca U* potuerit rem *R* pote fuerit *Ly*) lepidius pol(potuit hercle l. nil *Rg*) fieri Mi 926 nimis lepide iecisti bolum Ru 360 ad hunc me modum intuli . . lepide* ex disciplina Ps 1274 . . lepide ingeniatus esset . . Mi 731 intellexisti lepide quid ego dicerem Tru 681 lepide . . meo me ludo lamberas Ps 743 senem . . lepide ut lenitum reddas Ba 1150 loquere lepide et commode Mi 615 lepide* loquere Poe 861 lepide* ludificabitur Am 952 hic est lepide ludificatus Cas 558 ni ludificata lepide ero . . Mi 927 militem lepide et facete et laute ludificarier uolo Mi 1161 erum maiorem meum ut ego hodie lusi lepide Ba 642 lepide lusit Per 635 ego istum lepide medicabo metum Mo 387 lepide memoras Ba 68 nugatorem lepidum lepide hunc nactust Phaedromus Cu 462 lenones . . nouisti . . lepide Cu 505 lepide mecastor nuntias Tru 679 uestita, aurata, ornata ut lepide ut concinne ut noue Ep 222 lepide hercle ornatus cedit Mi 897 tu gnatam tuam ornatam adduce lepide . . Per 158 satis nunc lepide ornatam credo . . te tibi uidetier Poe 297 lepide et sapienter commode et facete res paratast Mi 907 id procedit lepide atque ex sententia Mi 947 lepide referimus gratiam furibus nostris Tru 111 lepide repperi Cas 480 potes esse te pati . . in lecto lepide strato Poe 697 lepide hoc succedit sub manus negotium Mi 873 lepide . . animum tuom temptaui Au 827 uos lepide temptaui uostrumque ingenium ingeni St 126 ut lepide omnes mores tenet . . amantum Mo 171 turbat equos lepide ligneus Ba 988
ubi tu lepide uoles esse tibi Ba 83 . . ut tibi sit lepide uictibus, uino atque unguentis Ba 1181
satin lepide aditast uobis manu? Cas 935 nimis lepide ei rei dant operam Cas 773 nimis lepide fecit uerba ad parsimoniam Au 497 ut lepide atque astute in mentem uenit Mo 271 nimium lepide in mentem uenit St 703
verbo omisso: abi atque obsona propera: sed lepide uolo, molliculas escas Cas 491 facite cenam mihi ut ebria sit: sed lepide nitideque uolo Cas 748
LEPOS - - inest **lepos** (-us *D*) ludusque in hac comoedia As 13 inest lepos in nuntio tuo magnus Ru 352 respice, o mi lepos! Cas 235 (*cf* Cas 138 *sub titulo* lepus) salue anime mi, Liberi lepos! Cu 98 a nec potis quicquam commemorari quod plus salis plusque **leporis** . . habet Cas 218 cogita . . item nos perhiberi . . sine omni **lepore** et sine suauitate Poe 242
LEPUS - - sine . . ted amari . . meus pullus

passer, mea columba, mi **lepus** Cas 138(*cf* Cas
235 *supra sub titulo* lepos) citius extemplo
foro fugiunt quam ex porta ludis quom emissust lepus Per 436(*cf* Wortmann, p. 26) i
modo uenare **leporem**: nunc ictim tenes Cap
184(*cf* Schneider, p. 7)

LESBIA - - *ciuitas*. quam capiam ciuitatem
cogito. Zacynthum, Lesbiam(Lesbumne an *R
RgU*), Boeotiam Mer 647

LESBIUS - - scio optigisse hoc . . tibi et
Phaoni **Lesbio**(les uictâ *B*) Mi 1247 tu Leucadio, **Lesbio**(*A* losbio *B* lespia *C* lebia *D*),
Thassio, Chio, uetustate uino edentulo aetatem
inriges Poe 699

LESBONICUS - - *adulescens*. *In supersc.* Tri
act. II. *sc.* 4; *act.* III. *sc.* 2; *act.* V. *sc.* 2. Tri 401,
610 **Lesbonici** Tri 895(L. is *Par* -ci *C²* -cis
P), 1120 **Lesbonico** Tri 359, 391, 898, 1140
Lesbonicum Tri 436, 603(-cus *C¹*), 616, 749,
873, 876, 1174(et L. *CD* quod eŭ *B*) **Lesbonice** Tri 459, 462, 485, 489, 562, 580(leb. *D¹*),
629, 665(*A* -cem *P*) **Lesbonici** Tri 919 *Cf*
Schmidt, p. 372

LESBOS - - Mer 647, Lesbumne *RRgU pro*
Lesbiam

LETO - - -iam magnust? iamne(*om Rs* †*S*)
letat(*B* lectat *CD* iit ad *BueLLy* iam ductat
U) legionem? Tru 508 *Cf* Egli, II. p. 13

LETUM - - quod tam credo **letum** obisse
(*KochU* datum uoluisse *P S*† *var em ψ*) quam . .
Men 461 consciscam letum(*B* loetum *CD*) Mi
1241 emortuom ego me mauelim **leto**(leto *B*)
malo quam.. Au 661 quo leto(loeto *CD*) cen-
ses(q. uolet occenses *B*) me ut peream? Mer 483

LEUCADIUS - - dites damnosos maritos apud
Leucadiam(lede cadiam *E²* leicadiam *E¹*) Op-
piam Cu 485(*v. secl Caω*) ubi tu **Leucadio**,
Lesbio .. uino .. aetatem inriges.. Poe 699

LEVIFIDUS - - omnes sunt lenae **leuifidae**
Per 243

LEVIS - - numquam erit alienis grauis qui
suis se concinnat **leuem** Tri 684 si id facietis, **leuior**(liuior *VE*) labos erit Cap 196 compedibus quaeso ut tibi sit leuior filius, atque
huic grauior seruos Cap 1025 quid agis, homo
leuior quam pluma Men 488 si quid bene facias leuior plumast gratia Poe 812 leuior es
quam tippula Fr II. 39(*ex Non* 180) neque
tippulae **leuius** pondust quam fides lenonia
Per 244 mulieri nimio male facere leuius
(*FZLU* melius *Pψ*) onus(opus *ScalRsS*) est quam
bene Tru 470(*v. secl Rs*) metuo si tibi denegem .. ne te **leuiorem** erga me(me .. te *Herm
RRs*) putes Tri 1171 *corrupta:* Ep 562, leuem
J pro lenem St 78, leuiter *CD* saeuiter *L pro*
leniter

LEVO - - ut me omnium iam laborum **leuas**
(*B* leuias *CD*)! Ru 247(*cf* Blomquist, p. 19;
Schaaff, p. 44) .. meam egestatem **leues** Tri
688 meministin .. uirgini pauperculae tuaeque matri me **leuare** paupertatem? Ep 556
leuandum morbum mulieri uideo Mi 1272

LEX - - **I. Forma lex** Am 77, Au 488, Mer
823, 1024, 1025, Ps 303, 304, Ru 724 **legi** Mi
164 **legem** Am 73, Ás 239, Mer 1015(-es *CD*),
Tru 144, 760, Fr. II. 15(*ex Paulo* 143) **lege**
As 166, 231, Au 458, Cap 492, Ci *Arg* 10, Ci 532,

Mer 450, 817, 1016(*om R*), 1019, Mi 453, Mo
360, Per 68a(lege rumpam *PRsS* legerupam
FZψ), 69, Ru 621, 927(lege uti *Rs* ut *P S*† *var
em ψ*), St 504, 564, Tri 1043, 1146, 1162, Tru
141 **leges** As 809 Au 793, Tri 1043 **legum**
Ep 523 **legibus** As 601 **leges** As 234, 600,
747, 749, Cu 511, Ep 292, Men 578, Mo 126(lege
B¹ legis *D*), Poe 725, Ru 643, 1024, Tri 1037,
Fr. II. 48(*ex Serv Dan ad Aen* I. 738) **legibus**
As 735, Au 155, 157, 255, Cap 181(*v. secl. Rs*),
Ci 200, Ep 471, Ru 724, Tri 1033 *corruptum:*
Ru 709, lege rupionem *P pro* legirupionem(*F*)

II. Significatio 1. *proprie et translate:* siue
qui ambissent palmam histrionibus .. sirempse
legem esse iussit Iuppiter quasi magistratum
.. ambiuerit Am 73 qui minus eadem histrioni
sit lex quae summo uiro? Am 77 neque lex
neque sutor capere est qui possit modum Au
488 utinam lex esset eadem quae uxorist
uiro Mer 823 eademst mihi lex Ps 304 non
licet: est lex apud nos. #Mihi cum uostris le-
gibus✳✳✳ commerci Ru 724 ex hac nocte primum lex teneat senes Mer 1024 haec si uobis
lex placet.. aecumst clare plaudere Mer 1025
annorum lex me perdit quinauicenaria Ps 303
.. ut ne legi fraudem faciant aleariae Mi 164
(*cf* Dousa, p. 337)

dicamus senibus legem✳.. qua se lege✳ teneant Mer 1015-6 aduorsum legem accepisti
a plurumis pecuniam Tru 760(*cf* Vissering,
II. p. 56) neque muneralem legem neque lenoniam rogata fuerit.. Fr II. 15(*ex Paulo* 143)
lege agito mecum Au 458 cum eo nos hac
lege agemus: inscitum arbitrabimur..qui suom
prodegerit Mer 1019 lege agito Mi 453 barbarica lege certumst ius meum omne persequi .
Cap 492(*cf* Egli, I. ρ. 18) itaque (aequa *add
Rs*) lege et rite ciuem cognitam .. possidet Cu
Arg 10 aequa lege pauperi cum diuite non
licet Ci 532 non potes tu lege uendere illam
Mer 450 lege dura uiuont mulieres Mer 817
sed †si lege✳ rumpam✳✳✳ Per 68a(*vide titulum*
legirupa) ..etiam in ea lege adscribier.. Per
69 facite hic lege potius liceat quam ui uicto
uiuere Ru 621 lege✳ uti liberet praetor te
Ru 927(*Rs*) .. ut consulam qua lege nunc
med − essurire oporteat St 504 neque istis
quicquam lege sanctumst Tri 1043 ..eum a
me lege populi patrium posceret Tri 1146
eam .. uxorem mihi des ut leges iubent Au
793 eae (leges) misere etiam ad parietem sunt
fixae clauis ferreis Tri 1039 leges mori seruiunt Tri 1043

legum atque iurum fictor condictor cluet Ep
523

sese parere adparent huius legibus As 601
negotiosum interdius uidelicet Solonem leges
ut conscribat As 600 quasi aquam feruentem
frigidam esse ita uos putatis leges Cu 511
iura .. et leges tenet Ep 292 neque leges neque aequom bonum colunt Men 578 docent
litteras iura leges✳ Mo 126(*v. secl RRsS*) neque ego istas uostras leges urbanas scio Ru
1024 mores leges perduxerunt iam in potestatem suam Tri 1037 neque ego ad mensam . . leges crepo Fr II. 48(*ex Serv Dan ad
Aen* I. 738) rem aduorsus populi †saepe leges

Poe 725 aduorsum ius legesque insignite iniuria hic factast Ru 643

augete auxilia uostris iustis legibus Ci 200 ambitio liberast a legibus Tri 1033

2. *adiectiva:* barbarica Cap 492 lenonia Fr II. 15 muneralis Fr II. 15 quinauicenaria Ps 303 aeaua Ci *Arg* 10(*Rs*), Ci 532 dura Mer 817 iusta Ci 200

3. = *condicio:* ut tibi lubebit, nobis legem inponito As 239 aduorsum legem meam..pecudem cepit Tru 144

tibi promissum habeto hac lege, dum superes datis As 166 atque ea lege: si alius ad me prius attulerit, tu uale As 231 sed ea lege, ut offigantur bis pedes Mo 360 qua lege licuit uelle dixit fieri St 564 istac lege filiam tuam sponden mihi uxorem dari? Tri 1162 an tu te Veneris publicum..alia lege habere posse postulas quin..? Tru 141

placent profecto leges As 809

leges pellege As 747 horrescet faxo lena leges quom audiet As 749 in leges meas dabo As 234

has tibi nos pactis legibus dare iussit As 735 sed his legibus si quam dare uis ducam: quae cras ueniat perendie foras feratur: his legibus †quam dare uis cedo Au 155-7 etiam mihi despondes filiam? #Illis legibus cum illa dote quam tibi dixi Au 255 quasi fundum uendam meis me addicam legibus Cap 181 estne empta mihi istis legibus? Ep 471

LIBANUS - - *servus. In supersc.* As *act.* I. *sc.* 1; *act.* II. *sc.* 1, 2, 3, 4; *act.* III. *sc.* 2, 3 **Libanum** As 267, 274, 287, 408, 411 **Libane** (*voc.*) As 35, 54, 60, 64, 249, 312(*v. secl* U§), 616, 629, 639, 677, 683, 689, 691, 707 *Cf* Schmidt, p. 183

LIBELLA - - tu.. flagitare saepe clamore in foro quom **libella** nusquamst nisi quid leno hic subuenit tibi Ps 1146(*cf* Egli, I. p. 12) quoi .. neque **libellai**(*R* -ae *A* -lẹ *P*) spes sit usquam gentium Ps 98 ob eam rem mihi **libellam**(-la *VE*) pro eo argenti ne duis Cap 947 si .. supremi promptas thensauros Iouis, tibi libellam(libelam *A om B*) argenti numquam credam Ps 629(*cf* Egli, III. p. 6) una **libella** liber possum fieri Cas 316 *Cf* Ryhiner, p. 44; Blomquist, p. 31

LIBELLUS - - in **libello** hoc opsignato ad te(*PLLy* abs te *A om U*ψ) hoc(*A om PLLy* haec *U*) attuli pauxillulo Ps 706 *Cf* Ryhiner, p. 30

LIBENTIA - - ut ego illos lubentiores faciam quam **Lubentiast**(*BDJ* iub. *E*) As 268 (*cf* Dousa, p. 479) onustum pectus porto laetitia **lubentiaque**(*D*¹ li. *AP*) St 276 erili filio largitu's dictis dapsilis(= *nom.*, λόγοις δαψιλής *L*) **lubentias**(*RURg* ubi sunt ea? *A*§† *LLy*) Ps 396

LIBER - - *deus, semper metonymice pro homine vini copia instructo aut pro vino ipso* - - Hubrich, p. 68 *Cf etiam* Keseberg, p. 38 imperator quis est? #Vini pollens, lepidus **Liber**(Libyco *T*), tibi qui..adfert potionem Cu 114 ..nisi haec meraco se uspiam percussit flore **Liberi**(*A* libico *P*) Cas 640 me compleui flore Liberi Ci 127(*v. om AL secl Ly*)

salue, anime mi, Liberi lepos Cu 98 utrum Fontine an **Libero** imperium te inhibere mauis? #Nimio liquido Libero St 699-700 non equidem me **Liberum** sed Philocratem esse aio Cap 578

LIBER - - I. **Forma liber** Am 105, 177(lıberr *E*), 343, As 275(libertus *Rg*), Ba 82, 636 b (sin l. sies *add L*), Cap 116, 270, 305(lib' *E*), 310, 543, 575, 628, 948, 1010, Cas 293, 316, 736, 836, Ep 711(**ra *A*), 730, Men 1006(liber ad *B*²*D*² liberat *P*), 1029, 1031(liber es *P* liberas *BalbachR*), 1044, 1093, 1101, 1146, 1148 *bis*, 1149, Mi 678(l. sum *PLLy* l. autem *U* liberum *RRg*§), 1194(l. sis *CD* liberis *B*), 1362, Per 805, 840, Poe 269, Ps 610, 611, Ru 927(l. sit nemo *L* liberes *P*§†*Ly*† *aliter* ψ), 929, 930, 1217, 1220, 1291, St 662, Tri 440, 564 **libera** Cas 81, Cu 607, 615, 616, 716, Ep 498, 504(*A* uberta *B* liberta *J* ubera *E*¹), 506(*A lac P*), 509(*P* filia *A*), Mi 961, Mo 209, Per 33, 181(*A ut vid* -am *BC* -ã *D*), 327, 438, 486, 488, 656, Poe 372, Ps 1311, Ru 217(*PLU* leibera *A*ψ), 1409, Tri 1033 **liberi** Cas 535 **libero**(*masc.*) As 477, Per 748, Ru 114 **liberum** Cap 43, 394, 577, 654, 675, 686, Cas 290, 537, Cu 624, Men 1028, 1055, 1058, Mer 612, Mi 678(*RRg*§ liber sum *PLy* liber sum autem *L*), 683, Per 286, Poe 177, 448, 602(librum *C*), 657, Ps 728, Tri 303 **liberam** Mi 490(*A* -ra *P*), Per 280(operam *A*), 774 b, Ps 722, Ru 394, 739, 1079 **liberum** Mer 152 **libero** Cap 436 **libera** Ci 128 (*v. om AL secl* ψ), **libero** Ep 146 **liberi** Au 310, Cap 119, 197, Per 649, Poe 989, Fr I. 96 (*ex Festo* 181) **liberae** Ba 1137(-rẹ *BD* -re *CRRg* versu secluso), Cas 533(-rẹ *BVJ* -re *E*), Mi 678(-re *D*), Poe 966, Ru 1106(-re *CD*) **liberis** Poe 23 **liberos** Per 749, Poe 520, 522, Ps 1105 **liberas** Per 845, Poe 1207, 1240 (*PLU* lei. *A*ψ), 1247, 1344, 1391, Ru 649(*Ca om P*), 714, 736 *bis*, 1104 **liberis** Cu 38 **libere** Am 393, Cas 873, Poe 891(*AD* -rẹ *C* -rae *B*), 1159, Ps 1288(-rae *B*), Tri 998, Tru 212, 215 *corrupta:* Cu 289, liberis *J pro* libris Ep 244, liberae(*B*¹ -re *VE*¹*J*) *pro* liberare(*A B*²*E*³) Mi 678, libere *pro* uiuere(*Rib*) Per 484, liber *CD pro* liberta

II. **Significatio** 1. *proprie, opp.* servus: **a.** *attributive:* aequalem et sodalem liberum ciuem (*B* c. l. *CD*) enicas Mer 612 tun libero homini male seruos loquere? As 477 hic commercaris ciuis homines liberos? Per 749 liberos homines.. modico magis par est gradu ire Poe 522 .. inclementer dicat homini libero Ru 114 ..quoiquam mortali libero auris atteram Per 748 dum ted abstineas nupta, uidua, uirgine, iuuentute et pueris liberis.. Cu 38 plurumei ad illum modum periere pueri liberi Carthagine Poe 989 leno .. hic liberas uirgines mercatur(m. u. l. *R*) Per 845 *similiter:* liberum caput tibi faciam cis paucos mensis Mer 152

magis libera uti lingua conlubitumst mihi Ci 128(*v. om AL secl* ψ) seruam operam, linguam liberam* erus iussit med habere Per 280

b. *praedicative:* .. hodie qui fuerim liber, eum nunc potiuit pater seruitutis Am 177 seruosne es an liber? Am 343 liberi lubentius sumus quam seruimus Cap 119   domi fuistis credo liberi Cap 197   seruosne esse an liber mauelis Cap 270   me qui liber fueram seruom fecit Cap 305   tam ego fui ante liber quam gnatus tuos Cap 310   liberum me esse arbitror Cap 394   ego domi liber fui Cap 543   seruos es, liber fuisti Cap 575   fuistin liber? #Fui Cap 628   illic seruom se assimulabat. hic sese autem liberum Cap 654   illum esse seruom credidi, te liberum Cap 675   gratiis a me ut sit liber ducito Cap 948   utrum .. tu caelibem ted esse mauis liberum .. Cas 290   liber si sim, meo periclo uiuam Cas 293   non sum ego liber? Cas 736   demum ego sum liber Cas 836   uirgo haec liberast. #Mean ancilla libera ut sit? Cu 615-6   ut scias me liberum esse .. Cu 624   libera haec est Cu 716   plus iam sum libera quinquennium Ep 498   postquam liberast* ubi habitet dicere .. incerte scio Ep 504   eho an libera* illast? Ep 506   quom tu's liber*, gaudeo Ep 711   ob eam rem liber esto Ep 730   mea .. causa liber esto Men 1029   quom tu liber* es .. gaudeo Men 1031   liber esto si inuenis Men 1093   numquid me morare quin ego liber .. siem? Men 1146   liber esto. #Quom tu's liber, .. gaudeo Men 1148 .. ut liber perpetuo siem Men 1149   liber* sum Mi 678 (PLLy: vide Lindström, p. 67)   liberum esse tete id multo lepidiust Mi 683 (vide v. priorem) .. quin liber* sis Mi 1194   libera's iam Mo 209   mea amica sitne libera an .. seruiat Per 33   libera* ea opera ocius ut sit Per 181   ego me confido liberum fore Per 286   .. mulier ut sit libera Per 327   fac sit mulier libera Per 438   iam liberast? Per 486   libera inquamst Per 488   libera eris actutum, si crebro cades Per 656   nec satis liber sibi uidetur Per 840   te faciet ut sis ciuis Attica atque libera Poe 372   liberos nos esse oportet Poe 520   .. tuas te popularis pati seruire .. domi quae fuerint liberae Poe 966   .. nos fore .. liberas Poe 1207   hasce aio liberas ingenuasque esse filias ambas meas Poe 1344   istas sciui esse liberas Poe 1391   seruosne es an liber? Ps 610   non uidere dignus qui liber sies Ps 611   liberos se ilico esse arbitrantur Ps 1105   .. quam liberam esse oporteat seruire postulare Ru 394   eas ambas esse oportet liberas* Ru 649   .. niue eas esse oportet liberas Ru 714   numqui minus hasce esse oportet liberas? #Quid, liberas? Ru 736   .. ut liber* sit nemo ex populo praeter te Ru 927 (L)   pollicitabor .. argentum ut sim liber Ru 929   iam ubi liber ero .. instruam agrum Ru 930   .. quam dudum dixi fuisse liberam Ru 1079   hasce ambas .. esse oportet liberas Ru 1104   .. seruae sint istae an liberae Ru 1106   quod promisisti .. hodie ut liber sim Ru 1217   .. ut mihi Ampelisca nubat ubi ego sim liber Ru 1220   istic scelestus liber est Ru 1291   pro illa altera, libera ut sit dimidium tibi sume Ru 1409   pro ingenio ego me liberum esse ratus sum Tri 303   ego .. uolo esse liber, nequiquam uolo Tri 440   sine . . (me) abire liberum Men 1028   a me abeat liber quo uolet Men 1044   liberum ego te iussi abire? Men 1058

cum tuo filio libera accubat Ps 1311   quia te seruaui me amisisti liberum Men 1055   te licet liberam me amplecti Per 774 b   liberam hodie tuam amicam amplexabere Ps 722   reducemque faciet liberum in patriam Cap 43   me meum erum . reducem fecisse liberum in patriam Cap 686   mea .. opera liber* numquam fies ocius As 275   talentum magnum .. ut det qui fiamus liberi Au 310   una libella liber possum fieri Cas 316   Stratippoclem aiunt .. curauisse ut fieret libera* Ep 509   ingenuan an festuca facta e serua liberast? Mi 961   si forte liber fieri occeperim .. Mi 1362   uolt fieri liber Tri 564   ocissume nos liberi possimus fieri Fr I. 96 (ex Festo 181)   ea inuenietur et pudica et libera ingenua Atheniensis Cas 81   tun te gnatum memoras liberum? Cap 577   libera ego sum nata Cu 607   (audis) hanc Athenis esse natam liberam Ru 739   leibera ego prognata fui maxume, nequiquam fui Ru 217   quasi me emeris argento liber seruibo tibi Men 1101   .. quas uos ex patria liberas surruptas esse scitis Poe 1247   liber in diuitias faxo uenies Cap 1010   erum meum .. qui liber* ad uos uenerit Men 1006   liberum* autem ego me uolo uiuere Mi 678 (vide LULy)   meamne .. hospitam .. tractatam et ludificatam, ingenuam et liberam*? Mi 490   amor iubet me oboedientem esse seruo liberum Poe 448   feilias meas celauistis . atque equidem ingenuas, leiberas .. Poe 1240

c. *substantive:* liber captiuos auis ferae consimilis est Cap 116   tuque te pro libero esse ducas Cap 436   nemo quisquam acceptior: serui liberique amabant Per 649   serui ne obsideant, liberis ut sit locus Poe 23   quas .. hau quisquam umquam liber tetigit Poe 269 (seruom) multo mauolo quam liberum Ps 728

d. *adverbium:* quid uideo ego? #Cum corona ebrium Pseudolum tuom. #Libere* hercle hoc quidem Ps 1288

2. = vacuus, non impeditus, solutus: a. *attributive:* orabat .. liberae aedes ut sibi essent Cas 533   liberae sunt aedes Mi 678   locus hic apud nos .. semper liber est Ba 82   .. ne illis ignauissumis liberi loci potestas sit Cas 535   meus uicinus meo uiro .. liberum praehibet locum Cas 537   lude ut soles quando liber locust hic Per 805   dicit .. locum sibi uelle liberum praeberier ubi nequam faciat clam Poe 177   .. liberum* ut commostraremus tibi locum et uoluptarium ubi ames Poe 602   ait .. locum sibi uelle liberum praeberier ubi nequam faciat Poe 657   locus liber datust mihi et tibi apud uos St 662   facile tu istuc sine periclo et cura, corde libero fabulare Ep 146

b. *praedicative:* ego uos nouisse credo .. meus pater quam liber harum rerum multarum siet Am 105 (gen *limitationis non sep.:* cf Palmer ad loc; *etiam* Blomquist, p. 20; Schaaff, p. 29)   ambitio .. liberast a legibus Tri 1033

sin liber siet Ba 636 b(*L in lac*) non uides
ut palantes solae liberae* grassentur? Ba 1137
(*vide RRg*)

3. *aduerbium:* apud hunc mea era sua consilia summa eloquitur libere Tru 215 ego cum
illa fabulabor libere Poe 1159 licet mihi libere quiduis loqui Am 393 loquere . . libere*
Poe 891 loquendi libere uidetur tempus uenisse atque occasio Tri 998 meo arbitratu
loquar libere quae uolam et quae lubebit Tru
212 audacius licet quae uelis libere proloqui
Cas 873

LIBER(*subst.*) - - in sella apud magistrum
adsideres: cum(quom *Ly*) **librum**(libro ut *Rg*
ibi librum quom *R* cum libro cum *L*) legeres . .
Ba 433 **libro** Ba 433(*RgL*) quasi in libro
quom scribuntur calamo litterae, stilis me . .
ulmeis conscribito Ps 544 **librorum** eccillum
habeo plenum soracum Per 392 ibo intro ad
libros et discam de dictis melioribus St 400
libros inspexi St 454 Graeci palliati . . incedunt suffarcinati cum **libris**(liberis *J*) Cu 289
corrupta: Ci 777, librorum *J pro* liberorum Poe
602, librum *C pro* liberum

LIBERALIS - - I. **Forma liberalis** Mi 64
liberalem Cu 209, Per 521 **liberale** Cap 419
liberali Cu 490, 668, 709, Ep 43, Mi 967(-ari
D[1]), Per 130(libi. *B*', 546(-is *C*), Poe 906(-ati
D), 964, 1102 **liberales**(*nom.*) Cas 74(-is *B*[1]*E*)
liberaliter Ru 408

II. **Significatio** 1. *de personis:* ego te liberalem liberem Cu 209 pulcer est . . et liberalis Mi 64 adduxit . . forma expetenda liberalem uirginem Per 521 *similiter:* hominum
ingenium liberale! Cap 419

2. *de rebus:* forma lepida et liberali . . adulescentulam . . mercatust Ep 43 lepida et liberali* formast Mi 967 forma lepida et liberalist* Per 130 specie quidem edepol liberalist,
quisquis est Per 546

si quisquam hanc liberali causa manu adsereret . . Cu 490 manu eas adserat . . liberali*
causa Poe 906 eas liberali iam adseres causa
manu Poe 964 manu liberali causa ambas
adseras Poe 1102 si quisquam hanc liberali
asseruisset manu . . Cu 668 promistin in liberali quisquam hanc assereret manu . . Poe 709
maiore opere ibi seruiles nuptiae quam liberales . . curari solent Cas 74

3. *adverbium:* ut lepide, ut liberaliter . . timidas . . accepit ad se Ru 408

LIBERATOR - - uir summe populi, stabulum seruitricium, scortorum **liberator**! Per 419

LIBERI - - I. **Forma liberi** Mi 709(ideo ut
l. *R* hi apud me aderant *APψ*), Tri 1074, Tru 858
(urire *C*), Tri 1074, Tru 858 **liberorum** Cap
889, Ci 777(librorum *J*), Men 59, Mo 121, Poe
74 **liberum** Mo 120 **liberis** As 64, 867(-rtis
E), 932(-res *J*), Au 148, Tri 1038(*FZ* -ri *P*),
Tru 859(*L* bonis *Pψ*) **liberos** Am 258, Au
736, Cap 763(filios *J*), Ci 778, Mi 682(*iterat C*),
704, Ps 23, Ru 748, Tri 877, 1112(*RRg in lac*)
liberis Cap 818, Mi 705, 710(*v. secl GuyRRgℨ*
U), 718, Tru 384, 516

II. **Significatio**(*cf* K o e h m , *Alt. Forsch.*,
p. 115, *qui falso affirmat hoc vocabulum ad unum*
puerum pertinere, As 867, 932, Au 786, Tru 384,

516, 858: *cf etiam* W u e s e k e, p. 13) 1. *nom.:*
liberi quid agunt mei? Tri 1074 ideo ut liberi* me curent Mi 709(*R solus*) . . quoius
nubunt liberi* Tri *Arg* 9 . . quam penes est
mea omnis res et liberi Tru 858

2. *gen.:* gaudeo tibi mea opera liberorum*
esse amplius Ci 777 ei liberorum nisi diuti-
ae nihil erat Men 59

parentes fabri liberum sunt, ei fundamentum
substruont liberorum Mo 120-1

uendit eum domino . . cupienti liberorum Poe 74

liberorum quaerundorum causa ei credo uxor
datast Cap 889

3. *dat.:* omnes parentes . . liberis suis . . facient obsequentiam As 64 is apud scortum
corruptelaest liberis* As 867 istoscine patrem
aequomst mores liberis* largirier? As 932 magis sunt (leges) obnoxiosae quam parentes liberis* Tri 1038 tutorem me optauit suis liberis* Tru 859(*L*)

liberis procreandis . . uolo te uxorem domum
ducere Au 148

4. *acc.:* quoi ego liberosque bonaque commendaui Calliclem Tri 877 deduntque se . .
urbem et liberos Am 258 illa laus est . . liberos hominem educare Mi 704 quam ob rem
. . me meosque perditum ires liberos Au 736
procreare liberos* lepidumst Mi 682 . . quasi
in orbitatem liberos* produxerim Cap 763 quaerunt litterae hae sibi liberos Ps 23 tune hic
faelis uirginalis liberos parentibus sublectos
habebis? Ru 748

nihil moror aliena mihi opera fieri pluris liberos Ci 778

multos labores (ob rem et liberos *add RRg*)
. . cepisse censeo Tri 1112

5. *abl.:* lanii . . concinnant liberis orbas oues
Cap 818 quid opus est mihi liberis? Mi 705
quom tu's aucta liberis . . gaudeo Tru 384 quomque es aucta liberis, gratulor Tru 516

satis cepissem miseriarum e liberis Mi 718
eos pro liberis habebo qui mihi mittunt munera Mi 710(*v. secl Guy*)

LIBERO - - I. **Forma liberas** As 659, Men
1031(*BalbachR* liber es *Pψ*) **liberat** Ps 435
liberant Ps 204 **liberabo** Mi 1207 **liberabit** Mi 531 **liberaui** Mo 244 **liberauit** Mo
204, 972. 974 a *bis* **liberasso** Mo 223(*v. secl*
Ladewigℨ) **liberem** Cu 209, Men 1024(-rē *B*[1]*D*[3]
-rtē *CD*[1] -rū *D*[3]) **liberet** Cap 1032, Ps 487,
Ru 927(*PistorRsU* liber sit *L* liberes *Pℨ†Ly*†)
liberauerit Ep 506(*B*[2]*E* -aui *B*[1] -auit *AJ*)
liberate Mo 23(*B* -are *D*[1] -aui te *C*) **liberare** Ep 244(*AB*[2]*E*[3] libere *VE*[1]*J om B*[1]), 268.
275, Poe 361(*AB* -ret *CD*), Ps 419, 483 **liberasse** Mo 1139 **liberanda** Per 426 *corrupta:*
Am 650, liberatas *J pro* libertas As 932, liberes *J pro* liberis Men 1006, liberat *P pro*
liber ad(*B*[2]*D*[3]) Mi 967, liberari *D*[1] *pro* liberali Poe 906, liberati *D pro* liberali

II. **Significatio** 1. *de civili statu; cum acc.:*
quom tu liberas* me Men 1031(*R*) solam ille
me soli sibi suo sumptu liberauit Mo 204 liberare* iurauisti me Poe 361 ego te liberalem
liberem Cu 209 liberem ego te? Men 1024
liberabit ille te homo Mer 531 idem ego te
liberabo Mi 1207(*loc dub*) . . ob istam oratio-

nem te liberasso Mo 223 (*v. secl Ladewig*§) optigit ut liberet*.. praetor te Ru 927 (*Rs U*) quis eam liberauerit* uolo scire Ep 506

amicas emite, liberate* Mo 23 fateor.. amicam liberasse Mo 1139 leno te argentum poscit.. pro liberanda amica Per 426 sermoni omnibust eum uelle amicam liberare Ps 419 quid nouom adulescens.. si amicam liberat? Ps 435 minas.. meo gnato des qui amicam liberet Ps 487 .. fidicinam illam quam is uolt liberare Ep 268 quasi tu cupias liberare fidicinam Ep 275 .. mulieri quam liberare* uolt amator Ep 244 quae pro me causam diceret patronum liberaui Mo 244 .. ubi amans adulescens scortum liberet Cap 1032 tibicinam liberauit. #Quanti? #Triginta.. minis. #Liberauit? #Liberauit ualide, triginta minis Mo 972-4 (*cf* Blomquist, p. 94; Schaaff, p. 38; *ult. v. habet A solus*) .. tibicinam.. liberare quam uelit Ps 483

2. *translate cum abl.:* quin tu labore liberas (te? As 659 quin una omnes peste hac populum hunc liberant? Ps 204

LIBERTAS - - I. Forma **libertas** Am 650 -atas *J*), Ba 168, Ep 618, Mo 991, Ru 489, 1394, St 751, Fr I. 74 (*O. Mue ex Festo* 372 liberta *Fest*) **libertatis** Cap 41, 626, Per 658 **libertati** Poe 1218 (*PLU* lei *Aψ*) **libertatem** Ba 828, Cap 300, 311, 576, 931, Ep 278, 654, 726, 732, Mi 702, 1213, Poe 134, 420 (*PL* lei. *Aψ*), 1190 (his l. *A om URgl* ubertatem *P*), 1210 **libertate** Cap 699, Cas 313 **libertatibus** Cas 504 *corrupta:* Mi 1357, libertatis *B pro* libertus Per 491, libertas *P pro* libertast Poe 164, libertatem *CD pro* libertam

II. Significatio 1. *de civili statu* a. *nom.:* fugit hoc libertas caput St 751 libertas portenditur Ru 1394 libertas* salus uita.. tutantur seruantur Am 650 ego quoi libertas in mundo sitast Ep 618 libertas paenulast tergo tuo Mo 991 (*cf* Inowraclawer, p. 32) Libertas* salue: uapula Papiria! Fr I. 74 (*ex Festo* 372) edepol, Libertas, lepida's, quae numquam pedem uoluisti in nauem cum Hercule una imponere Ru 489 (*cf* Hubrich, p. 108; Knapp, *Am. Journ. Phil.,* XL, 248 50)

b. *gen.:* suom erum faciet libertatis competem Cap 41 mihi et parentum et libertatis apud te deliquio siet Cap. 626 satin ut meminit libertatis? Per 658

c. *dat.:* gaudio ero uobeis .. leibertatique Poe 1218

d. *acc.:* tibi dabo.. libertatem Ep 726 libertatem tibi ego et diuitias dabo Mi 1213 tam mihi quam illi libertatem hostilis eripuit manus Cap 311 hic.. libertatem malitia inuenit sua Ep 732 libertatem Chrysalo largibere Ba 828 patriam et libertatem perdidi Cap 300 haruspex .. his promisit libertatem Poe 1210 †redde his libertatem* Poe 1190 fateor deberi tibi et libertatem et .. gratias Poe 134 huius huc reconciliasso in libertatem filium Cap 576 tibi .. hunc reducem in libertatem feci Cap 931 eam te in libertatem dicas emere Ep 278 sororem in libertatem idem opera concilio mea Ep 654 opsecro te .. hanc

per dexteram .. perque tuam leibertatem Poe 420

e. *abl.:* meus sodalis Philocrates in libertatest ad patrem Cap 699 quid tu me †tuera libertate territas Cas 313 tribus non conduci possum libertatibus quin .. Cas 504

2. *translate:* istac tenus tibi, Lyde, libertas datast orationis Ba 168 si istam semel amiseris libertatem (*i. e.* a malis matrimonii).. Mi 702

LIBERTINUS - - quoduis genus ibi hominum uideas.. equitem, peditem, **libertinum** .. Poe 832 ecquam tu potis reperire .. mulierem? #Ingenuamne an **libertinam**? Mi 784 egone ut ad te ab libertina esse auderem nuntius? Mi 962 nos libertinae (-ne *VE*) sumus Ci 38 ita pars libertinorumst: nisi.. Per 839

LIBERTUS - - I. Forma **libertus** As 275 (*Rg* liber *Pψ*), Cu 413, 547, Mi 1357 (-tatis *B*), Fr I. 73 (*ex Festo* 372) liberta Per 491 (-tast *A* -tas *P* -ta est *U*), 789, 798 **liberto** Cu 543, Ep 727 **libertum** As 411, 690, Cap 735, Cu 582 **libertam** Ep 465, Per 82, Poe 164 (-tatem *CD*), Ps 176 **liberte** Ru 1266 **liberta** Per 484 (liber *CD*), 737 **libertos** As ర52, Cu 546 (parasitos *Don ad Adel* V, 7, 9), 548 *corrupta:* As 867, libertis *E pro* liberis Ep 504, liberta *J pro* libera Fr I. 74, liberta *Fest pro* libertas (*O. Mue*)

II. Significatio 1. *nom.:* quis tu homo's? #Libertus illius quem .. Cu 413 nec mihi quidem libertus ullust Cu 547 tibi seruire malui multo quam alii libertus* esse Mi 1357 uin nunc tua libertast? Per 491 libertus* numquam fies ocius As 275 (*Rg*) in barbaria quod dixisse dicitur libertus suae patronae id ego dico tibi Fr I. 73 (*ex Festo* 372)

2. *dat.:* scire uolo quoi reddidisti. #Lusco, liberto tuə Cu 543 nouo liberto opus est quod pappet Ep 727

3. *acc.:* ego illam uolo hodie facere libertam meam Ep 465 sua sibi pecunia hodie illam faciat leno libertam suam Per 82 uin tu illam hodie .. tuam libertam* facere? Poe 164 magis decorumst libertum potius quam patronum onus in uia portare As 690 hodie sauere iussi Libanum libertum? As 411 tuom libertum esse aiebat sese Summanum Cu 582 ego scibo .. quam libertam fore mihi credam Ps 176 extra portam ad meum libertum Cordalum .. facite deductus siet Cap 735 quo nos uocabis nomine? #Libertos As 652 quos tu mihi luscos libertos* .. somnias? Cu 546 pars lenonum .. libertos habent et eos deserunt Cu 548

4. *voc.:* salueto et tu bona liberta Per 789 at, bona liberta, haec sciuisti Per 798 mi liberte, mi patrone, immo potius mi pater! Ru 1266

5. *abl.:* iam liberta* auctu's? Per 484 iam inclinabo me cum liberta tua Per 737

LIBET - - I. Forma **lubet** Am 123 (iubet *EJ*), 396 *bis* (li. *PL*), 558 (li. *E* lubet *J*), 864 (iubet *E*), 1047 (iubet *E*), As 107 (iubet *E*), 180 (iubet *E*), 232 (iubet *E*), 626 (iubet *E*), Au 260, 453 (li. *PL*), 647 (iubet *V¹E* lbet *J*), 657 (iubet *E*), Ba 90, 99, 662, 693, 703, 751, 866, 923 (*A* li. *P*), 932 (li. *PL*), 986 (li. *PL*), 995 (iubet *D¹*), 1196 (li. *PL*), 1205 (quo l. *om R*), Cap 304 (iubet *VE*), Cas 99 (*AJ* li. *BVE*), 206 (*J* li. *BVEL*), 248, 262 (*BJ* iubet *VE*), 301, 859 (*A* li. *P*), 891 (li. *PL*), 1009 (si l. *A* li. *P*), Ci 116 (*B²* iuuet *VJ* uiuet *B¹E*), 214 *bis* (*BJ* iubet *VE*), 456 (li. *AL*), 462, Cu 88, 130 *ter* (*B* iubet *VEJ*), 135 (*B* iubet *V EJ*), 145, 321, 554 (*Ca* uiuet *P* uiues *E³*), 708 (iubet *E¹*), Ep 39, 144 (li. *BL*), 150 (li. *A* iubet *VE¹*), 309 (iubet *E¹*), 333 (iubet *E¹*), 689 (*AJ* li. *BE*), 692 (*J* li. *BE*), 696 (*AB²E³J* iubet *B¹ E¹*), 731, Men 368 (iubet *D¹*), 396, 949, 1106 (iubet *D¹*), Mer 129, 1002, Mi 363 (luuet *B¹*), 706 (uolet *A*), 974 (*D²* iubet *P*), 1407 (lupet *C*), Mo 20 (iubet *B¹D¹*), 36 (iubet *B¹D*), 296 *bis* (li. *PL*), 601, 772, 809 (li. *PLU*), 815, 856 (li. *A*), 889 (li. *PL*), 1131 (li. *PL*), 1164 (li. *B*), Per 145 (si l. *Py* -s elubet *P*), 205 (eis l. *U in lac* illis l. *Ly aliter ψ*), 236, 277 (*F* li. *APL*), 316 (iubet *A*), 375 (li. *CD*), 398 (lube *B*), 604, 660 (li. *PL*), 791 (li. *BCL*), 811, Poe 1, 227, 329, 338 (*P* li. *A*), 841, 1087, 1266, 1308, 1309 (iubet *B*), 1351 (quid l. *Ac* quod iubet *A* quidam *P*), 1352, 1353 (*v. om A*), 1372 (li. *A*), Ps 253, 546, 571 (*A* li. *P*), 594 (li. *P*), 1054 (*P*[i] *R* iube *Aψ*), 1125 (iubet *B*), 1261, 1299, 1300, Ru 250, 567, 639 (*CD* li. *B*), 1280 (li. *PL*), 1333 (li. *PL*), 1377 (li. *PL*), St 277 (li. *P* iubet *A*), 285, 424, 597 (li. *APL*), 698 (li. *PL*), Tri 274, 311 (*FZ* iubet *AP v. secl RRs*), 519 (*AC²D* iubet *BC¹*), 522 (iubet *BC*), 570, 900 (iubet *C*), 907, 932, 938, 979 (li. *CD*), 1007, 1032 (li. *C*), 1041, Tru 676 (*Bue* li. *L* tibi et *P* uis et *LambRs*), 713 (isti l. *FZLLy* instat *RsU* iusti iubet *P§†*), 718 (*FZ* iubet *P*), 858 (l. adire *Pistor U* uidi audiui *RsLy* ubi id [it *B*] audiuit *P§† L* [audiui]), Fr. I. 27 (*ex Gell* III. 35) **iubebit** As 239 (-debit *E*), 781 (li. *PL*), Men 793 (li. *PL* liebit *C*), Tru 212 (iubebit *P* licebit *A*) **iubuit** Ep 698 (li. *PL*), 699 (*E* li. *BJL*), Ps 348 (li. *APL*), Ru 587 (li. *APL*), Au 153 (iubeat *EJ*), 211, 491 (*CaRg U* iubeant *B¹* iubeant *B²DVJ*), 751 (iubeat *VE¹*), Ba 353, Mi 982 (iubeat *B*), 1035, Per 376 (*PistorRL* liceat *Pψ*), *ib.* (*CDLy* iubeat *B* liceat *Aψ*), Tri 86 (*ABD* iubeat *C*), 211 (iubeant *A*), Tru 234 (*F* li. *A* iubeat *P*) **iubeant** Au 491 (*B¹* iubeant *B²VEJ* -at *CaRgU*) **iuberet** Mer 60 (luderet *B*) **iubere** Am 171 (li. *PL*), Per 376, 377 **iubens** Am 531, As 615, 645 (iubens *E*), Au *Arg* II. 5 (iubens *E*), Au 420 (li. *PL*), 496, Ba 46, 149, 171 (lumbens *C*), Cap 464 (*O* li. *BDEL*), Cas 607 (*AJ* li. *BVE*), 868 (*J* li. *BVEL*), Cu 147 (iubens *VE*), Ep 301 (*Grut* iubeas *P*), 331, Per 254, Poe 841 (li. *CD§*), 1091, 1093, Ps 5 (*A* li. *P*), 523a (li. *C*), Ru 459, 869, 1175 (li. *PL*), St 373 (*A* li. *P* ipse ego *U*), 375 (li. *P*), 465 (li. *APL*), 481 (*F* li. *APL*), 650 (li. *PL*), Tri 341, 821, Tru 371 (*A* li. *P*), 400, 653 (li. *PL*) **iubentem** St 288 b (*ALLy* -ter *Pψ* tam l. *om BoU*) **iubente (-i)** Am 848 (li. *PL*), Ci 12 (-ti *Pω* iubenti *VE*), Cu 665 (*Ca* iubente *P*), Men 272 (iubente *P*), St 474 (*CD* iubente *B* li. *A*), Tru 361 (*B* iubente *B* li. *CD*) **iubentes** (*nom.*) Ci 681 (iubentes *VE*) **iubentes** (*acc.*) Cu 292 (*Rg* -is *E* bibentes *Bψ* -tis *J*), Per 760 (-tis *GulR* ludentis *Pψ*) **iubentiores** (*acc.*) As

268 (iu. *E*) **iubentissumó** Ps 1321 (*RgLy* -imo *APψ*) **iubitum** As 110 (li. *PL*), 711 (li. *PL*), Ba 1095, Cap 642, Cu 627 (li. *EJ*), Ep 710 (li. *PL*), Men 589 (*MueU* licitum *Pψ*), Mi 826 (li. *CD*), 1221 (li. *PL*), Ps 913 (li. *APL*), Tru 605 (*Bo* iubido *CDRs* iubido *B*), 608 (iubido *Rs*) **iubenter** As 562 (li. *PL*), Au 537 (li. *PL*), Cap 473 (li. *PL*), Cas 6 (li. *PLU*), Cu 123 (iubenter *VE*), Men 543 (li. *PL*), Mi 1326 (li. *PL*), Mo 157 (iubenter *B¹*), Per 10 (*P* li. *A*), 337 (li. *APL*), Poe 881, Ps 523 b (li. *PL* liberter *D¹*), Ru 923 (li. *PL*), St 288 (*P* -tem *ALLy* tam l. *om BoU*), 592 (*A* li. *P*), Fr I. 10 (*ex Varr de l. L.* VI. 73 li. *L*) **iubentius** Cap 119 (luberitius *J*), Ep 80 (li. *B*), 380, Men 979 (li. *CD*), Ru 780 (*ACD* li. *B*) *corrupta:* Ep 398, lubens *B§Ly†* iubes *EJ* iube sis *GrutRg¹LU* iube si sapis *SeyRg²*) Men 955, lube *CD pro* iube Mer 663, lubere *CD pro* iubere Mo 295, libet *add P om Bent*; 1114, lubeo *B* lubo *C pro* iubeo Poe 4, 447, lubet *B pro* iubet; 607, lubet *P pro* iubet (*Ald*) Ps 494, luberes *P pro* iuberes; 666, lubes *B pro* iube Ru 141, lubere *CD pro* iubere St 396, lube *B pro* iube; 439, lubebo *B pro* iubebo

II. Significatio A. *personaliter:* 1. quo lubeant* nubant Au 491 (*vide infra* B. 1. c.) quodquomque homini accidit lubere posse retur Am 171 sine quod lubet id faciat Cas 206 quod lubet* non lubet* iam id continuo Ci 214 ecquid lubet*? #Lubet*. #Etiam mihi quoque stimulo fodere lubet* te Cu 130 quod tibi lubet, idem mihi lubet Mo 296 quod tibi lubet id mihi impera Ru 1333 mores nihili faciunt quod licet nisi quod lubet Tri 1032 *dubium est utrum haec non impersonalia sint. Huc etiam referri possunt exempla pronominis* quilibet, *sed melius infra* B. 1. c. *poni uidentur*

2. me lubente facies Am 848, Tru 361* me lubente* feceris Cu 665, Men 272 lubente* me hercle facies St 474 (*cf* Gimm, p. 3) *similiter:* lubenti*. . animo factum et fiet a me Ci 12 hoc auferen . .? #Lubentissumo corde atque animo Ps 1321 (*cf* Esch, p. 114)

3. semper malo muliebri sunt lubentes* Ci 681 ego omnis hilaros lubentis* laetificantis faciam ut fiant Per 760 (*GulR*) ego illos lubentiores* faciam quam Lubentiast As 268

B. *imperson.:* 1. *absolute, verbo omisso:* **a.** rogitas etiam? #Lubet et metuo Ba 1196 quid in urbe reptas? #Lubet Cas 99 conligandae haec sunt tibi hodie. #At non lubet Ep 689 odiosu's. #Lubet Per 236 sapienter potius facias quam stulte. #Lubet Per 375 uin uendere istanc? #Magis lubet quam perdere Per 660 quid tibi hanc digito tactiost? #Quia mihi lubet. #Lubet*? Poe 1308-9 quae istaec audaciast? #Lubet (ita *praem. R* . #Quid lubet? Ps 1299-1300 qua fiducia ausu's . . dicere? #Lubuit. #Ain tu, lubuit? Ep 698-9 cur id ausu's facere? #Lubuit Ps 348 face ita fastidi plenum, quasi non lubeat Mi 1035 cur ausu's mihi inclementer dicere? #Lubitumst* Tru 605 cur ausu's . dicere? #Lubitumst* Tru 608 lubere tibi per me licere intellego, uerum lubere hau liceat si liceat mihi Per 376-7

b. tu nullus adfueris si non lubet Ba 90 sino equidem si lubet Ba 99 tene si lubet Cas 1009 si lubet neque ueto neque iubeo Cu 145   aegrota aetatem si lubet* Cu 554   solue sane si lubet Ep 731   loris caedite si lubet Mer 1002   inspiciat si lubet Mo 772   uende si lubet* Per 145   adi si lubet Per 791   si lubet corpora conduplicant Ps 1261   i ueisse si lubet Ru 567   potabit minus, si illic siue alibi lubebit*? Men 793   si lubeat*, faciam Au 153   ut lubet, quid tibi lubet fac Am 396   ut commodumst et lubet quicque facias Am 558   ludificant ut lubet* Am 1047   fortuna humana fingit artatque ut lubet* Cap 304   age ut lubet bibe es Cas 248   age ut lubet Men 949   perspecta ut lubet Mo 815   nisi molestum uis uideri te.. #Iam ut lubet Mo 856   delude ut lubet Per 811   age sis ut lubet Poe 329   curre ut lubet St 285   tu perge ut lubet*.. Tru 718   ambo ut est lubitum nos delusistis As 711(cf Hofmann, p. 11)   is me.. attondit..ut lubitumst Ba 1095   me ut lubitumst ductauit dolis Cap 642

ubi lubet* recita Ba 995   tu ipse ubi lubet finem face Ep 39   ubi lubet* ire licet accubitum Men 368   ubi lubet* roga Men 1106   quam mox seco? #Ubi lubet* Mi 1407

a quo trapezita peto? #Unde lubet Ep 144 uorsipellem se facit quando lubet* Am 123 interdum fio Iuppiter quando lubet* Am 864 age nunciam quando lubet Mi 363   indice ludos nunciam quando lubet Ps 546

potaui praeter animi quam lubuit sententiam Ru 587

festinate nunciam quantum lubet Au 453 quantum lubet me poscitote aurum Ba 703

uel patinarium uel assum uorses quo pacto lubet* As 180

neque quod uolui agere aut quicum lubitumst* Men 589(MueU)

c. quilibet (cf infra 2): sis mea causa qui lubet Tri 979   duae (mulieres).. maxumo uni populo quoi lubet plus satis (negoti) dare potis sunt Poe 227   deam innocet sibi quam lubebit propitiam As 781   tu.. aliud cura quid lubet* As 107   tu.. loquere quid lubet* As 626   machinare quid lubet quouis modo Cas 301   iub*** quid lubet Ci 462   dum ted abstineas nupta .. ama quid(quod JRg) lubet Cu 38   age quid (quod B¹RU) lubet Mo 601   uolo ego hanc percontari. #A terra ad caelum quid lubet Per 604   dic mihi quid lubet Poe 1087   sume hinc quid lubet Poe 1351*, 1352, 1353   crede audacter quid lubet* Tri 519   dic impera mihi quid lubet* quo uis modo Tru 676 plerique edd quilubet etc. scribunt

dic quod lubet* As 232   finge quod lubet Ba 693   sine quod lubet id faciat Cas 206 (supra A. 1)   roga quod lubet* Cu 708   patiar ego istuc quod lubet* Ep 150   rogita quod lubet* Ep 696   bibito facito quod lubet Mo 1164   impune facere quod lubeat* licet Au 751   dum illud quod lubeat* sciant Tri 211 loquar libere quae uolam et quae lubebit Tru 212

quo lubeat* nubant Au 491(supra A, 1)   abi quo lubet* Au 657   ducite nos quo lubet(q. l. om R) Ba 1205   tu illam iube.. abire quo lubet* Mi 974   sequor quo lubet Ru 250   duc

me.. quo lubet Ru 1280   abi quo lubet St 424   †auferet abs te quo lubeat* sibi Mi 982 tempta qua lubet* Au 647   qua lubet perambula aedis Mo 809

2. cum dat.: non licet conloqui te? #At mihi non lubet Ps 253   quia mihi(om R) ita lubet Ba 751   quia mihi lubet Poe 1308   quia mihi lubitumst Cu 627, Ep 710   lubere hau liceat, si lubeat* mihi Per 376(CDLy supra 1. a) ipsae dum lubitumst mihi Mi 1221   ubi mihi lubitumst Ps 913   decutio argenti tantum quantum mihi lubet* Ep 309   idem mihi lubet Mo 296(supra A. 1)

ut uoles ut tibi lubebit* As 239   quando ita tibi lubet* Ci 116   dum tibi(om GuyR) lubet* licetque pota! Mo 20   ego ibo pro te si tibi non lubet Mo 1131   ut lubet quid(quod FZU) tibi lubet fac Am 396(supra 1. b)   pacisce ergo.. quid(quod LambRRgU) tibi lubet Ba 866   me face quid(face quidquid BoRU) tibi lubet* Per 398   quid(quod DousaRRs) tibi lubet tute agito Tri 570   quod tibi lubet etiam Mo 296, Ru 1333(supra A, 1)

non pactum pactumst quod uobis lubet Au 260 ubi Toxilus est tuos erus? #Ubi illi lubet Per 277

utrum hercle eis(U illis Ly) lubet* Per 205 (ULy in lac)

nunc dum isti lubet*.. tempus ei rei secundumst Tru 713(FZLLy)

ubi eris? #Ubi quomque lubitum erit animo meo As 110   uiuo.. ut uolo atque animo ut lubet* Mi 706   satiust ut opust te ita esse quam ut animo lubet* Tri 311.

quod est non estur nisi soli lubet Fr I. 27 (ex Gell III. 35)

3. seq. infin. (cf Votsch, p 20; Walder, p. 27): adire lubet hominem Poe 841   lubet adire atque appellare hunc Tri 1041   lubet* adire quam penes est mea omnis res Tru 858 (Pistor U vide L)   audire edepol lubet* Tri 522 lubet audire Tri 907, 932   quid est quod lubet* perditum dicere te esse? Cu 135   qui lubet male dicere? Ru 639   qui.. homini scutigerulo dare lubet*? Cas 262   nugae sunt nisi .. dare iam lubeat* denuo Tru 234   lubet experiri quo euasurust Tri 938   qui lubet ludibrio habere me? Men 396   inspicere morbum tuom lubet* Per 316   magis iam lubet in Casinam inruere Cas 891   lubet iurare Ru 1377 lubet lamentari Ba 932   qui lubet patruo meo loqui inclementer? Poe 1372   lubere hau lubeat*.. Per 376(PistorRL)   lubet obseruare quid agat Tri 1007   lubet pellegere has Ba 986   lubet* potare amare scorta ducere Mo 36 ne quid percunteris quod non lubeat proloqui Au 211   neque lubet* nisi gloriose quicquam proloqui St 277   feci.. quantum.. lubeat reddere ut reddat patri Ba 353   lubet scire quantum aurum erus sibi dempsit Ba 662(cf Fuhrmann, Ann. Phil. CV. 828)   lubet Chalinum quid agat scire Cas 859   scire nimis lubet ubi sient Cu 321   quid illud sit negoti lubet scire Mer 129   lubet scire quid hic uelit Ps 594 qui lubet spectare turpis, pulcram spectandam dare? Poe 338   mihi sum (parasitus), lubet (mihi add R solus) esse Mo 889   qui lubet tam

diu tenere collum? Poe 1266 quod nisi pu-
deret ne luberet* uiuere Mer 60

4. *cum dat. et infin.:* mihi abs te accipere
non lubet Ci 456 lubet mi adire Mer 129(*R*)
iam admordere hunc mihi lubet* Ps 1125 utram
tibi lubet.. capere cape prouinciam St 698 qui
malum tibi lasso lubet foris cenare? St 597
Achillem Aristarchi mihi commentari lubet Poe 1
concedere aliquantisper hinc mihi intro lubet
Ps 571 qui lubitumst illi condormiscere? Mi
826 mihi quoque stimulo fodere lubet* te
Cu 130 qui tibi lubet mihi male loqui? Ep
333 mihi.. contra nugari lubet* Tri 900 lubet etiam mihi has perlegere denuo Ba 923
mihi magis lubet solutum te rogitare Ep 692
id tamen mihi lubeat? suspicarier Tri 86 mihi
magis lubet cum probis.. uiuere Tri 274

mihi Ba 923, Ci 456, Cu 130, Ep 692, Mer 129
(*R*), Poe 1, Ps 571, 1125, Tri 86, 274, 900 tibi
Ep 333, St 597, 698 illi Mi 826

5. *cum subiunct.:* libet ueniat Pseudolus Ps
1054(*R* l. uenire Pseudolum *P* iube nunc u. P.
Aψ)

C. *participium*(*vide supra* A, 3): 1. *praedicative:* a. lubens accipiam certo St 481 minas
.. accipio lubens Tru 653 laetus lubens laudes
ago Tri 821 ut te amplector lubens! Ru
1175 ego hunc ausculto lubens Au 496 nimis
eum ausculto lubens Poe 841 ted ausculto lubens Ps 523a ausculto lubens Tru 400 complectere. #Lubens Tru 371 .. quam ego.. conspicio lubens* Ba 171 ut ego nunc te conspicio
lubens! St 465 hoc conuorram lubens St 375
dabit aurum lubens* Ep 301 ego huic diei..
oculos effodiam lubens Cap 464 complectere.
#Facio lubens As 615 istud facias ipse. #Ego
uero et.. lubens* As 645 lubens*.. ut faciat
dat coquos Au *Arg* II. 5 neque quoi ego..
male plus lubens faxim Au 420 si haec habeat
aurum.. faciat lubens Ba 46 quin faciam lubens Cas 607 lubens fecero et solens Cas 868
male faxim lubens Poe 1091, 1093 quae tu
uis ego.. faciam lubens Tri 341 uideo atque
inspecto lubens Ru 869 duorum labori ego
hominum parsissem lubens Ps 5 si hercle habeam, pollicear lubens Ep 331 non ego te hic
lubens relinquo Am 531 pessuli, uos saluto
lubens* Cu 147 ut hanc (aquam) traxi lubens
Ru 459 tutin ipsus ipsum uidisti? #Lubens*
St 373 erilis patria, te uideo lubens St 650
ut ego te usurpem lubens* Ba 149 ****lubens Per 254

b. quidnam dicam Pinacium lasciuibundum
tam lubentem* currere? St 288(*ALLy*) quos
semper uideas lubentes* esse in thermipolio
Cu 292(*ERg*)

2. *adverbium:* numquam hominem quemquam
conueni unde abierim lubentius Ep 80 aliquanto lubentius (abeamus) Ep 380 satis lubenter* te ausculto loqui Ps 523b(*v. secl Ly*)
lubenter meam speratam consequor Fr I. 10(*ex
Varr de l. L.* VI. 73) quidnam dicam Pinacium
.. tam lubenter* currere? St 288 de paulo
paululum hic tibi dabo haud lubenter* Cu 123
qui dormiunt lubenter sine lucro.. quiescunt
Ru 923 nimium lubenter edi sermonem tuom
Au 537 nimio.. edo lubentius molitum quam..

Men 979 .. quin lubenter tuo ero meus.. faciat male? Poe 881 frigida non laui magis
lubenter* Mo 157 .. uerbis conceptis sciens
lubenter periuraris As 562 utrum tu leno cum
malo lubentius quiescis an..? Ru 780 .. qui
lubenter quom ederint reddant domi Cap 473
ego neque lubenter seruio.. Per 10 lubenter
ueteres spectant fabulas Cas 6 lubenter escis
alienis studes Per 337 omnes.. liberi lubentius* sumus quam seruimus Cap 119 nihil miror si lubenter.. hic eras Mi 1326 .. ut te lubenter uideam Men 543 te uocem lubenter si
superfiat locus St 592

LIBIDO - - *duae modo formae inueniuntur,*
lubido *et* lubidinem

1. **lubido: a.** si tibi lubidost aut uoluptati,
sino Poe 145 cur ausu's mihi inclementer dicere? #Lubidost(*CDRs* lubido est *B* lubitumst
Bo*ψ*) Tru 605 cur ausa's.. dicere? #Lubidost
(*Rs* lubitumst *Pψ*) Tru 608(*cf* E s c h, p. 48)

b. *cum infin.*(*cf* K r a u s e, *de gerund.*, p. 22;
S i d e y, p. 56; V o t s c h, p. 29) est lubido orationem audire duorum adfinium Tri 626(*cf* L e o,
lect. Pl., p. 565) lubido extemplo coeperest
conuiuium Per 121 maior lubidost fugere et
facere nequiter Men 83 hunc inridere lenonem
lubidost Per 808 qui lubidost(li. *E*) male loqui? Ep 97 qui tibi lubidost.. loqui inclementer nostro cognato? Poe 1322 paulisper.. est
lubido(l. e. *HermRg*) homini suo animo obsequi
Ba 416 magis lubidost opseruare quid agat
Tri 865 audacter (da), si lubidost perdere
Per 188 id lubidost(li. *E*) scire Ep 240 lubidost ludos tuos spectare Ps 552

c. *cum gen. gerund.:* huic ducendi interea
abscesserit lubido Tri 746(*cf* S i d e y, p. 56)

2. **lubidinem:** fac sis frugi. #Iam non possum: amisi omnem lubidinem Mi 1360

LIBRA - - eo lasserpici **libram** pondo diluont Ps 816(*cf* B l o m q u i s t, p. 27)

LIBYA - - Persas.. **Libyam**(libiam *P*) que
†oram omnem.. subegit solus Cu 446

LICENTIA - - scuta iacere fugereque hostis
more habent **licentiam** Tri 1034 licet.. licet.
Hercules istum infelicet cum sua **licentia** Ru
1225

LICEO - - omnia uenibunt quiqui **licebunt**
praesenti pecunia Men 1159 haec me curaturum dicito ut quantum possint quique **liceant**
ueneant Men 549

logos ridiculos uendo: age, **licemini** St 221
cum corona quique **liceat** ueneat Fr I. 91(*ex
Festo* 306) illic pol **licitust**(*Froschhammer U*
pollicitust *Pψ*) prior Mer 439 *Cf* H o f m a n n,
p. 27

LICET - - I. Forma licet Am 393, 452, 544,
594, 1125(si l. *B* scilicet *DEJ*), As 12, 225,
308, 421, 718, 935, Au 328, 565, 751(liet *B¹E*),
Ba 35, Cap 90(*P* ilicet BoRs*Ŝ*), 303, 369, 949,
Cas 196, 421, 457 *bis*, 492, 588, 794, 809(io *U*
duce *Leone*), 851(l. tangere *U* lac *P* uallum[*vel*
bellum *LLy*] facit *Aψ*), 872, 957, Ci 533(*B²*
leget *P*), Cu 95, 170, 401 *bis*, 621 *bis*, 623, 727,
Ep 324, 338, 471, Men 158(*ult. claus om CD*),
169(*AcR* decet *Pψ*), 213, 224(*AB²* ticet *P*),
368, 878, Mer 150, 989, Mi 501, 521, 536, 839,
1329 *bis*, 1404, Mo 20, 323, 402, 599(*Stud* lice-

bit *Rs§* ✶✶cebit *P*), 713, 847 (i, licet *RU* ilicet
Pψ), 852, 930, 1153 (*B²* lucet *P*), Per 369 (liceat *A*), 372, 711, 774 a, 799 (liceat *R*), 848, Poe
412, 437, Ps 16, 252, 254 *bis*, 357, 643, 652,
Ru 139, 245, 426, 551, 724 (non l. ω non li—
A lac P), 803 *bis*, 854, 1212, 1213, 1214, 1215 *bis*,
1216 *bis*, 1217, 1218, 1219, 1220, 1221, 1222 *bis*,
1223, 1224, 1226, 1227, 1241, 1403, St 448, 611,
Tri 32, 372, 517, 566, 1032, 1173 (*v. om. U*), 1179,
1188 (*L* optumumst *Guyψ* optimum est [otimust
B] licet *P*), Tru 301, 331, 630, 747, *ib.* (non l.
add Rs solus), 884 (quiduis l. *Ca* quis uidelicet
P), Vi 19, 43, Fr I. 6 (*ex Festo* 305, *Acrone ad
Hor Epod* I. 5), II. 4 (*ex Paulo* 49) **licebit**
Ba 339, Mer 802, Mo 239, 599 (*Rs§* ✶✶cebit
P licet *Studψ*), Poe 52, Ps 1182 (ire l. *P* ilice-
bit *StudRg*), Ru 1117, Tri 566 **licuit** Mi 680,
St 564 **liceat** Am 157, 388, 986, As 916, Au
381, 407, Cap 411, 451, 464, 513 b, Cas 275, 706,
Ep 722, Mer 724, Mi 70, 71, 1039, 1263, Per
290 (ut l. *ACD* udiceat *B*), 374, 377 (lubeat *Pi-
storRL*), *ib.* (A lubeat *CDLy* iubeat *B*), 601,
Poe 440 (licet *A*), 1343, 1362, Ps 428 (le. *C*),
Ru 621, 680, 723, 834, Tri 21, Tru 736 (commentari l. *Ac* duce *Z* argentarilliceam *B¹* argentari illi eum *CD* adcentare l. *Ly*) **liceret**
Am 465, Au 319, Mer 152, Mo 753, 800 (*B* placeret *CD*) **licessit** As 603 **licere** Ba 344,
Cas 89, 410 (-ree *B*), Mi *Arg* I. 7 (*Pius* -ret*PRU*),
Mi 500, Per 376 **licitum** (*nom.: cf* Hofmann,
p. 11) Am 617, As 152, Ci 227, Ep 177 (tibi li-
cuit *Serv Dan ad Aen* XI. 160), Men 589, 599,
Tri 566 *corrupta:* Ba 126, licet *C pro* decet;
488, liceret *A pro* deceret Cap 469, licet *EOJ
pro* ilicet (*BD*) Mer 441, liceret *B pro* licitere
(*Ca*) Mi 708, licet *B¹* li *CD¹ pro* hi (*AB²*)
Mo 53, licet *CD pro* decet Poe 285, eri licet
P pro erili et (*A*) Tru 212, licebit *A pro* lubebit

II. Significatio A. *cum pronomine subiecto*:
id mihi haud utrum uelim licere intellego Ba
344 si modo id liceat uis ne opprimat Ru 680
mores nihili faciunt quod licet nisi quod lubet
Tri 1032 *cf etiam* omnian licet? Ru 1216, 1222
et licet haec Athenis nobis St 448 *infra*
B. *imperson.:* 1. *absolute:* ut actutum aduc-
nias. #Licet Am 544 *similiter in responso* licet
saepe inuenitur probandi vel assentiendi causa:
Au 328, Cap 949, Cas 421, 492, 588, Cu 95, 727,
Men 158*, 169 (*AcR*), 224*, Mi 536, 1329, Mo
402, 930, 1153*, Per 848(?), Ps 357, 652, Ru
1212, 1213, 1214, 1215 *bis*, 1216, 1217, 1218,
1219, 1220, 1221, 1222, 1223, 1224, 1226, 1403,
Tri 372, 517, 1188 (*PL*), Tru 331
certumst credere? #Audacter licet (a.? #L. *Ly*
As 308 ego loquar? #Lepide: licet Ba 35 iube
opsonarier.. quae.. miluinam suggerant atque
actutum. #Licet ecastor Men 213
Asinariam uolt esse si per uos licet As 12
ut uolt per me habeat, licet Mer 989 (? *vide
infra* 7) non.. tu illum magis amas quam
ego, mea, si per te liceat Mi 1263 lubere tibi
per me licere intellego Per 376 (*infra*) .. si
quidem licebit per illos quibus est in manu
Poe 52 meo si liceat modo Per 374 si meo
arbitratu liceat, omnes pendeant Ps 428
expurigare uolo me.. : licetne? Mi 501 uise

ad me intro... #Licetne? Mi 521 quid ais?
licetne? Vi 19 i, licet Mo 847 (*RU pro* ilicet)
non pedem discedat si licessit As 603 ego
huic diei, si liceat, oculos effodiam Cap 464
quin si liceat — Mer 724 quod hic inter nos
liceat* — Poe 440 si sic non licebit, luscus
dixero Tri 465
si tibi cordist facere, licet Mo 323
aequa lege pauperi cum diuite non licet*
Ci 533 mihi non liceat.. abducere? #Non licet* Ru 724 licet.. mihi appellare? #Non licet
Ru 803 licitumst si uelles; nunc quom nihil
est, non licet Tri 566 non licet*? Tru 747
(*add Rs solus*)
ipsus se excruciat qui.. nec potitur dum licet Cu 170 dum tibi lubet licetque pota Mo
20 utrumuis opta dum licet Ru 854 quid
cesso abire ad nauem dum saluo licet? Men
878 ego cesso hinc me amolire uentre dum
saluo licet? Tru 630
ubi primumst licitum, ilico properaui abire
Men 599
qua lege licuit uelle dixit fieri St 564
omnian licet? #Licet Ru 1216, 1222
2. *cum dat.:* hic ante ostium loquar.. quoniam intus non licitumst mihi As 152 id mihi
haud utrum uelim licere intellego Ba 344 lubere hau liceat* si liceat* mihi Per 377 licet
haec Athenis nobis St 448 .. ne alii dicant
quibus licet Per 372 aeque lege pauperi cum
diuite non licet* Ci 533 quid cesso abire ad
nauem dum saluo licet Men 878
mihi *etiam* Am 157, 393, 986, 1125, Cas 89,
851 (*U*), Mi 680, 1404, Ru 245, 551, 723, 803, 1117,
Tru 736, Fr I. 6 tibi Ep 177, 324, 388, Mer
152, Per 601, Poe 412, Ps 1182, St 611 nobis
Mo 800 uobis Mi 500 sibi Au 319, Cap 513 b,
Mo 753 huic Cap 451, Cas 410 isti Cas 410,
957 quoi Mo 599, Per 799 quoiuis Am 594
amanti As 916, Au 751 amantibus Mi *Arg* I. 7
patri Am 465 saluis Tru 301
3. *cum infin.* (*cf.* Votsch, p. 20; Walder,
p. 27): quaeso hercle abire ut liceat Ru 834
aemulari non licet Mi 839 agere haud quiquam licitumst Men 589 (*loc dub*) obsecro ut
per pacem liceat te alloqui Am 388 licetne
amplecti? #Licet Cas 457 licet antestari? #Non
licet... ##At ego quem licet te Cu 621-3 (*cf*
Ribbeck, *zur Curc.*, p. 94) licetne.. bibere
an non licet? Ps 254 si non licet* cauere
quid agam? Per 369 eadem licebit mox cenare rectius Mer 802 non licet conloqui te?
Ps 252 quam mox licet te compellare? Ru
1227 licet complecti prius quam proficisco?
#Licet Mi 1329 me licet conducere Vi 43 hic
nunc licet dicere Cas 196 .. quod nunc liceat
dicere Cas 275 dicere hic quiduis licet Cas
794, Per 711, Poe 437, Tru 884* dirrumpi
cantando hymenaeum licet* Cas 809 .. ut tuo
non liceat dare operam negotio Mi 71 profesto
(die) egere liceat Au 381 intro ire in aedis
numquam licitumst Au 617 ire extra portam
trigeminam ad saccum licet* Cap 90 ubi lubet ire licet accubitum Men 368 ire intro
audacter licet Mo 852 .. tecum aetatem exigere
ut liceat Mi 1039 opera licet experiri Mer 150
.. ut liceat merito huius facere Ep 722 date

uiam qua fugere liceat Au 407 licetne inforare si incomitiare non licet? Cu 401 non licet huc inicere ungulas Ps 643 exta inspicere in sole .. licet Au 565 si quid .. uoles
loqui id loqui licebit Mo 239 lubere tibi per
me licere intellego uerum lubere hau liceat* si
liceat mihi Per 376-7 non licet manere dum
cenem? As 935 eorum licet iam metere messem maxumam Tri 32 nonne erae meae nuntiare .. licet? Am 452 ibi audacius licet .. proloqui Cas 872 fecisti ut redire liceat ad parentis denuo Cap 411 ut liceat simplum soluere trecentos Philippos Poe 1362 ab eo licebit quamuis subito sumere Ba 339 .. suspendere ut me liceat Poe 1343 non licet †te sic
placide bellam belle tangere? Ru 426 exobsecrant uidere ut liceat Mi 70 neque licitum
intereast meam amicam uisere Ci 227 facite
hic lege potius liceat .. uiuere Ru 621 miserumst .. si ulcisci non licet Tru 1173 (v. om U)
pro rota me uti licet Cap 369 diutine uti
bene licet partum bene Ru 1241

4. seq. dat. et infin.: mihi non liceat meas
ancillas .. abducere? #Non licet* Ru 723 abire
hinc si uolunt saluis licet Tru 301 quoi sortem accipere eam licebit* Mo 599 .. patri ut
liceret tuto illam amplexarier Am 465 licet
saltem istas mihi appellare? Ru 803 .. dum
mihi commentari liceat* Tru 736 consociare
mihi quidem tecum licet Ru 551 .. licere* ut
quiret conuenire amantibus Mi Arg I. 7 nec
causam liceat dicere mihi Am 157 nugas istic
dicere licet Cas 957 non licet mihi dicere?
Mi 1404 si licet* boni dimidium mihi diuidere cum Ioue Am 1125 mihi .. licuit uxorem
ducere Mi 680 .. hinc ire huic liceat domum
Cap 451 i in malam crucem. #Ire licebit* tamen tibi Ps 1182 ebrio atque amanti inpune
facere .. licet* Au 751 arbitramini quiduis licere
facere uobis? Mi 500 .. ut sibi liceret inspicere hasce aedis tuas Mo 753 licet mihi libere quiduis loqui Am 393 tam huic loqui licere oportet quam isti Cas 410 enumquam
hodie licebit mihi loqui? Ru 1117 mihi licet
quiduis loqui Fr I. 6 (ex Festo 305, Acrone ad
Hor Epod I. 5) mihi quidem .. qui minus liceat
deo minitarier populo .. Am 986 hoc quoiuis
mirari licet Am 594 per illam tibi copiam copiam parare aliam licet Ep 324 .. ut tibi percontari liceat quae uelis Per 601 .. hac amanti
ut liceat ei potirier As 916 nobis istas redhibere haud liceret* Mo 800 .. ut quae scirem
scire actutum tibi liceret Mer 152 per hanc
curam quieto tibi licet esse Ep 338 .. quoi
bene esse licet* .. Per 799 per hanc tibi cenam incenato .. esse hodie licet St 611 mihi
.. non licet* tangere? Cas 851 (U) mihi te licet tangere Ru 245 .. ut sibi liceret miluom
uadarier Au 319 tibi .. ueridere hasce aedis
licet Poe 412 orat .. eum sibi ut liceat uidere
Cap 514 licitumst* eam tibi uiuendo uincere
Ep 177 (cf Serv Dan ad Aen XI. 160)

5. seq. acc. cum infin.: licet uos abire curriculo Fr II. 4 (ex Paulo 49) te licet liberam me
amplecti Per 774 ego quem licet te (antestor)
Cu 623 .. ut liceat* .. sermom tibi male dicere
Per 290 tecum aetatem exigere ut liceat ..

non me dico sed eram meam Mi 1039 non
licet .. obsoni me participem fieri? Tru 747
.. ut liceat possidere hanc nomen fabulam Tri
21 unam rem me licet semel praecipere furi
As 421 .. redire me intro ut liceat Cas 706
licet me id scire quid sit Ps 16 (sauium) sumere eum licet As 225

6. seq. dat. et acc. cum infin.: non mihi licere meam rem me solum ut uolo loqui? Cas 89

7. seq. subiunct.: licet laudem Fortunam, tamen ut ne Salutem culpem As 718 (cf Kriege,
p. 47, qui pro particula concessiva hic habet)
memini quom dicto haud audebat, facto nunc
laedat licet Cap 303 habeas licet Ep 471 iam
ut uolt per me habeat licet Mer 989 te ipse ..
incusses licet Mo 713 mea .. causa saluos sis
licet Ru 139 tute item uideas licet Tri 1179

LICITOR -- potine ut ne **licitere** (Ca liceret
B litigere CD) aduorsum mei animi sententiam? Mer 441

LICTOR -- neu **lictor**, uerbum aut uirgae
muttiant Poe 18 unum a praetura tua .. abest,
.. **lictores** duo, duo ulmei fasces uirgarum Ep
28 saepe ad languorem tua duritia dederis
octo ualidos **lictoris** (-es JRg lLy littoris DE)
As 575

LIEN -- **lien** enecat (ex Varr necat P liene
negat Varr de l. L. VII. 60), renes dolent Cu
236 lien dierectust Cu 240 (cf Inowraclawer,
pp. 23, 43; Mercklin, Symb. Exeg. ad Curc.,
p. 6) seditionem facit lien Mer 124 (cf Graupner, p. 19) ambula: id **lieni** optumumst Cu
240 dulcia Plautus ait grandi minus apta
lieni Fr II. 36 (ex Sereno Sam de med 425)
quasi zona **liene** cinctus ambulo Cu 220

LIENOSUS -- perii: cor **lienosum**, opinor,
habeo Cas 414

LIGNEUS -- adest exitium Ilio: turbat equos
lepide **ligneus** Ba 988 non sunt tabellae, sed
equos quem misere Achiui **ligneum** Ba 936
quam tu mihi nunc nauem narras? #**Ligneam**,
saepe tritam Men 402 nempe equo **ligneo**
per uias caerulas estis uectae? Ru 268 (cf
Graupner, p. 26) .. ut sis apud me **lignea**
in custodia Poe 1365 pro ligneam salute ueis
argenteam remittere illi? Ps 47 pignus da ni
ligneae hae (A lauiniẹ hic P) sunt quas habes
Victorias Tru 275

LIGNO -- num **lignatum** mittimur? Cap 658

LIGNUM -- 1. acc. sing.: nihil opust nobis
ancilla nisi quae .. **lignum** caedat Mer 397
Phoenicium Calidoro .. per ceram et lignum
(Auson 233 ed Peip. linum PRSU) litterasque
interpretes salutem inpertit Ps 42

2. abl.: .. ubi illi bene sit **ligno**, aqua calida, cibo Cas 255 opust ligno (Guy opustic no
B opus istic non CD), opust carbonibus Tru 904

3. pl. nom.: **ligna** hic apud nos nulla sunt.
#Sunt asseres? #Sunt pol. #Sunt igitur ligna
Au 357-8

4. acc.: neque **ligna** ego usquam gentium
praeberi uidi pulcrius Au 413 alii ligna caedite St 358

LIGO -- Cas 317, ligatis V pro litigas

LIGULA -- **ligula** (legula B), in malam crucem? Poe 1309 **ligulas** (, add LLy) canalis ait
se aduexisse Poe 1014 Cf Ryhiner, p. 26

LIGURRIO - - dum ruri rurant homines quos ligurriant Cap 84

LIMA - - compediti anum lima(om Non 333) praeterunt Men 85

LIMAX - - limaces uiri Ba 31(ex Non 333) non quasi nunc haec sunt hic limaces, liuidae ..amicae Ci 405(ex Varr de l. L. VIII. 64 et A) Cf Graupner, p. 26; Tartara, p. 55, n. 1; Wortmann, p. 52)

LIMBOLARIUS - - petunt .. textores limbolarii(Non 541 linbuarii BD limbuarii J) Au 519 Cf Ryhiner, p. 14

LIMEN - - 1. nom.: .. quom portae Phrygiae limen(lumen A) superum scinderetur Ba 955 nunc superum limen scinditur Ba 987 limen superumque inferumque salue, simul autem uale Mer 830

2. acc.: sensim †supera tolle(A super attolle PLy) limen pedes Cas 815 hanc (mulierem) ego tetulero intra limen(lumen J) Ci 650 peristi si intrassis intra limen Men 416 cohibete intra limen etiam uos Mi 596 ilico intra limen isti astate Mo 1064

3. pl. acc.: ferreas aedis commutes, limina (lineina B) indas ferrea Per 571

4. corruptum: Poe 294, limen P pro limem(A)

LIMES - - si male dicetis, uostro gradiar limite(ly. B) Poe 632(v. secl RRg l) eius nunc regiones limites confinia determinabo Poe 48

LIMO - - cum illac numquam limaui(la. C) caput Poe 292 pater tuos numquam cum illa etiam limauit(Lips -abit codd) caput Fr I. 115 (ex Non 334) .. ut illi et tibi limem(A limen P) caput Poe 294 .. nec cum quiqam limares caput Ba 30(ex Non 334) neuter stupri caussa caput limaret(AB liniaret CD) Mer 537

LIMULUS - - uiden limulis .. ut intuentur? Ba 1130 Cf Ryhiner, p. 27

LIMUS(adiect.) - - aspicito limis(Guy l. oculis PU) ne ille nos se sentiat uidere Mi 1217

LIMUS(subst.) - - curram .. aliquo ad piscinam .. limum petam Poe 293

LINARIUS - - stat .. aurifex, linarius(B² la. B¹JLLy) Au 508

LINEA - - non ego illi extemplo hamum ostendam: sensim mittam lineam Mo 1070(cf Graupner, p. 23; Inowraclawer, p. 86) quando abiit rete pessum, adducit lineam(Stud finfa B¹ intra CD) Tru 36 lineam adduxi Tru 891(Rs sineum ipse P§t var em ψ)

LINEATUS - - bene lineatam(Ca lini. P) si semel carinam conlocauit .. Mi 916

LINGO - - quia te tango mel mihi uideor lingere Cas 458

LINGUA - - I. Forma lingua As 293, 512, Cap 937, Cu 495, Poe 260(l. huic Ca duce Aldo uncua B ut vid om CD), 388, Ru 558, 1355 (ungua P), St 260, Tru 492 linguae Cas 653 (-ḡae E an dat.?) linguae Ci 538(U om P an gen.?), Cu 486(-uę EJ), Per 297(lingruae B -uę C), Ru 1254 linguam Am 348, 557, As 205 (add VahlenLy), 695, 795, Au 189, Cas 527, Mi 189a(v. secl Rg§), 318, 571, 605, 1271, Mo 896 (l. abstinere add R solus), Per 280, 428, Poe 385, 571, 984(A lingua ac P), 1035, 1235, St 258, 336, Tri 188 lingua As 162, 290, 793 (linqua D), Ba 542, Ci 128, Cu 705, Men 3, Poe 625(in l. situs om B), 1034, Tru 8, 180(A linguas P v. secl Guy§), 226, 942(icit l. Rs dicit auaui[abaui CD] Pψ†) linguae Tru 178(-ue B -uę C) linguas Ba 128, Poe 112, Tru 781 (FZ -uã D -uam C -ūa B) linguis Ps 429 corruptum: Tru 781, ibi linguis P pro bilinguis(FZ)

II. Significatio A. proprie: 1. nom.: a. lingua* huic excidit, ut ego opinor Poe 260 meus arbitratust lingua* quod iuret mea Ru 1355 lingua pro illo perierat As 293 lingua poscit corpus quaerit As 512 neque illi (placent) quorum lingua gladiorum aciem praestringit domi Tru 492 tibi .. copiast dum lingua uiuet qui rem soluas omnibus Ru 558 lingua nullast qua negem quidquid roges Cap 937 .. quibus sui nihil est nisi una lingua qui abiurant Cu 495 au, nullan tibi linguast? #Quae quidem dicat 'dabo' St 260 bene pudiceque (lingua) adseruatur Am 349

b. in melle sunt linguae sitae uostrae atque orationes Tru 178

2. gen.: timor praepedit dicta linguae Cas 653

3. dat.: linguae moderandumst mihi Cu 486 .. ni linguae* moderari queam Per 297 ne molestu's, linguae tempera Ru 1254 quot modis moderatrix linguae* fuit atque immemorabilis Ci 538

4. acc.: a. ego tibi istam scelestam .. linguam abscidam Am 557(cf Egli, I. p. 31) quom tu nequeas linguam* abstinere Mo 896(R) linguam conpescas face Poe 1035 ego tibi istam hodie .. comprimam linguam Am 348 hominem infelicem qui patronam (linguam) comprimat As 292(in malam partem) ne tu .. linguam conprimes Mi 571 os habet linguam perfidiam .. Mi 189a(v. secl Rg§) fac proserpentem bestiam me duplicem ut habeam linguam As 695 seruam operam, linguam liberam erus iussit med habere Per 280 referundae ego habeo linguam natam gratiae Per 428 pro osse linguam obicito Poe 1235 uicisti castigatorem tuom: occlusti linguam Tri 188(cf Inowraclawer, p. 35) longe aliam .. linguam* praebes nunc As 205(v. secl FlRgl§U) quoi ego iam linguam praecidam Au 189 dum te obtuetur interim linguam oculi praeciderunt Mi 1271 .. quoiquam linguam in tussiendo proserat As 795 non tu tibi istam praetruncari linguam largiloquam iubes? Mi 318 linguam (lassitudinem) sat scio tibi non tenere St 336 linguam .. uendidi datariam St 258 ad horum mores linguam* uortero Poe 984 nos tibi (uelimus decidisse) in lumbos linguam atque oculos in solum Poe 571 quin ego hanc (linguam) iubeo tacere? As 291(cf Inowraclawer, p. 22)

b. si decem habeas linguas, mutum esse addecet Ba 128 ne duplicis habeatis linguas* Tru 781 is omnis linguas scit Poe 112

5. abl.: a. .. qui abiurant Cu 495(supra 1) apporto uobis Plautum lingua non manu Men 3 magis istuc percipimus lingua dici quam factis fore As 162 lingua* dicta dulcia datis, corde amara facitis Tru 180(v. secl. GuyRsU) Campans icit lingua* Tru 942(Rs) concesso pedibus, lingua largior As 290 neque ulla lingua*

sciat loqui nisi Attica As 793 .. male corde consultare bene lingua loqui(*A* lo. li. *P*) Tru 226 qua negem Cap 937(*supra* 1) qui promisi? #Lingua. #Eadem nunc nego Cu 705 magis libera uti lingua conlubitumst mihi Ci 128 ad denegandum ut celeri lingua utamini Tru 8
reperiuntur .. lingua factiosi, inertes opera, sublesta fide Ba 542 micdilix, bisulci lingua, quasi proserpens bestia Poe 1034
istic est thensaurus stultis in lingua* situs Poe 625
  b. omnes pendeant, gestores linguis, auditores auribus Ps 429
  B. *translate:* **a.** fac habeant linguam tuae aedes Cas 527(*cf* Goldmann, II. p. 7) si resciuere inimici consilium tuom, tuopte tibi consilio occludunt linguam Mi 605
  b. *appellatio blanda:* etiam ocellum addam et labellum et linguam Poe 385 huius mel, huius cor, huius labellum, huius lingua! Poe 388
  LINGULACA - - uin **lingulacas**? #Quid opust, quando uxor domist? ea **lingulacast** nobis, nam numquam tacet Cas 497-8 *Cf* Ryhiner, p. 33; Wortmann, p. 48
  LINGUNCULA - - Cas 493, lingunculas *J pro* lolligunculas
  LINNA - - **linna** coopertast †testrio gallia Fr II. 63(*ex Isid Or* XIX. 23, 3)
  LINQUO - - erum in obsidione **linquet** As 280 nihil omnino in aedibus linquet suis Tru 50 b(*U in loco desp*) uiuom quom inde abimus **liquimus** Cap 282 ecquid agis? remorare? lumen **linque** Ci 643 mauelis lupos apud oueis quam hos domi linquere(linq're *B*) custodes Ps 141(*cf* Schneider, p. 7) *Vide* Mo 417, *ubi* linqueant *CD pro* liq.
  LINTEO - - stat fullo .. propolae **linteones**, calceolarii Au 512
  LINTEOLUM - - quotannis nomina inueniunt noua: .. tunicam spissam, **linteolum** caesicium Ep 230 *Cf* Ryhiner, p. 28
  LINTEUM - - ita .. bene me amassint mea .. axicia **linteum**que extersui Cu 578 **linteum** cape atque exterge tibi manus Mo 267 it magister quasi lucerna uncto expretus **linteo** Ba 446(*v. dub: secl L*)
  LINUM - - ecfer cito .. stilum ceram et tabellas linum Ba 715 cedo tu ceram ac linum actutum Ba 748 ego tibi ancillas penum lanam (linum *add Rs duce Serv ad Aen* IV. 373) aurum .. bene praebeo Men 120 Phoenicium Calidoro suo .. per ceram et linum(*PRSU* lignum *ψ ex Aus* 273 *ed Peip.*) litterasque .. salutem inpertit Ps 42
  LINUS - - fiam ut ego opinor Hercules, tu autem Linus Ba 155 *Cf* Graupner, p. 29
  LIPARGUS - - *nomen fabulae apud Prisc* I. 522 *citatae* *Cf* Schmidt, p. 372
  LIPPITUDO - - oculus huius, **lippitudo**(*A* le. *P* -p- *D*[1]) mea! Poe 394 .. ab **lippitudine** usque siccitas ut sit tibi Ru 632
  LIPARO - - .. Syracusis .. ubi rex Agathocles regnator fuit .. tertium Liparo Men 411
  LIPPIO - - **lippiunt** fauces fame Cu 318
  LIPPUS - - num tibi **lippus** uideor Mi 292 **lippi** illic oculi seruos est simillumus Ba 913

(*cf* Graupner, p. 31) cubare in naui **lippam** atque oculis turgidis nauclerus dixit Mi 1108 quasi **lippo**(ly. *D*) oculo me erus meus manum apstinere hau quit Per 11
  LIQUEO - - **liquet** hoc satis(*U* liquis *VJS*† si quis *E* hi qui st~ *B* liquidumst *RsLLy*) Ci 701 nunc liquet, nunc defaecatumst cor mihi Ps 760 ⟨neque quam in p⟩artem ingredi persequamur ⟨liquet⟩ Ru 668(*U var suppl ψ*) hoc non liquet neque satis cogitatumst Tri 227 de hac re mihi satis hau liquet Tri 233 ego efficiam quae facta hic turbauistis profecto ut **liqueant**(linquant *CD*) omnia et tranquilla sint Mo 417
  LIQUESCO - - scio spiritum .. maiorem esse .. quam folles taurini habent quom **liquescunt** petrae Ba 16(*ex Prisc* I. 575; *Serv ad Georg.* IV. 171) tu ut **liquescas** ipse actutum uirgis calefactabere Cas 400
  LIQUIDIUSCULUS - - **liquidiusculus** (*Ca* liquidius cuius *P*) .. ero quam uentus est fauonius Mi 665 *Cf* Ryhiner, p. 50
  LIQUIDUS - - tam (senex) **liquidust**(*Guy duce Ca* -dumst *P*) quam **liquida** esse tempestas solet Mo 751 ad duos attinet: **liquidumst**(*RsLLy* liquis *VJS*† si quis *E* hi qui sunt *B* liquet hoc satis *U*) Ci 701 liquidumst auspicium Per 607 **liquido** exeo foras auspicio, aui sinistra Ep 183 ducam legione meas aui sinistra, auspicio liquido Ps 762 animo liquido et tranquillo's Ep 643 liquido's animo Ps 232 utrum Fontine an Libero imperium te inhibere mauis? #Nimis liquido Libero St 700
  LIQUOR (*subst.*) - - ipsum expeto tangere, inuergere in me **liquores** tuos Cu 108
  LIQUOR (*verbum*) - - ilico res foras labitur, **liquitur** Tri 243
  LIS - - I. Forma lis Cas 509 **litem** Cas 568, Mo 1144, Ru 17, 20, Vi 62 **litium** Men 581, Ru 583, Tru 897(Astaphium litiumst *Stud* astapilitiumst[iü est *B*] *P*) **litibus** Per 800 **litis** As 824(*ULy* -es *BEJψ om D*), Cap 63, Men 960, Mer 281(*PRL* -es *U* leiteis *Aψ*), Poe 586(*Ly* -es *Pψ*), 587(*Ly* -es *Pψ*), 1403, Ru 13, St 79(*P* litus *A* liteis *RRg*) **litibus** Per 531 *corrupta:* Men 585, lis uiris *β* -es Poe 587, litium lites semunt *P pro* quicum litigent lites emunt(*A*) Ps 358, lite mittar *P pro* ut emittar(*A*) Tru 202, lite necaret *P pro* ut enicaret(*A*); 886, rim litem *P pro* iri militem(*Petit*)
  II. **Significatio** 1. *nom.*: si nunc facere uolt era officium suom nostra omnis lis est Cas 509
  2. *gen.*: datum denegant quod datumst, litium pleni Men 581 barbarum hospitem mihi in aedeis nihil moror: sat litiumst Ru 583 (= *altercatio*) quid, Astaphium, litiumst*? Tru 897(= *altercatio*)
  3. *dat.*: stultitiast quoi bene esse licet eum praeuorti litibus Per 800
  4. *acc.*: a. accipito hanc modo ad te litem Mo 1144 litem apisci postulant peiurio mali Ru 17 maiore multa multat quam litem conferunt Ru 20 quem .. litem adeo perdidisse gaudeo Cas 568 cur .. patronum quaeram postquam litem perdidi? Vi 62
  b. neque ego insanio .. neque ego litis coepio Men 960 fac ut illi turbas lites* concias

As 824(= *altercatio*)　si quis pugnam exspectat
litis contrahat Cap 63　iuris doctiores non sunt
qui lites creant quam hi sunt qui .. lites emunt
Poe 586-7　mihi tris hodie leiteis iudicandas
deicito Mer 281　.. qui falsas litis falsis testimoniis petunt Ru 13(*cf* Romeijn, 93)　si uolo
hunc ulcisci, litis sequar in alieno oppido Poe
1403
　　scio litis* fore St 79(= *querelas*)
5. *abl.*: nihil mihi opust litibus .. quam ob
rem argentum enumerem foras Per 531
LITATIO - - .. ut hodie ad **litationem** huic
suppetat satias Ioui Ps 334
　　LITIGIUM - - **litigium**($B^2 D^3$ litidium CD^1
litutium B^1) tibist cum uxore Men 151　ego
aliquid contrahere cupio **litigi**(-ii *E*) inter eos
duos Cas 561　credo cum uiro **litigium**(-gi *Sp
Rs*) natum esse aliquod(-quid *SpRs*) Men 765
ecce autem litigium(-iŭ *D*) Men 784
　　LITIGO - - quicum **litigas**(*BJ* ligatis *V* le-
gitas *E*)? Cas 317　quicum litigas apscessit
Poe 798　qua de re nunc inter uos **litigatis**?
Ru 1060　ut decumbamus suadebo hi dum **litigant** As 914　relinque aliquantum orationis
cras quod mecum **litiges** Cas 251　hi sunt qui
si nihil est quicum **litigent** lites emunt(*A* est
litium lites semunt *P*) Poe 587　**litigari**(-re
FZR) nolo ego usquam Mer 421　*Vide* Mer
441, *ubi* litigere *CD pro* licitere
　　LITO - - me Iuppiter faciat ut semper sacruficem nec umquam **litem** Poe 489　quoniam
litare nequeo abii illim ilico Poe 455
　　LITTERA - - I. **Forma litteram** Au 77,
Tru 264(*A* altera *B* alteram *CD*)　**littera** Ru
1305　**litterae** Ba 801(-t- *CDU* -ę *B* -e *CD*),
941(-t- *D* -e *CD*), Ps 23(-ę *B* -e *D*), 544(-ę *B*
-e *D*)　**litterarum** Au 325, Ps 99, Ru 1157(-tum
B)　**litteris** Ps 27(-t- *C*)　**litteras** Am 70(-t-
B), As 767, Ba 389, 730(*Z* -t- *P*), 991(-t- *D*),
Cu *Arg* 3, Ep 131, Mo 126(-t- *C*), Per 173, Ps
42(-t- *CD*), Tru 735(-t- *D*)　**litteris** Poe 837,
Ru 1294, Tri 168, 345, 915　*corrupta*: Mer 303,
literarum *P pro* litterarium(*A*)　Poe 1267, tua
littera *CD pro* tu altera
　　II. **Significatio** A. *elementum scripturae:*
1. *acc. sing.*: dempsisti unam litteram* Tru 264
ex me .. unam faciam litteram longam Au 77
(*cf* Egli, II. p. 38; Inowraclawer, p. 42)
　　2. *abl.*: una littera plus sum quam medicus
Ru 1305
　　3. *pl. nom.*: quae hic sunt scriptae litterae
hoc in equo sunt milites Ba 941　quaerunt
litterae hae sibi liberos, alia aliam scandit Ps
23　in libro .. scribuntur calamo litterae Ps 544
　　4. *gen.*: tun trium litterarum homo me uituperas? Au 325　dicedum in eo ensiculo litterarum quid sit Ru 1157
　　5. *dat.*: qur inclementer dicis lepidis litteris,
lepidis tabellis? Ps 27
　　6. *acc.*: te uolo scribere ut pater cognoscat
litteras quando legat Ba 730　litteras didicisti:
quando scis, sine alios discere Tru 735(*cf* Inowraclawer, p. 42)　(liberos) expoliunt, docent
litteras, iura, leges sumptu suo et labore Mo
126(*v. secl RRs; an* = libros scriptos?)　ouis
si in ludem iret, potuisset iam fieri ut probe
litteras sciret Per 173

per ceram et lignum litterasque interpretes
salutem inpertit Ps 42(*cf* Goldmann, I. p. 19)
euge, litteras minutas! Ba 991(*cf* Langen,
Beitr., p. 201; Weise, *de Bacch.,* p. 27)　qui
satis uideat, grandes satis sunt Ba 992
　　7. *abl.*: nomina insunt, cubitum longis litteris Poe 837(*cf* Dousa, p. 508)　cubitum .. longis litteris signabo iam usque quaque Ru 1294
aedis uenalis hasce inscribit litteris Tri 168
pudere quam pigere praestat totidem litteris
Tri 345　litteris recomminiscar: C est principium nomini Tri 915
　　B. **litterae** = epistula: quid hae locuntur
litterae? #Ut ab illo accepi, ad te obsignatas
attuli Ba 801　ut litterarum ego harum sermonem audio .. Ps 99　ne illi sit cera ubi facere possit litteras As 7€7　ex Epheso ad Pistoclerum .. litteras misi Ba 389　empta ancillast quod tute ad me litteras missiculabas Ep
131　scribit atque obsignat litteras Cu *Arg* 3
seu per scriptas litteras siue ipse ambissit ..
Am 70
　　LITTERARIUS - - hodie eire occepi in ludum **litterarium**(*A* literatum *P*) Mer 303
　　LITTERATUS - - si hic **litteratus** me sinat
Cas 401　ensiculust aureolus primum litteratus
Ru 1156　hâec (urna) **litteratast**(-at est *B*
-atas *CD*): eapse cantat quoia sit Ru 478(*cf*
Dousa, p. 490)　est securicula ancipes, itidem
aurea, litterata Ru 1159　ibi tu uideas **litteratas** fictiles epistulas Poe 836　*Vide* Ru 1157,
ubi litteratum *B pro* litterarum
　　LITUS - - litus hoc persequamur Ru 250
ab saxo auortit fluctus ad litus scapham Ru
165　uix hodie ad litus pertulit nos uentus
Ru 372　abi sane ad litus curriculo Ru 355
quid illuc est .. hominum secundum litus? Ru
149　ubi sunt hi homines? #Hac ad dexteram:
uiden secundum litus? Ru 157　ego inspectaui
e **litore**(-tt- *CD*) Ru 1019　iam in litorest(-tt-
C) Ru 175　quid ego misera uideo procul in
litore? Ru 450　*Vide* St 79, *ubi* litus *A pro*
litis
　　LIVEO - - uiden tu illic oculos **liuere**(*RRs*
iurere *CD* uire//// B^1 uirere $B^2\psi$)? Men 828
　　LIVIDUS - - non quasi nunc haec sunt hic
limaces, **liuidae** .. amicae Ci 405(*ex A et Varr
de l. L.* VII. 64)
　　LIVOR - - iam **liuorem**(luorem *B*) tute sca-
pulis istoc concinnas tuis Tru 793
　　LIXABUNDUS - - St 288 b, lixabundum *Scaⁱ
R pro* lasciuibundum
　　****LL**** - - Ci 391, Mo 1058
　　****LLO**** - - Ci 471(illo *LLy*)
　　LOCO - - I. **Forma loco** Vi 26(*Rg in lac*)
locas Am 278, Cu 25, Per 228, Vi 27(locastin
StudRg)　**locat** Am 351, Cu *Arg* 8　**locant**
Cap 819, Poe 612　**locaui** Cu 464, Mo 302, Tri
844　**locastin** Vi 27(*StudRg* locas *A*ψ)　**loca-
uerunt** Per 160(-r⁻ *CD*)　**locem** Ru 535　**loces**
Au 251, 568　**locet** Ru 474　**locere** Ci 560(conlocere *CaU*)　**locassim** Au 228　**locassem** Mo
242(*Guy* coll. *P*)　**locare** Au 192, Mo 535　**locata** Cu 563(*Fl* uocata *P* inuocata *U*), St 472
(*A* uocata *P*), Tri 782　**locatum**(*nom.*) As 443
(-num *J*)　*corrupta*: As 584, locabat *J pro* uocabat Men 317, locari *P pro* iocari(D^3); 825,

locatus *P pro* iocatus(*Ca*) Mo 1081, locaris *B*[1]
pro iocaris Poe 163, locare *BC pro* ioc.

II. Significatio 1. *proprie:* rex Creo uigiles
nocturnos singulos semper locat Am 351 pone
sese homines locant Poe 612

similiter: num tu pudicae quoipiam insidias
locas Cu 25? metuo . . ne illa mulier mihi insidias locet Ru 474

2. *de matrimonio* = **collocare:** neque eam
queo locare quoiquam Au 192 si filiam locassim tibi . . Au 228 . . ubi tu locere* in luculentam familiam Ci 560 ubi erit locata uirgo
in matrimonium Tri 782(*cf* K o e h m , *Alt.
Forsch.*, p. 53) ipsus sororem . . Phaedromo
nuptum locat Cu *Arg* 8

3. = **contrahere:** a. ut quod sit sibi operis
locatum* efficeret As 443 ornamenta quae lo-
caui(*i. e.* utenda dedi) metuo ut possim recipere Cu 464 quid si aliquo ad ludos me pro
manduco locem? Ru 535 locas**** Vi 27(*vide
StudRg*) ipse tibi ego me loco Vi 26(*Rg in lac*)
b. *seq. gerund.*(*cf.* H e r k e n r a t h , p. 46; S i -
d e y, p. 58): impero . . ut tu me quoiuis castrandum loces Au 251 tu idem optumumst loces
efferundum Au 568(*cf* R o m e i j l , p. 15) lanii
. . qui locant caedundos agnos Cap 819 (ornamenta) praebenda aediles locauerunt Per 160

4. = **pecuniam collocare:** pro illius capite quod
dedi numquam aeque id bene locassem* Mo 242
nec quicquam argenti locaui iam diu usquam
aeque bene Mo 302 locare argenti nemini
nummum queo Mo 535 *similiter:* optumam
operam das, datam pulcre locas Am 278 male
operam locas Per 228 locatast* opera nunc
quidem St 472 ego operam meam tribus nummis hodie locaui ad artis nugatorias Tri 844
bene uocas: uerum locata* res est — ut male
sit tibi Cu 563

LOCULUS - - candidatus cedit hic mastigia,
stimulorum **loculi**(lu. *J*) Cas 447(*cf* B l o m -
q u i s t , p. 161; G r a u p n e r, p. 9) in cella erat
†paulum nimis loculi lubrici Mi 853 tantillum
loculi(*A* loci *PR*) ubi catellus cubet id mi † sater est loci St 620 uel etiam (pallam) in **loculos**(*Balbach* oculos *P*) conpingite Men 691 ni
(argentum) ante solem occasum e **loculis**(*ULy*
elo** *Pψ*) adferes(*Ly* prompseris *U lac Pψ*) . .
Ep 144 *Vide* Mer 993, *ubi* loculo *P*, Mo 923,
ubi loculo *B*[2]*D pro* ioculo

LOCUPLES - - tibi aliast sponsa **locuples**
Lemnia Ci 492 est Euboicus miles, locuples,
multo auro potens Ep 153 ego esse locuples
(uolo) uerum nequiquam uolo Tri 565 de ornatu propemodum ut **locupletes** simus scitis
Ru 293

LOCUS - - I. Forma locus(locu' *saepe Ly
metri causa*) Am 513(loc'//// *B*), Ba 56, 82, 725,
Cap 12, 1000, Cas 478, Ci 260, 697(loca *Rs* locum *LULy duce Bo*), Cu 269, Ep 454, Men 1014,
Mer 1005, Mi 603, Per 792, 805, Poe 23, 57,
891(*AB* iocus *CD*), Ps 1111, Ru 255, 278, 666
(nec locus nec uiast *SpU* ***cuiast *P§ var supp
ψ*), St 592, 662, Tri 423, Tru 877, Vi 65(*Skutsch
Ly in lac*) **loci** As 32, 35, Cap 800, 958, Cas
535, Ci 150, 529, 784(lici *VEJ*), Cu 418, Men
379 (*add Rs solus*), 446, Mer 986, Ps 266, Ru
210, 571, 1161, St 620(*PR* loculi *Aψ*), *ib.* (*om*

R), 758, Tru 1(*Prisc* I. 421 locu *P*), 32 **locum**
Au 664(iocum *DE*), 673, 675, Ba 84, 606, Cap
212(loqcum *E*), Cas 19, 479, 537, 865, Ci 697
(*Bo* locus *P§*† loca *Rs*), Cu 387, Ep 137, 444,
527, 531, Men 669, 823, Mer 543, 584, Mi 702
(*A* uocum *CD* uccum *B* iocum' *B*²), Mo 969(*A*
loqui *BD* loqui: qur *C*), Per 61, Poe 177, 602,
657, 661, Ps 558, 570, Ru 254, 1147, St 501,
617, 752, Tri 753, Tru 233, Vi 57 **loco** Am
239, 240, 699, As 130, Au 28, 56, 709(ilico *Bri
Rg§ duce Guy*), Ba 1039, Cap 30, Ci 416, 699,
Cu 467, 506(*add U*), 711, Ep 81, Men 56, 168,
Mer 197, 231, Mi 83, 598, Mo 254, 673, Per
632, 843, Poe 516, 696, 1178(*om A ut vid*), Ps
1052, 1254, Ru 208, 266, 575(*A om P*), 1185,
St 62, 243, 685, Tru 82(ilico *Rs*), 443, Vi 12,
Fr I. 32(*ex Char* 199) **loci** Ps 595 **loca** Ru
227 **locorum** Cap 385, Cas 120(locarum *A*),
Poe 144(locarum *P*), Tru 661(locarum *P*) **lo-
cos** Tri 931(locus *C*) **loca** Ci 677, 697(*Rs* loca
P§† locum *Boψ*), Ru 111, Tri 863, 864 **locis**
Am 568, Au *Arg* I. 9, Ba 430(*v. secl GuyRg§U*),
Cap 44, Cu 507, Ep 534, Men 553, 982, Mi 413,
Mo 1104, Ru 205, 211, 275(loco *Non* 145), 907,
908(*om ReizRs*), 1033, Tri 823 *corrupta:* Am
906, loco *BD*¹*E pro* ioco(*D*²*J*) Cap 264, falsa
locum *E pro* falsilocum Men 779, locos *P pro*
logos(*D*³) Mo 694, in loco *C* iloco *D*¹ *pro* ilico
Ps 65, locus *D* loci *A pro* iocus St 221, locos
AP pro logos(*Ca*); 383, locos *A pro* logos(*P*);
393, loci *A pro* logi(*A*); 658, locos *B pro* iocos

II. Significatio A. *proprie:* 1. *nom.:* face
ut oculi locus in capite appareat Men 1014
prius abis quam lectus ubi cubuisti concaluit
locus Am 513 huic aetati non conducit . . latebrosus locus Ba 56 cum his mihi nec locus
nec sermo conuenit Ps 1111 certe †eccum locus* signat ubi ea excidit Ci 697 te uocem
lubenter si superfiat locus St 592

locus hic apud nos . . semper liber est Ba 82
lude ut soles quando liber locust hic Per 805
nimis bellust atque ut esse maxume optabam
locus Ba 725 eamus intro: non utibilest hic
locus Mer 1005 locus hic tuost: hic accumbe
Per 792 locus argumentost suom sibi proscaenium Poe 57 ita hic lepidust locus Ru 255
pater quom peregre ueniet in portast locus
Tri 423 nefacere si uelim non est locus Tru
877(*cf* K r a u s e , p. 22) inter murtos locust,
inde insidias dedit Vi 65(*Ly*) serui ne obsideant, liberis ut sit locus Poe 23(*cf* S c h u n c k ,
p. 13) si non ubi sedeas locus est est ubi ambules Cap 12 illic ibi demumst locus ubi labore lassitudost exigunda Cap 1000 quaero . .
quoi praedicem . . . #Hic non est locus Ep 454
loquere — locus* occasioquest — libere Poe 891
nec locus* nec uiast quae salutem afferat Ru
666(*U*)

locus liber datust mihi et tibi apud uos St
662 locus loquendi lectus est Mi 603(*cf* S i d e y,
p. 56; V o t s c h , p. 30) apud hunc sodalem . .
locus est paratus Cas 478 quibus nec locus
nullus nec spes paratast Ru 278 locus non
praeberi potis est in Capitolio Cu 269(*cf* E g l i ,
I. p. 5)

qui locus*** Ci 260

b. *plur.:* hi loci sunt atque hae regiones

quae mihi ab ero sunt demonstratae Ps 595 neque magis solae terrae solae sunt quam haec sunt loca atque hae regiones Ru 227

2. *gen.*: ne illos ignauissumis liberi loci potestas sit Cas 535 perparuam partem postulat Plautus loci* de uostris..moenibus Tru 1

nec loci gnara sum Ru 210 huius diei locique meique semper meminerit Cap 800

da mihi aliquid ubi condormiscam loci Ru 571 apud me..nihil est Summano loci Cu 418 tantillum loci* ubi catellus cubet id mi †sater est loci St 620 (*vide Ly*) ubi istuc est terrarum loci As 32 modo percepi..quid istuc sit loci As 35 ubi loci* tu hunc hominem nouisti? Men 379 (*Rs*)

3. *acc.*: **a.** *sing.*: ..liberum ut commostraremus tibi locum et uoluptarium Poe 602 locum quoque illum omnem ubi situst comederit Tri 753 hoc ubi abstrudam cogito solum locum Au 673 ego ubi bene sit tibi locum lepidum dabo Ba 84 nobis detis locum* loquendi Cap 212 is mihi se locum dixit dare Cas 479 locum lepidum dabo Poe 661 meis uicissim date locum fallaciis Ps 558 si id facere nequeat det locum illi qui queat Ps 570 date mihi locum ubi accumbam St 752 ipse si nihil habeat aliis qui habent det locum Tru 233 quasi non habeam quo intro mittar alium meliorem locum Men 669 inuenies tu locum illi si sapis Mer 584 ecferet iam secum et mutabit locum* Au 664 amor mutauit locum Ep 137 eapse deciens in die mutat locum St 501 quo uenerim noui locum* Mo 969 iam hunc noui locum Vi 57 meo uiro..liberum praehibet locum Cas 537 locum praebet illi Cas 865 ..ut apud me praehiberet locum Mer 543 ..locum sibi uelle liberum praeberier Poe 177, 657 reliqui in uentre cellae uni locum ubi.. reconderem Cu 387 non repperisti.. tranquillum locum ubi..explices Ep 444 eum locum* signat ubi ea excidit Ci 697 ibi sumam locum Au 675

posse tibi opinor etiam uni locum condip***um (*A* conspicor *PR* condi bonum *Rg* concedier *BugU*) St 617 uideo decorum dis locum uiderier Ru 254

nunc abierunt hinc in communem locum Cas 19 num hinc exmigrastis? #Quem in locum? Men 823 parentis tam in angustum tuos locum compegeris Ru 1147

b. *plur.*: quos locos* adisti? #Nimium mirimodis mirabiles Tri 931 loca contemplat Tri 863 loca* signat ubi ea excidit Ci 697 (*Rs*) quo mox furatum ueniat speculatur loca Tti 864 an quo furatum mox uenias uestigas loca? Ru 111 loca haec circiter excidit mihi Ci 677

4. *abl.*: **a.** *sing.*: α. animam omittunt prius quam loco demigrent Am 240 damnosiorem, (*comma om Ly*) mihi (meo *Ly secl RsꝂ†L om U*) exinde immouit (inhiauit *Rs †Ꝃ* me mouit *Abraham U*) loco (ilico *Rs*) Tru 82 nec recedit loco Am 239

suo quique loco? uiden? capillus satis compositust commode? Mo 254 (*cf* Goerbig, p. 19) nec cibo nec loco tecta quo sim scio Ru 208 opus est nunc tuto loco unde inimicus nequis nostri spolia capiat consili Mi 598

***m loco Ci 416

β. *post praepp.*: **de**: consilia firmiora sunt de diuinis locis Mo 1104 **ex**: ex hoc loco ibo ego ad tres uiros As 130 si..tu ex istoc loco digitum..excesseris.. Au 56 inde ex eo loco* uideo recipere se senem Au 709 (*vide RgꝂ*) ex (*om B et Non* 394) istoc loco spurcatur nasum odore Men 168 ilico hinc imus haud longule ex hoc loco Ru 266 ex hoc loco iubebo ad istam quinque perferri minas Tru 443 **in**: te uidi. #Quo in loco? Am 699 commonstrabo quo in quemque hominem.. inueniatis loco Cu 467 promistin.. #Quo praesente? quo in loco? Cu 711 in hoc iam loco cum altero constitit Ci 699 uno adsto in loco Men 56 me iam censebam esse in terra atque in tuto loco Mer 197 ..si ambae in uno essent loco Mer 231 adsedistis..in festiuo loco Mi 83 non in loco emit perbono? #Immo in optumo Mo 673 natast in calido loco Per 632 potes esse te pat in lepido loco? Poe 696 tanta ibi copia uenustatum aderat in suo quique loco* sita munde Poe 1178 in loco festiuo sumus festiue accepti Ps 1254 ..non alicubi in solo abstrusi loco Ru 1185 in suo quicque loco nisi erit mihi situm supellectilis St 62 risi te hodie multum. #Quando aut quo in loco? St 243 hoc recipimur in loco St 685 **uos in loco monitum** Vi 12 **sine**: nec quicquam positum sine loco* Fr I. 32 (*ex Char* 199)

b. *plur.*: ita hic sola solis locis (*lac indicant RsꝂ*) compotita sum Ru 205a

...tempore uno homo idem duobus locis ut simul sit Am 568 (*cf* Goerbig, p. 19) domo sublatam (aulam) uariis abstrudit locis Au *Arg* I. 9 Neptuno..qui salsis locis incolit pisculentis Ru 907

occasio tempusque abire ab his locis lenoniis Men 553 aliquem uelim qui mihi ex his locis.. semitam monstret Ru 211 me ex suis locis* pulcre ornatum expediuit Ru 908 suis me ex locis in patriam.. reducem faciunt Tri 823 ibi suam aetatem extendebant non in latebrosis locis Ba 430 (*v. secl GuyRgꝂU*) saepe iam in multis locis plus insciens quis fecit quam .. Cap 44 hi.. in occultis locis prostant Cu 507 in his dictust locis habitare mihi Ep 534 ..ero ut omnibus in locis sim praesto Men 982 me in locis Neptuniis .. seruauit Mi 413 in locis* nesciis nescia spe sumus Ru 275 ecquem in heis locis nouisti? Ru 1033

B. *translate* (= *occasio, condicio, sim.*): nefacere si uelim, non est locus Tru 877 (*occasio? vide supra* A 1) satin uix reliquit deo quod loqueretur loci? Ci 150 ubi loci fortunae tuae sint facile intellegis Cap 958 ubi locist res summa nostra publica? Mer 986 ubi loci sunt spes meae? #Immo edepol meae? Ru 1161 si redierit illa ad hunc, ibidem loci res erit Ci 529 in eum locum haec reuenit res locum ut quid consili dem.. nesciam Ba 606 quoi multa in unum locum confluont quae meum pectus pulsant Ep 527 si .. amiseris libertatem, haud facile in eundem rusum restitues locum* Mi 702 neque ubi meas collocem spes habeo.. munitum locum Ep 531 unde ego hunc quaestum optineo et maiorum locum Per 61

eam compressit de summo adulescens loco
Au 28   heri indaudiuit de summo loco summoque genere captum esse equitem Cap 30   nec
recte dicis nobis diues de summo loco Poe 516
si ego in istoc sim loco dem Ba 1039   quo in
loco haec res sit uides Ep 81   meo ego in loco
sedulo curabo Per 843   nunc demum mihi
animus in tuto locost Ps 1052   in aliquo tibi
gratiam referam loco* Ru 575   eodem loco*
uos pono Cu 506(U)

C. *de tempore*(cf Blomquist, p. 62; Kane,
p. 91): ut adhuc locorum feci Cap 385   interea
loci numquam quicquam facinus feci peius Men
446   interea loci si quid lucri detur potius
rem diuinam deseram Ps 266   interea loci †aut
ara aut uinum.. Tru 32   postid locorum*..
dabitur tibi amphora una Cas 120   postid locorum* tu mihi amanti ignoscito Poe 144   eradicarest certum cum primis patrem postid locorum* matrem Tru 661   postidea loci* qui
deliquit uapulabit Ci 715*.. cantionem aliquam occupito cinaedicam St 758

D. *adiectiva apponuntur:* angustus Ru 1147
bellus Ba 725   bonus Men 669, Mo 673, St
617(*Rg*) calidus Per 632   communis(*i. e.* mortuorum) Cas 19   decorus dis Ru 254   divinus
Mo 1104   festiuos Mi 83, Ps 1254   latebrosus
Ba 56, 430   lenonius Men 553   lepidus Ba 84,
Poe 661, 696, Ru 255   liber Ba 82, Cas 535, 537,
Per 805, Poe 177, 602, 657, St 662   mirabilis
Tri 931   munitus Ep 531   Neptunius Mi 413
nescius Ru 275   occultus Cu 507   perbonus
Mo 673   pisculentus Ru 907   salsus Ru 907
solus Au 673, Ru 205, 227, 1185   summus Au
28, Cap 30, Poe 516   tranquillus Ep 444   tu-
tus Mer 197, Mi 598, Ps 1052   uoluptarius
Poe 602   utibilis Mer 1005

gen. app.: maiorum Per 71   loquendi Cap
212, Mi 603

LOCUSTA - - tu me **lucustam**(*P* la. *B*² lo.
FZLy) censes **esse?** Men 924   *Cf* Inowraclawer, p. 67; Wortmann, p. 50

LOGOS - - dabuntur dotis tibi inde sescenti
logei(*A* logi *LU* longi *P*) Per 394   uenales
logi(*A* loci *P*) sunt illi quos negabam uendere
St 393   .. quam si ad sepulcrum mortuo nar-
ret(-es *LLy cum A ut dicunt*) **logos**(*A* dicat
iocum *P*) Ba 519   loquere.. paucis, non longos **logos**(*D*³ locos *P*) Men 779   **logos**(*Ca* locos *AP*) ridiculos uendo St 221   non uendo
logos(*P* locos *A*) St 383   tam confido quam
potis me meum optenturum regem ridiculis
logis(*A* meis *PL*) St 455   *Vide* Ps 255, *ubi*
inani logi istaec *U pro* profecto inanilogistae

LOLIGUNCULA - - emito sepiolas, lopadas,
loligunculas(*ex Prisc* I. 108 loll. *Ly* lolligiun-
gas *BVE* lingunculas *J*) Cas 493   *Cf* Ryhiner, p. 23

LOLIUM - - mirumst **lolio**(*Fulg* 561 olio *P*)
uictitare te tam uili tritico Mi 321   *Cf* Schneider, p. 33

LONGINQUOS-- †odio sane oratio quom rem
agas **longinquom**(-um *CD* -am *BU*) loqui Mer
608   qui lepide ingeniatus esset, (diui) uitam
ei **longinquam**(-guam *A*) darent Mi 731   cedo
te mihi solae solum. #Breuin an **longinquo**
(log. *B*) sermone? Mi 1020

LONGITUDO - - eam (noctem).. multo haec
uicit longitudine Am 281

LONGULUS - - ingressus fluuium rapidum
ab urbe haud **longule** Men 64   ilico hinc imus
haud **longule**(*F* -la *P*) ex hoc loco Ru 266   *Cf*
Ryhiner, p. 20, 52

LONGUS - - I. Forma **longus** Men 760
longa Ep 545, Ps 2, Ru 754   **longum** Mer 896
(*Par* lon cum *P*), Mi 503   **longum**(*acc.*) Ba
280, Tru 853(*Ca* -gē *B* -ge *CD*)   **longam** Au
87(l. meum *Ca duce Scut* longum *PLy*†) lon-
gum Ep 376, 665, Per 167, Ps 687   **longo** Tri
806   **longa** Cas 1006   **longi** Tri 797   lon-
gae Ps 388(-ge *B*)   **longos** Men 779   **longa**
Per 707   **longis** Poe 837, 1298, Ru 1294   lon-
gior Am 113, 548, Tri 903, 904(*v. habet B solus*)
longiorem Am 279, Cas 1006, Tru 627   lon-
gissuma(*nom.*) Mo 911(-ima *PL*)   **longe**(*adv.*)
Am 322 *bis*, As 205(*v. secl FlRglSL*), 629, Ba
423, 595, 1089, Cas 420, Ci 582, Cu 117, 261,
Ep 403, 579, Mer 894, Mo 390, 393(linge *C*¹),
911, Per 151, 217 *bis*, Ru 66, 255, 267, 1034,
Tri 483, Tru 171, 657   **longius** Cap 611(*om
EJ*), Men 327, Ps 502, Tri 721   **longissume**
Cap 271(-ime *BDE*), Men 835(-ime *PL*), 1111
(-ime *PL*), St 529   *corruptum:* Per 394, longi
P pro logi(logei *A*)

II. **Significatio** A. *de spatio:* 1. *adiect.:* homo
sesquipede quidamst quam tu longior. #Haeret
haec res si quidem ego apsens sum quam praesens longior Tri 903-4

lembum conspicor longum strigorem maleficum exornarier Ba 280   .. ex me.. unam faciam litteram longam* Au 78   nomina insunt
cubitum longis litteris Poe 837   cubitum ..
longis litteris signabo Ru 1294   istam machaeram longiorem habes quam haec est Tru 627
offerumentas habebis pluris.. quam ulla nauis
longa clauos Ru 754   longa nomina contorplicata habemus Per 707   ista stimulum longum* habet Tru 853   quis hic homost cum
tunicis longis Poe 1298   (porticus)longe omnium
longissumast Mo 911

2. *adverb.:* a. *proprie:* tu ne quo abeas longius ab aedibus Men 327   quid si.. abeamus
hinc nos? #Non hoc longe* Mo 393   illorum
nauis longe in altum abscesserat Ru 66   concede huc.. ab istoc quam potest longissume
Men 835   decedam.. non.. hoc longe Tri 483
.. digitum longe a paedagogo pedem ut efferres aedibus Ba 423   eo ego hinc haud longe.
#Et quidem ego haud longe Per 217   fugiat
longe ab aedibus Mo 390

ubi tu hic habitas? #Porro illic longe Ru
1034   longe ab Athenis esse se gnatam autumet Per 151   uisus sum uiderier procul sedere longe a me Aesculapium Cu 261   (porticus) longe omnium longissumast Mo 911

haud longe abesse oportet, uerum longe hinc
afuit Am 322   quid agat, si absis longius*?
Cap 611   quam longe a me abest? Cu 117   non
longe hinc abest a nobis Mer 894   illud malum aderat, istuc aberat longius Ps 502(*an
temporale?*)   haud longe abesse oportet homines hinc Ru 255   longe hinc abest unde aduectae huc sumus Ru 267   oues illius hau longe
absunt a lupis Tru 657   ne tibi hercle haud

longest os ab infortunio BA 595   ..proxumum
quod sit bono quodque a malo longissume id
uolo CAP 271   scin tu rus hinc esse ad uillam
longe quo ducat? CAS 420

b. *translate*(cf Gehlhardt, p. 28) 'ad notionem augendam': longe aliam (orationem)..prae-
bes nunc atque olim As 205(*v. secl FlRglSL*)
longe aliter est amicus atque amator TRU 171
aliter catuli longe olent, aliter suis EP 579   diuortunt mores uirgini longe ac lupae EP 403
    solus ego omnis longe antideo stultitia BA
1089   ut uostrae fortunae meis praecedunt..
longe As 629

B. *de tempore:* 1. *adiect.:* hanc ex longa longiorem ne faciamus fabulam CAS 1006   Plautina longa fabula in scaenam uenit Ps 2   sat
sic longae fiunt fabulae Ps 388   loquere ..
paucis, non longos logos MEN 779·   quas (res)
si autumem omnis, nimis longus sermost MEN
760   quamuis sermones possunt longi texier
TRI 797   nimis longo sermone utimur TRI 806
    longa dies meum incertat animum EP 545
haec ob eam rem nox est facta longior AM 113
neque ego hac nocte longiorem me uidisse censeo AM 279   quanto, nox, fuisti longior hac
proxuma tanto .. AM 548
    nisi mihi supplicium..datur longum diuti-
numque a mane ad uesperum MI 503
    faciam. #Longum* istuc amantist MER 896
acc. cogn.: nimis longum loquor EP 376, 665,
PER 167   nimis diu et longum loquor Ps 687
    2. *adverb.:* non hercle hoc longe destiti in-
stare usque adeo donec .. CI 582   quid longissume meministi..in patria tua? MEN 1111
quam dudum in portum uenis? #Hau(huc PŞt)
longissume postilla ST 529(*cf* Persson, p. 50
et RRgL)   uideo caculam militarem me futurum haud longius TRI 721
    LOPAS - - emito sepiolas, **lopadas**(*Fl duce*
Ca le. LLy lepidas *PU ex Prisc* I. 108), loligunculas CAS 493   pro exercitu gymnastico..
hoc habemus: echinos, lopadas, ostrias captamus RU 297   addite lopadas(-des *aliqui codd*)
ecinos FR I. 105(*ex Non* 551)   *Cf* Dousa, p. 194
    LOQUAX - - multum **loquaces** merito omnes
habemur AU 124
    LOQUELA - - †commodo(-da *J* condomo *Rs*)
loqueiam(-llam *B²* loquela *RedslobLy* commoda
loquellast *U*) tua(-am *J* commodule quaedam.
tu *L*) tibi nunc prodens(prodes *ULLy*) CI 741
    LOQUITOR - - **loquitatusne**'s gnato meo
male per sermonem? BA 803
    LOQUOR - - I. **Forma loquor** AM 407(-ar
D), 569(loquo *E*), 1021, AU 831, BA 468, 689,
CAS 166(*A* -ar *P*), CI 432, EP 376(-ar *J*), 665,
MER 308(*A* -ar *P*), MI 422, Mo 946, PER 64, 167,
207, POE 216, Ps 153(*AL* -ar *Pψ*), 156(*PULy*
-ar *Aψ*), 217, 224, 227, 687, ⋇88, 1152, RU 1129,
TRI 969   **loqueris** AU 152, BA 569, 720(*PU*
-re *Guyψ*), CAS 203, MEN 298, MER 581(*GuyR* -re
Pψ)   **loquere** AM 973, As 478, AU 190(-ęre *E*),
BA 720(*Guy* -is *PU*), CAP 960, CAS 209, EP 285,
MEN 322, MER 168, 581(*P* -ris *GuyR*), 981(quaeris *Rg*), 983, Mo 13, 512, 519, PER 290, 323, POE
861(lepide l. *A* -due l. *B* -dum eloquere *CD*),
1317(-retur *CD*), Ps 1236, RU 782, TRU 803   **loquitur** AM 331, 449, 591, 696, 843, As 447, AU 731,

BA 735, 773, 861, CAP 133, 598, 991, CAS 321,
CU 229, MEN 125, 369, 478, 479(*v. om A*), 602,
909, 920, MI 1001, 1002(*v. secl RRgŞ*), 1222, Mo
38, PER 93(l. meram *Ca* -tum eram *P*), 99, POE
325, Ps 194(quae l. *om ALy*), 230, 445, 615,
RU 97, 230, 333, 1126, ST 197, 330, TRU 499   **loquimur** CI 122, MEN 586(*ALLy* -antur *Pψ v.*
secl Herm)   **locuntur** BA 801(loquontur *ULy*)
loquebar BA 983   **loquar** AM 390, As 152,
CAS 216, POE 1029, ST 485(*v. habet A solus*), TRU
212, 871   **loquentur** CAP 786   **loquar** AM 38,
300, 559, BA 35(eloquar *B¹*), CAP 535, EP 584,
MEN 253, 612, MER 344, MI 407, Mo 723(*aliter*
U), Ps 153(-or *AL*), 156(*A* -or *PULy*), 377, 908,
1178, ST 302, 419, TRI 148, TRU 789   **loquatur**
As 473, MER 707   **loquamur** POE 251(*P* eloquamur *HermRglŞ*)   **loquantur** MEN 586(loquimur *ALLy v. secl HermRRsŞ*), POE 747   **loquerer** AU 134(-ęrer *E*)   **loqueretur** CI 150
loquerentur EP 240, PER 240, 241(*PR*elo. *Mueψ*)
loquere AM 377(*Ald* elo. *P*), 1091, 1119, As
626, 791(elo. *BoRgl*), AU 777(-ęre *E*), 820, BA
553(elo. *FlU*), 739, 745 *bis*, CAP 310, 603, CAS
490, 872(*Ly in lac*), CI 734, EP 40, 236, MEN
779, MER 137, 199(-ro *B*), 615, 892(eloquere
BeckerRRgU †Ş), MI 358, 615, 954, 978(-rit *B*),
1409, Mo 474, 1117, 1136(*P* elo. *LangenRsŞ*),
PER 848, POE 891, Ps 471, 839(boq. *B*), RU 946
(*secl U*), 1063, 1153, 1163, TRI 358(elo. *AL*),
926(l. apsenti *Bent* loquar eapsenti *BC* loquar
ea p̄senti *D*), TRU 509(*SeyU* ere *PŞt Ly*t eia
Rs heia *L*), 604(-ri *B*), 788(l. tu *FZ* -retur *P*),
796, 799, 821   **loqui** AM 332, 389, 393, 751,
837, As 232, 793, AU 616(*P* eloqui *SchŞ*), 771,
BA 1104, CAP 3(*v. secl U*), 564, CAS 90, 281, 410,
CI 433, CU 570(*F* eloqui *P*), EP 59, 97, 247, 333,
MEN 125, 711, 712, MER 36, 608, MI 275(*A* -re
B¹ -entē *B²CD*), 477, 1353(*R* eloqui *P*), Mo
239 *bis*, 728, 955, 1153, PER 32, 207, 642(*PLy*
eloqui *Caψ*), 645, POE 573, 626, 679, 983, 1037,
1323, 1373, Ps 465, 523b(*v om R secl Ly*), 839,
RU 1093, 1117, 1126, ST 8, TRI 380, 547, 1030,
1042, 1136, TRU 226, 265, 575, 829, FR I. 6   **loquens** As 291, RU 1114, 1116   **loquentis** AU
811(-ens *E*)   **locutus** AM 579, As 38, MI 476
(*PR* elo. *Aψ*), TRI 563   **locuta** CI 607(loquuta
J), MI 1220(*Sarac* secuta *P*)   **locuti**(*pl.*) As
648, POE 1143   **loquendi** As 517, CAP 212, MI
603, POE 629, TRI 998   **loquendum** As 518
corrupta: As 24, loqui *J pro* eloqui   CAS 287,
loquar *BVE* loquor *J pro* eloquar; 635, loquere
A pro elo.; 648, loquere *P pro* elo.(*A*)   MEN
621, respons(responde *B¹*) anti loquere *P pro*
responsant eloquere(*Ca*); 808, loquar *P pro* ad-
loquar(*Sarac*); 1066, loquere *P pro* elo.(*Fl*)
MI 847, te loquere *P pro* elo.(*Par.*); 1006, locuta *B* elocutam *CD var em edd*   Mo 969, loqui *BD* loqui: qur *C pro* locum(*A*)   POE 626,
loqui *iterat B*; 885, locutum *P pro* elo.(*A*)   ST
197, loquor *A pro* conloquar(*P*)   TRI 712, ēē
loquar *B pro* est eloquar TRU 112, loqui *P*
pro atque(*A*); 135, loquere *P pro* elo. (*A*);
215, summę loquitur *CD pro* summa elo. (*AB*);
726, te loquar *P pro* elo.(*FZ*)
    II. **Significatio**(*cf* Langen, *Beitr.* p. 183):
1. *absolute:* a. non loquor*? non uigilo? AM
407   ⋇⋇um loquor CI 432   nisi iam loquere

aut hinc abis Mer 168   etiam loquere, larua?
Mer 981*, 983
    hic nescio quis loquitur Am 331   prope me
hic nescio quis loquitur Per 99, Ru 97   quis
homo hic loquitur? Au 731   quis loquitur prope?
Ba 773   quis hic loquitur? Cap 133, Ps 445,
Ru 333   quis hic est qui loquitur? Cu 229
quis hic loquitur prope? Ru 230   quisnam hic
loquitur tam prope nos? St 330   uide quis
loquitur tam propinque Tru 499   si iste
loquitur, sine me meam partem loqui Ru
1126
    non loquar nisi pace facta Am 390   quid si
..tu taceas ego loquar*? Ba 35   nequeo contineri quin loquar Men 253   nutat ne loquar
Men 612   non..possum..quin loquar St 302
si ego taceam seu loquar.. St 419   si taceas
loquar Tri 148
    huius quae locutast quaerere aibas filiam Ci
607   ..ut perirem si locutus* essem ero Mi 476
omnes muti ut loquerentur prius Per 240
loquere! Am 1091, Cas 490, 872(Ly)   porro
loquere Am 1119   loquere porro Ba 745   age
ergo loquere Au 820   loquere nunciam Mo 474,
Ru 1153   loquere tu (etiam) Per 848, Ru 1063,
Tru 788*   loquere*: audio As 791   loquere:
auris meas.. dedo in dicionem tuam Mi 954
quin tu ut occepisti loquere Ep 236   istinc
loquere si quid uis Cap 603   loquere: hoc
scriptumst Ba 739   loquere †non dum nihiblo
factum est Mi 1409   ecquae spolia rettulit?
loquere* Tru 509(U)   loquere* et consilium
cedo Mi 978   loquere atque i in malam crucem Ps 839
    loquere*, quid uenisti? Am 377(cf Fuhrmann,
CV. p. 818)   loquere* quis is est? Ba 553   loquere ipse ubist Stratippocles? Ep 40   loquere
uter meruistis culpam Men 779   loquere quoius modi reliqui.. filium? Mo 1117   loquere*
unde's? Tru 604   loquere tu qui dare te huic
puerum iussit? Tru 796   loquere tu quid eo
fecisti puero? Tru 799   loquere quid scribam
Ba 745   age loquere tu quid ibi infuerit Ci
734   loquere* porro quid sit actum Mer 199
loquere* ubi sit Mer 892   loquere* nunc quid
fecerim Mo 1136   loquere matris nomen..quid
siet Ru 1163(cf Redslob, p. 8, adn.)   loquere
filiam meam quis.. stuprauerit Tru 821
    'nescio quem' loqui autumat Am 332   hic
prope me mihi nescio quis loqui uisust Ba 1104
tam huic loqui licere oportet quam isti Cas 410
..ut loqui non audeam Men 712   sine uicissim me loqui Mo 1153   non uides nolle loqui*? Per 642   satis lubenter te ausculto loqui Ps 523 b(v. secl Ly)   sine sis loqui me Ps
839   sine me ut occepi loqui Ru 1093   enumquam hodie licebit mihi loqui? Ru 1117   ..ut
te audiui loqui Tri 547   in mutum culpam
confers qui non quit loqui Tru 829
    loquens lacerat diem As 291   tacitast bona
mulier semper quam loquens Ru 1114   neque
loquens es neque tacens umquam bonus Ru
1116   ego uocem hic loquentis* mihi audire
uisus sum Au 811(cf Wueseke, p. 44)
    et meam partem loquendi et tuam trado tibi
As 517   nobis detis locum loquendi Cap 212
minus cum cura..locus loquendi lectus est Mi

603(v. secl WeisRgS)   ad loquendum atque ad
tacendum tute habeas portisculum As 518
    ita loquor(formula confirmandi) Am 1021, Au
831, Mo 946, Ps 1152, Tri 969   ut loquor* res
itast Am 569   sic est ut loquor Ba 468   facis effecta haec ut loquor Ps 224
    b. cum adverbiis: loquere audacter Cap 310
loquere* audacter patri Tri 358   si quid tu in
illum bene uoles loqui.. Mo 239   quom ut digna's dico bene, non male, loquor Per 207   male
corde consultare, bene lingua loqui Tru 226
loquere lepide et commode Mi 615   quae non
deliquit decet.. confidenter pro se et proterue
loqui Am 837   quam confidenter loquitur Mo
38   qui tibi lubidost..loqui inclementer nostro
cognato et patri? Poe 1323   qui lubet patruo
meo loqui inclementer? Poe 1373   nec tuom
quidemst amicis per iocum iniuste loqui Poe
573   meis consanguineis nolo te iniuste loqui
Poe 1037   nimis tu facete loquere Per 323
multa ego loquor..quamuis facunde loqui Tri
380   loquitur laute et minume sordide Mi 1001
lepide Mi 615(supra sub commode)   lepide loquere* Poe 861   licet mihi libere quiduis
loqui Am 393   loquere.. libere Poe 891   loquendi libere uidetur tempus uenisse Tri 998
meo arbitratu loquar libere quae uolam Tru
212   da argentum huic ne male loquatur As
473   tun libero homini male seruos loquere?
As 478   male loqui mihi audes? Cap 564   ..si
perges mihi male loqui* Cu 570   qui lubidost
male loqui? Ep 97   qui tibi lubet mihi male
loqui? Ep 333   illic homo se uxori simulat
male loqui, loquitur mihi Men 125   mitte male
loqui Per 207   male loquor Per 207(supra sub
bene)   etiam..male loquere? Per 290   ..ut
quaestui habeant male loqui melioribus Poe
626   ego male loquendi uobis nesciui uiam
Poe 629   ne male loquere* apsenti amico Tri
926   pergin male loqui..mihi? Tru 265   cum
ipso pol sum locuta* placide..meo arbitratu,
ut uolui Mi 1220   satin hoc plane, satin di-
serte.. uideor tibi locutus esse? Am 579   tecum otiose. cupio loqui Au 771   planen loquor? Per 64   ita plane loquar St 485   proterue Am 837(supra sub confidenter)   recte loquere et.. ut uxorem decet Am 973   Chrysalus
mihi.. loquitur nec recte Ba 735   recte et
uera loquere Cap 960   nunc tu sapienter loquere* Mer 581   sordide Mi 1001(supra sub
laute)   similiter: meo arbitratu Mi 1220(supra
sub placide), Tru 212(supra sub libere)   hic
ante ostium meo modo loquar quae uolam As
152   pro sano loqueris Men 298   porrectiore
fronte Cas 281   ut uolui Mi 1220
    c. cum praepp.: aduorsum (-us): aduorsum
tuam rem omnia loqueris Cas 203   aduorsus
tuam istaec rem loquere Cas 309
    cum: tuam rem ego tecum hic loquerer Au
134   quid tu solus tecum loquere? Au 190
magnast res quam ego tecum otiose, si otiumst,
cupio loqui Au 771   tecum loquar Cas 216
ego te porrectiore fronte uolo mecum loqui
Cas 281   quid loquitur tecum? Cas 321
..nisi quae uolo tecum loqui.. Ci 463   quicum haec mulier loquitur? ⸗Equidem tecum
Men 369   audes..mecum loqui? Men 711   te-

cum loquor. #Immo edepol tute tecum Mɪ 422
cum ipso Mɪ 1220(*supra* b)   cum ero pauca
uolo loqui* Mɪ 1353   quid tute tecum loquere?
Mo 512   quicum istaec loquere? Mo 519   sine
me cum puero loqui Mo 955   cum illoc te
meliust.. loqui Poᴇ 679   plus tecum loquar
Ps 377   tu censeas non Pseudolum sed Socratem tecum loqui Ps 465   quid illic solus
secum loquitur? Ps 615   haec mecum egomet
loquar solus Ps 908   multa uolo tecum loqui
de re †uiri Sᴛ 8   quid hic est locutus tecum? Tʀɪ 563   de istis rebus amplius tecum
loquar Tʀᴜ 871

de: loquitur de me et de parti mea Mᴇɴ 479
(*v. om A secl Rg*§)   quidquid illaec de te loquitur.. Mɪ 1002(*v. secl RRg*§)   de re †uiri
Sᴛ 8(*supra*)

in: si quid tu in illum bene uoles loqui..
Mo 239

pro: pro illis loquantur* quae male fecerint
Mᴇɴ 586(*v. secl HermRs*§)   sine me pro parte
(*LLy* pro re mea *BoU* meam partem *Gronov
Rs*§ pro me mea parte *P*) loqui Rᴜ 1126

super: uix tandem percepi super his rebus
nostris te loqui Mo 728

2. seq. acc.: a. satin hoc plane..uideor tibi
locutus esse? Aᴍ 579   quid tu loquere*? #Hoc,
ut futuri sumus Bᴀ 720   omnes muti ut loquerentur* prius hoc quam ego Pᴇʀ 241   hoc
commodum orditur loqui Tʀɪ 1136   quin loquar haec uti facta sunt hic? Aᴍ 559   haec
ut loquor..domo docta dico Poᴇ 216   tibi
ego haec loquor Ps 227   haec mecum egomet
loquar solus Ps 908   credo audisse haec me
loqui Tʀᴜ 575

id illas audiui loqui Eᴘ 247   id loqui licebit Mo 239(*supra* 1. b)

aduorsus tuam istaec rem loquere Cᴀs 209
quicum istaec loquere? Mo 519   te istaec audiui loqui Pᴇʀ 32   qur non adhibuisti, dum
istaec loquere*, tympanum? Poᴇ 1317

non ego illi optempero quod loquitur Aᴍ 449
est..quod uolo loqui As 232   ..hoc ut faceret quod loquor Bᴀ 689   satin uix reliquit
deo quod loqueretur loci Cɪ 150   ..ego illis
posthac quod loquantur creduam Poᴇ 747   audi
..hoc quod loquor Rᴜ 1129   huc animum omnes
quae loquar aduortite Aᴍ 38   hic auscultet
quae loquar Aᴍ 300   ..ut quae locutu's despuas As 38   audin quae loquitur? As 447, Bᴀ
861, Mᴇɴ 909, Mɪ 1222, Ps 194*   auscultabat
quae ego loquebar Bᴀ 983   ecquis haec quae
loquor* audit? Cᴀs 166   ..quae uolo tecum
loqui das mihi operam Cɪ 463   nec satis exaudibam quae loquerentur Eᴘ 240   nequeo quae
loquitur exaudire clanculum Mᴇɴ 478   satin
audis quae illic loquitur? Mᴇɴ 602   quae loquatur exaudire hinc non queo Mᴇʀ 707   huc
adhibete auris quae ego loquar* Ps 153   quae
loquar* aduortite animum Ps 156   tenes quo
se haec tendant quae loquor? Ps 217   facis
effecta quae(*A* haec ut *P*§) loquor Ps 224   non
audis quae hic loquitur? Ps 230   haec..mihi
non credis quae loquor Ps 888   ego quae tu
loquere flocci non facio Rᴜ 782   quae loquitur auscultabo Sᴛ 197

quid tu solus tecum loquere? Aᴜ 190   quid
tu loquere? Bᴀ 720   quid hae locuntur litterae? Bᴀ 801   quid loquar? Cᴀᴘ 535, Tʀᴜ 789
quid loquitur tecum? Cᴀs 321   quid loquar
uis? Eᴘ 584   neque.. quid loquar cogitatumst
Mᴇʀ 344   nihil habeo certi quid loquar Mɪ
407   quid tute tecum loquere? Mo 512   scis
iam quid loquar Mo 723(*vide U*)   quid illi
locuti sunt inter se? Poᴇ 1143   quid illic solus secum loquitur? Ps 615   scin quid loquar?
Ps 1178   quid hic est locutus tecum? Tʀɪ 563

licet mihi libere quiduis loqui Aᴍ 393   age
nunc loquere quiduis Aᴜ 777   loquere quiduis Mɪ 358   age loquere quiduis Ps 471   quin
loquere quiduis Rᴜ 946(*vide U*)   nunc mihi
licet quiduis loqui Fʀ I. 6(*ex Festo* 305)   ..si
quid uis loqui Aᴍ 389   si quid in illum bene
uoles loqui.. Mo 239   loquere id negoti quicquid est Mᴇʀ 137   quidquid istaec de te loquitur.. Mɪ 1002(*v. secl RRg*§)   tu igitur loquere quid lubet As 626   meo modo loquar
quae uolam As 152   loquar libere quae uolam
et quae lubebit Tʀᴜ 212   quae in rem sint
suam..possit loqui Mᴇʀ 36

b. hic argumenta loquitur Cᴀᴘ 991   haec
quidem deliramenta loquitur Aᴍ 696   iam deliramenta loquitur Cᴀᴘ 598   audin tu ut deliramenta loquitur? Mᴇɴ 920   multa ego possum docta dicta..loqui Tʀɪ 380   quod ego
hunc hominem facinus audio loqui*! Aᴜ 616
basilica hic quidem facinora inceptat loqui Tʀɪ
1030   lapides loqueris Aᴜ 152(*cf* Inowraclawer, p.54)   ut mulsa loquitur! Poᴇ 325   loquere id negoti quicquid est Mᴇʀ 137   loqueris nunc nugas sciens Bᴀ 569   quos tu parasitos loquere? Mᴇɴ 322   tuam rem ego tecum
hic loquerer familiarem Aᴜ 134   magnast res
quam ego tecum otiose..cupio loqui Aᴜ 771
non mihi licere meam rem me solum..loqui
Cᴀs 90   rem hercle loquere Eᴘ 285   loquere
porro aliam malam rem Mᴇʀ 615   rem loquitur* meram Pᴇʀ 93   cum illoc te meliust tuam
rem..loqui Poᴇ 679   ..ne aliam rem occipiat
loqui Tʀɪ 1042   nostra etiam uitia loquamur*
Poᴇ 251

decide collum stanti si falsum loquor* Mᴇʀ
308   apud erum..uera loquitur Aᴍ 591   uera
uolo loqui te Aᴍ 751   haec uera loquitur Aᴍ
843   hoc uos mihi testes estis me uerum loqui Cᴀᴘ 3(*v. secl U*)   recte et uera loquere Cᴀᴘ
960   nihil scit nisi uerum loqui Pᴇʀ 645   nec
ueri simile loquere nec uerum Mo 13

multa uolo tecum loqui de re uiri Sᴛ 8   cum
ero pauca uolo loqui* Mɪ 1353   aduorsum tuam
amicam omnia loqueris Cᴀs 203

de istis rebus tum amplius tecum loquar Tʀᴜ
871   plus loquimur quam sat est Cɪ 122   plus
scire satius quam loqui Eᴘ 59 a   plus oportet
scire seruom quam loqui Mɪ 477   plus tecum
loquar Ps 377   plus quam dudum loquere Tʀᴜ
803   satis locuti As 648

quantum hunc audiui loqui* Mɪ 275   si graderere tantum quantum loquere iam esses ad
forum Ps 1236

nimis longum loquor Eᴘ 376*, 665, Pᴇʀ 167
nimis diu et longum loquor Ps 687   †odio sane
oratio quom rem agas longinquom loqui Mᴇʀ
608(*vide U*)

c. omnes loquentur 'hic illest senex doctus' Cap 786

3. *cum abl. linguae uel adverb.*: neque ulla lingua sciat loqui nisi Attica As 793 male corde consultare bene lingua loqui Tru 226 nunc dehinc Latine iam loquar Poe 1029 Punice pergam loqui Poe 983

4. *cum dat.*: mihi Ba 735, Cap 564, Cu 570, Ep 333, Men 125, Tru 265 tibi Am 579, Ps 227 uobis Poe 629 amico Tri 926 Poe 573 cognato Poe 1323 consanguineis Poe 1037 ero Mi 476 libero homini As 478 melioribus Poe 626 patri Poe 1323, Tri 358 patruo Poe 1373 uxori Men 125

LORARIUS - - *in supersc.* Ba *act.* IV. *sc.* 7 (*B*); Cap *act.* I. *sc.* 2 (*z* lolarius *BJRs*); Mer *act.* II. *sc.* 2 (*BC* lolarii *D om Rg*) **lorarii** *in supersc.* Cap *act.* II. *sc.* 1 (*J* lolarii *BERs*); *act.* III. *sc.* 5 (-ius *Z* lolarii *BEJRs*); Men *act.* V. *sc.* 7 (*BD*); Mo *act.* V. *sc.* 1. *v.* 15 (*post hunc v. novam scaenam et supersc. indicant Rs*§*LU secundum A* lorarii *add Rs*§*U om AL*); Ps *act.* I. *sc.* 2 (*BD om C*); Ru *act.* III. *sc.* 4 (*F* -ius *D om BC*), 6 (*E* lora *D om BC*) *cf* Ramsay, *ad Most.*, p. 260

LOREA - - Mi 883, loream *R* moram *P* oram *Gulψ*

LOREUS - - ni hercle diffregeritis talos . . ego uostra faciam latera **lorea**(-eare *D*) Mi 157 *Cf* Inowraclawer, p. 70

LORICA - - **loricam** induam Cas 695 adfer mihi arma et loricam adducito. #Loricam adducam? Ci 284-5 equm me adferre iubes, loricam adducere Ci 292 pro hasta talos, pro **lorica** malacum capiam pallium Ba 71 *Vide* Cu 574, *ubi* et lorica et cassida *U in lac*

LORIPES - - nequiquam hos procos mihi elegi **loripedis**(-es *U*), tardissumos Poe 510

LORUM - - ita **lora** laedunt bracchia Tru 783 iam **lora**(hora *B*) in manus cepi meas Mer 931 seruorum . . operam et lora mihi cedo Mo 1038 ecferte lora Cap 658 Periphanem emere lora uidi Ep 612 tu habes lora: ego te emere uidi Ep 684 iam lora teneo, iam stimulum Men 865 **loris** caedite etiam si lubet Mer 1002 ego uostra latera loris faciam ut ualide uaria sint Ps 145 transcidi loris omnis adueniens domi Per 731 . . ne et hic uarientur uirgis et loris domi Poe 26

LU*** Ci 325

LUBRICUS - - in cella erat paulum (†§) nimis (*om R* erat non minumi *Rg*) loculi **lubrici** Mi 853

LUCA - - institit planta (*Fl* -am *APLULy*) quasi **Luca** bos. #Tace sis (*A* quasi iocabo *P*) Cas 846 *Cf* Egli, II. pp. 43, 56

LUCEO - - lautus **luces** cereum Cu 9 (*acc. cogn.*) **lucet** hoc Mi 218 prius quam lucet (-ent *CD*) adsunt Mi 709 huic **lucebis** nouae nuptae facem Cas 118 (*acc. cogn.*) hoc . . haud multo post luce **lucebit.** Cu 182 *Vide* Men 854, *ubi* lucet *Prisc* I 216 *pro* cluet Mo 1153, *ubi* lucet *P pro* licet

LUCERNA - - si **lucerna** extincta sit . . As 785 it magister quasi lucerna uncto († *U*) expretus linteo Ba 446 (*v. secl L*) **lucernam** forte oblitus fueram extinguere Mo 487

LUCESCO - - **lucescit**(*B²J* luciscit *B¹DE*) hoc iam Am 543 exire ex urbe prius quam **lucescat**(*B²* luciscat *B¹DE* lutescat *J*) uolo Am 533

LUCIFICUS - - Per 515, lucificam *P* lucri. *D³R* luciferam *A* -fera *Rψ*

LUCINA - - Iuno **lucina**(lacina *D*), tuam fidem! Au 692 date mihi . . ignem in aram ut uenerem **Lucinam**(*Sarac* uic. *CD* iuc. *B*) meam Tru 476 *Cf* Keseberg, p. 26; Siewert, p. 29

LUCRIS - - **Lucridei**(*A* -di *PLU*) nomen in patria fuit Per 624 si te emam, mihi quoque **Lucridem**(-dē *B*) confido fore te Per 627 *Cf* Schmidt, p. 194

LUCRIFERUS - - nescis . . quam tibi Fortuna faculam **lucrifera**(*R* -ram *A* -ficam *D³* lucificam *P*) aducere uolt Per 515 quae istaec lucriferast(*A* -ficast *PR*) Fortuna? Per 516 *Cf* Graupner, p. 8

LUCRIFICABILIS - - ne tibi hic dies inluxit **lucrificabilis**(-cabiṣ *A*) Per 712

LUCRIFICO - - Per 712, lucrificabiṣ *A pro* lucrificabilis

LUCRIFICUS - - Per 515, lucrifica *R* -cam *D³* lucificam *P* -feram *A* -fera *Rψ*; 516, lucrifica *PR* -fera *Aψ*

LUCRIFUGA - - Venus . . hos huc adigit **lucrifugas**(*P* -os *A*) Ps 1132

LUCRIO - - *vide* Lurcio

LUCRIPETA - - interuenit **lucripeta**(lucra. *C*) faenus faenerator postulans Mo *Arg* 6

LUCRUM - - I. Forma **lucrum** Am 14, Cap 326, Ep 302, Mer 553(-unst *A* -ost *P* -ist *R*), Mi 675(-umst *L* -ost *Pψ*), Poe 683 **lucri** Ba 859, Mer 553(-ist *R* -ost *P* -umst *A*[-unst] *ψ*), Mo 354, 801, Per 470, 668, 713(*AB* -um *CD*), Poe 771, Ps 267, Tru 426(*Rs* -um *Pψ* -ū *CD*), 459, 690 **lucro** Am 12, As 192, Ci 50, Men 356, Mi 675(-um *L*), Per 689 **lucrum** As 218 (luchrum *J*), Cap 325, 327, 770, Cas 395(luchrum *E*), Cu 531, Mer 95, Per 494, 503, Poe 328 (†§), Ru 916, 1248, Tru 426(-i *KiesRs*) **lucro** Am 6, Au 681(luchro *J*), Poe 750(-is *U*), Ps 264, Ru 923 **lucris**(*abl.*) Am 2, Poe 750(*U* -o *Pψ*), St 405

II. Significatio 1. *nom.*: it ad me lucrum Poe 683 multos iam lucrum lutulentos homines reddidit Cap 326 (*v. secl Rs*) . . adnitier lucrum ut perenne uobis semper suppetat Am 14 est lucrum hic tibi amplum Ep 302 id iam lucrumst* quod uiuis Mer 553 Mi 675(*L vide infra* 2)

2. *gen.*(*cf* Blomquist, p. 165; Schaaff, p. 39): a. quoi homini di propitii sunt aliquid obiciunt lucri Per 470 id iam lucrist* Mer 553 (*R vide supra* 1) si lucri quid detur.. Ps 267 nihil est lucri quod me hodie facere mauelim Ba 859(*fortasse melius sub* b. *ponendum*) lucri quicquid est id domum trahere oportet Mo 801 lucri causa auara probrum sum exsecuta Tru 459

b. lucri facere Ba 859(*supra* a) ecquis homost qui facere argenti cupiat aliquantum lucri? Mo 354 non . . minis trecentis carast: fecisti lucri Per 668 non emisti hanc uerum fecisti lucri* Per 713 . . me esse hos trecentos Phi-

lippos facturum lucri Poe 771   Tru 426(*Rs vide infra* 4)   'a' facio lucri Tru 690

3. dat.: scitis .. datum mihi esse ab dis aliis nuntiis praesim et lucro Am 12(*v. secl Ly*)

nobis lucro fuisti potius quam decori tibi As 192   multis .. damno et mihi lucro .. eris Ci 50   amanti amoenitas malost, nobis lucrost Men 356   quod in dinis rebus sumat sumpti sapienti lucrost* Mi 675

lucro faciundo ego auspicaui in hunc diem Per 689

4. acc.: lucrum amare nullum amatorem addecet Poe 328   ego †mihi cum lusi nihil moror ullum lucrum Ru 1248   quoi homini dei sunt propitii lucrum ei profecto obiciunt Cu 531   maxumas opimitates .. offers mihi: laudem lucrum ludum .. Cap 770   lucrum praeposiui sopori et quieti Ru 916   necessest facere sumptum qui quaerit lucrum As 218   est .. ubi .. damnum praestat facere quam lucrum Cap 327   perdis me. #Facio lucrum Cas 395(*Rs vide* ψ)   lucrum ingens facio .. Mer 95   est res .. unde tu pergrande lucrum facias Per 494   ego ualeo recte et rem gero et facio lucrum Per 503   lucrum* .. uideor mihi .. ubi quippiam me poscis Tru 426

non ego .. lucrum omne esse utile homini existumo Cap 325

5. abl.: **a.** res .. uoltis .. amplo auetare perpetuo lucro Am 6   explicaui meam rem postilla lucro* Poe 750

malam rem potius quaeram cum lucro Au 681   potin ut semel modo .. huc cum lucro respicias? Ps 264   sine lucro et cum malo quiescunt Ru 923

b. ut uos .. uoltis .. me laetum lucris adficere .. Am 2   (Mercurius) .. lucris .. quadruplicauit rem meam St 405

LUCTATOR - - (uinum) pedes captat primum, **luctator** dolosust Ps 1251   *Cf* Inowraclawer, p. 51

LUCTO - - plurumum **luctauimus** Vi 102(*ex Non* 468)   ibi cursu, **luctando**, hasta .. sese exercebant magis quam scorto aut sauiis Ba 428

LUCTUS - - inopiam, **luctum,** maerorem .. Vi 95(*ex Prisc* II. 235)

LUCULENTUS - - I. Forma luculenta Mi 728 (aut l. *R in lac aliter* ψ), 952, Tru 345   **luculentum** Mo 818, Fr I. 65(*ex Non* 63)   **luculentum**(*acc. masc.*) Ep 158(*A -te PULy*), 341 (lo. *B*)   **luculentum** Ci 560, Ru 1407   **luculentum** Men 141(luce. *D¹*)   **luculenta** Mi 958 **luculentas** Ru 1320   **luculente** Ep 158(*PLy* -tum *A*ψ), Mer 424   *corruptum:* Cap 326, luculentos *DVEJ pro* lutulentos(*B*)

II. Significatio undest (anulus)? #A luculenta atque festiua femina Mi 958

condicio noua et luculenta fertur per me interpretem Mi 952   uin tibi condicionem luculentam ferre me? Ru 1407   ut hunc diem luculentum* habeamus Ep 158   mihi hunc diem dedistis luculentum ut facilem atque impetrabilem Ep 341   diuitias tu quidem habuisti luculentas Ru 1320   quae (mers) probast aut luculenta* .. Mi 728(*R*)   uin tu facinus luculentum inspicere? #Quis id coxit coquos? Men 141   tu locere in luculentam familiam Ci 560

si qua mihi obtigerit hereditas magna atque luculenta .. Tru 345   pulcrum et luculentum hoc nobis hodie euenit proelium Fr I. 65(*ex Non* 63)   uiden uestibulum .. quoius modi? #Luculentum! Mo 818

luculente* habeamus Ep 158(*PLy vide supra*) me tibi illam posse opinor luculente uendere Mer 424

LUCUS - - Siluani **lucus**(lacus *BDE*) extra murumst auius, crebro salicto oppletus Au 674 in tuo **luco** et fanost situm (aurum) Au 615 illam (aulam) ex Siluani luco quam abstuleras cedo Au 766   *Vide* Fr I. 32, *ubi* luco *libri pro* loco

LUCUSTA - - *vide* locusta

LUDIBRIUM - - ludibrio .. adhuc .. me habuisti Cas 645 .. eum ut ludibrio(*BJ* **dibrio *VE*) habeas Cas 868   satine illic homo ludibrio(*J* ludribrio *B*) nos .. habet? Ep 666   qui lubet ludibrio habere me? Men 396   ludibrio .. habeor Men 782   *Cf* Ramsay *ad Most* p. 277

LUDIBUNDUS - - palliolatim amictus sic incessi **ludibundus** Ps 1275

LUDICER - - meum cor coepit artem facere ludicram atque in pectus emicare Au 626(*cf* Graupner, p. 20)   *Vide* Men 821, *ubi* nimio hoc ludicre *R* immo(inmo *B*) hec eludere *PS*† *var em* ψ

LUDIFICABILIS - - hic intus fiunt ludi **ludificabiles** seni nostro et nostro Olympioni uilico Cas 761

LUDIFICATOR - - ego illum ante aedis praestolabor **ludificatorem** meum Mo 1066

LUDIFICATUS - - me sibi habento -scurrae **ludificatui**(*A* -ficis catii *B* -ficis cauiis *CD*) Poe 1281   *Cf* Ramsay *ad Most* p. 277

LUDIFICO(R) **- - I. Forma**(*cf* Hofmann, p. 28)   **ludificor** Tru 636   **ludificas** Am 585, Mer 307   **ludificat** Ci 215, Mo 832(*Bent* -atur *AP*)   **ludificatur** Mer 920, Mo *Arg* 3(ludicatur *C*), Poe 548, 1097(ludicatur *B*)   **ludificant** Am 1047, Men 523, Mi 488   **ludificabor** Mo 1067(*B¹* -bo *B²CD*)   **ludificabit** Am 1041 (*F* -uit -*BDE* -bunt *J*)   **ludificabitur** Am 952 (-batur *J*), Cap 613   **ludificauisti** Mi 495(-casti *C* -fiuisti *D¹*)   **ludificem** Cas 560   **ludificetur** Ep 373, Ps 1120, Tru 26   **ludificemus** Per 833   **ludificemur** St 578   **ludificauerit** Mo 1151   **ludificari** Am 565(-re *E*), Ba 1100(*v. secl RRg§L*), Ci 501(-re *E*), 906, Per 843(-crari *C*)   **ludificarier** Cap 487, 490(*v. secl FlRs§U*), Mi 538, 1161(*Ca in lac* deludificari *R*)   **ludificatus** Ba 523, 642, Cas 558, 592, Ep 671, Mo 1040(*FZL* ille l. *RU* eludi. *P*ψ), 1124(*Ald* -tū *P*), 1147   **ludificatam** Mi 490(*A* -ta *P*)   *corrupta:* Mi 991, ludificandi *P pro* ludi faciundi(*Ca*)   Mo 1033, te lud *P pro* lud.(*Bo*)

II. Significatio (*cf* Ramsay *ad Most* p. 279) **1. active: a. absolute:** quid si adeam hunc insanum? #Nugas: ludificabitur Cap 613   ni ludificata lepide (eum *add U* hominem *R*) ero .. Mi 927

b. cum acc.: tun me .. audes erum ludificari*? Am 565   numquam .. me inultus istic ludificabit* Am 1041   me atque uxorem ludificatust

larua Cas 592   ita me Amor lassum animi
ludificat Ci 215 (fidicina) senes duo docte ludificetur Ep 373   quot illic homo hodie me
exemplis ludificatust atque te! Ep 671   ita me
ludificant Men 523, Mi 488   ludificas nunc tu
me heic Mer 307   omnibus hic ludificatur me
modis Mer 920   quot me exemplis hodie ludificatus est! Mo 1040 ..quibus modis me ludificatust Mo 1147   me amantem ludificatur tam
diu Poe 548   illic homo me ludificetur Ps 1120
te Ep 671(*supra*)   ..quo pacto tuos te seruos
ludificauerit Mo 1151   hunc ludificemus Per
833   hunc leno ludificatur* Poe 1097   mea
causa de auro.. eum ludificatus est Ba 523
..ut eum ludificem uicissim Cas 560   eum Mi
927(*U supra* a) (ego) quem omnes mortales
..ludificant Am 1047

erum..ludificas dictis delirantibus Am 585
..quo..modo hominem(dominum *BugRsU*)
aduenientem seruos ludificatus* sit Mo 1124
ludificemur hominem St 578   tun..meam ludificauisti* hospitam ante aedis modo? Mi 495
senem ut reuenit ludificatur* Tranio Mo *Arg* 3
ludificat* una cornix uolturios duos Mo 832
uxorem Cas 592 (*supra*)

quoius ego hodie ludificabor* corium Mo 1067
2. *passive:* me hoc aetatis ludificari! Ba 1100
(*v. secl RRgSL*)   uideo me sic ludificarier Cap
487   me ibi uideo ludificarier Cap 490(*v. secl
FlRsSU*)   pulcre ludificor, sine Tru 636   iam
hic est lepide ludificatus Cas 558   graphice
hunc uolo ludificari* Per 843   isadeo inpran-
sus(lepide *add LindRgl in lac*) ludificabitur*
Am 952

quot amans exemplis ludificetur Tru 26   ut
(erus) ludificatust! Ba 642   patierin me periurare? *Pol..facilius quam..ludificari* filiam
Ci 501   numquam..hominem quemquam ludificarier magis facete uidi et magis miris modis Mi 538   meamne hic in uia hospitam..
tractatam et ludificatam*! Mi 490   ludificari
militem tuom erum uis? Mi 906   militem lepide et facete et laute ludificarier* uolo Mi
1161

LUDIFICUS - - Poe 1281, ludificis catui(*B
cauiis CD*) *pro* ludificatui(*A*)

LUDIUS - - tu istum gallum..glabriorem
reddes mihi quam uolsus **ludiust**(lydyus est *B*
lidyus est *D* lidius est *J*) Au 402   fite causa
mea, **ludii**(*Sarac* me alidi *P*) barbari Cu 150
(*cf* Egli, II. p. 34, *adn.*; Inowraclawer, p. 49)

LUDO - - I. Forma ludo Cas 685, Mi 325,
1066, 1073   **ludis** Cap 877, Mi 324, Mo 1080,
Ps 24(-in *R falso*), Ru 468(*FlLU* melius *PSt*
meliust *Ly* melli's *Rs*)   **ludit** Men 824, Per
Arg I. 5   **luditur** Mi *Arg* I. 9(*B del. CD*) **lu-
dimus** Ps 369   **ludunt** Cas 980, Cu 296(inl. *J*)
ludam Ci 367, Tri 896   **lusi** Ba 642, Ru 1248
(mihi cum lusi *PStLt* nisi quom l. Bo*Rs**U*
mihi conlusim *ExonLy*)   **lusit** Per 635(iussit
B), Tru 758(hinc l. *Rs* incluit *BSt* induit *CD*
me lusit *U* exclusit *SpLLy*)   **luseris** Cap 344
ludam Cu 355   **ludas** Cu 326(laudas *J*) **ludatis** As 730   **luserim** Cas 424   **lude** Per
805(*Z* ꝛlude *PRL*), 811(*Rs* delude *D³ψ* delube
P)   **ludere** Cas 688, Mo 1158, St 702, Tru
718(l. intus *Rs duce Dousa* l. istos *U* ludin

istos *PSt* ludo in istoc *LLy*)   **ludenti** Poe
1074   **ludentis**(*acc.?*) Per 760(lubentis *GulR*)
corrupta: Am 340, luderi *EJ pro* uideri As 239,
ludebit *E pro* lubebit Cas 170, lusin *E* lussin *V pro* iussin Men 821, hercle †ludere *L*
hac eludere *PSt var em* ψ Mer 60, luderet
P pro puderet(*Pius*); 251, ludere *B pro* lugere
Ps 691, ludam *A pro* deludam(*P*) Tru 360,
luseris *P pro* iusseris(*A*)

II. Significatio 1. *proprie:* nunc Bacchae
nullae ludunt Cas 980   prouocat me in aleam
ut ego ludam Cu 355   commodule ludis* Ru
468   ego †mihi cum lusi* nihil moror ullum
lucrum Ru 1248   dum..se exornat nos uolo
ludere inter nos St 702
   domi hercle uero (illast). #Abi ludis me.
#Tum mihi sunt manus inquinatae. #Quidum?
#Quia ludo luto Mi 325(*vide infra* 2. b *et cf*
Dousa, p. 340)
   omnis hilaros ludentis* laetificantis faciam
ut fiant Per 760   ludenti puero (signum) mo-
mordit simia Poe 1074
   scis solere illanc aetatem tali ludo ludere
Mo 1158(*cf* Ps 24 *infra* 2)
2. *translate* = **ludificari: a.** *absolute:* ego huc
missa sum ludere Cas 688   lepidast materies:
ludam ego nunc Ci 367   isti qui ludunt* datatim serui scurrarum in uia Cu 296   ut ludo?
quid ego? ut sublecto? Mi 1066   quid est?
ut ludo? Mi 1073   lepide lusit* Per 635   lude*
ut soles quando liber locust hic Per 805   lude*
ut lubet Per 811(*Rs*)   tu perge ut lubet ludere* intus(istos *PU*) Tru 718   abiit intro hinc
(me *U*) lusit* Tru 758
   b. *cum acc.:* nec..scire..me cur ludatis possum As 730   abi in malam rem, ludis me
Cap 877   uide ne me ludas* Cu 326   abi ludis me Mi 324, Mo 1080   ludis* me ludo tuo
Ps 24   Tru 758(*U supra* a)   profecto ludit
te hic Men 824   ridiculis(-le is *SeyU*)..quasi
sit alia, luditur* Mi *Arg* I. 9   ludo ego hunc
facete Cas 685   istos Tru 718(*PU supra* a)
intricatum ludit potans Dordalum Per *Arg*
I. 5   erum maiorem meum ut ego hodie lusi
lepide! Ba 642   ludam hominem probe Tri 896
   c. operam ludere: nihil est ignotum ad illum
mittere: operam luseris Cap 344   si nunc me
suspendam, meam operam luserim Cas 424   in
pertussum ingerimus dicta dolum: operam ludi-
mus Ps 369

LUDUS - - I. Forma ludus As 13, Ba 116,
Cas 25, Ps 65, St *Arg* II. 7   **ludo** Ba 129, Ps
1278b, Ru 429   **ludum** Ba 1082(*PRU om Bueψ*),
1083(*aliter R*), Cap 770, Mer 303, 846, Per 173,
St 735, Tru 107   **ludo** As 226, Mo 1158, Poe
296, Ps 24, 743, Ru 43, Tru 718(ludo in istoc
LLy ludin istos *PSt* ludere intus *Rs duce
Dousa* ludere istos *U*)   **ludi** Cas 25, 761, Men
29(*B²* ludei *B¹RsSLy* iudei *C* iudei *D*), Mi 991
(l. faciundi *Ca* ludificandi *P*), Poe 41   **ludorum** Poe 36   **ludos** Am 571, Au 253, Ba 1090
(ludus *D*), 1100(ludus *C v. secl RRsSL*), Cap
579 , Cas 28, 760, 856, Ci 157, Ep 706(*A* ludo
P), Men 30, 405, Mer 225, Mo *Arg* 7(ludus *B*),
Mo 427, Per 771, 803, Poe 206, Ps 546, 552,
1167(*F* ludo *AP*), 1168, Ru 470(*v. om CD*), 535,
593, 791, 900, St 306, Tru 759, Fr I. 36(*ex Char*

203), 62 (*ex Varr de l. L.* V. 153) **ludis** Cas 27
(lud' *E*), Per 436, Poe 1012, 1291, Fr I. 76 (*ex
Gell* III. 3, 7)   *corruptum:* Per 535, ludo *P pro*
luto (*A*)

  II. Significatio 1. *proprie* a. *sing.* (cf R a m-
s a y *ad Most* p. 274): inest lepos ludusque in
hac comoedia As 13   quis istic habet? #Iocus
ludus, sermo.. Ba 116   nostri amores..iocus,
ludus, sermo..! Ps 65   ludus datus est argentariis Cas 25 (*i. e.* tempus ludendi)   Sticho ludus datur St *Arg* II. 7 (= ludificatur)
   ubi circum uortor cado: id fuit naenia ludo
Ps 1278 b (*cf* G r a u p n e r, p. 6)   otium ubi erit
tum tibi operam ludo et deliciae dabo Ru 429
ego dare me ludum* meo gnato institui ut
animo obsequium sumere possit, .. sed nimis
nolo desidiae ei († *S*) dare ludum* Ba 1082-3
(*vide R*)   offers mihi laudem lucrum ludum
iocum.. Cap 770   sex sodales repperi: ..lae-
titiam, ludum, iocum Mer 846   alium ludum
nunc uolo St 735   per ioculum et ludum (*cum
prior. coniungit L*) de nostro †sepe aedunt (saepe
edunt *FZLLy*) Tru 107
   scis solere illanc aetatem tali ludo ludere
Mo 1158   ludis me ludo tuo Ps 24   meo me
lacessis ludo et delicias facis Poe 296   lepide
..meo me ludo lamberas Ps 743   tu perge ut
lubet ludo* in istoc Tru 718 (*LLy*)
   b. *plur.:* semper fere *de ludis publicis* (*cf*
L e e r s, p. 16; R a m s a y *ad Most* p. 275): ludi
sunt Cas 25   Tarenti ludi* forte erant quom
illuc uenit Men 29   iamst ante aedis circus
ubi sunt ludi* faciundi mihi Mi 991 (*cf* I n o-
w r a c l a w e r, p. 50)   dum ludi fiunt in popinam inruptionem facite Poe 41   *Cf* Cas 761
(*infra* 3)
   quodque ad ludorum curatores attinet, ne
palma detur.. Poe 36
   neque (credo) usquam ludos tam festiuos fieri
quam hic.. Cas 760 (*infra* 3)   eximus intus
ludos uisere huc in uiam nuptialis Cas 856   age,
puere, a summo septenis cyathis committe hos
ludos Per 771   heus, i foras, .. si uis uidere
ludos iucundissumos Poe 206   indice ludos
nunciam quando lubet Ps 546 (*cf* I n o w r a c l a-
w e r, p. 49)   lubidost ludos tuos spectare Ps
552   spectaui ludos magnifice (confectos *add L*)
atque opulenter Fr I. 36 (*ex Char* 203)   quid
cessamus ludos facere? circus noster ecce adest Fr I. 62 (*ex Varr de l. L.* V. 153)
   mercator uenit huc ad ludos Lemnius Ci 157
mortales multi ut ad ludos conuenerant Men 30
(*cf* L e e r s, p. 33)   quid si aliquo ad ludos me
pro manduco locem? Ru 535   ad cursuram
meditabor ad ludos Olympicos St 306   secundum ludos reddunt autem nemini Cas 28
   abl. temporis (*cf* K a n e, p. 48): ludis poscunt
neminem Cas 27   citius.. foro fugiunt quam
ex porta ludis quom emissust lepus Per 436 (*cf*
L e e r s, p. 16)   mures Africanos praedicat in
pompam ludis dare se uelle aedilibus Poe 1012
atrior.. siet quam Aegyptini qui cortinam ludis per circum ferunt Poe 1291   illud est quod
'responsum †Arretini (Arreti *HertzLLy*)' ludis
magis (*om Rg* magnis *LLy* magnis l. *codd recent*) dicitur Fr I. 76 (*ex Gell* III. 3, 7)
   2. = **schola**: hodie eire occepi in ludum lit-

terarium Mer 303   ouis si in ludum iret potuisset iam fieri ut probe litteras sciret Per 173
non omnis aetas..ludo conuenit Ba 129
   eam uidit ire e ludo fidicinio domum Ru 43
haecine te esse oblitum, in ludo qui fuisti tam
diu? As 226
   3. *translate* **ludos facere** = ludificari: *absolute:* iam (me *add GrutRU*), amabo, desiste ludos facere Men 405
   cum acc.: ludos facis me Am 571   hocine
me aetatis ludos* bis factum esse indigne? Ba
1090   me.. sic ludos* factum Ba 1100 (*v. secl
RRgSL*)   quo modo me ludos* fecisti de illa
conducticia fidicina Ep 706   Men 405 (*GrutRU
vide supra*)   ludos me facitis Per 803   ludos
me facit Ru 470 (*v. om CD*)   iste te ludos facit Cap 579   uideo..ego te me arbitrari..ido-
neum quem.. ludos facias Au 253
   exploratorem hunc faciamus ludos* suppositicium adeo donicum ipsus sese ludos fieri senserit Ps 1167-8   ludos*.. rursum fit senex Mo
Arg 7
   et operam ludos facit et retia Ru 900
   cum dat.: ego tibi (ted *MueRs*)..ludos faciam
clamore in uia Tru 759   miris modis di ludos
faciunt hominibus Mer 225, Ru 593   hic imus
fiunt ludi ludificabiles seni nostro Cas 761   ludos ego hodie uiuo praesenti hic seni faciam
Mo 427
   ludos dimittere: .. si te non ludos pessumos dimisero Ru 791
   LUGEO - - ego enim **lugere** (lubere *A* ludere *B*) atque abductam illam aegre pati Mer
251 (*infin. hist.*)
   LUGUBRIS - - si haec non nubat, **lugubri**
(*Ca* lucubre *PS* -rae *J*) fame familia pereat
Ci 45
   ΛΥΚΟΣ - - utrumuis est uel leno uel
λύκος Poe 1333 (*S* lycus *Pψ*), 1382 (*S* lycus
Bψ licus *CD*)   canes compellunt in plagas
lepide λύκον (*S* lupum *Aψ* lycum *P*) Poe 648
   LUMBIFRAGIUM - - hac iter faciundumst:
nam illac **lumbifragiumst** obuiam Cas 968 (*A
solus*)   si me inritassis hodie **lumbifragium**
(*F* -frangium *P*) hinc auferes Am 454
   LUMBRICUS - - nisi tu aceruom ederis aut
quasi **lumbricus** terram .. Cas 127 (*cf* W o r t-
m a n n, p. 51)   nunc ab transenna hic turdus
lumbricum petit Ba 792 (*cf* G r a u p n e r, p. 23;
I n o w r a c l a w e r, p. 85)   foras, **lumbrice**, qui
sub terra erepsisti modo Au 628 (*cf* I n o w r a-
c l a w e r, p. 67)
   LUMBUS - - dis stribula aut de **lumbo** obscena uiscera Fr I. 52 (*ex Varr de l. L.* VII. 67)
lumbi sedendo oculi spectando dolent Men 882
fusti defloccabit iam illic homo **lumbos** meos
Cas 967   lumbos porgite atque exsurgite Ep
733   nos (uelimus) tibi in lumbos linguam atque oculos in solum (decidere) Poe 571   exporgi meliust lumbos atque exsurgier Ps 1   ei
hercle ego uerbo lumbos diffractos uelim St
191 (*cf* E g l i, I. p. 35; G r a u p n e r, p. 3)
   LUMEN - - remorare? **lumen** linque Ci 643
occultemus lumen et uocem Cu 95   lumen hoc
uide Cu 117   isti umbram audiuit esse.. sub
sicco **lumine** (*L* sudo columine *A ut vid et RsS*
diuo col. *Ly* sole columen *U* diu col *cum lac P*)

usque perpetuom diem Mo 765　me interfecisti paene uita et lumine Tru 518　Vide Ba 955, *ubi* lumen *A*, Ci 650, *ubi* lumen *J pro* limen

LUNA - - neque se luna(Luna *LLy*) quoquam mutat atque uti exortast semel Am 274　Volcanus, Luna, Sol(*Guy* s. l. *P*), Dies, dei quattuor scelestiorem nullum inluxere Ba 255(*cf* Hubrich, p. 46; Keseberg, p. 31)　ita me Iuppiter Iuno Ceres Minerua, †Latona(Luna *BergkRg* Lato *US²Ly ex Varr de l. L.* VII. 16), Spes(S. L. *GuyRU*)..ament Ba 893　aut soli aut lunae(-ne *D*) miserias narrant suas Mer 5 diem aquam solem lunam noctem haec argento non emo As 198　(dixit) si tu illum solem sibi solem esse diceres se illum lunam credere esse Ba 700

LUNULA - - non meministi me auream ad te afferre natali die lunulam(*A* iunulam *B* innullam *J* tunulam *E*)? Ep 640　*Cf* Ryhiner, p. 28

LUO - - ipse..poenas pro moecho luit Mi *Arg* I. 14　*Vide etiam* Ps 543, *ubi* lue *B pro* seu Ru 500, *ubi* lui *P pro* tui(*FZ*) St 405, *ubi* luuit *B pro* iuuit

LUPANAR - - Mnesilochus..haud consimili ingenio atque illest qui in lupanari accubat Ba 454

LUPILLUS - - hoc conuiuiumst pro opibus nostris satis commodule nucibus..lupillo(, *Ly*) comminuto, (*comma om Ly*) crustulo St 691　*Cf* Ryhiner, p. 35

LUPINUS - - lupina scaeua fusti rem gerit Cas 971

LUPUS, LUPA - - 1. lupus est homo homini non homo quom qualis sit non nouit As 495　quasi lupus esuriens †metui ne in me faceret impetum Cap 912(*cf* Egli, I. p. 21) hereditatem inhiat quasi esuriens lupus St 605 (*cf* Graupner, p. 26)　adesuriuit et inhiauit acrius lupus: obseruauit..: gregem uniuorsum uoluit totum auertere: #Fecisset edepol ni.. Tri 170-2(*cf* Inowraclawer, p. 84)　quasi lupus ab armis ualeo Fr I. 5 (*ex Non* 196; *Paulo* 61)

lupo agnum eripere postulant Poe 776(*cf* Egli, II. p. 56; Schneider, p. 7) diuortunt mores uirgini longe ac lupae(-pę *J* -pe *E*) Ep 403

canes compellunt in plagas lepide lupum(*A* lycum *P* λύκον *S*) Poe 648　eccum tibi lupum in sermone: praesens esuriens adest St 377

2. nec quo fugiam scio: hac lupi, hac canes Cas 971(*cf* Schneider, p. 34)　ui magna seruos est..lupae ui(*Py* lut poeni *B* it poeni *D* i poeni *C* ne *PyU*) rapiant domini parsimoniam Tru *Arg* 6

hoc est eorum(*i. e.* seruorum) officium ut mauelis lupos(*A* lupus *P*) apud oueis quam hos domi linquere custodes Ps 140(*cf* Wortmann, p. 22)

oues illius hau longe absunt a lupis Tru 657

ΛΥΡΑ - - *vide* lyra

LURCIO - - *puer. In supersc.* Mi *Act.* III. sc. 2(*B om CD*¹ luchrio *D*² Lucrio *L*) Mi 843 (*Fl* uotio *BCU*† uocio *D*¹ otius *D*³ serio *R* lucrio *GronovL*)　*Cf* Schmidt, p. 193

LURCO - - perenniserue, lurco(*ex Non* 11 lurch *P* lurcho *Ly* lyrchę *A*) edax(l., e. *LU*), furax, fugax Per 421

LURIDUS - - uiden tu illi maculari corpus totum maculis luridis? Cap 595

***LUS** - - Cas 726(*A lac P*); Ci 362(*A*)

LUSCINIOLA - - ego metuo lusciniolae(-lę *BC* -le *D*) ne defuerit cantio Ba 38　*Cf* Ryhiner, p. 33; Schneider, p. 10; Wortmann, p. 42

LUSCITIOSUS* - - mirumst lolio uictitare te tam uili tritico. #Quid iam? #Quia luscitiosu's(*B²D*¹ lusciosus *D* lusciniosus *B*¹ qui aliis citiosus *C*). #Verbero, edepol tu quidem caecus non luscitiosu's(lusciosus *CDNon* 135) Mi 321-2

LUSCUS - - si sic non licebit, luscus dixero Tri 465　lenones meo animo nouisti, lusce, lepide Cu 505　quoi reddidisti? #Lusco liberto tuo Cu 543　quos tu mihi luscos libertos(parasitos l. *Don ad Adel* V. 7, 9)..somnias? Cu 546

LUSITO - - patriciis pueris aut monerulae aut anites..dantur quicum lusitent Cap 1003 *Cf* Ramsay *ad Most.* p. 277

LUSOR - - ..te ut deludam contra lusorem meum Am 694

LUSTROR - - (serui) ex conspectu eri si sui se abdiderunt luxantur, lustrantur Ps 1107 ubi fuisti? ubi lustratu's(lustretur *Non* 135)? Cas 245

LUSTRUM - - is apud scortum corruptelaest liberis, lustris studet As 867　ubi in lustra (illustra *E*) iacuisti? #Egon in lustra(illustra *E*)? Cas 243　accurrit uxor ac uirum e lustris rapit(*Ca* eius trisrae *BDE* eius triste agit *EJ*) As *Arg* 8　cano capite te cuculum uxor ex lustris rapit As 934　aurum..quod..in lustris (illustris *D*¹) comedim Ba 743　hi male suadendo et lustris lacerant homines Cu 508

LUTEUS - - purpureum panem an puniceum soleam ego esse an luteum? Men 918

LUTEUS - - neque periurior..alter usquamst gentium quam erus meus est, neque tam luteus neque tam caeno conlitus Poe 826　blitea et luteast(lautea est *Non* 80) meretrix nisi quae sapit in uino ad rem suam Tru 854

LUTITO - - hi mores maiorum laudant, eosdem lutitant(*R* lat. *AP*) quos conlaudant Tri 292

LUTOSUS - - Poe 232, lutosast *RRgl* inlusta *BSt* iniusta *CD var em* ψ

LUTULENTUS - - eum ex lutulento caeno propere hinc eliciat foras Ba 384　multos iam lucrum lutulentos(*B* luc. *DVEJ*) homines reddidit Cap 326　lenone istoc Lyco..non lutumst lutulentius Poe 158

LUTUM - - uerberibus, lutum(multum *UL*), caedere(*Guy* c. l. *PLU*) pendens Mo 1167　oh, lutum lenonium, ..inpure, inhoneste.. Per 406 possum te facere ut argentum accipias, lutum? Per 414　Ru 497(lutum *ad finem versus add Rs*) lenone istoc Lyco..non lutumst lutulentius Poe 158(*cf* Egli, I. p. 14)　si sapiam, hoc quod me mactat concinnem lutum Ru 96

2. iaceam ego asinus in luto Au 230　mihi sunt manus inquinatae. #Quidum? #Quia ludo

luto Mi 325 . . ut in luto (*A* ludo *P*) haeream Per 535 (*cf* Schneider, p. 3) nunc homo in medio lutost (*A* tuto est *P*) Ps 984 (*cf* Inowraclawer, p. 36) luto usust multo Ru 100

LUX - - I. Forma lux Cap 864, Mi 1344, St 618 **lucis** Cap 1008 **lucem** Am 602, 639, 699, Cas 487, Men 928, Poe 318, Tri 885 **luce** Am 547, Cu 182, Tru 574 **luci** (*loc.*) Am 165 (-is *D²*), Au 748 (*ex Non* 210 luce *P*), Cas 786 (cum l. *Rs*), Ci 525, Men 1006, Mer 255 (*Ca* luce *P*), St 364

II. Significatio 1. *nom.*: ego nunc tibi sum summus Iuppiter . . Salus, Fortuna, Lux . . Cap 864 (*cf* Egli, III. p. 4) quae res? quid uideo? lux salue! Mi 1344 o lux oppidi! St 618

2. *gen.*: mihi item ut parentes lucis das tuendi copiam Cap 1008

3. *acc.*: perdormiscin usque ad lucem? Men 928 (*cf* Leers, p. 32) ante lucem a portu me praemisisti domum Am 602 (*cf* Egli, II. p. 63) abiit a me hinc ante lucem Am 639 ante lucem et istunc et te uidi Am 699 hinc tu ante lucem rus cras duces Cas 487 ante lucem ad aedem Veneris uenimus Poe 318 si ante lucem tire occipias a meo primo nomine . . Tri 885

4. *abl.*: . . mortalis inlucescat luce clara et candida Am 547 (*de die*) hoc . . haud multo post luce lucebit Cu 182 haec meretrix meum erum . . priuauit bonis luce honore atque amicis Tru 574

5. *loc.* (*cf* Heckmann, p. 24; Kane, p. 54; Leers, p. 14): nonne idem hoc luci* me mittere potuit? Am 165 ueniamus luci (cum luci *Rs*); ego cras hic ero Cas 786 erum meum hic in pacato oppido luci deripier in uia! Men 1006 luci* claro deripiamus aurum matronis palam Au 748 (*cf Non* 210)

6. cum primo luci cras nisi ambo occidero . . Ci 525 ad portum hinc abii mane cum luci* semul Mer 255 me misisti ad portum cum luci simul St 364

LUXOR - - (serui) ex conspectu eri si sui se abdiderunt **luxantur** (*Non* 335 luxuriantur *CD* luxuriantur iantur *B*) Ps 1107

LUXURIA - - . . **luxuriae** (-ie *E*) sumptus suppeditare ut possies As 819 mihi Plautus nomen Luxuriae indidit Tri 8 (*cf* Goldmann, II. p. 6)

LUXURIOR - - Ps 1107, luxuriantur *CD* luxuriantur iantur *B pro* luxantur (*Non*)

LYCIA - - Persas . . Syros, Rhodiam atque **Lyciam** (liciam *BJ* litiam *VE*) . . subegit solus Cu 444

LYCISCUS - - servus. Lycisce Fr II. 34 (*ex* Ps-Acrone ad Hor Sat II. 5. 11: li. *codd.*) *Cf* Schmidt, p. 194

LYCO - - trapezita. In supersc. Cu act. III (li. *P*); act. III. sc. 2 (*Rg SLULy* lyc̄ *J* trapezita *BE*), 3 (li. *E*) nom. Cu Arg 4 (li. *J*), Cu 420 (*J* li. *BVE*), 516 (*B* li. *EJ*) **Lyconi** Cu 429 (li. *BE*) **Lyconem** Cu Arg 6 (li. *EJ*), Cu 341

(li. *J*), 346 (liconidem *P*), 406 (li. *BJ*), 411 (li. *BJ*) **Lycone** Cu 712 (li. *E*), 714 (li. *EJ*) *Cf* Schmidt, p. 195

LYCONIDES - - adulescens. In supersc. Au act. IV. sc. 7 (li. *BEJ* om *D*), 9 (li. *P* om *Rg*), 10 (li. *BJ* om *DE*); act. V. sc. 1 (li. *BEJ* om *D*) nom. Au Arg I. 5 (li. *P*), II. 3 (li. *P*), Au 779 (li. *EJ*) **Lyconidis** Au Arg I. 10 (li. *BDE*) **Lyconidi** Au Arg I. 15 (li. *P*) *vide* Cu 346, *ubi* liconidem *P pro* Lyconem *Cf* Schmidt, p. 195

LYCURGUS - - Lycurgus (ligurgus *P*) mihi quidem uidetur posse hic ad nequitiam adducier Ba 111 (*cf* Egli, III. p. 21; Brachmann, de Bacc. retract. p. 183) Alcumeus atque Orestes et Lycurgus (li. *E* ligurgus *BVJ*) Cap 562 (*cf* Egli, III., p. 15)

LYCUS - - leno. In supersc. Poe act. II (li. *B* om *C*); act. III. sc. 3 (leno *B* om *CD¹*), 5 (leno *B* om *CD¹*); act. V. sc. 6 (*A* om *P*) nom. Poe Arg 4, Poe 200 (*B* li. *CD*), 1333 (λύχος *S*), 1382 (*B* li. *CD* λύχος *S*) **Lyco** Poe 92 (*B* li. *CD*) **Lycum** Poe 187 (*B* li. *CD*), 591, 742, 1330 (*PL* optume *Aψ*) **Lyce** Poe 621, 646 (*B* lice *CD*), 1381 **Lyco** Poe 157 (*B* lico *CD*) *Vide* Poe 648, *ubi* lycum *P* λύχον *S* lupum *Aψ* *Cf* Schmidt, p. 195

LYDUS - - servus. In supersc. Ba act. I. sc. 2 (li. *P*); act. III. sc. 1 (li. *P*), 3 (li. *P*) nom. Ba 415 **Lydum** Ba 138 (li. *P*), 450 (li. *P*) **Lyde** Ba 121 (li. *P*), 129 (li. *P*), 137 (li. *P*), 147 (li. *P*), 168 (li. *B* idde *CD*), 408, 416, 437 (li. *CD*), 467 (li. *CD*), 473 (li. *BC*), 499, Fr I. 69 (*ex Non* 220 lide *Non*) *Cf* Schmidt, p. 195

LYMPHATICUS - - sunt mihi . . nummi aurei **lymphaticei** (*A* -ci *PLULy*). #Deferto ad me. #Faxo actutum constiterit **lymphaticum** Poe 345-6 *Cf* Graupner, p. 5; Keseberg, p. 43; Ramsay *ad Most*, p. 245

LYRA - - gerrae germanae †hae decollyrae **lyrae** (-re *B* lire *C* lire *D* hercle et collyrae escariae *RRgl* αἱ [σαὶ *L*] δὲ χολλῦραι λύραι Palmery) Poe 137

LYSIMACHUS - - senex. In supersc. Mer act. II. sc. 2 (*A* li. *P*); act. III. sc. 1 (*CD* li. *B*), 3 (*CD* li. *B*); act. IV. sc. 2 (*C* li. *BD¹*), 3 (*C* li. *BD¹*), 4 (*C* li. *B* om *D*) act. V. sc. 3 (*C* om *BD¹*) **Lysimacho** Mer 467 (li. *D*) **Lysimache** Mer 283 (*AC* lisy. *B* li. *C*), 292 (*AC* lu. *BR* li. *D*), 304 (*AC* lu. *BR* li. *D*), 312 *Cf* Schmidt, p. 195

LYSITELES - - adulescens. In supersc. Tri act. II. sc. 1 (*AC* li. *D* om *B*), 2 (*AC* li. *D* adulesc *B*); act. III. sc. 2 (*D* om *BC*); act. V. sc. 1 (*C* li. *D* om *B*), 2 (*FZ* om *P*) nom Tri 1152 (*FZ* lysteus *P*) **Lysiteli** Tri 604, 1134 **Lysiteles** (*voc.*) Tri 705 (-is *CD* lystelis *B*), 711 (-is *P*), 717 (-is *CD* lystelis *B*), 1152 *Cf* Schmidt, p. 195

LYSIDAMUS - - senex. In supersc. Cas act. III. sc. 1 (*SpRsS* om *P*), 3 (*A* om *P*), 4 (*A* ut vid om *P*), 5 (*A* ut vid om *P*), 6 (*A* om *P*); act. IV. sc. 2 (om *P*), 3 (om *P*) *Cf* Stud., em. Pl. p. 3

VOCABULA PUNICA

ENUCLEAVIT

RICARDUS J. H GOTTHEIL.

PRAEMONITIO.

Loci Punici Plautini (Poe vv. 930—949) duas recensiones exhibent codices, e quibus altera quae in A apparet quaeque in forma multo corruptiore in P repetita est, adeo corrupta est ut inde significationem extrahere nemo prorsus potuerit, altera quam solus P praebet, corrupta quidem est, at tamen ita ut viri docti aliquoties eam explicare conari non noluerint. Quam difficilis sit interpretatio statim ex eo apparet quod perpauci rei operam dederunt. Inter quos maxime digni sunt qui memorentur F. C. Movers (Die Punischen Texte im Poenulus des Plautus, Breslau 1845), P. Schröder (Die Phönizische Sprache. Anhang: Die Punischen Texte im Poenulus, Halle 1869), et J. Gildemeister, qui vv. 930—939 in editione Goetzii Loewiique (Lipsiae 1884) recensuit atque interpretatus est. Quae temptaverunt reliqui veteres, Scaliger, Solden, Petit, Grotius, Bochart, Sappuhn, Verbrugge, Dorhout, Velthusen, Tychsen, Gesenius, Lindemann, Wex, Wurm, Benary, Ewald, Hitzig, Roediger, ea omnia in apparatu critico editionis Goetzii Loewiique citata sunt. Nihil effecit F. Saltau in opusculo suo (Zur Erklärung der in Punischer Sprache gehaltenen Reden usw., Berliner Studien X., Heft 3, 1889; *cf.* Deutsche Literaturzeitung 1889, no. 31, p. 1135), ubi locum ut non Semiticam interpretari conatus est. Postremus autem textum restituit W. M. Lindsay (Classical Review, vol. XII (1898), p. 361 *et seqq.*), quem postea in editionem suam inclusit. Nuperrime L. H. Gray (The Punic Passages in the Poenulus of Plautus, American Journal of Semitic Languages, vol. XXXIX [1922], pp. 73-78) interpretationem eximiam praebuit.

Linguam Semiticam in formas Indo-Germanicas transscribere quam difficile et lubricum sit sciunt omnes. Si quis enim modo inspiciat Origenis Hexaplorum, Heptaplorum, Octoplorum fragmenta, quae quidem servata sunt, facile intellegat qualem speciem Veteris Testamenti versio Hebraica, litteris Graecis exscripta, exhibeat. Nihilominus, cum Architypum Hebraicum ipsum habeamus, non perdifficile est textum Origenis restituere. Sed in loco Plautino istius modi subsidio caremus. Interpretatus quidem est Plautus ipse Latine primos decem versus, sed haec interpretatio argumenti modo totius loci praebet, quam ob rem in vocabulis ipsis enucleandis haud multum auxili dat. In reliquis locis ne hoc tantillum quidem auxili habemus, nam cachinni commovendi causa vocabula Punica in vocabula Latina commutavisse videtur quae sono quidem similia fuerunt, sed sensum longe alium praebuerunt atque vocabula Punica.

Neque de lingua ipsa litterisque Poenorum qui Carthagini habitabant multum adhuc cognovimus. Scilicet multae inscriptiones Punicae ad nostrum tempus servatae sunt, sed cum hae omnes fere aut funebres aut votivae sint, pauca vocabula eaque plerumque technica exhibent.

In Indice sequente textum Lindsaianum secutus sum, sed vv. 940-949 prorsus neglexi, propterea quod nihil omnino intellegi potest. Vocabulorum formis quae ex P eruit Lindsay formas Hebraicas addidi; sed cum in scriptura Punica numquam quod sciamus vocales indicati sint, has formas Hebraicas exactas neque esse neque esse posse vix necessarium videtur praemonere.

a (937): *articulus definitus*, 'the', 'der' = הַ
aelychot (P elychoth T): chiro aelychot (957): 'itio', 'ius eundi', 'hospitium' = הַהֲלִיכוֹת
Agorastocles (936): *nomen proprium*
alonim (930, 934, 940), 'di' = אֵלִים
alonuth (930, 940), 'deae' = אֵלֹנוֹת

aly: aly thera (939): 'ad portam' *praepositio* = אֱלֵי
amma: amma silli (1141), 'mater mea' = אִמָּה
anech (995 P annech A), annac (1142 A amnac P), 'ego' = אָנֹכִי
ani (1013): 'serve' = עֲנִי

Anno (995): *nomen proprium* (Hanno) = חַנָּה

Antidimas (934): *nomen proprium*

assam (1016 *A* issam *P*): 'sons est' (Gray) = אָשָׁם: *sed textus completus est*: Issam arbinam = Is-amar-binem, 'homo cum eis loquitur' = אִישׁ אָמַר בָּנָם

auo (994, 998, 1001), au (1141), eho (1128): *salutandi genus* 'vive' = חֲוִי *Cf* Danielis II. 4 לְעָלְמִין חֱיִי, 'vive in perpetuum' *Vide etiam s. v.* hanon

bechaedre (*P* udratit *A*) (993): *corruptum esse videtur ex* keretkhadashti, 'Carthaginiensis': *secundum versus* 996 *versionem* = קְרֵתְחֲדַשְׁתִּי

bal-samen (*P* bal-sameni *A*) (1027): 'Baal caelestis, Baal qui in caelo habitat' = בַּעַל שָׁמֵם *Cf* Lidzbarski, Ephemeris für Semitische Epigraphik, I. 248

bane (1141): bane silli, 'filius' = בְּנִי

binim: *vide s. v.* byn

bocca (*P* bua *A*) (1002): 'fletus' = בְּכִי: 'tecum' (Gray) = בָּךְ

bodi (*B* body *CD*) (939): 'de eo' = בַּעֲדוֹ

byth (934): byth lymmoth, 'eo tempore' = בְּ + עֵת

byn (933): byn uii (933), 'fratris mei filius'; byn mythymball (995), Mattanbaalis filius = בֶּן; binim (936), 'eorum filius' = בְּנָם ('cognati mei filius' [Gray] = בֶּן עַמִּי); bynny yd (938), 'yd(?) filii'

bynuthi (933): yth bynuthi, 'filias meas' = אֵת בְּנוֹתָי

canethy (932): li pho canethy, 'utinam obtinuissem, invenissem' = קְנִיתִי Gray *legit* caneth

chi (931, 938): *coniunctio* 'ut' = כִּי. *Versu* 938 'ch' *legitur propterea quod vocabulum quod sequitur a vocali i incipit*

chilluch (938): *fortasse* = chi-illuch, 'hic esse' = כִּי אֵלּוֹךְ

chirs (937): 'testa' *vel fortasse* 'tessera' (Gray) = חֶרֶשׂ

cho (1128): *vide s. v.* auo

chon (934): thulech Antidamas chon, 'Antidamas huc uenit'

chonchem (935): chon lachem = כֵּן לָכֶם. Gray *legit* chon chen, 'ita erat' = כֵּן כֵּן

choth (939): co; coth iusim (*T* lusim *P*), 'ibi exiens' = כֹּה יוֹצְאִים

chyl (935): 'omnia'. thyfel yth chyl, 'omnia facito' = כֹּל

co (*P* ccho *A*) (1006): 'hic (*adv.*)' = כֹּה

corathi (930): 'obsecravi' = קְרָאתִי; corathim (*A* corachim *P*) (1023): 'vocavi'

dyburt (930): *participii activi praesentis nom. fem.* 'es dicens' = דֹּבֶרֶת *vel fortasse per errorem pro* ys dybur chi, 'qui dicis seq. infin.' = אֵשׁ דֹּבֵר כִּי

dobrim (935): ys si dobrim, 'sunt dicentes' = דֹּבְרִים

donni (998): *pro* adoni, 'mi domine' = אֲדֹנִי; donnim *pro* adonnim, 'domini' = אֲדֹנִים

emanethi (937): yth emanethi, 'fidei meae signum' = אֱמוּנָתִי

enny (1006): 'non est' = אֵינִי

estimim (*P* estidin *T*) (1142): 'admiratione plenus sum' ('I'm fair flustered' — Gray) = אֶשְׁתּוֹמֵם

etenesdumetal (1142): ?

gadetha (1017): 'vitiavisti' = גִּדַּעְתָּ. Gray *vocabula ita dividit*: gade tha, 'haedus es' = גְּדִי אַתָּה

gubulim (938): ily gubulim, 'fines' = גְּבוּלִים

gune (1027): 'per dominum meum' = גָּאוֹנִי

hau (*P* au *A*): *vide s. v.* auo. Hauon (1141), 'salutamini' (*impera.*) = חֲווּן

hinnochot (*B* binnochut *CD*) (936): 'hic' = הַגְכַת (*cf* Levy, Phönizische Studien, II. 857)

hy (937): 'is' = הוּא

iaded (932): pro iached; iaded in bynuii, 'una, simul' = יַחַד

ianna (1010): 'respondebo', *imperativi num. sing., pers. tertia, gen. masc. verbi* = עָנָה *i. e.* יַעֲנֶה

ierasan (*vel* -am *P* iryla *A*) (1027): 'eos quiescere cogam' = אֲחָרִישֵׁם (Gray)

ilimnichot (*P* ilimniichot *A*) (1013): 'ad requiescendi locos', *i. e.* 'in malam rem' = וְלַמְּנוּחוֹת

illuch: *vide s. v.* chilluch

ily (938): ily gubulim, 'hi' = אֵלֶּה

in (*i. e.* im) (932): in bynui, 'cum' = עִם

in (1141): 'gratia', 'beneficium' = חֵן

is (1006): 'o homo' = אִישׁ

iusim (939): mon cho(th) iusim, 'qui sunt egredientes?' *participii activi num. plur. gen. masc.* = יוֹצְאִים

la (938): la-sibitthym, 'ad' *Cf* vv. 1013, 1152

lachanna (*A* lachannam *P*) (1152): *incertum, sed cf v.* 1013, lech lachan ani, 'perge, o serve' = לֵךְ לְךָ נָא עָנִי (Gray)

lasibittym (*CD* lasibithim *B*) (938): 'ad habitandum', *infin.* = לְשִׁבְתָּם

lebechaedre (995): *incertum:* 'a senator(?)' — Gray

lech (*A* laech *P*) (1013): lech lachannan, 'i', *impera.* = לֵךְ. *verbi* הָלַךְ *modus imperativus*

li (932): 'utinam' = לוּ

liful (935): chonchem liful, 'facere'; *infin. cum praep.* = לִפְעוֹל

limniichot (*P* limniichto *A*) (1013): 'vapulandi causa' (Gray) = לְמַעַן נָכוֹת

lymnoth (934): byth lymnoth: *incertum*; = עֲלָמוּת — Gildemeister: = לְמֹת — Gray, *qui a radice in lingua Semitica septentrionali ignoto ducit; fortasse* = לִימוֹת 'in dies'

macom (930): macom syth; 'locus' = מָקוֹם

marob (933): bymarob syllohom; 'pignus', 'auxilium' = מַעֲרָב

mehar (*P* mephar *A*) (1002): 'cito venit' = מַהֵר *Cf nomina Phoenicia ut* מַהֵר בַּעַל, *Graece* Μαάρβαλ. Gray *ita legit*: mehar bocca, 'the morning with thee' = מָחָר בָּךְ

mepsi (1142): 'quam gaudeo'! = מָה אֶפְצָה (Gray); 'quantum gaudium meum'! = מָה חֶפְצִי

mi (1001): *pron. rel.* 'qui' = מִי

mlachuni (931): 'labor meus' = מְלָאכוּנִי

mon (939): 'qui' = מָן

muphonnim (*A* muphonium *P*) (1023): 'insani(?)' = מְפֹנְנִים

muphursa (1010): 'quis id explicabit?' = מִי יְפָרְשָׂה; *vel si* Graium *sequimur*, 'explicatum' = מְפֹרְשָׂה

musti (1141): 'inveni' = מְצָאתִי

myschi (in marg mysthi) (931): 'ea quae me paruit, enixa est' = מוֹצָאָי; 'my outcome' — Gray

mysyrtho(m) (933); uybymysyrthoho(m), 'et per eorum iustitiam = וּבְכֵרִשׁ־רְּחָם

mytthymballa (995): *nomen proprium* = מַתַּן בָּעַל 'Baali donum'

naso (lege nasoti) (937): 'tuli' = נָשָׂאתִי

ne (1141): 'hic(?)' = הֵנָּה

nu (936): *fortasse pro* ne; *vide titulum praecedentem*

pal (1017): pal umer; 'mita oratio dictum' = פֶּלָא אָמֵר

pho (933): 'hic, *adv.*' = פֹּה

phursa: *vide s. v.* muphursa

rufe(*A* rufee *P*) (1006): 'medicus' = רֹפֵא

si: *pron. rel.* 'qui'; si-corathi (940), si-dobrim (935); *casus genitivi signum* = שֶׁ: sy-makom (940), sy-corathim (1023), silli (1141)

silli (1141): amma silli, 'mater quae mihi propria est, *i. e.* 'mater mea'; bane silli 'filius meus' = שֶׁלִּי

sith (937): *fortasse* = sithi 'qui mecum est' = שֶׁאִתִּי

syllohom (933): bymarob syHohom, 'eorum umbras' = צִלְּהֶם

syth (930): macom syth, *pron. demonst.* 'hic' = זֹאת

tam(*P* sam *A*) (1006): is tam, 'o mi homo', 'bone vir' = תָּם *lectionem* sam *probat* Gray, 'illic, *adv.*' = שָׁם

thera (939): aly thera, 'porta' = שַׁעַר *Sed forma mirabilis est, quippe quae Aramaica non Phoenica est*

thmum (931): 'finio' = אֶתְמָם Gray *legit* ythmum

thunlech (934): ynnocho thunlech, 'venit' = תְּהֲלַךְ

u (930, 933), uy (944): *coniunctio* 'et'

ubymysyrthoho (933): 'et per eorum rectitudinem' = וּבְמֵי שַׁרְחָהָם

uii (933): byn uii, 'frater meus' = אָחִי

umer(*P* umir *A*) (1017): 'dictum' = אֹמֶר

un (931): *pro* im 'cum, *praep.*' = עִם

uulech (1010): mi uulech, 'iens': *participii activi sing. masc. articulo praecedente* = הַהֹלֵךְ (Gray) 'eos ducet' = יוֹרִיכֵן

yeth (931): 'quisque(?)' = אִישׁ ad ych *corrigit* Gray, 'et ut..' = וּךְ

ybarmi (931): ad ybareu *emendat* Gray, 'fortunabit' = וּבְרְבוּ

yd (938): 'manus' = יַד *vel* 'foedus' = חַוַּעַר

ynnocto (934): lege ynnocho, 'hic, *adv.*' = הֵנָּכֹה

ynnynu (939): ynnynu yslym, 'ecce me' — הִנֶּנִּי

ys (935): ys chom (935), ys dyburt (936), 'qui' = אֵשׁ 'pro אֲשֶׁר'

yshym yslym? (939); 'eos rogabo' = אֶשְׁאָלֵם

ysthyalm (931): 'eos rogo' = אֶשְׁחָאָלֵם *ex eodem radice ex quo vocabulum praecedens*

yth: *particula quae accusativum introducit:* 930, 932, 935, 936, 940; [y]th (933) = אֵרַת (Hebraice אֵת)

yth (937): yth emanethi, 'signum' = אוֹת